INTRODUCTION À LA
PSYCHOLOGIE

2e édition

NTRODUCTION À LA
PSYCHOLOGIE

2ᵉ édition

Rita L. Atkinson

Richard C. Atkinson

Edward E. Smith

Ernest R. Hilgard

Traduit par David Bélanger

Éditions Études Vivantes

Au sujet de l'artiste de la couverture : *Italo Scanga est un sculpteur dont les œuvres sont connues internationalement et sont exposées dans de nombreux musées et galeries aux États-Unis et en Europe. Il est professeur en Arts visuels à University of California, San Diego et il réside et travaille à La Jolla, Californie.*

COUVERTURE : Tête n° 56 *par Italo Scanga, 1985, huile sur bois (72 × 39 × 28). Collection privée. Susanne Hilberry Gallery.*

Introduction à la psychologie, 2ᵉ édition

Traduction de : Introduction to Psychology, ninth edition de Rita L. Atkinson, Richard C. Atkinson, Edward E. Smith et Ernest R. Hilgard

Copyright © 1987, 1983, 1979, 1975, 1971, 1967, 1962, 1957, 1953 by Harcourt Brace Jovanovich, Inc. Renewed 1981, 1985 by Ernest R. Hilgard.

Traduit par : David Bélanger

Production : **Les Éditions de la Chenelière inc.**
Révision linguistique : Robert Morin
Relecture : Cécile Perreault
Mise en pages : Michel Bérard graphiste inc.
Impression : Interglobe Inc.

© Éditions Études Vivantes, 1987

 Éditions Études Vivantes
955, rue Bergar
Laval (Québec)
H7L 4Z7

ISBN 2-7607-0373-8

Dépôt légal 4ᵉ trimestre 1987
Bibliothèque nationale du Québec
Bibliothèque nationale du Canada

Imprimé au Canada
   3 4 5   91

Avant-propos

Selon un vieux proverbe anglais, les chats auraient neuf vies. Le proverbe fait probablement allusion à la capacité qui est celle du chat d'atterrir sur ses quatre pattes quand il fait une chute d'une hauteur qui serait mortelle pour la plupart des animaux. Voici la neuvième édition (en langue anglaise) de ce manuel et sa deuxième version française : les auteurs sont heureux de constater que ce livre a eu neuf vies et ils espèrent qu'il en aura beaucoup d'autres encore. Le manuel original, *Introduction to Psychology*, a été publié pour la première fois en 1953 (la première version française adaptée de la septième édition anglaise a été présentée en 1980). Au cours des années qui ont suivi, cet ouvrage s'est classé parmi les manuels qui ont connu la plus vaste diffusion dans l'histoire de l'édition de niveau collégial ; il a été traduit en plusieurs langues, y compris le russe, le chinois, le français et l'espagnol. Il ne serait d'ailleurs pas surprenant que des étudiants se servant de ce manuel aujourd'hui puissent constater que leurs parents ont déjà utilisé une édition précédente du même ouvrage. En effet, depuis les années 1950, ce texte, plus que tout autre manuel, a permis d'initier la majorité des étudiants inscrits à des cours d'introduction.

Les étudiants suivent des cours d'introduction à la psychologie pour des motifs variés, mais rares sont ceux qui visent surtout à acquérir une connaissance approfondie de ce domaine. Ils veulent plutôt connaître ce qui a de l'importance par rapport à leur vie, à leur avenir, aux problèmes qui menacent la société. Comme dans les éditions précédentes, nous nous sommes efforcés d'écrire pour l'étudiant, mais de manière à satisfaire en même temps l'esprit critique du psychologue. Notre objectif a été de nous montrer sensibles aux intérêts de l'étudiant, sans pour autant sacrifier rigueur scientifique et érudition.

Pour atteindre ce but, nous nous en sommes remis à l'information rétroactive provenant de trois sources : étudiants, professeurs et spécialistes des divers domaines de la psychologie. Pour nous assurer que le sujet d'étude soit bien compréhensible pour les étudiants et pertinent par rapport aux questions d'ordre humain qui les préoccupent, nous avons demandé à un certain nombre d'ente eux de commenter chaque partie du texte en fonction de son intérêt et de sa clarté. Leurs propos nous ont été extrêmement utiles.

Plusieurs professeurs spécialisés dans l'enseignement du cours d'introduction au niveau collégial ont lu le manuscrit au fur et à mesure de sa préparation, nous indiquant s'il convenait à leurs étudiants et nous signalant tout problème susceptible de se poser dans l'enseignement de cette matière. Nous avons également tiré grand profit des nombreux commentaires et des suggestions que nous ont faits les professeurs qui ont utilisé l'édition précédente.

Afin de suivre les progrès de la recherche, nous avons demandé à des experts en la matière de réviser chacun des chapitres. En général, plusieurs spécialistes ont commenté chaque chapitre au cours des premières phases de la révision et dans leur version finale. Nous avons cherché, par une consultation aussi large, à nous assurer que la matière présentée dans ce livre reflète exactement l'état actuel des connaissances en psychologie.

L'édition présente est le fruit d'une révision importante. On peut en mesurer l'ampleur en constatant que plus du tiers des ouvrages cités en référence ont vu le jour depuis la parution de l'édition précédente. Ceux qui sont familiers avec ce texte verront que nous présentons dans un ordre différent les trois chapitres de la troisième partie « Conscience et perception » : « États de conscience » vient en premier et est suivi de « Sentir » et « Percevoir ». Cette nouvelle disposition reflète le regain d'intérêt des psychologues à l'endroit de l'étude de la conscience et le rôle central de cette dernière dans la conception cognitive de la psychologie. Ce chapitre sur les états de conscience permet également de présenter assez tôt des données susceptibles de motiver le lecteur à poursuivre l'étude des thèmes plus difficiles qui suivront.

Dans cette édition, nous avons ajouté une annexe intitulée « Comment lire un manuel : La méthode SQLRT ». Il s'agit de la description d'une méthode de lecture d'un manuel, méthode qui vise à améliorer chez l'étudiant la compréhension et la mémorisation des informations et des idées maîtresses. L'expérience et des données de recherche considérables ont démontré l'efficacité de cette méthode et nous avons cru qu'elle méritait l'attention de nos lecteurs. Deux annexes, qui faisaient partie de l'édition précédente, soit « Bref

CHAPITRES	AVEC ACCENT SUR EXPÉRI- MENTAL- BIOLOGIQUE	AVEC ACCENT SUR PERSON- NALITÉ- SOCIAL	COURS GÉNÉRAL ABRÉGÉ
Nature de la psychologie	1	1	1
Bases biologiques de la psychologie	2	—	—
Développement psychologique	3	3	3
États de conscience	4	4	4
Sentir	5	—	—
Percevoir	6	6	—
Conditionnement et apprentissage	7	7	7
Mémoire	8	8	8
Pensée et langage	9	—	—
Motivations fondamentales	10	—	—
Émotions	—	11	11
Les habiletés mentales et la façon de les mesurer	12	12	—
La personnalité et son évaluation	13	13	13
Stress et affrontement des problèmes	14	14	14
Psychologie anormale	—	15	—
Méthodes de thérapie	—	16	—
Traitement de l'information sociale	17	17	17
Influence sociale	—	18	18

historique de la psychologie »* et « Méthodes statistiques et mesure », apportent une matière additionnelle aux lecteurs qui désireraient en connaître plus long sur ces sujets, qui sont traités très brièvement dans le texte.

Nous avons tenté de « cerner » la psychologie contemporaine dans un manuel de dimensions raisonnables. Mais il revient à chaque professeur de construire son cours en fonction de ses objectifs et du temps dont il dispose. Même si tous les chapitres ne sont pas inclus dans le cours, ils pourront servir de références aux étudiants. S'il s'agit d'un cours plutôt bref, nous croyons qu'il est préférable de traiter à fond un certain nombre de thèmes (chapitres) plutôt que de tenter de parcourir le volume en entier. Nous présentons ci-dessous deux possibilités de cours de 14 chapitres chacun : l'une pour un cours où l'accent serait mis sur l'aspect expérimental et biologique, l'autre où il serait mis sur l'aspect personnel et social. Au professeur qui dispose de très peu de temps, nous proposons également un cours plus réduit de 10 chapitres. Toutefois, ces plans ne sont que des illustrations de combinaisons possibles.

On peut changer l'ordre de présentation des thèmes. Certains professeurs, par exemple, croient qu'il est plus facile de capter l'intérêt de l'étudiant en traitant d'abord de personnalité, de psychologie anormale et de psychologie sociale, remettant à plus tard les sujets plus expérimentaux tels que l'apprentissage, la perception et la psychologie physiologique. Les auteurs du volume ont mis ce plan à l'épreuve dans leur propre enseignement et ne l'on pas trouvé satisfaisant. Le fait de débuter par des thèmes plus personnels, qui suscitent davantage la curiosité, peut constituer un bon départ, mais cette façon d'aborder la matière donne souvent à l'étudiant une idée déformée de la psychologie. D'ailleurs, nombre d'étudiants se trouvent ainsi mal préparés et ils sont déroutés par les thèmes expérimentaux quand on les place ultérieurement devant ces problèmes. La méthode que nous préférons consiste à aborder les chapitres portant sur le développement psychologique et sur les états de conscience très tôt dans le cours, ce qui a pour effet de présenter à l'étudiant une vaste gamme de questions stimulantes concernant la psychologie. Nous nous tournons ensuite vers les aspects plus techniques tels que perception, mémoire et motivation pour ensuite finir le cours en traitant de personnalité, de psychologie anormale et de psychologie sociale. Mais c'est à chaque professeur de choisir l'ordre de présentation qui convient à son style d'enseignement ; le livre a été conçu de façon à permettre une grande variété de plans de cours.

Edward E. Smith, qui avait collaboré à la préparation des éditions précédentes, est maintenant un auteur attitré. Daryl J. Bem, de l'Université Cornell, a restructuré et repris la rédaction de ses deux chapitres sur la psychologie sociale qui, comme toujours, sont attrayants et stimulants. John M. Foley, de l'Université de Californie (campus de Santa Barbara), qui est l'auteur des chapitres 5 et 6, a remis à jour et bien intégré sa présentation des thèmes se rapportant à la perception. Ces contributions venant de deux éminents professeurs et hommes de science constituent une addition notoire à la qualité de cet ouvrage.

Rita L. Atkinson
Richard C. Atkinson
Edward E. Smith
Ernest R. Hilgard

---

* « Bref historique de la psychologie » n'apparaissait pas dans la première version française. Nous nous sommes permis d'y ajouter quelques propos sur l'évolution de la psychologie au Canada et au Québec. (Note du traducteur)

Table des matières

5

Sentir   158

6

Percevoir   194

Quatrième partie

APPRENDRE, SE SOUVENIR ET PENSER   229

7

Conditionnement et apprentissage   230

INTRODUCTION À LA
PSYCHOLOGIE

2e édition

Première partie

JERRY N. UELSMANN   Sans titre, 1981

LA PSYCHOLOGIE: UNE ENTREPRISE SCIENTIFIQUE ET HUMANISTE

1/Nature de la psychologie

Nature de la psychologie

1

La psychologie touche à tous les aspects de nos vies. Au fur et à mesure que l'organisation sociale est devenue plus complexe, la psychologie a assumé un rôle de plus en plus important dans la solution des problèmes humains. Les psychologues s'intéressent à une variété étonnante de questions. Certaines sont des préoccupations d'ordre général. Quelles sont les façons d'élever les enfants qui en font des adultes heureux et compétents? Comment prévenir la maladie mentale? Quelles sont les conditions familiales ou sociales qui mènent à l'aliénation et à l'agression? Que peut-on faire pour sensibiliser les gens aux besoins et aux problèmes des autres?

D'autres questions sont plus spécifiques. Quel est le meilleur moyen de briser une accoutumance à la drogue? Les hommes sont-ils capables de prendre soin d'un bébé aussi bien que les femmes le font? Dans quelle mesure les sondages politiques sont-ils des prédictions qui concourent à leur propre réalisation? Sommes-nous capables, sous hypnose, de nous rappeler plus en détail nos expériences de la petite enfance? Comment faudrait-il, pour réduire l'erreur humaine au minimum, construire les instruments des tours de contrôle de trafic aérien? Quelle influence un stress prolongé exerce-t-il sur le système immunitaire et la probabilité de tomber malade? Jusqu'à quel point la psychothérapie s'avère-t-elle efficace dans le traitement de la dépression? Serait-on capable d'améliorer l'apprentissage en utilisant les substances qui facilitent la transmission des influx nerveux? Les psychologues s'attaquent à ces problèmes et à bien d'autres encore.

La psychologie concerne également nos vies à cause de son influence sur la loi et sur l'ordre public. Les lois sur la discrimination, la peine capitale, la pornographie, le comportement sexuel et les conditions qui font que les individus peuvent être tenus légalement responsables de leurs actes dépendent en quelque sorte des théories psychologiques et de la recherche. Par exemple, les lois relatives aux délits sexuels ont changé considérablement au cours des 30 dernières années, au fur et à mesure que la recherche a démontré que plusieurs actes sexuels, autrefois considérés comme des perversions, sont tout à fait «normaux» dans ce sens que la plupart des gens les posent.

L'influence que la violence, que l'on trouve dans certaines émissions de télévision, exerce sur les enfants, inquiète les parents comme les psychologues. C'est seulement après que des études eurent prouvé que cette influence était vraiment néfaste qu'il a été possible de modifier les critères de programmation de la télévision. Les émissions les plus brutales sont graduellement remplacées par des émissions pour enfants qui témoignent d'un effort concerté de la part des psychologues et des éducateurs pour rendre l'apprentissage intéressant, agréable et efficace.

Étant donné l'influence que la psychologie exerce sur un si grand nombre de facettes de notre vie, il devient important, même pour celui qui ne désire pas se spécialiser dans ce domaine, de connaître quelques-unes de ses données fondamentales et de ses méthodes de recherche. Un cours d'introduction à la psychologie devrait vous permettre de mieux comprendre pourquoi les gens se comportent comme ils le font et vous apporter des éclaircissements sur vos propres attitudes et réactions. Il devrait également vous aider à établir le bien-fondé de beaucoup d'affirmations faites au nom de la psychologie. On trouve chaque jour dans les journaux de gros titres comme les suivants:

- Un nouveau médicament qui améliore la mémoire
- Le contrôle de l'anxiété par l'autorégulation des ondes cérébrales
- Des preuves de l'existence de la télépathie
- Contrôle de la douleur par l'hypnose
- La méditation transcendantale aide à résoudre les problèmes
- Les rapports entre le nombre d'enfants dans la famille et la stabilité affective
- Influence de l'attitude des parents sur l'homosexualité chez les enfants
- Les enfants battus et la personnalité multiple

Comment peut-on juger de la validité de ces prétentions? On peut le faire en partie si l'on connaît les faits psychologiques qui sont bien fondés, et si l'on sait quelque chose de la sorte de preuve nécessaire à l'établissement d'une « nouvelle découverte ». Ce livre présente un aperçu de l'état actuel de nos connaissances en psychologie. Il traite aussi de la nature de la recherche — de la façon dont un psychologue formule ses hypothèses et prépare des devis expérimentaux pour les vérifier ou les rejeter.

La psychologie est jeune par comparaison à d'autres disciplines, et au cours des dernières années, la recherche en ce domaine a connu une véritable explosion. D'où l'évolution et la transformation constantes et continuelles des théories et concepts psychologiques, qui font qu'il est si difficile d'arriver à une définition précise de la psychologie. Essentiellement, les psychologues sont intéressés à savoir «pourquoi les gens agissent comme ils le font ». Il y a plusieurs moyens d'expliquer l'activité humaine. Avant de présenter une définition formelle de la psychologie, il convient de considérer les diverses façons dont on peut aborder l'explication des phénomènes psychologiques.

PERSPECTIVES DE LA PSYCHOLOGIE

Tout acte posé par un individu peut s'expliquer selon diverses perspectives. Supposons, par exemple, que vous traversez la rue. Cette activité peut être décrite comme le résultat des impulsions nerveuses qui suscitent la contraction des muscles, lesquels font bouger les jambes qui vous déplacent d'un côté à l'autre de la rue. On peut aussi la décrire sans s'en rapporter à quoi que ce soit qui se passe dans le corps: le feu vert est un stimulus auquel vous avez réagi en posant l'acte de traverser la rue. Ou encore, votre action peut s'expliquer par rapport à son objectif ou but ultime: vous avez fait le projet de visiter un ami et le fait de traverser la rue est l'une des nombreuses activités requises pour l'exécution de ce projet.

Tout comme il existe plusieurs manières de décrire une action aussi simple que celle de traverser la rue, il existe diverses façons d'aborder l'étude de la psychologie. Beaucoup de perspectives s'offrent à nous, mais les cinq que nous présentons ici représentent les principales façons dont on aborde la psychologie aujourd'hui. Comme ces diverses conceptions sont reprises constamment dans les diverses parties de ce volume, nous nous en tiendrons à une description sommaire de quelques points principaux.

Il ne faudrait pas oublier que ces façons d'aborder la question ne s'excluent pas mutuellement; elles servent plutôt à centrer l'attention sur les divers aspects d'un phénomène complexe. Il n'y a pas de « bonne » ou « mauvaise » façon d'aborder l'étude de la psychologie. La plupart des psychologues adoptent une position éclectique: ils expliquent les différents phénomènes psychologiques à partir d'une synthèse de plusieurs points de vue.

Point de vue neurobiologique

Il est bien possible que le cerveau humain, avec ses douze milliards de cellules nerveuses et le nombre presque infini de ses connexions et de ses voies, soit la structure la plus complexe de l'univers. En principe, toute expérience vécue est représentée d'une façon quelconque dans l'activité du cerveau et du système nerveux. Une façon d'aborder l'étude de l'être humain consiste à essayer de relier son comportement aux événements qui se déroulent à l'intérieur de son corps, particulièrement à l'intérieur du cerveau et du système nerveux. Par cette méthode, on cherche à définir les processus *neurobiologiques* qui sont à la base du comportement et des événements mentaux. Par exemple, le psychologue qui étudie l'apprentissage sous l'angle neurobiologique s'intéresse aux changements qui surviennent dans le système nerveux à la suite de l'apprentissage d'une nouvelle tâche. On peut étudier la perception visuelle en enregistrant l'activité de cellules nerveuses dans le cerveau pendant que l'on place l'œil devant diverses scènes.

Les découvertes récentes ont démontré de façon spectaculaire l'existence d'un lien intime entre l'activité du cerveau, d'une part, et le comportement et l'expérience vécue, d'autre part. On peut provoquer chez des animaux et des êtres humains des réactions émotives, telles que la peur et la rage, avec de faibles stimulations électriques de régions spécifiques dans les profondeurs du cerveau. La stimulation électrique de certaines régions du cerveau humain fait naître des sensations de plaisir et de douleur et même des souvenirs très vifs d'événements passés (voir la figure 1-1).

Vu la complexité du cerveau et le fait qu'on dispose rarement de cerveaux humains vivants pour fins d'étude, il y a des failles énormes dans notre compréhension des fonctions nerveuses. Une conception psychologique de l'être humain qui serait fondée uniquement sur la neurobiologie serait en effet très inadéquate. C'est pourquoi on a fait appel à d'autres méthodes dans l'étude des phénomènes psychologiques. Dans bien des cas, il s'avère plus pratique d'analyser les conditions antécédentes et leurs conséquences sans s'inquiéter de ce qui se passe au sein de l'organisme.

Point de vue comportemental

Un individu prend son petit déjeuner, conduit son vélo, parle, rougit, rit et pleure. Ce sont là des modes de *comportement*: des activités d'un organisme qui peuvent donner lieu à l'observation. S'il adopte l'attitude behavioriste ou comportementale, le psychologue étudie ses sujets en examinant leur comportement plutôt que leur activité interne. C'est le psychologue américain John B. Watson qui, au début du XXe siècle, a été le premier à proposer que la psychologie s'en tienne au comportement comme unique sujet d'étude. Jusque-là, on avait défini la psychologie comme l'étude de l'expérience mentale et le sujet de cette étude était en grande partie l'observation de soi sous la forme de l'*introspection*.

L'introspection consiste à observer et enregistrer soigneusement ses perceptions et ses sentiments, c'est-à-dire à réfléchir sur la nature et le cheminement de ses propres pensées et émotions. L'introspection va de la simple description des impressions sensorielles immédiates produites par le déclenchement d'un stimulus (un flash lumineux, par exemple) jusqu'à l'exploration profonde et prolongée de ses propres expériences affectives (au cours d'une psychothérapie, par exemple). Aussi différentes que puissent paraître ces «introspections», elles ont en commun un caractère d'*intimité* qui les distingue des observations qui se font dans les autres domaines scientifiques. Tout homme de science compétent peut reproduire une observation en sciences naturelles alors que l'observation introspective ne saurait être décrite que par un seul témoin.

Watson croyait que la méthode de l'introspection était futile. Son argument était que, si la psychologie devait aspirer au statut de science, ses données étaient forcément observables et mesurables. Nous sommes les seuls à pouvoir observer introspectivement nos perceptions et sentiments, mais les autres peuvent observer notre comportement. Watson soutenait qu'une science objective de la psychologie ne saurait être possible que si l'on étudiait ce que les gens font, c'est-à-dire leur comportement.

La prise de position de Watson reçut le nom de *behaviorisme* et contribua à orienter le développement de la psychologie au cours de la première

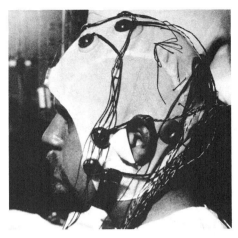

FIGURE 1-1
Cerveau muni d'un dispositif de fils visant à produire des sensations de plaisir *Des micro-électrodes fixées dans des régions spécifiques situées dans les profondeurs du cerveau de ce jeune homme déclenchent une sensation de plaisir quand on y applique un courant faible. Des accès de dépression l'avaient auparavant amené jusqu'aux limites du suicide. Lorsqu'on relie le casque muni de fils aux électrodes, le sujet peut se donner des sensations agréables en appuyant sur le bouton d'un tableau de commandes. Les études sur la stimulation cérébrale faites sur des animaux pourvus de micro-électrodes aident les psychologues à découvrir les centres cérébraux qui contribuent à la production d'émotions. Dans le cas de l'être humain, on utilise les moyens illustrés plus haut pour fins de diagnostic seulement dans les cas extrêmes, c'est-à-dire quand on n'a pas pu éliminer la souffrance par d'autres méthodes.*

John B. Watson

moitié de notre siècle. Son rejeton, la *psychologie stimulus-réponse* (ou psychologie S-R), exerce encore une influence. La psychologie S-R étudie les stimuli qui suscitent des réponses behaviorales, les récompenses et punitions qui contribuent au maintien de ces réponses, et les modifications du comportement que l'on obtient en changeant les distributions de récompenses et de punitions.

La psychologie S-R ne se préoccupe *aucunement* de ce qui se passe à l'intérieur de l'organisme; c'est ce qui lui a parfois valu le nom de théorie de la « boîte noire ». L'activité du système nerveux à l'intérieur de la boîte est, pour ainsi dire, ignorée ou échappe à notre vue. Les tenants de la psychologie S-R prétendent qu'il est possible de baser une science de la psychologie uniquement sur ce qui entre dans la boîte et sur ce qui en sort, sans s'inquiéter de ce qui se passe à l'intérieur. Ainsi, on peut élaborer une théorie de l'apprentissage en observant comment les comportements acquis varient avec les conditions de l'environnement — quelles conditions de stimulation et de mélange de récompenses et punitions entraînent, par exemple, l'apprentissage le plus rapide accompagné du minimum d'erreurs. Pour garder son utilité, la théorie n'a pas à préciser les changements que l'apprentissage produit dans le système nerveux. En génie, on désigne sous le nom d'*analyse des entrées et sorties* cette façon d'aborder l'étude des systèmes mécaniques ou biologiques.

Dans sa rigueur, la théorie S-R ne tient pas compte des expériences conscientes de l'individu. Les *expériences conscientes* sont simplement les événements qui donnent lieu à une aperception, une prise de conscience. Il est possible que vous soyez conscient des diverses idées qui vous viennent à l'esprit pendant que vous travaillez à résoudre un problème ardu. Vous savez comment on se sent quand on est en colère, effrayé ou excité. Un observateur peut juger à partir de vos actes de la nature de l'émotion que vous vivez, mais le processus conscient — la prise de conscience même de l'émotion — n'appartient qu'à vous. Le psychologue peut noter ce que l'individu *dit* de ses expériences conscientes (le témoignage verbal) et, en se basant sur ces données objectives, faire des *inférences* sur l'activité mentale de cet individu. Mais, de toute façon, les tenants de la psychologie S-R n'ont pas choisi d'étudier les processus mentaux qui interviennent entre le stimulus et la réponse (Skinner, 1981)*.

De nos jours, peu de psychologues se considèrent comme des behavioristes au sens strict. Néanmoins, plusieurs courants modernes de la psychologie tirent leurs origines des travaux de behavioristes.

Point de vue cognitif

Les spécialistes de la psychologie de la cognition disent que nous ne sommes pas des réceptacles passifs de stimuli; l'esprit agit sur l'information qu'il reçoit, la traite et la transforme en des catégories et des formes nouvelles (voir la figure 1-2). Ce que vous regardez sur cette page, c'est une distribution de particules d'encre. Du moins, c'est là le stimulus physique. Mais l'apport sensoriel au système visuel consiste dans une configuration de rayons lumineux réfléchis de la page jusqu'à l'œil. Ces apports mettent en branle des processus neuronaux qui transmettent l'information au cerveau et donnent éventuellement lieu aux actes de voir, de lire et (peut-être) de se souvenir. Il se produit de nombreuses transformations entre le stimulus et l'expérience que vous faites de voir et de lire. Celles-ci ne comportent pas seulement la transformation des rayons lumineux en une image visuelle quelconque, mais aussi des processus de comparaison de cette image avec d'autres gardées en mémoire.

Le terme *cognition* désigne les processus mentaux de perception, mémoire et traitement d'information au moyen desquels l'individu acquiert

---

* Tout le long de ce volume, le lecteur trouvera des références (auteur et date) pour documenter et élaborer les faits présentés. La liste de références à la fin du livre donne des renseignements détaillés sur ces publications. Cette liste tient également lieu d'index donnant les pages où ces citations apparaissent.

des connaissances, résout des problèmes et élabore des plans pour l'avenir. La *psychologie cognitive* est l'étude scientifique de la cognition. Elle a pour objectif la poursuite d'expériences et l'élaboration de théories en vue d'expliquer les structures et les fonctions des processus mentaux. Mais pour en arriver à de telles explications, les théories doivent faire des prédictions sur les événements observables, nommément le comportement. Nous verrons qu'il est possible de formuler des théories sur les processus cognitifs et leur façon d'opérer sans avoir recours à des explications neurobiologiques.

L'adoption de la méthode cognitive dans l'étude de la psychologie constitue en partie une réaction contre l'attitude trop étroite des tenants de la psychologie S-R. Concevoir l'activité humaine uniquement en termes d'entrées de stimuli et de sorties de réponses suffit peut-être pour l'étude des formes de comportement simple, mais cette façon de voir ignore un trop grand nombre de sphères intéressantes de la conduite humaine. Les gens peuvent penser, planifier, prendre des décisions sur la base d'informations dont ils se souviennent et faire un choix parmi les stimuli qui sollicitent l'attention.

À l'origine, le behaviorisme a rejeté l'étude subjective de la « vie mentale » dans le but de faire de la psychologie une science. Il a été d'une aide précieuse en rendant les psychologues conscients de la nécessité de l'objectivité et de la mesure. La psychologie cognitive représente une nouvelle tentative en vue d'étudier les processus mentaux, mais — comme des chapitres subséquents le montreront — d'une manière objective et scientifique.

On a établi une analogie entre la conception S-R et un ancien standard téléphonique ; le stimulus entre et, après une série de transmissions d'un neurone à l'autre et de passages par des circuits dans le cerveau, la réponse sort. L'analogie qui convient à la psychologie cognitive est celle de l'ordinateur à grande vitesse — ou à ce que l'on appelle maintenant, dans un sens plus général, un *système de traitement d'information.* L'information qui arrive est traitée de diverses façons — elle est sélectionnée, comparée et combinée avec d'autres informations déjà en mémoire, transformée, réorganisée, et ainsi de suite. La réponse qui en ressort dépend de ces processus internes et de leur état à ce moment précis dans le temps.

Kenneth Craik, psychologue anglais et l'un des premiers tenants de la psychologie cognitive, propose de considérer le cerveau comme un ordinateur capable d'élaborer un modèle des événements externes ou de les imiter.

> « Si, dit-il, l'organisme transporte à l'intérieur de sa tête un modèle à échelle réduite de la réalité externe et des actions qui lui sont possibles, il est capable d'essayer diverses lignes de conduite, de décider laquelle est la meilleure, de réagir aux situations à venir avant qu'elles se présentent et sur tous les points de réagir d'une façon plus complète, plus sûre et plus efficace aux urgences auxquelles il est confronté » (Craik, 1943).

La notion d'un « modèle mental de la réalité » se situe au centre d'une explication cognitive de la psychologie.

La psychologie cognitive ne se limite pas à l'étude de la pensée et de la connaissance. C'est sa préoccupation initiale par rapport à la représentation des connaissances et des processus de pensée de l'être humain qui lui a valu cette étiquette de psychologie cognitive, mais au cours des dernières années, on a appliqué cette façon d'aborder l'étude de la psychologie à pratiquement tous ses domaines (Mandler, 1985).

Point de vue psychanalytique

C'est Sigmund Freud qui, en Europe, a élaboré la conception psychanalytique du comportement humain à peu près en même temps que le behaviorisme se développait aux États-Unis. Les concepts psychanalytiques, à l'encontre des idées dont nous avons traité jusqu'ici, s'appuient sur des études en profondeur de cas individuels plutôt que sur des études expérimentales. Les notions psychanalytiques ont exercé une influence marquante sur la pensée psychologique.

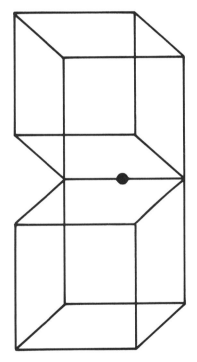

FIGURE 1-2
La perception : un processus actif *Nous reconnaissons continuellement des configurations dans les formes que nous voyons en essayant de les apparier à quelque chose qui ait une signification. Fixez le point situé au centre entre les cubes et vous pourrez constater par vous-même le caractère fluctuant de la perception. Votre cerveau exécute toutes sortes de transformations dans sa recherche des différentes configurations faisant partie intégrante des cubes.*

Sigmund Freud

Le postulat à la base de la théorie de Freud veut qu'une grande partie de notre comportement prenne sa source dans des processus qui sont inconscients. Par *processus inconscients,* Freud voulait dire des pensées, des peurs et des désirs dont l'individu ne se rend pas compte, mais qui ont quand même une influence sur sa conduite. Il croyait que plusieurs des impulsions prohibées ou punies par les parents et par la société durant l'enfance proviennent des instincts. Comme chacun de nous naît avec ces impulsions, elles exercent une influence envahissante à laquelle il faut faire face d'une manière ou d'une autre. Leur interdiction ne fait que les chasser de la conscience pour les refouler dans l'inconscient d'où elles agissent sur les rêves, les lapsus, les maniérismes et les symptômes des maladies névrotiques, aussi bien que par le truchement de comportements approuvés par la société comme l'activité artistique, littéraire ou scientifique.

La plupart des psychologues n'acceptent pas entièrement les idées de Freud sur l'inconscient. Ils seraient probablement d'accord pour dire que les individus ne sont pas tout à fait conscients de certains aspects de leur personnalité. Mais ils préfèrent parler de degrés de conscience plutôt que de postuler l'existence d'une distinction nette entre les pensées conscientes et inconscientes.

Freud croyait que toutes nos actions ont une cause, mais que celle-ci est souvent quelque motivation inconsciente plutôt que la raison logique que nous pouvons invoquer pour expliquer notre conduite. La perception que Freud avait de la nature humaine était essentiellement négative. Nous sommes mus par les mêmes instincts de base que les animaux (surtout l'instinct sexuel et l'instinct d'agression) et nous luttons constamment contre une société qui insiste sur la nécessité de contrôler ces impulsions. Nous traiterons dans des chapitres subséquents des théories de la personnalité de Freud et de la méthode psychanalytique qu'il a proposée pour le traitement des troubles mentaux.

Point de vue phénoménologique

La méthode phénoménologique est centrée sur l'*expérience subjective.* Elle s'intéresse à la perception et à l'interprétation que l'individu se donne du monde et des événements — à la *phénoménologie* de l'individu. Cette méthode cherche à comprendre les événements, ou les phénomènes, tels que l'individu les vit et à le faire sans imposer aucune idée préconçue ou théorique. Les psychologues qui adoptent cette attitude croient que nous pouvons en apprendre plus sur le comportement en étudiant les perceptions que les gens ont d'eux-mêmes et de leur univers qu'en observant leurs actes. Deux individus peuvent réagir de façon bien différente devant la même situation; ce n'est qu'en demandant à chacun comment il interprète la situation que nous pouvons vraiment comprendre leur comportement.

Par son insistance sur les processus mentaux internes plutôt que sur le comportement, la conception phénoménologique ressemble à la conception cognitive. Les deux diffèrent considérablement cependant quant à la nature des problèmes qu'elles étudient et à la rigueur scientifique des méthodes employées pour le faire. Les tenants de la psychologie cognitive s'intéressent d'abord et avant tout à la façon dont les individus perçoivent les événements et encodent, classent et représentent l'information dans la mémoire. Ils cherchent à identifier les variables qui influencent la perception et la mémoire et à élaborer une théorie sur la façon dont l'esprit fonctionne en vue de faire des prédictions quant au comportement. Les adeptes de la phénoménologie se préoccupent beaucoup plus, au contraire, de la description de la vie intérieure et des expériences intimes de l'individu que de la création de théories ou de la prédiction du comportement. Ils s'intéressent par exemple au *concept de soi,* aux sentiments d'estime de soi et à la conscience de soi qui sont le propre d'un individu.

Les phénoménologues de la psychologie ont tendance à rejeter la notion voulant que le comportement soit contrôlé par des impulsions inconscientes (théories psychanalytiques) ou par des stimuli externes (behaviorisme). Ils préfèrent croire que nous ne sommes pas la « victime » de forces qui échappent à notre contrôle mais plutôt des « agents » capables de diriger notre propre destin. Nous sommes les architectes de nos propres vies car chacun de nous est un *agent libre* — libre de faire des choix, de poser des objectifs et, par conséquent, responsable des décisions qui concernent notre avenir. C'est la question du *libre arbitre* par opposition au *déterminisme*. Les idées des phénoménologues de la psychologie ressemblent à celles qu'ont exprimées des philosophes existentialistes comme Kierkegaard, Sartre et Camus.

Certaines des théories phénoménologiques sont dites *humanistes* parce qu'elles mettent en valeur ces qualités qui distinguent les êtres humains des autres animaux et qui, en plus du libre arbitre, portent surtout sur la tendance à la *réalisation de soi*. Selon les théories humanistes, la principale force de motivation d'un individu est une tendance vers la croissance, l'épanouissement et l'actualisation de son moi. Chacun d'entre nous a un besoin fondamental de développer ses possibilités jusqu'à leur limite, de progresser au-delà du point où il se trouve présentement. Même s'il est possible que nous en soyons empêchés par toutes sortes d'obstacles créés par l'environnement et la culture à laquelle nous appartenons, notre mouvement naturel vise à l'actualisation ou à la réalisation de nos possibilités.

À cause de son insistance sur le développement de nos possibilités, la psychologie humaniste s'est trouvée étroitement associée aux groupes de rencontre (*encounter groups*) et à divers types d'expériences mystiques et « d'épanouissement de la conscience ». Elle va plus dans le sens de la littérature et des humanités que dans celui de la science. En réalité, certains humanistes rejettent la psychologie scientifique, sous prétexte que ses méthodes ne peuvent apporter aucune contribution valable à la compréhension de la nature humaine.

En nous rappelant que la psychologie doit concentrer son attention sur la solution des problèmes liés au bien-être de l'homme plutôt que sur l'étude en laboratoire de fragments isolés de comportement, le point de vue humaniste défend une bonne cause. Mais postuler que les problèmes difficiles de cette société très complexe dans laquelle nous vivons peuvent être résolus en mettant de côté tout ce que nous avons appris sur les méthodes scientifiques de recherche constitue une grave erreur. Pour reprendre les paroles d'un psychologue qui s'est intéressé à cette question : « Nous ne pouvons pas plus nous permettre une psychologie qui serait humaniste au détriment de son caractère scientifique qu'une autre qui serait scientifique au détriment de son caractère humain » (Smith, 1973).

Application de ces différents points de vue

Les détails de ces diverses façons d'aborder l'étude de la psychologie vont devenir plus clairs au fur et à mesure que nous les analyserons dans les chapitres qui suivent (voir la figure 1-3). Comme nous l'avons vu, tout aspect de la psychologie peut être envisagé selon diverses perspectives. Par exemple, s'il étudie l'agression, le psychophysiologiste s'intéressera à l'investigation des mécanismes cérébraux responsables d'un tel comportement. Comme nous le verrons au chapitre 11, on a pu provoquer et contrôler le comportement agressif chez les animaux au moyen de la stimulation chimique et électrique de régions spécifiques du cerveau. Le behavioriste pourrait vouloir déterminer les sortes d'apprentissages qui rendent un individu plus agressif qu'un autre. Il pourrait également étudier les stimuli spécifiques qui suscitent de l'hostilité dans une situation particulière. Le cognitiviste pourrait concentrer son attention sur la façon dont les individus perçoivent certains événements dans leur esprit (en ce qui concerne leur capacité de susciter la colère) et sur les possibilités de modifier ces représentations mentales en apportant aux individus divers types d'information. Il est possible que le psychanalyste veuille découvrir quelles sont les expériences infantiles qui favorisent le contrôle de l'agressivité ou sa canalisation dans des voies acceptées par la société. Le phénoménologue pourrait vouloir étudier les aspects qui, dans la vie d'un individu, favorisent l'émergence de l'agressivité en bloquant sa marche vers l'actualisation de soi.

Chaque point de vue suppose des moyens quelque peu différents de modifier ou changer le comportement d'un individu. Le psychophysiologiste chercherait, par exemple, une drogue ou un autre moyen biologique, comme la chirurgie, pour contrôler l'agressivité. Le behavioriste essaierait de modifier les conditions de l'environnement de façon à fournir des expériences d'apprentissage qui récompensent les comportements de type non agressif. Le cognitiviste s'y prendrait un peu de la même façon, quoiqu'il s'intéresserait peut-être plus aux processus mentaux et aux stratégies de prise de décision de l'individu dans les situations susceptibles de provoquer la colère. Le psychanalyste pourrait fouiller l'inconscient de l'individu afin de découvrir pourquoi son hostilité se porte vers certaines personnes ou situations, pour ensuite tenter de la réorienter vers des voies plus acceptables. Le tenant de la psychologie phénoménologique chercherait probablement à aider l'individu à explorer ses sentiments et à les exprimer ouvertement dans un effort d'amélioration de ses relations interpersonnelles. Certains phénoménologues entretiendraient un objectif plus vaste : celui de modifier ces aspects de la société qui encouragent la rivalité et l'agressivité aux dépens de la collaboration.

En établissant ces distinctions, nous avons exagéré les différences qui existent entre les psychologues. S'il est possible que certains d'entre eux se considèrent comme des behavioristes au sens strict et que d'autres adoptent une vision rigoureusement psychanalytique, la plupart sont par ailleurs assez éclectiques. Ils se considèrent libres de choisir dans une série de positions théoriques les notions qui leur semblent le mieux convenir aux problèmes auxquels ils s'intéressent. En d'autres termes, toutes ces théories ont quelque chose d'important à dire sur la nature humaine et rares sont les psychologues qui prétendraient qu'une seule de celles-ci contient « toute la vérité ».

FIGURE 1-3
Points de vue en psychologie *On peut aborder l'analyse des phénomènes psychologiques à partir de divers points de vue. Chacun nous offre une explication quelque peu différente des raisons pour lesquelles les individus agissent comme ils le font et chacun apporte sa contribution à notre conception de la personne intégrale. La lettre grecque psi, ψ, sert parfois d'abréviation pour le mot* psychologie.

CHAMP DE LA PSYCHOLOGIE CONTEMPORAINE

Définition de la psychologie

Au cours de sa brève histoire, la psychologie s'est vu attribuer bien des définitions*. Les premiers psychologues considéraient leur champ d'étude comme étant celui de « l'étude de l'activité mentale ». Avec l'arrivée du behaviorisme au début du siècle et son souci de n'étudier que les phénomènes qui se prêtent à une mesure objective, la psychologie a été définie à nouveau comme « l'étude du comportement ». Le comportement dans cette définition était celui de l'animal autant que celui de l'être humain, étant donné les postulats suivants : 1) l'information provenant de l'expérimentation sur les animaux est susceptible de généralisation jusqu'à l'organisme humain et 2) le comportement animal présente un intérêt en lui-même. Des années 1930 jusqu'aux années 1960, la plupart des manuels de psychologie utilisaient cette définition. Le cycle est maintenant complet, car depuis l'avènement des psychologies cognitive et phénoménologique, la plupart des définitions courantes de la psychologie réfèrent à la fois au comportement et aux processus mentaux (voir le tableau 1-1).

Pour nos propres fins, nous définirons la psychologie comme l'*étude scientifique du comportement et des processus mentaux*. Cette définition reflète l'intérêt du psychologue pour l'étude objective du comportement observable, tout en reconnaissant l'importance d'une compréhension des processus mentaux qui ne se prêtent pas à une observation directe, mais à l'existence desquels on doit conclure à partir des données du comportement et des données neurobiologiques. Cependant, il est inutile de s'attarder sur une définition. D'un point de vue pratique, nous aurons une meilleure idée de ce qu'*est* la psychologie en observant ce que *font* les psychologues.

Domaines de la psychologie

Environ la moitié des diplômés qui détiennent des grades supérieurs en psychologie travaillent dans les collèges et les universités, bien que l'enseignement ne soit pas toujours leur activité principale. Il se peut qu'ils consacrent une bonne partie de leur temps à un rôle de chercheur ou de conseiller. D'autres travaillent dans les écoles, les hôpitaux ou les cliniques, les instituts de recherche, dans des agences gouvernementales ou dans le monde du commerce et de l'industrie. Il en est d'autres qui exercent à titre privé, c'est-à-dire qui offrent leurs services au public en échange d'honoraires ; leur nombre est relativement petit, mais ils constituent quand même une fraction de la population des psychologues qui va en s'accroissant. Le tableau 1-2A donne la proportion de psychologues travaillant dans différents domaines. Le tableau 1-2B donne la proportion des psychologues établie selon les milieux dans lesquels ils travaillent.

Nous allons maintenant décrire certains des champs de spécialisation de la psychologie.

PSYCHOLOGIE EXPÉRIMENTALE ET PHYSIOLOGIQUE   Le terme « expérimental » utilisé dans ce contexte est réellement inapproprié, car des psychologues qui œuvrent dans d'autres domaines de spécialisation se livrent eux aussi à de l'expérimentation. Mais cette catégorie rassemble ordinairement les psychologues qui appliquent les méthodes expérimentales à l'étude de la façon dont les gens réagissent aux stimuli sensoriels, perçoivent le monde, apprennent et se souviennent, expriment leur affectivité et sont poussés à l'action, que ce soit par la faim ou encore par désir de réussir dans la vie. Les *expérimentalistes* travaillent aussi avec les animaux. Ils essaient parfois d'établir des liens entre comportement humain et comportement animal ; ils étudient quelquefois les animaux dans le but de comparer le comportement des diverses espèces (*psychologie comparée*). Quel que soit leur intérêt, les expérimentalistes

* Nous présentons, en Annexe II, un bref historique de la psychologie. La psychologie contemporaine est plus facile à comprendre si on la situe dans son contexte historique.

TABLEAU 1-1
Évolution des définitions de la psychologie

TABLEAU 1-2A
Champs de spécialisation *Le pourcentage des individus détenteurs d'un doctorat en psychologie selon leurs principaux champs de spécialisation. (D'après Stapp et Fulcher, 1981)*

CHAMP	POURCENTAGE
Expérimental et physiologique	6,9
Génétique, personnalité et sociale	10,4
Clinique, counseling et scolaire	60,5
Ergonomie, industrielle et organisationnelle	6,3
Éducation	5,4
Autres	10,5
	100,0

TABLEAU 1-2B
Milieu de travail *Le pourcentage des individus détenteurs d'un doctorat en psychologie selon leurs principaux milieux de travail. (D'après Stapp et Fulcher, 1981)*

MILIEU	POURCENTAGE
Académique (universités, écoles de médecine, collèges et autres)	43,1
Écoles et systèmes scolaires	4,6
Cliniques, hôpitaux, centres locaux de santé communautaire et centres de counseling	23,9
Pratique privée	14,7
Milieux des affaires, gouvernement, organismes de recherche, industrie	13,0
Autres	0,7
	100,0

La psychologie est la science de la vie mentale, tant de ses phénomènes que de leurs conditions... Les phénomènes sont ces choses que nous appelons sentiments, désirs, cognitions, raisonnements, décisions et ainsi de suite.

William James, 1890

La psychologie se doit d'étudier ce que nous appelons l'expérience intérieure — nos propres sensations et sentiments, nos pensées et nos volontés — pour la distinguer et l'opposer à notre expérience extérieure, qui constitue l'objet des sciences naturelles.

Wilhelm Wundt, 1892

Toute conscience, partout, normale ou anormale, humaine ou animale, constitue la matière que le psychologue tente de décrire ou d'expliquer; aucune définition de sa science ne saurait être acceptable si elle ne désigne plus ou moins que cela.

James Angell, 1910

Pour le behavioriste, la psychologie est cette division des sciences naturelles qui prend comme sujet d'étude le comportement humain — ses actes et ses paroles, tant acquis qu'innés.

John B. Watson, 1919

En guise de définition provisoire de la psychologie, nous pouvons dire qu'elle est l'étude scientifique du comportement des créatures vivantes dans leurs contacts avec le monde extérieur.

Kurt Koffka, 1925

Au sens large, la psychologie cherche à découvrir les lois générales qui expliquent le comportement des organismes vivants. Elle tente d'identifier, de décrire et de classifier les divers types d'activité dont sont capables l'animal, l'être humain ou d'autres.

Arthur Gales, 1931

Aujourd'hui, la psychologie est généralement définie comme étant « la science du comportement ». Il est assez intéressant de noter toutefois que le sens de « comportement » s'est lui-même élargi au point de recouvrir maintenant une bonne partie de ce que l'on classait auparavant dans l'expérience (...) les processus intimes (subjectifs), comme la pensée, sont maintenant considérés comme « comportement interne ».

Norman Munn, 1951

La psychologie est habituellement définie comme étant l'étude scientifique du comportement. Son sujet comprend des processus de comportement qui sont observables, tels que les gestes, la parole et les changements physiologiques, et des processus que l'on ne peut connaître que par inférence, comme les pensées et les rêves.

Kenneth Clark et George Miller, 1970

La psychologie est l'analyse scientifique des processus mentaux de l'être humain et de ses structures mnémoniques dans le but de comprendre son comportement.

Richard Mayer, 1981

s'intéressent à l'élaboration de méthodes précises pour la mesure et le contrôle des phénomènes psychologiques.

La psychologie physiologique est un domaine de recherche étroitement relié à la fois à la psychologie expérimentale et à la biologie. Les *psychophysiologistes* (qu'on appelle aussi *neuropsychologues*) cherchent à découvrir les rapports entre les processus biologiques et le comportement. Quelle est l'influence des hormones sexuelles sur le comportement? Quelles sont les régions du cerveau qui contrôlent la parole? Comment les drogues comme la marijuana et le LSD influencent-elles la personnalité et la mémoire? Les *neurosciences* (qui s'intéressent à tous les aspects du système nerveux, y compris les relations entre les fonctions cérébrales et la conduite) et la *psycho-*

pharmacologie (l'étude des drogues et du comportement) constituent deux domaines de recherche interdisciplinaire.

PSYCHOLOGIE GÉNÉTIQUE, SOCIALE ET DE LA PERSONNALITÉ   Les trois catégories se croisent. Les spécialistes de la *psychologie génétique* s'intéressent au développement humain et aux facteurs qui façonnent le comportement de la naissance à la sénescence. Il se peut qu'ils étudient une aptitude spécifique, comme la façon dont le langage apparaît et évolue chez l'enfant qui grandit, ou une période en particulier de la vie, comme l'enfance, l'âge préscolaire ou l'adolescence.

Étant donné que le développement de l'être humain se produit dans un contexte où agissent d'autres personnes — parents, frères et sœurs, compagnons de jeu, camarades d'écoles — une grande partie de ce développement est social. Les spécialistes de la *psychologie sociale* se préoccupent des façons dont les interactions avec les autres influencent les attitudes et la conduite. Ils s'intéressent aussi au comportement des groupes. Ils sont peut-être mieux connus par les sondages d'opinion et par les enquêtes qu'ils font sur les attitudes et par leurs recherches sur la mise en marché. Aujourd'hui, les journaux, les magazines, les réseaux de télévision et les agences gouvernementales, tel le Bureau du recensement, font un grand usage des enquêtes.

Les spécialistes de la psychologie sociale étudient des thèmes comme la propagande et la persuasion, le conformisme et les conflits entre groupes. À l'heure actuelle, une partie importante de leur recherche est orientée vers l'identification des facteurs qui contribuent à la formation des préjugés et à l'adoption de comportements agressifs.

Dans la mesure où la personnalité est le résultat d'influences génétiques et sociales, le champ de la psychologie de la personnalité chevauche l'une et l'autre de ces catégories. Les psychologues qui s'intéressent à la *psychologie de la personnalité* s'attachent aux différences entre individus. Ils recherchent des façons de classifier les gens à des fins pratiques et étudient également les caractéristiques propres à chaque individu.

PSYCHOLOGIE CLINIQUE ET PSYCHOLOGIE DU COUNSELING   La majorité des psychologues œuvrent dans le domaine de la psychologie clinique : ils appliquent des principes psychologiques au diagnostic et au traitement des perturbations affectives et des désordres du comportement — maladies mentales, délinquance juvénile, criminalité, abus des drogues, arriération mentale, conflits matrimoniaux et familiaux et autres problèmes d'adaptation moins graves. Les *psychologues cliniciens* travaillent soit dans les hôpitaux psychiatriques, soit auprès des tribunaux pour les jeunes ou dans les bureaux de probation, dans les cliniques pour la santé mentale, dans les institutions pour arriérés mentaux, dans les prisons ou dans les facultés de médecine des universités. Ils peuvent aussi exercer à titre privé, souvent en collaboration avec d'autres spécialistes de la santé ; leur relation avec les membres de la profession médicale, surtout avec les psychiatres, est assez étroite.

Les spécialistes du counseling, *psychologues conseils* ou conseillers, jouent un rôle qui ressemble sous plusieurs aspects à celui des psychologues cliniciens, bien qu'en général ils s'occupent de problèmes moins graves. Ils travaillent souvent avec les étudiants de niveau collégial ou universitaire pour les aider à résoudre leurs problèmes d'adaptation sociale et à se fixer des objectifs éducationnels et professionnels. Aux États-Unis, ces deux classes de psychologues, cliniciens et conseillers, représentent à peu près 55 % de toute la population des psychologues.

PSYCHOLOGIE SCOLAIRE ET PSYCHOLOGIE DE L'ÉDUCATION   Les écoles primaires et secondaires offrent beaucoup de possibilités aux psychologues. Comme les troubles affectifs graves commencent souvent à se manifester dès les premières années de la fréquentation scolaire, plusieurs écoles primaires emploient des psychologues dont la formation comprend un ensemble de cours sur le développement de l'enfant, l'éducation et la psychologie clinique. Ces *psychologues scolaires* travaillent auprès des enfants pour identifier les problèmes d'apprentissage et les troubles émotifs ; ils font subir et interprètent des tests d'intelligence, de rendement et de personnalité. De concert

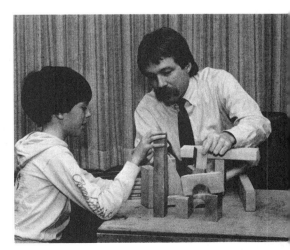

Un enfant, en interaction avec un psychologue clinicien.

Un psychologue conseil avec des jeunes gens.

avec les parents et les maîtres, ils élaborent des stratégies pour aider ces enfants tant à l'école qu'à la maison. Ils agissent aussi comme personnes ressources auprès des enseignants, à qui ils font des suggestions en vue de la solution des problèmes rencontrés en classe.

Les spécialistes de la *psychologie de l'éducation* s'intéressent à l'apprentissage et à l'enseignement. Il peut leur arriver de travailler dans les écoles, mais ils sont le plus souvent employés par les facultés de sciences de l'éducation dans les universités, où ils se consacrent à la recherche sur les moyens pédagogiques et aident à former les maîtres et les psychologues scolaires.

PSYCHOLOGIE INDUSTRIELLE ET ERGONOMIE   Les *psychologues industriels* (parfois appelés *spécialistes de la psychologie des organisations*) travaillent soit pour une firme, soit à titre de consultants pour un ensemble d'organisations commerciales. Ils s'occupent de problèmes comme la sélection des individus les mieux qualifiés pour un emploi donné ou la préparation de programmes de formation au travail et ils participent à la prise de décisions administratives portant sur le moral et le bien-être des employés. Ils font aussi des recherches sur le comportement du consommateur, y compris sur l'influence que la publicité et les préférences du consommateur exercent sur l'achat d'un produit particulier.

Les spécialistes de l'ergonomie (appelés en anglais *engineering psychologists — psychologues de l'ingénierie*) cherchent à rendre l'interaction homme-machine aussi satisfaisante que possible; ils planifient la construction des machines de façon à réduire au minimum les possibilités d'erreur humaine. Par exemple, ce sont des spécialistes de ce genre qui se sont employés à créer des capsules spatiales dans lesquelles les astronautes pourraient vivre et travailler de façon efficace. On peut mentionner comme autres exemples de leurs travaux la planification de systèmes de contrôle du trafic aérien et d'habitacles sous-marins pour la recherche océanographique. Dans les systèmes d'ordinateurs et de machinerie complexe, l'élaboration de l'instrumentation qui permet de faire le lien entre l'homme et la machine (ce que l'on appelle l'*interface* en informatique) prend une importance spéciale. Une mauvaise évaluation ou l'ignorance des facteurs humains qui sont en jeu à ce point de rencontre peut donner lieu à des erreurs de devis tragiques et coûteuses.

Aux spécialistes de la psychologie sociale et aux ergonomistes, il faut ajouter un groupe de psychologues qui se préoccupent de l'adaptation à l'envi-

Spécialiste de la psychologie judiciaire travaillant avec un détenu dans une prison fédérale.

ronnement — des problèmes du bruit, de la pollution de l'air et de l'eau, du surpeuplement et de la planification idéale des aires de séjour et de travail. On a donné un nouveau nom à cette recherche : la *psychologie de l'environnement.*

AUTRES SPÉCIALITÉS En plus de ces domaines, il existe d'autres possibilités de carrière en psychologie. Les spécialistes de la *psychologie judiciaire* œuvrent à l'intérieur des systèmes juridique, judiciaire et pénitentiaire de façons très variées — ils se concertent, par exemple, avec les forces policières et les agents de probation dans le but d'améliorer leur compréhension des problèmes humains auxquels ils doivent s'attaquer, ils travaillent avec les détenus et leurs familles, ils participent à l'évaluation de la capacité des accusés de passer en jugement et ils préparent des rapports psychologiques afin d'aider les juges à choisir les meilleures mesures à prendre dans le cas de criminels reconnus coupables.

Les psychologues qui ont une compétence spéciale en *informatique* ou en *cybernétique* peuvent préparer les devis et l'analyse des données d'expériences d'envergure et d'enquêtes exigeant des calculs compliqués qui ne peuvent être exécutés que par des ordinateurs. Ils peuvent aussi travailler dans le domaine de l'*intelligence artificielle,* à la création d'ordinateurs et robots capables d'exécuter des tâches considérées caractéristiques de la pensée humaine. Enfin, ils peuvent s'occuper d'*enseignement programmé* et préparer des programmes qui jouent le rôle d'un professeur privé dans une situation d'apprentissage.

À cause de leur compétence dans la planification de l'expérimentation — les méthodes utilisées pour l'accumulation et l'analyse des données — les psychologues travaillent aussi à l'*évaluation de la recherche.* Plusieurs des programmes publics et privés destinés à la solution de problèmes sociaux entraînent des investissements de capitaux et de ressources humaines considérables. Par conséquent, il est essentiel de déterminer si de tels programmes — visant, par exemple, à pourvoir à l'éducation initiale des enfants de milieux défavorisés, à prendre des mesures préventives vis-à-vis l'abus des drogues chez les élèves de niveau secondaire ou à donner une formation professionnelle aux jeunes sans emploi — sont vraiment efficaces. Les psychologues participent à l'évaluation de tels programmes.

Sciences du comportement et sciences sociales

L'étude de l'activité humaine devrait s'étendre au-delà de ce qui arrive à un individu et considérer le milieu institutionnel dans lequel il vit : la famille, l'entourage immédiat et la sociéte prise dans un sens plus large. Comme ces milieux sont beaucoup trop variés pour être compris d'un unique point de vue, quel qu'il soit, il s'est créé un bon nombre de domaines de recherche : l'anthropologie, la linguistique, les sciences économiques, les sciences politiques, la sociologie et d'autres encore. Pris dans leur ensemble, ces domaines d'étude et de recherche sont connus sous le nom de *sciences sociales* ou *sciences du comportement*. Le terme « sciences sociales » avait au début une connotation plus vaste, les « sciences du comportement » désignant exclusivement ces domaines touchant au comportement individuel (la psychologie, la linguistique et certains aspects de l'anthropologie). Au fur et à mesure que ces domaines se sont développés et qu'il est devenu évident qu'on ne saurait comprendre le comportement individuel et le comportement social l'un sans l'autre, les termes « sciences du comportement » et « sciences sociales » sont devenus à peu près interchangeables.

La psychologie sociale pourrait être perçue comme appartenant aux sciences sociales puisqu'elle fixe son intérêt sur les phénomènes sociaux. La psychologie physiologique, par contre, serait vue comme une science du comportement puisqu'elle étudie les fondements biologiques du comportement d'organismes isolés. La psychologie de l'éducation, lorsqu'elle étudie comment un enfant apprend à lire ou à compter, serait classée dans les sciences du comportement ; mais quand elle étudie les interactions des groupes en classe, elle deviendrait une science sociale. Par conséquent, la psychologie peut être considérée comme une science du comportement quand l'intérêt porte sur l'individu et comme une science sociale quand l'attention est dirigée vers les groupes d'individus en interaction.

Sciences cognitives

L'expression *sciences cognitives* est une autre façon de décrire certains champs de recherche psychologique. Le terme a été introduit au cours des années 1970 pour concentrer l'attention sur la façon dont les êtres humains acquièrent et structurent leurs connaissances. En ayant recours à cette expression, des hommes de science issus de plusieurs disciplines témoignaient du fait qu'ils croyaient que les progrès réalisés sur les divers fronts suffisaient à constituer une « nouvelle » science vouée à la compréhension de la cognition humaine. Le programme de recherche des sciences cognitives fut présenté dans un document publié en 1978, document qui a donné lieu à de vastes débats. Ce nouveau champ d'étude se posait comme objectif de découvrir comment l'information était représentée dans l'esprit (représentation mentale), à quels types de calculs ces représentations pouvaient donner lieu et comment ils pouvaient se réaliser biologiquement dans le cerveau.

En plus de la psychologie, les disciplines qui touchent particulièrement les sciences cognitives sont : les neurosciences, l'anthropologie, la linguistique, la philosophie et l'intelligence artificielle. La plupart des lecteurs reconnaîtront facilement ces branches du savoir, à l'exception peut-être de l'intelligence artificielle. Il s'agit d'un domaine de l'informatique qui s'intéresse à la création d'ordinateurs qui agissent de façon intelligente et de programmes d'ordinateurs capables de représenter (simuler) les processus de pensée. Le diagramme de la figure 1-4 présente ces disciplines et les rapports qui existent entre elles.

Gardner dit que l'émergence des sciences cognitives s'appuie sur deux croyances au moins :

> Il y a, avant tout, la croyance voulant que, lorsqu'on traite des activités cognitives de l'être humain, il est nécessaire de parler de représentations mentales et de faire appel, en principe, à un niveau d'analyse complètement indépendant du biologique ou du neurologique, d'une part, et du sociologique ou culturel, d'autre part. On croit, en second lieu, que l'ordinateur électronique doit être placé au centre de toute compréhension de l'esprit humain. Les ordinateurs ne sont pas uniquement indispensables à l'exécution d'études de diverses sortes, mais, d'une façon plus cruciale, ils représentent également le modèle le plus durable du mode de fonctionnement de l'esprit humain (1985, p. 6).

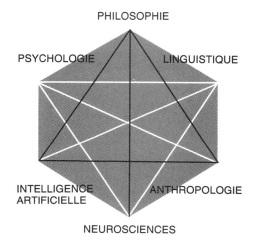

FIGURE 1-4
Les sciences cognitives *La figure fait voir les disciplines en cause dans les sciences cognitives et leurs relations entre elles. Les lignes pleines dénotent des relations interdisciplinaires qui sont fortes et les lignes hachurées des liens plus faibles. L'intelligence artificielle désigne un domaine de l'informatique qui s'intéresse 1) à l'utilisation de l'ordinateur pour la simulation des processus de pensée humaine et 2) à la création de programmes informatisés qui agissent « de façon intelligente » et peuvent s'adapter aux changements de circonstances. Cette figure faisait partie d'un rapport inédit commandé par la Fondation Sloan (ville de New York) en 1978; le document avait été préparé par des chercheurs de premier plan en sciences cognitives.*

Qu'on les considère comme une nouvelle discipline ou comme une étiquette pour recouvrir un groupe de disciplines s'attaquant à un problème commun, les sciences cognitives représentent une étape importante dans l'histoire des sciences. Des progrès réalisés récemment en neurosciences, en informatique, en linguistique et en psychologie permettent de croire que l'on disposerait maintenant des données nécessaires à la solution d'un problème qui a hanté l'espèce humaine à travers toute son histoire : la nature des connaissances et comment elles sont représentées dans le cerveau.

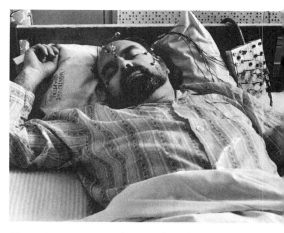

Enregistrement de l'activité cérébrale d'un sujet pendant son sommeil.

MÉTHODES DE RECHERCHE

Le but de la science est d'apporter une information nouvelle et utile sous forme de données vérifiables, c'est-à-dire obtenues dans des conditions telles que d'autres personnes compétentes puissent répéter les observations et obtenir les mêmes résultats. Cette tâche exige de procéder avec ordre et précision à l'étude des relations et à la communication de celles-ci aux autres. L'idéal scientifique n'est pas toujours atteint mais, à mesure qu'une science s'élabore, elle s'appuie sur un nombre croissant de relations qui peuvent être considérées comme admises étant donné qu'elles se sont avérées si souvent valables.

Méthode expérimentale

La méthode expérimentale peut s'employer aussi bien à l'extérieur qu'à l'intérieur du laboratoire. Ainsi, il est possible, dans une expérience, d'étudier les effets de différentes méthodes thérapeutiques en faisant l'essai de ces dernières sur des groupes indépendants mais semblables d'individus perturbés sur le plan affectif. La méthode expérimentale est affaire de logique et non pas de lieu d'application. Néanmoins, la plupart des expériences se déroulent dans des laboratoires spécialisés, surtout parce que le contrôle des conditions exige habituellement des installations spéciales, des ordinateurs et d'autres appareils.

La caractéristique distinctive d'un laboratoire est d'être situé dans un endroit où l'expérimentateur est capable de contrôler soigneusement les conditions et de prendre des mesures dans le but de découvrir les *relations qui existent entre des variables*. Une *variable* est un élément qui peut prendre des valeurs différentes. Par exemple, dans une expérience portant sur la relation entre la capacité d'apprentissage et l'âge, ces deux variables peuvent prendre différentes valeurs. Dans la mesure où la capacité d'apprentissage change systématiquement avec l'avancement en âge, nous pouvons observer une relation ordonnée entre les deux variables.

La possiblité d'exercer un contrôle précis sur les variables est ce qui distingue la méthode expérimentale des autres méthodes d'observation. Quand, par exemple, l'expérimentateur cherche à découvrir si la capacité d'apprentissage dépend de la quantité de sommeil dont une personne a bénéficié, cette quantité de sommeil peut être contrôlée en prenant des dispositions pour que plusieurs groupes de sujets passent la nuit au laboratoire. On pourra autoriser un groupe à s'endormir à 23 h 00, un autre à 1 h 00 le lendemain et un troisième groupe sera tenu éveillé jusqu'à 4 h 00. En réveillant tous ces sujets au même moment et en donnant à chacun la même tâche d'apprentissage, l'expérimentateur pourra observer si les sujets qui ont dormi plus longtemps maîtrisent la tâche plus rapidement que ceux qui ont eu moins d'heures de sommeil.

Dans cette étude, les différentes quantités de sommeil sont les conditions antécédentes; la vitesse de l'apprentissage est le résultat de ces conditions. Nous appelons la condition antécédente *variable indépendante,* parce qu'elle est indépendante de ce que fait le sujet. La variable influencée par les changements au sein des conditions antécédentes est appelée *variable dépendante;* dans la recherche psychologique, la variable dépendante est géné-

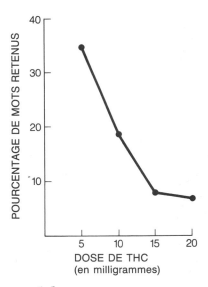

FIGURE 1-5
Marijuana et mémoire *Des sujets ont mémorisé des listes de mots après avoir absorbé des doses variées de THC (l'ingrédient actif dans la marijuana). Des tests de rappel, qu'on a fait passer une semaine plus tard, mesurent le nombre de mots retenus. La courbe montre la relation entre la dose (variable indépendante) et le score de rappel (variable dépendante). (Extrait de Darley et coll., 1973)*

ralement une mesure du comportement du sujet. On utilise l'expression *est une fonction de* pour dénoter la dépendance d'une variable par rapport à une autre. Ainsi, dans le cas de l'expérience dont nous venons de parler, nous pourrions dire que la capacité qu'un sujet possède d'apprendre une nouvelle tâche est une fonction de la quantité de sommeil dont il a bénéficié.

La description d'une expérience dans laquelle on étudiait l'influence de la marijuana sur la mémoire permettra peut-être de rendre plus claire la distinction entre variables indépendante et dépendante. Des sujets furent répartis au hasard en 4 groupes. Au moment où un sujet se présentait au laboratoire, on lui administrait une dose de marijuana par voie orale sous forme d'un biscuit. Tous les sujets reçurent la même sorte de biscuit et on leur donna les mêmes consignes. Seule la dose de marijuana variait pour chaque groupe : 5, 10, 15 ou 20 mg de THC, l'ingrédient actif dans la marijuana.

Une fois que les sujets avaient absorbé la marijuana, on leur demandait de mémoriser plusieurs listes de mots indépendants. Une semaine plus tard, chaque sujet était ramené au laboratoire et on lui demandait de se souvenir d'autant de mots que possible. La figure 1-5 donne le pourcentage de mots qu'a retenu chacun des 4 groupes. Remarquez que le souvenir diminue en fonction de la quantité de marijuana absorbée quand le sujet avait étudié ces listes.

Les expérimentateurs avaient préparé un plan minutieux avant de recevoir les sujets au laboratoire. Sauf en ce qui a trait à la dose de marijuana, ils se sont assurés de la constance de toutes les conditions : l'organisation générale de l'expérience, les consignes données aux sujets, les mots à mémoriser, le temps alloué pour la mémorisation et les conditions dans lesquelles on a mesuré le rappel. Le seul facteur qu'on a laissé varier d'un groupe à l'autre était la dose de marijuana administrée — la *variable indépendante*. La *variable dépendante* était le nombre de mots retenus une semaine plus tard. La dose de marijuana était mesurée en milligrammes de THC; le rappel était mesuré par le pourcentage de mots dont on se souvenait. Les expérimentateurs étaient capables de tracer la courbe de la relation entre les variables indépendante et dépendante, telle qu'illustrée dans la figure 1-5. Enfin, les expérimentateurs avaient utilisé suffisamment de sujets (20 par groupe) pour justifier l'attente de résultats similaires si l'expérience devait être répétée avec un échantillon différent de sujets. On utilise habituellement la lettre N pour dénoter le nombre de sujets dans chaque groupe; dans cette recherche, $N = 20$.

Le degré de contrôle qu'il est possible d'assurer dans le laboratoire fait de l'expérimentation en laboratoire la méthode scientifique préférée quand on peut l'utiliser de façon adéquate. D'habitude, le contrôle des stimuli et l'obtention de données exactes exigent l'emploi d'instruments de précision. Il se peut que l'expérimentateur ait besoin de produire des couleurs de longueurs d'ondes connues, dans des études sur la vue, ou des tonalités de fréquences déterminées, dans des études sur l'ouïe. Il peut être nécessaire de présenter un stimulus visuel durant une fraction précise de seconde au cours d'une expérience sur la mémoire. Les instruments de précision permettent d'obtenir des mesures au millième de seconde près et l'activité physiologique peut être étudiée grâce à l'amplification de courants très faibles provenant du cerveau. C'est pourquoi le laboratoire de psychologie contient des audiomètres, des photomètres, des oscilloscopes, des chronomètres électroniques, des électroencéphalographes et des ordinateurs.

Il n'est pas nécessaire, pour que la psychologie acquière le statut de science, que tous ses problèmes soient transposés au laboratoire pour y être étudiés. Certaines sciences telles la géologie et l'astronomie ne sont expérimentales que dans une mesure très restreinte. Maintenant que nous avons pu apprécier la valeur des études en laboratoire, nous allons porter notre attention sur d'autres méthodes utilisées dans la recherche psychologique.

Méthode de l'observation

Il peut arriver que, durant les premiers stades de la recherche sur un thème donné, l'expérimentation en laboratoire s'avère prématurée et que l'on puisse

FIGURE 1-6
Observation de babouins dans leur habitat naturel *Ce genre d'études naturalistes nous en apprennent plus sur le comportement social que ne sauraient le faire des études strictement expérimentales. Par exemple, le comportement de la toilette, illustré sur cette photo, est une forme habituelle de contact social chez les babouins dans la jungle.*

faire plus de progrès en observant tout simplement le phénomène auquel on s'intéresse, tel qu'il se produit naturellement. L'observation minutieuse du comportement de l'animal et de l'homme constitue le point de départ d'une bonne partie de la recherche en psychologie. L'observation des primates dans leur habitat naturel peut nous fournir des données sur leur organisation sociale qui nous aideront plus tard à préparer nos recherches en laboratoire (voir la figure 1-6). L'étude de tribus analphabètes révèle la gamme des variations des institutions humaines, variations dont l'ampleur nous échapperait si nous nous en tenions à l'étude des hommes et des femmes de notre propre milieu culturel. L'enregistrement sur bande vidéo de l'activité des nouveau-nés fait voir le détail des schèmes de mouvement qui apparaissent tôt après la naissance et les sortes de stimuli auxquels les bébés réagissent.

Dans l'observation des comportements qui se présentent spontanément, cependant, on court le risque de voir l'anecdote interprétative se substituer à l'observation objective. On peut être tenté de dire, par exemple, que l'animal que l'on sait privé de nourriture depuis longtemps « cherche de quoi manger », quand tout ce que nous observons n'est qu'un accroissement d'activité. Les chercheurs doivent être entraînés à l'observation et à l'enregistrement rigoureux des faits pour éviter de projeter leurs propres désirs ou préconceptions sur ce qu'ils rapportent.

Les méthodes d'observation ont également été introduites en laboratoire. Dans leur étude approfondie des aspects physiologiques de la sexualité humaine, Masters et Johnson (1966) ont trouvé des techniques qui leur ont permis d'observer les réactions sexuelles en laboratoire. Le caractère « intime » de la recherche demandait une planification soignée en vue d'élaborer des procédés pour mettre les sujets à l'aise au laboratoire et d'en arriver à des méthodes convenant à l'observation et à l'enregistrement de leurs réactions. Les données comprenaient : 1) des observations de comportement, 2) des enregistrements de changements physiologiques et 3) des réponses à des questions sur les sensations des sujets avant, durant et après la stimulation sexuelle.

Masters et Johnson seraient les premiers à admettre que la sexualité humaine a plusieurs dimensions qui s'ajoutent à l'aspect biologique. Mais, comme ils le font remarquer, il nous faut connaître les données anatomiques et physiologiques fondamentales de la réaction sexuelle avant de pouvoir comprendre ses aspects psychologiques. Leur recherche a démontré que certaines des hypothèses psychologiques sur la sexualité (la nature de l'orgasme féminin, par exemple, et les facteurs qui contribuent à la compétence sexuelle) reposaient sur des postulats biologiques qui étaient faux.

Méthode de l'enquête

Certains problèmes difficiles à analyser par observation directe peuvent être étudiés grâce à l'utilisation de questionnaires ou d'interviews. Avant la recherche de Masters et Johnson sur le comportement sexuel, par exemple, une grande partie de l'information dont on disposait sur la façon dont les gens se comportaient sur le plan sexuel (par opposition à la conduite qui leur était dictée par la loi, la religion ou la société) nous venait des vastes enquêtes menées par Alfred Kinsey et ses collaborateurs 20 ans plus tôt. C'est l'analyse de l'information provenant de milliers d'interviews d'individus qui est à la base des traités *Sexual Behavior in the Human Male*, (Kinsey, Pomeroy et Martin, 1948) et *Sexual Behavior in the Human Female* (Kinsey, Pomeroy, Martin et Gebhard, 1953).

On a aussi recours à l'enquête pour obtenir des renseignements sur les opinions politiques, les goûts des consommateurs, les besoins en matière de santé et beaucoup d'autres sujets. Les enquêtes les mieux connues sont probablement les sondages de type Gallup et celles du Bureau de recensement. Un bon sondage exige un questionnaire expérimental préparé avec minutie, des interviewers entraînés à bien l'utiliser, un échantillon choisi avec soin de façon à s'assurer que les sujets représentent bien la population à étudier et des méthodes d'analyse de données appropriées pour que les résultats soient interprétés adéquatement.

« À quel titre voulez-vous que je réponde à cette question ? En tant que membre de mon groupe ethnique, selon mon niveau d'éducation, mon échelle de revenus ou mon appartenance religieuse ? »

Dessin de D. Fradon ©1969 *The New Yorker Magazine* Inc.

Méthode des tests

En psychologie contemporaine, le test est devenu un instrument de recherche important. On s'en sert pour mesurer toutes sortes d'aptitudes, d'intérêts, d'attitudes et de rendements. Les tests permettent au psychologue de recueillir de vastes quantités de données en perturbant au minimum la routine quotidienne des gens et sans qu'il ait besoin d'un équipement de laboratoire compliqué. Le test consiste essentiellement à mettre un groupe d'individus en face d'une même situation : les sujets sont susceptibles de manifester des divergences par rapport aux aspects pertinents de la situation (intelligence, dextérité manuelle, anxiété ou aptitudes perceptives). Une analyse des résultats établit ensuite la relation entre les scores aux tests et les variations entre individus.

L'élaboration des tests et leur utilisation ne sont toutefois pas une affaire de tout repos. Elles exigent plusieurs étapes en vue de la préparation des items, leur gradation sur une échelle et la détermination de normes. Dans des chapitres subséquents, nous allons étudier les problèmes liés aux tests plus en détail.

Anamnèses ou histoires de cas

Les biographies scientifiques, appelées histoires de cas, constituent des sources de données importantes pour le psychologue qui étudie les individus. On trouve évidemment aussi des histoires de cas d'institutions ou de groupes de personnes.

La plupart des histoires de cas sont des *reconstitutions de la biographie* d'un individu à partir des événements dont il se souvient ou qui ont été enregistrés. La reconstitution s'avère nécessaire parce que souvent les expériences antérieures n'ont présenté que peu d'intérêt pour un individu, jusqu'à ce que celui-ci rencontre certains problèmes ; à ce moment-là, la connaissance du passé est prise en considération pour la compréhension du comportement actuel. Parce que rétrospective, cette méthode peut entraîner des déformations d'événements ou des oublis, mais c'est souvent le seul moyen à notre disposition.

Les histoires de cas peuvent aussi reposer sur une *étude longitudinale.* Dans ce genre d'étude, on suit un individu ou un groupe durant une période de temps prolongée et on fait des observations à intervalles réguliers. L'avantage de l'étude longitudinale vient de ce qu'elle ne dépend pas des souvenirs de ceux qu'on interviewe après les événements.

LA MESURE EN PSYCHOLOGIE

Quelle que soit la méthode qu'utilise le psychologue, il se verra obligé tôt ou tard de s'exprimer en termes de *nombres* ou de *quantités.* Les variables doivent être évaluées d'une façon objective, afin que les recherches puissent être répétées et vérifiées par d'autres. Il arrive qu'une variable puisse être assimilée à des *classes,* ou *catégories,* comme lorsqu'on distingue garçons et filles pour étudier les différences sexuelles. Parfois, les variables se prêtent à la *mesure physique* ordinaire : par exemple, la durée (en heures) de la privation de sommeil, la dose d'une drogue, le temps requis pour appuyer sur une pédale de frein quand un voyant s'allume. Parfois, on doit situer les variables sur une *échelle* de façon à déterminer un certain ordre. Pour évaluer les sentiments d'insécurité de son patient, le psychothérapeute peut utiliser une échelle à 5 points allant de jamais, rarement, parfois, souvent, jusqu'à toujours. D'habitude, pour fins de communication précise, on attibue des *chiffres* aux variables. La *mesure* est justifiable chaque fois que des valeurs numériques sont assignées à des variables indépendantes et dépendantes ou même à toute variable. On utilise le terme *mesure* quand il y a une méthode prescrite pour l'assignation de chiffres aux différents niveaux, quantités et dimensions d'une variable*

Devis expérimental

Le chercheur doit planifier l'expérimentation dans tous ses détails. Ceci comprend la description des appareils et instruments de mesure, la méthode à utiliser pour recueillir les données et la façon de les analyser. On utilise l'expression *devis expérimental* pour décrire les étapes à prévoir avant l'exécution d'une expérimentation. Une partie du devis expérimental a pour objet de préciser la façon dont les mesures seront effectuées.

Les devis expérimentaux les plus simples sont, comme nous l'avons vu, ceux où le chercheur manipule une variable (la variable indépendante) et étudie son influence sur une autre variable (la variable dépendante). Idéalement, on maintient tous les facteurs constants sauf la variable indépendante de façon à pouvoir, à la fin de l'expérience, faire une affirmation comme celle-ci : « Toutes choses étant égales par ailleurs, quand X augmente, Y augmente également. » Ou dans d'autres cas : « Quand X augmente, Y diminue. » Presque toutes les formes de contenu peuvent s'adapter à ce type de déclaration, comme le démontrent les exemples suivants : 1) « Lorsqu'on accroît la dose de THC, le taux de rappel des articles mémorisés diminue » ; 2) « plus ils ont reçu de stimulation à un âge tendre, mieux les enfants sont capables d'apprentissage à l'âge adulte » ; 3) « quand on augmente l'intensité physique d'un ton, la hauteur tonale perçue s'accroît » ; ou 4) « plus le stress qu'on subit se prolonge, plus la probabilité d'avoir des ulcères est forte ».

Parfois, l'expérimentation est centrée sur l'influence d'une condition unique, qui peut être soit présente, soit absente. (Une telle condition est tout simplement une variable à deux valeurs seulement, l'une qui représente sa présence, l'autre son absence.) Dans ces circonstances, le devis expérimental exige un *groupe expérimental* pour la condition présente et un *groupe contrôle* pour la condition absente. Les résultats d'une telle expérimentation sont présentés à la figure 1-7. L'examen de cette figure révèle que le groupe expérimental qui a été soumis au programme d'apprentissage par ordinateur a obtenu des scores plus élevés aux tests de rendement en lecture que le groupe contrôle qui n'avait pas été soumis à un tel programme.

Limiter une recherche à l'étude d'une variable indépendante unique est une mesure trop restrictive dans certains cas. Il peut s'avérer nécessaire d'observer l'action réciproque de plusieurs variables dans la production d'un effet sur une ou plusieurs variables dépendantes. Les études qui font intervenir la manipulation simultanée de plusieurs variables s'appellent *expériences à variables multiples* et sont d'un usage fréquent en recherche psychologique. Le devis expérimental d'études de ce genre peut s'avérer très compliqué, mais il arrive parfois que les questions posées ne sauraient trouver de réponse que dans une expérience à variables multiples.

Interprétation des propositions statistiques

La recherche psychologique exige habituellement l'application de mesures non seulement à un seul sujet, mais à un échantillon de plusieurs sujets. La recherche donne alors des résultats sous la forme d'un ensemble de chiffres qu'il faut résumer et interpréter. Cette tâche s'appuie sur la *statistique,* discipline qui a trait à la prise d'échantillons de données à partir d'une population d'individus et au dégagement d'inférences sur cette population en se basant sur l'échantillon. Comme la statistique joue un rôle important dans la recherche psychologique, il est bon de se familiariser avec quelques-unes de ses notions fondamentales.

La mesure statistique la plus commune est la *moyenne*. Il s'agit de la moyenne arithmétique ou de la somme de la valeur d'un ensemble de notes

* Ces propos ont pour objet de fournir au lecteur une brève introduction aux problèmes de mesure et de statistiques. On en trouvera une discussion plus poussée en Annexe III.

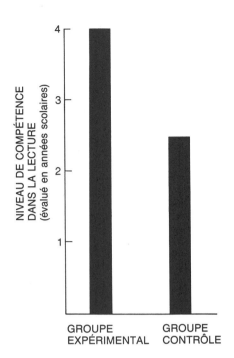

FIGURE 1-7
Groupe expérimental et groupe contrôle *Les élèves d'une école primaire qui composaient le groupe expérimental participaient quotidiennement à un programme d'apprentissage de la lecture présenté par ordinateur et identifié par le sigle CAL (computer-assisted learning). L'ordinateur était programmé pour présenter des types de matière à apprendre et des directives différentes à chaque étudiant selon les difficultés qu'il éprouvait à un point ou un autre du programme d'enseignement de la lecture. CAL permet un apprentissage très individualisé qui tient compte des points où l'étudiant rencontre le plus de difficultés. Le groupe contrôle n'était pas soumis au programme CAL en lecture. À la fin de la troisième année scolaire, tous les élèves des deux groupes ont subi un test de lecture standardisé. Les examinateurs n'avaient aucun moyen de savoir quels étaient les élèves qui avaient suivi le programme CAL. Comme le graphique le montre, les écoliers du groupe expérimental ont eu des scores plus élevés que ceux du groupe contrôle, ce qui laisse supposer que le CAL a été profitable. Dans cette expérience, la variable indépendante est la présence ou l'absence de CAL ; la variable dépendante est le score de l'étudiant au test de lecture. (D'après Atkinson, 1976)*

divisée par le nombre de ces notes. Dans les études qui comportent des groupes expérimentaux et des groupes de contrôle ou des groupes témoins, il y a au moins deux moyennes à comparer : l'une pour les notes des sujets du ou des groupes expérimentaux et l'autre pour celles des sujets du groupe contrôle ou témoin. Bien sûr, c'est la différence entre ces deux moyennes qui nous intéresse. Si elle est grande, nous pouvons la considérer comme existant réellement. Mais qu'arrive-t-il si la différence est petite ? Ou si nos mesures sont sujettes à l'erreur fortuite ? Ne se pourrait-il pas que la différence observée soit en grande partie attribuable à quelques cas excentriques ?

Les statisticiens ont résolu ces problèmes en créant des tests de *signification de différence.* Le psychologue qui affirme que la différence entre le groupe expérimental et le groupe contrôle est « statistiquement significative » indique qu'un test statistique a été appliqué aux données et que les résultats de ces tests permettent de conclure à la « validité » de la différence observée. Cette affirmation du psychologue n'est pas un commentaire sur la signification pratique des résultats ; elle nous apprend simplement que les tests statistiques indiquent que la différence observée serait très susceptible d'apparaître à nouveau si l'expérimentation était répétée. Plusieurs facteurs aléatoires peuvent agir sur les résultats d'une expérience. Grâce aux tests statistiques, les psychologues peuvent évaluer la probabilité que la différence observée soit en fait attribuable à l'influence de la variable indépendante plutôt qu'à celle, accidentelle et fâcheuse, de facteurs aléatoires.

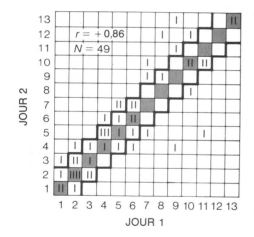

FIGURE 1-8
Diagramme de dispersion de données illustrant la corrélation *Chaque point (petit trait vertical) indique les scores combinés obtenus par un sujet à un test de susceptibilité hypnotique qu'on lui a fait subir deux fois. Les points situés dans la région grise indiquent que ces sujets ont obtenu des scores identiques les deux fois ; ceux qui se trouvent entre les deux lignes plus grasses correspondent à une différence de moins d'un point entre les deux scores. La corrélation de* r = + *0,86 signifie que les résultats étaient assez semblables les deux fois. Il y avait 49 sujets dans cette expérience, donc* N = 49. (D'après Hilgard, 1961)

La corrélation comme substitut pour l'expérimentation

L'étude expérimentale d'un problème s'avère parfois impossible. Le chercheur qui s'intéresse au cerveau humain, par exemple, n'a pas la liberté d'en prélever chirurgicalement des parties. Mais quand des lésions cérébrales surviennent à la suite de maladies ou de blessures, nous sommes en mesure d'étudier les rapports entre ces parties du cerveau humain et le comportement. On peut, par exemple, à partir de l'enregistrement d'observations sur des patients qui ont subi des dommages accidentels dans une région particulière du cerveau, établir une relation entre l'étendue des dommages et l'importance de la perte des capacités de langage. On n'aura *pas* procédé à une étude contrôlée par manipulation expérimentale des dommages cérébraux, mais on aura quand même récolté une information importante. Cette méthode d'étude des rapports entre variables s'appelle la *corrélation.* On peut résumer les résultats des études corrélationnelles au moyen du *coefficient de corrélation,* habituellement représenté symboliquement par la lettre minuscule *r.* Le coefficient de corrélation est une estimation du degré jusqu'auquel deux variables sont reliées entre elles et il s'exprime par un chiffre entre 0 et 1. Le 0 signifie qu'il n'existe aucune relation et 1 que la relation est parfaite. À mesure que le *r* augmente de 0 jusqu'à 1, la force de la relation s'accroît.

LE COEFFICIENT DE CORRÉLATION Il est plus facile de comprendre ce qu'est un coefficient de corrélation si l'on examine la présentation graphique des données d'une véritable recherche. Dans l'étude présentée ici, on avait fait subir un test de réaction à l'hypnose aux sujets et on leur avait attribué une cote ; une cote faible dénotait une réactivité minimale, alors qu'une cote élevée indiquait qu'ils étaient faciles à hypnotiser. Quelques semaines plus tard, on les soumit à un nouveau test afin d'avoir une seconde mesure de leur réaction à l'hypnose. La recherche cherchait à déterminer l'efficacité d'une prédiction de réactivité à l'hypnose basée sur les réactions des sujets lors d'une occasion antérieure. Chaque point porté sur la figure 1-8 représente le résultat d'un même sujet aux deux tests. On voit, par exemple, que deux sujets ont eu des cotes de 1 aux deux jours de test (les deux entrées dans le carré en bas à l'extrême gauche) et que deux sujets ont eu des cotes de 13 aux deux jours (le carré en haut à l'extrême droite). L'un des sujets (voir la partie inférieure du diagramme, à droite) a obtenu une cote de 11 au premier test et de 5 seulement au second test.

Si tous les sujets avaient eu exactement la même cote aux deux tests, toutes les entrées se situeraient dans les carrés qui forment la ligne diagonale centrale (représentée en gris) et le coefficient de corrélation aurait été $r = 1$. Dans le cas présent cependant, il y a suffisamment d'entrées qui tombent de chaque côté pour que la corrélation soit $r = 0,86$. Une corrélation de 0,86 indique que le premier test de réaction à l'hypnose est un instrument qui permet de prédire très bien, mais non à 100 %, la réactivité à l'hypnose lors d'une occasion subséquente. La méthode de calcul numérique du coefficient de corrélation est décrite en Annexe III. Nous allons quand même vous présenter immédiatement quelques règles empiriques qui vous aideront à interpréter les coefficients de corrélation que vous rencontrerez dans le texte de ce volume.

Une corrélation peut être positive (+) ou négative (–). Le signe de la corrélation nous dit si les deux variables sont en corrélation positive ou négative. Si, par exemple, le nombre de fois où des étudiants se sont absentés d'un cours entretient une corrélation de – 0,40 avec la note finale obtenue à ce cours, la corrélation entre le nombre de présences au cours et la note finale serait alors de + 0,40. La force de la relation est la même mais le signe nous dit s'il s'agit de cours manqués ou de cours suivis.

La force de la relation entre deux variables est indiquée par la valeur absolue de r. Elle augmente à mesure que r passe de 0 vers 1. Voici quelques exemples de coefficients de corrélation :

- Un coefficient de corrélation d'environ 0,75 entre les notes obtenues entre la première et la seconde année du cours collégial.
- Une corrélation d'environ 0,70 entre les résultats d'un test d'intelligence subi à l'âge de 7 ans et ceux obtenus à l'âge de 18 ans.
- Une corrélation d'environ 0,50 entre la taille de l'un des parents et celle de l'enfant parvenu à l'âge adulte.
- Une corrélation d'environ 0,40 entre les scores à des tests d'aptitudes scolaires administrés au collège et les notes obtenues à l'université.
- Une corrélation d'environ 0,25 entre les scores à des inventaires de personnalité faits au moyen de questionnaires et les jugements portés par des psychologues experts sur ces mêmes individus observés dans des situations sociales.

En recherche psychologique, on considère un coefficient de corrélation de 0,60 ou plus comme étant assez élevé. Les coefficients qui se situent entre 0,20 et 0,60 ont une valeur pratique et théorique et sont utiles pour faire des prédictions. On doit se montrer prudent dans le cas de corrélations qui tombent entre 0 et 0,20 ; elles n'ont qu'une utilité minimale quand il s'agit de faire des prévisions. Il faut se méfier des chercheurs qui, dans leurs prétentions ou leurs hypothèses, font grand état de coefficients de corrélations qui se situent à ce niveau.

LES RAPPORTS DE CAUSE À EFFET   Avant de conclure sur cette question, il convient d'insister sur une distinction importante entre les études expérimentales et les études corrélationnelles. Dans une étude expérimentale, on manipule de façon systématique une variable (la variable indépendante) dans le but de déterminer son effet sur une autre variable (la variable dépendante). Les études corrélationnelles, par contre, ne permettent pas toujours de conclure à des *rapports de cause à effet*. On peut mieux faire ressortir l'erreur qu'on commettrait en inférant des relations de cause à effet à partir de l'interprétation de corrélations en donnant quelques exemples. Le degré de plasticité de l'asphalte dans les rues d'une ville peut se trouver en corrélation avec le nombre de cas d'insolation rapportés dans une même journée, mais cela ne veut pas dire que le bitume mou donne naissance à des émanations toxiques qui expédient les gens à l'hôpital. Nous comprenons la cause dans cet exemple : le soleil ardent peut à la fois ramollir l'asphalte et causer des insolations. Un autre exemple souvent utilisé est celui de la forte corrélation positive entre le nombre de cigognes que l'on rencontre dans certains villages de France et le nombre de naissances qu'on enregistre dans ces mêmes régions. Nous laissons à l'ingéniosité du lecteur le soin d'imaginer les raisons possibles d'une telle corrélation sans faire appel à une relation de cause à effet entre les cigognes et les nouveau-nés. Ces exemples devraient suffire à mettre en garde contre la tentation de donner une interprétation de cause à effet à une corrélation. Lorsque deux variables sont en corrélation, la variable de l'une d'elles *peut* bien être la cause de la variation de l'autre mais, en l'absence d'une autre preuve, une telle conclusion n'est pas justifiée.

VUE D'ENSEMBLE DU LIVRE

Les psychologues contemporains s'emploient à étudier des milliers de phénomènes divers, allant de la recherche (par le truchement de micro-électrodes) sur les modifications des cellules cérébrales durant l'apprentissage jusqu'aux analyses de l'influence de la densité de la population et de la promiscuité sur le comportement social. Il est difficile de trouver la façon de classifier ces travaux sous différents thèmes et de présenter ces thèmes dans l'ordre le plus significatif possible. Dans le cas des sciences plus anciennes, comme la physique et la chimie, pour lesquelles les faits et les théories sont établis sur des bases assez solides, la plupart des manuels d'introduction présentent les thèmes à peu près dans le même ordre — en commençant avec les notions fondamentales pour ensuite passer aux concepts plus complexes. Quand il s'agit d'une science aussi nouvelle que la psychologie, toutefois, pour laquelle les théories sont souvent très spéculatives et où il reste tant à découvrir, il n'y a pas d'ordre naturel pour les sujets d'étude.

Si vous examinez un certain nombre de textes d'introduction à la psychologie, vous verrez que la façon de regrouper et d'ordonner les thèmes varie beaucoup. Devrions-nous savoir comment les gens perçoivent le monde qui les entoure pour comprendre comment ils apprennent de nouvelles choses? Ou serait-ce que l'apprentissage détermine la façon dont nous percevons notre environnement? Faudrait-il considérer ce qui pousse une personne à agir pour comprendre sa personnalité? Ou pouvons-nous mieux expliquer la motivation si nous analysons d'abord comment la personnalité se développe tout le long d'une vie? En dépit du fait que les questions de ce genre restent sans réponses, nous avons essayé de disposer les thèmes dans ce livre de façon telle que la compréhension des questions abordées dans chaque chapitre puisse servir de toile de fond pour l'étude des problèmes du chapitre suivant.

Pour comprendre l'interaction des gens avec leur milieu, nous avons besoin de savoir quelque chose de leur bagage biologique. Dans la deuxième partie (*Processus biologiques et génétiques*), le premier chapitre montre comment les systèmes nerveux et endocrinien travaillent à l'intégration et au contrôle du comportement. Puisque le comportement dépend également de l'interaction entre les traits héréditaires et les conditions de l'environnement, ce chapitre traite aussi des influences génétiques sur le comportement. Le second chapitre de cette deuxième partie offre une vue générale du développement psychologique de l'individu de la naissance à l'adolescence et à l'âge adulte. En observant comment les aptitudes, les attitudes et la personnalité se développent et en prenant note des problèmes qu'il faut affronter aux diverses étapes de la vie, nous pouvons mieux saisir le genre de questions que se pose le psychologue.

Quand nous parlons de l'« esprit », nous parlons aussi de la conscience — les perceptions, pensées, sentiments et souvenirs dont nous prenons conscience et qui guident nos actions à un moment donné. Pour parvenir à la conscience, l'information sur le monde doit être enregistrée par nos organes sensoriels; ces organes transmettent les sensations de la lumière, du son, du toucher et du goût. Grâce aux processus de perception, cette information sensorielle se structure en configurations significatives. La troisième partie (*Conscience et perception*) étudie les caractéristiques de la conscience humaine — à la fois dans ses états normaux et altérés — et traite de la façon dont les organes sensoriels enregistrent l'information qui leur parvient et de celle dont l'organisme interprète les constellations de stimuli et y réagit.

La quatrième partie (*Apprendre, se souvenir et penser*) porte sur les processus grâce auxquels nous acquérons le savoir-faire et les connaissances, comment nous nous les rappelons et comment nous les utilisons pour communiquer, résoudre les problèmes et penser.

La cinquième partie (*Motivation et émotion*) traite des forces qui mobilisent et orientent la conduite; ce sont, entre autres, les besoins biologiques, de même que les motivations psychologiques et les émotions.

Les façons dont les individus se distinguent les uns des autres, tant par leurs caractéristiques que par leurs aptitudes, font l'objet de la sixième partie (*Personnalité et individualité*). Dans la septième partie (*Stress, psychopathologie et thérapie*), on étudie les moyens que nous prenons pour disposer du stress ainsi que la genèse et le traitement des comportements anormaux.

La huitième partie (*Comportement social*) se rapporte à nos interactions sociales: comment nous pensons, nous nous sentons et agissons dans les situations sociales et comment celles-ci, de leur côté, influencent nos pensées, nos sentiments et nos actes; comment nous percevons et interprétons les comportements d'autrui; comment se forment les croyances et les attitudes et comment les groupes exercent une influence sur leurs membres et inversement.

RÉSUMÉ

1. On peut aborder l'étude de la psychologie à partir de plusieurs points de vue. La *démarche neurobiologique* tente de relier nos actions aux événements qui se déroulent dans l'organisme, tout particulièrement dans le cerveau et le système nerveux. Le *point de vue behavioral* fait porter ses efforts sur l'étude des activités extérieures de l'organisme qui se prêtent à l'observation et à la mesure. La *psychologie cognitive* s'intéresse à la façon dont le cerveau procède au traitement de l'information qui lui parvient en la transformant intérieurement de diverses façons. La *théorie psychanalytique* met l'accent sur les motivations inconscientes provenant de pulsions sexuelles et agressives réprimées durant l'enfance. Les *conceptions phénoménologiques* s'intéressent principalement aux expériences subjectives des individus, à la liberté de choix et à la motivation en vue de l'actualisation de soi. Tout domaine de recherche psychologique peut s'analyser de plusieurs points de vue.

2. On définit la psychologie comme l'*étude scientifique du comportement et des processus mentaux.* Ses nombreux domaines de spécialisation comprennent la psychologie expérimentale et physiologique; la psychologie génétique, sociale et la psychologie de la personnalité; la psychologie clinique et la psychologie du counseling, la psychologie scolaire et la psychologie de l'éducation, et enfin, la psychologie industrielle et l'ergonomie.

3. La psychologie, de même que l'anthropologie, l'économique, les sciences politiques, la sociologie et plusieurs autres disciplines, est classée parmi les *sciences sociales* et les sciences du comportement. On emploie également l'expression *sciences cognitives* pour décrire certains aspects de la recherche psychologique; cette expression attire l'attention sur la façon dont l'être humain acquiert et organise ses connaissances.

4. Lorsqu'il est possible de l'appliquer, la *méthode expérimentale* est préférable parce qu'elle cherche à contrôler tous les facteurs, sauf les variables que l'on étudie. La *variable indépendante* est celle que l'expérimentateur manipule; la *variable dépendante* (d'habitude, une mesure quelconque du comportement du sujet) est celle qu'il étudie afin de déterminer si elle est influencée par les modifications de la variable indépendante.

5. Parmi les autres méthodes utilisées pour l'étude des problèmes psychologiques, on retrouve la *méthode d'observation,* la *méthode d'enquête,* la *méthode des tests* et les *histoires de cas.*

6. *La mesure* comporte l'adoption d'un procédé pour attribuer des *chiffres* aux différents niveaux ou quantités d'une variable. On utilise l'expression *devis expérimental* pour décrire l'ensemble des démarches à suivre dans l'exécution d'une expérimentation. Les devis expérimentaux les plus simples prévoient que l'expérimentateur manipule une variable (la variable indépendante) et observe son effet sur une autre variable (la variable dépendante).

7. Dans plusieurs expériences, la variable indépendante consiste dans la présence ou l'absence d'un facteur. Dans pareil cas, le devis expérimental comporte un *groupe expérimental* (pour lequel le facteur — ou condition expérimentale — est présent) et un groupe *contrôle* ou *témoin* (pour lequel le facteur — ou condition expérimentale — est absent). Quand la *moyenne* entre les groupes expérimental et contrôle est *statistiquement significative,* nous savons que la condition expérimentale a exercé un effet fiable; c'est dire que si on répétait la recherche, on observerait une différence semblable entre les moyennes.

8. Une autre façon d'aborder la recherche consiste à faire intervenir la *corrélation.* Lorsque la variable indépendante échappe à la manipulation expérimentale, il demeure possible d'observer la relation qui existe entre deux variables. On peut faire porter plusieurs observations sur ces mêmes deux variables quand elles surviennent ou se produisent dans la nature et utiliser ensuite les données recueillies pour déterminer dans quelle mesure l'une des variables change avec les autres. Même si l'on ne peut pas dégager des *relations de cause à effet* à partir d'une étude corrélationnelle, ce genre d'études n'en est pas moins extrêmement important, surtout quand il est impossible de procéder à une expérimentation.

9. Le coefficient de corrélation, r, constitue un moyen utile de décrire la force de la relation entre deux variables. Il s'agit d'un nombre qui varie entre 0 et 1. Une valeur de 0 indique l'absence de toute relation; une valeur de 1, l'existence d'une relation parfaite. À mesure que r passe de 0 à 1, la force de la relation s'accroît. Le coefficient de corrélation peut être positif ou négatif selon qu'une variable augmente avec une autre (+) ou qu'elle diminue pendant que l'autre augmente (−). Le signe de la corrélation n'a pas d'influence sur la force de la relation.

LECTURES SUGGÉRÉES*

BERTHIAUME, F. et LAMOUREUX, G. *Initiation à la recherche en psychologie.* Montréal, Les Éditions HRW, 1981.

BOWER, G.H. et HILGARD, E.R. *Theories of learning.* (6ᵉ éd.). Englewood Cliffs, N. J., Prentice-Hall, 1987.

CHÂTEAU, J., GRATIOT-ALPHANDÉRY, H., DORON, R. et CAZAYUS, P. *Les grandes psychologies modernes.* Bruxelles, Dessart, 1977.

DROZ, L. et RICHELLE, M. *Manuel de psychologie.* Bruxelles, Dessart-Mardaga, 1976.

FRAISSE, P., PIAGET, J. et REUCHLIN, M. « Histoire et méthode ». Dans P. Fraisse et J. Piaget, *Traité de psychologie expérimentale.* Volume 1. 4ᵉ éd. Paris, P.U.F., 1976.

HENNEMAN. *La psychologie et son champ d'action.* Montréal, Les Éditions HRW, 1976.

HILGARD, E.R. *Psychology in America: A Historical Survey.* San Diego, Harcourt Brace Jovanovich, 1987.

MANDLER, G. *Cognitive Psychology: An Essay in Cognitive Science.* Hillsdale, N. J.: Erlbaum, 1985.

PIAGET, J. *Psychologie et épistémologie.* Paris, Éditions Gauthier, 1970.

REUCHLIN, M. *Les méthodes en psychologie.* 3ᵉ éd. Paris, P.U.F., 1973.

REUCHLIN, M. *Psychologie.* Paris, P.U.F., 1977.

REUCHLIN, M. et HUTEAU, M. *Guide de l'étudiant en psychologie.* Paris, P.U.F., 1973.

RICHER, F. *Introduction pratique à la méthode expérimentale en psychologie.* Montréal, Décarie Éditeur, 1983.

ROBERT, M. et coll. *Fondements et étapes de la recherche scientifique en psychologie.* Montréal, Chenelière et Stanké, 1982.

ST-ARNAUD, Y. *La psychologie. Modèle systémique.* Montréal, Les Presses de l'Université de Montréal, 1979.

SELLTIZ, C., WRIGHTSMAN, L.S. et COOK, S.W. *Les méthodes de recherche en sciences sociales.* Montréal, Les Éditions HRW, 1977.

---

* On trouvera à la fin de chaque chapitre, une brève liste d'ouvrages en langue française (avec quelques titres importants en langue anglaise) que le traducteur a préparée à l'intention de ceux qui voudront poursuivre plus loin l'étude de certains thèmes abordés dans le chapitre. Le traducteur a placé à la fin du volume une bibliographie plus complète d'articles et de livres en langue française qui portent sur les mêmes sujets. Cette bibliographie s'ajoute à la liste de références de l'œuvre originale qui se rapporte aux ouvrages cités dans le texte, ouvrages en langue anglaise pour la plupart.

Deuxième partie

JERRY N. UELSMANN

Sans titre, 1978

PROCESSUS BIOLOGIQUES ET GÉNÉTIQUES

2/*Bases biologiques de la psychologie*

3/*Développement psychologique*

Bases biologiques de la psychologie

2

Le comportement, qu'il s'agisse de faire un clin d'œil, de jouer au tennis ou de créer un programme pour ordinateur, dépend de l'intégration de nombreux processus à l'intérieur du corps. Le système nerveux assure cette intégration, avec l'aide du système endocrinien.

Pensez, par exemple, à tous les processus qui doivent entrer en coordination parfaite pour que vous arrêtiez votre voiture à un feu rouge. Tout d'abord, il vous faut voir le feu; ceci signifie que la lumière doit s'enregistrer sur l'un de vos organes sensoriels, à savoir votre œil. Les impulsions nerveuses partant de votre œil sont transmises à votre cerveau, où le stimulus est analysé et comparé à l'information se rapportant à des événements passés qui est entreposée dans votre mémoire. (Vous savez qu'un feu rouge dans un certain contexte signifie «arrêtez».) L'action de bouger le pied vers la pédale du frein et d'appuyer est déclenchée par les aires motrices du cerveau qui contrôlent les muscles de votre jambe et de votre pied. Pour transmettre les signaux appropriés à ces muscles, le cerveau doit savoir où votre pied se trouve tout autant que l'endroit où vous voulez le diriger. Le cerveau tient un registre de la position des parties du corps les unes par rapport aux autres, information dont il se sert pour diriger les mouvements. Vous n'arrêtez toutefois pas la voiture avec le seul mouvement brusque de la jambe. Une partie spécialisée de votre cerveau reçoit un *feedback* (impulsions rétroactives) continu des muscles de la jambe et du pied, de sorte que vous êtes au courant du degré de pression qui est exercé et en mesure de modifier vos mouvements en conséquence. Au même instant, vos yeux et certaines de vos autres sensations corporelles vous indiquent rapidement que la voiture s'arrête. Si le feu a tourné au rouge alors que vous vous dirigiez à toute vitesse vers l'intersection, certaines de vos glandes endocrines sont également entrées en action, occasionnant un accroissement du rhythme cardiaque, une respiration plus rapide et d'autres changements métaboliques associés à la peur; ces mécanismes sont de nature à accélérer vos réactions dans un cas d'urgence. L'arrêt que vous faites au feu rouge peut paraître rapide et automatique, mais il met en jeu des messages et des processus d'adaptation nombreux et compliqués. L'information à l'origine de ces activités est transmise par un vaste réseau de cellules nerveuses.

De fait, plusieurs aspects du comportement et de l'activité mentale ne sauraient être compris à fond sans quelques connaissances des processus biologiques sous-jacents. Notre système nerveux, nos organes sensoriels, nos muscles et nos glandes nous permettent de prendre conscience de notre environnement et de nous y adapter. Notre perception des événements dépend de la façon dont nos organes sensoriels détectent les stimuli et de celle dont notre cerveau interprète l'information venant des sens. Une bonne partie de notre comportement est motivée par ces besoins que sont la faim, la soif et l'évitement de la fatigue ou de la douleur. Notre capacité d'utiliser le langage, de penser et de résoudre des problèmes dépend d'une structure cérébrale qui est incroyablement compliquée. Plusieurs psychophysiologistes sont, en effet, d'avis que nos processus de pensée les plus compliqués reposent effectivement sur des configurations spécifiques d'événements électriques et chimiques au niveau du cerveau.

Une partie de la recherche établissant les liens entre les événements psychologiques spécifiques et les processus biologiques sera présentée plus

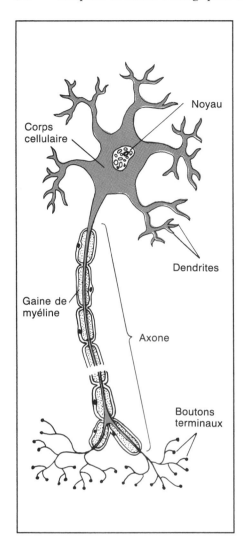

FIGURE 2-1
Neurone *Diagramme schématique d'un neurone. La stimulation des dendrites ou du corps cellulaire engendre une impulsion nerveuse électrochimique qui traverse l'axone jusqu'aux terminaisons de l'axone. Une gaine de myéline recouvre les axones de certains neurones, mais pas de tous; elle contribue à l'accroissement de la vitesse de transmission de l'influx nerveux.*

loin quand nous parlerons, par exemple, de la perception ou de la motivation et des émotions. Le présent chapitre donne une brève vue d'ensemble du système nerveux. Ceux d'entre vous qui ont étudié la biologie se retrouveront assez souvent en terrain connu.

UNITÉS FONDAMENTALES DU SYSTÈME NERVEUX

Le cerveau humain est composé de 12 milliards ou plus de cellules spécialisées appelées *neurones*; ce sont les unités fondamentales du système nerveux. Il est important de comprendre ce que sont les neurones, car ils recèlent, sans aucun doute, les secrets de l'apprentissage et de l'activité mentale. Nous connaissons leur rôle dans la transmission des influx nerveux et nous savons comment certains types de circuits neuronaux fonctionnent, mais nous commençons tout juste à cerner le rôle plus complexe qu'ils jouent dans l'apprentissage, la mémoire, l'émotion et la pensée.

Neurones et nerfs

Bien que les cellules nerveuses diffèrent énormément par la forme et la dimension, selon le travail spécialisé qu'elles exécutent, elles ont quelques caractéristiques en commun (voir figure 2-1). On y trouve un certain nombre de courtes ramifications qui émanent du *corps cellulaire* et que l'on appelle *dendrites* (du mot grec *dendron*, qui signifie « arbre »). Les dendrites et le corps cellulaire reçoivent des messages des neurones adjacents. Ces messages sont eux-mêmes transmis à d'autres neurones (ou à des muscles et à des glandes) par l'intermédiaire d'un prolongement mince et long qui ressemble à un tube et que l'on appelle *axone*. Au bout de l'axone, on trouve un ensemble de petits appendices appelés *terminaisons de l'axone*.

La terminaison de l'axone ne touche pas vraiment au neurone qu'elle va stimuler. Il y a plutôt un petit espace vide entre la terminaison de l'axone et le corps cellulaire, ou les dendrites, du neurone récepteur. Ce point de jonction s'appelle *synapse* et l'espace vide lui-même la *brèche synaptique*. Quand une impulsion nerveuse se déplace le long d'un axone et arrive aux terminaisons de celui-ci, elle déclenche la sécrétion d'une substance chimique appelée *neurotransmetteur*. La substance « neurotransmettrice » traverse la brèche synaptique et stimule le neurone voisin, transmettant ainsi l'impulsion nerveuse d'un neurone à l'autre. Les axones provenant d'un très grand nombre de neurones (1000 peut-être) peuvent faire synapse avec les dendrites et le corps cellulaire d'un seul neurone (voir la figure 2-2).

Bien que tous les neurones partagent ces traits généraux, leur forme et leur dimension varient considérablement. Un neurone de la moelle épinière peut posséder un axone d'environ un mètre de long, qui irait du bout de l'épine dorsale jusqu'au gros orteil; dans le cerveau, par contre, un neurone peut ne faire que quelques millimètres, toutes ses parties incluses (voir la figure 2-3).

Il existe trois types de neurones. Les *neurones sensoriels* transmettent vers le système nerveux central les impulsions qui proviennent des *récepteurs*. Les récepteurs sont des cellules spécialisées des organes sensoriels, des muscles, de la peau et des articulations qui détectent les changements physiques ou chimiques et qui transforment ces événements en impulsions qui se déplacent le long des neurones sensoriels. Les *neurones moteurs* transportent des signaux qui partent du cerveau ou de la moelle épinière vers les organes effecteurs, soit les muscles et les glandes. Des *neurones intercalaires*, ou *interneurones*, reçoivent les signaux des neurones sensoriels et envoient des impulsions vers d'autres neurones intercalaires ou vers des neurones moteurs. On ne trouve ces neurones intercalaires que dans le cerveau et la moelle épinière.

Un *nerf* est un faisceau de longs axones provenant de centaines ou de milliers de neurones. Un nerf peut contenir à lui seul des axones provenant à la fois de neurones afférents et efférents. Il existe un grand nombre de cellules appelées glies ou *cellules gliales* (du mot grec *glia*, qui signifie glu) qui forment un tissu dense parmi les neurones. Les cellules gliales aident à tenir les neurones en place et elles leur fournissent des éléments nutritifs.

Transmission dans l'axone

Le mouvement d'un influx nerveux le long d'un nerf est assez différent de celui du passage du courant électrique dans un fil. L'électricité voyage à la vitesse de la lumière (environ 300 000 km/s) alors que l'impulsion nerveuse dans le corps humain peut se déplacer à des vitesses variant entre 3 et 300 km/h, selon le diamètre de l'axone et d'autres facteurs. L'analogie avec la fusée pyrotechnique est parfois utilisée : quand on allume une fusée, une de ses parties active la partie voisine et l'impulsion se transmet le long de son trajet. Néanmoins, les fins mécanismes de la transmission nerveuse sont plus complexes que cela. Le processus est *électrochimique*. La mince membrane qui retient le protoplasme de la cellule n'a pas la même perméabilité aux nombreux types d'*ions* (atomes et molécules portant une charge électrique) qui flottent normalement et dans le protoplasme de la cellule, et dans le liquide qui entoure celle-ci. À l'état de repos, la membrane cellulaire a tendance à barrer l'entrée aux ions de sodium (Na +) à charge positive et à garder à l'intérieur de la cellule les divers ions à charge négative. Il s'ensuit que l'on a un petit potentiel électrique, ou une différence de voltage, de part et d'autre de la membrane ; l'intérieur d'une cellule nerveuse est plus négatif que l'extérieur.

Quand l'axone est stimulé, le potentiel électrique, de part et d'autre de la membrane, se trouve réduit au point de stimulation. Si la réduction de potentiel est assez importante, la perméabilité de la membrane cellulaire change brusquement laissant les ions Na + pénétrer à l'intérieur. On parle alors de *dépolarisation* ; l'intérieur de la membrane cellulaire est devenu moins négatif qu'il ne l'était avant. Ce changement agit sur la partie adjacente de l'axone, entraînant une dépolarisation de la membrane. La répétition de ce processus tout le long de l'axone constitue l'impulsion nerveuse. Comme cette impulsion nerveuse est engendrée à nouveau à chaque étape le long de l'axone, son amplitude ne diminue pas au cours de la transmission.

Il y a dépolarisation parce que la membrane cellulaire joue le rôle d'un filtre très sélectif, assurant la présence de concentrations d'ions différentes à l'intérieur et à l'extérieur de la cellule. Les ions ne peuvent passer de l'intérieur à l'extérieur de la cellule et inversement que grâce à des *vannes à ions* et des *pompes à ions* enfouies dans la membrane cellulaire. Les vannes à ions sont des structures protéiques qui forment un pore à travers la membrane cellulaire. Cette structure protéique contrôle le passage des ions par ouverture et fermeture du pore. Quand les portes des vannes sont ouvertes, les ions se précipitent à travers les pores et tendent à compenser les différences de concentration ionique qui existent entre l'extérieur et l'intérieur de la cellule. Les vannes à ions peuvent s'ouvrir et se fermer en réponse aux neurotransmetteurs qui viennent les fixer ou en réaction à un changement de voltage de part et d'autre de la membrane. À l'encontre des vannes à ions, les pompes à ions utilisent l'énergie métabolique pour pomper les ions Na + (et d'autres ions) afin de les faire sortir à nouveau de la cellule de façon à rétablir le potentiel de repos de la membrane.

Les axones de la plupart des neurones sont recouverts d'une mince couche de matière grasse, la *gaine de myéline*, qui les isole les uns des autres. Cette gaine est constituée d'une série de courts segments séparés par de petits interstices (voir la figure 2-1). La fonction isolante de la gaine de myéline permet à l'impulsion nerveuse de sauter de part et d'autre, d'interstice en interstice, améliorant grandement la vitesse de conduction. La gaine de myéline est apparue tardivement au cours de l'évolution et elle est une caractéristique des systèmes nerveux des animaux supérieurs. La *sclérose en plaques*, maladie marquée par un dysfonctionnement grave des nerfs sensoriels et moteurs, est causée par la dégénérescence de surfaces de la gaine de myéline.

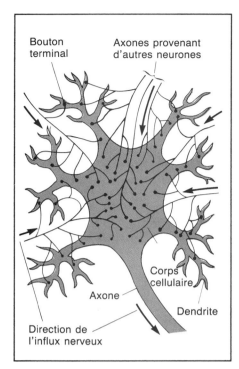

Bouton terminal

Axones provenant d'autres neurones

Corps cellulaire

Axone

Dendrite

Direction de l'influx nerveux

FIGURE 2-2
Synapse au corps cellulaire d'un neurone *Plusieurs axones différents, qui possèdent chacun plusieurs ramifications, font synapse sur les dendrites et le corps cellulaire d'un seul neurone. Chaque branche d'un axone se termine par un renflement appelé bouton terminal, lequel contient les substances chimiques qui sont libérées et qui transmettent l'impulsion nerveuse à travers la synapse aux dendrites ou au corps cellulaire de la cellule voisine. Les neurones peuvent subir une croissance et un nouvel arrangement qui les amènent à établir des liens avec de nouvelles cellules et à abandonner d'anciennes connexions. On a supposé que de tels changements pourraient relever des bases physiologiques de l'apprentissage et de la mémoire.*

Transmission synaptique

La jonction synaptique entre les neurones a une importance énorme, car c'est là que les cellules nerveuses procèdent à la transmission des signaux. Pris isolément, un neurone se décharge, ou « fait feu », quand la stimulation qui lui parvient à travers de multiples synapses dépasse un certain niveau de seuil. Le neurone tire un seul coup bref, puis devient inactif pendant quelques millièmes de seconde. L'impulsion nerveuse a une amplitude constante et elle ne peut être déclenchée par un stimulus avant que celui-ci n'atteigne le niveau de seuil; c'est ce qu'on appelle le *principe du tout-ou-rien*. Une fois en marche, l'impulsion est véhiculée le long de l'axone vers ses nombreuses terminaisons.

Comme nous l'avons vu, les neurones n'entrent pas en connexion directe au niveau de la synapse; il y a une légère brèche à travers laquelle le signal doit être transmis (voir la figure 2-4). Même s'il est possible, dans quelques régions du système nerveux, que l'activité d'un neurone stimule un autre neurone directement, dans la vaste majorité des cas, ce sont les neurotransmetteurs qui sont responsables de la transmission du signal. Quand une impulsion nerveuse descend le long de l'axone d'un neurone et parvient à la terminaison de l'axone, elle stimule les *vésicules synaptiques* de la terminaison pour qu'elles libèrent des neurotransmetteurs. Les molécules du neurotransmetteur se répandent à travers la brèche synaptique pour entrer en combinaison avec des molécules de la membrane cellulaire du neurone récepteur. Ces deux types de cellules se lient ensemble et produisent des changements dans la perméabilité du neurone récepteur. Certains neurotransmetteurs ont tendance à avoir un effet excitant et à accroître la perméabilité dans la direction d'une dépolarisation; d'autres ont tendance à être inhibiteurs et à produire l'effet contraire.

Un neurone donné est en liaison synaptique avec beaucoup d'autres neurones et certaines de ces synapses libèrent des neurotransmetteurs qui sont excitants, alors que d'autres libèrent des neurotransmetteurs qui sont inhibiteurs. Suivant leurs « patterns » de décharge, les axones différents libèrent leurs substances neurotransmettrices à des moments différents. Quand, à un point donné, les effets excitants l'emportent sur les effets inhibiteurs, la dépolarisation se produit et le neurone déclenche une impulsion tout-ou-rien.

Une fois qu'une substance neurotransmettrice est libérée et qu'elle s'est répandue à travers la brèche synaptique, son action doit être très brève. Autrement, une action prolongée affecterait la précision du contrôle. La courte durée de cette action est assurée par l'un ou l'autre de deux moyens. Dans le cas de certains neurotransmetteurs, la synapse est presque immédiatement débarrassée du médiateur chimique par *recaptage*, processus par lequel le neurotransmetteur se trouve réabsorbé par les terminaisons de l'axone à partir desquelles il avait été libéré. Le recaptage met un terme à l'action du neurotransmetteur et libère les terminaisons de l'axone de la nécessité de produire une plus grande quantité de cette substance. L'action des autres transmetteurs est interrompue par la *dégradation*, processus par lequel des enzymes dans la membrane du neurone récepteur réagissent avec le neurotransmetteur pour le décomposer chimiquement et le rendre inactif.

Les neurotransmetteurs

On a déjà identifié plus de 40 neurotransmetteurs différents et l'on en découvrira encore d'autres dans l'avenir. Le plus commun d'entre eux est l'*acétylcholine* (ACh). C'est, en général, un transmetteur excitant, mais il peut être inhibiteur selon le type de molécules réceptrices dans la membrane du neurone récepteur. On trouve l'ACh dans plusieurs synapses du cerveau et de la moelle épinière. Elle est particulièrement répandue dans une région du cerveau appelée hippocampe, qui joue un rôle prépondérant dans la formation de nouveaux souvenirs. La maladie d'Alzheimer, un trouble dévastateur qui afflige beaucoup de personnes âgées, comporte des défections de la mémoire et d'autres fonctions cognitives. On a démontré que les cellules nerveuses qui produisent l'ACh avaient tendance à se dégrader chez les patients atteints de l'Alzheimer, entraînant une réduction de la production cérébrale d'ACh; moins le cerveau produit d'ACh, plus les symptômes Alzheimer sont graves.

Il y a également libération d'ACh à toute synapse où un nerf se termine dans une fibre musculaire squelettique, étant ainsi responsable de la contraction musculaire. Certaines substances qui agissent sur l'ACh peuvent produire une paralysie musculaire. La *toxine botulinique*, formée par des bactéries dans la nourriture en boîtes de conserve défectueuses, bloque les récepteurs pour l'ACh aux synapses neuromusculaires et peut causer la mort quand les muscles respiratoires deviennent paralysés. Certains gaz de combat qui agissent sur le système nerveux et plusieurs pesticides provoquent la paralysie en détruisant les enzymes responsables de la décomposition de l'ACh une fois que le neurone s'est déchargé; lorsque ce processus de dégradation échoue, il y a accumulation incontrôlée d'ACh dans le système nerveux, ce qui empêche la transmission synaptique normale.

La *noradrénaline* (NA) est un neurotransmetteur important, produit surtout par des neurones du tronc cérébral, même si leurs axones envoient leurs projections dans de vastes régions du cerveau. Deux substances bien connues, la *cocaïne* et les *amphétamines*, prolongent l'action de la NA en ralentissant le processus de recaptage. Ce délai du recaptage fait que les neurones récepteurs se trouvent activés durant une période plus longue, ce qui explique les effets stimulants psychologiques de ces drogues. Le *lithium*, au contraire, est une substance qui accélère le recaptage de la NA, ce qui concourt à déprimer l'humeur de l'usager. Toute drogue qui produit une augmentation ou une diminution de NA dans le cerveau entretient une corrélation avec une hausse ou une baisse du niveau de l'humeur de l'individu qui la prend.

L'*acide gamma-aminobutyrique* (GABA) est un autre neurotransmetteur important. Cette substance a une action inhibitrice. La *picrotoxine*, par exemple, bloque les récepteurs GABA et entraîne des convulsions, parce qu'en l'absence de l'influence inhibitrice du GABA, il y a un manque de contrôle sur les mouvements musculaires. Les propriétés tranquillisantes de certains médicaments utilisés dans le traitement des patients qui souffrent de dépression sont associées à une facilitation de l'activité du GABA.

Des drogues qui modifient l'humeur, comme la *chlorpromazine* et le *LSD*, produisent leurs effets en créant un excès ou un manque de neurotransmetteurs spécifiques. La chlorpromazine, médicament utilisé pour traiter la schizophrénie, bloque les récepteurs du neurotransmetteur qu'est la *dopamine* et fait qu'il y a moins de messages qui peuvent passer. Un excédent de dopamine au niveau de la synapse peut causer la schizophrénie, mais s'il n'y en a pas assez, on aura la maladie de Parkinson. Le LSD a une structure chimique qui ressemble à celle du neurotransmetteur qu'est la *sérotonine*, laquelle agit sur l'émotivité. Les faits indiquent que le LSD s'accumule dans certaines cellules cérébrales où il mime l'action de la sérotonine en stimulant les cellules de façon excessive (voir l'Analyse critique des pages 38-39).

ORGANISATION DU SYSTÈME NERVEUX

Toutes les parties du système nerveux sont reliées les unes aux autres. Pour fins d'étude, toutefois, on peut séparer le système nerveux d'après les divisions et subdivisions illustrées au schéma de la page 38.

Le *système nerveux central* comprend tous les neurones du cerveau et de la moelle épinière. Le *système nerveux périphérique* est composé de nerfs qui relient le cerveau et la moelle épinière aux autres parties du corps. Le système nerveux périphérique se divise encore en *système somatique* et en *système autonome*.

Les nerfs sensoriels du système somatique transmettent de l'information sur la stimulation externe au niveau de la peau, des muscles et des jointures jusqu'au système nerveux central; ils nous renseignent sur la douleur, la pression et les variations de la température. Les nerfs moteurs du système soma-

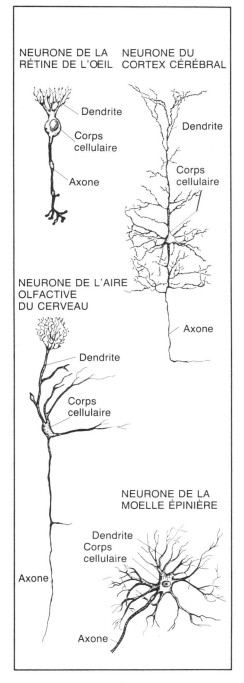

FIGURE 2-3
Formes et dimensions relatives des neurones *L'axone d'un neurone de la moelle épinière (qui n'est pas présenté en entier sur cette figure) peut mesurer plus d'un mètre de long.*

ANALYSE CRITIQUE*

Neurotransmetteurs et agents psychoactifs

Quand l'impulsion électrique atteint le bout d'un axone, des *molécules neurotransmettrices* sont libérées ; elles traversent la brèche synaptique pour entrer en combinaison avec des *molécules réceptrices* dans la membrane du neurone-cible. Les molécules du neurotransmetteur et du récepteur s'adaptent l'une à l'autre de la même façon qu'un morceau d'un puzzle s'ajuste à un autre ou qu'une clef entre dans une serrure. Cette *action clef-serrure* des 2 molécules modifie les propriétés électriques de la cellule-cible, soit en l'amenant à se décharger, soit en l'empêchant de le faire.

Pour qu'elle joue son rôle, toute clef a besoin d'une serrure et tout neurotransmetteur, d'un récepteur. Plusieurs drogues d'usage courant — des tranquillisants comme le Valium jusqu'aux stupéfiants qui courent les rues comme l'héroïne et la cocaïne — entrent en interaction avec les molécules des récepteurs sensiblement de la même façon que les neurotransmetteurs. Les molécules de ces drogues ont une forme qui se rapproche assez de celle des neurotransmetteurs pour qu'elles fonctionnent comme si elles étaient les clefs des serrures des molécules réceptrices.

On en trouve un bon exemple dans les *opiacés*, une catégorie de stupéfiants qui comprend l'héroïne et la morphine. Sous forme moléculaire, les opiacés ressemblent à un groupe de neurotransmetteurs du cerveau appelés *endorphines* qui ont pour effet de bloquer la douleur. La découverte du fait que les opiacés miment l'action de substances produites naturellement par le cerveau a suscité un nombre considérable de recherches sur le système chimique de contrôle qui traite avec le stress et la douleur dans le corps. Les individus qui semblent indifférents à la douleur ont peut-être une capacité inusuelle d'accroître la production de ces calmants quand le besoin s'en fait sentir. Les travaux de recherche sur l'une des endorphines que l'on appelle *enképhaline* ont contribué à nous faire comprendre pourquoi un analgésique comme la morphine pouvait créer une dépendance. Dans des conditions normales, l'enképhaline occupe un certain nombre de récepteurs d'opiacés. La morphine soulage la douleur en entrant en fixation avec des récepteurs qui n'ont pas été remplis. Une dose trop élevée de morphine peut entraîner une chute de la production d'enképhalines, laissant des vides dans les récepteurs d'opiacés. Le corps a alors besoin de morphine additionnelle pour remplir les récepteurs inoccupés et réduire la douleur. Lorsqu'on interrompt l'absorption de morphine, des récepteurs d'opiacés restent vides ce qui provoque de douloureux symptômes de sevrage. On a invoqué le fait que le cerveau faisait la synthèse de substances qui ressemblent aux opiacés pour expliquer toutes sortes d'effets. Les mordus de la course à pied (jogging) prônent l'hypothèse que l'épuisement physique contribuerait à accroître la production d'enképhaline pour créer chez le coureur un état second qui serait un

* On présentera des analyses critiques de temps en temps pour attirer l'attention sur des questions controversées ou pour étudier un sujet plus en détails. Au professeur de juger s'il doit les utiliser.

tique transportent aussi des impulsions du système nerveux central vers les parties du corps, où elles déclenchent des activités. Tous les muscles que nous utilisons pour les mouvements volontaires, de même que pour les ajustements involontaires de la posture et de l'équilibre, sont contrôlés par ces nerfs.

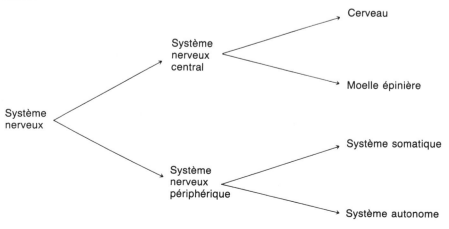

« paroxysme du coureur ». Ceux qui pratiquent l'acuponcture disent que leurs aiguilles activent les enképhalines qui agissent comme un anesthésique naturel. On trouve cependant peu de données scientifiques à l'appui de ces prétentions.

Les substances qui, comme les opiacés, influencent l'activité mentale et l'humeur sont appelées des *agents psychoactifs*. Elles produisent leurs effets en modifiant l'un des divers systèmes de neurotransmetteurs. La majeure partie de l'action exercée par les drogues sur le système nerveux se produit au niveau des synapses. Des substances différentes pourront exercer des actions différentes à une même synapse. Une drogue pourrait, par exemple, mimer l'effet d'un neurotransmetteur spécifique, alors qu'une autre occuperait le site récepteur bloquant l'entrée de celui-ci au neurotransmetteur normal et d'autres, enfin, pourraient agir sur les processus de recaptage et de dégradation. L'accoutumance à une drogue aura pour effet, soit d'accroître, soit de réduire, l'efficacité de la transmission nerveuse.

Deux médicaments, la *chlorpromazine* et la *réserpine*, se sont avérés efficaces dans le traitement de la schizophrénie (une maladie mentale dont nous parlerons au chapitre 15). Ces deux substances agissent sur les systèmes de la noradrénaline et de la dopamine, mais leur action antipsychotique est surtout due à leur effet sur le neurotransmetteur qu'est la dopamine. Il semble que la chlorpromazine bloque les récepteurs de dopamine en détruisant les vésicules de storage des terminaisons de l'axone. L'efficacité de ces médicaments dans le traitement de la schizophrénie a donné lieu à l'*hypothèse*

de la dopamine qui veut que la schizophrénie soit attribuable à un excès d'activité de la dopamine sur des groupes cellulaires critiques à l'intérieur du cerveau. L'évidence sur laquelle repose l'hypothèse, veut que les agents antipsychotiques semblent cliniquement efficaces dans la mesure où ils bloquent la transmission des impulsions par les molécules de la dopamine. Les *amphétamines*, qui sont capables de créer chez des individus normaux un état qui imite la schizophrénie, semblent aussi accroître l'action de la dopamine. L'hypothèse de la dopamine rencontre un appui assez vaste, mais, jusqu'à présent, les efforts en vue de démontrer une augmentation réelle des concentrations de dopamine chez les schizophrènes, par comparaison avec les individus normaux, sont demeurés vains.

La recherche sur la relation entre agents psychoactifs et neurotransmetteurs a ajouté à notre compréhension de la façon dont ces drogues agissent. D'autres filons de recherche ont démontré que l'on pouvait améliorer temporairement le fonctionnement de la mémoire humaine avec des substances qui exercent une influence sur l'activité cholinergique (l'activité des neurones qui utilisent l'ACh comme neurotransmetteur). Mais, compte tenu de la complexité du système cholinergique, on est loin de disposer de drogues qui amélioreraient la mémoire de façon permanente (Mohs et coll., 1985). Beaucoup de problèmes psychologiques se rapprocheront d'une solution au fur et à mesure que nous en apprendrons plus sur les complexités de la communication nerveuse.

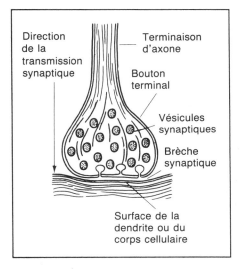

FIGURE 2-4
Point de jonction synaptique
Quand une impulsion nerveuse atteint le bout d'un axone, elle déclenche la décharge d'un neurotransmetteur chimique dans la brèche synaptique. Les molécules du neurotransmetteur se combinent avec les molécules réceptrices de la membrane du neurone récepteur dans une action de type clef et serrure. La combinaison de ces molécules modifie la perméabilité de la cellule réceptrice, rendant cette cellule soit plus susceptible d'émettre une décharge (synapse excitatrice), soit plus susceptible de ne pas en émettre (synapse inhibitrice). On a cru pendant longtemps qu'un neurone donné n'avait qu'un type de neurotransmetteur dans toutes ses terminaisons d'axone. Des résultats récents, toutefois, permettent de croire qu'un neurone serait capable de sécréter plusieurs neurotransmetteurs différents et que même une seule terminaison d'axone pourrait contenir deux ou trois types de neurotransmetteurs.

Les nerfs du système nerveux autonome vont aux organes internes et en viennent, assurant ainsi la régulation de processus comme la respiration, le rythme cardiaque et la digestion. Nous traitons plus loin dans ce chapitre de ce système qui joue un rôle primordial au niveau de l'affectivité.

La plupart des fibres nerveuses qui relient diverses parties du corps au cerveau sont réunies dans la *moelle épinière* où elles sont protégées par les vertèbres osseuses de l'épine dorsale. La moelle épinière est remarquablement compacte — faisant à peine le diamètre du petit doigt. Certains des réflexes stimulus-réponse les plus simples se situent au niveau de la moelle épinière. On en a un exemple dans le réflexe tendineux du genou (réflexe patellaire), qui consiste à soulever la jambe en réaction à une percussion sur le tendon situé devant la rotule. Le médecin se sert souvent de ce test pour vérifier le fonctionnement des réflexes spinaux. Le rôle naturel de ce réflexe est d'assurer que la jambe s'allonge quand la force gravitationnelle fait plier le genou, de sorte que l'organisme reste debout. Quand on frappe sur le tendon du genou, il y a traction sur le muscle qui s'y rattache et les cellules sensorielles situées à l'intérieur de ce muscle transmettent un message par l'intermédiaire des neurones sensoriels à la moelle épinière. Là, les neurones sensoriels entrent en synapse directe avec plusieurs neurones moteurs qui retransmettent des impulsions vers le même muscle, entraînant sa contrac-

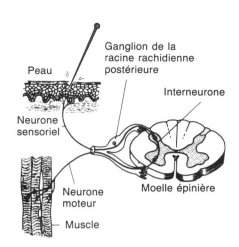

FIGURE 2-5
Arc réflexe à trois neurones *Ce diagramme indique comment les impulsions nerveuses provenant d'un organe sensoriel dans la peau parviennent à un muscle squelettique au moyen d'un arc à trois neurones situé à l'intérieur de la moelle épinière. La prise de conscience de ce réflexe automatique se produit parce que les influx atteignent également l'hémisphère cérébral par l'intermédiaire de voies ascendantes. La portion de la moelle épinière en forme de H est la matière grise, située au centre et constituée surtout de corps cellulaires et de leurs connexions.*

tion et l'extension de la jambe. Bien que cette réponse puisse se produire seulement dans la moelle épinière sans aucune assistance du cerveau, elle est normalement influencée par les messages provenant des centres nerveux supérieurs. Si vous serrez vos deux mains un peu avant que l'on frappe le genou, le mouvement d'extension est amplifié. Et si vous décidez d'inhiber volontairement ce réflexe avant que le médecin ne frappe le tendon, vous pouvez le faire. Le mécanisme de base est inscrit dans la moelle épinière, mais des centres supérieurs dans le cerveau sont capables de le modifier.

Les réflexes les plus simples peuvent ne mettre en cause que des neurones sensoriels et moteurs, mais la plupart des réflexes impliquent également un ou plusieurs *interneurones* de la moelle épinière, lesquels servent de médiateurs entre les neurones afférents et les neurones efférents.

STRUCTURE DU CERVEAU

Certaines structures du cerveau se distinguent nettement des autres; il en est, par contre, qui se fondent graduellement l'une dans l'autre, ce qui soulève des questions quant à leurs limites exactes et aux fonctions qu'elles contrôlent. Pour nos fins, il convient de concevoir le cerveau humain comme composé de trois couches concentriques qui se sont formées à des stades différents de l'évolution: 1) une *partie centrale* primitive; 2) le *système limbique*, qui s'est développé à partir de ce noyau à un stade plus récent de l'évolution; et 3) les *hémisphères cérébraux*, qui sont responsables des processus mentaux supérieurs. La figure 2-6 fait voir comment ces couches s'agencent ensemble. On pourra comparer les trois couches concentriques à la coupe transversale plus détaillée du cerveau humain que nous présente la figure 2-7.

Partie centrale

Cette partie comprend presque tout le tronc cérébral. Le premier renflement de la moelle épinière à l'endroit où elle s'insère dans le crâne est le *bulbe*, structure étroite (d'environ 4 cm de long) qui contrôle la respiration et certains réflexes qui aident l'organisme à maintenir une posture verticale. C'est à cet endroit aussi que les principaux faisceaux de fibres nerveuses provenant de la moelle épinière ou arrivant du cortex se croisent, de sorte que le côté droit du cerveau est relié au côté gauche du corps et le côté gauche du cerveau au côté droit du corps. Nous reviendrons sur la signification à donner à cette décussation un peu plus loin.

LE CERVELET   On trouve, rattachée à la partie postérieure du tronc cérébral et située un peu au-dessus du bulbe, une stucture présentant des circonvolutions, appelée *cervelet*. Celui-ci est lié principalement à la régulation de la coordination motrice et sa structure est à peu près la même chez les vertébrés inférieurs (tels que serpents et poissons) que chez l'être humain. La commande des mouvements spécifiques se fait aux niveaux supérieurs, mais leur coordination sans heurts dépend du cervelet. Cette structure contrôle le tonus musculaire et harmonise les mouvements compliqués du poisson qui nage, de l'oiseau en plein vol et de l'être humain qui joue d'un instrument de musique. Les lésions au cervelet donnent lieu à des mouvements saccadés, sans coordination; souvent l'individu ne peut plus exécuter de façon automatique les mouvements même les plus simples (comme la marche) et il doit se concentrer sur chacun des éléments de l'activité complète.

LE THALAMUS ET L'HYPOTHALAMUS   Au-dessus du tronc cérébral, à l'intérieur des hémisphères cérébraux, se trouvent deux structures de forme ovale composées de groupes de noyaux de cellules nerveuses; ces deux structures prises ensemble portent le nom de *thalamus*. Une région du thalamus sert de station de relais et dirige l'information qui parvient des récepteurs sensoriels de la vision, de l'audition, du toucher et du goût vers le cerveau. Une autre région du thalamus joue un rôle important dans la régulation du sommeil et de l'éveil et est considérée comme faisant partie du système réticulaire.

L'*hypothalamus* est une structure beaucoup plus petite, située juste au-dessous du thalamus. En dépit de ses dimensions, l'hypothalamus joue un rôte extrêmement important en ce qui concerne plusieurs sortes d'émotions et de motivations. Des centres dans l'hypothalamus contrôlent l'action de manger et de boire et le comportement sexuel. L'hypothalamus règle l'activité endocrinienne et maintient l'*homéostasie*. Celle-ci se rapporte au niveau général de fonctionnement caractéristique de l'organisme en santé, comme le maintien de la température normale du corps, du rythme cardiaque et de la tension artérielle. Dans des conditions de stress, l'équilibre habituel est perturbé et des mécanismes sont mis en branle pour corriger ce déséquilibre et ramener le corps à son niveau normal de fonctionnement. Si nous avons trop chaud, par exemple, nous transpirons; si nous avons trop froid, nous grelottons. Ces deux processus qui contribuent au rétablissement de la température normale sont sous le contrôle de l'hypothalamus. Ce dernier est muni de mécanismes de contrôle qui décèlent les modifications dans l'organisme et corrigent le déséquilibre.

L'hypothalamus a aussi un rôle important à jouer au niveau de l'émotivité et de la réaction aux situations qui engendrent le stress. Nous avons vu au chapitre 1 que de faibles stimulations électriques appliquées sur certaines régions dans l'hypothalamus produisent des sensations de plaisir, alors que la stimulation dans des régions adjacentes donne lieu à des sensations désagréables ou douloureuses. Grâce à son influence sur la glande pituitaire hypophyse, placée juste au-dessous de lui (voir la figure 2-7), l'hypothalamus contrôle le système endocrinien et, par le fait même, la production des hormones. Ce contrôle prend une importance particulière quand le corps doit mobiliser un ensemble complexe de processus physiologiques (la réaction de lutte ou de fuite par exemple) pour faire face à des situations d'urgence et à d'autres événements générateurs de stress. On a donné le nom de « centre du stress » à l'hypothalamus, reconnaissant par là le rôle spécial qu'il joue dans la mobilisation de l'énergie en vue de l'action.

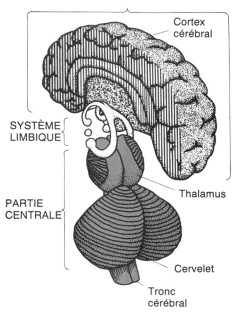

FIGURE 2-6
Les trois couches concentriques du cerveau humain *La partie centrale et le système limbique sont représentés dans leur totalité, mais l'hémisphère cérébral gauche a été enlevé. Le cervelet règle l'équilibre et la coordination musculaire; le thalamus agit comme un standard téléphonique pour les messages provenant des organes sensoriels; l'hypothalamus (non représenté ici, mais situé sous le thalamus) orchestre l'activité endocrine et les processus associés au maintien de la vie comme le métabolisme et la régulation de la température du corps. Le système limbique est lié aux activités qui répondent aux besoins fondamentaux et à l'émotion. Le cortex cérébral, qui est la couche extérieure recouvrant le télencéphale, est le centre des processus mentaux supérieurs, où les sensations sont enregistrées, les actes volontaires déclenchés, les décisions prises et les projets formés.*

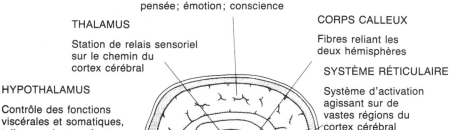

TÉLENCÉPHALE

(Surface: cortex cérébral)

Perception sensorielle, mouvements volontaires; apprentissage, mémoire, pensée; émotion; conscience

THALAMUS

Station de relais sensoriel sur le chemin du cortex cérébral

HYPOTHALAMUS

Contrôle des fonctions viscérales et somatiques, telles que la température, le métabolisme et l'équilibre endocrinien

GLANDE PITUITAIRE, HYPOPHYSE

Une glande endocrine

MOELLE ÉPINIÈRE

Voies de conduction pour les influx moteurs et sensoriels; réflexes localisés (patellaire, par exemple)

CORPS CALLEUX

Fibres reliant les deux hémisphères

SYSTÈME RÉTICULAIRE

Système d'activation agissant sur de vastes régions du cortex cérébral

CERVELET

Tonus musculaire, équilibre du corps, coordination des mouvements volontaires

BULBE

Contrôle de la respiration, de la déglutition, de la digestion et du battement cardiaque

FIGURE 2-7
Le cerveau humain *Ce dessin schématique montre les principales subdivisions du système nerveux central de l'homme et ses fonctions. (N'est représentée ici que la partie supérieure de la moelle épinière, même si c'est toute la moelle qui appartient au système nerveux central.)*

LE SYSTÈME RÉTICULAIRE   Un réseau de circuits neuraux qui s'étend de la base du tronc cérébral jusqu'au thalamus, traversant ainsi certaines des autres structures de la partie centrale, constitue ce qu'on appelle le *système réticulaire*. Ce dernier joue un rôle important dans le contrôle de notre état d'activation ou de conscience. Lorsque, par l'intermédiaire d'électrodes implantées dans le système réticulaire, on stimule un chat ou un chien avec un courant électrique d'un certain voltage, l'animal s'endort; la stimulation au moyen d'un courant prenant la forme d'une onde qui change plus fréquemment réveille l'animal qui dort. Si on pratique des lésions dans le système réticulaire, l'animal entre souvent dans un état de stupeur (c'est-à-dire qu'il est dans le coma).

Le système réticulaire peut également contribuer à notre capacité de nous concentrer. Tous les récepteurs sensoriels ont des fibres nerveuses qui se rendent au système réticulaire; ce système semble agir comme un filtre, laissant certains messages sensoriels passer jusqu'au cortex cérébral (pour devenir conscients) alors qu'il en bloque d'autres. Ainsi, dans un moment de forte concentration, vous pouvez rester insensible aux bruits qui vous entourent ou à une douleur qui était auparavant très perceptible.

Le système limbique

Autour de la partie centrale du cerveau, bordant la région la plus interne des hémisphères cérébraux, on trouve une série de structures, qui, ensemble, prennent le nom de *système limbique*. Du point de vue de l'évolution, ce système est d'origine plus récente que la partie centrale du système nerveux; il n'est pleinement développé que chez les mammifères. Ce système est en relation étroite avec l'hypothalamus et semble imposer des contrôles additionnels à certains des comportements « instinctifs » réglés par l'hypothalamus et le tronc cérébral. Les animaux qui n'ont que des systèmes limbiques rudimentaires (poissons et reptiles, par exemple) ont recours à des comportements fortement stéréotypés dans l'exercice de certaines activités comme se nourrir, attaquer, fuir le danger et s'accoupler. Chez les mammifères, au contraire, le système limbique semble inhiber certaines des formes de comportement instinctif, ce qui permet à l'organisme de se montrer plus souple et mieux capable de s'adapter aux modifications de l'environnement.

Une partie du système limbique, l'*hippocampe*, joue un rôle spécial dans la mémoire. L'ablation chirurgicale de l'hippocampe ou les lésions accidentelles de cette structure montrent qu'elle est essentielle à l'entreposage de nouveaux événements sous forme de souvenirs durables, mais qu'elle n'est pas nécessaire au repêchage de vieux souvenirs. En reprenant conscience après une telle opération, le patient n'éprouve pas de difficulté à reconnaître ses vieux amis ou à se rappeler les expériences antérieures; il est capable de lire et d'exécuter des tâches qu'il a apprises plus tôt au cours de son existence. Toutefois, il ne se souviendra que très peu, ou pas du tout, des événements qui se sont produits durant les quelque douze mois qui ont précédé immédiatement l'intervention. De même, il n'aura aucun souvenir des événements dont il aura été témoin et des gens qu'il aura rencontrés après son opération. Un tel patient, par exemple, n'arrivera pas à reconnaître une nouvelle connaissance avec laquelle il pourrait avoir passé plusieurs heures plus tôt dans la journée. Il va refaire le même puzzle, semaine après semaine, ne se rappelant jamais qu'il l'a déjà fait et il va lire le même journal de façon répétée sans se rappeler de son contenu (Squire, 1986).

Le système limbique est également impliqué dans le comportement émotionnel. Des singes souffrant de lésions dans certaines régions du système limbique manifestent des réactions de rage à la moindre provocation — ce qui laisse supposer que la région détruite exerçait avant une influence inhibitrice. Des singes chez lesquels on a pratiqué les lésions dans d'autres régions du système limbique, perdent tout comportement agressif et ne manifestent aucune hostilité si on les attaque. Ils ignorent tout simplement l'agresseur et font comme si rien ne s'était passé.

L'activité ludique (photo de gauche), tout comme l'activité de combat (photo de droite), semblent tomber sous le contrôle du système limbique.

Même si nous considérons le cerveau comme formé de trois structures concentriques — une partie centrale, le système limbique et les hémisphères cérébraux — nous ne devons pas pour autant concevoir ces structures entrelacées comme étant indépendantes. Utilisons l'analogie avec un groupe d'ordinateurs qui seraient reliés les uns aux autres. Chacun a des fonctions spécifiques, mais ils travaillent ensemble pour aboutir au résultat le plus efficace. De même, l'analyse de l'information provenant des sens exige un type de processus de calcul et de prise de décision (pour lequel les hémisphères cérébraux sont bien adaptés) différent du processus qui contrôle une série d'activités de caractère réflexe (le système limbique). Les ajustements les plus délicats des muscles (comme dans l'acte d'écrire ou de jouer d'un instrument de musique) font appel à une autre sorte de système de contrôle, faisant intervenir dans ce cas le cervelet. Toutes ces activités sont hiérarchisées sous la forme de systèmes complexes qui maintiennent l'intégrité de l'organisme.

CORTEX CÉRÉBRAL

Structure du cortex cérébral

Le télencéphale (la partie supérieure du cerveau) est beaucoup plus développé chez l'être humain que chez tout autre organisme. Le *cortex cérébral* est la couche de neurones d'environ 3 millimètres d'épaisseur, qui recouvre les hémisphères cérébraux; en latin, *cortex* signifie « écorce ». Si vous examinez un cerveau conservé dans une solution de paraffine, la couche corticale vous paraîtra grise, car elle est constituée en grande partie de corps cellulaires, de neurones et de fibres non myélinisées — d'où l'expression *matière grise*. L'intérieur du télencéphale, sous le cortex, est composé surtout d'axones myélinisés et présente une couleur blanche. C'est dans le cortex cérébral que toute activité mentale complexe se déroule.

Le cortex cérébral des mammifères inférieurs, comme celui du rat, est petit et relativement lisse. À mesure que nous progressons vers le haut de l'échelle phylogénétique jusqu'aux mammifères supérieurs, la quantité de cortex augmente proportionnellement à la quantité totale de tissu cérébral et le cortex présente de plus en plus de circonvolutions, de telle sorte que la dimension de sa surface réelle est beaucoup plus grande qu'elle ne le serait si la surface du télencéphale était lisse. Il y a une corrélation générale entre le développement cortical d'une espèce, sa position sur l'échelle phylogénétique et la complexité de son comportement.

Tous les systèmes sensoriels (vision, audition et toucher, par exemple) envoient de l'information dans des aires spécifiques du cortex. Les mouvements des parties du corps (réponses motrices) sont contrôlés par une autre région du cortex. Le reste du cortex, qui n'est ni moteur, ni sensoriel, est composé d'aires d'association. Ces aires participent aux aspects plus com-

ANALYSE CRITIQUE

Images du cerveau produites par ordinateur

On a créé un certain nombre de nouvelles techniques dans le but d'obtenir des représentations détaillées du cerveau humain à l'état vivant sans causer d'angoisse ni de dommage au patient. Avant l'invention de ces techniques, on n'arrivait à identifier et à localiser avec précision la plupart des types de lésions cérébrales qu'en ayant recours à la chirurgie exploratoire ou à l'autopsie. Les nouvelles techniques dépendent de méthodes informatiques compliquées qui ne sont devenues applicables que tout récemment.

L'une de ces techniques s'appelle *tacographie* ou *tomographie transverse axiale à calculateur intégré**. Le procédé consiste à diriger un faisceau étroit de rayons X sur la tête du patient et à mesurer la quantité de radiations qui la traversent. L'aspect révolutionnaire de la technique vient de ce que les mesures se font dans des centaines de milliers d'orientations (ou d'axes) différentes autour de la tête. Ces mesures arrivent ensuite à un ordinateur et, grâce à des calculs appropriés, on reconstruit ainsi une image transversale du cerveau que l'on peut photographier ou montrer sur un poste de télévision. La coupe transversale peut se situer à tous les niveaux et à tous les angles que l'on désire. Les sigles CAT et CT, que l'on utilise le plus couramment, se rapportent au rôle critique joué par l'ordinateur, aux nombreux axes sur lesquels portent les mesures et à l'image finale qui est une coupe transversale du cerveau (*tomas* est le mot grec qui signifie « morceau coupé »).

Une technique plus récente, et plus puissante encore, fait intervenir la *visualisation par résonance magnétique* (*magnetic resonance imaging*, en anglais MRI). Des tacographes, tomographes ou scintigraphes (*scanners*) de cette nature utilisent des champs magnétiques puissants, des pulsations à fréquence radio et des ordinateurs pour composer l'image.

Le patient que l'on soumet à ce procédé se tient couché dans un tunnel en forme de beigne, entouré d'un gros aimant qui engendre un champ magnétique puissant. Quand la partie anatomique à l'étude est aussi placée dans un champ magnétique intense et soumise à une certaine pulsation de fréquence radio, les tissus émettent un signal que l'on peut mesurer. Comme pour le tacographe CT, des milliers de mesures sont prises et manipulées par un ordinateur qui les transforme en une image bi-dimensionnelle de la partie anatomique. Les hommes de science ont pris l'habitude d'appeler cette technique résonance magnétique nucléaire parce que la mesure porte sur les variations du niveau d'énergie des noyaux de l'atome hydrogène du corps, variations causées par les pulsations de fréquence radio. Plusieurs médecins préfèrent, cependant, laisser tomber le qualificatif « nucléaire » et parler tout simplement de visualisation par résonance magnétique, car ils craignent la confusion que pourrait faire la population entre la référence au noyau d'un atome et la radiation nucléaire.

Même si l'on est encore en train d'explorer les usages possibles du MRI, il est bien clair qu'il apporte plus de précision que le tacographe CT dans le diagnostic des maladies du cerveau et de la moelle épinière. Une coupe transversale MRI du cerveau laisse apparaître, par exemple, des caractéristiques de la sclérose en plaques que ne peut déceler le tacographe CT; avant, le diagnostic de cette maladie exigeait l'hospitalisation et un test qui consistait à injecter un colorant dans le canal qui entoure la moelle épinière. Ce MRI est utile également pour la détection d'anomalies dans la moelle épinière et à la base du cerveau, comme des hernies discales, des tumeurs et des malformations congénitales.

Alors que le CT et le MRI nous fournissent une image anatomique détaillée du cerveau, il est souvent souhaitable d'évaluer son niveau d'activité nerveuse à différents endroits. Un procédé de tacographie par ordinateur, appelé *tomographie par émission de positons* (en anglais, *positron emission tomography*, PET), nous apporte cette information additionnelle. La technique dépend du fait que toute cellule du corps a besoin d'énergie pour exercer ses divers processus métaboliques. Les neurones du cerveau ont recours au glucose (qu'ils puisent dans le courant sanguin) comme source principale d'énergie.

---

* On emploie aussi les expressions *tomographie transverse axiale avec ordinateur* et *tomographie par reconstruction d'image* ou la traduction littérale de l'anglais *computerized axial tomography,* soit *tomographie axiale par ordinateur.* On rencontre couramment les sigles anglais CAT et CT.

---

plexes du comportement — mémoire, pensée et langage — et occupent la plus grande partie du cortex humain.

Avant d'examiner plus à fond certaines de ces régions, il convient d'établir des points de repère qui nous aideront à décrire les aires des *hémisphères*

On peut mélanger une faible quantité d'un « marqueur » (ou traceur) radioactif de façon à ce qu'à chaque molécule de glucose se trouve rattaché un minuscule grain de radioactivité (c'est-à-dire, une étiquette). Lorsque l'on injecte ce mélange anodin dans le circuit sanguin, les cellules cérébrales commencent, après quelques minutes, à utiliser le glucose marqué à la radioactivité de la même façon qu'elles utilisent le glucose ordinaire. Le scintigramme PET est essentiellement un détecteur de radioactivité très sensible (il ne ressemble pas à un appareil à rayons X, qui émet des rayons mais plutôt à un compteur de Geiger-Müller, lequel mesure la radioactivité). Les neurones du cerveau qui sont les plus actifs exigent le plus de glucose et seront, par conséquent, les plus radioactifs. Le scintigramme PET mesure la quantité de radioactivité et transmet cette information à un ordinateur qui dessine une image en coupe colorée du cerveau sur laquelle les diverses couleurs représentent des niveaux différents d'activité nerveuse. L'expression tomographie par émission de positons vient de ce que la mesure de la radioactivité est basée sur l'émission de particules à charges positives, appelées positons.

La comparaison des scintigrammes PET d'individus normaux avec ceux de personnes qui présentent des perturbations neurologiques montre que cette technique peut servir à l'identification d'une variété de problèmes cérébraux : épilepsie, caillots sanguins, tumeurs cérébrales, etc. La recherche psychologique a utilisé le scintigramme PET pour comparer les cerveaux de schizophrènes à ceux de sujets normaux et on a démontré l'existence de différences dans les niveaux métaboliques de certaines régions corticales. Cette technique a aussi été employée dans l'étude de l'activation des aires cérébrales durant l'exécution de fonctions mentales supérieures, comme le fait d'écouter de la musique, de faire des calculs arithmétiques, de parler — l'objectif étant d'identifier les structures cérébrales en cause.

Les scintigrammes PET, MRI et CT s'avèrent être des instruments d'une valeur inestimable pour l'étude des relations entre cerveau et comportement. Ces inventions astucieuses ne sont qu'un autre exemple de la façon dont le progrès dans un domaine scientifique fait des pas de géant grâce aux réalisations techniques dans un autre domaine.

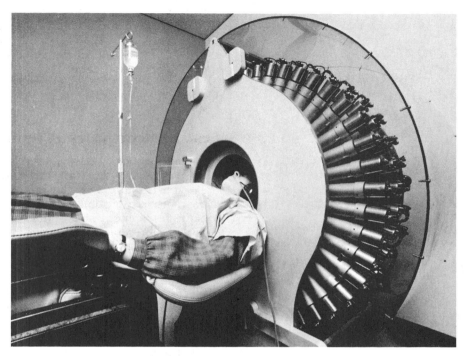

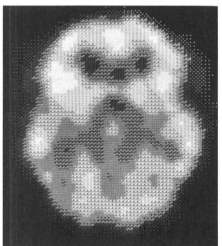 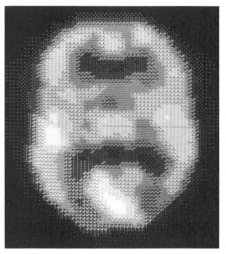

Pour suivre le déroulement de l'activité cérébrale, on donne à un patient une injection de glucose auquel on a ajouté un marqueur radioactif. Le scintigramme PET mesure le métabolisme du glucose (en haut). À gauche, le scintigramme d'un individu normal ; à droite, celui d'un patient schizophrène.

cérébraux. Les deux hémisphères sont essentiellement symétriques, et ils sont séparés par une brèche profonde allant de l'avant à l'arrière. Notre première classification est donc cette division en deux hémisphères : *droit* et *gauche.* Chaque hémisphère se partage en quatre *lobes : frontal, pariétal, occipital* et *temporal*. Les frontières de ces lobes sont représentées à la figure 2-8. Le lobe frontal est séparé du lobe pariétal par la *scissure centrale*, qui part près du point supérieur de la tête et descend sur le côté vers les oreilles. La frontière entre le lobe pariétal et le lobe occipital est moins nette; pour nos fins, il suffit de savoir que le lobe pariétal se trouve au haut de la tête, postérieur à la scissure centrale et que le lobe occipital se trouve tout à l'arrière du télencéphale. Le lobe temporal est délimité par une profonde fissure localisée sur le côté du télencéphale, la *scissure latérale*.

Les aires corticales et leurs fonctions

AIRE MOTRICE   L'*aire motrice* (ou *cortex moteur*) contrôle les mouvements volontaires du corps; elle se trouve juste à l'avant de la scissure centrale (voir la figure 2-9). Une stimulation électrique à certains points sur le cortex moteur produit le mouvement de parties spécifiques du corps; lorsque ces mêmes points sont endommagés, le mouvement est entravé. Le corps est représenté sur le cortex moteur en position pratiquement inversée de bas en haut. Les mouvements des orteils, par exemple, prennent naissance près du sommet de la tête, alors que les mouvements de la langue et de la bouche partent près de la base de l'aire motrice. Les mouvements du côté droit du corps sont dirigés par le cortex moteur de l'hémisphère gauche; les mouvements du côté gauche, par l'hémisphère droit.

AIRE SOMATOSENSORIELLE   Dans le lobe pariétal, séparée de l'aire motrice par la scissure centrale, se touve une région où une stimulation électrique produit une expérience sensorielle quelque part du côté opposé du corps, comme si on touchait ou bougeait une partie du corps. On appelle cette région l'*aire somatosensorielle* (sensibilité somatique) ou le *cortex somatosensoriel*. Les sensations de chaleur, de froid, de toucher, de douleur et de mouvement corporel sont toutes représentées dans cette aire. Les extrémités inférieures du corps sont représentées dans la partie supérieure de cette aire dans l'hémisphère contralatéral (du côté opposé); le visage, dans la partie inférieure de l'aire contralatérale.

La plupart des fibres des voies nerveuses qui convergent vers les aires somatosensorielles et motrices et qui en partent passent du côté opposé du corps. C'est ainsi que les impulsions sensorielles provenant du côté droit du

FIGURE 2-8
Les quatre lobes du cortex gauche
La scissure centrale et la scissure latérale sont des points de repère pour la séparation des lobes du cortex.

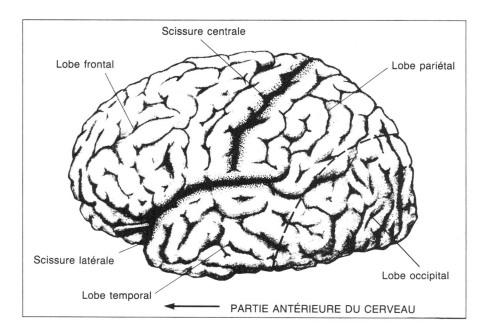

Scissure centrale

Lobe frontal

Lobe pariétal

Scissure latérale

Lobe occipital

Lobe temporal

PARTIE ANTÉRIEURE DU CERVEAU

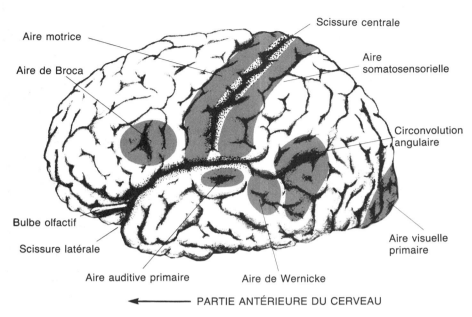

Aire motrice

Aire de Broca

Bulbe olfactif

Scissure latérale

Aire auditive primaire

Scissure centrale

Aire somatosensorielle

Circonvolution angulaire

Aire visuelle primaire

Aire de Wernicke

◄─── PARTIE ANTÉRIEURE DU CERVEAU

FIGURE 2-9
Localisation des fonctions dans le cortex gauche *Une grande partie du cortex est engagée dans la production des mouvements et dans l'analyse des impulsions sensorielles. Ces régions (qui comprennent les aires motrice, somatosensorielle, visuelle, auditive et olfactive) sont présentes des deux côtés du cerveau dans toutes les espèces dotées d'un cortex bien développé. D'autres régions ont une spécialisation plus restreinte, que l'on ne retrouve que d'un côté du cerveau et qui n'existe que chez l'être humain. Les aires de Broca et de Wernicke, par exemple, participent à la production et à la compréhension du langage et la circonvolution angulaire est engagée dans l'appariement de la forme visuelle d'un mot à sa forme auditive; ces fonctions n'existent que du côté gauche du cerveau humain. Le côté droit du cerveau, que l'on n'aperçoit pas sur ce dessin, possède ses propres fonctions spécialisées, y compris l'analyse des scènes visuelles complexes et certains aspects de la perception musicale.*

corps se rendent au cortex somatosensoriel gauche et que les muscles du pied droit et de la main droite sont contrôlés par le cortex moteur gauche.

Il semble exister une loi générale selon laquelle la quantité de cortex somatosensoriel ou moteur correspondant à une région particulière du corps serait directement proportionnelle à sa sensibilité et à sa fréquence d'usage. Parmi les mammifères quadrupèdes, on ne trouve chez le chien qu'une petite quantité de tissu cortical correspondant aux pattes antérieures, alors que chez le raton-laveur, qui fait un usage considérable de ses pattes avant pour explorer et manipuler son environnement, ce membre est beaucoup mieux représenté dans l'aire corticale, où l'on trouve même des point particuliers correspondant aux différents doigts de cette patte. Le rat, qui reçoit beaucoup d'information sur son environnement par l'intermédiaire de ses moustaches très sensibles, est pourvu d'une aire corticale où chaque poil de ses moustaches se trouve représenté individuellement.

AIRE VISUELLE   À l'arrière de chaque lobe occipital, il y a une région du cortex importante pour la vision, que l'on appelle *aire visuelle*. La figure 2-10 montre les fibres du nerf optique et les voies nerveuses qui vont de chacun des yeux jusqu'au cortex visuel. Notez bien que quelques-unes des fibres passent de l'œil droit vers l'hémisphère cérébral droit et de l'œil gauche vers l'hémisphère gauche, alors que d'autres traversent, à un point de jonction appelé le *chiasma optique*, et vont vers l'hémisphère contralatéral. Les fibres provenant des côtés droits des *deux* yeux se dirigent vers l'hémisphère droit du cerveau et les fibres des côtés gauches vers l'hémisphère gauche. En conséquence, si l'aire visuelle de l'un des hémisphères (le gauche, par exemple) subit des dommages, il y aura cécité dans les champs visuels des côtés gauches des deux yeux, entraînant une perte de la vision du côté droit de l'environnement. Ce phénomène aide parfois à localiser le site précis d'une tumeur ou d'une lésion cérébrale.

AIRE AUDITIVE   L'*aire auditive*, située sur la surface du lobe temporal du côté de chacun des hémisphères, contribue à l'analyse des aspects les plus complexes des signaux auditifs. Elle est particulièrement responsable de l'arrangement des sons selon une configuration temporelle, comme dans le langage humain. Il y a une certaine répartition spatiale dans l'aire auditive dont une partie est sensible aux tons plus élevés et l'autre aux tons plus bas. Les deux oreilles ont une représentation dans les aires auditives des deux côtés du cortex; les connexions de l'oreille avec son côté contralatéral sont toutefois plus prononcées.

AIRES D'ASSOCIATION   Les nombreuses et importantes régions du cortex cérébral qui ne sont pas liées directement aux processus sensoriels ou moteurs sont appelées *aires d'association*. Les *aires d'association frontales* (les parties des lobes frontaux situées en avant de l'aire motrice) semblent jouer un rôle important dans les processus de pensée requis pour la résolution de problèmes. Chez les singes, par exemple, les lésions aux lobes frontaux font disparaître la capacité de résoudre les problèmes qui exigent un délai dans la réaction. Dans ces sortes de tâches, on place de la nourriture dans l'une de deux tasses pendant que le singe observe ce qui se passe, puis on recouvre chacune de ces deux tasses avec un objet identique. On place ensuite un écran opaque entre le singe et les tasses; après un intervalle déterminé, l'écran est enlevé et on laisse le singe choisir l'une des deux tasses. Les singes normaux peuvent « se souvenir » de la bonne tasse après des délais de plusieurs minutes, mais les animaux chez lesquels on a pratiqué des lésions frontales sont incapables de résoudre ce problème si le délai a dépassé quelques secondes. Cet effet négatif de lésions cérébrales sur la réaction différée ne se rencontre que s'il s'agit du cortex frontal; il ne se produit pas quand les lésions portent sur d'autres régions corticales (French et Harlow, 1962).

Les êtres humains dont les lobes frontaux ont été endommagés sont capables d'exécuter plusieurs tâches intellectuelles de façon normale, y compris la résolution de problèmes exigeant des délais de réponse. Leur capacité de recourir au langage leur permet probablement de se souvenir de la bonne réponse. Ils ont de la difficulté toutefois lorsqu'il est nécessaire de passer fréquemment d'une stratégie à l'autre quand ils travaillent sur un problème (Milner, 1964).

Les *aires d'association postérieures* sont situées parmi les diverses aires sensorielles primaires et semblent constituées d'un certain nombre d'aires subordonnées, chacune étant au service d'une modalité sensorielle particulière. La portion inférieure du lobe temporal, par exemple, est liée à la perception visuelle. Des lésions dans cette région donnent lieu à des déficits dans la capacité de reconnaître et de distinguer les formes différentes. La lésion n'entraîne pas une perte d'acuité visuelle comme s'il s'agissait d'une lésion dans l'aire visuelle primaire du lobe occipital; l'individu « voit » les formes (et peut en suivre le contour) mais il ne peut identifier la forme ou la distinguer des autres. Les aires d'association du lobe pariétal sont, par contre, importantes pour la localisation des objets dans l'espace sensoriel et la conservation de « cartes » internes de l'environnement.

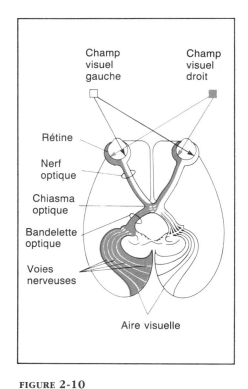

FIGURE 2-10
Voies visuelles   *Les ondes lumineuses provenant des objets du champ visuel droit tombent sur le côté gauche de chaque rétine, les ondes lumineuses du champ visuel gauche tombent sur le côté droit de chaque rétine. Les faisceaux du nerf optique de chaque œil se rencontrent au chiasma optique, où les fibres nerveuses de la moitié intérieure, ou nasale, de la rétine se croisent et vont vers les côtés opposés du cerveau. Ainsi donc, les stimuli projetés sur le côté droit de chaque rétine sont transmis au cortex occipital de l'hémisphère cérébral droit et les stimuli qui tombent sur le côté gauche sont transmis à l'hémisphère cérébral gauche. En termes de champ visuel, ceci signifie que les objets qui sont dans le champ visuel gauche sont projetés vers l'hémisphère droit et vice versa.*

ASYMÉTRIES DANS LE CERVEAU

À l'œil nu, les deux moitiés du cerveau apparaissent comme le reflet l'une de l'autre. Un examen plus minutieux toutefois révèle la présence d'asymétries; quand on prend des mesures précises du cerveau au cours des autopsies, on constate que l'hémisphère gauche est presque toujours plus volumineux que l'hémisphère droit. De même, l'hémisphère gauche contient plusieurs longues fibres nerveuses qui relient des régions éloignées du cerveau, alors que l'hémisphère droit contient des fibres plus courtes qui réalisent des interconnexions abondantes à l'intérieur d'une région limitée.

Dès 1861, Paul Broca avait examiné le cerveau d'un patient qui avait souffert de pertes de langage et y avait trouvé des lésions dans une région de l'hémisphère gauche juste au-dessus de la scissure latérale dans le lobe frontal. Cette région, connue sous le nom d'*aire de Broca*, et représentée à la figure 2-9, est impliquée dans la production des sons. La destruction de la région correspondante de l'hémisphère droit n'entraîne habituellement pas d'entrave à la parole. Les régions qui participent à la compréhension du langage parlé et à la capacité d'écrire et de comprendre les mots écrits sont généralement situées elles aussi dans l'hémisphère gauche. Ainsi la victime d'une congestion cérébrale accompagnée de dommages à l'hémisphère gauche est plus susceptible de manifester des troubles de langage que celle dont les dommages se limitent à l'hémisphère droit. C'est généralement vrai pour les droitiers car leur hémisphère gauche est presque toujours dominant. (Souvenez-vous que l'hémisphère gauche contrôle les fonctions motrices du côté droit du corps.) Chez certains gauchers, les centres de la parole sont situés dans l'hémisphère droit ou partagés entre les deux, mais pour la majorité d'entre eux, les fonctions du langage se trouvent dans l'hémisphère gauche (tout comme chez les droitiers).

Bien que le rôle de l'hémisphère gauche au niveau du langage soit connu depuis un bon moment, ce n'est que tout récemment que s'est présentée la possibilité d'étudier vraiment ce que chaque hémisphère peut faire de son propre chef. Chez l'individu normal, le cerveau fonctionne comme un tout intégré ; l'information d'un hémisphère est immédiatement transmise à l'autre par le truchement d'un vaste réseau de fibres nerveuses interhémisphériques appelé *corps calleux*. L'existence de ce pont entre les deux moitiés du cerveau peut présenter un problème pour certaines formes d'épilepsie, parce qu'une attaque qui débute dans un hémisphère peut alors passer de l'autre côté et déclencher une décharge massive dans des neurones de l'autre hémisphère. Pour empêcher de telles généralisations de crises chez certains épileptiques gravement atteints, les neurochirurgiens ont coupé les fibres du corps calleux. En général, l'opération s'est avérée un succès, donnant lieu à une réduction des crises. En outre, il ne semble pas y avoir d'effets consécutifs indésirables ; les patients paraissent se comporter dans la vie quotidienne aussi bien que les individus dont les hémisphères sont reliés l'un à l'autre. Il a fallu des tests très spécifiques pour démontrer l'effet de la séparation des deux hémisphères sur les fonctions mentales. Mais il faut un peu plus d'information préalable pour bien comprendre les expériences que nous allons décrire.

Nous avons vu que les nerfs moteurs se croisent au moment où ils laissent le cerveau et que, par conséquent, l'hémisphère gauche contrôle le côté droit du corps et l'hémisphère droit le côté gauche. Nous avons vu aussi que la région qui sert à la production de la parole (l'aire de Broca) est située dans l'hémisphère gauche. Lorsque les yeux fixent un point directement en avant, les images situées à gauche du point de fixation passent par les deux yeux pour se rendre du côté droit du cerveau et les images situées à droite vont du côté gauche du cerveau (voir la figure 2-11). Ainsi, chaque hémisphère a une vue de cette moitié du champ visuel dans laquelle «sa» main fonctionne normalement ; c'est-à-dire que l'hémisphère gauche voit la main droite (qu'il dirige) dans le champ visuel droit. Dans un cerveau normal, l'information qui parvient à un hémisphère est rapidement communiquée, par voie du corps calleux, à l'autre, de sorte que le cerveau agit comme un tout. Nous allons voir maintenant ce qui se produit quand on coupe le corps calleux — on parle alors de *cerveau divisé* ou *cerveau dédoublé* — de façon à ce que les deux hémisphères ne puissent communiquer.

Sujets au cerveau dédoublé

Roger Sperry a effectué un travail de pionnier dans ce champ de recherche et, en 1981, on lui attribuait le prix Nobel en reconnaissance de son succès. Dans une des situations expérimentales de Sperry, un sujet masculin est assis devant un écran qui l'empêche de voir ses mains devant lui (voir la figure 2-12A). Il fixe un point au centre de l'écran et le mot *nut* (écrou) est projeté pendant un très bref instant (un dixième de seconde) sur le côté gauche de l'écran. Souvenez-vous que l'image visuelle se produit alors dans le côté droit du cerveau, lequel contrôle le côté gauche du corps. Avec sa main gauche, le sujet n'éprouve aucune difficulté à reconnaître (en tâtant) l'écrou parmi une pile d'objets qu'il ne voit pas. Mais il n'est pas capable de dire à l'expérimentateur quel mot est apparu sur l'écran, car la parole est contrôlée par l'hémisphère gauche et l'image visuelle du mot *nut* n'a pas été transmise à cet hémisphère. Quand on le lui demande, le patient à cerveau dédoublé ne semble pas savoir ce que fait sa main gauche. Comme l'influx sensoriel pro-

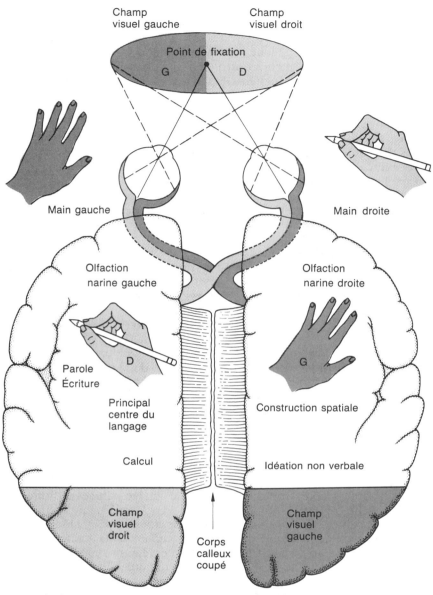

FIGURE 2-11

Information sensorielle reçue par les deux hémisphères *Quand les yeux sont fixés droit en avant, les stimuli situés à la gauche du point de fixation vont à l'hémisphère droit et les stimuli situés à la droite vont à l'hémisphère gauche. L'hémisphère gauche contrôle les mouvements de la main droite et l'hémisphère droit, ceux de la main gauche. Les influx sonores se croisent eux aussi en grande partie; cependant, il y a une partie de l'information sonore qui se rend à l'hémisphère situé du même côté (ipsilatéral) que l'oreille. L'olfaction, elle, est reçue du même côté que la narine. Chez la plupart des gens, c'est l'hémisphère gauche qui est dominant; il contrôle le langage écrit et parlé et le calcul mathématique. L'hémisphère droit ne peut comprendre qu'un langage simple. Sa compétence principale semble résider dans la construction spatiale et le sens des formes.*

venant de la main gauche passe à l'hémisphère droit, l'hémisphère gauche ne reçoit aucune information sur ce que sent ou fait la main gauche. Toute cette information se trouve dirigée vers l'hémisphère droit qui a reçu l'influx visuel du mot *nut*.

Il est important que le mot ne reste tout au plus qu'un dixième de seconde sur l'écran. S'il y était plus longtemps, le sujet pourrait bouger les yeux de façon que le mot soit projeté aussi dans l'hémisphère gauche. Quand un sujet à cerveau dédoublé peut bouger les yeux à volonté, l'information passe aux deux hémisphères; c'est une des raisons pour lesquelles les défectuosités résultant de la séparation du corps calleux ne sont pas immédiatement apparentes chez un individu qui s'adonne à son activité quotidienne.

D'autres expériences démontrent que le sujet à cerveau divisé ne peut communiquer par la parole que ce qui se passe dans l'hémisphère gauche. La figure 2-12B présente une autre situation de test. Le mot *hatband* (mot anglais composé de deux autres mots : *hat*, « chapeau » et *band* « bande ») est projeté sur l'écran de façon que *hat* passe à l'hémisphère droit et *band* à l'hémisphère gauche. Quand on demande au sujet ce qu'il voit, il répond *band*. Si on lui demande quelle sorte de bande, il essaie de deviner : *rubber band, rock band, band of robbers* et ainsi de suite; s'il en vient à mentionner *hatband* (mot anglais qui signifie « ruban (*band*) de chapeau »), ce n'est que

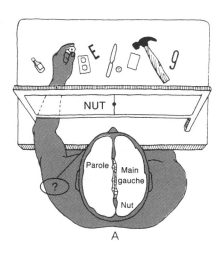

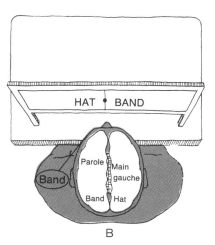

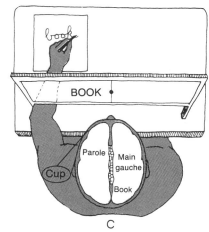

par hasard. Des tests faits avec d'autres combinaisons de mots (comme *key-case* et *suitcase*) présentés de façon que chaque moitié ne soit projetée que dans un hémisphère ont donné des résultats similaires. Ce que l'hémisphère droit perçoit n'est pas transmis au champ de conscience de l'hémisphère gauche. Quand le corps calleux est séparé, chaque hémisphère semble inconscient des expériences de l'autre.

Si l'on bande les yeux du sujet à cerveau dédoublé et si l'on place un objet usuel (peigne, brosse à dents ou trousseau de clefs) dans sa main gauche, il semble savoir de quoi il s'agit. Il peut, par exemple, faire les gestes démontrant qu'il connaît l'usage de l'objet ; mais il est incapable d'exprimer cette connaissance par la parole. Si, pendant qu'il manipule cet objet, on lui demande ce qui se passe, il n'en a aucune idée. Il en est ainsi tant qu'on empêche de passer à l'hémisphère gauche (celui qui parle) tout influx sensoriel relatif à l'objet. Mais que la main droite du sujet touche par inadvertance cet objet ou que ce dernier produise un son caractéristique (le tintement des clefs, par exemple), l'hémisphère qui parle est alors immédiatement capable de donner la bonne réponse.

Bien qu'il ne soit pas capable de parler, l'hémisphère droit possède quand même certaines capacités d'ordre linguistique. On a vu dans le premier exemple qu'il reconnaissait la signification du mot *nut* ; il peut aussi écrire un peu. Dans l'expérience illustrée à la figure 2-12C, on présente d'abord à un sujet à cerveau dédoublé une liste d'objets usuels, comme *cup* (tasse), *knife* (couteau), *book* (livre) et *glass* (verre). La liste reste sur l'écran le temps requis pour une projection aux deux hémisphères. Puis on enlève la liste et l'un des mots, *book* (livre) par exemple, est présenté brièvement sur le côté gauche de l'écran de façon qu'il soit transmis à l'hémisphère droit. Si on demande au sujet d'écrire ce qu'il a vu, sa main gauche commence à écrire le mot *book* (livre). Mais si on lui demande ce que sa main gauche a écrit, il n'en a aucune idée et il dira au hasard un des mots de la liste originale. Le sujet sait qu'il a écrit quelque chose, car il sent dans le reste de son corps la répercussion des mouvements faits en écrivant. Toutefois, comme il n'y a pas de communication entre l'hémisphère droit qui a vu et qui a écrit le mot et l'hémisphère gauche qui contrôle la parole, le sujet ne peut vous dire ce qu'il a écrit.

Spécialisation hémisphérique

Les études sur les sujets à cerveau dédoublé ont fait apparaître nettement des différences très marquées entre les fonctions des deux hémisphères. L'hémisphère gauche est responsable de notre capacité de nous exprimer par le langage. Il peut exécuter plusieurs activités logiques et analytiques compliquées et est habile dans le calcul mathématique. L'hémisphère droit est capable de comprendre un langage très simple. Il peut réagir à des noms simples en identifiant des objets comme un écrou ou un peigne et il peut même réagir à des associations liées à ces objets. Si, par exemple, on demande à

FIGURE 2-12
Vérification des possibilités des deux hémisphères *A) Le sujet à cerveau dédoublé identifie correctement un objet au toucher avec la main gauche quand le nom de cet objet est présenté à l'hémisphère droit, mais il ne peut ni nommer l'objet, ni décrire ce qu'il a fait. B) Le mot* hatband *est projeté de façon que* hat *soit présenté à l'hémisphère droit et* band *à l'hémisphère gauche. Le sujet rapporte qu'il voit le mot* band *mais il n'a aucune idée de la sorte de «bande» dont il s'agit. C) On présente d'abord aux deux hémisphères une liste de mots identifiant des objets usuels [parmi lesquels les mots* cup *(tasse) et* book *(livre)]. Puis un mot de la liste [*book *(livre)] est présenté à l'hémisphère droit. Quand on lui donne l'ordre de le faire, la main gauche commence à écrire le mot* book *(livre), mais quand on l'interroge, le sujet ne sait pas ce que sa main gauche a écrit et devine* cup *(tasse). (D'après Sperry, 1970; Nebes et Sperry, 1971).*

l'hémisphère droit de retrouver parmi un groupe d'objets celui que l'on utilise pour « allumer un feu », cet hémisphère va diriger la main gauche vers
une allumette. Il est toutefois incapable d'appréhender des formes linguistiques plus abstraites. Si on présente à l'hémisphère droit des ordres simples
comme « clin d'œil », « sourire », il réagit rarement.

L'hémisphère droit est capable d'additionner des nombres simples à deux
chiffres mais ne peut guère en faire plus en calcul. Il semble, toutefois, avoir
un sens de l'espace et des formes hautement perfectionné. Il est meilleur que
l'hémisphère gauche dans l'élaboration des dessins géométriques et tridimen-
sionnels. Il peut, beaucoup plus efficacement que l'hémisphère gauche, placer des blocs colorés de manière que leur assemblage reproduise un dessin
complexe. Quand on demande aux sujets à cerveau dédoublé d'utiliser leur
main droite pour placer les blocs de façon à reproduire un modèle, ils font
de nombreuses erreurs. Il arrive parfois qu'ils éprouvent de la difficulté à
empêcher leur main gauche de venir automatiquement corriger les erreurs
que fait la main droite.

Les études menées auprès des individus normaux ont tendance à confirmer le fait qu'il existe des spécialisations différentes dans les deux
hémisphères. Par exemple, on peut identifier plus rapidement et avec plus
de précision l'information verbale (comme des mots ou des syllabes dépourvues de sens) quand elle est présentée brièvement, sous la forme de flashes,
à l'hémisphère gauche (c'est-à-dire, dans le champ visuel droit) que si elle
est présentée à l'hémisphère droit. Par contre, l'identification des visages,
de l'expression faciale, des émotions, des pentes de lignes ou de la localisation de points se fait plus rapidement si le flash est dirigé vers l'hémisphère
droit. Les études *encéphalographiques* (EEG) indiquent également que l'activité électrique de l'hémisphère gauche s'accroît durant une tâche verbale,
alors que, s'il s'agit d'une tâche spatiale, c'est l'activité EEG de l'hémisphère
droit qui augmente (Springer et Deutsch, 1985).

Ainsi donc, une série de faits démontre que les deux hémisphères fonctionnent de façons différentes. L'hémisphère gauche contrôle la parole, la
lecture, l'écriture et le calcul arithmétique. Il agit selon un mode logique et
analytique, se concentre sur les détails et perçoit en termes de traits individuels plutôt que de configurations holistiques. L'hémisphère droit, par ailleurs, joue un rôle spécial à l'égard des habiletés musicales et artistiques, de
l'imagerie et du rêve et de la perception des configurations géométriques compliquées. Ses perceptions sont holistiques et il est particulièrement efficace
dans les tâches qui exigent la représentation des relations. L'hémisphère droit
manifeste également plus d'émotivité et d'impulsivité que son compagnon.

Des chercheurs ont émis l'hypothèse qu'il y aurait une correspondance
entre différences individuelles par rapport aux *styles cognitifs* et différences
individuelles par rapport à l'efficacité relative des deux hémisphères. Selon
cette théorie, les individus qui sont très logiques, analytiques et verbaux
auraient des fonctions d'hémisphère gauche très efficaces, alors que ceux
qui sont exceptionnellement holistiques, musiciens, intuitifs et impulsifs pré-
senteraient un bilan qui favoriserait l'hémisphère droit. La notion de l'explication des différences individuelles de style cognitif par l'équilibre différentiel du fonctionnement des hémisphères est une idée attrayante ;
malheureusement, elle s'appuie plus sur la spéculation que sur des preuves
expérimentales directes.

On ne devrait pas conclure, à partir de ces propos, que les deux hémisphères fonctionnent indépendamment l'un de l'autre. C'est tout le contraire
qui est vrai. Les hémisphères ont des spécialisations différentes, mais leur
activité est toujours intégrée. C'est cette intégration qui est à l'origine de processus mentaux qui, tout en étant différents de la contribution spéciale de
chaque hémisphère, la dépassent. Comme le fait remarquer Levy :

> Ces différences apparaissent dans le contraste des contributions de chacun des
> hémisphères à toutes les activités cognitives. Il se peut que pendant qu'une per-
> sonne lit un roman, l'hémisphère droit joue un rôle spécial dans le décodage
> de l'information visuelle en maintenant une structure de trame intégrée, en appré-
> ciant l'humour et le contenu affectif, en trouvant une signification à partir d'asso-

ciations antérieures et en interprétant les métaphores. Pendant ce temps, l'hémisphère gauche exerce une fonction spéciale dans la compréhension de la syntaxe, dans la traduction des mots écrits sous la forme de représentations phonétiques correspondantes et en recueillant un sens à partir des relations complexes qui existent entre les concepts verbaux et la syntaxe. Mais il n'est pas d'activité qui n'impliquerait qu'un seul hémisphère ou dans laquelle un seul hémisphère serait mis à contribution (1985, p. 44).

SYSTÈME NERVEUX AUTONOME

Nous avons vu plus haut que le système nerveux périphérique comprend deux divisions. Le système somatique contrôle les muscles squelettiques et reçoit de l'information en provenance de la peau, des muscles et des divers récepteurs sensoriels. Le système autonome contrôle les glandes et les muscles lisses, lesquels comprennent le cœur, les vaisseaux sanguins et la paroi

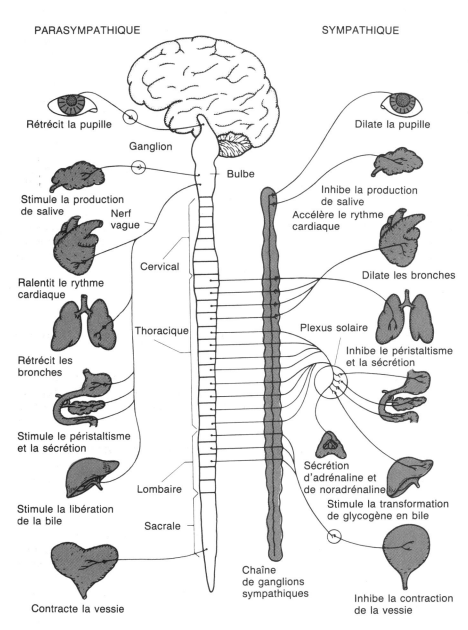

FIGURE 2-13

Le système nerveux autonome *Les neurones de la division sympathique prennent leur origine dans les régions thoracique et lombaire de la moelle épinière; ils forment des jonctions synaptiques avec des ganglions situés juste à l'extérieur de l'épine dorsale. Les axones des neurones de la division sympathique sortent de la région bulbaire du tronc cérébral et de l'extrémité inférieure (sacrale) de la moelle épinière; ils entrent en connexion avec des ganglions près des organes stimulés. La plupart des organes internes, pas tous toutefois, sont reliés aux deux divisions, lesquelles agissent en opposition l'une avec l'autre.*

de l'estomac et des intestins. Ces muscles sont dits « lisses » parce que c'est l'apparence qu'ils prennent à l'examen au microscope. (Les muscles squelettiques ont, au contraire, une apparence striée.) Le système nerveux autonome doit son nom au fait que beaucoup des activités qui sont sous son contrôle sont autonomes, ou sujettes à l'auto-régulation — telles la digestion et la circulation — et continuent même pendant qu'une personne dort ou est inconsciente.

Le système nerveux autonome comporte deux divisions, le *sympathique* et le *parasympathique*, dont l'action est souvent antagoniste. La figure 2-13 illustre les effets contraires des deux systèmes sur divers organes. Le parasympathique est responsable, par exemple, de la constriction de la pupille de l'oeil, de la stimulation de l'écoulement de la salive et du ralentissement du rythme cardiaque; le système sympathique exerce l'effet contraire dans chacun de ces cas. L'équilibre entre ces deux systèmes maintient l'état normal du corps quelque part entre une excitation extrême et une placidité végétative.

La division sympathique a tendance à agir comme un tout. Durant l'excitation émotive elle déclenche simultanément l'accélération cardiaque, la dilatation des artères des muscles squelettiques et du cœur, la constriction des artères de la peau et des organes digestifs et la transpiration. Elle pousse également certaines glandes endocrines à sécréter des hormones qui intensifient encore l'activation.

Contrairement au système sympathique, la division parasympathique a tendance à n'agir que sur un organe à la fois. Si l'on considère le système sympathique comme étant dominant durant une activité violente et effrénée, on peut dire que le parasympathique est dominant durant les états tranquilles. Il participe à la digestion et au maintien général des fonctions qui conservent et protègent les ressources corporelles.

Bien que les systèmes sympathique et parasympathique soient habituellement antagonistes, ce principe souffre quelques exceptions. Par exemple, le système sympathique domine durant la peur et l'excitation; toutefois, une peur excessive donne lieu à un symptôme parasympathique qui n'est pas rare, soit l'évacuation involontaire de la vessie ou des intestins. Autre exemple : l'acte sexuel complet chez le mâle, qui exige l'érection (parasympathique) suivie de l'éjaculation (sympathique). Ainsi donc, même si ces deux systèmes sont souvent antagonistes, ils interagissent de façon complexe.

SYSTÈME ENDOCRINIEN

Nous pouvons nous représenter le système nerveux comme exerçant un contrôle sur les activités somatiques à fluctuations rapides grâce à sa capacité d'activation directe des muscles et des glandes. L'action du *système endocrinien* est plus lente; c'est au moyen de substances chimiques, appelées *hormones*, qu'il contrôle indirectement l'activité de groupes cellulaires répartis à travers le corps. Les diverses glandes endocrines (voir la figure 2-14) sécrètent ces hormones directement dans le courant sanguin. Les hormones circulent alors dans tout le corps, agissant de façons variées sur les cellules de types différents. Chaque cellule-cible est équipée de récepteurs qui reconnaissent uniquement les molécules des hormones destinées à agir sur cette cellule; les récepteurs attirent les molécules de l'hormone hors du circuit sanguin jusqu'à la cellule. Certaines glandes endocrines sont activées par le système nerveux, alors que d'autres le sont par les modifications de l'état chimique interne du corps.

L'une des principales glandes endocrines, la *pituitaire*, est en partie une excroissance du cerveau et se trouve juste au-dessous de l'hypothalamus (reportez-vous à la figure 2-7). On a qualifié la glande pituitaire de «glande maîtresse» parce que c'est elle qui produit le nombre d'hormones différentes le plus élevé et qu'elle contrôle la sécrétion d'autres glandes endocrines. L'une des hormones pituitaires détient la responsabilité cruciale du contrôle de la croissance du corps. L'insuffisance de cette hormone peut provoquer le nanisme et sa surproduction, le gigantisme. D'autres hormones libérées par

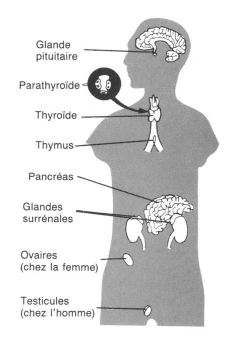

Glande pituitaire

Parathyroïde

Thyroïde

Thymus

Pancréas

Glandes surrénales

Ovaires (chez la femme)

Testicules (chez l'homme)

FIGURE 2-14
Quelques glandes endocrines *Les hormones que secrètent les glandes endocrines sont aussi essentielles que le système nerveux à l'intégration de l'activité de l'organisme. Le système endocrinien et le système nerveux n'agissent toutefois pas à la même vitesse. Une impulsion nerveuse est capable de parcourir l'organisme en quelques centièmes de seconde. Pour produire son effet, une glande endocrine peut exiger quelques secondes, ou même quelques minutes; une fois libérée, l'hormone doit se rendre sur les lieux de sa cible en empruntant le circuit sanguin — un moyen de transport beaucoup plus lent.*

la pituitaire déclenchent l'action d'autres glandes endocrines comme la thyroïde, les glandes sexuelles et la couche externe de la glande surrénale. Chez beaucoup d'animaux, l'approche sexuelle, l'accouplement et le comportement de reproduction sont basés sur l'interaction complexe de l'activité du système nerveux et de l'influence de la pituitaire sur les glandes sexuelles.

Les relations qu'entretiennent la glande pituitaire et l'hypothalamus illustrent les interactions compliquées qui se déroulent entre le système endocrinien et le système nerveux. En réaction au stress (peur, anxiété, douleur, événements émotionnels, et ainsi de suite), certains neurones de l'hypothalamus sécrètent une substance, appelée *substance libératrice de la corticotrophine* (en anglais, corticotrophin — release factor, CRF). La pituitaire se trouvant juste au-dessous de l'hypothalamus, la CRF est déversée dans une structure qui ressemble à un canal. La CRF pousse la pituitaire à libérer l'*hormone adrénocorticotrope*, la *corticotrophine* (ACTH), qui est l'hormone corporelle principale du stress. L'ACTH est, à son tour, transportée dans le courant sanguin vers les glandes surrénales et diverses autres glandes du corps, entraînant la libération de quelque 30 hormones qui ont, chacune, un rôle à jouer dans l'ajustement du corps aux situations d'urgence. Cette suite d'événements indique que le système endocrinien se trouve sous le contrôle de l'hypothalamus et, par le fait même, sous le contrôle d'autres centres cérébraux, par l'intermédiaire de l'hypothalamus.

Les *glandes surrénales* jouent un rôle important dans la détermination de l'humeur d'un individu, de son niveau d'énergie et de sa capacité de composer avec le stress. La partie interne de la glande surrénale sécrète l'*adrénaline* et la *noradrénaline* (qu'on appelle en anglais, epinephrine et norepinephrine). L'adrénaline contribue de diverses façons à préparer l'organisme à faire face à une situation d'urgence, souvent en collaboration avec la division sympathique du système nerveux autonome. L'adrénaline exerce, par exemple, sur les muscles lisses et sur les glandes sudoripares, une action semblable à celle du système sympathique. Elle entraîne la constriction des vaisseaux sanguins de l'estomac et des intestins et pousse le cœur à battre plus rapidement (comme peut en témoigner toute personne qui a déjà subi une poussée d'adrénaline). Elle agit aussi sur le système réticulaire, lequel excite le système sympathique et amène à son tour les surrénales à sécréter plus d'adrénaline. D'où la formation d'un circuit fermé pour le maintien de l'activation émotionnelle. L'existence d'un tel système fermé est l'une des raisons pour laquelle les émotions fortes prennent un certain temps à se calmer même après le retrait de l'élément perturbateur.

La noradrénaline prépare également l'organisme à l'action d'urgence. Lorsque, dans son passage dans le circuit sanguin, elle parvient à la pituitaire, elle pousse cette glande à libérer une hormone qui agit sur la couche externe de la glande surrénale; cette seconde hormone amène, à son tour, le foie à élever le niveau du sucre dans le sang de façon à ce que le corps dispose d'énergie pour une action rapide.

Les hormones du système endocrinien et les neurotransmetteurs des neurones remplissent des fonctions similaires; les deux transportent des *messages* entre les cellules du corps. Un neurotransmetteur véhicule des messages entre neurones adjacents et son effet est fortement localisé. L'hormone, au contraire, peut parcourir de longues distances à travers le corps et avoir une action variée sur plusieurs types de cellules. La ressemblance fondamentale entre ces messagers chimiques se révèle (malgré leurs différences) dans le fait que certains d'entre eux exercent les deux fonctions. L'adrénaline et la noradrénaline agissent, par exemple, en tant que neurotransmetteurs quand elles sont libérées par des neurones et en tant qu'hormones quand elles sont libérées par la glande surrénale.

INFLUENCES GÉNÉTIQUES SUR LE COMPORTEMENT

Pour comprendre les bases biologiques de la psychologie, il faut avoir certaines notions des influences héréditaires. Le domaine de la *génétique du*

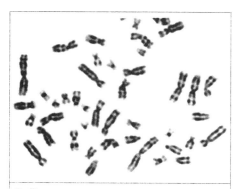

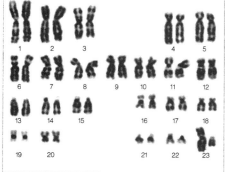

FIGURE 2-15
Chromosomes   *La plaque du haut est
une photographie (grossie environ
1 500 fois) des 46 chromosomes d'un
mâle humain normal. Dans la partie
du bas, on a disposé les chromosomes
selon les paires correspondantes. Une
femelle humaine présenterait les
mêmes paires 1 jusqu'à 22, mais la
paire 23 serait XX plutôt que XY.
Chaque chromosome semble être
double ici parce que la préparation a
été faite au moment où la cellule
allait se diviser en deux.*

comportement (également appelé *psychogénétique*) combine les méthodes
de la génétique et celles de la psychologie pour étudier l'aspect héréditaire
des caractéristiques du comportement. Nous savons que plusieurs traits physiques, tels que la taille, la structure osseuse et la couleur des cheveux et des
yeux sont héréditaires. Les généticiens du comportement cherchent à découvrir dans quelle mesure les caractéristiques psychologiques telles que les aptitudes, le tempérament et la stabilité émotive sont transmises de parents à
enfants.

Toutes les caractéristiques psychologiques dépendent de *l'interaction*
entre l'hérédité et l'environnement. La vieille controverse « hérédité par opposition au milieu » n'a plus de sens aujourd'hui. Les chercheurs s'interrogent
plutôt sur la façon dont l'hérédité limite le potentiel de l'individu et ils se
demandent jusqu'à quel point les conditions favorables ou défavorables du
milieu peuvent modifier le potentiel hérité.

Chromosomes et gènes

Les unités de caractéristiques héréditaires que nous recevons de nos parents
et transmettons à nos descendants sont véhiculées par des structures connues sous le nom de *chromosomes*, que l'on retrouve dans le noyau de
chaque cellule du corps. La plupart des cellules du corps contiennent chacune 46 chromosomes. À sa conception, l'être humain reçoit 23 chromosomes
provenant du spermatozoïde paternel et 23 provenant de l'ovule maternel.
Ces 46 chromosomes forment 23 paires qui se dédoublent chaque fois que
la cellule se divise (voir la figure 2-15).

Chaque chromosome se compose de plusieurs unités de caractéristiques
héréditaires individuelles appelées *gènes*. Un gène est un segment d'*acide
désoxyribonucléique* (ADN) qui est le véritable porteur de l'information génétique. La molécule d'ADN a l'aspect d'une échelle tordue ou d'une hélice
(spirale) à deux pales comme le montre la figure 2-16. Tout ADN a la même
composition chimique, comprenant un sucre simple (désoxyribose), un phosphate et quatre bases — adénine, guanine, thymine et cystosine (A, G, T,
C). Les deux brins d'une molécule d'ADN sont composés de phosphate et
de sucre et ils sont maintenus séparés par un couple de bases. Étant donné
les propriétés structurales de ces bases, A est toujours accouplé avec T et
G, toujours avec C. Les bases peuvent apparaître dans n'importe quel ordre
le long des brins et c'est cet ordre qui constitue le code génétique. La capacité que possède l'ADN d'exprimer plusieurs messages génétiques différents
lui vient de la possibilité qui existe d'avoir plusieurs arrangements de bases
différents. Les mêmes quatre bases déterminent les caractéristiques de tout
organisme vivant et c'est leur disposition qui décide si une créature donnée
deviendra un oiseau, un lion, un poisson ou un Michel-Ange.

Un segment de la molécule d'ADN, le gène, donnera des directives codées
à la cellule, la dirigeant vers l'exécution d'une fonction spécifique (habituellement, la production d'une protéine particulière). Même si toutes les
cellules du corps portent les mêmes gènes, la nature spécialisée de chaque
cellule lui vient de ce qu'il n'y a que 5 à 10 % des gènes qui sont actifs dans
toute cellule. Au cours de son développement à partir d'un œuf fertilisé, chaque cellule active certains gènes et met un terme à l'activité de tous les autres.
Quand les « gènes nerveux » sont actifs, par exemple, une cellule se développe sous la forme d'un neurone parce que les gènes orientent la cellule
vers la production de substances qui lui permettent d'exécuter des fonctions
nerveuses — lesquelles ne seraient pas possibles si les gènes qui n'ont rien
à voir avec un neurone, tels les « gènes musculaires », n'étaient inactifs.

Les gènes, comme les chromosomes, viennent par paires. Un gène de
chaque paire provient des chromosomes du spermatozoïde et l'autre, des
chromosomes de l'ovule. Par conséquent, un enfant ne reçoit que la moitié
de l'ensemble des gènes de chaque parent. Le nombre total des gènes dans
chaque chromosome humain est de 1000 environ — peut-être plus. Étant
donné que le nombre de gènes est aussi élevé, la probabilité que deux êtres
humains possèdent la même hérédité est excessivement faible, même s'il s'agit

de frères et sœurs. Seuls les *jumeaux identiques* font exception à cette règle; parce qu'ils ont été formés à partir de la fécondation du même œuf, ils possèdent exactement les mêmes gènes.

La *dominance* ou la *récessivité* constitue un attribut important de certains gènes. Les gènes qui déterminent la couleur des yeux, par exemple, agissent selon un pattern de dominance et de récessivité. Quand les deux membres d'une paire de gènes sont dominants, l'individu présente la forme du trait prescrit par ces gènes dominants. Si l'un des gènes est dominant et l'autre récessif, c'est le gène dominant qui décide encore de la forme du trait. La forme récessive du trait ne s'exprime que dans le cas où les gènes provenant des deux parents sont récessifs. Les yeux bleus sont récessifs. Ainsi donc, un enfant aux yeux bleus peut avoir deux parents aux yeux bleus, ou un parent aux yeux bleus et un parent aux yeux bruns qui porte un gène récessif pour les yeux bleus, ou encore deux parents aux yeux bruns qui portent chacun un gène récessif pour les yeux bleus. Un enfant aux yeux bruns par contre, n'a jamais deux parents aux yeux bleus.

Certaines des caractéristiques véhiculées par des gènes récessifs sont la calvitie, l'albinisme, l'hémophilie et la vulnérabilité à l'herbe à puce. Ce ne sont pas tous les gènes qui ont ce caractère dominant-récessif et, comme nous le verrons plus loin, la plupart des traits humains sont le fait de l'action combinée de plusieurs gènes plutôt que de celle d'une paire de gènes.

Même si la plupart des caractéristiques humaines ne sont pas fixées par l'action d'une paire unique de gènes, il existe des exceptions remarquables. Il y a des maladies neurologiques qui présentent un intérêt particulier sur le plan psychologique; par exemple, la *phénylcétonurie* (PCU), la *chorée de Huntington* et la *sclérose en plaques*, des maladies qui comportent toutes une détérioration du système nerveux et les problèmes de comportement qui en découlent. Au cours des dernières années, on a identifié le gène responsable de la PCU et on a été en mesure de déterminer les sites approximatifs des gènes responsables de la chorée de Huntington et de la sclérose en plaques. La PCU, par exemple, est le résultat de l'action d'un gène récessif hérité de chacun des parents. Le nouveau-né est incapable de digérer un acide aminé essentiel (la phénylalanine), qui par conséquent s'accumule dans le corps, empoisonnant le système nerveux et causant des dommages irréversibles au cerveau. Les enfants victimes de la PCU sont gravement arriérés sur le plan mental et meurent d'habitude avant l'âge de 30 ans.

Si le problème de la PCU est décelé à la naissance et si le nouveau-né est soumis à une diète qui contrôle le niveau de phénylalanine, ses chances d'être en bonne santé et d'avoir une intelligence normale sont assez élevées. Jusqu'à ce qu'on puisse localiser le gène de la PCU, il était impossible de faire le diagnostic de cette maladie avant que le nouveau-né soit parvenu à l'âge de 3 semaines au moins. On peut maintenant savoir, avant la naissance, si le fœtus a le gène de la PCU et commencer, le cas échéant, à donner la diète appropriée immédiatement après l'accouchement.

GÈNES LIÉS AU SEXE   Les chromosomes du mâle et ceux de la femelle ont la même apparence au microscope, sauf en ce qui concerne la paire 23 qui détermine le sexe de l'individu et véhicule les gènes pour certains traits que l'on dit « liés au sexe ». La femelle normale a dans la paire 23 deux chromosomes d'apparence semblable, appelés « chromosome X ». La paire 23 du mâle normal comprend un chromosome X et un autre d'aspect différent, que l'on appelle « chromosome Y » (voir figure 2-15). Donc, la paire 23 normale de chromosomes féminins est représentée par le symbole XX et la paire normale de chromosomes masculins, par le symbole XY.

Pour la plupart des cellules somatiques, les cellules qui résultent de la division cellulaire ont le même nombre de chromosomes (46) que la cellule parentale. Toutefois, quand les cellules spermatozoïde et ovule se reproduisent, les paires de chromosomes se séparent et la moitié va à chacune des cellules. Ainsi, les cellules ovule et spermatozoïde ne possèdent que 23 chromosomes chacune. Chaque cellule ovule est dotée d'un chromosome X et chaque cellule spermatozoïde, soit d'un chromosome X, soit d'un chromosome Y. Si c'est un spermatozoïde de type X qui est le premier à pénétrer

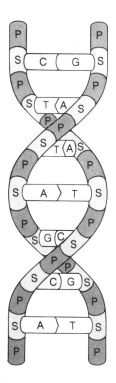

FIGURE 2-16
Structure de la molécule d'ADN
Chaque brin de la molécule est fait d'une séquence alternative de sucre (S) et de phosphate (P); les barreaux de l'échelle tordue sont constitués de quatre bases (A, G, T, C). Le caractère double de l'hélice et la restriction qui s'applique à l'appariement des bases permettent l'auto-répétition de l'ADN. Au cours de la division cellulaire, les deux brins de la molécule d'ADN se séparent également; un membre de chaque paire de bases reste attaché à chaque brin. Chaque brin forme alors un nouveau brin complémentaire en se servant du surplus de bases disponible dans la cellule; une base A attachée à un brin attirera une base T, et ainsi de suite. Grâce à ce processus, deux molécules identiques d'ADN peuvent exister là où il n'y en avait qu'une auparavant.

ANALYSE CRITIQUE

Le langage et le cerveau

Une grande partie de l'information dont nous disposons sur les mécanismes cérébraux du langage provient de l'observation de patients souffrant de lésions cérébrales. Le dommage peut avoir été causé par des tumeurs, par des blessures à la tête ou par la rupture de vaisseaux sanguins. On emploie le terme *aphasie* pour décrire les pertes de langage résultant de dommages au cerveau.

Nous l'avons déjà dit, Broca a observé vers 1860 que l'endommagement d'une région spécifique sur le côté du lobe frontal gauche s'accompagnait d'une perturbation de la parole appelée *aphasie de l'expression*. Les individus qui ont subi des atteintes dans l'aire de Broca éprouvent de la difficulté à énoncer les mots correctement et parlent de façon lente et laborieuse. Leur parler a souvent un sens, mais il n'est fait que de mots-clefs. Les noms sont généralement exprimés au singulier et le patient a tendance à omettre les adjectifs, les adverbes, les articles et les conjonctions. Par contre, ces individus n'éprouvent aucune difficulté à comprendre le langage qu'il soit parlé ou écrit.

En 1874, Carl Wernicke, un chercheur allemand, rapportait que les dommages subis par un autre site du cortex (dans l'hémisphère gauche également, mais dans le lobe temporal) s'accompagnaient d'un trouble de langage appelé *aphasie de réception*. Les individus dont cette région, l'*aire de Wernicke*, est endommagée ne sont pas capables d'appréhension des mots; ils peuvent les entendre, mais ils n'en connaissent pas le sens. Ils sont capables de produire des séries de mots sans difficulté et en articulant comme il se doit, mais ils commettent des erreurs dans l'usage qu'ils en font et leur parler a tendance à être dépourvu de sens.

Se basant sur l'analyse de ces déficiences, Wernicke a élaboré un modèle pour la production et la compréhension du langage. Bien que ce modèle soit centenaire, ses caractéristiques générales semblent être correctes. Au cours des dernières années, Norman Geschwind l'a utilisé comme pierre angulaire d'une théorie qu'on a appelée *modèle de Wernicke-Geschwind*. Cette hypothèse postule que l'aire de Broca sert d'entrepôt à des « codes articulatoires » qui déterminent la séquence des actes musculaires nécessaires à la prononciation d'un mot. Transférés au cortex moteur, ces codes activent les muscles des lèvres, de la langue et du larynx dans l'ordre qui convient et produisent un mot parlé.

L'aire de Wernicke, par ailleurs, est l'endroit où les « codes auditifs » et les significations des mots se trouvent entreposés. Pour qu'un mot soit parlé, son code auditif doit être activé dans l'aire de Wernicke et transmis, via un faisceau de nerfs, à l'aire de Broca où il stimule le code articulatoire correspondant. À son tour, le code articulatoire est envoyé au cortex moteur pour la production du mot parlé.

Pour qu'un mot prononcé par quelqu'un soit compris, il faut qu'il passe du cortex auditif à l'aire de Wernicke où la forme parlée du mot est appariée à son code auditif, qui, à son tour, active la signification du mot. Quand un mot écrit apparaît, il est d'abord enregistré dans le cortex visuel, puis transmis à la *circonvolution angulaire*, qui associe la forme visuelle du mot avec son code auditif dans l'aire de Wernicke; une fois qu'un mot a trouvé son code auditif, il a également trouvé son sens. Ainsi donc la signification des mots est entreposée avec leurs codes acoustiques dans l'aire de Wernicke. L'aire de Broca contient les codes articulatoires et la circonvolution angulaire apparie la forme écrite d'un mot à son code auditif; ni l'une, ni l'autre de ces deux aires ne garde en stock l'information relative à la signification du mot. La signification d'un mot n'est repêchée que lorsque son code acoustique se trouve activé dans l'aire de Wernicke.

Le modèle explique plusieurs des déficiences du langage manifestées par les aphasiques. Les dommages qui se limitent à l'aire de Broca perturbent la production du langage mais ont moins de conséquence pour la compréhension du langage

---

dans l'ovule, l'œuf fertilisé aura une paire de chromosomes XX et l'enfant qui en résultera sera une femelle. Si, au contraire, l'œuf est fertilisé par un spermatozoïde de type Y, la 23e paire de chromosomes sera du type XY et l'enfant sera un mâle. La femelle hérite un chromosome X de sa mère et un de son père; le mâle hérite son chromosome X de sa mère et son chromosome Y de son père. C'est donc la contribution en chromosomes du père qui décide du sexe de l'enfant.

Le chromosome X peut être porteur de gènes dominants ou récessifs; le chromosome Y porte quelques gènes dominants pour les caractéristiques sexuelles mâles, mais pour le reste, il ne semble être porteur que de gènes récessifs. Par conséquent, la plupart des traits récessifs du chromosome X

parlé ou écrit. Quand c'est l'aire de Wernicke qui est endommagée, tous les aspects de la compréhension du langage sont perturbés, mais l'individu reste capable d'articuler les mots correctement (puisque l'aire de Broca est intacte) même si le produit est dépourvu de sens. Le modèle permet aussi de prédire que l'individu dont la circonvolution angulaire a subi des dommages sera incapable de lire mais n'éprouvera pas de difficulté à comprendre la parole ou à parler. Enfin, si l'atteinte se limite au cortex auditif, le patient pourra lire et parler normalement, mais il n'arrivera pas à comprendre ce que les autres disent.

Il y a des résultats de recherche que le modèle de Wernicke-Geschwind n'explique pas de façon adéquate. Il peut arriver, par exemple, lors de la stimulation électrique d'un point unique des aires du langage du cerveau, au cours d'une intervention neurochirurgicale, que les deux fonctions d'expression et de réception soient perturbées. Ce phénomène porte à croire que certaines régions du cerveau pourraient partager des mécanismes communs de production et de compréhension de la parole. Nous sommes encore loin de posséder un modèle complet des fonctions du langage, mais on ne saurait douter du fait que certains aspects du fonctionnement du langage occupent des sites bien précis dans le cerveau (Geschwind, 1979).

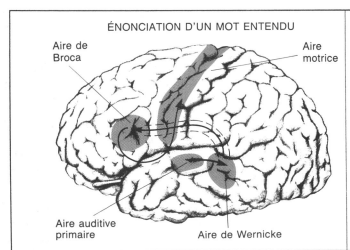 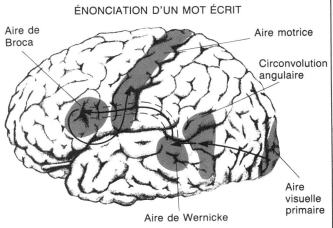

ÉNONCIATION D'UN MOT ENTENDU

Aire de Broca

Aire motrice

Aire auditive primaire

Aire de Wernicke

ÉNONCIATION D'UN MOT ÉCRIT

Aire de Broca

Aire motrice

Circonvolution angulaire

Aire visuelle primaire

Aire de Wernicke

Modèle de Wernicke-Geschwind

Le dessin de gauche illustre la suite des événements quand un individu qui a entendu un mot prononcé répète oralement ce mot. Les impulsions nerveuses provenant de l'oreille sont transmises à l'aire auditive primaire, mais le mot ne peut être compris avant que le signal soit acheminé jusqu'à l'aire de Wernicke. Dans l'aire de Wernicke, le code acoustique est repêché et envoyé dans un faisceau de nerfs vers l'aire de Broca. Dans l'aire de Broca, il y a activation d'un code articulatoire, qui, à son tour, envoie des ordres au cortex moteur. Le cortex moteur pousse les lèvres, la langue et le larynx à agir pour produire oralement le mot.

Dans le dessin de droite, un mot écrit apparaît et l'individu doit prononcer ce mot. La stimulation visuelle est d'abord transmise de l'œil au cortex visuel primaire et ensuite réacheminée vers la circonvolution angulaire. La circonvolution angulaire associe la forme visuelle du mot au code acoustique correspondant dans l'aire de Wernicke. Une fois le code acoustique repêché et la signification du mot arrêtée, l'énonciation du mot se fait selon la même séquence que tantôt.

d'un homme (reçus de sa mère) trouveront leur expression puisqu'ils ne sont pas bloqués par des gènes dominants. Le daltonisme, par exemple, est un trait récessif lié au sexe. Un homme sera daltonien s'il hérite d'un gène daltonien avec le chromosome X qu'il reçoit de sa mère. Les femmes sont moins souvent daltoniennes, car une femme daltonienne doit avoir non seulement un père daltonien, mais aussi une mère qui soit daltonienne ou porteuse d'un gène récessif pour le daltonisme. Un certain nombre d'anomalies d'ordre génétique sont liées à des anormalités de la 23e paire de chromosomes ou à des gènes récessifs portés par cette paire de chromosomes. On parle alors de troubles liés au sexe.

« Impossible de parler à ces gars-là — ils ont tous un chromosome Y supplémentaire. » *Playboy*, avril 1970. Reproduit avec permission spéciale de *Playboy Magazine*, © par Playboy.

ANOMALIES DES CHROMOSOMES En de rares occasions, une fillette peut naître avec un seul chromosome X au lieu de la paire XX habituelle. Celles qui sont nées avec cette condition (connue sous le nom de *syndrome de Turner*) ne se développent pas sexuellement à la puberté. Quoique d'intelligence normale habituellement, elles montrent des défectuosités cognitives spécifiques : elles réussissent mal en arithmétique et aux tests de perception des formes visuelles et d'organisation spatiale.

Parfois, quand le 23e chromosome n'arrive pas à se diviser comme il se doit, l'organisme en voie de formation finit par avoir un chromosome X ou Y supplémentaire. Un individu doté d'un 23e chromosome XXY est physiquement un mâle, pourvu d'un pénis et de testicules, mais il a des traits féminins marqués. Ses seins sont prononcés, ses testicules sont petits et ne produisent pas de spermatozoïdes. Il est surprenant de constater que cette condition (connue sous le nom de *syndrome de Klinefelter*) se présente assez souvent — environ 1 cas sur 400 naissances.

Une autre anomalie des chromosomes sexuels chez le mâle a reçu une publicité considérable. Il s'agit des hommes possédant un chromosome Y supplémentaire (type XYY), qui sont plus grands que la moyenne et que l'on considère comme extrêmement agressifs. Les premières études laissaient croire que les cas de mâles de type XYY étaient beaucoup plus fréquents parmi les détenus — particulièrement parmi ceux reconnus coupables de crimes de violence — que dans la population en général. Les comptes rendus des journaux ont exagéré ces données, en représentant le mâle de type XYY comme un individu génétiquement prédisposé à l'agression et à la violence. Plusieurs hommes de ce type ont même été acquittés d'accusations criminelles sous prétexte qu'ils étaient des victimes impuissantes de leur hérédité et qu'il ne fallait pas, par conséquent, les tenir responsables de leurs actes.

Les études plus récentes mettent cependant en doute la possibilité qu'il existe un lien quelconque entre la présence d'un chromosome Y supplémentaire et l'agressivité. On a trouvé que les mâle XYY de l'ensemble de la population n'étaient pas plus agressifs que le mâle normal (Owen, 1972 ; Hook, 1973). Néanmoins, les données d'enquêtes indiquent que les mâles ainsi constitués génétiquement sont vraiment plus susceptibles de devenir des bagnards que les mâles normaux. Nous ignorons pourquoi il en serait ainsi ; toutefois, il est vrai que les mâles XYY ont des scores plus faibles aux tests d'intelligence. Il se pourrait que leur taux d'incarcération plus élevé soit associé à la faiblesse de l'intelligence, ce qui accroîtrait leur probabilité d'être appréhendés quand ils commettent un crime (Witkin et coll., 1976).

Études génétiques du comportement

Quelques désordres sont dus à des anomalies des chromosomes et certains traits sont déterminés par des gènes uniques. Mais la plupart des caractéristiques humaines sont le fait de plusieurs gènes ; elles sont *polygéniques*. Des traits comme l'intelligence, la taille et l'émotivité n'appartiennent pas à des catégories distinctes, mais se répartissent selon des variations continues. La plupart des gens ne sont ni idiots, ni brillants ; l'intelligence est distribuée sur un continuum très dispersé et la plupart des individus se situent près du centre de cette dispersion. Parfois, une anomalie génétique spécifique peut produire l'arriération mentale, mais dans la plupart des cas le potentiel intellectuel d'un individu est déterminé par un certain nombre de gènes qui influencent les facteurs responsables de différentes aptitudes. Et naturellement, ce qui arrive au potentiel génétique dépend des conditions de l'environnement.

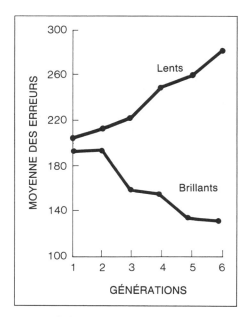

FIGURE 2-17
Hérédité et apprentissage du labyrinthe chez le rat *Scores d'erreurs moyennes chez des rats «lents» et chez des rats «brillants» reproduits de façon sélective en fonction de leur aptitude à parcourir les labyrinthes. (D'après Thompson, 1954)*

REPRODUCTION SÉLECTIVE Une méthode pour l'étude du caractère héréditaire des traits chez les animaux consiste dans la reproduction sélective. On accouple ensemble les animaux qui sont forts ou qui sont faibles par rapport à un certain trait. Par exemple, pour étudier l'hérédité de la capacité d'apprentissage du labyrinthe chez le rat, on accouplera des femelles qui apprennent mal avec des mâles qui apprennent également mal ; les femelles qui apprennent bien seront accouplées avec les mâles qui apprennent bien.

Les rejetons issus de ces accouplements seront testés dans les mêmes labyrinthes. Selon leur taux de succès, on accouplera les plus brillants avec leurs semblables et les plus lents avec les plus lents. (Pour s'assurer que les conditions de l'environnement restent constantes, les rejetons des mères lentes sont parfois donnés à des mères « brillantes » pour fins d'élevage, de façon que le test porte vraiment sur l'apport génétique et non sur la qualité des soins maternels.) On peut ainsi produire, après quelques générations, des lignées de rats « brillants » et de rats « lents » (voir la figure 2-17).

La reproduction sélective a servi à démontrer le caractère héréditaire d'un grand nombre de traits du comportement. On a créé, par exemple, des lignées de chiens excitables ou léthargiques, de poulets agressifs ou adonnés à l'activité sexuelle, d'éphémères très attirées ou peu attirées par la lumière et de souris à penchants plus ou moins élevés pour l'alcool. Si un trait est sujet à l'influence de l'hérédité, il doit alors être possible de le changer grâce à la reproduction sélective. Si cette reproduction n'arrive pas à modifier un trait, il nous est permis alors de supposer que ce trait dépend surtout de facteurs de l'environnement.

ÉTUDES DE JUMEAUX   Puisqu'il n'est pas possible de se livrer à une expérimentation sur la reproduction chez les êtres humains, nous devons plutôt rechercher des similarités chez des individus génétiquement parents. Souvent certains traits se retrouvent dans les familles. Mais les familles ne sont pas seulement liées génétiquement, elles partagent aussi le même environnement. Ainsi, quand le talent tient de la famille, nous ne savons pas lequel, du talent héréditaire ou de l'insistance des parents par rapport à la musique et à la formation musicale, est le plus important. Les fils de pères alcooliques sont plus susceptibles de devenir alcooliques que les fils de pères sobres. Est-ce que ce sont les tendances génétiques ou les conditions environnementales qui comptent le plus? Pour essayer de répondre aux questions de ce genre, les psychologues se sont tournés vers les études de jumeaux.

Les jumeaux identiques (vrais jumeaux) proviennent du même œuf et, par conséquent, ont la même hérédité. On les dit *monozygotes*, puisqu'ils proviennent d'un seul zygote, ou œuf fécondé. Les jumeaux fraternels (faux jumeaux) tirent leur origine de deux œufs différents et ne se ressemblent pas plus génétiquement que des frères ou sœurs ordinaires. On les dit *dizygotes* car ils proviennent de deux œufs fécondés. Les études portant sur la comparaison de vrais et de faux jumeaux permettent de démêler l'influence de l'environnement et celle de l'hérédité. Les vrais jumeaux se ressemblent plus sur le plan de l'intelligence que les faux jumeaux, même si on les sépare à la naissance pour les élever dans des foyers différents (voir au chapitre 12). Les vrais jumeaux offrent également plus de similarités que les faux par rapport à certains traits de personnalité et à la vulnérabilité aux troubles mentaux de la *schizophrénie* (voir au chapitre 15). Les études sur les jumeaux se sont avérées utiles pour connaître les influences génétiques sur le comportement humain.

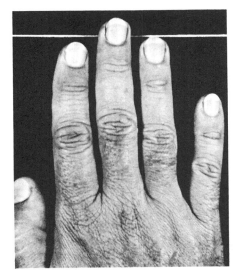

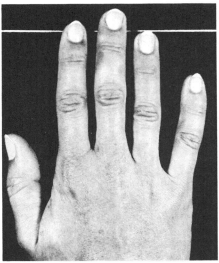

Un gène lié au sexe semble être responsable de la longueur relative de l'index par rapport aux autres doigts de la main. Un gène qui fait que l'index est plus court que l'annulaire paraît être dominant chez les hommes et récessif chez les femmes. L'index de l'homme, sur la photographie du haut, est plus court que l'annulaire, mais l'index de la femme, en bas, est plus long que l'annulaire. (Courtoisie de A.M. Winchester)

Influences de l'environnement sur l'action des gènes

Le potentiel héréditaire qu'un individu porte en naissant est très influencé par le milieu dans lequel il vivra. Cette interaction va être clairement démontrée dans les chapitres suivants. Deux exemples suffiront à illustrer ce point. La tendance à devenir diabétique est héréditaire, quoique la méthode exacte de transmission reste inconnue. Le diabète est une maladie attribuable au fait que le pancréas ne produit pas suffisamment d'insuline pour brûler les hydrates de carbone (sucres et amidons), les transformer en énergie et les entreposer pour usage futur. Les hommes de sciences présument que ce sont les gènes qui déterminent la production d'insuline. Mais les individus qui portent le potentiel génétique du diabète n'en viennent pas toujours à souffrir de cette maladie; par exemple, quand un jumeau identique est diabétique, l'autre jumeau n'a cette maladie que dans la moitié des cas. On ne connaît pas tous les facteurs de l'environnement qui conduiraient au diabète, mais une variable qui semble constante est l'obésité. Une personne qui est grasse a besoin de plus d'insuline pour le métabolisme des hydrates de carbone qu'une personne maigre. Par conséquent, celui qui porte les gènes du diabète est plus susceptible de devenir diabétique s'il prend de l'embonpoint.

Il en est de même de la maladie mentale appelée *schizophrénie*. Comme nous le verrons au chapitre 15, il existe des preuves nombreuses de la contribution de l'hérédité à cette maladie. Si l'un des deux vrais jumeaux est schizophrène, la probabilité est très forte que l'autre jumeau donne certains signes de perturbation mentale. Mais la possibilité que l'autre jumeau sombre complètement ou non dans cet état dépend d'un nombre de facteurs liés à l'environnement. Il se peut que les gènes prédisposent, mais c'est le milieu qui façonne le destin.

RÉSUMÉ

1. Le système nerveux est composé de cellules, appelées *neurones*, qui reçoivent des stimulations par l'intermédiaire de leurs *dendrites* et *corps cellulaires* et transmettent les influx le long de leurs *axones*. Les *neurones sensoriels* apportent des messages de récepteurs sensoriels vers la moelle épinière et le cerveau ; les *neurones moteurs* transmettent des signaux du cerveau et de la moelle épinière vers les organes effecteurs, les muscles et les glandes. Les fibres des axones se groupent pour former les *nerfs*.

2. Deux aspects de la transmission de l'impulsion nerveuse sont importants : la conduction le long des fibres de l'axone et la transmission entre neurones de part et d'autre de la jonction synaptique. La conduction axonale fait intervenir un processus électrochimique appelé *dépolarisation* ; l'impulsion nerveuse, une fois déclenchée, descend le long de l'axone vers ses nombreuses terminaisons. Des substances chimiques intermédiaires, appelées *neurotransmetteurs*, font passer l'impulsion d'un neurone au suivant à travers une *synapse*. Ces neurotransmetteurs sont libérés par les *terminaisons d'axones* et ils agissent sur les dendrites et le corps cellulaire du neurone récepteur pour modifier la perméabilité de sa membrane ; certains neurotransmetteurs sont excitants, d'autres inhibiteurs.

3. Le système nerveux se divise en *système nerveux central* (le cerveau et la moelle épinière) et en *système nerveux périphérique* (les nerfs partant du cerveau et de la moelle épinière pour aller vers les autres régions du corps). Les subdivisions du système nerveux périphérique sont : a) le *système somatique* (qui transporte des messages vers les récepteurs sensoriels, les muscles et la surface du corps ainsi que des messages qui partent de ces points) et b) le *système autonome* (qui est relié aux organes internes et aux glandes).

4. Le cerveau humain est constitué de trois couches concentriques : une *partie centrale*, le *système limbique*, et le *télencéphale*.

   a) La partie centrale comprend le *bulbe*, responsable de la respiration et des réflexes posturaux ; le *cervelet*, lié à la coordination motrice ; le *thalamus*, une station de relais pour l'information sensorielle qui arrive ; et l'*hypothalamus*, important au niveau de l'émotion et du maintien de l'homéostasie. Le *système réticulaire*, qui s'étend à travers plusieurs des structures dont nous venons de parler, contrôle l'état d'éveil et d'activation de l'organisme.

   b) Le *système limbique* contrôle certaines des activités « instinctives » — alimentation, attaque, fuite du danger, accouplement — réglées par l'hypothalamus ; il joue également un rôle important dans l'affectivité et la mémoire.

   c) Le *télencéphale* se divise en deux *hémisphères cérébraux*. Les circonvolutions de ces hémisphères, le *cortex cérébral*, contrôlent le discernement perceptif, la prise de décision, l'apprentissage et la pensée, soit « les processus mentaux supérieurs ». Certaines régions du cortex représentent des centres pour des influx sensoriels spécifiques ou pour le contrôle de mouvements spécifiques. Le reste du cortex est constitué d'*aires d'association*.

5. Quand le *corps calleux* (la bande de fibres nerveuses qui relie les deux hémisphères) est coupé, on peut observer des différences significatives dans le fonctionnement des hémisphères cérébraux. L'hémisphère gauche est spécialisé dans le langage et les capacités mathématiques. Le droit peut comprendre un peu le langage, mais ne peut pas communiquer par la parole ; le sens de l'espace et des formes est très développé dans cet hémisphère.

6. Le *système nerveux autonome* comprend le *sympathique* et le *parasympathique*. Parce que ses fibres sont les médiatrices de l'activité des muscles lisses et des glandes, le système autonome est tout particulièrement important pour

les réactions affectives. Le sympathique est habituellement actif dans les états d'excitation et le parasympathique dans les états de quiétude.

7. Les *glandes endocrines* déversent dans le flot sanguin des hormones qui sont importantes pour le comportement émotionnel et motivationnel. Elles constituent un partenaire essentiel pour le système nerveux dans l'intégration du comportement, et leur action est étroitement liée à l'activité de l'hypothalamus et à celle du système nerveux autonome.

8. Le potentiel héréditaire d'un individu, transmis par les *chromosomes* et les *gènes*, exerce son influence autant sur les caractéristiques psychologiques que sur les caractéristiques physiques. Les gènes sont des segments de *molécules d'ADN* qui entreposent l'information génétique. Certains gènes sont *dominants*, certains *récessifs* et certains *liés au sexe*. La plupart des caractéristiques humaines sont *polygéniques*, c'est-à-dire déterminées par plusieurs gènes qui agissent ensemble plutôt que par une paire de gènes isolée.

9. La *reproduction sélective* — l'accouplement d'animaux qui sont forts ou faibles par rapport à un certain trait — est une méthode utilisée pour étudier l'influence de l'hérédité. Une autre méthode qui permet de départager les effets de l'environnement de ceux de l'hérédité est l'*étude des jumeaux*, qui consiste dans la comparaison des caractéristiques des jumeaux identiques ou *monozygotes* (qui ont la même hérédité), avec celles des jumeaux fraternels ou *dizygotes* (qui ne se ressemblent pas plus génétiquement que les frères ou sœurs ordinaires).

10. Tout comportement dépend de l'*interaction* hérédité-environnement; les gènes déterminent les limites du potentiel de l'individu, mais ce qui arrive à ce potentiel dépend de l'environnement.

LECTURES SUGGÉRÉES

CHAPOUTHIER, G., KREUTZER, M. et MENINI, C. *Psychophysiologie*. Paris-Montréal, Éditions Études Vivantes, 1980.

CHANCHARD, P. *La maîtrise de soi. Psychophysiologie de la volonté*. Bruxelles, Pierre Mardaga, 1977.

DAILLY, R. et MOSCATO, M. *Latéralisation et latéralité chez l'enfant*. Bruxelles, Pierre Mardaga, 1985.

DIENHART, C.M. *Anatomie et physiologie humaine*. Montréal, Les Éditions HRW, 1975.

GAZZANIGA, M. *Le cerveau dédoublé*. Bruxelles, Dessart-Mardaga, 1976.

GAZZANIGA, M. *Le cerveau social*. Paris, Robert Laffont, 1987.

HEBB, D.O. *Psychologie: science moderne*. Montréal, Les Éditions HRW, 1974.

HEBB, D.O. *Psychologie du comportement*. Paris, P.U.F., 1958.

HÉCAEN, H. *Introduction à la neuropsychologie*. Paris, Larousse, 1972.

LANTÉRI-LAURA, G. et HÉCAEN, H. *Les fonctions du cerveau*. Paris, Masson, 1983.

PÉRONNET, F. *Contrôle nerveux et hormonal*. Montréal, Éditions Études Vivantes, 1980.

ROSENZWEIG, M.R. et LEIMAN, A.L. *Physiological Psychology*. Lexington, Mass., Heat, 1982.

ROSTAND, J. *L'hérédité humaine* (10ᵉ éd.). Paris, P.U.F., 1975.

RUWET, J.-C. *Éthologie, biologie du comportement*. Bruxelles, Pierre Mardaga, 1969.

Développement psychologique

3

De tous les mammifères, c'est l'être humain qui a le moins de maturité à la naissance et qui a besoin de la plus longue période de développement avant d'être capable d'exercer les activités et de manifester les talents caractéristiques de son espèce. En général, plus un organisme occupe une position élevée dans l'échelle phylogénétique, plus le système nerveux dont il est doté est complexe, et plus il faut de temps pour qu'il parvienne à maturité. Le maki, par exemple, qui est un primate inférieur, peut se déplacer par ses propres moyens tôt après la naissance et il devient vite capable de se débrouiller tout seul. Le singe nouveau-né est dépendant pendant plusieurs mois, et le bébé babouin restera avec sa mère pendant quelques années. L'enfant humain, par contre, est dépendant pendant plusieurs années et il a besoin d'une longue période d'apprentissage et d'interaction avec les autres avant de devenir autonome.

Nous avons tendance à croire que le développement est terminé quand une personne atteint la maturité physique. Pourtant, les circonstances de notre vie et la façon dont nous composons avec elles nous façonnent continuellement, de telle sorte que le développement est effectivement un processus qui dure toute la vie. Les psychologues généticiens s'emploient à décrire et à analyser les constantes du développement humain au cours de toute une vie. Ils étudient le *développement physique*, comme les changements de la taille et du poids, le développement du cerveau et l'acquisition de compétences motrices; le *développement cognitif*, comme les changements des processus de pensée, des capacités de langage et de la mémoire; et le *développement de la personnalité et le développement social*, comme les changements de rôle sexuel ou de comportement moral.

Les spécialistes de la psychologie génétique étudient souvent le taux moyen ou «typique» du développement. À quel âge, par exemple, l'enfant moyen commence-t-il à parler? À quelle vitesse le vocabulaire de l'enfant typique augmente-t-il avec l'âge? En plus d'être intéressant en soi, ce type de données normatives est important pour la planification des programmes d'éducation et pour l'évaluation du développement individuel d'un enfant. Les psychologues se préoccupent aussi de la façon dont certains comportements évoluent et de la raison pour laquelle ils se manifestent à un point donné. Pourquoi la plupart des enfants ne marchent-ils pas ou ne prononcent-ils pas leur premier mot avant d'avoir 1 an à peu près? Quels sont les comportements et les maturations physiologiques qui doivent précéder ces réalisations?

Les influences du milieu sur le comportement sont un autre point d'intérêt. Les psychologues étudieront, par exemple, l'effet que peuvent avoir sur le comportement agressif de l'enfant les spectacles de violence à la télévision ou encore comment les différentes façons d'aborder l'enseignement influencent l'apprentissage. Plus récemment, ils ont observé les effets de la garderie, du divorce et du chômage des parents sur le développement affectif des enfants.

Dans ce chapitre, nous présentons quelques principes généraux de développement de même que certains changements de comportement et d'attitude qui surviennent quand l'individu progresse de l'enfance à l'âge adulte. Notre objectif est de donner une vue d'ensemble du développement psychologique. L'évolution de certaines aptitudes spécifiques, comme le langage et la perception, sera abordée dans des chapitres subséquents consacrés à ces questions.

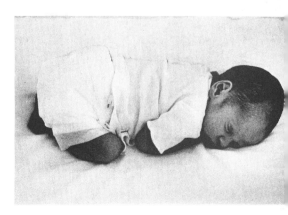

Le nouveau-né est sans défense à la naissance.

QUESTIONS FONDAMENTALES SUR LE DÉVELOPPEMENT

Les théories sur l'évolution du développement humain reposent sur deux questions essentielles: 1) Le développement est-il un processus de changement continuel ou est-il préférable de l'interpréter comme une série de stades distincts? 2) Le développement est-il guidé surtout par l'hérédité (par des programmes génétiques inscrits dans les cellules du corps) ou est-il soumis aux changements fondamentaux dictés par les événements dans le milieu? Les postulats que les théoriciens adoptent face à ces deux questions — sur la continuité et sur les facteurs du développement — façonnent leur interprétation de ce qu'ils observent et leurs propositions quant à l'orientation du développement.

Hérédité — milieu

On discute depuis des siècles pour savoir si c'est l'hérédité (la nature) ou le milieu (la culture) qui a le plus d'importance pour déterminer le cours du développement humain. Le philosophe britannique du XVIIe siècle qu'était John Locke rejetait, par exemple, la notion qui voulait que les bébés soient des adultes en miniature, qui arrivaient au monde tout équipés d'habiletés et de connaissances et qui n'avaient qu'à grandir pour que ces caractéristiques innées fassent leur apparition. Au contraire, disait Locke, l'esprit du nouveau-né est une « ardoise vierge » (*tabula rasa*) sur laquelle il n'y a rien d'écrit. Ce qui s'écrira sur cette ardoise ce sont les expériences du bébé — ce qu'il ou elle verra, entendra, goûtera, sentira et ressentira. Selon Locke, toute connaissance nous arrive par les sens. Elle est le fruit de l'expérience; il n'y a aucune connaissance, ni idée qui soit innée.

L'avènement de la théorie de l'évolution de Charles Darwin (1859), qui mettait l'accent sur les bases biologiques du développement humain, a suscité un retour au point de vue de l'hérédité. Avec la montée du behaviorisme au XXe siècle, toutefois, la position favorisant l'environnement l'emportait. Des behavioristes comme John B. Watson et B.F. Skinner soutenaient que la nature humaine est complètement malléable: l'éducation des premières années peut transformer un enfant en n'importe quelle sorte d'adulte. Watson pensait que l'environnement avait un énorme pouvoir sur le façonnement de l'évolution d'un enfant. « Donnez-moi une douzaine de poupons en santé, bien formés, et un monde selon mes propres spécifications pour les élever », écrivait-il, « et je vais garantir que je prendrai n'importe lequel d'entre eux au hasard et que je l'entraînerai à devenir le type de spécialiste que je voudrai — médecin, avocat, artiste, marchand, chef, et, bien oui, même mendiant et voleur! » (Watson, 1950, p. 104).

Aujourd'hui, la plupart des psychologues conviennent que la nature et la culture sont toutes les deux essentielles au développement. Le développement de l'être humain est contrôlé par une interaction continue entre hérédité et environnement. Au moment de la conception, la structure génétique de l'œuf fécondé détermine déjà un nombre remarquable de caractéristiques personnelles. Nos gènes programment nos cellules en croissance de telle façon que nous devenons une personne humaine plutôt qu'un poisson, un oiseau ou un singe. Ces gènes décident de la couleur de la peau et des yeux, de la dimension générale du corps, du sexe et (dans une certaine mesure) des aptitudes intellectuelles et du tempérament émotionnel. Les caractéristiques héréditaires présentes à la naissance entrent en interaction avec les expériences que l'on fait en cours de croissance pour déterminer le développement individuel. Nos expériences dépendent de la culture spécifique, du groupe social et de la famille au sein de laquelle nous sommes élevés.

Le développement de la parole offre un exemple de l'interaction entre les caractéristiques fixées génétiquement et les expériences venant de l'environnement. Presque tous les nouveau-nés humains possèdent en naissant la capacité d'apprendre une langue parlée. Dans le cours normal de son développement, l'être humain apprend donc à parler. Mais il est incapable de parler avant d'avoir atteint un certain niveau de maturation physiologique — aucun bébé de moins de 1 an n'est capable de faire des phrases. Les enfants élevés dans un milieu où les gens leur parlent et les récompensent quand ils prononcent des sons qui ressemblent à la parole parleront plus tôt que les enfants qui ne reçoivent pas une telle attention. Par exemple, les enfants qui sont élevés dans les foyers de classe moyenne aux États-Unis commencent à parler à l'âge de 1 an environ. Les enfants qui sont élevés à San Marcos, un village isolé du Guatemala, et qui ont peu de commerce verbal avec les adultes ne prononcent pas leurs premiers mots avant d'avoir plus de 2 ans (Kagan, 1979). Le développement de la parole comporte donc des éléments à la fois génétiques et environnementaux. La plupart des autres aspects du développement humain dépendent aussi de l'interaction entre caractéristiques innées et expériences du milieu.

MATURATION   Les agents génétiques s'expriment à travers le processus de *maturation*. La maturation se rapporte à des étapes ordonnées de croissance ou de changements corporels héréditairement déterminés et *relativement* indépendants des événements du milieu. Nous disons «relativement» parce que les changements de ce genre se produisent dans une grande variété de conditions de l'environnement; toutefois, un milieu décidément anormal ou déficient sous certains aspects affectera les processus de maturation. La maturation est plus évidente durant l'enfance, mais elle se continue durant la vie adulte. Certains des changements qui surviennent durant l'adolescence de même que certains de ceux qui se produisent avec le vieillissement (l'apparition de cheveux gris, par exemple) sont réglés selon un calendrier génétiquement déterminé.

Le développement fœtal fait nettement ressortir le processus de maturation. Le fœtus humain se développe dans le sein maternel selon un ordre temporel assez bien fixé et son comportement (comme se retourner et donner des coups de pied) suit également un ordre séquentiel qui dépend de la phase de croissance. Les prématurés que l'on élève en incubateurs se développent approximativement au même rythme que les bébés qui restent dans l'utérus jusqu'au terme normal. La régularité du développement avant la naissance illustre ce que nous entendons par maturation. Toutefois, quand le milieu utérin est très anormal, les processus de maturation peuvent être perturbés. Par exemple, si la mère contracte une rubéole au cours des trois premiers mois de la grossesse (quand les systèmes organiques essentiels du fœtus sont en voie de formation selon un programme génétiquement déterminé), le bébé peut naître sourd, aveugle ou avec des lésions cérébrales — le type d'anomalie dépendant du système organique qui était dans une étape critique de formation au moment de l'infection. Parmi les facteurs de l'environnement utérin susceptibles d'influencer la maturation normale du fœtus, mentionnons la malnutrition de la mère, le tabagisme et la consommation d'alcool et de drogues.

Le développement moteur consécutif à la naissance — utilisation des mains et des doigts, station debout, marche — se fait aussi selon un ordre régulier. Des activités comme se retourner sur soi-même, ramper et se dresser sur son séant, sont maîtrisées dans le même ordre par la plupart des enfants. À moins de croire que tous les parents soumettent leurs rejetons au même programme d'entraînement (ce qui est improbable), il nous faut supposer que les processus de maturation déterminent l'ordre des comportements. Comme la figure 3-1 l'indique, tous les enfants ne traversent pas ces étapes à la même vitesse; certains bébés se mettent à marcher ou à se tenir debout 4 ou 5 mois avant les autres. Mais l'*ordre* dans lequel ils passent d'une étape à la suivante est généralement le même chez tous les enfants.

Parce que la maîtrise des mouvements nécessaires pour s'asseoir, se tenir debout, marcher et utiliser les mains et les doigts apparaît dans un ordre aussi bien respecté et comme les enfants de tous les milieux culturels acquièrent ces comportements *à peu près* au même âge, le développement moteur semble être surtout un processus de maturation peu influencé par le milieu dans lequel l'enfant est élevé.

Stades et périodes critiques

Beaucoup de comportements ont un ordre naturel d'apparition. Les nouveau-nés tendent la main pour atteindre les objets avant d'être capables de les saisir. Les bébés apprennent à marcher avant de courir; ils prononcent des mots

FIGURE 3-1
Les bébés progressent à différentes vitesses *Bien que le développement se déroule selon un ordre fixe, certains enfants atteignent chacun des stades plus rapidement que d'autres. L'extrémité gauche de la barre indique l'âge auquel 25 % des bébés parviennent à la maîtrise du comportement décrit, alors que l'extrémité droite donne l'âge où 90 % maîtrisent ce comportement. Le trait vertical indique l'âge où 50 % le maîtrisent. (D'après Frankenburg et Dodds, 1967; révisé pour inclure le déplacement à quatre pattes.)*

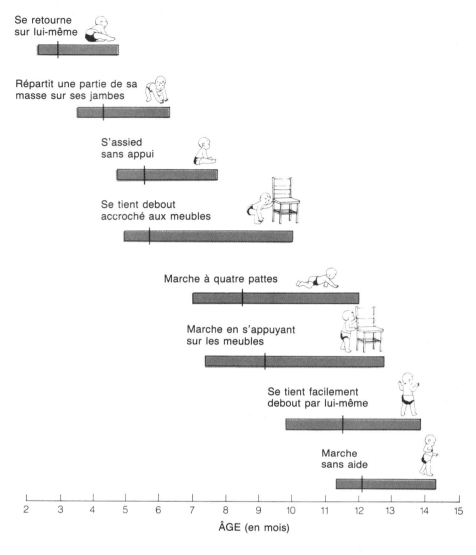

Se retourne sur lui-même

Répartit une partie de sa masse sur ses jambes

S'assied sans appui

Se tient debout accroché aux meubles

Marche à quatre pattes

Marche en s'appuyant sur les meubles

Se tient facilement debout par lui-même

Marche sans aide

ÂGE (en mois)

avant de faire des phrases. Les enfants apprennent à compter par cœur avant de comprendre la notion de nombre. L'ordre du développement procède habituellement des comportements les plus simples vers les plus différenciés et les plus complexes. Les nouveau-nés, par exemple, peuvent refermer et ouvrir les doigts et agiter les bras — en parvenant occasionnellement à placer le pouce dans la bouche. Avec la maturation, ces actions simples se différencient pour former des comportements plus complexes — taper sur un objet, le saisir, le soulever, le porter à la bouche, le lancer.

Les psychologues sont généralement d'accord pour reconnaître qu'il existe dans le comportement des séries ordonnées qui dépendent de la maturation de l'organisme, laquelle résulte de l'interaction de ce dernier avec le milieu. Quand ils expliquent ces « suites » dans le développement, certains psychologues préfèrent les interpréter comme un *processus continu*, par lequel les facteurs biologiques se combinent à l'apprentissage pour opérer un changement continu et régulier dans le comportement. D'autres, tout en admettant le caractère séquentiel du développement du comportement, sont moins impressionnés par la continuité du processus; ils voient plutôt le développement comme une série d'étapes. C'est pour cette raison qu'ils font appel à la notion de *stades*.

Nous reconnaissons déjà, plutôt grossièrement, des stades, quand nous divisons la durée de la vie en périodes successives de petite enfance, enfance, adolescence et âge adulte. Les parents se servent du mot « stade » quand, en parlant de leur enfant de 2 ans, ils disent qu'il passe par un « stade négatif » (il dit « non » à tout ce qu'on lui demande) ou quand, en parlant de leur adolescent, ils le considèrent comme étant dans un « stade de rébellion » (il conteste l'autorité des parents). Quand les psychologues parlent de stade de développement, toutefois, c'est une notion plus précise qu'ils ont à l'esprit : la notion de stade implique que 1) les comportements d'un stade donné sont organisés autour d'un *thème dominant*, 2) les comportements d'un stade sont *qualitativement différents* des comportements rencontrés à des stades antérieurs ou subséquents et 3) tous les enfants traversent les mêmes stades *dans le même ordre*. Les facteurs du milieu peuvent accélérer ou ralentir le développement, mais l'ordre des stades reste invariable ; l'enfant ne peut parvenir à un stade subséquent sans être passé par les stades précédents.

Plus loin dans ce chapitre, nous allons examiner plusieurs théories concernant les stades ; la première porte sur les stades du développement cognitif, la seconde sur les stades du développement moral et la troisième sur les stades du développement social. Alors que certains psychologues croient que les théories sur les stades sont un moyen utile pour la description du développement, d'autres préfèrent interpréter le développement comme un processus continu d'acquisition de nouveaux comportements au moyen de l'expérience. Ils n'acceptent pas les décalages qualitatifs du comportement impliqués par les théories sur les stades. Nous analyserons les faits qui militent en faveur de l'un et l'autre de ces points de vue à mesure que nous progresserons dans notre étude.

Il convient d'ajouter au concept de stades, une notion qui lui est étroitement apparentée, selon laquelle il pourrait y avoir des *périodes critiques* dans le développement humain — c'est-à-dire des moments cruciaux dans la vie d'une personne durant lesquels des événements spécifiques doivent intervenir pour que le développement progresse normalement. On a pu définir des périodes critiques indiscutables pour certains des aspects du développement du foetus humain. Par exemple, l'on sait que si l'organe sexuel nouvellement formé (les gonades) ne produit pas l'hormone mâle androgène, 7 semaines environ après la conception, ce sont des organes génitaux féminins qui apparaîtront. Il existe, au cours de la maturation post-natale, une période critique pour le développement de la vision. Quand un enfant naît avec des cataractes, sa vision pourra évoluer assez normalement pourvu qu'on lui enlève ces cataractes avant l'âge de 7 ans. Par contre, un enfant qui passe ses 7 premières années sans expérience visuelle sera victime d'une infirmité grave et permanente (Kuman, Fedrov et Novikova, 1983).

On n'a pas démontré l'existence de périodes critiques dans le développement psychologique de l'enfant. Certains faits indiquent cependant la présence de périodes *sensibles* — sinon critiques. L'intervalle entre le 6e et le 9e mois, par exemple, est probablement sensible à la formation de liens d'affection étroits avec les parents. D'autres périodes peuvent être tout particulièrement significatives pour le développement intellectuel ou l'acquisition du langage. Les enfants qui, pour une raison ou une autre, n'auraient pas été suffisamment exposés au langage avant l'âge de 6 ou 7 ans, pourraient ne jamais arriver à apprendre à parler (Goldin-Meadow, 1982). Les expériences de l'enfant au cours de telles périodes sensibles peuvent façonner le cours de son développement ultérieur d'une façon qu'il sera difficile de modifier ensuite.

LES PREMIÈRES ANNÉES

Les nouveau-nés ont l'apparence de créatures sans défense qui passent le plus clair de leur temps à dormir, à manger et à pleurer ; ils ne semblent pas comprendre grand-chose à ce qui se passe autour d'eux. Pourtant, les résultats des recherches nous apprennent qu'ils sont beaucoup plus conscients de leur environnement qu'on ne l'avait supposé.

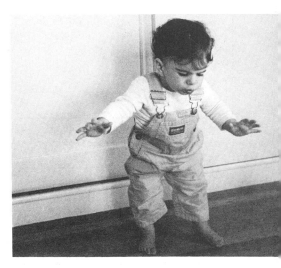

Développement moteur chez le jeune enfant
Marcher à quatre pattes, s'asseoir et se tenir debout par lui-même : des développements majeurs de la mobilité d'un bébé.

Le nouveau-né

CAPACITÉS DU NOUVEAU-NÉ   Comment les psychologues étudient-ils les habiletés des nouveau-nés? Puisqu'ils sont incapables de parler, de contrôler leurs mouvements ou de suivre des directives, ils sont loin d'être des sujets idéaux. La solution à ce problème est de s'en tenir aux réactions qu'ils ont vraiment, comme téter, regarder, tourner la tête ou aux modifications de la respiration et de la fréquence cardiaque.

On peut utiliser les changements du rythme cardiaque, par exemple, pour déterminer si les nouveau-nés sont capables de déceler la différence entre deux sons. Le chercheur présente l'un des sons pendant une série d'essais tout en surveillant la fréquence cardiaque du nourrisson. Lorsqu'un bébé — ou n'importe qui, d'ailleurs — perçoit un événement nouveau, le rythme cardiaque ralentit. Cette décélération cardiaque fait partie du *réflexe d'orientation*, un « pattern » de réponse qui prépare l'organisme à traiter de l'information (voir à la page 212). C'est un signe que le nouveau-né porte attention au stimulus. Après plusieurs présentations successives du son, la fréquence cardiaque ne se ralentira plus quand le son apparaîtra. Présumément, le son est devenu familier et le bébé cesse de lui prêter attention. C'est ce qu'on appelle l'*habituation*, soit la réduction de la force d'une réponse à un stimulus qui se répète. L'expérimentateur présente alors un nouveau son. Si le rythme cardiaque de l'enfant ralentit, le chercheur en déduit que l'enfant porte attention au nouveau son et qu'il est donc capable de distinguer les deux sons. Des études basées sur cette méthode ont démontré que les nouveau-nés étaient capables de capter la différence entre des sons très voisins, comme deux tons qui ne sont séparés que d'une note dans la gamme (Bridger, 1961).

On a découvert avec étonnement que les nourrissons étaient en mesure de distinguer presque tous les contrastes phonétiques de la parole humaine. Un enfant de 1 mois, par exemple, peut reconnaître les sons *p* et *b* comme étant différents. Les chercheurs ont utilisé la succion comme réponse et une diminution de la succion comme mesure d'habituation. Ils ont constaté que les nouveau-nés sucent très fort une tétine, reliée à un mécanisme d'enregistrement, pour entendre le son « ba ». Petit à petit, toutefois ils se sont « habitués » à ce son et ont diminué les succions. Quand on eut changé le son pour « pa », le rythme de succion s'accéléra à nouveau, indiquant qu'ils entendaient un son nouveau. Grâce à cette méthode, les chercheurs ont montré que les nouveau-nés étaient capables de distinguer la plupart des contrastes utilisés dans les langues de l'univers, même s'il peut arriver qu'ils perdent cette aptitude à l'âge adulte. Les bébés japonais sont capables, par exemple, de percevoir la différence entre les sons *r* et *l*, mais les Japonais adultes ne le peuvent pas (Eimas, 1975).

Ces données et les recherches correspondantes indiquent que les nouveau-nés viennent au monde préparés à apprendre tout langage qu'ils entendent parler. En plus d'être capables de percevoir les différences entre les sons de la parole, les nourrissons peuvent reconnaître les voix de ceux qui parlent. Des bébés de 3 jours ont montré qu'ils préféraient écouter la voix de leur mère plutôt que celle d'une autre femme qu'ils ne connaissaient pas (DeCasper et Fifer, 1980).

On a eu recours à des méthodes de test de préférence du regard (voir à la page 219) pour étudier les capacités visuelles des nouveau-nés (Fantz, 1981). Le chercheur présente au nourrisson des paires de stimuli qui sont différents sous un aspect particulier — comme un cercle jaune et un cercle rouge, ou un carré gris et un carré portant d'étroites barres noires. Si les poupons regardent constamment plus longuement l'un des stimuli que l'autre (peu importe qu'il s'agisse de l'élément droit ou gauche de la paire), le chercheur en conclut deux choses: les nouveau-nés sont capables de distinguer les deux configurations en cause et ils ont une préférence pour l'une des deux. Au moyen de cette méthode, des chercheurs ont découvert que les nouveau-nés pouvaient différencier les caractères d'imprimerie fins des surfaces grises, qu'ils préféraient les configurations complexes aux configurations à lignes droites et qu'ils accordaient un intérêt spécial aux visages (voir la figure 3-2). Les nouveau-nés préfèrent regarder le contour externe d'un visage, mais à

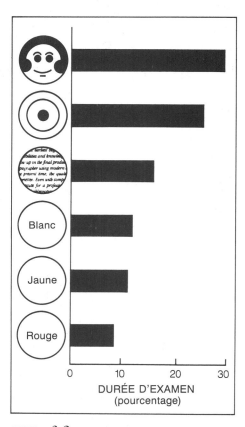

FIGURE 3-2
Préférences visuelles   *On a montré à des nouveau-nés, dès 10 heures et jusqu'à 5 jours après la naissance, des disques qui étaient différents sur des points particuliers — un cercle à l'aspect d'un visage, d'une cible, d'une série de caractères d'imprimerie et de couleurs blanche, jaune et rouge. Les nouveau-nés étaient capables de les distinguer et manifestaient des préférences entre ces configurations. (D'après Fantz, 1961).*

DURÉE D'EXAMEN
(pourcentage)

l'âge de 2 mois, ils concentrent leur attention sur la partie intérieure de la face : les yeux, le nez et la bouche (Haith, Bergman et Moore, 1977). À ce moment-là, l'un des parents peut remarquer, à sa grande joie, que le bébé a commencé à « le regarder dans les yeux », c'est-à-dire, à avoir des contacts oculaires.

Les nouveau-nés sont capables de suivre un objet des yeux, mais ils ne peuvent ajuster le foyer de leur regard sur des stimuli proches ou éloignés avant d'avoir atteint l'âge de 2 mois au moins. Ils voient mieux à une distance d'environ 30 centimètres — ce qui est à peu près la distance du visage de ses parents quand ils le tiennent dans leurs bras.

Ils peuvent percevoir les différences de goût peu de temps après leur naissance. Ils préfèrent de beaucoup les liquides qui ont un goût sucré à ceux qui sont salés, amers, sûrs ou qui ne goûtent rien. La réaction caractéristique du nouveau-né à un liquide sucré se traduit par une expression de détente qui ressemble à un léger sourire, accompagnée parfois d'un mouvement de léchage des lèvres. Une solution sure déclenche un pincement des lèvres et un plissement du nez. En réponse à une solution de goût amer, le bébé ouvre la bouche en déprimant les coins et tire la langue dans ce qui semble être une expression de dégoût.

Les nouveau-nés peuvent également distinguer les odeurs. Ils tourneront la tête vers un parfum sucré et leur fréquence cardiaque et leur respiration se ralentiront, signes d'attention (voir la figure 3-3). Les odeurs délétères, telles celles de l'ammoniaque ou des œufs pourris, les poussent à détourner la tête ; leur rythme cardiaque et leur respiration s'accélèrent, signes de détresse. Les nourrissons sont même en mesure de faire des distinctions subtiles dans le cas des odeurs. Après quelques jours d'allaitement seulement, le nouveau-né tournera constamment la tête vers un tampon imbibé du lait de sa mère de préférence à un autre qui serait imprégné du lait d'une autre nourrice (Russell, 1976). Cette capacité innée de faire une distinction entre les odeurs a une valeur d'adaptation manifeste : elle aide le nouveau-né à éviter les substances malsaines, augmentant par le fait même ses chances de survie.

En plus de posséder certaines aptitudes perceptives innées, les nouveau-nés sont également capables de formes simples d'apprentissage. Dans une étude, des bébés de quelques heures seulement ont appris à tourner la tête à gauche ou à droite selon qu'ils entendaient un vibreur ou un timbre. Pour goûter à un liquide sucré, l'enfant devait se tourner vers la droite quand c'était un timbre qui se faisait entendre et vers la gauche quand il s'agissait du son d'un vibreur. Après quelques essais seulement, les bébés réagissaient sans se tromper — tournant vers la droite au son du timbre et vers la gauche au son ronflant du vibreur. Ensuite l'expérimentateur inversa les conditions de telle sorte que le nouveau-né devait se tourner du côté opposé quand l'une ou l'autre des sources sonores se faisait entendre. Les bébés ont maîtrisé cette nouvelle tâche en dix essais environ (Siqueland et Lipsitt, 1966).

Dans l'ensemble, les recherches que nous venons de décrire remettent en question la conception du nouveau-né « ardoise vierge ». Elles laissent entendre que le nouveau-né est préparé à percevoir et à reconnaître la réalité et à apprendre rapidement les relations entre les événements importants pour le développement humain. Les nouveau-nés semblent détenir une connaissance innée de certains principes élémentaires qui les aide à trier et à classer le flot des stimuli dont ils font l'expérience et qui les rend capables de former des concepts abstraits longtemps avant l'acquisition de tout langage utilisable. Dans une série d'études, on a présenté à des bébés de 6 à 8 mois des paires de diapositives, l'une représentant 3 objets et l'autre, 2 objets (voir la figure 3-4); les objets illustrés sur les diapositives changeaient d'essai en essai. En outre, à chaque essai, les enfants entendaient soit 2, soit 3 coups de tambour émanant d'un haut-parleur caché, mais placé dans une position centrale. Les résultats de cette expérience indiquent que les nouveau-nés ont tendance à regarder plus longtemps du côté qui correspond au nombre de coups de tambour — quand il y avait 2 coups, les enfants étaient portés à regarder vers la diapositive représentant 2 objets, alors qu'avec 3 ils regardaient la diapositive à 3 objets (Starkey, Spelke et Gelman, 1986). Ces résul-

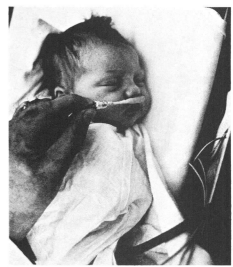

FIGURE 3-3
Test du sens de l'odorat chez un nouveau-né *On utilise le détournement de la tête et la mesure de la fréquence cardiaque et de la respiration pour établir la réaction d'un nouveau-né de 2 jours à diverses odeurs.*

FIGURE 3-4
Formation de concepts abstraits *Les nouveau-nés préféraient regarder le dessin où le nombre d'éléments correspondait au nombre des coups de tambour provenant d'un haut-parleur dissimulé derrière l'écran, témoignant ainsi d'une capacité d'abstraction de nombres à partir de modalités sensorielles. (D'après Starkey, Spelke et Gelman, 1986)*

tats démontrent que les nouveau-nés sont capables d'abstraire l'information numérique présentée dans 2 modalités (visuelle et auditive) différentes.

Des données comme celles-ci ont conduit certains psychologues à proposer que les nouveau-nés viendraient au monde en connaissant certains principes implicites qui guident et facilitent l'apprentissage subséquent. Les enfants ne naissent pas avec une connaissance spécifique des nombres et des autres sortes de relations logiques, mais ils semblent avoir une coudée d'avance sur les autres espèces.

DIFFÉRENCES INDIVIDUELLES DE TEMPÉRAMENT   Dans notre discussion sur les capacités du nouveau-né, nous avons fait ressortir les aspects sous lesquels ils se ressemblent. En l'absence de dommages physiques quelconques, tous les bébés sont dotés d'aptitudes sensorielles semblables à la naissance et ils sont en mesure de faire l'expérience des mêmes sortes d'événements dans leur entourage. Mais là où ils sont remarquablement différents, c'est dans leur style général de réaction, ou ce que l'on appelle le *tempérament*.

Dès les premières semaines de la vie, les nouveau-nés manifestent des différences individuelles dans les niveaux d'activité, de sensibilité aux changements dans l'environnement et d'irritabilité (voir le chapitre 13). Un nouveau-né pleure beaucoup; un autre très peu. L'un endure le remplacement des langes et le bain sans faire de chichi, l'autre donne du pied et se débat. L'un réagit à tous les sons; l'autre les ignore tous sauf les plus intenses. Les bébés sont même différents sur le plan de la cajolerie. Certains semblent prendre plaisir aux caresses et aux étreintes et épousent étroitement les contours du corps de la personne qui les tient dans ses bras; d'autres se raidissent et se tortillent et essaient moins d'adapter leur corps à celui de l'autre (Korner, 1973).

L'opinion traditionnelle était que le comportement des enfants était façonné par les parents. Les parents d'un bébé capricieux avaient tendance, par exemple, à se blâmer eux-mêmes des difficultés de leur bébé. Mais la recherche sur les nouveau-nés démontre de façon de plus en plus évidente que certaines différences de tempérament sont innées et que la relation parent-enfant est réciproque — le comportement du nouveau-né façonne lui aussi la réaction du parent. Un bébé facile à calmer, qui cesse de pleurer et se blot-

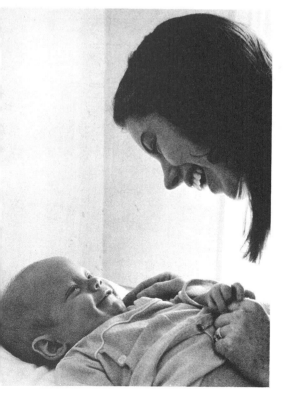

tit contre la personne qui le prend, contribue à accroître les sentiments de compétence et d'attachement de la maman. Le nouveau-né qui se raidit et continue de crier, malgré tous les efforts pour le réconforter, suscite chez sa mère des sentiments d'impuissance et de rejet. Mieux le bébé réagit à la stimulation apportée par le parent (en se blotissant dans ses bras et en se calmant, en se montrant alerte quand on lui parle ou quand on joue avec lui), plus il est facile pour le parent et l'enfant de créer un lien d'amour.

Les chercheurs ne présument pas que le tempérament d'un enfant est immuable et protégé contre les influences du milieu. Il est vrai que les différences de tempérament observées chez les nouveau-nés persistent souvent dans une certaine mesure durant toute l'enfance ; ainsi par exemple, les bébés à tempérament « difficile » risquent plus que les bébés « faciles » d'avoir des problèmes scolaires plus tard (Thomas et Chess, 1977). Mais les traits de tempérament peuvent changer eux aussi avec la maturation : un nouveau-né facile et enjoué peut devenir un enfant qui pique des crises de colère. Le tempérament qu'il apporte à la naissance prédispose le bébé à réagir de certaines façons, mais le tempérament et les expériences de la vie combinent leurs influences pour façonner la personnalité. De toute façon, peu importe dans quelle mesure il persiste durant l'enfance, le tempérament du nouveau-né exerce une influence sur l'interaction parent-enfant.

Premières expériences et développement du nouveau-né

L'évolution, à partir de l'état de nouveau-né alerte, mais plutôt impuissant, jusqu'à celui de l'enfant de 2 ans capable de parler et de marcher, progresse à un rythme étonnant. En fait, les changements surviennent plus rapidement durant les 2 premières années que durant toute autre période, mis à part les 9 mois qui précèdent la naissance. Comme nous l'avons vu plus tôt, la maîtrise de prouesses physiques comme s'asseoir, tendre la main vers les objets, ramper et marcher dépend de la maturation des muscles et du système nerveux. Tous les bébés acquièrent ces capacités sans qu'on leur apprenne. Mais les psychologues se sont intéressés depuis très longtemps à la question de savoir si les conditions de l'environnement peuvent accélérer ou retarder les processus de maturation.

Bien qu'un enfant n'ait pas besoin d'entraînement spécifique pour marcher au moment approprié, une certaine quantité de stimulation de la part du milieu semble nécessaire. Les enfants élevés en institution, qu'on ne prend pas souvent dans ses bras et qui ont très peu d'occasions de se déplacer, commencent à s'asseoir, à se tenir debout et à marcher beaucoup plus tard que les autres enfants. Une étude faite dans un orphelinat en Iran a montré que 42 % seulement des enfants étaient capables de s'asseoir sans appui à 2 ans et que 15 % seulement pouvaient marcher sans aide à l'âge de 4 ans (Dennis, 1960). Comparez ces pourcentages aux normes présentées à la figure 3-1 pour les enfants élevés dans un foyer. Il faut noter toutefois que cet orphelinat particulier constituait pour les enfants un milieu plus défavorisé que la plupart des institutions du genre. Les préposés aux soins des enfants étaient d'intelligence médiocre et peu éduqués. Ils subvenaient aux besoins physiques des enfants, mais faisaient peu d'efforts pour jouer ou parler avec eux. Les bébés restaient dans leur berceau toute la journée, sauf aux moments où on les nourrissait et où on changeait leurs vêtements. On laissait ceux qui étaient plus âgés dans un parc pour enfants une grande partie de la journée et ils avaient peu de jouets ou autres objets pour s'amuser.

Pour voir si l'augmentation de la stimulation et la possibilité de se déplacer contribuent à l'amélioration du développement moteur, 2 psychologues ont fait des tests avec 30 orphelins iraniens à l'aide d'une échelle mesurant divers aspects du développement des jeunes enfants et ils ont ensuite séparé les enfants en 2 groupes. Les enfants de l'un de ces groupes étaient laissés dans leur berceau comme avant. Les autres étaient conduits 1 heure par jour dans une salle de jeu où on les plaçait en position assise et où on leur permettait de jouer avec une variété de jouets et d'objets. Quand les 2 groupes furent à nouveau soumis aux tests 1 mois plus tard, les bébés du groupe expérimen-

tal (le second groupe) faisaient preuve d'un progrès marqué dans leur développement par comparaison avec ceux qu'on avait laissés dans leur berceau. Bien que le développement moteur dépende en grande partie de la maturation, il est également nécessaire que les enfants fassent l'expérience de pouvoir se déplacer librement et d'essayer d'atteindre les objets qui les intéressent.

Ces études démontrent que lorsque les occasions de faire des exercices et des mouvements sont très limitées, l'enfant accuse un certain retard dans son développement moteur, mais que l'on peut remédier à cette carence par une stimulation appropriée. Il est une question apparentée qui a longtemps intrigué les psychologues, à savoir si une stimulation supplémentaire ou un entraînement spécial accélérerait le développement des habiletés motrices fondamentales. Des études classiques, des années 1920 à 1930, portant sur des jumeaux identiques se sont intéressées à cette question (Gesell et Thompson, 1929; McGraw, 1935). Elles consistaient, typiquement, à donner à l'un des jumeaux beaucoup d'entraînement précoce à une activité particulière (monter les escaliers, par exemple). Plus tard, on donnait au second jumeau une brève période de pratique, puis on soumettait les deux jumeaux à un test. Quand le jumeau «non entraîné» avait reçu, ne fût-ce qu'une très courte période de pratique, les deux se comportaient en général de la même façon au test. Dans le cas des premières habitudes motrices, un peu de pratique ultérieure (quand les muscles et le système nerveux ont atteint une plus grande maturité) est aussi efficace que beaucoup d'entraînement antérieur.

Des études plus récentes indiquent que la pratique ou la stimulation supplémentaire permet, dans une certaine mesure, de hâter l'apparition des comportements de motricité. Les nouveau-nés, par exemple, ont un «réflexe de marche» — si on les tient en position debout en laissant leurs pieds toucher à une surface solide, leurs jambes font des mouvements qui ressemblent beaucoup à ceux de la marche. (Ce réflexe disparaît en quelques semaines et la marche réelle n'apparaît que plusieurs mois plus tard.) Un groupe de nouveau-nés soumis à une pratique du réflexe de marche durant quelques minutes, plusieurs fois par jour, durant les 2 premiers mois de leur vie, ont commencé à marcher 5 ou 7 semaines plus tôt que les bébés qui n'avaient pas eu cet entraînement (Zelazo, Zelazo et Kolb, 1972).

Effets à long terme des premières expériences

Jusqu'à quel point l'influence des premières stimulations ou de la privation de stimulations est-elle permanente? En ce qui a trait aux habiletés motrices, les premières expériences n'ont probablement pas d'effets durables. Les enfants de l'orphelinat iranien qui ont été adoptés avant l'âge de 2 ans ont vite rattrapé le développement normal et s'y sont maintenus par la suite (Dennis, 1973). Au Guatemala, les enfants d'un village indien isolé sont gardés à l'intérieur de la hutte familiale, dépourvue de fenêtres, durant la première année de leur vie, car les parents croient que l'air et le soleil peuvent les rendre malades. Ils ont peu d'occasions de se déplacer à quatre pattes et leurs parents jouent rarement avec eux. Lorsqu'on permet à ces enfants de quitter la hutte, ils sont moins habiles que les enfants d'Amérique du Nord sur le plan des aptitudes physiques. Mais ils rejoignent vite les autres et, à l'âge de 3 ans, ils font preuve d'une bonne coordination, comparable à celle des autres enfants (Kagan et Klein, 1973).

Le fait d'être privé d'expériences durant les premières années semble avoir des effets plus durables dans d'autres domaines du développement: langage, aptitudes intellectuelles et développement affectif. Les enfants pour lesquels les occasions d'apprentissage sont limitées durant les 2 ou 3 premières années de leur vie — enfants à qui l'on ne parle pas, à qui l'on ne lit pas de contes ou que l'on n'encourage pas à explorer leur milieu — se trouvent sérieusement retardés dans le domaine des aptitudes linguistiques et intellectuelles au moment où ils commencent à fréquenter l'école et il se peut qu'ils n'arrivent jamais à rattraper les autres.

Une étude bien connue de Skeels et Dye (1939) fait ressortir l'importance d'avoir vécu dans un milieu stimulant au cours des premières années

Le développement intellectuel d'un nouveau-né dépend en partie de la stimulation du milieu.

de la vie pour que soit assuré le développement intellectuel ultérieur. On a transféré dans une institution pour arriérés mentaux un groupe d'orphelins dont le développement à 2 ans environ était tellement retardé que toute idée d'une adoption possible avait été exclue. Là, par contraste avec l'orphelinat surpeuplé, chaque enfant fut placé sous la garde d'une fillette plus âgée, légèrement arriérée, qui servait ainsi de substitut maternel et passait de longues périodes de temps à jouer avec l'enfant et à lui parler. De plus, les salles où les enfants vivaient étaient spacieuses et bien pourvues en jouets. Dès que les enfants étaient capables de marcher, ils étaient envoyés à une école prématernelle où on leur fournissait encore d'autres jeux et d'autres types de stimulation. Après une période de 4 ans, ce groupe expérimental avait connu une amélioration moyenne de capacités intellectuelles équivalant à 32 points de quotient; un groupe de sujets, du même âge et de même intelligence, qui était resté à l'orphelinat accusait une perte moyenne de 21 points. Une vérification ultérieure, plus de 20 ans plus tard, démontra que le groupe expérimental était toujours supérieur au groupe contrôle (Skeels, 1966). La plupart des sujets du groupe expérimental avaient terminé leurs études secondaires (un tiers d'entre eux avaient entrepris des études collégiales), étaient financièrement autonomes, s'étaient mariés et avaient conçu des enfants d'intelligence normale. Les enfants du groupe contrôle, par contre, n'avaient pas en majorité dépassé la 3e année du cours primaire et étaient restés en institution, ou ne gagnaient pas suffisamment d'argent pour être autonomes.

Malgré le nombre restreint de sujets utilisés dans cette étude et le fait qu'il soit impossible d'écarter complètement la possibilité de l'existence de différences intellectuelles entre les 2 groupes à la naissance, les résultats sont suffisamment impressionnants pour démontrer l'importance du contact initial avec un milieu stimulant pour le développement intellectuel subséquent.

Comme nous le verrons plus loin dans ce chapitre, l'absence d'une relation étroite et «tutélaire» avec un adulte durant les premières années de la vie peut influencer profondément le développement social et affectif ultérieur.

DÉVELOPPEMENT COGNITIF

Bien qu'ils soient conscients des changements intellectuels qui accompagnent la croissance physique de leurs enfants, la plupart des parents éprouveraient de la difficulté à décrire la nature de ces changements. C'est au psychologue suisse Jean Piaget que nous devons l'étude la plus vaste et la plus approfondie du développement cognitif chez l'enfant. Après plusieurs années d'observation minutieuse, il a élaboré une théorie de l'évolution des capacités de penser et de raisonner de l'enfant à travers une série de stades distincts qui marquent sa maturation (voir le tableau 3-1).

Stade sensori-moteur

Après avoir remarqué les relations étroites qui existent entre l'activité motrice et la perception chez les nouveau-nés, Piaget a désigné les 2 premières années de la vie sous le nom de *stade sensori-moteur*. Durant cette période, l'enfant s'emploie à découvrir les rapports entre ses activités et les conséquences de celles-ci. Il découvre, par exemple, jusqu'à quelle distance il lui faut tendre la main pour saisir un objet et ce qui arrive quand il pousse son assiette jusqu'au bord de la table; il comprend que sa main fait partie de son corps alors qu'il n'en est pas ainsi du barreau de sa chaise. Grâce à d'innombrables «expériences», l'enfant commence à se former une notion de lui-même en tant qu'entité distincte du monde extérieur.

Au cours de ce stade, l'enfant fait l'importante découverte de la *permanence de l'objet* — la conscience du fait qu'un objet continue d'exister même quand il n'est pas présent aux sens. Si on recouvre (avec un tissu) le jouet qu'un bébé de 8 mois cherche à atteindre, celui-ci s'arrête immédiatement

TABLEAU 3-1
Les stades du développement cognitif d'après Piaget   *Les âges proposés sont des moyennes. Ils sont susceptibles de variations considérables selon l'intelligence, le milieu culturel et les facteurs socio-économiques, mais on postule que l'ordre de progression est le même pour tous les enfants. Piaget a décrit des étapes plus détaillées au sein de chaque stade; nous ne présentons ici qu'une caractérisation très générale de chacun des stades.*

STADE	CARACTÉRISTIQUES
1 – Sensori-moteur (de la naissance à 2 ans)	Se reconnaît lui-même comme un principe d'action et commence à agir de façon intentionnelle: par exemple, il tire sur une ficelle pour mettre un objet mobile en mouvement ou il agite un hochet pour faire du bruit. Parvient à la permanence de l'objet: il réalise que les choses continuent d'exister même quand elles ne sont plus présentes aux sens.
2– Préopératoire (de 2 à 7 ans)	Apprend à utiliser le langage et à représenter les objets par des images et des mots. La pensée est encore égocentrique: il éprouve de la difficulté à adopter le point de vue des autres. Classe les objets d'après une seule caractéristique: il regroupe tous les blocs rouges ensemble, par exemple, sans tenir compte de leur forme, ou encore tous les blocs carrés sans s'occuper de leur couleur.
3 – Opératoire concret (de 7 à 12 ans)	Peut penser logiquement à propos des objets et des événements. Parvient à la conservation des nombres (6 ans), du volume (7 ans) et de la masse (9 ans). Classe les objets d'après plusieurs caractéristiques et les ordonne en séries sur une seule dimension, la grandeur par exemple.
4 – Opératoire formel (12 ans et plus)	Peut penser logiquement sur des propositions abstraites et vérifier les hypothèses systématiquement. Se préoccupe de ce qui est hypothétique, de l'avenir et de problèmes idéologiques.

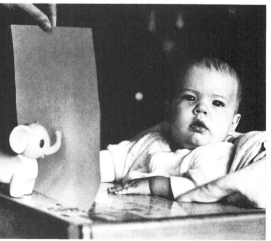

FIGURE 3-5
Permanence de l'objet   *Lorsque le jouet est caché derrière un écran, l'enfant agit comme s'il n'existait pas. Le bébé n'a pas encore acquis la notion de permanence de l'objet.*

et semble perdre intérêt. Il ne paraît ni surpris, ni troublé, il ne fait aucune tentative de recherche et agit comme si l'objet avait cessé d'exister (voir la figure 3-5). Par contre, l'enfant de 10 mois cherchera de façon active un objet qu'on aura caché sous un tissu ou derrière un écran. Le bébé plus âgé semble comprendre que l'objet existe même s'il échappe à sa vue. Il a acquis la notion de permanence de l'objet. Mais même à cet âge, l'activité de recherche a ses limites; si l'enfant a réussi plusieurs fois à retrouver un jouet à un même endroit, il va continuer de le rechercher à cet endroit même après avoir observé un adulte qui le cachait à un nouvel endroit. Le bébé répète l'action qui lui avait valu le jouet auparavant plutôt que de le chercher là où il l'a vu la dernière fois. Ce n'est pas avant l'âge de 1 an qu'un enfant recherche de façon constante un objet à l'endroit où il l'a vu disparaître la dernière fois, quoi qu'il se soit passé aux essais précédents.

Stade préopératoire

Vers 1½ an ou 2 ans, les enfants commencent à utiliser le langage. Les mots, en tant que symboles, peuvent représenter des choses ou des groupes de choses. Un objet peut aussi représenter (symboliser) un autre objet. C'est ainsi qu'en jouant, un enfant de 3 ans peut prendre un bâton pour un cheval et le chevaucher à travers la chambre; un bloc de bois peut devenir une automobile, une poupée, une mère et une autre, un bébé.

Même si les enfants de 3 et de 4 ans peuvent penser de façon symbolique, les mots et les images qu'ils emploient ne sont pas encore agencés d'une manière logique. Piaget considère le stade du développement cognitif (de 2 à 7 ans) comme *préopératoire*, parce que l'enfant ne maîtrise pas encore certaines règles ou *opérations*. Une opération est une routine mentale qui sert à la transposition de l'information, routine qui est réversible; logiquement, toute opération suppose une opération contraire. La division d'un cercle en 4 pointes de tarte de surfaces égales est une partie d'une opération, car nous pouvons renverser l'action et rassembler les pointes pour former un tout. La règle voulant qu'on mette le chiffre 3 au carré pour obtenir 9 est une opération parce que nous pouvons faire l'opération inverse et prendre la racine carrée de 9 pour obtenir 3. Durant le stade préopératoire du développement cognitif, la compréhension que l'enfant possède de telles règles est faible ou absente. Piaget démontre l'existence de cette carence au moyen de certaines expériences sur le développement de ce qu'il appelle la *conservation*.

En tant qu'adultes, nous acceptons les principes de conservation comme une chose naturelle: la quantité (le volume) d'une substance reste la même quand on modifie sa forme ou quand on la sépare en morceaux; la masse totale d'un ensemble d'objets reste la même quelle que soit la façon dont on les dispose ensemble, et la quantité des liquides ne change pas quand on les verse d'un récipient d'une forme donnée dans un récipient d'une autre forme. Pour les enfants, toutefois, l'acquisition de ces notions de conservation est un aspect de la croissance intellectuelle qui s'étend sur plusieurs années.

Dans une étude portant sur la conservation des volumes, on donne à un enfant de la pâte à modeler pour qu'il en fasse une boule de même dimension qu'une autre boule de la même matière; après l'avoir fait, l'enfant dit qu'elles sont «pareilles». Puis, en laissant une boule comme point de repère, l'expérimentateur roule l'autre devant l'enfant pour en faire un long boudin. L'enfant voit très bien qu'on a ni ajouté, ni enlevé de pâte. Dans cette situation, les enfants de 4 ans environ croient que les 2 objets ne contiennent plus la même quantité de pâte: ils disent que l'objet le plus long en contient plus (voir la figure 3-6). Ce n'est pas avant l'âge de 7 ans que la majorité des enfants s'aperçoivent que la quantité de pâte dans l'objet plus long est égale à celle de la boule qui sert de point de repère.

On peut avoir recours au même type d'expérimentation pour étudier la conservation de la masse. On demande, par exemple, à des enfants qui savent que des choses égales vont s'équilibrer sur une balance (ils peuvent vérifier ceci avec les deux boules de pâte à modeler) si la pâte en forme de boudin va maintenir sur la balance le même équilibre que la première boule. La conservation de la masse est une notion plus difficile que la conservation du volume et l'enfant ne l'acquiert qu'environ 1 an plus tard au cours de son développement.

L'une des raisons pour laquelle les enfants de moins de 7 ans éprouvent de la difficulté à comprendre les notions de conservation, c'est que leur pensée est encore sous la dépendance des impressions visuelles. Les modifications de l'apparence du volume de pâte à modeler ont plus d'importance pour eux que des qualités moins évidentes, comme la masse. Une expérience de conservation des nombres démontre jusqu'à quel point l'enfant se base sur les impressions visuelles dans ses jugements. Si une rangée de jetons noirs

FIGURE 3-6
Notion de conservation *Un enfant de 4 ans reconnaît que deux boules de pâte à modeler sont de même dimension. Quand on roule l'une des boules pour en faire un long et mince boudin, toutefois, il dit que ce dernier contient plus de pâte. Ce n'est que plusieurs années plus tard que l'enfant dira que les 2 formes différentes contiennent la même quantité de pâte.*

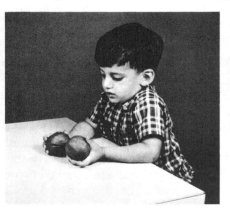

FIGURE 3-7
Conservation des nombres *Quand on dispose de façon parallèle 2 colonnes de 7 jetons, la plupart des enfants disent que les 2 colonnes ont la même quantité de jetons. Quand l'une de ces colonnes est défaite et les jetons rassemblés sur une petite surface, les enfants de moins de 6 ou 7 ans diront que la colonne originale comprend plus de jetons.*

est placée, jeton pour jeton, en parallèle avec une rangée comportant un nombre égal de jetons rouges, l'enfant de 5 ou 6 ans dira que les rangées ont le même nombre de jetons. Si on rapproche les jetons noirs pour en former un groupe plus dense, l'enfant de 5 ans dira qu'il y a maintenant plus de jetons rouges — même si aucun jeton n'a été retranché (voir la figure 3-7). L'impression visuelle d'une longue rangée de jetons rouges l'emporte sur l'égalité numérique qui était évidente quand les jetons noirs occupaient une rangée correspondante. Les enfants de 7 ans, par contre, postulent que si le nombre de jetons était égal auparavant, il doit rester égal. À cet âge, l'égalité numérique est devenue plus significative que l'impression visuelle.

Stades opératoires

De 7 à 12 ans, l'enfant maîtrise les diverses notions de conservation et commence à exécuter encore d'autres manipulations logiques. Il est capable de placer les objets en ordre sur la base d'une dimension comme la hauteur ou la masse. Il peut aussi se représenter mentalement une suite d'actions. L'enfant de 5 ans peut trouver lui-même le chemin qui mène à la maison d'un ami, mais il n'est pas capable de vous indiquer ce chemin ni de le tracer avec un crayon et du papier. Il peut retrouver le chemin parce qu'il sait qu'à certains endroits il doit tourner, mais il n'a pas de vue d'ensemble de la route. Les enfants de 8 ans peuvent facilement, au contraire, dessiner le tracé de la route.

Piaget appelle cette période le *stade opératoire concret*: même s'ils se servent de termes abstraits, les enfants ne le font qu'en fonction d'objets concrets — c'est-à-dire des objets auxquels ils ont un accès sensoriel direct. Ce n'est pas avant d'avoir atteint le stade final du développement cognitif, le *stade opératoire formel*, qui commence vers 11 ou 12 ans, que les jeunes sont capables de raisonner en termes purement symboliques.

Dans l'un des tests de pensée opératoire formelle, le sujet doit essayer de découvrir ce qui détermine la durée du balancement d'un pendule (sa période d'oscillation). On lui montre un bout de corde suspendu à un crochet et plusieurs masses qu'il peut attacher au bout de la corde. Il peut faire varier la longueur de la corde, changer de masse et modifier la hauteur d'où il la lancera.

Les enfants qui sont encore au stade opératoire concret vont procéder à des essais expérimentaux en modifiant certaines des variables, mais pas de façon systématique. Les adolescents, même ceux qui ont des aptitudes intellectuelles moyennes, vont formuler une série d'hypothèses et procéder à leur vérification systématique. Ils se disent que si une des variables (la masse par exemple) exerce une influence sur une période d'oscillation, cet effet ne deviendra évident que s'ils changent cette variable en maintenant les autres constantes. S'il s'avérait que cette variable n'avait pas d'effet sur le temps d'oscillation, ils l'élimineraient et en essaieraient une autre. Le fait de considérer toutes les possibilités, de déduire toutes les conséquences pour chaque hypothèse et de reconnaître ou de répudier ces conséquences, voilà essentiellement ce que Piaget appelle la pensée opératoire formelle. Cette capacité de concevoir les possibilités au-delà de ce qui est présent en réalité — d'imaginer les autres façons d'être des choses — imprègne la pensée des adolescents et se rattache à la tendance qu'ils ont à s'impliquer dans les problèmes philosophiques et idéologiques et à remettre en question la façon dont les adultes mènent le monde.

Conceptions qui ne postulent pas l'existence de stades

La théorie de Piaget donne une vaste perspective du développement cognitif. C'est la théorie la plus complète jusqu'à présent; elle a exercé une influence sur une bonne partie de la recherche se rapportant à la façon dont les enfants pensent et résolvent les problèmes. La plupart des travaux confirment les observations de Piaget sur les étapes du développement cognitif, même si les âges auxquels les enfants parviennent aux divers niveaux varient considérablement, en fonction de facteurs comme l'intelligence et l'expérience.

Cependant, des méthodes nouvelles, plus complexes, utilisées pour tester le fonctionnement intellectuel des nouveau-nés et des enfants d'âge préscolaire indiquent que Piaget, dont les théories se fondaient sur des observations directes de l'enfant, avait sous-estimé leurs capacités. Nous l'avons vu plus haut, les très jeunes enfants possèdent certaines aptitudes intellectuelles qu'ils sont incapables de faire valoir dans des circonstances normales. Nous montrerons bientôt que, sous des conditions de test appropriées, les enfants d'âge préscolaire sont en mesure de composer avec des notions plus complexes que celles du stade préopératoire de Piaget.

Les recherches récentes remettent également en question certaines des idées de Piaget. Il croyait, par exemple, que le développement cognitif initial dépendait des activités sensori-motrices. Il n'avait pas pensé à la possibilité que l'esprit du nouveau-né ait une avance sur ses capacités motrices. Il considérait que les nouveau-nés ne reconnaissaient pas les contingences — le fait que leurs propres actions amènent quelque chose à se produire — avant l'âge de 4 ou 5 mois quand ils commençaient à prendre un certain contrôle du mouvement des bras. À cet âge, par exemple, ils découvrent que le fait de frapper le hochet suspendu au-dessus du berceau donne un bruit intéressant et ils prennent plaisir à répéter le geste. Des études récentes montrent que des bébés de pas plus de 2 ou 3 mois, incapables de manipuler les objets, sont quand même capables de réaliser que quelque chose qu'ils ont fait a eu un effet sur l'environnement. Si on attache au berceau un mobile qui peut être contrôlé par un oreiller sensible à la pression, les poupons de 2 mois apprennent vite à bouger la tête de façon à susciter une rotation du mobile. Qui plus est, après quelques jours de jeu avec cet objet, ils commencent à lui faire des sourires et des gazouillis (en avance sur le moment d'apparition « normale » de telles expressions), nous permettant de supposer qu'ils sont fiers de leur capacité de faire arriver quelque chose (Watson, 1983 ; Bahrick et Watson, 1985). Cette étude indique qu'il est possible que les activités motrices (se déplacer et manipuler des objets) ne soient pas essentielles aux premières étapes du développement cognitif, même s'il est indubitable qu'elles y jouent un rôle important.

D'autres études montrent que Piaget a également sous-estimé les capacités des enfants d'âge préscolaire. Si, dans les expériences sur la conservation, on monte les conditions de test soigneusement de façon à ce que les réponses des enfants ne dépendent pas de leur capacité linguistique (leur compréhension de ce que l'expérimentateur entend par « plus » ou « plus long »), il arrive alors que même les enfants de 3 et 4 ans témoignent d'une certaine prise de conscience de la conservation des nombres; ils sont capables de faire la distinction entre le nombre d'éléments dans un ensemble et la façon dont ces éléments sont disposés spatialement (Gelman et Gallistel, 1978).

Ces études et d'autres semblables laissent entendre que la qualité du raisonnement d'un enfant ne change pas dramatiquement d'un stade au suivant. La transition entre les stades de développement intellectuel est graduelle, faisant intervenir une consolidation des habiletés déjà acquises pour les rendre automatiques. Voyons la conservation des liquides. Quand on simplifie la tâche de diverses façons (en attirant, par exemple, l'attention à la fois tant sur la largeur que sur la hauteur des contenants), les enfants d'âge préscolaire sont capables de conservation. Un enfant de 7 ou 8 ans, par contre, a à peine besoin de jeter un regard sur les récipients. Il sait que la quantité de liquide reste la même, peu importe la forme du contenant dans lequel on le verse.

Au lieu de se concentrer sur des stades, certains psychologues considèrent le développement cognitif comme un accroissement graduel des connaissances et de la capacité de traiter l'information. L'une des facultés cognitives importantes est la mémoire. Il se peut que plusieurs des différences dans le rendement entre des enfants plus vieux ou plus jeunes soient attribuables à des différences dans leur capacité de se souvenir (Case, 1985). L'enfant plus jeune serait incapable d'acquérir certaines notions (comme la conservation) parce que, pour y arriver, il lui faudrait retenir simultanément plus d'éléments d'information que la capacité actuelle de sa mémoire ne le lui permet.

Les enfants d'âge préscolaire réussissent moins bien aux tests de mémoire que ceux d'âge scolaire. Ils s'améliorent avec l'âge. Si, par exemple, on récite à des enfants une liste de 15 mots simples pour leur demander ensuite de les nommer, un enfant de 6 ans se rappellera d'environ 4 mots, celui de 9 ans, de 5 mots et celui de 11 ans, de 7 mots (Yussen et Berman, 1981). Le rendement plus faible des enfants plus jeunes pourrait être dû à une capacité mnémonique limitée, laquelle s'accroîtrait avec la maturité physique. Il est plus probable, toutefois, que ce qui se modifie avec l'âge soit la capacité d'avoir recours à diverses stratégies pour améliorer la mémoire. En vieillissant, par exemple, les enfants apprennent à se répéter à eux-mêmes l'information plusieurs fois, à structurer les listes de mots en catégories qui ont un sens pour les mémoriser sous cette forme et à utiliser une variété d'indices comme aide-mémoire (voir le chapitre 8).

DÉVELOPPEMENT DE LA PERSONNALITÉ ET DÉVELOPPEMENT SOCIAL

Nos premiers contacts sociaux se font avec la personne qui prend soin de nous dans la tendre enfance, habituellement la mère. La façon dont le préposé aux soins du nouveau-né répond à ceux-ci — patiemment, avec chaleur et intérêt, ou brusquement, avec peu de sensibilité — aura une influence sur les attitudes de l'enfant envers autrui. Certains psychologues croient que les sentiments de confiance fondamentaux qu'une personne éprouve à l'égard des autres sont déterminés par les expériences des premières années de la vie (Erikson, 1963, 1976; Bowlby, 1973). Dans la discussion qui suit, nous utiliserons le mot « mère » pour désigner le principal préposé aux soins, tout en reconnaissant que c'est parfois le père ou un autre membre de la famille qui assume ce rôle.

Premiers comportements sociaux

À l'âge de 2 mois, la plupart des enfants sourient en apercevant le visage de leur mère. La majorité des mamans, charmées par cette réaction, se donnent beaucoup de peine pour encourager l'enfant à répéter ce comportement. En effet, la capacité qu'a le nouveau-né de sourire à un âge aussi tendre joue probablement un rôle capital dans la consolidation du lien mère-enfant. Les premiers sourires informent le préposé aux soins que le bébé « le reconnaît » (l'aime) — ce qui n'est pas vrai, dans un sens personnel — et l'incitent en retour à se montrer encore plus affectueux et plus encourageant. Le nouveau-né sourit à sa maman et gazouille; en retour, elle le caresse, sourit et émet des sons, entraînant par là une réaction encore plus enthousiaste de la part du bébé. Chacun d'eux renforce des réactions sociales chez l'autre.

Partout dans le monde, qu'ils soient élevés dans un village de la brousse africaine ou dans un foyer bourgeois canadien, les enfants commencent à sourire au même âge environ. Ce phénomène laisse supposer que la maturation est plus importante pour la détermination de l'apparition du premier sourire que les conditions dans lesquelles l'enfant est élevé. Le fait que les bébés aveugles sourient à peu près au même âge que les voyants (en réaction à la voix de leurs parents plutôt qu'à leur visage) vient appuyer cette conclusion (Eibl-Eibesfeldt, 1970).

Au 3e ou 4e mois, les bébés indiquent leur reconnaissance des membres familiers de la maison et manifestent leur préférence en multipliant sourires et gazouillis quand ils aperçoivent leurs visages ou entendent leurs voix — mais ils acceptent assez bien les étrangers également. Cependant, vers l'âge de 8 mois, cette acceptation indifférenciée se modifie. Le jeune enfant commence à manifester de l'inquiétude ou même de la détresse à l'approche d'un étranger (même quand sa maman le tient dans ses bras) et, durant la même période, il protestera avec véhémence si l'un de ses parents le laisse dans un endroit qui ne lui est pas familier ou avec une personne qu'il ne connaît pas. Les parents sont souvent renversés de constater que leur petit, qui était jusque-là sociable, qui avait toujours accueilli avec plaisir les attentions d'une gardienne, se met à pleurer et se montre inconsolable dès qu'ils se préparent à partir — et continue de protester pendant un bon moment après leur départ.

La « peur des étrangers » augmente de façon dramatique entre le 8e mois environ et la fin de la 1re année (Bronson, 1972). La détresse qui accompagne la séparation d'avec l'un ou l'autre de ses parents — un phénomène distinct mais apparenté à cette peur — atteint un sommet entre le 14e et le 18e mois, pour s'atténuer graduellement par la suite. Une fois qu'ils ont atteint l'âge de 3 ans, la plupart des enfants se sentent assez rassurés pendant l'absence de leurs parents pour s'adonner à des interactions agréables avec d'autres enfants et des adultes.

La montée et le déclin de l'angoisse de la séparation semblent tomber très peu sous l'influence des conditions d'éducation. On a retrouvé le même schème général chez les enfants élevés complètement à la maison et chez ceux laissés à une garderie, de même que chez les bébés israéliens élevés en kibboutz, chez des enfants indiens vivant dans un village du Guatemala et chez les petits bochimans du désert du Kalahari (Kagan, 1979).

Comment devons-nous expliquer ces peurs? Deux facteurs semblent importants à la fois pour leur déclenchement et leur déclin. Le premier est la croissance de la capacité de la mémoire. À partir de l'âge de 8 mois environ, un bébé devient capable de se former une image mentale des gens ou des situations. Cette image peut être entreposée dans la mémoire et repêchée ensuite pour fins de comparaison avec la situation actuelle. Ainsi, un enfant de 1 an peut se réveiller après un somme pour se voir confronté avec un visage non familier et s'apercevoir que le visage plus familier de la mère n'est pas présent; cette constatation peut engendrer des sentiments d'incertitude. Dans les mois suivants, l'augmentation de la compétence de la mémoire s'accompagnera de la capacité d'anticiper l'avenir. Au fur et à mesure que le souvenir des situations antérieures de séparation et de réunion subséquente s'améliore, l'enfant devient mieux en mesure d'anticiper le retour du parent absent et l'incertitude tout comme la détresse s'atténuent.

Le second facteur est le développement de l'autonomie. Les petits qui n'ont que 1 an dépendent énormément des soins des adultes, alors que les enfants de 2 ou 3 ans sont capables de se diriger par eux-mêmes vers le plateau de biscuits ou la tablette où l'on garde les jouets. En outre, ils disposent du langage pour faire connaître leurs besoins et leurs sentiments. Ainsi donc, leur dépendance à l'égard des pourvoyeurs de soins en général et des personnages familiers qui s'occupent d'eux en particulier diminue et la question de la présence des parents devient moins cruciale pour l'enfant.

L'attachement

La tendance qu'ont les enfants à chercher à se rapprocher de personnes particulières et le sentiment d'une plus grande sécurité qu'ils éprouvent en leur

FIGURE 3-8
Les réactions d'un singe à une mère artificielle *Quoique nourri par la mère faite de treillis, le bébé passe plus de temps avec la mère en ratine. Cette dernière lui apporte la sécurité et un abri à partir duquel il peut explorer les objets inconnus.*

présence s'appelle l'*attachement*. Les petits des autres espèces démontrent leur attachement à leur mère de diverses façons. Les bébés singes s'accrochent à la poitrine de leur mère pendant qu'elle se déplace; les chiots grimpent les uns sur les autres dans un effort pour atteindre le ventre chaud de leur mère; les petits canards et les poulets suivent leur mère partout, émettant des sons auxquels elle répond et se dirigeant vers elle quand ils sont effrayés. Ces premières réactions à la mère, qui ne sont pas le fruit d'un apprentissage, ont une valeur d'adaptation évidente — elles empêchent l'organisme de s'écarter de la source des soins et de se perdre.

Les psychologues ont d'abord émis l'hypothèse que l'attachement à la mère se développait parce que celle-ci, en tant que source de nutrition, répondait aux besoins les plus fondamentaux du nouveau-né. Mais certains faits ne s'accordaient pas avec cette explication. Par exemple, les petits canards et les poulets se nourrissent par eux-mêmes dès la naissance; pourtant, ils n'en marchent pas moins sur les pas de leur mère et passent beaucoup de temps en contact avec elle. La satisfaction qu'ils retirent de la présence de leur mère ne peut pas découler de son rôle de pourvoyeur de nourriture. Une série d'expériences bien connues faites avec des singes ont montré qu'il y avait plus dans l'attachement mère-enfant que la simple satisfaction de besoins alimentaires (Harlow et Suomi, 1970).

L'ATTACHEMENT CHEZ LE SINGE   Des bébés singes ont été séparés de leur mère tôt après leur naissance et placés auprès de deux «mères» artificielles faites de mailles de fils de fer et pourvues de têtes de bois; le torse de l'une de ces mères n'était constitué que de simples fils de fer; celui de l'autre mère était recouvert de caoutchouc mousse et de ratine, ce qui la rendait plus «invitante» et plus propice à l'étreinte et au cramponnement (voir la figure 3-8). Les deux mères étaient capables de donner du lait grâce à une bouteille attachée à leur «buste».

L'expérience avait pour but de déterminer si la «mère» qui servait toujours de source de nourriture serait celle à laquelle le jeune singe s'accrocherait. Les résultats furent clairs et nets: peu importe quelle mère l'alimentait, le bébé singe passait son temps cramponné à la maman de ratine, plus «invitante». Cette mère absolument passive, mais douce au contact, était une source de sécurité. Par exemple, la peur évidente qu'éprouvait le bébé singe placé dans un environnement étrange était apaisée quand il pouvait entrer en contact avec la mère de ratine. Tout en s'agrippant à cette mère d'une main ou d'un pied, le singe allait jusqu'à explorer des objets qui, autrement, lui paraissaient trop terrifiants pour qu'il ose les approcher. On observe des réactions semblables chez les enfants de 1 à 2 ans qui consentent à explorer un territoire étranger tant que leur mère reste à faible distance.

D'autres études ont fait ressortir quelques autres caractéristiques que les bébés singes recherchent chez une mère. Ils préfèrent la mère artificielle qui «berce» à celle qui demeure immobile et la chaude à la froide. Par contre, quand on lui donne le choix entre une mère de ratine et une mère de fils de fer de même température, la préférence du petit singe va toujours à la première. Mais si on chauffe la mère de fils de fer, le nouveau-né la choisira durant les 2 premières semaines de vie de préférence à une mère de ratine froide. Par la suite cependant, les bébés singes passent de plus en plus de temps avec la deuxième.

L'attachement du singe nouveau-né pour sa maman est donc une réaction innée à certains stimuli dont elle est le véhicule. La chaleur, le bercement et la nourriture ont leur importance, mais le *confort du contact* — la possibilité de s'accrocher et de se frotter contre quelque chose de doux — semble être la caractéristique la plus importante pour les singes.

Bien que le contact avec une mère artificielle «invitante» constitue un aspect important de l'activité maternelle («maternage»), il ne saurait à lui seul assurer un développement satisfaisant. Les petits singes élevés avec des mères artificielles et isolés des autres singes durant les 6 premiers mois de leur vie manifestent à l'âge adulte divers types de comportements bizarres. Ils entrent rarement, plus tard, en interaction normale avec d'autres singes (soit qu'ils tremblent de peur devant les autres, soit qu'ils adoptent un comportement agressif anormal) et leurs réactions sexuelles sont inappropriées. Quand on a réussi (après des efforts considérables) à accoupler des femelles qui avaient été privées de contact social au début de leur vie, elles se sont montrées de très mauvaises mères, ayant tendance à négliger leurs petits ou à les maltraiter. Dans le cas des singes, l'interaction avec d'autres membres de leur espèce durant les 6 premiers mois de la vie semble être indispensable à un développement social normal.

L'ATTACHEMENT CHEZ LE NOUVEAU-NÉ HUMAIN Malgré la nécessité de se montrer prudent quand il s'agit de faire, à partir d'un travail expérimental avec des singes, des généralisations qui s'appliqueraient au développement humain, des faits indiquent que l'attachement du bébé humain à sa mère remplit les mêmes fonctions : il donne à l'enfant le sentiment de sécurité nécessaire à l'exploration de son environnement et il constitue la base des relations interpersonnelles durant les années subséquentes. Les jeunes enfants explorent beaucoup plus volontiers les environnements inconnus quand leurs mamans sont près d'eux. On considère qu'il existe une relation entre le fait qu'il ne se soit pas créé d'attachement à une personne ou à quelques personnes significatives au cours des premières années et l'incapacité, à l'âge adulte, d'en arriver à l'établissement de rapports personnels intimes (Bowlby, 1973).

Une série d'études faites dans le but d'analyser l'attachement chez les jeunes enfants ont révélé l'existence de différences intéressantes dans la qualité de la relation mère-enfant (Ainsworth, Blehar, Walters et Wall, 1978). Le dispositif expérimental utilisé, auquel on donne le nom de « *situation étrange* », comporte les étapes suivantes :

1. La maman conduit l'enfant dans la salle d'expérimentation, le place sur une petite chaise entourée de jouets, puis va s'asseoir de l'autre côté de la pièce.
2. Après quelques minutes, une étrangère pénètre dans la salle, s'assied sans mot dire pendant quelque temps puis essaie d'amener l'enfant à jouer avec un jouet.
3. La maman quitte la pièce en laissant son sac à main sur la chaise pour montrer qu'elle va revenir.
4. La maman revient, puis incite l'enfant à jouer pendant que l'étrangère sort.
5. La maman part et l'enfant reste seul pendant trois minutes.
6. L'étrangère revient.
7. La maman revient.

Grâce à un miroir à sens unique, on observe l'enfant tout au long du déroulement de ces étapes et on peut ainsi enregistrer toutes sortes de mesures différentes : le niveau d'activité et d'implication dans le jeu, les pleurs ou autres signes de détresse, le degré de rapprochement par rapport à la mère et les efforts pour attirer son attention, le degré de rapprochement par rapport à l'étrangère et la propension à entrer en interaction avec cette dernière, et ainsi de suite. À partir de l'étude des réactions des enfants de 1 an à 1 1/2 an dans la « situation étrange », surtout en observant leur comportement quand ils ont retrouvé leur mère, les chercheurs ont classés les enfants en 3 groupes.

- *Attachement marqué de sécurité* Tant que la mère est présente, ces bébés jouent tranquillement et se montrent amicaux avec l'étrangère. Ils sont nettement inquiets quand leur mère part ; les signes de détresse varient de l'agitation et de la recherche visuelle jusqu'aux cris éplorés. Lorsqu'elle revient, ils vont immédiatement à elle, se calment quand elle les prend dans ses bras et les étreint puis ils retournent à leurs jouets. Environ 65 % des enfants de cette étude appartiennent à cette catégorie.
- *Attachement marqué d'insécurité : évitement* Ces bébés portent peu attention à leur mère quand elle est dans la pièce et ne paraissent pas troublés quand elle la quitte. S'ils manifestent de la détresse, ils se laissent réconforter aussi facilement par l'étrangère que par la mère. Ils ignorent leur mère à son retour ou encore ils l'approcheront en hésitant, se retournant et regardant ailleurs. Environ 25 % de l'échantillon s'apparentent à ce groupe.
- *Attachement marqué d'insécurité : ambivalence* La « situation étrange » cause des difficultés à ces bébés dès le tout début. Ils restent tout près de leur mère et semblent inquiets dès qu'elle n'est plus à portée de la main. Ils deviennent très troublés durant l'absence de la maman et se montrent ambivalents quand elle revient. Ils recherchent le contact physique et y résistent en même temps.

Par exemple, ils pleureront pour qu'on les prenne et ensuite se mettront en colère et se débattront pour qu'on les laisse par terre. Ils ne se remettent pas au jeu; ils gardent plutôt un œil inquiet sur leur mère. Dix pour cent environ des enfants de l'échantillon se classent dans ce groupe.

On a donné l'étiquette d'attachement marqué de sécurité au premier groupe d'enfants, soit ceux qui recherchent le contact avec leur mère dès que les deux sont réunis, en se basant sur les observations faites au foyer de l'enfant. Ils paraissaient généralement plus en sécurité (pleuraient moins souvent, réagissaient plus aux demandes verbales de la mère et étaient moins perturbés par les allées et venues de celle-ci) que les enfants qui donnaient des signes d'évitement ou d'ambivalence au moment de la réunion dans la « situation étrange ». Ces 2 derniers groupes donnaient des indications de conflit dans leur relation avec leurs mères. Les bébés qui manifestaient de l'évitement semblaient ne pas aimer le contact physique avec la mère alors que ceux qui étaient ambivalents se montraient collants et semblaient en exiger plus de leur mère que celle-ci était prête à donner (Ainsworth, 1979).

Les chercheurs ont conclu, à partir de ces données et d'autres encore, que tous les bébés sont attachés à leur mère quand ils atteignent l'âge de 1 an, mais que la qualité de cet attachement diffère selon la réaction de la maman aux besoins de l'enfant. La plupart des bébés manifestent un *attachement marqué de sécurité*, mais certains donnent les signes d'un *attachement marqué d'insécurité*. Ce dernier type d'attachement correspond à des soins maternels indifférents ou insensibles aux besoins de l'enfant durant la première année de sa vie. Les mères des bébés qui manifestent un attachement marqué d'insécurité ont tendance à réagir plus en fonction de leurs propres désirs ou humeurs qu'en fonction des signaux lancés par l'enfant. Par exemple, elles ne répondront aux pleurs de l'enfant qui demande de l'attention que lorsqu'elles sentent le besoin de chouchouter le bébé, autrement elles resteront indifférentes à ses cris (Stayton, 1973). Les mères de poupons qui ont un attachement marqué de sécurité sont plus sensibles à l'humeur du bébé, elles leur apportent plus de stimulation sociale (en leur parlant et en jouant avec eux) et expriment plus d'affection (Clarke-Stewart, 1973).

ATTACHEMENT ET DÉVELOPPEMENT ULTÉRIEUR   Le « pattern » selon lequel les premiers attachements se forment semble exercer une influence sur la façon dont un bébé traite les nouvelles expériences au cours des quelques années qui suivent. Au cours d'une expérience, par exemple, on a présenté à des enfants de 2 ans une série de problèmes qui exigeaient l'utilisation d'outils. Certains de ces problèmes correspondaient aux capacités de l'enfant; d'autres étaient plutôt difficiles. Les enfants qu'on avait classés comme manifestant un attachement marqué de sécurité (à l'âge de 12 mois) abordèrent ces tâches avec enthousiasme et persistance. Face aux difficultés, ils ont rarement réagi par des pleurs ou de la colère; ils cherchaient plutôt à se faire aider par les adultes présents. Par contre, ceux qui avaient été classés plus tôt comme manifestant un attachement marqué d'insécurité se sont comportés tout autrement. Ils donnèrent vite des signes de frustration et de colère, demandèrent rarement de l'aide, ayant tendance à ignorer ou à rejeter les conseils des adultes et abandonnèrent rapidement leurs efforts pour résoudre les problèmes (Matas, Arend et Sroufe, 1978).

Une autre étude porta sur le comportement social d'enfants d'écoles maternelles (âgés de 3 1/2 ans) dont les relations d'attachement avaient été évaluées quand ils étaient âgés de 15 mois. Ceux qui avaient été jugés plus tôt comme manifestant un attachement marqué de sécurité avaient tendance à assumer un leadership social : ils se montraient actifs dans l'initiation d'activités et la participation à celles-ci et ils étaient recherchés par les autres enfants. Leurs professeurs les jugeaient énergiques, autonomes et avides de savoir. Les enfants à attachement marqué d'insécurité étaient portés à se replier sur eux-mêmes dans les situations sociales et à se montrer hésitants à participer à des activités. Les maîtres les considéraient comme moins curieux face aux choses nouvelles et moins énergiques dans la poursuite de leurs objectifs. Il n'y avait pas de relation entre ces différences et l'intelligence (Waters, Wippman et Sroufe, 1979).

Ces études indiquent que les enfants qui ont acquis un attachement marqué de sécurité avant d'entrer dans leur deuxième année d'existence sont mieux équipés pour aborder les nouvelles expériences et les nouvelles relations. Nous ne pouvons être certains toutefois que la qualité des premiers attachements de l'enfant soit directement responsable de ses compétences ultérieures dans la solution des problèmes et l'acquisition d'habiletés sociales. Les mères qui sont sensibles aux besoins de leurs petits durant la tendre enfance continuent probablement à leur apporter une aide maternelle efficace durant les années qui suivent — les encourageant à se montrer autonomes et à faire par eux-mêmes des efforts pour maîtriser les nouvelles expériences, tout en étant prêtes à intervenir au besoin. Il se peut donc que la compétence et les habiletés sociales dont témoigne l'enfant à 3 1/2 ans reflètent plutôt l'état actuel de la relation parent-enfant que la relation qui existait 2 ans auparavant.

D'ailleurs, il est des critiques qui prétendent que le comportement de l'enfant dans la « situation étrange » et ses compétences d'âge préscolaire représentent plus les caractéristiques de l'enfant lui-même que la qualité de la relation mère-enfant (Chess et Thomas, 1982 ; Lamb et coll., 1984). Nous l'avons déjà vu, certains enfants se montrent plus craintifs et plus faciles à troubler presque depuis le moment de la naissance. De tels enfants éprouvent peut-être de la difficulté à affronter de nouvelles tâches et à établir des relations, malgré les soins adéquats que leurs parents pourraient leur apporter.

Il est possible également que les modes d'éducation affectent le comportement de l'enfant dans la « situation étrange ». Par exemple, les coutumes japonaises d'éducation des enfants encouragent fortement le contact physique entre mère et enfant, peu de commerce avec les adultes étrangers et peu d'expériences dans l'environnement de jeu libre caractéristique de la « situation étrange ». Par conséquent, les bébés japonais ont tendance à se montrer anxieux et sur leurs gardes durant tous les épisodes de la « situation étrange » et sont particulièrement troublés quand leur maman quitte la pièce — tellement bouleversés, en fait, que généralement l'expérimentateur abrège cet épisode (Takahashi, 1986).

Ainsi donc, il se pourrait bien que certaines, au moins, des différences qu'on a observées dans le comportement d'attachement de l'enfant et qu'on a attribuées à la sensibilité de la mère, soient dues à des prédispositions de tempérament de l'enfant et à des attentes d'ordre culturel qui influencent, et la mère et l'enfant. Il semble probable, néanmoins, que les premiers « patterns » d'attachement mère-enfant exercent une influence importante sur le développement ultérieur.

L'ATTACHEMENT AUX PÈRES Même si l'attachement primordial du jeune enfant s'adresse à la personne qui lui apporte la plupart des soins au tout début, d'autres personnes familières constituent également une source de sécurité. Des études de « situation étrange » qui ont utilisé le père indiquent que les bébés réagissent à sa présence et à son absence de façons semblables à celles qu'on a décrites dans le cas des mères, quoique l'attachement au père semble se former plus lentement (Kotelchuk, 1976). Un enfant de 1 an, par exemple, pleure habituellement et cesse de jouer quand la mère le laisse seul ; ce type de réaction au départ du père n'apparaît pas (en moyenne) avant que l'enfant n'ait atteint l'âge de 15 mois. En outre, le bébé de 1 an proteste généralement plus vigoureusement contre le départ de sa maman que contre celui du papa et il s'accroche à elle un peu plus longuement quand ils sont réunis. Ces différences diminuent avec l'âge (voir la figure 3-9).

Le temps que les pères consacrent aux soins de l'enfant varie considérablement. Les enfants dont les papas sont activement engagés dans leur soin quotidien ont tendance à être moins perturbés quand ils sont laissés seuls avec un étranger que les enfants de familles où c'est la mère qui prodigue la plupart des soins (Kotelchuk, 1976). Pourtant les bébés s'attachent également aux papas qui passent peu de temps avec eux. La plupart des brefs échanges entre les pères et les bébés sont des épisodes de jeu. Les pères leur apportent plaisir et excitation ; ils ont tendance à s'adonner plus à des jeux physiques de bousculades joviales que les mères. Si on leur offre le choix du compagnon de jeu, les bébés de 18 mois vont choisir leur père plus souvent

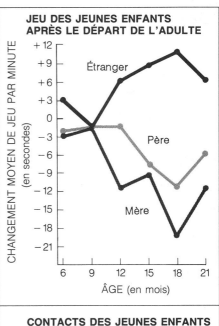

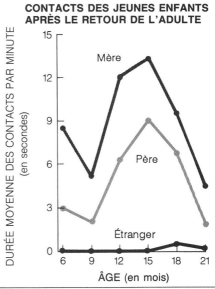

FIGURE 3-9
Changements des réactions des bébés avec l'âge *Des enfants (de 6 à 21 mois) ont été observés dans la « situation étrange » en compagnie soit de leur mère, de leur père ou d'un(e) étranger(ère). Quand la mère ou le père quittait brièvement la pièce, le jeu de l'enfant était troublé, mais ce genre de réaction au départ du père apparaissait à un âge plus avancé. Lorsque c'était l'étranger(ère) qui s'absentait, les enfants jouaient plus activement, se sentant apparemment plus à l'aise seuls qu'avec un(e) étranger(ère). Le retour de l'un ou l'autre des parents était suivi d'une période de touchers et d'étreintes.*

ANALYSE CRITIQUE

Les mères qui travaillent à l'extérieur– conséquences sur le développement des enfants

De plus en plus de femmes aujourd'hui travaillent à l'extérieur du foyer. Aux États-Unis, plus de la moitié des mères d'enfants de moins de 3 ans ont un emploi à l'extérieur et ce nombre continue de s'accroître. En rapport avec la recherche sur l'attachement du jeune enfant et sur les avantages de vivre les premières années de son existence dans un milieu stimulant, on se doit de considérer les effets que cette tendance exercera sur les générations futures.

Les mères qui travaillent ont recours à une variété de mesures pour assurer les soins de leurs enfants. La majorité d'entre elles laissent leurs enfants d'âge préscolaire à la maison sous la surveillance d'une gardienne ou d'un(e) parent(e) pendant qu'elles travaillent. Les autres amènent leurs petits dans la maison de quelqu'un d'autre (pour que cette personne en prenne soin, seuls ou en compagnie d'autres enfants) ou dans des garderies. De toute évidence, les conséquences du travail de la mère sur le développement de l'enfant dépendent, dans une large mesure, de la qualité des soins de substitution. La recherche s'est orientée sur deux vastes questions : les conséquences générales pour l'enfant d'avoir une mère qui travaille plutôt qu'une mère à plein temps et les effets des soins en groupe par opposition aux soins individuels.

Le fait d'avoir une maman qui travaille à l'extérieur semble être plus bénéfique aux fillettes qu'aux garçons. Les filles de mères qui occupent un emploi ont tendance à être plus indépendantes, mieux adaptées socialement et plus susceptibles de bien réussir à l'école et d'avoir des aspirations de carrières que les filles de mères qui ne travaillent pas (voir Birnbaum, 1975 ; Gold, Andres et Glorieux, 1979 ; Hoffman, 1980). Les fils de mères qui travaillent sont également plus indépendants et mieux adaptés socialement que les fils de mères qui restent au foyer, mais ils ne réussissent pas aussi bien en classe, ni aux

tests de capacités cognitives (Banducci, 1967 ; Brown, 1970). Comment expliquer ces résultats ? Il existe un certain nombre de possibilités. Il se pourrait que la perte de stimulation intellectuelle dans les situations où la mère travaille ait un effet négatif sur les garçons comme sur les filles. Mais les pertes ressenties par les filles seraient compensées par d'autres avantages, tels l'accroissement de l'indépendance et le modèle que représente pour elles une mère qui fait carrière hors de son foyer. Les petits garçons dont les mamans restent à la maison durant les années préscolaires ont tendance à devenir plus compétents sur le plan intellectuel au moment de l'adolescence, mais ils sont également plus conformistes, plus inhibés et plus craintifs. Il se pourrait que la mère qui ne travaille pas soit tellement imbue de son rôle qu'elle encourage la dépendance et éprouve de la difficulté à laisser son fils adopter un comportement de maturité.

Toute tentative de pondération des effets de soins donnés à des groupes contre ceux des soins individuels dépend évidemment de la qualité des équipements et du personnel dont on dispose pour dispenser ces soins aux enfants d'une part, et de la nature du foyer, d'autre part. La plupart de ces recherches ont été effectuées dans des centres de garderie de bonne qualité, affiliés à des universités. Ces centres sont administrés par un personnel entraîné qui a la responsabilité de petits groupes d'enfants. Ils disposent d'un bon équipement, ont recours à des activités stimulantes sur le plan éducationnel et s'efforcent d'apporter à chaque enfant un appui affectif. L'expérience des enfants qui fréquentent ces centres n'est probablement pas représentative des expériences que vivent, dans l'ensemble, les enfants de garderie aux États-Unis. Il faut avoir cette réserve à l'esprit lorsqu'on évalue les résultats de recherche.

En termes de développement intellectuel, les enfants des familles de classe

que leur mère. Mais dans les périodes de stress, ce sont généralement les mères qu'ils préfèrent (Clarke-Stewart, 1978).

Interaction avec les pairs

Si l'existence d'une relation étroite avec un adulte chaleureux et sensible s'avère essentielle au développement affectif de l'enfant, l'interaction avec d'autres enfants joue également un rôle important. Nous l'avons vu plus tôt, les bébés singes qui sont élevés dans la seule compagnie de leur mère et qui n'ont pas l'occasion de jouer avec d'autres jeunes singes n'acquièrent pas des schèmes normaux de comportement. Mis en présence d'autres singes, plus tard, ils peuvent manifester une crainte anormale du contact éventuel — poussant des cris de terreur à l'approche d'un autre singe — ou une agressivité exagérée ; leurs réactions sexuelles sont également inappropriées (Suomi, 1977).

moyenne semblent s'en tirer aussi bien dans une bonne garderie qu'ils le font avec leurs parents à la maison (Kagan, Kearsley et Zelazo, 1978; Clarke-Stewart, 1982). Les enfants provenant de familles à niveaux d'éducation et de revenus faibles retirent intellectuellement profit de leur expérience de garderie. Les programmes d'enrichissement qu'ils y suivent semblent empêcher le déclin du rendement intellectuel qui se produit souvent après l'âge de 2 ans quand ces enfants restent à la maison (Ramey, 1981). Les mères qui appartiennent à la classe moyenne sont mieux éduquées que les mères de classe pauvre; elles sont des enseignantes plus efficaces et représentent une plus grande source de stimulation intellectuelle pour leurs enfants (Goldberg, 1978). L'affirmation faite plus haut à l'effet que les fils des mères qui travaillent ne réussissent pas aussi bien à l'école que les fils de mères qui restent à la maison vaut pour les garçons des foyers de classe moyenne. Les garçons de familles à faibles revenus, par contre, donnent de meilleurs résultats aux tests de capacités cognitives quand leur mère travaille.

Quel effet la garderie a-t-elle sur les liens affectifs entre parents et enfants? Ceux qui critiquent les garderies s'inquiètent de ce que les séparations répétées de la mère et de l'enfant pourraient constituer une entrave sérieuse aux liens d'attachement qui doivent s'établir entre mères et les jeunes enfants. La plupart des travaux sur cette question ont comparé, dans la « situation étrange », les réactions des enfants, âgés de moins de 2 ans, élevés exclusivement à la maison avec celles des enfants élevés en garderie. Les résultats indiquent que les tout-petits comme ceux qui sont capables de marcher sont attachés à leur mère avec autant de sécurité que les enfants élevés à la maison. Même s'il se peut qu'ils établissent une relation affective avec un des éducateurs de la garderie, ils n'en préfèrent pas moins

leur mère de toute évidence, surtout quand ils sont fatigués ou perturbés (Kagan, Kearsley et Zelazo, 1978). Les enfants de garderie qui sont capables de se déplacer par eux-mêmes ne se tiennent pas aussi près de leurs mamans ou ne recherchent pas autant le contact physique quand ils jouent dans la « situation étrange » que les enfants élevés exclusivement au foyer. Toutefois, on a vu dans cette différence un signe que les enfants de garderie deviennent plus indépendants, en partie à cause de leur adaptation à la séparation quotidienne (Clarke-Stewart, 1982).

C'est dans le domaine du développement social qu'apparaît l'influence la plus nette de la garderie. En comparaison avec les enfants élevés à la maison, on a décrit les enfants de garderie comme étant plus autonomes, plus coopératifs avec leurs semblables et plus à l'aise dans de nouvelles situations. Ils se montrent également moins polis, moins dociles avec les adultes et plus agressifs (Clarke-Stewart et Fein, 1983). Certains de ces résultats peuvent dépendre des attitudes des parents et des éducateurs face à l'éducation des enfants. Les enfants qui fréquentent les garderies en Union soviétique, en Israël et en Suède manifestent également plus d'autonomie et de facilité dans les situations sociales, mais ils ne se comportent pas aussi agressivement et impoliment que les enfants de garderie aux États-Unis. Les parents et les éducateurs de ces pays désapprouvent fortement de tels comportements (Cole et Cole, 1987).

Il faut insister encore sur le fait que tous ces résultats généralement positifs s'appliquent à des garderies de qualité. Ils ne valent sans doute pas pour les types de garderie qui se limitent pratiquement à pourvoir aux besoins physiques de l'enfant. Étant donné que les expériences faites durant les années préscolaires constituent la base du développement ultérieur, les enfants qui passent la plus grande

partie de leurs heures de veille dans des conditions qui ne sont pas stimulantes y perdent beaucoup. Puisque le nombre des mamans de jeunes enfants qui ont un emploi s'accroît continuellement, l'existence de soins de qualité à prix abordables est une question sociale d'ordre vital.

Il est important de tenir compte de l'âge de l'enfant quand on doit décider entre soins individuels et soins en groupe pour les enfants de mères qui travaillent. La plupart des experts recommandent les soins individuels dans un foyer pour les enfants plus jeunes (jusqu'à 2 ou 3 ans) et les soins en groupe pour ceux d'âge préscolaire (Scarr, 1984). Les nouveau-nés et ceux qui commencent à se déplacer ont besoin des soins constants d'une même personne (le personnel change souvent dans les garderies). Par ailleurs, les enfants plus vieux peuvent tirer avantage de la stimulation intellectuelle et des échanges avec leurs semblables que procure une bonne garderie. Effectivement, les enfants de 3 et 4 ans qui fréquentent les garderies témoignent d'un meilleur développement social et intellectuel que leurs compagnons de même âge confiés à des gardiens ou gardiennes à la maison (Clarke-Stewart, 1982).

Les garderies procurent aux enfants de parents qui travaillent stimulation intellectuelle et interaction sociale.

Dans le cours normal de son développement, un bébé singe passe les 8 premières semaines de sa vie en compagnie exclusive de sa mère. Mais ensuite, le jeune singe passe de plus en plus de temps à se balancer, à pourchasser et à se tirailler avec ses compagnons de même âge. Grâce à ces premières activités ludiques, le jeune singe apprend à apprécier le contact physique, à contrôler son agressivité et à acquérir les gestes de saisie et de monte qui l'amèneront au comportement sexuel adulte. Les enfants humains acquièrent également plusieurs de leurs aptitudes sociales grâce à l'interaction. Ils apprennent à recevoir et à donner, à travailler en collaboration, à apprécier les gestes des uns et des autres et à comprendre ce que l'autre ressent. Les compagnons deviennent des modèles à imiter de même que des sources importantes de récompense et de punition. En observant les activités de leurs pairs, les enfants peuvent apprendre un nouveau truc (comment faire un pont avec des blocs) ou les conséquences de certaines conduites (les enfants agressifs se font punir).

Nombre d'expériences ont servi à démontrer l'influence des pairs comme modèles sur le comportement des enfants. Par exemple, des enfants de 4 et 5 ans qui avaient été témoins de la grande générosité de compagnons de classe dans le partage de certaines récompenses se sont montrés beaucoup plus généreux quand vint leur tour de partager que d'autres enfants qui n'avaient pas observé le modèle de générosité (Hartup et Coates, 1967). Nous verrons au chapitre 11 qu'un enfant qui voit un modèle récompensé pour certains comportements est plus susceptible d'imiter ces comportements que dans le cas où le modèle qu'il observe est puni.

La façon de réagir des autres enfants devant le comportement d'un de leurs semblables exerce une influence importante. Il se peut, par exemple, que l'égoïsme qu'acceptent des parents indulgents, ne soit pas toléré par les pairs de l'enfant. Les enfants apportent un renforcement positif à certaines actions de leurs compagnons de jeu — par l'approbation et l'attention — et un renforcement négatif ou punitif à d'autres actions.

Pensée morale et comportement moral

La compréhension des valeurs de la société et la régulation en conséquence de son comportement sont des parties importantes du développement. Les notions du bien et du mal des enfants se modifient de façon intéressante à mesure qu'ils grandissent. La plupart des enfants de 5 ans disent qu'il est mal de mentir, de voler ou de faire mal à un autre. Cependant, leur compréhension de ces affirmations change avec l'âge. Ce n'est que graduellement qu'ils commencent à comprendre quelles sortes de déclarations sont des mensonges, comment l'emprunt est différent du vol et que de faire mal à un autre intentionnellement encourt un blâme plus considérable qu'une blessure accidentelle.

La capacité des enfants de porter des jugements sur des questions morales est associée au développement cognitif. Les enfants plus âgés sont plus en mesure de manipuler des notions abstraites et de faire des inférences à propos de relations sociales que ne le sont les enfants plus jeunes. Bien que les aptitudes cognitives en voie de maturation aient un rôle à jouer dans l'évolution du sens du bien et du mal d'un enfant, d'autres facteurs (les modèles que sont leurs parents et leurs pairs, par exemple) sont également importants.

De plus, le comportement moral des enfants (leur capacité de refréner les actions que la société désapprouve et de se préoccuper du bien-être des autres) se réfère à beaucoup plus qu'une compréhension des problèmes moraux.

Piaget a été le premier à étudier le développement du raisonnement moral (Piaget, 1957). Il racontait des histoires à des enfants d'âges différents et leur demandait de poser des jugements moraux sur les caractères fictifs de ses contes. L'une de ces histoires portait, par exemple, sur un garçon qui avait cassé une tasse en essayant de voler de la confiture pendant que sa mère était absente. Un autre garçon avait cassé tout un plateau plein de tasses, mais ce n'était qu'un accident; il ne faisait rien de mal. Piaget demandait à ses sujets: « Lequel a été le plus méchant? » Il leur présentait un certain nombre d'histoires de ce genre, variant le degré de dommages faits, de même que les intentions de ses personnages. Il a constaté que les enfants d'âge préscolaire avaient tendance à décerner le blâme d'après la quantité du dommage produit, peu importe l'intention. Les enfants plus âgés, par contre, tenaient compte des mobiles ou intentions. Une personne qui avait de bonnes intentions n'était pas considérée moralement responsable même si elle avait causé beaucoup de dommages.

Le psychologue américain, Laurence Kohlberg, a poursuivi les travaux de Piaget sur le raisonnement moral pour y inclure l'adolescence et l'âge adulte (Kohlberg, 1969, 1973, 1984). En présentant sous forme de contes des dilemmes moraux comme le suivant, il a tenté de découvrir s'il existait des stades universels dans le développement du jugement moral.

Jean Piaget

> Il y avait, en Europe, une dame qui était sur le point de mourir, car elle était très malade. Seul un certain médicament était capable, selon les médecins, de lui sauver la vie. Ce médicament avait été découvert par un homme qui habitait la même ville. Il lui en avait coûté 200 $ pour le produire, mais il demandait 2 000 $ pour une toute petite quantité de ce produit. Le mari de la dame malade, Henri, essaya d'emprunter de l'argent pour acheter ce remède. Il fit le tour de ses connaissances pour leur demander de lui prêter l'argent. Mais il n'arriva à obtenir que la moitié de la somme dont il avait besoin. Il dit à l'homme qui avait produit le médicament que son épouse était mourante et il lui demanda de lui céder le remède à meilleur compte ou de lui permettre de le payer plus tard. Mais l'homme de répondre: «Jamais. C'est moi qui ai produit ce remède et je veux que ça me rapporte.» Alors Henri cambriola le magasin et vola le médicament (d'après Kohlberg, 1963, pp. 18-19).

Il demandait ensuite au sujet «Est-ce qu'Henri aurait dû agir ainsi? Était-ce vraiment bien ou mal? Pourquoi?» À partir de l'analyse des réponses données à une série d'histoires de ce genre — chacune présentant un dilemme d'ordre moral — Kohlberg en est arrivé à proposer 6 stades de développement du jugement moral, regroupés pour former 3 niveaux généraux (voir le tableau 3-2). Les réponses sont attribuées à des stades non pas d'après le jugement de l'action comme étant bonne ou mauvaise, mais en fonction des raisons invoquées pour justifier la décision. Par exemple, le fait de dire qu'Henri a eu raison de voler le médicament parce que «si on laisse mourir sa femme, on risque d'avoir des problèmes» ou celui de condamner son geste parce que «si tu voles le médicament, on va t'attraper et te jeter en prison» sont tous deux classés dans le stade 1 de niveau I. Dans les deux cas, l'action d'Henri est jugée bonne ou mauvaise en fonction de la punition anticipée.

Kohlberg croit que tous les enfants commencent au niveau I, la moralité préconventionnelle: les actions sont jugées en fonction de l'évitement d'une punition ou de l'obtention d'une récompense. Ses études indiquent que, entre l'âge de 7 ans (le plus jeune groupe soumis au test) et celui de 10 ans, les réponses préconventionnelles l'emportent encore. Certains individus, les criminels par exemple, ne dépassent jamais ce niveau. À partir de l'âge de 10 ans, les réponses de niveau II de la moralité conventionnelle augmentent: les jeunes commencent à évaluer les actes en fonction du maintien d'une bonne image de soi aux yeux d'autrui. À l'âge de 13 ans, une majorité des dilemmes moraux sont résolus au niveau II. Dans le premier stade de ce niveau (le stade 3), on cherche l'approbation en se montrant «gentil». Cette orientation se prolonge jusqu'au stade suivant (stade 4) pour y inclure «faire son devoir», montrer du respect à l'égard de l'autorité et se conformer à l'ordre social dans lequel on a été élevé.

D'après Kohlberg, plusieurs individus ne dépasseraient jamais ce niveau II. Il considère les stades du développement moral comme étroitement associés aux stades du développement cognitif de Piaget, et seuls ceux qui sont parvenus aux derniers stades de la pensée opératoire formelle seraient capables de la sorte de pensée abstraite indispensable à l'adoption d'une moralité postconventionnelle de niveau III. Le plus haut stade du développement moral (stade 6, niveau III) exige la capacité de formuler des principes d'éthique abstraits et de se conformer à ceux-ci pour éviter de s'adresser des reproches à soi-même. Kohlberg rapporte que moins de 10 % de ses sujets de plus de 16 ans manifestent la sorte de pensée «à principes clairs» du stade 6, que l'on retrouve dans cette réponse d'un enfant de 16 ans au dilemme d'Henri: «Selon la loi de la société, il avait tort, mais selon la loi de la nature ou de Dieu, c'est le pharmacien qui avait tort et le mari était justifié. La vie humaine l'emporte sur le gain financier. Peu importe qui est en danger de mort, même s'il s'agit d'un pur étranger, c'est le devoir de l'homme de l'empêcher de mourir» (Kohlberg, 1969, p. 244). Étant donné que le raisonnement de stade 6 se produit si rarement, Kohlberg ne le considère plus comme un résultat du développement humain ordinaire auquel on doit s'attendre (Kohlberg, 1984).

Kohlberg représente les enfants comme des êtres intéressés à la «philosophie morale», qui élaborent des normes de moralité qui leur sont propres. Ces normes ne leur viennent pas nécessairement de leurs parents ou de leurs pairs, mais résultent plutôt de l'interaction cognitive de ces enfants avec leur environnement social. Le passage d'un stade au suivant implique une réorganisation cognitive interne plutôt qu'une simple acquisition des concepts moraux qui prévalent dans leur culture (Kohlberg, 1973).

D'autres psychologues s'inscrivent en faux contre cette opinion; ils font remarquer que le développement de la conscience n'est pas simplement une fonction de la maturation des capacités cognitives. L'identification des enfants à leurs parents et la façon dont on les récompense et dont on punit leur comportement dans des situations spécifiques exercent une influence sur leurs opinions morales. Il en serait ainsi également des normes d'éthique endossées par les pairs des enfants et de la façon dont les personnages de la télévision et des livres résolvent leurs dilemmes. Des études ont démontré qu'on pouvait modifier le jugement moral des enfants en leur faisant observer le comportement de modèles. Lorsque des enfants observent des adultes qui sont récompensés pour avoir exprimé une opinion morale basée sur des principes différents des leurs, il peut leur arriver de modifier leur jugement vers le niveau supérieur ou inférieur (Bandura et McDonald, 1963).

Ainsi, même s'il existe évidemment des *tendances liées à l'âge* dans la façon dont les enfants conçoivent les questions d'ordre moral, on peut les expliquer plus simplement en observant ce que les parents enseignent et récompensent chez les enfants d'âges différents qu'en proposant une séquence de stades prédéterminés. Il se peut que les enfants très jeunes aient besoin de la menace de punition pour les empêcher de faire quelque chose de mal («Si tu frappes ta petite sœur, je vais te mettre au lit *tout de suite*»). Au fur et à mesure que les enfants grandissent, les sanctions sociales gagnent en efficacité («Si tu frappes ta petite sœur, je vais me fâcher; les bons petits enfants ne font pas mal aux autres»).

Des chercheurs qui ont eu recours à des histoires beaucoup plus simples que celles de Kohlberg et qui ont posé des dilemmes moraux plus pertinents eu égard aux expériences quotidiennes d'un enfant ont trouvé que des enfants d'à peine 4 ou 5 ans (que Kohlberg classerait au niveau préconventionnel) ont une certaine conscience de principes moraux importants. Ils commencent, par exemple, à tenir compte des intentions aussi bien que des conséquences (du dommage causé) dans leur évaluation de la «méchanceté» d'un acte (Surber, 1977). Ils possèdent également une capacité d'intégrer les notions de besoin et de réussite dans l'allocation des récompenses. Dans l'une de ces études, on a demandé à des enfants de 4 à 8 ans de jouer au Père Noël

NIVEAUX ET STADES	EXEMPLES DE COMPORTEMENT
Niveau I Moralité préconventionnelle	
Stade 1 Orientation vers la punition	Obéit aux prescriptions pour éviter la punition.
Stade 2 Orientation vers la récompense	Se conforme pour obtenir des récompenses; pour que les faveurs lui soient rendues.
Niveau II Moralité conventionnelle	Se conforme pour éviter la désapprobation des autres.
Stade 3 Orientation de «bon petit garçon» ou de «bonne petite fille»	
Stade 4 Orientation vers l'autorité	Respect des lois et des règles sociales pour éviter la censure des autorités et le sentiment de culpabilité pour n'avoir pas «fait son devoir».
Niveau III Moralité postconventionnelle	
Stade 5 Orientation de contrat social	Les actes sont guidés par des principes généralement reconnus comme essentiels au bien-être public; les principes sont maintenus afin de garder le respect des pairs et, partant, de soi-même.
Stade 6 Orientation vers les principes d'éthique	Les actes sont guidés par des principes qu'on a choisis soi-même (qui accordent d'habitude du prix à la justice, la dignité et l'égalité); ces principes sont respectés pour éviter d'avoir à se blâmer soi-même.

TABLEAU **3-2**
Stades du jugement moral   *Kohlberg croit que le jugement moral se forme avec l'âge en passant par les stades suivants (d'après Kohlberg, 1969).*

et de distribuer de façon équitable un nombre fixe de jouets à deux garçons. La description de chacun de ces garçons était basée sur deux éléments d'information : dans quelle mesure il avait travaillé fort (indiqué par une image montrant la quantité de vaisselle qu'il avait lavée pour sa mère) et quels étaient ses besoins (indiqué par une image montrant le nombre de jouets qu'il possédait déjà). Selon Piaget (1957), les enfants les plus jeunes devraient avoir accordé plus de poids à l'information objective sur l'effort fourni et moins de poids au facteur plus subjectif du besoin. Les résultats ont donné, toutefois, le même «pattern» pour tous les groupes d'âge : les enfants considéraient le besoin aussi important que l'effort fourni dans leur décision sur une distribution équitable des jouets (Anderson et Butzin, 1978).

Ces études indiquent que même les enfants d'âge préscolaire tiennent compte de certains principes moraux importants face à des situations qu'ils sont capables de comprendre. Cette constatation n'est pas, bien sûr, une négation du fait que les modes de raisonnement sur les questions morales changent avec l'âge.

COMPORTEMENT MORAL   Dans quelle mesure le *jugement moral* — tel que mesuré par les réponses à des dilemmes moraux — entretient-il une corrélation avec le *comportement moral*? Est-ce que les jeunes qui font preuve d'un jugement moral avancé sont plus susceptibles de résister à la tentation ou de se comporter de façon altruiste que les autres? Il existe effectivement une relation nette entre raisonnement moral et agissement moral. Les jeunes délinquants, par exemple, donnent des niveaux de jugement moral plus bas que les jeunes de même âge et de même intelligence qui sont respectueux des lois (Kohlberg, 1969). De plus, les gens qui parviennent à des niveaux de jugement moral plus élevés par rapport aux dilemmes de Kohlberg sont plus susceptibles que ceux qui ont des scores faibles d'offrir de l'aide à un individu en détresse (Huston et Korte, 1976). Toutefois, la recherche en vue de dégager les liens entre les niveaux proposés par Kohlberg et la conduite dans des situations spécifiques — par exemple, pour savoir si un enfant va tricher à un test ou se comporter sans égoïsme — a donné, en général, des corrélations faibles (Mischel et Mischel, 1976; Rest, 1983).

Il nous arrive souvent de savoir comment nous *devrions* agir, mais de ne pas nous comporter en conséquence quand notre intérêt personnel est en jeu. Par exemple, les jugements d'«équité» des enfants avaient tendance à être marqués d'une plus grande maturité dans les situations hypothétiques (comment répartir les tablettes de chocolat entre les membres d'un groupe d'enfants qui ont fait un travail) que ne l'était leur raisonnement quand la situation devenait réelle. Ceux qui avaient suggéré de donner le plus de bonbons à celui qui avait été le plus productif quand la situation était hypothétique étaient susceptibles de dire qu'on devrait partager de façon égale quand on en arrivait à la répartition des bonbons parmi ceux qui faisaient partie de leur propre groupe de travail — surtout dans les cas où ils se situaient eux-mêmes parmi les travailleurs les moins productifs. D'autres qui avaient préconisé auparavant un partage égal exigeaient la part du lion dans la situation réelle (Damon, 1977).

La conduite morale repose sur un certain nombre de facteurs qui s'ajoutent au raisonnement sur les dilemmes moraux. Deux facteurs importants consistent dans la capacité de prendre en considération les conséquences à long terme de ses propres actions (plutôt que le gain immédiat) et d'exercer un contrôle sur son comportement. La capacité d'entrer en communion de sentiments avec les autres — c'est-à-dire, d'être capable de se mettre à leur place — a une égale importance. La compréhension de ce qu'une autre personne ressent nous pousse à lui venir en aide.

La façon précise d'élever un enfant est probablement moins importante pour son développement que l'attitude fondamentale des parents.

Méthodes d'éducation et comportement ultérieur

Les façons d'élever les enfants varient énormément d'un pays à l'autre et d'un groupe social à l'autre. Même au sein des foyers de familles bourgeoises d'Amérique du Nord, les attitudes des parents ont eu tendance à fluctuer de manière cyclique par rapport à des questions comme l'éducation des sphincters (entraînement à la propreté), les horaires alimentaires, l'allaitement au biberon ou au sein et l'attitude permissive par opposition au contrôle sévère.

Au cours du premier tiers de notre siècle, les méthodes d'éducation étaient assez strictes. On recommandait aux parents de ne pas gâter leurs enfants en les prenant dans leurs bras chaque fois qu'ils pleuraient, de les nourrir selon un horaire fixe (qu'ils aient faim ou non) et de les entraîner à la propreté dès la première année. La succion du pouce et la manipulation des organes génitaux étaient des comportements à réprouver vigoureusement. Cette attitude plutôt rigide était due en partie à l'influence du behaviorisme; l'objectif était de former de « bonnes habitudes » et d'éliminer (par extinction expérimentale) « les mauvaises » — et plus les parents s'y mettaient tôt, meilleur serait le résultat. La citation qui suit, qui nous vient de John B. Watson, le père du behaviorisme, pousse jusqu'au ridicule la notion d'une méthode contrôlée, objective et froide de traiter les enfants.

Il y a une façon raisonnable de traiter les enfants. Comportez-vous avec eux comme s'il s'agissait de jeunes adultes. Habillez-les et lavez-les soigneusement et avec circonspection. Que votre comportement soit toujours objectif, bienveillant mais ferme. Ne les étreignez et ne les embrassez jamais, ne les laissez jamais s'asseoir sur vos genoux. S'il le faut, embrassez-les une fois sur le front quand ils disent bonsoir. Serrez-leur la main le matin. Donnez-leur une petite tape sur la tête s'ils se sont tirés exceptionnellement bien d'une tâche ardue. Faites l'essai de cette méthode. Dans une semaine, vous constaterez combien il est facile d'être parfaitement objectif avec votre enfant et d'être en même temps bienveillant. Vous allez être tout à fait honteux de la sensiblerie outrée dont vous avez fait preuve jusqu'ici. (Watson, 1928, p. 73-74.)

Il est permis de douter du fait que beaucoup de parents se soient astreints à un programme aussi rigide, mais c'étaient là les conseils des « experts » à l'époque.

Au cours des années 40, la tendance était à utiliser des méthodes d'éducation plus permissives et plus souples. Les opinions sur le développement de l'enfant subissaient l'influence de la théorie psychanalytique, laquelle insistait sur l'importance de la sécurité affective pour l'enfant et sur les conséquences néfastes qui pouvaient découler d'un contrôle rigoureux des impulsions naturelles. Sous l'égide du docteur Benjamin Spock, les parents se virent encouragés à suivre leurs propres inclinations et à adopter des horaires qui se conformaient à la fois à leurs propres besoins et à ceux de l'enfant. L'entraînement à la propreté devait être retardé jusqu'à ce que l'enfant soit assez vieux pour en comprendre les buts (donc pas avant le milieu de la deuxième année) et ni la succion du pouce, ni la manipulation des organes génitaux ne devaient faire l'objet de préoccupations importantes.

On semble maintenant assister au « retour du balancier ». Les parents d'aujourd'hui ont l'air de penser que la solution n'est pas dans le laisser-faire. Leur façon d'aborder l'éducation de l'enfant comprend un degré modéré de contrôle, une ferme discipline et même la punition quand c'est nécessaire. Le fait que les enfants soient capables de s'épanouir sous une diversité de méthodes est en soi un hommage à leurs possibilités d'adaptation et indique probablement que les méthodes spécifiques ont moins d'importance que les attitudes fondamentales des parents.

Les tentatives en vue d'établir des liens entre des techniques spécifiques — type d'horaire d'alimentation, âge du sevrage ou de l'entraînement à la propreté — et les traits de personnalité ultérieurs n'ont pas un grand succès. Les résultats inconstants observés sont probablement attribuables à plusieurs facteurs. Par exemple, les témoignages des parents sur leur façon d'élever leurs enfants peuvent se révéler inexacts, surtout quand ils essaient de se souvenir de la très tendre enfance de leurs enfants. Les parents sont enclins à dire ce qu'ils *pensent qu'ils doivent faire* avec leurs rejetons, plutôt que ce qu'ils font vraiment. Il existe également de multiples façons d'appliquer une méthode d'éducation spécifique. Deux enfants, par exemple, peuvent recevoir un entraînement à la propreté très tôt; mais, alors que la mère de l'un d'eux se montrera ferme mais patiente, l'autre manifestera la même détermination mais impatiemment, exprimant son désappointement devant les échecs de l'enfant. Les deux font l'entraînement à la propreté au même âge, mais en le faisant, elles communiquent à l'enfant des attitudes bien différentes.

Bien que les techniques spécifiques utilisées ne soient pas de très bons indices de prédiction des traits de personnalité éventuels, nous avons quand même une idée de la sorte de relation parent-enfant qui donne des adolescents compétents et pleins d'assurance. Dans une série d'études, on a observé des enfants de 3 et 4 ans à la maison et à la prématernelle pour faire leur évaluation à l'aide de cinq mesures de compétence : maîtrise de soi, tendance à aborder les situations nouvelles et inattendues avec enthousiasme et curiosité, vitalité, indépendance et capacité de se montrer chaleureux envers ses camarades. En se basant sur l'évaluation de ces caractéristiques, on a ensuite choisi trois groupes pour mener une étude plus poussée. On a placé dans le groupe I les enfants qui faisaient preuve de plus de maturité et de compétence, ceux dont le score était élevé pour les cinq traits. Les enfants du groupe II affichaient une indépendance et une maîtrise d'eux-mêmes modérées, mais ils manifestaient plutôt de l'inquiétude face à de nouvelles situations et ils ne se montraient pas très intéressés aux échanges avec d'autres enfants. Ceux du groupe III témoignaient de la plus grande immaturité; ils étaient beaucoup moins indépendants et avaient moins d'emprise sur eux-mêmes que les enfants des deux autres groupes, ils dépendaient fortement des adultes quand ils avaient besoin d'assistance et se montraient plutôt disposés à reculer devant des situations nouvelles.

Le chercheur s'est ensuite intéressé aux méthodes d'éducation utilisées par les parents, en interviewant ces derniers et en observant leur mode d'interaction avec les enfants au foyer. Il a fait porter son attention sur 4 dimensions de la relation parent-enfant :

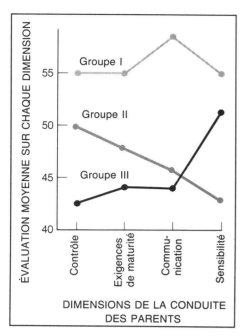

FIGURE 3-10
Conduite des parents en fonction du comportement des enfants *On a évalué des enfants d'école prématernelle sur les plans de la compétence et de la maturité. Les enfants du groupe I sont les plus compétents, ceux du groupe III manifestent le moins d'indépendance et de maturité. La figure donne l'évaluation des parents de chaque groupe d'enfants par rapport à 4 dimensions: le contrôle des activités de l'enfant, les exigences quant à la maturité dans le comportement, la clarté de la communication parent-enfant et la sensibilité parentale. (D'après Baumrind, 1967)*

1) *le contrôle* — dans quelle mesure les parents essayaient d'exercer une influence sur les activités de l'enfant et de modifier l'expression des comportements dépendants et agressifs pour les modeler sur leurs propres normes;
2) *les exigences quant à la maturité* — la pression exercée sur l'enfant pour l'amener à fonctionner à son niveau de capacité;
3) *la clarté de la communication parent-enfant* — l'efficacité de l'explication des raisons invoquées par les parents pour amener l'enfant à obéir et jusqu'à quel point ceux-ci prenaient en considération les opinions et les sentiments de l'enfant;
4) *la sensibilité parentale* — la chaleur et la compassion manifestées à l'égard de l'enfant et le plaisir des parents devant la réussite de ce dernier.

Comme la figure 3-10 le montre, les parents des enfants qui manifestent compétence et maturité (le groupe I) se classent très bien quant aux 4 dimensions. Ils font preuve de chaleur, d'affection et communiquent bien avec leurs enfants. Tout en respectant l'opinion de leurs enfants, ils se montrent généralement fermes et clairs quant au comportement qu'ils considèrent approprié. Les parents des enfants qui se situent au milieu sur le plan de la maîtrise de soi et de l'indépendance, mais qui semblent plutôt repliés sur eux-mêmes et méfiants (le groupe II) ont tendance à être assez directifs et pas très chaleureux et affectueux vis-à-vis de leurs enfants, ni soucieux de l'opinion de ces derniers. Les parents des enfants qui manquent le plus de maturité (le groupe III) paraissent affectueux, mais exercent peu de contrôle, ont peu d'exigences à leur égard et communiquent peu avec eux. Ces parents ont tendance à se montrer inefficaces et désorganisés dans la gestion de leur ménage et négligents en ce qui a trait à la formulation des lignes de conduite, à l'application de la discipline ou à l'utilisation de la récompense.

Dans des études subséquentes, le chercheur a procédé en sens inverse: il a choisi des parents qui répondaient à ces catégories, puis a observé le comportement de leurs enfants d'âge préscolaire. Même s'il est impossible de présenter ici en détail les résultats de cette recherche, nous en indiquerons quand même certaines conclusions générales. Ces parents, qui sont assez fermes et constants face à ce qu'ils attendent du comportement de leurs enfants, mais qui font également preuve de chaleur, d'affection et de respect par rapport aux opinions de ceux-ci, ont tendance à former des enfants d'âge préscolaire compétents et indépendants. Si les parents sont très autoritaires et plus préoccupés par leurs propres besoins que par ceux de leurs enfants, leurs enfants peuvent manifester une assez bonne maîtrise d'eux-mêmes, mais ils ne semblent pas très sûrs ou confiants dans leur façon d'aborder de nouvelles situations ou d'autres personnes. Les parents qui ont une attitude très permissive, qui ne se soucient ni de récompenser les manifestations du sens de la responsabilité, ni de réprouver les conduites qui témoignent d'immaturité, produisent les jeunes qui sont les moins indépendants et qui ont le moins de contrôle sur eux-mêmes. Bref, la compétence et l'assurance chez les jeunes enfants semblent se développer le mieux dans un foyer plein de chaleur et de compassion, où les parents récompensent les manifestations d'un sens des responsabilités mais encouragent également l'action indépendante et la prise de décisions (Baumrind, 1972).

IDENTIFICATION

À mesure qu'ils grandissent, les enfants acquièrent plusieurs attitudes et modes de comportement semblables à ceux de leurs parents. Parfois, la ressemblance est frappante entre un jeune et l'un de ses parents et se manifeste dans des traits caractéristiques comme la façon de marcher, les gestes et l'inflexion de la voix. On dit que l'enfant s'*identifie* au parent.

La notion d'identification nous vient de la psychanalyse; elle joue un rôle important dans les théories de Freud. Dans le contexte psychanalytique, l'identification se rapporte au processus inconscient grâce auquel un individu adopte les caractéristiques (attitudes, modes de comportement, émotions) d'une autre personne. Les jeunes enfants, en imitant les attitudes et les caractéristiques de leurs parents, finissent par avoir l'impression qu'ils ont absorbé un peu de leur force et de leur compétence.

L'identification, dans la conception psychanalytique, est plus que l'imitation de la conduite parentale. Ainsi, la jeune fille qui s'identifie à sa mère éprouve un sentiment de fierté quand cette dernière reçoit un prix ou un honneur — comme si *elle en était* elle-même la récipiendaire. Elle se sent triste quand sa maman connaît un désappointement. Par l'intermédiaire de ce processus d'identification, l'enfant acquiert les divers comportements nécessaires au développement de la maîtrise de soi, d'une conscience morale et d'un rôle sexuel approprié. Freud croyait, par exemple, que la conscience de l'enfant se forme grâce à l'incorporation des principes de conduite des parents, de telle sorte que l'enfant agit en conformité avec ces normes même quand le parent n'est pas là, et se sent coupable s'il les viole.

Certains psychologues s'opposent à la conception psychanalytique de l'identification, processus unitaire et inconscient. Ils font remarquer que ce ne sont pas tous les enfants qui s'identifient à leurs parents sur tous les points. Il peut arriver, par exemple, qu'une fille se fasse l'émule de sa mère sur le plan des compétences sociales et du sens de l'humour, sans adopter pour autant ses valeurs morales. Ces psychologues voient dans l'identification une forme d'apprentissage; les enfants imitent certaines conduites parentales parce qu'ils sont récompensés en le faisant. Les frères et sœurs, les pairs, les professeurs et les héros de télévision sont autant de modèles qui servent de sources d'imitation ou d'identification. Selon ce point de vue, l'identification est un processus continu au cours duquel de nouvelles réactions sont acquises en fonction d'expériences directes et indirectes avec les parents et autres modèles.

Peu importe la définition qu'ils en donnent, la plupart des psychologues considèrent l'identification comme le processus fondamental dans la socialisation de l'enfant. En modelant leur conduite sur celle des gens importants de leur milieu, les enfants acquièrent les attitudes et les comportements auxquels s'attendent les adultes de leur société. Les parents, en tant que premiers et plus fréquents compagnons des enfants, représentent la source première d'identification. Le parent du même sexe sert habituellement de modèle de comportement associé au sexe.

Rôles sexuels

Toutes les cultures ont leur définition de la façon dont on s'attend à ce que les hommes et les femmes se comportent. Certains traits de personnalité, certaines tâches et certaines activités sont considérés convenables pour les individus de sexe masculin et d'autres appropriés pour les personnes de sexe féminin. Les définitions des comportements qui conviennent à l'un et l'autre des sexes varient d'une culture à l'autre et peuvent changer avec le temps au sein d'une même culture. Notre façon de concevoir aujourd'hui les comportements masculins et féminins qui sont appropriés est radicalement différente de ce qu'elle était il y a 50 ans. On n'attend plus des femmes qu'elles se montrent dépendantes, soumises, et sans esprit de compétition; on ne critique pas les hommes parce qu'ils prennent plaisir à des travaux domestiques comme la cuisine et le soin des enfants ou qu'ils expriment leurs sentiments tendres ou artistiques. Les normes se rapportant aux vêtements et à l'apparence sont devenues beaucoup plus « unisexuelles » — d'ailleurs, il est souvent difficile de dire à distance si l'individu en « jeans » et aux cheveux mi-longs est un homme ou une femme. Dans le domaine de l'éducation, du travail et de l'athlétisme, les différenciations de rôles sexuels qui prévalaient dans le passé se sont désintégrées. Malgré tout, il persiste encore au sein de toutes les cultures des différences dans les rôles qu'on attribue aux hommes et aux femmes.

ADOPTION DE MODÈLES SEXUELS   L'*adoption de modèles sexuels*, ou encore la *caractérisation sexuelle*, se rapporte à l'acquisition de caractéristiques et de comportements qu'une culture considère convenables pour les femmes et les hommes. On doit distinguer la caractérisation sexuelle de l'*identité du genre*, qui est la mesure dans laquelle un individu se considère comme une femme ou un homme. Une fille peut s'accepter fermement comme femme

Un enfant s'identifie à l'un de ses parents.

**Les garçons et les filles croient
que les filles**

> aiment jouer à la poupée
> aiment aider leur mère
> parlent beaucoup
> ne frappent jamais
> disent « J'ai besoin d'aide »
> seront des infirmières ou des
>   enseignantes quand elles
>   seront grandes

**Les garçons et les filles croient
que les garçons**

> aiment jouer avec les
>   automobiles
> aiment aider leur père
> aiment construire des trucs
> disent « Je suis capable de te
>   frapper »
> seront des patrons quand ils
>   seront grands

TABLEAU **3-3**
**Stéréotypes de rôles sexuels des
jeunes enfants** *On a présenté à des
enfants de 2 et 3 ans des poupées de
papier mâle et femelle, Michel et Lise,
puis on a fait un jeu où on leur
demandait d'identifier la poupée qui
disait ou faisait certaines choses. Par
exemple, quand l'expérimentateur
disait «J'aime jouer avec des poupées»
et lui présentait un dessin représentant
des poupées et une maison de poupée,
l'enfant plaçait l'une des deux poupées
de papier dans l'image. On a établi un
tableau des choix des enfants en réaction à un certain nombre d'affirmations de ce genre. Plusieurs affirmations n'avaient pas de caractérisation
sexuelle. Par exemple, ni les garçons,
ni les filles n'étaient d'avis que l'un
des sexes est plus brillant que l'autre,
qu'il court plus vite, qu'il préfère jouer
à l'extérieur et qu'il dit plus souvent
«Je ne suis pas capable». Sur d'autres
points garçons et filles n'étaient pas
d'accord. Les filles par exemple (au
contraire des garçons) croyaient que
les garçons prennent plaisir à se
battre, sont mesquins et disent «Je l'ai
mal fait». Les garçons (à l'encontre
des filles) croyaient que les filles pleu-
rent parfois et disent « tu m'as blessée »
ou « tu ne me laisses pas mon tour ».
Les affirmations qui apparaissent au
tableau sont les stéréotypes de rôles
sexuels sur lesquels garçons et filles
étaient d'accord. (D'après Kuhn, Nash
et Brucken, 1978)*

sans toutefois adopter tous les comportements que la société dans laquelle elle vit considère comme féminins, ni éviter toutes les façons de faire étiquetées masculines. Un garçon peut s'identifier à un père artiste et sensible dont la conduite ne correspond pas au stéréotype culturel masculin; ce garçon peut se sentir en sécurité dans son identité masculine, alors que son comportement ne sera pas fortement caractérisé sexuellement comme étant masculin.

Malgré la tendance actuelle vers l'égalité des sexes, les stéréotypes de rôles sexuels sont encore à l'honneur dans notre culture. Par *stéréotypes de rôles sexuels*, nous entendons la croyance qu'un individu devrait se conduire de certaines façons ou manifester certaines caractéristiques parce que cette personne est de sexe masculin ou de sexe féminin. Il est difficile, par exemple, de distinguer un nouveau-né garçon d'un nouveau-né fille quand les deux portent des langes. Et pourtant, les adultes qui regardent les nouveau-nés par les fenêtres d'une pouponnière d'hôpital, s'imaginent qu'ils sont capables de discerner des différences. Ils décrivent les bébés qu'ils croient être des garçons comme robustes, forts et ayant des traits prononcés; les filles sont perçues comme délicates, aux traits fins et «douces» (Luria et Rubin, 1974). Autre exemple: des collégiens ont regardé l'enregistrement sur bande vidéo des réactions d'un bébé de 9 mois à une variété de situations. On a laissé entendre à certains de ces étudiants qu'il s'agissait d'un garçon et à d'autres que le bébé était une fillette. Lorsque l'enfant a donné une forte réaction devant l'apparition d'un diable à ressort, cette même réaction était plus souvent appelée «colère» quand l'on croyait que le bébé était un garçon et «peur» quand on pensait qu'il s'agissait d'une fillette (Condry et Condry, 1976).

Les enfants eux-mêmes démontrent une certaine connaissance des stéréotypes de rôles sexuels dès la deuxième année (voir le tableau 3-3). Ils commencent aussi à adopter des comportements à caractérisation sexuelle dans le choix des jouets et des jeux. Dans un milieu de garderie où ils ont accès à un vaste assortiment de jouets, les bébés mâles qui sont capables de se déplacer passent plus de temps à jouer avec des jouets «masculins» (camions, locomotives, outils) qu'avec des jouets «féminins» (poupées, services à thé) ou «neutres» (carillons, blocs à empiler). De même, les fillettes du même âge consacrent plus de temps aux jouets «féminins» (O'Brien et Huston, 1985). En vieillissant, les filles et les garçons font de plus en plus de choix à caractérisation sexuelle. Toutefois, les garçons marquent leur préférence pour des jouets de leur sexe plus tôt que ne le font les filles et cela de façon plus constante à chaque âge. Les garçons semblent plus fortement caractérisés sexuellement que les filles.

Comment interpréter ces différences? D'abord, les deux sexes ont une tendance regrettable à considérer les activités «masculines» comme étant supérieures aux activités «féminines». En outre, dans notre milieu culturel, les tabous qui entourent le comportement efféminé chez les garçons sont plus forts que ceux liés au comportement masculin chez les filles. Il semble qu'apprendre à se conformer au stéréotype masculin soit en grande partie affaire d'éviter tout comportement tenu pour «amollissant». Les garçons de 4 et 5 ans sont plus susceptibles d'expérimenter avec des jouets féminins ou des activités de filles (comme les poupées, un bâton de rouge à lèvres et un miroir, des rubans dans les cheveux) quand personne ne les regarde qu'en présence d'un adulte ou un autre garçon. Dans le cas des filles, la présence d'un observateur aura peu d'influence sur le choix de l'activité ludique (Hartup et Moore, 1963; Kobasigawa, Arakaki et Awiguni, 1966). Ces faits suggèrent que les jeunes garçons s'intéressent aux activités féminines mais qu'ils ont appris à s'attendre à des réactions négatives s'ils manifestent cet intérêt.

CAUSES DES COMPORTEMENTS À CARACTÉRISATION SEXUELLE Les parents ont évidemment un rôle majeur à jouer dans la caractérisation sexuelle. Ils représentent les premiers modèles que l'enfant acquiert des comportements masculin et féminin. Leurs attitudes vis-à-vis leurs propres rôles sexuels et la façon dont ils agissent l'un avec l'autre auront une influence sur les conceptions de l'enfant. En outre, les parents façonnent directement les comportements à caractérisation sexuelle de nombreuses façons: par les jouets qu'ils donnent à l'enfant, les activités qu'ils encouragent et leurs réactions face aux comportements considérés propres ou non au sexe de l'enfant. À partir de la tendre enfance, la plupart des parents vêtent garçons et filles de façon différente et leur fournissent des jouets différents. Lorsqu'elles sont assez âgées pour assumer des tâches domestiques, les filles se voient généralement confier des travaux comme le soin des enfants plus jeunes et la participation au nettoyage de la maison et à la préparation de la nourriture. On demande habituellement aux garçons de faire des travaux à l'extérieur de la maison, comme racler les feuilles ou pelleter la neige. Les parents ont tendance à insister sur l'indépendance, l'attitude compétitive et la nécessité de réussir dans leur éducation des garçons; on s'attend à ce que les filles soient fiables, sensibles et préoccupées du bien-être des autres (Block, 1980).

Les pères semblent attacher plus d'importance aux comportements à caractérisation sexuelle que les mères, surtout quand il s'agit de leurs garçons. Ils sont portés à réagir négativement (en s'interposant dans le jeu de l'enfant ou en exprimant leur désapprobation) quand leurs fils jouent avec des jouets «féminins», ce que ne font pas les mères. Par contre, les pères se préoccupent moins de ce que leur fille s'adonne à des jeux «masculins», mais encore là, ils manifestent quand même plus de désapprobation que les mères (Langlois et Downs, 1980).

Une fois que les enfants fréquentent la garderie ou l'école maternelle, leurs pairs leur servent de modèles à imiter et ces derniers exercent également des pressions vers le comportement à caractérisation sexuelle. Les parents qui tentent consciemment d'élever leurs enfants à l'abri des stéréotypes de rôles sexuels traditionnels (en encourageant l'enfant à s'adonner à un vaste champ d'activités sans en qualifier aucune de masculine ou de féminine) sont souvent consternés de voir leurs efforts sapés par les pressions exercées par les pairs. Là encore, les garçons semblent subir plus de pressions que les filles. Les filles semblent ne pas s'objecter à ce que d'autres filles jouent avec des jouets «de garçons» ou s'adonnent à des activités masculines. Les garçons, au contraire, rabrouent les autres garçons quand ces derniers semblent se livrer à des activités «de filles». Ils s'empressent de traiter l'autre de «tapette» s'il joue avec des poupées, s'il pleure quand il se fait mal ou s'il manifeste une sollicitude attendrie à l'égard d'un autre enfant en détresse (Langlois et Downs, 1980).

En plus de l'influence des parents et de celle de leurs semblables, les livres et les émissions de télévision destinés aux enfants jouent un rôle important dans la promotion des stéréotypes de rôles sexuels. Jusqu'à tout récemment, la plupart des livres pour enfants présentaient les garçons dans des rôles actifs de résolution de problèmes. C'étaient des personnages qui faisaient étalage de courage et d'héroïsme, qui persévéraient face à l'obstacle, qui construisaient des choses et qui atteignaient des objectifs. Les fillettes étaient habituellement plus passives. Les personnages féminins des livres d'histoires étaient susceptibles de manifester de la peur et d'éviter les situations périlleuses; ils abandonnaient facilement, demandaient du secours et regardaient quelqu'un d'autre parvenir à un but. On a noté des différences semblables dans les rôles sexuels représentés dans les émissions de télévision qui s'adressent aux enfants (Sternglanz et Serbin, 1974).

Les tentatives pour modifier les stéréotypes de rôles sexuels des enfants en les exposant à des émissions télévisées dans lesquelles les stéréotypes sont renversés (où, par exemple, les filles gagnent dans des compétitions sportives ou construisent une cabane de réunion pour les copains, ou des situations où une fille est élue à la présidence) ont rencontré un certain succès (Davidson, Yasuna et Tower, 1979). Mais la télévision ne peut faire contrepoids aux expériences de la vie. Quand on eut montré à des enfants de 5 et 6 ans des films où les professions à caractérisation sexuelle habituelle se trouvaient inversées (les médecins étaient des femmes et les infirmières des hommes), les enfants avaient tendance à changer les étiquettes des occupations des personnages; lorsqu'on les interrogea plus tard sur ces films en leur montrant des photos des acteurs, ils étaient susceptibles d'identifier l'actrice comme l'infirmière et l'acteur comme le docteur. Le fait d'avoir une

ANALYSE CRITIQUE

Différences sexuelles et comportement

« Les filles ont plus de facilité sur le plan verbal, les garçons réussissent mieux en mathématiques. » « Les filles ont une bonne mémoire, mais les garçons sont supérieurs au niveau de la pensée abstraite. » « Les filles ont tendance à être passives et à rechercher l'approbation; les garçons sont agressifs et indépendants. » Vous avez probablement entendu ces affirmations et d'autres du genre à propos des différences psychologiques entre les sexes. Que disent les faits? Les hommes et les femmes présentent-ils des différences constantes dans le domaine des aptitudes et des traits de personnalité? Si c'est le cas, est-ce que ces différences sont surtout biologiques ou proviennent-elles de l'apprentissage social? Deux analyses minutieuses des nombreux volumes et comptes rendus de recherche ont permis de conclure que plusieurs des postulats que l'on pose relativement aux différences sexuelles sont des mythes non confirmés par les faits; mais il semble y avoir quand même certaines différences psychologiques réelles et intéressantes entre les hommes et les femmes (Maccoby et Jacklin, 1974; Deaux, 1985).

Les tests d'intelligence générale ne révèlent aucune différence sexuelle constante — ceci est attribuable en partie au fait que les tests ont été construits de façon à ne pas en donner. Au cours de l'élaboration des tests d'intelligence, on prend bien soin soit d'éliminer les questions sur lesquelles on croit que les deux sexes sont différents, soit d'assurer un partage équitable entre les questions qui accorderaient un avantage aux femmes et celles qui feraient la même chose pour les hommes. Les tests d'aptitudes intellectuelles spécifiques, toutefois, témoignent, eux, de certaines différences entre les sexes. Ces différences, qui sont absentes ou d'importance négligeable durant l'enfance, commencent à se manifester au début de l'adolescence. À partir de l'âge de 10 ou de 11 ans environ, par exemple, les filles dépassent en *moyenne* les garçons quant à plusieurs mesures d'*habileté verbale* — importance du vocabulaire, compréhension de textes difficiles et facilité d'expression verbale.

Mais s'ils tirent peut-être de l'arrière sur le plan des aptitudes verbales, les adolescents ont tendance, *en moyenne*, à se montrer supérieurs aux adolescentes aux tests d'*habileté visuo-spatiale* (Sanders, Soares et D'Aquila, 1982). Les aptitudes visuo-spatiales entrent en jeu dans des tâches comme la conceptualisation de la façon dont un objet apparaîtrait dans l'espace dans une perspective différente, la visée vers une cible, la lecture de cartes géographiques ou la recherche d'une forme géométrique simple incluse dans un dessin plus complexe (voir la figure 3-11). Les capacités des garçons en mathématiques semblent aussi s'améliorer plus vite que celles des filles après l'âge de 13 ans, mais les différences ne sont pas aussi constantes que celles relatives à l'habileté spatiale. Les filles se montrent à peu près égales aux garçons dans les problèmes d'arithmétique et de géométrie; les garçons sont très forts dans les problèmes d'algèbre (Becker, 1983).

Quand on parle de différences sexuelles par rapport aux aptitudes cognitives, il faut insister sur deux points. D'abord, malgré leur constance assez marquée dans les diverses études, les différences observées sont *mineures* (Hyde, 1981). En second lieu, il est important de se souvenir qu'il s'agit de différences *moyennes* portant sur de grands groupes de jeunes; certaines filles se révèlent meilleures dans les tâches spatiales et en algèbre que la plupart des garçons et certains garçons ont plus de facilité verbale que la plupart des filles.

Parce que les différences sexuelles relatives à ces aptitudes ne se manifestent pas avant l'adolescence, il semble raisonnable de conclure qu'elles reflètent des différences dans la formation et les attentes sociales. Après tout, on encourage habituellement les filles à s'intéresser à la poésie, à la littérature et au théâtre; on

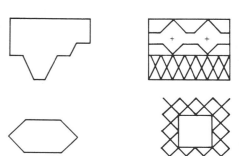

FIGURE 3-11
Test des formes incluses *Le sujet doit identifier les formes simples de gauche incluses dans les formes plus complexes de droite.*

mère qui travaille à l'extérieur du foyer ou d'être en contact avec des femmes-médecins et des infirmiers dans la vie réelle augmentait la probabilité que l'enfant accepte les rôles moins conventionnels (Cordua, McGraw et Drabman, 1979).

s'attend à ce que les garçons se préoccupent plus des sciences, de la technologie et de la mécanique. C'est indubitablement là une partie de la cause, mais il est également possible que certaines différences dans la capacité des deux sexes reposent sur des différences biologiques qui ne se manifesteraient pas tant que le système nerveux n'aurait pas atteint un certain niveau de maturation — à savoir, la puberté.

Le moment où l'organisme parvient à la maturité sexuelle est relié à des habiletés spécifiques. Une série d'études ont démontré que les individus qui arrivent à maturité plus tard, réussissent mieux que les autres dans des tâches visuo-spatiales, peu importe leur sexe (Waber, 1977; Petersen, 1981; Sanders et Soares, 1986). Il y a aussi, entre les individus, une différence associée à la maturation dans la compétence relative à l'exercice des tâches verbales et visuo-spatiales: les filles chez qui la puberté apparaît plus tard donnent, tout comme les mâles, des scores spatiaux plus élevés que leurs scores verbaux; alors que les autres ont, tout comme les femmes, des scores verbaux supérieurs à leurs scores spatiaux (Waber, 1977; Newcombe et Bandura, 1983). Il se peut également que les aptitudes mathématiques soient liées au taux de maturation. Une étude portant sur 6 000 adolescents (âgés de 12 à 18 ans) a démontré que les filles qui parvenaient à la puberté plus tard avaient des scores égaux ou supérieurs à ceux de leurs pairs masculins de même âge aux tests d'aptitudes mathématiques, et que les garçons qui parvenaient à la maturité plus tôt avaient de meilleures capacités verbales que ceux qui y arrivaient plus tard (Carlsmith, Dornbusch et Gross, 1983). Ainsi donc une maturation hâtive semble favoriser les aptitudes verbales alors qu'une maturation lente profiterait aux capacités spatiales et mathématiques. Étant donné que les filles parviennent, en moyenne, à la puberté plus tôt que les garçons, le taux de maturation physique est possiblement l'un des facteurs qui déterminent les différences dans les habiletés des deux sexes.

Le lien qui existe entre la maturité et les capacités cognitives n'est pas connu. Il pourrait être associé à la vitesse à laquelle les deux hémisphères cérébraux se développent et se spécialisent par rapport aux habiletés différentes (voir à la page 51). Quel que soit le mécanisme biologique en cause, les différences de capacités cognitives qui en résultent sont petites, ne se retrouvent pas dans tous les échantillons étudiés et sont modifiables avec l'expérience (Waber, Mann, Merola et Moylan, 1985).

En ce qui concerne les traits de personnalité, il est surprenant de constater que la plupart des études n'ont révélé que très peu de différences entre les sexes, surtout durant les premières années de la vie. Contrairement à la croyance générale, les petites filles ne sont *pas* plus dépendantes que les petits garçons, ni plus sociables. Les bébés des deux sexes qui commencent à se déplacer cherchent à rester tout près de leurs parents, surtout dans les situations de stress; et les filles, autant que les garçons, se montrent prêtes à s'éloigner de leurs parents pour explorer un environnement nouveau (Maccoby et Jacklin, 1974). Les différences sur le plan de la sociabilité se manifestent seulement dans la mesure où, à l'école primaire, les garçons ont tendance à former des bandes pour le jeu, alors que les fillettes sont plutôt portées à se rassembler par groupes de 2 ou de 3.

Le seul domaine où les différences que l'on observe entre les sexes sont conformes aux croyances populaires est celui de l'agressivité. Les garçons sont vraiment plus agressifs que les filles à partir de l'âge d'environ 2 ou 3 ans. Même s'il ne semble pas y avoir de différences dans le niveau d'activité, les garçons sont beaucoup plus portés que les filles à s'adonner à des jeux de bousculade — poussant, tirant, frappant, se pourchassant et se prenant au corps à corps (Dipietro, 1981). Cette observation vaut pour un grand nombre de milieux et pour presque toutes les sociétés qui ont été étudiées. Les garçons se montrent plus agressifs que les filles non seulement sur le plan physique, mais sur le plan verbal également; ils sont plus portés que les filles à échanger sarcasmes et insultes.

De toute évidence, l'apprentissage social est étroitement associé à l'expression de l'agressivité. Plusieurs parents sont d'avis qu'un garçon doit être capable de se battre pour protéger ses droits, et le garçon trouve toutes sortes de modèles agressifs (dans les livres, dans les films, à la télévision) pour lui montrer comment le faire. On s'attend par contre à ce que les filles parviennent à leurs fins par des moyens plus subtils. Étant donné un tel conditionnement social, il semble raisonnable de supposer que les filles ont face à l'agression, les mêmes possibilités que les garçons, mais qu'elles inhibent l'expression de l'agression par peur de la punition. Certains psychologues (Feshbach et Feshbach, 1973) acceptent une telle interprétation. D'autres, par ailleurs, sont d'avis que même si les attentes de la société et les modèles de rôles ont une influence sur l'expression de l'agressivité, les femmes sont, de par leur nature biologique, moins agressives (Maccoby et Jacklin, 1974). Ils attirent l'attention sur le fait que les filles produisent moins de fantasmes de type agressif que les garçons. S'il était vrai que les filles répriment plus leurs impulsions hostiles par peur de la punition, on devrait s'attendre à ce que ces impulsions se manifestent dans les fantasmes des filles ou dans des situations «sûres». Mais même dans une situation expérimentale où l'on s'attend à de l'agressivité et où l'on encourage l'expression de celle-ci — on demande au sujet de donner des chocs électriques à un autre sujet qui est en train «d'apprendre des choses», chaque fois que ce dernier commet une erreur — les garçons ont tendance à donner des chocs plus forts et de plus longue durée que les filles (Titley et Viney, 1969). Ces résultats ne portent pas à croire que les femmes sont remplies d'une agressivité «contenue» qui n'attendrait qu'une occasion sûre de s'exprimer.

Les études sur les différences sexuelles indiquent que filles et garçons se ressemblent sur plus de points que l'on ne le suppose généralement. Certaines des différences observées sont peut-être le résultat d'un apprentissage social alors que d'autres refléteraient des prédispositions biologiques. Mais même ces différences qui ont une base biologique peuvent se modifier par apprentissage. Par exemple, les filles qui, au début, ont des scores plus faibles que ceux des garçons aux tests d'aptitudes visuo-spatiales peuvent, avec un peu de pratique, réussir aussi bien que les garçons. Et, bien sûr, il est possible d'apprendre à des filles à se montrer plus agressives (si nécessaire) et à des garçons à modifier leurs réactions agressives.

Dans l'éducation des jeunes, les sociétés sont libres d'accentuer ce qu'elles considèrent comme des différences innées ou d'encourager chez les deux sexes la formation des caractéristiques les plus utiles à leur propre système social.

Facteurs qui influencent l'identification

Plusieurs qualités personnelles ne sont pas étroitement liées au sexe. L'enthousiasme, le sens de l'humour, l'amabilité et l'intégrité sont des traits partagés à la fois par les hommes et par les femmes. Un enfant peut emprunter de telles caractéristiques à l'*un ou à l'autre* de ses parents, sans enfreindre les rôles sexuels culturels. Des interviews faites auprès de collégiens au sujet des ressemblances entre leur comportement et celui de leurs parents sur le plan de la personnalité et des intérêts ont révélé que 25 % des hommes croient ressembler à leur mère sous ce rapport et qu'une proportion équivalente de femmes disent ressembler à leur père; beaucoup rapportent des ressemblances avec les deux parents (J. Hilgard, 1970).

L'expérimentation nous apporte certains indices sur les types de variables qui influencent l'identification. Plusieurs études démontrent que les adultes chaleureux et pleins de compassion sont plus susceptibles d'être imités que ceux qui ne le sont pas. Les garçons qui obtiennent des scores élevés aux tests de masculinité ont tendance à entretenir des relations plus chaleureuses et plus affectueuses avec leur père que ceux qui ont des scores médiocres. Les filles évaluées comme étant très féminines entretiennent également des relations plus chaleureuses et plus intimes avec leur mère que celles qui sont jugées moins féminines (Mussen et Rutherford, 1963).

Le pouvoir de contrôle que détient l'adulte face au milieu de l'enfant affecte également la propension à l'identification. Quand c'est la mère qui domine dans le ménage, les filles sont portées à s'identifier beaucoup plus avec elle qu'avec le père et il peut arriver que les fils éprouvent de la difficulté à se former un rôle sexuel masculin. Dans les foyers où domine le père, par contre, les filles ressemblent plus à leur père que dans les maisons où c'est la mère qui occupe le haut du pavé, mais elles s'identifient quand même dans une large mesure à leur mère. Dans le cas des filles, le caractère chaleureux et l'assurance de la mère semblent avoir plus d'importance que son pouvoir (Hetherington et Frankie, 1967).

Un autre facteur qui agit sur l'identification est la perception des similarités entre soi-même et le modèle. Dans la mesure où un enfant a quelque base objective pour se percevoir comme semblable à l'un de ses parents, il aura tendance à s'identifier avec ce dernier. La fille qui est grande, qui a de gros os et des traits faciaux semblables à ceux du père peut éprouver plus de difficulté à s'identifier à une mère délicate que sa sœur cadette dotée d'une constitution semblable à celle de sa mère.

Si les deux parents sont perçus comme des personnes sensibles, puissantes et compétentes, l'enfant s'identifiera aux deux, mais l'identification la plus forte se fera généralement avec le parent du même sexe.

Identification avec les frères et sœurs

Même si ce sont les parents qui sont les premières figures d'identification, les frères et sœurs n'en jouent pas moins un rôle important. L'identification sexuelle de ses frères et sœurs exerce une influence sur les intérêts et le comportement d'un enfant; les fillettes qui ont des frères aînés sont portées à être plus masculines (garçonnières) et plus compétitives que celles qui ont des sœurs aînées. De même, les garçons qui ont des sœurs aînées tendent à être moins agressifs que ceux qui ont des frères aînés.

Les premiers-nés ou les enfants uniques occupent une position privilégiée dans la famille pour plusieurs raisons. Les parents peuvent leur consacrer plus de temps et d'attention et ils sont susceptibles de se montrer plus prudents, indulgents et protecteurs. Le premier-né n'a pas à entrer en compétition avec ses aînés et pendant un certain temps, il n'a que des modèles adultes à copier et des normes de conduite d'adultes à imiter, alors que les cadets ont des frères et sœurs à qui ils peuvent s'identifier.

La recherche démontre que ces facteurs exercent vraiment une influence. Les premiers-nés ou les enfants uniques ont plus de chance de se classer à des niveaux supérieurs aux tests d'intelligence, de bien réussir au collège, de se mériter des diplômes et de retrouver éventuellement leur nom dans le *Who's Who** (Sutton-Smith, 1982). Au concours pour les bourses du Mérite national, aux États-Unis, on trouve parmi les finalistes provenant de familles

----

* Répertoire américain des personnages éminents (N. du T.)

de deux enfants, deux fois plus d'aînés que de cadets. Dans le cas des familles de trois enfants, il y a, parmi les finalistes, autant d'aînés que d'enfants des deux autres catégories combinées (Nichols, 1968). Nous devons insister sur le fait que ce ne sont là que des *tendances*; beaucoup de gens célèbres qui ont réussi dans la vie étaient des cadets (Benjamin Franklin, par exemple, était le 15e d'une famille de 17 enfants) et beaucoup de premiers-nés ne présentent aucun des traits mentionnés plus haut.

L'attitude plus consciencieuse et coopérative des premiers-nés reflète probablement un effort pour préserver leur statut « privilégié » auprès des parents devant la possibilité d'être délogés par l'arrivée d'un nouveau membre dans la famille. Il se peut que le cadet se sente moins compétent que l'aîné (tout en étant inconscient du fait que ses déficiences ne sont que fonction de l'âge) et qu'il essaie de se faire valoir d'autres façons.

Si la rivalité avec les frères et sœurs plus jeunes peut expliquer, en partie, les succès plus grands des premiers-nés, elle ne saurait par contre expliquer le succès également remarquable des enfants uniques. L'interprétation la plus vraisemblable est celle qui veut que les parents, ayant plus de temps et d'énergie à consacrer à un enfant unique (ou au premier-né), soient ainsi en mesure de lui fournir un environnement plus riche et plus stimulant. Il est probable que, à mesure que la famille s'accroît, les parents accordent de moins en moins d'attention à chaque enfant.

ADOLESCENCE

L'adolescence représente la période de transition entre l'enfance et l'âge adulte. Ses limites ne sont pas nettement définies, mais elle s'étend grosso modo de l'âge de 12 ans aux années qui précèdent la vingtaine, moment où la croissance physique est presque terminée. Durant cette période, la jeune personne atteint la maturité sexuelle, établit son identité en tant qu'individu distinct dans sa famille et décide comment gagner sa vie.

Il y a quelques générations, l'adolescence telle que nous la connaissons aujourd'hui n'existait pas. Beaucoup de jeunes travaillaient 14 heures par jour et passaient de l'enfance aux responsabilités de l'âge adulte presque sans transition. Avec la diminution de la demande de travailleurs non spécialisés et la prolongation de la période d'apprentissage requise pour accéder à une profession, l'intervalle entre la maturité physique et le statut d'adulte s'est prolongé. On n'atteint les symboles de maturité tels que l'indépendance financière et la fin des études qu'à des âges plus avancés. Plusieurs des privilèges de l'âge adulte sont concédés aux jeunes gens seulement une fois qu'ils se rapprochent de la vingtaine; à bien des endroits en Amérique du Nord, les jeunes ne sont pas autorisés à travailler à temps plein, à signer des documents légaux, à consommer des boissons alcoolisées, à se marier sans le consentement des parents ou à voter.

La transition progressive vers le statut d'adulte comporte certains avantages. Elle offre à la jeune personne une période plus longue pour acquérir des compétences et préparer son avenir, mais cette transition a, par contre, tendance à entraîner des phases de conflit et d'oscillation entre la dépendance et l'indépendance. Il est difficile de se sentir complètement indépendant quand on vit chez ses parents ou quand on reçoit un soutien financier de leur part.

Développement sexuel

Au début de l'adolescence, la plupart des jeunes connaissent une période de croissance physique très rapide (la *poussée de croissance de l'adolescent*) qui s'accompagne du développement des organes de reproduction et des *caractéristiques sexuelles secondaires* (grossissement des seins chez la fille, apparition de la barbe chez le garçon et présence de poils pubiens chez les 2 sexes). Ces changements s'étalent sur une période de 2 ou 3 ans environ; la *puberté*, l'âge auquel l'adolescent est théoriquement capable de se reproduire, arrive vers la fin de cette période. La puberté est marquée par la mens-

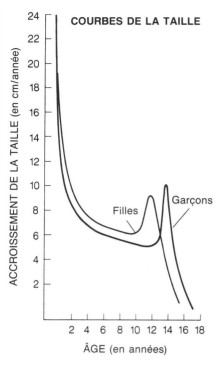

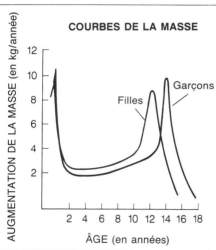

FIGURE 3-12
Gains annuels dans la taille et la masse *La période de croissance la plus rapide se présente plus tôt chez les filles que chez les garçons. (D'après Tanner, 1970)*

truation chez la fille et l'apparition de spermatozoïdes vivants dans la semence des garçons.

L'âge auquel un jeune parvient à la puberté varie beaucoup. Certaines fillettes ont leurs premières menstruations dès l'âge de 11 ans, d'autres pas avant 17 ans — l'âge moyen se situant à 12 ans et 9 mois. Chez les garçons, l'âge de la maturité sexuelle varie tout autant; mais en moyenne, les garçons connaissent leur poussée de croissance et parviennent à maturité 2 ans après les filles (voir la figure 3-12). Ils commencent à éjaculer avec spermatozoïdes vivants entre 12 et 16 ans; l'âge moyen est de 14 1/2 ans. Garçons et filles ont la même taille et la même masse en moyenne jusqu'à l'âge de 11 ans; c'est alors que les filles ont leur poussée de croissance. Les filles maintiennent cet écart pendant environ 2 ans, jusqu'au moment où les garçons passent à l'avant et y restent pour la durée de leur vie. Cette différence quant à la vitesse du développement physique est frappante dans les classes de secondaire 1 et 2, où l'on peut voir des jeunes femmes bien formées assises aux côtés de garçonnets qui n'ont pas encore atteint la maturité.

Bien que, en moyenne, les filles atteignent la maturité plus tôt que les garçons, il existe de grandes différences individuelles. Certaines filles croissent plus *lentement* que certains garçons. Nombre d'études ont cherché à découvrir s'il y avait des différences de personnalité entre ceux qui connaissent une maturation hâtive et ceux qui ont une maturation tardive. Comment se sent le garçon qui, se développant lentement, a une taille plus petite que la plupart de ses camarades? Que ressent la jeune fille qui s'est développée très tôt et qui dépasse d'une tête la plupart des garçons de sa classe?

Les garçons à maturation lente font face à des difficultés particulières d'adaptation étant donné l'importance de la force et des prouesses physiques dans l'activité de leurs pairs. Au cours de cette période, alors qu'ils sont plus petits et moins robustes que leurs camarades, il se peut qu'ils reçoivent moins d'entraînement pour les jeux de dextérité et qu'il leur soit impossible par la suite de rattraper les autres sur le plan de l'activité physique. Des études démontrent que les garçons qui ont des retards de maturation risquent d'être moins populaires que leurs camarades, d'avoir une image de soi plus pauvre et de se complaire dans des comportements puérils, par exemple en cherchant à attirer l'attention. Ils se sentent rejetés et dominés par leurs pairs. Ceux qui connaissent un développement précoce ont tendance, au contraire, à se montrer plus sûrs d'eux-mêmes et plus indépendants. Quelques-unes de ces différences de personnalité entre ceux qui atteignent la maturité plus lentement et ceux qui l'atteignent plus rapidement persistent jusqu'à l'âge adulte, longtemps après que les différences physiques se sont estompées (M. C. Jones, 1965).

L'influence de la vitesse de maturation sur la personnalité est moins nette chez les filles. Certaines filles précoces peuvent être embarrassées parce que leur corps est plus formé que celui de leurs camarades du même âge et du même sexe — et les médias font l'éloge de la minceur et des formes plates. Elles peuvent aussi se trouver désavantagées car elles sont plus grandes que leurs compagnons et compagnes du même âge. D'autres filles, par contre, en sont heureuses, tout comme les garçons à maturité précoce. D'après une étude, le fait que l'adolescente se développe plus tôt ou plus tard n'a pas d'influence auprès de ses pairs (Harper et Collins, 1972). Certaines filles à maturation précoce peuvent se trouver désavantagées parce qu'elles sont plus grandes que les autres durant les dernières années du cours élémentaire, mais au début du cours secondaire, elles ont tendance à avoir plus de prestige aux yeux de leurs camarades et à se trouver en tête de file dans les activités scolaires (Weatherly, 1964).

Standards sexuels et comportement

Au cours des 25 dernières années, nous avons été témoins de changements presque révolutionnaires dans les attitudes de la plupart des sociétés occidentales face à l'activité sexuelle. Les opinions concernant les rapports sexuels avant le mariage, l'homosexualité, la sexualité hors du mariage et les actes

Le moment de la maturité sexuelle varie chez les jeunes adolescents.

sexuels spécifiques sont probablement plus ouvertes et plus tolérantes aujourd'hui qu'elles ne l'ont jamais été dans l'histoire récente. Les jeunes gens sont mis en présence de stimuli sexuels, par l'intermédiaire des magazines, de la télévision et du cinéma, d'une façon beaucoup plus intense et constante que jamais auparavant. Les méthodes efficaces de contrôle des naissances et l'accès plus facile à l'avortement ont apaisé la crainte de la grossesse. Tous ces changements apportent à l'individu qui accède à la maturité une plus grande liberté. Ces changements peuvent également entraîner plus de conflits puisque les normes de conduite « appropriée » sont moins nettes que dans le passé. Dans certaines familles, les divergences entre les standards de moralité sexuelle propres aux parents et ceux propres aux adolescents peuvent prendre des proportions effarantes.

Est-ce que les attitudes plus tolérantes à l'égard de la sexualité ont été accompagnées de modifications réelles dans la façon de se comporter? Au début, certains experts ont soutenu que les jeunes gens d'aujourd'hui se montraient simplement plus ouverts face à des activités auxquelles leurs prédécesseurs s'adonnaient en secret. Mais les données témoignent de changements manifestes dans le comportement sexuel des adolescents. Une enquête menée aux États-Unis et au cours de laquelle on a interviewé des jeunes de 13 à 19 ans a révélé que 59 % des garçons et 45 % des filles avaient eu des rapports sexuels, la plupart avant l'âge de 16 ans (Sorensen, 1973). Une enquête faite en 1976 a révélé que 55 % des femmes de 19 ans interviewées avaient eu des expériences sexuelles (Zelnik et Kanter, 1977). Les estimations les plus récentes restent à peu près les mêmes que celles de 1976; la moitié environ des jeunes hommes et jeunes femmes ont eu des rapports sexuels avant l'âge de 18 ans (Brozan, 1985).

Bien que des données strictement comparables ne soient pas disponibles pour les périodes antérieures, il reste que les études faites par Alfred Kinsey, vers la fin des années 1930 et 1940, rapportent qu'environ 20 % des femmes seulement et 40 % des hommes avouaient avoir eu des rapports sexuels avant l'âge de 20 ans. Les adolescents d'aujourd'hui s'engagent dans des activités sexuelles à un âge plus précoce que celui auquel leurs parents l'avaient fait. Le changement est plus marqué dans le cas des filles qui maintenant sont aussi susceptibles que les garçons d'avoir des rapports sexuels avant l'âge de 20 ans (voir le tableau 3-4).

Le changement dans les normes touchant la sexualité ne se fait pas, apparemment, dans la direction d'une plus grande promiscuité. Même si certains

AUTEURS ET MOMENT DE LA RECHERCHE	POURCENTAGE DE CEUX QUI DISENT AVOIR EU DES RAPPORTS SEXUELS
Kinsey et coll. (1938-1949)	18
Sorensen (1973)	45
Zelnik et Kantner (1976)	55

TABLEAU 3-4
Rapports sexuels avant le mariage chez les adolescentes *Le tableau donne le pourcentage des femmes célibataires de 19 ans qui ont dit avoir eu des expériences sexuelles. La période où les données ont été recueillies est indiquée sous chacune de ces études. Ces données et d'autres aussi montrent qu'il y a eu une augmentation importante d'expériences sexuelles avant le mariage au cours des 50 dernières années.*

ANALYSE CRITIQUE

Les adolescentes enceintes

La grossesse des filles célibataires de moins de 20 ans constitue l'aspect le plus troublant de l'augmentation de l'activité sexuelle chez les adolescents. La fréquence des grossesses de mères célibataires âgées de moins de 18 ans s'est accrue rapidement aux États-Unis depuis 1960. Des études situent à environ 31 à 39 % la proportion des filles qui deviendront enceintes avant l'âge de 20 ans, si les taux actuels se maintiennent (Senderowitz et Paxman, 1985) — et plusieurs d'entre elles n'auront pas 15 ans.

Une adolescente qui devenait enceinte, il y a 25 ans, se mariait habituellement ou donnait son enfant en adoption. Aux États-Unis, l'avortement n'est pas devenu un choix légal avant 1973, quand la Cour suprême a décidé qu'on ne pouvait considérer cette mesure comme étant hors-la-loi. Aujourd'hui, si une fille décide de ne pas interrompre sa grossesse (et c'est le cas de 45 % des moins de 20 ans), il est probable qu'elle gardera l'enfant et fondera une famille monoparentale. Il y a 10 ans, plus de 90 % des bébés nés hors du mariage étaient laissés en adoption; aujourd'hui la mère garde son enfant dans presque 90 % des cas.

Le fait que des enfants élèvent des enfants entraîne d'énormes conséquences sociales. Souvent, ces mères adolescentes ne terminent pas leurs études secondaires et plusieurs vivent sous le niveau de pauvreté, à la merci du bien-être social. Leurs nouveau-nés connaissent des taux élevés de maladie et de mortalité et sont souvent, plus tard dans la vie, aux prises avec des problèmes d'ordre affectif et éducationnel. Plusieurs sont victimes de sévices de la part de parents qui n'ont pas la maturité requise pour comprendre pourquoi leur bébé pleure ou comment leur jouet, qui ressemble à une poupée, a fini par se donner une volonté bien à lui.

Pourquoi, alors que les méthodes contraceptives sont plus accessibles que jamais auparavant, tant de filles ont-elles des grossesses imprévues? Une partie de l'explication tient à l'ignorance du processus de reproduction. Les enquêtes révèlent que moins de la moitié des adolescentes interrogées savent à quel moment du cycle menstruel une femme risque le plus de devenir enceinte (Morrison, 1985). Comme le faible risque de grossesse, dû au «moment du mois», est une raison habituelle invoquée par les adolescentes pour négliger d'avoir recours à des mesures anticonceptionnelles, un tel manque d'information a des conséquences importantes. D'autres éléments d'erreur fréquemment rapportés comprennent le mythe selon lequel on ne peut pas être enceinte à la suite du premier rapport sexuel ou encore quand on ne fait pas

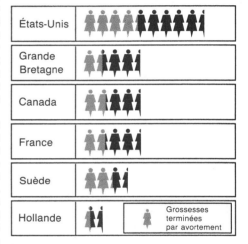

FIGURE 3-13
Taux de grossesses chez les adolescentes *On présente ici les taux de grossesses par 1000 filles âgées de moins de 20 ans; chaque dessin d'un personnage représente 10 grossesses. Aux États-Unis (95 par 1000) le taux de grossesses chez les adolescentes dépasse le double de celui de tout autre pays.*

garçons disent avoir eu des rapports sexuels avec plusieurs partenaires, la plupart des filles rapportent avoir limité leurs relations sexuelles à un seul garçon avec lequel elles étaient « en amour ». Ces jeunes gens sont d'avis que la sexualité fait partie de l'amour et d'une relation d'intimité et qu'il n'est pas nécessaire de la réserver au contexte du mariage.

Quête de l'identité

Une tâche importante à laquelle est confronté l'adolescent est celle d'acquérir le sentiment de son *identité* individuelle — de trouver réponse aux questions: «Qui suis-je?» et «Où vais-je?». La recherche de l'identité personnelle entraîne une prise de décision quant à ce qui est important ou ce qui vaut la peine d'être fait et la formulation de principes de conduite pour l'évalua-

l'amour souvent ou quand on le fait debout.

Moins du tiers des adolescentes qui sont sexuellement actives utilisent régulièrement un agent contraceptif. Vingt-cinq pour cent environ n'ont jamais recours aux méthodes anticonceptionnelles ; les autres les utilisent parfois (Morisson, 1985). Parmi les raisons invoquées pour ne pas faire usage de moyens contraceptifs (en plus de croyances erronées sur la probabilité de devenir enceinte), on retrouve le caractère imprévisible des rapports sexuels et une attitude négative généralisée à l'égard des mesures anticonceptionnelles. Plusieurs adolescents disent que les agents contraceptifs sont « embarrassants », « compliqués » ou « contraires à la nature » et qu'ils sont une entrave à la jouissance sexuelle. Un thème sous-jacent à ces plaintes consiste dans le sentiment que le fait d'être préparé dérobe à l'activité sexuelle sa spontanéité et que c'est, dans une certaine mesure, immoral. Les adolescentes qui n'aiment pas s'avouer leurs propres penchants sexuels préfèrent être enlevées de façon romantique plutôt que de se préparer aux rencontres sexuelles : si vous êtes emportées par la passion, c'est que vous ne faites rien de mal ; par contre, si vous allez à un rendez-vous en portant un diaphragme ou après avoir pris « la pilule », c'est que vous recherchez l'expérience sexuelle et qu'on peut vous considérer comme une « putain » ou une « fille facile ».

Aux États-Unis, les taux de grossesse des célibataires de moins de 20 ans sont plus du double de ceux de tout autre pays industrialisé (voir la figure 3-13). Pourtant, les adolescents américains ne sont pas plus actifs sur le plan sexuel que leurs semblables de l'étranger. Cette différence n'est pas, non plus, attribuable à des taux d'avortements plus élevés ailleurs ; au contraire, ils sont plus hauts aux États-Unis (Brozan, 1985). La plupart des experts prétendent que c'est une ambivalence culturelle à l'endroit de la sexualité durant l'adolescence qui expliquerait ces taux de grossesses élevés chez les moins de 20 ans. Les médias populaires — télévision, musique « rock », cinéma — encouragent l'expérience précoce de la sexualité. Ils véhiculent le message que pour être dans le ton il faut être affranchi sexuellement. Et pourtant, par ailleurs, nous répugnons à reconnaître la sexualité des adolescentes et à les aider à éviter la grossesse. Les réseaux de télévision n'acceptent pas de présenter des émissions qui traiteraient de moyens contraceptifs ; plusieurs adolescents disent que leurs parents refusent de parler de contrôle des naissances ; l'éducation sexuelle à l'école reste toujours une question controversée et les cliniques des écoles secondaires qui conseillent la limitation des naissances et qui distribuent des agents contraceptifs soulèvent encore des discussions.

Par contre, il existe des pays comme la Suède où les écoliers, dès l'âge de 7 ans, reçoivent un enseignement sur la biologie de la reproduction et, avant d'avoir atteint l'âge de 10 ou 12 ans, connaissent déjà les divers types de mesures anticonceptionnelles. Le but poursuivi est de démystifier la sexualité de façon à ce que la familiarité rende l'enfant moins vulnérable à la grossesse non souhaitée et aux maladies vénériennes. Ces efforts semblent porter fruit ; la Suède a l'un des taux les plus bas de grossesses chez les adolescentes.

Celle de gauche quittera l'école secondaire avant celle de droite.

Votre enfant apprendra-t-il à multiplier avant d'apprendre à soustraire ?

Deux affiches préparées par le Children's Defense Fund (Le Fonds pour la protection des enfants) pour sa campagne en vue de la réduction des grossesses chez les adolescentes. Le thème de cette campagne était : « Le fait d'avoir un bébé durant l'adolescence peut faire plus que vous déposséder de votre liberté, il peut vous déposséder de vos rêves. » (Gracieuseté du Children's Defense Fund)

tion de son propre comportement tout autant que de celui des autres. Elle implique aussi qu'on acquière le sentiment de sa propre valeur et de sa compétence, en même temps qu'on se situe soi-même par rapport à la sexualité et aux rôles sexuels. Même si la formation d'une image de soi et d'une identité sexuelle débute durant la tendre enfance et continue au cours de toute la vie, l'adolescence est une période particulièrement critique. En comparaison avec les enfants plus jeunes, ceux qui se situent au début de l'adolescence, soit vers l'âge de 12 ans, sont plus préoccupés de leur image, qui est plutôt incertaine.

Le sens de l'identité des adolescents se forme graduellement à partir des diverses identifications de l'enfance. Les valeurs et les principes moraux des jeunes enfants sont en majeure partie ceux de leurs parents ; leurs sentiments d'amour-propre proviennent principalement de l'opinion des parents à leur sujet. Quand les jeunes entrent dans le monde plus vaste de l'école secon-

L'adolescence est une période particulièrement critique pour la formation d'une image de soi. Le fait de s'habiller selon un style particulier permet à un adolescent de s'identifier à un groupe.

daire, les valeurs du groupe des pairs prennent de plus en plus d'importance — de même que les évaluations venant des professeurs et d'autres adultes. Les adolescents s'efforcent de faire une synthèse de ces valeurs et évaluations pour s'en former une représentation cohérente. Dans la mesure où parents, maîtres et pairs affichent des valeurs constantes, la quête de l'identité devient plus facile.

Quand les opinions et les valeurs parentales diffèrent considérablement de celles des pairs et d'autres personnes importantes, la possiblité de conflit est grande et l'adolescent peut faire l'expérience de ce que l'on a appelé la *confusion des rôles* — il fait l'essai d'un rôle après l'autre et éprouve de la difficulté à arriver à une synthèse des différents rôles pour se forger une identité unique. Comme l'a exprimé une adolescente:

Je suis plutôt compassée et convenable à la maison car mes parents ont des opinions fermes sur la façon dont une jeune fille doit se comporter. À l'école, je suis la procession aussi, bien que je n'hésite pas à exprimer mon opinion. Quand je suis en compagnie de mes copines, je me détends et me conduis assez follement; d'habitude, je suis la première à proposer qu'on fume de la mari ou qu'on fasse quelque chose d'idiot. Quand je sors avec un garçon, j'ai tendance à me montrer sans défense et docile. Qui suis-je vraiment?

Dans une société simple où les modèles d'identification sont rares et les rôles sociaux limités, l'acquisition d'une identité est une tâche relativement facile. Mais dans une société aussi complexe et qui change aussi rapidement que la nôtre, c'est, pour plusieurs adolescents, une tâche longue et ardue. Ils sont placés devant un éventail presque infini de possibilités en ce qui a trait au comportement et aux buts dans la vie.

Une façon d'aborder le problème de l'identité est de faire l'essai de divers rôles et de divers comportements. Plusieurs experts sont d'avis que l'adolescence devrait être une période d'expérimentation de rôles durant laquelle le jeune a le loisir d'explorer différentes idéologies et divers intérêts. Ils s'inquiètent du fait que la compétition scolaire et les contraintes professionnelles de notre époque privent plusieurs adolescents de l'occasion d'explorer. Il en résulte que certains « abandonnent leurs études » temporairement pour se donner le temps de penser à ce qu'ils veulent faire dans la vie et d'expérimenter diverses identités. Les mouvements de jeunesse, d'ordre politique ou religieux, offrent souvent une possibilité d'engagement temporaire dans un autre style de vie; ces organisations et mouvements représentent pour le jeune un groupe auquel s'identifier et lui donnent le temps de se doter d'un ensemble plus permanent de croyances.

La quête de l'identité peut aboutir à divers résultats. Certains jeunes, après une période d'expérimentation et d'introspection, se consacrent à un objectif de vie et se mettent à sa poursuite. Pour d'autres, la *crise d'identité* peut ne pas se produire du tout: ce sont les adolescents qui acceptent les valeurs de leurs parents sans se poser de questions et qui s'engagent vers des rôles d'adultes conformes aux vues de leurs parents. Dans un certain sens, leur identité a été « cristallisée » tôt dans la vie.

D'autres jeunes encore adoptent une identité *déviante* — une identité qui est en opposition avec les valeurs de leur famille ou de la société. Par exemple, un jeune homme qui a subi toute sa vie des pressions pour l'amener à étudier le droit afin qu'il s'associe ensuite à la firme familiale peut se rebeller et décider de devenir un pochard. Certains adolescents de ghetto, plutôt que de risquer l'échec en tentant de se hisser au-dessus de leur condition sociale, peuvent adopter une identité déviante et s'enorgueillir de ne « rien » faire.

D'autres adolescents peuvent traverser une période prolongée de *confusion d'identité* et éprouver de graves difficultés à « se retrouver ». Dans certains cas, l'adolescent trouvera finalement la définition d'une identité après beaucoup d'essais et d'erreurs. Dans d'autres, il se peut que la personne n'acquière jamais un sens fort d'identité personnelle, même à l'âge adulte. Cette personne ne s'impliquera pas et aura peu de liens.

Une fois formée, l'identité personnelle d'un individu n'est pas nécessairement immuable. Il arrive aux gens d'acquérir, alors qu'ils sont à l'âge adulte, des intérêts, des idées et des compétences nouvelles qui peuvent changer le sens de leur identité. Les femmes mariées, par exemple, acquièrent souvent un nouveau sens d'identité au fur et à mesure que leurs responsabilités relatives à l'éducation des enfants s'estompent et qu'elles ont le temps de trouver des intérêts nouveaux ou de poursuivre une carrière.

LE DÉVELOPPEMENT ÉCHELONNÉ SUR TOUTE LA VIE

Le développement ne se termine pas avec l'accession à la maturité physique. C'est un processus continu qui commence à la naissance et qui se poursuit à l'âge adulte jusqu'à la vieillesse. Des changements corporels se produisent tout le long de la vie et ils influencent les attitudes de l'individu, ses fonctions cognitives et son comportement. Les sortes de problèmes auxquels les gens doivent faire face changent également à chaque époque de la vie.

Erik Erikson propose une série de huit stades pour caractériser le développement du berceau jusqu'à la tombe. Il les appelle *stades psychosociaux* parce qu'il croit que le développement psychologique des individus dépend des relations sociales établies à diverses étapes de la vie. À chaque stade, il y a des problèmes spéciaux ou des « crises » à affronter. Même si on n'a pas de preuves scientifiques de l'existence de ces stades qui apparaissent au tableau 3-5, ces derniers permettent cependant d'attirer l'attention sur les sortes de problèmes que les gens rencontrent au cours de leur vie.

Nous avons abordé certains de ces problèmes plus tôt dans ce chapitre. Nous avons fait observer que les sentiments de confiance que le nouveau-né éprouve à l'égard des autres dépend dans une large mesure de la façon dont sa mère répond à ses premiers besoins. Durant la deuxième année de la vie (quand ils commencent à se déplacer par eux-mêmes), les enfants s'efforcent d'explorer, de chercher et d'agir pour eux-mêmes. Dans la mesure où les

TABLEAU 3-5
Stades du développement psychosocial *Les problèmes liés à l'établissement de relations avec autrui changent avec l'âge. Erikson définit 8 stades majeurs de la vie en fonction des problèmes psychosociaux, ou crises, qui doivent être résolus. (D'après Erikson, 1963.)*

STADE	CRISES PSYCHOSOCIALES	RELATIONS SOCIALES IMPORTANTES	SOLUTION FAVORABLE
1 Première année de vie	Confiance ou méfiance	La mère ou le substitut	Confiance et optimisme
2 Deuxième année	Autonomie ou doute	Les parents	Sens de la maîtrise de soi et de la compétense
3 De la troisième jusqu'à la sixième année	Initiative ou culpabilité	La famille immédiate	Intention et direction: la capacité de décider de ses propres activités
4 De la sixième année jusqu'à la puberté	Travail ou infériorité	Le quartier; l'école	Compétence dans les tâches intectuelles, sociales et physiques
5 Adolescence	Identité ou confusion	Les groupes des pairs et les groupes extérieurs; les modèles de leadership	Une image intégrée de soi en tant que personne unique
6 Début de l'âge adulte	Intimité ou isolement	Les partenaires dans l'amitié et la sexualité; la rivalité, la collaboration	La capacité d'établir des relations intimes et durables, de prendre des engagements de carrière
7 Milieu de l'âge adulte	Générativité ou repli sur soi	La division du travail et le partage d'un ménage	Préoccupation envers la famille, la société et les générations futures
8 Vieillesse	Plénitude ou désespoir	« L'humanité »; « les miens »	Un sens de plénitude et de satisfaction face à sa propre vie; acceptation de l'idée de la mort

parents les encouragent dans ces activités, les enfants commencent à acquérir un sens d'indépendance ou d'autonomie. Ils apprennent à contrôler certaines de leurs impulsions et à ressentir de la fierté devant leurs réussites. La surprotection, c'est-à-dire le fait d'imposer des restrictions à ce que l'enfant est autorisé à faire ou de ridiculiser ce dernier pour ses tentatives infructueuses, peuvent l'amener à douter de ses aptitudes.

Au cours des années préscolaires (de 3 à 6 ans), les enfants franchissent les étapes allant de la simple maîtrise de soi jusqu'à la capacité de prendre des initiatives et de finir ce qu'ils ont commencé. Là encore, les attitudes des parents — encouragement ou découragement — peuvent amener les enfants à se sentir incapables (ou coupables s'ils entreprennent une activité que l'adulte considère honteuse).

Durant les années du cours élémentaire, les enfants acquièrent des compétences valorisées par la société. Ces dernières comprennent non seulement la lecture et l'écriture, mais aussi des habiletés physiques et la capacité de partager des responsabilités et de s'entendre avec les autres. Dans la mesure où leurs efforts dans ces domaines mènent au succès, les enfants acquièrent des sentiments de compétence; les efforts infructueux entraînent des sentiments d'infériorité.

La découverte de son identité personnelle, nous l'avons vu à la section précédente, constitue la crise psychosociale majeure de l'adolescence.

Début de l'âge adulte

Durant les premières années de l'âge adulte, les gens se consacrent à une occupation et plusieurs se marient ou établissent d'autres types de relations intimes. L'intimité signifie la capacité de se préoccuper des autres et de partager des expériences avec eux. Les gens qui ne peuvent s'engager dans une relation amoureuse — parce qu'ils ont peur d'en souffrir ou parce qu'ils sont incapables de partager — risquent l'isolement. Des études indiquent que le fait de partager une relation intime avec un partenaire qui est un soutien contribue de façon appréciable à la santé affective et physique d'un individu. Ceux qui ont quelqu'un avec qui partager leurs idées, leurs sentiments et leurs problèmes sont plus heureux et sont en meilleure santé que ceux qui n'ont personne (voir Traupmann et Hatfield, 1981).

Le pourcentage des individus qui se marient a diminué depuis la fin des années 60. Plus de personnes vivent seules ou en concubinage. Il n'en reste pas moins que la majorité des gens se marient et la plupart d'entre eux le font durant les premières années de leur vie d'adulte. Les individus ont tendance à rechercher des partenaires matrimoniaux qui ont des antécédents ethniques, sociaux et religieux semblables aux leurs. Contrairement à ce que veut l'opinion populaire, les femmes semblent être moins romantiques dans leur façon d'envisager le choix d'un compagnon que les hommes. Les hommes sont portés à devenir amoureux plus rapidement que les femmes et à se satisfaire des qualités de leur future compagne. Les femmes, au contraire, se montrent plus pratiques et plus prudentes dans le choix d'un époux (Rubin, 1973).

Ce fait ne devrait pas nous surprendre si nous considérons que traditionnellement, le mariage exige un changement plus considérable dans le style de vie des femmes que dans celui des hommes. L'homme marié poursuit sa carrière, alors que la femme peut devoir sacrifier l'indépendance relative de la vie de célibataire aux exigences et aux responsabilités d'épouse et de mère. Les mariages égalitaires, au sein desquels il y a partage des responsabilités familiales et financières et où l'on accorde une considération égale aux carrières des deux partenaires, se font de plus en plus nombreux. Pourtant, dans le cas de la plupart des femmes, la personne qu'elle épouse décide de l'endroit où elle vivra et de quelle façon, de même que de ce que sera son rôle dans la vie.

Une fois mariés, les deux partenaires doivent apprendre à s'adapter à de nouvelles exigences et responsabilités. La venue d'enfants impose des ajustements plus importants encore. Les taux élevés de divorce montrent bien

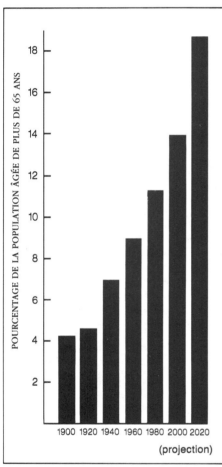

FIGURE 3-14
Le vieillissement de la population des États-Unis *Le pourcentage de la population des États-Unis qui dépasse les 65 ans s'accroît à un taux constant et l'on s'attend à ce qu'il continue d'augmenter. L'expectative de longévité des nouveau-nés américains d'aujourd'hui atteint les chiffres sans précédents de 71,1 ans dans le cas d'un garçon et de 78,3, dans le cas d'une fille. Pour ceux qui dépassent l'âge moyen de la population, l'expectative de longévité s'accroît de façon spectaculaire. L'homme qui atteint aujourd'hui l'âge de 65 ans peut s'attendre à vivre jusqu'à l'âge de 79,5 et la femme, jusqu'à 83,7. (Bureau du recensement des États-Unis, 1986.)*

que ces adaptations ne sont pas faciles dans une société aussi complexe que la nôtre. Aux États-Unis, plus de 38 % de tous les *premiers* mariages aboutissent au divorce. Si l'on ajoute à ceci les remariages et les divorces, environ 40 % de *tous* les mariages finissent par un divorce.

Une enquête auprès de 300 couples de gens mariés qui vivaient en harmonie depuis 15 ans ou plus nous apporte des indices sur la nature d'un mariage réussi. La raison la plus fréquemment donnée pour expliquer la durabilité du mariage et le bonheur qui en découlait était le fait d'entretenir une attitude généralement positive à l'égard de son partenaire : en le considérant comme son (sa) meilleur(e) ami(e) et en l'aimant en tant que personne. Parmi les caractéristiques que les époux appréciaient chez l'autre se trouvaient les qualités de sollicitude, de don de soi, d'intégrité et de sens de l'humour. Ils disaient, essentiellement : « Je suis marié(e) à quelqu'un qui s'intéresse à moi, qui se préoccupe de mon bien-être, qui donne autant sinon plus qu'il reçoit, qui est ouvert et fiable et qui n'est pas enlisé dans une vision sombre et morne de la vie » (Lauer et Lauer, 1985, p. 24). Ils appréciaient également le fait que leur conjoint avait changé et était devenu plus intéressant avec les années.

D'autres éléments importants d'un mariage durable étaient une croyance au mariage en tant qu'engagement à long terme, l'accord sur des objectifs communs et la capacité de communiquer l'un avec l'autre et de résoudre les problèmes calmement et sans colère. Fait surprenant, l'accord sur la sexualité arrivait très loin dans la liste des raisons du bonheur conjugal. Même si la plupart étaient généralement satisfaits de leur vie sexuelle, peu d'entre eux donnaient ce facteur comme l'une des explications majeures de leur bonheur ; ceux qui se disaient non satisfaits considéraient que la sexualité avait moins d'importance que la compréhension, l'amitié et le respect (Lauer et Lauer, 1985).

Milieu de l'âge adulte

Les années du milieu de l'âge adulte, soit de 40 à 65 ans environ, représentent pour plusieurs la période la plus productive de la vie. Les hommes dans la quarantaine se trouvent habituellement au sommet de leur carrière. Les femmes ont moins de responsabilités au foyer puisque les enfants grandissent et elles peuvent consacrer plus de temps à des activités de carrière ou à des activités civiques. C'est le groupe d'âge qui gère la société, en termes de pouvoir et de responsabilité.

Erickson a créé le terme de *générativité* pour désigner, chez ceux qui se situent au milieu de l'âge adulte, une préoccupation en vue de guider la génération suivante et de pourvoir à ses besoins. Les gens retirent de la satisfaction, dans cette phase de leur vie, de leur contribution au passage des adolescents à l'âge adulte, de l'aide qu'ils apportent à ceux qui en ont besoin et de la perception de la valeur de leur participation sociale. Ils peuvent, à cet âge, éprouver des sentiments de désespoir à l'idée qu'ils n'ont pas réussi à atteindre les objectifs qu'ils s'étaient fixés au début de l'âge adulte ou à l'idée que ce qu'ils font n'est pas important.

À mesure que les gens se rapprochent de la cinquantaine, leur optique par rapport à la durée de la vie commence à changer. Au lieu de considérer la vie en fonction du temps écoulé depuis la naissance, comme le font les plus jeunes, ils commencent à penser en termes d'années qui restent à vivre. Ayant été témoins du vieillissement ou de la mort de leurs parents, ils commencent à se rendre compte du caractère inévitable de leur propre mort. C'est alors que bien des gens réorganisent leur vie en fonction de priorités, décidant de ce qu'il est important de faire durant les années qui restent. Un homme qui a consacré sa vie à la mise en place d'une firme prospère peut tout laisser là pour retourner aux études. La femme qui a élevé sa famille peut décider d'entreprendre une carrière nouvelle ou de s'engager activement dans la politique. Les membres d'un couple peuvent choisir de laisser les emplois qu'ils occupent en ville pour s'acheter une petite ferme.

Le bénévolat dans une garderie et la participation à des événements athlétiques sont deux des nombreuses façons pour une personne âgée de se garder active.

Les années subséquentes

Les années qui suivent l'âge de 65 ans apportent de nouveaux problèmes. Le déclin de la force physique impose des limites aux activités des gens plus âgés; une maladie débilitante peut amener l'individu à se sentir impuissant et, de ce fait, le démoraliser. La retraite, avec son cortège d'heures d'oisiveté à occuper, peut conduire à une diminution du sentiment de sa valeur personnelle et de son amour-propre. La mort d'un époux ou d'une épouse, des frères et sœurs et d'amis peut rendre la vie insupportable à cause de la solitude, tout particulièrement pour ceux dont les enfants vivent au loin. Étant donné que la proportion des vieillards au sein de la population s'accroît graduellement (voir la figure 3-15), ces problèmes exigent qu'on s'y attarde davantage. Les villages pour retraités et les programmes qui permettent aux personnes âgées de s'impliquer activement dans la vie communautaire — en tant qu'assistants pédagogues, aide-libraires, agents de circulation aux passages d'écoliers — sont des pas dans la bonne direction. Mais il faut faire beaucoup plus encore.

En dépit des problèmes évidents liés au vieillissement, une étude auprès de vieillards de 70 à 79 ans laisse supposer que la vieillesse n'est pas si désagréable qu'on le pense généralement. Soixante-quinze pour cent des sujets ont dit qu'ils étaient satisfaits de leur vie de retraité. La plupart d'entre eux étaient assez actifs et ne souffraient pas de la solitude; il y en avait peu qui donnaient des signes de sénilité ou de maladie mentale (Neugarten, 1971).

La dernière crise psychosociale proposée par Erikson, intégrité ou désespoir, concerne la façon dont une personne affronte la fin de sa vie. La vieillesse est un temps de réflexion, un retour sur les événements d'une vie. Dans la mesure où l'on a réussi à régler efficacement des problèmes qui s'étaient posés à chacune des premières étapes de la vie, on a acquis un sens d'accomplissement et de plénitude — le sentiment d'une vie bien remplie. Quand le vieillard éprouve des regrets en jetant un regard sur sa vie passée, la percevant comme une suite d'occasions ratées et d'échecs, les dernières années sont remplies de désespoir.

RÉSUMÉ

1. Le développement humain est déterminé par une interaction continue entre l'*hérédité* ou la *nature* (les caractéristiques fixées par les gènes de l'individu) et l'*environnement* ou la *culture* (les expériences vécues pendant sa croissance au sein d'une famille et d'un milieu culturel donnés). L'action des facteurs génétiques s'exprime par l'intermédiaire des processus de *maturation* — série de changements corporels ou de changements reliés à la croissance qui sont héréditairement déterminés et relativement indépendants de l'environnement. Le développement moteur, par exemple, est en grande partie un processus de maturation, car tous les enfants maîtrisent des habiletés comme ramper, se tenir debout et marcher, dans le même ordre et approximativement au même âge.

2. Le développement va, dans un *ordre séquentiel*, des comportements simples à ceux qui sont plus différenciés et complexes. Deux questions auxquelles on n'a pas encore trouvé réponse toutefois portent sur a) le fait de savoir si le développement doit être considéré comme un *processus continu* ou comme une série de *stades* successifs qualitativement différents les uns des autres, et b) l'existence de *périodes critiques* durant lesquelles des expériences spécifiques doivent se produire pour que le développement psychologique se déroule normalement.

3. Les nouveau-nés naissent avec des systèmes sensoriels qui fonctionnent bien ; ils sont « programmés » d'avance pour l'apprentissage de la réalité et ils manifestent des différences individuelles sur le plan du *tempérament*. Bien que l'acquisition des compétences physiques dépende largement de la maturation, le fait de vivre dans des environnements « restreints » peut retarder le développement moteur, et celui de recevoir une stimulation plus riche peut l'accélérer. Alors que la privation ou la stimulation au cours de la tendre enfance ne semble pas avoir un effet durable sur les aptitudes motrices, le développement peut, dans d'autres domaines — langage, intelligence, personnalité — être influencé de façon permanente par les premières expériences de la vie.

4. La théorie de Piaget propose des stades de *développement cognitif* qui vont du *stade sensori-moteur* (où une importante découverte est celle de la *permanence de l'objet*), en passant par le *stade préopératoire* (on commence à utiliser des symboles) et le *stade opératoire concret* (formation des notions de *conservation*) jusque, normalement, au *stade opératoire formel* (la solution des problèmes s'obtient par la vérification systématique d'hypothèses). Des théories qui ne présupposent pas l'existence de stades considèrent le développement cognitif comme un accroissement graduel des connaissances et des capacités de traitement d'information, telle la mémoire.

5. Les attachements sociaux de la petite enfance sont à la base des relations interpersonnelles étroites de l'âge adulte. Un maternage insensible ou des séparations répétées peuvent saper la confiance de l'enfant et créer un *attachement marqué d'insécurité*. Les enfants qui ont un *attachement marqué de sécurité* sont mieux en mesure d'affronter de nouvelles expériences et d'entrer en relation avec les autres. Les interactions avec les frères et sœurs et les pairs sont également importantes pour un développement normal.

6. Les notions que les enfants se font du bien et du mal changent avec la maturation. Les enfants plus jeunes sont portés à évaluer les actes moraux en termes de *récompenses* et *punitions* anticipées ; quand ils vieillissent, ce sont l'*évitement de la désapprobation* et la *conformité aux normes sociales* qui prennent de l'importance. Au stade le plus élevé du jugement moral, les actes sont évalués en fonction des principes d'éthique personnels de l'individu. Le *comportement moral* dépend d'un certain nombre de facteurs en plus de la capacité de juger logiquement les questions morales.

7. Même si l'on n'a pas découvert de relations constantes entre les techniques spécifiques d'éducation des enfants et les traits de personnalité subséquents, la compétence d'un enfant et sa confiance en lui-même trouvent leur meilleur stimulant dans un foyer chaleureux et plein de sollicitude où les parents récompensent le comportement responsable tout en encourageant l'activité indépendante et la prise de décisions.

8. C'est en grande partie grâce au processus d'*identification* que les enfants acquièrent les attitudes et les conduites que la société attend d'eux — la maîtrise de soi, une conscience et le rôle sexuel qui convient. La *caractérisation sexuelle*, soit l'acquisition des traits et des comportements que la société considère appropriés à l'un des deux sexes uniquement, se forme grâce aux influences des parents, des pairs et du milieu culturel. Elle se distingue de l'*identité du genre*, qui est la mesure dans laquelle un individu se considère comme un homme ou une femme. Les enfants sont plus portés à s'identifier à des adultes chaleureux, sensibles, puissants et qu'ils perçoivent comme étant semblables à eux d'une certaine façon.

9. L'âge auquel les adolescents atteignent la *puberté*, ou la maturité sexuelle, varie grandement — quoique les filles atteignent la maturité, en moyenne 2 ans avant les garçons. Les garçons à maturation plus lente sont généralement moins populaires auprès de leurs pairs et ils sont portés à avoir une moins bonne image d'eux-mêmes que les garçons qui connaissent une maturité hâtive. Des données d'enquête indiquent que les adolescents d'aujourd'hui s'adonnent à des rapports sexuels plus tôt que ne le faisaient leurs parents.

10. Dans leur quête d'*identité* personnelle, les adolescents s'efforcent de faire une synthèse des opinions et des valeurs des personnages qu'ils jugent importants (parents, maîtres et pairs) pour se former une image de soi cohérente. Quand ces valeurs ne sont pas stables, les adolescents peuvent faire l'expérience d'une *confusion des rôles* — ils font l'essai d'un rôle social après l'autre avant de découvrir un sentiment d'identité individuelle.

11. Le développement est un processus qui s'étend sur toute la vie: les individus changent tant sur le plan physique que sur le plan psychologique et ils rencontrent de nouveaux problèmes d'adaptation toute leur vie durant. Les *stades psychosociaux* d'Erikson décrivent des problèmes, ou crises, liés aux relations sociales, problèmes qu'on doit affronter à diverses étapes dans la vie. Ces stades vont de la crise de « confiance ou méfiance » des premières années de la vie, en passant par celle d'« intimité ou isolement » du début de l'âge adulte jusqu'à celle de « plénitude ou désespoir » durant laquelle les individus font face à l'idée de la mort.

ANTHONY, E.J. et KOUPERNIK, C. (éds.). *L'enfant dans la famille*. Paris, Masson, 1970.

ARTAUD, G. *Se connaître soi-même: crise d'identité de l'adulte*. Montréal, Éditions du Centre interdisciplinaire de Montréal, 1978.

BARAUDIER, M. *La sexualité de l'adolescent*. Paris, Balland, 1974.

BLOS, P. *Les adolescents*. Paris, Stock, 1971.

DUFOYER, J.-P. *Le développement psychologique de l'enfant de 0 à 1 an*. Paris, P.U.F., 1976.

ERIKSON, E.H. *Adolescence et crise: la quête de l'identité*. Paris, Flammarion, 1972.

ERIKSON, E.H. *Enfance et société*. Neuchâtel, Delachaux et Niestlé, 1959.

FRAIBERG, S.*Les années magiques*. Paris, P.U.F., 1966.

FREUD, A. *L'enfant et la psychanalyse*. Paris, Gallimard, 1976.

GOUIN-DÉCARIE, T. *Intelligence et affectivité chez le jeune enfant* (2ᵉ éd.). Neuchâtel, Delachaux et Niestlé, 1968.

GOUIN-DÉCARIE, T. *Le développement psychologique de l'enfant* (2ᵉ éd.). Neuchâtel, Delachaux et Niestlé, 1973.

GRATROT-ALPHANDÉRY, H. et ZAZZO, R. *Traité de psychologie de l'enfant*. Paris, P.U.F., 1970.

LAURENDEAU, M. et PINARD, A. *La pensée causale*. Paris, P.U.F., 1962.

MAILLOUX, N. *Jeunes sans dialogue*. Paris, Fleurus, 1971.

PAPALIA, D.E. et OLDS, S.W. *Le développement de la personne* (2ᵉ éd.). Montréal, Les Éditions HRW, 1983.

PIAGET, J. *La naissance de l'intelligence* (8ᵉ éd.). Neuchâtel, Delachaux et Niestlé, 1975.

PIAGET, J. et INHELDER, B. *La psychologie de l'enfant* (6ᵉ éd.). Paris, P.U.F., 1975.

PINARD, A. « Réflexion sur deux paradigmes en psychologie génétique: cognitivisme et behaviorisme ». Dans *Revue québécoise de psychologie, 4* (3), 1983, p. 12-28.

SAMSON, J.-M. « L'éthique, l'éducation et le développement du jugement moral ». Dans *Cahiers de recherche éthique, 2*, 1982, p. 5-55.

THORNBURG, H. *L'adolescence*. Montréal, Les Éditions HRW, 1975.

VURPILLOT, E. *Les perceptions du nourrisson*. Paris, P.U.F., 1966.

LECTURES SUGGÉRÉES

Troisième partie

ELLIOTT ERWITT
Venise, 1965

Épreuve sur papier aux sels d'argent
et gélatine, 9 $\frac{1}{4}$ x 13 $\frac{7}{8}$.
Collection, The Museum of Modern Art,
New York. Achat.

CONSCIENCE ET PERCEPTION

États de conscience

Au moment même où vous lisez ces mots, êtes-vous éveillé ou est-ce que vous rêvez? La plupart des gens ne sauraient être confondus par une telle question. Nous connaissons tous la différence entre un état ordinaire de veille et l'expérience onirique. Nous pouvons également identifier d'autres états de *conscience*, y compris ceux qui sont provoqués par des stupéfiants, comme l'alcool et la marijuana.

L'état de conscience d'une personne change constamment. En ce moment, votre attention est probablement concentrée sur ce volume; il est possible que dans quelques minutes vous soyez plongé dans une rêverie. Pour la plupart des psychologues, il y a *état altéré de conscience* chaque fois qu'il y a passage d'un «pattern» ordinaire d'opération mentale à un état qui *semble* différent à la personne qui subit ce changement. Sans être très précise, cette définition reflète quand même le fait que les états de conscience sont personnels et, par conséquent, subjectifs. Les états altérés de conscience vont de la distraction d'une rêverie vivante à la confusion et à la distorsion d'une intoxication provoquées par une drogue. Dans ce chapitre, nous allons examiner certains états de conscience dont nous faisons tous l'expérience (le sommeil et le rêve, par exemple), de même que d'autres états qui sont le résultat de circonstances particulières (la méditation, l'hypnose et l'usage de stupéfiants).

ASPECTS DE LA CONSCIENCE

Plusieurs thèmes abordés dans ce chapitre ont une portée directe sur l'étude de la conscience. Lorsque les psychologues s'interrogent sur notre façon d'interpréter l'information sensorielle (chapitres 5 et 6), sur notre façon d'entreposer et de repêcher les souvenirs (chapitres 7 et 8) et sur notre façon de penser et de résoudre les problèmes (chapitre 9), ils posent essentiellement des questions sur la conscience.

Mais qu'est-ce que la conscience? Nous nous servons le plus souvent de ce mot comme d'un terme collectif pour représenter les perceptions, les pensées, les sentiments et les souvenirs qui sont actifs à un moment donné chez un individu. En ce sens, la conscience est synonyme d'aperception. Comme nous allons le voir, toutefois, la conscience comprend également des perceptions et des pensées dont l'individu peut n'avoir qu'une idée vague, jusqu'à ce que son attention soit attirée par elles, d'où l'existence de degrés d'appréhension au sein de la conscience.

Les premiers psychologues établissaient un parallèle entre «conscience» et «esprit». En fait, ils définissaient la psychologie comme «l'étude de l'esprit et de la conscience » (voir tableau 1-1, p. 14) et avaient recours à la méthode de l'introspection pour l'étude de la conscience. Comme nous l'avons fait remarquer au chapitre 1, l'introspection en tant que méthode, d'une part, et la conscience comme sujet de recherche, d'autre part, sont toutes les deux tombées en défaveur avec l'ascension du behaviorisme au début du XXe siècle. John Watson, le fondateur du behaviorisme, et ses disciples croyaient que si la psychologie devait devenir une science, il fallait que ses données soient objectives et mesurables. Le comportement pouvait s'observer publiquement et diverses réponses se prêtaient à la mesure objective. Par contre, l'expérience intime d'un individu, telle que révélée dans l'introspection, ne saurait être observée par un autre ou se mesurer objectivement.

Depuis les années 1960, l'orientation de plus en plus cognitive de nombreux psychologues, de même que d'autres développements, ont ranimé l'intérêt à l'égard de la conscience. L'insistance stricte des behavioristes sur les actions observables nous paraissent maintenant trop limitatives et la plupart des psychologues hésiteraient à affirmer que science et subjectivité sont incompatibles.

La conscience

Malgré la réapparition de l'étude de la conscience en psychologie, il n'y a pas encore de commun accord sur une définition de ce terme. Pour les fins de cette étude, nous adopterons la définition suivante: nous sommes conscients quand nous appréhendons les événements externes et internes, quand nous réfléchissons sur notre expérience antérieure, quand nous nous employons à la résolution de problèmes, quand nous portons une attention sélective à certains stimuli au détriment des autres et quand nous choisissons et exécutons délibérément une action en réponse aux conditions de l'environnement et à nos objectifs personnels. Bref, la conscience est affaire 1) d'exercer une *surveillance* continue sur nous-même et sur notre environnement de façon que les perceptions, les souvenirs et les pensées soient représentés correctement dans notre champ d'appréhension et 2) d'exercer un *contrôle* sur nous-mêmes et sur notre environnement afin d'être en mesure de déclencher et d'interrompre des activités comportementales et cognitives (définition de Kihlstrom, 1984, modifiée).

SURVEILLANCE   La réception de l'information provenant de l'environnement est la fonction principale des systèmes sensoriels du corps, laquelle réception conduit à l'appréhension de ce qui se passe dans notre entourage tout comme à l'intérieur de notre propre corps. Mais il ne nous serait pas possible de prêter attention à tous les stimuli qui tombent sous nos sens, car il y aurait surcharge d'information. Notre conscience se concentre sur certains stimuli et ignore les autres. Souvent l'information choisie se rapporte à des changements dans notre monde externe ou interne. Pendant que vous fixez votre attention sur ce paragraphe, vous êtes probablement inconscient de nombreux stimuli de fond. Mais qu'il y ait un changement dans la stimulation, que l'éclairage diminue, que l'air commence à sentir la fumée, ou que le bruit du système de climatisation s'arrête brusquement — et votre attention sera attirée par cet événement.

Notre attention est sélective; certains événements l'emportent sur les autres pour trouver accès à la conscience et déclencher l'action. Normalement, ce sont les événements importants pour la survie qui ont la priorité. Quand nous avons faim, il nous est difficile de nous concentrer sur l'étude; une douleur soudaine prend toute la place et repousse les autres pensées hors du champ de conscience jusqu'à ce que l'on prenne des mesures pour l'atténuer.

CONTRÔLE   Une autre fonction de la conscience consiste dans la planification, l'initiation et l'orientation de nos actes. Que le programme soit simple et facile à exécuter (comme rencontrer un ami pour déjeuner) ou complexe et à longue échéance (comme la préparation d'une carrière en médecine),

La réflexion est un aspect de la conscience

nos actes doivent être guidés et agencés de façon à se coordonner avec les événements qui nous entourent.

Dans le processus de planification, il est possible de représenter dans la conscience, à titre de possibilités éventuelles, des événements qui ne se sont pas encore produits; nous pouvons envisager des « scénarios » alternatifs, faire des choix et mettre en branle des activités appropriées.

Processus subconscients et souvenirs préconscients

Parmi tout ce qui se passe autour de nous actuellement et parmi notre bagage de connaissances et de souvenirs des événements antérieurs, nous ne pouvons fixer notre attention que sur quelques stimuli à un moment donné. Nous ignorons, choisissons et rejetons continuellement, de telle sorte que la conscience est en perpétuel changement. Mais les objets ou les événements qui ne sont pas au centre de l'attention peuvent quand même exercer une certaine influence sur la conscience. Vous pouvez, par exemple, ne pas avoir pris conscience du fait que vous avez entendu une horloge marquer l'heure. Si, après quelques coups, votre attention s'éveille, vous pouvez alors revenir en arrière et compter les coups que vous n'aviez pas appréhendé. On a un autre exemple de l'attention périphérique dans le *phénomène du cocktail*: vous êtes en train de parler à quelqu'un dans une pièce bondée, oublieux des autres voix et du bruit général, quand le son de votre nom dans une autre conversation capte votre attention. De toute évidence, vous n'auriez pas détecté votre nom parmi ce tintamarre si vous n'aviez pas, dans une certaine mesure, exercé une surveillance continue sur la conversation en question; vous n'étiez pas consciemment sensible à l'autre conversation tant qu'un signal spécial n'y eut attiré votre attention. Une quantité considérable de travaux de recherche indiquent que nous captons et évaluons des stimuli que nous ne sommes pas conscients de percevoir. On dit que ces stimuli nous influencent *subconsciemment* ou qu'ils opèrent à un niveau subconscient d'appréhension.

Plusieurs souvenirs et pensées qui ne font pas partie de votre conscience actuellement peuvent au besoin être dirigés vers votre champ de conscience. Il se peut que vous ne soyez pas conscient(e) en ce moment de vos vacances de l'été dernier, mais les souvenirs sont accessibles si vous désirez les retrouver; ils deviendraient alors une très nette partie de votre conscience. On appelle *souvenirs préconscients* les souvenirs qui sont disponibles à la conscience. Parmi eux, il y a des souvenirs spécifiques d'événements personnels, tout aussi bien que des renseignements accumulés durant toute une vie, comme nos connaissances de notre langue, de la musique et de la situation géographique de l'Alaska.

Nous pouvons considérer les souvenirs préconscients et les événements perçus subconsciemment comme situés en marge de la mémoire. En effet, ils ne sont pas sous le feu des projecteurs mais ils n'en influencent pas moins notre conscience.

L'inconscient

Selon les théories psychanalytiques de Sigmund Freud et de ses disciples, certains souvenirs, pulsions et désirs ne sont pas accessibles à la conscience. La théorie psychanalytique les relègue dans l'*inconscient*. Freud croyait que les souvenirs et les désirs douloureux sur le plan affectif étaient parfois *refoulés* — c'est-à-dire déviés vers l'inconscient, où ils continuent d'exercer une influence sur nos actes bien que nous ne soyons pas conscients de leur présence. On présume que les pensées et les pulsions refoulées vers l'inconscient n'atteignent la conscience que de façon indirecte et déguisée — par la voie des rêves, d'un comportement irrationnel, de maniérismes et de lapsus. En effet, on emploie généralement le terme « lapsus freudien » (ou *lapsus linguae*) pour désigner des remarques involontaires qui révéleraient présumément des impulsions cachées. Dire, par exemple, « Je désespère que vous allez bien », alors qu'on avait l'intention de dire « J'espère que vous allez bien ».

« **Bonjour, décapitée... euh, je veux dire bien-aimée.** »

Dessin de Dana Fradon; © 1979 *The New Yorker Magazine*, Inc.

Freud pensait que les désirs et pulsions inconscientes étaient à l'origine de la plupart des maladies mentales. Il inventa la méthode de la psychanalyse qui avait pour objectif de ramener à la conscience ce qui avait été refoulé et, ce faisant, de guérir l'individu (voir le chapitre 16).

La notion d'inconscient reste controversée en psychologie moderne. Une conception plus moderne parle de *niveaux* de conscience plutôt que d'une véritable dichotomie entre déterminants conscients et inconscients du comportement. Nous sommes plus sensibles aux stimuli de notre entourage que nous le croyons ou que nous sommes en mesure de le dire. Ainsi, nous ne prenons pas conscience de certaines choses qui nous influencent, non parce qu'elles sont refoulées vers l'inconscient, mais parce qu'elles ont pénétré notre conscience à un niveau inférieur à celui de notre capacité d'en témoigner (Bowers, 1984; Kihlstrom, 1984).

Dans ce chapitre, nous avons fait intervenir quatre concepts — conscience, processus subconscients, souvenirs préconscients et l'inconscient — auxquels nous avons donné des définitions. Ce ne sont pas tous les psychologues qui croient à la nécessité de ces concepts ou qui seraient d'accord avec les définitions proposées ici. Néanmoins, ces concepts sont tellement répandus en psychologie qu'on doit se familiariser avec les idées qu'ils sous-tendent, même si les divers théoriciens leur donnent des définitions un peu différentes les unes des autres.

Conscience divisée

L'une des fonctions importantes de la conscience concerne le contrôle de nos actes. Cependant, certaines activités sont l'objet d'une pratique si fréquente qu'elles deviennent habituelles ou automatiques. Il faut une concentration intense, au début, pour apprendre à conduire une voiture. Il faut se concentrer sur la coordination des différents gestes (changer de vitesse, relâcher la pédale d'embrayage, accélérer, diriger le volant, etc.) et nous pouvons difficilement penser à autre chose. Toutefois, quand ces mouvements sont devenus automatiques, il nous est possible de converser ou d'admirer le paysage sans nous rendre compte que nous sommes en train de conduire — à moins qu'un danger éventuel ne surgisse pour attirer rapidement notre attention sur la manœuvre de la voiture.

Plus une action devient automatique, moins elle exige de contrôle conscient. On en a un autre exemple avec le virtuose du piano qui fait la conversation pendant qu'il joue un morceau qui lui est familier. Ce pianiste exerce un contrôle sur deux activités — son jeu et la conversation — mais ne pense pas à la musique, à moins qu'il ne frappe la mauvaise touche, ce qui attirerait son attention sur le clavier et perturberait temporairement la conversation. Vous pouvez sans aucun doute penser à d'autres exemples d'activités automatiques bien ancrées qui n'exigent que peu de contrôle conscient. L'une des façons d'interpréter cette situation consiste à dire que le contrôle est toujours présent (nous pouvons nous concentrer sur ces activités automatiques si nous le souhaitons) mais qu'il a été *dissocié* de la conscience.

Le psychiatre français, Pierre Janet (1889), a été à l'origine du concept de dissociation. Il a suggéré que, dans certaines circonstances, des pensées et des actes deviennent séparés, ou dissociés, du reste de la conscience et opèrent en marge du champ de conscience ou du contrôle volontaire, ou des deux à la fois. La dissociation se distingue du concept de refoulement de Freud, car les souvenirs et pensées qui sont dissociés peuvent redevenir accessibles à la conscience. Les souvenirs refoulés, par contre, ne peuvent être ramenés à la conscience que très difficilement, sinon jamais; il faut les déduire à partir de signes ou de symptômes (comme des lapsus, par exemple). Les souvenirs dissociés ressemblent plus, par conséquent, à des souvenirs situés dans le préconscient ou le subconscient.

Quand nous sommes confrontés à une situation de stress, nous pouvons l'« écarter temporairement de notre esprit » de façon à pouvoir fonctionner d'une manière efficace; quand nous nous ennuyons, nous pouvons nous abandonner à la rêverie ou à des fantasmes. Ce sont là des exemples anodins de

Conscience divisée: l'extrême familiarité des habitudes rend les actes automatiques, ce qui fait qu'on peut accomplir deux tâches simultanément.

dissociation; ils impliquent la séparation de deux parties de la conscience. Les cas de personnalité multiple représentent des exemples plus sérieux de dissociation.

Personnalité multiple

La personnalité multiple est l'existence au sein d'un même individu de deux personnalités ou plus qui sont intégrées et bien développées, chaque personnalité possédant son propre ensemble de souvenirs et de comportements caractéristiques. En règle générale, les attitudes et la conduite des personnalités alternantes sont ostensiblement différentes. Si, par exemple, la personnalité A est timide, inhibée et moralement rigide, la personnalité B pourrait être extravertie, intempérante et portée à l'abus de l'alcool et à la promiscuité sexuelle. Il arrive fréquemment que certaines de ces personnalités n'aient aucune conscience des expériences des autres. En effet, la présence de périodes d'amnésie inexplicables — la perte de la mémoire portant chaque semaine sur plusieurs heures ou jours — est un indice de l'existence de personnalités multiples.

L'un des cas les plus célèbres de personnalité multiple est celui de Chris Sizemore, dont les personnalités alternantes — Eve White, Eve Black et Jane — ont été portées à l'écran dans le film *The Three Faces of Eve* (Thigpen et Cleckley, 1957) et présentées plus en détail ultérieurement, dans sa biographie intitulée *I'm Eve* (Sizemore et Pittilo, 1977). Un autre cas de personnalité multiple, qui a été bien étudié, est celui de Jonah, un homme de 27 ans, hospitalisé parce qu'il se plaignait de graves maux de tête souvent suivis de pertes de mémoire. Le personnel de l'hôpital remarqua des changements frappants dans sa personnalité selon les jours; le psychiatre identifia chez lui trois personnalités secondaires distinctes. Les structures de personnalité relativement stables qui sont alors apparues sont représentées par le diagramme de la figure 4-1 et peuvent être décrites comme suit:

- *Jonah*. La personnalité principale. Timide, farouche, poli, passif et très conformiste, on le surnomme « le nono ». Parfois effrayé et embarrassé durant les interviews, Jonah n'est pas conscient de l'existence des autres personnalités.
- *Sammy*. C'est lui qui a les souvenirs les plus intacts. Il peut coexister avec Jonah, ou mettre Jonah de côté et prendre les commandes. Il se prétend prêt quand Jonah a besoin de conseils ou quand il est en difficulté. On lui donne le nom de « médiateur ». Sammy se souvient qu'il est apparu à l'âge de 6 ans, quand la mère de Jonah a poignardé le beau-père de ce dernier; Sammy a alors persuadé les parents de ne plus jamais se battre en présence des enfants.
- *King Young*. Il a fait sont apparition quand Jonah a atteint l'âge de 6 ou 7 ans, pour démêler l'identité sexuelle de Jonah; la mère de ce dernier l'habillait occasionnellement de vêtements de fillette, à la maison, et Jonah se mit à confondre les noms de garçons et de filles à l'école. King Young s'est chargé des intérêts sexuels de Jonah depuis cette époque; c'est pourquoi on le désigne comme « l'amant ». Il n'est que vaguement conscient de l'existence des autres personnalités.
- *Usoffa Abdulla*. Personne froide, belliqueuse et colérique, Usoffa est capable de faire fi de la douleur. Il a fait serment de prendre Jonah sous sa garde et de le protéger; d'où son nom de « guerrier ». Il est apparu lorsque Jonah avait 9 ou 10 ans: une bande de jeunes Blancs s'en étaient pris à Jonah, qui est Noir, sans motif apparent; Jonah était sans défense, mais Usoffa a surgi et s'est battu férocement et vigoureusement contre les agresseurs. Lui aussi n'est que vaguement conscient de l'existence des autres personnalités.

Les quatres personnalités réagissaient très différemment aux tests sur des thèmes à fortes charges affectives, mais donnaient essentiellement les mêmes scores aux tests relativement imperméables à l'émotivité et aux conflits personnels, tels les tests d'intelligence ou de vocabulaire.

Dans le cas de personnalité multiple, la division de la conscience est tellement profonde que plusieurs personnalités différentes semblent habiter le même corps. Les observateurs font remarquer que le passage d'une personnalité à l'autre s'accompagne souvent de changements subtils dans la posture et dans le ton de la voix. La nouvelle personnalité parle, marche et gesticule

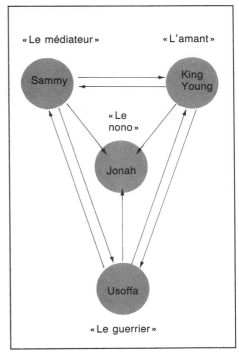

FIGURE 4-1
Les quatre éléments de la personnalité de Jonah   *Les trois personnalités à la périphérie ont une connaissance superficielle les unes des autres, mais elles sont intimement liées avec Jonah, qui est totalement inconscient de leur existence. (D'après Ludwig et coll., 1972)*

de façon différente. Il peut même se produire des modifications de processus physiologiques comme la tension artérielle et l'activité cérébrale. Des études de *potentiels évoqués* (la réaction électrique du cerveau à une série de sons ou de flashes lumineux répétés) ont révélé l'existence de constellations distinctes pour jusqu'à trois personnalités différentes chez le même patient à personnalité multiple. Les comédiens qui prétendent posséder des personnalités multiples ne manifestent pas ces sortes de différences (Putnam, 1984).

Malgré le nombre relativement restreint d'individus à personnalité multiple, on a étudié suffisamment de cas pour identifier des traits communs qui nous fournissent des indications sur la façon dont les personnalités multiples se forment chez un individu. La dissociation initiale semble se produire en réaction à un événement traumatique durant l'enfance (habituellement entre les âges de 4 et 6 ans). L'enfant compose avec un problème douloureux en créant une autre personnalité pour soutenir le poids de la difficulté (Frischholz, 1985). Dans le cas de Jonah, Sammy, « le médiateur », a surgi quand Jonah a dû affronter le problème de l'attentat de sa mère contre son beau-père. Cette hypothèse trouve un appui dans le fait que la plupart des cas de personnalité multiple ont été victimes d'abus physiques ou sexuels durant leur tendre enfance.

Le second facteur qui apparaît dans le développement d'une personnalité multiple semble être une prédisposition accrue à l'auto-hypnose, processus par lequel un individu peut se mettre lui-même dans la sorte d'état de transe qui caractérise l'hypnose (voir à la page 147). Des faits démontrent que les patients à personnalité multiple font d'excellents sujets d'hypnose ; certains de ces patients rapportent, lorsqu'on les hypnotise la première fois, que l'expérience de la transe est identique aux expériences qu'ils ont connues depuis leur enfance. L'une des personnalités d'une patiente a dit : « Elle crée des personnalités en bloquant tout hors de sa tête ; elle se relaxe mentalement, se concentre très fort et formule des désirs. » (Bliss, 1980, p. 1392). Cette description présente beaucoup de similitude avec l'auto-hypnose.

Une fois que les individus constatent que la création d'une autre personnalité par auto-hypnose les soulage d'une douleur affective, ils seront enclins dans l'avenir à inventer d'autres personnalités lorsqu'ils affronteront des problèmes émotionnels. Ainsi, quand Jonah a été battu par une bande de jeunes Blancs à l'âge de 9 ou 10 ans, il créa une troisième personnalité, Usoffa Abdulla, pour prendre en charge la difficulté. Certains patients à personnalité multiple deviennent tellement habitués à se défendre contre des problèmes au moyen de personnalités alternantes qu'ils continuent d'employer ce manège pendant tout l'âge adulte, inventant de nouvelles personnalités en réponse à de nouveaux problèmes ; ils peuvent ainsi se retrouver avec une douzaine de personnalités différentes ou plus (Spanos, Weekes et Bertrand, 1985).

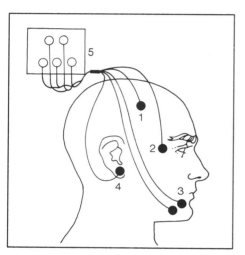

FIGURE 4-2
Disposition des électrodes en vue de l'enregistrement des caractéristiques électrophysiologiques du sommeil. *Le diagramme montre comment les électrodes sont rattachées à la tête et au visage du patient dans le cas d'une expérience typique sur le sommeil. Les électrodes placées sur le cuir chevelu 1) enregistrent les constellations des ondes cérébrales. Les électrodes situées près des yeux du sujet 2) captent les mouvements oculaires. Les électrodes qui sont sur le menton 3) enregistrent la tension et l'activité électrique des muscles : une électrode neutre placée sur l'oreille 4) vient compléter le circuit passant par des amplificateurs 5) qui produisent les tracés graphiques des divers « patterns » (voir la figure 4-3).*

LE SOMMEIL ET LE RÊVE

L'état de sommeil semble être le contraire de l'état d'éveil et pourtant les deux ont beaucoup d'aspects communs. Nous pensons quand nous dormons — les rêves en témoignent — mais la sorte de pensée qui accompagne le rêve s'éloigne de diverses façons de notre mode de penser à l'état d'éveil. Des souvenirs se forment durant le sommeil, comme nous le constatons par le fait que nous nous souvenons de nos rêves. Le sommeil n'est pas tout à fait tranquille : certains individus marchent durant leur sommeil. Les gens endormis ne sont pas toujours insensibles à leur environnement : les parents se réveillent immédiatement quand leur bébé se met à pleurer. Le sommeil n'est pas non plus dépourvu de toute planification : certaines personnes sont capables de se réveiller au moment précis qu'elles se sont fixé à l'avance. Nous connaissons beaucoup de choses sur cet état altéré de conscience qui nous est des plus familiers.

Le sommeil

Les chercheurs se sont intéressés à plusieurs aspects du sommeil. Ils ont voulu découvrir des rythmes normaux de sommeil et d'éveil, la profondeur du sommeil à différentes périodes de la nuit et les facteurs individuels et environnementaux qui affectent le sommeil.

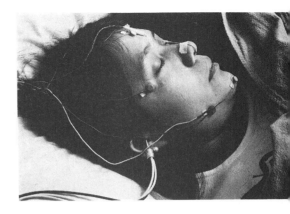

HORAIRES DE SOMMEIL   Les nouveau-nés ont tendance à alterner fréquemment entre le sommeil et l'éveil. Au grand soulagement des parents, un rythme de deux sommes par jour accompagné d'une plus longue période de sommeil la nuit finit par s'établir. La durée totale de sommeil du nouveau-né passe de 16 à 13 heures par jour au cours des six mois qui suivent la naissance. La moyenne de sommeil de la plupart des adultes se situe environ à 7 1/2 heures par nuit, mais cette durée varie considérablement. Certains s'accommodent d'aussi peu que 3 heures par nuit et l'on rapporte occasionnellement des cas d'individus qui s'en tirent avec encore moins de sommeil. Les « patterns » du sommeil varient également d'une personne à l'autre. Nous connaissons tous des gens qui se couchent et se lèvent à «l'heure des poules », et des «hiboux», qui se couchent et se lèvent tard (Webb, 1975).

Bon nombre de nos fonctions corporelles (telles que la température, le métabolisme, la composition du sang et de l'urine) ont, comme la marée, leurs propres hauts et bas intrinsèques, atteignant un plafond à un moment de la journée et un plancher la nuit, selon des cycles approximatifs de 24 heures. Ces «patterns» cycliques constituent une sorte d'horloge biologique, connue sous le nom de *rythme circadien*. Il est intéressant de constater que, dans des conditions où un individu n'est pas en mesure de s'apercevoir du passage du jour et de la nuit, le cycle a tendance à avoir une période naturelle de 25 heures. La raison de cette déviation par rapport à un cycle de 24 heures donne lieu à diverses spéculations. Quoi qu'il en soit, le retour à un environnement de lumière et d'obscurité normales modifie ce rythme naturel en faveur d'une période de 24 heures (Aschoff, 1965).

Un aveugle peut avoir un rythme naturel qui s'écarte du cycle de 24 heures et ce rythme peut se montrer très résistant au changement. Dans le cas, étudié avec soin, d'un jeune professionnel, aveugle de naissance, on a constaté l'existence d'un rythme circadien de 24,9 heures. En conséquence, environ toutes les deux semaines, il se trouvait complètement déphasé par rapport au cycle lumière-obscurité. Son seul moyen de rester en phase et de satisfaire aux exigences de sa vie professionnelle était de prendre de fortes doses de stimulants et de sédatifs pour neutraliser les changements rythmiques durant les différentes phases de son cycle. Des efforts minutieux pour modifier son cycle de sommeil dans un laboratoire de sommeil n'ont pas eu de succès (Miles, Raynal et Wilson, 1977).

Le décalage horaire, qui incommode beaucoup de gens quand ils se rendent par avion dans une zone horaire différente, est justement causé par la perturbation du rythme circadien normal. Leur chronomètre interne, qui règle le sommeil et le métabolisme, devient désynchronisé par le nouveau cycle lumière-obscurité et il peut leur falloir plusieurs jours avant de s'ajuster au nouvel horaire. La fatigue et le manque de vigilance associés au décalage horaire ne sont pas attribuables uniquement aux rigueurs du voyage: un déplacement équivalent en direction nord-sud, sans changement de zone horaire ne donne pas lieu aux mêmes symptômes.

La plupart des gens trouvent que voyager vers l'est est plus pénible que voyager en direction ouest. Si vous prenez un vol de Montréal à Vancouver, votre journée ne s'allonge que de trois heures. Ceux qui se déplacent ainsi vers l'ouest arrivent habituellement à destination suffisamment tôt pour se mettre au lit en même temps que les habitants de cet endroit. Quand on va vers l'est, le soleil se lève plus tôt (alors qu'il se lève plus tard quand on voyage en direction ouest), ce qui fait que le corps doit commencer sa journée des heures avant le moment auquel ses chronomètres sont habitués (Kowet, 1983).

PROFONDEUR DU SOMMEIL   Certains individus sont faciles à réveiller, d'autres ont le sommeil profond. Des recherches commencées au cours des années 30 (Loomis, Harvey et Hobart, 1937) ont permis l'élaboration de tech-

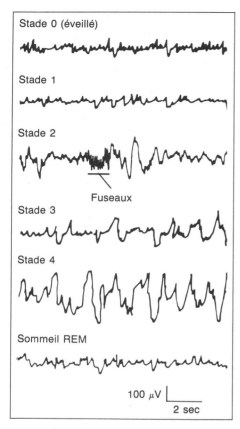

Stade 0 (éveillé)

Stade 1

Stade 2

Fuseaux

Stade 3

Stade 4

Sommeil REM

100 μV

2 sec

FIGURE 4-3
Activité électrophysiologique durant le sommeil *La figure présente des enregistrements EEG faits durant l'état d'éveil et durant les cinq stades du sommeil. Notons la ressemblance entre les tracés EEG du stade 1 et ceux du sommeil REM; l'activité EEG de ces stades est la même, mais le sommeil REM s'accompagne de mouvements oculaires rapides, ce qui n'est pas vrai du stade 1. Remarquez les fuseaux qui apparaissent durant le stade 2 et l'irrégularité qui caractérise les stades 3 et 4 (les stades du sommeil le plus profond). La calibration de l'enregistrement EEG est donnée au bas de l'illustration; son amplitude est exprimée en microvolts et le temps, en secondes.*

niques raffinées pour mesurer la profondeur du sommeil, de même que pour identifier les moments où se déroulent les rêves (Dement et Kleitman, 1957). Cette recherche a recours à des dispositifs qui mesurent, sur le cuir chevelu, les changements de courant électrique associés à l'activité cérébrale spontanée durant le sommeil, de même que les mouvements oculaires qui se produisent durant le rêve. L'enregistrement graphique de ces changements électriques, ou ondes cérébrales, s'appelle un *électroencéphalogramme*, ou EEG (voir les figures 4-2 et 4-3).

L'analyse de la configuration de ces ondes cérébrales permet de supposer que le sommeil comprend cinq stades : quatre profondeurs de sommeil et un cinquième stade qualifié de mouvements oculaires rapides (en anglais *rapid eye movements, REM* *), durant lesquels se déroulent généralement les rêves. Quand une personne éveillée ferme les yeux et se détend, les ondes du cerveau dessinent un tracé caractéristique et régulier de 8 à 12 vibrations (Hz) à la seconde (connues sous le nom d'*ondes alpha*). Pendant que l'individu sombre dans le sommeil du *stade 1*, les ondes cérébrales perdent un peu de leur régularité et de leur amplitude et présentent peu ou pas de fréquences alpha. Le *stade 2* est caractérisé par l'apparition de *fuseaux* — brèves émissions d'ondes rythmées de 12 à 16 Hz, un peu plus rapides que l'alpha — et par des hausses et des chutes occasionnelles de l'amplitude de tout l'EEG. Les *stades 3 et 4*, qui correspondent à un sommeil encore plus profond, sont caractérisés par des ondes lentes de 1 à 2 Hz (appelées *ondes delta*). Il s'avère généralement difficile de réveiller le dormeur durant ces stades. Pourtant, un stimulus d'ordre personnel, tel le nom d'une personne qui lui est familière ou les pleurs d'un enfant, tire souvent l'individu d'un sommeil profond, alors qu'un stimulus impersonnel, comme un bruit intense, ne le ferait pas.

Après qu'un adulte a dormi une heure environ, un autre changement survient. Le tracé de l'EEG reprend l'apparence de celui du stade 1, mais le sujet ne s'éveille pas. Ce sont plutôt des mouvements oculaires rapides qui se reflètent sur le tracé. Ce stade porte le nom de *REM*; les autres stades sont des stades *non-REM* (ou *NREM*). Les stades alternent durant toute la nuit. La configuration exacte varie d'une personne à l'autre, de même qu'en fonction de l'âge. Les nouveau-nés, par exemple, passent à peu près la moitié de leur temps de sommeil en stade REM. Cette proportion n'est plus que de 20 ou 25 % quand l'enfant atteint l'âge de 5 ans et demeure ensuite assez constante jusqu'à la vieillesse, où elle tombe jusqu'à 18 % ou moins. Chez les individus de tout âge, les stades de sommeil plus profond (3 et 4) ont tendance à disparaître pendant la seconde moitié de la nuit, le REM devenant alors plus important (voir la figure 4-4).

SOMMEIL REM ET NREM Au cours du sommeil NREM, les mouvements oculaires sont pratiquement inexistants, la fréquence cardiaque et la respiration se ralentissent, mais les muscles maintiennent encore un tonus considérable. Durant le sommeil REM, au contraire, des mouvements oculaires se produisent au rythme approximatif de 40 à 60 à la minute, la respiration et la fréquence cardiaque sont plus rapides et plus irrégulières et les muscles se détendent beaucoup, surtout autour de la tête et du cou. Les données physiologiques indiquent que, au cours du sommeil REM, le cerveau se trouve, dans une grande mesure, isolé de ses voies motrices et sensorielles; les stimuli des autres parties du corps se voient fermer l'accès au cerveau et il n'y a pas d'impulsions motrices qui en sortent. Pourtant, le cerveau est encore très actif durant le sommeil REM, se trouvant mobilisé spontanément par la décharge de neurones géants qui tirent leur origine du tronc cérébral. Ces neurones envoient des projections aux parties du cerveau qui contrôlent les mouvements oculaires et d'autres activités motrices. Ainsi donc, durant le sommeil REM, le cerveau enregistre le fait que les neurones normalement impliqués dans la marche et la vision sont activés, même si le corps lui-même n'est pas mobilisé (Hobson et McCarley, 1977).

---

* Le sigle REM (rapid eye movements) est utilisé couramment pour désigner le stade des mouvements oculaires rapides. Pour nous conformer à l'usage et éviter la confusion, nous conservons ici l'abréviation anglaise. (N. du T.)

Les dormeurs dont on interrompt le sommeil REM disent presque toujours qu'ils étaient en train de rêver ; ceux que l'on réveille à partir d'un stade NREM ne rapportent des rêves que dans 30 % des cas. Les rêves que l'on raconte quand on sort d'un sommeil REM ont tendance à faire image sur le plan visuel et à avoir un caractère bizarre et illogique — ils représentent bien le type d'expériences que nous associons généralement au mot « rêve ». Les rêves NREM, par contre, ressemblent plus à la pensée normale, ne comportant pas de charge affective, ni visuelle aussi forte que les rêves REM et correspondant donc plus aux événements de la vie éveillée. L'activité mentale des périodes REM et NREM est donc différente, comme le révèle le type de rêve que l'on rapporte (bizarre et illogique par opposition à plus conforme à la réalité) et la fréquence de production des rêves (toujours par opposition à occasionnellement).

Il est important de comprendre que nous ne devenons conscients d'un rêve que si l'on nous réveille pendant que nous rêvons. Si, à ce moment-là, nous lui accordons notre attention et faisons un effort pour nous en souvenir, il sera possible de nous rappeler d'une partie de ce rêve plus tard. Autrement, nos rêves sont fugitifs et s'évanouissent rapidement ; nous pourrions nous rappeler d'avoir eu un rêve sans être capable de nous souvenir de son contenu.

Si vous êtes intéressé à retenir vos rêves, gardez un carnet et un crayon sur votre table de chevet. Dites-vous que vous voulez vous réveiller quand vous ferez un rêve. Quand vous vous réveillerez, notez immédiatement votre rêve. À mesure que le rappel de vos rêves s'améliore, cherchez les « patterns » qui reviennent. Soulignez tout ce qui vous paraît étrange et dites-vous que la prochaine fois que quelque chose de semblable se produira, vous allez le reconnaître comme un signe du fait que vous rêvez. Le problème, évidemment, c'est que vous perdrez du sommeil si vous suivez ce régime.

Des théoriciens ont prétendu que le sommeil remplit deux fonctions distinctes, l'une étant la restauration physique, l'autre la restauration psychologique. Présumément, la restauration physique aurait lieu durant les stades de sommeil profond à ondes lentes, alors que la restauration psychologique se ferait durant le sommeil REM. Certains faits viennent confirmer ce point de vue. Par exemple, l'exercice physique intense augmente le temps consacré au sommeil à ondes lentes (surtout le sommeil de stade 4) sans affecter le temps REM. On a constaté, par contre, que, à l'hôpital, les patients aux prises avec de graves problèmes psychologiques avaient un plus fort pourcentage de sommeil REM. En outre, les femmes ont tendance à connaître des périodes REM plus longues durant leur phase prémenstruelle, laquelle est caractérisée par l'irritabilité, la dépression et l'anxiété (Hartmann, 1984).

Les troubles du sommeil

La plupart des gens ont une bonne maîtrise de leur capacité de dormir ou de rester éveillés, même si certains ont plus de facilité à commander leur sommeil que d'autres. Une étude auprès de collégiens a révélé que 20 % étaient capables de faire un somme quand ils le voulaient ; 40 % pouvaient le faire s'ils avaient connu une perte de sommeil auparavant ; les 40 % qui restaient n'étaient jamais capables de dormir durant le jour (Orr, 1982).

INSOMNIE L'incapacité de dormir la nuit, l'*insomnie*, incommode considérablement certains individus. Une vaste enquête sur une population adulte montre que 6 % des hommes et 14 % des femmes se plaignent d'éprouver souvent beaucoup de difficulté à s'endormir ou à rester endormis toute la nuit (Kripke et Gillin, 1985). Un trait de l'insomnie qui laisse perplexe vient de ce que les gens semblent exagérer leur perte de sommeil. Une étude au cours de laquelle on a surveillé le sommeil de personnes qui se disaient insomniaques a permis de constater qu'environ la moitié d'entre elles seulement passaient vraiment un minimum de 30 minutes éveillées durant la nuit (Carson, Mitler et Dement, 1974). Le problème peut découler du fait que le sommeil léger ou agité serait parfois perçu comme un état d'éveil ou que

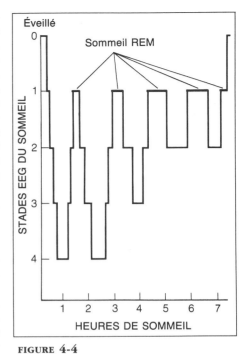

FIGURE 4-4
Succession de stades du sommeil *Ce graphique donne un exemple de l'ordre séquentiel et de la durée des stades du sommeil au cours d'une nuit typique. Le sujet a commencé au stade 0 (éveillé) et est passé successivement par les stades 1 à 4 au cours de la première heure. Ensuite, il est revenu, par les stades 3 et 2, au sommeil REM. Le sommeil REM ressemble au stade 1 par son « pattern » EEG, mais il s'accompagne de mouvements oculaires rapides. La largeur de chaque segment de ligne horizontale indique la durée du stade correspondant de sommeil. On constate des différences considérables d'un sujet à l'autre. Toutefois, le cheminement général consiste dans le passage à travers les quatre premiers stades durant l'heure initiale de sommeil avant que le REM ne se produise. Les stades plus profonds, 3 et 4, ont tendance à disparaître durant la seconde moitié de la nuit, alors que le REM devient plus important. (D'après Cartwright, 1978)*

certains individus ne se souviendraient que du temps passé à l'état d'éveil et croiraient ne pas avoir dormi parce qu'ils n'ont pas de souvenirs de cette période. Le tableau 4-1 donne des conseils pratiques sur les moyens de vous assurer un sommeil réparateur.

NARCOLEPSIE ET APNÉE   Deux troubles du sommeil, relativement rares mais graves, la narcolepsie et l'apnée, se caractérisent par l'absence de maîtrise sur le déclenchement du sommeil. Une personne souffrant de *narcolepsie* peut tomber endormie pendant qu'elle écrit une lettre, qu'elle conduit une voiture ou au milieu d'une conversation. L'étudiant qui tombe endormi pendant le cours d'un professeur est un cas parfaitement normal ; mais le professeur qui tombe endormi pendant son cours souffre peut-être de narcolepsie. Parmi les 190 sujets d'une étude sur des patients que se plaignaient de ne pouvoir rester éveillés le jour, 65 % avaient reçu un diagnostic de narcolepsie (Dement, 1976). D'habitude, les périodes soudaines et brèves de la narcolepsie s'accompagnent de détente musculaire ; l'individu peut tout simplement dodeliner de la tête ou il peut s'affaisser. Toutefois, certaines victimes de narcolepsie s'avèrent capables de poursuivre des comportements automatiques, comme conduire une voiture de façon satisfaisante sur une distance de plusieurs kilomètres.

Dans l'*apnée du sommeil*, l'individu s'arrête de respirer pendant qu'il dort (soit à cause de la fermeture de la trachée, soit à cause d'un fonctionnement anormal des centres cérébraux qui commandent la respiration). Les gens qui souffrent d'apnée doivent se réveiller de façon répétée au cours de la nuit afin de respirer, bien qu'ils ne soient pas conscients de le faire. Pour ces individus, la somnolence durant le jour est consécutive à leur privation de sommeil au cours de la nuit. L'apnée du sommeil est fréquente chez les hommes plus âgés. Les somnifères, qui rendent le réveil plus difficile, ont pour effet d'allonger les périodes d'apnée (au cours desquelles le cerveau se trouve privé d'oxygène) qui peuvent, dans certains cas, se révéler fatales. L'apnée et la narcolepsie témoignent de l'intervention dans le sommeil de systèmes de contrôle volontaire et involontaire complexes.

PRIVATION DE SOMMEIL   Le besoin de sommeil paraît si important que nous devrions nous attendre à ce que la privation de sommeil durant plusieurs nuits entraîne des conséquences graves. Plusieurs études ont démontré, toutefois, que les seuls effets constants de la privation de sommeil sont la somnolence, l'envie de dormir et une tendance à s'assoupir facilement. Des sujets que l'on avait tenus éveillés 50 heures ou plus n'ont manifesté rien de plus évident que des « moments d'inattention passagère, de la confusion ou des erreurs de perception » (Webb, 1975). Même des périodes de plus de quatre jours sans sommeil n'ont pas provoqué de symptômes pouvant faire croire à de graves perturbations du comportement. Une étude, au cours de laquelle on avait gardé un sujet éveillé pendant 11 jours et 11 nuits, n'a pas provoqué de réactions anormales (Gulevich, Dement et Johnson, 1966). L'activité intellectuelle, comme la capacité de répondre à de brèves questions de tests, ne semblent pas touchée, même après plusieurs nuits sans sommeil.

Si la privation de sommeil n'a pas de conséquences graves, qu'en est-il de la privation de rêves? On a abordé l'étude de cette question en privant des sujets de sommeil REM. Dement (1960) réveilla ses sujets dès le début de chaque période REM. Il a constaté qu'il se produisait, après cinq nuits, un *effet de rebondissement*, soit une quantité anormale de temps passé en sommeil REM durant la nuit de recouvrement. Il fit des test de contrôle en réveillant des sujets un nombre égal de fois durant le sommeil NREM ; il n'y eut pas de rebondissement de REM. Plusieurs autres ont confirmé les résultats de Dement. Les chercheurs avaient entretenu l'espoir que la privation de REM donnerait des indices quant à la fonction du sommeil REM, mais ils n'ont pas obtenu de réponses malgré la poursuite des travaux. On a rapporté quelques effets mineurs de la privation de REM sur la mémoire, mais on a également trouvé des perturbations de la mémoire après la privation de sommeil NREM (McGauch, Jensen et Martinez, 1979).

HORAIRE RÉGULIER DE SOMMEIL

Adoptez un horaire régulier pour le coucher et le lever. Réglez votre réveille-matin à une heure fixe et levez-vous avec la sonnerie sans tenir compte du fait que vous n'auriez peut-être que très peu dormi. Soyez constants en ce qui regarde les sommes. Faites-en un tous les après-midi ou n'en faites pas du tout. Si vous ne faites une sieste qu'à l'occasion, vous ne dormirez probablement pas bien la nuit suivante. Le fait de vous lever plus tard les jours de congé peut également déranger votre cycle de sommeil.

L'ALCOOL ET LA CAFÉINE

Il se peut que le fait de prendre un verre d'alcool avant de vous coucher vous aide à vous endormir, mais cela dérangera votre cycle de sommeil et pourra vous amener à vous réveiller tôt le lendemain. De plus, évitez les boissons caféinées, comme le café ou les colas, plusieurs heures avant le moment prévu pour le coucher. S'il vous faut boire quelque chose, essayez le lait; des faits confirment la recette de nos grands-mères voulant qu'un verre de lait chaud au coucher favorise le sommeil.

MANGER AVANT DE SE METTRE AU LIT

Ne mangez rien de lourd avant de vous coucher, car vous imposeriez ainsi plusieurs heures de travail à votre système digestif. Si vous devez manger quelque chose à ce moment-là, tenez-vous en à une légère collation.

L'EXERCICE

Les exercices réguliers vous aideront à mieux dormir, mais ne vous engagez pas dans une séance d'entraînement vigoureuse tout juste avant de vous mettre au lit.

LES SOMNIFÈRES

Soyez prudents quant à l'usage de somnifères. Ils dérangent le cycle du sommeil et leur usage prolongé conduit inévitablement à l'insomnie. Même les nuits qui précèdent les examens, évitez de prendre des cachets pour dormir. Une mauvaise nuit de sommeil ne devrait pas affecter votre rendement le jour suivant, mais les reliquats d'une pilule pour dormir pourraient avoir cet effet.

LA DÉTENTE

Évitez les efforts de réflexion avant l'heure du coucher et adonnez-vous plutôt à des activités calmantes qui vous aideront à vous détendre. Essayez de suivre la même routine chaque nuit avant de vous mettre au lit; par exemple, un bain chaud ou l'écoute d'une musique douce durant quelques minutes. Trouvez la température ambiante qui vous convient le mieux et assurez son maintien durant toute la nuit.

QUAND TOUS LES PROCÉDÉS ÉCHOUENT

Si vous êtes au lit et si vous éprouvez de la difficulté à vous endormir, ne vous levez pas. Restez couché et essayez de vous détendre. Si vous n'y parvenez pas et si la tension s'installe, levez-vous alors un moment et faites quelque chose de reposant qui réduise l'anxiété. Il n'est pas recommandé de faire des tractions ou de vous adonner à une autre forme d'exercice pour vous épuiser.

TABLEAU 4-1
Conseils pour obtenir une bonne nuit de sommeil *Les chercheurs et les cliniciens s'entendent presque parfaitement sur les moyens de prévenir les problèmes de sommeil. Leurs recommandations sont résumées dans ce tableau; certaines s'appuient sur des travaux de recherche alors que les autres reflètent tout simplement l'opinion d'experts dans le domaine.*

Les rêves

Le rêve est une altération de la conscience au cours de laquelle des remémorations d'images et de fantasmes sont temporairement confondues avec la réalité extérieure. Les chercheurs ne comprennent pas encore pourquoi les gens rêvent ce qu'ils rêvent. Néanmoins, les méthodes d'études modernes ont trouvé réponse à plusieurs questions sur l'activité du rêve.

« Bonjour! Vous vous engagez présentement dans la phase de mouvements oculaires rapides de votre cycle de sommeil. »

Dessin de Ed Fisher. Reproduit avec la permission du *Chicago Tribune*. New York News Syndicate.

RÊVONS-NOUS TOUS?   Même si plusieurs individus ne se rappellent pas de leurs rêves le matin, les données sur le sommeil REM permettent de croire que ceux qui ne se souviennent pas font autant de rêves que ceux qui se souviennent. Les chercheurs ont proposé plusieurs hypothèses pour expliquer les différences relatives au rappel des rêves. Une des possibilités serait que ceux qui ne se rappellent pas éprouveraient tout simplement plus de difficultés que les autres à se souvenir de leurs rêves. Une autre hypothèse voudrait que certains individus se réveilleraient assez facilement au milieu du sommeil REM et, partant, se rappelleraient de plus de rêves que ceux qui ont un sommeil plus résistant. Le modèle du rappel des rêves le plus généralement accepté appuie la notion voulant que ce qui arrive au réveil soit le facteur déterminant. Selon cette hypothèse, une période d'éveil dépourvue de distractions qui se produirait tôt après le déroulement du rêve serait essentielle à la consolidation du souvenir de l'épisode onirique (Koulack et Goodenough, 1976).

QUELLE EST LA DURÉE DES RÊVES?   Certains rêves nous paraissent presque instantanés. Le réveil sonne et nous avons immédiatement le souvenir complexe d'un incendie qui se déclare, de camions et de pompiers qui surgissent au son éclatant des sirènes. Comme le réveil sonne encore, nous présumons que cette sonnerie a déclenché le rêve. Les travaux de recherche portent à croire, cependant, que la sonnerie du réveil ou un autre son ne font que rétablir une scène complète provenant de souvenirs ou de rêves antérieurs. Cette expérience trouve un parallèle quand, durant l'état d'éveil, un simple indice peut amorcer un riche souvenir dont le récit exige un certain temps. On peut supputer la longueur d'un rêve typique grâce à une étude de REM dans laquelle on réveillait les sujets et on leur demandait de mimer leur songe (Dement et Wolpert, 1958). Le temps qu'ils ont employé à produire le mimodrame de leur rêve correspondait pratiquement à la longueur de la période de sommeil REM, ce qui permet de supposer que les incidents d'un rêve durent en général à peu près le même temps que dans la vie réelle.

SAVONS-NOUS QUE NOUS SOMMES EN TRAIN DE RÊVER?   La réponse à cette question est « oui, parfois ». On peut apprendre aux gens à reconnaître les moments où ils rêvent, sans que cette prise de conscience ne nuise au déroulement spontané de leur songe. On a, par exemple, entraîné des sujets à fermer un commutateur quand ils s'aperçoivent qu'ils sont en train de rêver (Salamy, 1970).

Certains individus ont des *rêves lucides* dans lesquels les événements apparaissent tellement normaux (sans l'aspect bizarre et illogique de la plupart des rêves) qu'ils se pensent éveillés et conscients. Ce n'est qu'au moment où ils se réveillent qu'ils se rendent compte du fait qu'ils rêvaient. De tels rêveurs rapportent qu'ils font diverses expériences à l'intérieur même de leur rêve pour savoir s'ils rêvent ou s'ils sont éveillés. Un médecin hollandais, van Eeden (1913), a été l'un des premiers à donner une description précise des mesures qu'il a prises au cours d'un rêve lucide pour se prouver que les événements ne se déroulaient pas normalement. Dans un rapport plus récent, Brown (1936) décrit une expérience standard dans laquelle il sautait et se tenait par lui-même suspendu dans les airs. S'il y parvenait, il savait qu'il était en train de rêver. Brown, comme van Eeden, rapporte un occasionnel « faux réveil » à l'intérieur d'un rêve. Dans l'un de ses rêves, Brown découvrait, par exemple, qu'il était en train de rêver et décidait d'appeler un taxi pour marquer sa maîtrise des événements. Lorsqu'il porta la main à la poche de son pantalon pour voir s'il avait de la monnaie pour payer la course, il crut qu'il s'éveillait. Il trouva alors des pièces de monnaies éparpillées sur le lit. À ce moment même, il s'éveilla réellement et constata qu'il était couché dans une position différente et que, évidemment, il n'y avait pas de pièces de monnaie.

LES GENS SONT-ILS CAPABLES DE MAÎTRISER LE CONTENU DE LEURS RÊVES?   Des psychologues ont démontré qu'il était possible d'exercer une certaine maîtrise du contenu des rêves en faisant des suggestions à leurs sujets durant la période qui précédait le sommeil et en analysant ensuite le contenu des rêves qui ont suivi. Dans une étude soigneusement préparée, qui portait sur une *suggestion préonirique implicite*, des chercheurs ont voulu vérifier l'effet du port de lunettes rouges avant le sommeil. Bien que les expérimentateurs n'aient fait aucune suggestion explicite, plusieurs sujets rapportèrent que le monde visuel de leurs rêves avait été teinté de rouge (Roffwarg, Herman, Bowe-Anders et Tauber, 1978). Pour étudier l'influence d'une *suggestion préonirique explicite*, un chercheur demanda à des sujets d'essayer de rêver à un trait de personnalité qu'ils souhaiteraient posséder. La plupart des sujets rapportèrent au moins un rêve dans lequel il était possible de reconnaître le trait auquel le sujet avait pensé (Cartwright, 1974).

La *suggestion préonirique posthypnotique* est une autre façon d'influencer le contenu du rêve. Au cours d'une vaste étude utilisant cette méthode, on suggéra à des sujets très sensibles à l'hypnose des récits de rêve détaillés. Après la suggestion, le sujet dormait jusqu'à ce qu'on le réveille d'un sommeil REM. Certains des rêves qui en ont résulté reflétaient les aspects thématiques de la suggestion sans inclure plusieurs de ses éléments spécifiques, alors que d'autres rêves reflétaient des éléments spécifiques (Tart et Dick, 1970).

PARLER ET MARCHER DANS SON SOMMEIL?   Les études de laboratoire portant sur des individus qui parlent dans leur sommeil et sur des somnambules ont montré que la plupart de ces comportements se déroulaient durant le sommeil NREM. L'une de ces expériences indiquait qu'environ 80 % des paroles prononcées durant le sommeil survenaient pendant un sommeil NREM et 20 % durant le REM (Arkin, Toth, Baker et Hastey, 1970). Pratiquement toutes les recherches qui portent sur le somnambulisme, cependant, montrent que ce phénomène se produit *uniquement* durant des périodes NREM. Généralement, c'est durant le premier tiers de la nuit que les somnambules marchent; parfois, ils ne font que s'asseoir dans leur lit, mais il leur arrivera, à d'autres moments, de quitter leur chambre ou même la maison. Il se peut que les yeux du somnambule soient ouverts, mais ils demeurent vitreux et aveugles, de telle sorte que l'individu risque un accident grave. Les somnambules oublient habituellement ce qu'ils ont fait et les rêves qu'ils rapportent n'ont aucun lien avec ce qui est arrivé au cours de leurs excursions (Jacobson et Kales, 1967). Environ 15 % des enfants connaissent un ou plusieurs épisodes de somnambulisme, mais ceux-ci cessent habituellement avant l'âge de 15 ans et n'entraînent pas de conséquences.

Le contenu des rêves

La théorie de Freud voulant que les rêves soient des productions mentales qu'on peut comprendre et interpréter fut l'une des premières tentatives d'explication du contenu des rêves sans intervention du surnaturel et l'une des plus complètes. Dans son livre *L'interprétation des rêves* (1900), Freud présenta la notion controversée selon laquelle les rêves seraient une tentative déguisée de *réalisation du désir*. Par réalisation (ou accomplissement) du désir, il voulait dire que le rêve porte sur des désirs ou besoins que l'individu considère inacceptables et qu'il *refoule* (ou bannit) de la conscience. Ces désirs apparaissent alors sous forme symbolique dans le *contenu latent* du rêve. Freud a fait appel à la métaphore de l'existence d'un censeur pour expliquer le passage du contenu latent au *contenu manifeste* (les personnages et les événements qui forment le récit effectif du rêve). Freud disait, en effet, que le censeur protège le dormeur et lui permet ainsi d'exprimer des pulsions rejetées tout en évitant la terrifiante intensité du désir inconscient exprimé ainsi. Cependant, il arrive parfois que le « travail du rêve », pour prendre l'expression de Freud, échoue et que l'anxiété réveille le dormeur (Freud, 1933).

L'aspect cognitif du rêve — son rôle dans la solution des problèmes et dans la pensée — a été de plus en plus reconnu (voir l'Analyse critique « Théories sur le sommeil onirique »). Même si les spécialistes de la psychologie cognitive rejettent bon nombre des idées de Freud, ils n'en font pas moins remarquer que sa théorie comporte des aspects cognitifs. En effet, l'insistance que Freud mettait sur la transformation de la pensée par l'intermédiaire de l'asso-

ANALYSE CRITIQUE

Théories sur le sommeil onirique

Une bonne partie de la recherche sur le sommeil et le rêve a été réalisée au cours des dernières années et a donné lieu à un certain nombre de théories. Nous donnerons ici un résumé de deux théories du sommeil onirique, l'une proposée par Evans (1984) qui aborde le phénomène sur le plan cognitif et l'autre, par Crick et Mitchison (1983) qui adoptent une perspective neurobiologique.

La théorie d'Evans présente le sommeil comme une période au cours de laquelle le cerveau se dégage du monde extérieur et utilise ce temps « hors-circuit » pour trier et réorganiser la vaste accumulation d'information qui est entrée durant la journée. Selon cette théorie, le cerveau ressemblerait à un ordinateur muni d'énormes banques de données et d'un assortiment de programmes de gestion. Certains de ces programmes sont transmis héréditairement et se rapportent à ce que nous appelons l'instinct; d'autres sont acquis, adaptés et constamment modifiés par l'expérience. Le sommeil, particulièrement le sommeil REM, représente le moment où le cerveau se place hors-circuit, s'isolant des voies nerveuses sensorielles et motrices. Durant cette période hors-circuit, les diverses banques de données et les fichiers de programmes sont ouverts et deviennent accessibles pour fins de modification et de réorganisation en fonction des expériences de la journée. Selon Evans, la réorganisation des souvenirs qui se produit durant le sommeil REM consiste plutôt à mettre à jour les fichiers mnémoniques qu'à effacer ou à rayer l'information. Dans le langage de l'informatique, le processus de restructuration de l'information serait un procédé de « verrouillage » (interlocking) dans lequel les commandes faites à l'ordinateur ne sont jamais effacées; on en ajoute plutôt de nouvelles.

Dans la théorie d'Evans, les rêves sont de deux genres. Les rêves de type A représentent tout l'étalage du traitement hors-circuit qui se fait durant le sommeil REM; nous ne prenons pas conscience de ce processus. Les rêves de type B ne sont rien d'autre qu'un petit segment du type A dont nous nous souvenons si l'on nous éveille durant le sommeil REM; ils représentent une vision momentanée, de la part de l'esprit conscient, de la vaste quantité d'information qui est en train d'être scrutée durant les rêves de type A. Durant les rêves de type B, le cerveau se replace dans le circuit et l'esprit conscient observe un petit échantillon des programmes en cours d'exécution. Lorsque ceci se produit, le cerveau essaie d'interpréter l'information de la même manière qu'il interpréterait des stimuli du monde extérieur, ce qui engendre le genre de pseudo-événement qui caractérise les rêves. Evans croit que les rêves de type B peuvent être utiles pour déduire la gamme complète des processus qui se déroulent durant les rêves de type A, même s'ils ne représentent qu'un très petit échantillon sur lequel appuyer des inférences.

Crick et Mitchison appuient leur théorie sur le fait que le cortex — qui diffère à cet égard des autres parties du cer-

ciation libre va bien au-delà de la notion populaire, simplifiée à l'excès, voulant qu'on puisse expliquer toutes les transformations intervenant dans les rêves comme la réalisation du désir.

DROGUES PSYCHOACTIVES

Depuis toujours, les gens ont eu recours aux drogues pour modifier leur état de conscience : pour se stimuler ou pour se détendre, pour faire apparaître le sommeil ou pour l'écarter, pour intensifier leurs perceptions ordinaires ou pour déclencher des hallucinations. Les agents qui affectent le comportement, la conscience et l'humeur sont dits *psychoactifs*. Ils comprennent non seulement les stupéfiants « de la rue », comme l'héroïne et la marijuana, mais les tranquillisants, les stimulants et des drogues aussi familières que l'alcool, le tabac et le café. Le tableau 4-2 présente une liste et une classification des agents psychoactifs d'usage et d'abus courants.

Il est peut-être difficile à l'étudiant d'aujourd'hui de mesurer les changements majeurs qui sont intervenus dans les « patterns » de comportement face à la consommation des drogues au cours des 30 dernières années. Durant les années 50, très peu de jeunes gens faisaient usage de drogues — autres que la cigarette et l'acool. Depuis lors, cependant, nous sommes passés d'une société relativement indifférente à la drogue à une société d'usagers. Un certain nombre de facteurs ont contribué à cette évolution. Le recours géné-

veau — est constitué de *réseaux de neurones* à interconnexions abondantes, dans lesquels chaque cellule a la capacité d'exciter sa voisine. Ils pensent que les souvenirs sont inscrits sous forme de codes dans ces réseaux, les neurones et leurs nombreuses synapses représentant des aspects différents d'un souvenir. Ces réseaux ressemblent à des toiles d'araignée, et lorsqu'un point de l'une de ces toiles est excité, par la perception de quelques accords d'une mélodie par exemple, une impulsion parcourt tout le réseau amorçant le rappel de tout le reste de la mélodie. Le problème qui afflige de tels systèmes de réseau vient de ce qu'ils ont des ratés quand il y a surcharge d'information afférente. Un excès de souvenirs dans un réseau peut avoir pour conséquence soit de donner des associations bizarres avec un stimulus (fantasmes), soit de produire la même réponse quel que soit le stimulus (obsessions), soit de déclencher des associations en l'absence de stimuli (hallucinations).

Pour affronter le surcroît d'information, le cerveau a besoin d'un mécanisme pour désencombrer et harmoniser le réseau. Un tel mécanisme de dépannage fonctionnerait mieux si le système était isolé des entrées de l'extérieur et s'il disposait d'un moyen de balayer le réseau au hasard afin d'éliminer les mauvaises connexions accidentelles. Le mécanisme que Crick et Mitchison proposent, c'est le sommeil REM: l'aspect hallucinatoire des rêves ne serait rien de plus que la décharge nerveuse produite au hasard et

nécessaire au nettoyage quotidien du réseau. Nous l'avons déjà noté, le cerveau est très actif durant le sommeil REM, essuyant le barrage de signaux nerveux passant du tronc cérébral au cortex. Selon la théorie, ces signaux effaceraient, d'une façon quelconque, les fausses associations de souvenirs qui se seraient formées durant la journée précédente; au réveil, le réseau se trouve nettoyé et le cerveau est prêt à recevoir de nouvelles entrées. Crick et Mitchison suggèrent également qu'il n'est pas nécessairement souhaitable d'essayer de se souvenirs de ses rêves, cette démarche constituant pourtant un aspect clef de la psychanalyse. Une telle remémoration pourrait en effet contribuer à retenir des configurations de pensées qu'il serait préférable d'oublier, configurations que le système tente d'effacer.

Ces deux théories ont des points communs, mais elles présentent également de nettes différences. Evans considère le rêve REM comme un moment où le cerveau réorganise la mémoire grâce à un processus de mise à jour plutôt qu'un effacement de l'information. Crick et Mitchison, par ailleurs, voient dans le sommeil REM un moment où l'information fausse ou inutile se trouve éliminée de la mémoire. Evans perçoit les rêves conscients comme un indicateur de surface du processus de réorganisation massive qui se déroule durant le sommeil REM, alors que Crick et Mitchison laissent entendre que les rêves ne sont pratiquement rien de plus qu'un bruit aléatoire sans contenu réel. Les deux théories, toutefois, postu-

lent que le sommeil REM serait un facteur critique dans le processus d'entreposage des souvenirs et dans la préparation du cerveau pour digérer de jour en jour les nouvelles entrées d'information. Ni l'une, ni l'autre de ces théories n'attribue aux rêves le riche symbolisme ni la signification voilée qui sont typiques de la conception psychanalytique. D'ailleurs, Crick et Mitchison remettent en question le mérite scientifique de l'analyse du contenu des rêves par les méthodes psychanalytiques.

Nous ne disposons pas encore de test direct permettant de démontrer que l'une de ces théories est nettement supérieure à l'autre. Le même commentaire vaut, évidemment, pour les théories psychanalytiques des rêves. Ces théories doivent donc être considérées comme spéculatives, en attendant les résultats de recherches additionnelles. Entre temps, toutefois, chacune d'elles soulève des possibilités intéressantes quant à la nature des rêves.

---

ralisé aux tranquillisants dans le traitement de la maladie mentale et des problèmes affectifs, qui a débuté durant les années 50, et l'apparition des agents contraceptifs oraux en 1960 ont, par exemple, fait beaucoup pour modifier les attitudes des gens à l'égard des drogues. La drogue devint une option disponible en vue de la solution des problèmes — problèmes autres que la maladie physique. Au cours des années 60 et 70, les Américains explorèrent aussi de nouveaux styles de vie, profitant des occasions fournies par des moyens de transport plus accessibles et un marché du travail en pleine expansion. Avec l'accroissement des temps de loisirs, les gens ont cherché de nouveaux débouchés et l'usage récréactif de la drogue fut l'un de ceux-ci.

Pour ces raisons, et d'autres encore, la consommation des drogues, particulièrement chez les étudiants, s'accroît sans arrêt au cours des années 70. La figure 4-5 illustre l'augmentation jusqu'en 1979 du pourcentage des finissants du secondaire ayant fait l'essai de drogues comme la marijuana, les stimulants, les sédatifs ou les hallucinogènes. En 1980, toutefois, l'usage de la drogue s'engage sur une pente descendante que l'on espère voir se maintenir. Les changements sociologiques qui ont contribué au déclin de la consommation des drogues à l'école secondaire sont nombreux, mais l'un des principaux facteurs semble être le souci croissant d'être en bonne santé et en bonne forme physique.

Tous les agents énumérés au tableau 4-2 affectent présumément le comportement et la conscience parce qu'ils exercent des effets biochimiques spécifiques sur le cerveau. Leur usage répété amène un individu à contracter une dépendance physique ou psychologique à l'égard de l'une ou l'autre de

DÉPRESSEURS (SÉDATIFS)

Alcool (éthanol)
Barbituriques
   Nembutal
   Seconal
Tranquillisants mineurs
   Miltown
   Valium

OPIACÉS (NARCOTIQUES)

Opium et ses dérivés
   Codéine
   Héroïne
   Morphine
   Méthadone

STIMULANTS

Amphétamines
   Benzedrine
   Dexedrine
   Methedrine
Cocaïne
Nicotine
Caféine

HALLUCINOGÈNES (PSYCHÉDÉLIQUES)

LSD
Mescaline
Psilocybine
PCP (phencyclidine)

CANNABIS

Marijuana
Haschisch

TABLEAU 4-2
**Agents psychoactifs dont on abuse
généralement** *Nous ne donnons que
quelques exemples de chacune des catégories de drogues. Nous utilisons le
nom générique (la psilocybine, par
exemple) ou le nom de commerce (Miltown pour désigner le méprobamate;
Seconal pour sécobarbital), selon que
l'un ou l'autre est plus familier.*

ces drogues. La *dépendance physique*, également appelée accoutumance, est
caractérisée par la *tolérance* (c'est-à-dire l'obligation pour un individu qui
en fait un usage continu de prendre de plus en plus de cette substance pour
arriver au même effet) et le *sevrage* (s'il cesse d'en user, l'individu fait l'expérience de symptômes physiques désagréables). La *dépendance psychologique*, aussi appelée sujétion, se réfère à un besoin qui se crée par apprentissage. Les personnes qui consomment habituellement une drogue pour soulager l'anxiété peuvent en devenir dépendantes, même s'il ne se forme pas de
besoin physique. Ceux qui fument de la marijuana, par exemple, ne semblent
pas acquérir une tolérance à cet agent et les symptômes de sevrage qui se
manifestent sont minimes. Il n'en demeure pas moins que l'individu qui
apprend à faire appel à la marijuana face à des situations de stress éprouvera
de la difficulté à se défaire de cette habitude. Dans le cas de certaines
drogues, comme l'alcool, la dépendance psychologique progresse vers la
dépendance physique au fur et à mesure que la consommation se fait répétitive.

Les dépresseurs

Parmi les substances qui dépriment le système nerveux central, on trouve
les tranquillisants mineurs, les barbituriques (somnifères) et l'alcool éthylique.
Celle d'entre elles dont on use et abuse le plus fréquemment est l'alcool. Dans
presque toutes les sociétés, primitives ou industrialisées, on consomme de
l'alcool. On peut le produire par la fermentation d'une grande variété de substances: des céréales, comme le seigle, le blé et le maïs; des fruits, comme
le raisin, la pomme et la prune; et des légumes, comme la pomme de terre.
Il est même possible d'obtenir une boisson alcoolisée en laissant fermenter
les fleurs, le lait ou le miel. Grâce au processus de distillation, on arrive à
accroître la teneur en alcool d'une boisson fermentée pour obtenir des
« liqueurs fortes », comme le whisky et le rhum.

EFFETS DE L'ALCOOL   Pris en faibles quantités, l'alcool semble donner un
regain d'énergie et rendre plus alerte et sociable. En réalité, toutefois, il s'agit
d'un agent dépresseur du système nerveux et non pas d'un stimulant. On
croit que l'effet initial de stimulation vient de ce que les synapses inhibitrices
du cerveau entrent en état de dépression un peu avant les synapses excitatrices. Et puisque les neurones du cerveau maintiennent un équilibre précaire entre l'excitation et l'inhibition, la dépression des synapses inhibitrices
donne lieu à de l'excitation comportementale, ou stimulation. Cependant,
les synapses excitatrices ne tardent pas à entrer en dépression à leur tour;
les effets de stimulation sont alors annulés et il s'ensuit de la somnolence
et un ralentissement des fonctions sensorielles et motrices.

On obtient une mesure fiable de l'alcool dans le sang en calculant la quantité d'alcool dans l'air que nous expulsons des poumons (avec un analyseur
d'haleine, par exemple). Il est donc facile d'établir la relation entre la concentration d'alcool dans le sang (CAS) et le comportement. À des concentrations
sanguines de 0,03 à 0,05 % (c'est-à-dire, de 30 à 50 mg d'alcool par 100 ml
de sang), l'alcool entraîne une sensation de tête légère (dite sensation ébrieuse),
une détente musculaire et un relâchement des inhibitions. Les gens disent
alors des choses qu'ils pourraient ne pas dire normalement; ils sont enclins
à se montrer plus sociables et communicatifs. Leur confiance en eux-mêmes
peut s'accroître, alors que les réactions motrices commencent à se ralentir
(une combinaison de conséquences qui rendent la conduite automobile dangereuse).

Avec une CAS de 0,10 %, on constate des défectuosités marquées des
fonctions sensorielles et motrices. La langue devient empâtée et l'on éprouve
de la difficulté de coordination des mouvements des jambes et des bras. Certains individus sont portés à se laisser aller à la colère et à se montrer agressifs; d'autres deviennent silencieux et tristes. Le buveur donne des signes
d'incapacité grave à un niveau de 0,20 %, et le fait d'atteindre un niveau
de 0,40 % peut entraîner la mort. Dans la plupart des états et provinces de
l'Amérique du Nord, la définition légale de l'intoxication est une CAS de
0,10 % (c'est-à-dire 1/10 de 1 %).

Quelle quantité une personne peut-elle absorber sans devenir légalement intoxiquée? La relation entre la CAS et la consommation d'alcool n'est pas simple. Elle dépend du sexe, du poids corporel et de la vitesse d'ingurgitation de l'individu. L'alcool se répand dans tous les liquides du corps, y compris le sang. Plus une personne est lourde, plus la quantité de liquides corporels est grande et plus la concentration d'alcool dans le sang est faible. Au même poids, les femmes ont moins de liquides corporels que les hommes car elles ont plus de graisses; par conséquent, leur concentration d'alcool sera plus élevée. Par exemple, après avoir bu deux verres de vin de 120 ml (ou deux verres de bière de 360 ml chacun, ou deux cocktails de 30 ml d'une liqueur titrée à 100) au cours d'une période d'une heure, un homme de 68 kg aura une CAS de 0,05, alors que la CAS d'une femme du même poids sera 0,06; une femme de 45 kilos aura une CAS de 0,09. En absorbant quatre verres de vin en moins d'une heure, une femme de 45 kilos, avec une CAS de 0,18, dépassera de beaucoup le seuil d'intoxication légale; s'il a consommé la même quantité, son ami de 68 kilos atteindra à peine une CAS de 0,10.

La consommation d'alcool est considérée par beaucoup de collégiens comme partie intégrante de leur vie sociale. Elle favorise la convivialité, allège les tensions, relâche les inhibitions et ajoute généralement au plaisir. Il n'en demeure pas moins que l'habitude de boire « socialement » peut créer des problèmes en termes de perte de temps pour l'étude, de mauvaise performance aux examens à cause d'une « gueule de bois » et de disputes ou d'accidents sous l'effet d'intoxication. Les gens doivent soupeser ces problèmes éventuels face aux avantages sociaux lorsqu'ils décident de la quantité d'alcool qu'ils prendront et de la fréquence à laquelle ils le feront. Ce sont évidemment les accidents qui représentent le danger le plus grave: les accidents de voiture associés à l'alcool sont la cause principale de mortalité chez les jeunes de 15 à 24 ans. Lorsque, dans plusieurs états américains, l'on abaissa de 21 à 18 ans l'âge légal pour la consommation d'alcool, les accidents de circulation imputables aux jeunes de 18 et 19 ans se sont accrus de 20 à 50 %. La plupart des états ont depuis haussé l'âge minimum de consommation d'alcool et il s'ensuivit une diminution appréciable du nombre des accidents.

Les deux tiers environ des adultes américains rapportent qu'ils consomment de l'alcool. Au moins 10 % d'entre eux ont des problèmes sociaux, psychologiques et médicaux résultant de la consommation d'alcool. Il est probable que de ce nombre, la moitié ait une dépendance physique à l'égard de l'alcool. Une consommation forte ou prolongée peut entraîner de graves problèmes de santé. Hypertension, apoplexies, ulcères, cancers de la bouche, de la gorge et de l'estomac, cirrhose, dépression: voilà certaines des conséquences associées à l'usage régulier de fortes quantités d'alcool.

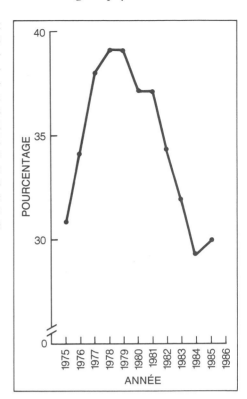

FIGURE 4-5
Usage illicite de drogues   *Pourcentage des finissants d'écoles secondaires aux États-Unis qui ont avoué avoir fait usage d'une drogue illégale au cours des 30 jours qui ont précédé l'étude en question. Ces substances comprenaient la marijuana, des hallucinogènes, la cocaïne et l'héroïne et tous les opiacés, les stimulants, les sédatifs ou les tranquillisants qui n'avaient pas été l'objet d'une ordonnance médicale. (D'après Johnston, O'Malley et Bachman, 1986)*

L'alcool peut également représenter des risques pour un fœtus en voie de formation. Les mères qui consomment beaucoup sont deux fois plus susceptibles de faire des fausses couches et d'avoir des bébés qui pèsent peu à la naissance. Un trouble, appelé *syndrome alcoolique fœtal* et caractérisé par de l'arriération mentale et de multiples déformations du visage et de la bouche, est attribué à l'usage d'alcool chez la mère. On ne connaît pas exactement la quantité d'alcool nécessaire à la production de ce syndrome, mais on croit qu'une consommation aussi faible que quelques centilitres d'alcool par semaine pourrait s'avérer préjudiciable. Les femmes qui absorbent 30 ml d'alcool par jour au début de la grossesse présentent des taux de syndrome alcoolique fœtal compris entre 1 et 10 % (Streissguth, Clarren et Jones, 1985).

L'ALCOOLISME   Le stéréotype de l'alcoolique — le clochard — ne représente qu'une faible proportion des individus qui ont des problèmes d'alcool. La ménagère déprimée qui prend quelques verres pour « passer à travers » la journée et quelques autres pour « se remonter » en vue d'une sortie, l'homme d'affaires qui a besoin de 3 martinis au lunch pour affronter l'après-midi, le médecin surmené qui garde une bouteille dans le tiroir de son bureau et l'étudiant du cours secondaire qui boit de plus en plus pour se gagner l'approbation de ses pairs constituent tous des candidats à l'alcoolisme. Les définitions de l'alcoolisme varient, mais presque toutes comprennent l'*incapacité de s'abstenir* (le sentiment qu'on n'arrivera jamais à la fin de la journée si on ne prend pas un verre) ou l'*absence de contrôle* (l'incapacité de s'arrêter après un ou deux verres). Le tableau 4-3 donne une liste de questions qui pourraient permettre à un individu de savoir s'il a un problème d'alcool.

Pour la plupart des gens, la période dans la vie où la consommation atteint un sommet se situe entre 16 et 25 ans. Vers la fin de la vingtaine jusqu'aux débuts de la trentaine, le buveur moyen réduit sa consommation d'alcool. L'alcoolique, au contraire, maintient ou intensifie ses habitudes face à l'alcool et c'est durant cette période qu'il rencontre son premier problème vital grave relié à la consommation d'alcool (par exemple, des difficultés professionnelles ou conjugales, des séries d'arrestations pour conduite en état d'ébriété). L'alcoolique moyen appelle à l'aide au début de la quarantaine, après une dizaine d'années de difficultés. Si ses problèmes de consommation persistent, l'alcoolique risque de mourir 15 ans plus tôt que l'espérance de vie de la population générale (Schuckit, 1984).

Ce scénario s'applique à l'alcoolique *moyen*, mais il convient d'insister sur le fait qu'une forte consommation peut déboucher sur l'alcoolisme à tout âge. Les individus qui deviennent psychologiquement dépendants de l'alcool — qui font habituellement usage de l'alcool pour faire face au stress ou à l'anxiété — risquent fort de devenir alcooliques. Ils sont susceptibles de tomber dans un cercle vicieux. En recourant à l'alcool face aux problèmes, ils abordent ces problèmes d'une façon peu efficace. En conséquence, ils se sentent encore plus angoissés et incompétents et consomment plus d'alcool pour se remonter le moral. Une forte consommation prolongée mène à la dépendance physique; la tolérance de l'individu s'accroît de telle sorte qu'il lui faut de plus en plus d'alcool pour obtenir les mêmes effets et il commence à avoir des symptômes de sevrage dès qu'il s'abstient de boire. Les symptômes de sevrage peuvent aller de sentiments d'irritabilité et de malaise général jusqu'aux tremblements et à une anxiété intense. Dans certains cas, ces symptômes comportent de la confusion, des hallucinations et des convulsions. Ce syndrome, appelé *delirium tremens* (DT délire alcoolique aigu), ne se présente que chez les alcooliques chroniques qui arrêtent de boire après une longue période de forte consommation d'alcool.

Bien que notre définition de l'alcoolisme comprenne l'incapacité de s'abstenir de boire ou le manque de contrôle après que l'on a commencé à boire, très peu d'alcooliques restent ivres jusqu'à ce qu'ils en meurent. D'habitude, ils établissent une alternance entre périodes d'abstinence (ou de consommation légère) et périodes d'abus graves. C'est pourquoi, la capacité de passer des semaines, ou même des mois, sans boire ne signifie pas qu'un individu n'est pas un alcoolique. Le critère le plus utile, peut-être, pour l'établisse-

TABLEAU 4-3
Signes d'alcoolisme *Questions formulées par le* National Institute on Alcohol Abuse and Alcoholism *pour aider les gens à savoir s'ils ont un problème d'alcool.*

Le plus tôt vous admettrez que vous avez un problème d'alcool, plus il vous sera facile d'y échapper. Nous vous présentons, ci-dessous, des questions qui vous aideront à comprendre dans quelle mesure vous êtes dépendant(e) de l'alcool. C'est le moment de vous montrer tout à fait honnête vis-à-vis vous-même — vous seul êtes en mesure de savoir jusqu'à quel point le rôle de l'alcool dans votre vie vous fait du tort.

1. Est-ce que l'un de vos proches ou amis intimes a parfois manifesté de l'inquiétude par rapport à votre consommation d'alcool?
2. Face à un problème, vous tournez-vous souvent vers l'alcool pour vous soulager?
3. Êtes-vous parfois dans l'incapacité de faire face à vos responsabilités à la maison ou au travail parce que vous buvez?
4. Avez-vous jamais eu besoin de soins médicaux à cause de votre consommation?
5. Avez-vous jamais eu une amnésie («blackout») — une perte totale de la mémoire dans un état d'éveil — pendant que vous buviez?
6. Avez-vous jamais eu des démêlés avec la justice en rapport avec votre consommation d'alcool?
7. Avez-vous jamais manqué à vos résolutions ou aux promesses que vous vous étiez faites à vous-même en rapport avec le contrôle ou l'abandon de vos habitudes de consommation?

Si vous avez répondu oui à l'une ou l'autre de ces questions, vos habitudes de consommation nuisent probablement à votre existence de façon grave et vous devriez prendre les mesures qui s'imposent — avant que la situation s'aggrave.

ment d'un diagnostic d'alcoolisme est de savoir si l'alcool provoque des problèmes de santé, de rendement au travail ou de relations familiales.

Les opiacés

L'opium et ses dérivés, dont l'ensemble a nom *opiacés*, sont des stupéfiants qui, en déprimant le système nerveux central, atténuent les sensations physiques et la capacité de réagir aux stimuli. (On appelle généralement ces substances des «narcotiques», mais le terme opiacé est plus précis; le sens du mot «narcotique» n'est pas bien défini et désigne une variété de drogues illégales.) Les opiacés ont une utilité médicale à cause de leurs propriétés analgésiques, mais leur capacité de modifier l'humeur et de réduire l'anxiété a poussé à une consommation illégale généralisée. L'opium, qui est le suc déshydraté des capsules d'un pavot, contient un certain nombre de substances chimiques, y compris la morphine et la codéine. La codéine, un ingrédient commun dans les analgésiques d'ordonnance et les sirops pour la toux, a des effets relativement légers (à faibles doses, du moins). La morphine et son dérivé, l'héroïne, sont beaucoup plus puissants. La plupart des usages illégaux de ces drogues portent sur l'héroïne parce que, étant de concentration plus forte, elle peut se cacher et se prêter à la contrebande plus facilement que la morphine.

On peut prendre l'héroïne par injection, inhalation ou en la fumant. Au début, ce stupéfiant produit une sensation de bien-être. Les usagers adultes qui en ont une certaine expérience parlent d'une émotion spéciale, d'un «bond» (*rush*), qui se produit en moins d'une minute ou deux après l'injection. Certains décrivent cette sensation comme extrêmement agréable, semblable à un orgasme. Les jeunes qui reniflent de l'héroïne rapportent qu'ils oublient tout ce qui les tracasse. Ensuite, le drogué se sent satisfait (*fixed*) ou content, sans aucune conscience de faim, de douleur ou d'envies sexuelles. L'individu peut se mettre à «cogner des clous» (*go on the nod*), alternant entre l'éveil et l'assoupissement pendant qu'il regarde tranquillement la télévision ou qu'il lit un livre. Contrairement à l'alcoolique, l'héroïnomane peut facilement produire des réponses qui exigent de l'adresse et de bonnes connaissances intellectuelles; il devient rarement agressif ou bagarreur. Les modifications de la conscience produites par l'héroïne ne sont pas très spectaculaires; il n'y a ni expériences visuelles excitantes, ni sentiment d'être transporté ailleurs. Apparemment, c'est le changement d'humeur — le sentiment d'euphorie et de réduction de l'anxiété — qui amène les gens à *commencer* à user de ce stupéfiant dangereux. Pourtant, l'héroïne crée de fortes sujétions et accoutumances; même une brève période d'usage peut suffire à l'établissement d'une dépendance physique. Après qu'un individu en a fumé ou « reniflé » (inhalation) pendant un certain temps, la tolérance s'installe et cette méthode de consommation ne produit plus l'effet souhaité. Dans une tentative pour retrouver le « sommet » (état d'euphorie ou d'ivresse, *high*) initial, l'individu peut passer à l'injection sous la peau (*skin popping*, expression du jargon des héroïnomanes qu'il faudrait traduire par « éclatement de la peau »), puis ensuite à l'injection dans une veine (*mainlining*, « entrée dans le grand courant »). Une fois que l'héroïnomane en est rendu à cette dernière méthode, les doses doivent se faire de plus en plus fortes pour produire le « sommet » recherché et les malaises physiques attenant au sevrage prennent beaucoup d'intensité (frissons, transpiration, crampes à l'estomac, vomissements, maux de tête). Il s'ensuit que la motivation qui pousse à *continuer* l'usage de la drogue se trouve alimentée par le besoin d'éviter la douleur et les malaises.

La plupart des héroïnomanes qui s'en tiennent à fumer ou à « renifler » sont capables de briser cette habitude. Sept pour cent seulement des soldats américains qui reniflaient régulièrement de l'héroïne au Viêt-nam (où cette drogue était facile d'accès) ont continué d'en faire usage après leur retour aux États-Unis (Robins, 1974). Malheureusement, une fois que le corps en a absorbé de grandes quantités par injection, la majorité de ces drogués ont acquis une dépendance physique, ou accoutumance.

Les dangers que comporte l'usage de l'héroïne sont nombreux. La mort à la suite de l'absorption d'une dose excessive (*overdose*) est toujours possible, car la concentration de l'héroïne qu'on se procure dans la rue varie considérablement. L'usager ne peut jamais être certain de la puissance de la drogue contenue dans un sachet qu'il vient d'acheter. La mort est due à la suffocation résultant de la dépression des centres respiratoires du cerveau. Parmi les risques moins fatals de la consommation d'héroïne, citons l'hépatite et d'autres infections associées à des injections contaminées. On a également constaté que les individus qui se faisaient des injections de stupéfiants pouvaient devenir victimes du SIDA (syndrôme d'immunité déficitaire acquise). L'usage de l'héroïne s'accompagne généralement d'une détérioration sérieuse de la vie personnelle et sociale. Comme le maintien d'une telle habitude coûte cher, l'usager devient souvent impliqué dans des activités illégales.

Au cours des années 1970, les chercheurs ont réalisé une percée majeure dans la compréhension de la dépendance aux opiacés en découvrant que ces derniers exerçaient leur action sur des sites très spécifiques du cerveau (voir au chapitre 2, p. 38). Sous leur forme moléculaire, les opiacés ressemblent à un groupe de neurotransmetteurs appelés *endorphines*. L'une de ces endorphines, l'*enképhaline*, occupe un certain nombre de récepteurs d'opiacés. La morphine ou l'héroïne soulagent la douleur en entrant en fixation avec les récepteurs qui ne sont pas remplis. L'usage répété de l'héroïne entraîne une chute dans la production d'enképhalines; le corps a alors besoin de plus d'héroïne pour remplir les récepteurs inoccupés et réduire ainsi la douleur. Le drogué connaît des symptômes de sevrage douloureux quand il cesse de prendre de l'héroïne parce que plusieurs récepteurs d'opiacés sont laissés presque vides (puisque la production normale d'enképhalines a diminué). Essentiellement, c'est l'héroïne qui a remplacé les opiacés naturels du corps.

Ces découvertes relatives aux récepteurs d'opiacés ont donné naissance à deux méthodes de traitement importantes. D'abord, il existe des substances chimiques appelées agents antagonistes des opiacés, qui peuvent bloquer l'action d'un opiacé — comme l'héroïne ou la morphine — parce qu'ils possèdent une plus grande affinité avec le site récepteur que les opiacés eux-mêmes. Ainsi, on a souvent recours, dans les services d'urgence des hôpitaux, à un antagoniste des opiacés, comme la *naloxone*, pour renverser les effets d'une dose excessive de stupéfiants. Fait intéressant, ce médicament est très spécifique : il va renverser la dépression, peut-être fatale, du centre respiratoire, dépression causée par une dose excessive d'opiacés, mais il ne renversera pas la dépression résultant d'autres catégories de drogues, tels l'alcool ou les barbituriques.

Deuxièmement, on utilise parfois, dans le traitement des individus qui ont acquis une dépendance à l'héroïne, un opiacé de synthèse appelé *méthadone*, qui écarte les symptômes de sevrage en occupant les sites récepteurs d'opiacés. La méthadone donne lieu à une dépendance, mais elle produit moins de dommages psychologiques que l'héroïne et ses effets durent beaucoup plus longtemps. Pris en faibles doses par voie orale, elle supprime le besoin maladif de l'héroïne sans entraîner de sentiments d'euphorie.

Les stimulants

AMPHÉTAMINES   Contrairement aux dépresseurs et aux opiacés, les stimulants sont des agents qui accroissent l'activation. Les amphétamines sont des stimulants puissants, vendus sous des marques de commerce comme Methedrine, Dexedrine et Benzedrine et couramment appelés *speed*, « remontants » et *bennies*. Leurs effets immédiats sont une hausse de l'état d'éveil et une diminution des sensations de fatigue et d'ennui. Les activités épuisantes qui exigent effort et endurance semblent plus faciles à accomplir avec l'usage d'amphétamines. Comme pour les autres drogues, la capacité que possèdent les amphétamines de modifier l'humeur et d'augmenter la confiance en soi est la raison principale de leur utilisation. Les gens s'en servent aussi pour rester éveillés, pour accroître l'endurance et la force durant les compétitions athlétiques et pour perdre du poids. La plupart des médicaments prescrits pour le contrôle de l'embonpoint contiennent des amphétamines.

Les faibles doses utilisées pendant des périodes limitées pour résister à la fatigue (comme dans le cas de la conduite automobile durant la nuit) semblent relativement dépourvues de risque. Malheureusement, au fur et à mesure que les effets stimulants des amphétamines se dissipent, il y a souvent une période de relâchement compensatoire au cours de laquelle l'individu se sent déprimé, irritable et fatigué. Il peut être tenté d'en prendre plus. La tolérance s'établissant rapidement, il a besoin de doses de plus en plus fortes pour arriver à l'état souhaité. Comme les doses intensives peuvent avoir des effets secondaires dangereux — agitation, confusion, palpitations et hypertension — les médicaments qui contiennent des amphétamines doivent être utilisés avec prudence. Les amphétamines peuvent vraiment réduire l'appétit, mais

de façon temporaire seulement (pendant trois ou quatre semaines tout au plus). Des études contrôlées montrent que le poids qu'un patient perd pendant qu'il prend des comprimés contenant des amphétamines est repris quand il cesse de prendre ce médicament.

Quand la tolérance atteint des proportions telles que l'absorption par voie orale n'est plus efficace, beaucoup de toxicomanes ont recours aux injections intraveineuses. L'injection intraveineuse d'amphétamines en quantité abondante donne une expérience agréable immédiate (un *flash* ou bond); cette sensation est suivie par de l'irritabilité et des malaises qu'on ne peut apaiser que par une injection additionnelle. Si ce cycle est répété à quelques heures d'intervalle sur une période de quelques jours, il aboutit à un « écrasement » (*crash*), un sommeil profond suivi d'une période de léthargie et de dépression. L'amphétaminomane peut chercher à échapper à ce malaise en se tournant vers l'alcool ou l'héroïne.

L'usage prolongé des amphétamines s'accompagne d'une détérioration radicale de la santé physique et mentale. L'habitué de ces drogues, qu'on appelle en argot nord-américain *speed freak*, peut devenir susceptible ou hostile sans raison et présenter des symptômes psychotiques que l'on ne saurait distinguer de ceux de la schizophrénie aiguë (voir à la p. 546). Ces symptômes comprennent des délires paranoïdes (on croit à tort que l'on est persécuté ou que quelqu'un « veut nous avoir ») et des hallucinations visuelles ou auditives. Les délires paranoïdes peuvent aboutir à la violence sans provocation. Par exemple, au milieu d'une « épidémie » d'amphétamines au Japon (au début des années 50, on y vendait les amphétamines sans ordonnance médicale et on en faisait la réclame « pour éliminer la somnolence et refaire les esprits »), on a associé à l'abus des amphétamines 50 % des meurtres commis sur une période de deux mois (Hemmi, 1969).

COCAÏNE   Comme les autres stimulants, la cocaïne (la coco ou la *coke*), substance obtenue des feuilles séchées d'une plante appelée coca, accroît l'énergie et la confiance en soi; celui qui en consomme se sent spirituel et excessivement alerte. Au début du siècle, la cocaïne était facilement accessible et son usage, très répandu; de fait, c'était un ingrédient des premiers jours du Coca-Cola. Puis, son usage connut un déclin, mais récemment sa popularité s'est accrue malgré son caractère maintenant illégal. La cocaïne est, en effet, la drogue de choix de plusieurs jeunes adultes conformistes et socialement prospères, car ils la considèrent plus sûre que l'héroïne ou les amphétamines. De plus, le nombre des moins de 20 ans qui l'utilisent a presque doublé au cours des 10 dernières années; au moment où la consommation des autres stupéfiants par les finissants du cours secondaire a atteint un plateau ou s'est mise à diminuer depuis 1980, l'usage de la cocaïne s'est accru (Johnston, O'Malley et Bachman, 1986).

L'une des premières études des effets de la cocaïne a été rapportée par Freud (1885; reproduite dans Freud, 1974). Parlant de sa propre expérience avec la cocaïne, il s'est d'abord montré très favorable à son endroit et encourageait les autres à l'utiliser. Il nota:

> L'état exhilarant et l'euphorie durable qui ne diffèrent d'aucune façon de l'euphorie de la personne en bonne santé... On perçoit une amélioration de la maîtrise de soi et l'on dispose d'une vitalité et d'une capacité plus grandes pour le travail En d'autres mots, on est tout simplement normal, et il est difficile de croire qu'on est sous l'influence d'une drogue On accomplit un travail mental ou physique intense ou prolongé sans aucune fatigue On arrive à cet heureux résultat sans aucun des effets consécutifs désagréables qui suivent l'état exhilarant produit par l'alcool (1974, p. 9).

Cependant, Freud retira vite cet appui sans réserve après qu'il eut traité un ami avec de la cocaïne et obtenu des résultats désastreux. Son ami acquit une dépendance grave, exigea des doses plus fortes et tomba dans un état de débilité qui dura jusqu'à sa mort.

On peut aspirer (renifler) la cocaïne en introduisant la poudre dans les conduits nasaux où elle est rapidement absorbée. Ou encore, on en fait une solution qu'on injecte directement dans une veine. Il est possible aussi de la transformer en un composé inflammable appelé « crack » et de la fumer dans une pipe à eau.

Malgré les premières affirmations dans le sens contraire, la cocaïne, comme Freud devait le constater, crée une dépendance. Après usage répété, la tolérance s'installe et les effets de sevrage, tout en n'étant pas aussi dramatiques que dans le cas des opiacés, sont quand même réels. L'irritabilité agitée qui suit le « sommet » euphorique se transforme, chez ceux qui en abusent gravement, en un sentiment d'« angoisse dépressive ». Le « creux » qu'on atteint est aussi désagréable que le « sommet » était agréable, et cet effet ne trouve de soulagement que par des doses plus fortes de cocaïne.

Les cocaïnomanes invétérés peuvent connaître les mêmes symptômes anormaux que ceux qui consomment les amphétamines en grande quantité, entre autres des hallucinations et des délires paranoïdes. Une hallucination visuelle qui leur est commune consiste dans des flashes lumineux (« lumières de neige ») ou des feux lumineux qui se déplacent. Ils peuvent éprouver aussi la sensation, plus rare, mais plus troublante, d'insectes qui se glissent sous la peau — « bestioles de cocaïnes ». L'hallucination peut prendre des proportions telles que l'individu se coupera pour se débarrasser de ces bestioles. Ces expériences (excitation sensorielle en l'absence de stimuli) sont dues au fait que la cocaïne provoque des décharges spontanées des neurones sensoriels.

Les hallucinogènes

Les stupéfiants, dont l'effet principal consiste à modifier l'expérience sensorielle, sont appelés *hallucinogènes* ou *psychédéliques*. De façon générale, les hallucinogènes transforment la perception que leur consommateur a de son monde interne et externe. Les stimuli habituels de l'environnement apparaissent comme des événements nouveaux — des sons ou des couleurs, par exemple, qui semblent tout à fait différents. La perception du temps est tellement perturbée que les minutes peuvent paraître des heures. L'habitué peut avoir des hallucinations auditives, visuelles et tactiles, et sa capacité de se différencier lui-même de son entourage sera réduite.

Certains agents hallucinogènes sont des dérivés de plantes — comme la mescaline du cactus et la psylocybine de champignons. D'autres sont le produit de synthèses faites en laboratoire, comme le LSD (diethylamide de l'acide lysergique) et la PCP (phencyclidine).

LSD   Cette drogue qu'est le LSD (« acide » en argot) est une substance (poudre ou solution) incolore, inodore et insipide, souvent vendue dissoute dans des morceaux (cubes) de sucre ou du papier buvard. Il s'agit d'un stupéfiant très puissant qui produit des hallucinations même à faibles doses. Certains habitués ont des hallucinations vives de sons et de couleurs, alors que d'autres connaissent des expériences mystiques ou semi-religieuses. Tous sont susceptibles d'avoir une réaction terrifiante et désagréable (un « mauvais voyage »), même ceux qui ont connu beaucoup d'expériences agréables auparavant. Une autre réaction désagréable du LSD est le « retour » (*flashback*) qui peut se produire des jours, des semaines ou des mois après la dernière consommation de ce stupéfiant. L'individu a alors des illusions ou hallucinations semblables à celles qu'il avait connues après en avoir consommé. Étant donné que le LSD est complètement éliminé du corps en moins de 24 heures après son absorption, le « retour » est probablement une restauration de souvenirs de l'expérience antécédente.

La perte de l'orientation à la réalité qui peut se produire durant des états mystiques associés à cette drogue représente une menace encore plus grande pour celui qui consomme du LSD. Cette altération de la conscience peut donner lieu à des comportements très irrationnels et désorientés et, à l'occasion, à un état de panique au cours duquel la victime a l'impression qu'elle n'a aucun contrôle sur ce que le corps fait ou pense. On a vu des gens dans cet état trouver la mort en se jetant en bas d'édifices ou d'autres endroits élevés. Le LSD est devenu populaire au cours des années 60, mais son usage a diminué depuis, probablement à cause des témoignages très répandus de réactions graves à cette drogue, de même qu'en raison de la reconnaissance de ses effets génétiques dommageables chez les usagers et leurs rejetons.

PCP   Après l'alcool, la PCP est devenue le stupéfiant le plus généralement mal utilisé dans nos sociétés occidentales. Bien qu'elle soit vendue comme hallucinogène (sous des noms populaires comme « poussière des anges » ou *angel dust, Shermans* et *superacid,* en argot américain), la PCP est classée techniquement comme un « anesthésique de dissociation ». Elle peut causer des hallucinations, mais elle crée aussi chez le consommateur, une impression de dissociation ou de séparation d'avec son entourage.

C'est en 1956 qu'on a fait la première synthèse de la PCP, en vue de son utilisation comme agent anesthésique général. Elle avait la propriété avantageuse d'éliminer la douleur sans produire un coma profond. Toutefois, on mit fin à sa production légale quand des médecins constatèrent chez plusieurs patients qu'elle causait de l'agitation, des hallucinations et un état de type psychotique qui ressemblait à la schizophrénie. Mais comme les ingrédients sont peu coûteux et que cette substance est relativement facile à fabriquer dans un « laboratoire de cuisine », la PCP est couramment utilisée pour couper d'autres stupéfiants populaires plus onéreux. Une bonne partie de ce que l'on vend comme étant du THC (l'ingrédient actif de la marijuana) est plutôt de la PCP.

La PCP se prend sous forme de liquide ou de comprimé, mais le plus souvent on la fume (en la saupoudrant sur des cigarettes de marijuana ou de persil) ou on la renifle. À faibles doses, elle produit une insensibilité à la douleur et une expérience semblable à celle d'un état d'ébriété modéré : confusion, perte d'inhibition et mauvaise coordination motrice. Les doses plus fortes provoquent une désorientation semblable au coma. Contrairement à celui qui fait usage de LSD, le consommateur de PCP est incapable de constater l'état dans lequel le met cette drogue, et souvent il ne lui en reste aucun souvenir.

On ne comprend pas très bien les effets de la PCP. En même temps qu'elle réduit la sensibilité à la douleur de l'individu, elle semble lui apporter une sensibilité générale plus grande ; il a l'impression d'être bombardé par une surcharge de stimuli. Ceci pourrait expliquer pourquoi l'on ne fait habituellement qu'aggraver la situation quand on tente de dissuader ou de manipuler physiquement une personne qui a pris de la PCP.

Contrairement à la croyance populaire, les consommateurs de PCP sont rarement violents. Quand un policier ou quelqu'un d'autre essaie d'aider l'individu parce qu'il paraît ivre ou malade, l'accroissement de stimulation déclenché par le fait d'être relevé ou saisi par quelqu'un élève le niveau d'activation de la victime. En se débattant pour s'échapper, le drogué peut blesser les autres ou se blesser lui-même, principalement à cause du fait qu'il est insensible à la douleur.

Le cannabis

On cultive le *cannabis* depuis l'antiquité pour ses effets psychoactifs. C'est sous forme de feuilles et de fleurs séchées, ou *marijuana,* qu'on l'utilise le plus souvent en Amérique, alors qu'au Moyen-Orient on fait communément usage de la résine solidifiée de cette plante, résine appelée *haschisch* ou *hasch,* en argot. L'ingrédient actif de ces deux substances est le THC (tétrahydrocannibol). Pris par voie orale, à faibles doses (de 5 à 10 mg), le THC produit une légère euphorie ; des doses plus fortes (de 30 à 70 mg) donnent des réactions graves et plus durables qui ressemblent à celles des agents hallucinogènes. Comme pour l'alcool, cette réaction comporte souvent deux phases : une période de stimulation et d'euphorie suivie d'un état de tranquillité et, dans le cas de doses plus fortes, du sommeil.

Ceux qui utilisent la marijuana de façon régulière rapportent un certain nombre de changements sensoriels et perceptifs : euphorie générale et impression de bien-être, distorsions de l'espace et du temps, modifications des per-

ceptions sociales et quelques expériences de « désomatisation » (impression qu'on est situé à l'extérieur de son propre corps, *out-of-body experiences*) (Tart, 1971). Les expériences dérivées de la marijuana ne sont pas toutes agréables. Seize pour cent des habitués disent qu'ils sont couramment l'objet d'angoisses, de craintes et de confusion, et un tiers environ rapportent qu'ils font occasionnellement l'expérience de symptômes de panique aiguë, d'hallucinations et de déformations désagréables de l'image qu'ils ont de leur corps (Halikas, Goodwin et Guze, 1971 ; Negrete et Kwan, 1972).

La marijuana nuit à la bonne exécution des tâches compliquées. Des doses faibles ou modérées nuisent de façon significative à la coordination motrice et à la détection de signaux (la capacité de percevoir un flash lumineux très bref) ; et le test de poursuite d'un stimulus en mouvement est tout particulièrement sensible aux effets de la marijuana (Institute of Medecine, 1982). Ces données montrent clairement qu'il est dangereux de conduire un véhicule quand on est sous l'influence du cannabis. Il est difficile de déterminer le nombre d'accidents d'automobile qui seraient dus à cette drogue, car contrairement à l'alcool, le niveau de THC dans le sang diminue rapidement pour aller se loger dans les tissus graisseux et les organes du corps. Une analyse du sang faite deux heures après l'absorption d'une forte dose de marijuana pourrait ne révéler aucune trace de THC, même si l'observateur était en mesure de constater que l'individu en cause est nettement affecté. On a, néanmoins, estimé que le quart de tous les conducteurs impliqués dans des accidents étaient sous l'influence soit de la marijuana seule, ou d'une combinaison d'alcool et de marijuana (Jones et Lovinger, 1985).

Les effets de la marijuana peuvent persister longtemps après que les impressions subjectives d'euphorie et de somnolence se soient évanouies. Une étude portant sur des pilotes d'avion exécutant un atterrissage simulé a révélé que leur rendement était significativement moins bon même quand 24 heures s'étaient écoulées depuis qu'ils avaient fumé une cigarette de marijuana contenant 19 mg de THC — et ceci, malgré le fait que ces pilotes disaient n'être conscients d'aucun effet consécutif sur leur vigilance ou leur rendement (Yesavage, Leier, Denari et Hollister, 1985). Ces résultats ont soulevé de l'inquiétude quant à la consommation de marijuana par des employés responsables de la sécurité publique.

La plupart des travaux sur l'usage prolongé de la marijuana se trouvent embrouillés par le fait que les sujets utilisent également d'autres drogues. Dans une étude où ce facteur a été contrôlé avec soin, on a constaté peu de conséquences mesurables d'un usage prolongé de la marijuana (Schaeffer, Andrysiak et Ungerleider, 1981). Les sujets, tous de race blanche, nés et élevés aux États-Unis, étaient membres d'une secte religieuse qui utilise la marijuana, sous la forme de ganja, comme faisant partie de son sacrement religieux. Les membres de cette secte se refusent à consommer de l'alcool ou toute autre drogue psychoactive. Ces sujets avaient fait un usage quotidien de 14 à 28 g d'un mélange de tabac et de ganja durant plus de 7 ans, et leurs spécimens d'urine révélaient la présence de fortes quantités de THC. Pourtant, leurs niveaux intellectuels n'étaient pas anormaux, ils ont réussi convenablement aux autres tests cognitifs et ils ne manifestaient aucun signe de mauvaise santé. Par ailleurs, il reste à déterminer les conséquences à long terme possibles que pourraient avoir exercé le fait de fumer sur les poumons de ces sujets. Les faits dont on dispose indiqueraient que la fumée de la marijuana est au moins aussi dommageable pour les poumons que la fumée du tabac (Tashkin et coll., 1985).

Dépendance à l'égard de la drogue

Toutes les drogues dont nous avons parlé — à l'exception possible de la marijuana — exercent des effets prononcés sur le système nerveux central, et un individu peut acquérir une dépendance psychologique ou physique à chacune d'entre elles.

Même si les enquêtes révèlent que l'usage des stupéfiants a légèrement tendance à diminuer depuis 1980, l'abus des substances toxiques reste un problème majeur, particulièrement chez les étudiants du secondaire et les collégiens. Le fait que des étudiants de 11 et 12 ans seulement fassent l'essai de drogues doit nous inquiéter, non seulement à cause des dommages possibles à un système nerveux encore en voie de développement, mais aussi parce que cet intérêt précoce pour les stupéfiants est le présage d'un usage ultérieur plus généralisé.

Une étude longitudinale portant sur des étudiants d'écoles secondaires de l'État de New York fait ressortir les étapes suivantes dans le cheminement du consommateur de stupéfiants:

bière et vin → boissons fortes → marijuana → autres drogues illégales

Il ne faudrait pas conclure pour autant que la consommation d'un agent toxique particulier conduit inévitablement à l'usage des autres drogues de cette liste. Environ le quart seulement des étudiants qui prenaient des boissons fortes sont passés à la marijuana et seulement le quart de ces derniers se sont aventurés à l'essai du LSD, des amphétamines ou de l'héroïne. Ces étudiants ont cessé leur consommation à l'une ou l'autre des étapes de ce cheminement, mais aucun d'entre eux n'est passé directement de la bière ou du vin aux drogues illégales sans prendre de boissons fortes d'abord, et très peu d'entre eux sont allés de la boisson forte aux drogues « dures » sans avoir essayé la marijuana auparavant (Kandel, 1975; Kandel et Logan, 1984). Une expérience positive avec une drogue peut encourager l'essai d'une autre.

Cette théorie de l'escalier quant à l'usage des stupéfiants a été critiquée parce que la majorité des jeunes gens qui fument la marijuana ne passent pas à la consommation des autres drogues. Il n'en demeure pas moins qu'un usage intensif de la marijuana semble accroître la probabilité de la consommation des autres drogues illégales. Une enquête d'envergure nationale auprès des hommes de 20 à 30 ans a montré que, parmi ceux qui avaient fumé de la marijuana 1000 fois ou plus (l'équivalent à peu près d'un usage quotidien durant trois ans), 73 % ont essayé la cocaïne plus tard et 35 %, l'héroïne. Par contre, moins de 1 % des non-fumeurs interrogés avaient fait usage de ces drogues dures. Parmi ceux qui avaient utilisé de la marijuana moins de 100 fois, 7 % seulement ont essayé la cocaïne plus tard et 4 %, l'héroïne (O'Donnell et Clayton, 1982). Le fait de fumer de la marijuana de façon intensive augmente vraiment le risque qu'on s'adonne plus tard à des stupéfiants plus dangereux.

POURQUOI LES GENS FONT-ILS USAGE DE DROGUES?   Les chercheurs ont fait plusieurs études en vue de connaître les caractéristiques de la personnalité et les facteurs sociaux qui poussent les gens à recourir aux agents psychoactifs. Mais comme certains de ces travaux ont mis en cause des individus qui prenaient déjà des drogues, les résultats doivent être interprétés avec prudence. On a, par exemple, décrit les héroïnomanes comme des gens à personnalité antisociale qui éprouvent de la difficulté à entrer en relation avec les autres et qui cherchent à échapper à leurs responsabilités en ayant recours aux drogues. Mais nous ne pouvons savoir de façon certaine si ces caractéristiques ne sont pas le *résultat* de la dépendance plutôt que la cause. Quoi qu'il en soit, les facteurs suivants semblent importants pour déterminer si un individu fera l'essai de drogues illicites.

1. *Influence des parents.*   On a pu observer que les jeunes gens issus de foyers malheureux, ceux dont les parents manifestent peu d'intérêt envers leurs enfants ou infligent des punitions physiques rigoureuses, risquent plus d'avoir recours aux stupéfiants que les jeunes gens qui proviennent d'environnements familiaux plus heureux (Baer et Corrado, 1974). Les valeurs auxquelles adhèrent les parents jouent également un rôle important dans l'usage des drogues. Les jeunes appartenant à des foyers conservateurs, où on attache une grande importance aux valeurs sociales et religieuses traditionnelles, sont moins susceptibles de s'intéresser aux drogues que les jeunes qui appartiennent à des foyers plus libéraux et plus permissifs, où on encourage les enfants « à faire leur propre truc » (Blum et coll., 1972). L'influence la plus importante tient peut-être de la mesure jusqu'à laquelle les parents servent de modèles quant à l'usage des drogues. Les enfants

des parents qui utilisent librement alcool, tranquillisants et autres drogues légales sont eux-mêmes susceptibles d'essayer les drogues (Smart et Fejer, 1972).

2. *Influence des pairs*.   De nombreuses études ont révélé l'existence d'une corrélation entre la variété des substances toxiques qu'une jeune personne essaie et la probabilité que ses amis usent de ces substances. Ces données sont sujettes à plusieurs interprétations : ses amis qui utilisent les drogues encouragent peut-être le jeune à faire l'essai des drogues, ou encore il se peut que ce dernier commence à faire usage de drogues pour ensuite se choisir des amis qui en utilisent. Les deux explications pourraient être valables.

3. *Facteurs de personnalité*.   On ne peut associer aucun « type » de personnalité unique à l'usage des drogues. Les gens essaient les drogues pour différents motifs, la curiosité, par exemple, ou le désir de connaître un état de conscience nouveau, le besoin d'échapper à la douleur physique ou mentale, ou encore pour écarter l'ennui. Il existe cependant un trait de personnalité qui permet de prévoir l'usage des drogues, c'est le conformisme social. Les gens qui ont des scores élevés aux divers tests de conformité sociale (qui se voient comme agissant en conformité avec les valeurs traditionnelles de la société) sont moins susceptibles d'avoir recours aux drogues que ceux qui ont des scores faibles à ces mêmes tests. Le non-conformiste pourrait être soit un « solitaire » qui ne se sent pas engagé auprès des autres, soit un membre d'une sous-culture qui encourage l'utilisation des drogues. Une étude portant sur des moins de 20 ans a permis d'identifier plusieurs traits de personnalité additionnels, associés au conformisme social, à partir desquels on peut prévoir l'utilisation future des drogues. Des jeunes des classes de 8e et de 9e années que leurs compagnons avaient jugés impulsifs, irréfléchis, peu dignes de confiance, dépourvus d'ambition et affichant de mauvaises méthodes de travail étaient plus susceptibles de fumer, de boire de l'alcool et de prendre d'autres drogues. Ils risquaient plus également de s'adonner aux drogues tôt dans la vie et d'être des consommateurs invétérés 12 ans plus tard, lorsqu'ils seraient devenus de jeunes adultes (Smith, 1986).

Ces facteurs peuvent avoir une influence sur le début de l'acquisition d'une habitude des drogues, mais une fois que l'individu devient physiquement dépendant, la motivation change radicalement. L'habitué a acquis un besoin d'un niveau tellement puissant qu'il en ignore tout le reste et ne vit que pour la prochaine « dose ».

LA MÉDITATION

Par la *méditation*, un individu atteint un état altéré de conscience grâce à l'exécution de certains rites et exercices. Ces exercices comprennent le contrôle et la régulation de la respiration, la concentration marquée du champ d'attention, l'élimination des stimuli externes, l'adoption de postures corporelles propres au yoga et la formation d'images mentales d'un événement ou d'un symbole. Il en résulte un état quelque peu « mystique » dans lequel l'individu est extrêmement détendu et se sent séparé du monde extérieur; le « méditant » perd toute conscience de soi et acquiert le sentiment de participer à une conscience plus vaste, peu importe comment il la définit. Le pouvoir que possèdent ces techniques méditatives d'entraîner un changement de l'état de conscience remonte à des temps immémoriaux et se trouve représenté dans toutes les principales religions mondiales . Bouddhistes, hindous, soufis, juifs et chrétiens, on trouve chez tous ces groupes religieux des écrits qui décrivent les rites qui produisent des états de méditation.

Formes traditionnelles de la méditation

Traditionnellement, la méditation suit les pratiques du *yoga*, un système de pensée fondée sur la religion hindou , ou *zen*, croyance dérivée du bouddhisme chinois et japonais. On recommande deux techniques de méditation, soit une *méditation d'ouverture*, dans laquelle le sujet fait table rase dans son esprit pour y accueillir de nouvelles expériences, soit une *méditation de concentration*, par laquelle on trouve avantage à porter une attention active

ANALYSE CRITIQUE

Prévention et traitement de l'abus des drogues

L'abus des drogues représente un problème majeur aux États-Unis. Étant donné l'ampleur de cette difficulté, on consacre beaucoup d'argent et d'efforts à sa prévention et à son traitement.

Une façon de travailler à la prévention consiste à rendre les stupéfiants difficiles d'accès. C'est, bien sûr, ce que visent les lois qui limitent l'importation et la vente de ces substances. Une recension de l'usage de la drogue au cours des 100 dernières années montre que lorsque les agents psychoactifs sont peu coûteux et qu'il est facile de se les procurer, le pourcentage des individus qui les utilisent est relativement élevé (Ray, 1983). Les restrictions légales cependant n'arriveront jamais à empêcher le trafic de ces substances illégales. D'ailleurs, les données nouvelles sur la structure moléculaire des opiacés et des stimulants font qu'il est devenu possible à quelqu'un ayant une connaissance même modeste de la chimie de faire la synthèse de nouvelles drogues qui agissent comme leur contrepartie et dont la structure moléculaire ne diffère que d'un ou deux atomes. Ainsi, un « chimiste clandestin » peut produire une drogue *légale* et bon marché qui mime l'action de l'héroïne, des amphétamines ou de la cocaïne et la vendre comme s'il s'agissait du produit authentique. Une nouvelle drogue de cette nature reste légale tant que le gouvernement n'a pas eu le temps de l'identifier et de la classer comme substance contrôlée. On a pu établir un lien entre de nombreux cas de mortalité et de dommages cérébraux permanents, d'une part, et l'usage de ces « drogues artisanales » (*designer drugs*), d'autre part (Shafer, 1985).

Une autre façon d'aborder la prévention passe par l'éducation des gens quant aux effets des agents toxiques. La plupart des écoles et des collèges publics ont des programmes de sensibilisation aux drogues. Même si ceux qui croient au mérite de tels programmes sont nombreux, on ne dispose jusqu'à présent que de très peu de preuves solides de leur efficacité.

Les programmes destinés au traitement de la dépendance aux drogues ne manquent pas. Certains sont fondés sur des conceptions biologiques. Les cliniques externes, par exemple, ont généralement recours à la méthadone (voir à la p. 137) pour le traitement de la dépendance à l'égard des opiacés. On donne à l'individu des doses de moins en moins fortes, sur une période de trois semaines habituellement, jusqu'à ce qu'il soit « propre ». Les toxicomanes endurcis suivent ce traitement pendant de plus longues périodes, certains indéfiniment. On a critiqué ces programmes de maintien à la méthadone, parce qu'ils ne guérissent pas le patient; ils établissent un transfert de dépendance d'une drogue à l'autre. Il n'en reste pas moins que de tels programmes permettent à des individus qui ont une dépendance aux opiacés de mener des vies productives.

Une autre méthode biologique consiste à recourir à l'*antabuse* (disulfiram) pour le traitement de l'alcoolisme. Ce médicament affecte la capacité que possède le corps de métaboliser de l'alcool et engendre des malaises extrêmes (nausée, vomissements et difficultés respiratoires) chez celui qui consomme de l'alcool pendant qu'il est sous l'effet de ce médicament. Comme c'est le patient

à un objet, un mot ou une idée quelconque. Voici une description représentative en vue de la méditation d'ouverture :

> Cette méthode commence par la résolution de ne rien faire, de ne penser à rien, de ne faire aucun effort, de vous détendre complètement et de laisser aller votre esprit et votre corps en sortant du fleuve des idées et des sentiments en perpétuel changement dans lequel votre esprit se trouve plongé, pour contempler le fil de l'eau. Refusez de vous laisser submerger par le courant. Pour changer de métaphore regardez vos idées, vos impressions et vos désirs monter dans le firmament comme une volée d'oiseaux. Laissez-les folâtrer librement. Ne laissez pas les oiseaux vous transporter dans les nuages (Chauduri, 1965, pp. 30-31).

Et voici des directives correspondantes qui ont été utilisées dans une étude expérimentale de la méditation de concentration :

> Ces séances ont pour but de vous apprendre à vous concentrer. Votre objectif est de focaliser votre attention sur le vase bleu. Par concentration, je ne veux pas dire analyser les diverses parties de ce vase, mais plutôt, essayer de le voir tel qu'il existe en soi, sans connexion avec d'autres choses. Chassez toutes les autres pensées ou sentiments ou sons ou sensations corporelles (Deikman, 1963, p. 330).

Après quelques séances de méditation de concentration, les sujets rapportent ordinairement un certain nombre d'effets : une perception altérée, plus

qui doit s'administrer lui-même l'antabuse quotidiennement, le succès dépend finalement de l'individu. Dans le cas de l'alcoolique qui veut vraiment rester sobre, le médicament prévient la consommation sous l'impulsion du moment, car il doit avoir cessé de prendre l'antabuse depuis 12 heures avant d'absorber de l'alcool.

Les programmes de traitement à bases psychologiques font appel à une variété de méthodes. Ils enseignent des moyens de résoudre les problèmes et des façons plus efficaces de composer avec le stress; ils attirent l'attention sur les conséquences négatives de l'usage de la drogue sur la vie, ils aident l'individu à établir des relations plus intimes et plus ouvertes avec les autres et essaient, en général, d'apporter une certaine satisfaction dans la vie de la personne de façon à remplacer les moments d'euphorie que procurent les drogues.

Aucune méthode individuelle ne s'est avérée meilleure qu'une autre. Le succès d'un tel programme thérapeutique semble dépendre moins de la méthode employée que des ressources de l'habitué. Il n'y a pas de quoi se surprendre. On ne devrait vraiment pas s'attendre à ce que les problèmes sociaux et personnels de longue date qui ont entraîné l'acquisition d'une dépendance soient surmontés par un bref intermède thérapeutique. En général, plus la vie de l'individu avant l'abus de la drogue aura apporté de gratifications — y inclus de la satisfaction dans son travail et dans ses relations personnelles — plus il sera susceptible de profiter d'un programme de traitement. L'individu qui a eu des périodes heureuses dans sa vie

et qui les a perdues par suite de l'abus des agents toxiques aura plus de chances de réussir à briser l'habitude de la drogue que celui qui n'a pu compter pratiquement sur rien avant de se mettre à abuser des stupéfiants.

On peut cependant identifier des caractéristiques générales des programmes thérapeutiques qui sont associées au succès: 1) les programmes de traitement appliqués en résidence (où les patients vivent ensemble dans un hôpital ou une autre institution) obtiennent un meilleur succès que les programmes appliqués dans des cliniques externes ou dans d'autres conditions qui n'exigent pas la résidence; 2) les programmes d'action structurés sont meilleurs que ceux qui sont non directifs, sans structure réelle; et 3) les programmes comportant une période de soins post-thérapeutiques prolongée (comme une séance hebdomadaire de traitement additionnel ou des groupes de rappel) sont plus efficaces que ceux qui ne comportent pas de soins consécutifs (Rosenhan et Seligman, 1984).

Plusieurs programmes de traitement de l'alcoolisme insistent sur l'assistance régulière aux rencontres de Alcooliques anonymes (AA), regroupement mondial d'alcooliques en voie de recouvrement qui se consacrent à aider les autres à surmonter leurs problèmes d'alcool. Cet organisme procure un soutien moral de groupe dans la lutte pour le contrôle de la consommation d'alcool; l'alcoolique trouve un réconfort et de l'espoir dans le fait que plusieurs des membres de ce groupe, dont certains sont restés sobres depuis des années, ont été à un moment donné, des ivrognes invétérés pour qui

il ne semblait plus y avoir d'espoir. Même si les AA protègent l'anonymat de ses membres et n'encouragent pas la recherche, les faits dont on dispose sur le succès de ce mouvement sont prometteurs (Alford, 1980). Aujourd'hui les AA comptent parmi leurs membres des gens qui ont des problèmes avec d'autres drogues que l'alcool.

Une patiente qui reçoit des conseils dans un centre de traitement à la méthadone.

intensive du vase; parfois il se raccourcit, surtout en rétrospective; des perceptions conflictuelles, comme si le vase recouvrait et ne recouvrait pas tout le champ visuel; une efficacité décroissante des stimuli externes (moins de distraction, et éventuellement, moins de prise de conscience de ces stimuli); et une impression selon laquelle l'état méditatif paraît agréable et gratifiant.

Les études expérimentales de la méditation, qui sont nécessairement de courte durée, ne donnent que des indications limitées sur les altérations de la conscience qu'un individu peut atteindre quand la pratique et l'entraînement à la méditation se prolongent pendant plusieurs années. Dans son étude du *Matramudra*, un texte du bouddhisme tibétain vieux de plusieurs siècles, Brown (1977) a décrit l'entraînement complexe qui est nécessaire pour arriver à maîtriser cette technique. Il a montré qu'on peut s'attendre à des changements cognitifs à différents niveaux de méditation. (Dans ce type de méditation, les gens passent par cinq niveaux pour atteindre finalement un état dépourvu de pensées, de perceptions, de sentiment de soi, que l'on appelle samdhi de concentration.)

Méditation en vue de la détente

On a fait, en Amérique du Nord et ailleurs dans le monde, une campagne de publicité en faveur d'une forme de méditation plutôt commercialisée et

sécularisée qu'on appelle *Méditation transcendantale* ou MT (Forem, 1973). Cette technique s'apprend facilement grâce aux bons offices d'un maître compétent qui donne au novice « méditant » un *mantra* (un son spécial) et des directives sur la façon de le répéter continuellement de façon à produire le repos profond et la prise de conscience caractéristiques de la MT.

On peut parvenir à un état de détente similaire sans l'association mystique de la MT. Créée par Benson et ses collègues, cette technique comprend les étapes suivantes:

1. Asseyez-vous, tranquille, dans une position confortable et fermez les yeux.
2. Détendez à fond tous vos muscles, en commençant par les pieds et en remontant jusqu'au visage. Maintenez-les complètement détendus.
3. Respirez par le nez. Prenez conscience de votre respiration. Pendant l'expiration, dites-vous en silence à vous-même le mot un. Par exemple, aspirez expirez, un; aspirez expirez, un, etc. Continuez pendant 10 minutes. Vous pouvez ouvrir les yeux pour vérifier l'heure, mais ne vous servez pas d'un réveille-matin. Quand vous aurez fini, restez assis, tranquille, pendant quelques minutes, les yeux fermés d'abord et ouverts ensuite.
4. Ne vous inquiétez pas de savoir si vous réussissez à atteindre un niveau profond de relaxation. Gardez une attitude passive et laissez la détente se produire à son heure. Attendez-vous à avoir d'autres pensées. Lorsque ces pensées distrayantes se présentent, ignorez-les en vous disant « Eh bien! » et continuez à répéter un. Avec l'entraînement, la réaction devrait se produire sans grand effort.
5. Entraînez-vous à cette technique une ou deux fois par jour, mais pas durant les deux heures qui suivent un repas, car les processus de digestion semblent interférer avec les changements subjectifs (Benson, Kotch, Crassweller et Greenwood, 1977, p. 442).

Durant ce type de méditation, l'individu s'engage dans un état d'activation physiologique réduit. Les sujets témoignent d'impressions qui sont assez semblables à celles suscitées par d'autres pratiques méditatives: la tranquillité d'esprit, l'impression qu'on est en paix avec l'univers et un sentiment de bien-être.

La méditation est une technique efficace pour se détendre et abaisser le niveau d'activation physiologique. Presque toutes les études de ce phénomène rapportent une réduction appréciable du rythme respiratoire, une diminution de la consommation d'oxygène et une élimination moindre d'anhydride carbonique. Il y a décélération de la fréquence cardiaque, la circulation sanguine se stabilise et la concentration du lactate dans le sang est réduite (Benson et Friedman, 1985; Shapiro, 1985). Les premiers résultats de recherche permettaient de supposer que la méditation était un état physiologique unique, mais des expériences récentes indiquent que cet état physiologique n'est pas différent des autres états provoqués par d'autres techniques de relaxation, telles l'hypnose, la rétroaction biologique ou le relâchement musculaire profond. S'appuyant sur une révision des travaux dans le domaine, Holmes (1984, 1985) va encore plus loin et soutient qu'il n'y a pas de données fiables qui indiqueraient que la relaxation est plus efficace pour abaisser le niveau d'activation physiologique que le simple repos.

Beaucoup de personnes qui s'intéressent à la *psychologie du sport* croient que la méditation peut être utile pour obtenir un rendement maximal de la part d'un athlète (Syer et Connolly, 1984). Le fait de se plonger dans la méditation aide à réduire le stress qui précède un événement sportif et, avec l'expérience, l'athlète peut apprendre à relaxer divers groupes musculaires et à évaluer des différences subtiles de tension musculaire. La méditation peut comporter la formation d'images mentales du détail d'un événement imminent, comme une course de descente en ski, jusqu'à ce que l'athlète se trouve synchronisé parfaitement avec le déroulement de l'action. Le skieur se fait une image mentale visuelle de la prise du départ sur la plateforme, de la descente accélérée dans la côte, du passage entre les « portes » du slalom, et il repasse chacun de ses gestes dans son esprit. En imaginant les sensations visuelles d'une bonne performance, l'athlète essaie de faire une programmation des muscles de son corps en vue d'une efficacité maximale. Le grand golfeur, Jack Nicklaus, a élaboré cette technique par lui-même il y a plusieurs années. En décrivant comment il visualisait sa performance, Nicklaus écrivait:

Je ne laisse jamais partir un coup, même dans les périodes de pratique, sans en avoir une image précise, bien au foyer, dans ma tête. D'abord, je « vois » la balle là où je veux qu'elle parvienne : elle est belle et blanche et repose bien haut sur le gazon vert et brillant. Puis la scène change rapidement et je « vois » la balle qui se dirige vers cet endroit : la direction qu'elle prend, sa trajectoire et sa forme, même son comportement en arrivant à terre. Ensuite, il y a une brève fermeture en fondu (fade-out) et la scène suivante me représente en train d'exécuter le swing qui fera passer les images précédentes à la réalité. Ce n'est qu'à la fin de ce bref spectacle privé, à la Hollywood, que je choisis un bâton et m'avance vers la balle (1974, p. 79).

Les travaux de recherche sur la méditation sont de qualité variable et certaines prétentions, surtout de la part de ceux qui ont un intérêt commercial dans les résultats, sont suspectes. Les évaluations indépendantes, toutefois, permettent de supposer que la méditation réduit l'activation, surtout chez les individus vulnérables au stress et qu'elle peut être bénéfique à ceux qui souffrent d'anxiété et de tension. En guise de résumé, voici une citation de Harré et Lamb :

Les valeurs que la méditation prend pour un individu dépendent de l'attitude et du contexte. Sur la place du marché des doctrines spiritualistes, plusieurs des sectes contemporaines de la méditation, avec l'importance qu'elles accordent aux gourous et à l'appartenance à des institutions élitistes qui se donnent leurs propres définitions, pourraient être perçues comme une expresssion de la désintégration du système familial dans l'Occident moderne et de l'incertitude qui en découle à l'égard des moeurs et des rôles parentaux et sexuels. Les jeunes, souvent en mal d'orientation, trouvent des substituts parentaux dans d'étranges endroits, et ils risquent de devenir, par suite de lavages de cerveau, des mordus d'exercices psychosomatiques énergiques, dont l'accès est conditionnel à l'appartenance sectaire et à des contributions financières. Ce n'est que lorsqu'elle sert de moyen en vue de l'épanouissement personnel, de la compréhension de soi et surtout de l'acquisition de l'autonomie que la méditation peut donner son vrai potentiel (1983, p. 377).

HYPNOSE

De tous les états d'altération de la conscience, aucun ne soulève autant de questions que la *condition d'hypnose*. Associée un moment aux phénomènes bizarres et occultes, l'hypnose est maintenant devenue l'objet de recherches scientifiques rigoureuses. Comme dans tous les domaines d'enquête psychologique, il y a encore des incertitudes, mais il s'est déjà accumulé beaucoup de faits bien établis. Une définition de l'hypnose que nous propose Kihlstrom servira d'introduction à cette question :

On peut définir l'hypnose comme une interaction sociale dans laquelle une personne (appelée sujet) répond aux suggestions qui lui sont faites par une autre personne (appelée hypnotiseur) en vue de produire des expériences comportant des altérations de la perception, de la mémoire et de l'action volontaire. Dans le cas classique, ces expériences et les comportements qui les accompagnent sont associés à une conviction subjective se situant aux limites du délire et à une participation involontaire presque apparentée à la compulsion (1985, pp. 385-86).

L'expérience hypnotique

Dans l'hypnose, un sujet consentant et coopératif (le seul type qu'on puisse hypnotiser dans la plupart des circonstances) abandonne à l'hypnotiseur une partie du contrôle qu'il possède sur son propre comportement et accepte une certaine distorsion de la réalité. L'hypnotiseur dispose d'une variété de méthodes pour créer cet état. Il pourra, par exemple, demander au sujet de concentrer toutes ses pensées sur une petite cible (peut-être un clou sur le mur) pendant qu'il se détend progressivement. Il peut lui suggérer la somno-

Le mouvement involontaire des bras, ou la paralysie des mouvements, peuvent être produits facilement par suggestion hypnotique.

lence car l'hypnose, comme le sommeil, est un état de détente dans lequel une personne a perdu contact avec les exigences ordinaires de l'environnement. Mais le sommeil n'est alors qu'une métaphore. On dit au sujet qu'il ne s'endormira pas vraiment, mais qu'il va continuer d'écouter l'hypnotiseur.

On peut provoquer le même état par des méthodes autres que la relaxation. Il est également possible, par exemple, de créer une transe hypnotique de suractivation, caractérisée par une augmentation de la tension et de la vigilance, et le procédé utilisé pour amorcer la transe est une méthode active. Par exemple, dans l'une de ces études, des sujets qui pédalaient en laboratoire sur une bicyclette stationnaire pendant qu'on leur suggérait qu'ils étaient forts et alertes se montraient aussi sensibles à la suggestion hypnotique que l'étaient les sujets détendus conventionnels (Banyai et Hilgard, 1976). Ces résultats contredisent l'équation qu'on fait communément entre hypnose et relaxation, mais ils concordent avec les méthodes d'amorçage des transes utilisées par des sectes comme celle des derviches tourneurs.

L'hypnotiseur moderne n'a pas recours aux ordres nettement autoritaires. D'ailleurs, avec un peu d'entraînement, les sujets deviennent capables de s'hypnotiser eux-mêmes (Ruch, 1975). Le sujet entre dans l'état hypnotique quand les conditions conviennent; l'hypnotiseur ne fait qu'aider à créer ces conditions. Les changements suivants sont caractéristiques de la condition du sujet sous hypnose:

1. *La planification cesse.* Un sujet profondément hypnotisé n'aime pas prendre l'initiative de l'action; il préférera attendre que l'hypnotiseur lui suggère ce qu'il doit faire.
2. *L'attention devient plus sélective qu'à l'ordinaire.* Le sujet à qui l'on dit de ne prêter attention qu'à la voix de l'hypnotiseur va ignorer toutes les autres voix dans la pièce.
3. *Il devient facile d'évoquer de riches fantasmes.* Le sujet pourra se trouver en train de vivre des expériences agréables loin dans le temps et dans l'espace.
4. *Le test de la réalité est moins utilisé et la déformation de la réalité est acceptée.* Le sujet pourra accepter sans sourciller les expériences hallucinatoires (par exemple, faire la conversation avec un personnage imaginaire qu'il croit assis dans une chaise tout près de lui) et il n'essaiera pas de vérifier si cette personne est réelle.
5. *La suggestibilité est accrue.* Pour être hypnotisé, il faut accepter les suggestions. Y a-t-il augmentation de la suggestibilité normale dans l'état d'hypnose? Voilà une question qui prête à discussion. Toutefois, des études sérieuses témoignent d'une augmentation de la suggestibilité suite à l'induction hypnotique, mais l'augmentation n'est peut-être pas aussi forte qu'on le suppose d'ordinaire (Ruch, Morgan et Hilgard, 1973).
6. *L'amnésie posthypnotique se produit souvent.* Si on leur demande de le faire, les sujets très suggestibles à l'hypnose oublient tout ou presque tout ce qui s'est passé pendant la séance hypnotique. Dès que l'expérimentateur donne ensuite un signal convenu à l'avance, les souvenirs de ces choses reviennent à l'esprit du sujet.

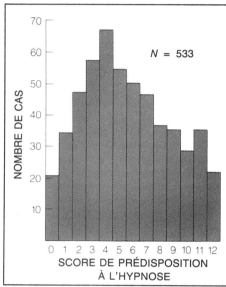

FIGURE 4-6

Différences individuelles de prédisposition à l'hypnose *Après utilisation d'une technique d'induction hypnotique standard, des chercheurs ont présenté à 533 sujets 12 suggestions-tests tirées de l'Échelle de prédisposition hypnotique de Stanford (Stanford Hypnotic Suggestibility Scale). L'expérience avait pour but de vérifier l'apparition de réponses hypnotiques comme celles que nous avons décrites dans ce texte (par exemple, être incapable de plier le bras ou de séparer les mains jointes après que l'hypnotiseur en avait suggéré la possibilité). On notait la présence ou l'absence de la réponse à la suggestion et on faisait le total des réponses pour chaque sujet, lui attribuant un score de 0 (totalement insensible à la suggestion) à 12 (des plus sensibles). Comme dans le cas d'autres mesures psychologiques, la plupart des sujets se situent autour de la moyenne, quelques-uns ayant des scores élevés et quelques autres, des scores faibles. (D'après Hilgard, 1965)*

L'obéissance aux suggestions ne vaut habituellement que pour des niveaux relativement superficiels de l'hypnose. Quand des sujets très suggestibles sont encouragés à se laisser aller dans une transe plus profonde, ils finissent par atteindre un état dans lequel ils ne réagissent pas aux suggestions de l'hypnotiseur (sauf quand un signal convenu à l'avance les ramène à un niveau où ils peuvent communiquer). Les gens qu'on a placés sous hypnose profonde parlent d'une impression de séparation corps-esprit, du sentiment de faire un avec l'univers, d'une impression d'acquisition de connaissances, mais d'une sorte qu'on ne saurait communiquer (Tart, 1979). Cet état paraît semblable à la sorte d'expérience mystique que rapportent ceux qui ont reçu un long entraînement à la méditation et qui pourrait être une sorte d'auto-hypnose.

Tout le monde ne réagit pas de la même façon aux techniques hypnotiques (voir la figure 4-6). L'obéissance à la suggestion hypnotique semble comprendre des éléments acquis comme des éléments génétiques. La capacité de mettre la réalité ordinaire de côté et de devenir profondément absorbé dans la lecture d'un bouquin, dans un spectacle de théâtre, dans un morceau de musique ou dans l'admiration de la nature est un signe important pour prédire si un sujet sera facile ou non à hypnotiser (Kihlstrom, 1985). Il s'agit probablement d'une aptitude acquise, développée au cours de la tendre enfance grâce à des expériences auprès de parents à l'imagination fertile. Les faits qui militent en faveur d'une composante héréditaire nous viennent des études sur les jumeaux. La comparaison, par exemple, de jumeaux identiques (monozygotes) avec des jumeaux fraternels (dizygotes) a laissé apparaître une différence significative entre ces deux groupes. Les jumeaux identiques ont eu des scores de prédisposition à l'hypnose qui se ressemblaient plus d'un jumeau à l'autre que chez les jumeaux fraternels (Morgan, 1973).

Les suggestions faites à un sujet sous hypnose peuvent conduire à une variété de comportements et d'expériences. Il peut arriver que le contrôle moteur de l'individu soit affecté, que des souvenirs nouveaux soient perdus ou de vieux souvenirs soient à nouveau vécus et que les perceptions courantes soient radicalement altérées.

LE CONTRÔLE DES MOUVEMENTS   Beaucoup de sujets hypnotisés répondent à la suggestion directe par des mouvements involontaires. Si, par exemple, une personne se tient debout les bras déployés, les paumes des mains face l'une à l'autre et que l'hypnotiseur lui suggère que ses mains se trouvent attirées l'une vers l'autre, les mains vont effectivement commencer à bouger et le sujet aura l'impression qu'elles sont poussées par une force extérieure. Une suggestion directe peut également inhiber ce mouvement. Si on dit à un sujet sensible à la suggestion que l'un de ses bras est raide (comme une barre de fer ou comme s'il était dans une éclisse) et si on lui demande ensuite de plier le bras, celui-ci ne pliera pas ou encore il faudra plus d'effort qu'à l'ordinaire pour le faire plier. Ce type de réaction est moins commun que le mouvement en réponse à la suggestion.

Il pourra arriver que les sujets qu'on a tirés de l'hypnose répondent par un mouvement à un signal convenu à l'avance avec l'hypnotiseur. C'est ce qu'on appelle une *suggestion posthypnotique*. Même quand ils n'ont plus souvenir de la suggestion, les sujets ressentent une compulsion vers l'exécution de ce comportement. Ils pourront vouloir justifier leur conduite comme si elle était rationnelle, même si l'envie d'agir est de caractère impulsif. Par exemple, un jeune homme à la recherche d'une explication rationnelle du motif pour lequel il avait ouvert une fenêtre quand l'hypnotiseur avait enlevé ses lunettes (le signal convenu à l'avance) passa une remarque à l'effet que l'on manquait un peu d'air dans cette pièce.

AMNÉSIE POSTHYPNOTIQUE   Il est possible pour le sujet d'« oublier », à la suggestion de l'hypnotiseur, les événements qui se déroulent durant la séance d'hypnose pour ne s'en rappeler qu'au moment où un signal de la part de l'hypnotiseur le lui permet. C'est ce que l'on appelle l'*amnésie posthypnotique*. Comme on peut le voir par la figure 4-7, la capacité de produire une amnésie posthypnotique varie beaucoup d'un sujet à l'autre. Dans l'expérience dont les résultats sont présentés dans cette figure, les sujets devaient se rappeler 10 actions accomplies sous hypnose. Quelques sujets n'en oublièrent aucune ou seulement 1 ou 2, mais la plupart ne purent se rappeler que de 4 ou 5 de ces actions. Enfin, un nombre appréciable des sujets avaient oublié toutes les 10 actions. On a observé ce type de distribution bimodale, où l'on constate la présence de deux groupes distincts de sujets, dans plusieurs études sur l'amnésie posthypnotique. Le groupe de sujets qui se souviennent le plus est plus important et il représenterait, présumément, la moyenne des hypnotisés; le groupe plus restreint, ceux qui ont oublié toutes les actions, a été considéré comme composé des virtuoses de l'hypnose. Les différences de remémoration entre les deux groupes après la suggestion posthypnotique ne semblent pas associées à des différences de la capacité mnémonique: une fois l'amnésie annulée au signal convenu de l'hypnotiseur, les sujets qui étaient très amnésiques se souviennent d'autant d'actions que ceux qui l'étaient moins. Des chercheurs ont supposé que l'hypnose faisait temporairement interférence avec la capacité que possède l'individu de rechercher un événement donné dans sa mémoire, sans affecter toutefois l'entreposage même des souvenirs (Kihlstrom, 1985).

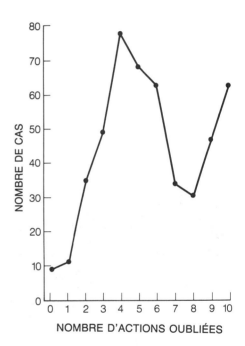

FIGURE 4-7
Courbe de distribution de l'amnésie posthypnotique   *Les sujets exécutèrent 10 actions sous hypnose et reçurent ensuite des consignes d'amnésie posthypnotique. Lorsqu'on leur demanda ce qui s'était passé durant la séance d'hypnose, le nombre d'actions dont ils ne pouvaient se rappeler variait d'un sujet à l'autre: le niveau d'oubli pouvait, pour un sujet donné, se situer entre 0 et 10 actions. L'expérience a porté sur 491 sujets et le graphique donne le nombre de sujets à chaque niveau d'oubli. La courbe est celle d'une distribution bimodale de l'amnésie posthypnotique: elle atteint des sommets à 4 et à 10 actions oubliées. (D'après Cooper, 1979)*

RÉGRESSION DANS LE TEMPS   Certains individus sont capables, en réponse à la suggestion hypnotique, de faire à nouveau l'expérience d'épisodes des premières années de leur vie, comme un anniversaire à l'âge de 10 ans. Chez certains, l'épisode prend la forme d'une image qui serait projetée sur le petit écran ; les sujets sont conscients d'être là et de vivre l'événement sans avoir l'impression que ce sont eux qui le créent. Dans un autre type de régression, les sujets ont l'impression de faire à nouveau l'expérience de ces événements. Ils sont susceptibles de décrire les vêtements qu'ils portent, de se passer la main dans les cheveux et de parler de leur longueur ou de reconnaître leurs compagnons de classe de l'époque. À l'occasion, un langage connu durant l'enfance, mais oublié depuis longtemps, fera une réapparition durant la régression. Par exemple, un garçon né aux États-Unis de parents japonais et qui avait parlé le japonais quand il était petit mais qui l'avait oublié depuis, se mit à parler cette langue couramment sous hypnose (Fromm, 1970).

HALLUCINATIONS POSITIVES ET NÉGATIVES   Certaines expériences exigent un niveau de talent hypnotique supérieur. Ainsi, les distorsions perceptives vivantes et convaincantes des hallucinations sont relativement rares. On dispose de données sur deux types d'hallucinations suggérées sous hypnose : les *hallucinations positives*, dans lesquelles le sujet entend une voix, voit un objet, un événement ou un personnage qui ne sont pas vraiment présents, et les *hallucinations négatives* au cours desquelles la perception normale était altérée. Beaucoup d'hallucinations ont des éléments positifs et négatifs à la fois. Pour ne pas voir une personne assise dans une chaise (hallucination négative), il faut que le sujet aperçoive des parties de la chaise dont la vue lui serait ordinairement bloquée (hallucination positive).

Des hallucinations peuvent également survenir à la suite de suggestions posthypnotiques. On peut dire à des sujets, par exemple, qu'à leur sortie de l'état hypnotique, ils se retrouveront avec un lapin dans les mains, lapin qui veut se faire caresser et qui demandera « Quelle heure est-il ? ». La plupart des sujets trouvent naturel le fait de voir et de flatter un lapin. Mais quand ils constatent qu'ils sont en train de donner l'heure à un lapin, ils sont surpris et essaient de trouver une explication à leur comportement : « Ai-je entendu quelqu'un demander l'heure ? C'est drôle, on aurait dit que c'était le lapin qui posait la question, mais les lapins ne sont pas capables de parler ! ». Cette réaction est typique.

On peut se servir des hallucinations négatives pour le contrôle efficace de la douleur. Dans bien des cas, l'hypnose élimine totalement la douleur, même quand la source de la douleur — une brûlure grave ou la fracture d'un os — est toujours là. Cette absence de perception de quelque chose (la douleur), qu'on devrait normalement ressentir, situe cette réaction parmi les hallucinations négatives. Il n'est pas nécessaire que la réduction de la douleur soit complète pour que l'hypnose contribue à son soulagement. Une diminution de douleur d'aussi peu que 20 % peut rendre la vie d'un patient plus tolérable. Des études expérimentales ont démontré que la quantité de réduction de la douleur entretenait une relation étroite avec le degré de prédisposition à l'hypnose qu'on avait mesuré (Hilgard et Hilgard, 1975). L'allégement de la douleur par hypnose est utile en chirurgie dentaire, en obstétrique et en chirurgie générale, surtout quand l'emploi des substances anesthésiques chimiques est à déconseiller à cause de l'état du patient (Wadden et Anderton, 1982) (voir la figure 4-8).

Théories de l'hypnose

Les experts ont engagé des débats sur la nature de l'hypnose et sur sa façon d'opérer depuis la fin du XVIIIe siècle, quand Franz Mesmer a prétendu qu'elle était attribuable au « magnétisme animal ». Une centaine d'années plus tard, le neurologue français, Charcot, a présenté l'hypnose comme un signe d'hystérie et l'a classée parmi les perturbations d'ordre neurologique. Son opinion fut contestée par Bernheim, un médecin qui faisait valoir que l'hypnose est le résultat de la suggestion et qui insistait sur le fait qu'on pou-

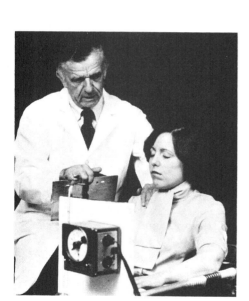

FIGURE 4-8
La douleur sous hypnose   *Au début, quand sa main était dans l'eau glacée, le sujet n'avait pas ressenti de douleur se conformant ainsi à la suggestion de l'hypnotiseur. En plaçant sa main sur l'épaule du sujet, cependant, le docteur Hilgard est capable de faire intervenir un « observateur caché » qui fait un rapport sur le degré de douleur ressenti par le sujet.*

vait hypnotiser les gens normaux. Bernheim l'emporta dans ce débat, mais l'hypnose continua d'être un sujet de controverse.

Pavlov, célèbre pour ses travaux sur le réflexe conditionné (voir au chapitre 7, p. 224), croyait que l'hypnose était une forme de sommeil, d'où son nom, d'ailleurs. Sa théorie a été largement discréditée par les études physiologiques qui font ressortir des différences d'EEG entre les dormeurs et les sujets hypnotisés et par les démonstrations d'hypnose de sujets vigilants. Il n'en reste pas moins un lien encore marqué entre l'hypnose et la détente (Edmonston, 1981).

Une théorie psychanalytique voudrait que l'hypnose soit un état de *régression partielle* dans lequel le sujet ne disposerait pas des moyens de contrôle accessibles à la conscience d'éveil normale et agirait par conséquent de façon impulsive, s'adonnant à la production de fantasmes. L'hypnose produirait une régression des processus de pensée vers un stade plus infantile; les fantasmes et les hallucinations qui font surface dans l'hypnose seraient les signes d'un mode primitif de pensée qui échappe à la censure de niveaux supérieurs de contrôle (Gill, 1972).

Une théorie qui s'appuie sur le caractère dramatique de nombreux comportements hypnotiques met l'accent sur une sorte d'adoption involontaire de *rôle en réaction* aux pressions sociales. Cette théorie ne laisse *pas* supposer que le sujet joue un rôle dans un effort délibéré pour tromper l'hypnotiseur; elle postule que le sujet devient si profondément engagé dans un rôle que des actes s'ensuivent sans intention consciente (Coe et Sarbin, 1977).

Une autre conception encore insiste sur les aspects dissociatifs de l'hypnose. La *dissociation* implique un partage de la conscience en plusieurs courants de pensée, chacun étant d'une certaine façon indépendant des autres (voir à la page 120). Théoriquement, l'hypnose susciterait un état dissociatif chez le sujet, état qui ferait qu'il ne serait pas au courant de tout ce qui se produit dans sa conscience. L'hypnotiseur, toutefois, serait capable de puiser dans les divers courants de pensée. Une version particulière de cette théorie, la *théorie de la néodissociation*, s'est avérée utile dans l'analyse des phénomènes hypnotiques (voir l'Analyse critique intitulée « L'observateur caché de l'état hypnotique »).

Les théories rivales de l'hypnose donnaient lieu à des débats plus passionnés durant les années 1960 et 1970 qu'elles ne le font maintenant. Les faits et les rapports entre ces faits étant mieux compris aujourd'hui, l'importance des différences entre les explications s'amenuise. Chacune de ces théories attire l'attention sur l'une des caractéristiques significatives de l'hypnose et les différences disparaissent au fur et à mesure que de nouvelles données font leur apparition (Kihlstrom, 1985).

PRÉTENTIONS SANS FONDEMENT EN FAVEUR DE L'ESPRIT

Aucune discussion de la conscience ne saurait être complète sans que l'on considère certaines prétentions ésotériques et mystiques relatives à l'esprit qui ont suscité un intérêt général considérable. Qu'elles se rapportent à des traditions religieuses et philosophiques anciennes fort respectées ou à des aventures plus théâtrales vers l'occultisme, ces croyances se situent ordinairement à l'extérieur du champ de préoccupation d'une psychologie naturaliste. Cependant, lorsque ces prétentions sont tangibles, il peut arriver que les psychologues les soumettent à l'analyse critique des critères scientifiques ordinaires (voir à ce propos la discussion de la perception extrasensorielle au chapitre 6, p. 232).

Ascendance de l'esprit sur le corps

Les attitudes et les attentes d'un individu peuvent contrôler les processus corporels. Depuis des siècles, des experts du yoga font étalage de leur capa-

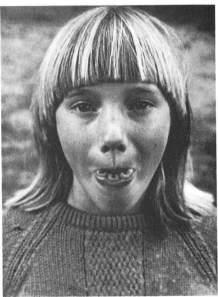

Contrôle musculaire volontaire
Tout le monde ne réussit pas à faire des rigoles avec sa langue, mais à force d'entraînement, cette jeune fille est capable de mouler sa langue pour former jusqu'à trois rigoles quand elle le désire. (Gracieuseté de A.J. Hilgard)

ANALYSE CRITIQUE

L'« observateur caché » de l'état hypnotique

La théorie de la néodissociation hypnotique découle de l'observation faite par Hilgard (1977) à l'effet que chez beaucoup de sujets hypnotisés, une partie de leur esprit qui n'entre pas dans leur champ de conscience semble surveiller le déroulement général de l'expérience du sujet. On a décrit ses résultats de la façon suivante :

Les circonstances de la découverte par Hilgard de la présence d'un courant double de pensée dans l'hypnose furent proprement spectaculaires. Au cours d'une démonstration pédagogique de l'hypnose utilisant un sujet expérimenté qui, en fait, était aveugle, Hilgard suscita chez lui la surdité, mais lui dit qu'il serait capable d'entendre quand on placerait une main sur son épaule. Isolé de ce qui se passait autour de lui, le sujet s'ennuya et commença à penser à autre chose. Hilgard fit constater aux étudiants qui observaient à quel point le sujet était insensible au bruit ou à la parole, mais on se demanda alors s'il était aussi indifférent qu'il le semblait. D'une voix basse, Hilgard demanda au sujet si, malgré le fait qu'il soit hypnotiquement sourd, il pourrait y avoir « une partie de lui-même » capable d'entendre et, le cas échéant, de lever l'index. À la surprise de tous — y compris du sujet hypnotisé — le doigt se souleva.

À ce moment-là, le sujet voulut savoir ce qui s'était passé. Hilgard plaça la main sur son épaule de façon à ce qu'il puisse entendre, lui promit qu'il lui expliquerait plus tard, mais lui demanda, entre temps, de lui dire ce dont il se souvenait. Le sujet se rappelait que tout était devenu tranquille, qu'il s'ennuyait et qu'il avait commencé à penser à un problème de statistiques. Puis, il avait senti son index qui se soulevait et il voulait savoir pourquoi.

Hilgard demanda alors un rapport de « cette partie de vous-même qui m'écoutait auparavant et qui a fait bouger votre doigt », tout en informant le sujet hypnotisé qu'il ne serait pas capable d'entendre ce qu'il dirait lui-même. Il s'avéra que cette seconde partie de la conscience du sujet avait entendu tout ce qui s'était passé et était capable de le rapporter. Hilgard trouva la métaphore qui convenait à la description de ce témoin détaché — l'observateur caché (Hebb, 1982, p. 53).

La métaphore de l'observateur caché réfère donc à une structure mentale qui cité d'exercer un contrôle remarquable sur des fonctions qui sont habituellement involontaires (Wenger et Bagchi, 1961). Jusqu'à tout récemment, on avait supposé qu'un tel contrôle n'était rendu possible que grâce à des exercices prolongés et rigoureux. Il semble bien maintenant qu'on soit capable d'obtenir des effets similaires, même s'ils sont moins spectaculaires, par l'entraînement à la rétroaction biologique, que nous décrivons aux chapitres 7 et 14.

Le simple exercice peut également, comme en témoigne toute virtuosité acrobatique, donner à un sujet un contrôle volontaire remarquable sur son corps. Un truc comme celui de se faire bouger les oreilles, truc qui dépasse les capacités de la plupart des gens, peut s'apprendre à force d'entraînement patient. Aucun besoin de faire appel à la religion ou à des pouvoirs surnaturels pour démontrer l'influence de l'esprit sur le corps.

On a un autre exemple du contrôle de l'esprit sur le corps dans la pratique de marcher sur des tisons ardents, une cérémonie religieuse qui se rencontre dans plusieurs parties du monde. Dans certaines sociétés même les enfants sont capables de passer à pieds nus sur des charbons ardents sans se blesser les pieds. (Il arrivera à l'occasion que quelqu'un subisse des brûlures graves, mais les adeptes attribuèrent l'accident au fait que la victime soit ennuyée par un « esprit » responsable). Il est surprenant de constater que cette possibilité de marcher sur des tisons ardents peut s'expliquer par la physique de la chaleur et des matières incandescentes, sans nécessiter de recours à des pouvoirs surnaturels. Même si le lit de charbon est extrêmement chaud, ce qui importe ce n'est pas la température mais la conductivité des matières en combustion et leur contenu de chaleur. Dans la marche sur le feu, il s'agit d'un transfert de chaleur par le bois, lequel est un très mauvais conducteur de chaleur ; l'aluminium et le cuivre sont, par exemple, des conducteurs de chaleur des milliers de fois plus efficaces. Ce qui est plus important encore, c'est le contenu de chaleur des charbons ; durant les phases finales d'un feu de bois, alors qu'il ne reste plus que des tisons, le contenu de chaleur se trouve considérablement réduit. Ainsi, il devient possible pour une personne de mar-

surveille tout ce qui se passe, y compris les événements que le sujet hypnotisé n'est pas conscient de percevoir.

Beaucoup d'expérimentateurs ont pu démontrer la présence de l'observateur caché (Kihlstrom, 1985 ; Zamansky et Bartis, 1985). Dans des études sur le soulagement de la douleur, les sujets sont en mesure de décrire comment ils ressentent la douleur, en utilisant l'écriture automatique ou la parole, en même temps que leur système conscient accepte la suggestion de soulagement de la part de l'hypnotiseur et y réagit. D'autres travaux avec l'écriture automatique ont montré que les sujets hypnotisés écrivent des messages dont ils ne prennent pas conscience pendant que leur attention est dirigée vers d'autres tâches, comme lire à voix haute ou nommer les couleurs qui apparaissent sur un tableau (Knox, Crutchfield et Hilgard, 1975). Hilgard et ses collaborateurs ont comparé ces phénomènes aux expériences de tous les jours dans lesquelles un individu partage son attention entre deux tâches, comme conduire une voiture et faire la conversation en même temps ou prononcer un discours tout en évaluant son propre rendement comme orateur.

Même si on a été capable de les répéter dans plusieurs laboratoires et cliniques, ces expériences d'observateur caché ont fait l'objet de critiques sur le plan méthodologique. Les sceptiques prétendent que ces résultats seraient attribuables aux demandes implicites de complaisance (voir, par exemple, Spanos et Hewitt, 1980). Une expérience soigneusement planifiée en vue de déterminer le rôle de la complaisance a montré qu'il était possible de faire la distinction entre les réponses des sujets véritablement hypnotisés et celles des sujets qui se pliaient seulement de façon aimable aux directives. Les auteurs ont demandé à des sujets dont la faible sensibilité à l'hypnose avait établi préalablement de simuler l'état hypnotique et à des sujets sensibles à l'hypnose de se comporter normalement. Les simulateurs se sont vraiment conformés aux demandes de l'hypnotiseur de la façon à laquelle on s'attendait, mais leur témoignage sur les expériences subjectives étaient significativement différent de celui des individus qui avaient été réellement hypnotisés (Hilgard et coll., 1978 ; Zamansky et Bartis, 1985).

Une question restée en suspens est celle de savoir pourquoi certains sujets qui sont fortement prédisposés à l'hypnose n'ont pas accès à un observateur caché. On a rapporté l'existence d'une différence entre ces sujets et les autres. Les sujets qui *n'ont pas* d'observateur caché sont plus « complaisants » quand il s'agit de suggestions de régression dans le temps — c'est-à-dire qu'ils disent qu'ils se sentent à nouveau comme des enfants — alors que ceux qui *ont* un observateur caché rapportent invariablement une dualité constante de prise de conscience. Au cours de la régression dans le temps, ils se perçoivent simultanément comme observateurs adultes et enfants. Cette décision entre participation active et observation est spontanée et n'est pas suggérée par l'hypnotiseur (Laurence, 1980).

Ce sont là des questions complexes, qu'on ne saurait expliquer ou écarter à la légère. Elles comportent des conséquences non seulement pour les théories de l'hypnose mais pour notre façon de concevoir la conscience en général. On trouvera une discussion plus élaborée sur ce sujet dans Hilgard (1977).

---

cher sur des charbons de bois pendant de très brèves périodes, durant lesquelles le transfert de chaleur sera insuffisant pour arriver à causer des brûlures (Leikind et McCarthy, 1985). Pour démontrer sa foi dans cette explication, l'un des auteurs de cet article a passé lui-même plusieurs fois sur un lit de charbons ardents et un ami s'est joint à lui sans mésaventure. À une autre occasion, des tisons se sont trouvés pris entre ses orteils et ont donné lieu à quelques ampoules. La marche sur le feu est un spectacle impressionnant, mais il n'est pas besoin de faire appel à des pouvoirs mystiques pour l'expliquer.

On ne devrait pas invoquer le contrôle mental des fonctions corporelles pour appuyer des fumisteries comme celle de la « chirurgie psychique » qui se pratique dans certaines régions des Philippines. On dirait que le guérisseur ouvre la peau, sans se servir de couteau, enlève du tissu organique et referme l'incision sans laisser de cicatrice. Des chercheurs ont dénoncé le stratagème utilisé par ces charlatans, mais la crédulité a la vie dure (Randi, 1982).

Ascendance de l'esprit sur la matière

Un jeune magicien, Uri Geller, est devenu célèbre aux États-Unis et en Grande-Bretagne en revendiquant des pouvoirs « paranormaux » (voire surnaturels). Geller est parvenu à convaincre un certain nombre d'hommes de science et même une poignée de magiciens (qui sont souvent plus habiles à déceler la tromperie que ne le sont les « scientifiques ») que ses aptitudes « paranormales » étaient réelles (voir Panati, 1976). Parmi ses prétentions, se trouvait la capacité de plier les clefs et de réparer les montres brisées sans les toucher.

Pour faire fonctionner les montres en panne, Geller demandait aux participants de les tenir dans la main et de penser « Fonctionne! Fonctionne! Fonctionne! » Les montres recommençaient souvent à fonctionner, mais non pas à cause de ses pouvoirs. Les sceptiques font remarquer, en effet, que la plupart des montres qu'on apporte chez l'horloger pour qu'il les répare ne

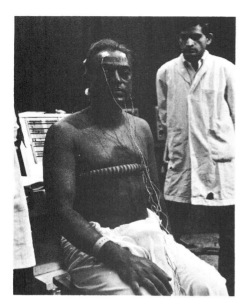

Contrôle des fonctions vitales
Ramanand Yogi porte des transduc-teurs pour l'étude des EEG, du rythme cardiaque et de la respiration, au moment où il s'apprête à réduire ses besoins en oxygène en vue d'un séjour dans un coffre étanche à l'air. (D'après Calder, 1971)

sont pas vraiment brisées; en tenant la montre pendant quelques minutes et en la manipulant afin de libérer les engrenages, on arrivera souvent à déclencher son fonctionnement. Pour vérifier l'« effet Geller », on a demandé à six bijoutiers d'essayer de faire fonctionner des montres brisées en utilisant d'abord des méthodes de manipulation simple avant de les ouvrir pour en inspecter le mécanisme. Des quelque 100 montres qui leur furent apportées au cours d'une semaine, 57 % se mirent à fonctionner. Lors de l'un des spectacles publics de Geller, on lui remit 12 montres sur la scène; 4 se sont mises à fonctionner. Parmi les 17 montres qu'il demanda à des membres de l'auditoire de tenir dans leur main, 3 recommencèrent à fonctionner. Ceci donne un rapport de 7 sur 29 (24 %), un succès moins éclatant que celui réalisé par les horlogers (Marks et Kammann, 1977).

Réincarnation

Ceux qui s'intéressent à la recherche des phénomènes psychiques se sont longtemps efforcés de trouver des preuves tangibles de la survie après la mort (Gould, 1977). Dans le même ordre d'idées, on constate un intérêt pour la *réincarnation*, c'est-à-dire la croyance que la vie se continue après la mort alors que l'esprit de la personne défunte revit sous la forme d'un autre individu (Stevenson, 1977).

On a invoqué comme preuve de la réincarnation des cas d'individus qui, sous influence hypnotique, rapportaient des expériences de vie antérieure. L'un de ces cas porte sur cette jeune ménagère américaine qui, sous hypnose, a décrit de façon vivante la vie antérieure qu'elle avait connue en Irlande sous le nom de Bridey Murphy (Bernstein, 1956). Dans un compte-rendu qui a connu une vaste diffusion, on a prétendu qu'il s'agissait d'un canular (Gardner, 1975) mais cette réfutation s'est révélée discutable sur la base de faits postérieurs (Wilson, 1982) et il y a encore des questions qui restent sans réponse. De toute façon, ce cas ne représente pas une preuve convaincante de réincarnation.

Il est facile de susciter sous hypnose des fantasmes liés à l'expérience de la naissance ou d'une vie antérieure et on ne peut prendre ces phénomènes pour des preuves sérieuses. L'un des auteurs du présent ouvrage a été capable d'attribuer des vies antérieures à des sujets prédisposés à l'hypnose. Ceux-ci donnaient des témoignages assez satisfaisants de leur existence aux endroits et aux époques qu'on leur avait désignés. Ils ont même produit des compte-rendus vraisemblables quand (en des occasions distinctes) on leur avait attribué des vies antérieures dans deux endroits différents mais au même moment. De toute évidence, sous hypnose, les produits de l'imagination sont pris pour la réalité.

Le désir de faire l'expérience d'événements (*happenings*) mystérieux est très fort. Le rôle de la psychologie n'est pas nécessairement de contredire les croyances occultes mais de comprendre pourquoi elles sont apparues et pourquoi elles persistent.

RÉSUMÉ

1. Les perceptions, les pensées et les sentiments qui sont ceux d'une personne à n'importe quel moment dans le temps constituent la *conscience* de cette personne. On dit qu'un *état altéré de conscience* existe quand le fonctionnement mental apparaît modifié ou hors de l'ordinaire chez la personne qui fait l'expérience de cette condition. Certains états altérés de conscience, tels que le sommeil et le rêve, sont le fait de tout le monde ; d'autres sont le résultat de circonstances particulières, comme la méditation, l'hypnose et l'usage de drogues.

2. Les fonctions principales de la conscience sont a) de nous *surveiller* nous-même et notre environnement de façon à avoir une perception de ce qui se passe à l'intérieur de notre corps et dans notre entourage et b) de *contrôler* nos actions pour qu'elles soient coordonnées aux événements du monde extérieur. Tous les événements qui ont une influence sur la conscience ne se trouvent pas forcément au centre de notre champ de conscience à un moment donné. Les souvenirs des événements personnels et des connaissances accumulées au cours de toute une vie, souvenirs qui sont accessibles mais qui ne font pas actuellement partie de notre conscience, sont appelés *souvenirs préconscients*. Les événements qui affectent notre conduite même si nous ne prenons pas conscience du fait que nous les percevons nous influencent *subconsciemment*.

3. Selon la théorie psychanalytique, il y a des souvenirs affectivement douloureux et des pulsions qui ne sont *pas* accessibles à la conscience parce qu'ils ont été refoulés — c'est-à-dire détournés — vers l'*inconscient*. Pensées et impulsions inconscientes influencent notre conduite même s'ils ne parviennent à la conscience que de façon indirecte — à travers les rêves, les comportements irrationnels et les lapsus.

4. La notion de conscience divisée postule que les pensées et les souvenirs peuvent parfois être *dissociés*, ou séparés, de la conscience, plutôt que refoulés vers l'inconscient. On en a des exemples extrêmes dans les cas de *personnalité multiple* où deux ou plusieurs personnalités bien formées alternent chez le même individu.

5. Le *sommeil*, un état altéré de conscience connu intimement de tout le monde, offre un intérêt à cause des rythmes évidents qui régissent ses horaires et sa profondeur. On étudie ces rythmes au moyen de l'*électroencéphalogramme* (EEG). Les configurations d'ondes cérébrales font apparaître quatre stades (profondeurs) de sommeil, plus un cinquième stade caractérisé par des *mouvements oculaires rapides* (REM). Ces stades alternent toute la nuit. Les rêves surgissent plus souvent durant le sommeil REM que durant le sommeil non-REM (NREM).

6. En 1900, Freud proposa ce qui devait rapidement devenir la théorie des rêves qui aura exercé le plus d'influences. Cette théorie attribue des causes psychologiques aux rêves, en établissant une distinction entre les *contenus manifeste* et *latent* des rêves et en affirmant que les rêves sont des désirs déguisés.

7. On a depuis longtemps eu recours à des *agents psychoactifs* pour modifier conscience et humeur. Ces substances comprennent des *dépresseurs*, comme l'alcool et les tranquillisants ; des *opiacés*, comme l'héroïne et la morphine ; des *stimulants* comme les amphétamines et la cocaïne ; des *hallucinogènes*, comme le LSD et la PCP ; et le *cannabis*, comme la marijuana et le haschisch. Toutes ces drogues peuvent entraîner une *dépendance psychologique* (usage compulsif en vue de réduire l'anxiété) et la plupart conduisent à la *dépendance physique* (accroissement de la tolérance et des symptômes de sevrage) si on en consomme régulièrement.

8. L'alcool fait partie intégrante de la vie sociale de beaucoup de collégiens, mais il peut susciter de graves problèmes sociaux, psychologiques et médicaux. Sa consommation forte et prolongée peut conduire à l'*alcoolisme* qui est caractérisé par une *incapacité de s'abstenir* et par un *manque de contrôle* sur l'usage qu'on en fait.

9. Un certain nombre de facteurs peuvent prédisposer les gens à l'usage des stupéfiants, y compris une *vie familiale malheureuse*, des parents qui ont une attitude *trop tolérante* ou qui sont des *exemples d'abus des drogues*, l'*influence des pairs* et un *manque de conformité sociale*.

10. La *méditation* représente un effort pour modifier la conscience en se livrant à des rituels ou à des exercices planifiés comme le yoga ou le zen. Il en résulte un état quelque peu « mystique » dans lequel l'individu est extrêmement détendu et a l'impression d'être séparé du monde extérieur. Des exercices simples, alliant concentration et relaxation, peuvent aider les novices à connaître des états méditatifs.

11. L'*hypnose* est un état de disponibilité dans lequel le sujet concentre son attention sur l'hypnotiseur et les suggestions de ce dernier. Certains individus sont plus faciles à hypnotiser que d'autres, quoique la plupart des gens manifestent

une certaine prédisposition. Ceux qui sont sensibles à l'hypnose suscitée par un hypnotiseur peuvent apprendre à s'hypnotiser eux-mêmes : c'est l'auto-hypnose.

12. Les réponses caractéristiques de l'hypnose comprennent un *contrôle* accru ou diminué *sur ses propres mouvements*, la déformation des souvenirs sous l'influence de l'*amnésie posthypnotique*, la *régression dans le temps* et les *hallucinations* positives et négatives. Le soulagement de la douleur, qui est une forme d'hallucination négative, représente l'un des usages bénéfiques de l'hypnose dans le traitement des brûlures, en obstétrique, dans les soins dentaires et en chirurgie.

13. Les théories de l'hypnose furent longtemps matière à controverse, chacune expliquant un aspect quelconque du comportement hypnotique, mais aucune ne les expliquant tous. Maintenant que l'on s'entend mieux sur les faits, les théories deviennent graduellement complémentaires plutôt que rivales.

14. Il est possible d'exercer beaucoup de contrôle sur les fonctions corporelles sans recourir aux croyances à des forces occultes ou à des processus paranormaux. On peut expliquer d'après des principes ordinaires de la physique certains faits « prodigieux » comme celui de marcher sur les braises. En tant que science, la psychologie est tenue de vérifier avec un esprit ouvert les prétentions inhabituelles ou étonnantes, mais elle se doit de garder une attitude critique.

LECTURES SUGGÉRÉES

BARUK, H. L'*hypnose*. Paris, P.U.F., 1972.

BOISVERT, J.-M., MELANSON, D. et FILION, M. *Vaincre l'insomnie*. Montréal, Le Jour, 1985.

CHAUCHARD, P. *Les mécanismes cérébraux et la prise de conscience*. Paris, Masson et Cie, 1956.

DUROCHER, J. *Drogues*. Montréal, Éditions de l'Homme, 1970.

DUYCKAERTS, F. *Conscience et prise de conscience*. Bruxelles, Dessart, 1974.

ERICKSON, M.H. *Ma voix t'accompagnera*. Milton H.Erickson raconte. Paris, Hommes et groupes, éd., 1986.

EY, H. *La conscience*. Paris, P.U.F., 1968.

FREUD, S. *L'interprétation des rêves*. Paris, P.U.F., 1967.

HARTMANN, E. *Biologie du rêve*. Bruxelles, Dessart, 1970.

HARTMANN, E. *Les fonctions du sommeil*. Bruxelles, Pierre Mardaga, 1975.

HILGARD, E.R. *Divided consciousness: Multiple Controls in Human Thought and Action*. New York, Wiley-Interscience, 1977.

HILGARD, E.R. *The Experience of Hypnosis*. New York, Hartcourt, Brace, Jovanovich, 1968.

HILGARD, J.R. *Personality and Hypnosis: A Study of Imaginative Involvement* (2e éd.). Chicago, University of Chicago Press, 1979.

LAUNAY, J. et coll. *Le rêve éveillé-dirigé et l'inconscient*. Bruxelles, Pierre Mardaga, 1975.

MONTPLAISIR, J. « Le sommeil normal et pathologique ». Dans P. Lalonde et F. Grunberg (éds), *Psychiatrie chimique: approche contemporaine*. Chicoutimi, Gaëtan Morin, 1980.

OSWALD, J. *Le sommeil et la veille*. Paris, P.U.F., 1966.

PIAGET, J. *La prise de conscience*. Paris, P.U.F., 1974.

VARENNE, G. *L'abus des drogues*. Bruxelles, Dessart-Mardaga, 1971.

WEBB, W.B. et AGNEW, H.W. *Le sommeil et le rêve*. Montréal, Les Éditions HRW, 1975.

Sentir

5

Sentir ou percevoir quelque chose, c'est en prendre conscience par l'intermédiaire de nos organes sensoriels. Comment y parvenons-nous? Démocrite, un philosophe grec qui a vécu environ 420 ans avant Jésus-Christ, a supposé que nous percevions au moyen de petites « copies » (eidola) pâles des objets, copies qui sont transmises jusqu'à nous à partir des objets mêmes (Jung, 1984). Cette idée s'inséra à la base de ce que l'on peut appeler la *théorie de la copie*.

Selon cette hypothèse, des copies pénétreraient dans nos corps à travers nos sens et seraient transportées par des esprits sensoriels dans des tuyaux vides jusqu'aux parties sensorielles de notre cerveau où, d'une façon ou d'une autre, elles évoqueraient des expériences perceptives. La notion voulant que nous percevions au moyen de sortes de copies a dominé le champ de la perception pendant toute la première moitié du siècle actuel, même si les détails de la théorie ont subi des modifications à mesure que les chercheurs en apprenaient plus sur la physique des stimuli sensoriels et la biologie des organes de nos sens. Plus précisément, après que les hommes de science eurent découvert la nature électrique de la réponse nerveuse, ils en vinrent à se représenter les copies comme des images électriques — c'est-à-dire que, lorsqu'un objet se présente à nos sens, une région du cerveau deviendrait électriquement active sous la forme de cet objet. La théorie de la copie présente encore un attrait considérable en tant que perspective de sens commun sur la perception (Held, 1965).

En 1825, Johannes Müller proposait autre chose. Il émettait l'hypothèse que les stimuli qui parviennent à nos organes sensoriels produiraient des réponses dans les nerfs sensoriels et que chaque nerf évoquerait un type spécifique de sensation. L'un de ses brillants étudiants, Hermann von Helmholtz, poussait l'idée plus loin en disant que *chaque nerf individuel* évoque une sensation spécifique. L'amplitude de la réaction nerveuse (la fréquence des impulsions nerveuses) déterminerait l'intensité perçue de la sensation. Si un tel système nous permet de savoir ce qui se passe autour de nous, c'est que les neurones activés et les sensations qu'ils évoquent entretiennent des relations directes avec les stimuli externes.

Selon la conception de Helmholtz, chaque cellule contiendrait un filtre, ou serait précédée d'un filtre, qui ne laisserait qu'un nombre donné de stimuli activer la cellule. En général, un *filtre* est un dispositif qui laisse passer certains éléments et en retient d'autres. Une passoire de cuisine en est un bon exemple: l'eau traverse, mais pas les spaghetti. Les filtres des systèmes sensoriels donnent le feu vert à certains signaux de préférence aux autres. Un filtre sensoriel peut, par exemple, ne laisser traverser que la lumière bleue et filtrer les lumières de toutes les autres couleurs. La cellule du système sensoriel précédée d'un filtre ne répond qu'aux signaux qui traversent ce filtre; on dit qu'une telle cellule est en *syntonisation* avec ces signaux. Les différentes cellules contiennent des filtres différents ou sont précédées par eux et répondent donc à des ensembles de stimuli différents. Helmholtz croyait que les cellules des organes sensoriels étaient reliées une à une aux cellules des régions sensorielles du cerveau et que lorsque l'une de ces dernières réagissait, une sensation spécifique se trouvait évoquée. Ainsi, dans cette hypothèse, une scène serait représentée dans notre tête non pas par une image, mais par un message codé dans lequel des neurones spécifiques sont activés par des catégories spécifiques de stimuli et évoquent des sensations spécifiques. Cette idée a reçu le nom d'*hypothèse du code de neurone spécifique*.

Quand Wilhelm Wundt, qui avait été l'assistant de Helmholtz, a fondé la science de la psychologie vers la fin du XIXe siècle, son objectif était de présenter ce nouveau domaine selon le modèle de la science de la chimie. Il voulait décomposer l'expérience humaine en ses éléments fondamentaux et analyser les relations qu'il y avait entre eux. Sa méthode, appelée *introspection analytique*, était une forme d'observation phénoménologique rigoureusement contrôlée par laquelle des observateurs bien entraînés décrivaient leur propre expérience d'un objet ou d'un événement au moment même où ils l'appréhendaient. Wundt arriva à la conclusion que les éléments fondamentaux de l'expérience étaient les sensations et il entreprit d'identifier les sensations et leurs attributs. Il proposa que les sensations constituent des unités indivisibles de l'expérience, unités dont les caractéristiques sont la qualité et l'intensité. Ainsi, « rouge vif » pourrait être la description d'une sensation visuelle et « fort et haut », celle d'une sensation auditive (Boring, 1942).

Depuis l'époque de Wundt, l'objet principal de la recherche sensorielle s'est déplacé de la description de l'expérience vers la question plus vaste de savoir comment les stimuli sont traités par celui qui les appréhende de façon qu'ils guident son comportement. Les méthodes ont changé aussi. Bien que la méthode préférée ait toujours été la méthode expérimentale, aujourd'hui la plupart des expériences mesurent le rendement d'un sujet dans l'accomplissement d'une tâche: on établit sa réussite ou son échec plutôt que de se contenter d'enregistrer ses introspections. La recherche des fondements biologiques des processus sensoriels s'est faite en association étroite avec l'étude de l'activité sensorielle. En effet, les méthodes actuellement privilégiées dans l'étude des processus sensoriels sont les méthodes cognitives et neurobiologiques, l'observation phénoménologique n'y jouant qu'un rôle secondaire (voir au chapitre 1).

Wundt et Helmholtz établissaient une distinction nette entre sensation et perception de l'objet. Aujourd'hui, la cloison ne semble pas aussi étanche. La *perception* est devenue un terme général décrivant le processus global qui nous permet d'arriver à la connaissance de ce qui se passe autour de nous. Elle est conçue comme un ensemble de processus sous-jacents qui se déroulent dans un système interactif à niveaux multiples. Les *processus sensoriels* désignent les processus associés aux niveaux inférieurs de ce système, les parties qui sont en relation étroite avec les organes sensoriels. Ces processus sensoriels nous donnent une *représentation* sélectivement filtrée des stimuli qui arrivent jusqu'à nous. Les processus de niveau supérieur s'en servent pour former une représentation de la scène.

MÉTHODES PSYCHOPHYSIQUES ET BIOLOGIQUES

En psychologie sensorielle, le *stimulus* se rapporte aux formes d'énergie physique auxquelles nous sommes sensibles. *Discriminer* deux stimuli, c'est les distinguer l'un de l'autre. Nous montrons que nous sommes capables de faire une discrimination entre des stimuli lorsque nous réagissons différemment aux uns et aux autres. La capacité de discrimination est un trait psychologique fondamental qui est, dans une certaine mesure, l'apanage de tous les animaux. Cette capacité peut s'évaluer au moyen d'expérimentations objectives; la plupart des *expériences de discrimination* portent sur la mesure de seuils absolus ou différentiels.

Seuil absolu

Le *seuil absolu* est l'amplitude minimale du stimulus qu'on peut discriminer de l'absence de tout stimulus (par exemple, la lumière la plus faible qu'on

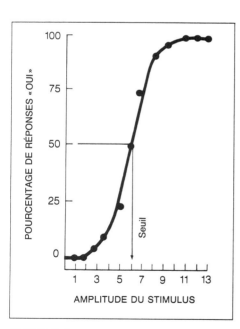

FIGURE 5-1
Fonction psychométrique *On donne sur l'ordonnée le pourcentage des fois où le sujet dit: « Oui, je perçois le stimulus ». Sur l'abscisse, on a la mesure de l'amplitude du stimulus. On peut déterminer des fonctions psychométriques pour toute dimension d'un stimulus.*

SENS	SEUIL
Vue	La flamme d'une chandelle vue à une distance de 48 km par une nuit profonde et claire.
Ouïe	Le tic-tac d'une montre dans des conditions de silence, à 6 m de distance.
Goût	5 ml de sucre dans 7,5 l d'eau.
Odorat	Une goutte de parfum répandue dans le volume global d'un appartement de 6 pièces.
Toucher	L'aile d'une mouche tombant sur la joue d'une distance de 1 cm.

TABLEAU 5-1
Seuils absolus *Valeurs approximatives de seuils absolus pour diverses modalités sensorielles. (D'après Galanter, 1962)*

peut discriminer de l'obscurité totale), et les moyens dont on dispose pour étudier les seuils s'appellent *méthodes psychophysiques*. Dans la *méthode des stimuli constants*, que l'on utilise couramment, l'expérimentateur choisit d'abord une série de stimuli dont l'intensité varie autour du seuil. On présente au sujet les stimuli un à la fois, dans un ordre aléatoire, en lui demandant de dire « oui » s'il aperçoit le stimulus et « non » s'il ne le voit pas. Chaque stimulus est présenté plusieurs fois et on détermine le pourcentage des réponses « oui » données à chacune des intensités du stimulus. La figure 5-1 est un graphique des pourcentages des réponses « oui » en fonction de l'intensité du stimulus. Cette fonction est appelée *fonction psychométrique*. Les données présentées dans cette figure sont typiques de celles qu'on obtient dans ce genre d'expérience ; le pourcentage des réponses « oui » s'élève graduellement sur une gamme de valeurs d'intensité du stimulus. Sur le graphique de cette figure, on constate que le sujet décèle certains stimuli dont l'ampleur atteint à peine 3 unités, alors qu'il se montre incapable d'en détecter d'autres ayant des intensités de 8 unités.

Lorsque le rendement d'un sujet est caractérisé par une fonction psychométrique, il faut que la définition d'un seuil soit en quelque sorte arbitraire. Les psychologues ont convenu de définir le seuil absolu comme la valeur à laquelle un stimulus est détecté 50 % des fois. Ainsi, dans le cas des données représentées à la figure 5-1, le seuil absolu est de 6 unités.

Le tableau 5-1 donne, en des termes familiers, certaines approximations de seuils absolus pour les sens de l'être humain. Bien sûr, le seuil absolu peut varier considérablement d'une personne à l'autre ; le seuil d'un individu donné changera également d'une fois à l'autre, selon sa condition physique et sa motivation.

Seuil différentiel

Tout comme il faut une certaine quantité minimale de stimulation pour percevoir quelque chose, de même il est nécessaire que la différence entre deux stimuli soit assez grande pour pouvoir les distinguer l'un de l'autre. La différence minimale d'amplitude nécessaire pour différencier deux stimuli s'appelle le *seuil différentiel*. Par exemple, deux sons doivent avoir des intensités de différence mesurable pour que l'un soit perçu plus fort que l'autre ; il faut que les deux fréquences aient des valeurs tant soit peu différentes pour que l'un des sons soit perçu plus haut que l'autre.

Tout comme le seuil absolu, le seuil différentiel est défini par une quantité statistique ; suivant la méthode des stimuli constants, c'est la quantité de changement nécessaire à la détection d'une différence entre deux stimuli dans 50 % des essais. Les psychologues utilisent fréquemment l'expression *différence juste perceptible* (djp) pour parler de cette valeur de changement.

Une expérience pour déterminer le seuil différentiel de masses à soupeser pourrait se dérouler de la façon suivante. On présenterait à chaque essai un stimulus d'une masse de 100 grammes en même temps qu'un autre stimulus dont la masse varierait d'un essai à l'autre. Le sujet aurait à répondre oui ou non selon que la seconde masse présentée lui paraîtrait plus lourde ou plus légère que la première. Si le sujet était à peine capable de distinguer une masse de 102 grammes d'une masse de 100 grammes, le seuil différentiel serait dans ces conditions de 2 grammes. Il existe d'autres méthodes pour la mesure des seuils différentiels, dont certaines n'ont pas recours à un jugement oui ou non. Toutefois, les différentes méthodes donnent généralement des valeurs de seuil comparables. Parfois, plutôt que de parler du seuil d'un système sensoriel, on se réfère à sa *sensibilité*. La sensibilité est la réciproque du seuil, c'est-à-dire,

$$\text{Sensibilité} = \frac{1}{\text{Seuil}}$$

Lorsque le seuil est bas, la sensibilité est élevée, et vice versa. Ces termes sont interchangeables ; dans certains cas, il semble plus naturel de parler de la sensibilité d'un système sensoriel que de son seuil absolu. (On trouvera une discussion plus poussée de la délimitation des seuils dans l'analyse critique « Détection de signaux et seuils » des pages 164-65).

Appariement et évaluation

Il arrive un moment où le spécialiste de la psychologie sensorielle trouve utile de demander à un sujet une description de son expérience qui dépasse la simple indication du fait qu'il a ou non perçu le stimulus. Souvent, il abandonne au sujet le contrôle de l'un des stimuli en lui disant de l'ajuster jusqu'à ce qu'il soit égal en apparence à un autre stimulus, soit entièrement, soit par rapport à l'une de ses dimensions. Le chercheur pourrait dire, par exemple, « Faites varier l'intensité de la lumière jusqu'à ce que sa brillance soit la même que celle de l'autre lumière ; ne tenez pas compte de leurs couleurs ». C'est ce que l'on appelle l'*appariement perceptif*.

On donne parfois aux sujets la consigne d'indiquer l'ampleur de l'une des dimensions perceptives d'un stimulus, comme la hauteur d'un son, par exemple. Dans la *méthode de l'évaluation estimative* (Stevens, 1975), l'expérimentateur présente un stimulus standard et lui attribue une amplitude perçue, disons, une intensité sonore de 10. Il présente alors d'autres stimuli dans un ordre aléatoire et le sujet doit leur donner des nombres qui indiquent l'intensité à laquelle ils sont perçus par rapport au standard. Ainsi, si l'étalon a une intensité de 10, le sujet pourrait attribuer à un stimulus qui lui paraît deux fois plus fort la valeur de « 20 » et à un autre stimulus deux fois moins fort que le standard une valeur de « 5 ». Notons cependant que c'est l'amplitude *perçue* et non l'amplitude physique que le sujet évalue. Ordinairement, un stimulus perçu comme ayant une intensité deux fois plus grande que celle d'un autre aura en réalité une intensité physique beaucoup plus grande. C'est là une caractéristique de tous les systèmes sensoriels.

Enregistrement à partir d'une cellule unique

Quand un stimulus agit sur un organe sensoriel, certains événements nerveux se trouvent déclenchés dans cet organe et dans ses voies nerveuses. On peut considérer les événements nerveux comme des messages qui sont transmis des organes sensoriels vers le cerveau, et les méthodes psychophysiques que nous avons décrites dans les paragraphes précédents sont des moyens indirects d'étudier ces événements. Il est également possible d'enregistrer directement l'activité électrique des cellules réceptrices et des neurones individuels.

La figure 5-2 illustre une expérience typique d'*enregistrement à partir d'une cellule unique*. Il s'agit en l'occurrence d'une expérience sur la vision, mais le même procédé peut servir à des expériences portant sur les autres modalités sensorielles. Un animal (un singe, dans le cas présenté) est placé dans un dispositif de contrainte qui lui maintient la tête en position fixe. Le sujet est anesthésié afin qu'il ne ressente pas de douleur de même que pour

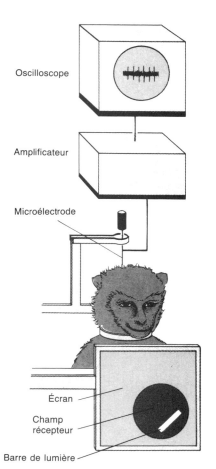

Oscilloscope

Amplificateur

Microélectrode

Écran

Champ récepteur

Barre de lumière

FIGURE 5-2
Enregistrement à partir d'une cellule unique   *Un singe anesthésié est installé dans un dispositif qui retient sa tête en position fixe. On projette sur l'écran un stimulus, souvent un flash ou une barre de lumière qui se déplace. Une microélectrode introduite dans le système visuel de l'animal enregistre l'activité se dégageant d'un neurone unique et isolé et cette activité est amplifiée et projetée sur un oscilloscope.*

empêcher ses yeux de bouger. Face à l'animal se trouve un écran sur lequel on peut projeter des stimuli visuels variés. Un fil mince (microélectrode), isolé sauf au bout, est inséré dans une aire choisie du cortex visuel grâce à un petit trou pratiqué dans le crâne du sujet. L'électrode est placée de façon à capter la réponse électrique d'un seul neurone pendant qu'on stimule les yeux de l'animal. Ces signaux électriques minuscules sont amplifiés et projetés sur un oscilloscope, qui transforme les signaux en une courbe représentant les variations du voltage. La plupart des neurones émettent une série d'impulsions nerveuses qui apparaissent sous la forme de pointes de potentiel verticales sur l'écran. Même en l'absence de tout stimulus, plusieurs cellules vont se décharger à un rythme lent (*activité spontanée*). Quand on présente un stimulus pour lequel le neurone a une affinité, on voit apparaître une suite rapide de potentiels de pointe. On peut déplacer l'électrode afin de tester d'autres cellules.

VISION

Stimulus visuel

Chaque modalité sensorielle réagit à une forme particulière d'énergie physique. Le stimulus de la vision, c'est la *lumière*. La lumière est une *radiation électromagnétique* (de l'énergie produite par l'oscillation d'une matière portant des charges électriques) qui appartient au même continuum que les rayons cosmiques, les rayons X, les rayons ultraviolets et infrarouges et les ondes de la radio et de la télévision. Représentez-vous l'énergie électromagnétique comme une énergie se déplaçant sous forme d'ondes, avec des longueurs d'onde (la distance entre les crêtes de deux ondes voisines) qui varient énormément entre les rayons cosmiques les plus courts (4 trillionièmes de centimètre) et les ondes radios les plus longues (plusieurs kilomètres). Nos yeux ne sont sensibles qu'à une faible partie de ce continuum — nommément aux longueurs d'onde comprises approximativement entre 400 et 700 nanomètres (nm). Puisqu'un nanomètre est un milliardième de mètre, l'énergie visible ne représente qu'une très petite partie de l'énergie électromagnétique. La radiation qui se situe à l'intérieur de l'étendue visible du continuum s'appelle *lumière*; nous sommes aveugles à toutes les autres longueurs d'onde.

On peut définir une lumière par les longueurs d'onde qu'elle contient et par l'intensité physique (l'énergie par unité de temps par unité de surface) de chacune de ces longueurs d'onde; c'est ce que l'on appelle le *spectre énergétique* de la lumière. L'utilisation d'un prisme ou d'un radiomètre permet de mesurer le spectre énergétique d'une lumière. Le prisme réfracte (fait plier) les lumières de longueurs d'onde différentes à des degrés différents; l'ampleur de la réfraction indique la longueur d'onde d'un échantillon de lumière. Le radiomètre mesure l'intensité lumineuse.

Système visuel

Le système visuel de l'être humain comprend deux yeux, plusieurs parties du cerveau et les trajets nerveux qui les réunissent les uns aux autres. La figure 2-10 (p. 48) est une illustration simplifiée du système visuel. Dans l'organe sensoriel de la vision, c'est-à-dire l'œil (voir la figure 5-3), la partie la plus critique est la rétine, qui est constituée d'une fine couche de tissu recouvrant la partie intérieure de l'arrière du globe oculaire et contenant des récepteurs et des neurones. La cornée et le cristallin (ou lentille) sont aussi des parties importantes de l'œil, car elles servent à former sur la rétine l'image de ce qui se trouve en face de l'œil. Sans ces deux structures, on pourrait voir la lumière, mais pas les formes.

La figure 5-3 présente les parties principales de l'œil. La cornée, la pupille et le cristallin constituent le système de l'œil responsable de la formation

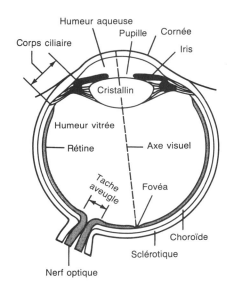

FIGURE 5-3
Oeil droit vu d'en haut *Le rayon de lumière qui pénètre dans l'œil et se dirige vers la rétine passe par les parties suivantes: la* cornée *— une membrane transparente et rigide; l'*humeur acqueuse *— une substance liquide; le* cristallin *— un corps transparent dont la forme peut être modifiée par les muscles ciliaires, faisant ainsi la mise au foyer des objets rapprochés ou distants sur la rétine; l'*humeur vitrée *— une substance de consistance gélatineuse qui remplit l'intérieur de l'œil. La quantité de lumière qui pénètre dans l'œil est réglée par la dimension de la* pupille*, petit orifice situé en avant de l'œil et formé par l'*iris*. L'iris est constitué d'un cercle de muscles capables de se contracter ou de se détendre, contrôlant ainsi la dimension de la* pupille*. C'est l'iris qui donne à l'œil sa couleur (bleu, brun, etc.). (D'après Boynton, 1979)*

ANALYSE CRITIQUE

DÉTECTION DE SIGNAUX ET SEUILS

Le problème de la détermination des seuils entraîne certaines complications, que nous allons illustrer à l'aide de l'expérience suivante. Supposons que l'on veuille évaluer les probabilités qu'un sujet perçoive un faible signal auditif d'une certaine intensité. On pourrait monter une expérience comportant une série d'essais, chacun débutant par un flash d'avertissement suivi du signal auditif. À chaque essai, on demanderait au sujet d'indiquer s'il a entendu le signal. Disons que pour 100 essais de ce genre, le sujet a rapporté avoir entendu le signal 62 fois. Comment devons-nous interpréter ce résultat? C'est exactement le même signal qui a été présenté à chaque essai et, vraisemblablement, les réponses nous disent quelque chose quant à la capacité du sujet de le déceler. Mais si le sujet sait qu'on présentera le même son à chaque essai, qu'est-ce qui l'empêche de toujours répondre « oui »? Rien, évidemment; mais nous présupposons que le sujet est honnête et qu'il essaie d'accomplir cette tâche de son mieux. La détection de signaux très faibles est cependant une tâche difficile et souvent un sujet, même consciencieux, sera dans l'embarras de savoir s'il doit répondre par « oui » ou par « non », lors d'un essai donné. En outre, nos motivations et nos attentes peuvent influencer nos jugements; le sujet, même le plus fiable, peut être porté inconsciemment à donner des réponses « oui » pour impressionner l'expérimentateur par l'acuité de sa perception.

Pour contourner ce problème, il est possible d'introduire des *essais pièges*, au cours desquels on ne présente pas le signal, pour voir ce que le sujet fera alors. Les résultats suivants sont représentatifs des réponses que donnerait un sujet dans une expérience comportant plusieurs centaines d'essais dont 10 % seraient des essais pièges, intercalés au hasard.

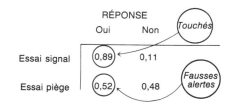

Chaque nombre dans ce tableau représente la proportion de fois où le sujet a répondu « oui » ou « non » lorsque le signal était ou n'était pas présenté. Par exemple, dans 89 % des essais où le signal était présenté, le sujet a répondu « oui, il y avait un signal ». Nous appelons ces réponses exactes des *touchés*. Si le sujet dit « Oui, il y avait un signal » après un essai où le signal n'avait pas été présenté, la réponse est appelée *fausse alerte*. Dans cet exemple, la probabilité d'un touché était de 0,89 et la probabilité d'une fausse alerte, de 0,52.

Comment interpréter le fait que le sujet rapporte, à tort, avoir entendu le signal dans 52 % des essais pièges? Nous pourrions conclure que le sujet est insouciant ou distrait; mais nous aurions tort, car c'est bien le type de résultats qu'on obtient habituellement avec des sujets sérieux et bien entraînés. Même dans les conditions idéales, les meilleurs sujets répondent par de fausses alertes.

Les attentes du sujet peuvent également exercer une influence sur cette tâche. Supposons que l'on teste le sujet pendant plusieurs jours avec le même signal, mais en faisant varier le pourcentage des essais pièges d'un jour à l'autre. Nous donnons, au tableau de la figure 5-4, les résultats d'une telle expérience où le nombre des essais pièges a varié entre 10 et 90 %. Ces données montrent que le nombre des touchés, tout comme celui des fausses alertes, est modifié quand on « manipule » la proportion des essais pièges. Quand la proportion des essais pièges augmente, le sujet s'en rend compte (soit consciemment, soit inconsciemment) et oriente ses jugements en faveur d'un plus grand nombre de réponses « non ». Autrement dit, le fait pour le sujet de s'attendre à un grand nombre d'essais pièges inhibe les réponses « oui », ce qui entraîne une diminution des touchés comme des fausses alertes.

À l'origine, on pensait que les seuils étaient déterminés par une limite fixe dans le système sensoriel. On supposait que si un stimulus devait excéder cette limite, il donnerait lieu à une sensation; dans le cas contraire, il n'aurait pas d'effet. Mais la présence de fausses alertes et les changements du taux de touchés en fonction des attentes du sujet sont des faits qui ne s'accordent pas avec cette hypothèse. Ces phénomènes ont donc conduit à l'élaboration d'une nouvelle théorie de la détec-

---

des images. La *cornée* est la surface frontale et transparente de l'œil: la lumière pénètre par la cornée et les rayons sont infléchis vers un point central pour amorcer la formation de l'image. Le *cristallin* complète le processus de la focalisation de la lumière sur la rétine (voir la figure 5-5, p. 166). Pour permettre la mise au foyer des objets situés à différentes distances, le cristallin change de forme, devenant plus sphérique pour les objets rapprochés et plus

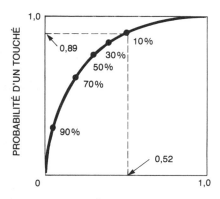

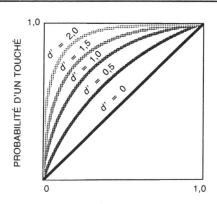

POURCENTAGE DES ESSAIS PIÈGES	PROBABILITÉ D'UN TOUCHÉ	PROBABILITÉ D'UNE FAUSSE ALERTE
10	0,89	0,52
30	0,83	0,41
50	0,76	0,32
70	0,62	0,19
90	0,28	0,04

FIGURE **5-4**
Tracé de courbes CRO d'après des données *Le tableau présente des données sur les rapports entre touchés et fausses alertes en fonction de l'augmentation du pourcentage des essais pièges. Le graphique du haut montre comment ces mêmes données se situent sur une courbe CRO. Celui du bas présente des courbes CRO pour plusieurs valeurs différentes de* d'. *Plus le signal est intense, plus la valeur de* d' *est élevée ; la valeur de* d' *pour les données du tableau est de 1,18.*

tion des signaux sensoriels, fondée sur la *théorie* mathématique *de détection des signaux* (Green et Swets, 1966). Selon cette nouvelle théorie, au lieu d'une limite fixe, les systèmes sensoriels comportent un *critère variable* qui se modifie selon les attentes du sujet, ce qui explique l'effet créé par l'attente. Lorsque le sujet s'attend à voir apparaître un stimulus, le critère est bas ; quand le stimulus est inattendu, le critère est élevé. Les fausses alertes s'expliquent par l'existence d'une activité aléatoire (appelée *bruit*) dans les systèmes sensoriels. Il arrive parfois qu'en l'absence d'un stimulus, le bruit excède le critère et que le sujet réponde oui, ce cas étant d'autant plus probable que le critère est peu élevé.

De toute évidence, il n'existe pas de probabilité fixe qu'un signal d'une intensité donnée soit détecté par le sujet ; la probabilité varie avec la manipulation de la proportion des essais pièges. À prime abord, c'est là une perspective décourageante et l'on peut se demander s'il est possible de trouver une mesure unique pour décrire le niveau de sensibilité d'un sujet à un signal donné. Heureusement, la théorie de la détection des signaux nous fournit une telle mesure. Elle exige qu'on fasse le tracé des probabilités de touchés et de fausses alertes, comme l'illustre le graphique du haut de la figure 5-4. Notons, par exemple, que le point le plus à droite représente les données obtenues quand 10 % des essais étaient des essais pièges ; si on se reporte au tableau, le taux de touchés, représenté sur l'ordonnée, est de 0,89 et le taux de fausses alertes, sur l'abscisse, est de 0,52. Quand on situe tous les

5 points sur le graphique, une image précise se forme. Les points réunis donnent une courbe symétrique en forme d'arc. Si nous faisions encore d'autres expériences avec le même signal, mais avec différents pourcentages d'essais pièges, les probabilités de touchés et de fausses alertes seraient différentes de celles du tableau, mais elles se situeraient quelque part sur la courbe. Celle-ci est appelée *courbe des caractéristiques récepteur-opérateur* — ou plus simplement, la *courbe CRO**. L'abréviation « CRO » décrit le fait que la courbe mesure les caractéristiques d'opération, ou de sensibilité, d'une personne qui reçoit des signaux.

Les points sur la courbe du graphique du haut de la figure se rapportent tous à un signal de même intensité. Quand on emploie un signal plus fort, il est plus facile à détecter et la courbe CRO décrit un arc plus accentué ; quand le signal est plus faible, la courbe CRO se rapproche de la diagonale. Le degré de voussure de la courbe CRO est donc déterminé par l'intensité du signal. La mesure utilisée pour définir la voussure de la courbe CRO est symbolisée par la lettre *d'*. Le graphique du bas de la figure 5-4 présente plusieurs courbes CRO pour des valeurs de *d'* comprises entre 0 à 2.

Les taux de touchés et de fausses alertes peuvent donc être convertis en une valeur *d'*, qui est une dimension psychologique permettant de mesurer le niveau de sensibilité du sujet face à un signal particulier. La manipulation du pourcentage d'essais pièges (ou d'autres variables quelconques) peut exercer une influence sur les touchés et les fausses alertes pour un

signal donné, mais les proportions se situeront toujours sur une courbe CRO définie par une valeur *d'* particulière.

Même dans le cas d'une tâche simple comme celle de la détection d'un signal, le résultat de l'action du sujet n'est pas simplement fonction de l'intensité du signal, mais dépend aussi de son expérience, de ses motivations et de ses attentes. La théorie de la capacité de détection des signaux nous permet d'isoler ces facteurs et d'obtenir une mesure relativement pure du processus sensoriel. Ces progrès de nos connaissances ont conduit à une autre définition du seuil ; dans une telle perspective, le seuil est défini comme la valeur du stimulus pour laquelle *d'* prend une valeur particulière, comme 1.

* Nous avons traduit ainsi la locution receiver-operating-characteristic. Nous employons ici l'abréviation de la traduction CRO, mais plusieurs auteurs continuent à employer, même dans les textes en langue française, l'abréviation ROC correspondant à la désignation originale en langue anglaise. (Note du traducteur)

aplati pour les objets éloignés. Dans le cas de certains yeux, le cristallin ne s'aplatit pas suffisamment pour ramener les objets distants au foyer, même s'il est capable de bien centrer les objets rapprochés ; on dit des gens qui ont des yeux de ce genre qu'ils sont *myopes* (qu'ils ont la vue basse). Dans d'autres cas, le cristallin ne devient pas assez sphérique pour mettre les objets rapprochés au foyer, même s'il se centre bien sur les objets éloignés ; les gens qui ont de tels yeux sont dits *hypermétropes* (presbytes, s'ils sont âgés). Ces défectuosités optiques sont courantes et se corrigent facilement au moyen de lunettes ou de verres de contact.

La *pupille* est une ouverture dans l'iris (la partie colorée de l'oeil) dont le diamètre varie en réaction au niveau d'éclairage, devenant plus grand quand l'illumination est faible et plus petit quand elle est forte. Cette variation aide à conserver la qualité de l'image aux différents niveaux d'éclairage. La dimension de la pupille est sensible également aux émotions et à l'effort mental et on l'utilise parfois comme indice de ce type de réaction.

La *rétine* est une fine couche qui recouvre la paroi interne de l'oeil, sauf la partie antérieure. Elle est constituée des cellules réceptrices de la vision et d'un réseau de neurones (voir la figure 5-6, p. 167) ainsi que de cellules de soutien et de vaisseaux sanguins. On trouve, dans la rétine, deux types de cellules réceptrices, les *cônes* et les *bâtonnets*, et quatre sortes de neurones : des cellules bipolaires, des cellules ganglionnaires, des cellules horizontales et des cellules amacrines (Dowling et Boycott, 1966). Les cônes et les bâtonnets absorbent la lumière et réagissent par de l'activité électrique. Ces réponses sont transmises, en passant par les synapses, aux *cellules bipolaires* et de ces dernières jusqu'aux *cellules ganglionnaires*. Les longs axones des cellules ganglionnaires quittent l'oeil pour former le nerf optique qui se rend jusqu'au cerveau. Des *cellules horizontales* établissent des connexions latérales à un niveau rapproché des récepteurs. Des *cellules amacrines* établissent aussi des connexions latérales, mais à un niveau plus rapproché des cellules ganglionnaires. Ces connexions latérales permettent notamment que plusieurs récepteurs trouvent entrée dans une seule cellule bipolaire et que plusieurs cellules bipolaires transmettent des influx à une seule cellule ganglionnaire. On compte d'ailleurs quelque 130 millions de cellules réceptrices par million de cellules ganglionnaires dans l'oeil humain.

Comme on peut le supposer d'après son anatomie, la rétine a une fonction plus complexe que la simple transmission de l'activité des récepteurs vers le cerveau. Il est curieux de constater que ces récepteurs se trouvent dans la couche de la rétine la plus éloignée de la cornée, enfouis sous d'autres neurones et sous des vaisseaux sanguins. Observez le sens de la flèche indiquant la direction de la lumière dans la figure 5-6. Au centre de la rétine se trouve une région appelée *fovéa* qui, sur une coupe transversale de l'oeil, prend l'aspect d'une dépression (voir la figure 5-3). Les récepteurs situés dans la fovéa sont relativement dégagés, plus minces et plus rapprochés les uns des autres. On ne doit donc pas être surpris d'apprendre que c'est la région qui donne la meilleure vision du détail. À l'endroit même où le nerf optique quitte l'oeil, il n'y a pas de récepteurs. Nous ne voyons pas les stimuli qui frappent cette région (voir la figure 5-7).

À l'exception de la cornée, l'oeil se trouve recouvert d'un tissu protecteur résistant appelé la *sclérotique* (le blanc de l'oeil). Les chambres entre la cornée et le cristallin et entre la rétine et le cristallin sont remplies de liquides transparents. On trouve, attachés à la partie externe du globe oculaire, six muscles qui déplacent les yeux très rapidement et avec une grande précision. Un tel mouvement est essentiel, car la fovéa seule est capable d'une vision fine et détaillée. (Essayez de lire ce volume tout en regardant à côté de la page.)

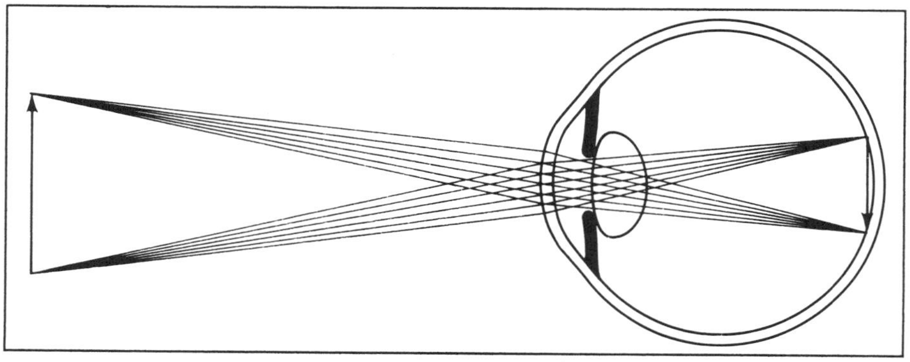

FIGURE 5-5
Formation de l'image dans l'oeil *Chaque point d'un objet reflète des rayons de lumière dans toutes les directions, mais seulement quelque-uns de ceux-ci pénètrent vraiment dans l'oeil. Les rayons lumineux émanant du même point d'un objet passent par différents endroits sur le cristallin. Pour qu'une image bien nette se forme, ses différents rayons doivent se regrouper (converger) vers un point unique de la rétine. Pour chaque point d'un objet, il y aura des points correspondants sur l'image rétinienne. Remarquez que l'image rétinienne est inversée et qu'elle est beaucoup plus petite que l'objet réel. Notez aussi que la plus grande partie de la réfraction des rayons lumineux se fait à la cornée. (D'après Boynton, 1979)*

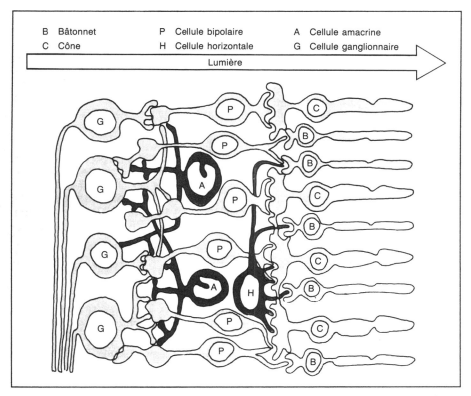

FIGURE 5-6
Représentation schématique de la rétine *Ce dessin schématique de la rétine est fondé sur un examen au microscope électronique. Les cellules bipolaires (P) reçoivent des signaux d'un ou de plusieurs récepteurs pour les transmettre aux cellules ganglionnaires, dont les axones forment le nerf optique. L'interaction de part et d'autre de la rétine se fait grâce aux cellules horizontales (H) et amacrines (A). Notons qu'il existe plusieurs types de cellules bipolaires et de cellules ganglionnaires. (D'après Dowling et Boycott, 1966)*

Vision de la lumière

SEUILS ABSOLUS D'INTENSITÉ   Même si nous sommes en mesure de percevoir toute radiation électromagnétique comprise dans l'intervalle de 400 à 700 nanomètres, notre sensibilité n'est pas la même à l'égard de ces diverses longueurs d'onde. On peut le démontrer en mesurant le seuil absolu par rapport à des flashes lumineux de différentes longueurs d'onde qu'on présente à un sujet assis dans une chambre noire. Les résultats varieront selon que le sujet regarde le flash directement de façon que la lumière tombe au centre de la fovéa ou selon qu'il le regarde de côté, la lumière frappant alors la périphérie de la rétine. La figure 5-8 donne les intensités de seuil dans les deux conditions.

Non seulement les seuils sont-ils plus bas à la périphérie que dans la fovéa, mais les seuils minimaux de ces régions se produisent aussi à des longueurs d'onde différentes soit à environ 500 nanomètres pour la périphérie et à 550 nanomètres pour la fovéa. La forme de la courbe associée à la périphérie est attribuable à l'absorption de la lumière par les bâtonnets; les seuils sont plus bas aux longueurs d'onde que les bâtonnets absorbent le mieux. La courbe associée au centre de la fovéa résulte de l'action des cônes, cette partie de la rétine comprenant beaucoup de cônes et pas de bâtonnets.

FIGURE 5-7
Localisation de la tache aveugle *A) Fermez l'œil droit et fixez la croix dans le coin supérieur droit. Déplacez le livre en l'éloignant et en le rapprochant jusqu'à environ 300 mm de l'œil. Lorsque le cercle noir à la gauche du dessin disparaît, c'est qu'il se trouve projeté sur la tache aveugle. B) Sans déplacer le livre et en tenant l'œil droit toujours fermé, fixez la croix dans le coin inférieur droit. Quand l'espace blanc tombe sur la tache aveugle, la ligne noire semble continue. Ce phénomène nous aide à comprendre pourquoi nous ne sommes généralement pas conscients de l'existence de la tache aveugle. En effet, le cerveau «remplit» ces parties du champ visuel auxquelles nous ne sommes pas sensibles et elles nous apparaissent donc comme le champ environnant.*

TABLEAU 5-2
Constante de Weber *Valeurs approximatives de la constante de Weber pour diverses dimensions du stimulus. Plus le nombre est petit, plus le rapport entre le seuil différentiel et l'amplitude du stimulus est petit. (Les données sont des valeurs approximatives tirées de plusieurs mesures.)*

DIMENSION DE STIMULUS	CONSTANTE DE WEBER
Fréquence sonore	0,003
Intensité sonore	0,150
Intensité lumineuse	0,010
Concentration de l'odeur	0,070
Concentration du goût	0,200
Intensité de la pression	0,140

SEUILS DIFFÉRENTIELS D'INTENSITÉ Considérons maintenant une expérience qui consiste à projeter momentanément un point de lumière devant un sujet et, en surimpression sur celui-ci, un autre point de lumière (incrément) pendant une période encore plus brève. Cette mesure de seuil est répétée au moyen des flashes dont l'intensité s'accroît, ce qui permet de découvrir dans quelle mesure les seuils différentiels dépendent de l'intensité. La figure 5-9 présente les résultats d'une expérience de ce genre. Le seuil différentiel d'intensité s'élève en même temps que s'accroît l'intensité. Dans le cas présent, il augmente assez rapidement et, aux plus fortes intensités, l'augmentation différentielle ne peut être vue, quelle que soit son intensité.

Ernst Weber (1834) a mesuré les seuils différentiels d'intensité pour la vision, l'audition et plusieurs autres modalités sensorielles. Il a constaté que les seuils différentiels s'élevaient avec l'intensité et il a fait l'hypothèse que le seuil différentiel était une fraction constante de l'intensité du stimulus (*loi de Weber*). Ceci veut dire que si le seuil différentiel est de 2 pour une intensité de 100, il sera de 4 à 200, de 8 à 400 et ainsi de suite. On peut formuler cette relation de la façon suivante:

$$\frac{\Delta I}{I} = k$$

où I est l'intensité, ΔI le seuil différentiel et k la *constante de Weber* (0,02 dans notre exemple). La loi de Weber ne décrit les données de la figure 5-9 que d'une façon grossière. Elle peut s'appliquer aux données dans certains genres d'expériences, mais en général, elle ne constitue qu'une approximation de la relation entre seuil différentiel et intensité. Le tableau 5-2 donne quelques valeurs approximatives de la constante de Weber.

Pourquoi le seuil différentiel augmente-t-il avec l'intensité? Quelque temps après que Weber eut proposé sa loi, Gustav Fechner (1860) formulait une explication. Il faisait l'hypothèse que l'intensité d'une sensation ne s'accroît pas proportionnellement à l'intensité du stimulus et que la sensation augmenterait de plus en plus lentement à mesure que s'élève l'intensité physique, comme le montre la figure 5-10. Fechner postulait que le seuil différentiel correspond à une constante sensorielle, de telle sorte que l'on peut mesurer la sensation en comptant des *djps* successives. S'il en est ainsi, et si la loi de Weber est valable, la sensation serait alors proportionnelle au logarithme de l'intensité physique, c'est-à-dire que chaque fois que l'intensité s'élèverait d'un facteur 10, la sensation augmenterait d'une quantité constante. Cette relation logarithmique est connue sous le nom de *loi de Fechner*. Comme celle de Weber, la loi de Fechner n'est qu'une approximation; les chercheurs modernes en ont proposé plusieurs versions pour l'accommoder à une grande variété de données expérimentales. Il n'en reste pas moins que cette relation logarithmique s'est avérée utile dans des applications pratiques de la psychologie des sensations. Les fonctions que l'on déduit des données de *djps*, qui associent sensation et intensité physique, sont généralement appelées fonctions intensité-réponse, où le mot « réponse » signifie la réaction interne du système sensoriel.

BRILLANCE La *brillance* se rapporte à l'intensité perçue de la lumière; on ne doit pas la confondre avec l'intensité physique, qui se mesure au moyen d'un radiomètre. Si l'hypothèse de Fechner est valable, on devrait s'attendre à ce que, à mesure que l'intensité physique de la lumière devient plus grande, la brillance augmente rapidement au début, puis de plus en plus lentement. C'est ce que l'on constate quand on mesure la relation entre brillance et intensité. On peut le démontrer en faisant tourner le commutateur d'une lampe à trois degrés d'intensité. Réglez d'abord à 50 watts; la lumière semble beaucoup plus brillante que l'obscurité qui prévalait auparavant. Puis, réglez à 100 watts; la lumière paraît plus brillante, mais pas deux fois plus brillante. Passez à 150 watts et elle ne semble que légèrement plus brillante qu'à 100 watts. Pour doubler la brillance, il faudrait que l'intensité physique s'accroisse de 9 fois (Stevens, 1957). C'est l'un des nombreux phénomènes que l'on observe quand l'expérience subjective d'un événement ne correspond pas à la mesure physique du même événement.

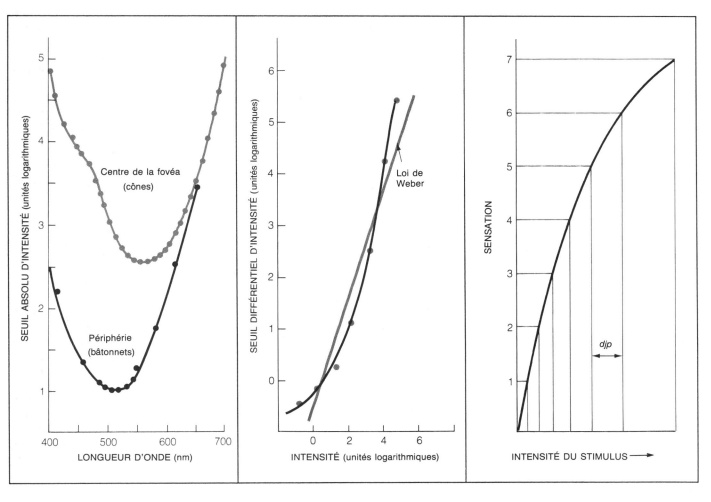

FIGURE 5-8

Seuil absolu d'intensité lumineuse à différentes longueurs d'onde *Le graphique présente un tracé du seuil absolu en fonction de la longueur d'onde. La courbe est différente selon que le sujet fixe le flash directement de façon que la lumière tombe au centre de la fovéa ou qu'il le regarde de côté et que la lumière tombe ailleurs que sur la fovéa (à la périphérie). La courbe du haut est attribuée aux cônes et celle du bas, aux bâtonnets. Par conséquent, les bâtonnets sont plus sensibles que les cônes. La forme précise des courbes et la valeur des seuils dépendront de la durée du flash, de l'aire de stimulation et de la position rétinienne exacte du stimulus. Les seuils sont en unités logarithmiques: on utilise souvent ces unités pour représenter l'intensité. Une unité logarithmique correspond à un facteur de 10; donc si l'intensité, exprimée en logarithmes, passe de 1 à 5, l'intensité s'accroît de 10 à la 4e puissance, soit de 10 000 fois. (D'après Hecht et Hsia, 1945)*

FIGURE 5-9

Seuil différentiel d'intensité *La tâche du sujet consistait à déceler la différence entre un flash d'intensité I et ce même flash augmenté d'une intensité lumineuse (Δ) I. Dans cette expérience, la lumière additionnelle occupait une surface plus petite et était plus brève que le flash original. Le seuil différentiel a été mesuré à plusieurs intensités différentes. Le graphique montre que le seuil différentiel s'accroît en même temps que l'intensité, mais d'une façon qui ne correspond qu'approximativement à la loi de Weber. (D'après Geisler, 1978)*

FIGURE 5-10

Fonction intensité-réponse *Si la loi de Weber est correcte et si chaque djp correspond à un accroissement constant de la sensation (la réponse du système sensoriel), la sensation doit augmenter selon une fonction logarithmique de l'intensité du stimulus (loi de Fechner). Les recherches indiquent, en général, que ces deux lois ne sont qu'approximativement exactes.*

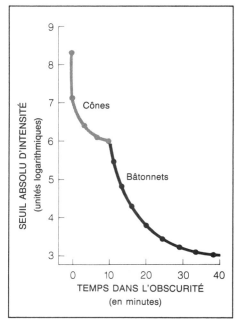

FIGURE 5-11
Évolution de l'adaptation à la lumière *Les sujets fixent une lumière intense jusqu'à ce que la rétine soit adaptée à la lumière. Quand, par la suite, on plonge ces sujets dans l'obscurité, ils deviennent de plus en plus sensibles à la lumière et leurs seuils absolus s'abaissent. C'est ce que l'on nomme l'adaptation à la lumière. Le graphique présente le seuil à des intervalles de temps différents après que la lumière d'adaptation a été fermée. Les points blancs sur la courbe correspondent aux flashes de seuil dont la couleur était visible; les points noirs indiquent les flashes qui ont été vus comme étant blancs peu importe leur longueur d'onde. Remarquez le saut brusque que fait voir la courbe après 10 min environ; c'est ce qu'on appelle le saut cônes-bâtonnets. Des tests variés démontrent que la première partie de la courbe est attribuable à la vision des cônes et la seconde partie, à la vision des bâtonnets. (Les données sont des valeurs approximatives tirées de plusieurs mesures.)*

ADAPTATION À LA LUMIÈRE Jusqu'à présent, nous avons considéré des seuils pour des flashes de lumière qu'on présente à des sujets en chambre noire. Supposons que quelqu'un fixe son regard pendant quelques minutes sur une surface illuminée. Le système visuel de cette personne va se modifier pour s'ajuster au niveau d'illumination qui prévaut. On appelle cet ajustement *adaptation à la lumière*.

L'adaptation nous permet d'avoir une bonne vision sur un vaste éventail d'intensités, mais notre champ efficace à un moment précis dépend du niveau d'éclairage dans la condition actuelle. L'adaptation à une intensité supérieure est très rapide (Adelson, 1982), alors que l'adaptation à l'obscurité ou à une intensité très faible peut prendre une demi-heure ou plus. Quand vous pénétrez dans une salle de cinéma obscure au milieu du jour, vous obtenez une bonne démonstration d'adaptation à un faible niveau d'intensité. Au début vous pouvez à peine voir quoi que ce soit avec la faible lumière réfléchie par l'écran. Si vous essayez d'avancer, vous risquez de trébucher ou d'écraser les pieds de quelqu'un. Après quelques minutes cependant, vous pourrez voir suffisamment pour vous orienter vers une place. Éventuellement, vous arriverez à reconnaître les visages dans ce faible éclairage. Lorsque vous reviendrez à la lumière du jour, en sortant dans la rue, tout vous paraîtra d'abord douloureusement éblouissant et il vous sera impossible de bien distinguer les choses. Mais comme l'adaptation à ce niveau supérieur d'éclairage se fait rapidement, tout redeviendra normal en quelques minutes. La figure 5-11 montre comment le seuil absolu s'abaisse en fonction du temps écoulé, après adaptation à une forte intensité. La courbe a deux segments. On croit que le segment supérieur est le résultat de l'action des cônes et que le segment inférieur résulte des bâtonnets. Le système des bâtonnets met beaucoup plus de temps à s'adapter, mais il est sensible à des lumières beaucoup plus faibles.

Au fur et à mesure que nous nous adaptons à une lumière donnée, celle-ci nous apparaît plus faible. Nous avons une illustration saisissante de ce phénomène quand on stabilise l'image rétinienne pour qu'il n'y ait pas de mouvement sur les récepteurs. En effet, nos yeux bougent légèrement même quand nous essayons de garder le regard fixe sur une cible. Ceci veut dire que l'image est toujours en mouvement sur la rétine. Quand on parvient à éliminer ce mouvement, le monde visuel disparaît en moins de quelques secondes. La stabilisation complète de l'image rétinienne exige des appareils délicats (voir la figure 5-12), mais même une stabilisation approximative suffira à faire que l'image s'estompe et disparaisse presque complètement. Ces phénomènes semblent être le résultat de l'adaptation. Si le système visuel cesse ainsi de réagir à un stimulus qui ne change pas, c'est le signe que ce système est fait pour déceler le changement. C'est là une caractéristique générale des systèmes sensoriels.

L'adaptation à la lumière semble attribuable en grande partie à des processus qui se déroulent dans la rétine plutôt que dans le cerveau, car l'adaptation d'un œil a peu de conséquences sur le seuil de l'autre (Battersby et Wagman, 1962). Il se peut que l'adaptation se fasse dans les cônes et les bâtonnets (c'est-à-dire que l'amplitude de la réaction de ces derniers puisse se modifier après qu'ils ont été exposés à la lumière) ou encore qu'elle ait lieu dans les neurones qui font suite aux récepteurs (Shapley et Enroth-Cugell, 1984).

Vision de la couleur

Quand elle passe à travers un prisme, la lumière du soleil s'étend pour former une bande de lumière ayant un aspect multicolore. On peut, à l'aide d'un deuxième prisme, combiner à nouveau les éléments de cette lumière multicolore pour obtenir une lumière blanche. C'est Isaac Newton qui a décrit ce phénomène, il y a plus de 300 ans. La lumière du soleil contient toutes les longueurs d'onde visibles et le prisme les sépare en produisant une réfraction des diverses longueurs d'onde à des degrés différents, de telle façon qu'on aperçoit la couleur évoquée par chaque longueur d'onde. La figure 5-14 (voir la section des pages en couleurs) illustre l'aspect du *spectre solaire*. Toutes les lumières sont semblables sauf en ce qui a trait à leurs longueurs d'onde respectives. C'est notre système visuel qui crée la couleur.

DISCRIMINATION DE LONGUEURS D'ONDE   Si on présente deux longueurs d'onde lumineuses côte à côte sur un écran, on s'aperçoit que le seuil différentiel de longueur d'onde est étrangement petit. Comme on peut le voir à la figure 5-13, il est d'environ 5 nm aux extrémités du champ de variation, et de 1 nm seulement aux longueurs d'onde les plus faciles à distinguer. Entre ces extrêmes, le seuil varie de façon irrégulière en fonction de la longueur d'onde. D'habitude, nous pouvons distinguer des longueurs d'onde qui sont séparées de 2 nm environ. Ainsi, entre 400 et 700 nm, nous pouvons identifier environ 150 longueurs d'onde.

MÉLANGE DES COULEURS   Les mélanges de lumières dont les composantes physiques sont grossièrement différentes peuvent paraître identiques et par conséquent indiscernables. Par exemple, un mélange de lumières de 650 nm (rouge) et de 500 nm (vert), comprenant les bonnes proportions, aura l'aspect d'une lumière jaune; en apparence, le mélange correspond parfaitement à une lumière de 580 nm. En l'occurrence, et tout au long de cette section, nous parlons de mélange de lumières sur un écran de projection (*mélange additif*). En effet, les lois du mélange des peintures (*mélange soustractif*) sont différentes, car la peinture absorbe la lumière (voir à la figure 5-15).

En règle générale, *on peut combiner trois longueurs d'onde très distantes les unes des autres pour les faire correspondre à presque n'importe quelle couleur de lumière.* Le *cercle des couleurs* (figure 5-16) est une façon simple de représenter le mélange des couleurs. Les couleurs du spectre y sont indiquées par des points sur la circonférence du cercle. Les deux extrémités du spectre ne se rencontrent pas; l'espace entre les deux correspond aux rouges et aux pourpres non spectraux, que l'on peut produire par des mélanges de longues et de courtes longueurs d'onde. L'intérieur du cercle représente des mélanges de lumière; plus on approche du centre, moins les lumières sont saturées (de plus en plus blanches); le blanc se trouve au centre même. Les mélanges de tout couple de lumières se situent sur la droite qui relie les deux points correspondant à ces lumières. Si cette droite traverse le point central du cercle, les lumières, mélangées dans les bonnes proportions, auront l'aspect d'une lumière blanche; on donne le nom de *couleurs complémentaires* à ce type de paires de couleurs. Étant donné que certaines lumières, grossièrement différentes sur le plan physique, paraissent toujours identiques du point de vue de l'oeil humain, nous devons arriver à la conclusion que nous sommes aveugles à ces différences. Sans cette cécité cependant, la reproduction de la couleur serait impossible. La reproduction réaliste de la couleur à la télévision, dans la photographie ou en peinture dépend de la possibilité de produire une large gamme de couleurs grâce au mélange de quelques couleurs seulement. Si vous examinez l'écran d'un poste de télévision avec une loupe, par exemple, vous verrez qu'il est composé de points minuscules de trois couleurs uniquement (rouge, vert et bleu). Le mélange additif se fait parce que les points sont tellement rapprochés les uns des autres que leurs images rétiniennes se recouvrent.

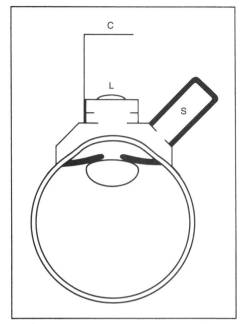

FIGURE 5-12
Stabilisation de l'image rétinienne   *Ce dessin montre comment on stabilise l'image rétinienne au moyen d'un dispositif de verre de contact. La cible (C) est vue à travers la puissante lentille (L), qui est montée sur un type spécial de verre de contact. Contrairement aux verres de contact ordinaires, celui-ci ne glisse pas sur la cornée; il y reste fermement accolé grâce à un appareil de succion (S). À chaque mouvement du globe oculaire, la lentille et la cible bougent également de telle sorte que l'image qui est projetée tombe toujours sur la même région de la rétine. Après quelques secondes, l'image de la cible s'estompera et disparaîtra. Il existe un certain nombre d'autres méthodes de stabilisation, mais le procédé que nous venons de décrire est l'un des plus fiables. (D'après Carpenter, 1977)*

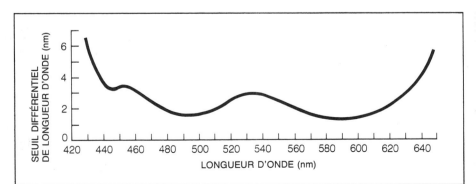

FIGURE 5-13
Discrimination de longueurs d'onde   *Ce graphique donne les seuils différentiels de longueurs d'onde pour diverses valeurs de longueur d'onde. Dans cette expérience, on présentait côte à côte les lumières de deux longueurs d'onde et les sujets devaient dire si elles étaient semblables ou différentes. Dans toute l'étendue de ce champ de variation, on peut distinguer un changement de 1 à 3 nm. (D'après Wright, 1946)*

Une personne qui a une cécité aux couleurs rouge-vert peut quand même percevoir un signal de circulation en se fondant sur la brillance et la disposition des feux.

DÉFICIENCES DE LA VISION DES COULEURS   La plupart des gens font l'appariement d'un vaste éventail de couleurs d'après le mélange de trois lumières bien choisies — le rouge, le vert et le bleu, par exemple — et des personnes différentes obtiennent des appariements similaires. On dit de ces personnes qu'elles ont une *vision normale des couleurs*. Certains apparient les couleurs à trois lumières, mais font des regroupements qui sont différents de ceux que l'on considère normaux ; en outre, ces personnes ont généralement une mauvaise discrimination des longueurs d'onde sur une partie du spectre. On parle alors d'*anomalie de la vision des couleurs*. D'autres encore sont capables d'apparier une vaste gamme de couleurs en utilisant des mélanges de deux couleurs seulement (les *dichromates*) ou, dans de rares cas, en ajustant tout simplement l'intensité d'une couleur unique (les *monochromates*). Les dichromates manifestent une faiblesse importante dans la discrimination de la longueur d'onde ; les monochromates, eux, sont totalement incapables de distinguer les longueurs d'onde. On dit des deux groupes qu'ils sont atteints de *daltonisme* ou de cécité des couleurs (*achromatopes*). La détection des anomalies de la vision des couleurs se fait au moyen de tests semblables à celui de la figure 5-17, procédé moins complexe que les expériences de mélange des couleurs.

La plupart des déficiences relatives à la couleur sont d'origine génétique. On les rencontre beaucoup plus fréquemment chez les mâles parce que les gènes critiques sont des gènes récessifs sur le chromosome X (p. 57) ; on a pu isoler et analyser ces gènes (Nathans, Thomas et Hogness, 1986). Environ 6 % des mâles ont des anomalies de la vision des couleurs et 2 % sont atteints de cécité des couleurs. Chez les femmes, les pourcentages sont inférieurs à 1 % dans les deux cas, soit 0,4 % et 0,03 % respectivement. Certaines personnes éprouvant des problèmes de vision des couleurs font un usage tellement astucieux des capacités qui leur restent, en les combinant avec les associations qu'ils ont faites par apprentissage sur les intensités relatives et les noms des couleurs des objets familiers, qu'ils ne se rendent pas compte de leur déficience.

L'APPARENCE DES COULEURS   Regardez un spot lumineux sur un fond obscur. Physiquement, on peut l'identifier par son spectre énergétique, alors que son apparence est décrite par trois dimensions : brillance, tonalité (« hue », en anglais) et saturation. La *brillance* est l'intensité perçue de la lumière. Nous l'avons déjà dit, elle dépend de l'intensité physique, mais n'est pas proportionnelle à celle-ci. La *tonalité* se rapporte à la qualité que le nom de la couleur décrit, comme jaune-verdâtre par exemple. La *saturation* dénote la plénitude de la couleur ou la pureté de la lumière : les couleurs non saturées nous apparaissent pâles ou blanchâtres (rose, par exemple) ; les couleurs saturées semblent ne contenir aucun blanc. La tonalité et la saturation dépendent toutes deux du spectre de l'énergie de façon complexe. Albert Munsell, un artiste, a proposé un procédé pour identifier les couleurs de surface en assignant à chacune l'un des dix noms de tonalités ainsi que deux chiffres, l'un indiquant la saturation et l'autre la luminosité. On retrouve les couleurs du système de Munsell dans le *solide des couleurs* (voir à la figure 5-18). On utilise le terme « luminosité » plutôt que « brillance », quand on parle d'une surface. La *luminosité* désigne le ton (pâle ou foncé) d'une surface, qui dépend du pourcentage de lumière réfléchie par la surface.

Même s'il est possible d'*apparier* des lumières colorées à un mélange de *trois longueurs d'onde*, Ewald Hering (1878) a remarqué qu'on pouvait décrire phénoménologiquement toutes les couleurs comme constituées de l'une ou de l'autre des quatre sensations suivantes : le rouge, le vert, le jaune et le bleu. Bien plus, comme il n'y a aucune perception de vert tirant sur le rouge, ni de bleu tirant sur le jaune, Hering présenta les *quatre sensations de couleurs fondamentales* comme les membres de deux *couples antagonistes* : rouge-vert et jaune-bleu.

Lorsque nous nous adaptons à une lumière colorée (en la fixant) et que nous regardons ensuite une surface neutre , nous voyons des couleurs très différentes de celles auxquelles nous nous étions adaptés (voir la figure 5-19). Ces couleurs sont habituellement les compléments de celles qu'on a regardées sous la lumière d'adaptation. Il s'agit d'*images consécutives complémentaires*.

THÉORIE DES COULEURS   Thomas Young (1807) proposa l'existence de trois types de récepteurs de la couleur (qu'on appelle maintenant cônes). Ces récepteurs agiraient comme trois filtres de la lumière, car ils absorberaient certaines longueurs d'onde mieux que d'autres. La réponse de chaque récepteur évoque une seule sensation de couleur : rouge, vert ou violet. Les gammes de longueurs d'onde auxquelles répondent les différents récepteurs chevauchent considérablement, ce qui fait qu'une seule longueur d'onde évoque un mélange de sensations, qui varie d'une longueur d'onde à l'autre. Cinquante ans plus tard, Hermann von Helmholtz développa la théorie de Young et lui donna une base quantitative (Helmholtz, 1857). Depuis lors, on parle de la *théorie de Young-Helmholtz* (ou théorie trichromatique). Cette théorie explique la discrimination des longueurs d'onde d'après les modifications des réponses des trois récepteurs en fonction des changements de longueur d'onde ; elle explique le mélange des couleurs en posant qu'un tel système est aveugle aux différences entre certains mélanges de longueurs d'onde ; selon cette théorie, la cécité aux couleurs serait attribuable à l'absence d'un ou de plusieurs types de récepteurs.

La théorie de Young-Helmholtz a permis de rendre compte de plusieurs phénomènes et elle est devenue un prototype des théories des processus sensoriels. Malheureusement, elle n'a pas permis de résoudre deux problèmes majeurs. Le premier est de démontrer comment la réponse des trois types de récepteurs dépendrait des longueurs d'onde. Les chercheurs ont fait diverses tentatives en ce sens ; celle qui a eu le plus de succès s'est employée à isoler les types individuels du cône et à en mesurer les seuils. La théorie postule que les gens qui ont une cécité aux couleurs ne possèdent qu'un ou deux types de cônes. En mesurant les seuils de sujets atteints d'une cécité aux couleurs, des chercheurs ont établi les courbes de sensibilité des trois types de cônes (Smith et Pokorny, 1972). Les courbes sont étendues et chevauchent avec des crêtes à 431, 534 et 560 nm. On sait maintenant que ces courbes de sensibilité sont attribuables à l'absorption différentielle de la lumière par les trois types de cônes, et il est possible aujourd'hui de mesurer l'absorption de la lumière à différentes longueurs d'onde dans des cônes individuels. Cette méthode donne des courbes d'absorption (que l'on peut voir à la figure 5-20) qui sont très semblables aux courbes de sensibilité obtenues dans les expériences de seuil.

Le second problème auquel se heurte la théorie de Young-Helmholtz, c'est qu'elle ne rend pas compte de notre expérience des couleurs de façon satisfaisante. Comme elle postule l'existence de trois sensations de couleur seulement, chacune étant suscitée par l'activation de l'un des trois récepteurs de couleur, elle n'explique pas, par exemple, pourquoi un mélange de rouge et de vert peut paraître jaune et un mélange de jaune et de bleu peut donner un blanc. Même si Helmholtz et d'autres encore ont invoqué l'idée que de nouvelles sensations pourraient émerger de mélanges des trois sensations fondamentales, plusieurs chercheurs refusent d'accepter cette explication.

Vers la fin du XIXe siècle, Hering a proposé une *théorie des couleurs rivales*. Il croyait que le système visuel contient deux types d'unités sensibles aux couleurs, qui réagissent de façons opposées aux deux couleurs d'une paire antagoniste : un type d'unité réagit au rouge ou au vert, l'autre au bleu ou au jaune. Par exemple, une unité pourrait accroître sa réaction à une couleur tout en diminuant sa réaction à une autre. Puisqu'une unité est incapable de répondre de deux façons en même temps, il ne saurait y avoir de sensation vert tirant sur le rouge ou de bleu tirant sur le jaune. On percevrait du blanc quand les deux types d'unités antagonistes sont en équilibre, une seule tonalité (rouge, vert, jaune ou bleu) chaque fois qu'une seule unité antagoniste est en déséquilibre et une combinaison de tonalités quand les unités antagonistes sont toutes les deux en déséquilibre.

La théorie des couleurs rivales et la théorie trichromatique se sont opposées pendant plus d'un demi-siècle ; chacune était en mesure d'expliquer certains faits sans pouvoir rendre compte de certains autres. D'aucuns ont pro-

FIGURE 5-20
Spectre d'absorption des cônes de l'être humain *Ces courbes représentent les mesures moyennes de l'absorption de la lumière par les cônes individuels de l'être humain, mesures prises grâce à une méthode appelée microspectrophotométrie. Dans cette méthode, on prélève une partie de la rétine dans un œil qui a été donné pour fins de recherche. En se guidant au moyen d'un microscope, on projette un rayon de lumière très étroit sur un seul cône et on mesure la proportion de lumière absorbée par ce cône. On répète le procédé avec plusieurs longueurs d'onde. Les courbes indiquent le pourcentage de lumière absorbée à chaque longueur d'onde par rapport à la quantité absorbée au sommet de la courbe. Chaque courbe représente les moyennes de plusieurs cônes. Ces courbes d'absorption varient légèrement en fonction de la densité dans les cônes des pigments qui absorbent la lumière. (D'après Dartnall, Bowmaker et Mollon, 1983)*

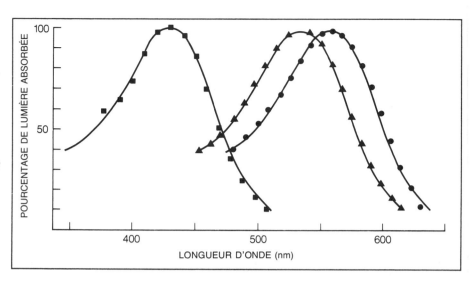

posé de réconcilier ces deux théories en une théorie à deux stades, selon laquelle trois types de récepteurs, comme ceux de la théorie de Young-Helmholtz, alimenteraient, à un niveau supérieur du système visuel, des unités de couleurs antagonistes. La tentative la plus complète en ce sens est celle de Jameson et Hurvich (Hurvich, 1981). Ce type de théorie à deux stades a trouvé un appui considérable dans la découverte de *cellules de couleurs antagonistes* dans la rétine (Svaetichin, 1956) et dans le noyau du corps genouillé latéral du thalamus (De Valois et Jacobs, 1984). L'action de ces dernières cellules est spontanée et elles augmentent leur taux d'activité en réaction à une gamme de longueurs d'onde et le diminuent en réaction à une autre gamme. On a identifié quatre types de cellules de couleurs antagonistes : + R - V, + J - B, + V - R, et + B - J (R, V, J et B représentant rouge, vert, jaune et bleu, respectivement ; le signe + indique une augmentation du taux et le signe –, une diminution du taux. Ainsi une cellule + R-V est excitée par les longueurs d'onde de la région rouge du spectre et inhibée par les longueurs d'onde de la région vert. Il existe aussi des cellules qui ne sont pas antagonistes (dites achromatiques) — c'est-à-dire qu'elles réagissent de la même façon à toutes les longueurs d'ondes auxquelles elles sont sensibles : les cellules + Bl - N sont excitées par la lumière et les cellules + N - Bl sont inhibées par la lumière.

La figure 5-21 est la représentation schématique d'une *théorie de couleurs à deux stades*. Cette théorie postule 1) que l'excitation de chacune des quatre cellules de couleurs antagonistes donne lieu à l'une des quatre sensations de couleur, 2) que l'excitation d'une cellule achromatique donne lieu

FIGURE 5-21
Théorie des couleurs aux deux stades *Voici une illustration schématique de la théorie des couleurs aux deux stades. Les triangles représentent les trois types de cônes dont la sensibilité maximale se situe à des longueurs d'onde courtes (C), moyennes (M) et longues (L). Les cercles correspondent aux cellules de couleurs antagonistes et aux cellules achromatiques du second stade. Les lignes représentent les synapses excitatrices et inhibitrices parmi les cellules : ↑ signifie excitation et ↑ inhibition.*

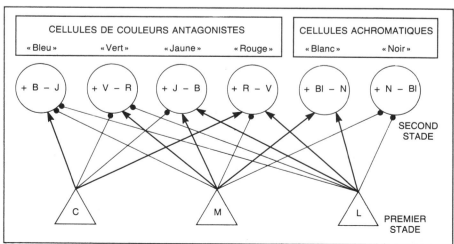

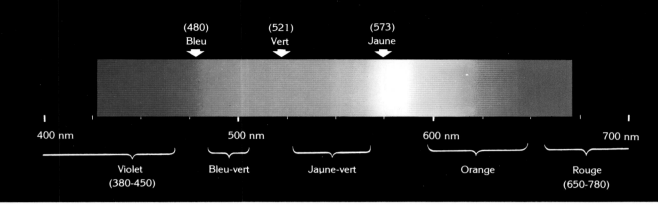

400 nm   500 nm   600 nm   700 nm

Violet
(380-450)

Bleu-vert

Jaune-vert

Orange

Rouge
(650-780)

(480)
Bleu

(521)
Vert

(573)
Jaune

FIGURE 5-14

Le spectre solaire *Les couleurs sont dans le même ordre que dans l'arc-en-ciel et c'est ainsi qu'elles apparaissent quand un rayon de soleil est filtré à travers un prisme. La lumière du soleil contient toutes les longueurs d'onde visibles. Les chiffres donnent les longueurs d'onde des diverses couleurs en nanomètres (nm); un nanomètre est un milliardième de mètre.*

FIGURE 5-15

Mélanges de couleurs par addition et par soustraction *Le mélange de couleurs par addition (illustré dans la figure de gauche) se produit quand on mélange des lumières. Les lumières rouge et verte se combinent pour donner du jaune, les lumières verte et pourpre bleuté pour donner du bleu, et ainsi de suite. Les trois couleurs se recouvent l'une l'autre au centre pour donner du blanc.*

Le mélange par soustraction (illustré dans la figure de droite) se produit quand on mélange des pigments ou quand la lumière est transmise à travers des filtres colorés placés l'un sur l'autre. D'habitude, le bleu-vert et le jaune vont se mélanger pour donner du vert et les couleurs complémentaires vont se réduire au noir. Contrairement à ce qui se passe avec le mélange additif, on ne peut pas toujours prévoir, d'après les couleurs des composantes, la couleur qui va résulter du mélange. Par exemple, le bleu et le vert donnent d'ordinaire du bleu-vert par mélange soustractif, mais avec certains filtres, ils peuvent donner du rouge. Tout dépend de la nature exacte des filtres.

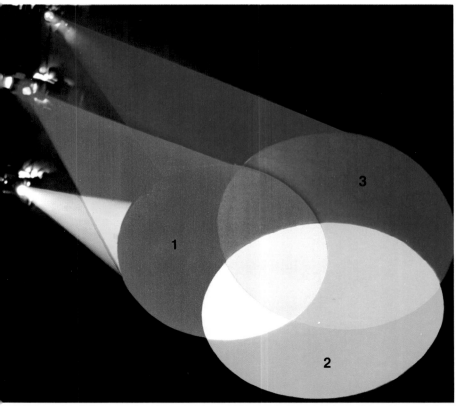

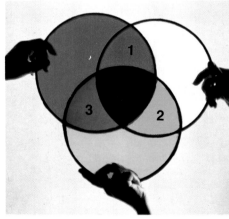

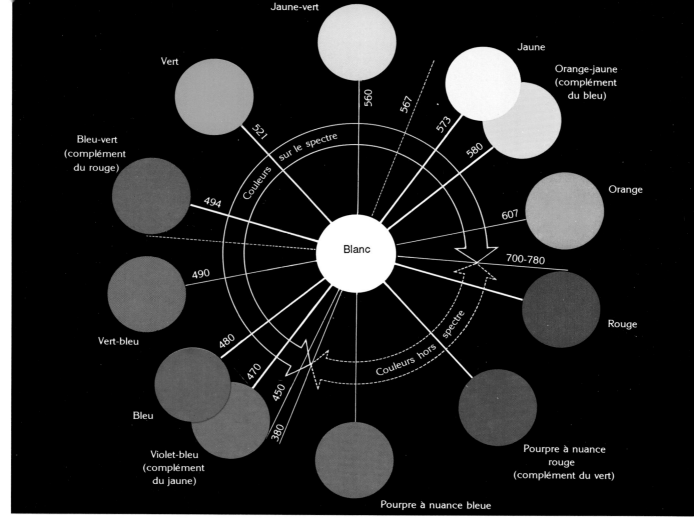

FIGURE 5-16
Cercle des couleurs *Les longueurs d'onde sont indiquées en nanomètres autour du cercle. Les couleurs spectrales sont disposées selon leur ordre naturel sur le cercle, mais l'espace qui les sépare n'est pas uniforme. Les couleurs spectrales ne font pas tout le tour du cercle. Les couleurs rouges et pourpres non spectrales se situent entre les extrémités du cercle. En progressant vers le centre, qui est blanc, les couleurs deviennent moins saturées. Les couleurs opposées sur la même droite, que l'on appelle couleurs complémentaires, paraîtront blanches si on les mélange dans les bonnes proportions.*

FIGURE 5-18
Le solide des couleurs* *On peut représenter les trois dimensions de la couleur au moyen d'un double cône: la tonalité (« hue », en anglais) est représentée par les points sur la circonférence, la saturation par les points sur le rayon et la brillance par les points sur l'axe verticale. Une tranche verticale tirée du solide des couleurs présente les différences de saturation et de brillance que peut prendre une tonalité particulière.*

* A aussi été appelé pyramide, sphère, double cône et solide empirique. (Note du traducteur)

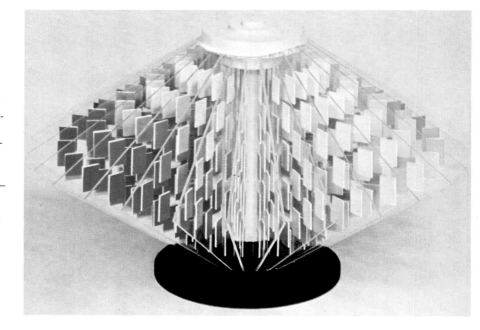

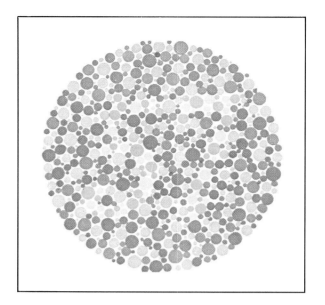

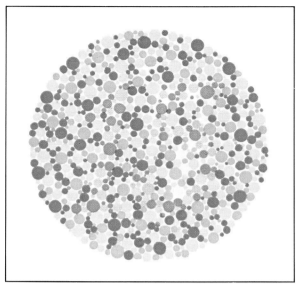

Tests de daltonisme *Deux plaques utilisées pour les tests de daltonisme. Dans celle de gauche, les individus qui souffrent de certaines sortes de cécité rouge-vert ne voient que le chiffre 5; d'autres ne voient que le 7; d'autres encore ne discernent aucun chiffre. Les gens dont la vision est normale voient le nombre 57. De même, dans la plaque de droite, les individus à vision normale voient le nombre 15, alors que ceux qui souffrent de cécité rouge-vert ne voient aucun chiffre.*

Une comparaison de cécité à la couleur *L'individu qui souffre de cécité rouge-vert, la forme la plus commune des défectuosités du système visuel, voit les rouges vifs et les verts des rosiers (à droite) comme des tons de brun (en bas, à droite).*

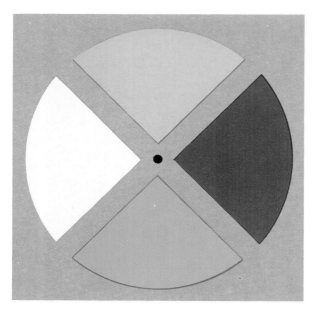 

FIGURE 5-19
Images consécutives complémentaires *Fixez continuellement le point situé au centre des segments de couleur pendant une minute environ; ensuite, faites porter votre regard sur le point dans le champ gris à droite. Vous devriez voir des taches de couleur qui sont les complémentaires des couleurs originales — le bleu, le rouge, le vert et le jaune seront remplacées dans le même ordre par le jaune, le vert, le rouge et le bleu.*

Les images consécutives négatives se trouvent également illustrées dans cette œuvre d'art contemporain de Jasper Johns. Fixez le point au milieu du carré supérieur pendant une minute environ, puis déplacez vos yeux vers le point au centre du champ beige. (Targets (cible), lithographie faite à partir de neufs roches et de deux plaques d'aluminium, 1967-1968)

à une sensation de blancheur ou de noirceur et 3) que c'est le rapport entre la réaction aux cellules antagonistes et la réaction aux cellules achromatiques qui détermine la saturation. La couleur perçue de toute lumière est une combinaison des sensations évoquées par toutes les cellules (de couleurs antagonistes et achromatiques) que cette lumière excite. Cette théorie rend compte d'une grande part de nos connaissances sur la vision des couleurs. Malheureusement, ce type de théories n'explique ni la constance des couleurs (chapitre 6), ni tous les faits connus concernant la détection et l'apparence des spots isolés de lumière (Hood et Finkelstein, 1983). Il n'en reste pas moins que l'analyse de la vision des couleurs représente, sur le plan théorique, l'une des plus grandes réussites de la psychologie jusqu'à présent et sert de prototype pour l'analyse des autres systèmes sensoriels.

Vision des patterns

POUVOIR DE RÉSOLUTION DE L'OEIL   Le problème qui amène le plus souvent les gens à consulter un spécialiste des yeux est la difficulté de voir des configurations visuelles comme les panneaux de signalisation ou les mots imprimés. La capacité de percevoir les patterns spatiaux s'appelle la *résolution spatiale*. Normalement, on mesure le pouvoir de résolution de l'œil en demandant à l'individu de regarder un tableau sur lequel des ensembles visuels deviennent graduellement plus petits, comme celui de la figure 5-22. Cette sorte de test permet au spécialiste de la vision de déterminer le seuil du plus petit détail que la personne examinée peut déceler. Le résultat s'exprime sous la forme d'une mesure appelée l'*acuité visuelle*.

Récemment, des chercheurs ont abordé la détection des patterns d'une autre façon. Ils utilisent comme stimuli des configurations de bandes parallèles alternantes, pâles et foncées, qu'on appelle *grilles à ondes sinusoïdales* (voir la figure 5-23). L'une des raisons de mesurer la sensibilité au moyen de grilles à ondes sinusoïdales vient de ce que tout pattern peut s'analyser en tant que somme de grilles de cette nature, grâce à une méthode mathématique appelée *analyse de Fourier*. Au lieu de faire décroître la largeur des bandes jusqu'à ce que leur résolution ne soit plus possible, l'expérimentateur la maintient constante et fait varier la différence d'intensité (le *contraste*) entre les bandes pâles et foncées de façon à trouver le contraste le plus faible qui permette de distinguer les bandes (*seuil de contraste*). Dans l'expérience typique, on choisit plusieurs grilles ayant des largeurs de bandes différentes. Les grilles sont présentées une à la fois et on fait varier le contraste de chacune d'elles pour trouver son seuil de contraste. Lorsque les bandes sont très étroites (haute fréquence spatiale), le seuil de contraste est élevé. À mesure que les bandes s'élargissent, le seuil de contraste s'abaisse. Mais dans le cas de bandes très larges (basse fréquence spatiale), le seuil s'élève à nouveau. Cette variation du seuil en fonction de la fréquence spatiale se trouve illustrée à la figure 5-24.

Un phénomène semblable se produit quand nous essayons de déterminer si une lumière est stable ou si elle vacille (*résolution temporelle*). Quand le taux d'oscillation devient très rapide, nous cessons de déceler le vacillement. Heureusement d'ailleurs, car la plupart des lumières, telles les lampes fluorescentes, fluctuent à très grande vitesse. Quand l'oscillation devient très lente, elle redevient difficile à déceler.

Quel est le facteur responsable de la relation entre largeur de bande et seuil de contraste? Le fait que nous percevions certaines fréquences spatiales mieux que les autres permet de supposer que le système visuel fait passer les patterns à travers un filtre qui transmet certains mieux que les autres. On peut se représenter un *filtre de pattern* comme un dispositif qui, face à une image afférente (input), crée par calcul (computation) une image efférente (output). Cette image efférente est une partie de l'image afférente; c'est effectivement l'image afférente dont certaines fréquences spatiales ont été éliminées, tout comme l'eau qui traverse la passoire de cuisine est le mélange eau-spaghetti duquel les spaghetti ont été retranchés. Dans certains cas, l'image

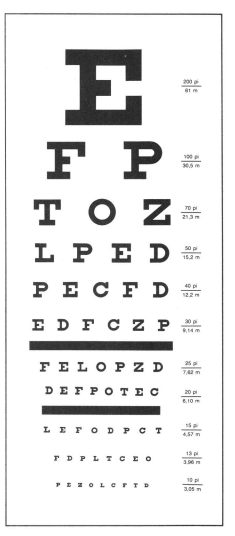

FIGURE 5-22
Un test d'acuité visuelle   *Voici le tableau des lettres de Snellen, que l'on utilise généralement pour mesurer l'acuité visuelle. La personne qui possède une acuité de 20/20 peut lire une rangée standard de lettres à une distance de 6,10 mètres (20 pieds). Celle qui a besoin de lettres deux fois plus grandes a une acuité de 20/40. Celle qui est capable de lire des lettres deux fois plus petites que celles de la rangée 20/20 a une acuité de 20/10 et ainsi de suite. Même si l'acuité 20/20 est considérée comme la norme, beaucoup d'individus peuvent, dans des conditions optimales, lire la ligne 20/10. N'oubliez pas que cette illustration est beaucoup plus petite que le tableau réel.*

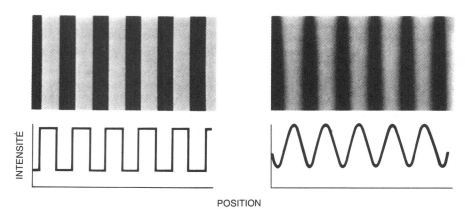

FIGURE **5-23**

Grilles *Le pattern de bandes à la gauche de cette figure est une grille à ondes rectangulaires; on aperçoit sous ce dessin une courbe représentant l'intensité en fonction de la localisation. Le pattern de droite est appelé grille à ondes sinusoïdales parce que, justement, son intensité est une fonction sinusoïdale de sa localisation. On peut construire différentes grilles, en faisant varier la* fréquence *(nombre de cycles/cm), le* contraste *(différence maximale entre les régions pâles et foncées) et l'*orientation *(verticale, horizontale, 45° et ainsi de suite).*

filtrée aura l'apparence d'une version embrouillée de l'image afférente. Nous le verrons, plusieurs neurones du système visuel font office de filtres de pattern. Un filtre de pattern, qui laisse mieux passer les fréquences intermédiaires que les fréquences tant supérieures qu'inférieures, rendrait compte de la façon dont la sensibilité de contraste varie en fonction de la fréquence spatiale (figure 5-24). Cette même sorte de filtre peut expliquer ce que nous voyons à la figure 5-25. Il s'agit d'une configuration de carrés noirs séparés par des lignes blanches; les taches que nous voyons à l'intersection des lignes blanches sont des créations de notre système visuel. On peut produire des taches semblables par filtration du pattern.

Ici encore, en adoptant la même façon d'aborder la question que dans le cas de la vision des couleurs, nous pouvons nous demander s'il existe *plus qu'un seul filtre* à la base de la courbe de sensibilité au contraste (figure 5-24). Au cours des années 60, des chercheurs ont prétendu qu'il se trouvait, dans le système visuel de l'être humain, plusieurs filtres de fréquence spatiale, à syntonisation large, qui se recouvraient les uns les autres (Campbell et Robson, 1968). Depuis lors, un grand nombre d'expérimentateurs nous ont apporté des preuves de l'existence de tels filtres dans le système visuel (Olzak et Thomas, 1986).

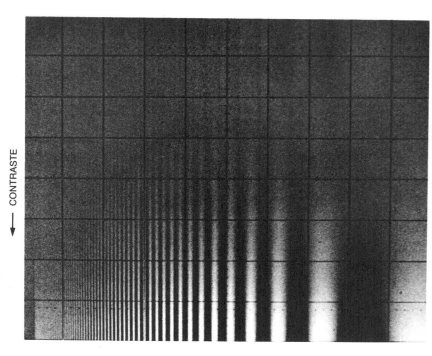

FIGURE **5-24**

Seuil de contraste et largeur des bandes *Sur cette photographie, la largeur des bandes s'accroît de gauche à droite; le contraste augmente du haut vers le bas. Les bandes de largeur moyenne sont aperçues à des contrastes plus faibles que les bandes des deux extrémités — c'est-à-dire qu'elles sont visibles plus haut sur l'axe des contrastes. La fréquence spatiale diminue avec l'augmentation de la largeur des bandes. L'image montre comment la sensibilité au contraste varie avec la fréquence spatiale. Cette sensibilité est grande pour les fréquences spatiales du milieu du champ de variation et s'amenuise pour les hautes comme pour les basses fréquences.*

TRAITEMENT NEUROLOGIQUE DES PATTERNS   Les cônes et les bâtonnets réagissent chaque fois que la lumière les frappe. Les cellules situées plus haut dans le système, tout particulièrement celles du cortex visuel, sont sensibles à la distribution spatiale de la lumière qui parvient aux récepteurs dans une région donnée de la rétine. La région de la rétine qui est associée à un neurone situé plus haut dans le système visuel s'appelle le *champ récepteur* de ce neurone. On peut étudier la sensibilité des neurones du système visuel en enregistrant la réaction de ces neurones pendant qu'on présente à l'œil des stimuli différents (voir à la figure 5-2).

Hubel et Wiesel (1968) ont été des pionniers de l'*enregistrement à partir d'une cellule unique* dans le cortex visuel, ce qui leur a valu de partager un prix Nobel pour leurs travaux en 1981. Ils ont identifié, dans le cortex visuel, trois types de cellules qu'on peut distinguer les unes des autres par les caractéristiques auxquelles chacune de ces sortes de cellules réagit.

Les *cellules simples* réagissent quand l'œil est exposé à un stimulus ayant la forme d'une ligne (comme une bande mince ou une arête droite entre une région pâle et une région foncée) dotée d'une orientation et d'une position particulières à l'intérieur du champ récepteur. La figure 5-26 fait voir comment une cellule simple réagira à une bande verticale et à des bandes inclinées par rapport à la verticale. La réaction diminue à mesure que l'orientation s'éloigne de l'orientation optimale (verticale). D'autres cellules simples sont syntonisées à d'autres orientations et positions.

Une *cellule complexe* réagit également à une bande ou à une arête d'une orientation particulière, mais elle n'exige pas que le stimulus occupe une place déterminée dans le champ récepteur ; elle réagit donc continuellement quand le stimulus se déplace dans le champ récepteur.

Des *cellules super-complexes* (hypercomplex cells) exigent non seulement que le stimulus prenne une orientation particulière, mais qu'il ait également une longueur spécifique. Si le stimulus dépasse cette longueur optimale, la réaction diminuera et pourra cesser complètement.

Ces trois types de cellules sont toutes des *détecteurs de caractéristiques* parce qu'elles réagissent à des stimuli simples qui peuvent être considérés comme les caractéristiques ou les éléments fondamentaux de stimuli plus complexes. On discute encore de la nature des caractéristiques spécifiques que ces cellules détectent. La réaction la plus forte que Hubel et Wiesel ont enregistrée dans ces cellules concernait les bandes pâles et foncées et ils ont donc attribué à ces cellules la caractéristique de détecteurs de bandes. D'autres chercheurs, cependant, ont montré que ces cellules étaient plus sensibles à une grille composée de plusieurs bandes qu'à une bande isolée — c'est-à-dire que les cellules pourraient ressembler plus à des détecteurs de fréquence spatiale qu'à des détecteurs de bandes (De Valois et De Valois, 1980 ; Shapley et Lennie, 1985).

Puisqu'on peut arriver à une approximation de n'importe quelle forme visuelle au moyen d'une série de segments de ligne en position angulaire les

FIGURE 5-25
Grille de Hermann   *La plupart des observateurs verront des points noirs aux intersections des lignes blanches. Ces points n'existent pas dans le stimulus physique ; c'est notre système visuel qui les crée. Si ce pattern d'intensité est filtré avec un filtre de patterns qui laisse passer plus facilement les fréquences du milieu du champ de variation, des points semblables apparaissent dans l'image qui est produite. Ce fait laisse croire à l'existence de tels filtres dans le système visuel humain.*

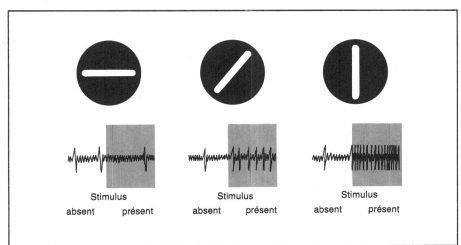

Stimulus   Stimulus   Stimulus
absent   présent   absent   présent   absent   présent

FIGURE 5-26
Réaction d'une cellule unique   *Cette figure fait voir la réaction d'une cellule corticale simple à une bande de lumière. Le stimulus est représenté en haut, la réponse en bas ; chaque pointe de potentiel verticale sur le tracé du bas correspond à une impulsion nerveuse. Quand il n'y a aucun stimulus, on n'enregistre qu'une impulsion occasionnelle. Quand le stimulus est présenté, la cellule peut réagir ou ne pas réagir, suivant la position et l'orientation de la bande lumineuse. Dans le cas de la cellule qui a été étudiée dans cette expérience, une bande horizontale ne produit pas de changement dans la réaction, une bande de 45° cause un léger changement et une barre verticale, un très grand changement.*

uns par rapport aux autres, ces détecteurs de ligne pourraient être les éléments nécessaires à la reconnaissance de formes plus complexes. Nous parlerons au chapitre 6 des théories sur la façon de reconnaître les configurations complexes ; nous constaterons que les détecteurs de caractéristiques jouent un rôle important dans ces théories.

OUÏE

Stimulus auditif

Le son est moins mystérieux que la lumière. Il tire son origine du mouvement ou de la vibration d'un objet, ce mouvement étant transmis au milieu ambiant (habituellement l'air) sous la forme d'un agencement de variations de pression. Lorsqu'un objet bouge, les molécules de l'air qu'il déplace sont poussées les unes sur les autres. Elles entrent en collision avec d'autres molécules et déclenchent à leur tour une compression. Ainsi, l'onde de pression est transmise à travers la matière ambiante, même si les molécules d'air individuelles ne se déplacent pas beaucoup.

Une onde sonore peut se décrire sous la forme d'une courbe de la pression de l'air en fonction du temps. La figure 5-27 présente la courbe pression-temps d'un type de son. La variation de la pression correspond à une onde sinusoïdale. Le type de son représenté ici est appelé un *ton* ou un *son pur*. Tout comme les configurations spatiales peuvent être décomposées par analyse en une somme d'ondes sinusoïdales, il en est ainsi des sons. Les tons diffèrent entre eux par la fréquence (le nombre de cycles à la seconde, qu'on appelle *hertz* (Hz), l'intensité (la différence de pression entre le sommet et le creux d'un cycle) et le moment où ils commencent (la phase). Les jeunes adultes humains sont capables d'entendre les fréquences qui se situent entre 20 et 20 000 Hz ; les chiens, les chauves-souris et les dauphins entendent des fréquences beaucoup plus hautes. L'intensité sonore se définit généralement en termes de *décibels* (db) ; un changement de 10 db correspond à une variation de facteur 10 dans la puissance du son, celui de 20 db, à une variation de facteur de 100, 30 db correspond à un changement de 1000 fois et ainsi de suite. Le tableau 5-3 donne les intensités de quelques sons familiers.

La plupart des sons ne sont pas purs. La note musicale typique contient, par exemple, des fréquences qui sont des multiples (harmoniques) de la fréquence (fondamentale) qui est jouée. Les divers instruments produisent des constellations d'harmoniques différentes et par conséquent, des formes d'ondes différentes de la même note (voir la figure 5-28).

Système auditif

Le système auditif est composé de deux oreilles, de plusieurs centres dans le tronc cérébral, du noyau du corps genouillé interne du thalamus, de par-

FIGURE 5-27

Ton (son pur) *En vibrant, le diapason déclenche des ondes successives de compression et d'expansion de l'air, ce qui donne une onde sinusoïdale. Ce type de son s'appelle un ton ou un son pur. On le décrit en précisant sa fréquence et son intensité. Si le diapason produit 100 vibrations à la seconde, on a une onde sonore de 100 compressions à la seconde et d'une fréquence de 100 Hz. L'intensité (ou amplitude) d'un ton est la différence de pression entre les sommets et les creux de la courbe sonore. On peut décomposer la forme de l'onde de tout son en une série d'ondes sinusoïdales de fréquences différentes et de diverses amplitudes et phases. Lorsqu'on additionne ces ondes sinusoïdales les unes aux autres, on obtient la forme d'onde originale.*

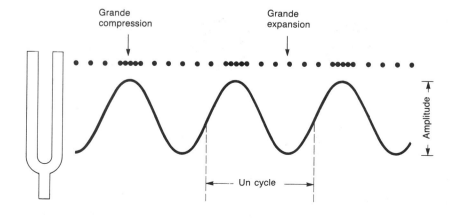

Grande compression   Grande expansion

Un cycle

Amplitude

NIVEAU ET DÉCIBELS	EXEMPLE	DURÉE D'EXPOSITION DANGEREUSE
0	Le son le plus bas perceptible par l'oreille humaine	
30	Bibliothèque tranquille, chuchotement bas	
40	Bureau, vivoir, chambre à coucher tranquilles, éloignés des bruits de la circulation	
50	Circulation légère (à une certaine distance), réfrigérateur, douce brise	
60	Climatiseur (à 6 mètres), conversation, machine à coudre	
70	Circulation lourde, calculatrice de bureau, restaurant bruyant (exposition constante)	Début du niveau critique
80	Métro, circulation urbaine lourde, réveille-matin à 60 cm de l'oreille, bruits de manufacture	Plus de 8 heures
90	Circulation de camions, appareils de ménage bruyants, outils d'atelier, tondeuse à gazon	Moins de 8 heures
100	Scie ronde, atelier de chaufferie, marteau pneumatique	Deux heures
120	Concert « rock » (écouté en face des haut-parleurs), décapage à la sableuse, coup de tonnerre	Danger immédiat
140	Coup de fusil, avion à réaction	Toute exposition est dangereuse
180	Rampe de lancement de fusées	Dommage auditif inévitable

TABLEAU **5-3**
Bruits familiers : évaluation en décibels et durées d'exposition dangereuses *Ce tableau donne les intensités, en décibels, de sons ordinaires. Une augmentation de 3 db équivaut à doubler la puissance sonore. Les niveaux de son présentés ici sont à peu près l'équivalent des intensités produites aux distances typiques habituelles. La colonne de droite donne les durées d'exposition comportant un risque de perte auditive permanente. Des expositions prolongées à 150 db sont mortelles chez les rats de laboratoire.*

ties du lobe temporal du cortex et de diverses voies de connexion nerveuse. Le mot « oreille », dans son sens scientifique, ne comprend pas seulement les appendices qu'on a de chaque côté de la tête, mais l'organe de l'audition en entier, situé en grande partie à l'intérieur du crâne (figures 5-29 et 5-30).

L'oreille se compose de trois parties. À l'extérieur, il y a l'oreille externe et le canal auditif. L'oreille moyenne comprend le tympan et un enchaînement de trois os (le marteau, l'enclume et l'étrier). Ces structures de l'oreille moyenne servent à amplifier la pression de l'air de façon qu'elle soit capable de déplacer les liquides denses de l'oreille interne. Cette oreille interne, ou *cochlée*, est un tube osseux enroulé sur lui-même. Deux membranes divisent ce tube sur la longueur en trois chambres remplies de liquide, l'une des membranes, la *membrane basilaire*, servant de base aux récepteurs de l'audition, les *cellules ciliées*. Ces cellules ont des structures semblables à des poils (des cils) plongés dans le liquide. L'étrier de l'oreille moyenne exerce une pression sur le liquide de la cochlée à un point d'ouverture appelé *fenêtre ovale*.

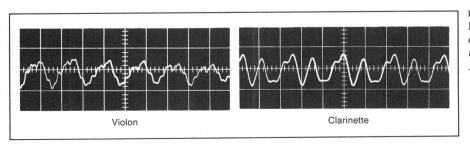

Violon   Clarinette

FIGURE **5-28**
Notes musicales *Tracés à l'oscilloscope de la même note jouée sur deux instruments différents.*

FIGURE 5-29
Coupe transversale de l'oreille   *Ce dessin fait voir la structure générale de l'oreille. L'oreille interne comprend la cochlée, qui contient les récepteurs auditifs, ainsi que l'appareil vestibulaire (canaux semi-circulaires et saccules vestibulaires), qui est l'organe sensoriel de notre sens de l'équilibre et du mouvement corporel.*

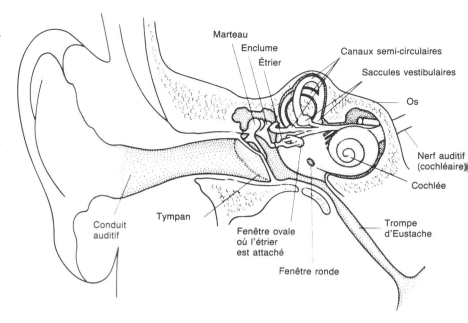

FIGURE 5-30
Diagramme schématique de l'oreille moyenne et de l'oreille interne   *La cochlée est présentée à gauche comme si elle était partiellement déroulée. La vibration du tympan amène l'étrier à faire se déplacer la fenêtre ovale, produisant ainsi une pression dans les liquides de la cochlée et un mouvement sur la membrane basilaire qui fait bouger et plier les poils des cellules ciliées. La flexion des poils produit une réaction électrique dans les cellules ciliées, laquelle est transmise par la voie des synapses aux neurones du nerf acoustique.*

Une autre fenêtre, la *fenêtre ronde*, est recouverte d'une membrane flexible qui pousse vers l'extérieur quand la fenêtre ovale exerce une pression vers l'intérieur. Le mouvement des poils sur les cellules ciliées les amène à se plier, ce qui engendre une réaction électrique dans les cellules ciliées. Une coupe transversale de la cochlée (figure 5-30) fait apparaître quatre cellules ciliées. Trois d'entre elles, les cellules ciliées externes, sont situées sur l'un des côtés du tunnel de Corti, alors que la quatrième, la cellule ciliée interne, se trouve du côté opposé. Les neurones qui entrent en synapse avec les cellules ciliées ont de longs axones qui forment une partie du nerf acoustique. Il y a environ 31 000 neurones dans le nerf auditif, beaucoup moins que le million que contient le nerf optique. La plupart de ces neurones n'innervent qu'une cellule ciliée, quelques-uns d'entre eux passant le long de la membrane basilaire pour aller innerver environ dix cellules ciliées externes (Yost et Nielson, 1985).

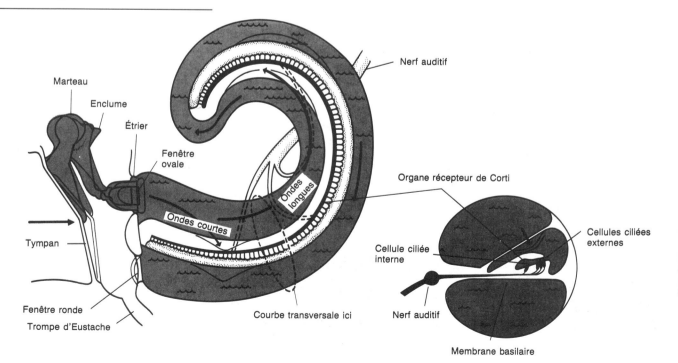

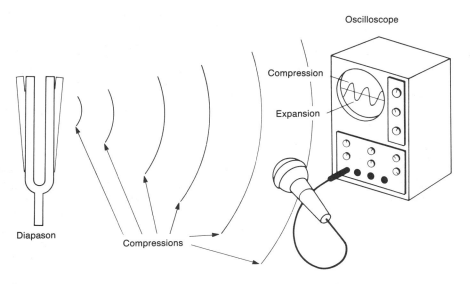

Oscilloscope

Compression

Expansion

Diapason

Compressions

Représentation visuelle d'une onde sonore *Au moyen d'un instrument électronique appelé oscilloscope, nous pouvons obtenir des images d'ondes sonores. Les vibrations des molécules aériennes d'une onde sonore vont entraîner la vibration du diaphragme d'un microphone. Ces vibrations sont alors transformées en un signal électrique et l'oscilloscope présente le signal sous la forme d'une courbe sur l'écran.*

Les voies auditives centrales sont relativement compliquées. Le faisceau qui part de chaque oreille se rend des deux côtés du cerveau et fait synapse dans plusieurs noyaux avant d'atteindre le cortex auditif. Des trajets additionnels partent du cortex vers la cochlée et modulent l'activité des voies ascendantes.

Audition du son

Comme dans le cas des longueurs d'onde de la lumière, nous sommes plus sensibles aux sons de fréquences intermédiaires qu'aux sons qui se rapprochent de l'une ou l'autre extrémité de notre champ de perception des fréquences. La figure 5-31 présente une illustration de ce phénomène ; elle donne le seuil absolu d'intensité des sons en fonction de la fréquence que l'on obtient chez de jeunes adultes. La forme de cette courbe résulte en grande partie de la transmission du son par l'oreille externe et l'oreille moyenne. L'acoustique compliquée de ces stuctures contribue à amplifier les fréquences intermédiaires au détriment de celles qui se situent aux extrémités du champ de variation.

Il arrive souvent que des gens donnent des seuils substantiellement plus hauts que ceux présentés à la figure 5-31. Ces déficiences auditives adoptent deux patterns fondamentaux. Dans le premier, les seuils sont élevés à pratiquement toutes les fréquences à cause d'une mauvaise conduction dans l'oreille moyenne (*perte de conduction*). L'autre pattern de perte auditive donne une élévation de seuil qui est plutôt inégale avec de fortes déviations aux fréquences supérieures. Ce pattern est habituellement la conséquence de dommage à l'oreille interne, souvent une destruction de cellules ciliées (*perte sensori-nerveuse*). Une fois détruites, les cellules ciliées ne connaissent pas de régénération. Ce type de perte se présente chez beaucoup de personnes âgées et chez les plus jeunes qui sont exposés à trop de bruit intense. Il est curieux de constater que nombre de personnes tolèrent et apprécient même certains sons à des intensités qui causent des pertes auditives permanentes. Une exposition prolongée à des bruits de 90 décibels ou plus comporte un danger de dommage permanent. Les musiciens « rock », ceux qui travaillent sur les pistes d'aviation et les opérateurs de marteaux pneumatiques finissent généralement par avoir des déficiences auditives graves et permanentes.

Audition de la hauteur

Notre expérience des sons purs a comme caractéristique la *hauteur* tout autant que l'intensité. La hauteur tonale est une qualité perçue du son qui se situe

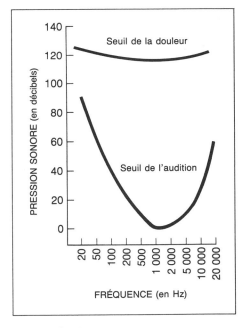

FIGURE 5-31
Seuils absolus de l'audition *La plus longue de ces courbes donne le seuil absolu d'intensité à différentes fréquences. Les valeurs indiquées sont caractéristiques des jeunes adultes. La sensibilité est maximale à environ 1000 Hz. La courbe du haut se rapporte au seuil de la douleur. (Les données sont des approximations tirées d'expériences variées.)*

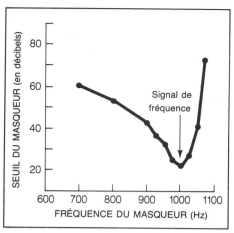

FIGURE 5-32
Un filtre de fréquence auditive *La tâche du sujet était de déceler un ton de 1000 Hz d'intensité constante (le signal). Le graphique montre l'intensité d'un second ton (le masqueur) qui masque tout juste le signal. À mesure que la fréquence du masqueur s'éloigne de la fréquence du signal, le masqueur devient de moins en moins efficace; son seuil augmente. Cette courbe ressemble étroitement à une courbe de seuil pour neurone unique dans le nerf auditif. On croit qu'elle correspond à l'un des filtres de fréquence du système auditif humain. (D'après Moore, 1978)*

sur une échelle de bas en haut. Les différentes fréquences ont des hauteurs différentes et la hauteur augmente continuellement en même temps que la fréquence. Quand la fréquence augmente du double (augmentation d'une octave), la hauteur s'accroît d'une quantité approximativement constante. Ce phénomène psychologique sert de base aux échelles musicales. Comme pour la longueur d'onde de la lumière, nous arrivons facilement à discriminer les fréquences de sons. Le seuil différentiel est inférieur à 1 Hz pour une fréquence de 100 Hz et augmente à 100 Hz pour une fréquence de 10 000 Hz.

L'audition ne comporte pas de phénomène analogue au mélange des couleurs. Quand deux fréquences sonores ou plus sont émises simultanément, nous pouvons entendre distinctement la hauteur associée à chacune, pourvu que la différence entre ces fréquences soit assez grande et que nous écoutions bien. Quand les fréquences se rapprochent, la perception est plus complexe, mais elle n'a pas la sonorité d'un ton isolé. Dans la vision des couleurs, notre capacité d'appariement de la plupart des couleurs par le mélange de trois lumières a donné lieu à l'hypothèse de l'existence de trois types de cônes. L'absence d'un phénomène comparable pour l'addition permet de supposer que, s'il existe des récepteurs syntonisés à des fréquences auditives différentes, ils doivent être de plusieurs types.

La possibilité qu'il se trouve des filtres dans le système auditif, qui réagiraient à des fréquences différentes, a été étudiée grâce au phénomène du *masquage*. Si on élève le seuil propre à un ton (signal) en présentant simultanément un second ton, on dit que ce second ton (le masqueur) masque le premier. Cela ne se produit que lorsque les fréquences de ces tons sont rapprochées. En postulant que le masquage survient lorsque les deux tons sont libérés (passés) par le même filtre, l'absence de masquage entre deux fréquences très éloignées l'une de l'autre implique qu'il existe des filtres de fréquence distincts, ce qui constitue un moyen de déterminer quelles sont les fréquences que le filtre laisse passer et dans quelle mesure il le fait. On constate que les filtres de fréquence sont asymétriques et ont de nombreuses syntonisations (voir la figure 5-32).

Comment le filtrage des fréquences auditives s'accomplit-il? En 1683, Joseph Guichard Duverney, un anatomiste français, proposa que le filtrage des fréquences auditives se faisait mécaniquement par résonance (Green et Wier, 1984). Il posait comme hypothèse que l'oreille contiendrait une structure semblable à un instrument à cordes. Les différents éléments de cette structure seraient reliés aux diverses fréquences, de sorte que lorsqu'une fréquence se présente à l'oreille, l'élément correspondant de la structure vibrerait — tout comme il arrive que, lorsqu'on frappe un diapason placé près d'un piano, la corde du piano syntonisée à la fréquence du diapason se met à vibrer elle aussi. Cette notion s'est avérée par la suite, sauf que la structure, la membrane basilaire, est continue, contrairement à un ensemble de cordes.

Helmholtz développa l'hypothèse de la résonance pour en faire la *théorie de la localisation cochléaire* de la perception de la hauteur, selon laquelle chacun des points de membrane basilaire (et le neurone qui s'y trouve) donne, quand il répond à la stimulation, une sensation de hauteur tonale différente. Ceci ne signifie pas que c'est avec la membrane basilaire que nous entendons, mais que ce sont en réalité les points de vibration sur cette membrane qui déterminent les hauteurs tonales que nous percevons.

Le mode réel de mouvement de la membrane basilaire ne fut découvert qu'au cours des années 40, par Georg von Békésy (1960) qui parvint à mesurer son mouvement grâce à de petits trous percés dans la cochlée. Utilisant des cochlées de cobayes et de cadavres humains, il a démontré que les hautes fréquences déclenchaient des vibrations dans l'extrémité la plus éloignée de la membrane basilaire; à mesure que la fréquence augmentait, le pattern de la vibration se déplaçait en direction de la fenêtre ovale. Pour cette recherche et d'autres encore sur l'audition, von Békésy s'est vu attribuer un prix Nobel en 1961.

La théorie de la localisation cochléaire explique un grand nombre de phénomènes de perception de hauteur, mais elle ne les explique pas tous. Elle ne rend pas compte, par exemple, de la *hauteur de la fondamentale manquante*. Comme nous l'avons déjà signalé, la note que produit un instrument musical comprend une fréquence (la fondamentale) à laquelle s'ajoutent des fréquences qui sont des multiples de cette fréquence fondamentale — deux fois, trois fois, quatre fois la fondamentale, et ainsi de suite. Lorsqu'on joue une note, la hauteur dominante que l'on entend est celle de la fréquence fondamentale. Si l'on enlève au son sa fréquence fondamentale, on perçoit la même hauteur tonale. Ce phénomène, connu depuis le XIXe siècle, a donné lieu aux *théories temporelles* de la hauteur. D'après ces théories, la hauteur tonale dépend de la façon dont l'onde sonore varie en fonction du temps. Les tenants de ces théories font remarquer que l'onde sonore complexe qui produit la hauteur fondamentale manquante se répète à la même fréquence que la fondamentale, même si le son ne comprend pas cette fréquence parmi ses éléments composants. Si la réponse nerveuse empruntait la forme générale de l'onde sonore, le système auditif serait en mesure de capter cette fréquence d'ensemble et d'y réagir. Les théories temporelles reçurent un appui quand on découvrit que le pattern adopté par les impulsions nerveuses du nerf auditif se moulait sur la forme d'onde du stimulus, même si les cellules individuelles ne réagissaient pas à tous les cycles de cette onde (Rose, Brugge, Anderson et Hind, 1967). Cette conformité à la forme d'onde disparaît toutefois au-dessus de 4000 Hz, bien que l'on perçoive la hauteur tonale à des fréquences bien supérieures. Il y a d'autres phénomènes que la théorie temporelle n'explique pas. Cette situation a donné cours à la notion voulant que la hauteur tonale dépendrait à la fois des deux patterns de localisation et de temporalité (*théorie de la duplicité*).

Contrairement à la théorie des couleurs aux deux stades, la théorie de la duplicité n'a jamais été développée au point de devenir une théorie complète. La tendance la plus récente est celle d'un retour vers les théories de localisation, qui feraient intervenir une relation plus compliquée entre le point ou l'emplacement (sur la membrane basilaire) et la hauteur que ce que proposait le postulat « une hauteur tonale par point » des théories de localisation antérieures (Goldstein, 1973 ; Wrightman, 1973). Malgré leur hypothèse selon laquelle le système auditif a recours à un code de fréquences complexe dans la cochlée et dans le nerf auditif, ces théories n'excluent pas la posibilité que, dans le cerveau, il y ait un neurone pour chaque hauteur tonale évoquée (un code neuronal spécifique).

Localisation des sons

L'exactitude avec laquelle nous pouvons percevoir la direction d'une source sonore dépend d'un certain nombre de facteurs. Habituellement, nous sommes capables de déceler un changement de direction de quelques degrés, mais la confusion entre les sons qui viennent de l'avant et ceux qui viennent de l'arrière est relativement fréquente. Quand la fréquence de la source sonore est variable, la localisation est moins précise pour les fréquences d'environ 3000 Hz (Stevens et Newman, 1934). Cette observation a conduit à l'hypothèse de l'existence de deux indices de stimulus servant à la localisation : les différences d'intensité dans le son parvenant aux deux oreilles, ces différences étant attribuables à l'ombre sonore projetée par la tête et les différences dans le temps d'arrivée du son aux deux oreilles. Les principes de physique qui s'appliquent à ces deux indices permettent de supposer que nous localisons les sons par différences d'intensité quand les fréquences sont élevées et par temps d'arrivée quand elles sont basses. Les différences d'intensité sont plus prononcées aux hautes fréquences, parce que la tête bloque mieux les fréquences élevées ; les différences de temps sont plus faciles à déceler aux basses fréquences, car les sommets des ondes ne sont pas rapprochés (voir la figure 5-34). Un certain nombre d'expériences viennent appuyer cette théorie des deux indices. Les confusions avant-arrière s'expliquent par le fait que les deux indices sont presque les mêmes pour les sources sonores situées directement en avant et directement en arrière de celui qui écoute. Nous sommes capables de localiser les sources sonores d'après des différences de temps d'arrivée aux deux oreilles aussi faibles que 10 microsecondes (Durlach et Coburn, 1978).

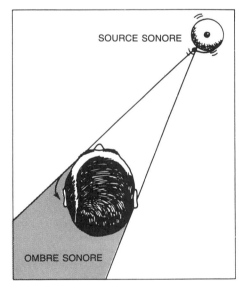

FIGURE 5-34
Indices pour la localisation des sources sonores *Si la source d'un son se trouve à la droite de la tête, la distance de la source à l'oreille droite est plus faible que sa distance à l'oreille gauche. Conséquemment, le son parviendra à l'oreille droite d'abord. Cet indice est efficace pour les basses fréquences. À cause de l'ombre sonore partielle projetée par la tête, l'intensité sera moins forte à l'oreille gauche. Ce dernier indice est efficace pour les hautes fréquences.*

ANALYSE CRITIQUE
Yeux et oreilles artificiels

Le rêve de science fiction qui porte sur le remplacement des organes sensoriels défectueux par des organes artificiels est en train de devenir réalité. Des chercheurs travaillent depuis plusieurs années à l'invention de pièces de rechange (*prothèses*) pour les yeux et les oreilles endommagés. En novembre 1984, la U.S. Food and Drug Administration approuvait l'utilisation d'un appareil permettant de stimuler directement le nerf auditif. Ces travaux ont une grande importance pour la réduction des handicaps sensoriels et pour la compréhension des processus sensoriels.

La recherche sur les prothèses auditives s'est concentrée sur des dispositifs qui appliquent une stimulation électrique au nerf auditif. Ils sont conçus pour aider les gens dont les cellules ciliées sont détruites et qui souffrent par conséquent d'une perte auditive neuro-sensorielle totale, mais dont le nerf auditif est intact et fonctionnel. La plupart de ces appareils utilisent une électrode, qui est insérée à travers la fenêtre ronde jusque dans la cochlée, pour stimuler les neurones le long de la membrane basilaire (un *implant cochléaire*). Même si l'électrode pénètre dans la cochlée, la partie fonctionnelle de l'oreille est ignorée; la cochlée joue simplement le rôle de site commode pour la stimulation des neurones auditifs, qui y sont accessibles et disposés d'une façon ordonnée. En plus de l'électrode de stimulation, ces dispositifs comprennent trois autres éléments: un microphone, placé près de l'oreille externe pour y capter les sons; un petit instrument électronique, alimenté par une pile et porté à l'extérieur du corps pour transformer les ondes sonores en signaux électriques; un système de transmission, qui achemine le signal électrique à travers le crâne vers l'électrode insérée dans la cochlée. Pour éviter de faire passer un fil à travers la boîte crânienne, on peut transmettre par ondes radio le signal en provenance du microphone et du transformateur électronique jusqu'à l'électrode cochléaire.

Au début des années 70, William House a créé un dispositif de ce genre relativement simple (figure 5-33). L'implant de House ne pénètre que de 6 millimètres dans la cochlée et ne comporte qu'une seule électrode. Le signal appliqué à l'électrode est une onde électrique essentiellement de la même forme que l'onde sonore, bien que les fréquences accessoires soient éliminées par filtration. Lorsqu'un son est présenté à un patient faisant usage de cet appareil, celui-ci entend un bruit complexe d'intensité variable. On a fait l'implantation de ces instruments chez plus de 600 sourds profonds, y compris de jeunes enfants que l'on espère aider ainsi à acquérir un langage. La plupart de ces patients sont d'opinion que la prothèse produit une nette amélioration de leur état de surdité antérieure. Grâce à elle, ils peuvent au moins entendre des sons et ils ont une certaine capacité de distinguer l'intensité.

Un certain nombre d'autres appareils à électrodes multiples en sont encore au stade expérimental. Ceux-ci pénètrent plus profondément dans la cochlée et sont construits pour stimuler indépendamment plusieurs ensembles de neurones sur la membrane basilaire. Étant donné que la cochlée n'a que la dimension d'un pois, qu'elle est entourée d'une coquille osseuse solide et que ses structures intérieures sont délicates, les problèmes techniques inhérents à l'élaboration et à l'implantation d'électrodes représentent un défi réel. Pour accompagner la plupart de ces implants à voies multiples, il faut un transformateur électronique plus complexe qui filtre le son en bandes de fréquence séparées, chaque électrode ayant une fréquence assignée. L'onde sonore de chaque bande est transformée en un signal électrique et appliquée à l'une des électrodes. Malgré la grande variété des résultats préliminaires, certains patients parviennent à des succès remarquables, y compris des scores de reconnaissance de plus de 70 % de réponses correctes (Loeb, 1985).

Les prothèses à voies multiples sont fondées sur la théorie de la localisation cochléaire de la perception auditive. L'objectif est de remplacer le filtrage mécanique (qui fait que des fréquences différentes font vibrer des parties spécifiques de la membrane basilaire) par un filtrage électronique, ce qui permet ensuite d'appliquer le signal filtré au même endroit où il serait parvenu dans l'oreille

AUTRES MODALITÉS SENSORIELLES

La vision et l'audition mises à part, les autres modalités sensorielles sont importantes; ils serait très difficile de survivre sans certaines d'entre elles. Mais il leur manque cette richesse des formes et de l'organisation qui nous a amenés à considérer la vue et l'ouïe comme des « sens supérieurs ». Nos expériences

normale. Dans une certaine mesure, le succès de la prothèse vient appuyer la théorie. Quand on applique une stimulation électrique à une petite région isolée sur la membrane basilaire, on devrait, selon la théorie de la localisation, entendre un son d'une hauteur donnée et cette hauteur varie selon le site de la stimulation. Toutefois, contrairement à la théorie de la localisation cochléaire, le son qu'on entend ne ressemble pas du tout à un ton (à un son pur); il se rapproche plutôt du « caquetage de canards » ou du bruit de « poubelles qu'on frappe ensemble », même si sa hauteur tonale est rudimentaire. Les tenants des théories temporelles pourraient s'attendre à ce que la sensation change avec la variation de la fréquence de la stimulation électrique. En réalité, la variation de fréquence de la stimulation n'entraîne que très peu de changements. Ces faits portent à croire qu'il y aurait un autre facteur, distinct des patterns de localisation et de temporalité, qui interviendrait dans la perception de la hauteur tonale. Il se pourrait que ce soit le pattern spatio-temporel compliqué de la stimulation sur la membrane basilaire et que quelques électrodes ne suffiraient pas à le reproduire (Loeb, 1985).

La création d'yeux artificiels au bénéfice des aveugles n'a pas progressé aussi loin que celle des oreilles artificielles. Le problème n'est pas de capter l'image optique; une caméra vidéo y parvient très bien. La difficulté consiste plutôt dans l'introduction de l'information véhiculée par l'image dans le système visuel sous une forme que le cerveau pourrait utiliser. La recherche s'est concentrée sur la stimulation électrique directe du cortex visuel chez des sujets volontaires, soit des aveugles ou des patients de chirurgie cérébrale. Si nous savions ce qu'une personne voit quand on stimule divers endroits dans le cortex, il serait possible, en contrôlant la stimulation, de susciter différentes expériences à volonté. L'étape suivante serait d'utiliser une caméra vidéo créant une image de la scène devant un individu aveugle pour ensuite provoquer l'expérience de cette scène.

Quand on stimule une petite région du cortex visuel, au moyen d'un signal électrique faible chez une personne éveillée, celle-ci éprouve des sensations visuelles, appelées *phosphènes*. On les a décrites comme de petits points lumineux que le sujet aperçoit devant lui dans des directions différentes. Leur dimension varie de la taille d'un « grain de riz » à celle d'une « pièce de monnaie ». La plupart de ces points lumineux sont blancs, mais il en est qui sont colorés. Quand on stimule plusieurs sites du cortex visuel simultanément, les points correspondants sont habituellement vus ensemble. Même si cela constitue la base d'une vision de pattern rudimentaire (Dobelle, Meadejovsky et Girvin, 1974), il est peu probable que cette méthode conduise à la création d'une prothèse efficace pour l'œil endommagé. Les impulsions nerveuses qui arrivent au cortex sont tellement complexes qu'il y a peu de chances qu'on arrive à les reproduire de façon adéquate. Du point de vue des théories de la vision, il est intéressant de noter que les sujets de ces expériences voient de petits points plutôt que des lignes, des arêtes ou des perceptions plus complexes. Si l'hypothèse d'un code neuronal spécifique est juste, les cellules qui réagissent à la stimulation électrique devraient susciter ces sensations semblables à des points. Nous ne savons malheureusement pas quelles sont les cellules qui sont stimulées dans ces expériences.

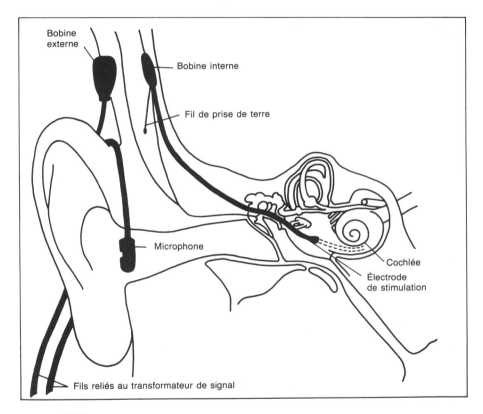

FIGURE 5-33
Implant cochléaire *Diagramme illustrant la prothèse auditive créée par William House et ses collaborateurs. Le son est capté par un microphone et filtré par un transformateur de signal (qu'on ne voit pas ici) qui est porté à l'extérieur du corps. La forme de l'onde électrique produite par le transformateur est alors transmise par ondes radio à travers le crâne, jusqu'à l'électrode à l'intérieur de la cochlée.*

symboliques s'expriment surtout en termes visuels et auditifs. Notre langage parlé est fait pour *être entendu*; notre langage écrit pour *être vu*. La notation musicale permet de lire la musique ou de la jouer sur un instrument. Sauf pour ce qui est du système Braille (l'impression en relief qui permet aux aveugles de lire grâce au toucher), nous ne disposons d'aucun système de codification comparable dans les autres sens.

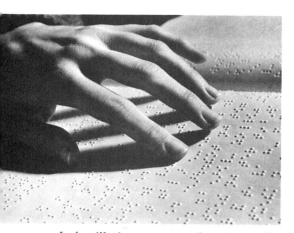

Le braille (agencements de points saillants représentant des lettres) permet aux aveugles de lire avec les bouts des doigts.

Odorat

Bien que l'odorat joue un rôle des plus importants dans la vie des animaux, il est rarement essentiel à l'être humain. Même s'il nous avertit, à l'occasion, de la présence d'un danger (fumée, gaz, aliments gâtés), l'odorat ne joue presque pas d'autre rôle que celui de nous rendre la vie plus agréable ou plus désagréable.

Sur le plan de l'évolution, l'odorat est l'un des sens les plus primitifs et les plus importants. L'organe sensoriel de l'odorat occupe une position privilégiée dans la tête, position qui convient à une modalité sensorielle destinée à orienter le comportement. L'odorat bénéficie de la voie la plus directe au cerveau. Les récepteurs situés au fond du nez, dans l'*épithélium olfactif* de chaque cavité nasale, sont reliés directement, sans synapses, aux bulbes olfactifs du cerveau, qui reposent immédiatement au-dessous des lobes frontaux. À leur tour, les bulbes olfactifs sont reliés au cortex olfactif dans la partie interne des lobes temporaux et ils s'étendent jusqu'au cortex avoisinant; les connexions neurales exactes restent encore inconnues. Chez le poisson, le cortex olfactif constitue la totalité des hémisphères cérébraux. Le cortex olfactif du chien occupe environ le tiers de la région latérale du cerveau alors que chez l'homme, il ne représente qu'un vingtième de cette région. C'est pour cette raison que le Service des postes et le Bureau des douanes ont dressé des chiens à déceler la présence d'héroïne et de marijuana dans des colis scellés; des chiens policiers ayant reçu un dressage spécial sont également capables de repérer des explosifs cachés.

Le stimulus de l'odorat est une substance volatile, une substance qui émet des molécules. En outre, ces molécules doivent être solubles dans les graisses, puisque les récepteurs de l'odorat sont recouverts d'une substance lipoïde. Le fait que les stimuli de l'odorat sont difficiles à contrôler et ne peuvent être décrits au moyen de dimensions, comme dans le cas des sons et des lumières, a imposé des entraves à l'étude expérimentale de cette modalité sensorielle. Les seuils absolus sont aussi bas qu'une partie pour 50 milliards de parties d'air, mais ils varient considérablement d'une substance à l'autre. L'adaptation aux odeurs est prononcée mais incomplète; lorsque nous entrons en contact avec une odeur, son intensité perçue diminue d'environ 70 % au cours d'une période d'une minute. Une odeur peut en masquer une autre; c'est le principe à la base des désodorisants. Les vrais mélanges d'odeur (au sens d'une combinaison de plusieurs odeurs par appariement à une autre odeur) ne semblent pas se produire.

Des chercheurs ont prétendu qu'il n'existe que six sensations d'odeur fondamentales et que toutes les odeurs pourraient être analysées phénoménologiquement et identifiées à une ou à plusieurs de ces six sensations. D'autres ont proposé sept odeurs fondamentales ou plus (Cain, 1978). La découverte du fait que certaines odeurs sont produites par des catégories de molécules de formes semblables a conduit à l'hypothèse voulant que l'activation d'un récepteur particulier soit le résultat de sa réunion avec une molécule dont la forme convient parfaitement à celle d'un site sur ce récepteur (Amoore, 1970). Cette théorie garde toutefois son caractère spéculatif et il se trouve des chercheurs qui remettent en question la relation fondamentale entre forme et odeur (Schiffman, 1974). Il semble y avoir un grand nombre de récepteurs différents, chacun réagissant à au moins deux substances odorantes et, souvent, à plus de deux. Certains individus sont insensibles à des classes particulières d'odeur, comme au cyanure d'hydrogène; il se pourrait qu'il leur manque un type de récepteur.

En plus de récepteurs d'odeurs, l'épithélium olfactif contient des terminaisons nerveuses libres. Ce sont les récepteurs d'un *sens chimique commun* qui réagit à toute substance odorante dont la concentration est forte. Ce sens ressemble à la sensibilité de la peau à l'égard des stimuli nocifs, ce qui explique pourquoi certaines odeurs suscitent des sensations désagréables dans le nez, voire de la douleur.

Les insectes et certains animaux supérieurs utilisent leur sens de l'odorat pour fins de communication. Ils sécrètent des substances chimiques, appelées *phéromones*, qui flottent dans l'air et attirent d'autres membres de leur

Un chien au travail dans un entrepôt des postes.

espèce. La femelle de la mite, par exemple, peut relâcher un phéromone tellement puissant que les mâles sont attirés vers elle à partir d'une distance de plusieurs kilomètres. Il est évident que le mâle ne réagit alors qu'au phéromone et non pas à la vue de la femelle ; ce mâle sera attiré par une femelle dont il est séparé par un moustiquaire et qu'il ne peut pas voir, mais ne sera pas du tout attiré par une femelle retenue dans une cage de verre à partir de laquelle l'odeur ne peut s'échapper. Il se peut que des processus similaires agissent chez l'être humain, mais sous une forme fortement atténuée ; les hommes et les femmes portent effectivement des odeurs différentes qu'on peut distinguer (Wallace, 1977). Les parfums et les odeurs dont les gens font usage sont sans doute une tentative pour suppléer à notre communication olfactive atrophiée.

Expertise de discrimination de saveur.

Goût

Le goût se voit attribuer le mérite de nombreuses expériences dont il n'est pas la cause. Nous disons qu'un repas est succulent, qu'il a bon « goût », alors qu'en réalité, si l'odorat se trouvait éliminé par un mauvais rhume, le dîner en question ne serait plus qu'une expérience sensorielle des plus banales. Le stimulus du goût est une substance qui est soluble dans la salive, laquelle est un liquide qui ressemble beaucoup à de l'eau salée . Les récepteurs du goût se présentent en grappes (*bourgeons du goût*) sur des saillies sur la langue et autour de la bouche. Aux extrémités des récepteurs du goût se trouvent des structures courtes, semblables à des poils, qui sortent et prennent contact avec les solutions qui sont dans la bouche. La sensibilité à l'égard des divers stimuli du goût varie d'une région à l'autre de la langue : la sensibilité aux substances salées et sucrées est optimale à l'avant de la langue ; la sensibilité au salé se situe le long des côtés de la langue et les substances amères sont perçues sur le voile du palais. Il y a, au centre de la langue, une région insensible au goût ; c'est l'endroit tout désigné pour poser une pilule au goût désagréable.

Les seuils absolus du goût sont très bas, mais les seuils différentiels d'intensité sont relativement élevés (la constante de Weber est d'environ 0,2). Ce qui veut dire que si vous devez ajouter des épices à un plat, il faut en ajouter plus que 20 %, sans quoi vous ne percevrez pas la différence. Il y a adaptation aux stimuli du goût, mais le recouvrement est relativement rapide et l'exposition à une substance modifiera temporairement le goût d'autres substances. Une saveur peut également en masquer une autre ; le sucre, par exemple, masque la qualité amère du café. Les pâtes dentifrices réduisent le caractère sucré du sucre et rendent le jus des agrumes beaucoup plus sur ; il est préférable de se brosser les dents après le petit déjeuner. Il existe une baie appelée fruit miracle (*Synsepalum dulcificum*) qui peut rendre sucré tout ce qu'on mange après y avoir goûté. Bien que de nouvelles saveurs surgissent parfois de mélanges (Schiffman et Erickson, 1980), nous ne savons pas s'il est possible, en mariant des substances, d'apparier d'une façon générale les saveurs d'autres substances. Les chercheurs s'entendent généralement pour dire que toute saveur peut être décrite comme appartenant à l'une de quatre sensations gustatives fondamentales ou à une combinaison d'entre elles, soit le sucré, le sur, le salé et l'amer (McBurney, 1978). L'enregistrement à partir de cellules isolées révèle qu'une seule fibre réagit aux substances en donnant des saveurs bien différentes. Des fibres différentes réagissent à plusieurs des mêmes substances, mais chacune a son propre agencement de sensibilités. Ainsi, tout comme dans le cas des autres systèmes sensoriels, les fibres ont une syntonisation vaste qui chevauche celle des autres fibres.

Sensations de la peau

Traditionnellement , on a attribué cinq sens à l'être humain : la vue, l'ouïe, l'odorat, le goût et le tact. Aujourd'hui, on considère que le tact comprend trois sens rattachés à l'épiderme (un qui réagit à la pression, un autre à la température et le troisième aux stimulations nocives) et un sens appelé *kines-*

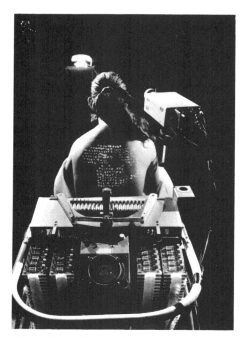

Ce système électronique permet à une aveugle de « voir » au moyen de sensations d'origine dermale. La caméra de télévision, située à sa droite, transforme l'image de l'appareil téléphonique en un arrangement de points qu'on aperçoit sur l'écran de télévision situé derrière elle. Ensuite des centaines de cônes minuscules vibrent contre son dos, lui permettant de sentir l'arrangement des points (montré ici par de la peinture fluorescente) et de percevoir l'image de l'appareil téléphonique.

thésie, dont les récepteurs sont dans les muscles et les articulations et qui est sensible à la position et aux mouvements du corps. Cette acceptation de sens additionnels soulève la question des critères à utiliser pour la discrimination des organes sensoriels. Voici les quatre critères qui sont fréquemment utilisés. Chaque modalité sensorielle devrait : 1) réagir à une catégorie distincte de stimuli, 2) être capable d'établir une distinction entre ces stimuli, 3) posséder un ensemble distinct de récepteurs et 4) donner lieu à des expériences conscientes qualitativement différentes quand ce sens est stimulé. Dans le cas des sensations de la peau, la question critique a été de déterminer s'il existe des récepteurs distincts pour la pression, la température et la stimulation nocive. En dépit du fait que la description des différents récepteurs s'est compliquée considérablement au cours des années, alors que l'on a identifié jusqu'à présent au moins 13 types de récepteurs (Brown et Deffenbacher, 1979), l'idée de l'existence de récepteurs distincts pour la pression, la température et la stimulation nocive est appuyée par beaucoup de données expérimentales.

PRESSION   Même si nous ne prenons pas conscience d'une pression constante et régulière appliquée sur le corps entier (comme la pression atmosphérique), nous sommes sensibles aux variations de pression sur la surface du corps. Nous pouvons déceler une force aussi minime que 5 milligrammes appliquée à une petite région de la peau. Les lèvres, le nez et la joue sont des plus sensibles à la pression ; le gros orteil y est des moins sensibles. Ces différences correspondent étroitement au nombre de récepteurs qui réagissent aux stimuli à chacun de ces sites corporels. Quand le stimulus vibre sur la peau, nous sommes plus sensibles aux fréquences de vibration d'environ 250 Hz et moins sensibles aux fréquences plus basses ou plus élevées. Le sens de la pression donne des effets d'adaptation profonds. Si vous tenez la main de votre petit ou petite ami(e) pendant plusieurs minutes sans bouger, vous cesserez de sentir sa main dans la vôtre.

Nous sommes également sensibles aux patterns de la pression appliquée sur la peau. La plupart des études de résolution de patterns ont mesuré un seuil différentiel, dit seuil aux deux pointes, soit la distance minimale de séparation requise entre deux stimuli appliqués simultanément sur la peau pour qu'ils soient ressentis distinctement. Tout comme le seuil absolu de pression, le *seuil aux deux pointes* varie considérablement sur la surface du corps, mais la corrélation entre ces deux seuils n'est pas parfaite. Le seuil aux deux pointes est minimal sur les doigts et maximal sur les mollets (voir la figure 5-35).

La théorie sur le sens de la pression n'est pas très développée. Les mesures de seuil, comme les enregistrements à partir d'une cellule unique, indiquent l'existence probable, dans le système sur lequel s'appuie le sens de la pres-

FIGURE 5-35
Seuil aux deux pointes   *Ce dessin montre le seuil aux deux pointes exprimé en millimètres pour différents endroits à la surface du corps. On détermine le seuil en appliquant sur la peau deux minces tiges de fer séparées par une petite distance. Le sujet dit s'il ressent une ou deux tiges. On ajuste la séparation des deux tiges de façon à trouver la séparation minimale à laquelle le sujet ressent les deux tiges. Les données présentées ici ont été prises sur des femmes ; les seuils des hommes sont très semblables. (D'après Weinstein, 1968).*

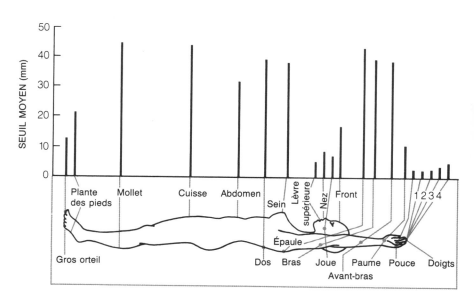

sion, de filtres qui seraient syntonisés aux différentes fréquences temporelles et spatiales de la stimulation par pression (Loomis et Lederman, 1986).

TEMPÉRATURE   La régulation de la température corporelle étant essentielle à notre survie, il est important que nous soyons en mesure de ressentir les changements de la température sur l'épiderme. Les récepteurs de la température sont des neurones à terminaisons libres qui se trouvent tout juste au-dessous de la peau. Les récepteurs du froid réagissent à une chute de la température dermale et les récepteurs du chaud à une hausse de cette même température (Hensel, 1973). Quand la peau est à sa température normale, nous sommes capables de déceler un réchauffement de 0,4°C et un refroidissement de 0,15°C (Nafe, Kenshalo et Brooks, 1961). Le sens de la température s'adapte complètement aux changements modérés, de telle sorte qu'après quelques minutes, le stimulus ne paraît ni chaud, ni froid. C'est cette adaptation qui explique les grandes différences d'opinion sur la température de l'eau d'une piscine entre ceux qui y sont plongés depuis un moment et ceux qui s'y risquent un orteil. On peut produire une sensation de « brûlure » en stimulant des régions adjacentes de la peau avec des températures froides et chaudes (voir la figure 5-36). Ceci peut s'expliquer par le fait que les récepteurs du froid ne réagissent pas seulement aux basses températures, mais également aux températures très élevées (de plus de 45°C). En conséquence, un stimulus très chaud aura un effet d'activation tant sur les récepteurs du froid que sur ceux du chaud, les deux contribuant à une sensation de chaleur.

STIMULATION NOCIVE   Tout stimulus qui est assez intense pour entraîner des dommages tissulaires est un stimulus de la douleur. Il peut s'agir de pression, de température, de choc électrique ou d'irritants chimiques. Un tel stimulus entraîne la libération de substances chimiques dans la peau, lesquelles, à leur tour, stimulent des récepteurs distincts à seuil élevé. Ces récepteurs sont des neurones à terminaisons nerveuses spécialisées; les chercheurs en ont identifié au moins 4 types différents (Brown et Deffenbacher, 1979).

La recherche expérimentale sur la stimulation nocive est limitée, car il est difficile de trouver des sujets qui se prêtent à ce genre de recherches. La plupart des travaux ont utilisé la chaleur radiante. Le seuil de la douleur est d'environ 45°C; la limite supérieure de tolérance est de 61°C (Hardy, Wolff et Goodell, 1947). La douleur expérimentale a un caractère différent de la douleur clinique du fait qu'elle est moins affectée par les placebos ou les agents anesthésiques.

La douleur, plus que toute autre sensation, subit l'influence de facteurs autres que la stimulation nocive. Ces facteurs comprennent les stimuli de pression, les attitudes, les mobiles et les suggestions, tout aussi bien que l'hypnose, les drogues et l'acuponcture. C'est l'existence de ces influences qui a mené à la formulation de la *théorie du portillon* (Melzak et Wall, 1965; Melzak et Casey, 1968), selon laquelle la sensation de la douleur n'exigerait pas seulement l'activation des récepteurs de la douleur, mais également qu'un portillon neural de la moelle épinière laisse ces signaux passer et se diriger vers le cerveau. Une stimulation de pression a tendance à susciter la fermeture du portillon. C'est pourquoi on peut soulager la douleur en frottant l'endroit qui fait mal. On croit que les attitudes, les suggestions et certaines drogues agissent à travers ces voies descendantes qui partent du cerveau pour contribuer aussi à la fermeture du portillon.

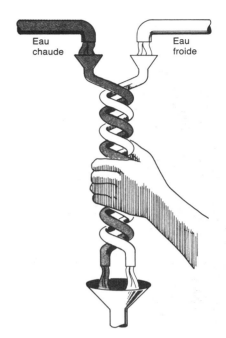

FIGURE 5-36
Le chaud rapproché du froid est ressenti comme « brûlant »   *Quand on fait circuler de l'eau froide (de 0 à 5°C) dans un serpentin et de l'eau chaude (de 40 à 44°C) dans un autre serpentin entrelacé avec le premier, le sujet qui ferme la main sur les deux serpentins éprouve une sensation de brûlement. Cette expérience démontre que la sensation de « brûlant » résulte de la stimulation simultanée de points pour le chaud et de points pour le froid dans la peau.*

Kinesthésie

La kinesthésie, qui signifie littéralement sensation du mouvement, est le sens de la position et du mouvement de la tête et des membres en rapport avec le tronc. Si vous avez des doutes sur l'existence d'un tel sens, demandez-vous, la prochaine fois que vous vous éveillerez au milieu de la nuit, où se trouvent vos bras. La kinesthésie vous permettra de répondre correctement à cette question sans qu'il vous soit nécessaire de regarder. Lorsque nous contrôlons activement nos membres, la kinesthésie reçoit l'aide de signaux dirigés par les centres moteurs du cerveau vers le système perceptif, signaux

Un tour en montagnes russes produit de fortes sensations d'accélération, de décélération et de mouvements latéraux.

qui représentent les ordres transmis aux muscles. La kinesthésie recouvre aussi l'activité réflexe, qui constitue un de ses aspects qui ne sont pas conscients. La kinesthésie repose sur l'activité de récepteurs dans les muscles, les tendons, les articulations et la peau. Quand nous percevons la forme d'un objet avec la main, celle-ci doit généralement se déplacer sur l'objet (*toucher actif*). Cette sorte de perception fait intervenir l'activité coordonnée du système moteur, de la kinesthésie et des sens de la peau. Le mot « toucher » de notre langage de tous les jours réfère à ce processus complexe (Loomis et Lederman, 1986). Il ne s'agit pas d'une seule modalité sensorielle. Nous sommes capables de bien reconnaître les objets familiers par le toucher actif, même si la plupart d'entre nous sommes rarement appelés à les identifier par le seul toucher (Klatzky, Lederman et Metzger, 1985).

Équilibre et mouvement corporel

Nous avons le sens de notre orientation par rapport à la force de gravitation et de notre accélération dans l'espace. Ces deux aptitudes sont souvent regroupées parce que les organes sensoriels des deux se trouvent dans l'*appareil vestibulaire* rattaché à l'oreille interne (voir à la figure 5-29). Chacun de ces sens utilise des chambres creuses remplies de liquide et munies de cellules ciliées dont les poils se plient sous l'action de l'inclinaison du corps ou de l'accélération. Ils donnent vraiment lieu à des sensations conscientes, mais leur fonction principale consiste en grande partie dans la régulation inconsciente de l'activité motrice.

Les saccules vestibulaires, logés entre la base des canaux semi-circulaires et la cochlée, contiennent les organes de notre sens de l'équilibre et de l'accélération linéaire. Ils réagissent à l'inclinaison ou à la position de la tête ainsi qu'à l'accélération de la tête en ligne droite. Les cellules ciliées plongent dans une masse gélatineuse qui contient de petits cristaux, appelés *otolithes* (littéralement « pierres de l'oreille »). La pression exercée normalement par les otolithes sur les cellules ciliées nous donne la sensation d'une position droite, et toute distorsion nous indique que la tête est penchée.

Notre sens de l'accélération angulaire (rotatoire) dépend des trois canaux semi-circulaires (voir à la figure 5-29), qui sont chacun perpendiculaires aux deux autres, de telle sorte qu'ils forment trois plans différents. Le mouvement du liquide dans ces canaux fait plier les poils des cellules ciliées enfouies dans ces mêmes canaux et les amène à réagir en produisant une sensation d'accélération. Les cellules ciliées ne réagissent pas à un mouvement de vitesse constante. Une stimulation excessive de ce sens entraîne de l'étourdissement et de la nausée. On éprouve parfois des illusions fortes de mouvement corporel dans un avion en vol. Par exemple, quand l'appareil augmente de vitesse graduellement, un sujet qui aurait les yeux bandés pourrait avoir l'impression que l'avion monte ; si la vitesse diminue, il pourrait croire que l'appareil descend. C'est pourquoi, dans des conditions de mauvaise visibilité, les pilotes doivent se fier plutôt à leurs instruments qu'à leur sens du mouvement corporel.

CODE SENSORIEL

Revenons à la question que nous avons soulevée au début de ce chapitre. Comment faisons-nous pour sentir les stimuli? Les propos que nous avons tenus sur les diverses modalités sensorielles indiquent clairement que nous devons, pour répondre à cette question, considérer deux facteurs : 1) le mode de relation entre le stimulus et les événements des systèmes sensoriels et 2) la façon dont ces événements sont associés à ce que nous éprouvons.

En ce qui concerne le premier de ces facteurs, nous avons présenté des faits indiquant que les neurones des systèmes sensoriels sont syntonisés pour réagir à des catégories différentes de stimuli. Il y a des neurones qui réagissent aux lumières dont les longueurs d'onde se situent à l'intérieur d'un certain champ de variation, à des sons de certaines fréquences temporelles, à des séries de grilles visuelles à fréquences et orientations spatiales particulières, à des ensembles de molécules, et ainsi de suite. La syntonisation est créée par des filtres de divers types dans les systèmes sensoriels. Ces filtres laissent passer de façon sélective les signaux sensoriels produits par une catégorie de stimuli et activent, à leur tour, des neurones sensoriels situés à un niveau supérieur dans le système. Les ensembles de stimuli, auxquels différents neurones sensoriels réagissent, se recoupent considérablement les uns les autres, de telle sorte qu'un même stimulus peut activer plusieurs neurones à syntonisations différentes. Certaines dimensions de stimulus n'affectent que quelques catégories de neurones (les longueurs d'ondes lumineuses par exemple); d'autres (telle la fréquence sonore) en affectent plusieurs. Le tableau se trouve compliqué par le fait que les systèmes sensoriels occupent plusieurs niveaux dans le système nerveux et que la représentation d'un stimulus varie d'un niveau à l'autre. La longueur d'onde de la lumière en est un bon exemple. Au niveau du récepteur, trois catégories de cônes réagissent à la longueur d'onde; au niveau des cellules antagonistes, quatre catégories de cellules antagonistes réagissent. En dépit de telles complications, il est évident que la représentation de stimuli dans les systèmes sensoriels ne s'effectue pas par des copies, comme le pensait Démocrite. La conception de Helmholtz, selon laquelle les stimuli seraient représentés par les neurones qu'ils activent, répond mieux aux faits.

Comment les réactions des cellules des systèmes sensoriels se trouvent-elles donc associées à ce que nous éprouvons? Helmholtz a émis l'hypothèse que chaque neurone sensoriel du cerveau déclenche, quand il est activé, une sensation spécifique. Si plus d'un type de neurone se trouve activé, on éprouvera par conséquent plus qu'une seule sensation. Helmholtz n'avait pas conçu l'existence de niveaux différents dans les systèmes sensoriels, niveaux par lesquels se modifie la représentation des stimuli. Il croyait qu'il y avait trois types de récepteurs pour la couleur, chacun ayant ses propres fibres de connexion avec le cerveau. Il pensait donc que le stimulus était représenté de la même façon à tous les niveaux du système et il a été capable d'associer une sensation à chacun des récepteurs et à chacun des neurones dans l'ensemble du système. Ceci ne veut pas dire qu'il était d'avis que c'étaient les seuls récepteurs capables de susciter des sensations; il croyait plutôt que les récepteurs ne pouvaient accomplir cette tâche qu'en activant les neurones correspondants dans le cerveau.

Puisque les systèmes sensoriels ont plusieurs niveaux et que la représentation du stimulus change de l'un à l'autre, les neurones individuels peuvent être associés à des sensations spécifiques à certains niveaux, mais pas aux autres. Aux niveaux les plus bas, les sensations unitaires, comme le « jaune » ou le « brûlant » dépendent de l'activité relative de deux ou plusieurs neurones. Cette constatation n'élimine pas, toutefois, la possibilité que la règle « un neurone par sensation » s'applique au cerveau. En effet, dans le système visuel, le niveau des couleurs antagonistes comprend quatre types de neurones antagonistes et chacun d'eux peut être associé à l'une des quatre sensations de couleur. Il semble plausible que la même règle s'applique au goût et à l'odorat, dont les expériences sensorielles sont composées de quelques sensations fondamentales. L'existence d'un code neuronal spécifique apparaît moins vraisemblable dans le cas de dimensions comme la fréquence auditive, les sensations de hauteur tonale associées étant unitaires, uniques et très nombreuses. Pour cette dimension, un code neuronal spécifique exigerait qu'au niveau où la sensation de hauteur tonale est suscitée, des centaines de neurones à hauteur tonale spécifique soient activés un par un. La règle « un neurone par sensation » n'est pas la seule qui soit possible; les sensations unitaires pourraient être déclenchées par un pattern d'activité parmi plusieurs neurones. Il n'en reste pas moins que le code neuronal spécifique représente à l'heure actuelle notre meilleure hypothèse (voir Barlow, 1972).

RÉSUMÉ

1. Les *méthodes psychophysiques* ont recours aux réactions aux stimuli pour étudier les modalités sensorielles. Elles comprennent les *méthodes de seuil, d'appariement* et *d'estimation de l'amplitude*. Le *seuil absolu* est la grandeur minimale d'un stimulus qu'il est possible de déceler. Le *seuil différentiel*, ou *djp*, est la différence minimale qu'il est possible de déceler entre deux stimuli. Suivant la *méthode des stimuli constants*, le pourcentage de détection est déterminé par une série de stimuli se rapprochant du seuil. Le seuil est défini comme la dimension du stimulus qu'on peut déceler à 50 % des présentations du stimulus.

2. L'*enregistrement à partir d'une cellule unique* utilise une microélectrode pour enregistrer l'activité électrique de récepteurs et de neurones. Cette méthode permet l'étude des seuils et de la sensibilité de cellules isolées aux différents niveaux des systèmes sensoriels.

3. Le stimulus de la vision est une radiation électromagnétique comprise entre 400 et 700 nanomètres, et les organes sensoriels sont les deux yeux. La *cornée* et le *cristallin* de chaque œil contribuent à la formation d'une image sur la *rétine*, laquelle contient les récepteurs visuels que sont les *cônes* et les *bâtonnets*. La *fovéa* centrale, qui occupe le centre de la rétine, ne contient que des cônes; le reste de la rétine, appelé périphérie, contient surtout des bâtonnets. Les voies visuelles principales vont des *récepteurs* aux *cellules bipolaires*, puis aux *cellules ganglionnaires* dans la rétine, puis vers le thalamus et le *cortex visuel*.

4. Le *seuil absolu* de la lumière est le plus bas pour les lumières d'environ 500 nanomètres présentées à la périphérie (vision des bâtonnets). Dans la fovéa, le seuil est généralement plus élevé et atteint un minimum aux lumières d'environ 550 nanomètres (vision des cônes). Le *seuil différentiel* pour l'intensité lumineuse s'accroît avec l'intensité du stimulus et est approximativement proportionnel à cette intensité (*loi de Weber*). On peut expliquer cette augmentation par une *fonction intensité-réponse*, courbe qui est approximativement logarithmique (*loi de Fechner*). Les *estimations relatives à l'amplitude de la brillance* perçue présentent une relation semblable à celles qui caractérisent l'intensité. L'*adaptation*, soit l'ajustement du système visuel à l'illumination ambiante, est associée à un changement de la fonction intensité-réponse.

5. La plupart des gens sont capables de très bien discriminer les longueurs d'ondes lumineuses, mais il est possible d'apparier, sur le plan perceptif, presque toute couleur de lumière à un mélange de trois lumières (à longueurs d'ondes très distantes les unes des autres). Les individus qui souffrent d'*anomalie de la vision des couleurs* ne font pas les mêmes appariements que ceux qui ont une vision normale des couleurs; ainsi, les *daltoniens* ne peuvent apparier une couleur quelconque qu'à une ou deux longueurs d'onde. Il existe quatre *sensations de couleurs fondamentales :* le rouge, le jaune, le vert et le bleu. Le mélange de ces sensations constitue notre perception ou notre expérience de la couleur; cependant, nous ne voyons pas de vert qui tire sur le rouge ni de bleu qui tire sur le jaune. Ces faits trouvent une explication possible dans une *théorie des couleurs aux deux stades*, laquelle postule l'existence de trois types de cônes (en accord avec la théorie trichromatique de Young-Helmholtz) complétée par la notion de processus antagonistes rouge-vert et jaune-bleu (en accord avec la théorie des couleurs rivales de Hering).

6. La *résolution spatiale* se rapporte à notre capacité de distinguer les fins détails; l'*acuité visuelle* est une mesure de cette capacité. Le *seuil de contraste* est une autre mesure de notre capacité de distinguer des configurations spatiales; les seuils de contrastes sont les plus bas pour les grilles de fréquence spatiale intermédiaire, augmentant quand les bandes s'élargissent ou rétrécissent. Certains faits d'ordre psychophysique et biologique indiquent que le système visuel contient des filtres de fréquence spatiale (des unités de récepteurs et de neurones qui retiennent certaines fréquences spatiales et en laissent passer d'autres).

7. Le stimulus de l'audition est la vibration; tous les sons peuvent, par analyse, donner des ondes sinusoïdales de fréquences différentes. L'organe sensoriel de l'audition est l'oreille et ses principales parties sont le *canal auditif*, le *tympan*, les *os de l'oreille moyenne* et la *cochlée*. Ses récepteurs sont les *cellules ciliées* situées sur la *membrane basilaire* dans la cochlée.

8. Les *seuils absolus d'intensité* de l'audition sont les plus bas autour de 1000 Hz et augmentent aux fréquences plus hautes et plus basses. Les différents types de perte d'audition donnent des hausses de seuil caractéristiques; une *perte de conduction* entraîne habituellement des seuils plus élevés à toutes les fréquences alors qu'une *perte neuro-sensorielle* tend à se concentrer sur les hautes fréquences. Les seuils différentiels de l'audition s'élèvent avec l'intensité de la stimulation et la fonction intensité-réponse est la même que pour la vision.

9. La *hauteur tonale* s'accroît avec la fréquence d'un son. Le *masquage* et l'enregistrement à partir d'une cellule unique indiquent qu'il y a beaucoup de *filtres de fréquence* qui chevauchent dans le système auditif. Selon la *théorie de la localisation cochléaire*, chaque fréquence stimulerait un emplacement sur la membrane basilaire et la stimulation de chacun de ces points donnerait lieu à une sensation de hauteur tonale distincte. Selon les *théories temporelles*, la hauteur tonale qu'on entend dépend du pattern temporel de l'onde sonore et du pattern temporel correspondant de la réaction nerveuse dans le système auditif. On trouve des faits qui militent pour et contre chacune de ces théories. La *localisation sonore* s'appuie sur des indices de différence d'intensité quand la fréquence est élevée et sur des différences de temps d'arrivée aux deux oreilles quand la fréquence est basse.

10. L'odorat et le goût sont beaucoup moins importants chez l'être humain que chez les animaux des autres espèces. Plusieurs espèces utilisent des odeurs spécialisées (*phéromones*) pour communiquer. L'odorat et le goût semblent présenter relativement peu de sensations qui permettraient l'analyse des expériences. Ces deux modalités sensorielles ont pour caractéristiques des filtres chimiques à action large qui se recouvrent aux niveaux les plus bas.

11. On distingue trois *sensations de la peau* : la *pression*, la *température* et la *stimulation nocive*. Chacune a des récepteurs distincts qui réagissent à des catégories particulières de stimuli. La dépendance inaccoutumée des sensations de douleur à l'égard de facteurs autres que l'intensité du stimulus nocif est à l'origine de la *théorie du portillon* relative au contrôle de la douleur.

12. La *kinesthésie*, qui est la sensation de la position du mouvement des membres et de la tête par rapport au tronc, et les sens de l'*équilibre* et du *mouvement du corps* sont importants pour le contrôle des mouvements.

13. Selon l'*hypothèse du code neuronal spécifique*, le cerveau contiendrait différentes catégories de neurones; chacune d'elles réagirait à une classe spéciale de stimuli et donnerait naissance à une sensation spécifique. Il y a beaucoup de données pour appuyer la théorie voulant que différents neurones réagissent à différentes classes de stimuli. Cette syntonisation serait l'œuvre de filtres optiques, mécaniques, chimiques et nerveux qui se trouvent dans les systèmes sensoriels. La règle « un neurone par sensation » ne s'applique pas toujours aux niveaux inférieurs des systèmes sensoriels, car certaines sensations semblent dépendre des réactions à deux ou plusieurs catégories de neurones. Cette règle pourrait être valable, cependant, au niveau du cerveau.

LECTURES SUGGÉRÉES

BONNET, C. « Analyse sensorielle du mouvement des objets visuels ». Dans *Journal de Psychologie, 1*, 1977, p. 73-89.

CHAUCHARD, P. *Les messages de nos sens* (6ᵉ éd.). Paris, P.U.F., 1970.

DESPINS, J.-P. *Le cerveau et la musique*. Paris, C. Bourgeois, 1986.

HÉCAEN, H. *Neuropsychologie de la perception visuelle*. Paris, Masson, 1971.

JEANNEROD, M. « Les deux mécanismes de la vision ». Dans *La Recherche*, 41, (1974), p. 23-42.

LINDSAY, P.H. et NORMAN, D.A. *Traitement de l'information et comportement humain. Une introduction à la psychologie*. Montréal-Paris, Éditions Études Vivantes, 1980.

MATRAS, J.-J. *Le son*. Paris, P.U.F., 1977.

MELZACK, R. *Le défi de la douleur*. Montréal, Chenelière et Stanké, 1980.

MUELLER, C.G. et RUDOLPH, M. *L'œil et la lumière*. Amsterdam, Time-Life, 1974.

PIÉRON, H. *La sensation*. Paris, P.U.F., 1960.

PIREIME, M.H. *L'œil et la vision*. Paris, Gauthier-Villars, 1972.

Percevoir

6

Nous vivons dans un monde d'objets et de personnes — un univers dans lequel nos sens sont constamment assaillis par des stimuli. Il faut des circonstances particulières pour que nous remarquions les caractéristiques individuelles et les parties des stimuli : leur couleur, leur luminosité, leur forme, leurs lignes et leurs contours exacts. Nous percevons plutôt un monde tridimensionnel d'objets et nous entendons des mots et des mélodies. Habituellement, nous réagissons aux agencements complexes de stimuli sans prendre bien conscience de leurs éléments. La *perception* est ce processus grâce auquel nous structurons, intégrons et reconnaissons ces configurations de stimuli. Dans le chapitre précédent, nous nous sommes intéressés à des tâches simples, exécutées avec des stimuli simples (tels que la détection d'un spot lumineux ou la discrimination de deux sons purs) et à des expériences simples (comme la perception d'un « rouge vif »). Dans ce chapitre, nous considérerons des tâches plus complexes, telles l'évaluation de la distance, de la grandeur et de la forme ainsi que l'identification des objets et des événements. Ces tâches font intervenir des stimuli plus compliqués, qui évoquent des expériences complexes appelées *perceptions*. Pour l'étude de ces phénomènes, nous allons nous poser deux questions principales. D'abord, la perception associée à un stimulus complexe serait-elle tout simplement l'occurrence simultanée des différentes sensations suscitées par chacun des éléments et caractéristiques de ce stimulus présentés isolément ? Par *éléments*, nous entendons les parties en lesquelles un stimulus peut se diviser, et les *caractéristiques* sont les aspects qu'on ne saurait séparer physiquement du stimulus, telles sa couleur, sa grandeur et sa forme. En second lieu, si la réponse à cette première question devait être négative, quelle autre composante interviendrait dans la perception ?

Il y a un siècle, un groupe de psychologues, qualifiés de *structuralistes*, croyaient que toute perception n'était simplement qu'un faisceau de sensations, chacune entretenant une relation constante avec un élément ou une caractéristique d'un stimulus (Titchener, 1896). Au chapitre 5, nous avons présenté des faits qui font exception à une telle notion, comme le blanc que l'on voit quand on mélange des couleurs complémentaires (p. 170) ou la hauteur tonale fondamentale manquante (p. 181). Justement, à cause de ces phénomènes, plusieurs chercheurs rejetèrent la conception simpliste des structuralistes. Les deux principales théories qu'on leur opposa furent celle de Helmholtz et celle des *psychologues de la Gestalt*.

Helmholtz (1857) avait formulé l'hypothèse que la perception dépendait d'associations acquises et d'inférences. La paternité de cette notion revient à l'évêque anglais Berkeley (1709), mais c'est Helmholtz qui l'a développée et défendue. Selon Helmholtz, lorsqu'un stimulus est présenté à un sujet, celui-ci éprouve un ensemble de sensations et apprend à associer ces sensations qui arrivent en même temps. Plus tard, quand un stimulus évoque l'une de ces sensations, ce même sujet éprouve les sensations qui lui sont associées. Ainsi, quand nous regardons une sculpture de loin, nous ressentons un ensemble de sensations visuelles. Si nous nous approchons ensuite de cette œuvre d'art pour la toucher, nous éprouvons une série de sensations kinesthésiques qui correspondent à sa distance (l'effet requis pour l'atteindre de la main), à sa forme (le trajet parcouru par la main qui palpe l'objet) et à sa dimension (l'écartement des mains quand on saisit la statue des deux côtés).

Après beaucoup d'expériences de cette nature, nous découvrons les relations qui existent entre différents ensembles de sensations. Par la suite, dès que nous regardons un objet, nous utilisons ces associations apprises pour déduire les propriétés de ce nouvel objet. Nous pouvons conclure avec Helmholtz que nous percevons les objets qui, en des circonstances normales, seraient les plus susceptibles de produire les ensembles de stimulations sensorielles qui nous parviennent. Helmholtz a donné à ce processus, par lequel la personne qui perçoit passe de l'expérience des sensations évoquées par un objet à la reconnaissance des propriétés de ce même objet, le nom d'*inférence inconsciente*. Nous faisons cette inférence de façon automatique et inconsciente et éventuellement, nous ne remarquons même pas les sensations sur lesquelles s'appuie cette inférence. Helmholtz pensait que l'inférence inconsciente était à la base de toutes les perceptions de la distance et de l'objet.

La psychologie de la Gestalt est un mouvement qui a pris naissance en Allemagne au tout début du siècle. Les gestaltistes ont rejeté catégoriquement l'idée que la perception serait la somme des sensations évoquées par chaque élément ou caractéristique du stimulus; ils ont proposé une conception radicalement différente. Selon cette théorie, la perception du tout est différente des sensations évoquées par chacune de ses parties. Les sensations ne sont pas les unités de la perception et la perception ne dépend pas de l'apprentissage. Selon eux, ce sont les *formes globales* (les gestalts) qui constituent les unités fondamentales de la perception et elles seraient le produit d'un processus d'*organisation perceptive* qui se déroulerait dans le système perceptif et qui ne dépendrait ni de l'apprentissage, ni de l'expérience. Les psychologues de la Gestalt ont formulé un certain nombre de lois, qui décrivent le phénomène de l'organisation perceptive, et ils ont fait l'hypothèse que les objets seraient représentés dans le cerveau par des champs d'activité électrique dont la configuration correspondrait à la forme de l'objet. Il est évident aujourd'hui que cette notion de copie électrique n'est pas valable; cependant, les autres conceptions mises de l'avant par les gestaltistes sont encore d'actualité.

La théorie de Helmholtz et celle de la Gestalt soulèvent des questions importantes sur la perception. D'abord, quelle est l'unité fondamentale de la perception? Serait-ce la sensation ou quelque chose de plus complexe, comme une forme globale? En second lieu, quelles sortes de processus interviennent dans la perception? Ressemblent-ils à des inférences logiques ou se rapprochent-ils plutôt de la formation d'une copie électrique de l'objet? Troisièmement, les processus perceptifs sont-ils appris ou innés? Une quatrième question, dont l'importance ne s'est révélée que tout récemment, tire ses racines de ces premières controverses: quel rôle les variables autres que le stimulus joueraient-elles dans la perception? En effet, on s'intéresse tout particulièrement à déterminer si le contexte, les expectatives et les mobiles influencent la perception et, le cas échéant, dans quelle mesure et par l'intermédiaire de quels processus? Chacune de ces questions est difficile et les psychologues ne sont pas encore en mesure de leur apporter des réponses définitives. Ces réponses nécessitent au préalable une compréhension détaillée des relations entre la perception et les variables qui l'influencent.

STRUCTURATION ET INTÉGRATION

Ce que les psychologues de la Gestalt ont appelé organisation perceptive constitue un ensemble de phénomènes et de processus plutôt variés. Nous établirons une distinction entre la *structuration perceptive*, qui dépend des relations entre les *éléments* d'un stimulus, et l'*intégration perceptive*, qui dépend des relations entre les *aspects* d'un stimulus. Nous allons considérer d'abord la structuration perceptive des éléments du stimulus, puis l'intégration perceptive, telle qu'elle se manifeste dans la perception de la distance, la perception du mouvement, les constances et les illusions.

FIGURE 6-1
Forme réversible et fond *Le vase ou la coupe réversible est une démonstration d'un renversement figure-fond. On peut percevoir comme figure sur fond soit la partie blanche de l'image (le vase), soit la partie noire (les deux profils), mais une seule des deux à la fois.*

Structuration des éléments d'un stimulus

Les gestaltistes ont consacré de nombreuses recherches à l'étude de l'influence sur la perception exercée par les *relations* entre les *éléments*, ou les parties, d'un stimulus. On en a deux exemples dans la relation forme-fond et le regroupement perceptif.

FORME ET FOND Quand un stimulus contient deux ou plusieurs régions distinctes, une partie nous apparaît généralement comme représentant une *forme* et le reste, comme un *fond*. Les régions qu'on voit comme étant la forme paraissent plus solides que le fond et semblent être en avant-plan. Mais comme on peut le constater en regardant la figure 6-1, l'organisation forme-fond peut être réversible. Le fait que l'une ou l'autre des deux régions peut être reconnue comme constituant une forme contribue à cette réversibilité. La figure 6-2 présente un effet forme-fond réversible plus intéressant encore. Un stimulus n'a pas besoin de contenir des objets identifiables pour qu'une personne le structure en forme-fond.

Nous pouvons percevoir les relations forme-fond au moyen des autres sens également. Il se peut, par exemple, que nous entendions le chant d'un oiseau sur un fond de bruits extérieurs, ou la mélodie exécutée par un violoniste sur le fond harmonieux du reste de l'orchestre. Nous examinerons plus loin, en traitant de l'attention sélective, certains des facteurs qui déterminent ce qui est perçu comme forme et ce qui est perçu comme fond (p. 212).

REGROUPEMENTS PERCEPTIFS Même les simples distributions de lignes et de points se regroupent en relations ordonnées quand on les regarde. Dans la partie supérieure de la figure 6-3, nous avons tendance à voir trois *paires* de lignes et une ligne *additionnelle* à droite. Notons cependant que nous aurions pu tout aussi bien voir trois paires de lignes commençant à droite et une ligne additionnelle à gauche. Dans la partie inférieure de cette figure, une légère modification des lignes nous donne justement une telle perception. Cette tendance à *structurer* ce que nous voyons est presque irrésistible; ce que nous voyons dans une figure nous semble imposé par les patterns de stimulation. Les propriétés du stimulus dans son ensemble ont un effet sur la détermination des parties qui seront perçues.

LOIS DE LA STRUCTURATION PERCEPTIVE Les psychologues de la Gestalt ont proposé plusieurs lois de structuration perceptive; la plupart d'entre elles portent sur des phénomènes spécifiques comme la structuration forme-fond ou le regroupement. Par exemple, selon la *loi de la proximité*, les éléments

La proximité des lignes qui semblent constituer des paires nous amène à voir trois paires et une ligne additionnelle à droite.

Les mêmes lignes que ci-dessus, mais avec des ajouts, portent à voir l'appariement opposé: trois carrés incomplets et une ligne additionnelle à gauche.

FIGURE 6-3
Regroupement perceptif

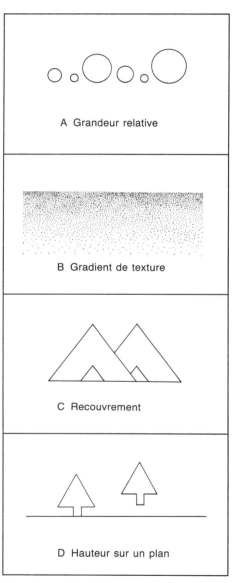

A Grandeur relative

B Gradient de texture

C Recouvrement

D Hauteur sur un plan

FIGURE 6-4
Indices monoculaires de dis-
tance *Ces dessins illustrent 4 in-*
dices monoculaires de distance. Ces
indices sont utilisés par les artistes
pour faire apparaître la profondeur
sur des surfaces bidimensionnelles et
on les retrouve également dans les pho-
tographies.

rapprochés se regroupent dans la perception. Comme beaucoup de ces stimuli peuvent être perçus de plusieurs façons, les lois de la Gestalt décrivent la perception la plus probable et non la seule possible. Les gestaltistes ont proposé une loi générale de la structuration perceptive que l'on désigne par divers noms, dont le plus significatif serait *loi de la simplicité* : la perception correspond à l'interprétation la plus simple possible du stimulus. Cette loi renferme une idée importante, mais les théoriciens ont été incapables de définir « simplicité » avec suffisamment de précision pour permettre à la loi de prévoir le mode de perception des nouveaux stimuli (Hochberg, 1978).

Perception de la distance

La perception de la distance posait une énigme aux premiers théoriciens qui concevaient la perception comme un faisceau de sensations sans profondeur, suscitées par l'image visuelle plate, à deux dimensions. Graduellement, au cours des siècles, les théoriciens ont fini par comprendre que les dimensions de ces images plates étaient associées à la distance des objets qui y étaient représentés. Confrontés au problème pratique de représenter les distances dans leur peinture, des artistes à l'esprit scientifique, comme Léonard de Vinci, ont été amenés à jouer un rôle important dans ces découvertes. On appelle *indice de distance* toute dimension du stimulus qui est associée à la distance sur une scène représentée et qui contribue à évoquer une perception de distance. Il existe un certain nombre d'indices de distance et ils se combinent entre eux de façons complexes pour déterminer la distance perçue. On peut les classifier en indices *monoculaires* ou *binoculaires*, selon qu'ils font intervenir un seul œil ou les deux yeux. On pourrait également distinguer les indices d'une *distance égocentrique* et les indices d'une *distance relative*, selon qu'ils indiquent à quelle distance un objet représenté se trouve par rapport à celui qui le perçoit ou qu'ils correspondent tout simplement à une relation entre deux distances représentées — par exemple, qu'un objet est plus éloigné qu'un autre ou que l'un est deux fois plus éloigné que de l'autre.

INDICES MONOCULAIRES   Même si le fait de voir avec deux yeux ajoute considérablement à la précision de la perception de la distance, on peut, en ne se servant que d'un œil, se débrouiller convenablement en exploitant les indices monoculaires de distance. La figure 6-4 présente 4 de ces indices. Quand une image contient un étalage d'objets semblables, mais de grandeurs différentes, l'observateur juge que ces objets se trouvent à des distances différentes par rapport à lui, les plus petites images étant perçues comme des objets plus éloignés (voir la figure 6-4A). On trouve un indice apparenté à celui-ci dans le gradient de texture associé à l'image d'une surface irrégulière, telle qu'un désert rocailleux ou la surface ondulée de l'océan (voir la figure 6-4B). Si l'un des objets possède des contours qui coupent et recouvrent ceux d'un autre objet, de façon à en cacher partiellement la vue, l'observateur va percevoir l'objet qui recouvre l'autre comme plus rapproché (voir la figure 6-4C). Enfin, les objets qui sont plus élevés sur une image ont tendance à être vus comme plus distants (voir la figure 6-4D).

INDICES BINOCULAIRES   Le fait de voir avec deux yeux est beaucoup plus avantageux que la vision monoculaire, le principal avantage étant que chaque œil voit la scène d'un angle légèrement différent et transmet ainsi une image légèrement différente. Cette *vision stéréoscopique* donne une impression de profondeur irrésistible, qu'on peut démontrer au moyen d'un instrument appelé *stéréoscope* (voir la figure 6-5). Ce dispositif présente une photographie ou un dessin différent à chacun des yeux. Si les deux images ont été prises à partir de positions légèrement différentes de l'appareil photographique (ou dessinées d'après des perspectives légèrement différentes), l'observateur a une sensation de profondeur marquée.

La vision stéréoscopique peut procurer deux indices binoculaires de distance, soit la *parallaxe binoculaire* et la *disparité binoculaire* (voir la figure 6-5). La parallaxe binoculaire n'exige qu'un seul point visible. Il s'agit de la différence dans les directions de ce point par rapport aux deux yeux, laquelle est égale à l'angle entre les deux lignes de vision. (Voir l'angle marqué parallaxe binoculaire dans la figure.) La disparité binoculaire, par ailleurs, désigne les différences entre les images rétiniennes se situant sur chacun des yeux, quand on regarde des objets à distance (Foley, 1978). Ces deux indices résultent de l'écartement entre nos deux yeux. On peut facilement démontrer par soi-même l'existence de ces indices. Tenez un crayon à une distance d'environ 30 cm devant vous, en ne gardant qu'un œil ouvert et en alignant le crayon sur une arête verticale du mur en face de vous. Fermez ensuite cet œil et rouvrez l'autre. Le crayon vous paraîtra alors décalé dans une autre direction; la différence entre ces deux directions constitue la parallaxe binoculaire. Les deux arêtes qui étaient alignées en fonction du premier œil semblent séparées quand vous rouvrez le second car, en réalité, les images qui parviennent à chacun des yeux sont séparées; la différence entre les images rétiniennes des deux yeux, c'est la disparité binoculaire. La parallaxe binoculaire est un indice de distance égocentrique; la disparité binoculaire est un indice de distance relative.

Les artistes ont recours aux indices de distance pour représenter la profondeur dans un tableau, mais ils peuvent également les exploiter pour créer des perceptions de profondeur qui ne correspondent en rien aux objets du monde réel. Ainsi, dans l'œuvre de M.C. Escher, intitulée *Waterfall* (figure 6-6), l'eau semble remonter au sommet à partir du bas en empruntant une série de canaux « étagés ».

La perception de la distance a pris une très grande place dans la théorie de la perception. Phénoménologiquement, l'impression de distance est habituellement immédiate et irrésistible, particulièrement quand la disparité binoculaire existe. Nous ne sommes pas conscients de faire l'inférence de la profondeur d'après des sensations bidimensionnelles; et pourtant, quand l'image qui parvient à chacun des yeux n'est qu'une distribution au hasard de points visuels, nous sommes capables d'avoir des impressions de profondeur (Julesz, 1971). Des chercheurs ont isolé dans le cortex visuel d'animaux des neurones qui sont syntonisés à une gamme limitée de disparités binoculaires (Barlow, Blakemore et Pettigrew, 1967). Cette constatation permet de supposer que la perception stéréoscopique de la distance dépendrait peut-être de filtres comme ceux qui servent à capter les longueurs d'onde lumineuses et la fréquence sonore (voir au chapitre 5).

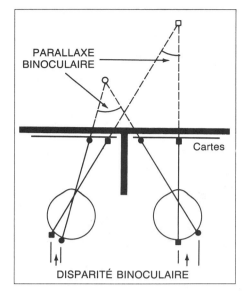

FIGURE 6-5
Stéréoscope et indices de distance binoculaires *Un stéréoscope est un instrument qui sert à présenter des images différentes à chacun des deux yeux. Le modèle très simple illustré ici place une carte différente devant chaque œil; un écran entre les deux lignes de vision empêche chacun des yeux de voir la carte présentée à l'autre œil. Si chaque carte contient les deux mêmes symboles (en l'occurrence un cercle et un carré) séparés par un espace de grandeur différente, le stimulus est le même que celui que produit un cercle et un carré situés à des distances différentes derrière les cartes. Les lignes hachurées montrent comment les images sur les cartes simulent deux objets qui seraient situés à des distances différentes dans l'espace. Devant des images stéréoscopiques comme celles-ci, les gens ont une vive impression de profondeur. La* parallaxe binoculaire *désigne l'angle entre les deux lignes de vision; la* disparité binoculaire *désigne la différence entre les séparations des images rétiniennes des deux symboles dans les deux yeux.*

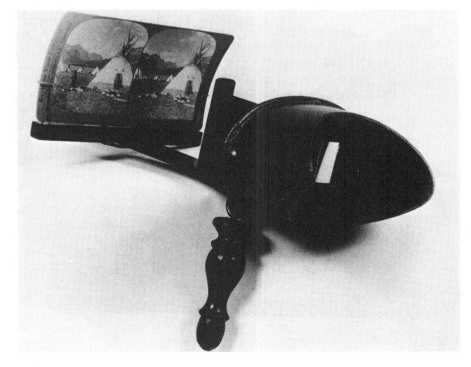

Stéréoscope *Le stéréoscope Holmes-Bates, inventé par Oliver Wendell Holmes en 1861 et manufacturé par Joseph Bates, a été en vente à partir du milieu des années 1860 jusqu'en 1939.*

FIGURE 6-6
Une expérience artistique *Dans cette gravure de l'artiste hollandais, M.C. Escher (*Waterfall, *1961), l'artiste utilise les indices de profondeur pour créer l'illusion que l'eau monte par une série de canaux étagés.*

FIGURE 6-7
Mouvement stroboscopique *Les 4 cercles de la rangée du haut correspondent à 4 lumières. Si elles sont présentées l'une après l'autre sous forme de flashes séparés par un bref intervalle d'obscurité, elles prennent l'apparence d'une seule lumière en mouvement continu, comme il est suggéré dans la seconde rangée. C'est le mouvement stroboscopique; tous les mouvements perçus dans la projection cinématographique ou sur l'écran de télévision sont de cette nature.*

Perception du mouvement

La perception du mouvement se résume-t-elle tout simplement à la vision séquentielle d'un objet dans une série de positions différentes, c'est-à-dire à un ensemble statique de sensations? Le phénomène du *mouvement stroboscopique* (voir la figure 6-7), auquel se sont intéressés les psychologues de la Gestalt, indique que la réponse à cette question est négative (Wertheimer, 1912). Une des façons les plus simples de produire un mouvement stroboscopique consiste à faire apparaître un premier jet de lumière dans l'obscurité puis un second, quelques millisecondes plus tard, tout près de l'endroit où s'est produit le premier. La lumière semble alors se déplacer d'un endroit vers l'autre d'une façon qu'on ne saurait distinguer du mouvement réel (c'est-à-dire, du mouvement continu). Si l'intervalle de temps entre les deux jets de lumière est trop court, ils paraissent simultanés; s'il est trop long, ils apparaissent comme deux flashes isolés sans mouvement. Ce phénomène démontre de façon convaincante que le mouvement est bien une perception distincte et illustre très bien le fait que la perception du mouvement ne résulte pas de la simple cooccurence de ces parties (deux flashes statiques); la perception du mouvement dépend essentiellement de la relation temps-espace entre les parties.

Le mouvement que nous voyons au cinéma est stroboscopique. Le film n'est qu'une série de photographies immobiles (images), chacune légèrement différente de la précédente. Les images sont projetées sur l'écran en séquences rapides, séparées par des intervalles d'obscurité. La vitesse de présentation des images a une importance critique. Dans les premières années du cinéma, cette vitesse était de 16 images à la seconde. C'était trop lent et, par conséquent, le mouvement dans ces premiers films semblait saccadé et décousu. Aujourd'hui, on utilise habituellement une vitesse de 24 images à la seconde. Même à cette vitesse, la scène projetée à l'écran paraîtrait trembloter étant donné la fine résolution temporelle de notre système visuel (p. 175); cette perception de vacillement est évitée en présentant l'image en trois flashes de lumière successifs durant l'intervalle où elle s'arrête devant l'objectif du projecteur.

Bien sûr, notre système visuel est très sensible au *mouvement réel*. Dans des conditions optimales, notre seuil de perception du mouvement est très bas: il suffit qu'un objet se déplace d'une distance d'environ 1/5 du diamètre d'un cône de la rétine (Nakayama et Tyler, 1981). Notre capacité de capter le mouvement est maximale si nous apercevons l'objet sur un fond structuré (*mouvement relatif*); par contre, si le fond est noir ou neutre et que seul l'objet qui se déplace peut être aperçu (*mouvement absolu*) notre acuité est moindre. Toutefois, nous percevons quand même le mouvement dans ce dernier cas et le mouvement demeure perceptible même si nous suivons des yeux l'objet qui se déplace et que l'image bouge à peine sur la rétine. Notre sensibilité plus fine à l'égard du mouvement relatif qu'à l'égard du mouvement absolu est responsable du fait qu'un objet immobile nous semble parfois en mouvement lorsqu'un autre objet du champ visuel se déplace réellement (*mouvement induit*). Lorsque se déplace un gros objet, qui se trouve directement derrière un objet plus petit, c'est habituellement l'objet plus petit qui semble bouger. C'est ainsi que la lune semble se déplacer parmi les nuages un soir de grand vent.

Les résultats découlant d'expériences psychophysiques ainsi que des expériences sur cellules isolées (p. 160) ont démontré que notre système visuel

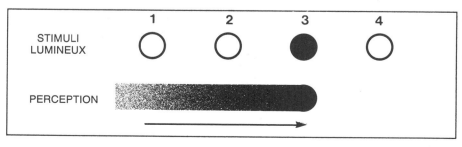

est pourvu de *filtres du mouvement*. Ces filtres réagissent à certaines formes de mouvement à l'exclusion des autres formes, et chacun réagit mieux à une direction et à une vitesse. Les preuves psychophysiques proviennent surtout d'expériences sur l'*adaptation sélective*, c'est-à-dire sur la perte de sensibilité au mouvement qui se produit durant l'observation. On dit de la sensibilité qu'elle est sélective, car elle diminue à l'égard du mouvement observé et de mouvements similaires, mais non pas à l'égard de mouvements dont la direction ou la vitesse sont très différentes. Par exemple, si nous regardons des rayures qui se déplacent vers le haut, nous perdons la sensibilité au mouvement vers le haut, mais notre capacité de voir le mouvement en direction opposée n'est pas affectée (Sekuler et Ganz, 1963). Les hommes de science voient là une indication à l'effet que certaines cellules du corps humain seraient syntonisées à des directions de mouvement différentes. De nombreuses études sur des cellules isolées ont révélé l'existence de cellules syntonisées à la direction du mouvement. La plupart de ces cellules sont également syntonisées à d'autres caractéristiques, mais il en est qui sont très fortement spécialisées dans le mouvement (Nakayama, 1985); il existe des cellules spécifiquement syntonisées pour déceler un objet se déplaçant vers la tête de celui qui regarde (Regan, Beverley et Cynader, 1979).

Comme il arrive dans d'autres types d'adaptation, nous ne nous apercevons pas généralement de cette perte de sensibilité, mais nous devenons conscients de l'effet consécutif découlant de l'adaptation. Si nous regardons une chute d'eau pendant quelques minutes et que nous portons ensuite les yeux sur l'escarpement voisin, celui-ci semble se déplacer vers le haut. La plupart des mouvements produisent ce genre d'*effet consécutif* en direction opposée.

Le mouvement que nous percevons quand nous poursuivons du regard un objet lumineux qui se déplace dans l'obscurité (un avion la nuit, par exemple) a des conséquences importantes pour la compréhension de la perception du mouvement. Puisque nos yeux suivent l'objet, l'image ne produit qu'un mouvement faible et irrégulier sur la rétine (résultat de l'imperfection de notre propre mouvement de poursuite avec les yeux) et pourtant, nous percevons un mouvement régulier et continu. Ce phénomène permet de croire que l'information relative au mouvement des yeux doit parvenir au système visuel pour influencer le mouvement perçu. Les situations plus normales de vision comportent à la fois des mouvements oculaires et de grands mouvements d'image rétinienne. Le système visuel doit combiner ces deux sources d'information pour en déduire le mouvement perçu.

Outre la simple vision du mouvement, la sensibilité au mouvement des images comporte un certain nombre d'autres fonctions, dont la vision de la profondeur, la distinction entre les objets et l'arrière-plan, le contrôle des mouvements oculaires et la perception des mouvements corporels (Nakayama, 1985). Notre déplacement dans un environnement normal et illuminé entraîne la production d'agencements compliqués de mouvements d'images rétiniennes. Ce sont là de riches sources d'information sur la scène observée et sur notre propre mouvement, information que nous ne faisons que commencer à comprendre (Gibson, 1979; Ullman, 1979).

Constances perceptives

Si vous jetez un regard sur la pièce qui vous entoure en vous demandant ce que vous y voyez, vous serez porté à dire « une chambre pleine d'objets », ou « une pièce pleine de personnes et d'objets ». Ou encore, vous vous arrêterez peut-être à des personnes ou à des objets particuliers, mais il est peu probable que vous affirmiez voir une mosaïque de lumières et d'ombrages. Nous avons en effet tendance à percevoir des *objets* plutôt que des *caractéristiques*. Nous sommes capables de remarquer, sans effort, des attributs (la « rougeur », la « rondeur » ou la « douceur »), mais ce n'est pas là notre mode normal de perception. Notre perception immédiate porte sur des objets, comme des fleurs rouges, des balles rondes et des fourrures douces.

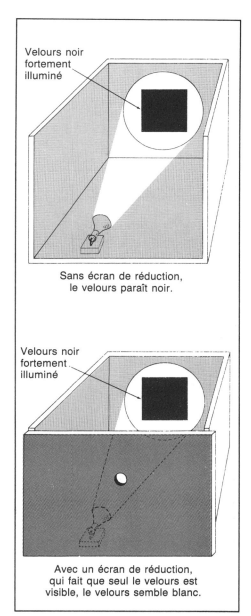

Velours noir fortement illuminé

Sans écran de réduction, le velours paraît noir.

Velours noir fortement illuminé

Avec un écran de réduction, qui fait que seul le velours est visible, le velours semble blanc.

FIGURE 6-8
Influence des objets environnants sur la constance de clarté *Même sous forte illumination, le carré de velours paraît toujours noir quand l'arrière-plan blanc illuminé est également visible. Toutefois, lorsqu'on regarde par la petite ouverture pratiquée dans l'écran de réduction, qui fait que seul le velours noir est visible, le velours semble blanc, en dépit du fait que la lumière qui l'éclaire soit la même.*

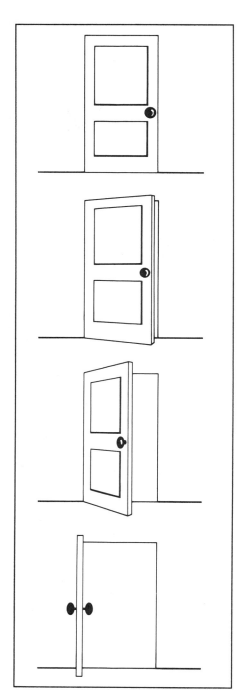

FIGURE 6-9
Constance de la forme *Les diverses images rétiniennes que produit une porte qui s'ouvre sont très différentes et pourtant, c'est une porte de forme rectangulaire constante que nous percevons.*

Nos expériences perceptives ne sont pas isolées; elles participent à la construction d'un monde de choses identifiables. Nous percevons habituellement les objets comme relativement constants en dépit des variations des conditions d'éclairage, de la position à partir de laquelle nous les voyons ou de leur distance par rapport à nous. Votre voiture ne vous paraît pas devenir plus grosse à mesure que vous vous en rapprochez, ni changer de forme quand vous en faites le tour, ni changer de couleur lorsque vous l'apercevez sous une lumière artificielle, même si l'image projetée sur la rétine de vos yeux subit réellement tous ces changements. Cette aptitude est appelée *constance perceptive*, mais elle n'est pas parfaite, car certaines caractéristiques sont plus stables que d'autres.

CONSTANCE DE LA CLARTÉ ET CONSTANCE DES COULEURS   Le velours noir nous apparaît presque aussi noir à la lumière du soleil que dans l'ombre, même s'il réfléchit des milliers de fois plus de lumière quand il est directement illuminé par le soleil. Nous appelons ce phénomène *constance de la clarté*. Même si cet effet est valable dans des circonstances normales, un changement de l'enrivonnement peut le modifier. Attachez le velours noir à un panneau blanc et projetez une lumière forte sur les deux: le velours paraît toujours noir. Mais placez ensuite un écran opaque noir, pourvu d'un petit trou, entre vous et le velours, de telle sorte que vous ne pouvez apercevoir par cette petite ouverture qu'un petit morceau de velours (voir la figure 6-8). Cet écran limite ce que vous voyez à travers l'ouverture à la seule lumière réellement réfléchie par le velours, indépendamment de ce qui l'entoure. Le velours paraît alors blanc, parce que la lumière qui arrive à votre œil à travers le trou est plus intense que celle de l'écran lui-même. Quand nous apercevons des objets dans leur environnement normal, il y a habituellement plusieurs autres objets visibles. La constance de la clarté dépend des relations entre les intensités de lumière réfléchies par les différents objets.

La *constance des couleurs* dépend de façon semblable de la présence d'un champ hétérogène. Si vous regardez, par exemple, une tomate mûre à travers un tuyau qui vous cache la nature de l'objet et ce qui l'entoure, la tomate paraît d'une couleur quelconque — bleue, verte ou rose — selon la longueur d'onde de la lumière qu'elle réfléchit. Par contre, quand nous apercevons un objet dans une scène normale, l'illumination peut changer considérablement et n'affecter que très peu les couleurs que nous percevons. Cependant, la constance des couleurs est loin d'être parfaite: ceux qui font des emplettes l'apprennent parfois à leurs dépens, car s'ils choisissent un tissu sous l'éclairage du magasin, il se peut que ses couleurs soient bien différentes une fois de retour à la maison. Les psychologues ne comprennent pas complètement le phénomène de constance des couleurs. Il se peut que le souvenir des couleurs ait un rôle à jouer, mais l'influence principale consiste dans la relation entre la lumière réfléchie par un objet et celle qui est réfléchie par les surfaces environnantes (Land, 1977).

CONSTANCE DE LA FORME ET DE LA GRANDEUR   Lorsqu'une porte pivote devant vous, la forme qu'elle prend sur l'image rétinienne passe par une série de transformations (voir la figure 6-9). La forme rectangulaire de la porte donne une image trapézoïdale, le côté devant vous étant plus grand que celui qui est rattaché aux gonds; puis, le trapèze s'amincit jusqu'à ce que finalement, la projection sur la rétine ne soit plus qu'une ligne verticale, de l'épaisseur de la porte. Ce que vous percevez, cependant, c'est une porte qui pivote sur elle-même sans changer de forme. Cette persistance de la forme perçue durant les transformations de l'image rétinienne est un exemple de la *constance de la forme*.

Lorsqu'un objet s'éloigne, nous avons tendance à le voir comme s'il gardait une dimension relativement constante. C'est ce qu'on appelle la *constance de la grandeur*. Prenez une pièce de monnaie, tenez-la à la hauteur de vos yeux et déplacez-la jusqu'à bout de bras. Est-ce qu'elle semble devenir plus petite? Pas de façon appréciable. Et pourtant, quand elle n'était qu'à 30 centimètres de vos yeux, l'image rétinienne avait deux fois la grandeur qu'elle a à 60 centimètres (voir la figure 6-10). Vous ne la percevez sûrement pas comme devenant deux fois plus petite à mesure que vous la portez au bout de votre bras.

Tout comme les autres constances, la constance de la grandeur n'est pas parfaite. Les objets qui sont très distants semblent vraiment plus petits que les mêmes objets rapprochés, comme peut en témoigner quiconque a déjà jeté un regard plongeant du haut d'un gratte-ciel ou d'un avion en plein vol. Dans le cas des objets plus proches, la constance devient moins bonne au fur et à mesure qu'on élimine les indices de distance. Par exemple, la pièce de monnaie dont nous venons de parler semblerait devenir plus petite avec l'éloignement, si on la regardait d'un seul œil plutôt qu'avec les deux yeux. En général, moins les indices de distance sont adéquats, plus la dimension d'un objet paraît se modifier en fonction de la distance.

CONSTANCE DE LOCALISATION   Malgré le fait qu'une myriade d'images en voie de transformation se forment sur la rétine quand nous bougeons, la position des objets immobiles semble rester la même. Nous sommes portés à considérer cette *constance de localisation* comme un fait acquis et pourtant, elle exige que le système visuel tienne compte simultanément de nos mouvements et des images rétiniennes qui changent. Prenez le cas tout à fait simple du mouvement de nos yeux quand nous jetons un regard sur un paysage immobile. L'image se déplace sur les récepteurs de la même façon qu'elle le ferait s'il y avait dans le paysage des objets qui se déplaçaient; or, nous ne percevons aucun mouvement dans cette scène. Il faut que le système visuel soit informé du mouvement des yeux et qu'il tienne compte de cette information dans son interprétation du mouvement de l'image. Grâce à l'enregistrement à partir de cellules uniques, des chercheurs ont découvert dans le cerveau des cellules qui réagissent seulement lorsqu'un stimulus externe se déplace; ces cellules ne réagissent pas quand l'œil explore un stimulus immobile (Robinson et Wurtz, 1976).

Malgré le fait que tous les exemples de constance que nous avons apportés jusqu'à présent sont d'ordre visuel, et que ce sont les constances visuelles qui ont été les plus étudiées, la constance perceptive intervient dans d'autres modalités sensorielles. Par exemple, on entend la même mélodie, même si les fréquences de toutes les notes sont haussées du double. Toutes les constances dépendent de relations entre des caractéristiques du stimulus: l'intensité de deux régions adjacentes, la grandeur et la distance de l'image, le mouvement de l'image et celui de l'œil, et ainsi de suite. Le système visuel intègre, d'une façon quelconque, ces caractéristiques de manière à réagir d'une façon constante, même si les caractéristiques individuelles sont en voie de transformation.

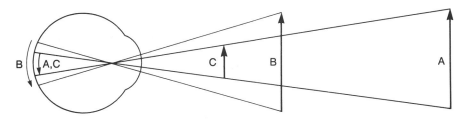

FIGURE 6-10
Grandeur de l'image rétinienne   *Ce dessin est une illustration de la relation géométrique qui existe entre la dimension physique d'un objet et la grandeur de son image sur la rétine. Les flèches A et B représentent des objets de même dimension, mais l'un est deux fois plus éloigné de l'œil que l'autre. Par conséquent, l'image rétinienne de A est d'environ la moitié de la grandeur de l'image rétinienne de B. L'objet représenté par la flèche C est plus petit que A, mais sa position plus rapprochée de l'œil donne une image rétinienne de la même grandeur que A.*

Illusion de perspective dans une scène de la vie réelle *Les deux rectangles qu'on a collés sur cette photographie sont exactement de la même grandeur. Sans la photographie, ils sembleraient avoir à peu près les mêmes dimensions; cependant quand on les situe ainsi sur la photographie, celui du haut paraît beaucoup plus grand. Les indices présents dans la photo influencent notre perception de ces deux rectangles.*

Illusions perceptives

Une *illusion* est une perception fausse ou déformée présentant des différences avec la réalité et décrite par les sciences physiques à l'aide d'instruments de mesure. Certaines illusions sont *physiques*, comme la brisure apparente d'un bâton plongé dans l'eau, les images réfléchies par les miroirs déformants utilisés dans les cirques, ou le changement de hauteur tonale de la sirène au passage du camion d'incendie; elles sont attribuables à une distorsion du stimulus qui atteint nos récepteurs. D'autres illusions sont *perceptives*, c'est-à-dire qu'elles sont les conséquences de processus qui se déroulent dans notre système perceptif. Ce sont ces dernières illusions qui intéressent le psychologue.

Les *illusions géométriques* forment une grande catégorie d'illusions perceptives à laquelle on a porté une attention considérable. Il s'agit de dessins de lignes dont certains aspects — souvent la longueur, la direction ou le caractère recourbé — semblent déformés. La figure 6-11 en présente six exemples. On peut expliquer deux d'entre eux, A et B, par l'existence dans le système visuel de *filtres de patterns* (chapitre 5, p. 175). Lorsque ces stimuli traversent des filtres comme ceux des niveaux inférieurs du système visuel, ce qui ressort du filtre est une image déformée de la même façon que notre expérience se trouve déformée quand nous regardons ces illusions. Ce résultat permet de supposer que de telles illusions sont le produit d'un filtrage de patterns. Les autres exemples de la figure 6-11 résultent du fait qu'il s'agit de stimuli ressemblant à des images de *scènes tridimensionnelles* comportant des indices de grandeur et de distance; ces stimuli sont donc traités par le système visuel comme des scènes tridimensionnelles (Gillam, 1980). La figure 6-11C en est un bon exemple. Les deux lignes horizontales sont d'égale longueur, mais les lignes inclinées constituent un indice qui fait apparaître le haut de la figure comme plus éloigné que la partie inférieure. Cet indice s'intègre à la grandeur de l'image de la ligne du haut pour la faire paraître plus grande. Le processus à la base de cette interprétation perceptive est expliqué dans l'analyse critique « Comment comprendre les constances et les illusions ». On peut également expliquer les illusions D, E et F en termes de con-

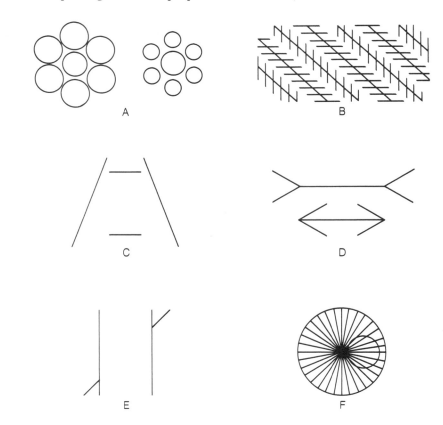

FIGURE 6-11
Quelques illusions géométriques *En A, les deux cercles du centre sont physiquement de dimensions égales; en B, les lignes longues sont physiquement parallèles; en C, les deux lignes horizontales sont d'égale longueur; il en est ainsi en D; en E, les lignes inclinées sont alignées les unes sur les autres; en F, la plus petite figure courbe est un cercle. On peut expliquer les illusions A et B par un filtrage des patterns du même genre que celui que nous avons décrit au chapitre 5. Les illusions C, D, E et F sont attribuables au fait que ces patterns sont traités mentalement comme des images de scènes tridimensionnelles.*

séquences du traitement tridimensionnel de ces figures. Notons la correspondance très étroite entre ces *illusions perceptives* et la constance de la grandeur. Dans les deux cas, les indices d'éloignement d'un objet le font paraître plus grand qu'il ne le paraîtrait autrement.

Envergure de l'intégration perceptive

Nous avons pris en considération une grande variété de phénomènes dans lesquels la perception dépend des relations entre les caractéristiques d'un stimulus. L'interprétation que nous avons proposée suppose que ces caractéristiques sont traitées ensemble ou, comme diraient les gestaltistes, que le stimulus est traité comme un tout. Mais quelle dimension un stimulus doit-il avoir pour qu'il soit possible de le traiter comme un tout? Les propriétés perceptives de certains stimuli des plus intéressants, appelés *figures impossibles*, donnent à croire que la région du stimulus qui est traitée comme un tout ne saurait dépasser les limites de ce qu'un observateur est capable de capter d'un seul regard. La figure 6-14 présente des exemples de figures impossibles. Ces figures semblent tridimensionnelles, mais elles n'apparaissent ni simples ni même possibles; cette observation n'est pas conforme aux notions de la Gestalt, ni à celles de Helmholtz concernant ce que nous devrions voir. Par ailleurs, chaque petite région de la figure semble à la fois possible et relativement simple. Ce phénomène permet de supposer que le processus d'intégration perceptive ne s'étend pas très loin. Cette interprétation est d'ailleurs corroborée par le fait que, si l'on fait un très petit dessin de ces figures, de façon à ce que leur image rétinienne ne dépasse pas les limites de la fovéa, elles ont tendance à perdre tant leur profondeur que leur qualité d'impossibilité et elles prennent tout simplement l'aspect de lignes sur une surface plane (Hochberg, 1978).

Revenons maintenant à l'une des questions théoriques soulevées dans l'introduction de ce chapitre: quelle est l'unité de la perception? Il est maintenant évident que la perception n'est pas uniquement le fait de ressentir ensemble et simultanément un faisceau des caractéristiques d'un stimulus; la perception dépend des relations entre ces caractéristiques. Ceci pose l'hypothèse de l'existence d'unités de niveau supérieur, qui correspondraient à deux ou plusieurs caractéristiques entretenant une relation spécifique. Comme les sensations, ces unités pourraient se rapporter à des neurones spécifiques dans le cerveau. Il est possible qu'il existe une hiérarchie d'unités au sein de laquelle les unités de niveau inférieur se combineraient ensemble pour former des unités de niveau supérieur. Le cas échéant, la perception compterait sur plusieurs niveaux d'unités. Le niveau qui déclencherait une perception particulière dépendrait de la tâche de celui qui perçoit: la classification de couleurs se rapporterait à un niveau; la reconnaissance des physionomies, à un autre niveau.

RECONNAISSANCE

Reconnaître une chose, c'est l'associer correctement à une catégorie, comme « chaise », ou à un nom spécifique, comme «Jean Tout-le-monde ». La reconnaissance est ordinairement en cause quand nous retrouvons notre voiture dans un parc de stationnement, quand nous entendons une mélodie familière ou que nous nous regardons dans le miroir le matin. C'est un processus perceptif d'un haut niveau, qui exige l'apprentissage et la mémoire.

Il y a plusieurs degrés de reconnaissance, selon la dimension de la catégorie à laquelle nous associons une chose. Supposons que dans dix ans, vous rencontriez quelqu'un dans une soirée et que vous ayez l'impression que vous connaissez cette personne. Si vous avez raison, c'est que vous avez déjà reconnu la personne — c'est-à-dire que vous avez associé la personne à la catégorie de toutes vos connaissances antérieures. Il se peut que vous arriviez

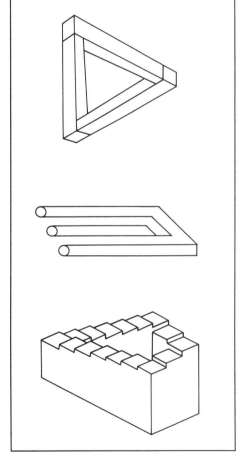

FIGURE 6-14
Figures impossibles *Quand on regarde l'une ou l'autre des parties de ces figures, la perception de cette partie a un sens, mais l'ensemble de la figure est contraire au bon sens. Ce phénomène laisse supposer que le processus d'intégration perceptive ne se déroulerait que dans une région limitée de la figure à la fois.*

ANALYSE CRITIQUE

Comment comprendre les constances et les illusions

Les premiers auteurs qui ont abordé l'étude de la perception, tel l'évêque anglican Berkeley, qui a publié un essai sur ce thème en 1709, étaient d'avis que la perception consistait dans l'expérience de plusieurs sensations simultanées reliées au souvenir d'autres sensations qui avaient été associées à celles-ci auparavant. Constances et illusions montrent, cependant, que ce qui est perçu est très différent de l'ensemble des sensations évoquées par chacune de ces parties. Au contraire de certains des phénomènes plus simples décrits au chapitre 5, la perception de la grandeur, de la forme et de la position (qu'elle soit exacte ou illusoire) dépend d'au moins deux et même souvent de plusieurs variables de stimulus. Pour comprendre ces phénomènes plus compliqués, il nous faut préciser 1) la nature de la relation entre ce qui est perçu et les variables de stimulus qui influencent cette perception et 2) ce qui se passe dans le système perceptif qui donne naissance à la perception. On peut illustrer la relation entre les variables de stimulus et ce qui est perçu en considérant la perception de la grandeur.

La grandeur de l'image rétinienne et la distance perçue sont deux variables dont l'importance pour la perception de la dimension est reconnue depuis longtemps. Emmert (1881) a réussi à séparer les effets de ces deux variables grâce à l'étude des dimensions apparentes des images consécutives. Il demandait aux gens de fixer du regard le centre d'une image à fort contraste durant une minute ou deux. Ils regardaient ensuite un écran blanc et y voyaient une image consécutive. Lorsque l'écran était loin d'eux, l'image consécutive paraissait grande; quand l'écran était rapproché, l'image était petite. L'expérience d'Emmert est facile à répéter (voir à la figure 6-12). Faites cette expérience avant de poursuivre votre lecture.

FIGURE 6-12
Expérience d'Emmert *Placez ce livre à distance normale de lecture sous un bon éclairage. Fixez votre regard sur la croix au centre de la figure durant une minute environ, puis regardez un mur éloigné. Vous verrez une image consécutive des deux cercles qui paraîtra plus grande que le stimulus. Portez ensuite votre regard sur une feuille de papier tenue tout près de vos yeux: l'image consécutive paraîtra alors plus petite que le stimulus. Si l'image consécutive s'évanouit, le clignement des yeux peut parfois la faire réapparaître.*

Dans cette expérience, la grandeur de la région adaptée de la rétine reste constante; il faut donc trouver une autre explication au changement de la grandeur perçue. Emmert avait émis l'opinion que la grandeur perçue d'une image consécutive était proportionnelle à la distance qui la séparait de l'observateur (loi d'Emmert). Plus tard, cette loi fut généralisée pour devenir le *principe de l'invariance grandeur-distance*, selon lequel le rapport de la grandeur perçue, G', sur la distance perçue, D', est égal à l'angle visuel, θ (voir la figure 6-13). Ce principe se traduit sous la forme de l'équation suivante:

à une reconnaissance plus complète. Vous pourriez, par exemple, être en mesure de dire « Université d'Ottawa, promotion 89 » ou même « Si ce n'est pas Gertrude Sansfaçon; tu n'as pas changé du tout! »

Théorie du pandémonium

Qu'est-ce qui se passe dans le système perceptif quand nous reconnaissons quelque chose? Plusieurs des idées que nous avons sur ce sujet viennent des efforts faits par les hommes de science pour construire des machines capables de simuler le processus de reconnaissance des patterns. L'une des premières théories comportant d'importantes ressemblances avec la reconnaissance humaine a été appelée *théorie du pandémonium* (Selfridge et Neisser, 1960). Elle avait été élaborée en vue de son application à un dispositif informatisé devant servir à la reconnaissance des lettres manuscrites. Selon cette théorie, quand une lettre allait être présentée, la machine reconnaîtrait ses caracté-

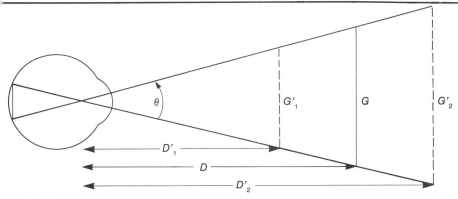

FIGURE 6-13
Principe de l'invariance grandeur-distance   *L'angle θ, appelé angle visuel, est proportionnel à la grandeur de l'image rétinienne. Supposons que la véritable grandeur de l'objet est G et sa distance est D. Si l'objectif est perçu à D'_1, sa grandeur perçue sera de G'_1. S'il est perçu à D'_2, sa grandeur perçue sera de G'_2. La dimension perçue remplit toujours l'angle visuel à la distance perçue.*

$$\frac{G'}{D'} = \theta \quad \text{ou} \quad G' = \theta \times D'$$

Ce principe explique la constance de la grandeur comme suit : quand la distance par rapport à un objet augmente, son angle visuel diminue. Mais s'il y a des indices de distance qui jouent, la distance perçue s'accroît. Ainsi, le produit $\theta \times D$ reste approximativement constant. Selon ce principe, la grandeur perçue doit donc rester approximativement la même.

Le principe de l'invariance grandeur-distance semble fondamental pour la compréhension d'un certain nombre d'illusions de grandeur. On en a un bon exemple dans l'illusion de la lune : lorsque la lune se trouve près de l'horizon, elle paraît jusqu'à 50 % plus grande que lorsqu'elle est à son zénith, même si aux deux endroits elle produit une image rétinienne de même grandeur. La distance perçue de l'horizon est jugée plus éloignée que le zénith par approximativement la même valeur.

Comme le démontrent ces exemples, le principe de l'invariance grandeur-distance explique un vaste répertoire de phénomènes divers. Il existe cependant des témoignages de perception de distance et de grandeur qui ne s'accordent pas avec ce principe. Par exemple, si une personne évalue la distance de l'horizon quand la lune s'y trouve, l'horizon lui semble souvent très rapproché, contrairement à la perception qu'elle en a en l'absence de la lune. Il reste à voir si le principe devrait être modifié ou si ces témoignages inconsistants pourraient s'expliquer autrement. Les théoriciens ont proposé d'autres principes d'invariance pour expliquer les constances et les illusions de forme, de clarté, de couleur et de localisation. La recherche de principes d'invariance est remplie de promesses, mais il est probable qu'on doive invoquer des invariances dans les relations entre plus que deux variables pour rendre compte de certaines de ces perceptions.

Considérons maintenant la seconde partie du problème de la compréhension des constances et des illusions : qu'est-ce qui se passe dans le système perceptif pour qu'une relation donnée entre des variables donne naissance à une perception particulière ? Helmholtz a proposé qu'une personne en arrivait à la perception par inférence d'après des sensations évoquées par le stimulus. Dans le cas de la perception de la grandeur, cette proposition signifie que l'observateur aperçoit la grandeur de l'image rétinienne et les indices de distance et que d'après ces données sensorielles, il effectue une inférence relative à la dimension de l'objet. Tout se passe comme si l'observateur insérait les valeurs de D' et de θ dans l'équation grandeur-distance et la résolvait pour obtenir G'. C'est là un exemple d'*inférence inconsciente*. Ce processus est très rapide et les observateurs ne prennent conscience ni des sensations, ni du processus d'inférence.

On peut, sans remettre en cause l'analyse de Helmholtz, imaginer les bases biologiques de ce processus d'inférence. Étant donné la découverte de plusieurs sortes de filtres dans les systèmes perceptifs, il est naturel qu'on se demande s'il n'y aurait pas des filtres de niveau supérieur, qui seraient syntonisés non pas aux caractéristiques individuelles mais aux relations entre les caractéristiques, comme le produit de l'angle visuel par la distance. Malgré l'attrait réel de cette idée, les psychologues ont fait peu de progrès vers la découverte de tels filtres sensibles à l'invariance. La démarche qui s'en rapproche le plus consiste dans l'identification des cellules (que nous avons décrites lorsque nous avons traité de constance de la localisation) qui semblent réagir à la différence entre le degré de déplacement des yeux et la quantité de mouvement de l'image sur la rétine.

ristiques plus ou moins simultanément ; on appelle *traitement parallèle* le décodage de plusieurs signaux en même temps. Le pandémonium (programme) dont il est question ici fait appel à 28 caractéristiques, telles que la présence de lignes horizontales ou verticales, de courbes orientées dans diverses directions et d'espaces vides.

La théorie suppose que les lettres peuvent être représentées sous la forme d'une *liste de caractéristiques*. La lettre *H*, par exemple, est faite de deux lignes approximativement verticales, d'une ligne à peu près horizontale et d'un espace vide (concavité) en haut. Prises ensemble, ces caractéristiques désignent la lettre *H*, mais aucune de ces caractéristiques ne suffirait à elle seule à l'identification de *H*. Une liste de caractéristiques propres à chacune des lettres de l'alphabet est emmagasinée dans la mémoire de l'ordinateur. Lorsqu'une lettre-test est présentée, ses caractéristiques sont enregistrées et comparées avec chacune des listes de caractéristiques en mémoire pour déterminer celle qui donne le meilleur appariement.

FIGURE **6-15**
Théorie du pandémonium *La figure
présente une version simplifiée de la
façon dont le pandémonium arriverait
à reconnaître l'une des quatre lettres.
On n'utilise ici que trois caractéristiques: concavité en haut (ouverture
au sommet), barre transversale et ligne
verticale. Quand une lettre se présente,
chacune de ces caractéristiques est soit
enregistrée (oui) soit non enregistrée
(non). Les lignes pleine, pointillée et
hachurée indiquent à quelles lettres
une caractéristique appartient (oui) ou
n'appartient pas (non). Par exemple,
H a les trois caractéristiques; A a une
barre transversale, mais n'a pas les
deux autres caractéristiques. Le jeu de
caractéristiques enregistrées est
comparé à la liste de caractéristiques
propres à chacune des lettres pour
déterminer la lettre qui est reconnue.
Par conséquent, quand les trois caractéristiques sont enregistrées, un H est
reconnu; quand une barre transversale
est enregistrée et que les deux autres
caractéristiques ne le sont pas, un A
est reconnu et ainsi de suite. (D'après
Selfridge et Neisser, 1960; © 1960 par
Scientific American, Inc. Tous droits
réservés.)*

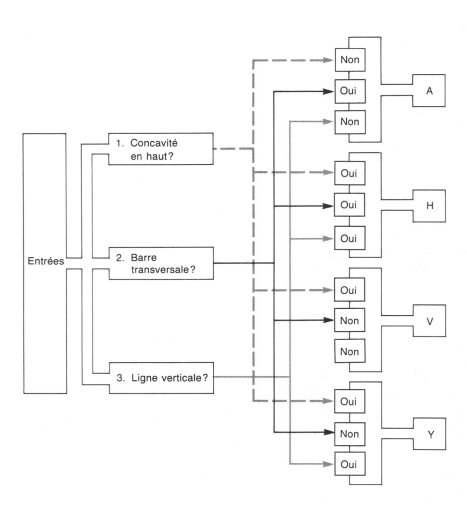

Les auteurs du pandémonium ont recours à l'analogie suivante pour décrire leur idée: « On pourrait concevoir que les diverses caractéristiques sont analysées par de petits démons, lesquels crient tous ensemble les réponses à un démon qui prend les décisions. » Le nom « pandémonium » vient de cette analogie avec des démons qui crient. La figure 6-15 illustre la façon dont le système pourrait arriver à reconnaître l'une des quatre lettres *A, H, V* ou *Y.*

Selon nous, la théorie du pandémonium comporte deux aspects qui sont particulièrement frappants. Premièrement, cette théorie traite les caracté- ristiques en *parallèle* et non pas les unes après les autres. En second lieu, le pandémonium est tout à fait *passif*: il n'a pas de préconceptions et ne fait aucune supposition quant aux données qu'il enregistre. En d'autres mots, les senseurs sont activés automatiquement par le stimulus et seuls les senseurs actifs déterminent ce qui est perçu. Les attentes, les mobiles et les objectifs du « percevant » n'interviennent aucunement. Ce qui est perçu dépend du stimulus immédiat; tout ce que le « percevant » doit faire, c'est ouvrir les yeux. Or, comme nous le verrons, les systèmes perceptifs humains sont plus compliqués.

La théorie du pandémonium est extrêmement simple. Il existe des appli- cations beaucoup plus complexes à des machines qui discriminent de façon précise aussi bien les lettres imprimées que les lettres manuscrites. Au lieu du traitement parallèle, certaines de ces machines ont recours au *traitement en série*, par lequel les caractéristiques du stimulus sont analysées l'une après l'autre. Cette technologie appartient à un champ plus vaste appelé *intelli- gence artificielle*, dont l'objectif est de créer des machines capables d'une grande variété de comportements intelligents.

À droite, on voit le tableau La Parade *(1887-1888) de l'artiste français Georges Seurat. Un gros plan d'un détail de cette peinture montre qu'elle est composée de touches de peinture séparées les unes des autres. L'impression totale dépasse la somme des parties.*

Certains des progrès les plus marqués de l'intelligence artificielle se sont accomplis dans le champ de la vision à la machine (Marr, 1982). Bien que la plupart de ces machines en soient encore au stade expérimental, plusieurs sont parvenues à la maturité technologique. Les responsables du service des postes ont notamment installé des lecteurs de codes postaux capables de déchiffrer des lettres et des chiffres manuscrits ou imprimés, ce qui permet de faire le tri postal de centaines de lettres en quelques minutes. Les chercheurs sont en train d'inventer des machines dotées de vision encore plus complexe, et capables de faire l'inférence de scènes tridimensionnelles d'après des images bidimensionnelles, ainsi que des machines dotées de l'ouïe et capables de traduire le langage parlé en messages écrits. Des informaticiens spécialisés dans les machines capables de perception et des psychologues orientés vers la compréhension de la perception humaine ont conjugué leurs efforts pour former des équipes de travail efficaces.

Ces diverses théories et machines ont un principe en commun : une liste de caractéristiques est extraite du stimulus à des fins de comparaison avec une série de listes de caractéristiques entreposées en mémoire. L'identification du stimulus dépend de l'appariement entre la liste de caractéristiques ainsi extraites du stimulus et l'une des listes en mémoire. Il est possible que le système perceptif de l'être humain fonctionne de façon similaire. Il pourrait y avoir, dans votre mémoire, une liste de caractéristiques correspondant à « Tante Lolo » ; elle pourrait comprendre la largeur de sa bouche, l'inclinaison de son nez, la couleur de ses yeux, et ainsi de suite. Lorsque vous rencontrez quelqu'un, les détecteurs de caractéristiques se mettent en branle et si les caractéristiques extraites correspondent à la liste en mémoire sous votre fichier « Tante Lolo », vous reconnaissez la personne. On emploie aussi le mot *schème* pour désigner une liste de caractéristiques. Un schème du stimulus est entreposé dans la mémoire d'un sujet qui reconnaît le stimulus quand les caractéristiques qu'il en extrait correspondent au schème de ce stimulus.

Le processus qui consiste à extraire les caractéristiques d'un stimulus et à essayer de les apparier à une liste de caractéristiques (schème) en mémoire s'appelle *codage* ; c'est-à-dire que nous essayons de fabriquer un code d'après l'information contenue dans le stimulus, ce code devant nous permettre de retrouver par la suite l'information sur ce stimulus préalablement entreposée dans notre mémoire. Cette notion de codage est un concept important en psychologie cognitive ; nous l'aborderons plus en détail au chapitre 8.

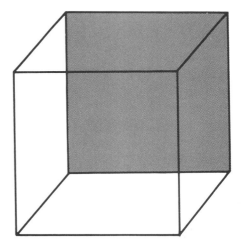

FIGURE 6-16
Cube de Necker *Stimulus ambigu créé en 1832 par le naturaliste suisse L.A. Necker. On remarque que la surface en gris peut apparaître soit comme la surface avant, soit comme la surface arrière d'un cube transparent. Les deux perceptions ont tendance à alterner au bout de quelques secondes.*

Stimuli ambigus

Un *stimulus ambigu* en est un qui peut être perçu de plus d'une façon. Nous en avons déjà eu un exemple à la figure 6-1, soit une image comportant une ambiguïté de forme-fond. La figure 6-16 en est un autre; la surface grise du cube de Necker peut être vue comme l'avant ou l'arrière du cube; l'une ou l'autre de ces deux perceptions est également susceptible de se présenter la première et si vous continuez de regarder l'image du cube, ces deux perceptions vont alterner. La figure 6-17 est un stimulus ambigu qui peut être vu soit comme une vieille dame, soit comme une jeune femme. Ce stimulus n'est pas parfaitement équilibré toutefois; la vieille dame a plus de chances d'apparaître au début que la jeune femme. Le fait qu'un stimulus puisse être perçu de plusieurs façons permet de supposer qu'il active probablement des neurones du système perceptif correspondant à plusieurs perceptions. Et le fait qu'on ne puisse faire l'expérience que d'une seule de ces perceptions à la fois suggère l'existence d'un processus de sélection qui ne laisse qu'une seule de ces perceptions se produire à un moment donné.

Effets de contextes, d'expectatives et de mobiles

Par *effet de contexte*, nous entendons la perception d'un stimulus tel qu'il se trouve influencé par la « signification » des stimuli qui sont près de lui dans l'espace et le temps. Vous pouvez considérer comme contexte tout ce qui pourrait vous aider à deviner la nature du stimulus, à l'exception du stimulus lui-même. Toutefois, les effets de contextes ne dépendent pas des conjectures conscientes, ni même de la prise de conscience du contexte. Dans le cas d'un contexte dans lequel le stimulus se produit, l'effet de contexte est un effet de facilitation. Un contexte familier améliore tant la vitesse que l'exactitude de la perception; il est particulièrement avantageux dans les cas où le stimulus est ambigu, embrouillé ou difficile à percevoir pour toute autre raison. En l'absence de contexte, il peut arriver que la perception ne se fasse pas ou qu'elle soit erronée. Par contre, lorsqu'un stimulus se présente rarement ou pour la première fois dans un contexte particulier, et qu'il est donc inattendu, le contexte exerce l'effet contraire : la reconnaissance se trouve retardée ou erronée ou elle ne se fait pas du tout.

Quand le stimulus est ambigu, la perception qui se produit dépend du contexte. Si vous avez regardé des figures *non ambiguës* qui ressemblent à la jeune femme de la figure 6-17, vous serez porté à voir la jeune femme la première fois qu'on vous présentera cette figure ambiguë. La figure 6-18 illustre, au moyen d'un autre ensemble d'images, cet effet de *contexte temporel*. Regardez ces dessins en suivant le même ordre que dans une bande dessinée, de gauche à droite et de la rangée du haut à la rangée du bas. Les images du milieu de cette série sont ambiguës. Si vous examinez ces dessins

dans l'ordre suggéré, vous aurez tendance à percevoir ces figures ambiguës comme le visage d'un homme. Si, par contre, vous les regardez dans l'ordre opposé, vous serez porté à y voir une jeune fille. La figure 6-19 montre comment le contexte spatial créé par des symboles environnants influence notre perception d'un symbole ambigu.

Mais le stimulus n'a pas besoin d'être ambigu. Même dans les tâches de détection les plus simples, l'exactitude et la vitesse de réponse dépendent de ce que le sujet sait ou non quel stimulus particulier lui sera présenté (Yager, Kramer, Shaw et Graham, 1984). Si on présente d'abord à quelqu'un l'image d'une scène quelconque puis, dans un flash très bref, l'image d'un objet, l'identification de cet objet sera plus précise s'il convient à la scène qu'on avait présentée avant. Par exemple, après avoir regardé une scène de cuisine, un sujet identifiera correctement un pain plus souvent qu'une boîte aux lettres (Palmer, 1975). De même, quand le sujet voit un flash très bref d'une scène et qu'on lui demande d'identifier un objet à un endroit de cette scène, il identifiera l'objet plus correctement s'il s'agit dans la scène d'une position normale que d'une position inaccoutumée. Nous éprouvons, par exemple, de la difficulté à voir des bornes-fontaines sur des boîtes aux lettres (Biederman, 1981). Les mots aussi sont identifiés plus facilement dans le contexte de phrases qui ont une signification. Prenez la phrase « Pelé leva la jambe et frappa le _____. » Le dernier mot est presque déjà reconnu avant que l'œil ne s'y soit fixé.

Lorsqu'un stimulus se présente dans un contexte inusuel, nous avons un effet de contraste négatif. La reconnaissance du stimulus sera difficile et parfois impossible. Les étudiants, habitués à voir leur professeur portant veston et cravate en classe durant la semaine, éprouveront de la difficulté à le reconnaître se baignant à poil dans un lac isolé le dimanche après-midi. Au mieux, la reconnaissance prendra plus de temps à se faire.

Parfois, le contexte engendre des expectatives conscientes. De toute évidence, lorsque vous êtes à l'aérogare et que vous attendez qu'un ami descende d'avion, vous êtes dans un état d'expectative consciente. À son arrivée, vous ne risquez pas de le manquer et la reconnaissance sera très rapide. Le contexte, cependant, produit ces effets même en l'absence d'expectatives conscientes; vous n'avez même pas à vous rendre compte du contexte pour que son effet se produise. Si des chercheurs projettent un mot pendant quelques millisecondes sur un écran et le font suivre immédiatement d'une constellation de lignes tracées au hasard, l'observateur sera incapable d'identifier le mot (masquage rétrograde). Le mot qui n'est pas perçu exercera néanmoins un effet sur la perception du stimulus qui suivra. Par exemple, si le mot PAIN est présenté en flash, puis masqué et suivi par le flash BEURRE, les sujets reconnaissent plus rapidement que « beurre » est un mot, cette reconnaissance étant plus lente si « pain » n'est pas présenté d'abord (Schvaneveldt et Meyer, 1973 ; Marcel, 1983).

Même si on ne les a pas étudiés autant que les effets de contraste et d'expectative, il y a quand même des faits qui indiquent que les *mobiles* exercent aussi une influence sur la perception. S'il vous arrive de vouloir percevoir quelque chose ou, au contraire, de craindre de voir cette chose, vos désirs peuvent affecter votre perception. Une étude a démontré par exemple que les seuils de perception de mots non souhaités étaient plus élevés que ceux de mots neutres (McGinnies, 1949); cependant, ce résultat et d'autres semblables ont été fortement contestés. Certains cliniciens ont recours au test Rorschach pour évaluer la personnalité (voir au chapitre 13, p. 444). Dans ce test, on présente des taches d'encre fort ambiguës (figure 6-20) aux clients à qui l'on demande de dire tout ce à quoi la tache d'encre ressemble. On s'attend à ce que les réponses du client fassent apparaître des mobiles et des émotions qui pourraient autrement rester cachés. Des psychologues se sont objectés en disant que mobiles et émotions n'influencent que ce que les gens rapportent et non pas ce qu'ils perçoivent. La question n'est pas tranchée, mais les faits suggèrent que le contexte agit directement sur la perception (voir l'analyse critique « Effets de contexte sur la reconnaissance des lettres », p. 218) et il ne serait pas étonnant que les mobiles et les émotions influencent aussi la perception (Erdelyi, 1974).

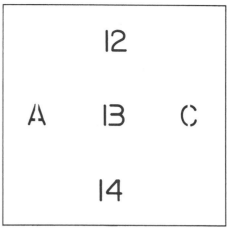

FIGURE 6-19
Effet de contexte spatial *La figure du centre est ambiguë et la façon dont nous la percevons dépend de ce que nous portons attention soit aux rangées, soit aux colonnes.*

FIGURE 6-20
Tache d'encre de Rorschach *Ce stimulus, qui a été créé par une tache d'encre sur une feuille de papier pliée à la verticale, est un stimulus ambigu. Il peut être perçu de diverses façons. On utilise des stimuli de ce genre pour évaluer la personnalité.*

Tout comme la reconnaissance elle-même s'appuie sur notre connaissance de concepts, d'objets et d'événements, les effets de contexte dépendent d'une connaissance plus générale du monde qui nous entoure. Ils dépendent, en particulier, de notre connaissance de ce qui est susceptible de se produire dans des situations données et des indices spécifiques qui annoncent ce qui va arriver ensuite.

L'attention

L'*attention* est un processus complexe que l'on commence à peine à comprendre. Il présente à la fois des composantes comportementales manifestes et des composantes internes. Quand ceux qui font du camping pour la première fois entendent un bruit la nuit dans la forêt, ils ont tendance à sursauter et à se tourner en direction du bruit; en même temps, des changements physiologiques interviennent et déclenchent un état d'alerte et de prédisposition à agir. Cet ensemble de réactions externes et internes constituent le *réflexe d'orientation*. C'est ce que le professeur du cours primaire essaie de susciter quand il dit « Attention, là! » Malheureusement pour le professeur, cette réaction, qui se produit automatiquement devant les stimuli inattendus, cesse avec la répétition des stimuli.

La plupart du temps, nous sommes assaillis par plusieurs stimuli en même temps et il nous est impossible de les percevoir tous. Certains d'entre eux font irruption dans la conscience, peu importe ce que nous faisons, mais nous sommes, dans une certaine mesure, capables de choisir ce que nous percevons. Pendant que vous êtes là, assis en train de lire, arrêtez-vous un moment, fermez les yeux et portez attention aux divers stimuli qui arrivent jusqu'à vous. Remarquez, par exemple, la pression exercée par le soulier sur votre pied gauche. Quels sons entendez-vous? Y a-t-il une odeur dans l'air? Vous n'aviez probablement pas pris conscience de ces stimuli jusqu'à ce que vous y portiez attention. En l'absence de la capacité de choisir, nous serions envahis par tous ces stimuli. Habituellement, nous choisissons ce qui est important pour nous au moment même, mais certains stimuli frappants sont toujours perçus; nous disons qu'ils « captent l'attention ». L'intensité, la dimension, le contraste, le mouvement et la nouveauté sont des facteurs qui font augmenter la probabilité qu'un stimulus soit perçu. On appelle *attention sélective* le processus par lequel nous faisons un choix.

VISION SÉLECTIVE   Dans quelle mesure pouvons-nous voir un stimulus projeté par flash? On a étudié cette question en laboratoire, en présentant à des sujets des répartitions au hasard de lettres de l'alphabet projetées par flash sur un écran (voir la figure 6-21). Le stimulus ne dure que quelques millisecondes, soit un intervalle trop bref pour que les yeux bougent. Immédiatement après, les sujets essaient de noter par écrit autant de lettres qu'ils le peuvent. Les collégiens obtiennent des scores moyens de 4, 5 bonnes lettres et ils ne s'améliorent que très peu avec la pratique. Nous sommes donc nettement limités quant à la quantité d'objets que nous pouvons voir dans un flash. Toutefois, si au moment même où les lettres sont projetées à l'écran, les sujets entendent l'un des trois signaux sonores indiquant la rangée qu'ils doivent lire, ils sont capables de lire l'une ou l'autre de ces rangées presque parfaitement (Sperling, 1960). Par conséquent, même s'il y a une *limite* à ce que nous pouvons voir dans un flash, nous sommes capables de *choisir* la partie du stimulus que nous percevons.

Un autre aspect de la vision sélective se manifeste quand on donne à un individu le temps qu'il faut pour regarder une image ou une scène. Lorsque nous surveillons les yeux du sujet qui est dans cette situation, nous constatons que ses yeux ne sont pas immobiles; ils ont une action de balayage, qui n'est pas un mouvement régulier et continu. Les yeux sont stationnaires durant une brève période, puis ils sautent pour prendre une autre position, s'arrêtent encore pendant une brève période, sautent à nouveau, et ainsi de suite. Les périodes durant lesquelles les yeux sont immobiles sont appelées *fixations* et les mouvements rapides, presque instantanés, entre les fixations sont des

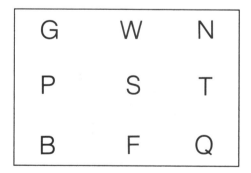

FIGURE 6-21
Répartition de lettres au hasard   *Répartition semblable à celles qu'à utilisées Sperling (1960) dans ses études sur la vision sélective. Si cette distribution de lettres est projetée brièvement dans un flash, le sujet ne peut identifier que quatre ou cinq lettres. Par contre, si on lui demande de lire une rangée précise au moment même où le flash se produit, il est capable de le faire avec une exactitude presque parfaite.*

saccades. On dispose d'un certain nombre de techniques pour suivre et enregistrer les mouvements des yeux. La méthode la plus simple est de photographier les yeux avec une caméra de télévision : l'objet sur lequel se porte le regard se trouve alors reflété sur la cornée de l'oeil et apparaît à l'écran en surimpression sur l'image de l'oeil. L'expérimentateur peut, d'après cette surimpression, identifier le point de la scène où le regard est fixé. Ce procédé représente une méthode d'enregistrement des mouvements oculaires qui ne produit pas d'interférence et les chercheurs sont en mesure de visionner la bande magnétoscopique aussi souvent qu'ils le désirent pour mesurer la durée de chacune des fixations.

Comme nous l'avons vu au chapitre précédent, c'est la fovéa qui donne la meilleure résolution de l'image rétinienne ; l'acuité visuelle diminue rapidement à mesure que l'image se déplace vers la périphérie de la rétine. Les mouvements oculaires utilisés dans le balayage d'une image servent à assurer que les diverses parties de l'image seront projetées sur la fovéa de façon que tous les détails soient aperçus. Les points sur lesquels les yeux se fixent ne sont ni distribués également, ni répartis au hasard. Ils ont tendance à correspondre aux endroits qui donnent le plus d'information sur l'image, les endroits où se trouvent les caractéristiques importantes. La perception de l'image exige que le système perceptif rassemble ces divers « coups d'oeil » pour constituer une représentation unitaire de la scène, processus qui ressemble à la construction d'une image d'après une série d'instantanés de ses parties (voir la figure 6-22).

ÉCOUTE SÉLECTIVE   Nous choisissons également ce que nous entendons. Pensez à ce qui se produit à un cocktail où il y a foule. Les bruits des nombreuses voix nous bombardent les oreilles. Nous ne les entendons pas toutes et, même s'il nous arrive de penser que nous pouvons en entendre deux ou trois en même temps, les recherches démontrent que nous ne pouvons percevoir qu'un seul message à la fois. Une technique utilisée couramment en laboratoire consiste à placer des écouteurs sur les oreilles d'un sujet et à diriger un message verbal vers une oreille et un autre message verbal vers l'autre oreille. On demande au sujet de répéter (ou de *suivre*) l'un des messages au fur et à mesure qu'il le reçoit. Après quelques minutes, les messages s'arrêtent et on interroge le sujet sur le message qu'il n'avait pas à suivre. Il ne peut en général que dire peu de chose de ce message. Ses remarques se limitent habituellement aux caractéristiques physiques du son qui est parvenu à l'oreille non sollicitée — soit le timbre de la voix, le sexe du narrateur, et ainsi de suite ; le sujet ne peut pratiquement rien dire du contenu du message (Moray, 1969).

Lors d'un vrai cocktail, la tâche est encore plus difficile, puisque plusieurs messages parviennent aux deux oreilles. Cependant, nous sommes habituellement capables de choisir le message que nous voulons suivre ; parmi les indices qui concourent à cette sélection, citons la direction du son, le mouvement des lèvres de celui qui parle et les caractéristiques particulières de sa voix (hauteur tonale, vitesse et intonation). Même en l'absence de tous ces indices, il nous est possible de choisir, avec difficulté, l'un des messages en nous fondant sur le sens de ce qui est dit.

SITE DU PROCESSUS DE SÉLECTION   À quel niveau du système perceptif choisissons-nous les stimuli auxquels nous portons attention et qu'advient-il des stimuli auxquels nous ne portons pas attention ? Au début, on croyait que les stimuli ignorés étaient éliminés complètement par filtration à un niveau inférieur du système perceptif (Broadbent, 1958). Cependant, on dispose maintenant de nombreux faits qui indiquent que notre système perceptif retient pendant une brève période les stimuli auxquels nous n'accordons pas d'attention et les traite dans une certaine mesure, même s'ils ne parviennent jamais jusqu'à la conscience. Le fait qu'un message puisse être choisi ou rejeté sur la base de sa signification indique qu'une bonne mesure de traitement doit précéder la sélection. Votre propre nom, même si on le prononce à voix basse dans une conversation que vous ne suivez pas, suffira souvent à attirer votre attention. Cela ne pourrait arriver si le message entier auquel on ne

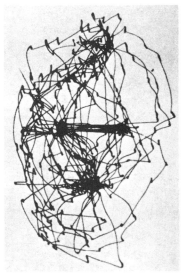

FIGURE 6-22
Mouvements oculaires contribuant à la vision d'une image   *Au-dessous de la photographie de la jeune fille se trouve un enregistrement des mouvements oculaires produits par un sujet qui a examiné cette photographie pendant trois minutes. (D'après Yarbus, 1967)*

Nous portons une attention sélective aux stimuli qui tombent sous nos sens, tout en ayant une certaine conscience des stimuli sur lesquels nous ne dirigeons pas notre attention.

porte pas attention (la conversation d'une autre personne se tenant de l'autre côté de la pièce, par exemple) était perdu aux niveaux inférieurs du système perceptif.

Théories contemporaines

Bon nombre de théories contemporaines de la reconnaissance s'efforcent de rendre compte des effets de contexte et de l'attention sélective, mais aucune d'elle n'a été formulée de façon précise (Lindsay et Norman, 1980 ; Posner, 1982 ; Kahneman et Treisman, 1984). Nous avons choisi de présenter ici une théorie simplifiée regroupant les idées principales de plusieurs théories, bien qu'elle soit tout particulièrement reliée aux propositions de Wickelgren (1979).

D'après cette théorie, la perception consciente et la reconnaissance se produisent quand la réaction d'un neurone spécifique du cerveau atteint un certain niveau d'activation (seuil de reconnaissance). Le neurone reçoit trois sortes d'apports : l'impulsion du stimulus, l'attitude attentive et l'attention sélective (voir la figure 6-23). L'*impulsion du stimulus* dépend de l'intensité du stimulus et de la sensibilité du neurone à l'égard du stimulus. Le neurone est activé s'il est sensible (syntonisé) à ce stimulus et si l'intensité du stimulus dépasse le seuil de reconnaissance du neurone. L'*attitude attentive* consiste dans un apport interne au neurone et dépend du contexte du moment, de nos expectatives et de nos mobiles. Elle donne lieu à une activation ou à une inhibition partielles du neurone. Enfin, l'*attention sélective* est un processus décisionnel par l'intermédiaire duquel les neurones actifs suppriment l'activité d'autres neurones. Nous ignorons comment ce processus se déroule, mais il pourrait, selon une hypothèse vraisemblable, dépendre d'une inhibition mutuelle entre des neurones rivaux. Ceci se trouve indiqué par les lignes horizontales de la figure 6-23. L'inhibition réciproque supprime les effets des neurones moins actifs et accentue l'action des neurones plus actifs jusqu'à ce que certains d'entre eux atteignent le seuil de reconnaissance (Walley et Weiden, 1973).

Il est probable qu'à tous les instants d'éveil, nous avons des attitudes attentionnelles par rapport à certaines perceptions. Ces attitudes dépendent de ce que nous sommes en train de penser et de ce qui est arrivé récemment. Elles activent partiellement les neurones, mais pas assez généralement pour donner de la perception consciente. Quand un stimulus se manifeste, il ajoute aux niveaux d'activation des cellules qui lui sont syntonisées, mais il est possible que, même ensemble, l'attitude attentionnelle et le stimulus d'activation n'engendrent pas suffisamment d'activation pour donner une perception consciente. C'est alors l'attention sélective qui choisirait parmi les neurones actifs et dès lors nous ressentirions le stimulus et serions capables d'y réagir. Notons toutefois que cette théorie, contrairement à celle du pandémonium, ne fait pas appel à un démon qui prend des décisions. C'est le processus attentionnel compétitif qui produit la décision. C'est comme vouloir décider lequel parmi les gamins du quartier est le plus costaud en provoquant une mêlée générale qui ne laisse debout qu'un seul combattant; le recours à un arbitre n'est pas nécessaire. Selon cette théorie, le traitement des stimuli serait parallèle jusqu'à un certain point, mais quand l'attention est requise, le processus deviendrait sériel, parce que l'attention se limite à quelques objets à la fois.

La lecture

La lecture est une habileté cognitive remarquable de même qu'un processus critique grâce auquel les gens apprennent à connaître le monde qui les entoure. Les adultes lisent de 100 à 400 mots à la minute, les collégiens ayant une moyenne de 300 mots à la minute pour les matières qui ne sont pas de nature technique. Nous lisons ces textes beaucoup plus rapidement que nous pouvons le faire dans le cas de lettres ou même de mots distribués au hasard, ce qui montre que le contexte exerce un rôle de facilitation important dans la lecture.

MOUVEMENTS OCULAIRES DURANT LA LECTURE   Nos yeux ne se déplacent pas pour balayer la page de façon continue quand nous lisons; ils bougent plutôt pour donner une série de saccades entrecoupées de fixations. Contrairement à l'impression partagée par beaucoup de personnes, quand nous lisons nos yeux ne parcourent qu'une brève distance d'environ 0,5 à 1,5 mot par saccade. La durée moyenne des fixations est d'environ 250 millisecondes, mais elle varie beaucoup d'une fixation à l'autre. Quand la lisibilité d'un texte augmente, les saccades couvrent des intervalles plus grands et les fixations deviennent moins longues (Rayner, 1978). À l'occasion, les yeux du lecteur reviendront en arrière sur un mot déjà passé, mais les bons lecteurs le font moins que les débutants.

La figure 6-24 présente des données sur les mouvements oculaires tirées d'une expérience de Just et Carpenter (1980). Ils demandèrent à leur sujet de lire une série de passages à contenu scientifique plutôt difficile; la figure donne les temps de fixation d'un de leurs sujets pendant la lecture de deux phrases de l'un de ces fragments de texte. Les expérimentateurs ont combiné les fixations consécutives sur le même mot pour constituer des unités qu'ils ont appelées *regards*, puis ils ont attribué à ces regards un numéro représentant l'ordre de leur production dans chaque phrase. Ils ont aussi calculé la durée de chaque regard et l'ont exprimée en millisecondes.

On remarque, tout d'abord, que ces mots ont presque tous été l'objet de fixations. Les mots qui y ont échappé ont tendance à être de courtes particules représentant une fonction comme « of », « a » et « the ». C'est là le pattern typique que l'on observe quand un lecteur est en présence d'un nouveau texte assez difficile à comprendre. On note également la variation de la durée d'un regard d'un mot à l'autre. Le mot « flywheel », par exemple, est fixé pendant plus d'une seconde les deux fois où il se présente; aucun autre mot n'a été examiné si longuement. Les regards sont plus longs dans le cas des mots qui ne sont pas familiers au lecteur ou qui ont une importance thématique spéciale. Les fixations en fin de phrase ont également tendance à être longues, ce qui permet de supposer que le lecteur prend le temps d'assimiler l'information contenue dans l'ensemble de la phrase.

EFFETS DU CONTEXTE DANS LA LECTURE   Il y a trois sortes d'effets de contexte qui facilitent la lecture normale. Notre connaissance des mots et de la façon de les épeler accélère l'identification des lettres à l'intérieur du contexte des mots. Quand nous fixons notre regard sur « c — l », par exemple, nous nous attendons à voir une voyelle au centre. De même, notre familiarité avec les règles de grammaire nous aide à identifier les mots dans les phrases. En outre, nos connaissances sur le monde et sur le thème du texte aident davantage à l'identification des mots. Le nombre des mots qui peuvent se présenter à chacune des positions dans le texte est limité à la fois par la grammaire et par le sens.

Combien d'information pouvons-nous retirer du texte en une seule fixation? Pour le découvrir, il suffit de permettre au lecteur de ne voir qu'une

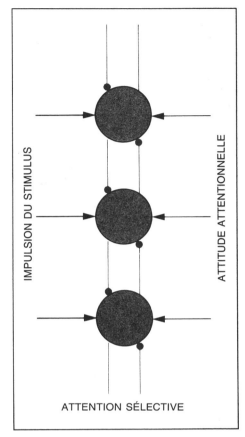

IMPULSION DU STIMULUS

ATTITUDE ATTENTIONNELLE

ATTENTION SÉLECTIVE

FIGURE 6-23
Une théorie contemporaine de la reconnaissance *Les trois cercles représentent trois des milliers de neurones du système perceptif. Chaque neurone, s'il est suffisamment activé, donne naissance à une perception particulière. Trois types d'apports à chacun de ces neurones déterminent son niveau d'activation à un moment donné. Ces apports sont désignés par des lignes qui se terminent soit par des pointes de flèche (influences excitatrices), soit par des cercles pleins (influences inhibitrices). Ces trois types d'apports sont l'*impulsion du stimulus, *qui dépend de la sensibilité du neurone et de la sensibilité de stimulus; l'*attitude attentionnelle, *qui dépend du contexte du moment, des attentes et des buts; et l'*attention sélective, *une action inhibitrice provenant d'autres neurones actifs (représentée par les lignes verticales de ce schéma). L'impulsion du stimulus et l'attitude attentionnelle peuvent avoir une action excitatrice ou inhibitrice, même si, pour éviter de surcharger ce diagramme, nous n'avons représenté que les seuls apports excitateurs. Quand un neurone parvient à une activation du niveau du seuil, la perception associée à son activité se produit.*

FIGURE 6-24
Fixations des yeux pendant la lecture *Nombre de fixations des yeux d'un collégien pendant la lecture d'un texte scientifique. On désigne du nom de « regard » le temps total consacré par une personne à la fixation d'un mot ou d'un groupe de mots. Le nombre de « regards » contenus dans chacune des phrases est indiqué dans l'ordre, au-dessus des mots qui ont été fixés et les durées en millisecondes se trouvent au-dessous du nombre ordinal. Remarquez qu'il n'y a qu'un retour en arrière — de la fixation 4 à 5 dans la seconde phrase. (D'après Just et Carpenter, 1980)*

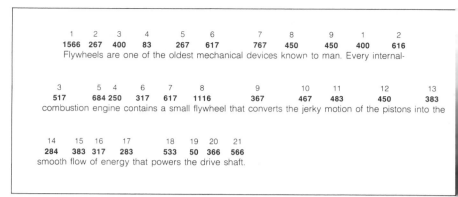

1	2	3	4	5	6	7	8	9	1	2
1566	267	400	83	267	617	767	450	450	400	616

Flywheels are one of the oldest mechanical devices known to man. Every internal-

3	5	4	6	7	8	9	10	11	12	13
517	684	250	317	617	1116	367	467	483	450	383

combustion engine contains a small flywheel that converts the jerky motion of the pistons into the

14	15	16	17	18	19	20	21
284	383	317	283	533	50	366	566

smooth flow of energy that powers the drive shaft.

petite région autour du point de fixation et de déterminer ensuite dans quelle mesure la grandeur de cette région affecte le rendement du lecteur. Utilisant un affichage informatique commandé par les mouvements oculaires du lecteur, des chercheurs ont masqué tout le texte sauf une petite région entourant le point de fixation. Lorsque les lecteurs en furent réduits à ne voir qu'une ou deux lettres autour du point de fixation, leur vitesse de lecture a ralenti et ils ont fait des erreurs. Leur rendement s'est amélioré en fonction de la quantité de texte qu'on leur permit de voir, mais ils ne reprirent la vitesse de lecture normale que lorsque la fenêtre de présentation afficha environ quatre mots à la fois (Rayner et coll., 1981). Ceci ne veut pas dire que nous lisons quatre mots dans une fixation. Les mots avoisinants sont trop embrouillés pour qu'on puisse les identifier, mais apparamment cette vision embrouillée a une sorte d'effet facilitateur, ne fût-ce que pour orienter les fixations suivantes.

LECTURE ACCÉLÉRÉE Plusieurs programmes d'accélération de la lecture prétendent améliorer à la fois la vitesse de lecture et la compréhension de ce qui est lu. Les cours se proposent d'entraîner le lecteur à faire moins de fixations oculaires et à englober plusieurs mots ou même une phrase complète à chaque fixation. Certains des adeptes de cette méthode vont même jusqu'à dire qu'on peut enregistrer toute une ligne de texte imprimé dans une seule fixation et, par conséquent, lire directement de haut en bas d'une page plutôt que chaque ligne de gauche à droite. On suggère aux étudiants, qui pratiquent cette méthode, d'imaginer une ligne verticale au centre de la page et de déplacer leurs yeux le long de cette ligne imaginaire en enregistrant une ligne d'imprimé à chaque fixation. L'instructeur peut leur suggérer de placer le bout d'un doigt au centre de la page et de le descendre lentement pour guider la lecture.

Un exercice d'entraînement que l'on retrouve communément dans les cours de lecture rapide consiste à projeter sur un écran de courtes phrases durant une période très brève (un quart de seconde ou moins). L'étudiant essaie de capter la phrase et de la lire à voix haute. Quand les phrases sont espacées par des intervalles suffisamment longs, l'étudiant peut apprendre avec la pratique à percevoir une phrase de quatre mots ou plus; par contre, si les intervalles sont trop courts, chaque nouvelle phrase masquera la précédente. Cet exercice ressemble fort peu à la lecture normale au cours de laquelle les yeux se déplacent rapidement d'un point de fixation à l'autre.

Les déclarations n'ont pas manqué sur les prétendus avantages des cours de lecture rapide — comme l'amélioration de la vitesse de lecture et de la compréhension — mais ces affirmations ont tendance à ne pas tenir le coup lorsqu'on les met à l'épreuve dans des conditions soigneusement contrôlées (Carver, 1981). Néanmoins, les gens qui ont suivi ces cours sont souvent convaincus que leurs capacités de lecture se sont améliorées substantiellement, et ils n'ont pas tout à fait tort. Ce qu'ils ont appris, c'est l'*art de lire en diagonale*, qui leur permet de choisir les mots-clés et les idées principales et de glaner ainsi beaucoup d'information sur le texte parcouru. Certains ouvrages contiennent tellement peu d'information nouvelle que la lecture en diagonale convient parfaitement. Par contre, si le texte présente une matière nouvelle et ardue, on ne peut en saisir toute la portée par une simple lecture

rapide, car le lecteur doit fixer presque tous les mots pour bien comprendre ce qui est écrit.

Ces constatations ne signifient pas qu'il n'existe pas de moyens d'améliorer les capacités de lecture. Au contraire, nous savons tous que plus une personne lit, plus ses aptitudes à la lecture s'améliorent. C'est tout particulièrement vrai pour les enfants plus jeunes. Toutefois, les efforts pour arriver à lire plus vite ne mènent pas à une amélioration des capacités de lecture.

L'art de la lecture en diagonale est un atout précieux et les cours seraient plus efficaces s'ils étaient spécifiquement faits pour enseigner la lecture en diagonale plutôt que la lecture rapide. Même dans le cas d'une matière difficile, la lecture en diagonale peut être utile. Par exemple, avant de lire un chapitre dans un manuel, il est avantageux de lire la matière en diagonale et de l'« écrémer », afin d'identifier les principaux thèmes et de se faire une impression générale du chapitre. L'information assimilée au cours de la lecture en diagonale aide à créer un cadre, un contexte, à l'intérieur duquel le lecteur peut parcourir la matière plus attentivement. La lecture en diagonale peut aussi aider les lecteurs à choisir les passages qui méritent une lecture en détail (voir l'Annexe 1). Encore une fois, pour plus de détails sur la façon de reconnaître les lettres et les mots, consultez l'analyse critique « Effets de contexte dans la reconnaissance des lettres » (p. 218).

« Vous avez le choix entre trois cours. Vous pouvez soit augmenter un peu votre vitesse et garder une bonne compréhension, soit augmenter considérablement votre vitesse et réduire la compréhension, soit augmenter énormément votre vitesse et éliminer toute compréhension. »

DÉVELOPPEMENT DE LA PERCEPTION

L'un des plus anciens débats sur la perception concerne la question de savoir si nos capacités de perception sont acquises ou innées — la fameuse controverse hérédité-milieu. Son étude remonte aux philosophes des XVIIe et XVIIIe siècles. Le groupe des *nativistes* (parmi lesquels Descartes et Kant) prétendait qu'à la naissance, nous disposons d'une capacité de perception complète. Les *empiristes* (dont Berkeley et Locke) soutenaient, au contraire, que nous apprenons comment percevoir grâce à notre expérience avec les objets du monde qui nous entoure. Les psychologues contemporains croient qu'il est possible d'arriver à une intégration fructueuse de ces deux points de vue. Personne aujourd'hui ne met vraiment en doute le fait que l'entraînement et l'expérience influencent la perception. La question est plutôt de savoir dans quelle mesure la capacité perceptive est innée et dans quelle mesure elle est acquise en fonction de l'expérience.

Pour le chercheur moderne, la question « Nous faut-il apprendre à percevoir? » a cédé la place à des interrogations plus spécifiques: 1) Quelles sont les capacités de discrimination des nouveau-nés et comment celles-ci changent-elles avec l'âge dans des conditions d'éducation normale? 2) Quelles conséquences peut avoir sur la capacité de discrimination des animaux le fait de les élever dans des conditions de stimulation contrôlée? 3) Quels effets l'élevage dans des conditions de stimulation contrôlée peut-il avoir sur la coordination perceptivo-motrice?

La discrimination chez le nouveau-né

Il nous est difficile de savoir ce qu'un nouveau-né perçoit, puisqu'il ne peut ni parler ni se conformer à des directives et que son répertoire de comportements est assez limité. Pour étudier la perception du nouveau-né, le chercheur doit découvrir une forme de comportement à travers lequel un nouveau-né se trouverait à indiquer ce qu'il est capable de distinguer. Le comportement auquel on a le plus souvent recours à ces fins est la tendance du nouveau-né à regarder certains objets plus que d'autres; les psychologues exploitent cette tendance en utilisant la *méthode du regard préférentiel* (voir la figure 6-27). C'est une méthode très simple. On présente au nouveau-né deux stimuli côte-à-côte. L'expérimentateur, dont la présence est dissimulée à l'enfant, observe à travers un écran placé derrière les stimuli et, en surveil-

ANALYSE CRITIQUE

Effets de contexte dans la reconnaissance des lettres

Si on nous présente, dans un flash de quelques millisecondes, un tableau contenant des lettres placées au hasard, nous ne pouvons en identifier que quatre ou cinq. Pourtant, nous sommes capables d'identifier, dans les mêmes conditions, un mot qui contiendrait beaucoup plus de lettres. Comment expliquer ce phénomène? Nous allons considérer trois hypothèses. Certains psychologues sont d'avis que nous percevons toujours quatre ou cinq lettres d'un mot, mais que notre connaissance du vocabulaire et des règles d'épellation nous permet de *deviner* les autres lettres. Autrement dit, le contexte fourni par le mot influence notre décision relative à ce que nous rapportons, sans influencer ce que nous voyons. Une autre hypothèse voudrait que la limite de quatre ou cinq lettres s'applique à la mémoire, mais non à la perception. Nous pouvons percevoir beaucoup plus que quatre lettres, mais si elles sont présentées dans un ordre aléatoire, nous ne sommes capables de *nous souvenir* que de quatre ou cinq d'entre elles. Quand ces lettres forment un mot cependant, nous nous le rappelons spontanément, car il est plus facile de se souvenir d'un mot que de plusieurs lettres. Enfin, d'autres psychologues posent comme hypothèse que c'est vraiment le contexte du mot qui nous aiderait à mieux *percevoir* les lettres individuelles. Ils veulent dire par là que si l'expérience était menée de manière à éliminer la mémoire et le recours aux conjectures, les lettres du mot seraient quand même reconnues plus vite et plus correctement que des lettres qui ne bénéficieraient pas de ce contexte.

Reicher (1969) a conçu une expérience dans le but précis de déterminer laquelle de ces trois hypothèses devait être retenue. Il a présenté, en un bref flash sur un écran, soit un mot de quatre lettres, soit un groupe de quatre lettres dans un ordre aléatoire. Ensuite, le sujet voyait un champ de masquage là où le groupe de lettres se trouvait; apparaissait alors, au-dessus du champ de masquage, deux lettres-test indiquant la position-cible dans le groupe de lettres (voir la figure 6-25). L'une des deux lettres-test était identique à la lettre qui occupait cette position dans

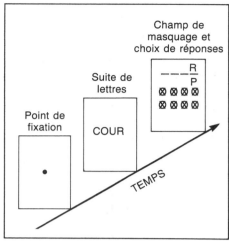

FIGURE 6-25
Expérience de Reicher *Ce schéma donne l'ordre de présentation des stimuli au cours d'un essai dans l'expérience de Reicher. D'abord, les sujets dirigeaient leur regard sur un point de fixation, puis on présentait durant quelques millisecondes seulement, un mot ou une série de quatre lettres dans un ordre aléatoire. Ensuite Reicher présentait un stimulus qui contenait un masque visuel aux positions où les lettres avaient été présentées et deux réponses formant une alternative, qui étaient placées soit directement au-dessus, soit directement au-dessous de la position de la lettre critique dans le mot ou dans la série de lettres. (D'après Reicher, 1969)*

le groupe de quatre lettres déjà présenté au sujet. La tâche du sujet consistait à dire laquelle de ces deux lettres occupait la même position dans le groupe.

La tâche paraît facile, mais on l'a rendue difficile en présentant le groupe de lettres durant une très brève période, suivie de la présentation du champ de masquage, ce qui éliminait l'image consécutive. Quand le groupe de lettres formait un mot, *les deux* lettres-test formaient un mot par combinaison avec les trois autres lettres. Par exemple, si le

lant les yeux du bébé, il compte le temps que celui-ci consacre à regarder chacun des stimuli. De temps à autre, les positions du stimulus sont changées au hasard. Lorsqu'un nouveau-né regarde constamment l'un des stimuli plus que l'autre, nous en déduisons qu'il est capable de les distinguer (qu'il fait la discrimination). La méthode ne serait pas valable si les nouveau-nés ne regardaient pas certaines choses plus que les autres; elle indique donc qu'ils ont effectivement des préférences de regard bien marquées. Par exemple, si on leur donne à choisir, les nouveau-nés regardent une configuration de stimuli plutôt qu'un champ visuel vide (Fantz, Ordy et Udelf, 1962).

groupe de lettres était COUR, les deux lettres-test pour la quatrième position pouvaient être « R » et « P »; ainsi, le fait de connaître l'épellation du mot ne pouvait pas aider à le deviner. De même, la mémoire ne devait pas favoriser les mots par rapport aux lettres qui ne forment pas des mots dans cette expérience, puisque le stimulus ne contenait que quatre lettres et était suivi des deux lettres parmi lesquelles le sujet devait faire un choix. En outre, pour la moitié des essais, le sujet connaissait même à l'avance la position-cible et les deux lettres-test. Ainsi, en tenant compte de l'hypothèse du sujet qui devine et de l'hypothèse de la mémoire, cette expérience devait permettre que les lettres soient vues aussi facilement quand le stimulus formait un mot que lorsqu'il n'en formait pas. Dans les faits toutefois, les résultats ont montré que les lettres étaient perçues beaucoup plus facilement quand elles formaient un mot; le nombre d'erreurs relatives aux lettres des mots ne représentait qu'environ la moitié de celles des lettres présentées dans un ordre aléatoire. Reicher a également montré qu'une lettre dans un mot était mieux identifiée qu'une lettre isolée, sans aucun contexte. Beaucoup d'autres chercheurs ont obtenu les mêmes résultats. Des trois hypothèses présentées ici, seule l'hypothèse voulant que le contexte d'un mot facilite la perception des lettres individuelles convient à ces résultats.

McClelland et Rumelhart (1981) ont proposé un modèle d'effets de contexte dans la perception conçu expressément pour rendre compte de l'influence d'un contexte de mot sur la reconnaissance des lettres. Selon ce modèle, il y aurait dans le système perceptif une hiérarchie de détecteurs. Plus précisément, des détecteurs de caractéristiques activeraient des détecteurs de lettres qui, à leur tour, activeraient des détecteurs de mots (voir la figure 6-26). La propriété essentielle du modèle repose sur son caractère d'interaction : dès que les détecteurs de mots entrent en activité, ils produisent une rétroaction qui active les détecteurs de lettres se rapportant aux lettres du mot, tout en inhibant les détecteurs des lettres qui ne font pas partie du mot. Lorsqu'un

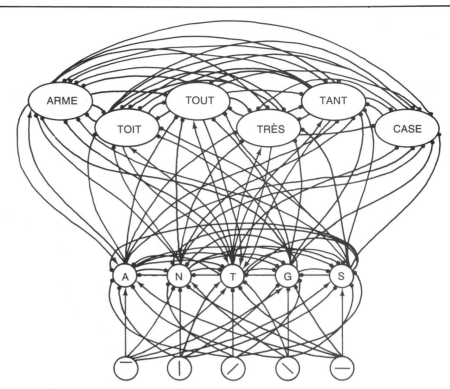

FIGURE 6-26
Modèle d'activation réciproque *Modèle servant à l'identification des lettres dans un contexte de mots. Les deux séries de cercles sont des détecteurs de caractéristiques et de lettres; les ellipses, des détecteurs de mots. Les flèches correspondent à des impulsions excitatrices; les cercles pleins, à des impulsions inhibitrices. Les détecteurs excitent d'autres détecteurs avec lesquels ils sont compatibles et inhibent des détecteurs avec lesquels ils ne sont pas compatibles. Ce dessin ne présente qu'une petite partie du réseau perceptif hiérarchique. (D'après McClelland et Rumelhart, 1981)*

mot se présente, certains des détecteurs de lettres activent les détecteurs de mots qui, à leur tour, ont une action rétroactive qui contribue à l'activation des détecteurs de lettres se rapportant à *toutes* les lettres de ce mot. C'est sur cette base que reposerait l'effet de contexte d'un mot. Les auteurs appellent leur théorie *modèle d'activation réciproque.* Ils ont fait une simulation de ce modèle sur un ordinateur et ont montré qu'il pouvait rendre compte de plusieurs phénomènes propres

à la détection des lettres. La figure 6-26 paraît très compliquée et pourtant elle ne représente qu'une petite partie du modèle, lequel ne correspond qu'à une faible portion du système perceptif. Il est certain que l'ensemble du système est encore plus complexe. Cependant, les éléments qui composent ce modèle sont très simples. Ils consistent dans des détecteurs réunis par deux types de liens seulement : excitateur et inhibiteur.

Les psychologues ont également eu recours aux *potentiels évoqués visuels* pour étudier la perception des nouveau-nés. L'expérimentateur qui veut enregistrer des potentiels évoqués place des électrodes à l'arrière de la tête du bébé, au-dessus du cortex visuel; les électrodes ne gênent pas l'enfant et il s'y adapte rapidement. Si on présente au nouveau-né un stimulus fait de larges bandes parallèles, les électrodes captent une réaction électrique (le potentiel évoqué); lorsque les bandes sont très étroites, la réaction disparaît. Les psychologues croient que la réaction dépend étroitement d'une bonne vision des bandes.

FIGURE 6-27
Appareil servant à l'étude du regard préférentiel   *On utilise cette « chambre de visionnement » pour étudier le regard préférentiel chez le nouveau-né. Un bébé est couché dans un lit d'enfant et regarde des images et des objets au plafond. L'examineur l'observe par une fenêtre dérobée et enregistre son comportement oculaire. (D'après Fantz, 1961)*

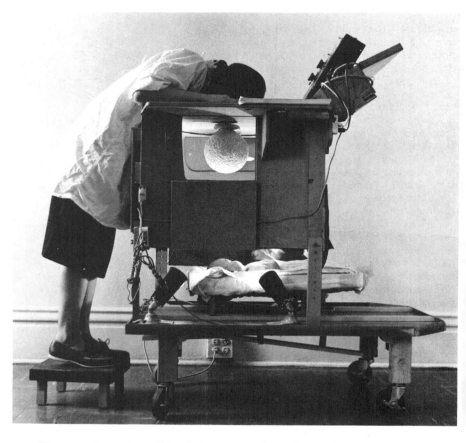

Un grand nombre d'études ont porté sur l'acuité et la sensibilité aux contrastes chez le nouveau-né; la méthode employée habituellement était celle du regard préférentiel avec utilisation d'une configuration de bandes pour l'un des stimuli et un champ visuel gris uniforme pour l'autre. Le chercheur fait diminuer la largeur des bandes jusqu'à ce que le nouveau-né ne manifeste plus de préférence. Quand on les examine pour la première fois à l'âge approximatif de 1 mois, les nouveau-nés sont capables de voir des configurations, mais leur acuité est très mauvaise. L'acuité s'améliore rapidement au cours des six premiers mois, puis elle augmente plus lentement pour atteindre les mêmes niveaux qu'à l'âge adulte entre l'âge de 1 à 5 ans (Teller, Morse, Borton et Regal, 1974; Pirchio, Spinelli, Fiorentini et Maffei, 1978). Des chercheurs ont eu recours à la même méthode pour étudier la sensibilité aux contrastes, en utilisant comme stimuli des grilles à ondes sinusoïdales (voir au chapitre 5, p. 175). La sensibilité aux contrastes des nouveau-nés est meilleure aux basses fréquences spatiales qu'elle ne l'est aux fréquences élevées, mais elle est moins bonne que la sensibilité des adultes à toutes les fréquences. Comme l'acuité, la sensibilité aux contrastes augmente rapidement au cours des six premiers mois de la vie (Banks, 1982). Les études des potentiels évoqués visuels donnent des résultats comparables. On ne comprend pas très bien sur quoi reposerait cette évolution de la vision des configurations, mais les chercheurs savent toutefois que les propriétés optiques de l'oeil, de la rétine et du cortex continuent de se développer durant cette période.

Des nouveau-nés de 2 mois à peine sont capables de distinguer les lumières colorées des lumières blanches (Teller, Peeples et Sekel, 1978), mais il est possible qu'ils ne possèdent pas une vision trichromatique des couleurs pleinement développée. Lorsqu'ils sont âgés entre 3 1/2 et 6 mois, les bébés sont capables de percevoir la profondeur grâce aux indices de disparité binoculaire (Fox, Aslin, Shea et Dumais, 1980). À 5 1/2 mois, mais pas avant, l'enfant va tendre la main vers l'objet que les indices monoculaires de grandeur relative désignent comme le plus rapproché (Yonas, Pettersen et Granrud,

1982). Le record d'application de tests en bas âge revient sans doute au psychologue qui a démontré qu'une minute après la naissance, les bébés regardent en direction de la source d'un son (Wertheimer, 1961).

En résumé, même en très bas âge, les enfants soumis à des tests ont tous manifesté une capacité de discrimination considérable, mais cette capacité se situe bien au-dessous des niveaux atteints par les adultes. L'habileté discriminative se développe rapidement et, dans le cas de l'acuité du moins, elle se rapproche des niveaux propres à l'adulte dès l'âge de 1 an.

Les habiletés perceptives qui exigent une intégration des caractéristiques du stimulus semblent prendre beaucoup plus de temps à évoluer. Même s'il y a un certain degré de constance de la grandeur durant la tendre enfance, il n'en demeure pas moins que des enfants de 8 ans, par exemple, manifestent moins de constance que les adultes (Zeigler et Leibowitz, 1957). Nous n'avons aucun moyen de savoir ce qu'un nouveau-né ressent, mais bon nombre de chercheurs se sont montrés impressionnés par le fait que les réponses naturelles des nouveau-nés devant les stimuli ressemblent souvent à celles des adultes. Ils se retournent en direction des sons, se défendent quand un objet vole vers eux et ne se laissent pas choir au bas de plateformes surélevées (voir la figure 6-28). Ces comportements ont un caractère fortement adaptatif; en d'autres mots, il se pourrait qu'ils résultent de l'évolution étant donné leur utilité pour la préservation de la vie des gens. La ressemblance entre les réactions des nouveau-nés et des adultes devant les mêmes stimuli permet de supposer que ces stimuli pourraient susciter des expériences semblables chez le nouveau-né et chez l'adulte (Bower, 1982).

Élevage sans stimulation

Les premières expériences de stimulation contrôlée consistaient à garder des animaux dans l'obscurité durant plusieurs mois après leur naissance, jusqu'à ce qu'ils aient atteint une maturité suffisante pour qu'on les soumette à des tests visuels. Ces expériences se fondaient sur la théorie selon laquelle si les animaux doivent *apprendre* à voir, ils devraient être incapables de le faire la première fois qu'ils seraient exposés à la lumière. Les résultats vinrent confirmer cette hypothèse : des chimpanzés élevés dans l'obscurité durant leur 16 premiers mois étaient capables de déceler la lumière, mais incapables de distinguer les configurations (Riesen, 1947). Des études subséquentes ont montré, toutefois, que l'élevage dans l'obscurité fait plus qu'empêcher l'apprentissage; il entraîne une détérioration neuronale dans diverses parties du système visuel. Apparemment, une certaine quantité de stimulation lumineuse est indispensable au maintien du système visuel. En l'absence de toute stimulation lumineuse, les cellules nerveuses de la rétine et du cortex visuel commencent à s'atrophier. Ce phénomène est intéressant en soi, mais il nous en dit peu sur le rôle de l'apprentissage dans le développement de la perception.

L'enregistrement à partir de cellules isolées du cortex visuel chez les chats et les singes naissants montre qu'ils sont pourvus de cellules simples, complexes et hypercomplexes, très semblables à celles des animaux adultes (p. 162) (Hubel et Wiesel, 1963; Wiesel et Hubel, 1974). La plupart des cellules du cortex visuel de l'animal naissant réagissent à la stimulation de l'un ou l'autre des yeux, tout comme le font celles des adultes. Les cellules de ces animaux naissants réagissent cependant plus lentement et sont moins finement syntonisées que les cellules adultes. Chez le chaton, par exemple, les cellules finissent par réagir comme celles des adultes après 4 à 6 semaines.

Quand on les fait entrer dans une pièce illuminée, les animaux élevés dans l'obscurité agissent comme s'ils étaient presque aveugles et plusieurs de leurs cellules corticales ne donnent aucune réaction. Chez des animaux élevés avec un œil recouvert, il y a peu ou pas de cellules dans le cortex visuel qui répondent aux stimulations parvenant à cet œil, et l'animal est essentiellement aveugle de cet œil. Quand l'animal a été privé de stimulation visuelle depuis la naissance, le déficit est proportionnel à la durée de la

FIGURE 6-28
Falaise visuelle *La «falaise visuelle» est un appareil qu'on utilise pour démontrer que les jeunes enfants sont capables de percevoir la profondeur dès qu'ils sont devenus capables de se déplacer. La falaise visuelle est faite de deux surfaces présentant les mêmes motifs de damier et recouvertes d'un épais panneau de verre. L'une des surfaces se trouve directement sous le verre; l'autre se trouve plusieurs décimètres plus bas. Lorsqu'on le place au centre du panneau, entre les côtés très profond et peu profond, le jeune bébé refuse de traverser du côté profond, mais s'aventure volontiers du côté peu profond. (D'après Gibson et Walk, 1960)*

FIGURE 6-29
Environnement visuel contrôlé
Dans l'une des expériences, on a gardé des chatons dans l'obscurité de la naissance jusqu'à l'âge de 2 semaines. On les a ensuite placés dans ce tuyau 5 heures par jour, les laissant dans l'obscurité le reste du temps. Le chaton se trouve sur une plateforme de plexiglas transparente et le tuyau strié s'étend au-dessus et au-dessous de cette plateforme. Il porte une collerette qui lui cache la vue de son propre corps et l'empêche de tourner la tête. Cette situation n'a pas semblé causer de détresse chez l'animal. Après 5 mois de ce régime, les chatons étaient capables de voir très bien les stries verticales mais étaient essentiellement aveugles aux stries horizontales. En outre, l'enregistrement à partir de cellules isolées a révélé qu'il y avait peu de cellules dans les cortex qui réagissaient aux stries horizontales. (D'après Blakemore et Cooper, 1970)

privation. On peut, par contre, laisser l'un des yeux d'un chat adulte recouvert pendant de longues périodes sans qu'il y ait perte de vision dans cet œil. Ces observations amènent à supposer qu'il existe, au début de la vie, une *période critique* pour le développement de la vision et que l'absence de stimulation durant cette période critique endommagerait le système visuel.

Élevage dans des conditions de stimulation contrôlée

Une autre série de recherches a porté sur les effets de l'élevage des animaux par stimulation sélective des deux yeux. Des chatons élevés dans un environnement où ils ne pouvaient voir que des stries verticales ou que des stries horizontales (voir la figure 6-29) deviennent aveugles aux stries orientées dans le sens qu'ils ne connaissent pas et très peu de leurs cellules sont syntonisées à une telle orientation (Blakemore et Cooper, 1970; Hirsch et Spinelli, 1970). Qu'arrive-t-il aux cellules qui ne sont pas stimulées? Est-ce qu'elles dégénèrent ou est-ce que leurs connexions sont modifiées pour leur permettre de réagir aux stimuli disponibles? Si une dégénérescence se produisait, il devrait y avoir des aires du cortex visuel qui ne réagissent pas. Or, à cet égard, les preuves sont ambiguës, mais elles semblent favoriser l'hypothèse de la dégénérescence (Movshon et Van Sluyters, 1981).

Les chercheurs ne peuvent pas à des fins de recherche, priver les êtres humains de stimulation visuelle normale; il arrive cependant qu'une telle situation se produise naturellement ou à la suite d'un traitement médical. Après une chirurgie de l'œil, on couvre habituellement l'œil opéré. Quand cette intervention s'adresse à un enfant durant sa première année, l'acuité de l'œil qui a été couvert se trouve réduite (Awaya et coll., 1973). Dans les cas où les deux yeux d'un individu ne sont pas orientés dans la même direction au début de la vie (un état appelé *strabisme*), la perception binoculaire de la profondeur ne se développera pas, même si on corrige le strabisme par une chirurgie. De même, si l'*astigmatisme* (une défectuosité optique qui empêche les contours horizontaux et verticaux d'être au foyer au même moment) n'est pas corrigé tôt dans la vie, l'individu aura plus tard une mauvaise acuité visuelle dans l'une de ces orientations (Mitchell et Wilkinson, 1974). Ces faits indiquent qu'il y aurait, tôt dans le développement du système visuel de l'être humain, une période critique semblable à celle des animaux; si la stimulation se trouve réduite durant cette période, le système ne se développera pas normalement. La période critique de l'être humain est beaucoup plus longue que celle des animaux; elle peut durer jusqu'à 8 ans, mais la plus grande vulnérabilité se situe durant les deux premières années de l'existence (Aslin et Banks, 1978).

Aucun de ces faits n'indique que nous avons besoin d'apprendre à percevoir; ils montrent cependant que la stimulation est essentielle au *maintien* et à l'*épanouissement* de la capacité de perception présente à la naissance. L'apprentissage semble jouer un rôle dans le développement des capacités qui exigent une intégration perceptive; il constitue un élément indispensable à notre capacité de reconnaître les choses et à l'explication des effets du contexte et de l'expectative.

Coordination perceptivo-motrice

Malgré la possibilité que nous n'ayons pas besoin d'apprentissage pour percevoir, certaines données indiquent qu'il nous faut apprendre à coordonner les réponses motrices en fonction de la perception. Ces faits résultent d'expérimentations au cours desquelles des sujets reçoivent une stimulation normale, mais sont empêchés de répondre normalement à cette stimulation. Dans de telles conditions, il ne s'établit pas de coordination perceptivo-motrice.

On a, par exemple, élevé des chatons dans l'obscurité jusqu'à ce qu'ils aient 4 semaines. On les a ensuite placés, 6 heures par jour, dans un environnement éclairé où il y avait diverses configurations et où ils étaient libres de se promener. Dans cette situation toutefois, ils devaient porter une collerette légère qui les empêchait de voir leur corps et leurs pattes (voir figure

6-30). Ils étaient gardés dans une pièce obscure, sauf durant cette période quotidienne de 6 heures. Le test auquel on les soumettait consistait à les déposer graduellement (en retenant l'une de leurs pattes avant et en laissant l'autre libre) vers une table à languettes horizontales. Le chercheur voulait savoir si le chaton étendrait la patte en la dirigeant vers une languette. C'est une réaction qu'un chaton élevé normalement manifeste de façon régulière. C'est ainsi que tous les chats de cette expérience ont étendu leur patte libre dès qu'on les approchait de la table, indiquant par là qu'ils étaient capables de voir que la table était à leur portée. Toutefois, les chatons ont raté la languette 50 % des fois, démontrant ainsi qu'ils n'avaient pas appris à orienter leurs membres vers une cible visuelle. Heureusement, après quelques heures sans collerette dans une chambre à illumination normale, les chatons ont appris cette réponse de placement de la patte (Hein et Held, 1967).

On ne soumet pas les êtres humains à ce type d'élevage dans des conditions restrictives, mais des adultes se sont portés volontaires pour des expériences dans lesquelles ils portaient des lunettes à prismes qui transforment les directions des objets. Dès qu'elle chausse de telles lunettes, une personne éprouve de la difficulté à atteindre les objets et se heurte souvent aux meubles. Toutefois, si l'individu en cause se déplace et essaie d'exécuter des tâches motrices en portant ces verres, il apprend à se comporter de façon adaptative. Par contre, une personne qu'on pousse en fauteuil roulant ne s'adapte pas. Apparemment, l'adaptation aux prismes exige un mouvement autonome (Held, 1965). Ces faits suggèrent non seulement que l'apprentissage serait indispensable à la coordination perceptivo-motrice, mais que cet apprentissage devrait aussi faire intervenir un mouvement autonome en réponse à la stimulation.

La perception est-elle innée ou acquise? La réponse évidente à cette question est: un peu des deux. Les faits démontrent que nous naissons avec une capacité perceptive considérable que l'apprentissage façonne et développe ensuite. Une façon de concevoir ce rôle conjoint de l'hérédité et de l'environnement est de considérer que les niveaux inférieurs de la perception seraient intacts à la naissance et que des niveaux supérieurs se formeraient à la suite de l'apprentissage.

PERCEPTION EXTRASENSORIELLE

Nous est-il possible d'acquérir de l'information sur le monde par des moyens qui ne feraient pas intervenir la stimulation des organes sensoriels? La réponse à cette question a été source de controverses chez les psychologues quant au statut de la *perception extrasensorielle* (traduction de l'expression anglaise originale: « extrasensory perception », ESP). Même s'il se trouve des psychologues qui croient que l'ESP s'appuie sur des faits irréfutables, la plupart demeurent sceptiques.

On reconnaît trois sortes d'ESP, et l'ESP elle-même appartient à une catégorie plus vaste de *phénomènes parapsychologiques*. On peut décrire ces phénomènes de la façon suivante.

1. Perception extrasensorielle (ESP):
   a) Télépathie, ou transmission de la pensée d'une personne à une autre.
   b) Clairvoyance, ou la perception d'objets ou d'événements en l'absence de stimulus perceptible par les sens connus (par exemple, donner le chiffre et la couleur d'une carte à jouer qui se trouve sous enveloppe scellée).
   c) Préconnaissance, ou la perception d'un événement futur.
2. Psychokinésie (PK), ou la manipulation d'objets au moyen d'un acte mental volontaire, sans l'intervention d'aucune force physique connue (par exemple, faire apparaître par la seule volonté un chiffre donné en lançant les dés).

Expériences d'ESP

Malgré le fait que les phénomènes parapsychologiques sont associés à de nombreuses religions, la plupart de ceux qui s'y intéressent se présentent

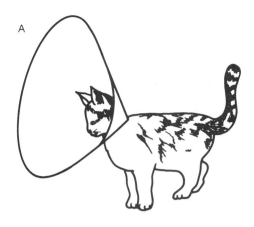

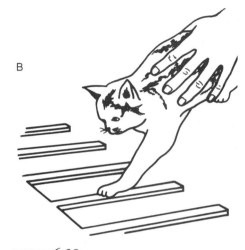

FIGURE 6-30
Apprentissage de la coordination perceptivo-motrice *A — Chaton muni d'une collerette qui l'empêche de voir ses pattes et son torse. La collerette est légère et affecte peu la locomotion. On permettait aux chatons de se déplacer librement 6 heures par jour tout en portant cette collerette, dans un environnement éclairé comportant des configurations diverses. Le reste du temps, on les gardait sans collerette dans une pièce obscure. B — Appareil servant au test du placement de la patte par orientation visuelle. Les languettes sont de 2,5 cm de largeur et distancées de 7,5 cm. Durant le test, on soutenait le torse, les membres arrière et l'une des pattes avant de l'animal, comme le montre le dessin. Le chaton était abaissé en direction des languettes. On donnait une note au chaton en fonction du fait que sa patte libre se posait ou ne se posait pas sur une des languettes. (D'après Hein et Held, 1967)*

comme des hommes de science qui appliquent les règles scientifiques usuelles. Et pourtant, les phénomènes auxquels ils s'intéressent sont si extraordinaires et s'apparentent tellement à ce que l'on considère généralement comme de la superstition, que plusieurs hommes de science refusent même de considérer leurs recherches comme légitimes. De tels jugements a priori n'ont pas leur place en science ; la vraie question est de savoir si les faits empiriques en cause sont acceptables selon les normes scientifiques. Sans se dire convaincus pour autant, plusieurs psychologues sont néanmoins prêts à accepter les faits qu'ils trouvent satisfaisants. La possibilité, par exemple, qu'il s'exerce une sorte d'influence d'un cerveau à un autre, autrement que par l'intermédiaire des organes sensoriels, ne serait pas inconcevable dans le cadre actuel de la science. Certains autres phénomènes, comme la préconnaissance, sont plus difficiles à accepter ; pourtant si les expériences étaient convaincantes, les croyances devraient céder la place aux faits.

La plupart des premières recherches sur l'ESP sont l'œuvre de Rhine (1942), qui utilisait un procédé consistant à « deviner » le symbole qui se trouvait sur des cartes. Le jeu de cartes ESP typique comprend 25 cartes reproduisant 5 symboles différents — de telle sorte que, par le seul jeu de la devinette, la personne qui subit le test devrait obtenir en moyenne 5 réussites ou bonnes réponses par jeu de 25 cartes (voir la figure 6-31). Même ceux qui réussissent le mieux atteignent rarement des scores de 7 réussites de façon régulière, mais il peut leur arriver d'obtenir des scores supérieurs à 5 assez souvent pour satisfaire aux critères convenus de signification statistique. Dans une expérience typique, on mêle les cartes et on les dépose hors du champ de vision du sujet ; celui-ci identifie ensuite les cartes une à la fois. Si l'expérimentateur, ou « envoyeur », regarde chaque carte avant que le sujet donne sa réponse, l'expérience est un test de télépathie. S'il ne regarde pas la carte (la plaçant face contre table), l'étude est un test de clairvoyance.

Ce jeu de devinette peut paraître artificiel et peu susceptible de conduire à une bonne performance psychique, mais il comporte plusieurs avantages : 1) il est possible de contrôler rigoureusement l'expérience et d'éliminer la possibilité de tricher ; 2) on peut répéter l'expérience avec le même sujet à des moments différents ou avec des sujets différents ; 3) la signification des résultats (nombre de touchés) peut s'évaluer à l'aide des techniques statistiques standard.

Les résultats successifs d'un sujet « sensible », madame Gloria Stewart, qui a été l'objet de longues études en Angleterre, sont une illustration du type de preuve qu'on utilise pour établir qu'il ne s'agit pas de données aléatoires (tableau 6-1). Si l'on devait considérer les faits de la même façon que ceux qui découlent de toute autre expérience, il serait évident que le taux de réussite de madame Stewart est supérieur aux probabilités pour des essais de télépathie, mais pas pour des essais de clairvoyance. Ces résultats suscitent certaines objections relatives à la possibilité d'une séquence de présentation non aléatoire des cartes, objections qu'on pose parfois à de telles expériences ; le taux de réussite moyen obtenu par madame Stewart aux essais de clairvoyance montre que l'obtention de scores supérieurs aux probabilités ne résulte pas inévitablement de la façon dont on mêle les cartes.

Scepticisme à l'égard de l'ESP

Étant donné qu'un nombre d'expériences apparemment fiables relatent des effets ESP et PK statistiquement significatifs, pourquoi ces résultats ne

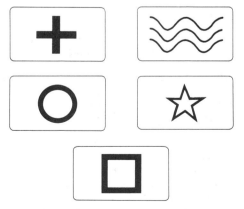

FIGURE 6-31
Cartes ESP *Chaque carte dans le paquet ESP porte l'un des 5 symboles (croix, vagues, cercle, étoile, carré). On en trouve 5 de chaque symbole dans un jeu de 25 cartes.*

font-ils pas partie intégrante de la science psychologique? Pourquoi la plupart des psychologues ne croient-ils pas à ces phénomènes? Une partie de la résistance est attribuable à l'histoire de ce champ d'études. Par le passé, plusieurs des prétentions relatives à des phénomènes parapsychologiques se sont révélées frauduleuses. De même, l'examen approfondi de plusieurs expériences, apparemment décisives, a révélé la présence de plusieurs vices méthodologiques. Mais ce qui est encore plus important que ces considérations historiques, c'est le fait qu'*aucun phénomène parapsychologique ne peut être démontré de façon certaine*. Au lieu de donner des effets plus marqués et plus fiables, l'amélioration des méthodes a eu tendance à mener à des résultats plus fragiles et incertains. Un chercheur peut obtenir des résultats significatifs en utilisant certains procédés alors qu'un autre chercheur obtiendra ainsi des résultats médiocres. Même quand il s'agit du même expérimentateur qui fait des tests sur les mêmes individus pendant une période de temps, il arrive qu'il obtienne des résultats significatifs à une occasion sans pouvoir arriver aux mêmes résultats par la suite. L'impossibilité de reproduire des résultats est un sérieux problème. Dans les autres domaines scientifiques, une donnée expérimentale n'est acceptée que lorsque l'expérience a été répétée par plusieurs chercheurs avec des résultats comparables. Tant qu'on n'aura pas démontré que les expériences d'ESP peuvent être reproduites, l'authenticité des phénomènes reste discutable.

Un second reproche qu'on adresse à la recherche ESP, c'est que les résultats ne varient pas de façon systématique en fonction des variables expérimentales. Toutefois, si nous acceptons les faits tels qu'ils sont, cette critique n'est pas entièrement justifiée. Il existe maintenant un corpus de données expérimentales qui relie l'ESP et le PK à d'autres variables. Les sujets ont tendance à avoir plus de succès lors des premiers essais que par la suite; de même, les sujets dont l'attitude envers l'ESP est favorable donnent des résultats positifs, alors qu'une attitude défavorable mène à des scores inférieurs aux probabilités, deux constatations également énigmatiques. Les chercheurs ont aussi constaté que l'état affectif de l'envoyeur et du receveur avait son importance; l'ESP est maximale quand l'envoyeur est activé affectivement

ANNÉE OÙ L'ON A FAIT DES BLOCS SUCCESSIFS DE 200 ESSAIS	RÉUSSITES PAR 200 ESSAIS (NOMBRE ATTENDU : 40)	
	Essais de télépathie	Essais de clairvoyance
1945	65	51
	58	42
	62	29
	58	47
	60	38
1947	54	35
	55	36
	65	31
1948	39	38
	56	43
1949	49	40
	51	37
	33	42
Total des réussites	707	509
Réussites attendues (20% de 2600)	520	520
Écarts	+187	−11
Nombre de réussites par 25 essais	6,8	4,9

TABLEAU 6-1
Résultats d'une expérience ESP
Résultats de tests de télépathie et de clairvoyance menés sur un même sujet et échelonnés sur une longue période. (D'après Soal et Bateman, 1954)

et que le receveur est couché dans un état de détente. D'autres études ont démontré que l'ESP était meilleure quand le receveur était en train de rêver ou dans un état hypnotique que lorsqu'il se trouvait dans un état d'éveil normal. Les effets notés dans ces études sont menus mais souvent statistiquement significatifs. Malheureusement, ces dernières études ont présenté les mêmes difficultés de reproductibilité que les démonstrations plus fondamentales de ces phénomènes. On trouvera des recensions de ces études dans Kurtz (1985) et Frazier (1986).

Les critiques qu'on a adressées aux données parapsychologiques ne sont pas décisives. Il est à souhaiter qu'on garde une attitude ouverte à l'égard des questions qui mènent à une démonstration empirique. Il faut reconnaître en même temps que les réserves exprimées par la majorité des psychologues ne s'appuient pas uniquement sur des préjugés entêtés. Hansel (1980) et Marks et Kammann (1980) présentent des critiques des travaux dans ce domaine.

RÉSUMÉ

1. La *perception* désigne des tâches comme l'évaluation de la distance, de la grandeur et de la forme et l'identification des objets et des événements. Les *structuralistes* croyaient qu'une perception était tout simplement la production simultanée de plusieurs sensations, alors que *Helmholtz* prétendait que nous apprenons à faire l'inférence de perceptions d'après des sensations. Les *psychologues de la Gestalt* soutenaient pour leur part que les formes globales sont les unités de base de la perception et qu'elles sont le produit d'un processus organisationnel qui ne dépend ni de l'apprentissage ni de l'expérience.

2. Quand un stimulus comprend plus qu'une partie (*élément*), il est perçu d'une façon qui dépend des relations entre les éléments (*organisation perceptive*). La *structuration forme-fond* et le *regroupement perceptif* sont des exemples d'organisation perceptive.

3. La perception de la distance s'appuie sur des *indices de distance*. Il existe un grand nombre d'indices de ce genre, dont certains sont *monoculaires*, d'autres *binoculaires*. La plupart des indices ne dénotent que la *distance relative*, mais quelques-uns indiquent la *distance égocentrique*. La perception du mouvement peut être le produit soit du *mouvement réel*, soit du *mouvement stroboscopique* (une suite d'images instantanées). Il y a des faits qui démontrent que certains neurones du cerveau sont syntonisés à la direction et à la vitesse du mouvement. Le mouvement perçu pendant que l'on poursuit du regard un objet qui se déplace dans l'obscurité indique que le système visuel reçoit et utilise l'information sur les mouvements oculaires.

4. La *constance perceptive* est une tendance qu'ont les objets de garder la même apparence en dépit de grands changements intervenant dans les stimuli qui affectent nos organes sensoriels. La *clarté*, la *couleur*, la *forme*, la *grandeur* et la *localisation* sont des exemples de caractéristiques pour lesquelles la constance se manifeste. La constance dépend des relations entre les caractéristiques d'un stimulus. Elle est rarement parfaite. Une *illusion* est une perception qui est fausse ou déformée. Certaines illusions sont d'ordre *physique*, d'autres d'ordre *perceptif*. Les *illusions géométriques* sont des illusions perceptives résultant de dessins de lignes. Certaines s'expliquent par *filtrage de patterns* ; d'autres sont la conséquence du fait que le dessin est traité comme l'image d'une *scène tridimensionnelle*.

5. *Reconnaître* quelque chose, c'est l'associer à une catégorie ou à un nom spécifique. Une des premières théories de reconnaissance des lettres, appelée *théorie du pandémonium*, voulait que les caractéristiques soient traitées *en parallèle*. Les caractéristiques qui sont captées seraient alors comparées à des listes de caractéristiques pour chacune des lettres entreposées en mémoire et la lettre dont la liste des caractéristiques correspondrait le mieux aux caractéristiques décelées ferait l'objet d'une perception.

6. Un *stimulus ambigu* en est un qu'on perçoit de plus d'une façon. Le cube de Necker et le dessin «jeune femme — vieille femme» en sont des exemples. Le fait qu'on ne puisse voir un tel stimulus que d'une seule façon à la fois laisse supposer qu'il existe un processus de sélection (*attention sélective*). Le *contexte* dans lequel un stimulus se présente peut soit faciliter la perception (il s'agit alors d'un contexte familier), soit faire interférence avec la perception (il s'agit alors d'un contexte qui n'est pas familier). Les expectatives conscientes et les

mobiles influencent également la perception. Ces effets sont particulièrement marqués quand le stimulus est ambigu.

7. L'*attention* désigne plusieurs processus parmi lesquels le *réflexe d'orientation*, un état général de vigilance, le contrôle du regard et le processus à la base de la perception sélective (attention sélective). Le regard est une réponse manifeste ; la vigilance et l'attention sélective sont des réponses internes ; le réflexe d'orientation comprend en même temps des composantes manifestes ou externes et des composantes internes.

8. D'après une théorie contemporaine de la *reconnaissance*, les neurones qui donnent lieu à des perceptions recevraient trois apports : une impulsion du stimulus, un apport provenant du contexte et de l'expectative (*attitude attentionnelle*) et un apport résultant d'un processus compétitif parmi les perceptions (*attention sélective*). Quand un neurone atteint une activation d'un niveau seuil, la perception correspondante est évoquée.

9. Durant la *lecture*, les yeux sautent (*saccade*) le long d'une ligne de texte, en étapes dont l'amplitude dépend de l'aptitude du lecteur et de la difficulté du texte. Les effets de contexte nous permettent de lire un texte beaucoup plus rapidement qu'il nous est possible de lire des mots disposés au hasard sur une ligne. Nous sommes incapables de lire à des vitesses substantiellement supérieures à 400 mots à la minute sans perte de compréhension. La *lecture en diagonale*, ou l'« écrémage », est cependant un talent précieux.

10. Les nouveau-nés disposent très tôt dans la vie, et probablement même à la naissance, d'une capacité perceptive considérable. Cette aptitude s'améliore rapidement durant les 6 premiers mois de la vie et certaines des habiletés perceptives continuent de se perfectionner durant plusieurs années.

11. Les animaux ont dans le cerveau des neurones qui sont syntonisés à des caractéristiques du stimulus dès la naissance. Les animaux élevés dans l'obscurité souffrent de défectuosités visuelles permanentes et les animaux qu'on élève en bouchant l'un de leurs yeux deviennent aveugles de cet œil. Les animaux adultes n'ont pas de pertes de vision quand on les prive de stimulation visuelle même durant de longues périodes. Si l'on contrôle la stimulation tôt dans la vie de façon à écarter certaines sortes de stimuli, les animaux comme les gens deviennent insensibles à l'égard des stimuli dont ils ont été privés. Ces résultats permettent de supposer qu'il existe, tôt dans la vie, une *période critique* durant laquelle l'absence de stimulation normale conduit à la formation d'un système perceptif anormal. La *coordination perceptivo-motrice* est nécessairement le résultat d'un apprentissage. Le développement de la coordination visuo-motrice exige une stimulation visuelle, la vue de ses propres membres et un mouvement autonome en réaction à la stimulation.

12. Les *phénomènes parapsychologiques* comprennent la *perception extrasensorielle* sous ses formes diverses (télépathie, clairvoyance, préconnaissance) et la *psychokinésie*. Dans un certain nombre d'expériences apparemment fiables, des sujets ont réalisé un taux de réussite supérieur aux probabilités associées à ce type de tâches. Néanmoins, on n'arrive pas à démontrer de façon fiable ces différents phénomènes d'une occasion à l'autre et la plupart des psychologues ne sont pas convaincus de leur existence.

LECTURES SUGGÉRÉES

BALL, W. et VURPILLOT, E. « La perception de la profondeur chez le nourisson ». Dans *Année psychologique*, 76, 1976, p. 383-400.

BLOCH, V. « Les niveaux de vigilance et l'attention ». Dans P. Fraisse et J. Piaget, *Traité de psychologie expérimentale*, 2e éd. Volume III, Paris, P.U.F., 1973.

BONVALLET, M. *Système nerveux et vigilance*, Paris, P.U.F., 1966.

DAY, R.H. *La perception*, Montréal, Les Éditions HRW, 1976.

DELORME, A. *Psychologie de la perception*, Montréal, Éditions Études Vivantes, 1982.

DODWELL, P.C. « Études du système visuel », dans B.M. Foss (éd.), *Les voies nouvelles de la psychologie*, Verviers (Belgique), Gérard et Cie, 1971.

KÖHLER, W. *Psychologie de la forme*, Paris, Gallimard, 1974.

LEVY-SCHOEN, A. *L'étude des mouvements oculaires*, Paris, Dunod, 1969.

McLUHAN, M. *La galaxie Gutenberg*, Montréal, Les Éditions HRW, 1967.

PAILLARD, J. « Le traitement des informations spatiales », dans *De l'espace corporel à l'espace écologique*, Association de psychologie scientifique de langue française, Paris, P.U.F., 1974.

PIAGET, J. *Les mécanismes perceptifs*, Paris, P.U.F., 1961.

VURPILLOT, E. *Le monde visuel du jeune enfant*, Paris, P.U.F., 1972.

Quatrième partie

AARON SISKIND

La fin du Théâtre de répertoire civique
1937-1938

APPRENDRE, SE SOUVENIR ET PENSER

Conditionnement et apprentissage

7

L'apprentissage s'infiltre partout dans notre vie. Il intervient, non seulement dans la maîtrise d'une nouvelle habitude ou d'une matière théorique, mais également dans le développement affectif, les interactions sociales et même l'épanouissement de la personnalité. Nous apprenons à avoir peur, à reconnaître ce que nous devons aimer, à être polis, à cultiver l'intimité, et ainsi de suite. Étant donné que l'apprentissage envahit ainsi notre vie, il n'y a pas à se surprendre que nous en ayons déjà abordé plusieurs aspects — la façon dont, par exemple, les enfants apprennent à percevoir le monde qui les entoure, à s'identifier avec le sexe qui leur convient et à contrôler leur comportement en conformité avec les normes des adultes. Nous devons maintenant entreprendre une analyse plus systématique de l'apprentissage.

Dans ce chapitre, nous nous concentrons sur l'apprentissage *associatif*, processus qui consiste à apprendre que certains événements vont ensemble. C'est là l'une des formes les plus élémentaires de l'apprentissage. Par le passé, on s'est intéressé tout particulièrement à deux formes d'apprentissage associatif : le *conditionnement classique* et le *conditionnement opérant*. Dans le conditionnement classique, un organisme apprend qu'un événement en suit un autre — un bébé apprend, par exemple, que la vue d'un sein sera suivie du goût du lait. Dans le conditionnement opérant, un organisme apprend qu'une réponse qu'il fait sera suivie d'une conséquence particulière ; un jeune enfant apprend, par exemple, que l'action de frapper son petit frère ou sa petite sœur sera suivie de la désapprobation de ses parents.

POINT DE VUE BEHAVIORAL

Les psychologues qui ont étudié le conditionnement ont généralement adopté une attitude behaviorale (voir au chapitre 1, p. 7). Ceci veut dire qu'ils ont agi sur la base des postulats généraux que voici.

1. Les associations simples, de type classique ou opérant, sont les matériaux de tout apprentissage, quelque compliqué qu'il soit. Ainsi, une tâche même aussi complexe que l'apprentissage d'une langue serait présumément le résultat de l'acquisition de plusieurs associations simples (Staats, 1968).
2. Les lois de l'apprentissage sont pratiquement les mêmes pour toutes les espèces et peuvent se manifester même dans des expériences qui portent sur des organismes inférieurs, dans des environnements relativement dénudés. Par conséquent, les lois qui régissent la façon dont un rat apprend à parcourir un labyrinthe dicteraient présumément la façon dont un enfant apprend à faire de longues divisions mathématiques (Skinner, 1938).
3. L'apprentissage se comprend mieux en termes de causes externes ou environnementales que de causes internes ou intentionnelles. C'est dire que les causes ultimes du comportement ne se trouveraient pas à l'intérieur de l'organisme — par exemple, dans les croyances et les désirs d'une personne — mais plutôt dans des événements de l'environnement, tout particulièrement ceux qui font office de récompense ou de punition. Il ne serait donc pratiquement *pas* possible d'améliorer notre compréhension de l'apprentissage du langage chez l'enfant en analysant ses activités mentales (Skinner, 1971).

Ivan Pavlov (au centre) dans son laboratoire avec des assistants.

Ces trois postulats ont amené les behavioristes à se concentrer sur la façon dont les comportements des organismes inférieurs, surtout les rats et les pigeons, étaient influencés par les récompenses et les punitions dans des situations simples de laboratoire.

La démarche behaviorale a permis d'établir de nombreuses données sur l'apprentissage associatif simple ; nous en présenterons un bon nombre dans les trois premières parties de ce chapitre. Au cours des dernières années, cependant, les postulats des behavioristes se sont heurtés à deux importantes remises en cause. La conception *éthologique* conteste l'hypothèse des behavioristes voulant que les lois de l'apprentissage soient les mêmes pour tous les organismes dans toutes les situations, alors que la théorie *cognitive* dénonce les postulats des behavioristes selon lesquels les associations sont les seuls matériaux de l'apprentissage et qu'il est possible de comprendre l'apprentissage en se limitant à la considération des facteurs du milieu. Nous reviendrons sur ces défis à la fin du chapitre.

CONDITIONNEMENT CLASSIQUE

L'étude du conditionnement classique a commencé par une série d'expériences, menées au début du siècle par le Russe Ivan Pavlov lauréat du prix Nobel. Alors qu'il étudiait la digestion, Pavlov a remarqué qu'un de ses chiens avait commencé à saliver dès qu'il avait aperçu un plat de nourriture. Tous les chiens sécrètent de la salive quand on leur place de la nourriture dans la bouche. Mais le chien en question avait appris à associer la vue du plat de nourriture avec le goût de celle-ci. Pavlov voulut alors vérifier s'il était possible d'apprendre à un chien à associer la nourriture avec autre chose, une lumière ou un son, par exemple.

Expériences de Pavlov

EXPÉRIENCE DE BASE   Pavlov préparait ses chiens pour l'expérimentation en pratiquant une petite opération dans leur joue de façon à exposer la glande salivaire à la vue. Il attachait alors une capsule à la joue pour mesurer la salive. Le chien était ensuite amené à plusieurs reprises dans un laboratoire insonorisé, où on l'installait sur une table, dans des harnais. Cette préparation est indispensable si l'on veut que l'animal se tienne tranquille en pareille situation, une fois que l'expérience proprement dite a débuté. Un dispositif permet, par commande à distance, de présenter la poudre de viande dans un

FIGURE 7-1
Dispositif de conditionnement classique   *Dispositif utilisé par Pavlov pour le conditionnement classique de la salivation. L'appareil permet de présenter une lumière (le stimulus conditionnel) à la fenêtre et de distribuer une poudre de viande (le stimulus inconditionnel) dans le plat à nourriture. (D'après Yerkes et Margulis, 1909)*

plat devant l'animal. La salivation est enregistrée automatiquement. L'expérimentateur peut observer l'animal grâce à un miroir à sens unique, mais le chien est seul dans le laboratoire, isolé des bruits et des stimulations visuelles étrangères à la situation (voir la figure 7-1).

Au cours de l'expérience, on allume une lampe dans la fenêtre qui se trouve devant le chien. Il arrive que le chien bouge un peu, mais il n'y a pas de sécrétion de salive. Après quelques secondes, l'appareil lui présente de la poudre de viande et la lampe s'éteint. Le chien a faim et l'on enregistre sur le dispositif préparé à cet effet une salivation abondante. Cette salivation est une *réponse inconditionnée* (RI), car il n'y a aucun apprentissage en jeu; pour la même raison, la poudre de viande est un *stimulus inconditionnel* (SI). On répète le procédé plusieurs fois. Ensuite, pour vérifier si le chien a appris à associer la lumière à la nourriture, l'expérimentateur allume la lampe sans donner de poudre de viande. Si le chien salive, c'est qu'il a appris à faire l'association. Cette salivation est une *réponse conditionnée* (RC), alors que la lumière est un *stimulus conditionnel* (SC). On a appris au chien, ou on l'a conditionné, à associer la lumière à la nourriture et à y réagir en salivant. Les relations entre stimulus et réponse dans l'expérience de Pavlov sont représentées graphiquement à la figure 7-2.

VARIANTES EXPÉRIMENTALES Au cours des années, les psychologues ont produit plusieurs versions des expériences de Pavlov. Pour évaluer ces variantes, il nous faut prendre note de certains aspects critiques de l'expérience du conditionnement. Chaque présentation combinée du stimulus conditionnel (SC) et du stimulus inconditionnel (SI) est appelé un *essai*. Les essais durant lesquels le sujet apprend à associer les deux stimuli constituent la phase d'*acquisition* du conditionnement. Durant cette phase, le jumelage répété du SC (lumière) et du SI (viande) *renforce* le lien associatif entre les deux, comme le fait voir la courbe de gauche de la figure 7-3. Si la RC n'est pas renforcée (si on omet le SI de façon répétée), la réponse va s'atténuer graduellement; c'est ce qu'on appelle l'*extinction*, phénomène illustré par la courbe de droite de la figure 7-3.

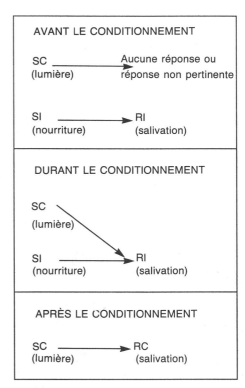

FIGURE 7-2
Diagramme de conditionnement classique *L'association entre le stimulus inconditionnel et la réponse inconditionnée existe dès le début de l'expérience et n'a pas à être apprise. L'association entre le stimulus conditionnel et la réponse conditionnée est apprise. Elle se produit grâce au jumelage des stimuli conditionnel et inconditionnel, suivi par la réponse inconditionnée. La réponse conditionnée ressemble à la réponse inconditionnée, mais elle en diffère généralement par certains détails.*

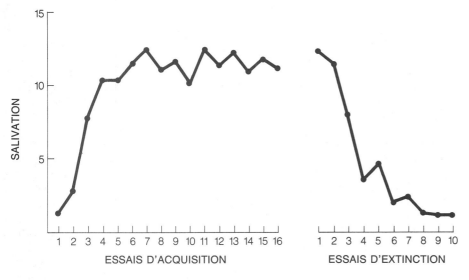

FIGURE 7-3
Acquisition et extinction d'une réponse conditionnée *La courbe de gauche décrit la phase d'acquisition dans une expérience de conditionnement de trace. On a porté sur l'axe vertical le nombre de gouttes de salivation en réaction au stimulus conditionnel (avant la présentation du SI) et, sur l'axe horizontal, le nombre d'essais. La RC augmente graduellement avec les essais et atteint un niveau d'asymptote de 11 ou 12 gouttes environ. Après 16 essais d'acquisition, l'expérimentateur passe à l'extinction; les résultats apparaissent à droite de la figure. Notez que la RC décroît graduellement quand le renforcement n'a pas lieu. (Données de Pavlov, 1927)*

De nombreuses expériences ont fait varier l'intervalle temporel entre la présentation du SC et du SI. Supposons que le SC est une lumière et le SI, de la viande. Dans le *conditionnement simultané*, on présente la lumière en même temps que la viande et on la laisse allumée jusqu'à ce que le chien sécrète de la salive (la réponse). Dans le *conditionnement différé*, on allume la lampe plusieurs secondes avant la présentation de la viande et, là encore, on la laisse allumée jusqu'à ce que la réponse arrive. Dans le *conditionnement de trace*, on allume d'abord la lampe puis on l'éteint avant de présenter la viande, de telle sorte qu'il ne reste à conditionner qu'une « trace mnémonique » de la lumière. La figure 7-4 nous présente une illustration de ces trois situations. Dans le conditionnement différé et le conditionnement de trace, l'expérimentateur constate que le sujet a fait la nouvelle association quand la réponse conditionnée (salivation) arrive avant la présentation du SI (viande). Dans le cas du conditionnement simultané, l'expérimentateur doit avoir recours à des essais-tests, dans lesquels il omet le SI, pour savoir si le sujet a fait la nouvelle association ; s'il y a salivation quand le SC (lumière) est présenté isolément, nous savons que le sujet a été conditionné.

Ce que le sujet semble apprendre dans ces situations, c'est que le SC est le signal de l'apparition du SI. Représentez-vous le SC comme un panneau de signalisation qui indique la présence imminente d'une courbe raide sur la route et le SI comme cette même courbe. Dans le conditionnement différé et le conditionnement de trace, l'affiche apparaît assez tôt avant qu'on ne parvienne à la courbe et, par conséquent, le chauffeur — ou le sujet — peut prévoir et se préparer pour l'accident de terrain. Par contre, dans le conditionnement simultané, l'avertissement n'arrive pas avant qu'on ne soit engagé dans la courbe et n'a, par conséquent, que peu d'utilité. Cette analogie permet de supposer que la méthode du conditionnement simultané devrait donner le moins de conditionnement, ce qui est exactement ce que les chercheurs ont constaté. L'analogie fait également ressortir la valeur adaptative du conditionnement classique : on apprend (acquisition) à prévoir la séquence des événements et, quand la situation change, cette prévision ne vaut plus et on la désapprend (extinction).

Portée du conditionnement classique

Le conditionnement classique se trouve partout dans le royaume animal et il peut se produire dans des organismes aussi primitifs que le ver plat, qui se contracte le corps quand on lui applique un choc électrique et qui, s'il est exposé à un nombre suffisant de jumelages de chocs (SI) et de lumière (SC), finira par se contracter aussitôt qu'il est en présence de la lumière seule (Jacobson, Fried et Horowitz, 1967). À l'autre extrémité de la gamme, on trouve de nombreuses réponses qui se prêtent au conditionnement classique chez l'être humain. Plusieurs de ces réactions sont involontaires, telle la *vasoconstriction*, qui est un rétrécissement des petits vaisseaux sanguins situés près de la surface du corps et qui se produit automatiquement quand le corps est exposé au froid. Si on fait entendre un vibreur sonore (le SC) chaque fois qu'on plonge la main d'un sujet dans de l'eau glacée (le SI), une vasoconstriction finit par se produire même quand le vibreur est présenté isolément (Menzies, 1937).

Le conditionnement classique joue également un rôle dans les réactions émotionnelles comme la peur. Plaçons un chien dans un enclos où on le soumettra périodiquement à des chocs électriques (en électrifiant le grillage du plancher). Juste avant que le choc ne se fasse sentir, un son se produit. Après des jumelages répétés du son (SC) et du choc (SI), le son présenté isolément produira des réactions qui dénotent la peur, dont l'accroupissement, le tremblement et le gémissement. Le chien aura été conditionné à avoir peur, quand on lui présente un stimulus qui était neutre auparavant.

Plusieurs des craintes éprouvées par les êtres humains peuvent s'acquérir de cette façon, surtout au cours de la tendre enfance. La meilleure preuve, peut-être, d'une possibilité de conditionnement classique se trouve dans le fait que de telles peurs, tout particulièrement celles qui sont irrationnelles,

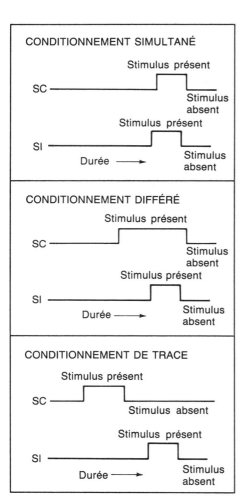

FIGURE 7-4
Relations temporelles dans le conditionnement *Le conditionnement différé est le plus efficace quand le SC précède le SI d'environ une demi-seconde. Le conditionnement simultané est moins efficace et le conditionnement différé, tout comme le conditionnement de trace, se détériore progressivement à mesure que l'intervalle temporel entre le SC et le SI s'accroît.*

peuvent s'éliminer grâce à des techniques thérapeutiques fondées sur des principes de conditionnement classique. Une personne qui aurait une peur profonde des chats peut, par exemple, être amenée à surmonter cette peur par exposition progressive et répétée à la présence de chats. Présumément, un chat avait été, il y a longtemps, un SC pour un SI nocif quelconque et, aujourd'hui, quand cette personne est placée de façon répétitive en présence du SC sans le SI, la peur conditionnée est l'objet d'une extinction. (Voir au chapitre 15 une discussion sur le conditionnement et les phobies et au chapitre 16 un exposé des thérapies de conditionnement.)

Quelques phénomènes fondamentaux

CONDITIONNEMENT DE SECOND NIVEAU Jusqu'à présent, dans nos propos sur le conditionnement, nous avons toujours parlé d'un SI qui avait une signification biologique, comme de la nourriture, le froid ou un choc électrique. Tout stimulus cependant est susceptible d'acquérir les propriétés d'un SI quand il se trouve jumelé constamment à un SI qui a une signification biologique. Rappelez-vous l'expérience du chien exposé à un son (SC) suivi d'un choc électrique (SI) dans laquelle le son a fini par susciter une réponse de peur conditionnée. Une fois le conditionnement établi, le son a acquis les propriétés d'un SI. Par conséquent, si on place maintenant ce chien dans une situation où il se trouve à chaque essai exposé à une lumière suivie de ce son (sans choc), la lumière finira par déclencher à elle seule une réponse de peur conditionnée, même si cette lumière n'a jamais été jumelée à un choc. (Il faut aussi qu'il y ait d'autres essais dans lesquels le son se trouvera à nouveau jumelé avec le choc ; sans cela la relation conditionnée originale entre le son et le choc succombera à l'extinction.) L'existence d'un tel conditionnement de *second niveau* ajoute considérablement à la portée du conditionnement classique, spécialement dans le cas d'êtres humains chez lesquels les SI biologiquement significatifs sont relativement rares.

GÉNÉRALISATION ET DISCRIMINATION Lorsqu'une réponse conditionnée s'est trouvée associée à un stimulus particulier, d'autres stimuli similaires déclencheront la même réponse. Supposons qu'une personne est conditionnée à avoir une légère réaction émotionnelle au son d'un diapason qui donne un *la* mineur. (La réaction émotionnelle se mesure par le *réflexe psychogalvanique* (RPG), qui consiste dans une modification de l'activité électrique de la peau qui se produit durant un stress émotionnel.) Le sujet va également donner, sans conditionnement additionnel, des RPG à des sons de tonalités supérieures et inférieures (voir la figure 7-5). Plus les stimuli ressembleront au SC original, plus ils seront susceptibles de déclencher la réponse conditionnée. Ce principe, appelé *généralisation*, rend compte, en partie, de la capacité que possède un individu de réagir à de nouveaux stimuli qui présentent des ressemblances avec des stimuli familiers.

La *discrimination* est un processus complémentaire de la généralisation. En effet, alors que la généralisation est une réaction aux similitudes, la discrimination est une réaction aux différences. On obtient une discrimination conditionnée par renforcement et extinction sélectifs, comme on peut le voir à la figure 7-8 (p. 238). Au lieu d'un seul ton, par exemple, on en utilise deux. Le ton de basse fréquence, SC_1, est toujours suivi d'un choc, alors que le ton de haute fréquence, SC_2, ne l'est jamais. Au début, les sujets donnent un RPG aux deux tons. Au cours du conditionnement cependant, l'amplitude de la réponse conditionnée au SC_1 s'accroît progressivement alors que celle de la réponse au SC_2 diminue. On arrive ainsi, grâce à un *renforcement différentiel*, à conditionner le sujet à discriminer les deux tons.

La généralisation et la discrimination sont présentes dans la vie de tous les jours. Le jeune enfant qu'un chien jappeur aura effrayé pourra, au début, avoir peur de tous les chiens (généralisation). Avec le temps, grâce au renforcement différentiel, l'éventail des stimuli qui font peur à l'enfant se rétrécit pour se limiter finalement aux chiens qui le menacent vraiment (discrimination).

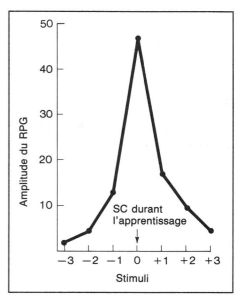

FIGURE 7-5
Gradient de généralisation *Le stimulus 0 est le son pur auquel le réflexe psychogalvanique (RPG) a d'abord été conditionné. Les stimuli +1, +2 et +3 représentent des sons de test, de hauteur croissante ; les stimuli -1, -2 et -3 représentent des sons de hauteur moindre. Remarquez que le degré de généralisation décroît à mesure qu'augmente la différence entre le son de test et le son durant l'apprentissage. (D'après Hovland, 1937)*

ANALYSE CRITIQUE

Base cellulaire de l'apprentissage élémentaire

Même si le conditionnement classique et le conditionnement opérant sont les formes les plus simples de l'apprentissage *associatif*, il existe des formes encore plus élémentaires d'apprentissage, soit celles qui sont considérées comme *non associatives*. On en a un exemple dans l'*habituation*, grâce à laquelle un organisme apprend à ignorer un stimulus faible qui n'entraîne pas de conséquences graves — comme se désyntoniser par rapport au son que produit une horloge bruyante. La *sensibilisation* est une autre sorte d'apprentissage non associatif; c'est un processus par lequel l'organisme apprend à renforcer sa réaction à un stimulus faible quand celui-ci se trouve suivi d'un stimulus douloureux ou menaçant. Nous apprenons, par exemple, à réagir plus fort au bruit que produit une pièce de machinerie si celui-ci est souvent suivi d'une panne. Les chercheurs ont fait des progrès remarquables dans l'identification des fondements biologiques de ces deux sortes d'apprentissage.

Voyons les travaux d'Éric Kandel et de ses collègues qui se sont intéressés au comportement des escargots. Les neurones des escargots ont des structures et des fonctions qui ressemblent à celles d'un neurone humain, mais le système nerveux de ces animaux est suffisamment simple pour qu'on soit capable d'étudier des cellules individuelles. En effet, le nombre total des cellules d'un escargot ne se compte que par milliers (en comparaison des milliards de cellules d'un être humain). En outre, les cellules d'un escargot sont rassemblées en groupes séparés (*ganglions*) de 500 à 1500 neurones et un seul ganglion peut contrôler un cas d'habituation ou de sensibilisation. Cette condition rend possible la description « cellule par cellule » d'un apprentissage élémentaire.

L'*aplysie*, un gros animal marin, est l'escargot de choix des chercheurs et le comportement de ce mollusque qui les intéresse plus particulièrement est une réaction de rétraction. Comme on peut le voir à la figure 7-6, les ouïes de l'escargot sont logées dans une cavité recouverte d'un feuillet protecteur appelé manteau;

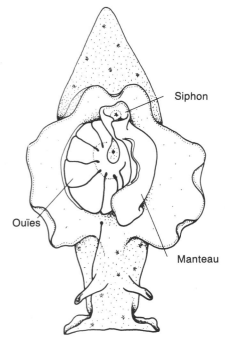

FIGURE 7-6
Rétraction des ouïes chez l'*aplysie* *Quand le siphon est stimulé, l'animal rentre ses ouïes dans la cavité sous le feuillet protecteur du manteau. (D'après Kandel, 1979)*

ce feuillet se termine en forme de bec charnu qu'on appelle siphon. En réaction à une stimulation tactile, les ouïes et le siphon se contractent et rentrent à l'intérieur de la cavité. Cette réaction de rétraction est contrôlée par un seul ganglion et est sujette à l'habituation et à la sensibilisation.

Pour étudier l'habituation, les chercheurs appliquent un léger toucher au siphon de l'escargot à chaque essai de l'expérience. Lors des premiers essais, le réflexe de rétraction des ouïes est fort, mais il s'affaiblit progressivement après 10 ou 15 essais. Quels sont les événements cellulaires responsables de ce comportement d'habituation? La stimulation du siphon provoque l'activation de 24 neu-

Contiguïté par opposition à prévisibilité

Depuis Pavlov, les chercheurs ont tenté d'identifier le facteur critique qui serait indispensable à la production d'un conditionnement classique. Pavlov croyait que ce facteur était la *contiguïté temporelle* du SC et du SI — c'est-à-dire que les deux stimuli devaient être rapprochés dans le temps pour qu'il se forme un lien d'association. L'analogie que nous avons utilisée précédemment, où le SC faisait office de panneau de signalisation routière, suggère une autre possibilité: ne serait-il pas possible que ce facteur critique soit le fait que le SC constitue un *signe précurseur fiable* du SI? En d'autres mots,

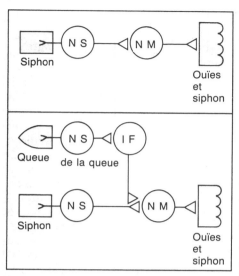

FIGURE 7-7
Circuits nerveux partiels de l'habituation et de la sensibilisation *La moitié supérieure de la figure présente la connexion établie entre un neurone sensoriel unique (N S) et un neurone moteur unique (N M) pour la production du réflexe de rétraction des ouïes. La stimulation du siphon excite le neurone sensoriel qui, à son tour, excite le neurone moteur. La stimulation du neurone moteur active également les ouïes. L'habituation du retrait des ouïes se fait par l'intermédiaire d'une modification de la conception synaptique entre les neurones sensoriel et moteur. La moitié inférieure de la figure illustre les connexions en cause dans la sensibilisation de la rétraction des ouïes. Dans ce cas, la stimulation de la queue excite un interneurone facilitateur (I F) qui facilite à son tour l'impulsion transmise à partir du neurone sensoriel du syphon. (D'après Hawkins et Kandel, 1984)*

rones, qui mobilisent chacun 6 neurones moteurs des ouïes innervant le muscle qui

se contracte. L'examen des connexions nerveuses d'un seul neurone sensoriel et d'un seul neurone moteur (voir au haut de la figure 7-7) permet de comprendre la structure de ce système. Les petits triangles de cette figure représentent les connexions *synaptiques* entre neurones, une synapse étant un espace qui doit être franchi par un *neurotransmetteur* synaptique. Chez l'*aplysie*, c'est un neurotransmetteur, libéré par le neurone sensoriel et agissant sur le neurone moteur, qui déclenche la rétraction initiale des ouïes; ensuite, c'est une diminution de la quantité de ce neurotransmetteur qui est responsable de l'habituation de la rétraction des ouïes. Ainsi, cette forme d'apprentissage élémentaire est le résultat d'une modification des connexions synaptiques entre les cellules, modification provoquée par des substances chimiques (Kandel, 1979).

La sensibilisation fonctionne d'une manière semblable quoique plus compliquée. Pour sensibiliser la rétraction des ouïes, les chercheurs appliquent également un faible stimulus tactile au siphon, mais cette fois ils exercent simultanément une forte stimulation sur la queue de l'escargot (voir la figure 7-6). Après quelques essais de ce genre, le mouvement de rétraction des ouïes devient plus prononcé. La moitié inférieure de la figure 7-7 montre quelques-unes des connexions nerveuses qui interviennent; des connexions nerveuses en provenance de la queue s'ajoutent maintenant au circuit qui commençait dans le siphon. Ces nouvelles connexions comprennent une synapse entre un neurone sensoriel de la queue et un *interneurone facilitateur* (qui établit une connexion avec d'autres neurones) et une synapse qui relie l'interneurone facilitateur au circuit sur lequel repose la rétraction des ouïes. Essentiellement, l'activité nerveuse résultant du stimulus intense appliqué à la queue modifie la connexion nerveuse responsable de la rétraction des ouïes. Une fois de plus, l'apprentissage est assuré par des changements du neurotransmetteur qui fait le pont entre le neurone sensoriel du siphon et le neurone moteur des ouïes. Dans ce cas-là

cependant, le changement consiste dans une augmentation de la quantité de neurotransmetteurs libérés par le neurone sensoriel (Castelluci et Kandel, 1976).

Notre exposé sur la sensibilisation laisse entendre qu'une analyse cellule par cellule serait peut-être possible dans le cas du conditionnement classique. Le phénomène de rétraction des ouïes chez l'*aplysie* se prête au conditionnement classique; tout comme la sensibilisation, ce conditionnement implique la modification de la réaction des ouïes sous l'influence d'un second stimulus. Les chercheurs ont en effet proposé une explication cellulaire du conditionnement classique qui est remarquablement similaire à l'explication de la sensibilisation (Hawkins et Kandel, 1984). Cette proposition a suscité une certaine controverse (Gluck et Thompson, 1986), mais si les idées fondamentales qui la constituent devaient se révéler soutenables, on aurait une indication que certaines formes d'apprentissage associatif s'appuient sur des formes plus primitives d'apprentissage non associatif. Il faudrait supposer également que la base biologique de l'apprentissage simple n'est pas distribuée de façon diffuse dans le cerveau, mais qu'on doit plutôt la situer dans l'activité de neurones précis.

*L'*aplysie*, un gros escargot de mer*

pour que le conditionnement ait lieu, il faut peut-être qu'il y ait une plus grande probabilité que le SI se produise quand le SC a été présenté que s'il ne l'a pas été.

Au cours d'une expérience importante, Rescorla (1967) a fait ressortir le contraste entre contiguïté et prévisibilité. Dans certains essais de son expérience, Rescorla donnait directement des chocs (SI) à ses chiens, alors que dans d'autres, le choc était précédé d'un ton (SC). La figure 7-9 montre comment il a procédé dans le cas de deux de ses groupes de sujets. Le nombre de jumelages temporels contigus de tons et de chocs était le même pour les deux groupes; la variable était que, pour le groupe A, tous les chocs étaient

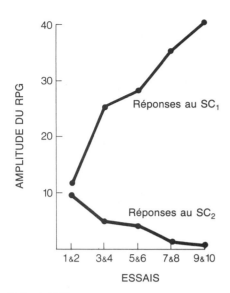

FIGURE 7-8
Discrimination conditionnée *Les stimuli à discriminer étaient deux sons de hauteur nettement différentes (SC_1 = 700 Hz et SC_2 = 3500 Hz). Le SI, un choc électrique appliqué à l'index de la main droite, n'était donné qu'aux essais où le SC_1 était présenté. La force de la RC, en l'occurence le RPG, a augmenté graduellement avec la répétion du SC_1, et a subi une extinction avec celle du SC_2. (D'après Baer et Fuhrer, 1968)*

précédés d'un signal sonore (ton), alors que pour le groupe B, les chocs avaient autant de chances de ne pas être précédés d'un ton que de l'être, ce qui faisait que le ton n'avait pas de réelle valeur prédictive pour le groupe B. Ce pouvoir de prédiction du ton se révéla critique : le groupe A fut rapidement conditionné, alors que pour le groupe B, on n'y parvint pas (indiqué par le fait que le chien réagissait ou non au ton de façon à éviter le choc).

Pour d'autres groupes de sujets de cette expérience (qui ne sont pas représentés dans la figure 7-9), la force du conditionnement était liée directement à la valeur prédictive du SC, c'est-à-dire à sa capacité d'annoncer l'arrivée du SI. Des expériences subséquentes ont permis de confirmer la conclusion voulant que la relation de prédiction entre le SC et le SI soit plus importante que la contiguïté temporelle ou que la fréquence de jumelage des SC et des SI (Rescorla, 1972 ; Fantino et Logan, 1979). De plus, d'autres études démontrent qu'une fois que le sujet a appris qu'un SC particulier (un ton, par exemple) prédit parfaitement l'apparition d'un SI (disons un choc), il lui devient impossible d'apprendre à associer un autre SC à ce SI (le jumelage d'une lumière avec ce ton, par exemple). Une fois qu'une propriété de prédiction a été établie pour un stimulus, il ne semble pas y avoir de nécessité d'apprentissage additionnel au moyen d'autres stimuli (Kamin, 1969).

La prévisibilité est également importante pour les réactions émotives : si un SC donné devient un signal fiable de l'apparition de la douleur, l'absence de ce même SC finit par signifier que la douleur ne se fera pas sentir et que l'organisme peut se détendre. Le SC est donc un signal de « danger » et son absence, un signal de « sécurité ». Quand de tels signaux se détraquent, les dommages qui en découlent sur le plan affectif peuvent se révéler dévastateurs pour l'organisme. Lorsque les rats disposent d'un signal fiable indiquant l'éminence d'un choc, ils ont une réaction de peur uniquement au moment où le signal est présent ; s'ils n'ont aucun moyen fiable de prévoir le choc cependant, ils semblent être toujours en proie à l'anxiété et ils peuvent même finir par avoir des ulcères (Seligman, 1975).

On peut établir des parallèles clairs avec l'émotivité humaine. Quand le médecin donne à un enfant un signal de danger en lui disant qu'un traitement va lui faire mal, cet enfant aura peur jusqu'à ce que le traitement cesse. Si, par contre, ce même médecin lui dit toujours « ça ne fera pas mal », alors qu'effectivement, c'est parfois douloureux, l'enfant ne peut pas compter sur

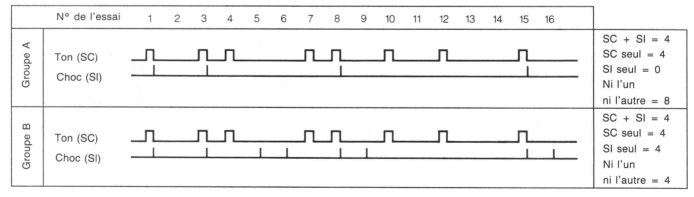

FIGURE 7-9
Expérience de Rescorla *Cette figure est une représentation schématique des résultats obtenus par deux groupes soumis à l'expérience de Rescorla. Seize (16) essais sont présentés à chacun des groupes. Notez qu'à certains essais, le SC se produit et est suivi du SI (SC + SI) ; à d'autres essais, on présente isolément le SC ou le SI ; et à d'autres essais encore, il n'y a ni SC, ni SI. Les cases à l'extrême droite donnent le nombre*
d'occurrences de ces divers types d'essais pour les deux groupes. Le nombre d'essais SC + SI est le même pour les deux groupes, tout comme le nombre d'essais où le SC a été présenté isolément. Par contre, le nombre d'essais où le SI a été présenté isolément est différent d'un groupe à l'autre (aucune occurrence dans le groupe A, alors que dans le groupe B, leur fréquence est la même que pour les autres types d'essais). En procédant ainsi, l'expérimentateur
crée, pour le groupe A, une situation dans laquelle le ton est un signe prédicteur utile (mais pas parfait) de l'apparition imminente d'un choc, alors que pour le groupe B, le ton n'a aucune valeur de prédiction quant à l'arrivée éventuelle du choc. Le groupe A a facilement acquis une réponse conditionnée au SC alors que le groupe B n'en a pas acquis du tout.

des signaux de danger ou de sécurité, ce qui peut le rendre très anxieux dès qu'il franchit le seuil du cabinet du médecin. En tant qu'adultes, plusieurs d'entre nous avons déjà ressenti de l'anxiété dans des situations où quelque chose de désagréable est susceptible de se produire sans qu'il y ait d'avertissement nous permettant de le prévoir. Un événement désagréable est, par définition, désagréable, mais s'il est par surcroît imprévisible, il devient tout à fait intolérable.

CONDITIONNEMENT OPÉRANT

Dans le conditionnement classique, la réponse conditionnée est typiquement semblable à la réaction normale au stimulus inconditionnel : la salivation, par exemple, est la réaction normale d'un chien à la nourriture. Quand vous voulez, cependant, faire apprendre à un organisme quelque chose de nouveau — comme montrer un nouveau tour à un chien — vous ne pouvez faire appel au conditionnement classique. Quel stimulus inconditionnel pourrait amener un chien à s'asseoir sur ses pattes arrières ou à se rouler sur lui-même ? Pour entraîner votre chien, vous devez d'abord le persuader d'exécuter le tour et *ensuite* le récompenser soit en l'approuvant, soit en lui donnant de la nourriture. Continuez à le faire et éventuellement votre chien maîtrisera le tour en question.

Une bonne partie des comportements de la vie quotidienne ressemblent à cette situation : les réponses sont apprises parce qu'elles agissent (elles « *opèrent* ») sur l'environnement. On a donné le nom de *conditionnement opérant* à ce type d'apprentissage qui se produit tant chez les espèces inférieures que chez nous-même. Laissé à lui-même dans son berceau, le bébé peut donner du pied, se tordre sur lui-même et gazouiller spontanément. Le chien qui se trouve seul dans une pièce, peut aller et venir çà et là, renifler ou encore prendre une balle dans sa gueule, la laisser tomber et jouer avec elle. Ni l'un ni l'autre de ces deux organismes ne réagit alors à l'apparition ou à la disparition d'un stimulus externe particulier. On doit plutôt dire qu'ils agissent, qu'ils « opèrent » sur leur environnement. Cependant, une fois qu'un organisme exécute un certain comportement, la probabilité que son action se répète dépend de la nature de ses conséquences. Le bébé gazouillera plus souvent si, chaque fois qu'il le fait, son geste est suivi de marques d'attention de la part de ses parents ; de même, le chien prendra la balle plus souvent dans sa gueule si cette action est suivie de caresses ou d'une récompense de nourriture.

Loi de l'effet

L'étude du conditionnement opérant a commencé vers la fin du siècle dernier par une série d'expériences montées par E.L. Thorndyke (1898). Une de ses expériences typiques se déroulait comme ceci. Il plaçait un chat affamé dans une cage dont la porte était tenue fermée par une simple clenche, puis il déposait un morceau de poisson tout près, à l'extérieur de la cage. Au début, le chat tente d'attraper la nourriture en allongeant la patte à travers les barreaux. Quand cette tentative échoue, le chat se déplace dans la cage, s'adonnant à une variété de comportements différents. À un moment donné, il frappe le loquet accidentellement, se libère et mange le poisson. Le chercheur le replace alors dans la cage et dépose un nouveau morceau de poisson à l'extérieur. Le chat répète à peu près le même répertoire de comportements jusqu'à ce qu'à nouveau il lui arrive de frapper la clenche. Le procédé est répété encore et encore. Au cours de ces essais, le chat élimine graduellement plusieurs de ses comportements inutiles pour en arriver éventuellement à soulever la clenche de façon efficace et à se libérer dès qu'il est déposé dans la cage. On peut donc dire que le chat a appris à ouvrir la clenche pour obtenir de la nourriture.

Cette description peut donner l'impression que le chat agit de façon intelligente, mais Thorndyke a insisté sur le peu d'« intelligence » en cause dans cette situation. En aucun moment, le chat ne semble avoir une « intuition » (insight) se rapportant à la solution du problème. Au contraire, le rendement

B.F. Skinner

de l'animal s'améliore graduellement avec les essais. Même si, à un point donné durant l'expérience, on saisit la patte du chat et on la place sur la clenche pour la soulever, faisant ainsi une démonstration de la solution, le progrès accompli par le sujet continue d'être lent. Au lieu d'agir par « intuition », le chat semble s'adonner à un comportement d'*essais et erreurs* et lorsqu'une récompense suit immédiatement l'un de ces comportements, l'apprentissage de l'action est renforcé. Thorndyke a désigné ce renforcement *loi de l'effet*. Il était d'avis que, dans le conditionnement opérant, la loi de l'effet préside à la sélection, parmi un ensemble de réponses, de celles qui sont suivies de conséquences positives seulement. Le processus est semblable à celui de l'évolution, dans lequel la loi de la *survie du plus apte* entraîne une sélection parmi un répertoire de variations aléatoires de l'espèce des seuls changements qui favorisent la survivance. La loi de l'effet concourt donc à la préservation des *réponses les plus adéquates* (Schwartz, 1984).

Expériences de Skinner

B.F. Skinner est responsable de l'introduction de nombreux changements dans la façon dont les chercheurs conçoivent et étudient le comportement opérant. Sa méthode d'étude, plus simple que celle de Thorndyke, a été généralement acceptée.

Dans une expérience de Skinner, on place un animal affamé — généralement un rat ou un pigeon — dans une boîte semblable à celle qu'on peut voir dans la figure 7-10, boîte communément appelée « boîte de Skinner ». L'intérieur est vide sauf qu'il s'y trouve, sur l'une des parois, une barre en saillie au-dessus d'un récipient à nourriture. Sur la paroi, au-dessus de la barre, se trouve également un voyant lumineux qui s'allume et s'éteint au gré de l'expérimentateur. Laissé dans cette boîte, le rat se déplace et explore l'environnement. À l'occasion, il regarde la barre qui sert de levier et appuiera dessus. Le taux initial de pressions sur le levier devient le niveau de base de ce comportement. Une fois ce niveau de base établi, l'expérimentateur branche, derrière la paroi où se trouve le récipient, un appareil qui distribue automatiquement de la nourriture. Dès lors, chaque fois que le rat appuie sur le levier, une petite boulette de nourriture tombe dans le récipient. Le rat mange la boulette et peu de temps après, il appuie à nouveau sur le levier ; la nourriture *renforce* l'action de presser sur le levier et le taux de ces pressions augmente de façon spectaculaire. Si on débranche la distributrice de façon que la pression sur le levier ne donne plus de nourriture, le taux de pression diminue. C'est donc qu'une *réponse opérante* conditionnée est l'objet d'une *extinction* quand il n'y a plus de renforcement, tout comme dans le cas d'une réponse conditionnée classique. L'expérimentateur peut monter un test de *discrimination* en ne présentant de la nourriture que quand le voyant lumineux est allumé, conditionnant ainsi l'animal par renforcement sélectif. Dans cet exemple, le voyant ferait office de *stimulus de discrimination* qui contrôlerait la réponse.

On peut donc dire que le conditionnement opérant fait augmenter la probabilité d'une réponse parce que le comportement est suivi d'un renforcement (soit, dans la plupart des cas, quelque chose qui est capable de satisfaire une tendance fondamentale). L'expérimentateur dispose de plusieurs moyens pour mesurer la force d'une réponse opérante conditionnée (ou tout simplement, la *force de la réponse opérante*). Le levier étant toujours accessible au rat dans la boîte, celui-ci peut y réagir aussi souvent qu'il choisit de le faire ; le *taux de réponse* de l'organisme est donc une mesure utile de la force de la réponse opérante (c'est-à-dire que plus la réponse se produit souvent au cours d'une période de temps donnée, plus sa force opérante s'accroît). Le *nombre total de réponses durant l'extinction* est un autre indice fiable de cette force de la réponse opérante : la force de la réponse est proportionnelle à la fréquence des pressions sur le levier, malgré l'absence de récompense (Skinner, 1938).

Comme dans le cas du conditionnement classique, les relations temporelles entre les événements qui se déroulent au cours d'un essai prennent

FIGURE 7-10
Dispositif utilisé pour le condition-
nement opérant *La photographie*
montre l'aménagement intérieur de la
boîte qui sert généralement au condi-
tionnement opérant des rats. On
appelle communément ce dispositif
« boîte de Skinner » d'après le nom de
celui qui l'a inventé.

une importance primordiale. Par exemple, le renforcement immédiat est plus efficace que le renforcement différé ; plus il s'écoule de temps entre la présentation du stimulus opérant et celle du renforcement, moins la réponse opérante est forte. Plusieurs psychologues, qui s'intéressent au développement de l'enfant, ont noté que le délai dans la présentation du renforcement est un facteur important dans le cas de jeunes enfants. Quand un enfant se montre gentil avec un animal domestique, la meilleure façon de s'assurer du renforcement de ce type de comportement est de le louanger (récompenser) sur-le-champ, plutôt que d'attendre plus tard. De même, si l'enfant en frappe un autre sans provocation, on a plus de chance d'éliminer cette forme d'agressivité en réprimandant ou en punissant l'enfant sur le coup, plutôt que d'attendre que les deux parents soient à la maison, après leur journée de travail.

Portée du conditionnement opérant

Même si on a accordé la préférence aux rats et aux pigeons comme sujets d'expérience, le conditionnement opérant s'applique à de nombreuses espèces, y compris la nôtre. Le cas que voici est un exemple particulièrement révélateur du rôle que le conditionnement opérant joue dans le comportement d'un être humain. Un jeune garçon piquait des crises de colère quand ses parents ne lui manifestaient pas suffisamment d'attention, surtout à l'heure du coucher. Pour éliminer ces crises, on conseilla aux parents de s'en tenir à la routine normale du coucher et d'ignorer les protestations de l'enfant, aussi pénibles qu'elles puissent leur paraître. En n'accordant pas de renforcement (d'attention accrue), les accès de colère finiraient par céder à l'extinction — ce qui fut effectivement le cas. La durée des gémissements de l'enfant à l'heure du coucher passa de 45 minutes à rien du tout en 7 jours seulement (Williams, 1959).

Le conditionnement opérant s'applique à beaucoup de réponses. Pendant des années, les psychologues avaient cru qu'il n'y avait de conditionnement opérant que dans le cas du comportement volontaire (réponses des muscles squelettiques par l'intermédiaire du système nerveux somatique) et que les réactions involontaires (réponses des glandes et des viscères par l'intermédiaire du système nerveux autonome) y échappaient. On pensait que ces réactions du système nerveux autonome étaient attribuables au conditionnement classique, mais pas au conditionnement opérant. Des chercheurs ont battu en brèche cette croyance en démontrant de façon astucieuse qu'il était possible d'effectuer le conditionnement opérant de la fréquence cardiaque et d'autres réactions viscérales.

Par ailleurs, il semblerait que la vie nous offre déjà pareilles démonstrations, puisque certains individus — les yogis de l'Inde et d'autres parties de l'Orient, par exemple — ont la réputation d'être capables de contrôler leur rythme cardiaque. Et ils sont effectivement en mesure de le faire, mais *indirectement*, en agissant sur leurs muscles squelettiques, plus particulièrement sur ceux de la poitrine et de l'abdomen (voir Kimble et Perlmuter, 1970). Mais ce dont il est question ici, c'est de la possibilité d'un contrôle *direct* de la fréquence cardiaque. On comprend d'emblée toute la difficulté de démontrer l'existence d'un tel contrôle direct. Pour y arriver, il faudrait paralyser les muscles squelettiques (pour les empêcher d'exercer un contrôle indirect) mais alors, comment l'organisme arriverait-il à respirer puisque les muscles squelettiques sont nécessaires à la respiration? En outre, de quelle sorte de renforcement pourrait bénéficier un organisme paralysé? Miller et ses collègues ont monté des expériences remarquables pour surmonter de telles difficultés (voir, par exemple, Miller, 1969) (voir la figure 7-11). Ils ont fait à des rats une injection de *curare*, drogue qui paralyse les muscles squelettiques sans affecter les réactions viscérales. Un respirateur artificiel maintenait l'activité respiratoire de l'animal et on utilisait, en guise de renforcement, une stimulation électrique de régions du cerveau qui sont reconnues comme associées à une sensation de récompense. Certains animaux reçurent le renforcement quand leur rythme cardiaque ralentissait, d'autres quand il s'accélérait. Le procédé s'avéra efficace: la fréquence cardiaque changeait dans la direction correspondant au lien avec le renforcement (voir la figure 7-11). Des expérimentateurs ont pu, au moyen de techniques similaires, conditionner d'autres réponses autonomes. On a, par exemple, sous l'effet du curare, appris à des rats à relâcher ou à contracter leur gros intestin.

Ces résultats ont des conséquences pratiques sérieuses. Au moyen de méthodes de type « opérant », on a réussi à entraîner des sujets humains à contrôler des réponses autonomes comme le rythme cardiaque, la pression artérielle et la sécrétion d'acides gastriques pouvant produire des ulcères. Pour apprendre à contrôler sa tension artérielle, par exemple, l'individu surveille une machine qui lui fournit une information visuelle rétroactive continue sur sa tension. Chaque fois que la tension artérielle baisse en deçà d'une limite préétablie, un voyant lumineux s'allume. Le sujet s'interroge alors sur l'objet de ses pensées ou sur ce qu'il faisait au moment où la tension a diminué et il essaie de reproduire ces pensées ou cette émotion afin de maintenir sa tension à un niveau inférieur. On donne à ce procédé le nom d'entraînement par *rétroaction biologique*: on fournit au sujet de l'information (rétroaction) sur certains aspects de son état biologique et il reçoit un renforcement quand il parvient à modifier cette condition biologique.

Les applications médicales de ce type de recherche sont évidentes. Les gens qui souffrent d'hypertension ont avantage à apprendre à contrôler eux-mêmes leur tension artérielle plutôt que de s'en remettre à des médicaments qui n'y arrivent que partiellement et qui s'accompagnent d'effets secondaires indésirables. En plus de leur application à l'hypertension, les techniques de rétroaction biologique ont été utilisées avec succès pour soulager une quantité d'autres troubles, comme les perturbations cardiovasculaires, les migraines et des problèmes viscéraux qui vont des ulcères gastriques chez l'adulte jusqu'à l'entraînement à la propreté des enfants qui éprouvent de la difficulté à contrôler leurs intestins (Miller, 1985). L'un des aspects les plus remarquables de ces applications est le fait qu'elles sont ressorties d'expérimentations compliquées, qui portaient sur des rats et visaient à démontrer des questions théoriques. Il est souvent difficile de prévoir les retombées de la recherche fondamentale*.

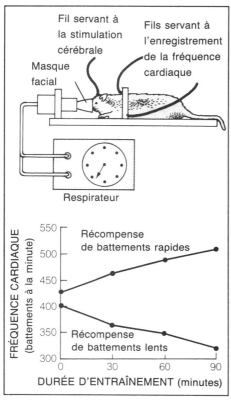

FIGURE 7-11
Conditionnement opérant de la fréquence cardiaque *La partie supérieure de la figure est une présentation schématique du dispositif utilisé pour le conditionnement opérant du rythme cardiaque. Le rat, paralysé au curare, est maintenu en vie grâce à un respirateur. Le renforcement se donne par stimulation du cerveau au moyen de fils métalliques; d'autres fils tiennent lieu d'électrodes pour l'enregistrement de la fréquence cardiaque. La partie inférieure de la figure présente les résultats de cette expérience: le rythme cardiaque accélère quand les rats sont renforcés en fonction d'une augmentation; il ralentit quand ils sont renforcés en fonction d'une diminution de la fréquence. (D'après DiCara, 1970; 1970 par Scientific American, Inc.* © *Tous droits réservés.)*

---

* Dans ces applications pratiques, toutefois, le contrôle des réponses autonomes peut s'exercer indirectement par l'intermédiaire du contrôle des muscles squelettiques, comme le pratiquent les yogis (voir au chapitre 4, p. 151).

Quelques phénomènes fondamentaux

GÉNÉRALISATION ET DISCRIMINATION   Nos conclusions dans le cas du conditionnement classique valent aussi pour le conditionnement opérant : les organismes généralisent d'après ce qu'ils ont appris, mais cette généralisation peut être bridée par un entraînement de discrimination. Si les parents d'une jeune enfant lui donnent un renforcement quand elle caresse son propre chien, elle en viendra rapidement à généraliser cette réponse de caresse à d'autres chiens. Mais comme il peut y avoir danger (supposons que les voisins ont un chien de garde qui est méchant), les parents de l'enfant verront probablement à ce qu'elle ait un certain entraînement de discrimination, en s'assurant qu'elle n'ait pas de renforcement quand elle caresse le chien du voisin.

FAÇONNEMENT   Disons que vous voulez vous servir du conditionnement opérant pour apprendre un tour à votre chien — le faire appuyer sur une sonnette avec son museau, par exemple. Il serait vain d'attendre que le chien pose ce geste naturellement (pour le renforcer ensuite), car il se pourrait que vous attendiez indéfiniment. Lorsque le comportement visé est vraiment nouveau, il vous faut le conditionner en exploitant les variations naturelles du répertoire d'activités de l'animal. Pour dresser le chien à presser sur la sonnette, vous pouvez donner à l'animal un renforcement de nourriture chaque fois qu'il se rapproche de la région du bouton, l'obligeant à s'aventurer de plus en plus près de l'endroit souhaité pour obtenir, d'une fois à l'autre, sa récompense, jusqu'à ce que son museau touche finalement le bouton. Cette technique, qui consiste à ne renforcer que les réponses qui satisfont aux exigences de l'expérimentateur et à soumettre toutes les autres à l'extinction, s'appelle *façonnement* du comportement animal.

On peut, par façonnement, apprendre aux animaux des trucs compliqués. Deux psychologues ont, avec l'aide de leur personnel, dressé des milliers d'animaux, appartenant à des espèces variées, en vue de leur participation à des émissions de télévision, des annonces commerciales et des foires régionales (Breland et Breland, 1966). Une de ces attractions populaires mettait en vedette « Priscilla, la truie prodigieuse » (Priscilla, the Fastidious Pig). Priscilla ouvrait le poste de télévision, prenait son petit déjeuner à table, ramassait le linge sale et le plaçait dans un panier, passait l'aspirateur, choisissait sa nourriture favorite (à l'exclusion des marques vendues par les concurrents de son commanditaire !) et participait à un jeu-questionnaire, au cours duquel elle répondait par « oui » ou par « non » aux questions de l'auditoire en allumant des voyants. Il ne s'agissait pas d'un membre exceptionnellement doué de la race porcine ; en fait, à cause de la croissance très rapide des porcs, on devait dresser une nouvelle « Priscilla » tous les trois ou cinq mois. L'ingéniosité n'était pas le fait de la truie, mais bien celui des expérimentateurs, qui utilisaient le conditionnement opérant pour façonner le comportement en fonction du résultat désiré. On a, par façonnement de réponses de type opérant, entraîné des pigeons à repérer des naufragés (voir la figure 7-12) et des dauphins à repêcher de l'équipement de plongée sous-marine.

AUTOFAÇONNEMENT   Les phénomènes de conditionnement opérant que nous avons décrits jusqu'à présent sont distincts des phénomènes de conditionnement classique. Il y a cependant des instances de comportement qui se déterminent par des principes qui relèvent à la fois des deux types de conditionnement, opérant et classique. L'un de ces phénomènes est l'*autofaçonnement*. Voici comment se développe ce processus. On place, par exemple, un pigeon affamé, qui n'a jamais participé à une expérience auparavant, dans une boîte de Skinner. Une clef située dans cette boîte s'allume une fois par minute pour une période de 6 secondes. Lorsque la lumière s'éteint, un petit morceau de nourriture apparaît. La clef reste alors éteinte durant 54 secondes, s'illumine à nouveau, et ainsi de suite. Notons que la nourriture apparaît automatiquement, indépendamment du comportement du pigeon face à la clef ; en effet, la nourriture apparaît chaque fois que la lumière s'éteint, que le pigeon picore ou non sur la clef. Cependant, on remarque qu'après quelques essais, l'oiseau se met à picorer sur la clef dès qu'elle s'allume. On appelle

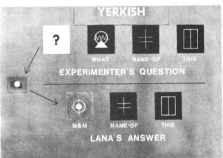

On a pu, en utilisant des techniques de façonnement, enseigner à des animaux des réponses très compliquées. Au Centre de recherches sur les primates (Yerkes Primate Research Center) à Atlanta, une femelle chimpanzé, du nom de Lana, a appris à répondre à des questions et à demander des choses en appuyant sur des symboles qui apparaissent sur un panneau d'ordinateur faisant office de clavier. La photographie du bas donne un exemple de la façon dont l'expérience fonctionne. Un chercheur situé à l'extérieur de la pièce pose une question à Lana en pressant les symboles du clavier pour les mots « Quoi — nom de — ça » et en tenant en même temps dans ses mains un bonbon. La chimpanzé répond en appuyant sur les symboles pour les mots « M et M — nom de — ça ».

ce processus *autofaçonnement* parce que, contrairement au façonnement proprement dit, il n'exige pas l'intervention d'un expérimentateur (Brown et Jenkins, 1968).

Le conditionnement classique intervient dans l'autofaçonnement: grâce au jumelage répété de la lumière et de la nourriture, la lumière devient un stimulus conditionnel (SC) pour la réponse de la nourriture (picorer, RI). Une fois que le pigeon a picoré sur la clef illuminée, on lui donne de la nourriture presque immédiatement, tout comme dans une expérience de conditionnement opérant. C'est pourquoi il est vraisemblable que le conditionnement opérant contribue au maintien d'une réponse automatique.

Il semble que, par suite du jumelage de la clef illuminée avec la nourriture, la lumière finisse par se substituer à la nourriture et que le pigeon réagisse à la lumière d'une façon qui ressemble à sa réaction à la nourriture. Les photographies des mouvements autofaçonnés adoptés par le pigeon quand il picore viennent confirmer cette notion (voir la figure 7-13). Lorsque le bec frappe la clef, le pigeon est placé dans la même position que s'il allait saisir de la nourriture (quand il s'agit bien de nourriture, mais *pas* lorsqu'on utilise de l'eau comme renforcement). Les stimuli jumelés à la nourriture finissent donc par déclencher la même réponse que la nourriture elle-même, comme dans le conditionnement classique (Schwartz et Gamzu, 1977).

RENFORCEMENT PARTIEL   Dans la vie courante, il arrive rarement que tous les cas de comportement soient individuellement renforcés — un travail ardu donne parfois lieu à des félicitations mais, souvent, on n'en fait pas état. Si le conditionnement opérant ne se produisait que lors d'un renforcement continu, il ne jouerait pas un grand rôle dans nos vies. Il s'avère, cependant,

FIGURE 7-12
Recherche et sauvetage effectués par des pigeons *Les membres de la Garde côtière américaine ont eu recours à des pigeons pour la recherche de naufragés. Grâce aux méthodes de façonnement, ces pigeons sont entraînés à repérer la couleur orangée — la couleur internationale des vestes de sauvetage. On ligote trois pigeons dans une boîte en plexiglas attachée sous un hélicoptère. La boîte est divisée en trois compartiments orientant chacun des pigeons dans une direction différente. Quand un pigeon repère un objet orange, ou tout autre objet, il picore sur la clef d'un vibreur qui avertit le pilote. Celui-ci se dirige alors dans la direction indiquée par celui des oiseaux qui a réagi. Les pigeons sont mieux équipés que les êtres humains pour cette tâche de repérage d'objets éloignés sur la mer. Ils peuvent regarder la surface de l'eau pendant de longues périodes sans fatigue oculaire, ils possèdent une excellente vision des couleurs et peuvent placer au foyer une région de 60° à 80° d'envergure, alors qu'un être humain ne peut placer au foyer qu'une région de 2° à 3°. Des tests effectués par les garde-côtes indiquent que, dans des conditions où l'équipage d'un hélicoptère repère environ 50 % des cibles, les pigeons en repèrent 85 %. (D'après Simmons, 1981)*

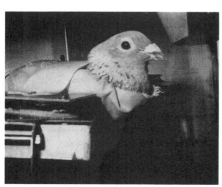

Pigeon assis

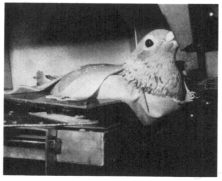

Pigeon qui fait un signal

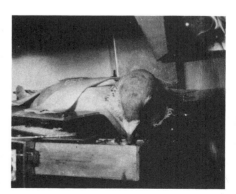

Pigeon récompensé

qu'un comportement peut se conditionner et conserver son lien de conditionnement même quand il ne se trouve renforcé qu'occasionnellement. On parle alors de *renforcement partiel*, phénomène qu'on peut illustrer en laboratoire à l'aide d'un pigeon qui apprend à picorer sur une clef pour se procurer de la nourriture. Une fois cette réponse opérante établie, le pigeon continue à picorer à une vitesse rapide, même quand il ne reçoit qu'un renforcement occasionnel. Dans certains cas, des pigeons qui étaient récompensés en moyenne une fois toutes les cinq minutes (12 fois dans une heure) picoraient sur la clef jusqu'à 6000 fois en 1 heure!

L'extinction qui suit l'acquisition d'une réponse par renforcement partiel est beaucoup plus lente que celle qui suit l'acquisition par renforcement continu. Ce phénomène, appelé *effet de renforcement partiel*, résulte de ce que la différence entre extinction et acquisition est moins grande quand le renforcement durant l'acquisition n'est que partiel. Les exemples de ce phénomène sont nombreux chez l'humain. Quand, dans un casino, une machine à sous se brise, il peut arriver que les joueurs continuent d'y insérer des centaines de pièces, car ils sont habitués à des rendements espacés. Lorsqu'une distributrice automatique de nourriture tombe en panne cependant, il arrive rarement que les gens y mettent des pièces additionnelles puisque ce type de machine fonctionne selon un principe de renforcement continu.

L'éducation des enfants nous fournit d'autres exemples de renforcement partiel. Ainsi, le parent qui, en lui cédant parfois, apporte un renforcement *occasionnel* aux accès de colère de son enfant, doit s'attendre à des incidents du même genre plus intenses et plus persistants que le parent qui cède *à tout coup*. L'enfant qui a connu un renforcement partiel de ses accès de colère va en «piquer» avec une persistance remarquable, même lorsque les parents essaient de produire une extinction en les ignorant.

Contiguïté par opposition à contrôle

Comme pour le conditionnement classique, nous voulons savoir quel est le facteur essentiel au succès du conditionnement opérant. Ici encore, la contiguïté temporelle représente l'une des options qui s'offrent à nous : une réponse opérante serait conditionnée chaque fois que le renforcement suit immédiatement le comportement (Skinner, 1948). Une autre option étroitement associée à la prévisibilité est celle du *contrôle* : une réponse opérante ne serait conditionnée que lorsque l'organisme conçoit le renforcement comme dépendant de sa réponse. Des expériences importantes de Maier et Seligman (1976) tendent à favoriser la notion de contrôle plutôt que celle de contiguïté temporelle.

Leur expérience de base s'effectuait en deux étapes. Dans la première, des chiens apprenaient que la réception ou non d'un choc dépendait de (était contrôlée par) leur comportement, alors que d'autres chiens devaient constater qu'ils n'avaient aucun contrôle sur le choc. Représentez-vous ces tests comme s'ils étaient menés sur des chiens jumelés. Chacun des deux chiens porte un harnais qui limite ses mouvements et ils reçoivent occasionnellement un choc électrique. L'un des deux, le chien «contrôle», a la possibilité d'éliminer le choc en poussant avec son museau un panneau qui se trouve près de lui; l'autre, le chien «passif», ne dispose d'aucun moyen de contrôle sur le choc. Chaque fois que le chien contrôle reçoit un choc, son compagnon en reçoit un également; et chaque fois que le chien contrôle élimine le choc, le chien passif lui échappe également. Par conséquent, les deux chiens subissent exactement le même nombre de chocs.

À la seconde étape de l'expérience, les expérimentateurs placent les deux chiens dans un nouvel appareil — une boîte divisée par une barrière en deux compartiments. À chaque essai, un son se fait d'abord entendre, indiquant que le compartiment que les chiens occupent à ce moment-là est sur le point d'être électrisé. Pour éviter le choc, les chiens doivent apprendre à sauter par-dessus la barrière pour se rendre dans l'autre compartiment quand ils entendent le signal d'avertissement. Les chiens «contrôle» apprennent cette réponse rapidement, mais il en est autrement des chiens «passifs» : au début, ils ne font aucun mouvement pour traverser la barrière et à mesure que les

FIGURE 7-13
Réponses d'autofaçonnement à l'eau et à la nourriture *Les deux photographies illustrent les réponses autofaçonnées du pigeon, au moment où il prend contact avec la clef. En haut, l'oiseau répond à un jumelage clef-nourriture et en bas, à un jumelage clef-eau. Les mouvements du bec sont nettement différents dans les deux situations. La photo du haut ressemble à celle d'un oiseau qui mange, la photo du bas à celle d'un oiseau qui boit. Le pigeon semble «manger» la clef quand il travaille en vue de l'obtention de nourriture et il semble «boire» la clef quand ses efforts sont dirigés vers l'obtention d'eau. (D'après Jenkins et Moore, 1973)*

essais se succèdent, ils deviennent de plus en plus passifs, s'abandonnant finalement à une totale impuissance. Cela s'explique par le fait que, durant la première étape, ces chiens ont appris qu'ils n'avaient aucun contrôle sur les chocs et cette « conviction » de l'absence de moyens de contrôle a rendu le conditionnement dans la seconde étape impossible. Si la croyance en l'absence de moyens de contrôle rend le conditionnement impossible, ce serait donc la croyance dans la possibilité d'un contrôle qui le rendrait possible. Plusieurs autres expériences viennent appuyer l'hypothèse selon laquelle le conditionnement opérant ne se produit que si l'organisme perçoit la possibilité d'exercer un contrôle sur le renforcement (Seligman, 1975).

NATURE DU RENFORCEMENT

Jusqu'ici, notre étude du renforcement semble indiquer qu'il s'agit nécessairement d'un événement significatif sur le plan biologique et toujours positif (la nourriture en est un bon exemple). Nos propos peuvent également laisser entendre que le renforcement est une propriété tout-ou-rien d'un événement — ce qui est vrai dans le cas de la nourriture, mais non dans le cas de la lumière. Une telle description du comportement risque d'induire en erreur car :

1) plusieurs événements sans signification biologique sont susceptibles de devenir des *agents de renforcement conditionnés* ;
2) la valeur de renforcement d'un événement ne peut se déterminer qu'*en fonction* de l'activité qu'il renforce ;
3) les événements négatifs, ou qui suscitent une *aversion*, tels les chocs électriques ou les bruits désagréables, exercent aussi des effets spectaculaires sur le comportement.

Nous allons considérer, dans les paragraphes qui suivent, ces trois autres aspects du renforcement.

Agents de renforcement conditionné

La plupart des agents de renforcement dont nous avons parlé jusqu'ici sont des agents de renforcement *primaire* car, comme la nourriture, ils satisfont des tendances fondamentales. Si le conditionnement opérant ne se produisait que par l'intermédiaire d'agents de renforcement primaire, il n'interviendrait pas aussi souvent dans nos vies puisque les agents de renforcement primaire ne se présentent pas très souvent. Par contre, pratiquement tous les stimuli sont susceptibles de devenir des agents de renforcement *secondaire* ou *conditionné* par jumelage répété avec un agent de renforcement primaire ; les agents de renforcement conditionné étendent donc considérablement le champ du conditionnement opérant.

Une variation mineure de l'expérience typique de conditionnement opérant illustre le mode d'opération du renforcement conditionné. Lorsqu'un rat presse sur un levier dans une boîte de Skinner, un son se fait entendre momentanément pour être suivi de l'apparition de nourriture (la nourriture est un renforcement primaire ; le son deviendra un agent de renforcement conditionné). Une fois l'animal ainsi conditionné, l'expérimentateur amorce l'extinction en faisant en sorte que ni son ni nourriture n'apparaisse quand le rat appuie sur le levier. Avec le temps, l'animal cessera, à toutes fins utiles, de presser sur le levier. Alors, l'expérimentateur rétablira la connexion levier-son, mais pas la connexion levier-nourriture. Quand l'animal découvre que la pression sur le levier fait apparaître le son, son taux de pression s'accroît de façon marquée, surmontant l'extinction, même s'il ne vient pas de nourriture. Le son a acquis une propriété de renforcement qui lui est propre, par l'intermédiaire du conditionnement classique : le son (SC) étant jumelé à la nourriture (SI) de façon constante a fini par devenir un signal de nourriture.

Nos vies sont remplies d'agents de renforcement conditionné. Deux des plus communs sont l'argent et la louange. L'argent est un agent de renforcement puissant, possiblement à cause de son association si fréquente à tellement d'agents de renforcement primaire — tout s'achète : la nourriture, ce que l'on boit, le confort, etc. Et les simples éloges, même en l'absence de promesse d'un agent de renforcement primaire, sont capables de soutenir plus d'une activité.

Relativité du renforcement

Il est naturel de voir dans le renforcement une propriété tout-ou-rien de stimuli ou d'événements. Mais il est plus utile de considérer les agents de renforcement comme des *activités*; ce n'est pas la boulette de nourriture qui renforce la pression sur le levier, mais l'action de manger cette boulette. Quelle est la relation qui doit exister entre les deux activités pour que l'une renforce l'autre?

La louange comme agent de renforcement positif; un étudiant reçoit les félicitations d'un professeur à propos d'un travail bien fait.

LE PRINCIPE DE PREMACK   Selon David Premack (1959), toute activité d'un organisme a la possibilité de renforcer toute autre activité dans laquelle l'organisme s'engage moins fréquemment. Premack a, par exemple, offert à des enfants le choix de jouer avec une machine à boules ou de manger des friandises. Les enfants qui préféraient les friandises accéléraient leur jeu sur la machine à boules quand l'opération de cette machine entraînait la consommation de friandises; donc, manger des bonbons renforçait le jeu à la machine à boules. Dans le cas des enfants qui accordaient leur préférence au jeu de la machine à boules cependant, c'était l'inverse: ils n'augmentaient leur consommation de bonbons que si cette consommation améliorait leurs chances de jouer à la machine.

Se fondant sur cette expérience, Premack a formulé une conception à double niveau du renforcement: 1) il existerait, chez tout organisme, une hiérarchie de renforcement grâce à laquelle les agents de renforcement de niveau supérieur dans cette hiérarchie correspondraient aux activités que l'organisme est plus susceptible d'entreprendre si on lui en donne la chance; 2) toute activité appartenant à cette hiérarchie pourrait être renforcée (rendue plus probable) par une activité de niveau supérieur — et elle pourrait elle-même renforcer toute activité de niveau inférieur. C'est ce second énoncé qui constitue le *principe de Premack*. Il est l'expression d'une technique qu'appliquent depuis longtemps les parents qui exigent de leur enfant d'âge scolaire de faire ses devoirs avant d'aller jouer plutôt que de le laisser jouer d'abord pourvu qu'il promette de faire ses devoirs ensuite.

Les instituteurs et les institutrices ont également fait appel au principe de Premack pour s'assurer le contrôle des activités des élèves durant les cours. On a pu, par exemple, améliorer la calligraphie des écoliers en leur permettant de jouer lorsqu'ils ont terminé une tâche d'écriture. Même les petits de 3 ans qui sont à l'école maternelle ont bien réagi à l'application de ce principe. Dans le cas de ces « élèves », les activités de niveau supérieur dans leur hiérarchie comprenaient le fait de crier et de courir dans la pièce. On permettait aux enfants de s'adonner à ces activités de renforcement quand ils manifestaient d'abord le comportement requis. Par exemple, le comportement de rester assis tranquille en dirigeant son attention vers le tableau était occasionnellement suivi par le son d'une cloche et la directive « courez et criez » (à laquelle ils obéissaient religieusement). Après quelques jours de ce régime, les éducateurs et éducatrices avaient obtenu un contrôle pratiquement parfait du comportement en classe (Homme et coll., 1963).

IMPORTANCE DE LA PRIVATION   Cette hiérarchie de renforcement est-elle stable ou change-t-elle avec l'état de motivation de l'organisme? Même si la consommation de bonbons ne renforçait pas le jeu à la machine à boules chez les enfants qui préféraient la machine à bonbons, Premack a constaté que lorsque les enfants avaient suffisamment faim, la relation de renforcement était renversée: la consommation des bonbons en arrivait à renforcer le jeu à la machine à boules. Premack (1962) a également obtenu des résultats similaires dans des études plus poussées chez des rats: un rat qui a soif courra pour avoir à boire, alors qu'un rat qui est resté immobile depuis longtemps boira pour avoir l'occasion de courir dans une cage tournante. D'autres études accordent à la privation un rôle encore plus grand dans l'établissement du pouvoir de renforcement d'une activité. Chaque fois qu'un organisme se

ANALYSE CRITIQUE

Stimulation cérébrale et renforcement

Au cours des années 1950, James Olds et Peter Milner firent une découverte étonnante : la stimulation de certaines régions du cerveau pouvait avoir un effet de renforcement. Olds et Milner exploraient alors le cerveau des rats au moyen de micro-électrodes, pouvant s'insérer de façon permanente dans des aires spécifiques du cerveau sans nuire ni à la santé de l'animal, ni à ses activités normales. Reliées à une source électrique, elles peuvent véhiculer une stimulation d'intensité variable à des sites très précis du cerveau. Ces chercheurs avaient accidentellement logé l'une des électrodes dans une région rapprochée de l'hypothalamus et, après avoir fait passer de faibles courants dans ces électrodes, ils remarquèrent que l'animal retournait toujours à l'endroit où il se trouvait lorsqu'il avait reçu la stimulation. D'autres stimulations produites au même endroit dans la cage amenaient l'animal à passer la plus grande partie de son temps à cet endroit. Plus tard, Olds et Milner découvrirent que d'autres animaux à qui on avait inséré des électrodes dans la même région du cerveau apprenaient à appuyer sur un levier dans une boîte de Skinner afin de produire leur propre stimulation électrique (voir la figure 7-14). Ces animaux pressaient le levier à un rythme phénoménal : il n'était pas rare d'obtenir ainsi une moyenne de plus de 2000 pressions par heure pendant 15 ou 20 h, jusqu'à ce que l'animal tombe finalement d'épuisement.

Depuis cette première découverte relative à la stimulation cérébrale, on a procédé à des expériences dans lesquelles on insère des micro-électrodes dans plusieurs régions différentes du cerveau et de la tige cérébrale, expérience portant sur des rats, des chats et des singes, et faisant intervenir une grande variété de tâches. L'effet de renforcement de la stimulation dans certaines régions (surtout l'hypothalamus) est puissant. Quand on leur donne à choisir entre nourriture et

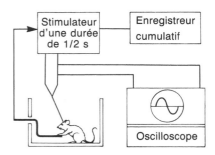

FIGURE 7-14
Stimulation cérébrale *La pression exercée par l'animal sur le levier déclenche une stimulation consistant en un courant électrique de 60 cycles appliqué durant une demi-seconde, à la suite de quoi l'animal doit relâcher le levier et le presser à nouveau pour obtenir une autre stimulation. Le taux de réponse de l'animal s'inscrit sur l'enregistreur cumulatif et le passage du courant peut s'observer sur un oscilloscope. Les rats réagissent à des taux allant jusqu'à 100 pressions à la minute quand les électrodes sont logées dans la région médiane antérieure de l'hypothalamus.*

stimulation électrique du cerveau dans un *labyrinthe en T* (un labyrinthe où le rat s'engageant dans une allée droite doit, arrivé au bout, choisir entre les deux bras d'un corridor transversal, comme à la figure 7-15), il peut arriver que des rats même affamés optent pour le bras qui mène à la stimulation cérébrale. Par contre, la stimulation de certaines régions de la tige cérébrale joue un rôle d'*agent de renforcement négatif*. Lorsqu'on déplace les électrodes vers ces différentes régions cérébrales, des rats, qui pressaient auparavant le levier à un rythme accéléré afin

trouve privé de la quantité habituelle d'exercice d'une activité naturelle, comme celle de courir chez le rat, le pouvoir de renforcement de cette activité s'accroît (Timberlake et Allison, 1974).

Punition et évitement

Nous nous en sommes tenus surtout à des cas où le comportement conduisait à un événement positif ou une *récompense* et nous n'avons que brièvement parlé de cas où le comportement mène à un événement à l'égard duquel l'organisme entretient une aversion ou qui représente pour lui une *punition*. Pourtant les punitions ont un impact considérable sur le comportement et méritent, par conséquent, d'être analysées de façon plus systématique.

PUNITION ET APPRENTISSAGE Supposons un enfant qui apprend à colorier ; si on lui tape sur les doigts quand il dessine sur les murs, il apprendra à ne

de recevoir de la stimulation, cessent soudain de presser et évitent totalement le levier. Apparemment, la nouvelle stimulation est désagréable. Pour éviter la stimulation dans ces régions, d'autres animaux ont appris diverses réponses — la pression sur un levier, par exemple, pour *couper* le courant. On a fait beaucoup de progrès dans la cartographie des régions de renforcement neutre, négatif et positif du cerveau (Carr et Coons, 1982).

La signification que revêtent les études de stimulation cérébrale tient en partie de leur capacité de révéler les bases anatomiques et neurologiques du renforcement en général. Il serait commode de pouvoir en conclure que nous avons découvert le site anatomique du renforcement ; autrement dit, que lorsque nous stimulons une région de la tige cérébrale d'un rat, par exemple, les sensations sont semblables à celles ressenties quand l'animal reçoit un renforcement par nourriture, ou que les sensations résultant de la stimulation d'une autre région rappellent le renforcement par l'eau. Malheureusement, le rat est incapable de décrire ses sensations. Les quelques rares données que nous possédons sur les êtres humains proviennent de patients vivant dans des conditions anormales (telles l'épilepsie ou la douleur irréductible du cancer fatal), de telle sorte qu'il est impossible de les appliquer directement aux individus normaux. Ces patients disent éprouver un soulagement de la douleur et de l'anxiété et des sentiments d'états « merveilleux », « heureux » et d'« ivresse » à la suite de la stimulation de certaines régions du système limbique (Campbell, 1973).

L'interprétation des études de stimulation cérébrale présente cependant quelques difficultés. En effet, dans certaines expériences, la stimulation peut agir aussi bien sur le système moteur que sur le système de récompense, ces deux systèmes étant très voisins. Il s'ensuit que les taux de réponse élevés qu'on obtient par

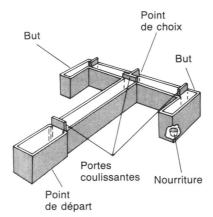

FIGURE 7-15

Laryrinthe en T *Labyrinthe utilisé dans l'étude de l'apprentissage d'un choix simple. Les couvercles en plexiglas de la boîte de départ et des boîtes de points d'arrivée (buts) sont montés sur pentures, de sorte qu'on peut facilement déposer le rat dans l'appareil ou l'en retirer. Les portes coulissantes (habituellement actionnées par un jeu de cordes et de poulies disposé au-dessus de l'appareil) empêchent l'animal de revenir sur ses pas une fois qu'il a fait son choix. Notez que la nourriture est placée aux points d'arrivée de façon que l'animal ne puisse l'apercevoir à partir du point de choix.*

stimulation dans ces expériences pourraient être le reflet d'une activité motrice accrue (Stellar et Stellar, 1985). Les faits à l'appui d'une telle interprétation proviennent d'expériences menées sur deux niveaux de stimulation différents. Le niveau de stimulation auquel les rats réagissaient le plus n'était pas toujours celui

qu'ils préféraient si on leur donnait le choix. Il se peut qu'un niveau ait donné lieu à des taux de réponse plus élevés parce qu'il a activé le système moteur alors que l'autre niveau était peut-être le plus gratifiant. On a aussi démontré que la stimulation cérébrale produit un effet consécutif représenté par une activation motrice générale, qui accroît la fréquence et la vigueur des réponses subséquentes en vue de l'obtention d'une stimulation électrique (Gallistel, 1973).

Ces données, qui indiquent que la stimulation cérébrale agit à la fois sur le système moteur et sur le système de récompense, s'accordent bien avec l'hypothèse selon laquelle les effets de la stimulation cérébrale s'exerceraient par l'intermédiare du neurotransmetteur qu'est la *dopamine* (Wise, 1984). On sait que la dopamine joue un rôle dans la motricité. La réduction du niveau de dopamine est l'une des causes principales de la *maladie de Parkinson*, qui se manifeste par un syndrome comportant des dysfonctionnements d'ordre moteur, comme la rigidité musculaire et le tremblement à l'état de repos. Il est également probable que la production de dopamine intervienne dans le système de récompense, puisque des substances qui stimulent la production de dopamine (telles la cocaïne et les amphétamines) peuvent être agréables et créer des dépendances, tout en comportant des dangers. Les faits qui militent le plus fortement en faveur de l'hypothèse de la dopamine proviennent sans doute d'études dans lesquelles on donne à des animaux, qui sont l'objet d'une stimulation cérébrale, des *neuroleptiques*, soit des drogues qui perturbent la production de dopamine. Ces substances réduisent considérablement le taux de réponse à la stimulation cérébrale. De plus, cette réduction des réponses doit être attribuée à des changements dans le système de récompense et non dans le système moteur (Stellar et Stellar, 1985).

plus le faire. De même, si on donne à un rat, qui apprend le parcours d'un labyrinthe, un choc électrique chaque fois qu'il choisit le mauvais sentier, il arrivera vite à éviter ses erreurs passées. Dans les deux cas, on a recours à la punition pour réduire la probabilité d'un comportement indésirable*.

Même si la punition contribue à la suppression d'une réponse indésirée, elle comporte plusieurs désavantages significatifs. D'abord, ses effets ne sont pas aussi prévisibles que les résultats de la récompense. La récompense dit

---

* La relation entre les termes *récompense* et *punition* d'une part et *agents de renforcements positif* et *négatif*, d'autre part, mérite qu'on s'y arrête. On utilise parfois le mot *récompense* comme synonyme de l'expression *renforcement positif* — un événement qui, arrivant à la suite d'une réponse, accroît la probabilité de la production future de cette réponse. Mais la *punition* n'est pas la même chose que le *renforcement négatif*. L'expression renforcement négatif signifie la cessation, consécutive à une réponse, d'un événement qui suscite de l'aversion ; cette conséquence augmente la probabilité de la production future de cette réponse. La punition a l'effet contraire : elle diminue la probabilité de la production future d'une réponse.

La menace de punition comme moyen de contrôle du comportement.

essentiellement, « Répète ce que tu viens de faire » ; la punition dit, « Arrête ! » mais elle ne dit pas ce qu'il faudrait faire. Il s'ensuit que l'organisme pourrait remplacer la réponse punie par une autre encore moins souhaitable. La punition amène souvent celui qui est puni à détester celui qui punit (le parent, l'éducateur ou l'employeur) ou à le craindre ou à éprouver des sentiments semblables face à la situation (la famille, l'école ou le bureau) dans laquelle la punition se produit. Enfin, une punition trop sévère ou douloureuse peut susciter des comportements agressifs qui sont plus graves que le comportement indésirable qui en était à l'origine.

Ces mises en garde ne signifient pas qu'on ne doive jamais avoir recours à la punition, qui permet d'éliminer une réponse indésirable, à condition que les autres réponses acceptables accessibles à celui qui est puni soient récompensées. Un rat ayant appris à prendre le plus court de deux sentiers dans un labyrinthe pour arriver à la nourriture accordera vite sa préférence au plus long sentier si on lui applique un choc quand il emprunte le sentier court. La suppression temporaire que produit la punition donne au rat l'occasion d'apprendre à adopter le plus long parcours. La punition est donc un moyen efficace de réorientation du comportement parce qu'elle a valeur d'information, ce qui semble être la clef d'un usage efficace de la punition chez l'humain. L'enfant qui prend un choc au contact de dispositifs électriques peut apprendre à distinguer les connexions qui présentent un danger de celles qui n'en présentent pas ; l'étudiant peut voir un caractère punitif dans les corrections apportées à ces travaux par un professeur, mais les remarques du professeur ont également valeur d'information et devraient être une occasion d'apprentissage.

Les parents se demandent souvent de quelle façon et jusqu'à quel point ils devraient punir leurs enfants. Dans les faits, la plupart d'entre eux ont occasionnellement recours à des mesures de privation, sinon à l'action même d'infliger de la douleur. Les enfants font de temps à autre le « test des limites » pour voir jusqu'où ils peuvent aller. Dans ce cas, il semble souhaitable de recourir à une discipline ferme mais non draconienne, et de l'appliquer promptement et de façon constante. Faire des reproches continuels à un enfant pour le faire obéir peut, à la longue, constituer une méthode moins clémente qu'une punition immédiate. L'enfant menacé d'une punition vague et remise à plus tard (« Quelle sorte de personne tu penses devenir quand tu grandiras ? ») peut progresser moins bien et souffrir davantage que celui qui est puni sévèrement pour ses incartades, mais qui se voit ensuite accueilli à nouveau dans le giron familial.

ÉVITEMENT   Les gens apprennent souvent à éviter les événements punitifs en devenant sensibles aux signaux qui indiquent l'éventualité prochaine d'un tel événement. Nous apprenons, par exemple, à éviter les orages en nous mettant à l'abri quand nous entendons gronder le tonnerre. Dans une expérience de laboratoire typique sur l'apprentissage d'évitement, on place un rat dans une boîte comprenant deux compartiments séparés par une barrière. À chaque essai, on dépose l'animal dans l'un de ces deux compartiments. À un moment donné, un signal d'avertissement se fait entendre et, cinq secondes plus tard, le plancher de ce compartiment est électrisé ; pour échapper au choc, le rat doit sauter par-dessus la barrière pour tomber dans le compartiment voisin. Au début, le rat ne saute la barrière que lorsque le choc commence ; mais avec l'entraînement, l'animal apprend à sauter dès qu'il entend le signal, évitant ainsi le choc totalement.

L'apprentissage d'évitement a suscité beaucoup d'intérêt, en partie à cause de certains aspects très énigmatiques. Qu'est-ce qui exactement vient renforcer la réponse d'évitement ? Dans l'expérience que nous venons de décrire, qu'est-ce qui renforce l'action de sauter la barrière ? Intuitivement, on serait porté à dire que c'est l'absence de choc, mais c'est là un *non-événement*. Comment un non-événement peut-il faire office d'agent de renforcement ? La solution la mieux connue qu'on ait proposée face à cette énigme voudrait que l'apprentissage passe par deux étapes. La première fait intervenir le conditionnement classique : grâce à la répétition du jumelage du signal avertisseur (SC) et de l'événement punitif (SI), l'animal apprend à avoir une réaction de peur au signal. La deuxième étape consiste dans un conditionnement opérant : l'animal apprend qu'une réponse donnée (sauter par-dessus l'obstacle) élimine un événement pour lequel il éprouve de l'aversion, c'est-à-dire la peur. Bref, ce qui tout d'abord semblait constituer un non-événement est en fait de la peur et nous pouvons considérer l'évitement comme une évasion par rapport à la peur (Mowrer, 1947 ; Rescorla et Solomon, 1967).

DEUX DÉFIS À L'ENDROIT DU BEHAVIORISME

Nous avons mentionné au départ que la conception behaviorale du conditionnement s'était heurtée récemment à deux défis. L'un vient des *éthologistes* (biologistes et psychologues qui étudient l'animal) et l'autre, des psychologues cognitivistes. Les éthologistes prétendent que les lois de l'apprentissage ne seraient pas les mêmes pour toutes les espèces ; en fait, elles seraient même différentes au sein d'une même espèce, selon les situations. Les psychologues cognitivistes croient que, même dans le cas des animaux, on ne saurait comprendre le comportement qu'en tenant compte des facteurs internes, comme les objectifs et les représentations mentales, en même temps que des facteurs externes. Nous allons considérer chacun de ces défis, l'un après l'autre.

Le défi éthologique

Bien que les éthologistes, tout comme les behavioristes, s'intéressent au comportement des animaux, les deux façons d'aborder cette question sont différentes sous bien des aspects. D'abord, les éthologistes étudient habituellement le comportement en l'observant en milieu naturel, plutôt qu'en l'analysant en laboratoire, comme c'est généralement le cas chez les behavioristes. Une autre différence vient de ce que les éthologistes accordent plus d'importance à l'hérédité qu'à l'apprentissage, alors que les behavioristes font l'inverse. Dans certains cas, cette différence d'accent aboutit à une différence dans ce qu'on choisit d'étudier — les éthologistes se concentrant sur les comportements innés, qui ne font pas l'objet d'apprentissage et les behavioristes, sur les comportements acquis par apprentissage. Dans d'autres cas, cette différence d'intérêt conduit à une confrontation des points de vue : lorsque les éthologistes traitent de l'apprentissage, ils insistent sur le fait qu'il est soumis à des contraintes rigoureuses résultant de l'héritage génétique de l'animal ; les behavioristes, par ailleurs, tiennent pour acquis que les lois de l'apprentissage sont les mêmes pour les différentes espèces. Selon les éthologistes, quand un animal apprend, il lui faut se conformer à un « programme de comportement » génétiquement fixé à l'avance ; tout comme les plans de l'architecte imposent des contraintes aux sortes de fonctions qu'un édifice est en mesure de remplir, les plans de comportement imposent aussi des contraintes génétiques sur les sortes d'associations qu'un organisme est capable d'apprendre.

La conception éthologique a d'abord reçu un certain appui de la part de psychologues qui avaient recours à des techniques de type opérant pour apprendre des tours à des animaux. Ces dresseurs d'animaux ont rapporté qu'il arrivait occasionnellement qu'au lieu d'apprendre le tour recherché, l'animal apprenait autre chose qui était plus près de ses comportements instinctifs. Dans l'un de ces cas, les entraîneurs essayaient d'amener un poulet à se tenir immobile sur une plateforme, mais l'animal insistait pour gratter le plancher. L'action de gratter le sol entretient des affinités avec un comportement instinctif du poulet, orienté vers la recherche de nourriture ; ce comportement réussissait à rivaliser avec le comportement que les entraîneurs essayaient d'inculquer. Ainsi, un instinct pose parfois des limites à ce qui peut être acquis. Dans d'autres situations, il arrive qu'un animal réussisse dans un premier temps à apprendre la réponse voulue, pour ensuite dévier vers une réponse correspondant à un comportement instinctif de recherche de nourriture propre à son espèce (Breland et Breland, 1961).

ANALYSE CRITIQUE

L'économie de la récompense

Les expériences simples de type opérant dont nous avons parlé ne rendent pas compte d'un aspect important du comportement humain : la plupart des réponses que nous faisons représentent un *choix* parmi plusieurs possibilités. Pour étudier ce processus de sélection, les chercheurs qui s'intéressent au conditionnement opérant ont recours à des expériences dans lesquelles l'animal se trouve devant la possibilité de faire au moins deux réponses. Les choix qui s'offrent au sujet peuvent être différents quant aux agents de renforcement en cause ou quant au programme de renforcement, ou même les deux à la fois. Par exemple, un pigeon peut avoir à choisir entre deux clefs : en picorant sur l'une, il obtient de la nourriture tandis qu'en picorant sur l'autre, il obtient de l'eau ; ou encore, les deux clefs peuvent mener à l'obtention de nourriture mais selon des *programmes* de distribution différents, l'une des clefs pouvant nécessiter 5 coups de bec et l'autre, 10.

Dans l'analyse du comportement en jeu dans ces expériences sur le choix , les chercheurs ont commencé à s'appuyer sur les notions et les principes des sciences économiques (Rachlin, 1980). Pour comprendre les relations entre principes économiques et pigeons picorant sur des clefs, il faut adopter le point de vue suivant : un pigeon en situation expérimentale de sélection doit faire un choix quant à la façon de répartir ses réponses limitées — ses ressources ; la théorie de l'économie traite des façons dont on peut répartir ou affecter les ressources limitées dont on dispose.

Nous allons illustrer cette interprétation économique du conditionnement opérant à l'aide de trois exemples. Dans chaque cas, nous énoncerons d'abord les principes économiques pertinents pour considérer ensuite leur application aux expériences de type opérant.

COURBE DE DEMANDE L'un des concepts importants en économie est celui de la *demande* d'un bien de consommation ; c'est la quantité de ce bien — disons du pain ou du chocolat — qu'on est disposé à acheter à un prix donné. Si nous changeons ce prix, nous contribuons à l'élaboration d'une *courbe de demande*, comme celles qui sont présentées dans la figure 7-16. Remarquez que la courbe pour le chocolat tombe rapidement avec l'augmentation du prix ; plus le chocolat coûtera cher, moins on en achètera. On dit donc que la demande pour le chocolat est *élastique*. Par contre, la courbe pour le pain est à peine affectée par le prix ; on achètera à peu près la même quantité de pain, quel que soit son prix. Ainsi, on dit

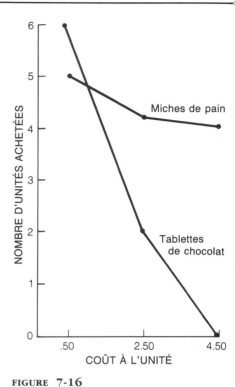

FIGURE 7-16
Courbes de demande hypothétiques pour le pain et le chocolat *Quand le prix d'une miche de pain passe graduellement de 0,50 $ à 4,50 $, la quantité achetée ne diminue presque pas ; la demande pour le pain est non élastique. Au contraire, à mesure que le prix de la tablette de chocolat passe de 0,50 $ à 4,50 $, la quantité achetée diminue considérablement ; la demande pour le chocolat est élastique.*

de la demande de pain qu'elle est *non élastique*. Tout ceci correspond à la croyance selon laquelle le pain représenterait une nécessité, le chocolat un luxe.

Considérez maintenant le rapport entre ces faits et le conditionnement opérant. Pour les rats et les pigeons, c'est le nombre de réponses qu'ils doivent faire pour « obtenir » un agent de renforcement (soit le *programme de renforcement*) qui est l'équivalent du prix. Cette équivalence se trouve illustrée dans la figure 7-17, laquelle comprend la courbe de demande de nourriture par un rat. La courbe nous indique combien de nourriture (de renforcement) un rat va « acheter » (travailler pour son obtention) selon les différents « prix » (programmes de renforcement). On voit que les rats achètent la même quantité de renforcements de nourriture peu importe qu'on les récompense après toutes les deux ou toutes les huit réponses : la courbe de demande de nourriture est non élastique. L'autre courbe de demande de la figure 7-17 porte sur la stimulation cérébrale. La demande de stimulation cérébrale est nettement élastique, car la quantité qui est achetée décroît rapidement quand le coût (le nombre de réponses exigées pour l'obtention d'un renforcement) augmente.

Les courbes de la figure 7-17 entretiennent certains rapports avec les questions qu'on peut se poser sur la nature du renforcement. Il est naturel de se demander si une sorte de renforcement est plus ou moins efficace qu'une autre, la nourriture par comparaison avec la stimulation cérébrale, par exemple. Dans le passé, des chercheurs qui s'intéressaient à cette question ont conçu une expérience dans laquelle une réponse donnait lieu à un renforcement de nourriture, une autre à la stimulation cérébrale, les deux suivant un même programme de renforcement. Comme il ressort nettement de la figure 7-17, les résultats qu'on doit attendre d'une telle expérience dépendent entièrement du choix du programme de renforcement. De façon plus précise, quand un renforcement exige 2 réponses, c'est la stimulation cérébrale qui est le choix incontesté mais, quand le prix est plus élevé (8 réponses), on constate une légère préférence pour la nourriture. Pour établir directement l'efficacité relative de deux agents de renforcement, il faut que la demande pour ces deux agents de renforcement soit non élastique ou que la demande pour les deux soit élastique et que leurs courbes de demande soient les mêmes (Hirsh et Natelson, 1981).

CARACTÈRE SUBSTITUTIF DES BIENS DE CONSOMMATION

Une analyse économique du choix tient compte de l'interaction entre les choix. Supposons que nous nous intéressions au choix entre l'essence et les transports en commun. Les courbes de demande pour ce bien de consommation et pour ce service étant élastiques, nous nous attendons à ce que les gens optent plus souvent pour les transports en commun lorsque le prix de l'essence augmente. Et c'est, bien sûr, ce qui se produit puisque l'essence et les transports en commun peuvent se *substituer* l'un à l'autre. Par contre, en analysant le choix entre l'essence et le stationnement à bon compte au centre-ville, un bien de consommation et un service qui sont le *complément* l'un de l'autre (plus vous en possédez de l'un, plus vous souhaitez avoir l'autre), on constate que l'augmentation du prix de l'essence n'entraîne pas une préférence accrue pour l'autre.

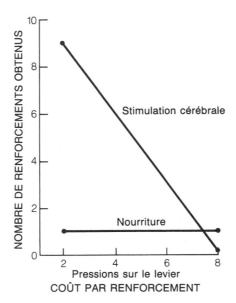

FIGURE 7-17

Courbes de demande pour des renforcements de nourriture et de stimulation cérébrale *Quand le « prix » d'une boulette de nourriture a augmenté, passant de 2 à 8 pressions sur le levier, la quantité de renforcements que les rats obtenaient restait essentiellement la même; la demande pour la nourriture est non élastique. Par contre, quand le prix de la stimulation cérébrale est passé de 2 à 8 pressions, la quantité de renforcements obtenus a diminué substantiellement; la demande pour la stimulation cérébrale est élastique. (D'après Hirsh et Natelson, 1981)*

De même, les études de type opérant qui portent sur le choix doivent tenir compte du fait qu'il s'agit de deux agents de renforcement qui sont soit interchangeables, soit complémentaires. Supposons qu'un pigeon a le choix de picorer sur l'une ou l'autre de deux clefs et que ces deux clefs sont associées à un renforcement de nourriture. Les agents de renforcement sont donc interchangeables. En conséquence, si nous donnons à l'une des clefs un prix inférieur (disons qu'elle n'exige que 5 réponses pour donner un renforcement alors que l'autre en exige 10), le pigeon va accroître le nombre des coups de bec sur la clef moins coûteuse et réduire ses coups de bec dirigés vers la clef la plus chère. Par contre, si les agents de renforcement sont de la nourriture et de l'eau, biens de consommation complémentaires, et si nous réduisons le prix de

la chef qui donne de la nourriture, le pigeon va picorer sur les deux clefs plus souvent (plus il mange, plus il veut boire). L'influence des différences de prix sur le choix dépendent donc de la relation entre les biens ou les services en jeu (Schwartz, 1982).

SYSTÈMES OUVERTS ET SYSTÈMES CLOS

Les principes économiques dont nous avons parlé jusqu'à maintenant ne valent que dans un *système clos* — c'est-à-dire dans une situation où il n'y a pas d'autres moyens de se procurer le bien de consommation ou le service. Pour illustrer cette notion, utilisons l'exemple d'une marchandise, comme de la farine, laquelle a une demande élastique. Une diminution du prix de la farine devrait vous amener à en acheter plus, à condition cependant que vous n'ayez pas d'autre moyen de vous en procurer autrement qu'en l'achetant au prix du marché. S'il y avait un bienfaiteur qui vous approvisionnait gratuitement, il n'y aurait pas de raison pour que vos achats soient influencés par les variations de prix ; pareille situation correspondrait à à un *système ouvert* et la notion de demande ne s'appliquerait pas.

La recherche sur le conditionnement opérant présente un parallèle frappant avec ce type de situations. Une expérience de type opérant, dans laquelle on utilise un renforcement de nourriture par exemple, peut s'effectuer de deux façons différentes, qui correspondent au système ouvert et au système clos. Dans la version du système ouvert, l'animal qui n'a pas obtenu un renforcement de nourriture suffisant au cours d'une séance expérimentale, reçoit un supplément de nourriture avant la séance suivante ; ceci veut dire que l'animal dispose d'une autre façon de se procurer le bien de consommation recherché. Dans la version du système clos de cette même expérience, il n'y a pas de supplément entre les séances. Quand le programme de renforcement est rendu de plus en plus exigeant (il faut 100 plutôt que 50 réponses pour obtenir le renforcement), le comportement que l'on observe est différent selon la version adoptée dans la recherche. Dans la version du système ouvert, la quantité de renforcement achetée diminue quand les programmes deviennent très exigeants ; ce résultat ne s'accorde pas avec l'idée que la demande pour de la nourriture est non élastique. Dans la version du système clos, la quantité de renforcement achetée est la même quel que soit le programme, ce qui est exactement ce qui doit se produire dans le cas d'une demande pour de la nourriture qui est non élastique (Schwartz, 1982).

CONTRAINTES DANS LE CONDITIONNEMENT CLASSIQUE   Certains des faits qui militent le plus en faveur de l'existence de contraintes agissant sur le comportement viennent des études sur les *aversions gustatives*. Dans une étude typique, on permet à un rat de boire une solution savoureuse — disons, à l'essence de vanille. Une fois qu'il en a bu, on donne un léger poison qui rend le rat malade. Quand le rat est rétabli, on lui présente à nouveau la solution de vanille. Le rat évite alors scrupuleusement ce breuvage, car il a appris à associer le goût de la vanille au poison. Plusieurs faits tendent à démontrer que ce type d'évitement est un cas de conditionnement classique: la saveur initiale de la solution serait le SC, la sensation de malaise physique le SI et, après le conditionnement, la saveur serait un signal de l'éventualité prochaine de la maladie.

Selon la position behaviorale, une lumière ou un son devraient pouvoir jouer la même fonction de signalement que la saveur. Une association entre une lumière et la sensation de malaise ne devrait pas être plus difficile à former qu'une association entre une saveur et l'état de malaise. Or, les faits se présentent différemment, comme on peut le constater par l'expérience suivante. On permet à des rats de lécher une pipette contenant une solution savoureuse; chaque coup de langue du rat déclenche un son de déclic et un flash lumineux. Le rat perçoit donc trois stimuli simutanément — la saveur de la solution, le flash et le déclic. Ensuite on donne un léger poison. Voici la question qui se pose: quels seront les stimuli — la saveur ou la combinaison flash-déclic — associés au sentiment de malaise? Pour le déterminer, on a, dans la phase finale de cette étude, présenté à nouveau la même pipette aux animaux; parfois, la solution dans la pipette avait la même saveur qu'auparavant mais il n'y avait ni déclic ni flash, alors qu'à d'autres moments, la solution était insipide, mais flash et déclic étaient présentés. L'animal évitait la solution chaque fois qu'elle avait la saveur déjà connue, mais l'acceptait malgré le déclenchement du flash et du déclic, quand elle était insipide; on doit donc conclure que le rat n'a associé la sensation de malaise qu'au goût seulement. On ne saurait non plus attribuer ces résultats au fait que le goût serait un SC plus efficace que la combinaison flash-déclic, à cause d'une autre version de cette même expérience dans laquelle, au lieu d'empoisonner le rat, on lui donnait un choc. Dans cette situation, l'animal n'évite la solution, durant la phase finale de l'expérience, que lorsque la combinaison flash-déclic est présentée et non quand il perçoit la saveur seulement (Garcia et Koelling, 1966).

Ainsi, le goût peut être un signal de malaise mais pas un signal de choc, alors que la combinaison son-lumière peut être un signal de choc mais pas de malaise. Pourquoi y aurait-il une telle sélectivité d'association? Ce phénomène ne s'accorde pas avec la conception behaviorale: en effet, le goût et la combinaison lumière-déclic pouvant tous deux être des SC efficaces, et compte tenu du fait que ressentir un malaise et ressentir un choc sont tous deux des SI efficaces, il s'ensuit que l'un ou l'autre de ces SC aurait dû pouvoir s'associer avec l'un ou l'autre des SI. Par contre, cette *sélectivité d'association* s'accorde parfaitement bien avec la conception des éthologistes. Comme les autres mammifères, les rats peuvent, dans leur habitat naturel, se fonder sur le goût pour le choix de leur alimentation. Par conséquent, il pourrait exister une relation « inscrite dans l'organisme », ou génétiquement déterminée, entre le goût et les réactions de l'intestin, relation qui limiterait le genre d'associations que le rat peut assimiler. De façon plus précise, disons qu'une telle relation « organique » favoriserait une association saveur-maladie, mais pas une association lumière-maladie. En outre, dans le milieu naturel d'un rat, la douleur découlant de facteurs externes, comme le froid ou une blessure, est invariablement due à des stimuli externes. Il pourrait donc y avoir une relation « inscrite dans l'organisme » entre stimuli externes et « douleur externe », qui favoriserait une association lumière-choc, mais pas une association goût-choc.

S'il est vrai que les rats sont capables d'associer le goût à la maladie parce qu'une telle association est conforme à leurs moyens naturels de sélection des aliments, une autre espèce qui aurait recours à des moyens de sélection différents devrait alors éprouver de la difficulté à associer saveur et maladie.

C'est exactement ce qui se produit. Les oiseaux choisissent naturellement la nourriture en se fondant sur son apparence plutôt que sur son goût et ils apprennent spontanément à associer une lumière à la maladie, tout en étant incapables d'associer une saveur à la maladie. Bref, si nous désirons savoir ce qui peut être conditionné à quoi, nous ne devons pas considérer le SC et le SI isolément; il nous faut plutôt nous intéresser à la combinaison des deux et nous demander dans quelle mesure elle reflète des relations « inscrites dans l'organisme ». Cette conclusion s'éloigne considérablement du postulat behavioral voulant que les lois de l'apprentissage soient les mêmes pour toutes les espèces et pour toutes les situations.

CONTRAINTES DANS LE CONDITIONNEMENT OPÉRANT Les contraintes dans l'apprentissage s'appliquent également au conditionnement opérant, bien que dans ce cas, les contraintes mettent en cause des relations réponse-agent de renforcement. Nous pouvons illustrer ce fait en recourant à l'exemple de pigeons placés dans deux situations différentes: *apprentissage de récompenses*, situation dans laquelle l'animal acquiert une réponse renforcée par de la nourriture et *apprentissage d'échappement*, situation dans laquelle le sujet acquiert une réponse renforcée par la cessation d'un choc. Dans le cas de la récompense, les pigeons apprennent beaucoup plus rapidement si la réponse consiste à donner des coups de bec sur une clef plutôt qu'à battre des ailes. S'il s'agit d'échappement, c'est le contraire qui est vrai: une réponse de battement des ailes s'apprend plus facilement que celle de picorer (Bolles, 1970).

Ici encore, les résultats ne conviennent pas au postulat voulant que les mêmes lois d'apprentissage s'appliquent à toutes les situations, mais ils s'accordent bien avec la perspective éthologique. Dans le cas de la récompense, les pigeons qui sont occupés à manger et à picorer (mais qui ne battent pas des ailes) s'adonnent à des activités qui font partie du répertoire naturel de l'alimentation des oiseaux. Il est donc raisonnable qu'il existe un lien génétique entre l'action de picorer et celle de manger. De même, le cas de l'échappement représentant une situation de danger, les réactions naturelles du pigeon face au danger comprennent le battement des ailes (mais pas l'action de picorer). On sait que les oiseaux possèdent un petit répertoire de réactions défensives et que pour qu'ils apprennent rapidement à s'échapper, la réponse pertinente doit faire partie de ces réactions naturelles de défense. En somme, plutôt que de représenter un moyen d'acquisition d'associations arbitraires, le conditionnement opérant se conforme aussi au plan génétique de comportement.

DIFFÉRENTES SORTES D'APPRENTISSAGE Les contraintes qui s'appliquent aux associations ne représentent pas le seul problème que les éthologistes ont posé aux behavioristes. Les éthologistes ont également étudié chez l'animal des formes importantes d'apprentissage qui s'écartent de l'apprentissage associatif. On trouve deux exemples frappants d'un tel apprentissage dans la formation d'empreintes et dans l'apprentissage du chant chez les oiseaux.

La *formation d'empreintes* est le type d'apprentissage qui est à la base de l'attachement que l'oisillon développe à l'endroit de ses parents. Un caneton nouvellement éclos et élevé en l'absence de sa mère suivra un être humain, un leurre en bois ou presque n'importe quel autre objet mobile qu'il aura aperçu immédiatement après sa naissance (voir l'Analyse critique: Instincts et comportement maternel, au chapitre 10). La formation d'empreintes est différente de l'apprentissage associatif ordinaire, car elle se produit *seulement* au cours d'une *période critique*, qui débute immédiatement après l'éclosion pour se terminer généralement dès que l'animal a trouvé un modèle parental convenable. Aucune forme d'apprentissage associatif ne semble posséder cette caractéristique de se produire *uniquement* au tout début de la vie.

Les chants des oiseaux représentent un autre défi pour l'apprentissage associatif. Les oiseaux apprennent en partie leur chant des autres oiseaux. Par exemple, si on élève en isolement le mâle de la fauvette à couronne blanche, ses vocalisations ne seront pas normales quand il atteindra l'âge adulte; il donnera plutôt un chant qui ne sera qu'une version grossière du chant de son espèce. Le processus d'apprentissage semble donc s'appuyer sur l'imitation. Toutefois, l'imitation n'est pas le seul facteur en jeu, car si l'on ne permet à cet oiseau d'entendre, au cours de sa période de croissance, que les chants d'autres espèces, ces chants n'auront pas d'influence sur son apprentissage. Ces résultats montrent que la fauvette est dotée d'un *gabarit* ou d'un modèle inné lui dictant ce qui constitue le chant d'un oiseau adulte ; son apprentissage ne subit donc l'influence que des chants qui sont conformes à ce gabarit (Marler, 1970). Cette notion de « conformité à un gabarit inné » s'écarte considérablement de celle d'apprentissage associatif.

Le défi cognitiviste

En un sens, le défi cognitiviste est le contraire du défi éthologique. D'une part, les éthologistes nous disent que les animaux ne sont pas aussi souples que ne l'avaient d'abord cru les behavioristes, alors que d'autre part, les cognitivistes soutiennent que les animaux, surtout ceux des espèces supérieures, sont plus intelligents que ne l'avaient pensé les behavioristes. Selon les cognitivistes, l'essence même de l'intelligence repose sur la capacité que possède l'organisme de se représenter mentalement des aspects du monde pour *agir* ensuite sur ces *représentations mentales*, plutôt que sur le monde lui-même. Dans certains cas, l'essai et erreur onéreux du comportement réel peut être remplacé par un « essai et erreur mental », dans lequel l'organisme fait, dans son esprit, l'essai de différentes possibilités. Dans d'autres cas, les opérations sur les représentations mentales ressemblent moins à la stratégie de l'essai et erreur qu'à une stratégie en plusieurs étapes, c'est-à-dire que l'organisme s'engage dans certaines étapes mentales seulement parce qu'elles ouvrent la porte à des étapes subséquentes. Des notions de ce genre sont en contradiction avec le postulat behavioral selon lequel on pourrait expliquer le comportement d'un organisme sans s'occuper des processus internes. En outre, l'idée d'une stratégie semble se heurter à un autre postulat behavioral voulant que l'apprentissage complexe soit formé d'associations simples.

La conception cognitiviste de l'apprentissage s'est vite acquise des appuis. Ce succès est, sans aucun doute, attribuable en partie à l'avènement des ordinateurs. Ces machines sont capables d'apprentissage complexe (apprendre à jouer aux échecs, par exemple) et pourtant personne ne songerait à comprendre le fonctionnement d'un ordinateur en ne tenant compte que de son comportement externe — de ce qui y entre et de ce qui en sort. La façon normale de comprendre le comportement d'un ordinateur se traduit plutôt en termes de représentations internes (ses données, par exemple) et des procédés qu'il utilise pour agir sur celles-ci. Il est possible que l'apprentissage animal et l'apprentissage humain exigent le même type d'explication. Cependant, l'analogie de l'ordinateur ne constitue pas la seule raison d'adopter une conception cognitiviste de l'apprentissage. Il y a de nombreux phénomènes d'apprentissage qui font ressortir directement ce besoin de tenir compte des représentations mentales. Évidemment, cette constatation s'applique à l'être humain — comme en témoigneront les deux chapitres suivants — mais elle s'applique aussi aux espèces inférieures. Certains phénomènes cognitifs se rapportant aux espèces inférieures sont connus depuis longtemps ; d'autres, qui portent également sur les animaux, n'ont été découverts que récemment.

PREMIERS DÉFIS COGNITIFS ADRESSÉS AU BEHAVIORISME L'un des premiers à promouvoir l'approche cognitiviste de l'apprentissage a été Edward C. Tolman, dont la recherche traitait du problème des rats qui apprennent à s'orienter à travers des labyrinthes compliqués (Tolman, 1932). Selon lui, le rat qui parcourait un labyrinthe difficile n'apprenait pas une série de réponses de virages à gauche et à droite, mais se construisait plutôt une *carte cognitive* — une représentation mentale de l'agencement du labyrinthe. Par exemple, si un sentier familier se trouve bloqué, l'animal adopte une autre route en se fondant sur les relations spatiales représentées dans sa carte cognitive.

Pour défendre leur point de vue selon lequel les rats apprennent des représentations de l'agencement de parties, Tolman et ses étudiants montè-

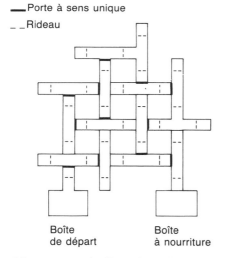

—Porte à sens unique
_ _Rideau

Boîte
de départ

Boîte
à nourriture

Diagramme de l'un des labyrinthes de Tolman *Diagramme d'un labyrinthe utilisé par Tolman dans ses expériences d'apprentissage portant sur des rats. La complexité du labyrinthe (virages à droite et à gauche, portes à sens unique et rideaux voilant la perspective de la route) servait à évaluer dans quelle mesure le rat était capable de se former une carte cognitive.*

rent des expériences comme celle qui suit. On transportait d'abord les rats qui restaient passifs par la voie des airs, dans une benne, à partir d'un point de départ (marqué par des stries verticales) jusqu'à une destination (marquée par des stries horizontales). Tout le long de ce trajet, les rats recevaient des chocs jusqu'à ce qu'ils aient atteint le point d'arrivée. Même si ces rats ne manifestaient pas de réponses appropriées à la situation, ils avaient nettement appris des choses sur les points de repère de leur voyage. En effet, lorsqu'on fit du point de départ et du point d'arrivée de leur voyage les deux points terminaux d'un simple labyrinthe en T, la plupart des rats choisirent de courir en direction de l'extrémité qui avait été leur destination, là où les chocs avaient cessé. L'aversion qu'ils manifestaient à l'égard du point de départ était nécessairement attribuable à quelque chose qu'ils avaient appris en l'absence de toute réponse. Le comportement manifeste n'est donc pas indispensable à l'apprentissage (Gleitman, 1963).

Pendant que Tolman et ses étudiants essayaient de démontrer le bien-fondé d'une interprétation cognitiviste du comportement des espèces inférieures, d'autres chercheurs tenaient pour acquis que les meilleurs faits à l'appui d'une position cognitiviste viendraient de l'étude des espèces supérieures, des primates surtout. Parmi les travaux de ce dernier groupe de chercheurs, citons les recherches menées par Wolfgang Köhler sur les chimpanzés, durant les années 1920, qui revêtent toujours une importance particulière. Les problèmes que Köhler proposait à ses chimpanzés faisaient appel à l'intuition, car aucune partie du problème n'échappait à la vue de l'animal (par contre, les mécanismes d'une distributrice de nourriture dans une boîte de Skinner sont invisibles au sujet). En règle générale, Köhler plaçait un chimpanzé dans un espace clos en présence d'un morceau de fruit appétissant, une banane souvent, qui était hors d'atteinte. Pour aller chercher le fruit, l'animal devait se servir, en guise d'outil, d'un objet déposé près de lui. Le chimpanzé était habituellement capable de résoudre le problème d'une façon qui permet de supposer qu'il avait de l'intuition. Voici la description classique que nous a présentée Köhler :

> Sultan (le plus intelligent des singes de Köhler) est accroupi devant les barreaux mais incapable d'atteindre, avec le seul bâton court dont il dispose, le fruit qui se trouve à l'extérieur. On dépose un bâton plus long à l'extérieur de la cage, à environ deux mètres de l'objet et parallèlement au grillage. Ce bâton ne peut être saisi de la main, mais il peut être tiré à portée de la main avec le petit bâton. (Voir la figure 7-18 qui donne une illustration d'un problème à bâtons multiples du même genre.) Sultan tente d'atteindre le fruit avec le plus petit des deux bâtons. N'y parvenant pas, il essaie de déchirer un bout de fil qui dépasse dans le grillage de la cage, mais encore en vain. Puis il regarde autour de lui (au cours de ces tests, il y a toujours de longues pauses pendant lesquelles l'animal scrute tout l'espace visible). Soudain, il ramasse à nouveau le petit bâton, se rend directement jusqu'aux barreaux vis-à-vis du gros bâton, qu'il gratte avec l'« auxiliaire » pour le ramener jusqu'à lui ; le saisissant, il se rend à l'endroit qui se trouve vis-à-vis de son objectif (le fruit) pour s'en emparer. À partir du moment où ses yeux se sont portés sur le gros bâton, sa façon de procéder forme un tout cohérent, sans hiatus ; même si le repêchage du bâton le plus long au moyen du plus court est une action qui pourrait être complète et distincte en elle-même, l'observation indique pourtant que cette action suit, de façon assez soudaine, un intervalle de doutes et d'hésitations, et qu'elle s'intègre immédiatement dans l'action finale de l'atteinte du but poursuivi (Köhler, 1925, p. 174-175).

Plusieurs aspects de la performance de ces chimpanzés s'écartent de ceux des chats de Thorndyke ou des rats et des pigeons de Skinner. D'abord, la solution s'est présentée de façon soudaine, plutôt que d'être l'aboutissement d'un cheminement graduel par essai et erreur. Autre point à souligner, une fois que le chimpanzé avait résolu un problème, il arrivait ensuite à résoudre ce problème en faisant très peu de gestes inutiles. Il en est tout autrement du rat qui continue pendant plusieurs essais à produire dans la boîte de Skinner des réponses inappropriées. En outre, les chimpanzés de Köhler étaient capables de transférer facilement à une situation nouvelle ce qu'ils avaient appris. Par exemple, dans l'un des problèmes présentés, Sultan n'était pas en cage, mais il se trouvait en présence de bananes placées trop haut pour

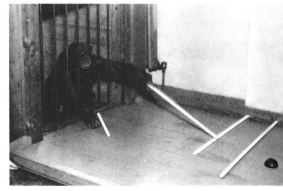

FIGURE 7-18
Chimpanzé en train de résoudre un problème de bâtons multiples
À l'aide des bâtons les plus courts, le chimpanzé attire un bâton assez long pour atteindre le morceau de fruit. Il a appris à résoudre ce problème grâce à la compréhension de la relation qui existe entre les bâtons et le morceau de fruit — un exemple d'intuition.

qu'il puisse les attraper, comme on peut le voir à la figure 7-19. Pour résoudre ce problème, Sultan empila des boîtes qui se trouvaient dispersées çà et là dans la pièce, grimpa sur cette « plate-forme » et saisit les bananes. Dans les problèmes subséquents, quand le fruit était encore trop haut pour être attrapé, Sultan trouva d'autres objets pour se construire une plate-forme ; dans certains cas, il eut recours à une table et à une courte échelle et, en une occasion, Sultan alla chercher Köhler lui-même, l'amena sous son objectif et s'en servit comme plate-forme.

La solution du chimpanzé présente donc trois aspects critiques : son caractère soudain, sa disponibilité une fois découverte et son pouvoir de transfert. Ces aspects ne correspondent aucunement à la notion behaviorale de comportements d'essai et erreur du type qu'ont observés Thorndyke, Skinner et leurs étudiants. Les solutions du chimpanzé sont plutôt le reflet d'une stratégie mentale d'essai et erreur, c'est-à-dire que l'animal se forme une représentation mentale du problème, manipule les éléments de cette représentation jusqu'à ce qu'il tombe sur une solution, qu'il transpose ensuite dans le monde réel. Par conséquent, la solution se manifeste brusquement parce que les chercheurs n'ont pas accès au processus mental du chimpanzé. La solution est disponible par la suite, parce qu'une représentation mentale persiste dans le temps et cette solution est transférable parce que la représentation est soit suffisamment abstraite pour s'appliquer à plus large que la situation originale, soit assez malléable pour s'étendre à une situation présentant un caractère de nouveauté.

DÉFIS COGNITIVISTES QUI SE POSENT ACTUELLEMENT AU BEHAVIORISME   Nous avons déjà décrit certains phénomènes, propres au conditionnement classique et au conditionnement opérant, qui demandent une interprétation cognitiviste, tout particulièrement l'importance de la prévisibilité et du contrôle dans le conditionnement. Rappelez-vous que dans le conditionnement classique, un rat apprend à associer un son et un choc dans la mesure où le son est le signal du choc ; dans le conditionnement opérant, les chiens n'apprennent pas à sauter par-dessus un obstacle pour éviter un choc s'ils ont appris auparavant que les chocs échappent à leur contrôle. Ces notions de *prévisibilité* et de *contrôle* sont cognitives ; la *prévisibilité*, par exemple, se rapporte à la croyance que quelque chose va arriver et les *croyances* appartiennent au monde de l'esprit et non à celui de la physique.

En outre, pour apporter une explication plus précise du comportement classique, on peut rattacher la *prévisibilité* à d'autres facettes cognitives. Selon Wagner (1981), les animaux inférieurs disposeraient, tout comme les êtres humains, d'une mémoire à court terme dans laquelle ils sont en mesure de s'adonner à une répétition mentale de l'information (voir au chapitre 8, p. 269). De plus, cette mémoire à court terme de l'animal jouerait un rôle critique dans le conditionnement. Aux premiers stades du conditionnement,

FIGURE 7-19
Chimpanzé en train d'ériger une plate-forme *Afin de pouvoir atteindre les bananes qui pendent au plafond, le chimpanzé empile des boîtes pour en faire une plate-forme.*

un SI revêt un aspect de nouveauté et il est imprévisible. Il s'ensuit que l'organisme se livre à une répétition mentale active du lien SC-SI dans la mémoire à court terme ; ce processus de répétition sert présumément d'intermédiaire à l'acquisition d'une réponse classiquement conditionnée. Une fois que le SI a perdu son effet de nouveauté, la répétition mentale diminue et il ne se fait pas d'apprentissage additionnel.

D'autres recherches ont fait renaître les travaux précurseurs de Tolman sur les cartes cognitives des rats. Le diagramme du labyrinthe de la figure 7-20 permet d'en présenter une illustration. Ce labyrinthe est constitué d'une plate-forme centrale entourée de 8 bras identiques disposés en rayons. À chaque essai, l'expérimentateur place de la nourriture à l'extrémité de chacun des bras et le rat doit apprendre à parcourir chacun d'eux (et s'y procurer de la nourriture) sans revenir par les bras qu'il a déjà parcourus. Les rats apprennent cette tâche assez facilement ; après 20 essais, ils ne reviennent pratiquement jamais par un bras qu'ils ont déjà emprunté. (Les rats réussissent même quand on imprègne le labyrinthe d'eau de toilette afin d'éliminer les indices olfactifs permettant l'identification des bras où se trouve encore de la nourriture.) Fait plus important encore, le rat a rarement recours à la stratégie typiquement humaine, qui consisterait à passer d'un bras à l'autre selon un ordre manifeste, dans le sens des aiguilles d'une montre par exemple. Au contraire, le rat explore les bras au hasard, ce qui indique qu'il n'a pas appris une séquence rigide de réponses. Qu'a-t-il donc appris ? Le rat s'est probablement formé une représentation du labyrinthe, représentation lui permettant d'établir les relations spatiales qui existent entre les bras et, à chaque essai, il « prend note mentalement » de chaque bras exploré (Olton, 1978, 1979).

Comme ce fut le cas par le passé, les faits les plus probants relativement au caractère cognitif de l'apprentissage animal nous viennent des études menées auprès des primates. Les travaux les plus remarquables montrent que les chimpanzés sont capables d'acquérir des concepts abstraits que l'on avait l'habitude de considérer comme l'apanage de l'être humain. Dans une étude typique de ce genre, les chimpanzés apprennent à utiliser des jetons en plastique de formes, de dimensions et de couleurs différentes en guise de mots. Ils pourraient apprendre, par exemple, que l'un de ces jetons signifie des *pommes* et un autre du *papier*, alors qu'il n'y a aucune ressemblance entre les jetons et ces objets. Le fait que les chimpanzés soient en mesure de capter le sens de ces relations sémantiques signifie qu'ils comprennent des concepts concrets comme *pomme* et *papier*. Ce qui est plus impressionnant encore, c'est qu'ils se servent également de concepts abstraits comme *le même*, *différent* et *cause*. Ainsi, les chimpanzés sont capables d'apprendre à utiliser leurs jetons qui sont *le même* quand on leur présente soit deux jetons *pomme*, soit deux jetons *orange* ; ils utilisent leur jeton *différent* quand on leur présente un jeton *pomme* et un jeton *orange*. De même, ils semblent comprendre les relations causales : ils appliquent le jeton désigné pour indiquer la *cause*

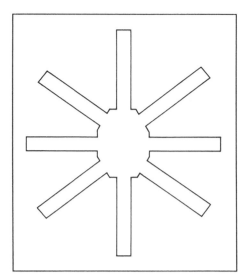

FIGURE 7-20
Labyrinthe servant à l'étude des cartes cognitives *Au cours des expériences menées au moyen de ce labyrinthe, les rats doivent explorer chacun des huit bras sans revenir dans ceux qu'ils ont déjà explorés. (D'après Olton et Samuelson, 1976)*

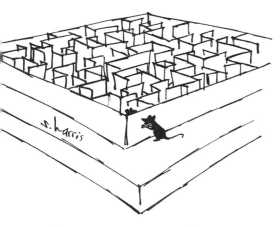

«Psst — tu veux une carte?»

quand on leur montre des ciseaux et des découpures de papier, mais pas si on leur montre une feuille de papier intact en même temps que des ciseaux (Premack, 1985a; Premack et Premack, 1983).

Malgré l'importance des expériences que nous venons de décrire, les meilleures preuves de la validité de la position cognitiviste nous viennent des études sur l'être humain. Ces travaux démontrent que la compréhension de l'apprentissage, de la mémoire, de la pensée et du langage dépend essentiellement d'une conception cognitiviste et ce sont à ces travaux que nous accorderons notre attention au cours des deux prochains chapitres.

RÉSUMÉ

1. Le *conditionnement classique* et le *conditionnement opérant* représentent deux formes d'*apprentissage associatif*. Dans le conditionnement classique, un organisme apprend qu'un événement en suit un autre. Dans le conditionnement opérant, il apprend qu'une réponse entraîne une conséquence particulière.

2. La position behaviorale relative au conditionnement postule: a) que les associations simples sont les éléments servant de fondements à tout apprentissage, b) que les lois de l'association sont les mêmes pour toutes les espèces et toutes les situations et c) que l'apprentissage se comprend mieux en termes de causes externes que de causes internes.

3. Les expériences de Pavlov ont montré que si un *stimulus conditionnel* (SC) précède constamment un *stimulus inconditionnel* (SI), le SC finit par servir de signal à l'endroit du SI et suscite une *réponse conditionnée* (RC), qui ressemble souvent à la *réponse inconditionnée* (RI). Les stimuli qui ressemblent au SC suscitent également la RC dans une certaine mesure, quoique les *généralisations* de ce genre peuvent être freinées par un *entraînement de discrimination*. Ces phénomènes se produisent chez des organismes aussi différents que le ver plat et l'être humain.

4. Pour que le conditionnement classique ait lieu, le SC doit être un signal fiable du SI, c'est-à-dire qu'il doit exister une probabilité plus forte que le SI se produise quand le SC a été présenté que lorsqu'il ne l'a pas été.

5. Le conditionnement opérant porte sur des situations où la réponse agit sur l'environnement plutôt que sur des situations où cette réponse est déclenchée par un SI. Les premières études systématiques en ce sens ont été menées par Thorndyke, qui a montré que les animaux s'adonnaient à un comportement d'*essai et erreur* et que tout comportement suivi d'un renforcement se trouve consolidé ou renforcé (*loi de l'effet*).

6. Dans une expérience typique de Skinner, un rat ou un pigeon apprend à exécuter une réponse simple, une pression sur un levier par exemple, en vue d'obtenir un renforcement. Le taux de réponse est une mesure valable de la *force de l'opérant*. Même les réponses qui se font par l'intermédiaire du système nerveux autonome, comme la tension artérielle, peuvent être modifiées par conditionnement opérant.

7. Par *façonnement*, auquel on a recours quand la réponse recherchée est nouvelle, on renforce chez l'organisme tout comportement qui le rapproche de la réponse recherchée. Dans le *renforcement partiel*, l'organisme n'est renforcé qu'occasionnellement pour avoir exécuté la réponse recherchée. Les réponses acquises par renforcement partiel résistent plus à l'extinction (l'*effet de renforcement partiel*). Pour que le conditionnement opérant ait lieu, il est indispensable que l'organisme considère que le renforcement dépend de sa réponse (est *contrôlé* par celle-ci).

8. Le *renforcement conditionné*, phénomène par lequel un stimulus associé à un agent de renforcement acquiert ses propres pouvoirs de renforcement, ajoute à l'envergure du conditionnement. D'après le *principe de Premack*, les activités auxquelles l'organisme s'adonne plus fréquemment renforcent les activités auxquelles il s'adonne plus rarement.

9. Les *punitions* sont des événements qui suppriment ou éliminent les réponses. La punition contribue à l'apprentissage dans la mesure où elle a valeur d'information. Un organisme peut apprendre à éviter la punition en répondant à un signal qui précède l'événement punitif. Dans ces cas d'*apprentissage d'évitement*, il se peut que le renforcement soit une réduction de la peur.

10. Le *défi éthologique* à l'endroit du behaviorisme conteste le postulat voulant que les lois de l'apprentissage soient les mêmes pour toutes les espèces ou pour toutes les situations applicables à une même espèce. Selon les éthologistes, ce qu'un animal peut apprendre se trouve limité par le « programme de comportement » qui est génétiquement déterminé. Les faits qui démontrent l'existence de telles contraintes sur l'apprentissage nous viennent des études sur l'*aversion gustative*. Alors que les rats apprennent à associer une sensation de malaise physique avec le goût d'une solution, ils sont incapables d'associer ce même malaise avec une lumière. À l'inverse, les oiseaux sont capables d'apprendre une association lumière-maladie, mais pas une association goût-maladie. Ces distinctions sont le résultat de différences innées entre les activités de recherche de nourriture des rats et des oiseaux.

11. Le *défi cognitiviste* à l'endroit du behaviorisme conteste l'affirmation selon laquelle on serait en mesure de comprendre le comportement en s'en tenant à la considération exclusive de facteurs externes ou environnementaux. Selon les cognitivistes, l'intelligence est la capacité que possède un organisme de se forger une *représentation mentale* des aspects du monde pour agir ensuite sur ces *représentations mentales* plutôt que sur le monde lui-même. Dans certains cas, ces opérations ressemblent au processus mental d'essai et erreur.

12. Les premières études cognitives ont permis de démontrer que les rats assimilent certaines données relatives à la localisation, même quand ils n'exécutent pas de réponse manifeste à cet égard. D'autres travaux, réalisés vers la même époque, ont permis de supposer que les chimpanzés sont capables de résoudre des problèmes par des stratégies mentales d'essai et erreur. Des études courantes nous apportent des faits qui démontrent de façon assez convaincante que les rats se forment une représentation mentale, ou *carte cognitive*, d'un labyrinthe ; d'autres expériences indiquent que les chimpanzés sont capables d'acquérir des concepts abstraits comme ceux de *même*, *différent* et *cause*.

LECTURES SUGGÉRÉES

BANDURA, A. *L'apprentissage social*. Bruxelles, Pierre Mardaga, 1980.
BERTHIAUME, F. *Introduction au behaviorisme*. Montréal, Presses de l'Université de Montréal, 1986.
BOWES, G.H. et HILGARD, E.R. *Theories of learning* (6ᶜ éd.), Englewood Cliffs, N.J., Prentice-Hall, 1987.
DELACOUR, J. *Neurobiologie de l'apprentissage*. Paris, Masson, 1978.
DIONNE, B. *Réussir au Cégep. Guide méthodologique*. Montréal, Les Éditions HRW, 1986.
DOLINSKI, R. *L'homme et l'apprentissage*. Montréal, Les Éditions HRW, 1975.
EHRLICH, S. *Apprentissage et mémoire chez l'homme*. Paris, P.U.F., 1975.
LE NY, J.-F. *Le conditionnement et l'apprentissage*. 5ᶜ éd. Paris, P.U.F., 1975.
MALCUIT, G., GRANGER, L. et LAROCQUE, A. *Les thérapies behaviorales*. Québec, Presses de l'Université Laval, 1972.
MONTMOLLIN, M. de. *L'enseignement programmé*. 4ᶜ éd. Paris, P.U.F., 1975.
PAVLOV, J. *Réflexes conditionnels et inhibitions*. Suisse, Gonthier, 1963.
PAVLOV, J. *Typologie et pathologie de l'activité nerveuse supérieure*. Paris, P.U.F., 1955.
RICHARD, J.-F. *Attention et apprentissage*. Paris, P.U.F., 1974.
RICHELLE, M. B.F. *Skinner ou le péril behavioriste*. Bruxelles, Pierre Mardaga, 1977.
RICHELLE, M. *Le conditionnement opérant*. Neuchâtel, Delachaux et Niestlé, 1966.
ROBERT, M. « Apprentissage vicariant chez l'animal et chez l'homme ». Dans *L'année psychologique*, 70 (1970), p. 505-542.
SKINNER, B.F. *L'analyse expérimentale du comportement* (2ᶜ éd.) Bruxelles, Dessart-Mardaga, 1971.
SKINNER, B.F. « L'avenir des machines à enseigner ». Dans *Psychologie française*, 8 (1963), p. 170-180.
SKINNER, B.F. *La révolution scientifique de l'enseignement* (3ᶜ éd.). Bruxelles, Dessart-Mardaga, 1969.

Mémoire

8 Tout apprentissage suppose la mémoire. Si nous ne retenions rien de nos expériences vécues, nous n'apprendrions rien. La vie serait faite d'expériences momentanées qui n'auraient pratiquement pas de rapport entre elles. Nous ne pourrions même pas tenir une simple conversation. Pour communiquer, vous devez vous souvenir des pensées que vous désirez exprimer tout comme de ce qu'on vient de vous dire. Sans mémoire, vous ne pourriez même pas réfléchir sur vous-même, puisque la notion même d'un « moi » dépend d'un sens de la continuité que seule la mémoire peut donner. Bref, quand nous songeons à ce que signifie le fait d'être humain, nous sommes forcés d'admettre le caractère primordial de la mémoire.

DISTINCTIONS S'APPLIQUANT À LA MÉMOIRE

Les psychologues considèrent utile d'établir quelques distinctions fondamentales à propos de la mémoire. L'une d'elles porte sur trois phases de la mémoire — *codage, stockage* (ou entreposage) et *repêchage.* D'autres distinctions concernent les différents types de mémoires. On peut avoir recours à des mémoires différentes pour entreposer l'information durant de brèves ou de longues périodes, de même que pour entreposer différentes sortes d'information (par exemple, une mémoire pour les données et une autre pour les habiletés motrices).

Trois phases de la mémoire

Supposons qu'un bon matin, on vous présente une étudiante en vous disant qu'elle s'appelle Blandine Cousin. Dans l'après-midi, vous la voyez à nouveau et vous lui dites quelque chose comme ceci: « Tu t'appelles Blandine Cousin. Nous nous sommes rencontrés ce matin. » De toute évidence, vous vous êtes souvenu de son nom. Mais comment avez-vous procédé exactement?

Ce petit exploit de mémoire peut se diviser en trois phases (voir la figure 8-1). D'abord, quand on vous a présenté cette personne, vous avez d'une certaine façon déposé le nom de Blandine Cousin dans votre mémoire. C'est la *phase de codage.* Vous avez transformé un apport physique (les ondes sonores), qui correspond à la prononciation de son nom, en une sorte de code ou de représentation que la mémoire accepte et vous avez ensuite placé cette représentation en mémoire. Deuxièmement, vous avez retenu, ou stocké, le nom durant tout le temps qui s'est écoulé entre les deux rencontres. C'est la *phase de stockage.* Et troisièmement, vous avez retrouvé le nom parmi les éléments en stock au moment de votre seconde rencontre. C'est la *phase de repêchage.*

La mémoire peut faire défaut à chacune de ces trois phases. Si vous n'aviez pas été capable de vous souvenir du nom de Blandine à votre seconde rencontre, cette incapacité aurait pu refléter un manque dans l'une ou l'autre des trois phases — codage, stockage ou repêchage. Une grande partie des

FIGURE 8-1
Les trois phases de la mémoire *Les théories modernes de la mémoire attribuent l'oubli à une défectuosité dans le fonctionnement de l'une ou de plusieurs de ces phases.*

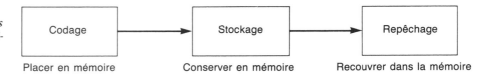

recherches actuelles sur la mémoire consistent à tenter d'identifier les opérations qui se produisent à chacune des phases, dans différentes situations, et de voir comment ces opérations peuvent avorter et entraîner un défaut de mémoire.

Différents types de mémoire

MÉMOIRE À COURT TERME ET MÉMOIRE À LONG TERME   Les trois phases de la mémoire ne fonctionnent pas de la même façon dans toutes les situations. La mémoire semble se comporter différemment selon que la situation demande que nous stockions le matériel pendant quelques secondes seulement ou durant des intervalles plus longs — pouvant aller de quelques minutes à des années. On dit que la première situation fait appel à la *mémoire à court terme* et la seconde, à la *mémoire à long terme*.

Nous pouvons illustrer cette distinction en modifiant l'histoire de la rencontre de Blandine Cousin. Supposons qu'au cours de la première rencontre, dès que vous avez entendu le nom, un de vos amis est arrivé et vous lui avez dit : « Donatien, as-tu rencontré Blandine Cousin ? » Dans un tel cas, le fait de vous souvenir du nom de Blandine serait un exemple de mémoire à court terme. Vous avez repêché le nom au bout de quelques secondes seulement. Le fait de vous souvenir de son nom à la deuxième rencontre serait un exemple de mémoire à long terme, car le repêchage se produit alors des heures après le codage du nom.

Quand nous nous souvenons d'un nom immédiatement après l'avoir entendu, le repêchage semble se faire sans effort, comme si le nom était encore actif, toujours présent à la conscience. Mais quand nous essayons de nous rappeler le même nom des heures plus tard, le repêchage est souvent difficile car le nom n'est plus dans la conscience. Ce contraste entre mémoire à court terme et mémoire à long terme ressemble au contraste entre la connaissance consciente et la connaissance préconsciente, cette dernière étant une connaissance dont nous disposons mais à laquelle nous ne pensons pas actuellement. Nous pouvons concevoir la mémoire comme un vaste ensemble de connaissances, dont une petite partie seulement peut devenir active à un moment donné. Le reste est passif. La mémoire à court terme correspond à la partie active, la mémoire à long terme, à la partie passive.

Les études menées sur des sujets atteints d'*amnésie* ou de perte grave de mémoire font également ressortir la nécessité d'établir une distinction entre mémoire à long terme et mémoire à court terme. Dans pratiquement toutes les formes d'amnésie, les patients éprouvent de sérieuses difficultés à se souvenir de ce qui s'est passé depuis un long intervalle de temps, mais ils n'ont que très rarement des problèmes à se rappeler ce qui s'est produit il y a quelques secondes. Ainsi, il arrive que l'amnésique grave soit incapable de reconnaître son médecin quand ce dernier pénètre dans la pièce — même s'il le voit tous les jours depuis des années — et pourtant il n'aura pas de difficulté à répéter le nom complet de ce médecin quand on le lui présente à nouveau (Milner, Corkin et Teuber, 1968).

DIFFÉRENTES MÉMOIRES POUR DIFFÉRENTES SORTES D'INFORMATION   Jusqu'à tout récemment, les psychologues avaient tenu pour acquis que c'était le même système mnémonique qui servait au stockage de tous les contenus. On présumait, par exemple, que c'était la même mémoire à long terme qui intervenait pour entreposer le souvenir des funérailles d'un proche parent et celui de l'habileté requise pour monter à bicyclette. Des faits récents permettent de supposer que ce postulat était incorrect. Il semble, en effet, que pour entreposer des *données* (comme le fait de savoir qui occupe actuellement le poste de premier ministre) et pour retenir une *habileté* (comme la façon de monter à bicyclette) nous ayons recours à des mémoires à long terme différentes. Il se peut aussi que nous utilisions des mémoires à long terme différentes pour le stockage de *données générales* sur notre monde (par exemple, « 12 au carré donne 144 ») et pour stocker des *données personnelles* se rapportant à notre propre expérience (« J'étais incapable de blairer le professeur qui m'a enseigné à élever un nombre au carré »).

En principe, nous devrions commencer par identifier les divers systèmes mnémoniques qui correspondent à des contenus différents et décrire ensuite, pour chacun d'entre eux, la nature des phases de codage, de stockage et de repêchage se rapportant aux mémoires à court terme et à long terme en cause. Cet objectif est cependant trop ambitieux dans l'état actuel de nos connaissances. La plus grande partie de ce que nous savons porte sur la mémoire relative aux données, plus particulièrement les données personnelles ; et, à moins d'indications contraires, c'est de ce type de mémoire que nous traiterons dans ce chapitre. Les deux sections suivantes portent sur la nature du codage, du stockage et du repêchage en mémoire de données à court terme et à long terme. Nous étudierons ensuite la façon d'améliorer la mémoire à long terme et, dans la dernière section, nous nous concentrerons sur la mémoire se rapportant à des données plus complexes, en insistant sur la façon dont nous embellissons ce que nous plaçons en mémoire.

MÉMOIRE À COURT TERME

Même dans les situations où l'information ne doit être retenue que durant quelques secondes, la mémoire comporte tout de même trois phases (codage, stockage et repêchage).

Codage

Pour coder de l'information dans la mémoire à court terme, il faut y porter attention. Puisque nous faisons un choix quant aux éléments sur lesquels nous portons notre attention (voir le chapitre 6), notre mémoire à court terme ne renfermera que ce qui a été choisi. Autrement dit, une bonne partie de l'information à laquelle nous sommes exposés ne pénètre jamais dans la mémoire à court terme et, par conséquent, ne sera jamais disponible pour un repêchage ultérieur. En effet, beaucoup de difficultés considérées comme des « problèmes de mémoire », ne sont en fait que des failles d'attention. Par exemple, si vous venez de faire des emplettes à l'épicerie et que quelqu'un vous demande immédiatement en sortant quelle est la couleur des yeux du commis, il se peut que vous soyez incapable de répondre, parce que vous n'avez tout simplement pas fait attention à ce détail.

CODAGE ACOUSTIQUE   Lors du codage en mémoire, l'information est transposée dans un code ou dans une forme de représentation donnée. Par exemple, quand vous cherchez un numéro de téléphone dans le bottin et le retenez jusqu'à ce que vous l'ayez composé, sous quelle forme vous représentez-vous les chiffres ? Est-ce une représentation visuelle — une image mentale du tracé des chiffres ? Est-ce une représentation acoustique — les sons que prennent les noms des chiffres ? Ou est-elle sémantique (fondée sur la signification) — une association significative qu'auraient les chiffres ? Les données de la recherche indiquent que toutes ces possibilités s'offrent à nous pour le codage de l'information en mémoire à court terme, mais que nous semblons accorder la préférence au code acoustique quand nous tentons de garder l'information vivante par *répétition* — c'est-à-dire en la repassant mentalement de façon continue. La répétition est une stratégie particulièrement populaire quand l'information est faite d'éléments verbaux tels des chiffres, des lettres ou des mots. Par conséquent, dans notre effort pour retenir un numéro de téléphone,

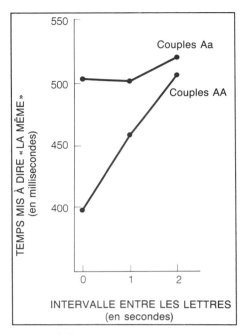

FIGURE 8-2
Effacement du code visuel *À cha-que essai, on présentait aux sujets deux lettres l'une après l'autre, l'intervalle entre les deux étant compris entre 0 et 2 secondes. On leur demandait ensuite si la deuxième lettre portait le même nom que la première. Dans les deux échantillons d'essai ci-dessous, les deux lettres portent le même nom.*

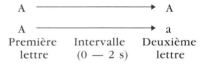

A	⟶	A
A	⟶	a
Première lettre	Intervalle (0 — 2 s)	Deuxième lettre

Quand l'intervalle entre les lettres était d'environ une seconde, le code visuel de la première lettre aurait dû normalement être encore présent. Par conséquent, les sujets devraient être en mesure de faire une comparaison visuelle directe entre les lettres. Cette sorte de comparaison vaut pour des couples comme AA. Cependant, seule une comparaison sonore permet de considérer que des couples du type Aa sont constitués des mêmes lettres. Nous devons donc nous attendre à ce que les décisions AA se fassent plus rapidement que les décisions Aa. Lorsque l'intervalle entre les lettres est d'environ deux secondes, toutefois, le code visuel s'est effacé et seul le son des lettres demeure en mémoire à court terme. Les décisions se rapportant à AA et celles se rapportant à Aa devraient alors prendre le même temps, puisque les deux groupes de décision doivent s'appuyer sur des codes acoustiques. (D'après Posner et Keele, 1967)

nous sommes plus enclins à coder ce numéro sous la forme des sons correspondant aux noms des chiffres et de nous répéter ces sons à nous-mêmes jusqu'à ce que nous ayons composé le numéro.

Dans une expérience, dont les données militent en faveur du code acoustique, des chercheurs ont présenté aux sujets une liste de six consonnes (RLBKSJ); après avoir enlevé la liste, on a demandé aux sujets d'écrire chacune des six lettres dans l'ordre de présentation. Bien que toute l'opération ne durât qu'une seconde ou deux, les sujets faisaient parfois des erreurs. Quand cela se présentait, la lettre incorrecte avait tendance à ressembler, sous l'aspect sonore, à la bonne lettre. Ainsi, dans le cas de la liste donnée tantôt, un sujet pouvait écrire RLTKSJ, remplaçant le B par une lettre ayant un son semblable, T (Conrad, 1964). De tels résultats semblent confirmer l'interprétation selon laquelle les sujets procéderaient d'abord au codage de chaque lettre sous une forme acoustique (par exemple, « bé » pour B), puis perdraient parfois une partie de ce code (seule la partie « é » du son resterait), pour ensuite répondre par une lettre (« té ») compatible avec la partie du code qui reste.

Des expériences du même genre ont donné un autre résultat favorable à l'hypothèse d'un code acoustique : il est en effet plus difficile de reproduire les éléments de la liste dans le bon ordre quand ces éléments se ressemblent sur le plan acoustique (par exemple, TBCGVE) que lorsqu'ils sont acoustiquement distincts (RLTKSJ). On trouve un exemple frappant de ce phénomène dans le cas de lecteurs chinois. Le chinois écrit est composé d'unités semblables à des syllabes, appelées « caractères ». Habituellement, il y a deux caractères par mot et chaque caractère partage généralement le même nom que plusieurs autres. Quand on présente brièvement à des sujets chinois une suite de caractères qu'ils doivent ensuite reproduire dans l'ordre, ils en reproduisent environ 6 correctement quand chacun des caractères a un nom différent mais 3 seulement quand tous les caractères partagent le même nom (ce qui empêche le codage acoustique). L'élimination du recours au codage acoustique réduit donc le rappel de moitié (Zhang et Simon, 1985).

CODAGE VISUEL   Le fait que les lecteurs chinois de l'étude que nous venons de citer aient été capables de retenir l'ordre exact de trois caractères du même nom permet de supposer qu'ils gardaient également ces éléments dans une représentation visuelle. D'autres expériences indiquent que, même s'il nous est possible d'utiliser un code visuel pour des données verbales, souvent le code s'estompe rapidement. À titre d'exemple, quand vous lisez l'adresse 7915 TROISIÈME AVENUE, il se peut que vous la reteniez en code visuel pendant une seconde ou deux. Cette représentation conserverait les détails visuels, comme le fait que toute l'adresse est écrite en lettres majuscules. Au bout de quelques secondes cependant, il ne resterait que l'aspect sonore de l'adresse (le code acoustique) qui ne retiendrait pas l'information relative à la forme des lettres. L'expérience de la figure 8-2 démontre comment le code visuel s'efface.

Il se peut que cette prépondérance du code acoustique ne s'applique surtout qu'aux données verbales. Lorsqu'il s'agit pour une personne d'entreposer des éléments non verbaux (tels que des images difficiles à décrire et donc difficiles à répéter de façon sonore), le code visuel peut prendre plus d'importance. Quelques individus, des enfants pour la plupart, sont capables de retenir en mémoire à court terme des représentations de nature visuelle presque aussi précises qu'une photographie. Après avoir jeté un bref coup d'œil sur une image, ils peuvent, en son absence, « voir » encore cette image devant leurs yeux. Ils peuvent retenir cette image durant des périodes qui s'étendront jusqu'à plusieurs minutes, la balayer du regard et, en réponse à des questions, fournir une abondance de détails, tel le nombre de rayures sur la queue d'un chat (voir la figure 8-3). On dirait que ces enfants lisent directement ces détails d'après une image « eidétique » (Haber, 1969). L'imagerie eidétique est plutôt rare, toutefois. Les études sur les enfants indiquent qu'environ 5 % d'entre eux seulement rapportent avoir des images visuelles persistantes et dotées de détails précis. Les faits dont nous disposons permettent de croire qu'un nombre encore plus restreint d'individus auraient des images eidétiques après l'adolescence.

Stockage

CAPACITÉ LIMITÉE Ce qui frappe peut-être le plus dans la mémoire à court terme, c'est sa capacité très limitée. Sa limite, en moyenne, est de sept éléments, plus ou moins deux (7 ± 2). Certaines personnes n'emmagasinent pas plus de cinq éléments; d'autres peuvent en retenir jusqu'à neuf. Il peut paraître étrange de donner des chiffres aussi précis pour caractériser tous les individus, étant donné les grandes différences que l'on observe quant aux aptitudes mnémoniques. C'est que ces différences sont attribuables surtout à la mémoire à long terme. Dans le cas de la mémoire à court terme, la plupart des adultes normaux ont une capacité de 7 ± 2. C'est là une donnée constante depuis les débuts de la psychologie expérimentale. Hermann Ebbinghaus, qui a été le pionnier de l'étude expérimentale de la mémoire, en 1885, nous a laissé des résultats montrant que ses propres limites se situaient à 7 éléments. Quelque 70 ans plus tard, George Miller (1956) fut tellement frappé par la constance de ces résultats qu'il parla du « chiffre magique, 7 ». Il a été démontré que cette limite valait également pour les cultures non occidentales (Yu et coll., 1985).

Les psychologues sont arrivés à ce nombre en présentant à des sujets des séries variées d'éléments non apparentés (des chiffres, des lettres ou des mots) et en leur demandant de se rappeler ces éléments selon l'ordre d'apparition. Les éléments étaient présentés rapidement et le sujet n'avait pas le temps de les rattacher à de l'information entreposée en mémoire à long terme; le nombre d'éléments retenus ne reflète donc que la capacité d'entreposage de la mémoire à court terme. Durant les premiers essais, ils n'ont à se rappeler que quelques éléments, disons 3 ou 4, ce qu'ils peuvent faire facilement. Puis le nombre augmente avec les essais jusqu'à ce que l'expérimentateur détermine le nombre maximum qu'un sujet peut reproduire dans un ordre parfait. Ce maximum, qui se situe presque toujours entre 5 et 9, constitue l'*empan mnémonique* du sujet ou sa capacité d'appréhension. Cette tâche est tellement simple que vous pouvez facilement essayer de l'exécuter vous-même : la prochaine fois que vous vous trouverez devant une liste de noms (comme la liste des occupants d'un édifice commercial ou universitaire), lisez cette liste une fois, regardez ailleurs et voyez ensuite combien de noms vous pouvez vous rappeler dans l'ordre. Il est probable que ce nombre sera compris entre 5 et 9.

OUBLIER Il se peut que nous soyons capables de retenir 7 éléments pendant un bref moment, mais dans la plupart des cas nous les oublions rapidement. L'oubli se produit soit parce que les éléments sont *déplacés* par des éléments nouveaux ou parce que les éléments se *désagrègent* avec le temps.

La notion de déplacement est conforme à l'hypothèse d'une mémoire à court terme dotée d'une capacité fixe et limitée. La capacité fixe nous incite à concevoir la mémoire à court terme comme une sorte de boîte mentale qui serait faite d'à peu près 7 compartiments. Chaque élément qui s'inscrit dans la mémoire à court terme rentre dans son propre compartiment. Tant que le nombre d'éléments ne dépasse pas le nombre de compartiments, nous sommes en mesure de nous les rappeler parfaitement, mais quand tous les compartiments sont occupés et qu'un nouvel élément arrive, l'un des anciens doit partir. Le nouvel élément en déplace un ancien. En guise d'illustration, supposons que votre mémoire à court terme est vide (voir la figure 8-4). Un élément s'y inscrit. On vous a présenté Blandine Cousin (vous vous souvenez d'elle?) et le nom Cousin pénètre dans votre mémoire à court terme. D'autres personnes vous sont présentées immédiatement après et la liste des noms en mémoire à court terme s'allonge. Finalement, la limite de la capacité d'appréhension est atteinte. À partir de ce moment, tout nouvel élément qui arrive en mémoire à court terme a une chance de déloger Cousin. L'arrivée d'un nouvel élément comporte une seule chance de déloger Cousin; l'arrivée de deux nouveaux éléments comporte deux chances, et ainsi de suite. La probabilité que Cousin disparaisse de la mémoire à court terme s'accroît à mesure que le nombre d'éléments qui suivent Cousin augmente. À la longue, Cousin va s'effacer.

FIGURE 8-3
Test d'apparition d'images eidétiques *Image-test présentée pendant 30 s à des enfants de niveau primaire. Un garçon a vu dans son image eidétique « à peu près 14 » rayures sur la queue du chat. Ce tableau, de Marjorie Torrey, est tirée de l'édition abrégée (par Josette Frank) du roman de Lewis Carroll,* Alice au pays des merveilles.

On a plusieurs fois démontré expérimentalement ce phénomène de déplacement. Dans une étude, on a présenté à des sujets une liste de 13 chiffres, un à la fois. Après le dernier élément de la liste, on donnait un chiffre « *sonde* » (on l'appelle sonde parce que les sujets doivent l'utiliser pour « sonder » leur mémoire). La sonde correspondait toujours à l'un des chiffres de la liste. Les sujets devaient dire quel chiffre suivait le chiffre sonde dans la liste. Par exemple, dans le cas d'une liste 3, 9, 1, 6, 9, 7, 5, 3, 8, 2, 5, 6, 4 et de la sonde 2, les sujets devraient dire 5. (La sonde n'apparaissait toujours qu'une seule fois dans la liste.) Quand la sonde est choisie dans la fin de la liste, le chiffre correspondant devrait être encore dans la mémoire à court terme et la probabilité que l'on s'en souvienne est forte (car ce chiffre vient tout juste d'être présenté). Par contre, si la sonde se trouve au début de la liste, plusieurs éléments auront suivi celui dont il faut se souvenir. Par conséquent, ce dernier risque fort d'avoir été délogé et d'être difficile à se rappeler. Dans le cas de sondes tirées du milieu de la liste, les chances de déplacement sont moyennes et il en est ainsi des probabilités de souvenir. La figure 8-5 montre que les données de cette expérience viennent corroborer le principe du déplacement. Plus il y a d'éléments intercalés entre le moment où un chiffre est donné et le moment où l'on tente de s'en rappeler, moins il y a de chances qu'on se souvienne du chiffre en question.

L'autre cause principale de l'oubli en mémoire à court terme vient de ce que l'information se désagrège tout simplement avec le temps. Nous pouvons nous représenter un élément comme une trace qui s'efface en moins de quelques secondes. Cela est partiellement démontré par le fait qu'un élément peut disparaître de la mémoire en quelques secondes, même quand il n'est pas suivi d'information nouvelle (Reitman, 1974). Citons une autre observation à l'appui de l'hypothèse de la désagrégation: l'empan mnémonique de notre mémoire à court terme comprend moins de mots quand ceux-ci sont longs à prononcer. Par exemple, l'empan est moins grand pour de longs mots comme « patrouille » et « évidence » que pour des mots plus courts, comme « menace » et « contrôle » (essayez de prononcer ces mots mentalement pour constater la différence de durée). On présume que cet effet se produit parce que nous nous répétons les mots à nous-mêmes au fur et à mesure de leur présentation, et que plus cette répétition prend de temps, plus il y a de risques que les traces de certains de ces mots s'effacent avant le rappel (Baddeley, Thompson et Buchanan, 1975).

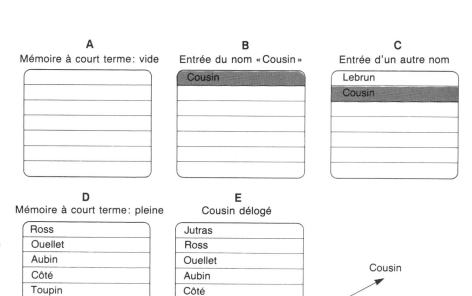

FIGURE 8-4
Oubli attribuable au déplacement   *Étant donné la capacité limitée de la mémoire à court terme (7 ± 2 « compartiments »), l'addition d'un élément nouveau peut avoir pour effet le déplacement ou la perte d'un ancien élément.*

Il semble donc que l'information à l'avant-scène de notre mémoire doive rapidement quitter le plateau. La seule exception importante à cet effacement porte sur la répétition : les éléments que nous répétons ne sont pas aussi directement vulnérables au déplacement ou à la désagrégation. (Dans les expériences pour démontrer l'existence du déplacement ou de la désagrégation, on demande généralement aux sujets de ne pas s'adonner à la répétition.) Il est possible que la répétition protège l'information du déplacement, parce que nous ne sommes pas capables de procéder au codage d'éléments nouveaux tout en répétant d'anciens éléments. Autrement dit, la répétition empêcherait le déplacement en posant des entraves au codage de nouveaux éléments. Il se peut que la répétition écarte la désagrégation encore plus directement : la répétition d'un élément qui s'est partiellement effacé pourrait lui rendre à nouveau toute sa force.

Repêchage

Considérons le contenu de la mémoire à court terme comme des éléments actifs dans la conscience. L'intuition nous permet de supposer que l'accès à cette information est immédiat. Nul n'est besoin de « fouiller », l'information est là. Le repêchage ne devrait donc pas dépendre du nombre d'éléments dans la conscience. Pourtant, dans le cas présent, l'analyse intuitive est inexacte.

Les faits démontrent que plus il se trouve d'éléments dans la mémoire à court terme, plus le repêchage est lent, ce qui semble indiquer que le repêchage exige une démarche de recherche dans la mémoire à court terme, démarche au cours de laquelle les éléments sont examinés un à un (tout comme on examine une à une les assiettes dans une pile pour trouver celle qui est ébréchée). Cette recherche *en série* dans la mémoire à court terme se déroule très rapidement — si rapidement, en fait, que nous n'en sommes pas conscients. La plupart des faits qui démontrent l'existence d'un tel processus de recherche proviennent d'un type d'expériences imaginé par Sternberg (1966). À chaque essai, on présente à un sujet une série de chiffres, soit la *liste à mémoriser* ; le sujet doit retenir ces chiffres temporairement en mémoire à court terme. Il n'a pas de difficulté à conserver cette information en mémoire à court terme, puisque chaque liste à mémoriser ne contient que de 1 à 6 chiffres tout au plus. Puis on retire la liste à mémoriser de la vue du sujet et on présente un chiffre sonde. Le sujet doit dire si la sonde fait partie de la liste. S'il s'agit de la liste 3, 6, 1, par exemple et que la sonde est 6, le sujet devrait répondre « oui », mais si la sonde est 2, il devrait dire « non ». Les sujets commettent rarement des erreurs en exécutant cette tâche ; ce qui est intéressant, toutefois, c'est la vitesse de la décision. Le *temps de décision* est le temps qui s'écoule entre l'apparition de la sonde et la pression exercée par le sujet sur l'un des boutons indiquant si la sonde faisait ou non partie de la liste à mémoriser. Les temps de décision sont extrêmement rapides et doivent se mesurer avec des instruments qui permettent une précision en termes de millisecondes (des millièmes de 1 seconde).

La figure 8-6 présente des données de l'une de ces expériences, données qui indiquent que le temps de décision augmente directement en fonction de la longueur de la liste. Ce qui est remarquable c'est que ces temps de décision se situent sur une ligne droite, ce qui signifie que chaque élément additionnel en mémoire à court terme ajoute une quantité fixe de temps au processus de repêchage — 40 ms approximativement. Le sujet, bien sûr, n'est pas conscient du passage de si brefs intervalles de temps, mais les données expérimentales indiquent que le temps de décision s'accroît avec la quantité d'information qui doit être fouillée en mémoire à court terme. On obtient les mêmes résultats quand les éléments sont des lettres, des mots, des sons ou des photos de visages : l'ajout d'un élément accroît habituellement d'environ 40 ms le temps de repêchage (Sternberg, 1969). Les psychologues ont obtenu des résultats semblables avec des groupes aussi variés que des patients

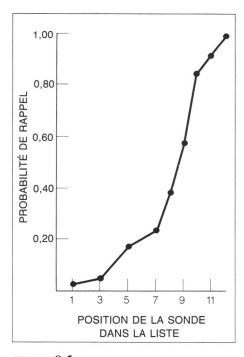

FIGURE 8-5
Rappel en fonction de la position d'une sonde *Quand les sondes sont prises à la fin de la liste, les éléments qui ont suivi celui dont on doit se rappeler sont peu nombreux et la probabilité de s'en souvenir est forte. Quand elles sont prises vers le début de la liste, plusieurs éléments ont suivi celui qui doit faire l'objet d'un rappel et la probabilité de s'en souvenir est faible. (D'après Waugh et Norman, 1965)*

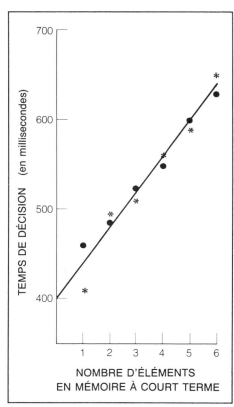

FIGURE 8-6
Le repêchage en tant que processus de recherche *Le temps de décision augmente en fonction directe du nombre d'éléments en mémoire à court terme. Les étoiles sont des réponses «oui», les cercles noirs, des réponses «non». Les temps requis pour les deux types de décision se situent sur une droite. (D'après Sternberg, 1966)*

schizophrènes, des collégiens sous l'influence de la marijuana et des individus appartenant à des sociétés primitives*.

Mémoire à court terme et pensée

La mémoire à court terme joue un rôle important dans la pensée consciente. Lorsque nous essayons consciemment de résoudre un problème, nous faisons souvent appel à la mémoire à court terme qui sert alors d'espace mental pour travailler : nous l'utilisons pour entreposer des parties du problème de même que l'information pertinente que nous puisons dans la mémoire à long terme. À titre d'illustration, considérez ce qu'il vous faut pour multiplier 35 par 8 dans votre tête. Vous avez besoin de la mémoire à court terme pour entreposer les éléments de la donnée (35 et 8), la nature de l'opération requise (multiplication) et les données arithmétiques tels 8 x 5 = 40 et 3 x 8 = 24. Évidemment, le rendement en calcul mental diminue de façon substantielle si vous devez vous souvenir simultanément de divers mots ou de divers chiffres ; essayez de faire la multiplication que nous venons de proposer tout en retenant le numéro de téléphone 745-1739 (Baddeley et Hitch, 1974). D'autres recherches indiquent qu'on a recours à la mémoire à court terme non seulement pour les problèmes numériques, mais également pour toute la gamme des problèmes complexes de la vie courante (Ericsson et Simon, 1984).

Le rôle de la mémoire à court terme dans la compréhension du langage est moins direct. Le système de mémoire à court terme que nous avons décrit ne semble pas intervenir dans des processus d'aussi «bas niveau» que la compréhension d'une phrase isolée (voir Crowder, 1982). On trouve un élément de preuve de cette affirmation dans le fait que les individus dont l'empan mnémonique se situe au-dessous de la normale, à cause de lésions cérébrales, n'éprouvent pas de difficulté à comprendre des phrases simples. Apparemment, l'empan mnémonique normal n'est pas indispensable à la compréhension normale d'une phrase. D'ailleurs, même dans le cas de sujets normaux, la capacité de comprendre des phrases et de les reconnaître plus tard ne se trouve pas entravée quand on bloque l'accès à la mémoire auditive à court terme (ce blocage est effectué en demandant aux sujets de prononcer, pendant qu'ils lisent des phrases, des mots qui n'ont pas de rapport avec celles-ci).

Par contre, la mémoire à court terme semble jouer un rôle substantiel dans les processus linguistiques de haut niveau, comme suivre une conversation ou lire un texte. Quand nous lisons dans le but de comprendre, il nous arrive souvent de devoir établir consciemment des liens entre des phrases nouvelles et certaines informations rencontrées antérieurement dans le texte. Cette mise en relation du neuf et du vieux semble se faire en mémoire à court terme, car les gens qui ont une meilleure capacité à court terme, ont des scores plus élevés que les autres aux tests de compréhension de la lecture (Daneman et Carpenter, 1981). D'autres travaux montrent que la facilité de lecture d'un texte dépend en partie de la probabilité que du matériel connexe pertinent se trouve encore en mémoire à court terme (Miller et Kintsch, 1980; Malt, 1985).

La mémoire à court terme semble aussi jouer un rôle dans les pensées que nous entretenons quotidiennement à l'égard de ceux qui nous entourent. Quand, dans la recherche en personnalité par exemple, on demande à des sujets de se former une impression de quelqu'un à la suite d'une seule rencontre, ils ont tendance à décrire cette personne en termes de 7 ± 2 traits environ (Mischel, 1968). C'est comme si la capacité de la mémoire à court

---

* Même si les données de la figure 8-6 s'accordent avec l'hypothèse d'une exploration en série (un élément à la fois) de la mémoire à court terme, d'autres interprétations restent possibles. Des chercheurs ont prétendu que la sonde est comparée à tous les éléments mnémoniques de *façon simultanée*, mais que le temps requis pour chaque comparaison augmente avec le nombre d'éléments en mémoire à court terme (Townsend, 1971). D'autres ont soutenu que le repêchage est fondé sur un *processus d'activation*; on décide qu'une sonde fait partie des éléments de la mémoire à court terme si sa représentation se situe au-dessus d'un niveau critique d'activation et plus il y a d'éléments en mémoire à court terme, moins l'activation de chacun de ces éléments est forte (Monsell, 1979).

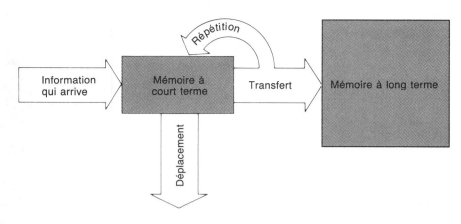

FIGURE 8-7
Théorie de la dualité de la mémoire *Les éléments d'information qui nous parviennent pénètrent dans le système mnémonique par l'intermédiaire de la mémoire à court terme. Une fois stocké dans celle-ci, un élément peut s'y trouver maintenu grâce à la répétition. Pendant qu'un élément est ainsi répété, l'information qui le concerne se trouve transférée à la mémoire à long terme. Quand la répétition de l'élément est terminée, l'élément est aussitôt déplacé par un nouvel élément qui se présente et il disparaît de la mémoire à court terme. (D'après Atkinson et Shiffrin, 1971; © 1971 par Scientific American Inc. Tous droits réservés.)*

terme, 7 ± 2, imposait une limite au nombre d'idées ou d'impressions que nous pouvons considérer en une seule fois.

Formation de tronçons

Jusqu'ici nous n'avons considéré que la mémoire à court terme, mais dans la vie, il arrive souvent que les deux mémoires, à court et à long termes, aient un rôle à jouer dans une même situation. Le phénomène de *formation de tronçons*, qui peut se produire dans le cadre des tâches d'empan mnémonique, constitue une interaction particulièrement importante entre la mémoire à court terme et la mémoire à long terme.

Rappelez-vous que dans une tâche de cette nature, les sujets sont capables de répéter une suite d'éléments verbaux selon un ordre parfait, pourvu que le nombre des éléments se limite à 7 ± 2. Par conséquent, vous seriez probablement incapable de répéter la série de lettres EUOVEDTUOTERTOV, puisqu'elle contient 15 éléments. Si par contre vous remarquiez que ces lettres forment l'expression bien connue VOTRE TOUT DÉVOUÉ, écrite en sens inverse, votre tâche deviendrait plus facile. En vous servant de cette connaissance, vous réduiriez de 15 à 3 le nombre des éléments à retenir en mémoire à court terme. Mais d'où vient cette connaissance de l'épellation? De la mémoire à long terme, évidemment, là où la connaissance des mots se trouve entreposée. Ainsi, la mémoire à long terme peut servir à coder à nouveau un matériel neuf sous forme d'unités significatives plus vastes, pour ensuite entreposer ces unités dans la mémoire à court terme. On appelle ces unités des *tronçons* et il est plus adéquat de parler de 7 ± 2 tronçons pour désigner la capacité de la mémoire à court terme (Miller, 1956).

Nous pouvons parfois créer des tronçons de lettres sans former de mots, pourvu que ces lettres représentent une unité significative (qui n'est pas un mot). Il est difficile de retenir la chaîne de lettres suivante: IB-MON-UTVU-SA. Mais supposons qu'on modifie les groupements pour que la chaîne se présente comme ceci: IBM-ONU-TV-USA. Chaque composante représente alors une unité qui nous est familière. On a donc 4 tronçons et une chaîne facile à retenir (Bower et Springston, 1970). La formation de tronçons peut se faire aussi avec des chiffres. La chaîne 149-2186-719-89 dépasse nos capacités, mais 1492-1867-1989 est beaucoup plus facile. Le principe général qui s'applique ici, c'est que nous pouvons accroître notre capacité mnémonique à court terme en regroupant des suites de lettres et de chiffres sous la forme d'unités qu'on peut trouver en mémoire à long terme.

Transfert de la mémoire à court terme vers la mémoire à long terme

THÉORIE DE LA DUALITÉ DE LA MÉMOIRE   Pour que l'information se conserve, il faut qu'elle passe de la mémoire à court terme vers la mémoire à long terme. Plusieurs théories ont été proposées pour expliquer ce transfert. L'une de

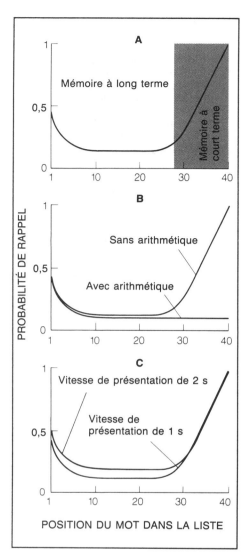

PROBABILITÉ DE RAPPEL

POSITION DU MOT DANS LA LISTE

FIGURE 8-8
Courbes résultant d'expériences sur la remémoration libre *La probabilité de rappel varie en fonction de la position de l'élément dans la liste: la probabilité est la plus forte pour les quelque 5 dernières positions; viennent ensuite les toutes premières positions, la probabilité la plus faible allant aux positions intermédiaires. Le rappel des quelques derniers éléments relève de la mémoire à court terme, tandis que le rappel des autres éléments relève de la mémoire à long terme A). Quand on fait intervenir une tâche arithmétique entre la présentation et la remémoration libre, seul le rappel à partir de la mémoire à court terme s'en trouve réduit B). La présentation plus lente des éléments donne un meilleur rappel à partir de la mémoire à long terme C). (Fondé sur des expériences de Murdock, 1962 et Glanzer, 1972)*

celles-ci, appelée *théorie de la dualité de la mémoire*, fait ressortir les notions essentielles qui sont en cause (Atkinson et Shiffrin, 1971, 1977).

Cette théorie postule que l'information à laquelle nous avons prêté attention pénètre dans la mémoire à court terme où elle est soit maintenue par répétition, soit perdue par déplacement (voir la figure 8-7). En outre, pour que l'information soit codée ou inscrite en mémoire à long terme, il faut qu'elle y soit transférée à partir de la mémoire à court terme. Ce postulat implique que nous sommes capables d'apprendre quelque chose (d'en faire le codage en mémoire à long terme) seulement à la condition de le traiter d'abord en mémoire à court terme. Mais qu'en est-il de ces processus de transfert eux-mêmes? Alors qu'il existe un bon nombre de moyens différents pour exécuter ce transfert, l'un de ceux qui ont été les plus étudiés est la répétition. Comme le suggère le diagramme de la figure 8-7, la répétition d'un élément contribue non seulement à le maintenir en mémoire à court terme mais entraîne également son transfert vers la mémoire à long terme.

La théorie de la dualité de la mémoire trouve certains de ses appuis les plus solides dans l'expérimentation sur la *remémoration libre*. Dans ce genre d'expériences, le sujet lit d'abord une liste d'environ 20 à 40 mots, qui lui sont présentés un à un. Une fois qu'il a vu la liste au complet, il doit essayer de se rappeler immédiatement les mots dans n'importe quel ordre (d'où l'expression remémoration libre). La figure 8-8A présente des résultats provenant d'une telle expérience. La probabilité de rappel exact d'un mot est exprimée dans le graphique en fonction de la position de ce mot dans la liste. La partie de la courbe située à gauche sur le graphique se rapporte aux tout premiers mots présentés, alors que la partie située à droite se rapporte aux derniers mots présentés.

La théorie de la dualité de la mémoire présume qu'au moment du rappel, les derniers mots présentés ont encore des chances d'être en mémoire à court terme, tandis que les autres mots seraient en mémoire à long terme. En conséquence, on doit s'attendre à ce que le taux de rappel des derniers mots soit élevé, puisque les éléments en mémoire à court terme se repêchent facilement. La figure 8-8A montre qu'il en est ainsi. Mais le rappel des premiers mots présentés est également assez bon. Pourquoi donc? La théorie de la dualité de la mémoire offre une explication Quand les premiers mots ont été aperçus, ils ont été inscrits en mémoire à court terme et répétés. Comme il n'y avait à peu près rien d'autre en mémoire à court terme, il ont été répétés souvent et, par conséquent, ont été susceptibles d'être transférés dans la mémoire à long terme. À mesure que d'autres éléments se présentaient, la mémoire à court terme s'est vite remplie et la possibilité de répétition et de transfert dans la mémoire à long terme a diminué jusqu'à un niveau très bas. Ainsi, seuls les quelques premiers éléments de la liste ont bénéficié d'une possibilité additionnelle de transfert, ce qui explique pourquoi ils sont si faciles à repêcher plus tard en mémoire à long terme.

En variant la façon de procéder dans l'expérience de remémoration libre, on peut obtenir des résultats qui tendent à confirmer l'analyse que nous venons de faire. Supposons qu'après présentation de la liste, mais avant toute tentative de rappel, les sujets s'occupent à résoudre des problèmes d'arithmétique pendant 30 s. Le calcul mental fait appel à la capacité de la mémoire à court terme et devrait en conséquence déplacer plusieurs des mots de la liste qui sont en mémoire à court terme (les derniers mots présentés). La figure 8-8B montre que, comme on s'y attendait, les quelques derniers mots ont été déplacés.

La vitesse de présentation des mots devrait également exercer une influence sur le rappel. L'utilisation d'un rythme plus lent de présentation — un mot à toutes les deux secondes plutôt qu'à toutes les secondes, par exemple — laisse plus de temps à la répétition et, par le fait même, au transfert dans la mémoire à long terme. La diminution de la vitesse contribuerait par conséquent à améliorer le rappel des mots qu'il faut repêcher en mémoire à long terme — c'est-à-dire tous les mots sauf les quelques derniers. Les résultats obtenus (voir la figure 8-8C) à la suite de cette variation dans la façon de procéder sont encore une fois conformes aux prévisions. La vitesse plus lente améliore le rappel de tous les mots sauf des quelques derniers.

ACHOPPEMENTS DE LA THÉORIE   Même si elle est parvenue à expliquer avec succès une grande variété de phénomènes, la théorie de la dualité de la mémoire est incapable de trouver réponse à certaines questions (Craik et Lockhart, 1972). Un débat majeur a trait à la répétition. La théorie de la dualité postule que la répétition est capable de transférer l'information en mémoire permanente, c'est-à-dire que la simple répétition mentale des mots, sans effort pour les organiser ou pour les relier à d'autres souvenirs, devrait améliorer le rappel à long terme. Même si certaines expériences confirment cette prévision (Nelson, 1977), d'autres semblent la contredire (Craik et Watkins, 1973). D'ailleurs, il existe depuis longtemps des psychologues qui mettent en doute le fait que la simple répétition soit un moyen efficace de transférer de l'information à la mémoire à long terme. Il y a trois quarts de siècle, le psychologue E.C. Sanford avait noté que sa lecture à voix haute d'un groupe de 5 prières du matin pratiquement tous les jours, pendant 25 ans (au moins 5000 répétitions), n'avait pas réussi à implanter ces prières en mémoire permanente. Lorsque Sanford procéda à un test de sa mémoire en se donnant à lui-même, en guise de réplique, un mot de l'une de ces prières pour voir de combien de mots de la litanie il se rappellerait, il constata que dans le cas de certaines de ces prières, il n'était même pas capable de se souvenir de 3 mots par indice. C'est bien peu de mémoire pour 2 1/2 décennies de répétition (Sanford, 1917, cité par Neisser, 1982)!

Les données de remémoration libre sur lesquelles s'appuie la théorie de la dualité de la mémoire représentent une autre sujet de contestation. Lorsque nous avons présenté ces données, nous avons fait remarquer que le rappel était particulièrement bon dans le cas des éléments qui avaient été présentés le plus récemment et nous avons présumé que cet *effet de récence* était attribuable au fait que les mots se trouvaient encore en mémoire à court terme. Toutefois, un effet de récence ne met pas nécessairement en cause la mémoire à court terme, car il peut se manifester même quand le rappel se fait à partir de la mémoire à long terme. Quand, par exemple, on a demandé à la fin d'une saison à des joueurs de soccer de nommer en remémoration libre tous leurs adversaires, le rappel a été meilleur dans le cas des quelques derniers compétiteurs. Il n'est pas possible que cet effet de récence soit le reflet de la mémoire à court terme, puisque le rappel s'est fait des semaines après les rencontres. Cet effet est plutôt le résultat d'une exploration chronologique de la mémoire à long terme (Baddeley et Hitch, 1977). Peut-être en est-il ainsi de l'effet de récence dans les études de remémoration libre que nous avons décrites plus haut. L'existence d'un effet de récence pour la mémoire à long terme contribue donc à diluer les faits qui militent en faveur d'un modèle de dualité de la mémoire.

« On pourrait pas se dépêcher et passer au test ? Ma mémoire à court terme est meilleure que ma mémoire à long terme. »

© 1985; reproduit grâce à la bienveillance de Bill Hoest et de la revue *Parade*.

MÉMOIRE À LONG TERME

La mémoire à long terme porte sur de l'information retenue pendant des périodes aussi brèves que quelques minutes (une idée exprimée plus tôt au cours d'une conversation) ou aussi longues que quelques dizaines d'années (les souvenirs d'enfance d'une personne d'âge mûr). Dans leurs travaux sur la mémoire à long terme, les psychologues ont généralement étudié l'oubli après des intervalles de minutes, d'heures ou de semaines, mais quelques études ont porté sur des années ou même des décennies.

Dans notre analyse de la mémoire à long terme, nous allons à nouveau faire une distinction entre les trois phases de la mémoire — codage, stockage et repêchage — même si cette fois, nous nous trouvons devant deux complications. D'abord, à l'encontre de ce qui se passe en mémoire à court terme, il se produit en mémoire à long terme des interactions importantes entre le codage et le repêchage. Pour tenir compte de ces interactions, nous devrons considérer certains aspects du repêchage dans nos propos sur le codage et discuter séparément des interactions codage-repêchage. L'autre complication tient au fait qu'il est souvent difficile de savoir si l'oubli en mémoire à long

terme est attribuable à une perte de ce qui était en stock ou à un défaut de repêchage. Pour aborder ce problème, nous reporterons notre discussion du stockage après l'étude du repêchage, de façon à avoir une idée plus claire de ce qui constituerait une bonne preuve de perte de stockage.

Codage

CODAGE DE LA SIGNIFICATION   Dans le cas d'un matériel verbal, la représentation dominante en mémoire à long terme n'est ni acoustique, ni visuelle ; elle est plutôt fondée sur la signification des éléments. Si vous mémorisez une longue liste de mots sans liens entre eux et si vous essayez de vous les rappeler une heure plus tard, vous commettrez sans aucun doute bon nombre d'erreurs. Cependant, plusieurs des mots incorrects ressembleront aux bons mots. Par exemple, s'il y a « rapide » dans la liste originale, il se peut que par erreur vous disiez « vite » à sa place (Kintsch et Buschke, 1969). Le codage d'éléments d'après la signification est plus frappant quand ces éléments sont des phrases. Plusieurs minutes après qu'une phrase a été entendue, la plus grande partie de ce qui reste en mémoire est sa signification. Supposons que vous avez entendu la phrase : « L'auteur a envoyé une longue lettre au comité ». Deux minutes plus tard, vous ne serez pas en mesure de dire si c'est cette phrase que vous avez entendue ou une autre qui a le même sens : « L'auteur a fait parvenir au comité une longue lettre » (Sachs, 1967).

Le codage de la signification s'introduit partout dans la vie réelle. Quand les gens témoignent de situations sociales ou politiques compliquées, il peut leur arriver de mal se souvenir de plusieurs détails (qui a dit quoi, quand une chose a été dite, qui d'autre était là) tout en étant en mesure de décrire l'essentiel de ce qui s'est passé. Ainsi, dans le célèbre scandale du Watergate du début des années 1970, on a souvent pu démontrer après coup que le témoin principal du gouvernement (John Dean) avait commis plusieurs erreurs sur ce qu'on avait dit ou fait dans des situations particulières, ce qui pourtant n'a pas empêché son témoignage de constituer, dans l'ensemble, une description exacte des événements qui ont eu lieu (Neisser, 1981).

ADDITION DE LIENS SIGNIFICATIFS   Souvent, il arrive que les éléments dont nous devons nous souvenir aient un sens, mais que les connexions entre eux n'en aient pas. Le cas échéant, on peut améliorer la mémoire en créant des liens réels ou artificiels entre les éléments. Par exemple, ceux qui apprennent l'anatomie doivent retenir des listes interminables de noms désignant, entre autres, les nerfs crâniens : olfactif, optique, moteur oculaire interne, pathétique, trijumeau, moteur oculaire externe, facial, auditif, glosso-pharyngien, vague, spinal, hypoglosse ; même si ces mots ont chacun leur signification, il est important de retenir l'ordre dans lequel chacun se situe dans la liste, puisque cet ordre correspond à leur position dans le système nerveux et que ces nerfs sont souvent désignés par un numéro, le IIᵉ, le Vᵉ nerf crânien par exemple. Plusieurs étudiants composent une phrase d'après les premières lettres de chacun des nerfs, phrase qu'ils apprennent par cœur et qui leur fournit ensuite des points de repère pour reproduire dans l'ordre la liste des nerfs crâniens. Ainsi la phrase suivante : « Oh ! Oh ! Mon paletot, tu m'as fait souffrir au grand vent l'hiver » permet de retenir dans l'ordre la première lettre de chacun des 12 nerfs crâniens. Les relations entre les mots de cette phrase servent d'appui mnémotechnique puisqu'elles forment des voies de repêchage entre les mots : une fois qu'on a retrouvé « mon », par exemple, on est placé sur la voie de « paletot », le mot suivant dont on doit se rappeler, et ainsi de suite.

De nombreuses expériences ont démontré en effet que l'addition de nouveaux liens aide considérablement la mémoire. Dans l'une de ces études, on demandait aux sujets de mémoriser une longue liste de couples de mots sans liens apparents. Plus tard, les sujets devaient, quand on leur présentait le premier élément d'un couple (le *stimulus*) donner le second terme (la *réponse*). Si, par exemple, le couple « cheval-table » faisait partie de la liste à retenir par exemple, le sujet devait répondre « table » quand au moment du test on lui présentait le stimulus « cheval ». Le lien entre les éléments de chacune des paires était arbitraire. Un groupe de sujets reçut pour consigne de mémoriser chacune des paires en pensant à une phrase qui utilisait les deux termes. Par exemple, dans le cas du jumelage « cheval-table », ils pouvaient imaginer la phrase : « le cheval a rué contre la table ». Chacune des phrases relierait ainsi les éléments de façon significative, traçant vraisemblablement une voie de repêchage entre les deux. On laissait au second groupe, le groupe-contrôle, le soin de trouver ses propres moyens de mémoriser la liste. Le groupe auquel on avait conseillé de penser à des phrases s'est souvenu d'environ 75 % des couples de mots, alors que le groupe-contrôle dut se contenter d'un taux de rappel de 35 % (Bower, 1972).

La construction de phrases d'après des lettres ou des mots sans liens préalables n'est pas le seul moyen d'ajouter des liens significatifs à un matériel verbal. Une autre technique consiste à recourir à la création d'images. Dans une variante de l'expérience que nous venons de décrire, on demandait au premier groupe de mémoriser chaque couple en se formant une image visuelle qui reliait les deux mots — par exemple, l'image d'un cheval qui sautait par-dessus une table. Là encore, le groupe expérimental donna à peu près deux fois plus de rappels que le groupe – contrôle. L'utilisation d'images ou de phrases contribue donc à l'augmentation du nombre de voies de repêchage entre les mots ; cette augmentation, à son tour, améliore la mémoire.

Bien que la signification soit probablement le mode prépondérant de représentation d'un matériel verbal en mémoire à long terme, il nous arrive parfois de faire le codage d'autres aspects de ce matériel. Nous sommes capables, par exemple, de mémoriser des poèmes et de les réciter mot à mot. Dans de tels cas, c'est non seulement le sens du poème que nous avons mis en code, mais les mots eux-mêmes. Il nous est également possible d'utiliser un code acoustique en mémoire à long terme. Quand vous recevez un appel téléphonique et que votre interlocuteur dit « allô », il vous arrive souvent de reconnaître sa voix. Pour ce faire, il vous a fallu coder en mémoire à long terme le son de la voix de cette personne. Les impressions visuelles, les goûts et les odeurs sont également codés en mémoire à long terme. Ainsi, tout comme la mémoire à court terme, la mémoire à long terme a un code préféré pour le matériel verbal (nommément, la signification pour la mémoire à long terme et les propriétés acoustiques pour la mémoire à court terme), mais d'autres codes peuvent également être utilisés.

ÉLABORATIONS Non seulement le codage par significaton donne-t-il le meilleur résultat, mais plus cette signification sera codée en profondeur et en détail, meilleur en sera le souvenir. Si vous devez vous souvenir d'un argument exposé dans un manuel, vous vous le rappellerez mieux en vous concentrant sur le sens de cet argument plutôt que sur les mots comme tels. Et plus vous approfondirez cette signification dans tous ses détails, mieux vous vous en souviendrez.

Une expérience de Bradshaw et Anderson (1982) met en lumière certains de ces énoncés. Des sujets eurent à lire, à propos de personnages célèbres, des faits dont ils auraient à se rappeler plus tard, comme « À un moment critique de sa vie, Mozart fit un voyage entre Munich et Paris ». Certains de ces faits étaient accompagnés d'élaborations relatives soit à leurs causes, soit à leurs conséquences, comme « Mozart voulait quitter Munich pour éviter un imbroglio romantique ». D'autres faits étaient présentés sans élaborations. Lorsque, plus tard, leur mémoire fut soumise à des tests, ces sujets se souvinrent mieux des faits qui avaient été accompagnés d'élaborations que de faits présentés isolément. On présume qu'en ajoutant la cause (ou la conséquence) à leur représentation mnémonique, les sujets ont ouvert une voie de repêchage de la cause jusqu'au fait-cible, de la façon suivante :

Mozart a fait le voyage de Munich à Paris

cause

Mozart voulait éviter un imbroglio romantique à Munich

Voici ce qu'écrivait William James en 1890 *« Supposons que nous essayons de nous rappeler un nom oublié. L'état de notre conscience est bizarre. On y trouve une faille, mais pas une faille simple. C'est une faille intensément active. Une sorte de spectre du nom recherché s'y trouve ; il nous entraîne dans une direction donnée, nous faisant éprouver par moments des fourmillements à l'idée de sa proximité, pour nous laisser ensuite retomber sans qu'on détienne le terme convoité. Si l'on nous propose des noms erronés, cette faille étrangement délimitée agit immédiatement pour les dénier. Ils n'entrent pas dans son moule. Et la faille d'un mot ne donne pas la même impression que la faille d'un autre mot, même si les deux sont dépourvues de contenu comme elles se doivent nécessairement de l'être, étant décrites comme des failles. » (James, 1890)*

Au moment du rappel, les sujets étaient en mesure de repêcher le fait-cible directement ou indirectement en suivant la voie qui partait de sa cause. Même s'ils avaient complètement oublié le fait-cible, ils pouvaient le déduire en repêchant sa cause.

L'élaboration facilite également la mémorisation de matériel complexe, tel que le contenu d'un chapitre. On l'a démontré dans une expérience au cours de laquelle des sujets devaient lire une partie d'un texte et répondre plus tard à des questions sur cette matière. Avant de lire ce texte, un groupe de sujets furent soumis à une série de questions (qui étaient différentes des questions-tests qu'on allait leur soumettre plus tard). Ces sujets devaient trouver réponses à ces questions préliminaires pendant qu'ils lisaient le texte. L'effort pour trouver les réponses devait amener les sujets à faire des élaborations sur des parties du texte, au moment où ils le lisaient. Un groupe-contrôle étudia le texte sans avoir été soumis à des questions préliminaires. Quand on posa plus tard les questions-tests à ces deux groupes, le groupe expérimental donna de meilleures réponses que le groupe-contrôle. Encore une fois, une technique expérimentale qui favorise l'élaboration a permis d'accroître la mémoire (Frase, 1975 ; Anderson, 1985).

Repêchage

Plusieurs cas d'oubli en mémoire à long terme sont attribuables à la perte d'accès à l'information plutôt qu'à la perte d'information elle-même. Ainsi, une mauvaise mémoire peut refléter une absence de repêchage plutôt qu'une perte d'information comme telle. Autrement dit, une mauvaise mémoire peut refléter une absence de repêchage plutôt qu'une absence de stockage. (Notez bien qu'il n'en est pas ainsi dans la mémoire à court terme, où l'oubli résulte du dépassement de la capacité de stockage, alors qu'on suppose que le repêchage échappe à l'erreur.) Essayer de repêcher un élément en mémoire à long terme est comme essayer de trouver un livre dans une grande bibliothèque. Le fait de ne pas trouver le livre ne veut pas nécessairement dire que le livre n'est pas là ; peut-être cherche-t-on sur le mauvais rayon, ou peut-être le livre a-t-il simplement été mal catalogué, ce qui le rend inaccessible.

FAITS QUI DÉMONTRENT L'ABSENCE DE REPÊCHAGE L'expérience commune nous fournit beaucoup de faits qui témoignent d'un défaut de repêchage. Il est arrivé à chacun d'entre nous de se trouver, à un moment donné, incapable de se rappeler un fait ou une expérience pour constater plus tard que le souvenir nous en revient. Combien de fois, au cours d'un examen, vous êtes-vous trouvé dans l'impossibilité de retrouver un nom ou une date précise, alors que vous vous en êtes souvenu après l'examen? Il en est de même quand on dit avoir un mot « sur le bout de la langue » : un mot ou un nom se trouve là, tout près, mais pourtant inaccessible à la mémoire (Brown et McNeill, 1966). Vous pouvez vous sentir bien agacé, jusqu'à ce qu'une exploration active de la mémoire (déterrant, pour les rejeter aussitôt, des mots qui sont proches mais pas tout à fait exacts) arrive finalement à recouvrer le mot recherché.

On a un exemple plus frappant d'absence de repêchage dans le recouvrement occasionnel, sous hypnose, d'un souvenir d'enfance qui était resté oublié depuis. Des expériences semblables peuvent se présenter au cours d'une psychothérapie. Bien que certaines de ces observations puissent s'appuyer sur des preuves expérimentales solides, elles n'en laissent pas moins supposer que des souvenirs apparemment oubliés ne sont pas irrévocablement perdus. Ils sont simplement difficiles à rejoindre et exigent la bonne sorte d'*indices de repêchage* (tout ce qui peut contribuer à recouvrer un souvenir).

Pour mieux nous convaincre que l'impossibilité de repêchage peut se trouver à la source de l'oubli, considérons l'expérience suivante. On avait demandé à des sujets de mémoriser une longue liste de mots. Certains des mots étaient des noms d'animaux spécifiques, comme « chien », « chat », « cheval » ; d'autres étaient des noms de fruits, comme « pomme », « orange », « poire » ; d'autres, des noms de meubles, et ainsi de suite (voir le tableau 8-1).

Les sujets étaient ensuite divisés en deux groupes. À l'un de ces groupes, on donnait des indices de repêchage comme « animal », « fruit », etc. ; on ne donnait pas d'indices à l'autre groupe, soit le groupe-contrôle. Le premier groupe se rappela plus de mots que le groupe-contrôle. Lors d'un test subséquent, on donna aux deux groupes des indices de repêchage et ils se souvinrent du même nombre de mots. Par conséquent, la différence entre les deux groupes, au premier test, doit être imputée aux difficultés de repêchage.

Donc, meilleurs sont les indices de repêchage, plus la mémoire offre un bon rendement. Ce principe permet de comprendre pourquoi l'on réussit habituellement mieux à un test de reconnaissance mnémonique qu'à un test de rappel. Dans un test de reconnaissance, on nous demande si nous avons déjà vu auparavant un item particulier (par exemple, « Est-ce que Henri Sansouci fait partie des personnes que vous avez rencontrées à la soirée ? ») L'item du test est en soit un excellent indice de repêchage qui permet de se souvenir de cet item. Par contre, dans un test de rappel, il faut produire les items mémorisés en n'utilisant qu'un minimum d'indices de repêchage (par exemple, « Rappelez-vous le nom de tous ceux que vous avez rencontrés à la soirée. ») Comme les indices de repêchage d'un test de reconnaissance sont généralement plus utiles que ceux d'un test de rappel, les tests de reconnaissance donnent ordinairement de meilleurs rendements du souvenir que les tests de rappel (Tulving, 1974).

INTERFÉRENCE   Parmi les facteurs susceptibles de nuire au repêchage, le plus important est l'*interférence*. En effet, si nous associons différents éléments à un même indice, lorsque nous essayons plus tard d'utiliser cet indice pour repêcher l'un de ces éléments (l'élément-cible), les autres éléments peuvent se présenter à l'esprit et nuire au recouvrement de la cible. Si, par exemple, votre ami Daniel déménage et que vous finissez par mémoriser son nouveau numéro de téléphone, il vous sera difficile de retrouver l'ancien numéro. Pourquoi? Parce que vous utilisez l'indice « le numéro de téléphone de Daniel » pour le repêchage de l'ancien numéro, alors que cet indice active plutôt le nouveau numéro, ce qui entrave le recouvrement de l'ancien. De même, supposons que, depuis un an, le même espace vous est réservé pour garer votre voiture dans un parc de stationnement. Si l'on vous assigne un

LISTE À MÉMORISER		
chien	coton	huile
chat	laine	essence
cheval	soie	charbon
vache	rayonne	bois
pomme	bleu	médecin
orange	rouge	avocat
poire	vert	professeur
banane	jaune	dentiste
chaise	couteau	football
table	cuiller	baseball
lit	fourchette	ballon-panier
sofa	plat	tennis
couteau	marteau	chemise
fusil	scie	chaussettes
pistolet	clous	pantalons
bombe	tournevis	chaussures

INDICES DE REPÊCHAGE		
animaux	tissus	combustibles
fruits	couleurs	professions
meubles	ustensiles	sports
armes	outils	vêtements

TABLEAU 8-1
Exemples d'une étude sur les échecs de repêchage *Les sujets auxquels on ne fournit pas d'indices de repêchage se souviennent de moins de mots de la liste mémorisée que les autres sujets qui disposent de tels indices. Ces résultats indiquent que ce sont des problèmes associés à la phase de repêchage de la mémoire à long terme qui sont responsables de certains échecs de mémoire. (D'après Tulving et Pearlstone, 1966)*

nouvel emplacement, il se peut qu'au début, vous trouviez difficile de repê cher dans votre mémoire votre nouvelle place de stationnement. Pourquoi? Parce que vous faites des efforts pour apprendre à associer votre nouvel empla cement avec l'indice « ma place de stationnement », mais que cet indice vous donne l'ancien espace, ce qui nuit à l'apprentissage du nouvel emplacement Dans ces deux exemples, le pouvoir des indices de repêchage (« le numéro de téléphone de Daniel » ou « ma place de stationnement ») d'activer des éléments-cibles particuliers s'atténue à mesure que le nombre d'autres élé ments associés à ces indices augmente. Plus il y a d'éléments associés à un indice, plus cet indice devient surchargé et moins il est efficace pour le repêchage.

L'interférence peut intervenir à divers niveaux, y compris au niveau des faits. Lors d'une expérience, des sujets apprirent d'abord à associer plusieurs faits à des noms de professions. Ils apprirent, par exemple :

1. qu'on a demandé au banquier de s'adresser à la foule;
2. que le banquier a cassé la bouteille;
3. que le banquier n'a pas retardé le voyage;
4. que l'avocat a constaté que la couture était déchirée;
5. que l'avocat a peinturé une vieille grange.

Dans ce cas-ci, ce sont les noms des occupations qui servaient d'indices de repêchage (banquier et avocat). Étant donné que « banquier » était associé à 3 faits, alors qu'« avocat » n'était associé qu'à 2 faits, l'indice « banquier » devrait être moins utile au repêchage des faits associés que l'indice « avocat » (« ban quier » étant l'indice de repêchage le plus surchargé). Lors d'un test de recon naissance présenté par la suite, les sujets ont effectivement pris plus de temps à reconnaître les faits associés au banquier que les faits associés à l'avocat. Dans cette étude, par conséquent, l'interférence a ralenti la vitesse de repê chage. Plusieurs autres expériences démontrent que l'interférence peut entraî ner un échec total du repêchage si les éléments-cibles sont faibles ou si cette interférence est très forte (Anderson, 1983).

Ces effets d'interférence semblent indiquer que le repêchage à partir de la mémoire à long terme fait intervenir un processus d'exploration. Pour illus trer ceci, pensez à la façon dont une phrase de l'étude précédente, « Le ban quier a cassé la bouteille », pourrait être reconnue. Le terme « banquier » donne accès à sa représentation en mémoire, ce qui situe l'exploration dans la « par tie » pertinente de la mémoire à long terme (voir la figure 8-9). Une fois là, il y a trois voies à explorer pour découvrir le fait « cassa la bouteille ». Par

FIGURE 8-9
Illustration du repêchage en tant que processus exploratoire *Quand on présente la phrase « Le banquier a cassé la bouteille », le terme « ban quier » donne accès à la représentation « banquier » dans la mémoire à long terme; une fois arrivé à cette représen tation, il reste trois voies à explorer. Quand on présente « L'avocat a pein turé une vieille grange », « avocat » donne accès à la représentation « avo cat », à partir de laquelle deux voies s'offrent à l'exploration. Par ailleurs, le terme « banquier » peut activer la représentation « banquier », cette acti vation s'étendant alors simultanément le long des trois voies (et il en est de même de l'exemple « avocat »).*

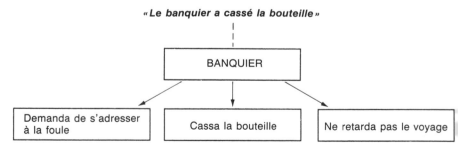

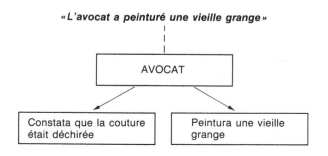

contre, si c'est « L'avocat a peinturé une vieille grange » qui est la phrase-test, il n'y a que deux voies à explorer (voir la figure 8-9). Puisque la durée d'une exploration s'accroît avec le nombre de voies à considérer, le repêchage sera plus lent pour la phrase « banquier » que pour la phrase « avocat ». En général, le repêchage est plus difficile quand il y a plus de faits qui sont associés à un indice de repêchage, parce que chaque fait ajoute une voie à explorer.

On peut également se représenter le processus d'exploration en termes d'activation. Quand il essaie de reconnaître « Le banquier a cassé la bouteille », par exemple, le sujet active la représentation « banquier » qui s'étend alors simultanément le long de trois voies émanant de cette représentation (voir la figure 8-9). Lorsqu'une activation suffisante atteint « cassa la bouteille », la phrase peut être reconnue. Une interférence surgit parce que l'activation provenant de la représentation « banquier » doit se subdiviser dans les voies qui émanent de cette représentation. D'où il ressort que, plus il y aura de faits associés à « banquier », plus l'activation le long de chaque voie sera faible et plus il faudra de temps pour qu'une activation suffisante atteigne un fait en particulier. Ainsi, en concevant le repêchage en termes d'activation, on peut également expliquer pourquoi l'interférence ralentit le repêchage (Anderson, 1983).

Stockage

Il est peu probable que les défauts de repêchage soient la seule cause de l'oubli. Le fait qu'une *partie* de l'oubli serait attribuable à des défectuosités de repêchage ne signifie pas qu'il en est de même pour *tout* l'oubli. Il semble des plus invraisemblables que tout ce que nous ayons jamais appris se trouve encore là en mémoire, n'attendant que le bon indice de repêchage. Il est presque certain qu'il y a une certaine perte d'information au niveau de l'entreposage (Loftus et Loftus, 1980).

L'observation des individus à qui l'on donne des *chocs électroconvulsifs* pour les soulager de dépressions graves (l'application d'un courant électrique léger au cerveau produit une brève crise de type épileptique et une perte de conscience momentanée ; voir au chapitre 16) nous apporte des preuves directes de pertes du matériel entreposé. Dans de tels cas, le patient perd certains souvenirs d'événements qui se sont déroulés durant les mois qui ont précédé le choc, mais les événements plus anciens ne sont pas affectés (Squire et Fox, 1980). La perte de mémoire résultant de chocs électroconvulsifs a été démontrée sur des animaux de laboratoire (quoique dans le cas des rats, la perte mnémonique porte sur une période de minutes plutôt que de mois [McGaugh et Herz, 1972]). Il est peu probable que ces pertes de mémoire soient attribuables à des absences de repêchage, car si le choc perturbait le repêchage, tous les souvenirs devraient être affectés et non pas seulement les plus récents. Il est plus vraisemblable que le choc vienne troubler les processus du stockage, qui *consolide* les nouveaux souvenirs durant une période qui s'étend sur des mois ou plus encore, et que l'information qui n'est pas consolidée soit perdue au niveau du stockage.

Les psychologues ont fait certains progrès dans la détermination des bases physiologiques de la consolidation. L'*hippocampe*, une structure du cerveau située sous le cortex cérébral, est nettement en cause. Le rôle qu'il joue dans la consolidation semble être celui d'un système de référence croisé, reliant ensemble les aspects d'un souvenir particulier qui se trouvent entreposés dans des parties séparées du cerveau (Squire, Cohen et Nadel, 1984). L'hippocampe n'est pas, toutefois, l'endroit où les souvenirs sont entreposés en dernière instance, puisque les vieux souvenirs restent intacts lorsqu'on l'enlève. Il est presque certain que c'est plutôt le cortex qui est le site du stockage à long terme.

Interactions codage-repêchage

Au moment de décrire la phase de codage, nous avons fait observer que les opérations exécutées durant le codage (l'élaboration, par exemple) rendaient le repêchage ultérieur plus facile. Deux autres facteurs de codage améliorent également les chances d'un repêchage réussi : 1) l'organisation, ou la structuration de l'information au moment du codage et 2) le fait de s'assurer que le contexte dans lequel l'information se trouve codée est semblable à celui dans lequel elle sera repêchée.

ORGANISATION   Plus nous structurons l'information que nous codons, plus elle est facile à retrouver. Supposons, par exemple, que vous avez participé à une conférence où vous avez rencontré plusieurs types de professionnels — médecins, avocats, professeurs et journalistes. Plus tard, quand vous essayerez de vous rappeler leurs noms, vous réussirez mieux si vous structurez d'abord l'information selon la profession. Vous pouvez alors vous demander : Quels sont les médecins que j'ai rencontrés ? Quels sont les avocats ? Et ainsi de suite. Une liste de noms ou de mots est beaucoup plus facile à retrouver quand nous codons l'information en catégories et repêchons ensuite les noms catégorie par catégorie.

L'expérience suivante illustre l'utilisation des catégories dans l'organisation du codage. On avait demandé à des sujets de mémoriser des listes de mots. Certains sujets utilisaient des listes disposées sous forme d'arbre à hiérarchies, à peu près semblable à l'exemple de la figure 8-10. Les autres sujets se servaient de listes de mots disposés au hasard. Plus tard, lorsqu'on mesura le rappel, les sujets à organisation hiérarchique se rappelaient 65 % des mots présentés, alors que les sujets auxquels on avait présenté les mots au hasard ne se rappelaient que 19 % des mêmes mots. Les études de ce genre laissent peu de doute sur le fait que l'efficacité de la mémoire est plus grande quand elle est fortement structurée.

Pourquoi l'organisation hiérarchique améliore-t-elle la mémoire ? Probablement parce qu'elle rend le processus d'exploration, sur lequel s'appuie le repêchage, plus efficace. Pour illustrer cette hypothèse, supposons que les sujets de l'expérience précédente procédaient par exploration sérielle. Ceux à qui l'on avait présenté les mots selon un ordre hiérarchique, comme à la figure 8-10, auraient pu procéder comme suit : ils auraient d'abord identifié un regroupement de haut niveau, comme « métaux » ; à partir de ce regroupement de niveau supérieur, ils auraient ensuite cherché un regroupement de niveau inférieur, comme « métaux communs » pour trouver des noms spécifiques (« aluminium », « cuivre », « plomb », « fer ») ; et ainsi de suite. En fonctionnant de cette façon, les sujets n'auraient à aucun moment besoin de chercher à trouver un grand ensemble. Il n'y a que deux regroupements de niveau supérieur et jamais plus de 4 mots spécifiques dans un regroupement de bas niveau. La structure hiérarchique nous permet donc de subdiviser une importante exploration en une série d'explorations plus petites. En procédant ainsi par petites explorations, on risque peu de s'enliser en ramenant sans cesse les mêmes mots, ce qui justement semble se produire quand le matériel à explorer n'est pas structuré (Raaijmakers et Shiffrin, 1981 ; Gillund et Shiffrin, 1984).

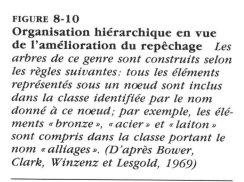

FIGURE 8-10
Organisation hiérarchique en vue de l'amélioration du repêchage   *Les arbres de ce genre sont construits selon les règles suivantes : tous les éléments représentés sous un noeud sont inclus dans la classe identifiée par le nom donné à ce noeud ; par exemple, les éléments « bronze », « acier » et « laiton » sont compris dans la classe portant le nom « alliages ». (D'après Bower, Clark, Winzenz et Lesgold, 1969)*

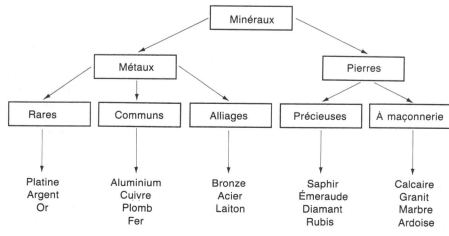

La structuration peut également contribuer à éliminer les effets nocifs de l'interférence. Dans l'expérience où les sujets mémorisaient des faits comme « On a demandé au banquier de s'adresser à la foule », « Le banquier a cassé la bouteille » et « Le banquier n'a pas retardé le voyage », les sujets ont mis plus de temps à reconnaître l'un de ces 3 faits qu'ils n'en avaient mis à reconnaître l'un des 2 faits qu'ils avaient appris à propos d'un autre nom de profession. On peut se débarasser de cet effet d'interférence en structurant les faits. Ainsi, en remplaçant la première de ces phrases par « On a demandé au banquier de baptiser le bateau », les faits associés à « banquier » se trouveront intégrés au thème du baptême d'un bateau. Dès lors, les sujets ne mettront pas plus de temps à reconnaître l'un des 3 faits relatifs au banquier que l'un des 2 faits qu'ils auraient appris à propos d'une autre occupation ; la structuration a éliminé l'interférence (Smith, Adams et Schorr, 1978).

CONTEXTE   Il est plus facile de se rappeler un épisode particulier lorsqu'on se trouve dans le même contexte qu'au moment du codage (Estes, 1972). On ne se tromperait pas trop en pariant, par exemple, que vous auriez beaucoup plus de facilité à retrouver les noms de vos compagnons de classe des deux premières années de l'école primaire si vous vous promeniez à nouveau dans les corridors de cette école. De même, vos chances de vous souvenir, disons, d'un échange affectif avec vos parents seraient meilleures si vous vous trouviez à nouveau à l'endroit où l'échange a eu lieu. Ce fait peut expliquer pourquoi nous nous trouvons parfois inondés sous un torrent de souvenirs se rapportant à des périodes antérieures de notre vie, quand nous visitons à nouveau un endroit où nous avons déjà vécu. Le contexte dans lequel le codage d'un événement s'est déroulé est lui-même l'un des indices de repêchage les plus puissants qui soient, cette affirmation s'appuyant sur une abondance de données (la figure 8-11 décrit une étude représentative de ce genre de résultats).

Le contexte n'est pas toujours extérieur à la personne qui mémorise, c'est-à-dire un lieu physique ou un visage spécifique. Ce qui se passe à l'intérieur de nous-mêmes au moment où nous faisons le codage d'une informaiton — notre état interne — fait également partie du contexte. Prenons un exemple extrême : si nous faisons l'expérience de quelque chose alors que nous nous trouvons sous l'influence d'une drogue spécifique (l'alcool ou la marijuana, par exemple), il se pourrait que nous soyons capables de mieux nous rappeler cette chose quand nous nous trouvons à nouveau sous l'influence de la drogue en question. Dans pareil cas, la mémoire dépendrait en partie de l'état interne dans lequel nous nous trouvions au moment de l'apprentissage ; c'est ce que l'on appelle *apprentissage lié à l'état* (« state-dependent learning »). Malgré le fait que les données sur ce type d'apprentissage prêtent à controverse, elles permettent de supposer que notre mémoire s'améliore réellement quand l'état interne dans lequel nous nous trouvons au cours de l'apprentissage s'apparente à celui qui prévaut durant le codage (Eich, Weingartner, Stillman et Gillian, 1975).

Facteurs affectifs liés à l'oubli

Jusqu'ici, nous avons parlé de la mémoire comme si elle était étrangère à la partie affective de notre vie. Mais n'arrive-t-il pas parfois que nous soyons incapables de nous rappeler de certains événements passés à cause de leur contenu émotionnel ? Il s'est fait beaucoup de recherches sur cette question. Les résultats semblent indiquer que l'émotion peut influencer la mémoire à long terme de 4 façons distinctes au moins.

Le plus simple est de supposer que nous sommes davantage portés à penser aux situations à charges émotives fortes, qu'elles soient négatives ou positives, qu'aux situations sans caractère affectif. Nous procédons plus volontiers à la répétition et à l'organisation mentales des souvenirs excitants qu'à la remémoration de situations moins intenses. Il peut vous arriver, par exemple, d'oublier facilement l'endroit où vous avez vu tel ou tel film, mais si un incendie éclate au moment où vous êtes dans une salle de cinéma, vous allez décrire

FIGURE **8-11**
**Effets du contexte sur le repê-
chage** *Dans une expérience visant à
démontrer l'influence du contexte sur
le repêchage, les sujets ont d'abord
observé des paires de visages, comme
celle qu'on voit dans le dessin du haut.
(Puisque le test de mémoire portait
toujours sur le visage placé à droite,
ce dernier était le visage-test, alors que
celui de gauche était le visage du contexte.) Plus tard, au cours d'un test de
mémoire, on présentait à nouveau des
paires de visages aux sujets en leur
demandant si le visage-test était l'un
de ceux qu'ils avaient observés précédemment. Dans certains cas, le visage
du contexte était le même que celui de
la paire originale; dans d'autres, il
était différent. L'exactitude des décisions des sujets était supérieure quand
le visage du contexte était le même que
dans la période d'observation.
(D'après l'expérience de Watkins, Ho
et Tulving, 1976)*

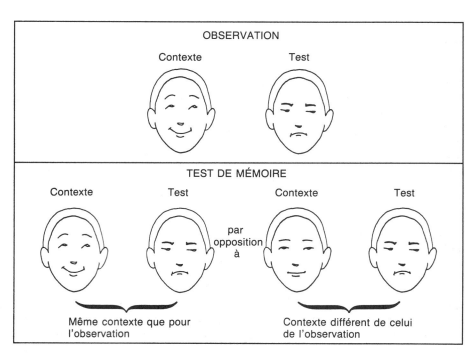

l'événement maintes fois à vos amis, répétant et structurant ainsi la situation.
Puisque nous savons que la répétition et l'organisation permettent d'améliorer le repêchage en mémoire à long terme, il n'est pas surprenant que
de nombreux chercheurs aient trouvé qu'on a un meilleur souvenir des
situations émotives que des situations neutres (Rapaport, 1942).

Dans certains cas, par contre, les émotions négatives nuisent au repêchage. On peut illustrer ceci en rappelant une expérience que la plupart des
étudiants ont déjà vécue à un moment ou à un autre.

> Vous passez un examen et vous n'êtes pas très sûr de pouvoir le réussir. Vous
> arrivez à peine à comprendre le sens de la première question et vous êtes encore
> moins en mesure d'y répondre. Des signes de panique commencent à apparaître.
> Bien que la deuxième question ne soit pas vraiment difficile, l'anxiété déclen-
> chée par la première question se communique à la seconde. Quand enfin vous
> vous trouvez devant la troisième question, on pourrait tout aussi bien vous deman-
> der de dire votre nom et vous ne sauriez absolument pas quoi répondre. La pani-
> que est extrême.

Qu'advient-il de la mémoire en pareil cas? L'impossibilité de répondre
à la première question suscite une certaine angoisse. Celle-ci s'accompagne
souvent de pensées accessoires comme «Je vais rater l'examen» ou «Tout
le monde va constater à quel point je suis stupide». Ces pensées peuvent
alors faire interférence avec toute tentative de retrouver l'information relative à la question et c'est probablement pour cette raison que la mémoire
vous abandonne si complètement. Selon cette interprétation, ce n'est pas
l'anxiété qui est la cause directe du trou de mémoire. Elle est plutôt à l'origine, ou elle est associée à des pensées qui n'ont rien à voir avec la question
et ce sont ces pensées qui entraînent des trous de mémoire en causant de
l'interférence avec le repêchage (Holmes, 1974).

L'émotion peut également affecter la mémoire par des *effets de contexte*.
Comme nous l'avons déjà noté, la mémoire est à son meilleur quand le contexte au moment du repêchage s'apparente à celui qui prévalait lors du codage.
Puisque notre état affectif durant l'apprentissage fait partie du contexte, si
nous étions tristes au moment où nous avons appris une matière, nous serons
mieux en mesure de récupérer cette matière durant des moments de tristesse.
Des expérimentateurs ont pu démontrer en laboratoire l'existence d'un tel
effet de contexte affectif. Des sujets acceptèrent de noter quotidiennement,
durant une semaine, tous les incidents d'ordre affectif qui survenaient, en

**«Et puis je me dis «Je veux réelle-
ment lui parler, mais pourquoi est-
ce que j'oublie toujours de composer le 1 d'abord?»**

Dessin de Modell; © 1981, *The New Yorker Magazine* Inc.

indiquant leur caractère agréable ou désagréable. Une semaine après qu'ils eurent remis ce compte rendu, les sujets furent rappelés au laboratoire et hypnotisés (ils avaient été choisis au préalable en fonction de leur forte sensibilité à l'hypnose). On suscita chez la moitié de ces sujets une humeur agréable et chez l'autre moitié une humeur désagréable. On demanda à tous les sujets de se rappeler les incidents qu'ils avaient notés dans leurs comptes rendus. Dans le cas des sujets placés dans un contexte d'humeur agréable, la plupart des incidents qu'ils rapportèrent avaient été évalués comme agréables quand ils les avaient vécus; pour les sujets qui étaient dans un état d'humeur désagréable au moment du rappel, ou du repêchage, la plupart des incidents rapportés étaient des incidents jugés désagréables. Comme prévu, le rappel fut meilleur quand l'émotion dominante au cours du repêchage correspondait à celle qui avait été notée au moment du codage (Bower, 1981).

Nous avons considéré trois façons dont l'émotion peut influencer la mémoire, chacune d'elles s'appuyant sur des principes dont nous avons déjà parlé, à savoir la répétition, l'interférence et les effets de contexte. Le quatrième point de vue sur l'affectivité et la mémoire, soit la théorie de Freud sur l'inconscient, soulève de nouveaux principes. Freud a soutenu que certaines expériences affectives de l'enfance étaient tellement traumatisantes que si le sujet les laissait accéder à la conscience plusieurs années plus tard, il se trouverait totalement envahi par l'angoisse. (Tel n'est pas le cas dans l'exemple de l'examen, où l'anxiété s'exerçait à un niveau que la conscience pouvait tolérer.) On dit que ces expériences traumatisantes, de même que des expériences subséquentes qui leur sont associées, sont remisées dans l'inconscient, ou *refoulées*. Elles ne peuvent être recouvrées que lorsqu'on neutralise, habituellement par des moyens thérapeutiques, l'émotion qui leur est associée. Par conséquent, le refoulement représente l'échec ultime du repêchage : l'accès aux souvenirs-cibles est activement bloqué. Cette notion de blocage actif rend l'*hypothèse du refoulement* qualitativement différente des points de vue considérés précédemment. (On trouvera une analyse plus complète de la théorie de Freud au chapitre 14.)

Le refoulement est un phénomène tellement frappant que l'on aimerait bien l'étudier en laboratoire, mais il s'est avéré difficile de le faire. Pour susciter un véritable refoulement en laboratoire, l'expérimentateur devrait soumettre le sujet à une expérience excessivement traumatisante ; des considérations d'ordre déontologique l'en empêchent. Les études qu'on a produites ne faisaient que placer les sujets devant des expériences légèrement perturbantes. L'ensemble des données découlant de telles études apportent un certain appui à l'hypothèse du refoulement (Erdelyi, 1985).

Amnésie : effondrement de la mémoire

Nous en avons beaucoup appris sur la mémoire d'après l'observation des gens qui ont souffert d'*amnésie*. L'amnésie consiste dans une perte partielle ou totale de la mémoire. Elle peut résulter de causes très différentes, notamment de blessures accidentelles au cerveau, de crises d'apoplexie, de l'encéphalite, de l'alcoolisme, de chocs électroconvulsifs et d'interventions chirurgicales (l'ablation de l'hyppocampe pour réduire les effets de l'épilepsie, par exemple). Quelle que soit la cause de l'amnésie, son symptome principal est une profonde incapacité d'acquérir de *nouvelles* informations ou de se rappeler les événements quotidiens ; c'est ce qu'on appelle *amnésie antérograde*, laquelle peut être très étendue. Il existe des cas d'amnésiques qui ont passé des années dans le même hôpital sans jamais apprendre le chemin qui mène à la salle de toilette. On a longuement étudié le cas d'un patient, désigné par les initiales NA, qui est incapable de prendre part à une conversation normale parce qu'il perd le fil de sa pensée à la moindre distraction. Un autre patient, identifié par les lettres HM — le cas d'amnésie le plus étudié d'entre tous — lit et relit toujours les mêmes revues et l'on doit encore lui présenter les médecins qui le traitent depuis plus de deux décennies.

L'un des symptômes secondaires de l'amnésie est l'incapacité de se rappeler les événements qui se sont produits *antérieurement* à la blessure ou

ANALYSE CRITIQUE

Amnésie de l'enfance

L'un des aspects les plus frappants de la mémoire humaine vient de ce que nous souffrons tous d'un type particulier d'amnésie : pratiquement personne n'est capable de se souvenir des événements qui se sont déroulés durant les premières années de sa vie, bien que ce soit la période où l'expérience est la plus riche. C'est Freud (1948) qui a été le premier à attirer l'attention sur ce phénomène bizarre, auquel il a donné le nom d'*amnésie de l'enfance*.

Freud a découvert ce phénomène quand il s'est aperçu que ses patients étaient en général incapables de se rappeler les événements qui avaient eu lieu durant les 3 à 5 premières années de leur vie. On pourrait d'abord penser que ce fait n'a rien d'inhabituel, puisque le souvenir des événements s'estompe avec le temps et que, pour un adulte, beaucoup d'expériences ont été vécues depuis la tendre enfance. Cependant, il n'est pas possible de réduire l'amnésie de l'enfance à un simple cas d'oubli normal. La plupart de ceux qui ont atteint 30 ans sont capables de se souvenir d'une grande partie de ce qui s'est passé durant leurs années d'école secondaire, mais il est rare que quelqu'un de 18 ans puisse vous dire quelque chose de la troisième année de sa vie ; pourtant l'intervalle de temps (15 ans environ) est à peu près le même dans les deux cas. Une étude, dans laquelle des sujets de 18 ans tentaient de retrouver des souvenirs personnels se rapportant à toutes les périodes de leur vie, nous fournit des données plus rigoureuses sur ce point. Le souvenir d'un événement s'effaçait, bien sûr, en proportion du nombre d'années écoulées depuis, mais la vitesse de ce déclin était beaucoup plus prononcée pour les événements des 6 premières

années de la vie que pour ceux qui s'étaient déroulés par la suite (Wetzler et Sweeney, cité par Rubin, 1986).

Au cours d'autres expériences, on a demandé aux gens de se rappeler et de situer dans le temps leurs souvenirs d'enfance. Chez la plupart des sujets, le souvenir le plus reculé remonte à un événement survenu lorsqu'ils avaient 3 ans ou plus ; quelques rares sujets rapporteront cependant des souvenirs qui remontent avant l'âge d'un an. Le problème que posent ces témoignages toutefois vient de l'incertitude à savoir si l'événement « dont on se rappelle » s'est vraiment produit (le sujet peut avoir simplement reconstitué en pensée un événement qui lui a semblé se produire). On a surmonté cette difficulté dans une expérience où l'on posait aux sujets un ensemble de 20 questions concernant un événement d'enfance dont on était certain qu'il s'était produit — la naissance d'un frère ou d'une sœur plus jeune — et dont l'exactitude des détails pouvait être contrôlée par une autre personne. Les questions qu'on posait à chacun des sujets portaient sur des circonstances relatives au départ de la mère pour l'hôpital (par exemple, « À quel moment de la journée a-t-elle quitté la maison ? »), à son séjour à l'hôpital (« Quand lui avez-vous rendu visite ? ») et à son retour à la maison avec le bébé (« À quel moment de la journée est-elle rentrée ? »). Les sujets étaient des collégiens et leur âge, à la naissance de leur frère ou de leur sœur, variait entre 1 et 17 ans. On peut voir les résultats de cette étude à la figure 8-12 ; le nombre de questions auxquelles les sujets ont pu répondre est présenté en fonction de l'âge du sujet au moment de la naissance de son frère ou de sa sœur. Quand ce frère ou cette sœur était né avant que le sujet

---

à la maladie. L'étendue d'une telle *amnésie rétrograde* varie d'un patient à l'autre. Si ce n'était de ces pertes de mémoire antérograde et rétrograde, l'amnésique typique paraîtrait normal : il dispose d'un vocabulaire normal, des connaissances usuelles sur le monde et ses facultés intellectuelles ne sont généralement pas atteintes.

EFFETS SUR LES DIFFÉRENTES PHASES   Les pertes de mémoire associées à l'amnésie seraient-elles le reflet de l'effondrement d'une phase particulière de la mémoire ou de toutes ses phases ? Les faits indiquent que chacune de ces phases peut être atteinte. Certains patients manifestent une déficience au niveau du codage. Si on leur laisse plus de temps que les sujets normaux pour coder du matériel dans une tâche de rappel, ils peuvent ensuite avoir un rendement égal à celui des sujets normaux. D'autres patients éprouvent des défectuosités de repêchage et de stockage. Dans le cas de certains amnésiques, la perte de la mémoire des événements antérieurs à la blessure ou à la maladie (amnésie rétrograde) s'étend sur la majorité de leur vie. Cette perte devrait être attribuable à un défaut de repêchage, puisque ces événements, qui se sont produits plusieurs années avant la blessure, ont dû bénéficier des processus normaux de codage et de consolidation. Par contre, chez

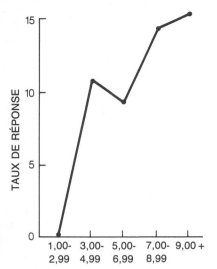

L'ÂGE DES SUJETS À LA NAISSANCE
DU FRÈRE OU DE LA SŒUR

FIGURE 8-12
**Rappel d'un souvenir
d'enfance**   *Lors d'une expérience sur
l'amnésie de l'enfance, on a posé à
des collégiens 20 questions sur les
événements entourant la naissance
d'un frère ou d'une sœur plus jeune.
Le nombre moyen de questions auxquelles ils ont pu répondre est présenté en fonction de l'âge de ces
sujets au moment de la naissance du
frère ou de la sœur. Quand la naissance avait eu lieu avant la quatrième année de leur vie, aucun sujet
n'était capable de bien s'en rappeler;
quand la naissance était survenue
après, le rappel augmentait avec
l'âge au moment de l'événement.
(D'après Sheingold et Tenney, 1982)*

n'ait atteint l'âge de 3 ans, celui-ci ne se souvenait de rien! Si la naissance était survenue après cet âge, le rappel augmentait en fonction de l'âge au moment de l'événement. Ces résultats laissent supposer qu'il y a amnésie presque totale pendant les 3 premières années de la vie.

Qu'est-ce qui causerait l'amnésie de l'enfance? Freud (1948) croyait qu'elle était attribuable au refoulement des sentiments sexuels et agressifs que le jeune enfant éprouve envers ses parents. Mais cette interprétation prévoit qu'il n'y aurait amnésie que pour les événements associés à des pensées sexuelles et agressives, alors qu'en réalité, l'amnésie de l'enfance s'étend à toutes sortes d'événements. Selon une explication plus largement acceptée, l'amnésie de l'enfance serait attribuable à une différence considérable entre la façon dont les jeunes enfants codent l'expérience et celle dont les adultes structurent leurs souvenirs. Les adultes disposent leurs souvenirs en fonction de catégories et de schémas (« Il s'agit d'une personne comme ça », « C'est ce genre de situation »), alors que les enfants procèdent au codage de leurs expériences sans les embellir ni les associer à des événements connexes. Une fois que l'enfant commence à former des associations entre les événements et à les situer dans des catégories, les souvenirs des premières expériences se perdent (Schactel, 1947).

Quelle est la cause de ce passage des formes de mémoire de la tendre enfance à celles de l'âge adulte? L'un des facteurs déterminants est le développement biologique. L'hippocampe, une structure cérébrale jouant un rôle dans la consolidation des souvenirs, n'atteint sa maturité qu'environ 1 an ou 2 après la naissance.

Par conséquent, les événements qui se produisent durant les 2 premières années de la vie ne peuvent être l'objet de consolidation suffisante et ne peuvent donc être rappelés plus tard. D'autres causes de ce déplacement vers les formes de mémoire adulte font intervenir des facteurs plus cognitifs, tout particulièrement la formation du langage et le début de la scolarisation. Le langage et la forme de pensée qu'on encourage à l'école fournissent à l'enfant de nouvelles façons de structurer ses expériences, des façons qui sont peut-être incompatibles avec la manière dont le jeune enfant procède au codage de ses expériences. Il est intéressant de noter que le développement du langage atteint un premier sommet à l'âge de 3 ans, alors que la scolarisation commence généralement à 5 ans et que c'est entre l'intervalle de 3 à 5 ans que l'amnésie de l'enfance semble s'arrêter.

Il se peut que les changements structuraux ne suffisent pas à rendre complètement compte de l'amnésie de l'enfance. Il est possible que la différence entre la mémoire du savoir-faire (des habiletés) et la mémoire du savoir (des faits) ait également un rôle à jouer dans ce phénomène. Une grande partie de ce que nous apprenons durant la tendre enfance porte sur des habiletés, lesquelles ne seront pas représentées dans la mémoire des faits qui se développe plus tard. Les études sur les singes viennent appuyer cette hypothèse. Les singes de trois mois sont capables d'apprendre une tâche de « savoir-faire » (une tâche de conditionnement, en réalité) aussi facilement que des singes adultes, mais ils sont incapables de maîtriser une tâche qui porte sur des faits, tâche que les adultes trouvent pourtant facile (Mishkin, Malamut et Bachevalier, 1984).

d'autres patients, l'amnésie rétrograde se limite à une période de quelques mois. L'existence d'une défectuosité mnémonique aussi restreinte est l'indice d'une perturbation de la phase de stockage, étant donné que les processus de consolidation n'exigent vraisemblablement qu'une période de quelques mois (Hirst, 1982; Squire et Cohen, 1984).

Il est possible qu'on se trouve devant deux types d'amnésie distincts, chacun correspondant à un site de lésion cérébrale distinct et affectant différentes phases de la mémoire. Ainsi, les patients chez lesquels le dommage se situe dans des régions de l'hippocampe pourraient souffrir surtout d'un déficit de stockage; ce sont les patients dont l'amnésie rétrograde se limite à des événements relativement récents. Par contre, un individu dont l'hippocampe se trouve intact, mais dont le thalamus est endommagé, pourrait présenter des défectuosités de codage et de repêchage; ce sont les patients dont l'amnésie rétrograde ne connaît pas de limite dans le temps et dont le rappel des données nouvelles ne s'avère relativement normal que si on leur accorde du temps additionnel pour le codage. Même si cette hypothèse, selon laquelle différentes sortes d'amnésie répondent à différents sites de dommage cérébral, s'accorde avec les diverses données dont on dispose, elle est plutôt controversée (Squire et Cohen, 1984; Corkin et coll., 1985).

MÉMOIRE DES FAITS ET MÉMOIRE DES HABILETÉS   Un aspect étonnant de l'amnésie est que ce ne sont pas tous les types de mémoire qui se trouvent perturbés. C'est ainsi que les amnésiques, même s'ils sont incapables en général de se souvenir de faits anciens se rapportant à leur vie ou d'en apprendre de nouveaux, n'éprouvent pas de difficultés à se rappeler et à apprendre des habiletés motrices et perceptives. Cette constatation permet de croire qu'il y a des mémoires différentes pour le savoir et pour le savoir-faire.

Parmi les habiletés non atteintes par l'amnésie citons les *habiletés motrices*, comme attacher les lacets de ses souliers ou monter à vélo, des *habiletés perceptives*, comme la lecture normale ou la lecture de mots projetés par un miroir (et inversés par conséquent) et des *habiletés cognitives*, comme définir un mot ou reconstituer un mot d'après quelques-unes de ses lettres. Pensez à la capacité de lire les mots en miroir. Il faut un peu de pratique pour y arriver (essayez de placer la page de ce livre devant un miroir). Les amnésiques s'améliorent avec la pratique, à la même vitesse que les sujets normaux, même s'ils ne se souviennent pas d'avoir pris part à des séances antérieures de pratique (Cohen et Squire, 1980). Ils manifestent une mémoire normale de cette habileté, mais pratiquement aucune mémoire des épisodes d'apprentissage qui ont contribué à son acquisition (ces épisodes étant des *faits*).

Les habiletés cognitives, comme celle qui consiste à compléter des mots (par exemple, quel est le mot suivant : *chem__ __* ?), donnent le même tableau. Lors d'une expérience, on a commencé par présenter une liste de mots à des sujets amnésiques et à des sujets normaux. Ensuite, on leur a montré des fragments de mots qui étaient sur la liste et des fragments de mots qui n'en faisaient pas partie, les sujets devant essayer de les compléter. Les sujets normaux se comportèrent comme prévu, complétant plus de mots quand il s'agissait de fragments de mots figurant sur la liste, mais, fait intéressant, les amnésiques étaient également capables de compléter plus de mots d'après les fragments tirés de la liste. En fait, la différence de succès entre les fragments de la liste et les fragments qui ne faisaient pas partie de la liste a été la même chez les amnésiques et chez les sujets normaux. D'où l'on voit que les amnésiques ont un rendement normal quand la mémoire porte sur des habiletés ou sur du savoir-faire. Dans une autre étape de l'expérience cependant, on présentait encore une fois les mots de la liste originale mélangés à des mots nouveaux et les sujets devaient identifier les mots qu'ils avaient vus sur la liste originale. Dans ce cas, les amnésiques se souvenaient de beaucoup moins de mots que les sujets normaux. En conséquence, quand la mémoire se manifeste par rapport à des « faits » (« C'est un des mots que j'ai vus dans la liste »), les amnésiques ont un rendement très inférieur à celui des sujets normaux (Warrington et Weiskrantz, 1978).

La notion de l'existence de mémoires différentes pour le savoir et pour le savoir-faire n'a rien de surprenant si l'on songe aux différences considérables entre ces deux types de connaissance. La connaissance ou la possession d'une habileté consiste à « savoir comment » ; la connaissance d'un fait consiste à « savoir que » (Ryle, 1949) et souvent les deux sont inconciliables. Nous savons comment attacher nos lacets de souliers, par exemple, mais nous serions bien embêtés de décrire cette opération sous la forme d'une série de faits. La connaissance associée à une habileté semble représentée par les opérations nécessaires à son exercice et l'on ne peut repêcher une telle connaissance qu'en exécutant ces opérations (Anderson, 1982).

MÉMOIRE DE FAITS PERSONNELS ET MÉMOIRE DE FAITS GÉNÉRAUX   Même dans le domaine des faits, il y a une distinction importante à dégager. Certains faits se rapportent à des épisodes personnels, alors que d'autres sont des vérités générales. À titre d'exemple, votre souvenir de votre collation des diplômes à la fin du cours secondaire est un *fait personnel*, de même que votre souvenir de ce que vous avez mangé hier soir. Même le souvenir d'une expérience sur la mémoire, dont vous avez lu le compte rendu et dans laquelle des amnésiques devaient lire des mots inversés reflétés par un miroir, se classe parmi les faits personnels. Dans chacun de ces cas, l'épisode est codé par rapport à vous en tant qu'individu (votre collation des diplômes, votre souper, etc.) et souvent aussi en fonction d'un moment et d'un endroit particuliers. Par contraste, les *faits généraux* comprennent, par exemple, votre souvenir ou votre connaissance du fait que le mot « célibataire » signifie quelqu'un qui n'est pas marié, que le mois de septembre compte 30 jours et que Sir Wilfrid Laurier a été premier ministre du Canada. Dans ces derniers cas, la connaissance est codée en relation avec d'autres connaissances plutôt qu'en relation avec nous comme individu, et il n'y a pas de codage de temps ou d'espace. Ainsi, vous ne pouvez probablement pas vous rappeler du contexte dans lequel vous avez appris que le mois de février compte 29 jours tous les quatre ans (Tulving, 1985).

Les faits personnels et les faits généraux seraient-ils entreposés dans des mémoires différentes? L'existence même de l'amnésie porte à croire qu'ils le sont. Sauf dans les cas graves de perte de mémoire, les amnésiques semblent dotés d'une intelligence normale. Ceci implique que leur vocabulaire et leur connaissance du monde sont conformes aux normes et, par conséquent, les amnésiques sont considérés comme relativement normaux en ce qui a trait aux faits généraux. Dans la plupart des formes d'amnésie, la mémoire des faits généraux se trouve donc épargnée, alors que la mémoire des épisodes personnels est troublée, ce qui laisse supposer que ces deux types de faits seraient effectivement entreposés dans des mémoires différentes. D'ailleurs, des expériences précises ont permis de démontrer que les amnésiques ont un rendement normal dans les tâches qui exigent le repêchage de faits généraux (Weingarten et coll. 1983).

AMÉLIORATION DE LA MÉMOIRE

Maintenant que nous avons pris connaissance des données fondamentales sur la mémoire à court et sur la mémoire à long terme, nous sommes en mesure d'aborder la question de l'amélioration de la mémoire. Nous allons d'abord voir comment on peut accroître l'envergure de l'empan de la mémoire à court terme. Nous nous tournerons ensuite vers des méthodes diverses permettant d'améliorer la mémoire à long terme; ces méthodes ont pour effet d'accroître l'efficacité du codage et du repêchage.

Formation des tronçons et empan mnémonique

La plupart d'entre nous sommes incapables d'accroître la capacité de la mémoire à court terme au-delà de 7 ± 2 tronçons. Nous sommes capables, néanmoins, d'augmenter la dimension d'un tronçon et d'accroître, ce faisant, le nombre des éléments de notre empan mnémonique. Nous l'avons déjà démontré: en partant de la chaîne 149 — 2186 — 719 — 89, on peut se rappeler tous les 12 chiffres en procédant d'abord au recodage sous la forme 1492 — 1867 — 1989 et entreposant ensuite ces 3 tronçons en mémoire à court terme. Même si le recodage de chiffres pour donner des dates connues fonctionne très bien dans cet exemple, il ne sera pas efficace dans le cas de la plupart des chaînes de chiffres, car nous n'avons pas suffisamment de dates significatives en mémoire. Par contre, si on pouvait élaborer un système de recodage applicable à pratiquement *toutes* les chaînes, il serait alors possible d'améliorer l'empan de la mémoire à court terme de façon spectaculaire.

On a mené des études en laboratoire concernant un individu qui avait mis au point un système de recodage à des fins générales et qui avait ainsi réussi à faire passer son empan mnémonique de 7 à presque 80 chiffres choisis au hasard (voir la figure 8-13). Ce sujet, désigné par les initiales SF, avait des aptitudes mnémoniques et un niveau d'intelligence qui correspondaient à ceux d'un collégien moyen. Durant 1 1/2 an, il consacra environ 3 à 5 heures par semaine au développement de son empan mnémonique. Au cours de cet entraînement prolongé, SF, qui était un coureur à long parcours, mit au point une stratégie de recodage d'ensembles de 4 chiffres pour l'enregistrement des scores de durée de parcours. Par exemple, il recodait 3492 sous la forme

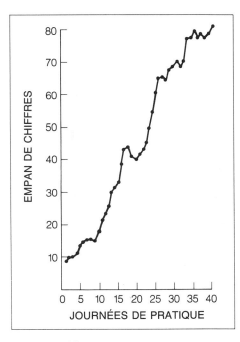

FIGURE 8-13
Nombre de chiffres mémorisés par SF *Ce sujet a considérablement accru son empan mnémonique pour les chiffres en mettant au point un système de recodage fondé sur la formation de tronçons et la structuration hiérarchique. Le temps total de pratique équivaut à environ 215 heures. (D'après Ericsson, Chase et Faloon, 1980)*

« 3 : 49,2 — le record mondial de parcours du mille », qui représentait pour lui un tronçon unique. Comme SF connaissait par cœur plusieurs durées de parcours (c'est-à-dire qu'il les avait entreposées en mémoire à long terme), il était en mesure de former facilement des tronçons avec la plupart des ensembles de 4 chiffres. Dans les cas où cela s'avérait impossible (1771 ne peut représenter une durée de parcours, car le second chiffre est trop grand), SF essayait de recoder les 4 chiffres en fonction d'une date qui lui était familière.

Le recours à ces systèmes de recodage a permis à SF de faire passer son empan mnémonique de 7 à 28 chiffres (parce que chacun des 7 tronçons comprenait 4 chiffres). Mais comment a-t-il réussi à mémoriser près de 80 chiffres? Par structuration hiérarchique des temps de parcours. Ainsi, un tronçon dans la mémoire à court terme de SF était susceptible de désigner 3 temps de parcours; au moment du rappel, SF pouvait partir de ce tronçon pour passer au premier temps de parcours et produire ses 4 chiffres, puis passer au second temps de parcours dans le tronçon et produire ses chiffres, et ainsi de suite. Un tronçon valait donc 12 chiffres. Nous pouvons voir comment SF a pu se donner cet empan remarquable de près de 80 chiffres, le plus considérable jamais rapporté dans les ouvrages psychologiques. Il y est arrivé grâce à l'augmentation de la *dimension* d'un tronçon (en rattachant les éléments à de l'information en mémoire à long terme) et non en accroissant le *nombre* des tronçons que la mémoire à court terme peut contenir. En effet, quand SF passait des chiffres aux lettres, son empan mnémonique revenait à 7 — soit 7 lettres (Ericsson, Chase et Faloon, 1980).

Cette recherche se situe parmi les premiers projets importants qui se sont attaqués à l'amélioration au moyen d'une tâche de mémoire à court terme. On s'est, par contre, intéressé depuis longtemps à la mémoire à long terme, thème sur lequel nous nous concentrerons dans le reste de cette section. Nous allons considérer d'abord de quelle façon il est possible de faire le codage d'un matériel de manière à rendre son repêchage plus facile, puis nous verrons comment l'opération de repêchage elle-même peut s'améliorer.

Imagerie et codage

Nous avons établi précédemment qu'il est beaucoup plus facile de se souvenir d'un couple de mots quand ces deux mots sont reliés par une image. Quand nous associons « cheval » à « table » grâce à une image, nous créons un lien significatif entre les deux, lequel sert ensuite de voie de repêchage. L'imagination relie alors les bribes d'information dans la mémoire et les connexions facilitent le repêchage. C'est le principe majeur qui se trouve à la base de plusieurs systèmes *mnémotechniques* (aide-mémoire).

La *méthode des localisations* est un procédé mnémotechnique bien connu. Elle s'applique particulièrement bien aux suites ordonnées d'éléments arbitraires, comme des mots sans rapport entre eux. La première étape consiste à identifier en mémoire une suite ordonnée d'endroits, disons ceux par lesquels vous passeriez en marchant lentement dans votre maison. Vous entrez par la porte principale, vous vous trouvez dans un passage, vous allez ensuite aux rayons de la bibliothèque dans le vivoir, puis vers le poste de télévision, puis vers les rideaux de la fenêtre et ainsi de suite. Une fois que vous êtes capable de parcourir ce trajet mentalement sans difficulté, vous êtes en mesure de mémoriser autant de mots disparates qu'il y a de localisations sur votre route. Vous vous formez une image qui rattache le premier mot au premier endroit, une autre image pour le deuxième mot et le deuxième endroit et ainsi de suite. Si les mots sont les articles d'une liste d'emplettes — « pain », « œufs », « bière », « lait » et « bacon » — vous pouvez vous imaginer une tranche de pain clouée à la porte d'entrée, un œuf accroché à la chaîne de la lampe dans le passage, une cannette de bière sur les rayons de la bibliothèque, un message commercial vantant le lait à la télévision, et des rideaux en forme de tranches géantes de bacon (voir la figure 8-14). Quand vous avez mémorisé les articles de cette façon, vous pouvez facilement vous les rappeler dans l'ordre en parcourant simplement le trajet mental à nouveau. À chaque endroit, vous récupérez une image et chaque image permet de recouvrer un mot. Cette

FIGURE 8-14
Système mnémotechnique *La méthode des localisations facilite la mémorisation grâce à l'association d'éléments (en l'occurrence, les articles d'une liste d'emplettes) selon une suite ordonnée d'emplacements.*

méthode est vraiment efficace et elle est de loin la préférée de ceux dont la profession est d'exécuter des prodiges de mémoire.

On fait également appel à l'imagerie dans la *méthode des mots-clefs* utilisée pour l'apprentissage du vocabulaire d'une langue étrangère. Supposons que vous devez apprendre que le mot anglais *arm* signifie « bras ». Cette méthode comprend deux étapes. La première consiste à trouver une partie du mot étranger qui s'apparente par le son à un mot de votre langue. Le mot anglais *arm*, qui veut dire « bras », se prononce « arme ». Donc, « épée » peut servir de mot-clef. Dans l'étape suivante, on doit se former une image qui relie le mot-clef au mot français correspondant à la traduction du mot anglais — disons, un bras qui brandit une épée. Pour vous rappeler le sens de « arm », vous repêcheriez d'abord le mot « épée », puis l'image en mémoire qui relie ce mot à « bras ». Notez que la méthode des mots-clefs peut aussi servir pour passer du mot français au mot anglais. Si vous voulez vous rappeler le mot anglais qui correspond à « bras », vous repêcherez d'abord l'image qui met en cause le bras (le bras qui brandit l'épée), pour obtenir le mot-clef « arme », qui sert d'indice au repêchage du mot anglais « arm ». Le procédé peut sembler compliqué, mais la recherche a démontré que la méthode des mots-clefs facilite vraiment l'apprentissage d'une langue étrangère (Atkinson, 1975 ; Pressley, Levin et Delaney, 1982).

Élaboration et codage

Nous avons vu que plus nous élaborons un matériel, plus nous nous en souvenons. Ce phénomène se produit parce que plus nous établissons de liens entre des éléments, plus le nombre des possibilités de repêchage s'accroît. Les implications pratiques de ces constatations vont de soi. Si vous voulez vous rappeler une chose, concentrez-vous sur sa signification. À titre d'illustration, supposons que vous lisez un article sur une épidémie mystérieuse qui s'est répandue dans la ville de Québec et que le ministère de la Santé s'efforce de contrôler. Pour vous concentrer sur ce fait, vous pourriez vous poser des questions sur les causes et sur les conséquences de cette épidémie : « La maladie a-t-elle été apportée par une personne ou par un animal ? A-t-elle été transmise par le système d'alimentation en eau potable ? Pour mettre un frein à l'épidémie, les autorités iront-elles jusqu'à empêcher les étrangers de pénétrer dans la ville ? Combien de temps l'épidémie risque-t-elle de durer ? » Les questions portant sur les causes et sur les conséquences d'un événement sont des élaborations particulièrement efficaces puisque chaque question crée un lien significatif, ou une voie de repêchage, pour parvenir à l'événement.

Contexte et repêchage

Puisque le contexte est un indice de repêchage efficace, il nous est possible d'améliorer notre mémoire en restaurant le contexte dans lequel l'apprentissage s'est fait. Si votre cours de psychologie se donne toujours dans la même salle, votre souvenir de la matière sera à son meilleur quand vous vous trouverez dans cette pièce, car le contexte de la pièce est un indice de repêchage pour la matière du cours. Ce fait comporte des implications pédagogiques directes. Les étudiants réussissent mieux aux examens quand ceux-ci se déroulent dans leur salle de classe habituelle et quand le surveillant est leur professeur que lorsqu'on fait varier ces facteurs (Abernathy, 1940).

La plupart du temps, toutefois, quand il nous faut nous souvenir de quelque chose, il nous est physiquement impossible de revenir au contexte dans lequel nous avons appris cette chose. Si vous éprouvez de la difficulté à vous souvenir du nom d'un de vos camarades du cours secondaire, il est peu probable que vous retourniez à l'école dans le simple espoir de vous le rappeler. Dans de telles situations, cependant, on peut s'efforcer de reproduire le contexte mentalement. Pour recouvrer le nom, depuis longtemps oublié, vous pourriez vous remémorer les différentes classes, les clubs et les autres activités auxquelles vous avez participé durant le cours secondaire pour voir si l'une ou l'autre de ces données pourrait ramener à l'esprit le nom que vous cherchez. Ayant eu recours à ces techniques au cours d'une expérience, des sujets ont souvent été capables de se rappeler les noms de camarades du cours secondaire qu'ils étaient sûrs d'avoir oubliés (Williams et Hollan, 1981).

L'exemple suivant, qui est une adaptation d'une démonstration de Norman (1976), constitue une autre illustration de la reconstitution mentale du contexte. Supposons que quelqu'un vous demande: « Que faisiez-vous à treize heures, le troisième lundi d'octobre, il y a deux ans? » Vous pourriez répondre: « C'est ridicule. Personne ne peut se rappeler des choses de ce genre. » Mais la reconstitution du contexte peut donner des résultats surprenants.

> Eh bien, il y a deux ans, j'étais à ma dernière année du cours secondaire; voyons, octobre, c'est le trimestre d'automne. Maintenant, quels étaient les cours que je suivais durant ce trimestre? Ah oui, la chimie. J'y suis; nous faisions des expériences dans le laboratoire de chimie tous les après-midis; voilà où j'étais à treize heures, le troisième lundi d'octobre, il y a deux ans.

Dans cet exemple, la reconstitution du contexte semble avoir résolu le problème. Pourtant, il est impossible de s'assurer que vous vous êtes vraiment souvenu de votre présence au laboratoire de chimie. Peut-être avez-vous simplement déduit que vous deviez y être. Quoi qu'il en soit, il est bien possible que vous ayez trouvé la bonne réponse.

Organisation

Nous savons que la structuration au cours de l'opération de codage contribue à l'amélioration du repêchage subséquent, en rendant l'exploration de la mémoire plus efficace. Ce principe peut donner lieu à des applications pratiques importantes: on peut ainsi entreposer et repêcher l'information en quantités considérables, pourvu qu'elle soit structurée.

Certaines expérimentations ont été consacrées à la recherche des moyens d'organisation auxquels on peut faire appel pour l'apprentissage de plusieurs éléments disparates. Dans l'une de ces études, les sujets mémorisaient des listes de mots disparates en reliant les mots de chaque liste à l'intérieur d'une histoire. Plus tard, quand on mesura le rappel de 12 listes de cette nature (au total 120 mots), les sujets se souvinrent de plus de 90 % des mots. À première vue, il semble qu'on soit en présence d'un prodige mnémonique vraiment remarquable, mais en fait n'importe qui peut le réussir sans difficulté.

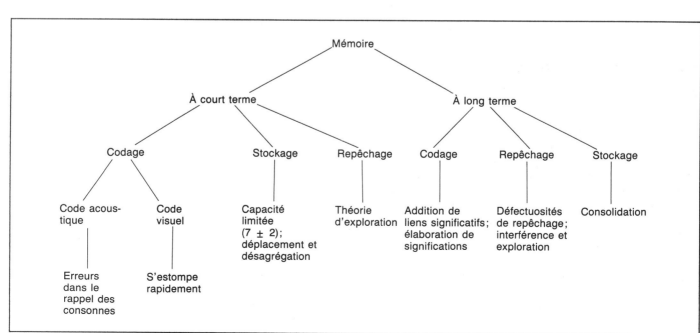

D'accord! Vous voulez bien admettre que les psychologues ont inventé des techniques astucieuses en vue de la structuration de listes de mots disparates. Mais, direz-vous, ce ne sont pas des listes de mots disparates qu'il nous faut retenir, mais des histoires qu'on nous raconte, la matière de cours qu'on nous donne et des lectures comme celle-ci. Ce type d'information n'est-il pas déjà structuré et, alors, la technique qu'on vient de proposer n'aurait-elle pas une valeur plutôt restreinte? Oui et non. Il est vrai que ce chapitre représente plus qu'une liste de mots disparates, mais — et voilà le point important — tout matériel qui est extensif pose toujours un problème d'organisation, même ce chapitre. Plus tard, vous serez peut-être en mesure de vous rappeler que l'imagerie aide à l'apprentissage, mais ceci ne vous fera peut-être pas penser, disons, au codage acoustique en mémoire à court terme. Les deux thèmes ne semblent pas être étroitement associés. Pourtant, il y a une relation entre les deux — ils se rapportent tous les deux au phénomène de codage. Le meilleur moyen de constater cette relation serait d'examiner les titres et les sous-titres de ce chapitre, car ils indiquent la façon dont la matière du chapitre est structurée. Une des façons les plus efficaces d'étudier est d'avoir cette organisation à l'esprit. Vous pourriez, par exemple, tenter de saisir une partie de l'organisation de ce chapitre en dessinant un arbre hiérarchique, comme celui que nous vous présentons ici. Vous pouvez ensuite vous servir d'une telle hiérarchie pour guider votre exploration mnémonique chaque fois que vous devez repêcher de l'information sur ce chapitre. En outre, il pourrait même s'avérer plus utile d'élaborer votre propre plan hiérarchique du chapitre. La mémoire semble être meilleure quand l'organisation est faite par ceux qui doivent mémoriser.

Entraînement au repêchage

Une autre façon d'améliorer le repêchage est de s'y entraîner — c'est-à-dire de vous poser des questions sur la matière que vous essayez d'apprendre. Supposons que vous disposez de deux heures pour étudier un texte qu'on peut lire en 30 minutes environ. Il est probable que la lecture du texte 4 fois de suite s'avérera moins efficace que le fait de le lire une seule fois et de vous poser des questions à son sujet. Vous pourrez ensuite en relire des parties pour clarifier des points difficiles à repêcher lors de la première lecture, en faisant peut-être des élaborations à partir de ces points de façon qu'ils deviennent particulièrement bien reliés les uns aux autres et au reste de la tâche. Les tentatives de repêchage sont une façon efficace d'utiliser le temps d'étude. Ce fait a été démontré il y a longtemps par des expériences portant autant sur des éléments disparates que sur du matériel semblable à celui qu'on doit assimiler dans les cours (voir la figure 8-15).

Méthode SQLRT

Jusqu'à présent au cours de cette discussion sur l'amélioration de la mémoire, nous avons examiné des principes particuliers se rapportant à la mémoire (le principe selon lequel, par exemple, la structuration facilite l'exploration mnémonique) pour montrer ensuite comment ils contribuaient à l'amélioration de la mémoire. Dans cette identification des applications pratiques des principes de la mémoire, il nous est également possible de procéder en sens inverse. Nous pouvons partir d'une technique d'amélioration de la mémoire qui est bien connue et montrer comment elle s'appuie sur les principes de la mémoire.

L'une des meilleures techniques d'amélioration de la mémoire, la *méthode SQLRT*, a pour objectif d'amener l'étudiant à développer sa capacité d'étudier et de mémoriser la matière qui lui est présentée dans un manuel (Thomas et Robinson, 1982). La méthode tire son nom des premières lettres de ses 5 étapes: *Survol, Questions, Lecture, Répétition, Test.* Nous pouvons décrire cette méthode en montrant comment elle s'appliquerait à l'étude d'un cha-

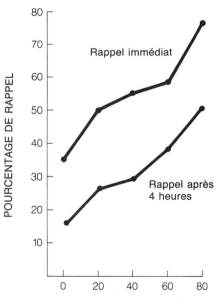

POURCENTAGE DU TEMPS D'ÉTUDE CONSACRÉ À LA RÉPÉTITION

FIGURE 8-15
Entraînement au repêchage *On peut améliorer le rappel en consacrant une grande proportion du temps d'étude au repêchage plutôt qu'à l'étude silencieuse. On présente ici les résultats de mesures prises, immédiatement après la fin de la période d'étude, et 4 heures plus tard. (D'après Gates, 1917))*

pitre de ce manuel. A la première étape, l'étudiant procède au survol du matériel contenu dans le chapitre pour se faire une idée des thèmes et des parties principales. Ce survol implique la lecture de la table des matières présentée au début du chapitre, la lecture en diagonale du chapitre, en portant une attention spéciale aux titres des divisions et des sous-divisions principales, et la lecture attentive du résumé à la fin du chapitre. Cette sorte de survol amène l'étudiant à structurer le chapitre, l'entraînant peut-être à poser les jalons d'une structure hiérarchique comme celle que nous venons de présenter. Comme nous l'avons noté à plusieurs reprises, la structuration du matériel facilite son repêchage.

Les deuxième, troisième et quatrième étapes (Questions, Lecture, Répétition) s'appliquent à chaque partie principale du chapitre au fur et à mesure que nous les abordons. Dans ce livre, par exemple, un chapitre comporte habituellement de 5 à 8 parties principales et les étudiants appliqueraient les étapes Questions, Lecture, Répétition à chacune de ces parties, avant de passer à la suivante. À l'étape Questions, les étudiants lisent attentivement le titre de la partie en cause et les titres des sous-divisions, transposant ensuite ces titres sous forme de questions. À l'étape Lecture, les étudiants lisent le texte dans le but de trouver réponse aux questions qu'ils se sont posées. Au cours de l'étape Répétition, le lecteur essaie de se rappeler les idées principales contenues dans cette partie et il se récite cette information (mentalement ou, de préférence, à voix haute s'il est seul). Par exemple, si vous deviez appliquer ce traitement par étapes à la présente partie même de ce chapitre, vous pourriez lire les titres et sous-titres et vous poser des questions comme « Dans quelle mesure peut-on accroître l'empan de la mémoire à court terme? » ou « En quoi consiste exactement la méthode SQLRT? » Ensuite, vous liriez cette partie et essayeriez de trouver réponse à vos questions (par exemple, « Un individu a été capable d'étendre l'empan de sa mémoire à court terme jusqu'à près de 80 chiffres »). Vous vous efforceriez ensuite de vous rappeler les idées principales (par exemple, « On peut accroître la dimension d'un tronçon mais pas le nombre de tronçons »). Il est presque certain que les étapes Questions et Lecture poussent l'étudiant à élaborer le matériel pendant qu'il procède au codage; l'étape Répétition amène l'étudiant à s'entraîner au repêchage.

La cinquième étape, celle du Test, arrive quand on a fini un chapitre au complet. Les étudiants essaient alors de se remémorer les faits principaux qui découlent de ce qu'ils ont lu et de comprendre comment ces faits divers se rapportent les uns aux autres. Cette étape suscite l'élaboration et constitue une occasion additionnelle de s'entraîner au repêchage. En somme, la méthode SQLRT s'appuie sur 3 principes fondamentaux pour contribuer à l'amélioration de la mémoire: la structuration du matériel, l'élaboration du matériel et l'entraînement au repêchage. (Cette méthode est décrite en détail dans l'appendice I.)

MÉMOIRE CONSTRUCTIVE

Tout au long de ce chapitre, nous avons considéré des recherches qui portaient à la fois sur du matériel verbal simple (listes de mots disparates, par exemple) et sur du matériel plus complexe (phrases, chapitres de manuels). Nous l'avons fait parce que plusieurs principes s'appliquent à ces deux types de matériel. Il semble cependant y avoir certains principes qui ne valent que pour la mémoire de matières complexes et signifiantes, le plus important de ces principes étant celui de la mémoire *constructive*.

Quand nous entendons une phrase ou une histoire, nous la considérons souvent comme la description incomplète d'un événement réel et nous utilisons nos connaissances générales sur la façon dont fonctionne le monde pour *construire* ou élaborer une description plus complète de cet événement. Comment y arrivons-nous? En ajoutant aux phrases et aux histoires des pensées susceptibles d'en découler. Ainsi, quand on entend: « Michel a cassé une bouteille au cours d'une bagarre de taverne », on est porté à déduire qu'il s'agit d'une bouteille de bière ou de whisky et non pas d'une bouteille de lait ou de boisson gazeuse. Nous ajoutons cette déduction à notre souvenir de la phrase elle-même. Notre mémoire globale dépasse donc l'information originale. Nous complétons cette dernière en utilisant la connaissance générale que nous avons de ce qui va ensemble — par exemple, les bouteilles de bière avec les tavernes. Nous le faisons parce que nous essayons de nous expliquer à nous-mêmes les événements dont nous entendons parler. La mémoire constructive est donc un dérivé de notre besoin de comprendre le monde.

Inférences simples

Il nous arrive souvent, en lisant une phrase, d'en dégager des inférences que nous entreposons en mémoire avec la phrase elle-même. Lors d'une étude, on demanda à des sujets d'analyser des phrases comme :

> 1. *Trois tortues étaient assises sur un billot et un poisson nagea sous ce dernier.*

Or, si le poisson a nagé sous le billot, il doit avoir nagé sous les tortues. Si les sujets faisaient cette inférence, elle devenait une partie de leur souvenir de cette phrase. Plus tard, les sujets pensaient avoir lu la phrase 2 :

> 2. *Trois tortues étaient assises sur un billot et un poisson nagea au-dessous d'elles.*

La phrase 2 est une inférence tellement naturelle découlant de la phrase 1 que les sujets avaient de la difficulté à dire laquelle des deux ils avaient effectivement vue. (Bransford, Barclay et Franks, 1972).

Dans l'histoire que nous venons de présenter, l'inférence était nécessairement vraie. Si des tortues se tiennent sur un billot et si quelque chose passe sous le billot, la nature même des faits spatiaux de l'univers détermine que ce quelque chose a passé sous les tortues aussi. Mais d'autres études montrent que les gens vont faire des inférences et les intégrer à leurs souvenirs même quand ces inférences ne sont pas nécessairement vraies. Cette tendance est particulièrement forte quand on lit un texte réel, parce que les inférences sont souvent nécessaires pour relier les différentes lignes entre elles. À titre d'illustration, considérez l'histoire suivante, qu'on avait présentée à des sujets au cours d'une expérience :

> 1. Provo est un royaume pittoresque situé en France.
> 2. Corman était l'héritier du trône de Provo.
> 3. Il était tellement fatigué d'attendre.
> 4. Il s'est dit que l'arsenic ferait l'affaire.

Les sujets qui lisent cette histoire font des inférences à des points donnés. De la ligne 3, ils infèrent que Corman voulait devenir roi, ce qui leur permet de relier la ligne 3 à la ligne précédente. Mais ce n'est pas là une inférence nécessaire (il aurait pu se trouver que Corman attende que le roi le reçoive). De la ligne 4, les sujets infèrent que Corman avait décidé d'empoisonner le roi et ils peuvent ainsi relier cette ligne à la précédente. Là encore, cette inférence n'est pas la seule possible (il existe d'autres candidats à l'empoisonnement que le roi et l'arsenic peut d'ailleurs servir à d'autres fins). Lorsque, plus tard, on mit la mémoire des sujets à l'épreuve pour qu'ils rapportent les lignes exactes qui leur avaient été présentées, ils éprouvèrent de la difficulté à faire la distinction entre les lignes de l'histoire et les inférences que nous venons de décrire. Encore une fois, il n'est pas facile de séparer ce qui a été vraiment présenté de ce qu'on y a ajouté (Seirfert, Robertson et Black, 1985).

Les inférences peuvent également influencer le souvenir des scènes visuelles, comme le démontre l'étude suivante. On a montré à des sujets le film d'un accident de circulation, puis on leur a posé des questions sur ce qu'ils se rappelaient de l'accident. Une question portant sur la vitesse des véhicules a été formulée de deux façons différentes. À un groupe de sujets, on disait : « Quelle était la vitesse des voitures quand elles se sont tampon-

FIGURE 8-16
Reconstitution du souvenir d'un accident *L'image du haut représente le souvenir original que le sujet gardait de l'accident. Puis vient la question utilisant le terme « tamponnement », qui conduit le sujet à faire des inférences quant au caractère dévastateur de l'accident. Ces inférences servent parfois à reconstituer le souvenir original, celui-ci finissant par ressembler davantage à l'image du bas. (D'après Loftus et Loftus, 1975)*

nées ? » et aux autres : « Quelle était la vitesse des voitures quand elles se sont heurtées ? » Il est possible que les sujets avec lesquels on a utilisé l'expression « tamponnées » en aient déduit que l'accident avait été très dévastateur, peut-être plus dévastateur que ce dont ils se souvenaient vraiment. Il s'ensuit que ces sujets auraient pu se servir de cette déduction pour modifier en quelque sorte leur souvenir de l'accident et le rendre, dans leur pensée, plus dévastateur (voir la figure 8-16). Les sujets à qui l'on a parlé de « heurt » cependant, auraient dû être moins portés à agir de la sorte, puisque « heurter » implique un accident moins grave que « tamponner ».

Ce raisonnement se trouva corroboré par un test de mémoire présenté aux sujets une semaine plus tard. Dans ce test, on demandait : « Avez-vous vu du verre cassé ? » Il n'y avait pas de verre cassé dans le film de l'accident ; néanmoins, les sujets à qui l'on avait parlé de « tamponnement » étaient plus susceptibles de dire, à tort, qu'il y avait eu du verre cassé que ceux à qui l'on avait parlé de « heurt ». Ainsi, la question utilisant « tamponnement » avait suscité une reconstitution du souvenir de l'accident et ce souvenir reconstitué comprenait des détails, comme le verre cassé, qui n'avaient jamais réellement été présents dans l'accident (Loftus, Schooler, et Wagenaar, 1985). Par contre, il se peut que les sujets n'aient pas intégré au souvenir de l'accident les inférences relatives à « tamponner » ; ils pourraient plutôt avoir consulté de telles inférences au moment du test de mémoire (McCloskey et Zaragoza, 1985). Le choix de l'une ou l'autre de ces interprétations a des implications importantes sur la méthode d'identification par témoins oculaires en usage dans notre système judiciaire. La façon de formuler une question (« tamponner » plutôt que « heurter ») est susceptible de modifier les structures de la mémoire d'un témoin, mémoire qu'un avocat essaie de sonder.

Stéréotypes

Un autre moyen auquel nous avons recours pour meubler notre mémoire, ou construire des souvenirs, est l'utilisation de *stéréotypes* sociaux. Un stéréotype est un agrégat d'inférences sur les traits de personnalité ou les attributs physiques qui, selon nos présomptions, s'appliqueraient à toute une catégorie de gens. Nous pouvons, par exemple, avoir en tête un stéréotype de l'Allemand typique (intelligent, méticuleux, sérieux) ou de l'Italien typique (artiste, débonnaire, bon vivant). Ces descriptions s'appliquent rarement à plusieurs membres d'une catégorie et elles risquent souvent d'être des guides très trompeurs au niveau de l'interaction sociale. Ici, toutefois, nous ne nous intéresserons pas à l'influence des stéréotypes sur les échanges sociaux (nous aborderons ce sujet au chapitre 17), mais aux effets des stéréotypes sur la mémoire.

Lorsqu'on nous fournit des renseignements sur un individu, nous classons parfois ce dernier sous un stéréotype (par exemple, « C'est le type de l'Italien »), pour ensuite intégrer l'information reçue à celle contenue dans le stéréotype. Notre conception de cet individu est ainsi partiellement élaborée d'après un stéréotype. Dans la mesure où ce stéréotype ne s'applique pas à la personne en cause, le souvenir que nous gardons de lui peut être grandement déformé. Hunter, un psychologue britannique, nous donne un témoignage révélateur d'une telle déformation.

Durant la semaine du 23 octobre, j'ai rencontré à l'université un étudiant d'apparence manifestement scandinave. Je me rappelle avoir été très fortement impressionné par ses traits nordiques, à la Viking, ses cheveux blonds, ses yeux bleus et sa haute stature. À plusieurs occasions, je me suis remémoré son apparence alors même que j'entretenais une correspondance avec un Scandinave et je voyais en lui le parfait Viking, l'imaginant à la barre d'un long vaisseau et parcourant la mer du Nord en quête d'aventures. Quand j'ai vu cet homme à nouveau le 23 novembre, je ne l'ai pas reconnu et il a dû se présenter. Ce n'était pas que j'avais oublié ce dont il avait l'air, mais plutôt que son apparence, telle que je me la rappelais, avait été grossièrement déformée. Il était très différent du souvenir que j'en gardais. Ses cheveux étaient plus foncés, ses yeux moins bleus, sa conformation moins musculaire et il portait des lunettes (comme il le fait toujours) (Hunter, 1974, pp. 265-266).

De toute évidence, le souvenir que Hunter avait de cet étudiant était sérieusement déformé. Son stéréotype des Scandinaves avait, semble-t-il, tellement subjugué toute l'information qu'il avait effectivement inscrite en mémoire (ou codée) au sujet de l'apparence de cet étudiant, qu'il en est résulté un souvenir fortement reconstitué; et ce dernier avait tellement peu de ressemblance avec l'étudiant qu'il ne pouvait même plus servir à l'identification de ce dernier.

Les stéréotypes peuvent également agir de façon rétroactive sur le souvenir. Il peut nous arriver d'entendre d'abord une description relativement neutre d'un individu, pour découvrir plus tard que celui-ci appartient à une catégorie particulière, et d'utiliser ensuite notre stéréotype de cette catégorie pour ajouter à notre souvenir de la description originale. Lors d'une étude visant à démontrer ce phénomène, on demanda à des sujets de lire d'abord un récit portant sur des événements vécus par une femme nommée Betty K. Il s'agissait du récit de la vie de Betty K., de la naissance à l'âge adulte, et on y trouvait des données sur sa vie sociale comme: « Même si elle n'a jamais eu un ami attitré durant le cours secondaire, elle n'en sortait pas moins avec des garçons. » Une fois que les sujets avaient lu cette histoire, on leur présentait d'autres informations sur Betty K. pour les amener à la classer sous un stéréotype. On dit à un premier groupe de sujets que Betty avait adopté plus tard le style de vie d'une lesbienne. Un second groupe se faisait dire, au contraire, qu'elle s'était mariée. Apparemment, les membres du premier groupe firent correspondre l'information du récit de la vie de Betty avec leur stéréotype des lesbiennes et ceux du second groupe avec celui des femmes mariées. Ces stéréotypes influencèrent les souvenirs subséquents du récit original. Les sujets à qui on avait parlé des activités lesbiennes de Betty avaient plus tendance à se rappeler du fait qu'« elle n'avait jamais eu un ami attitré » que du fait qu'« elle n'en sortait pas moins avec les garçons ». Les sujets qui avaient « appris » son mariage faisaient le contraire. Les deux groupes restructurèrent leur souvenir du récit original de façon à le rendre conforme à leurs stéréotypes; il se pourrait aussi qu'ils aient utilisé leurs stéréotypes pour répondre aux questions lorsqu'ils étaient incapables de se souvenir du récit original (Snyder et Uranowitz, 1978; Bellezza et Bower, 1981). Ainsi, le souvenir que nous avons des gens semble se prêter tout particulièrement à la restructuration; notre souvenir est un compromis entre ce qui existe et ce que nous croyons qui devrait exister.

Schèmes

Les psychologues emploient le terme *schème* pour se référer à une représentation mentale d'une catégorie de personnes, d'objets, d'événements ou de situations. Les stéréotypes, comme ceux que nous venons de décrire, sont donc une sorte de schème puisqu'ils représentent des catégories de personnes (les Italiens, les femmes, les homosexuels, par exemple). De même, des catégories communes, comme *chien* et *table*, sont une autre sorte de schème, car elles représentent des classes d'objets. Les schèmes peuvent nous servir à décrire non seulement la connaissance que nous avons d'objets et d'événements particuliers, mais également celle que nous avons de la façon d'agir dans certaines situations. La plupart des adultes ont, par exemple, un schème de la façon de conduire une automobile — s'asseoir derrière le volant, insérer la clef de contact, tourner cette clef tout en appuyant avec le pied sur la pédale d'embrayage et ainsi de suite — ou un schème de la façon de se comporter dans un restaurant — entrer dans le restaurant, trouver une table, obtenir un menu du garçon et ainsi de suite. Tout le monde, sauf les très jeunes enfants, dispose d'un schème du chemin de retour vers la maison à partir d'endroits variés.

Le fait de percevoir et de penser en termes de schèmes nous permet de filtrer, de structurer et de traiter de grandes quantités d'information de façon rapide et économique. Au lieu de devoir percevoir et retenir en mémoire tous les détails se rapportant à chaque personne, objet ou événement nouveau que nous rencontrons, nous n'avons qu'à noter sa ressemblance avec un schème qui est déjà en mémoire et qu'à nous rappeler ses traits les plus distinctifs. Cependant, le prix qu'il nous faut payer pour une telle « économie d'ordre cognitif » consiste dans le fait qu'un objet ou un événement peut se trouver déformé si le schème utilisé pour son codage ne lui sied pas tout à fait.

Bartlett (1932) a peut-être été le premier psychologue à faire une étude systématique de l'influence des schèmes sur la mémoire. Il a émis l'hypothèse que des déformations des souvenirs, assez semblables à celles qui surviennent quand nous appliquons des stéréotypes aux gens, pouvaient se produire quand nous tentons d'ajuster des histoires à des schèmes. La recherche a confirmé l'hypothèse de Bartlett. Par exemple, après la lecture d'une brève histoire portant sur un personnage qui se rend à un restaurant, les sujets sont susceptibles de produire en rappel des énoncés relatifs au repas du personnage et à l'addition qu'il aurait payée, même quand il n'a jamais été fait mention de ces données dans la lecture qu'on leur a proposée (Bower, Black et Turner, 1979).

Par ailleurs, les schèmes sont parfois d'une aide précieuse pour la mémoire. Certaines histoires que nous lisons, par exemple, seraient peut-être difficiles à comprendre et à retenir s'il n'était pas possible de les insérer dans des schèmes appropriés. Pour le constater, lisez le paragraphe suivant et essayez ensuite de vous le rappeler.

> En fait, la façon de procéder est assez simple. D'abord, vous disposez les choses en groupes différents. Évidemment, il se peut qu'une seule pile soit suffisante, tout dépendant de la quantité à faire. S'il vous faut aller ailleurs, à cause d'un manque de commodités, c'est là l'étape suivante ; autrement, les choses vont assez bien pour vous, c'est-à-dire qu'il vaut mieux en faire peu que trop à la fois. À court terme, cela peut ne pas paraître important, mais des complications peuvent facilement surgir. Une erreur peut également coûter cher. Au début, toute la façon de procéder vous semblera compliquée. Cependant, au bout d'un certain temps, elle ne deviendra qu'une autre facette de la vie. Dans un avenir immédiat, il est difficile d'entrevoir la nécessité de cette tâche mais, par contre, il vaut mieux prévenir. Une fois la démarche complétée, on dispose encore le matériel en différents groupes. Ensuite, il peut être placé aux endroits appropriés. En temps et lieu, on l'utilisera à nouveau et il faudra répéter le cycle complet. Mais c'est la vie ! (D'après Bransford et Johnson, 1973)

En lisant ce paragraphe, vous avez sans doute éprouvé une certaine difficulté à comprendre exactement de quoi il s'agissait. Et c'est pourquoi le souvenir que vous avez de ce texte est probablement plutôt vague. Mais si on vous indique que ce paragraphe décrit le « lessivage de linge », vous pouvez alors faire appel à votre schème de la façon de lessiver le linge pour interpréter tous les éléments « cachés » de ce passage. La *façon de procéder* dont il est question dans la première phrase est celle du *lessivage*, les *choses* dont on parle dans la deuxième phrase sont le *linge* et les *différents groupes* sont des *tas de linge de différentes couleurs*, et ainsi de suite. Si vous relisez le paragraphe, le souvenir que vous en garderez maintenant devrait être assez bon. Par conséquent, les schèmes peuvent nuire ou aider à la mémorisation.

Les schèmes semblent influencer autant les phases de codage que les phases de repêchage de la mémoire à long terme. Quand un schème particulier se trouve activé au moment où on lit un récit, nous avons tendance à coder surtout les faits qui entretiennent un rapport avec ce schème. Nous pouvons illustrer ce fait au moyen de l'histoire toute simple que voici :

1. Stéphane et Edgar sont allés au cinéma.
2. Stéphane et Edgar ont parlé d'affaires pendant qu'ils faisaient la queue.
3. Stéphane a aimé le film, mais Edgar l'a trouvé trop sentimental.

En supposant que la phrase 1 active notre schème cinéma, nous avons plus de chances de faire le codage de la phrase 3 que celui de la phrase 2, car la phrase 3 convient mieux au schème. Si, plus tard, en procédant au rappel de cette histoire, nous pouvons nous souvenir qu'elle se rapportait à une visite au cinéma, il nous sera possible de faire appel à notre schème cinéma pour explorer notre mémoire : y avait-il, par exemple, quelque chose dans l'histoire concernant l'appréciation du film présenté ? C'est ainsi que les schèmes peuvent influencer le repêchage en orientant le processus d'exploration (Brewer et Nakamura, 1984).

Quand il s'agit d'une tâche de rappel difficile, il peut arriver que le repêchage soit guidé totalement par des schèmes. Si l'on vous demande de vous rappeler l'endroit où vous avez rencontré telle personne, par exemple, il peut vous arriver de vérifier les schèmes les uns après les autres pour voir si l'un d'entre eux n'aurait pas été utilisé comme contexte du codage pour la personne-cible («Était-ce lors d'une réception, en classe, au restaurant, au cinéma?») Les schèmes pertinents — réception, classe, etc. — sont devenus les indices critiques de repêchage et la mémoire est presque complètement constructive (Kolodner, 1983).

Les situations où la mémoire est hautement constructive semblent très éloignées des nombreuses situations plus simples que nous avons examinées précédemment. Prenons, par exemple, le souvenir d'une liste de mots disparates; dans ce cas, les processus mnémoniques semblent *préserver* l'information plutôt que *construire* quelque chose de nouveau. Toutefois, cette situation simple comporte quand même un aspect constructif, car les techniques comme l'utilisation de l'imagerie ajoutent de la signification à l'information initiale. Ainsi, même quand nous lisons un paragraphe comme celui traitant du lessivage du linge, il nous faut encore retenir certains éléments précis si nous devons plus tard nous le rappeler en détail. Ainsi, les deux aspects de la mémoire — la conservation et la reconstitution — sont peut-être toujours présents, bien que l'importance relative qu'ils prennent dépende probablement de la situation précise.

RÉSUMÉ

1. Il y a 3 phases de la mémoire: *codage*, *stockage* et *repêchage*. Le codage réfère à la transformation de l'information sous une forme de code ou de représentation que la mémoire peut accepter. Le stockage est la rétention de l'information codée et le repêchage désigne le processus grâce auquel l'information est recouvrée à partir de la mémoire. Il se peut que ces trois phases se déroulent de façons différentes dans les situations qui exigent qu'on retienne une information pendant quelques secondes — *mémoire à court terme* — et dans les situations où il faut conserver l'information durant des intervalles plus longs — *mémoire à long terme*.

2. Dans la mémoire à court terme, l'information a tendance à être codée de façon *acoustique*, bien que l'on puisse utiliser aussi un *code visuel*. Il se peut que le caractère prédominant du code acoustique ne s'applique qu'au matériel verbal.

3. Le fait le plus remarquable à propos de la mémoire à court terme est que sa capacité de stockage est limitée à 7 ± 2 éléments ou *tronçons*. Une fois cette limite atteinte, il se produit une forme d'oubli: un nouvel élément ne peut s'introduire dans la mémoire à court terme qu'en *déplaçant* un élément plus ancien. L'autre cause principale de l'oubli en mémoire à court terme vient de ce que l'information se *désagrège* avec le temps. On peut éviter la désagrégation aussi bien que le déplacement grâce à la *répétition*.

4. Le repêchage se fait de plus en plus lentement à mesure que le nombre d'éléments en mémoire à court terme s'accroît, ce qui permet de supposer que le repêchage ferait peut-être intervenir un *processus d'exploration*. La mémoire à court terme semble faire office d'«espace mental» pour la solution de certaines sortes de problèmes, comme les problèmes de calcul mental et les questions relatives à une analyse de texte.

5. Il y a des interactions entre la mémoire à court terme et la mémoire à long terme. Dans la *formation de tronçons*, l'information en mémoire à long terme est mise à contribution pour le recodage de l'information qui arrive sous forme de grandes unités (tronçons) signifiantes, lesquelles sont ensuite entreposées en mémoire à court terme. Il est également possible de transférer l'information de la mémoire à court terme à la mémoire à long terme — parfois par le processus de *répétition*. Une théorie sur ce processus de transfert (*théorie de la dualité de la mémoire*) permet d'expliquer les résultats des expériences sur la *remémoration libre*: on se souviendrait bien des éléments situés à la fin d'une liste parce qu'ils se trouvent encore dans la mémoire à court terme, alors qu'on se rappellerait bien des éléments du début d'une liste parce qu'ils sont répétés plus souvent.

6. L'information en mémoire à long terme est habituellement codée en fonction de sa *signification*. Si les éléments dont on doit se souvenir ont un sens, mais que les liens entre ces éléments n'en ont pas, il est possible d'améliorer la mémoire en ajoutant des liens significatifs, qui forment alors des voies de repêchage. Plus on développe ou plus on *élabore* la signification, meilleur est le souvenir.

7. Plusieurs cas d'oubli en mémoire à long terme sont attribuables à des *défectuosités de repêchage* (l'information est là, mais on ne peut la trouver). Les échecs de repêchage sont plus susceptibles de se produire quand il y a *interférence* de la part d'éléments associés au même indice de repêchage. De tels effets d'interférence indiquent que le repêchage à partir de la mémoire à long terme se fait par l'intermédiaire d'un processus d'exploration. L'exploration peut s'effectuer soit par un processus de vérification des voies une à la fois, soit par un processus d'*activation radiante*.

8. Une forme d'oubli propre à la mémoire à long terme est attribuable à une perte ou à une fuite dans le stockage, notamment quand il y a perturbation du processus de *consolidation* des nouveaux souvenirs. Le site biologique de la consolidation inclut l'*hippocampe*, une structure cérébrale située sous le cortex cérébral.

9. Il risque moins d'y avoir d'échecs de repêchage en mémoire à long terme quand les éléments sont *structurés* au cours du codage et lorsque le *contexte* propre au repêchage est semblable à celui du codage. Les *facteurs émotifs* peuvent également troubler les processus de repêchage. Dans certains cas ,ce sont des pensées angoissantes qui nuisent au repêchage du souvenir-cible; dans d'autres cas, il se peut que le souvenir-cible soit l'objet d'un blocage actif (*hypothèse du refoulement*).

10. Toutes les formes d'amnésie ont des symptômes communs qui sont l'incapacité d'acquérir de nouvelles informations (*amnésie antérograde*) et l'incapacité de se souvenir d'événements antérieurs à la blessure ou à la maladie (*amnésie rétrograde*). Dans certaines formes d'amnésie, l'effondrement de la mémoire semble se produire durant la phase de stockage, tandis que dans d'autres cas, il semble que l'effondrement se produit durant les phases de codage et de repêchage. Dans la plupart des formes d'amnésie, les souvenirs perdus sont ceux qui se rapportent à des épisodes ou à des faits personnels. La mémoire des habiletés et des faits d'ordre général est habituellement épargnée, ce qui permet de supposer qu'il y aurait peut-être des formes de mémoire distinctes pour les *faits personnels*, les *faits généraux* et les *habiletés*.

11. Malgré l'impossibilité d'accroître la capacité de notre mémoire à court terme, nous pouvons avoir recours à des stratégies de *recodage* pour augmenter le volume d'un tronçon et étendre ainsi l'empan mnémonique. La mémoire à long terme peut s'améliorer au cours des phases de codage et de repêchage. L'une des façons d'ajouter à l'efficacité du codage et du repêchage consiste à utiliser de l'imagerie; c'est là le principe fondamental sur lequel s'appuient les systèmes mnémotechniques tels que la *méthode des localisations* et la *méthode des mots-clefs*.

12. On peut également améliorer le codage (et le repêchage subséquent) en développant la signification des éléments et en structurant le matériel durant le codage (c'est la structuration hiérarchique qui semble la meilleure). Les meilleurs moyens de faciliter le repêchage consistent à tenter de recréer, au moment du repêchage, le contexte qui prévalait lors de l'encodage et à s'entraîner au repêchage de l'information pendant qu'on apprend cette dernière. La plupart de ces principes relatifs à l'amélioration du codage et du repêchage sont incorporés dans la *méthode SQLRT* qu'on peut appliquer à la lecture d'un manuel. Elle comporte 5 étapes: *Survol, Questions, Lecture, Répétition, Test*.

13. La mémoire associée à un matériel complexe, comme les histoires, est souvent de nature *constructive*. Nous sommes portés à nous servir de notre connaissance générale du monde pour construire un souvenir plus complet d'une histoire ou d'un événement. La construction peut se traduire par l'ajout d'*inférences* simples au matériel présenté; elle peut également faire intervenir l'ajustement du matériel pour le faire correspondre à des *stéréotypes* et à d'autres sortes de *schèmes* (représentations mentales de catégories de personnes, d'objets, d'événements ou de situations).

LECTURES SUGGÉRÉES

BARTZ, W.H. *La mémoire.* Montréal, HRW, 1976.

DIMNEEN, J. *Méthode dynamique de mémorisation.* Montréal, Éditions Select, 1982.

EHRLICH, S. *La capacité d'appréhension verbale.* Paris, P.U.F., 1972.

FLORÈS, C. *La mémoire.* 2ᵉ éd. Paris, P.U.F., 1974.

GAUTHIER, L. et POULIN, N. *Savoir apprendre.* Sherbrooke, Les Éditions de l'Université de Sherbrooke, 1985 (2ᵉ éd.).

GOULET, L. et LÉPINE, G. *Cahier de méthodologie et guide pour l'étudiant(e).* Montréal, Université du Québec à Montréal, 1986 (3ᵉ éd.).

LIEURY, A. *La mémoire.* Bruxelles, Dessart, 1975.

LIEURY, A. *Procédés mnémotechniques.* Bruxelles, Pierre Mardaga, 1981.

LURIA, A.R. *Une prodigieuse mémoire.* Neuchâtel et Paris, Delachaux et Niestlé, 1970.

PIAGET, J. et INHELDER, B. *Mémoire et intelligence.* Paris, P.U.F., 1968.

REY, A. *Les troubles de la mémoire et leur examen psychométrique.* Bruxelles, Pierre Mardaga, 1966.

Pensée et langage

9 Les plus grandes réalisations de notre espèce sont attribuables à notre capacité de produire des pensées complexes et de les communiquer. La pensée comprend un grand nombre d'activités mentales. C'est par la pensée que nous essayons de résoudre un problème posé en classe; nous pensons aussi quand nous nous laissons aller à la rêverie, en attendant que le cours commence. Nous faisons appel à la pensée pour dresser la liste des articles d'épicerie dont nous avons besoin, pour faire des projets de vacances, pour écrire une lettre ou nous inquiéter d'un ami malade.

Dans chacun de ces cas, on peut concevoir la pensée comme un « langage du cerveau ». L'introspection semble nous indiquer qu'il existerait plus d'un langage. L'un de nos *modes de pensée* correspond au flot de phrases que nous avons l'impression d'« entendre dans notre tête »; c'est ce que l'on appelle la *pensée propositionnelle*. Un autre mode est fait d'images, surtout d'images visuelles, que nous sommes capables de « voir » mentalement; c'est la *pensée imagée*. Enfin, il existerait peut-être un troisième mode, la *pensée motrice*, qui correspondrait aux séquences de « mouvements mentaux » (Bruner, Olver, Greenfield, et coll., 1966). Alors que les études du développement cognitif ont effectivement accordé une certaine attention à la pensée motrice chez l'enfant, la recherche sur la pensée chez l'adulte s'est intéressée plus particulièrement aux deux autres modes, privilégiant surtout le mode propositionnel; cette préférence se reflète d'ailleurs dans le présent chapitre.

Les quatre parties qui suivent traitent de thèmes importants relatifs à la pensée propositionnelle dont: les éléments d'une proposition, soit l'étude des *concepts*; l'organisation de la pensée propositionnelle, soit l'étude du *raisonnement*; la communication de la pensée propositionnelle, soit l'étude du *langage*; et le développement de cette forme de communication, soit l'étude de l'*acquisition du langage*. Nous nous tournons ensuite vers le mode visuel de pensée. Dans la dernière section, nous traiterons de la pensée en action — l'étude de la *résolution de problèmes* — et nous verrons l'utilisation que l'on fait des deux modes de pensée, propositionnelle et imagée.

CONCEPTS

Nous pouvons concevoir une proposition comme un énoncé qui se veut la description d'un fait: « *Irène est une mère* » et « *Les chats sont des animaux* » sont deux propositions. Il est facile à voir qu'une proposition est composée de concepts — comme *Irène* et *mère* ou *chat* et *animal* — réunis par une relation particulière. Pour comprendre une pensée propositionnelle, il nous faut d'abord comprendre les concepts qui la constituent.

Les concepts correspondent à notre façon de découper le monde en unités manipulables. Le monde se trouve rempli d'objets tellement différents que si nous devions traiter chacun d'eux comme s'il était unique, nous serions vite submergés. Si, par exemple, il nous fallait donner à chaque objet individuel un nom différent, notre vocabulaire devrait être gigantesque — tellement volumineux que la communication pourrait devenir impossible. Heureusement, nous ne traitons pas chaque objet comme s'il était unique; nous

le considérons plutôt comme une actualisation d'un concept ou d'une caté
gorie. C'est ainsi que beaucoup d'objets différents sont perçus comme de
actualisations du concept *pomme*, plusieurs autres comme des actualisation
du concept *chaise*, et ainsi de suite. En traitant des objets différents comme
s'ils étaient approximativement les mêmes par rapport à certaines propriétés
nous réduisons la complexité du monde que nous devons représenter men
talement.

Avoir un concept, c'est connaître les attributs communs à la plupart de
actualisations de ce concept. Notre concept de *pomme* comprend les pro
priétés que partagent la plupart des pommes : une pomme a des pépins, elle
pousse sur un arbre, elle est comestible, ronde, elle a des couleurs distinc
tives, etc. La connaissance de ces propriétés communes exerce une influence
considérable sur notre façon de nous comporter envers les objets qui nous
entourent. D'après la perception de certains attributs visibles d'un objet
(quelque chose de rond et de rouge sur un arbre), nous le situons à l'intérieu
du concept *pomme*. Ceci nous permet de déduire des propriétés qui ne son
pas visibles — par exemple, la présence de pépins et le fait qu'il soit comes
tible. Grâce aux concepts, nous pouvons donc aller au-delà de l'informatior
directement disponible.

Nous disposons aussi de concepts d'action (*manger*), d'état (*être âgé*)
et d'abstraction (*vérité*, *justice*, ou même le nombre *deux*). Dans chacun de
ces cas, nous savons quelque chose des propriétés communes aux éléments
regroupés sous ce concept. On donne généralement aux concepts qui (comme
ceux que nous venons de mentionner) sont d'un usage largement répandu,
un nom qui consiste en un seul mot : « pomme », « docteur », « manger »,
« vieux », « vérité », etc. Ceci nous permet de communiquer rapidement des
expériences qui se présentent souvent.

Éléments d'un concept

Tout concept comprend un *prototype* et un *noyau*. Le prototype contient
les propriétés qui décrivent les meilleurs exemples du concept, alors que le
noyau comprend les propriétés qui sont les plus importantes pour l'appartenance au concept. Sous le concept *célibataire*, par exemple, le prototype
pourrait comprendre des propriétés comme : individu dans la trentaine, vivant
seul et ayant une vie sociale active. Ces attributs sont peut-être applicables
à des exemples typiques de célibataire, mais ils ne conviennent évidemment
pas à tous les cas (pensez à une tante de 60 ans qui demeure chez son frère
et qui ne sort pratiquement jamais). Par contre, le noyau du concept *célibataire* comprendrait probablement les propriétés suivantes : un ou une adulte
qui n'est pas marié(e); ces propriétés sont essentielles à l'appartenance au
concept (Armstrong, Gleitman et Gleitman, 1983).

Prenons un autre exemple, le concept *oiseau*. Votre prototype comprend
probablement les propriétés de vol et de gazouillement — ce qui convient
aux meilleurs exemples d'*oiseaux*, tels que le rouge-gorge et le geai bleu,
mais non à d'autres exemples, comme l'autruche et le pingouin. Votre noyau
donnerait vraisemblablement des précisions sur la biologie de l'espèce —
la nécessité de la présence de certains gènes ou, tout au moins, d'avoir des
parents qui sont des oiseaux. Notons que dans cet exemple et dans le précédent, les propriétés du prototype sont des traits saillants qui ne constituent
pas des indices parfaits de l'appartenance au concept, alors que les propriétés
du noyau ont une valeur diagnostique quant à l'appartenance au concept.

Dans des concepts comme celui de *célibataire*, le prototype et le noyau
jouent des rôles différents que dans des concepts comme *oiseau*. Dans le
cas de *célibataire*, étant donné que les propriétés de noyau (être adulte, par
exemple) sont aussi saillantes que les propriétés de prototype (être dans la
trentaine), nous utilisons surtout le noyau pour décider de l'appartenance
au concept. Dans *oiseau*, les propriétés de noyau (les gènes) sont cachées
et, par conséquent, nous faisons surtout appel au prototype pour juger de
l'appartenance au concept. En effet, quand nous nous trouvons subitement

en face d'un petit animal, il nous est difficile d'examiner ses gènes ou de nous informer de ses antécédents. Tout ce que nous pouvons faire c'est de vérifier s'il fait certaines choses, comme voler et gazouiller, et utiliser cette information pour décider s'il s'agit ou non d'un oiseau. On appelle les concepts comme celui de *célibataire* des concepts *classiques*, alors que les concepts comme celui d'*oiseau* sont qualifiés de concepts *flous* — étant donné que nous ne pouvons pas toujours être certains de nos décisions (Smith et Medin, 1981).

Certaines actualisations d'un concept flou présentent plus de propriétés de prototype que d'autres. Parmi les oiseaux, par exemple, un rouge-gorge possède la propriété de voler, alors qu'une autruche ne l'a pas. D'ailleurs, plus une actualisation présente de propriétés de prototype, plus les gens la considèrent comme typique du concept. Ainsi, dans le cas du concept *oiseau*, la plupart des gens jugent que le rouge-gorge est plus typique que l'autruche; dans le cas du concept *pomme*, ils jugent les pommes rouges plus typiques que les vertes; (et ainsi de suite).

En outre, le *caractère typique* d'une actualisation exerce une influence sur plusieurs processus mentaux (Rosch, 1978). L'un de ces processus est la *catégorisation*. Quand on demande aux gens si l'image d'un animal est celle d'un *oiseau*, l'image d'un rouge-gorge donne lieu à un « oui » immédiat, alors que celle d'un poulet exige un temps de décision plus long. La *mémoire* est un autre processus qui est affecté par cette « typicalité ». Quand on demande à des sujets de nommer tous les vêtements auxquels ils peuvent penser, ils citent d'abord des morceaux typiques comme un *complet* avant de nommer des morceaux moins typiques, comme une *veste*. Ce caractère « typique » intervient également dans les déductions que l'on fait tous les jours. Supposons que vous êtes éloigné de chez-vous, que vous vous sentez mal et que vous songez à consulter un médecin. L'objet de votre pensée sera vraisemblablement le prototype occidental du *médecin*, c'est-à-dire de sexe masculin et d'âge moyen. Pourquoi? Parce que la majorité des médecins que vous avez connus, soit directement, soit par l'intermédiaire des médias, ont été des hommes d'âge moyen, et que ces attributs se sont intégrés à votre prototype. Si vous décidez de vous adresser au docteur Untel et que vous constatez qu'il s'agit d'une jeune femme, vous serez probablement surpris.

Hiérarchies des concepts

En plus de connaître les propriétés des concepts, nous savons aussi comment ils sont reliés les uns aux autres. Par exemple, les *pommes* sont membres — ou forment une sous-catégorie — d'une catégorie plus vaste, les *fruits*; les *rouges-gorges* sont une sous-catégorie des *oiseaux*, qui à leur tour forment une sous-catégorie des *animaux*. Ces deux types de connaissance — propriétés d'un concept et relations entre concepts — sont représentés à la figure 9-1, sous forme de hiérarchie. Une telle hiérarchie nous permet de déduire qu'un concept possède une propriété particulière même quand celle-ci ne lui est pas directement associée. Supposons que la propriété d'« être vivant » ne se trouve pas, chez vous, directement associée à *oiseau*. Si l'on vous demandait : « Est-ce qu'un oiseau est un être vivant ? », il est fort probable que vous alliez fouiller votre hiérarchie mentale à *oiseau* (voir la figure 9-1), que vous établissiez une voie de *oiseau* à *animal*, que vous trouviez ensuite que la propriété d'« être vivant » est entreposée avec *animal* et que vous répondiez « oui ». Cette hypothèse suppose que le temps requis pour établir une relation entre un concept et une propriété devrait augmenter en fonction de la distance qui les sépare dans la hiérarchie. Or, cette prévision s'est trouvée confirmée dans une expérience où l'on posait à des sujets des questions connues : « *Un oiseau est-il un être vivant ?* » et « *Est-ce qu'un geai bleu est un être vivant ?* » Les sujets ont pris plus de temps à répondre à la question portant sur le *geai bleu* qu'à celle sur l'*oiseau*, étant donné que la distance dans la hiérarchie entre *geai bleu* et vivant est plus grande qu'entre *oiseau* et vivant (Collins et Quillian, 1969).

Comme la hiérarchie de la figure 9-1 le montre clairement, un objet peut être classé à différents niveaux . Le même objet est à la fois un *rouge-gorge*,

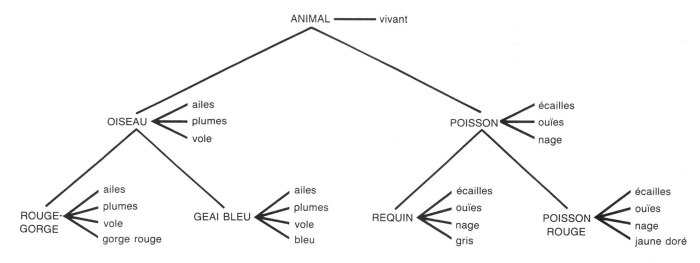

FIGURE 9-1
Hiérarchie de concepts *Les mots en lettres majuscules représentent des concepts; ceux qui sont en lettres minuscules décrivent des propriétés associées à ces concepts. Les lignes pleines indiquent les relations entre concepts et les lignes pointillées relient les propriétés aux concepts.*

un *oiseau* et un *animal*. Toutefois, dans une culture ou une sous-culture donnée, il y a un niveau qui est fondamental ou préféré pour la classification. Pour bon nombre de citadins, ce serait le concept *oiseau* qui représenterait le niveau fondamental; ces gens arriveraient plus rapidement à classer un objet sous le concept *oiseau* que sous le concept *rouge-gorge*, et ils seraient plus portés à l'appeler un « oiseau » qu'un « rouge-gorge ». Pour ceux qui habitent la campagne, le niveau fondamental s'abaisserait jusqu'à *rouge-gorge*. Qu'est-ce qui détermine que tel niveau est fondamental? Il semble que ce soit le fait qu'un niveau fondamental comporte le plus de propriétés *distinctives*. À la figure 9-1, *oiseau* présente plusieurs propriétés distinctives — elles ne sont pas le fait d'autres sortes d'animaux (par exemple, les ailes et les plumes ne sont pas des propriétés du poisson). Comme l'indique cette hiérarchie, *rouge-gorge* a moins de propriétés distinctives; un geai bleu partage la plupart des propriétés d'un rouge-gorge. Cependant, *rouge-gorge* détient également des propriétés qui le distinguent du *geai bleu*, propriétés qui ne sont pas indiquées sur cette figure, telles que la migration et le chant. Ces attributs seraient familiers à des gens qui vivent en milieu rural. À mesure que notre connaissance d'un domaine rattaché à un concept s'améliore, nous déplaçons (vers le bas) le niveau auquel nous préférons fonctionner (Mervis et Rosch, 1981).

Acquisition des concepts

Il existe deux façons différentes de se familiariser avec un concept: ou bien l'on nous enseigne explicitement des propriétés relatives à ce concept ou bien nous les apprenons d'après notre expérience. Notre mode d'apprentissage dépend de la *nature* de ce que nous apprenons. Il est probable que c'est au moyen de l'enseignement explicite que nous apprenons les noyaux des concepts, alors que l'expérience semble être la façon normale d'acquérir les prototypes. C'est ainsi qu'on dit explicitement à un enfant qu'un *voleur* est quelqu'un qui s'approprie le bien d'autrui sans avoir l'intention de le rendre (le noyau) et que, par ailleurs, les expériences d'un enfant l'amènent à s'attendre à ce que les voleurs soient des êtres paresseux et dangereux, aux cheveux ébouriffés (le prototype).

Les enfants doivent aussi apprendre que le noyau est un meilleur indice d'appartenance à un concept que le prototype. Ils prennent un certain temps à s'en rendre compte. Au cours d'une étude, on a présenté à des enfants âgés de 5 à 10 ans des descriptions d'items et ils devaient décider si ceux-ci appartenaient ou non à des concepts donnés. Nous pouvons illustrer cette étude d'après le concept de *voleur*. L'une des descriptions proposées pour *voleur* traçait le portrait d'une personne qui convenait au prototype de ce concept, mais pas à son noyau:

Un vieillard méchant qui puait et avait un fusil dans ses poches ; il est venu chez nous et a pris le téléviseur parce que nos parents n'en voulaient plus et lui avaient dit qu'il pouvait le prendre.

Une autre description utilisée pour *voleur* était celle d'une personne à qui le noyau convenait, mais pas le prototype :

Une dame très aimable et très gaie qui vous a embrassé, mais qui a ensuite décroché votre bol de toilette pour l'emporter sans permission et sans intention de le rapporter. (Keil et Batterman, 1984, p. 226).

Dans bien des cas, les enfants plus jeunes pensaient que la description fondée sur le prototype était plus susceptible d'être une actualisation du concept que celle fondée sur le noyau. Ce n'est que vers l'âge de 10 ans que les enfants manifestent un passage net du prototype au noyau comme facteur déterminant de l'appartenance au concept (Keil et Batterman, 1984).

Il se peut que les jeunes enfants donnent autant de poids au prototype d'un concept parce qu'ils en prennent conscience avant d'apprendre les propriétés de noyau. Même à 18 mois, un enfant semble avoir acquis les prototypes de *personne, bébé, chien, tasse, manger*, etc. Les enfants sont capables d'apprendre les prototypes très tôt car ils peuvent avoir recours à une stratégie simple qui ne les oblige qu'à remarquer les ressemblances, sans faire d'abstractions. Dans cette *stratégie de l'exemple*, quand les enfants rencontrent une actualisation connue (un *exemple*) d'un concept, ils inscrivent en mémoire (entreposent) une représentation de ce concept. Plus tard, quand ils ont à décider si un item nouveau est ou n'est pas une actualisation de ce concept, ils jugent de sa ressemblance avec des exemples entreposés de ce concept. Si la similitude est suffisante, ils décident que le nouvel item est effectivement une actualisation du concept (Kemler Nelson, 1984).

La stratégie de l'exemple est plus efficace quand il s'agit de cas typiques que de cas atypiques. Comme les premiers exemples qu'un enfant apprend ont tendance à être typiques, les nouveaux cas ont plus de chances d'être bien classés dans la mesure où ils ressemblent à ces cas typiques. Ainsi, chez un jeune enfant, le concept de *meuble* pourrait se limiter aux actualisations les plus typiques seulement (table et chaise, par exemple). L'enfant pourrait faire appel à la stratégie de l'exemple pour la classificiation de plusieurs autres actualisations du concept, comme pupitre et divan, à cause de leur grande ressemblance avec les exemples déjà appris. Mais il pourra arriver que l'enfant ne classifie pas correctement des actualisations du concept qui semblent différentes des exemples appris, comme une lampe et une étagère. Lorsque l'apprentissage s'appuie sur des exemples, les cas typiques sont traités correctement, mais il peut arriver que les cas atypiques ne soient même pas inclus dans le concept (Mervis et Pani, 1981).

Même si la stratégie de l'exemple fait toujours partie de notre répertoire pour l'acquisition de concepts, en vieillissant nous commençons à adopter une autre stratégie, la *vérification d'hypothèses*. Nous posons une hypothèse sur les propriétés qui sont critiques pour juger de l'appartenance d'un item à un concept, nous analysons tous les cas possibles de ces propriétés critiques et ensuite, nous conservons notre hypothèse si elle donne lieu à des décisions correctes. Cette stratégie convient nettement aux concepts classiques, comme *célibataire*, parce que les propriétés du noyau peuvent tenir lieu de propriétés critiques.

Combinaison de concepts

Outre la nature des concepts individuels, il nous faut également comprendre la façon dont nous les combinons pour former des pensées propositionnelles. Une règle générale de combinaison consiste à réunir des concepts pour créer une proposition qui contient un élément descriptif et une personne ou un objet : l'élément descriptif est appelée un *prédicat* et la personne ou l'objet, un *sujet*. Dans la proposition « *Laura a de beaux yeux* », *Laura* est le sujet et *a de beaux yeux* est le prédicat. Dans la proposition « *Le meunier*

ANALYSE CRITIQUE

Hypothèse de la relativité linguistique

Chaque fois que nous parlons ici des concepts, nous postulons que les mots reflètent des concepts existants. Nous supposons que le langage vise à l'expression de la pensée propositionnelle et que, par conséquent, sa structure doit refléter la structure de la pensée. Certains auteurs ont prétendu, toutefois, que cette relation pensée — langage opère en sens inverse. Il se pourrait en effet que ce soit le langage qui détermine la pensée plutôt que l'inverse. C'est là l'*hypothèse de la relativité linguistique* que nous a proposée Benjamin Whorf (1956). Selon Whorf, la nature de nos concepts et de nos perceptions dépend de la ou des langues particulières que nous parlons. Par conséquent, des gens qui parlent des langues très différentes percevraient le monde de façons très différentes. Cette idée audacieuse a suscité bien des débats.

Une bonne partie des faits invoqués à l'appui de cette hypothèse a trait aux différences de vocabulaire. Le français, par exemple, ne dispose que d'un mot pour désigner la neige ; l'idiome esquimau en a quatre. Le locuteur esquimau serait donc capable de percevoir des différences dans la neige que le locuteur français, lui, ne pourrait percevoir. Faut-il voir dans ces observations des preuves solides à l'appui de l'hypothèse de la relativité linguistique ? Les personnes qui ont récemment critiqué cette hypothèse soutiennent que non

(p. ex., Slobin, 1979 ; Clark et Clark, 1977). Selon ces critiques, il est normal que la langue serve à véhiculer des distinctions importantes pour un groupe culturel, mais elle ne crée pas ces distinctions, pas plus qu'elle ne limite ses usagers à leur seule perception. Il se peut fort bien que celui qui parle français ait la même capacité de percevoir des variétés de neige que celui qui utilise le dialecte esquimau, mais comme ces nuances sont plus importantes dans le milieu culturel des Esquimaux que dans celui des Québécois ou des Français, une des langues attribue des mots différents à ces nuances, alors que les autres ne le font pas. La meilleure preuve à l'appui de ce point de vue se trouve dans l'évolution des jargons et de la terminologie technique. Par exemple, nos skieurs parlent de « poudre » et de « sel », pas uniquement de « neige ». Ces additions au vocabulaire peuvent s'accompagner de changements dans la perception — les Esquimaux et les skieurs sont plus susceptibles de remarquer des variations dans la neige que les Hawaïens — mais ce qu'il est important de noter, c'est que les changements de cette nature ne dépendent pas de la langue parlée. Au contraire, c'est plutôt la langue qui semble dépendre des changements.

L'hypothèse de la relativité linguistique n'a pas eu plus de succès dans l'interprétation des variations culturelles par rap-

---

est endormi », *le meunier* est le sujet et *est endormi* est le prédicat. Et dans « *Les professeurs travaillent trop fort* », *les professeurs* est le sujet et *travaillent trop fort* est le prédicat. Remarquez que dans certains cas, le prédicat est un attribut (*a de beaux yeux*) ; dans d'autres cas, il s'agit d'un état (*est endormi*) ou d'une action (*travaillent trop fort*).

La combinaison de concepts pour en faire des propositions est la première étape vers la pensée complexe. Le reste du chemin se fait en combinant les propositions elles-mêmes. Là encore, il semble bien qu'il y ait un nombre limité de façons d'y arriver. La façon la plus facile de combiner les propositions pour former des pensées est tout simplement de les réunir les unes aux autres — par exemple, *Anne aime les légumes, mais Edouard préfère la quiche*. On combine les propositions de façon plus complexe en rattachant l'une de ces propositions à une partie d'une autre. Dans *Benoît aime la couverture bleue*, on a 2 propositions : *Benoît aime la couverture* et *la couverture est bleue*. La seconde proposition est jointe à une partie du prédicat de la première. Sans doute, la façon la plus compliquée de combiner des propositions ou des pensées est d'en insérer une dans une autre. Par exemple, « *Le fait qu'Anne aimait le restaurant a été une surprise pour tout le monde* » comprend 2 propositions. La première, *Anne aimait le restaurant*, sert alors de sujet à la seconde, dans laquelle *a été une surprise pour tout le monde* est le prédicat. Ainsi, la première proposition a été *insérée* dans la seconde, ce genre d'insertion permettant la formulation de pensées très complexes (Clark et Clark, 1977).

port à la terminologie des couleurs. À une certaine époque, plusieurs linguistes croyaient qu'il y avait de grandes différences dans la façon dont les langues décrivaient les éléments du spectre des couleurs et que ceci entraînait des divergences dans la perception des couleurs. Les recherches récentes indiquent exactement le contraire, notamment les travaux particulièrement importants de deux anthropologues, Berlin et Kay (1969). Ces derniers ont étudié les *noms des couleurs fondamentales* utilisés dans plusieurs langues. Ces noms sont des mots simples, non métaphoriques, qui servent à la description des couleurs de plusieurs objets différents. Berlin et Kay ont noté que ces termes présentent des points communs remarquables d'une langue à l'autre. Par exemple, dans toutes les langues étudiées, on choisit les noms de couleurs fondamentales parmi un groupe restreint de 11 noms. En français, ce sont: « noir », « blanc », « rouge », « jaune », « vert », « bleu », « brun », « pourpre », « rose », « gris » et « orange ». Peu importe les termes de couleur utilisés dans une langue donnée, ils correspondent inévitablement à un sous-groupe des couleurs que nous venons de nommer. De plus, si une langue utilise un nombre de termes inférieur à 11, les noms fondamentaux choisis ne sont pas arbitraires. Si, dans une langue donnée, on n'utilise que deux termes

(aucune n'en utilise moins que deux), ceux-ci correspondent à notre « noir » et à notre « blanc »; si on utilise trois termes, ils correspondent à « noir », « blanc » et « rouge »; s'il y en a six, ils correspondent aux trois précédents, plus « jaune », « vert » et « bleu ». Par conséquent, le classement des noms des couleurs fondamentales semble être universel, plutôt que variable d'une langue à l'autre comme l'hypothèse de la relativité linguistique le laisserait supposer.

En outre, les locuteurs dont les langues utilisent les mêmes découpages pour nommer les couleurs fondamentales s'entendent sur la couleur qui convient le mieux à un terme particulier. Supposons que dans deux langues différentes on trouve des termes qui correspondent à « rouge ». Quand on demande à des usagers de ces langues de désigner le meilleur exemple de rouge parmi un groupe de teintes, leur choix s'arrête sur la même teinte. Même si les limites de ce qu'ils qualifieraient de rouge peuvent varier, leur notion d'un rouge typique est la même. Leurs perceptions sont identiques en dépit des différences de vocabulaire. Rosch (1974) a fait d'autres études qui laissent supposer que les Dani (une tribu de la Nouvelle Guinée), dont la langue ne comprend que deux noms de couleurs fondamentales, perçoivent les variations de couleur exactement de la même façon que les gens

dont la langue contient les onze noms au complet. Le mode de perception de la couleur n'apporte donc aucune confirmation à l'hypothèse de la relativité linguistique.

Il ne faudrait toutefois pas rejeter l'hypothèse trop hâtivement. Peu d'aspects du langage ont été étudiés aussi à fond que les noms de couleurs et il n'est pas impossible qu'on découvre sous d'autres aspects (par exemple, dans le choix linguistique de coder une chose ou un événement par un nom ou par un verbe), des faits qui viennent appuyer cette hypothèse. D'ailleurs, celle-ci attire notre attention sur un point important. Quand il s'agit d'apprendre à faire des discriminations fines dans un domaine particulier, il est bien utile de disposer d'un vocabulaire qui exprime ces nuances. À mesure qu'une personne se spécialise dans un domaine, le ski, la psychologie ou quoi que ce soit, son vocabulaire se développe pour exprimer les distinctions à faire dans ce domaine. Les jargons nous aident à réfléchir sur ces nuances et à les exprimer. Bien qu'il doive déjà exister une distinction dans l'esprit de quelqu'un avant qu'un terme puisse être créé et intégré au vocabulaire, il ne faut pas sous-estimer l'importance de cette intégration.

RAISONNEMENT

Lorsque nous pensons sous forme propositionnelle, la séquence de nos pensées est organisée. Parfois, c'est la structure de la mémoire à long terme qui préside à l'organisation de nos pensées. L'idée de devoir téléphoner à votre père, par exemple, conduit au souvenir d'une conversation récente que vous avez eue ensemble dans votre maison, lequel vous amène à son tour à penser à l'urgence de faire des réparation au grenier de votre demeure. Cette séquence apparaît parce que différents incidents se rapportant à votre père se trouvent reliés les uns aux autres dans votre mémoire, tout comme différents faits relatifs à votre résidence, et que ces connexions fournissent les liens qui rattachent vos pensées les unes aux autres. Toutefois, les associations mnémoniques ne sont pas les seuls moyens dont nous disposons pour l'organisation de la pensée propositionnelle. La sorte d'organisation qui nous intéresse ici se manifeste quand nous essayons de *raisonner*. Dans ces cas, la séquence de nos idées prend souvent la forme d'un argument, dans lequel une proposition correspond à une prétention, ou une *conclusion*, que nous essayons de dégager. Les autres propositions sont les raisons qui motivent la prétention, ou les *prémisses* de la conclusion.

Raisonnement déductif

RÔLE DE LA LOGIQUE   D'après les logiciens, certains arguments sont *valides sur le plan déductif*, c'est-à-dire qu'il est impossible que la conclusion du raisonnement soit fausse, si ses premisses sont vraies (Skyrms, 1986). Voici un exemple de ce type de raisonnement :

1. S'il pleut, je prendrai un parapluie.
2. Il pleut.
3. Donc, je vais prendre un parapluie.

Quand on demande aux gens de juger de la validité déductive d'un argument, ils se montrent raisonnablement justes dans leurs évaluations de raisonnements simples. Ce qu'il faut déterminer, c'est comment nous arrivons à poser de tels jugements? La plupart des théories du raisonnement déductif postulent que nous avons recours aux règles de la logique dans nos efforts pour prouver que la conclusion d'un raisonnement découle des prémisses. Considérons, par exemple, la règle suivante :

Si vous êtes en présence d'une proposition de la forme *Si p, alors q*, et d'une autre proposition *p*, vous êtes alors capable de déduire la proposition *q*.

On présume que la plupart des adultes connaissent cette règle (inconsciemment, peut-être) et l'utilisent pour décider de la validité du raisonnement précédent. Plus précisément, ils associent la première prémisse (*S'il pleut, je prendrai un parapluie*) avec la partie *Si p, alors q* de la règle. Ils associent la seconde prémisse (*Il pleut*) avec la partie *p* de la règle, pour déduire ensuite la partie *q* (*Je vais prendre un parapluie*).

L'obéissance aux règles devient plus consciente à mesure que se complique le raisonnement. Il semble que nous appliquions à deux reprises notre règle-échantillon quand nous évaluons le raisonnement suivant :

1. S'il pleut, je prendrai un parapluie.
2. Si je prends un parapluie, je vais le perdre.
3. Il pleut.
4. Donc, je vais perdre mon parapluie.

L'application de notre règle aux propositions 1 et 3 nous permet de déduire *Je vais prendre un parapluie*; puis en appliquant de nouveau notre règle à la proposition 2, et d'après la proposition qui a été déduite, nous arrivons à déduire *Je vais perdre mon parapluie*, ce qui constitue la conclusion. La meilleure indication à l'effet que les gens utilisent des règles comme celle-ci réside dans le fait que le nombre de règles nécessaires à un raisonnement est un bon moyen de prévoir la difficulté de ce raisonnement. Plus ils doivent appliquer de règles, plus les gens risquent de commettre une erreur et plus il leur faudra du temps, le cas échéant, pour arriver à une décision qui soit la bonne (Osherson, 1976; Rips, 1983).

DÉVIATIONS DE JUGEMENT ET HEURISTIQUE   Les règles logiques ne recouvrent pas tous les aspects du raisonnement déductif. Elles ne sont déclenchées que par la *forme* logique des propositions, alors que notre capacité d'évaluer un raisonnement déductif dépend souvent également du *contenu* des propositions. Les problèmes expérimentaux qui suivent nous permettront de faire ressortir ce fait. On présente quatre cartes à des sujets. Dans l'une des versions du problème posé, chacune des cartes porte une lettre sur l'une de ses faces et un chiffre sur l'autre (voyez la rangée du haut de la figure 9-2). Le sujet doit alors décider laquelle de deux cartes il devra tourner pour savoir si la prétention suivante est correcte : « Si une carte porte une voyelle sur l'une de ses faces, il doit y avoir un nombre pair sur l'autre face. » Alors que la plupart des sujets optent correctement pour la carte « E », moins de 10 % d'entre eux choisissent également la carte « 7 », qui constitue l'autre choix correct. (La carte « 7 » est jugée critique, car si elle devait porter une voyelle sur son autre face, la prétention s'en trouverait invalidée.)

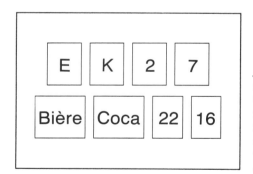

FIGURE 9-2
Influence du contenu sur le raisonnement déductif   *La rangée du haut illustre une version du problème dans laquelle des sujets doivent décider laquelle des 2 cartes ils devraient tourner pour vérifier l'hypothèse suivante: « Si une carte porte une voyelle sur l'une de ses faces, il doit y avoir un nombre pair sur l'autre face. » (D'après Wason et Johnson-Laird, 1972). La rangée du bas illustre une autre version dans laquelle les sujets doivent trouver les cartes qu'il faut tourner pour vérifier l'hypothèse suivante: « Si un individu consomme de la bière, il doit avoir plus de 19 ans. » (D'après Griggs et Cox, 1982)*

Le rendement s'améliore de façon spectaculaire cependant avec l'emploi d'une autre version de ce problème (voir la rangée du bas de la figure 9-2). Cette fois, sur l'une de leurs faces, les cartes portent l'une des inscriptions suivantes : « Bière », « Coca », « 22 » et « 16 ». Sur la face opposée des cartes désignant des breuvages, c'est le nombre « 22 » ou « 16 » qui est inscrit, alors que sur la face opposée des cartes portant des nombres, c'est le mot « Bière » ou « Coca » qui est inscrit. La prétention que les sujets doivent évaluer est la suivante : « Si un individu consomme de la bière, il doit avoir plus de 19 ans. » Cette version du problème est l'équivalent logique de la précédente (précisément « Bière » correspond à « E » et « 16 » à « 7 ») ; mais dans ce cas-ci, la plupart des sujets font le bon choix (« ils retournent les cartes « Bière » et « 16 »). Ainsi, le contenu des propositions fait dévier notre jugement.

Les résultats de cette nature semblent indiquer que nous ne nous appuyons pas toujours sur des règles logiques quand nous affrontons des problèmes de déduction. Au contraire, nous nous en remettons parfois à l'*heuristique* — des procédés de raccourci qui sont d'application relativement facile et qui, sans être infaillibles, fournissent souvent les bonnes réponses. Il peut arriver que, pour résoudre la version « breuvage » du problème dont nous avons parlé ci-dessus, des sujets choisissent de repêcher dans la mémoire à long terme un fait pertinent sur la consommation de l'alcool (le fait que ce sont seulement les jeunes consommateurs qu'on doit surveiller pour s'assurer du respect de la loi) et appliquent ensuite ce fait au problème en cause (Rips, 1986). Par ailleurs, certains sujets peuvent résoudre le problème des breuvages en montant une représentation concrète de la situation. Il leur arrivera, par exemple, d'imaginer deux personnes, chacune d'elles portant un nombre sur le dos et un verre à la main. Ils pourront ensuite examiner cette représentation pour voir ce qui se passe si, par exemple, celui qui a « 16 » sur le dos tient un verre de bière dans sa main. Selon cette conception, nous raisonnons en termes d'exemples concrets suggérés par le contenu du problème (Johnson-Laird, 1983).

Raisonnement inductif

RÔLE DE LA LOGIQUE   Un raisonnement peut être bon même s'il n'est pas valide sur le plan déductif. De tels raisonnement sont *solides sur le plan inductif*, ce qui veut dire qu'il est *improbable* que la conclusion soit fausse si les prémisses sont vraies (Skyrms, 1986). Voici un exemple de raisonnement solide sur le plan inductif :

1. Michel a étudié la comptabilité à l'Université.
2. Michel travaille maintenant pour une firme de comptables.
3. Michel est donc comptable.

Cette argumentation n'est pas valide sur le plan déductif (Michel pourrait s'être fatigué des cours de comptabilité et avoir accepté un poste de gardien de nuit dans un milieu qu'il connaissait déjà). La solidité inductive est donc une question de probabilité et non de certitude ; la logique inductive s'appuie sur la théorie des probabilités.

Nous formulons et évaluons des raisonnements inductifs à tout moment. Est-ce donc que nous nous en remettons aux lois de la théorie des probabilités ? Une règle de probabilité qui s'applique ici est la *règle du taux de base* selon laquelle la probabilité qu'un élément appartienne à une classe (par exemple, que Michel appartienne à la classe des comptables) s'accroît avec le nombre des éléments appartenant à cette classe (c'est-à-dire, avec le taux de base de la classe). Ainsi, notre raisonnement-échantillon sur l'appartenance de Michel à la classe des comptables peut se voir renforcé par l'addition de la prémisse à l'effet que Michel ait été admis dans un cercle où 90 % des membres sont des comptables. Une autre règle de probabilité qui vaut ici est la *règle de conjonction* : la probabilité associée à une proposition ne peut pas être moindre que la probabilité associée à la conjonction de cette proposition avec une autre proposition. Exemple : la probabilité que *Michel soit comptable* ne peut pas être moins grande que la probabilité que *Michel soit comp-*

table et qu'il gagne plus de 30 000 $ par année. Les règles du taux de base et de la conjonction sont des guides acceptables du raisonnement inductif et la plupart des gens vont s'y conformer si l'on expose clairement la nature de ces règles. Cependant, dans le tohu-bohu des raisonnements de tous les jours, les gens violent fréquemment ces règles, comme nous sommes sur le point de le constater.

DÉVIATION DU JUGEMENT ET HEURISTIQUE   Dans une série d'expériences astucieuses, Tversky et Kahneman ont montré que, lorsqu'ils posent des jugements fondés sur l'induction, les gens enfreignent les principes fondamentaux de la théorie des probabilités. Les accrocs à la règle du taux de base sont particulièrement fréquents. Dans l'une de ces expériences, l'on disait à un groupe de sujets qu'un jury de psychologues avait rencontré 100 personnes en entrevue — 30 ingénieurs et 70 avocats — et qu'ils avaient rédigé des descriptions de leur personnalité. On présentait ensuite aux sujets 5 descriptions en leur demandant d'indiquer pour chacune la probabilité que la description soit celle d'un ingénieur. Certaines descriptions étaient des prototypes de la profession d'ingénieur (par exemple, « Jacques ne s'intéresse pas aux questions politiques et il fait de la menuiserie durant ses moments de loisir »); d'autres descriptions étaient neutres (exemple : « Richard a beaucoup de talent et son avenir est voué au succès »). On s'y attendait, ces sujets ont jugé les descriptions prototypiques plus susceptibles de s'appliquer à un ingénieur que les descriptions neutres. Un autre groupe de sujets reçurent eux aussi 5 descriptions et des directives identiques, sauf qu'on leur disait que les 100 descriptions portaient sur *70* ingénieurs et *30* avocats (l'inverse de l'autre groupe). Le taux de base des ingénieurs était donc grandement différent d'un groupe à l'autre. Cette différence n'eut aucun effet : les sujets du second groupe ont donné essentiellement les mêmes évaluations que ceux du premier groupe. Les deux groupes ont jugé la description neutre comme ayant 50 % de chances d'être celle d'un ingénieur. Les sujets ont complètement ignoré l'information relative aux taux de base (Tversky et Kahneman, 1973).

Les gens ne font pas plus de cas de la règle de conjonction. Dans l'une de ces études, on donnait aux sujets la description suivante :

> Linda a 31 ans, elle est célibataire, elle a son franc-parler et elle est très douée. Au collège, elle a étudié la philosophie et elle portait un vif intérêt aux questions de discrimination.

Les sujets avaient ensuite à évaluer la probabilité des affirmations suivantes :

1. Linda est caissière dans une banque.
2. Linda est caissière dans une banque et elle participe activement au mouvement féministe.

L'énoncé 2 est la conjonction de l'énoncé 1 et de la proposition *Linda participe activement au mouvement féministe*. Contrevenant clairement à la règle de conjonction, la plupart des sujets ont jugé l'énoncé 2 plus probable que l'énoncé 1. Remarquez qu'il s'agit d'un paralogisme, car toutes les caissières de banque féministes sont des caissières de banque, alors que certaines caissières de banques ne sont pas féministes et que Linda pourrait appartenir à ce dernier groupe (Tversky et Kahneman, 1983).

Les sujets de cette étude ont fondé leur jugement sur le fait que Linda ressemblait plus à une caissière de banque féministe qu'à une caissière de banque tout court. Même si on leur demandait d'évaluer la *probabilité*, les sujets évaluaient la *ressemblance* entre Linda et le prototype des concepts *caissière de banque* et *caissière de banque féministe*. C'est ainsi que la similitude se trouve utilisée de façon heuristique pour l'évaluation de la probabilité, car la similitude se rattache souvent à la probabilité et est en même temps plus facile à calculer. L'usage *heuristique de la similitude* explique aussi pourquoi les gens ignorent les taux de base. Dans l'expérience ingénieur-avocat, dont nous avons déjà parlé, il se peut que les sujets n'aient considéré que la similitude de la description avec leurs prototypes d'*ingénieur* et d'*avocat*.

Par conséquent, devant une description qui convenait également bien aux prototypes d'*ingénieur* et d'*avocat*, les sujets ont jugé que ingénieur et avocat comportaient la même probabilité.

La *causalité heuristique* est une autre démarche heuristique que nous utilisons pour l'évaluation de la probabilité : les gens évaluent la probabilité d'une situation d'après la force des relations causales entre les événements qui la constituent. Ils jugent, par exemple, que l'énoncé 4 est plus probable que l'énoncé 3 dans le cas des deux énoncés suivants :

3. À un moment donné au cours de l'année 1990, l'Amérique du Nord sera le théâtre d'une gigantesque inondation, qui causera la mort par noyade de plus de 1000 personnes.
4. À un moment donné au cours de l'année 1990, la Californie sera le théâtre d'un tremblement de terre, qui sera suivi d'une gigantesque inondation causant la mort par noyade de plus de 1000 personnes.

Le fait de juger que l'énoncé 4 est plus probable que l'énoncé 3 est un autre accroc à la règle de conjonction. En l'occurrence, la violation de la règle se produit parce que dans l'énoncé 4, l'inondation entretient une forte relation causale avec un autre événement, le séisme, alors que dans l'énoncé 3, seule l'innondation est mentionnée et elle n'a donc pas de relations causales. En somme, même s'il est supposé s'appuyer sur des probabilités, le raisonnement inductif fait souvent intervenir des jugements de causalité et de similitude.

LANGAGE ET COMMUNICATION

Le langage est le moyen de communication de la pensée propositionnelle. De plus, c'est un medium universel : toute société humaine possède un langage et tout être humain d'intelligence normale acquiert sa langue maternelle et l'utilise sans effort. Le caractère naturel du langage nous amène souvent à nous imaginer que son usage n'a pas besoin d'explication particulière. Il n'y a pourtant rien de plus faux. Certaines personnes sont capables de lire, d'autres pas ; certaines connaissent l'arithmétique, d'autres pas ; il y a des gens qui peuvent jouer aux échecs, d'autres qui en sont incapables. Cependant, pratiquement tout le monde est en mesure de maîtriser et d'utiliser un système linguistique excessivement complexe. Ce phénomène compte parmi les énigmes fondamentales de la psychologie humaine.

Niveaux de langage

L'emploi d'une langue comporte deux aspects : la *production* et la *compréhension*. Dans la production du langage, nous partons d'une pensée propositionnelle, que nous transposons d'une façon ou d'une autre en une phrase, et nous en arrivons finalement à des sons qui expriment cette phrase. Dans la compréhension du langage, nous partons des sons, auxquels nous attachons des significations sous la forme de mots, puis nous combinons les mots pour créer une phrase et ensuite, d'une façon ou d'une autre, nous en tirons une proposition. L'utilisation d'un langage semble donc impliquer un cheminement à travers divers niveaux, définis dans la figure 9-3. Au niveau supérieur, se trouvent les unités propositionnelles, comprenant des phrases et des syntagmes. Le niveau suivant est celui des unités sémantiques fondamentales, comprenant des mots et des parties de mots qui véhiculent une signification (le préfixe « sur », par exemple). Le niveau inférieur contient des phonèmes (sons parlés). Ces niveaux adjacents sont étroitement reliés les uns aux autres : les syntagmes d'une phrase sont construits à même des mots et d'autres unités sémantiques fondamentales, qui à leur tour, sont constitués de phonèmes. Le langage est donc un système à niveaux multiples servant à établir une relation entre les pensées et la parole, au moyen d'unités propositionnelles et sémantiques fondamentales (Chomsky, 1965).

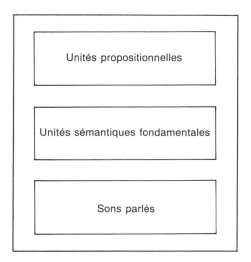

FIGURE 9-3
Niveaux de langage *Au niveau supérieur, on trouve les unités propositionnelles, comprenant les syntagmes et les phrases. Le niveau suivant est celui des unités sémantiques, comprenant les mots et les parties de mots qui véhiculent une signification. Le niveau inférieur comprend les phonèmes (sons parlés).*

Il y a des différences frappantes dans le nombre d'unités qu'on trouve à chaque niveau. Toutes les langues ont un nombre limité de phonèmes; le français en compte environ 36. Mais les règles de combinaison de ces sons parlés permettent la production et la compréhension de milliers de mots (il n'est pas rare qu'un adulte dispose d'un vocabulaire de 20 000 à 30 000 mots). De même, les règles de combinaison des mots font qu'il est possible de produire et de comprendre des millions (sinon une infinité) de phrases. Par conséquent, parmi les propriétés fondamentales du langage, on compte sa *structuration* à niveaux multiples et sa *productivité*: des règles nous permettent de combiner les unités d'un niveau pour obtenir un nombre beaucoup plus considérable d'unités au niveau suivant. Tout langage humain possède ces deux propriétés.

Unités et processus linguistiques

D'après ce que nous venons de dire, considérons maintenant les unités et les processus en cause à chaque niveau du langage.

PHONÈMES   Quand nous parlons, nous utilisons les lèvres, la langue, la bouche et les cordes vocales pour produire une grande variété de sons physiques. Cependant, ces sons ne sont pas tous perçus comme différents. Ce que nous percevons, ce sont les quelque 36 *phonèmes*, ou catégories de sons, qui sont utilisés en français. Par exemple, le premier son dans « boule » est un phonème représenté par le symbole /b/. Nous sommes très habiles à discerner des sons différents qui correspondent à des phonèmes différents. Par contre, nous distinguons très mal les différentes réalisations d'un même phonème — par exemple le premier son dans « pic » et le deuxième son dans « spic » (Liberman, Cooper, Shankweiler et Studdert-Kennedy, 1967). Ils correspondent au même phonème, /p/, et ils nous paraissent semblables bien qu'ils aient des caractéristiques physiques distinctes. Le /p/ dans « pic » s'accompagne d'une petite poussée d'air, mais pas le /p/ dans « spic » (tenez votre main à courte distance de votre bouche pendant que vous prononcez les deux mots). Nous sommes donc « équipés » de catégories phonémiques qui font office de filtres; elles transforment un flot continu de paroles en phonèmes de notre langue.

Chaque langue comprend un ensemble différent de phonèmes et c'est d'ailleurs l'une des raisons pour lesquelles nous éprouvons souvent de la difficulté à apprendre la prononciation des mots étrangers. Une langue étrangère peut utiliser des phonèmes qui n'appartiennent pas à la nôtre. Il faut parfois un certain temps pour apprendre à reconnaître seulement les nouveaux phonèmes; combien en faudra-t-il alors pour apprendre à produire ces nouveaux sons? Il peut également arriver qu'une autre langue ne fasse pas de distinction entre deux sons que la nôtre traite comme deux phonèmes. En japonais, par exemple, les sons qui, en français, correspondent à *r* et à *l* (/r/ et /l/) sont traités comme un seul phonème.

Quand les phonèmes sont combinés « selon les règles », ils forment des mots. Chaque langue a en effet ses propres règles régissant les possibilités de combinaison des phonèmes. En français, par exemple, il n'est pas possible que /b/ suive /p/ en début de mot (essayez de prononcer « pbète »). La maîtrise des règles de combinaison des phonèmes équivaut à l'apprentissage de la prononciation des mots. Il peut arriver que les enfants sachent comment un mot devrait se prononcer, même s'ils ne sont pas capables de dire ce mot.

> Le petit David demandait s'il pouvait faire un tour sur le « cawousel ». Un autre enfant, pour rire de sa prononciation, dit: « David veut aller sur le cawousel ». « Non », de dire David d'un ton ferme, « tu le dis pas cowect. »

UNITÉS SÉMANTIQUES FONDAMENTALES   Un *morphème* est la plus petite unité linguistique porteuse de signification. La plupart des morphèmes correspondent à des mots, comme le mot « ça ». D'autres sont des suffixes, comme « et », ou des préfixes, comme « in », que l'on ajoute à des mots pour en former de plus complexes, comme « jardinet » ou « incapable ». Plusieurs mots complexes ne sont en fait que des mots simples auxquels sont ajoutés des préfixes et des suffixes. Le mot « désensorcellement », par exemple, se décompose en « dés » + « en » + « sorcelle » + « ment » (soit un total de 4 morphèmes).

Toute langue a ses propres règles quant à la façon de joindre les préfixes et les suffixes aux mots. Le suffixe « eur », par exemple, s'ajoute à plusieurs verbes pour former des noms désignant des personnes qui accomplissent habituellement l'action décrite par le verbe, comme dans « marche » — « marcheur » et « vendre » — « vendeur ». Avons-nous vraiment recours à ces règles, ou à quelque chose de semblable, quand nous parlons et quand nous écoutons? Les lapsus que font les gens nous portent à le croire.

L'aspect le plus important d'un mot est, évidemment, sa signification. On peut considérer le mot comme le nom d'un concept; par conséquent, sa signification est le concept que ce nom désigne. Certains mots sont *ambigus* parce que le nom désigne plusieurs concepts. « Son », par exemple, désigne la possession (en tant qu'adjectif), l'effet d'ondes vibratoires ou la partie périphérique de grains de céréales. On peut parfois devenir conscient d'une ambiguïté, mais le plupart du temps le contexte de la phrase rend la signification du mot suffisamment claire pour qu'on ne puisse s'y méprendre. Toutefois, il y a des faits qui indiquent que, même dans ces cas, nous considérons *inconsciemment* les divers sens du mot ambigu pendant un bref instant. Ceci permet de supposer que toutes les significations du mot sont mobilisées au cours du processus de compréhension d'une phrase et que l'une ou l'autre de ces significations peut amorcer des mots qui lui sont associés (Swinney, 1979).

UNITÉS PROPOSITIONNELLES   Les unités propositionnelles comprennent des phrases et des syntagmes. Une propriété importante de ces unités est le fait qu'elles peuvent correspondre aux parties d'une proposition. De telles correspondances permettent au locuteur de « mettre » des propositions dans des phrases et à celui qui écoute d'« extraire » les propositions des phrases.

Rappelons que toute proposition peut être décomposée en un sujet et un prédicat. Une phrase peut être décomposée en syntagmes de façon que chaque syntagme corresponde soit au sujet soit au prédicat d'une proposition ou à une proposition entière. Par exemple, intuitivement, nous pouvons séparer la phrase « Irène vend du poisson » en deux syntagmes, « Irène » et « vend du poisson ». Le premier syntagme, qu'on appelle un *syntagme nominal* parce qu'il est centré sur un nom, désigne le sujet d'une proposition sousjacente. Le second syntagme, un *syntagme verbal*, donne le prédicat de la proposition. Voici un exemple plus complexe: la phrase « Les professeurs sérieux lisent des livres ». La phrase se sépare en deux syntagmes, le syntagme nominal « les professeurs sont sérieux et le syntagme-verbe « lisent des livres ». Le syntagme-substantif exprime une proposition complète, les *professeurs sont sérieux*; le syntagme verbal exprime une partie (le prédicat) d'une autre proposition, les *professeurs lisent des livres* (voir la figure 9-4). On remarque de nouveau qu'il existe des correspondances marquées entre unités propositionnelles et unités de phrases.

L'analyse d'une phrase en syntagmes nominaux et syntagmes verbaux, et le fait de décomposer ensuite ces syntagmes en unités plus petites (noms, adjectifs, verbes, et ainsi de suite) s'appelle l'*analyse syntaxique*, qui laisse deviner les unités que les gens utilisent pour comprendre les phrases. L'exis-

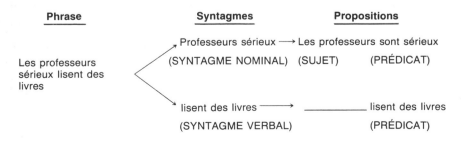

Phrase	Syntagmes	Propositions
Les professeurs sérieux lisent des livres	Professeurs sérieux ⟶ Les professeurs sont sérieux (SYNTAGME NOMINAL) (SUJET) (PRÉDICAT)	
	lisent des livres ⟶ _____ lisent des livres (SYNTAGME VERBAL) (PRÉDICAT)	

FIGURE 9-4
Syntagmes et propositions *Dans l'extraction des propositions d'une phrase complexe, la première étape consiste à décomposer la phrase en syntagmes.*

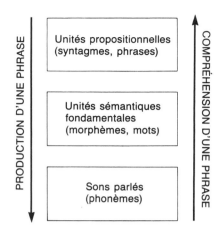

FIGURE 9-5
Niveaux de langage, compréhension et production de phrases *Dans la production d'une phrase, nous traduisons une pensée propositionnelle en syntagmes et en mots qui composent une phrase et nous transformons ces mots en sons parlés. Dans la compréhension d'une phrase, nous procédons en sens inverse — nous utilisons les sons parlés pour fabriquer les mots et les syntagmes d'une phrase, à partir desquels nous dégageons les propositions sous-jacentes.*

tence de ces unités suggérées a généralement été confirmée de façon empirique. Dans une expérience, par exemple, des sujets entendaient des phrases comme « La pauvre fille a volé une étole ». Immédiatement après la présentation de chaque phrase, on leur donnait un mot-sonde tiré de la phrase en leur demandant de dire le mot qui venait ensuite. Les gens réagissaient plus rapidement quand les mots-sondes et les mots-réponses provenaient du même syntagme (« pauvre » et « fille ») que lorsqu'ils provenaient de syntagmes différents (« fille » et « volé »). C'est donc que les gens décomposent les phrases en syntagmes et que chaque syntagme devient une unité dans la mémoire. Quand la sonde et la réponse appartiennent au même syntagme, on n'a qu'une unité à repêcher (Wilkes et Kennedy, 1969).

Différences entre la compréhension et la production

L'analyse des niveaux de langage nous donne une représentation cartographique utile des champs d'étude du langage. Toutefois, cette façon d'aborder l'étude par niveaux a certaines conséquences sur la relation entre la compréhension et la production du langage, conséquences qui nécessitent un examen critique.

La figure 9-5 est une version amendée de nos niveaux de description du langage. Elle suggère que la compréhension d'une phrase est l'inverse de la production d'une phrase. En effet, pour produire une phrase, nous partons d'une pensée propositionnelle, nous la traduisons en syntagmes et en mots qui entrent dans une phrase, et finalement nous transformons ces mots en phonèmes. Nous passons du niveau supérieur au niveau inférieur. Pour comprendre une phrase, toutefois, nous procédons en sens inverse — du niveau inférieur jusqu'au niveau supérieur. Nous entendons des phonèmes, nous les utilisons pour construire les mots et les syntagmes d'une phrase et finalement nous dégageons la proposition associée à ces unités propositionnelles.

Même si cette analyse décrit une partie des processus de production et de compréhension des phrases, il s'agit d'une simplification à l'extrême. La compréhension d'une phrase va nécessairement au-delà de la simple inversion de sa production. Nous sommes capables de comprendre plusieurs phrases que nous ne saurions produire (par exemple, les phrases énoncées dans une langue étrangère qui nous est plus ou moins familière). Il arrive aussi qu'après avoir compris quelques mots d'une phrase, on saute directement à la conclusion, croyant deviner le sens général de la phrase entière (les propositions sous-jacentes); on utilise ensuite l'hypothèse relative à ces propositions pour arriver à comprendre le reste de la phrase. Dans pareils cas, la compréhension procède du niveau supérieur vers le bas tout autant que du niveau inférieur vers le haut. À titre d'illustration, supposons que, dans une conversation à propos d'un repas au restaurant, votre ami dise: « La cuisine était si mauvaise que je me suis plaint au gérant. » Dès que vous entendez le mot « mauvaise », vous pourriez poser l'hypothèse que le reste de la phrase va exprimer une idée relative à une plainte transmise à un membre du personnel. Le cas échéant, vous pourriez faire appel à vos connaissances sur la nourriture dans les restaurants, qui se trouvent entreposées dans votre mémoire (ce que nous avons appelé le schème restaurant dans le chapitre 8), pour orienter la compréhension de la phrase. Ce type d'orientation par schèmes se produit très souvent dans la compréhension des conversations et des récits (Adams et Collins, 1979; Schank, 1982).

Une autre limite de notre analyse par niveaux vient de ce qu'elle ne tient pas compte des *intentions du locuteur* quand il prononce une phrase particulière. On peut dire « Cette chambre est trop froide » pour répondre à la question « Qu'est-ce qui ne va pas? » posée par le propriétaire de l'immeuble, ou dans l'intention d'amener son hôte à fermer une fenêtre. La proposition est la même dans les deux contextes (on pose comme prédicat la température froide d'une pièce donnée), mais les deux objectifs visés par la communication de cette proposition sont très différents (Grice, 1975). Les faits démontrent que les gens « décodent » l'intention du locuteur et que cette démarche fait partie du processus de compréhension (Clark, 1984).

DÉVELOPPEMENT DU LANGAGE

L'analyse du langage que nous faisons ici donne une idée de la tâche énorme à laquelle sont confrontés les enfants. Ceux-ci doivent acquérir la maîtrise de tous les niveaux du langage — non seulement de la prononciation, mais aussi de l'infinie variété de façons dont les mots peuvent se combiner en phrases pour exprimer la pensée. Le miracle, c'est que pratiquement tous les enfants, de quelque milieu culturel qu'ils soient, acquièrent cette maîtrise en quatre ou cinq ans seulement. Fait peut-être plus étonnant encore, tous les enfants, peu importe leur milieu culturel, semblent passer par le même cheminement au cours du développement linguistique. À l'âge d'un an, l'enfant prononce quelques mots isolés ; vers 2 ans environ, il énonce des phrases de 2 à 3 mots ; à 3 ans, les phrases prennent une tournure grammaticale ; et à l'âge de 4 ans, le langage de l'enfant se rapproche beaucoup de celui de l'adulte (Gleitman, 1984).

Nous parlerons d'abord de ce qui est acquis à chaque niveau de langage, pour considérer ensuite comment se fait cette acquisition et quels sont les rôles de l'apprentissage et des facteurs innés. En traitant des facteurs innés, nous aborderons un certain nombre de questions critiques, y compris la possibilité pour une autre espèce d'apprendre un langage humain et la localisation des fonctions du langage dans le cerveau humain.

« Chéri ! Justin vient juste de verbaliser ! »

Qu'est-ce qui est acquis ?

Le développement s'effectue aux trois niveaux du langage. Il commence au niveau des phonèmes, se poursuit au niveau des mots et des autres morphèmes, pour atteindre ensuite le niveau des unités propositionnelles ou de la syntaxe.

LES PHONÈMES ET LEUR COMBINAISON   Les nouveau-nés sont prédisposés à apprendre et à distinguer les sons qui correspondent aux différents phonèmes (voir au chapitre 3) et ils apprennent rapidement à discerner les phonèmes qui appartiennent à leur langue (Eimas, Siqueland, Jusczyk et Vigorito, 1971). Toutefois, les enfants consacrent plusieurs années à apprendre à combiner les phonèmes pour former des mots. Au début, quand ils commencent à parler, il leur arrive de produire des mots « impossibles » comme « dlinge » pour « linge ». Ils ne savent pas encore que /l/ ne peut pas suivre /d/ dans un mot. Vers l'âge de 4 ans, les enfants semblent avoir appris beaucoup en ce qui a trait aux combinaisons de phonèmes. On a demandé à des enfants âgés de 4 ans environ de choisir, parmi 2 séquences artificielles de sons, celle qui formerait le meilleur nom de jouet. L'une de ces séquences se conformait aux règles de combinaison de phonèmes (« klek », par exemple), mais l'autre pas (« dlek », par exemple). La plupart d'entre eux choisirent un nom qui respectait les règles (Messer, 1967).

MOTS ET CONCEPTS   Vers l'âge d'un an, les enfants commencent à parler. Les petits d'un an peuvent déjà conceptualiser plusieurs éléments de leur entourage (y compris les membres de la famille, les animaux domestiques, la nourriture, les jouets et les parties du corps) et quand ils commencent à parler, ils juxtaposent ces concepts sur des mots que les adultes utilisent. Pour apprendre le mot qui correspond à tel concept, les enfants observent ce qui se passe autour d'eux quand on utilise un mot et ils tiennent les aspects importants de la situation pour la signification du mot. Un enfant peut, par exemple, penser « Maman a dit « Pitou » quand elle a montré du doigt mon chien, donc « Pitou » veut dire « mon chien ».

Le vocabulaire du début est à peu près le même pour tous les enfants. Les petits de 1 à 2 ans parlent surtout des gens (« Papa », « Maman », « bébé »),

des animaux (« chien », « chat », « canard »), des véhicules (« auto », « camion », « bateau »), des jouets (« balle », « bloc », « livre »), de la nourriture (« jus », « lait », « biscuit »), des parties du corps (« les yeux », « le nez », « la bouche ») et des objets qui sont dans la maison (« chapeau », « bas », « cuillère »). Ces mots désignent certains des concepts du jeune enfant, mais ils sont loin de les désigner tous. Il s'ensuit qu'il y a souvent un écart entre les concepts qu'ils veulent communiquer et les mots dont ils disposent. Pour combler cet écart, les enfants de 1 à 2 1/2 ans « étirent » leurs mots de façon à ce qu'ils recouvrent des concepts avoisinants. Par exemple, l'enfant de 2 ans pourrait utiliser le mot « chien-chien » pour les chats et les vaches, tout aussi bien que pour les chiens (ce n'est pas que l'enfant ne soit pas certain de la signification du mot — si on lui présente des images d'animaux variés et qu'on lui demande de choisir le « chien-chien », il fera le bon choix). Vers 2 1/2 ans environ, ces recouvrements commencent à disparaître, probablement parce que le vocabulaire de l'enfant s'accroît considérablement, comblant ainsi une bonne partie de l'écart (Rescorla, 1980 ; Clark, 1983).

Dès lors, le développement du vocabulaire connaît virtuellement une explosion. À 1 1/2 an, l'enfant peut avoir un vocabulaire de 25 mots, alors qu'à 6 ans, ce vocabulaire est d'environ 14 000 mots. Pour en arriver à cettre croissance incroyable, les enfants doivent apprendre des mots nouveaux au taux de 9 par jour (Templin, 1957). Les enfants semblent être syntonisés à l'apprentissage de nouveaux mots. Lorsqu'ils entendent un mot qu'ils ne connaissent pas, ils supposent probablement que ce mot correspond à l'un de leurs concepts qui n'a pas encore reçu d'étiquette et ils se servent du contexte dans lequel le mot est prononcé pour découvrir ce concept (Clark, 1983 ; Markman, 1987).

DES PREMIÈRES PHRASES AUX PHRASES COMPLEXES   Vers l'âge de 1 1/2 an à 2 1/2 ans, débute l'acquisition des unités propositionnelles ou de la syntaxe. Les enfants commencent par combiner les mots isolés en phrases de 2 mots comme « Vache, là » (alors que la proposition de base est *La vache est là*), « Bicyclette, Jean » (proposition : *C'est la bicyclette de Jean*), ou « Serviette, lit » (*La serviette est sur le lit*). Le langage à 2 mots possède un caractère *télégraphique*. L'enfant omet les mots grammaticaux (comme « un », « le » et « est »), de même que d'autres morphèmes grammaticaux (comme « ant », « é » et « s ») et ne met que les mots qui véhiculent le contenu le plus important. Malgré leur concision, ces énoncés expriment la plupart des intentions fondamentales des locuteurs, tels la localisation des objets et la description des événements et des actions (voir le tableau 9-1).

Les enfants progressent rapidement des énoncés à 2 mots à des phrases plus complexes qui expriment plus directement les pensées propositionnelles. Ainsi « Papa, chapeau » peut devenir « Papa porte chapeau » et finalement « Papa porte un chapeau ». De telles extensions du syntagme verbal semblent être les premières constructions syntaxiques complexes qui interviennent dans le discours des enfants. L'étape suivante est l'utilisation de conjonctions comme « et » et « pour » dans la formation de phrases composées (« Tu joues avec la poupée *et* moi je joue avec les blocs ») et l'utilisation de morphèmes grammaticaux, comme le passé « é ». L'ordre que suit le développement est remarquablement semblable chez tous les enfants.

Processus d'apprentissage

Maintenant que nous avons une idée de ce que les enfants acquièrent durant le développement du langage, nous nous demanderons comment ils l'acquièrent. Sans aucun doute, l'apprentissage a un rôle à jouer ; c'est pourquoi, les enfants élevés dans un milieu francophone apprennent le français et les enfants élevés en milieu anglophone apprennent l'anglais. Il est indubitable que des facteurs innés interviennent également, ce qui explique que dans une famille, tous les enfants apprennent à parler, alors qu'aucun des animaux domestiques n'en est capable (Gleitman, 1984). Dans cette section, nous parlerons de l'apprentissage et nous considérerons les facteurs innés dans la section

	LANGUE				
FONCTION DE L'ÉNONCÉ	**FRANÇAISE***	**ANGLAISE**	**ALLEMANDE**	**RUSSE**	**SAMOANE****
Localiser, désigner	là livre auto ça regarde chien-chien	there book (livre là) that car (cette auto) see doggie (vois chien)	buch da (livre là) gukuk wauwau (vois chien)	Tosya tam (Tosya là)	Keith lea (Keith là)
Demander, désirer	encore lait donne bonbon veut dodo	more milk (plus de lait) give candy (donne bonbon) want gum (veut gomme à mâcher)	mehr milch (plus de lait) bitte apfel (S'il vous plaît pomme)	yeschë moloko (plus de lait) day chasy (donne montre)	mai pepe (donne poupée) fia moe (veut dormir)
Nier	pas manger pas laver pas faim parti lait	no wet (pas mouillé) no wash (pas laver) no hungry (pas faim) allgone milk (disparu lait)	nicht blasen (pas souffler) kaffee nein (café non)	vody net (eau non) gus'tyu-tyu (oie partie)	le 'ai (pas manger) uma mea (partie chose)
Décrire un événement ou une situation	Papa dodo coupé couteau frapper balle trouvé coco bébé assis	Bambi go (Bambi partir) mail come (courrier arrivé) hit ball (frapper balle) block fall (bloc tomber) baby high-chair (bébé chaise-haute)	puppe kommt (poupée vient) tiktak hängt (tic-tac accroché) sofa sitzen (assis sofa) messer schneiden (couteau couper)	mama prua (maman marcher) papa bay-bay (papa dodo) korka upala (croûte tombée) nashla yaichko (trouver œuf) baba kreslo (mémé fauteuil)	pa'u pepe (tombée poupée) tapale 'oe (taper toi) tu'u lalo (mettre là)
Indiquer la possession	soulier moi robe maman	my shoe (mon soulier) mama dress (maman robe)	mein ball (ma balle) mama hut (maman chapeau)	mami chashka (tasse maman) pup moya (nombril moi)	lole a'u (bonbon moi) polo 'oe (balle toi) paluni mama (ballon maman)
Modifier, qualifier	beau chaton bébé joli	pretty dress (belle robe) big boat (gros bateau)	milch heiss (lait chaud) armer wauwau (pauvre chien)	mama khoroshaya (maman bonne) papa bol'shoy (papa gros)	fa'ali'i pepe (bébé têtu)
Question	où fusil	where ball (où balle)	wo ball (où balle)	gde papa (où papa)	fea Punafu (où Punafu)

* La liste des expressions enfantines en français a été ajoutée par le traducteur.
** Samoa est un archipel de l'Océanie

TABLEAU 9-1
Intentions véhiculées par les phrases à 2 mots dans le parler des enfants
Dans la plupart des langues, les toutes premières phrases prononcées par l'enfant servent à exprimer les mêmes intentions de base. (D'après Slobin, 1971)

suivante. Dans les deux cas, nous insisterons sur les unités propositionnelles et la syntaxe, car c'est à ce niveau du langage que se manifestent le plus clairement les questions importantes sur l'acquisition du langage.

IMITATION ET CONDITIONNEMENT L'une des possibilités dont il faut tenir compte est le fait que les enfants apprennent à parler par *imitation* des adultes. Même si elle joue probablement un rôle dans l'apprentissage des mots (l'un des parents désigne du doigt le téléphone, prononce le mot « téléphone » et l'enfant essaie de le répéter), l'imitation ne saurait représenter le moyen principal grâce auquel les enfants apprennent à produire et à comprendre des phrases. Les jeunes enfants disent constamment des choses qu'ils n'ont jamais entendu dire par un adulte, comme « Tout parti lait ». Même quand, au stade des énoncés de deux mots, ils s'efforcent d'imiter les phrases plus longues des adultes (par exemple, « Monsieur Gauthier va essayer »), les enfants émettent leurs énoncés télégraphiques habituels (« Gauthier essayer »). En outre, les erreurs qu'ils font — par exemple, « Les bonbons sontaient bons » — montrent qu'ils s'efforcent d'appliquer des règles précises et qu'ils n'essaient pas simplement de copier les adultes (Ervin-Tripp, 1964).

Des linguistes et des psychologues ont prétendu qu'il était *théoriquement impossible* qu'un enfant apprenne un langage par imitation. Ainsi on a estimé à 10^{20} le nombre de phrases de 20 mots que nous sommes en mesure de comprendre. Pour apprendre des phrases par imitation, un individu doit d'abord les entendre; or, si l'on prononçait 10^{20} phrases à vitesse normale, le temps qu'il faudrait pour les écouter dépasserait le nombre d'années d'existence de notre planète (Miller, 1965)!

Une deuxième possibilité est que les enfants acquièrent le langage par *conditionnement*. Il se peut que les adultes récompensent les enfants quand ceux-ci énoncent une phrase grammaticalement correcte (renforcement positif) et qu'ils les arrêtent ou les réprimandent (punissent) quand ils commettent des erreurs. Pour que cette méthode réussisse, il faudrait que les parents réagissent à chaque élément du discours d'un enfant. Or, Brown, Cazden et Bellugi (1969) ont remarqué que les parents ne portent pas attention à la façon dont l'enfant s'exprime, pourvu que son discours reste compréhensible. Les rares tentatives de correction du langage d'un enfant (et donc d'application du conditionnement) sont souvent vaines.

ENFANT: Personne pas aimer moi.
MAMAN: Non, dis « personne ne m'aime ».
ENFANT: Personne pas aimer moi.
MAMAN: Non, écoute bien: dis « personne ne m'aime ».
ENFANT: Ah! Personne pas M'AIME moi. (McNeill, 1966, p. 49)

VÉRIFICATION D'HYPOTHÈSES   Le problème inhérent à l'imitation et au conditionnement, c'est qu'ils ne peuvent s'appliquer qu'à des énoncés déterminés (on ne peut imiter ou renforcer qu'une chose précise), alors que souvent, les enfants apprennent quelque chose de général, comme une règle. C'est-à-dire qu'ils semblent se former une hypothèse en ce qui concerne une règle du langage, la mettent à l'épreuve et la retiennent si elle fonctionne.

Comment les enfants font-ils pour formuler des hypothèses? Des études récentes portent à croire qu'il y aurait un petit nombre de *principes d'opération* que tous les enfants utiliseraient comme guide pour la formulation d'hypothèses. L'un de ces principes consiste à faire attention à la terminaison des mots; un autre est de rechercher des préfixes et des suffixes qui indiquent un changement de signification. Le tableau 9-2 présente une liste de ces principes; ceux-ci semblent être valables pour quelque 40 langues étudiées par Slobin (1971, 1984).

Les enfants apprennent également des règles de syntaxe pour la mise en ordre des mots dans une phrase, des règles comme « *le sujet de la phrase précède le verbe* ». Mais comment l'enfant se familiarise-t-il avec les unités syntaxiques, telles que le *sujet de la phrase* et le *verbe*? Ce n'est pas par expérience directe, puisqu'un enfant qui écoute une phrase n'a accès qu'à une série de mots et aux concepts qu'ils désignent. Ce qui est le plus probable, c'est que l'enfant présume que les unités syntaxiques correspondent à des unités conceptuelles familières. Supposons qu'une petite fille tienne pour acquis que les verbes correspondent à des actions (une unité conceptuelle) et les sujets des phrases à des acteurs (une autre unité conceptuelle). Si l'enfant entend la phrase « Papa frappe la balle », elle peut constater que l'acteur précède l'action et, par conséquent, faire l'hypothèse que le *sujet de la phrase précède le verbe*. Cependant, le problème qu'on rencontre dans ce cas, c'est que les présumées correspondances ne tiennent pas toujours. Que fera cette enfant devant la phrase « Papa ressemble à pépé », phrase dans laquelle il n'y a ni action, ni acteur? Comme elle ne peut s'appuyer sur ses correspon-

TABLEAU 9-2
Principes d'opération utilisés par les jeunes enfants pour la formulation d'hypothèses *Les enfants de nombreux pays semblent suivre ces principes quand ils apprennent à parler et à comprendre la parole. (D'après Slobin, 1971)*

1. Chercher des changements systématiques dans la forme des mots.
2. Chercher des indices grammaticaux qui dénotent clairement des changements de signification.
3. Éviter les exceptions.
4. Porter attention aux terminaisons des mots.
5. Faire attention à l'ordre des mots, aux préfixes et aux suffixes.
6. Éviter l'interruption ou la réorganisation des éléments (c'est-à-dire des unités propositionnelles).

dances, l'enfant devra probablement s'en remettre à sa règle hypothétique : « Papa » doit être le sujet de la phrase et « ressemble » le verbe, puisque « papa » précède « ressemble ». Ainsi, l'enfant se sera haussée par elle-même au niveau des unités et des règles syntaxiques (Pinker, 1984).

Facteurs innés

Comme nous l'avons déjà fait remarquer, une partie de notre connaissance du langage nous est donnée à la naissance, elle est innée. L'ampleur et la nature de ce savoir inné prête cependant à controverse. L'une des questions qu'on se pose porte sur sa *richesse*. Si nos connaissances innées sont très riches, ou déterminées, il faudrait alors que toutes les langues humaines comportent de fortes ressemblances les unes aux autres (puisqu'elles s'appuieraient toutes sur la même connaissance héréditaire), et le mode d'acquisition du langage devrait être semblable pour les différentes langues. Une deuxième question relative aux facteurs innés porte sur les *périodes critiques*. Comme nous l'avons déjà indiqué au chapitre 7, l'un des traits communs à tous les comportements innés consiste à ne se manifester que si l'organisme est mis en présence des bons indices, au cours d'une période de temps critique. Existe-t-il de telles prériodes critiques pour l'acquisition du langage ? Les prédispositions innées au langage soulèvent une troisième question concernant la possibilité que le langage présente un *caractère unique* : la capacité d'apprendre un système linguistique est-elle réservée à l'espèce humaine ? Nous allons considérer ces 3 questions à tour de rôle.

SIMILITUDES DANS LES LANGUES ET DANS L'ACQUISITION DU LANGAGE   L'étude des diverses langues a révélé un certain nombre de traits particuliers qui pourraient être communs à *toutes* les langues. Illustrons ce fait par un exemple de Chomsky (1980a). En français comme en anglais, on peut transformer de simples phrases affirmatives en questions oui-non, comme dans :

> L'homme est ici. Est-ce que l'homme est ici ?
> L'homme va partir. Est-ce que l'homme va partir ?

Quelle est la règle qui décrit le passage de la forme affirmative à la forme interrogative ? Selon l'une des possibilités envisagées, cette règle ne porterait que sur des unités de mots et non pas sur des unités syntaxiques.

> Règle de mots : Reprendre la forme affirmative de gauche à droite jusqu'à la première occurrence de « est », « va », etc. ; pour obtenir la forme interrogative, transposer cette occurrence en début de phrase.

Selon une autre possibilité, la règle porterait sur une unité syntaxique, soit un syntagme nominal :

> Règle syntaxique : Reprendre la forme affirmative de gauche à droite jusqu'à la première occurrence de « est », « va », etc., *suivant le premier syntagme nominal* ; pour obtenir la forme interrogative, transposer cette occurrence en début de phrase.

Il est évident que c'est la règle syntaxique qui s'applique en français. Dans l'énoncé « L'homme qui est ici est grand », on attend la seconde occurrence de « est » — celle qui suit le syntagme nominal (« l'homme qui est ici ») — avant de transposer. Le même principe — à savoir que la règle pour transformer les énoncés ou phrases affirmatives en phrases interrogatives dépend des unités syntaxiques et non seulement des mots — s'applique à toutes les langues humaines qu'on a pu étudier. Ce caractère universel est remarquable si l'on songe qu'il existe des milliers de langues naturelles. On aurait pu penser que quelques langues auraient évolué de façon que la règle de mots, qui est la plus simple, permette d'effectuer la transformation. Or, *l'absence d'exceptions* nous permet de supposer que toutes les langues doivent se conformer à des contraintes innées déterminées.

L'ordre dans lequel se fait l'acquisition d'un langage offre une autre source de preuves à l'effet que notre connaissance innée du langage est effectivement très riche. Le cheminement (des mots isolés aux phrases à 2 mots, puis aux phrases complexes) est remarquablement le même chez tous les enfants, en dépit de grandes variations dans le langage des adultes qui les entourent. En effet, les enfants passent par le cours normal de l'acquisition du langage, même s'il n'y a pas d'usagers du langage autour d'eux pour leur servir de modèle. Un groupe de chercheurs ont étudié six enfants sourds, nés de parents capables d'entendre, lesquels avaient décidé que leurs enfants n'apprendraient pas le langage par signes. Avant de recevoir de l'information sur la lecture des lèvres et la vocalisation — en fait, avant même d'acquérir une connaissance de l'anglais, leur langue maternelle — ces enfants ont commencé d'eux-mêmes à employer un système de gestes, un *langage mimique naturel*, que l'on appelle en anglais « home sign ». Au début, ce langage était une sorte de pantomime, mais avec le temps, il avait pris les propriétés d'un vrai langage. Il était, par exemple, structuré tant au niveau de la syntaxe qu'au niveau des morphèmes, comprenant des signes individuels et des combinaisons de signes. En outre, ces enfants sourds (qui avaient essentiellement créé leur propre langage) avaient passé par les mêmes stades de développement que les enfants qui entendent normalement. C'est ainsi qu'au début, les enfants sourds transposaient dans les gestes un signe à la fois et, plus tard, ils combinaient leurs pantomimes en « phrases » de 2 et de 3 concepts. Ces résultats étonnants viennent appuyer la notion voulant que notre connaissance du langage soit en effet très particulière (Feldman, Goldin-Meadow et Gleitman, 1978).

PÉRIODES CRITIQUES   Comme les autres comportements innés, l'apprentissage du langage comporte des périodes critiques. Ce fait est particulièrement manifeste quand un individu acquiert le système phonique d'une nouvelle langue — c'est-à-dire quand il apprend de nouveaux phonèmes et leurs règles de combinaison. Les jeunes enfants apprennent facilement à parler une langue seconde sans accent, mais s'ils apprennent cette langue après l'âge de 13 ans, ils auront inévitablement un accent. Cette différence entre enfants et adultes ne saurait être attribuée au fait que les enfants connaissent une immersion plus complète dans le nouveau langage. En effet, même quand enfants et adultes ont un contact comparable avec une langue, ainsi qu'un temps de pratique égal, seuls les enfants s'expriment sans accent (Lenneberg, 1967).

L'existence d'une période critique pour l'apprentissage de la syntaxe ne s'appuie pas sur des preuves aussi convaincantes. Les données dont on dispose portent sur quelques enfants élevés dans des circonstances si misérables qu'ils n'ont pas pu apprendre une langue quelconque avant l'adolescence. Le cas le plus étudié est celui de « Genie », qui a connu une enfance d'une horreur inimaginable. Elle était âgée de 14 ans quand on l'a découverte. Apparemment, Genie avait, depuis l'âge de 20 mois, passé sa vie attachée à une chaise, sans qu'on lui ait jamais parlé. Elle n'avait eu pratiquement aucun contact social. Sa mère, aveugle, la nourrissait à la hâte et on la punissait si elle émettait un son. Il n'est donc pas étonnant que Genie n'ait acquis aucun langage. Après qu'on l'eut trouvée, des psychologues et des linguistes lui apprirent à parler (Fromkin et coll., 1974), mais au bout de quatre ans, elle n'avait pas encore acquis les compétences linguistiques de base, surtout au niveau de la syntaxe. Même si elle avait appris à se servir de plusieurs mots et à les réunir pour faire des phrases simples, Genie ne pouvait combiner les phrases pour formuler des propositions complexes. Dans ce cas précis, le principal facteur responsable du développement défectueux du langage semble être l'âge relativement tardif de l'acquisition, ce qui est conforme à la notion de l'existence d'une période critique pour l'apprentissage de la syntaxe.

Une autre espèce est-elle capable d'apprendre le langage humain?

Certains spécialistes sont d'avis que la capacité innée d'apprendre une langue est réservée à l'espèce humaine (Chomsky, 1972). Ils admettent que d'autres espèces disposent de systèmes de communication, mais ils soutiennent que ceux-ci sont différents des nôtres. Considérons le système de communication du chimpanzé. Le nombre de vocalisations et de gestes utilisés par cette espèce est limité et la *productivité* de son système de communication est très faible en comparaison du langage humain, lequel permet de combiner un nombre relativement petit de phonèmes en des milliers de mots et d'intégrer ces combinaisons de mots en un nombre illimité de phrases. En outre, le langage humain est structuré à plusieurs niveaux, alors que les communications du chimpanzé ne le sont pas. Plus particulièrement, il existe dans le langage humain une distinction nette entre le niveau des morphèmes, dont les éléments sont signifiants, et le niveau des sons, dont les éléments sont dépourvus de sens. Il n'y a aucun indice de l'existence d'une telle *dualité de structure* dans la communication du chimpanzé, car tout symbole est chez lui porteur d'une signification. Notons également que les chimpanzés ne font pas varier l'*ordre* de production de leurs symboles pour faire varier le sens de leurs messages, alors que nous le faisons. Par exemple, « Jonas a mangé la baleine » n'a pas du tout le même sens que « La baleine a mangé Jonas ».

« **Souviens-toi: tu ne parles ni de sexe ni de politique ni de religion.** »

Le fait que la communication du chimpanzé soit très pauvre comparativement à la nôtre ne signifie pas que les chimpanzés n'ont pas la capacité de se donner un système plus productif. Il se peut que leur système convienne à leurs besoins. Pour savoir si les chimpanzés ont la même capacité innée que nous, nous devons voir s'ils sont capables d'apprendre notre langage.

Jusqu'en 1970, les tentatives en vue d'apprendre aux chimpanzés à *parler* avaient été vaines. Ces échecs auraient pu, cependant, être attribuables aux aptitudes vocales limitées de ces singes plutôt qu'à des capacités linguistiques restreintes. Lors d'études plus récentes, on a essayé d'apprendre aux chimpanzés à communiquer avec leurs mains. Dans l'une des expériences les mieux connues, Gardner et Gardner (1972) ont enseigné à Washoe, un chimpanzé de sexe féminin, des signes adaptés d'après un système américain de langage par signes (American Sign Language). L'entraînement a commencé quand Washoe était âgée d'environ un an et s'est poursuivi jusqu'à ce qu'elle atteigne l'âge de cinq ans. Durant cette période, les préposés aux soins de Washoe ne communiquaient avec elle que par le langage des signes. Ils lui ont d'abord enseigné des signes par des procédés d'amorçage et de façonnement (shaping), attendant qu'elle fasse un geste qui ressemblait à un signe pour donner un renforcement. Plus tard, ils ont découvert que Washoe pouvait apprendre des signes s'ils plaçaient ses mains dans la bonne position et s'ils la guidaient dans l'exécution du mouvement voulu. Finalement, Washoe en arriva à apprendre des signes par simple observation et imitation (voir la figure 9-6).

À 4 ans, Washoe pouvait exécuter 130 signes différents et en comprendre encore davantage. Elle pouvait également généraliser l'application d'un signe d'une situation à une autre. Par exemple, elle a d'abord appris le signe de l'adverbe *plus* dans la situation *plus de chatouillement* et l'a ensuite généralisé pour indiquer *plus de lait*. Washoe n'est pas un cas unique, car d'autres chimpanzés ont acquis des vocabulaires comparables. Certaines études ont fait appel à des méthodes de communication manuelle autres que le langage par signes. Premack (1971) a enseigné à Sarah, un chimpanzé, à utiliser des symboles de matière plastique en guise de mots et à communiquer en manipulant ces symboles. Lana, un chimpanzé étudié par Rumbaugh (1977), communiquait par le truchement d'un clavier constitué d'une centaine de touches, chacune représentant un mot différent; Lana dactylographiait ses messages sur le clavier. Dans une série d'études semblables, Patterson (1978) a enseigné le langage des signes à un gorille, nommé Koko, qui commença son apprentissage à l'âge d'un an. À l'âge de 10 ans, Koko possédait un vocabulaire de plus de 600 signes (Patterson et Linden, 1981).

Ces études prouvent-elles que d'autres espèces — les grands singes — peuvent apprendre un langage humain? Il semble faire peu de doute que les signes utilisés par les singes sont l'équivalent de nos mots et que les concepts sous-jacents à ces signes correspondent aux nôtres. Mais des doutes sérieux subsistent quant à la possibilité pour les singes d'apprendre à combiner ces

FIGURE 9-6
Deux des signes de Washoe *Washoe produit le signe «sucré» pour sucette (à gauche) et «chapeau» pour tuque (à droite).*

signes de la façon dont les êtres humains combinent les mots pour former une phrase. Ainsi, les êtres humains ne sont pas seulement capables de réunir les mots «serpent», «Ève», «a tué» et «le» pour composer la phrase «Le serpent a tué Ève», mais ils peuvent également combiner les mêmes mots selon un ordre différent pour produire une phrase de sens différent: «Ève a tué le serpent». Malgré le fait que nous avons certaines preuves que les grands singes sont capables de réunir des signes selon un ordre qui ressemble à une phrase, il existe peu de données qui démontreraient qu'ils peuvent modifier l'ordre de ces mots dans le but d'obtenir une phrase différente (Slobin, 1979).

Même les données démontrant que les grands singes sont capables de former une phrase avec des signes ont été remises en cause. Dans les premiers travaux, les chercheurs avaient rapporté des cas où un singe produisait ce qui semblait être une séquence signifiante comme *Gimme flower* (Donne fleur) et *Washoe sorry* (Washoe regrette) (Gardner et Gardner, 1972). À mesure que les données s'accumulaient cependant, il devenait évident que, contrairement aux phrases humaines, les énoncés d'un chimpanzé étaient souvent très répétitifs. Ainsi, *you me banana me banana you* (toi moi banane moi banane toi) est une expression typique des chimpanzés qui utilisent des signes, mais elle serait bizarre si elle provenait d'un enfant humain. Ces énoncés sont tellement répétitifs que des chercheurs ont prétendu qu'ils étaient qualitativement différents des phrases humaines (Seidenberg et Petitto, 1979). Dans les cas où l'énoncé d'un singe ressemble plus à une phrase humaine, il se peut que l'animal imite tout simplement l'ordre des signes produits par son professeur humain. C'est d'ailleurs ce qui expliquerait que certains des énoncés de Washoe ressemblant le plus à des phrases ont été produits en réponse à une question; par exemple, le professeur avait fait les signes *Washoe manger?* et Washoe avait donné les signes *Washoe manger temps*. Ici, il se peut que la combinaison de signes donnée par Washoe n'ait été qu'une imitation partielle de la combinaison produite par son professeur, ce qui ne correspond pas du tout à la façon dont les enfants humains combinent les mots (Terrace et coll., 1979; voir Van Cantfort et Rimpau, 1982, pour la contrepartie).

Sans aucun doute, on va continuer de faire des recherches et de discuter pour savoir si les grands singes sont capables d'apprendre notre langage. Il est possible que de nouvelles méthodes d'entraînement parviennent à rendre les singes capables d'enchaîner les signes pour en faire des phrases, à l'instar de l'humain. Par ailleurs, la recherche à venir pourrait appuyer la conclusion voulant que, même si les singes sont capables de se former un vocabulaire humain, il leur est impossible d'apprendre à combiner leurs signes de façon systématique comme nous le faisons. Le cas échéant, nous aurions enfin des faits pour appuyer la croyance immémoriale à l'effet que le langage nous distingue des autres espèces.

PENSÉE IMAGÉE

Au début du chapitre, nous avons mentionné qu'en plus d'utiliser la pensée propositionnelle, nous pouvons penser selon un mode imagé, surtout en termes d'images visuelles. C'est sur cette pensée visuelle que nous nous arrêterons dans la partie qui va suivre.

Imagerie et perception

Bon nombre d'entre nous avons l'impression qu'une partie de notre pensée se fait visuellement. Souvent, il semble que nous récupérions les perceptions antérieures, ou des éléments de celle-ci, pour ensuite agir sur elles de la façon dont nous procéderions dans le cas d'une vraie perception. Par exemple, quand on leur demande « Quelle forme ont les oreilles d'un berger allemand ? », la plupart des gens rapportent qu'ils se font une image visuelle de la tête d'un berger allemand et qu'ils « regardent » ses oreilles pour décider de leur forme. Si on leur demande « Quelle est la nouvelle lettre qui apparaît quand on applique à un *N* majuscule une rotation de 90 degrés ? », les gens répondent qu'ils se font d'abord une image d'un *N* majuscule, puis la tournent « mentalement » de 90 degrés et la « regardent » pour l'identifier. Et si l'on demande aux gens de répondre à la question « Combien y a-t-il de fenêtres dans le living-room de vos parents ? », ils rapportent s'imaginer cette pièce et l'« explorer du regard » ensuite pour compter les fenêtres (Shepard et Cooper, 1982 ; Kosslyn, 1983).

En dépit du fait qu'ils reposent sur des impressions subjectives, les exemples que nous venons de donner permettent de supposer que l'imagerie ferait intervenir les mêmes processus et représentations qui servent à la perception. Nos images des objets et des lieux sont pourvues de détails visuels : nous voyons le berger allemand, le *N* ou le living-room de nos parents dans « l'œil de notre esprit ». De plus, les opérations mentales que nous faisons sur ces images semblent analogues aux opérations que nous exécutons sur des objets visuels réels : nous balayons du regard la pièce de la maison de nos parents à peu près de la même façon que nous explorerions une vraie pièce et nous faisons faire une rotation à l'image du *N* comme s'il s'agissait de l'objet réel.

Il est possible que ce soit parce qu'elle agit par l'intermédiaire des mêmes processus cérébraux que l'imagerie ressemble à la perception. Cette notion s'appuie sur l'étude de personnes qui ont subi des lésions cérébrales dans une certaine région de l'hémisphère droit. Ces patients finissent parfois par *négliger visuellement* le côté gauche ; malgré le fait qu'ils ne sont pas aveugles, ils ne tiennent aucun compte de tout ce qui se trouve du côté gauche de leur champ visuel. Un patient de sexe masculin peut par exemple oublier de raser le côté gauche de son visage. Cette *omission visuelle* s'étend jusqu'à l'imagerie. Quand on leur demande de se faire une image mentale d'un lieu familier (un centre commercial, par exemple) et de dire tout ce qu'il contient, il peut leur arriver de ne faire rapport que des choses qui se trouvent du côté droit de leur image (Bisiach et Luzzatti, 1978). La lésion cérébrale se traduit donc par un problème identique tant au niveau de la perception que de l'imagerie.

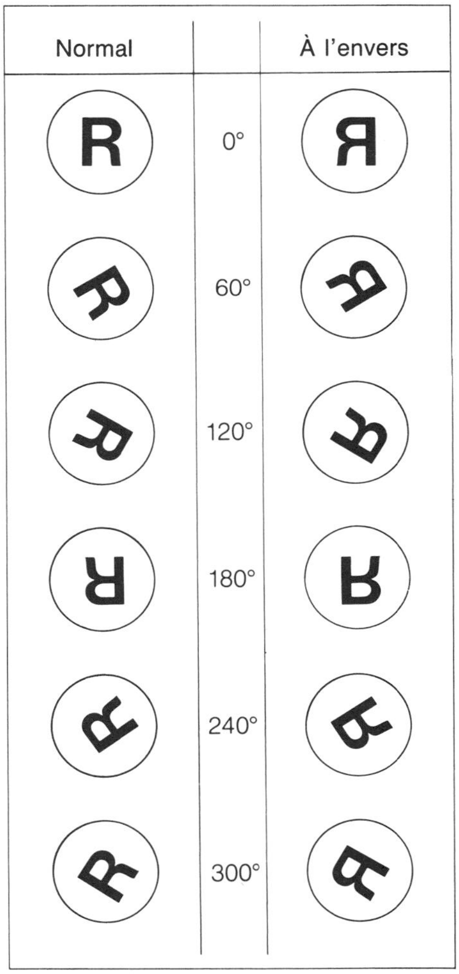

Opérations d'imagerie

Nous avons noté que nos opérations mentales sur des images semblent être analogues à celles que nous exécutons sur des objets visuels réels. De nombreuses expériences nous apportent des preuves objectives de ces impressions subjectives.

La rotation mentale est l'une des opérations mentales qui a été le plus étudiée. Dans une expérience, on faisait voir aux sujets la lettre majuscule R à chaque essai. La lettre était présentée soit sous son aspect normal, « R », soit en inversion, « Я », suivant son orientation verticale habituelle, ou après

Normal		À l'envers
R	0°	Я
Я	60°	Я
Я	120°	Я
Я	180°	Я
Я	240°	Я
Я	300°	Я

FIGURE 9-7
Étude de la rotation mentale   *On voit ici des exemples de lettres qui sont présentées à des sujets dans le cadre d'études sur la rotation mentale. À chaque essai, le sujet doit décider si la lettre est normale ou inversée. Les chiffres indiquent la déviation en degrés par rapport à la verticale. (D'après Cooper et Shepard, 1973)*

ANALYSE CRITIQUE

Localisation cérébrale

Étant donné que les facteurs innés jouent un rôle important dans l'acquisition du langage, il n'y a pas à se surprendre du fait que des régions du cerveau soient spécialisées dans le langage. Dans une Analyse critique du chapitre 2 (« Le langage et le cerveau »), nous avons parlé de la façon dont la lésion de certaines régions de l'hémisphère gauche entraînait l'*aphasie* ou des défectuosités de langage. Nous avons insisté alors sur la relation entre le site du dommage cérébral et le fait que le déficit qui en résulte porte surtout sur la production ou sur la compréhension. À présent, nous nous concentrerons sur la relation entre le site du dommage et le fait que le déficit touche la connaissance syntaxique ou la connaissance conceptuelle.

Comme nous l'avons vu au chapitre 2, il y a deux régions de l'hémisphère gauche du cortex qui sont critiques pour le langage : l'*aire de Broca*, qui se trouve dans les lobes frontaux, et l'*aire de Wernicke*, située dans la région occipito-temporale (voir la figure 2-9 et à la page 59). Un dommage subi par l'une ou l'autre de ces régions entraîne des types particuliers d'aphasie.

La transcription de l'interview suivante (où E désigne l'interviewer et P, le patient) servira à illustrer la perturbation du langage d'un patient souffrant de l'*aphasie de Broca* :

E : Faisiez-vous partie de la Garde côtière ?
P : Non, euh, oui, oui bateau Massachu chusetts Garde côtière années. [Lève les mains deux fois pour indiquer 19.]
E : Oh, vous avez fait partie de la Garde côtière pendant 19 ans ?
P : Oh... boy... exact... exact.
E : Pourquoi êtes-vous à l'hôpital ?
P : [Désigne du doigt son bras paralysé.] Bras pas bon. [Désigne sa bouche du doigt.] Parole pas capable dire parler, vous voyez.
E : Qu'est-ce qui est arrivé pour que vous perdiez la parole ?
P : Tête, tombé, Jésus Christ, moi pas bon, att, att Oh Jésus attaque.
E : Pourriez-vous me dire ce que vous avez fait à l'hôpital ?
P : Oui, certain. Moi aller, euh, euh, P.T. [Entraînement physique] neuf euh, parole deux fois lire écrite, euh, écrise, euh, écrire pratique dev-enir mieux.

(Adapté d'après Gardner, 1975, p. 61)

Le débit est très difficile. Les pauses et les hésitations abondent, même dans les phrases simples. On peut voir le contraste par rapport au débit facile d'un patient souffrant de l'*aphasie de Wernicke* :

Bon sang que je transpire, je suis très nerveux, vous savez, une fois de temps en temps on me rattrape. Je peux pas mentionner le tarripoi, il y a un mois, assez peu, j'ai fait beaucoup bien, j'impose beaucoup, alors que, d'un autre côté, vous savez ce que je veux dire, je dois me déplacer, l'examiner, trebbin et toute cette sorte de choses. (Adapté d'après Gardner, 1975, p. 68)

Outre la facilité du débit, les aphasies de Broca et de Wernicke présentent

une rotation de divers degrés (voir la figure 9-7). Le sujet devait décider si la lettre était normale ou inversée. Plus la rotation par rapport à la position verticale était importante, plus il lui fallait de temps pour arrêter une décision (voir la figure 9-8). Ces résultats indiquent que le sujet prenait sa décision en procédant à une rotation mentale de la lettre pour la ramener à la verticale, afin de vérifier ensuite si elle était normale ou inversée.

L'exploration d'un objet ou d'un étalage d'objets ou d'éléments visuels est une autre opération qui est semblable en imagerie et en perception. Dans une expérience sur l'exploration d'une image, les sujets étudiaient d'abord la carte d'une île fictive comportant différents points d'intérêt. On enlevait ensuite la carte et on demandait aux sujets de s'en faire une image et de fixer un site particulier (voir la figure 9-9). Puis, l'expérimentateur nommait un autre site. En partant du site qu'ils avaient fixé, les sujets devaient explorer leurs images jusqu'à ce qu'ils trouvent le site nommé et appuyer sur un bouton une fois « arrivés ». Plus la distance entre le point fixé et le site nommé était grande, plus les sujets prenaient de temps à répondre. Les réponses se faisaient attendre plus longtemps, par exemple, quand les deux points se trouvaient aux deux extrémités de l'île que lorsqu'ils étaient du même côté. Ces données suggèrent que les sujets exploraient leurs images à peu près de la même façon qu'ils explorent des objets réels.

d'autres différences marquées. Les propos de l'aphasique de Broca comptent surtout des mots à contenu. On y trouve peu de morphèmes grammaticaux et de phrases complexes et le parler a un caractère télégraphique qui évoque le stade à 2 mots de l'acquisition du langage. Le langage de l'aphasique de Wernicke respecte, au contraire, la syntaxe mais il est plutôt dépourvu de contenu. Il s'y présente des problèmes manifestes de repêchage du bon nom et parfois des mots sont inventés pour l'occasion (comme le sujet de notre exemple qui utilise « tarripoi » et « trebbin »). Ces constatations permettent de supposer que l'aphasie de Broca implique une perturbation du stade syntaxique, alors que l'aphasie de Wernicke impliquerait une perturbation au niveau des mots et des concepts.

Cette typologie des deux aphasies est d'ailleurs corroborée par l'expérimentation. Dans une étude pour évaluer un déficit syntaxique, des sujets devaient, à chaque essai, écouter une phrase et montrer qu'ils l'avaient comprise en choisissant (dans un ensemble) l'image qui décrivait cette phrase. Certaines phrases pouvaient se comprendre sans grand recours à des connaissances syntaxiques. Par exemple, si on dit « Le vélo tenu par le garçon est brisé », on peut s'imaginer que c'est le vélo qui est brisé et non pas le garçon, uniquement d'après la connaissance qu'on possède des concepts en cause. Par contre, la compréhension d'autres phrases exige une analyse syntaxique approfondie. Dans la phrase « Le lion chassé par le tigre est gras », on doit se fonder sur l'ordre des mots pour déterminer que c'est le lion et non pas le tigre qui est gras. Dans le cas

des phrases qui exigent peu d'analyse syntaxique, les aphasiques de Broca réussissent presque aussi bien que les normaux, donnant des scores se rapprochant de 90 % de bonnes réponses. Mais dans le cas de phrases nécessitant une analyse poussée, les résultats des aphasiques de Broca sont beaucoup plus faibles et tiennent plutôt de la devinette (par exemple, en présence de la phrase du lion et du tigre, ils sont aussi susceptibles de choisir l'image du tigre obèse que celle du lion obèse). En revanche, le rendement des aphasiques de Wernicke ne dépend pas des exigences syntaxiques de la phrase. On peut donc dire que contrairement à l'aphasie de Wernicke, l'aphasie de Broca semble résulter en partie d'une perturbation de la syntaxe (Caramazza et Zurif, 1976).

D'autres expériences ont permis d'évaluer le déficit conceptuel. Dans l'une de ces études, on présentait aux sujets 3 mots à la fois et on leur demandait de choisir les 2 mots ayant les sens les plus voisins. Ces mots comprenaient des termes relatifs aux animaux, comme « chien » et « crocodile », de même que des termes propres à l'être humain, comme « mère » et « chevalier ». Les sujets normaux s'appuyaient sur la distinction humains-animaux comme critère majeur de leurs choix ; si on leur donnait « chien », « crocodile » et « chevalier », par exemple, ils choisissaient les 2 premiers. Les patients de Wernicke, cependant, ne tenaient pas compte de cette distinction fondamentale. Bien que les aphasiques de Broca présentaient certaines différences par rapport aux normaux, leurs sélections respectaient du moins la distinction humain-animal. Le

déficit conceptuel est donc plus prononcé chez les aphasiques de Wernicke que chez les aphasiques de Broca (Zurif, Caramazza, Myerson et Galvin, 1974).

Même si les aphasies de Broca et de Wernicke sont les formes les plus communes d'aphasie, il en existe également d'autres types, chacune étant associée à une région précise de dommage cérébral. L'aphasie de conduction est un cas particulièrement intéressant. Le patient qui en est atteint témoigne d'une syntaxe et d'une connaissance conceptuelle qui sont relativement bonnes, mais il est incapable de répéter une phrase, ou quoi que ce soit, même un mot, qu'il vient d'entendre. Ainsi, après qu'on lui eut demandé à maintes reprises de répéter le simple mot « non », un malade finit par crier : « Non, non. Je vous ai dit que j'étais pas capable de dire non ! » et là encore, il ne pouvait prononcer ce mot isolément (Gardner, 1975). Ce symptôme bizarre a sa raison d'être si l'on considère que dans ce cas, c'est la région qui relie les aires de Broca et de Wernicke qui se trouve endommagée. Pour qu'une phrase parlée puisse être répétée, il faut d'abord qu'elle soit enregistrée dans l'aire de Wernicke et qu'elle passe ensuite à l'aire de Broca, où elle reçoit le cadre syntaxique nécessaire à sa production. Les voies de passage étant endommagées dans l'aphasie de conduction, la répétition se trouve perturbée, alors que la compréhension et la production restent intactes. Cette forme de raisonnement indique que la nature exacte du déficit de langage d'un patient peut servir au diagnostic de la région cérébrale précise qui a été endommagée (Geschwind, 1972).

Autre point commun entre les traitements de l'image mentale et de la perception : les deux sont limités par la *grosseur du grain de texture*. Sur un écran de télévision, par exemple, le grain du tube-image détermine dans quelle mesure les plus petits détails de l'image seront perceptibles et le resteront. Même s'il n'y a pas vraiment d'écran dans le cerveau, nous pouvons concevoir nos images comme si elles se produisaient sur un « interface » mental, dont le grain limiterait le nombre de détails que nous pouvons discerner dans une image. Si la dimension du grain est fixe, les plus petites images devraient alors être plus difficiles à examiner que les plus grandes. Un bon nombre de faits militent en faveur de cette hypothèse. Lors d'une expérience, des sujets devaient se former d'abord une image d'un animal familier — disons un chat. On leur demanda ensuite de décider si l'objet représenté possédait ou ne possédait pas une propriété donnée. Les sujets arrivèrent à une décision plus rapidement dans le cas de propriétés plus volumineuses, comme la tête, que dans celui de propriétés plus petites, comme les griffes. Dans une autre étude, on demanda à des sujets de s'imaginer un animal dans des formats différents — petit, moyen, gros. Les sujets avaient ensuite à décider si leurs images avaient une propriété donnée. Leurs décisions étaient plus rapides pour les images plus grandes que pour les plus petites. Ainsi, en imagination comme en perception, plus le grain est volumineux, plus il est facile d'apercevoir les détails d'un objet (Kosslyn, 1980).

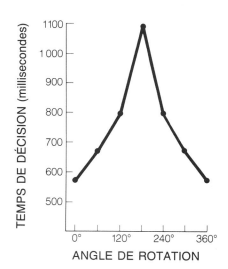

FIGURE 9-8
Temps de décision dans une étude de rotation mentale *Le plus long temps de décision, consacré à établir si l'orientation de la lettre est normale ou inversée, a été enregistré pour une rotation de 180°, soit lorsque la lettre avait la tête en bas. La rotation était faite dans le sens des aiguilles d'une montre à partir de la position debout (0°). (D'après Cooper et Shepard, 1973)*

FIGURE 9-9
Exploration d'images mentales *Le sujet explore l'image de l'île, du sud au nord, cherchant le site qu'on lui a nommé. On dirait que l'image mentale du sujet est comme une vraie carte et qu'il faut plus de temps pour l'explorer lorsque la distance à couvrir est plus grande. (D'après Kosslyn, Ball et Reiser, 1978)*

Créativité visuelle

Il existe d'innombrables anecdotes relatives à des hommes de science et à des artistes qui auraient exécuté leurs travaux les plus créateurs par le truchement de la pensée visuelle (voir dans Shepard, 1978). Bien qu'elles ne constituent pas des preuves rigoureuses, ces anecdotes n'en représentent pas moins les meilleures indications de notre pouvoir de pensée visuelle. Il est surprenant de constater que la pensée visuelle semble être assez productive dans des domaines comme les mathématiques et la physique. Albert Einstein, par exemple, a dit qu'il pensait rarement avec des mots. Il élaborait plutôt ses conceptions en termes d'« images plus ou moins claires qui peuvent être reproduites et combinées volontairement ». C'est peut-être en chimie qu'on rencontre l'exemple le plus célèbre. Friedrich Kekulé von Stradonitz s'efforçait de déterminer la structure moléculaire du benzène. Une nuit, il rêva qu'une forme toute contorsionnée comme un serpent se tournait soudainement sur elle-même, dessinant une sorte de boucle en mordant sa propre queue. Or, la structure du serpent était celle du benzène. Une image onirique avait résolu un problème scientifique important. Les images visuelles peuvent aussi représenter une force créatrice pour les écrivains. Le célèbre poème de Samuel Coleridge, « Kubla Khan », lui vint tout entier à l'esprit, dit-on, sous la forme d'une image visuelle prolongée.

LA PENSÉE EN ACTION: RÉSOLUTION DE PROBLÈMES

Pour bien des gens, l'action de résoudre un problème représente l'essence même de la pensée. En travaillant à la solution d'un problème, nous nous efforçons d'atteindre un but sans disposer de moyens immédiats pour y arriver. Il nous faut diviser l'objectif en sous-objectifs et peut-être diviser encore ces sous-objectifs en unités plus petites jusqu'à ce que nous parvenions à un niveau qui soit à notre portée (Anderson, 1985).

Nous pouvons illustrer ces points au moyen d'un problème tout simple. Supposons que vous devez trouver le code d'une serrure de coffre-fort. Vous savez déjà que la combinaison comprend 4 chiffres et que chaque fois que vous arriverez à l'un de ces chiffres, vous entendrez un bruit de déclic. Votre objectif global est de trouver le code. La plupart des gens décomposent cet objectif global en 4 sous-objectifs, chacun correspondant à la découverte de l'un des 4 chiffres du code. Votre premier sous-objectif est de découvrir le premier chiffre et vous disposez d'un moyen pour y arriver — à savoir, faire tourner la serrure lentement tout en écoutant pour déceler le son du déclic. Votre second sous-objectif est de trouver le second chiffre et vous pouvez utiliser le même moyen; il en va de même pour les sous-objectifs qui restent.

Les stratégies auxquelles les gens ont recours pour décomposer les objectifs en sous-objectifs constituent donc une question majeure dans l'étude de la résolution de problèmes. Une autre question porte sur la façon dont les gens se représentent mentalement un problème, car ce facteur a aussi une influence sur la rapidité avec laquelle on peut arriver à sa solution. Nous allons considérer ces deux questions dans l'ordre.

Stratégies de résolution de problèmes

Une bonne partie de ce que nous savons sur les stratégies pour la décomposition d'objectifs nous vient des recherches de Newell et Simon (voir, par exemple, Newell et Simon, 1972). Dans une expérience typique, les chercheurs demandent aux sujets de penser à voix haute pendant qu'ils s'efforcent de résoudre un problème difficile; les chercheurs analysent alors les réponses verbales des sujets pour y découvrir des indices relatifs à la stratégie sous-jacente. On a ainsi identifié un certain nombre de stratégies à objectif général.

L'une de ces stratégies consiste à réduire la différence entre notre *état actuel* dans une situation problématique et l'*état recherché* (l'objectif), dans lequel la solution est atteinte. Revenons au problème du code de la serrure. Au début, notre état initial ne comprend aucune connaissance de l'un ou l'autre des chiffres, alors que l'état recherché comprend la connaissance de chacun des 4 chiffres. Nous nous donnons par conséquent le sous-objectif de réduire la différence entre ces deux états; la découverte du premier chiffre atteint ce sous-objectif. Notre état actuel comprend la connaissance du premier chiffre. Il existe encore une différence entre notre état actuel et l'état recherché et nous pouvons la réduire en trouvant le second chiffre, et ainsi de suite. Ainsi, l'idée critique derrière la *réduction de la différence* est de nous fixer des sous-objectifs qui, une fois atteints, nous placent dans un état qui se rapproche de notre objectif global.

L'*analyse fin-moyens* est une stratégie semblable mais plus compliquée. Dans ce cas, nous comparons notre état actuel à l'état recherché afin d'identifier la différence la plus importante entre les deux; l'élimination de cette différence devient notre sous-objectif. Nous cherchons ensuite un moyen ou un procédé pour atteindre ce sous-objectif. S'il nous arrive de trouver un procédé et de constater par la suite que quelque chose dans notre état actuel nous empêche de l'appliquer, nous introduisons un nouveau sous-objectif en vue d'éliminer cet obstacle. Plusieurs situations de résolution de problèmes de sens commun s'accordent avec cette stratégie. En voici un exemple:

> Je veux conduire mon fils à la maternelle. Quelle est la différence la plus importante entre ce que j'ai et ce que je veux? C'est une question de distance. Qu'est-ce qui (quel procédé) élimine la distance? Ma voiture. Ma voiture est en panne. Qu'est-ce qu'il faut pour la réparer? Une nouvelle batterie. Qui a de nouvelles batteries? Mon garagiste. (D'après Newell et Simon, 1972, tel que cité dans Anderson, 1985, p. 211).

L'analyse fin-moyens est plus compliquée que la réduction de différences parce qu'elle nous permet d'entrer en action, même s'il en résulte une diminution temporaire de similitude entre notre état actuel et l'état recherché. Dans l'exemple précédent, il se peut que le garage se trouve dans la direction opposée de la maternelle. Le déplacement vers le garage accroîtrait donc temporairement la distance du but, mais cette étape n'en est pas moins essentielle à la résolution du problème.

Une autre stratégie consiste à travailler en partant du but et en s'en écartant de plus en plus. Cette tactique est particulièrement utile dans la résolution des problèmes mathématiques, comme celui qui est illustré par la figure 9-10. Voici le problème: étant donné que ABDC est un rectangle, prouvez que AD et BC ont la même longueur. En *travaillant à reculons*, on pourrait procéder comme suit:

> Qu'est-ce qui pourrait prouver que AD et BC sont de la même longueur? Je pourrais le prouver si j'étais capable de démontrer que les triangles ACD et BDC sont congrus. Je peux démontrer que ACD et BDC sont congrus, si je peux prouver que deux côtés de ces triangles et l'angle qui les réunit sont égaux (D'après Anderson, 1985, p. 216).

Ainsi, notre raisonnement procède de l'objectif global vers un sous-objectif (prouver que les triangles sont congrus), puis de ce sous-objectif vers un autre sous-objectif (prouver que les côtés et l'angle sont égaux) et ainsi de suite, jusqu'à ce que nous parvenions à un sous-objectif que nous avons un moyen direct d'atteindre.

Représentation du problème

Notre capacité de résoudre un problème ne dépend pas seulement de la stratégie que nous adoptons pour le décomposer, mais également de la façon dont nous nous le représentons. Dans certains cas, c'est un mode propositionnel, ou une représentation, qui se révèle le plus efficace; à d'autres moments, c'est une image visuelle qui fonctionne le mieux. En guise d'illustration, considérons le problème suivant:

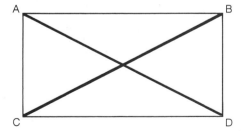

FIGURE 9-10
Illustration d'après un problème de géométrie *Étant donné que ABDC est un rectangle, prouvez que les segments AD et BC sont d'égale longueur.*

Un matin, au lever du soleil précisément, un moine commença à escalader une montagne. Un sentier étroit, de 30 à 60 centimètres de largeur, serpentait autour de la montagne vers un temple situé au sommet. Le moine montait en variant sa vitesse, s'arrêtant plusieurs fois en chemin pour se reposer. Il atteignit le temple un peu avant le coucher du soleil. Après avoir passé quelques jours dans le temple, il entreprit de descendre en suivant le même sentier; il se mit en marche au lever du soleil et, cette fois encore, il procéda à des vitesses différentes, faisant plusieurs pauses le long de son chemin. Bien sûr, sa vitesse moyenne de descente était plus grande que sa vitesse moyenne d'ascension. Prouvez qu'il existe un point particulier sur ce sentier où le moine a passé au même moment précis de la journée lors de ses deux voyages (Adams, 1974, p. 4).

Dans leur effort pour résoudre ce problème, la plupart des gens commencent par une représentation propositionnelle. Ils peuvent même essayer d'écrire une série d'équations et ils deviennent rapidement confus. Le problème est beaucoup plus facile à résoudre quand on se le représente visuellement. Il suffit de se former une image du parcours de l'ascension du moine et de la superposer sur une image du parcours de la descente. Imaginez un moine qui part du bas et un autre qui part du sommet. Peu importe leurs vitesses, à un moment donné, et à un endroit donné sur le sentier, les deux moines vont se rencontrer. Par conséquent, il faut qu'il y ait un endroit sur le sentier où le moine a passé au même moment précis de la journée lors de ses deux voyages. (Notez bien que la formulation du problème n'exige pas de situer cet endroit.)

Certains problèmes peuvent se résoudre par la manipulation soit des propositions, soit des images. On peut le constater au moyen du problème suivant : « Édouard court plus vite que David, mais plus lentement que Daniel; lequel est le plus lent des trois? » Notons que, pour résoudre ce problème en termes de proposition, nous pouvons représenter la première partie du problème sous la forme d'une proposition dont *David* sera le sujet et *est plus lent qu'Édouard*, le prédicat. Nous pouvons représenter la seconde partie sous la forme d'une proposition dont *Édouard* est le sujet et *est plus lent que Daniel*, le prédicat. Nous pouvons alors déduire que David est plus lent que Daniel, ce qui fait de David le plus lent des trois. Pour résoudre ce même problème par image visuelle, nous pourrions, par exemple, imaginer les vitesses des trois individus sous forme de points sur une ligne, comme ceci :

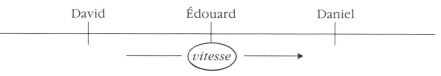

David   Édouard   Daniel

vitesse

Il suffit ensuite de « lire » la réponse à la question directement à partir de l'image. Apparemment, certaines personnes préfèrent se représenter les problèmes sous forme de propositions, d'autres ont tendance à se les représenter visuellement (Johnson-Laird, 1985).

Outre la question des propositions par opposition aux images, on s'interroge aussi sur la *nature* de ce qui est représenté. Souvent, nous éprouvons des difficultés avec un problème parce que nous omettons quelque chose de critique dans notre représentation ou, encore, parce que nous incluons dans cette représentation quelque chose qui n'est *pas* une partie importante du problème. Nous pouvons le démontrer au moyen d'une expérience. On a posé à des sujets le problème de faire tenir une chandelle contre une porte en n'utilisant que le matériel représenté dans la figure 9-11. La solution consistait à épingler la boîte comme base pour la chandelle. La plupart des sujets éprouvèrent des difficultés avec le problème, probablement parce qu'ils voyaient la boîte comme un récipient et non comme un point d'appui. On présenta le même problème à un autre groupe de sujets, sauf que cette fois les petits clous n'étaient pas dans la boîte, mais à l'extérieur de celle-ci. Ces sujets eurent plus de succès, probablement parce qu'ils étaient moins portés à inclure les propriétés de récipient de la boîte dans leur représentation et plus enclins à inclure ses propriétés de point d'appui.

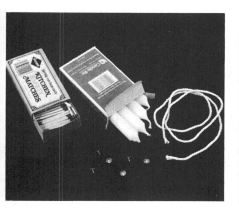 

FIGURE 9-11
Matériel fourni pour le problème de la chandelle *En utilisant le matériel représenté ici (à gauche), comment pouvez-vous faire tenir une chandelle contre une porte? La solution est représentée sur la photographie de droite.*

Comparaison entre experts et novices

Dans un domaine à contenu particulier (la physique, la géographie ou les échecs, par exemple), les experts résolvent les problèmes d'une façon qualitativement différente de celle des novices. Ces différences sont attribuables aux représentations et aux stratégies utilisées par les experts et par les novices. Les experts disposent de beaucoup plus de représentations précises en mémoire que ce qu'ils doivent consacrer à un problème. Un maître au jeu d'échecs peut, par exemple, jeter un regard de 5 secondes sur une configuration complexe d'échiquier de plus de 20 pièces et la reproduire à la perfection; dans la même situation, un novice ne peut que produire les 7 ± 2 éléments habituels (voir au chapitre 8). Si les experts peuvent accomplir ce prodige de mémoire, c'est que, grâce à des années de pratique, ils se sont formé des représentations de plusieurs configurations d'échiquier possibles; ces représentations leur permettent de mettre une configuration en code sous la forme d'un ou deux tronçons seulement. D'ailleurs, ces représentations sont probablement ce qui sert de base à leur maîtrise du jeu. Un maître pourrait avoir retenu en mémoire jusqu'à 50 000 configurations et il a appris ce qu'il faut faire quand chacune d'elles se présente. Ainsi, les maîtres joueurs d'échecs sont essentiellement capables de « voir » les jeux possibles; ils n'ont pas besoin d'y réfléchir comme le font les novices (Chase et Simon, 1973; Simon et Gilmartin, 1973).

Les experts ont des représentations différentes de celles des novices, même quand ils se trouvent face à un problème nouveau. Ce point est très bien démontré dans des études de résolution de problèmes en physique. Un expert (disons, un professeur de physique) se représente un problème en fonction des principes de physique nécessaires à sa solution : par exemple, « voilà un problème du type toute-action-est-suivie-d'une-réaction-égale-et-opposée ». Le novice (disons, un étudiant qui suit son premier cours de physique) a tendance, au contraire, à se représenter le même problème en fonction de ses caractéristiques de surface; par exemple, « c'est l'un de ces problèmes de plan incliné » (Chi, Glaser et Rees, 1982).

Les experts et les novices se distinguent aussi par les stratégies qu'ils emploient. Dans les études de résolution de problèmes de physique, les experts ont tendance à raisonner d'après les données du problème pour aller vers sa solution. Les novices sont portés à procéder en sens inverse (la stratégie « en travaillant à reculons »). De même, quand il s'agit de problèmes difficiles, les experts essaient généralement de formuler un plan d'attaque du problème avant de produire des équations, alors que les novices commencent généralement par écrire des équations sans avoir de plan général à l'esprit (Larkin, McDermott, Simon et Simon, 1980).

Simulation par ordinateur

Pour étudier la façon dont les gens résolvent les problèmes, les chercheurs ont souvent recours à la méthode de *simulation par ordinateur*. Après avoir demandé aux sujets de penser à voix haute pendant qu'ils travaillent à la solution d'un problème compliqué, les chercheurs utilisent leurs témoignages verbaux comme guide dans la programmation d'un ordinateur en vue de la résolution d'un problème. Le résultat donné par l'ordinateur peut ensuite être comparé à des aspects du rendement des sujets face à ce problème — la séquence des jeux dans une partie d'échecs, par exemple — afin de voir s'ils sont identiques. S'ils sont comparables, le programme de l'ordinateur constitue une théorie de certains aspects de la résolution de problèmes.

Pourquoi recourir aux ordinateurs pour comprendre les gens? La réponse la plus intéressante à cette question se trouve peut-être dans l'affirmation suivante de Simon: «La raison pour laquelle les êtres humains sont capables de penser vient de ce qu'ils sont capables d'exécuter avec des neurones les types de processus simples que les ordinateurs exécutent au moyen de circuits et de puces» (1985, p. 3). Ces processus simples comprennent la lecture, la production, l'entreposage et la comparaison de symboles; nous procédons d'une façon si les symboles sont semblables et d'une autre s'ils sont différents. Dans la mesure où il nous est possible de faire la simulation de la résolution de problèmes humains sur un ordinateur numérique, l'affirmation de Simon se trouve appuyée.

Pensez à ce qu'implique la tentative de composer un programme d'ordinateur qui simulerait la façon dont plusieurs d'entre nous résolvent des équations algébriques simples. Face à l'équation $3X + 4 = X + 10$, il est possible que vous ayez appris à raisonner comme suit:

> La solution de l'équation ressemble à un X suivi d'un signe = suivi d'un nombre, pas n'importe quel nombre, il faut que ce soit un nombre qui convienne à l'équation si je le replace à nouveau dans celle-ci. Si je débute par quelque chose qui a un nombre du côté gauche, là où je n'en veux pas, je serais mieux alors de m'en débarasser puisque j'essaie d'obtenir quelque chose avec un X, un signe = et un nombre. Par conséquent, avec $3X + 4 = X + 10$, je soustrais le 4 (je sais que je dois le soustraire des deux côtés). Alors, j'ai une nouvelle équation $3X = X + 6$. Mais je ne veux pas de X du côté droit de l'équation. Je le soustrais donc et maintenant j'ai $2X = 6$. Maintenant, je ne veux pas 2X, mais plutôt un simple X du côté gauche de l'équation; je divise donc par 2. J'ai alors $X = 3$ (d'après Simon, 1985, p. 6).

Le raisonnement qui précède se résume en 4 règles:

1. S'il y a un nombre du côté gauche de l'équation, soustrayez-le des 2 côtés.
2. S'il y a un X du côté droit de l'équation, soustrayez-le des 2 côtés.
3. S'il y a un nombre devant le X du côté gauche de l'équation, divisez les 2 côtés de l'équation par ce nombre.
4. Si vous arrivez à une équation qui ressemble à $X = Nombre$, arrêtez et vérifiez votre réponse.

Même si vous ne vous répétez pas explicitement ces règles, elles sont vraisemblablement à la base de votre habileté à résoudre des équations algébriques. Ces règles peuvent facilement être transposées dans un programme d'ordinateur. Un programme est tout simplement un ensemble de directives (écrit dans un langage créé pour un ordinateur) qui précise chacune des opérations que la machine doit exécuter. Nos règles peuvent être conçues comme des directives. La simulation exige donc que nous soyons d'abord précis sur les connaissances en cause et que nous les traduisions ainsi dans le langage de l'ordinateur.

La simulation par ordinateur n'a pas échappé à la critique. Certains prétendent que nous n'en savons pas encore assez sur les processus mentaux de l'être humain pour pouvoir évaluer les programmes d'ordinateur. Comment pouvons-nous, par exemple, être assuré du fait que la mémoire de l'ordinateur ressemble à la mémoire humaine? D'autres ont remis en question l'analogie fondamentale entre les ordinateurs et les êtres humains: les ordinateurs, disent-ils, ne peuvent faire que ce qu'ils ont été programmés à faire. Toutefois, il est fort possible que l'être humain ne soit lui aussi capable de faire uniquement ce que l'hérédité et l'expérience l'ont «programmé» à faire. Une autre objection fait valoir que le substrat physique de la pensée humaine, le cerveau, est très différent de l'organisation de circuits électriques d'un ordinateur. De toute évidence, il y a une différence physique entre un cerveau et un ordinateur, mais ils peuvent se ressembler dans la façon dont ils sont structurés et dont ils fonctionnent. La question reste ouverte à savoir dans quelle mesure on pourrait se fier à l'ordinateur pour servir de guide pour l'analyse de la vie mentale de l'être humain.

Dans certains passages de ce chapitre sur la pensée et le langage humains, nous avons soulevé des questions sur l'existence des habiletés linguistiques chez les espèces non humaines. Nous avons considéré les grands singes qui parlent presque et les ordinateurs qui semblent penser. Ces propos et les comparaisons auxquelles ils donnent lieu laissent supposer que nous pouvons améliorer notre compréhension de l'intelligence humaine en la comparant à l'intelligence qui n'est pas humaine, quelle soit naturelle ou issue de notre propre conception.

RÉSUMÉ

1. La pensée se produit selon différents modes, y compris le *propositionnel*, l'*imaginaire* et le *moteur*. L'élément fondamental d'une proposition est un *concept*, soit l'ensemble des propriétés que nous associons à une catégorie. Un concept comprend à la fois un *prototype* (les propriétés qui en décrivent les meilleurs exemples) et un *noyau* (les propriétés qui sont les plus essentielles pour l'appartenance à un concept). Les propriétés de noyau jouent un rôle majeur dans les concepts *classiques*, tels que le concept de *célibataire*; les propriétés de prototype dominent dans les concepts *flous*, tels que *oiseau*.
2. Les enfants apprennent souvent le prototype d'un concept au moyen de la *stratégie de l'exemple*. Selon cette technique, un élément nouveau est classé comme une actualisation d'un concept, s'il ressemble suffisamment à un exemple connu de ce concept. En vieillissant, les enfants ont recours à la *vérification d'hypothèses* comme stratégie alternative pour l'apprentissage de concepts. Les concepts peuvent être combinés pour former des *propositions*, chaque proposition contenant un *sujet* (par exemple, *le meunier*) et un *prédicat* (par exemple, *est endormi*).
3. Dans le raisonnement, nous organisons nos propositions pour constituer une argumentation. Certains raisonnements sont *déductivement valides*: il est impossible que leurs conclusions soient fausses, si les prémisses sont vraies. Quand nous évaluons un raisonnement déductif, nous tentons souvent de prouver que la conclusion suit les prémisses, en nous fondant sur des règles logiques. À d'autres moments, toutefois, nous nous en remettons à l'*heuristique* — méthode empirique — qui agit sur le contenu des propositions plutôt que sur leur forme logique.
4. Certains raisonnements sont *solides sur le plan inductif*: il est improbable que la conclusion soit fausse si les prémisses sont vraies. En élaborant et en évaluant de tels raisonnements, souvent nous ne tenons pas compte des principes de la théorie de la probabilité et nous nous appuyons plutôt sur l'heuristique qui concerne la similitude ou la causalité. Nous pouvons évaluer, par exemple, la probabilité qu'une personne appartienne à une catégorie en déterminant la ressemblance entre cette personne et le prototype de la catégorie.
5. Le langage, le moyen que nous utilisons pour communiquer les propositions, est structuré à 3 niveaux. Au niveau supérieur, on a les unités propositionnelles, qui comprennent les syntagmes qui peuvent être associés à des unités de propositions. Le niveau suivant est celui des unités sémantiques fondamentales; elles comprennent les mots et les parties de mots qui véhiculent des significations. Le niveau inférieur contient les sons parlés. Les syntagmes d'une phrases sont constitués de mots et d'autres unités sémantiques fondamentales, alors que les unités sémantiques fondamentales sont elles-mêmes constituées de sons parlés.
6. Un *phonème* est une catégorie de sons parlés. Toute langue possède son propre ensemble de phonèmes et de règles pour les combiner sous forme de mots. Un *morphème* est la plus petite unité de signification. La plupart des morphèmes sont des mots; d'autres sont des préfixes et des suffixes qui sont ajoutés aux mots. Un langage a aussi des règles *syntaxiques* pour la combinaison de mots en syntagmes et de syntagmes en phrases.

7. Le développement du langage se fait aux 3 niveaux. Les nouveau-nés arrivent au monde prédisposés à l'acquisition de phonèmes, mais il leur faut plusieurs années pour apprendre les règles de combinaison. S'ils veulent communiquer un concept qui n'a pas encore reçu de nom, ils peuvent « *étirer* » le sens d'un concept apparenté de façon qu'il recouvre ce nouveau concept (par exemple, ils utiliseront « chien-chien » pour désigner des chats et des vaches). Dans leur apprentissage de la production de propositions, les enfants commencent par des énoncés d'un seul mot, passent ensuite à un *parler télégraphique* à 2 mots, puis élaborent des phrases comportant un nom et un verbe.

8. Les enfants acquièrent le langage surtout par vérification d'hypothèses. Les hypothèses des enfants semblent guidées par un petit ensemble de *principes opérationnels*, qui attirent leur attention sur les caractéristiques importantes des énoncés, telles que les terminaisons de mots. Des facteurs innés jouent également un rôle dans l'acquisition du langage. Notre connaissance innée du langage est apparemment très riche, comme permet de le supposer le fait que toutes les langues ont des traits en commun ; en outre, tous les enfants semblent passer par les mêmes stades lors de leur acquisition d'un langage. Tout comme les autres comportements innés, certaines compétences linguistiques ne s'acquièrent qu'au cours d'une *période critique* (pour parler une langue sans accent, il faut l'acquérir avant la puberté).

9. La question de savoir si notre capacité innée d'apprentissage linguistique est unique ou non à notre espèce prête à controverse. Des études récentes semblent indiquer que les chimpanzés et les gorilles sont capables d'apprendre des signes qui sont les équivalents de nos mots, mais qu'ils éprouvent de la difficulté à apprendre à combiner ces signes de façon systématique, comme le font les êtres humains. La constatation que des facteurs innés jouent un rôle important dans l'acquisition du langage s'accorde bien avec le fait qu'il existe des régions du cerveau humain qui sont spécialisées dans le langage. Ces régions comprennent l'*aire de Broca*, qui servirait de substrat à la syntaxe, et l'*aire de Wernicke*, qui semble concerner les concepts et la signification.

10. Toutes les pensées ne sont pas exprimées sous forme de propositions ; certaines se manifestent sous forme d'images visuelles qui comportent la même sorte de détails visuels qu'on trouve dans les perceptions. De plus, les dommages visuels qui occasionnent certains problèmes de perception, telle l'*omission visuelle*, causent également des problèmes comparables dans l'imagerie. D'ailleurs, les opérations mentales effectuées sur les images (telles l'exploration et la rotation) sont semblables aux opérations effectuées sur les perceptions.

11. La résolution de problèmes exige la décomposition d'un objectif en sous-objectifs plus faciles à réaliser. Parmi les stratégies utilisées pour ce type de décomposition, on a : la *réduction des différences* entre l'*état actuel* et l'*état recherché*, l'*analyse fin-moyens* (pour l'élimination des différences les plus importantes entre l'état actuel et l'état recherché) ; et le *travail à reculons*. Certains problèmes sont plus faciles à résoudre si l'on utilise une représentation propositionnelle ; pour d'autres problèmes, c'est la représentation visuelle qui est la plus efficace.

12. Dans la résolution des problèmes, la différence entre les experts et les novices se manifeste de 3 façons : les premiers disposent de plus de représentations applicables au problème ; ils se représentent les nouveaux problèmes en fonction de principes de résolution plutôt que de caractéristiques superficielles ; et ils ont tendance à procéder de l'avant plutôt qu'à rebours dans leur raisonnement. La *simulation par ordinateur*, qui consiste à essayer de composer un programme d'ordinateur capable de résoudre les problèmes de la même façon que l'humain, est une méthode utile pour la résolution de problèmes.

BATESON, G. *La nature et la pensée*, Paris, Seuil, 1984.

BRESSON, F., JODELET, F. et MÉALARET, G.-G. « Langage, communication et décision ». Dans P. Fraisse et J. Piaget, *Traité de psychologie expérimentale*, volume VIII, Paris, P.U.F., 1966.

CHOMSKY, N. *Langage et pensée*, Paris, Payot, 1970.

COSTERMANS, J. *Psychologie du langage*, Bruxelles, Pierre Mardaga, 1981.

HALL, E.T. *Le langage silencieux*, Montréal, HMH, 1973.

LAURENDEAU, M. et PINARD, A. *La pensée causale*, Paris, P.U.F., 1962.

LEFEBVRE-PINARD, M. « Existe-t-il des changements cognitifs chez l'adulte ? » *Revue québécoise de psychologie*, 1 (2), 1980, p. 58-69.

OLÉRON, P. *Langage et développement mental*, Bruxelles, Dessart, 1972.

PENFIELD, W. et ROBERTS, L. *Langage et mécanismes cérébraux*, Paris, P.U.F., 1963.

ROUDAL, J.A., HENROT, F. et CHARLIER, M. *Le langage des signes*, Bruxelles, Pierre Mardaga, 1982.

SINGER, J.L. et SWITZER, E. *Les fantasmes créateurs*. Montréal, Éditions du Centre interdisciplinaire de Montréal, 1979.

SMITH, F. *La compréhension et l'apprentissage*, Montréal, Éditions HRW ltée, 1979.

SPITZ, R. *De la naissance à la parole*, Paris, P.U.F., 1965.

WATZLAWICK, P., BEAVIN, J.H. et JACKSON, D.D. *Une logique de la communication*, Paris, Seuil, 1972.

WATZLAWICK, P. *La réalité de la réalité*, Paris, Seuil, 1978.

WYATT, G.L. *La relation mère-enfant et l'acquisition du langage*, 2ᶜ éd., Bruxelles, Dessart, 1973.

LECTURES SUGGÉRÉES

Cinquième partie

RALPH GIBSON
La main enchantée, 1969

Épreuve sur papier aux sels d'argent
et gélatine, 12 $\frac{1}{2}$ x 8$\frac{3}{8}$.
Collection, The Museum of Modern Art,
New York. Don du photographe.

MOTIVATION ET ÉMOTION

Motivations fondamentales

Ayant traité des *aptitudes* de l'humain — apprendre, se souvenir, penser, par exemple — nous allons maintenant considérer ses *motivations*, terme qui désigne les désirs et les besoins. Dans le cadre de cette étude, nous nous intéresserons aux facteurs qui donnent au comportement sa *direction* et son *énergie*. Un organisme affamé oriente son comportement vers la nourriture et un organisme assoiffé vers quelque chose à boire. Les deux s'engagent plus vigoureusement dans l'action que les organismes qui ne sont pas motivés.

Mais la faim et la soif ne sont que deux exemples parmi une multitude de motivations possibles. Dans ce chapitre, nous traiterons des motivations *fondamentales* — motivations qui ne sont pas le résultat d'un apprentissage et que les êtres humains ont en commun avec les autres animaux. Ces motivations fondamentales semblent se répartir en plusieurs types: l'un correspond aux besoins de *survivance* de l'individu, comme la faim et la soif; un deuxième porte sur des besoins *sociaux* d'origine biologique, comme la sexualité et le comportement maternel; un troisième fait intervenir des motivations de *curiosité*, lesquelles ne sont pas directement liées au bien-être de l'organisme. L'une des questions fondamentales consiste à déterminer ce que les motivations d'un même type ont en commun. Est-ce que les motivations qui correspondent, par exemple, aux besoins de survivance agissent d'après les mêmes principes? S'il en est ainsi, l'un ou l'autre de ces principes s'appliquerait-il aux autres types de motivation fondamentale? Nous aborderons chacune de ces questions au cours de notre exposé.

MOTIVATIONS DE SURVIVANCE ET HOMÉOSTASIE

Nature de l'homéostasie

Plusieurs motivations de survivance fonctionnent selon le principe de l'*homéostasie*, c'est-à-dire la tendance qui pousse le corps à maintenir un milieu intérieur constant face aux changements de l'environnement extérieur. L'individu en santé maintient une température corporelle qui ne varie que d'un degré ou deux, même si la température ambiante peut varier de plus de 100 degrés. De même, une personne en santé conserve une quantité relativement constante d'eau dans son corps, en dépit de variations considérables de la disponibilité de l'eau dans l'environnement. Ces mécanismes de constance interne sont essentiels à la survie, puisqu'une température corporelle qui se situerait substantiellement au-dessus ou au-dessous de la normale pendant des heures pourrait entraîner la mort, tout comme une privation totale d'eau durant 4 ou 5 jours.

Le thermostat est un exemple de système homéostasique mécanique. Son rôle est de maintenir la température de la maison (le milieu interne) relativement constant alors que la température à l'extérieur de la maison (l'environnement externe) varie. Le fonctionnement d'un thermostat peut nous en apprendre beaucoup sur les principes de l'homéostasie, comme l'illustre le schéma de la partie supérieure de la figure 10-1. La température de la pièce

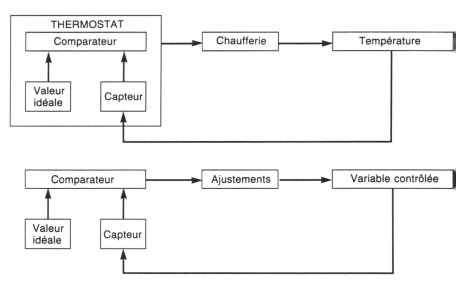

FIGURE 10-1
Systèmes homéostasiques *La partie supérieure de la figure illustre le fonctionnement d'un thermostat. C'est la température de la pièce qui alimente (input) le thermostat; à cet endroit, un capteur enregistre la température afférente et la compare à une valeur idéale (recherchée). Si la température mesurée par le capteur est inférieure à la valeur idéale, le mécanisme de chauffage est déclenché. La partie inférieure de la figure décrit le fonctionnement d'un système homéostasique en général. Le système consiste dans une variable contrôlée, des capteurs qui enregistrent cette variable et un comparateur qui jauge la variable captée par rapport à une valeur idéale, tout écart déclenchant des ajustements.*

exerce une action afférente (« input ») sur le thermostat. Ce dernier contient différents éléments : un *capteur* servant à mesurer la température de la pièce, une *valeur idéale* correspondant à la température recherchée et un *comparateur* permettant de comparer la température indiquée par le capteur et la température correspondant à la valeur idéale. Si la température donnée par le capteur est inférieure à la valeur idéale, le mécanisme déclenche l'appareil de chauffage; cette action contribue à élever la température de la pièce jusqu'à ce qu'elle corresponde à la valeur idéale, le thermostat coupant alors le chauffage.

Comme on peut le voir sur le schéma de la partie inférieure de la figure 10-1, il est possible d'étendre cette description à tous les systèmes homéostasiques. Au centre du système, on a une variable particulière qui se trouve contrôlée (comme la température de la pièce dans l'exemple du thermostat). Pour contrôler cette variable, le système dispose d'une valeur idéale de la variable, de capteurs qui mesurent la variable, d'un comparateur (ou régulateur central) et d'ajustements programmés que le système effectue quand la variable prend une valeur supérieure ou inférieure à la valeur idéale (comme le fait de déclencher ou de couper le mécanisme de chauffage). Ce cadre nous permet de comprendre un certain nombre de motivations humaines. Dans le cas du contrôle de la température corporelle, la variable qui fait l'objet d'un réglage est la température du corps; dans le cas de la soif, ce sont les quantités d'eau dans les cellules et dans le sang qui sont les variables contrôlées; et pour la faim, les nombreuses variables à contrôler correspondent à divers produits de la digestion (le sucre dans le sang, les graisses, et ainsi de suite). Dans chacun de ces cas, des capteurs sensoriels disséminés dans le corps décèlent les écarts par rapport aux valeurs idéales et déclenchent des ajustements qui corrigent le déséquilibre. Lorsqu'ils étudient ces systèmes homéostasiques, les chercheurs s'efforcent de déterminer où se situent les capteurs sensoriels, de découvrir les ajustements possibles et d'identifier la région du cerveau qui joue le rôle de comparateur.

Nous pouvons nous servir du cadre homéostasique pour marquer une distinction entre les concepts de *besoin* et de *tendance*. Un besoin est tout écart physiologique par rapport à la valeur idéale; sa contrepartie psychologique est une tendance, soit un état d'activation ou une impulsion qui résulte du besoin. Si on prend la faim comme exemple, un besoin surgit quand le niveau du sucre dans le sang descend plus bas qu'une valeur idéale. Ce déséquilibre physiologique peut se corriger automatiquement par l'action du pancréas transmettant au foie un signal de libération du sucre dans le flot sanguin. Mais quand ces mécanismes automatiques deviennent incapables de maintenir un état d'équilibre, une tendance se déclenche et l'organisme en état d'activation prend les moyens nécessaires pour rétablir l'équilibre (il recherche des aliments à haute teneur en sucre).

Le contrôle de la température en tant que système homéostasique

De toutes les motivations humaines, c'est la capacité de se maintenir à une température confortable qui représente le cas le plus patent d'un système homéostasique. Même si le contrôle de la température n'est pas le prototype idéal de ce que nous entendons par motivation, ce type de contrôle est essentiel à la survie. Nos cellules ne peuvent fonctionner qu'à l'intérieur de certaines limites de température : au-dessus de 45°C, la plupart des protéines dans nos cellules deviennent inactives et ne peuvent remplir leurs fonctions ; au-dessous de 0°C, l'eau que contient les cellules commence à former des cristaux de glace qui détruisent ces mêmes cellules.

La variable contrôlée est la température du sang, qui est habituellement le reflet exact de la température corporelle. Il y a des capteurs de température sanguine dans la bouche (nous pouvons goûter les aliments chauds et les aliments froids), dans la peau (nous pouvons sentir le chaud et le froid), dans la moelle épinière et dans le cerveau. La principale région du cerveau en cause est l'*hypothalamus*, un petit regroupement de noyaux cellulaires situé à la base du cerveau et directement relié à l'hypophyse et à d'autres parties du cerveau (voir à la figure 2-7, p. 41). En plus de contenir des capteurs sensoriels, la région antérieure de l'hypothalamus semble être le site du comparateur et de la valeur idéale de température (plus précisément, une *zone* idéale de température). L'hypothalamus antérieur fonctionne donc comme un thermostat. Quand on détruit cette région chez le rat, l'animal ne peut plus contrôler sa température. Et si l'on réchauffe l'hypothalamus antérieur directement (au moyen d'un fil implanté dans cette structure), la température corporelle du rat baisse, même si le corps lui-même n'est pas chaud (Barbour, 1912) ; en réchauffant l'hypothalamus, on a « trompé » le reste du corps à propos de sa température. (Ce procédé est analogue à l'application d'une source d'air chaud directement sur un thermostat ; même si la température de la pièce est déjà fraîche, le thermostat est induit en erreur et fait baisser la température.)

Une fois qu'il a constaté que la température du corps se situe en dehors d'une zone idéale, le thermostat hypothalamique peut exécuter une variété d'ajustements, dont certains sont des réactions physiologiques automatiques. Si la température corporelle est trop élevée, les capillaires de la peau peuvent se dilater, ce qui a pour effet d'accroître la quantité de sang chaud juste sous la surface de la peau. La chaleur additionnelle irradie alors à partir de la peau, ce qui abaisse subséquemment la température du sang. La transpiration est un autre moyen physiologique d'élimination de la chaleur dans le cas des espèces dotées de glandes sudoripares qui recouvrent tout leur corps (tels que les êtres humains, les chevaux et le bétail). Les espèces dotées de glandes sudoripares dans la langue (les chiens, les chats, les rats) vont haleter pour dégager de la chaleur. Quand la température s'abaisse trop, le premier ajustement physiologique est une constriction des capillaires de la peau ; ceci retire le sang de la périphérie froide et conserve la chaleur pour les organes vitaux. Le corps produit également de la chaleur en frissonnant.

En plus des réactions physiologiques, nous faisons également des ajustements de comportement. Lorsque nous avons froid ou que nous nous sentons frileux, nous endossons un vêtement additionnel ou recherchons un endroit plus chaud ; quand nous avons trop chaud, nous enlevons des vêtements ou cherchons un endroit plus frais. Ces ajustements de comportement sont différents des ajustements physiologiques sous plusieurs aspects. D'une part, les ajustements comportementaux sont des actes volontaires dont nous nous tenons responsables, alors que les ajustements physiologiques sont des réactions involontaires que nous attribuons plutôt aux parties de notre corps (nos glandes sudoripares, par exemple). Nos corps font un ajustement physiologique en réaction à un besoin physique (un déséquilibre biologique) et nous faisons un ajustement de comportement en réaction à une tendance. D'autres part, les ajustements physiologiques affectent directement le milieu intérieur, alors que les ajustements comportementaux affectent l'environnement extérieur (en mettant un chandail, on se protège de l'air frais), qui à son tour influence le milieu interne. Les deux mécanismes responsables de ces ajustements semblent être situés dans des régions différentes de l'hypothalamus : l'aire préoptique contrôle nos changements physiologiques, alors que l'aire latérale contrôle notre comportement (Satinoff et Rutstein, 1970 ; Satinoff et Shan, 1971).

La soif en tant que système homéostasique

Le contrôle de la consommation d'eau est un autre facteur critique de notre survie. En effet, l'eau est un des éléments importants de notre constitution. Elle représente plus de la moitié de notre masse ; c'est la composante principale du sang et de la plupart des tissus, servant au transport des nutriments et de l'oxygène jusqu'aux tissus, de même qu'à l'évacuation des déchets. Mais nous perdons constamment de l'eau — soit par évaporation à la surface des poumons, soit par transpiration et miction. Nous devons donc remplacer nos pertes d'eau en quantité adéquate.

Le système homéostasique de la soif est plus complexe que celui de la température parce que notre corps doit contrôler 2 variables : la quantité d'eau à l'intérieur des cellules du corps (*le liquide intracellulaire*) et la quantité qui se trouve à l'extérieur des cellules, le sang y compris (*le liquide extracellulaire*). Nous allons étudier ces deux variables contrôlées, l'une après l'autre.

La perte de liquide intracellulaire résulte généralement d'une plus forte concentration de sodium dans l'eau qui se trouve à l'extérieur des cellules que dans l'eau intracellulaire. Comme le sodium ne peut pas traverser les membranes cellulaires, l'eau sort des cellules par osmose (une pression qui contribue à équilibrer la concentration de sodium des deux côtés de la membrane). Alors que toutes les cellules peuvent se déshydrater, certaines d'entre elles seulement jouent le rôle de capteurs. Ce sont les *osmorécepteurs* (appelés ainsi à cause de leur lien avec l'osmose), qui sont situés dans l'hypothalamus et qui réagissent à la déshydratation en déformant et en se ratatinant légèrement. C'est ainsi que, malgré que la variable à contrôler soit l'eau, ce sont des changements dans la forme et la dimension des cellules que les capteurs détectent. Il se peut que la région antérieure de l'hypothalamus contienne, en plus des capteurs, le comparateur et les valeurs idéales qui se rapportent à la perte du liquide intracellulaire.

Une fois qu'il a détecté ces changements, l'hypothalamus déclenche les ajustements homéostasiques. L'ajustement physiologique comporte la récupération de l'eau à partir des reins, avant son élimination sous forme d'urine. Plus précisément, l'activité nerveuse des osmorécepteurs stimule la libération par la glande pituitaire (située immédiatement au-dessous de l'hypothalamus) de l'hormone antidiurétique (ADH). L'ADH commande les reins de façon qu'ils libèrent de l'eau qui retourne dans la circulation sanguine et qu'ils ne produisent que de l'urine très concentrée. (Il se peut qu'après une nuit de sommeil, vous constatiez que votre urine a une couleur plus foncée et une odeur plus forte qu'à d'autres moments de la journée ; c'est que votre corps a récupéré de l'eau en provenance de vos reins pour compenser l'absence de consommation de liquides durant le sommeil.) Cependant, ce mécanisme physiologique n'est capable de maintenir l'équilibre de l'eau dans le corps que dans une certaine mesure. Quand le déficit hydrique est trop grand, des ajustements de comportement s'imposent ; vous ressentez la soif et vous buvez. Tout ceci nous explique pourquoi le fait de manger un hamburger et des frites nous donne la soif. L'absorption d'aliments salés accroît la concentration en sel à l'extérieur des cellules et fait sortir l'eau des cellules ; les cellules ratatinées activent ensuite les capteurs responsables de la tendance de la soif.

On ne saurait, cependant, considérer la soif uniquement comme un déficit de liquide intracellulaire. La réduction du volume sanguin, qui représente une partie du liquide extracellulaire, entraîne la soif même quand les cellules ne sont pas déshydratées. L'individu blessé qui a perdu une quantité considérable de sang ressent une soif excessive en dépit du fait que la concentration chimique du sang qui reste n'a pas subi de modifications. De même, les personnes qui s'adonnent à des exercices vigoureux perdent du sel par transpiration, mais ils ressentent quand même le besoin de boire beaucoup d'eau, qui pourtant ne fait que diluer encore davantage la concentration de sel dans leur sang. Ces observations semblent indiquer l'existence d'une autre variable contrôlée, à savoir le volume total de liquide dans le sang, peu importe sa concentration.

Les capteurs affectés à cette variable sont situés dans les reins, et en réalité, ce qu'ils détectent est un changement de pression artérielle. Les reins sécrètent alors, dans la circulation sanguine, une substance appelée *rénine*, qui joue un rôle dans deux différentes sortes d'adaptation à la réduction du volume sanguin. D'une part, elle entraîne la constriction des vaisseaux sanguins, empêchant ainsi des pertes de sang additionnelles; cette réaction est un ajustement physiologique. D'autre part, par l'intermédiaire d'un processus compliqué qui active finalement des récepteurs dans l'hypothalamus, elle suscite également la sensation de soif.

Une simple analyse homéostasique pourrait nous amener à croire qu'un organisme assoiffé devrait se contenter de boire jusqu'à ce que ses éléments intracellulaires et extracellulaires deviennent hydratés à nouveau. Mais il n'en est pas ainsi. Des sujets privés d'eau qu'on laisserait boire ensuite à volonté arrêteraient avant que leurs niveaux intracellulaires et extracellulaires soient rétablis. Il doit donc y avoir un mécanisme particulier déclenchant l'arrêt de consommation d'eau — c'est-à-dire des capteurs de satiété qui détermineraient quand il y a suffisamment d'eau dans le système pour ravitailler les cellules desséchées et le sang. Ces capteurs (des osmorécepteurs encore) sont situés dans les intestins. Des expériences sur les singes ont montré que l'infusion d'une petite quantité d'eau dans le petit intestin arrête la consommation d'eau, même si l'animal est loin d'avoir reçu suffisamment d'eau pour combler son déficit. Notre système de contrôle d'absorption d'eau est donc assez complexe; il fait intervenir un mécanisme de satiété tout aussi bien que le contrôle des liquides intracellulaires et extracellulaires.

LA FAIM

La faim est un puissant agent de motivation. Lorsque la nourriture se fait rare, toutes nos énergies et nos pensées se portent vers sa recherche. Qu'est-ce qui exactement déclenche l'acte de manger? Il ne suffit pas de dire que les gens mangent parce que c'est l'heure du repas. Le nombre de repas dans une journée varie considérablement d'une société culturelle à l'autre (de 5 repas dans certaines sociétés européennes à un seul chez certaines tribus d'Afrique). Cependant, pour des niveaux de nourriture disponible équivalents, les individus de différentes cultures ont des masses semblables. De même, on ne peut pas se contenter de répondre que nous mangeons parce que nous ressentons des contractions de l'estomac, car les gens à qui l'on a enlevé l'estomac (pour cause de cancers ou d'ulcères graves) continuent de contrôler leur consommation de nourriture. Nous ne mangeons pas non plus simplement parce que les aliments ont bon goût, ou qu'ils dégagent un arôme appétissant, ou ont l'air bons, puisque lorsqu'on élimine tous ces indices, les gens continuent de régler leur absorption de nourriture.

Qu'est-ce alors qui déclenche la consommation d'aliments? Des recherches récentes portent à croire que nous contrôlons automatiquement les quantités de nutriments variés qui sont entreposés dans notre corps (le glucose et les graisses, par exemple) et que nous sommes motivés à manger quand ces réserves s'abaissent au-dessous de niveaux critiques. Là encore, le système est fondamentalement homéostasique; effectivement, de nombreuses observations expérimentales ont permis d'établir que la plupart des animaux ont des masses corporelles qui restent stables; même si on leur donne à manger tout ce qu'ils veulent, les animaux trouvent le moyen de ne manger que ce qu'il faut pour conserver leur masse. Toutefois, la faim est un phénomène trop compliqué pour que nous nous en tenions à une simple analyse homéo-

Les coutumes sociales influencent la consommation. Vue de la Grande Salle du Peuple à Beijing, lors de la Fête de Mai.

stasique. D'abord, plusieurs variables doivent être contrôlées. En outre, la consommation se trouve arrêtée non pas parce que les réserves de nourriture reviennent à leurs valeurs idéales, mais plutôt du fait que les capteurs de satiété signalent qu'il est entré suffisamment de nourriture dans le système. Il est aussi évident que le sens de l'équilibre homéostasique n'est pas donné à tous: il suffit de faire une promenade dans la rue pour voir des exemples d'abus de nourriture (*obésité*) ou de sous-alimentation (*anorexie*). Dans cette tentative de compréhension de la faim, nous allons d'abord considérer les variables contrôlées (en même temps que les capteurs qui les mesurent et qui déclenchent la consommation); puis nous nous arrêterons aux détecteurs de satiété qui nous disent que nous avons assez mangé, aux mécanismes cérébraux responsables de l'intégration des signaux de consommation et de satiété, et finalement nous analyserons l'effondrement de l'homéostasie que l'on constate dans les cas d'obésité.

Variables de la faim

L'étude de la faim est étroitement liée à l'étude du métabolisme et de la digestion. Les cellules corporelles ont besoin de certains nutriments pour leur fonctionnement. Ces nutriments sont le résultat final de la digestion et comprennent le glucose (le sucre sanguin), les graisses et les acides aminés. Ces trois ingrédients semblent constituer les variables qui sont contrôlées dans la faim.

Le rôle du glucose a été le mieux étudié d'entre tous. Le cerveau, qui ne peut utiliser autre chose que le glucose pour sa provision d'énergie (le reste du corps est plus accommodant), contient des capteurs affectés à ce nutriment. Ces capteurs, logés dans l'hypothalamus, mesurent le degré d'absorption du glucose par les cellules. Plus précisément, ils mesurent la différence entre la quantité de glucose qui se trouve dans le artères et celle qui se trouve dans les veines. Des chercheurs ont placé des microélectrodes dans l'hypothalamus de chiens et de chats afin d'enregistrer l'activité nerveuse avant et après des injections de glucose et d'insuline (qui fait baisser le niveau du glucose). Ils ont constaté qu'après l'injection de glucose, l'activité des cellules de la région latérale de l'hypothalamus diminuait (signalant que les niveaux de glucose étaient suffisants) et qu'après l'injection d'insuline, leur activité s'accroissait (signalant que les niveaux de glucose n'étaient pas suffisants). Lorsque les capteurs indiquent que le niveau de glucose est trop bas, des ajustements physiologiques et comportementaux entrent en jeu: ou bien le foie libère dans le sang des réserves de glucose, ou bien l'organisme affamé se met à la recherche de nourriture. Il se trouve également des capteurs de glucose à l'extérieur du cerveau, plus précisément dans le foie. Ces détecteurs sont particulièrement bien situés, puisque le foie est parmi les premiers organes à recevoir les produits de la digestion (Stricker, Rowland, Saller et Friedman, 1977).

Nous contrôlons également les quantités de graisses et d'acides aminés entreposées dans les cellules adipeuses (adipocytes). On serait en droit de s'attendre à ce que les acides aminés soient contrôlés, puisqu'ils sont essentiels à la fabrication des protéines, mais il est surprenant de constater qu'une diminution des graisses de réserve déclenche aussi la consommation. Cela s'explique, toutefois, du fait qu'entre les repas, les graisses de réserve sont converties en acides gras libres, lesquels constituent une source majeure d'énergie pour le corps. Une carence de dépôts de graisse peut donc conduire à un manque d'énergie. L'hypothalamus semble être capable de détecter les diminutions du volume des cellules adipeuses. La glycérine (ou glycérol), substance produite au cours de la conversion des graisses en acides gras libres, semble appartenir également aux variables contrôlées. La faim fait donc intervenir de multiples systèmes homéostasiques.

Les influences extérieures peuvent éveiller l'appétit.

Détecteurs de satiété

Si nous ne cessions de manger avant que nos réserves de nutriments n'aient atteint leurs niveaux idéals, nous mangerions de façon routinière tout au long des quelque 4 heures nécessaires à la digestion d'un repas. La nature nous a épargné cette indignité en nous pourvoyant de *capteurs de satiété*, détecteurs situés dans les premières avenues du système digestif, qui transmettent au cerveau le signal que les nutriments requis sont en chemin et que la consommation peut s'arrêter. La cessation de l'activité de manger est donc assurée par un système — situé plus en avant dans le système digestif — différent du système responsable du déclenchement de la consommation.

Où se trouvent ces capteurs de satiété? Logiquement, ils devraient se situer dans la bouche et dans la gorge. Pour savoir de façon définitive si ces deux sites contiennent effectivement des capteurs de satiété, des chercheurs ont sectionné l'œsophage d'un animal et, en pratiquant des incisions dans la peau, ils ont fait sortir les bouts sectionnés vers l'extérieur. Quand l'animal ainsi opéré mange, la nourriture qu'il avale ne peut se rendre à l'estomac (d'où le fait que les capteurs de satiété de l'estomac et ceux qui sont situés au-delà sont incapables de réagir). Or, l'animal avale un repas un peu plus copieux qu'il ne le ferait normalement, puis s'arrête de manger, ce qui implique la présence de capteurs de satiété dans la bouche et dans la gorge. Toutefois, l'animal se remet à manger après un bref moment, ce qui indique que ces capteurs de satiété n'ont qu'un effet à court terme (Janowitz et Grossman, 1949). Il doit donc exister d'autres capteurs de satiété plus bas dans le tube digestif.

Les endroits où l'on doit chercher ensuite sont l'estomac et le *duodénum* (la partie du petit intestin qui est directement reliée à l'estomac). Ces deux organes contiennent également des capteurs de satiété. Si l'on introduit directement des nutriments dans l'estomac d'un animal affamé avant qu'il ait accès à de la nourriture, il mangera moins que d'habitude. Ainsi, même si l'estomac intervient peu dans la sensation de faim, il joue un rôle important dans la sensation de satiété. Les nutriments qu'on injecte directement dans le duodénum entraînent également une réduction de la consommation. Dans ce cas, il est possible que le capteur de satiété soit l'hormone *cholécystokinine* (CCK). Lorsque la nourriture arrive au duodénum, la muqueuse intestinale supérieure produit de la CCK, ce qui limite la vitesse de passage de la nourriture entre l'estomac et le duodénum. Il est possible que les niveaux de CCK dans le sang soient utilisés par le cerveau comme signal de satiété. Plusieurs études ont démontré, conformément à cette hypothèse, que l'injection de CCK avait un effet inhibiteur sur la consommation (N. Carlson, 1985).

Le foie est un autre site important de capteurs de satiété. C'est le premier organe à recevoir du système digestif des nutriments solubles dans l'eau et ses récepteurs possèdent, par conséquent, un appareil de mesure précis des nutriments en voie de digestion. Si l'on injecte du glucose directement dans le foie d'un animal affamé, ce dernier mangera moins. Les capteurs du foie semblent enregistrer le niveau des nutriments qui se trouvent dans les intestins pour passer ensuite cette information au cerveau (Russek, 1971). Bref, nous pouvons considérer les capteurs de satiété répartis dans le corps comme un système homéostasique dans lequel la variable contrôlée est la quantité totale de nutriments dans ce système.

Mécanismes cérébraux

Le système de satiété doit s'intégrer au système d'alimentation. Le siège probable de cette intégration serait le cerveau, nommément l'hypothalamus, dont nous avons déjà démontré le rôle primordial dans le contrôle de la température et des liquides et dans certains aspects de la consommation de nourriture. L'hypothalamus convient particulièrement bien comme site de contrôle central de la faim, puisqu'il contient plus de vaisseaux sanguins que toute autre région du cerveau et se trouve par conséquent facilement influencé par l'état chimique du sang. Deux régions de l'*hypothalamus* sont particulièrement importantes: l'*hypothalamus latéral* et l'*hypothalamus ventro-médian.*

L'une des façons d'étudier les fonctions d'une région cérébrale consiste à détruire des cellules et des fibres nerveuses de cette région et à observer le comportement de l'animal quand celle-ci n'exerce plus de contrôle. Cette technique a conduit à la découverte de 2 syndromes importants. Le premier, le *syndrome HL*, se produit quand des tissus de l'hypothalamus latéral sont détruits. Au début, l'animal — un rat habituellement — refuse de boire ou de manger et finit par mourir à moins qu'on ne le nourrisse par voie intraveineuse. Après plusieurs semaines d'alimentation intraveineuse, la plupart des rats commencent à se rétablir: ils mangent d'abord des aliments sapides détrempés, mais ils ne boivent pas; avec le temps ils en viendront à manger des aliments secs et à se remettre à boire. Le second syndrome, *syndrome HVM*, est associé à la destruction de tissus situés dans l'hypothalamus ventro-médian. Il comporte 2 phases distinctes. À l'étape initiale, ou *phase dynamique*, qui dure de 4 à 12 semaines, l'animal mange excessivement et de façon vorace, triplant parfois sa masse en quelques semaines (voir la figure 10-2). Dans la seconde phase, ou *phase statique*, l'animal ne fait plus d'excès alimentaire. Il réduit plutôt sa consommation de nourriture à un niveau légèrement supérieur au niveau normal et maintient sa nouvelle masse obèse. On a observé ce syndrome HVM chez toutes les espèces qu'on a étudiées — du rat au singe en passant par le poulin. Dans le cas des êtres humains, des chercheurs ont observé que les gens qui ont des tumeurs ou des blessures de l'hypothalamus ventro-médian peuvent abuser de la nourriture et devenir extrêmement obèses.

Au début, les psychologues ont cru que les syndromes HL et HVM témoignaient de l'existence de 2 centres de la faim — un *centre de consommation* dans l'hypothalamus latéral et un *centre de satiété* dans l'hypothalamus ventro-médian. Ils pensaient que la destruction de tissus latéraux venait troubler le centre de consommation, rendant ainsi l'acte de manger difficile pour l'animal, alors que la destruction des tissus ventro-médians perturbait le centre de satiété et faisait qu'il était difficile pour l'animal de s'abstenir de manger. Mais dans ce cas, comment expliquer que les rats nourris de force pendant les quelques premières semaines suivant leurs lésions hypothalamiques latérales finissent par contrôler leur absorption de nourriture avec précision, bien qu'en maintenant leur masse à un niveau inférieur? De même, si la destruction de l'hypothalamus ventro-médian nuit au fonctionnement du centre de satiété, pourquoi les animaux réduisent-ils effectivement leur consommation de nourriture durant la phase statique? Des données de recherche récentes sont venues réduire presque à néant l'interprétation d'un double centre.

Une nouvelle interprétation veut que les régions latérale et ventro-médiane participent à la régulation de la masse du corps dans son ensemble.

FIGURE 10-2
Suralimentation d'origine hypothalamique *Des lésions dans la région ventro-médiane de l'hypothalamus (HVM) ont amené ce rat à trop manger et à plus que tripler sa masse normale. Celle-ci est de 1080 g et non de 80 g.*

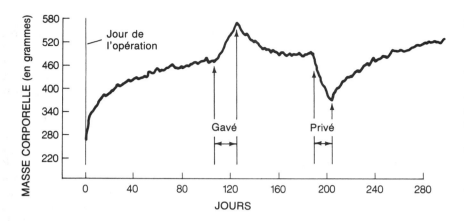

FIGURE 10-3
Effets du gavage et de la privation de nourriture sur la masse corporelle du rat victime de lésions de l'HVM *Après avoir subi des lésions de l'HVM, le rat mange à l'excès et prend de l'embonpoint jusqu'à ce qu'il atteigne un nouveau niveau d'obésité stable. Le gavage ou la privation de nourriture n'a qu'une influence temporaire sur la masse; le rat revient à son niveau stabilisé. (D'après Hoebel et Teitelbaum, 1966)*

Considérons à nouveau le cas d'un rat obèse atteint d'une lésion ventromédiane. Nous avons déjà indiqué qu'éventuellement, cet animal parviendra à une phase statique durant laquelle il maintient sa nouvelle masse obèse. Mais si on impose des restrictions au régime alimentaire de l'animal, sa masse corporelle diminuera jusqu'à ce qu'elle revienne à la masse normale, originale; si, à nouveau, on laisse ce rat s'alimenter à volonté, il mangera de façon excessive jusqu'à ce qu'il se retrouve dans son état d'obésité; les dommages à l'hypothalamus ventro-médian semblent donc dérégler le système de contrôle à long terme de la masse, de telle sorte que le rat règle sa masse à un niveau supérieur. De plus, si on gave ces rats obèses jusqu'à l'obésité extrême, ils en viendront à réduire leur consommation de nourriture jusqu'à ce que leur masse retourne à son niveau d'«obésité normale» (voir la figure 10-3).

De même, des dommages à l'hypothalamus latéral semblent dérégler le contrôle de la masse de telle sorte que l'animal règle sa masse corporelle à un niveau inférieur. Rappelez-vous qu'après avoir d'abord refusé toute nourriture et tout liquide, les rats à syndrome HL se remettent volontairement à boire et à manger. Mais ils se stabilisent à un niveau de masse inférieur, tout comme les rats à syndrome HVM se stabilisent à un niveau d'obésité (Mitchel et Keesey, 1974). Là encore, ce comportement dénote l'altération d'un système de contrôle à long terme de la masse corporelle. Les rats qui sont privés de nourriture avant la lésion de l'hypothalamus latéral ne refusent pas de manger après la lésion. En fait, plusieurs d'entre eux mangent à l'excès, mais seulement jusqu'à ce qu'ils soient parvenus à un niveau inférieur à leur masse normale, mais supérieur à la masse de la période de privation avant l'opération (voir la figure 10-4).

Ces résultats indiquent que l'hypothalamus latéral et l'hypothalamus ventro-médian ont des effets réciproques sur le *point idéal fixé* pour la masse

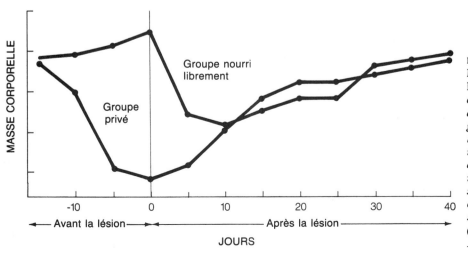

FIGURE 10-4
Masse corporelle et hypothalamus latéral *Avant de pratiquer des lésions dans leur HL, on a affamé un groupe de rats alors qu'on laissait un autre groupe se nourrir à volonté. Après l'intervention chirurgicale, les animaux affamés ont augmenté leur taux d'ingestion de nourriture et leur masse; ceux du groupe qui se nourrissait librement ont réduit leur masse corporelle. Ensuite, les deux groupes se sont stabilisés au même niveau. (D'après Powley et Keesey, 1970)*

corporelle, ou sur la masse à laquelle un corps individuel fonctionne le mieux. Une atteinte aux régions ventro-médianes élève ce point fixé; une atteinte aux régions latérales l'abaisse. Si on pratique avec soin des lésions dans les *deux* régions *à la fois*, en s'assurant de la destruction d'une quantité équivalente de tissu de part et d'autre, les animaux ne mangent ni avec excès ni insuffisamment, maintenant plutôt leur masse au niveau d'avant l'opération (Keesey et Powley, 1975).

Selon une autre explication des syndromes HVM et HL, ces effets ne résultent pas de destruction des noyaux hypothalamiques, mais d'une interférence avec certains des 50 différents trajets nerveux qui traversent ces sites hypothalamiques. Considérons à nouveau un rat obèse atteint d'une lésion de l'hypothalamus ventro-médian. Bien que la plupart des chercheurs n'ont étudié que les effets de la lésion sur l'hypothalamus lui-même, il ne faut pas négliger le fait qu'une telle lésion affecte également certaines branches du système nerveux sympathique qui traversent cette région. Ces derniers effets modifient le métabolisme de telle façon que trop de nutriments se trouvent convertis en graisse (pour servir de réserves) et qu'il en reste trop peu pour servir de carburants aux processus métaboliques. Par conséquent, l'animal ayant constamment besoin de nutriments, il mange constamment de façon excessive. Ainsi, le rat à lésion HVM peut manger à l'excès, parce que, dans un certain sens, il est affamé.

Une lésion de l'hypothalamus latéral peut elle aussi interrompre un ensemble important de fibres nerveuses, appelé *faisceau nigrostrié*. Ces fibres participent à l'activation de l'organisme, non seulement en ce qui a trait à la consommation mais aussi à divers autres comportements, et leur destruction entraîne des problèmes d'activation et d'autres déficits généraux (ces mêmes fibres sont d'ailleurs atteintes dans la *maladie de Parkinson*, qui met en cause l'inactivation motrice). Ces défauts d'activation peuvent expliquer le fait qu'en phase initiale, un rat à syndrome HL ne mange et ne boit pas du tout. En effet, quand le faisceau nigrostrié est endommagé à l'extérieur de l'hypothalamus (ces voies s'étendent au-delà de l'hypothalamus), les animaux manifestent les mêmes effondrements de l'activité de consommation que ceux qui se produisent au cours des premières phases du syndrome HL (Friedman et Stricker, 1976).

De toute évidence, les interprétations des syndromes HVM et HL sont l'objet de controverses. Depuis le début des années 1960, les psychologues qui s'efforcent d'expliquer la motivation de la faim se sont attardés aux centres de la faim, aux points fixés et aux faisceaux nerveux externes. Il se peut que ces interprétations ne soient pas incompatibles : une lésion de l'hypothalamus latéral peut à la fois abaisser le point fixé pour la masse corporelle et interrompre les voies nerveuses qui activent l'organisme. Le cerveau est un organe extrêmement complexe et nous ne devons pas nous attendre à de simples correspondances entre ses régions et les fonctions psychologiques.

OBÉSITÉ

Nous avons insisté sur le rôle des processus homéostasiques dans la faim, mais notre comportement de consommation de nourriture s'écarte de l'homéostasie sur plusieurs points. La masse corporelle de certains individus n'est pas aussi constante que le laisse entendre la conception homéostasique. Même si l'apparence, le goût et l'odeur des aliments ne constituent pas comme tels les facteurs essentiels du contrôle de l'absorption de nourriture, ils n'en ont pas moins une certaine influence. Par exemple, après un repas copieux, il pourra vous arriver de vouloir prendre quand même un dessert; dans ce cas, le signal de la faim n'est pas interne puisqu'il n'y a pas de besoin physiologique.

La déviation la plus importante du contrôle homéostasique de la consommation de nourriture — chez les êtres humains du moins — c'est l'obésité, phénomène très courant dans notre société. Près de 34 millions d'Américains ont une masse d'au moins 20 % supérieure à celle qui conviendrait à leur constitution et à leur taille. L'obésité représente également un danger : en 1985, une commission mise sur pied par le National Health Institute, aux États-Unis, arrivait à la conclusion que l'obésité constitue un risque majeur pour la santé, contribuant à l'accroissement du diabète, de l'hypertension et des maladies cardiaques. Rien de surprenant que chaque année des millions de personnes dépensent des sommes phénoménales en régimes et en médicaments amaigrissants. Malheureusement, la plupart ne parviennent pas à maigrir et souvent, ceux qui arrivent à perdre quelques kilos, les reprennent à très court terme. La difficulté associée à la perte de masse vient en partie de ce que l'état d'embonpoint a tendance à se maintenir par ses propres mécanismes : le fait de prendre quelques kilos, tout comme le fait de suivre un régime, peuvent modifier le métabolisme et les quantités d'énergie dépensées de façon à maintenir l'état d'embonpoint. Ces problèmes ont suscité d'importants efforts de recherche sur l'origine et le contrôle de l'obésité.

La plupart des chercheurs s'accordent pour dire que l'obésité est un problème complexe qui peut faire intervenir des facteurs métaboliques, nutritifs, psychologiques, sociologiques et environnementaux. L'obésité n'est probablement pas associée à une seule perturbation du fonctionnement, mais plutôt à une pléthore de perturbations qui ont toutes en commun un symptôme majeur : l'état d'embonpoint (Rodin, 1981). Demander comment on devient obèse, c'est un peu comme demander comment on se rend à Toronto : il y a plusieurs chemins pour y parvenir et celui qu'on « choisit » dépend du point de départ (Offir, 1982).

Nous nous intéressons à 3 causes principales de l'embonpoint : l'*absorption de calories*, la *dépense de calories* et l'*hérédité*. En général, les gens deviennent obèses parce que 1) ils mangent trop, 2) ils font trop peu d'exercices, ou 3) ils sont génétiquement prédisposés à être gras. Nous parlerons des facteurs génétiques dans l'analyse critique. Retenez le fait qu'il n'est pas nécessaire que l'un ou l'autre de ces facteurs pris isolément s'applique à tous les gens (il y a plusieurs façons de se rendre à Toronto).

Facteurs qui accroissent la consommation de calories

ÉCHEC DES CONTRÔLES CONSCIENTS   Certains individus restent obèses parce qu'ils se gavent après s'être soumis à un régime. Par exemple, un homme obèse peut s'écarter momentanément de son régime entrepris depuis deux jours et manger si abusivement qu'il finit par consommer plus de calories qu'il ne l'aurait fait s'il n'avait pas entrepris de régime. Le régime amaigrissant étant un contrôle conscient, l'effondrement de ce contrôle est un facteur qui contribue à l'ingestion accrue de calories.

Afin de mieux comprendre le rôle des contrôles conscients, des chercheurs ont élaboré un questionnaire sur les antécédents relatifs au régime alimentaire et à la masse corporelle (par exemple, combien de fois avez-vous suivi un régime ? Quelle est la quantité maximale de masse que vous ayez jamais perdue en un mois ?), de même que sur les préoccupations de l'individu par rapport à la nourriture et à sa consommation (Mangez-vous de façon raisonnable en compagnie des autres, mais de façon excessive quand vous êtes seul(e) ? Vous sentez-vous coupable après avoir fait des abus ?). Les résultats indiquent qu'on peut situer presque tout le monde — maigres, grassouillets ou gras — dans l'une ou l'autre de 2 catégories : les gens qui contrôlent consciemment leur consommation et ceux qui ne le font pas. De plus, peu importe leur masse actuelle, les individus qui s'imposent des contraintes de consommation ont un comportement alimentaire plus proche de celui des obèses que les individus qui ne surveillent pas leur consommation (Herman et Polivy, 1980 ; Ruderman, 1986).

Une étude en laboratoire montre ce qui arrive quand on abandonne le contrôle. On a demandé à des individus qui limitaient leur consommation et à d'autres que ne la limitaient pas (les deux groupes étant de masse nor-

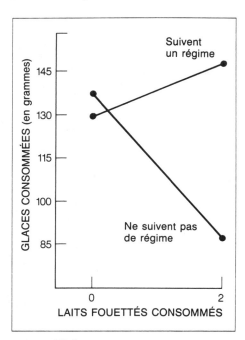

FIGURE 10-5
Mangeurs disciplinés et mangeurs indisciplinés *Même après avoir déjà abusé de laits fouettés, les sujets qui se préoccupent de leur régime consomment plus de glaces que ceux qui ne contrôlent pas leur consommation, peu importe leur masse corporelle.*
(D'après Hibscher et Herman, 1977)

male) de boire soit deux laits fouettés, soit un seul, soit aucun ; ensuite ils goûtaient à plusieurs essences de glaces et on les encourageait à en manger à volonté. Dans le cas des mangeurs « non limitatifs », plus ils avaient bu de laits fouettés, moins ils consommaient de glaces par la suite. Les mangeurs « limitatifs » mangeaient, au contraire, plus de glaces quand ils avaient bu au préalable 2 laits fouettés que lorsqu'ils n'en avaient bu qu'un seul ou aucun. Une expérience similaire effectuée avec des sujets maigres, normaux et obèses indique que le fait de suivre un régime est un facteur plus important que la masse dans la prédiction du comportement alimentaire. Les trois groupes ne présentaient pas de variations significatives dans la quantité de glaces consommées après avoir bu deux laits fouettés ou aucun. Mais lorsqu'on analysa les données en fonction des types « limitatifs » et « non limitatifs » de mangeurs, sans tenir compte de leur masse, les différences se révélèrent très significatives. Ceux qui ne suivaient pas de régime (les « non limitatifs ») mangeaient beaucoup moins après deux laits fouettés que lorsqu'ils n'en avaient pas bu, alors que les sujets qui suivaient un régime (les « limitatifs ») mangeaient davantage (voir figure 10-5).

Dans ces expériences, la surcharge forcée de laits fouettés fait que les sujets perdent l'emprise sur leur comportement de consommation. Une fois qu'ils ont perdu le contrôle, les mangeurs disciplinés mangent beaucoup plus que ceux qui ne le sont pas. Mais il se peut bien que la perte de contrôle ne soit pas le seul facteur qui intervienne ici. La privation peut par elle-même pousser à faire bombance, indépendamment des sentiments de contrôle de l'organisme. Dans certaines expériences, on a d'abord privé des rats de nourriture durant 4 jours, pour les laisser ensuite se nourrir jusqu'à ce qu'ils recouvrent leur masse normale et enfin leur laisser consommer la nourriture à volonté. Ces rats, qui avaient connu la privation, mangeaient plus que ceux du groupe de contrôle, qui n'avaient jamais connu la privation. La privation préalable mène donc à des excès subséquents, même une fois que la perte de masse attribuable à la privation a été comblée (Coscina et Dixon, 1983). Ce phénomène pourrait expliquer pourquoi plusieurs cas d'anorexie mentale — dont le symptôme-clef est une perte de masse excessive — ont, de façon paradoxale, des accès de bombance alimentaire : la privation nécessaire au maintien de l'extrême minceur finit par conduire à des abus de nourriture. (Si les anorexiques n'augmentent pas de masse à la suite de ces gloutonneries, c'est parce qu'ils se purgent en vomissant ou en prenant des laxatifs.)

Pourquoi la privation préalable mène-t-elle ainsi à des abus subséquents ? La théorie de l'évolution laisse entrevoir une réponse à cette question. Jusqu'à tout récemment dans l'histoire — et, en fait, encore aujourd'hui dans certains pays du tiers-monde — chaque période de privation chez les humains résultait d'une pénurie de vivres dans l'environnement. Une réaction d'adaptation à de telles disettes est de manger excessivement et d'entreposer dans le corps autant de nourriture que possible quand celle-ci est disponible. Par conséquent, l'évolution peut avoir mené à la sélection de cette habileté à manger excessivement à la suite de la privation. En période de famine, cette tendance a bien servi notre espèce, mais une fois que la famine n'est plus une préoccupation, la même tendance maintient la masse excessive des obèses qui suivent des régimes (Polivy et Herman, 1985).

ACTIVATION ÉMOTIVE Ceux qui font de l'embonpoint disent souvent qu'ils mangent plus que d'habitude lorsqu'ils se sentent tendus ou anxieux et les résultats expérimentaux viennent corroborer leurs dires. Les sujets obèses mangent plus dans une situation de forte anxiété que dans une situation où le niveau d'anxiété est bas, contrairement aux sujets de masse normale, qui mangent plus dans les situations où l'anxiété est faible (McKenna, 1972). D'autres recherches indiquent que chez certains obèses, toutes sortes d'activations émotives semblent contribuer à accroître la consommation de nourriture. Au cours d'une recherche, on a présenté à des sujets obèses et à des sujets de masse normale quatre films en quatre séances indépendantes. Trois de ces films suscitaient des émotions diverses : l'un suscitait de la peine, un autre, de la gaieté et un autre, de l'excitation sexuelle. Le quatrième film était une description de voyage ennuyante. Après chaque visionnement, on demandait aux sujets de goûter différentes sortes de biscuits et d'en évaluer la qualité. Les sujets obèses mangèrent une quantité nettement plus grande de biscuits après avoir vu l'un ou l'autre des films suscitant des émotions qu'après avoir regardé le film sur les voyages. Les individus de masse normale mangèrent la même quantité de biscuits, indépendamment du film visionné (White, 1977).

Deux hypothèses pourraient expliquer pourquoi les obèses mangent plus quand ils sont anxieux. L'une des possibilités est que, lorsqu'ils étaient bébés, les personnes préposées à leur soin auraient interprété tous leurs signaux de détresse comme des demandes de nourriture; en conséquence, devenus adultes, ces gens éprouveraient de la difficulté à faire la différence entre la faim et d'autres sensations, l'anxiété y compris. Il est également possible que certaines personnes obèses réagissent à une situation qui est source d'anxiété par le seul comportement qui leur ait procuré du confort dans la vie — à savoir, celui de manger. Ces deux hypothèses pourraient s'appliquer à différentes sortes de personnes obèses.

RÉACTION À DES SIGNAUX EXTERNES   Par comparaison avec les gens de masse normale, les individus obèses pourraient être plus sensibles aux signaux externes (l'apparence, l'arôme et le goût des aliments) et moins sensibles aux signaux internes (tels les signaux de satiété provenant des intestins). Dans une étude, on a analysé l'influence de la saveur sur le comportement alimentaire de groupes de sujets de masses inférieures à la normale et de sujets de masses excessives. On laissait les sujets manger autant de glace à la vanille qu'ils le voulaient et on leur demandait ensuite d'en évaluer la qualité. À la moitié des sujets de chaque groupe, on présentait une glace crémeuse de haut de gamme; aux autres, on donnait une glace bon marché, rendue un peu amère par l'addition de quinine. La figure 10-6 présente les courbes fondées sur l'évaluation faite par les sujets et sur la quantité consommée. Lorsqu'ils jugent la glace « excellente », les sujets obèses en mangent plus que lorsqu'ils la jugent « mauvaise », alors que la consommation des sujets maigres est moins affectée par la saveur.

D'autres expériences indiquent que même s'il est vrai que les gens ont effectivement des *sensibilités* différentes *aux signaux externes*, il ne faudrait pas croire pour autant que tous les obèses sont du type « externe », ni que tous les « externes » sont obèses. On trouve, au contraire, des « externes » et des « internes » dans toutes les catégories de masse et il n'existe qu'une corrélation modérée entre le degré de sensibilité aux signaux externes et le degré d'obésité. Il se peut que la sensibilité aux signaux externes contribue plus à l'obésité dans les situations à court terme que dans le contrôle à long terme de la masse corporelle. Les filles hypersensibles aux signaux externes prennent plus d'embonpoint aux camps de vacances d'été (où la nourriture est en abondance) que celles qui y sont moins sensibles, mais la différence entre les deux groupes est plus marquée au début de leur séjour; elle commence à s'estomper quand arrive la dernière semaine au camp (Rodin, 1981).

Facteurs qui réduisent la dépense d'énergie

TAUX MÉTABOLIQUE   Les $^2/_3$ des dépenses d'énergie d'une personne normale sont consacrés aux processus métaboliques (les fonctions somatiques fondamentales). C'est pourquoi le taux de notre métabolisme est un des principaux facteurs qui régissent le contrôle de la masse : des taux métaboliques peu élevés dégagent moins de calories et sont à l'origine de masses corporelles plus grandes. Le taux métabolique est plus faible dans les tissus adipeux que dans les tissus non adipeux. Ainsi, la vitesse du métabolisme d'un individu décroît au fur et à mesure que des tissus adipeux remplacent les tissus non adipeux, ce qui explique pourquoi il est possible que les obèses restent gras même lorsque leur absorption de calories est normale.

Le taux métabolique décroît aussi durant les périodes de privation, comme lorsqu'on suit un régime. Par conséquent, la réduction de calories résultant du régime est en partie annulée par l'abaissement du taux métabolique, ren-

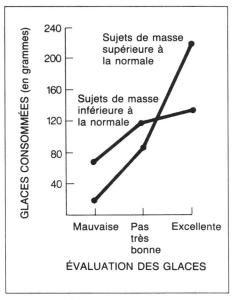

FIGURE 10-6
Saveur et obésité   *Effets de la qualité de la nourriture sur la quantité de nourriture consommée par des sujets dont la masse est supérieure ou inférieure à la normale. On demandait aux sujets d'évaluer la qualité des glaces et ils pouvaient en consommer autant qu'ils le désiraient. (D'après Nisbett, 1968)*

dant ainsi difficile l'atteinte de l'objectif visé par celui qui suit un régime. Malgré les apparences de conspiration de la nature contre l'obèse (sous le couvert du métabolisme), une interprétation fondée sur l'évolution nous ouvre une certaine perspective. Étant donné que la privation a habituellement été le signe d'une pénurie de vivres dans l'environnement, la réaction à la privation, par réduction de la vitesse à laquelle les organismes dégagent leur provision limitée de calories, a une valeur adaptative certaine.

ACTIVITÉ ET EXERCICE   L'activité générale et l'exercice physique rendent compte du dernier tiers des dépenses d'énergie d'un individu. L'exercice, bien sûr, brûle des calories; plus les gens font d'exercices physiques, plus ils dégagent d'énergie. Mais l'énergie affecte aussi le métabolisme de base de façon indirecte. Chez la personne sédentaire, le mécanisme métabolique n'arrive pas à fonctionner normalement et, partant, produit un taux de métabolisme plus bas (Garrow, 1978). Dans le cas d'une personne trop grasse, le manque d'exercice crée un cercle vicieux : l'obésité rend l'exercice physique plus ardu et moins agréable et l'inactivité fait qu'il y a moins de calories qui sont brûlées — directement par l'exercice et indirectement par la réduction du taux du métabolisme de base. C'est ainsi que l'exercice a de l'importance pour la perte de masse, non seulement parce qu'il brûle des calories mais aussi parce qu'il aide au contrôle du fonctionnement métabolique normal (Thompson, Jarvie, Lakey et Cureton, 1982).

Contrôle de la masse

Notre analyse de l'obésité a fait ressortir un nombre de facteurs qui ont tendance à entretenir l'embonpoint : manger pour atténuer les émotions; la propension à faire bombance après avoir suivi un régime alimentaire et le ralentissement du taux métabolique attribuable aux tissus adipeux, au fait de suivre un régime et au manque d'exercice. Chacun de ces facteurs peut entretenir le cercle vicieux. Mais il est possible, dans bien des cas, de briser ce cercle comme en témoigne le succès de certains programmes d'amaigrissement. Pour réduire leur masse corporelle et maintenir cet état, les individus qui sont trop gras doivent reconnaître le fait que les situations anxiogènes et émotionnelles ont tendance à les amener à manger de façon excessive, que l'adoption d'un

L'exercice joue un rôle critique dans la cure d'amaigrissement, non seulement parce qu'il brûle des calories, mais aussi parce qu'il régularise le fonctionnement métabolique.

régime alimentaire entraîne la tentation de faire bombance et — sans doute l'élément le plus important — que l'exercice est un élément vital du succès.

Pour contrôler sa masse, l'individu doit adopter une nouvelle série d'habitudes de consommation et d'exercice. Cette conclusion ressort d'une étude comparative des méthodes de traitement de l'obésité. Pendant six mois, des individus obèses furent soumis à l'un des 3 modes de traitement suivants : 1) modification du comportement appliqué aux habitudes de consommation et d'exercice, 2) thérapie pharmaceutique utilisant un anorexiant (la fenfluramine) et 3) une combinaison des deux précédents. Les sujets des 3 groupes reçurent de l'information sur l'exercice et des conseils abondants sur la nutrition, y inclus des renseignements sur un régime limité à 1200 calories par jour. Les sujets des groupes de modification du comportement apprennent à tenir un registre quotidien de leurs habitudes de consommation, à reconnaître les situations qui les poussent à faire des excès de table, à changer les conditions associées à l'abus alimentaire, à se récompenser eux-mêmes quand ils ont un comportement de consommation convenable et à adopter un programme d'exercices appropriés. En plus de ces 3 groupes expérimentaux, l'étude faisait appel à 2 groupes de contrôle : l'un était composé de sujets qui attendaient leur tour de participer à cette étude et qui, par conséquent, ne recevaient aucune forme de traitement et l'autre, des sujets qui consultaient un médecin et recevaient le traitement de bureau traditionnel pour problèmes d'obésité.

Le tableau 10-1 présente les résultats de cette étude. Comme on pouvait s'y attendre, les sujets des 3 groupes de traitement perdirent des masses plus importantes que les sujets des 2 groupes de contrôle. À la fin du traitement, c'était le groupe chez qui on avait combiné la modification du comportement à la thérapie pharmaceutique qui s'était le plus amélioré (ayant perdu en moyenne 15,32 kg par sujet). Le groupe qui recevait seulement le traitement pharmaceutique réussit presque aussi bien (avec une moyenne de 14,50 kg), mais le groupe traité par modification du comportement seulement a enregistré des résultats significativement inférieurs (moyenne de 10,91). Cependant, durant l'année qui a suivi le traitement, on observa un renversement spectaculaire. Le groupe à modification du comportement reprit beaucoup moins de masse que les 2 autres groupes de traitement ; à la fin de l'année, ces sujets avaient conservé une perte de masse moyenne de 9,00 kg, alors que les pertes de masse moyennes du groupe à traitement pharmaceutique et celles du groupe à traitement combiné ne faisaient respectivement que 6,27 et 4,59 kg.

Comment expliquer ce renversement ? Il se peut qu'un sentiment accru d'efficacité personnelle ait été l'un des facteurs en cause. Les sujets qui avaient été exposés au seul traitement de modification du comportement pouvaient

	PERTE DE MASSE APRÈS TRAITEMENT (kilogrammes)	PERTE DE MASSE APRÈS UN AN (kilogrammes)
Groupes de traitement		
Modification du comportement	10,91	9,00
Thérapie pharmaceutique	14,50	6,27
Traitement combiné	15,32	4,59
Groupes de contrôle		
Liste d'attente	1,32 (gain)	
Visites au bureau du médecin	6,00	

TABLEAU 10-1
Perte de masse à la suite de divers traitements *Perte de masse en kilogrammes au bout de 6 mois de traitement et au moment d'un examen de contrôle un an plus tard. On n'a pas pu rejoindre les sujets des 2 groupes de contrôle pour procéder à l'examen après un an. (D'après Craighead, Stunkard et O'Brien, 1981)*

ANALYSE CRITIQUE

Y a-t-il des individus prédisposés à l'obésité?

L'obésité est héréditaire: les parents gras ont tendance à avoir des enfants gras. Cette constatation ne constitue pas nécessairement une explication biologique (il se peut que les enfants ne fassent qu'imiter leurs parents), mais divers faits démontrent que certains aspects de l'obésité ont un fondement biologique. Les études sur les jumeaux, par exemple, indiquent que l'hérédité a effectivement un rôle à jouer; il arrive deux fois plus souvent aux jumeaux identiques d'avoir le même niveau d'obésité qu'aux faux jumeaux (Stunkard, Fock et Hrubec, 1986).

Les recherches sur les fondements biologiques de l'obésité se sont concentrées sur les *cellules adipeuses*, là où se trouvent entreposées toutes les graisses corporelles. On note des différences individuelles dans le nombre de cellules adipeuses des organismes, tant chez les êtres humains que chez les animaux; cette variation, attribuable en partie à l'hérédité, comporte des conséquences pour l'obésité. Au sein d'un échantillon, on a trouvé que les sujets obèses avaient 3 fois plus de cellules adipeuses que les sujets normaux (Knittle et Hirsch, 1968). D'autres études ont permis d'établir que les rats qui avaient 2 fois plus de cellules adipeuses que la normale avaient tendance à être 2 fois plus gras que les rats-témoins. Dans une portée de jeunes rats, on procéda à l'ablation de cellules adipeuses chez quelques sujets de façon qu'ils n'aient que la moitié des cellules adipeuses des autres rats de la portée; on constata que les rats ainsi opérés n'atteignirent par la suite que la moitié de la masse des rats intacts (Hirsch et Batchelor, 1976; Faust, 1984).

Le nombre de cellules adipeuses n'est pas entièrement déterminé par les gènes. En effet, une consommation excessive de nourriture durant les premiers mois de la vie peut contribuer à l'accroissement de leur nombre. Des travaux récents permettent de croire que, même à l'âge adulte, les abus alimentaires peuvent faire augmenter le taux de cellules adipeuses d'un organisme, quoiqu'à un degré moindre . Il n'en reste pas moins que l'hérédité pose des limites importantes au nombre total de cellules adipeuses. Elle en détermine le nombre minimal, puisque — exception faite des cas d'intervention chirurgicale pour réduire l'obésité — un organisme ne peut jamais perdre de cellules adipeuses. De plus, il est possible que le nombre de cellules adipeuses pouvant être produites par les abus alimentaires soit lui-même déterminé de façon génétique.

La quantité de cellules adipeuses n'est pas le seul facteur critique; la dimension de ces cellules a aussi son importance. L'abus alimentaire fait accroître le volume des cellules adipeuses, alors que la privation le réduit. Chez la plupart des organismes, toutefois, la dimension de ces cellules reste relativement constante.

---

attribuer leur perte de masse à leurs propres efforts, renforçant ainsi leur résolution de continuer à maîtriser leur masse après la fin du traitement. Par contre, les sujets qui recevaient un anorexiant ont probablement attribué leur perte de masse au médicament, n'acquérant pas, par le fait même, un sentiment de maîtrise de soi; une fois la médication abandonnée (relâchant les pressions biologiques vers le regain de masse), leur sentiment d'efficacité personnelle n'était pas assez fort pour les empêcher de revenir à leurs anciennes habitudes de consommation. Le médicament avait aussi contribué à réduire chez eux les sensations de faim; par conséquent, il se peut que les sujets des 2 groupes comportant une thérapie pharmaceutique n'aient pas été suffisamment préparés à faire face à l'accroissement de la faim qu'ils ont ressenti une fois l'anorexiant retiré.

SEXUALITÉ DE L'ADULTE

Les tendances sexuelle et maternelle sont d'autres puissants agents de motivation. Le désir sexuel peut parfois atteindre une force qui frise l'obsession et la volonté de protection de ses petits peut devenir, chez une mère (ou un père), assez intense pour la (le) rendre insensible à la douleur. Comme les motivations de survivance dont nous venons de parler, la sexualité (et le comportement maternel, dans une certaine mesure) est une motivation innée que l'être humain partage avec d'autres espèces et dont les psycholo-

Nous avons donc deux facteurs à fondement biologique — le nombre et la dimension des cellules adipeuses — qui varient d'un individu à l'autre et qui sont associés de façon importante à l'obésité. Les chercheurs sont d'avis que la combinaison de ces deux facteurs pourrait déterminer le « point fixé » (ou la valeur idéale) d'un individu, que l'hypothalamus essaie de maintenir. Ainsi, le point fixé pour des individus obèses et non obèses de même taille et de même constitution osseuse pourrait varier en fonction du nombre de cellules adipeuses ou de leurs dimensions. S'il en est ainsi, dans le cas de certains individus, l'obésité représenterait leur masse « normale », et les tentatives qu'ils feraient pour maigrir les maintiendraient à un niveau inférieur à leur point fixé biologique, soit dans un état de privation chronique ; ils ressentiraient la faim constamment — tout comme un individu maigre au cours d'un régime de famine (Nisbett, 1972).

En prônant l'*hypothèse du point fixé*, Stunkard (1982) a soutenu que les anorexiants, comme la fenfluramine, agissent d'abord pour abaisser le point fixé et que ce n'est que de façon secondaire qu'ils suppriment l'appétit. Son interprétation rend compte des données sur la thérapie pharmaceutique dont nous avons parlé plus haut — notamment du recouvrement rapide de la masse corporelle à la suite du retrait de la fenfluramine comparativement à la stabilité relative de la perte de masse obtenue par modification du comportement. Le médicament a abaissé le point fixé des patients, facilitant ainsi la perte de masse ; mais l'interruption de la thérapie pharmaceutique a fait que le point fixé est revenu à son niveau d'avant traitement. La pression biologique résultante qui s'exerce sur les individus en vue d'une augmentation de masse jusqu'aux points fixés originaux s'est soldée par un gain de masse plus important chez les sujets soumis à une thérapie pharmaceutique que chez ceux qui ont maigri sans l'aide de médicaments. Ces interprétations remettent en question l'efficacité des agents anorexiants dans le traitement de l'obésité.

Malgré son intérêt, l'hypothèse du point fixé prête le flanc à la controverse. Selon cette hypothèse, par exemple, la sensibilité accrue aux indices de nourriture serait une conséquence plutôt qu'une cause de l'obésité. Beaucoup d'individus obèses se maintiennent au-dessous de leur point fixé en suivant un régime alimentaire et cette privation accroîtrait leur sensibilité aux signaux associés à la nourriture. C'est ainsi que les tenants de l'hypothèse prétendent que plus les individus obèses suivent un long régime (c'est-à-dire plus ils maigrissent), plus ils deviennent sensibles aux indices de nourriture. Toutefois, les expériences ne semblent pas confirmer cette prédiction, car la sensibilité aux signaux associés à la nourriture semble rester relativement constante, peu importe la quantité de masse perdue (Rodin, 1981).

L'hypothèse du point fixé est à l'origine de nombreux travaux de recherche, mais les résultats contradictoires sont trop considérables pour qu'elle tienne lieu de théorie générale de l'obésité. Toutefois, comme nous l'avons déjà indiqué, il se peut qu'il soit impossible d'en arriver à une théorie générale. L'hypothèse du point fixé pourrait rendre compte de certains types de problèmes, particulièrement du cas de l'individu qui présentait un embonpoint modéré durant son enfance et qui garde cet embonpoint modéré durant toute sa vie. Il se peut qu'un point fixé au-dessus de la normale soit une des causes de consommation excessive, mais il en existe sans doute d'autres. La plupart des personnes trop grasses ne deviennent pas obèses d'un seul coup. Leurs graisses s'accumulent au fil des mois ou des années — une sorte d'« obésité insinuante », qui est le résultat graduel d'une consommation de quantités de calories plus grandes que ce que le corps dégage en énergie.

gues commencent à comprendre les fondements biologiques. Il existe, toutefois, des différences importantes entre les comportements sexuel et maternel, d'une part, et les comportements liés à la température, la soif et la faim, d'autre part. Les comportements sexuel et maternel sont des motivations *sociales* — leur satisfaction implique typiquement un autre organisme — alors que les motivations de survivance ne concernent que le soi biologique. En outre, les motivations du type de la faim et de la soif tirent leur origine des besoins des tissus, alors que les comportements sexuel et maternel ne se rapportent pas à un déficit interne qui demande à être contrôlé et corrigé pour que l'organisme survive. Il s'ensuit donc que les motivations sociales ne se prêtent pas à une analyse homéostasique.

En ce qui concerne la sexualité, on doit tenir compte de deux distinctions importantes. La première tient du fait que, même si notre maturation sexuelle commence à la puberté, la base de notre identité sexuelle est fixée dans le sein maternel. Nous faisons donc une distinction entre la sexualité de l'adulte (celle qui commence avec les changements pubertaires) et les premiers développements sexuels. La seconde distinction porte sur les facteurs biologiques et environnementaux qui déterminent le comportement sexuel d'une part, et les sentiments sexuels d'autre part. Une question fondamentale, qui se rapporte à plusieurs aspects du développpment sexuel et de la sexualité de l'adulte, est de savoir dans quelle mesure le comportement ou le sentiment en cause serait un produit de la biologie (surtout des hormones), de l'environnement (des premières expériences et des normes culturelles) ou d'une interaction des deux.

Contrôle hormonal

À la puberté — vers l'âge de 11 à 14 ans — des changements hormonaux apparaissent et ils entraînent des modifications corporelles qui servent à distinguer mâles et femelles. Le système qui est en cause est illustré à la figure 10-7. Des glandes endocrines fabriquent des hormones (messagers chimiques) qui se dirigent dans la circulation sanguine vers des organes-cibles. Ce processus commence dans l'hypothalamus où sont sécrétées des *substances libératrices de gonadotropine*; ces messagers chimiques agissent sur l'hypophyse pour qu'elle produise des *gonadotropines*, qui sont des hormones dont les cibles sont les *gonades* — les ovaires et les testicules. Il existe deux sortes de gonadotropines. L'une se nomme *folliculostimuline* (ou gonadotropine A, ou prolan A; FSH). Chez la femme, la FSH stimule la croissance de *follicules*, grappes de cellules logées dans les ovaires, qui interviennent dans la formation des œufs (ovules) et sécrètent l'hormone femelle, *œstrogène*. Chez l'homme, la FSH stimule la production de sperme dans les testicules. L'autre gonadotropine que produit l'hypophyse est appelée hormone *lutéinisante* (gonadotropine B ou prolan B — LH chez la femme et ICSH chez l'homme). La sécrétion de LH suscite l'ovulation — la libération par le follicule d'un œuf parvenu à maturité — et amène ensuite le follicule éclaté à sécréter la *progestérone*, une autre hormone femelle. L'ICSH, son équivalent chez le mâle, stimule la production de l'hormone mâle, *androgène*. Malgré l'énumération de termes techniques qui précède, le schème fondamental est simple: par l'entremise d'hormones, l'hypothalamus agit sur l'hypophyse, qui à son tour agit sur les gonades.

Les hormones produites par les gonades — œstrogène, progestérone, androgène — sont appelées *hormones sexuelles* (un peu à tort puisque ces 3 hormones sont produites par les deux sexes, mâle et femelle, quoiqu'en proportions différentes). Ces hormones sont responsables des modifications corporelles à l'époque de la puberté. Chez les filles, l'œstrogène est à l'origine du développement des seins, des changements dans la répartition des graisses, se traduisant par une forme plus féminine, et de la maturation des parties génitales. Chez les garçons, la *testostérone* (un type d'androgène) est responsable de la croissance soudaine des poils sur le visage, sous les bras et sur le pubis; elle est aussi la cause de la mue vocale, du développement des muscles, qui contribuent à la conformation masculine, et de la croissance des parties génitales extérieures.

Quel rôle les hormones jouent-elles dans l'attrait et l'éveil sexuels? Chez les autres espèces, l'attrait sexuel est étroitement associé aux variations des

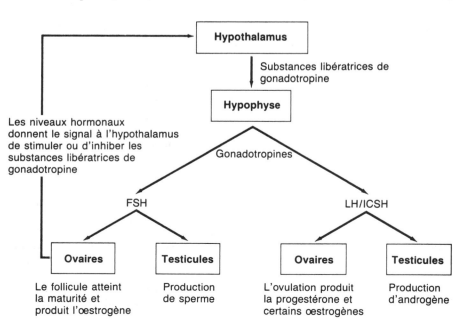

FIGURE 10-7
Système hormonal en cause dans la sexualité *Par l'intermédiaire des hormones, l'hypothalamus agit sur l'hypophyse qui, à son tour, agit sur les gonades pour les amener à sécréter les hormones sexuelles. (D'après Offir, 1982)*

niveaux d'hormones; dans le cas de l'être humain, toutefois, les hormones interviennent moins dans l'attrait sexuel. L'étude des conséquences de la castration constitue un moyen d'évaluer la contribution des hormones à l'activation sexuelle. Chez le mâle, la castration consiste dans l'ablation des testicules, ce qui élimine essentiellement la production des hormones sexuelles. Dans les expériences auprès d'espèces inférieures (comme le rat et le cobaye), la castration entraîne le déclin rapide et finalement la disparition de l'activité sexuelle. Pour des raisons évidentes, il n'y a pas d'expériences contrôlées portant sur l'être humain; les psychologues comptent plutôt sur l'observation de sujets masculins victimes de maladies graves (le cancer des testicules, par exemple) qui ont dû subir une *castration chimique* (l'administration d'hormones synthétiques pour supprimer ou bloquer l'utilisation des androgènes). Ces études démontrent généralement que certains sujets masculins perdent de leur intérêt pour la sexualité, alors que d'autres continuent de mener une vie sexuelle normale (Money, Wiedeking, Walker et Gain, 1976; Walker, 1978). Apparemment, les androgènes ne contribuent au désir sexuel que dans certains cas.

Une autre façon de mesurer la contribution des hormones au désir sexuel de l'homme est de chercher la relation entre la fluctuation hormonale et l'activation sexuelle. Un homme est-il plus susceptible à l'excitation quand son niveau de testostérone se trouve élevé? Jusqu'à présent, les chercheurs n'ont pas trouvé de preuve concluante de l'existence d'une telle relation, ce qui porte à croire qu'une fois que la testostérone a atteint un niveau normal, des augmentations additionnelles n'auraient que très peu d'effets sur l'activation sexuelle.

L'absence d'effets hormonaux sur l'activation de la femme est encore plus frappant, surtout à cause du contraste avec les autres espèces. Chez tous les animaux, des reptiles aux singes, la castration de la femelle (l'ablation des ovaires) entraîne l'abolition de l'activité sexuelle. La femelle castrée cesse d'être réceptive face au mâle et résiste habituellement aux avances sexuelles. La principale exception se trouve chez la femme; la motivation sexuelle de la plupart des femmes ne s'atténue pas à la suite de la ménopause (alors que les ovaires ont cessé de fonctionner). Au contraire, certaines femmes manifestent un intérêt marqué pour la sexualité après la ménopause, probablement parce qu'elles ne s'inquiètent plus de devenir enceintes.

Les études sur la relation entre la fluctuation hormonale et l'éveil sexuel des femmes qui ne sont pas encore arrivées à la ménopause conduisent à une conclusion semblable: les hormones exercent un contrôle substantiel sur l'activation sexuelle chez les espèces inférieures, mais pas chez l'être humain. Dans le cas des mammifères femelles, les hormones fluctuent de façon cyclique avec les changements de la fertilité. Au cours de la première partie du cycle des mammifères (pendant que l'œuf est préparé pour la fécondation), les ovaires sécrètent les œstrogènes, qui préparent l'utérus à l'implantation et qui ont aussi tendance à éveiller l'intérêt sexuel. Après l'ovulation, il y a sécrétion des deux hormones, progestérone et œstrogènes. Chez la plupart des mammifères, ce *cycle de fertilité*, ou *cycle œstral* (œstrus), s'accompagne d'une variation constante de la motivation sexuelle. Les femelles de la plupart des animaux ne sont réceptives aux avances sexuelles d'un mâle que durant la période d'ovulation, alors que le niveau des œstrogènes est à son point le plus élevé durant le cycle (quand elles sont « en chaleur »). Cependant, l'activité sexuelle des primates subit moins l'influence du cycle de fertilité; les femelles des singes, des grands singes et des chimpanzés participent à la copulation durant toutes les phases du cycle, même si l'ovulation reste la période la plus intense de l'activité sexuelle. Chez la femme, l'activité sexuelle subit à peine l'influence du cycle de fertilité, étant affectée beaucoup plus par des facteurs sociaux et affectifs.

En somme, le degré de contrôle hormonal sur le comportement sexuel adulte diminue à mesure qu'on passe des vertébrés inférieurs aux vertébrés supérieurs. Néanmoins, même chez l'être humain, il peut y avoir un certain contrôle hormonal, comme en témoignent les effets de la castration chimique sur les hommes.

Contrôle nerveux

Le système nerveux est également responsable de certains aspects de l'éveil et du comportement sexuels, aspects dont le mécanisme est compliqué et varie d'une espèce à l'autre. Dans le cas de l'être humain, certains des mécanismes nerveux en cause se situent au niveau de la moelle épinière. Chez le mâle, l'érection consécutive à la stimulation directe du pénis est contrôlée par un réflexe spinal, de même que les mouvements pelviques et l'éjaculation. Toutes ces activités restent possibles chez les hommes dont la moelle épinière a été coupée à la suite de blessures. De même, les études chimiques portant sur des femmes souffrant de lésions de la moelle portent à croire que la lubrification du vagin pourrait être contrôlée par un réflexe spinal (Offir, 1982).

Mais l'organe le plus important pour le contrôle de l'éveil et du comportement sexuels est le cerveau (les thérapeutes de la sexualité l'appellent la « zone la plus érogène »). Les réflexes spinaux sont contrôlés par le cerveau et l'érection peut tomber sous le contrôle direct du cerveau par l'intermédiaire de pensées et d'images. Certaines des connaissances les plus précises que nous avons acquises sur le rôle du cerveau dans la sexualité nous viennent d'expériences faites sur les animaux. Chez le rat mâle, la stimulation électrique de l'hypothalamus postérieur déclenche non seulement la copulation, mais aussi le répertoire entier du comportement sexuel. Le rat mâle qu'on stimule dans cette région ne monte pas la femelle au hasard; il la courtise plutôt en lui mordillant les oreilles et en lui pinçant l'arrière du cou jusqu'à ce qu'elle réagisse. L'intromission et l'éjaculation suivent à moins que la stimulation électrique soit interrompue. Même s'il est sexuellement repu, le rat mâle va répondre à la stimulation électrique en appuyant sur un levier pour ouvrir une porte qui mène à la femelle qu'il courtisera avant de s'accoupler (Caggiula et Hoebel, 1966).

Les premières expériences

L'environnement exerce également une grande influence sur la sexualité adulte, une catégorie de facteurs déterminants étant les premières expériences de l'individu. L'expérience a peu d'effets sur le comportement d'accouplement des mammifères inférieurs — les rats inexpérimentés copulent aussi efficacement que ceux qui sont devenus experts — mais elle est un des principaux facteurs qui président au comportement sexuel des mammifères supérieurs.

L'expérience peut agir sur des réponses sexuelles particulières. Les jeunes singes, par exemple, adoptent dans leurs jeux plusieurs des postures requises plus tard pour la copulation. En luttant avec leurs pairs, les bébés singes mâles s'adonnent à des saisies de l'arrière-train et à des mouvements d'enfoncement qui sont des éléments du comportement sexuel adulte. Les bébés singes femelles battent en retraite quand elles sont menacées par un bébé singe mâle et adoptent résolument une posture similaire à la position requise pour supporter la masse du mâle durant la copulation. Ces réactions pré-sexuelles apparaissent à un âge aussi précoce que 60 jours et deviennent plus fréquentes et plus raffinées à mesure que le singe vieillit (voir la figure 10-8). Leur apparition précoce permet de croire qu'il s'agit de réactions innées à des stimuli spécifiques, la modification et le raffinement de ces réponses avec l'expérience indiquant que l'apprentissage joue un rôle dans le développement du « pattern » sexuel adulte.

L'expérience agit aussi sur les aspects interpersonnels de la sexualité. Les singes élevés en isolement partiel (dans des cages de broche individuelles d'où ils peuvent apercevoir d'autres singes, sans jamais avoir de contacts avec eux) sont généralement incapables d'entrer en copulation à l'âge adulte. Les singes mâles sont capables d'exécuter les gestes mécaniques de la sexualité : ils se masturbent jusqu'à l'éjaculation à la même fréquence à peu près que les singes normaux. Mais face à une femelle sexuellement réceptive, ils ne semblent pas savoir comment adopter la posture correcte pour la copula-

A

B

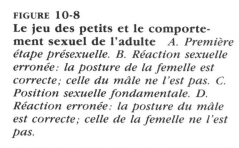

FIGURE 10-8
Le jeu des petits et le comporte-ment sexuel de l'adulte *A. Première étape présexuelle. B. Réaction sexuelle erronée: la posture de la femelle est correcte; celle du mâle ne l'est pas. C. Position sexuelle fondamentale. D. Réaction erronée: la posture du mâle est correcte; celle de la femelle ne l'est pas.*

C

D

tion. Ils sont excités, mais cherchent à saisir à tâtons et au hasard la femelle ou leur propre corps. Leur problème ne se résume pas à un manque de réponses spécifiques. Ces singes, auparavant isolés, ont des problèmes d'ordre social ou affectif: même dans les situations non sexuelles, ils sont incapables d'entrer en relation avec d'autres singes, manifestant soit de la peur, soit une agressivité excessive. Apparemment, le comportement hétérosexuel normal chez les primates ne dépend pas seulement des hormones et du développement de réactions sexuelles spécifiques, mais aussi d'un lien affectif entre deux membres de sexes opposés. Ce lien est le résultat d'interactions antérieures avec la mère et les pairs, interactions grâce auxquelles le jeune singe apprend à avoir confiance, à exposer ses parties délicates sans crainte qu'on lui fasse mal, à accepter le contact physique avec les autres, à y prendre plaisir et à ressentir une motivation pour la recherche de la compagnie des autres (Harlow, 1971).

En dépit du fait qu'il faille se montrer prudent quand il s'agit de transposer au développement sexuel humain les résultats observés chez des singes, l'observation clinique portant sur des nouveau-nés humains permet d'établir certains parallèles. Les bébés humains acquièrent leurs premiers sentiments de confiance et d'affection grâce à une relation chaleureuse et affectueuse avec la mère ou avec la personne responsable de lui prodiguer des soins (voir au chapitre 3). Cette confiance fondamentale est un prérequis à une interaction satisfaisante avec ses pairs. En outre, les relations affectueuses avec d'autres jeunes des deux sexes forment la base de l'intimité requise pour le développement de relations hétérosexuelles entre adultes.

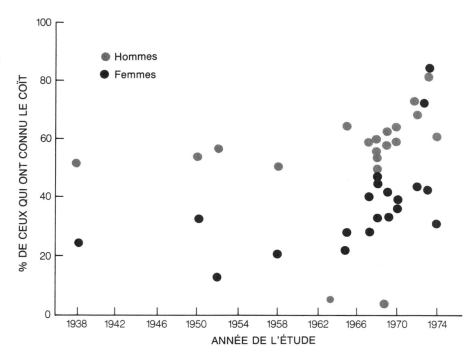

FIGURE 10-9
Témoignages d'expérience prémaritale du coït   *Chacun des points du graphique représente les résultats d'une étude de l'activité sexuelle prémaritale chez des collégiens et collégiennes. Remarquez la croissance marquée débutant vers les années 1960. (D'après Hopkins, 1977)*

Influences culturelles

Les influences culturelles constituent une autre catégorie de facteurs déterminants associés à l'environnement. Contrairement au comportement sexuel des autres primates, celui de l'être humain est fortement influencé par le milieu culturel. Toutes les sociétés imposent certaines contraintes à l'activité sexuelle. L'inceste (relations sexuelles entre membres de la même famille) est, par exemple, prohibé dans presque toutes les sociétés. Les autres aspects de la sexualité — l'activité sexuelle entre enfants, l'homosexualité, la masturbation et les rapports sexuels avant le mariage — sont permis, mais à divers degrés, selon les sociétés en cause. Parmi les populations dites primitives étudiées par les anthropologues, l'activité sexuelle jugée acceptable varie grandement. Certaines sociétés très tolérantes encouragent les pratiques auto-érotiques et le jeu sexuel entre enfants des deux sexes et laissent les enfants observer l'activité sexuelle des adultes. Les Chouas d'Afrique croient, par exemple, que si l'on ne permet pas aux enfants de s'entraîner à la sexualité, ils seront incapables plus tard d'avoir une progéniture.

Par contraste, les sociétés très rigides essaient de contrôler le comportement sexuel avant l'adolescence et d'empêcher les enfants de se familiariser avec les questions sexuelles. Les Counas d'Amérique du Sud pensent que les enfants doivent ignorer tout de la sexualité jusqu'à leur mariage; ils ne laissent même pas leurs enfants observer les animaux en train de mettre bas. Chez les Ashantis d'Afrique, les rapports sexuels avec une fillette qui n'aurait pas encore passé par la cérémonie de la puberté entraînent la peine de mort pour les deux partenaires. D'autres aspects du comportement sexuel donnent lieu à des attitudes extrémistes semblables: dans certaines sociétés primitives, par exemple, l'homosexualité est considérée comme faisant essentiellement partie de la croissance et dans d'autres, comme un délit méritant la mort.

Durant les années 1940 et 1950, la société québécoise , à l'instar de la plupart des sociétés occidentales, aurait été classée parmi les sociétés sexuellement intolérantes. La tradition voulait qu'on ignore ou qu'on nie l'existence de la sexualité prépubertaire. La sexualité dans le mariage était considérée comme le seul exutoire sexuel légitime et les autres formes d'expression sexuelle (activités homosexuelles, rapports avant le mariage et en dehors du mariage) étaient généralement condamnées et souvent interdites par la loi. Bien sûr, plusieurs membres de ces sociétés s'adonnaient à de telles activités, mais souvent au prix de sentiments de culpabilité.

Aujourd'hui, les activités sexuelles sont beaucoup plus tolérées. Les rapports sexuels avant le mariage sont, par exemple, plus acceptés maintenant et ils sont plus fréquents. Parmi des étudiants de niveau collégial interviewés au cours des années 1940, 27 % des femmes et 49 % des hommes avaient eu des rapports sexuels avant le mariage, alors qu'ils n'avaient pas encore 21 ans (Kinsey, Pomeroy et Martin, 1948; Kinsey, Pomeroy, Martin et Gebhard, 1953). Faisant contraste, plusieurs enquêtes menées auprès de collégiens durant les années 1970 rapportent des pourcentages allant de 40 à 80 % pour les hommes comme pour les femmes (Hunt 1974; Tavris et Sadd, 1977). La figure 10-9 donne le nombre de cas de rapports sexuels rapportés dans des études s'échelonnant sur une période de 35 ans. Notons que le changement du comportement sexuel a été plus prononcé chez les femmes que chez les hommes et que les modifications les plus importantes sont survenues à la fin des années 1960. Ces changements ont amené plusieurs observateurs de la scène sociale à parler de révolution sexuelle.

Cette révolution pourrait cependant porter plus sur le comportement que sur les sentiments. Des interviews auprès de couples d'étudiants de niveau collégial ont révélé que 20 % d'entre eux seulement croyaient que les rapports entre connaissances d'occasion étaient tout à fait acceptables (Peplau, Rubin et Hill, 1977). D'ailleurs, une étude sur les premières expériences sexuelles a montré que, malgré le fait que plusieurs sujets se disaient fiers d'avoir perdu leur virginité, peu d'entre eux rapportaient avoir connu des plaisirs sensuels (Hunt, 1974). Tout en proclamant une révolution du comportement sexuel, ces résultats et d'autres encore témoignent de valeurs et de sentiments traditionnels.

Dans la même veine, alors que les femmes deviennent plus semblables aux hommes sur le plan du comportement sexuel, elles continuent de manifester des différences dans certaines attitudes critiques à l'égard de la sexualité avant le mariage. C'est ainsi que la majorité des femmes qui pratiquent la sexualité avant le mariage ne le font qu'avec un ou deux partenaires avec lesquels elles entretiennent des relations affectives. Les hommes, par contre, sont plus susceptibles de rechercher des rapports sexuels occasionnels sans s'engager; lors d'une enquête, le nombre médian (la médiane statistique) des partenaires prémaritaux rapportés par des hommes était de 6 (Hunt, 1974). De plus, ayant demandé à des étudiants de niveau collégial d'établir la liste de leurs problèmes relatifs à « un aspect quelconque du fonctionnement sexuel », on nota que les préoccupations des hommes et des femmes étaient assez différentes. Les femmes exprimaient plus souvent de la peur et de l'insécurité:

- Peur de la grossesse
- Peur du viol
- Peur d'être séduites, puis délaissées
- Peur d'être réjetées si elles refusent
- La masturbation (difficulté d'acceptation)
- Peur que leur partenaire éprouve une répulsion physique envers elles
- Peur de perdre leur estime de soi
- Peur de finir par trop « s'attacher », sans que cet attachement soit partagé
- Sentiment de culpabilité à l'égard de la sexualité avant le mariage
- Pressions exercées sur elles pour qu'elles aient des relations sexuelles contre leur gré
- Crainte de ne pas satisfaire son partenaire
- Gêne ou inquiétude devant le fait de ne pas avoir d'orgasme

Les hommes étaient plus portés à énumérer leurs plaintes à l'égard des femmes qu'à exprimer leurs propres conflits et inquiétudes:

- Trouver des partenaires qui seraient réceptives à des expériences sexuelles variées
- Toujours devoir se mettre en chasse
- Ne pas être capable d'avoir des rapports sexuels quand ils le désirent

- Les femmes qui aguichent, sans vouloir s'engager dans l'activité sexuelle
- Le refus de la part des femmes d'accepter la responsabilité de leur propre sexualité
- La pudeur excessive des femmes (elles veulent qu'on éteigne)
- Les femmes qui utilisent leur attrait sexuel pour manipuler les autres
- Les femmes passives
- Les femmes agressives
- L'obligation de dire que vous l'aimez même si ce n'est pas vrai
- Qu'on s'attende à ce qu'ils connaissent tout de la sexualité
- L'incapacité de communiquer des sentiments ou ses besoins durant l'acte sexuel

(Tavris et Offir, 1977, p. 68)

Ces réponses différentes reflètent des différences d'attitudes — au moins parmi les jeunes célibataires, hommes et femmes — à l'égard de la relation entre amour et sexualité.

Homosexualité

Le terme « homosexuel » s'applique aussi bien aux femmes qu'aux hommes, mais on utilise généralement le mot lesbienne pour désigner la femme homosexuelle. La plupart des experts sont d'accord avec Kinsey pour dire que l'homosexualité n'est pas une question « tranchée au couteau » : le comportement sexuel se mesure sur un continuum ; les individus qui sont exclusivement hétérosexuels ou exclusivement homosexuels se situent à l'un ou l'autre des deux pôles et il existe entre ces deux pôles divers mélanges de comportements sexuels. La plupart des jeunes garçons s'adonnent à des jeux érotiques entre eux à un moment donné durant leur enfance et plusieurs hommes font l'expérience d'une ou de plusieurs rencontres homosexuelles. Selon certaines estimations, on n'en compterait qu'environ 4 % qui deviennent exclusivement homosexuels. Les femmes sont moins portées que les hommes à avoir des interactions sexuelles durant l'enfance ou à connaître un épisode homosexuel plus tard dans la vie ; seulement 1 ou 2 % d'entre elles sont exclusivement homosexuelles. Certains individus ont des comportements *bisexuels*, trouvant plaisir dans les relations sexuelles avec des membres des deux sexes. Certains, tout en étant mariés, peuvent avoir des épisodes homosexuels.

Jusqu'à l'avènement de la révolution sexuelle à la fin des années 1960, l'homosexualité était considérée comme une maladie mentale ou une perversion. Même si une bonne partie de la société la considère encore comme malsaine et contre-nature, la plupart des psychologues et des psychiatres y voient une variante de l'expression sexuelle plutôt qu'une perversion et ne considèrent nullement qu'elle constitue comme telle une indication ou une cause de maladie mentale. En effet, dans les études sur la santé mentale, les homosexuels apparaissent aussi bien adaptés que des hétérosexuels comparables (voir, par exemple, Hooker, 1957 ; Sahgir et Robins, 1973).

FACTEURS DÉTERMINANTS DE LA BIOLOGIE ET DE L'ENVIRONNEMENT   En dépit d'un nombre considérable de recherches, on en sait relativement peu sur les causes de l'homosexualité. En ce qui a trait à la possibilité de l'existence de facteurs biologiques déterminants, on n'observe aucune différence manifeste entre les caractéristiques physiques des homosexuels et des hétérosexuels. Malgré le fait que certains hommes homosexuels peuvent avoir une apparence féminine — et certaines femmes homosexuelles une apparence assez masculine — cela ne vaut pas pour la majorité des cas. Il semblerait plus plausible de rechercher des différences biologiques dans les hormones, mais en l'occurrence les faits sont plutôt inconsistants. Des études ont montré que les hommes homosexuels avaient des niveaux de testostérone inférieurs à ceux des hommes hétérosexuels, alors que d'autres études ne révèlent aucune différence dans les niveaux généraux des hormones. D'ailleurs, quand on donne des hormones mâles additionnelles à des hommes homosexuels, il se peut que leur appétit sexuel augmente, mais leurs préférences sexuelles ne changent pas. Il peut arriver, cependant, que les hommes homosexuels présentent un « pattern » de sécrétion de l'hormone LH en réaction aux œstrogènes

qui soit intermédiaire par rapport à celui des hommes et des femmes hétéro-sexuels (rappelons que la LH est sécrétée par l'hypophyse et transmise aux gonades). Ainsi, quatre jours après une injection d'œstrogènes, les niveaux de LH des femmes hétérosexuelles étaient de 200 % au-dessus de leur ligne de base, ceux des hommes hétérosexuels de 88 %, et ceux des hommes homo-sexuels de 138 % (Gladue, Green et Hellman, 1984). Aucune donnée cepen-dant ne permet d'associer ce « pattern » à la cause de l'homosexualité.

Certaines hypothèses sur les causes environnementales de l'homosexua-lité semblent également minces. On prétend souvent que les parents seraient en quelque sorte responsables de l'homosexualité de leurs enfants ; une vaste étude auprès des homosexuels permet de supposer que l'influence parentale ne représenterait, tout au plus, qu'un facteur de peu d'importance dans l'adop-tion d'une préférence sexuelle. Les principaux résultats de cette recherche, qui sont résumés dans le tableau 10-2, semblent indiquer que la préférence sexuelle dépend d'un « pattern » complexe de sentiments et de réactions pro-pres à l'enfant et qu'on ne peut associer à aucun facteur unique d'ordre social ou psychologique.

Une façon plus prometteuse d'aborder la question consiste à étudier l'interaction entre biologie et environnement. Storms (1981) a émis l'hypo-thèse que la préférence sexuelle procéderait en partie d'une interaction entre le développement de l'appétit sexuel et le développement social au cours du début de l'adolescence. Plus précisément, la naissance de la tendance sexuelle durant l'adolescence (résultat de la montée des hormones) donne-rait lieu à la formation d'une orientation sexuelle et les divers personnages qui composent à ce moment-là l'environnement social de l'individu détermi-neraient la direction de l'orientation sexuelle. L'apparition particulièrement précoce de la tendance sexuelle contribuerait à l'homosexualité, parce que l'environnement social de l'individu serait, à cette époque, surtout composé de jeunes du même sexe (les garçons et les filles sont portés à former des

---

1. La préférence sexuelle des filles comme celle des garçons avait tendance à être fixée au moment où ils étaient parvenus à l'adolescence, si dans certains cas, ils n'étaient pas encore très actifs sexuellement.

2. Parmi ces sujets, l'homosexualité s'était manifestée ou s'était trouvée ren-forcée par des sentiments sexuels qui étaient typiquement apparus dans les 3 ans précédant leur première « initiative » homosexuelle. Ce sont ces sentiments, plus que les activités homosexuelles, qui semblent avoir joué un rôle crucial dans le développement de l'homosexualité adulte.

3. Les hommes et les femmes homosexuels de cette étude n'ont pas particu-lièrement manqué d'expériences hétérosexuelles durant leurs années d'enfance et d'adolescence. On pouvait les distinguer de leurs semblables hétérosexuels, toutefois, par le fait qu'ils ne trouvaient pas de satisfaction dans de telles expériences.

4. Autant chez les hommes que chez les femmes de cette étude, on rencontre un lien solide entre la non-conformité à son genre sexuel durant l'enfance et le développement de l'homosexualité.

5. Le facteur d'identification au parent du sexe opposé durant la croissance n'a pas semblé avoir d'impact significatif sur l'éventualité de devenir homo-sexuel ou hétérosexuel.

6. Dans le cas des hommes comme dans celui des femmes de cette étude, les mauvais rapports avec le père semblent avoir joué un rôle plus impor-tant dans l'acquisition d'une prédisposition à l'homosexualité que la nature de leurs relations avec la mère.

7. Dans la mesure où l'on peut identifier des différences dans le développe-ment psychosexuel des hommes et des femmes, la non-conformité à son genre sexuel a semblé revêtir plus d'importance chez les hommes et les rapports familiaux semblèrent plus importants chez les femmes en ce qui a trait au développement de la préférence sexuelle.

TABLEAU 10-2
Variables qui influencent la préfé-rence sexuelle *Ces résultats sont fondés sur des entrevues faites au cours des années 1969-1970 auprès d'environ 1500 hommes et femmes homosexuels résidant dans la région de la baie de San Francisco. Les cher-cheurs ont analysé les relations de leurs sujets avec leurs parents, leurs frères et leurs sœurs durant leur crois-sance, le degré de conformité durant l'enfance aux conceptions stéréotypées du garçon ou de la fille, les relations avec les pairs et les autres personnes qui ne faisaient pas partie de la famille et la nature de leurs expé-riences enfantines et sexuelles. Des ana-lyses statistiques ont retracé les rela-tions entre ce type de variables et la préférence sexuelle à l'âge adulte. (D'après Bell, Weinberg et Hammersmith, 1981).*

groupes séparés de même sexe de la tendre enfance jusqu'à la pré-adolescence). Ainsi, la préférence sexuelle manifestée à l'âge adulte dépendrait de l'environnement social qui existe au moment où l'appétit sexuel de l'individu prend toute sa force au cours de l'adolescence. Si l'environnement est surtout du même sexe, la préférence sexuelle de l'adulte aura tendance à être homosexuelle ; s'il est hétérosocial, la préférence sexuelle de l'adulte aura tendance à être hétérosexuelle. Cette théorie semble expliquer bon nombre des observations sur l'homosexualité rapportées dans le tableau 10-2.

DIFFÉRENCES DE GENRE Dans les propos que nous avons tenus sur l'hétérosexualité, nous avons fait observer que les jeunes gens, hommes ou femmes, avaient des attitudes différentes face à la sexualité, les femmes étant plus susceptibles de considérer la sexualité comme faisant partie d'une relation amoureuse. Ce même type de différence se manifeste entre homosexuels masculins et féminins. Les lesbiennes sont plus portées que les hommes homosexuels à entretenir des relations à long terme avec leurs amantes. Les lesbiennes ont également moins de partenaires sexuels. Dans une étude de Bell et Weinberg (1978), la majorité des lesbiennes ont rapporté avoir eu moins de 10 partenaires sexuels au total, alors que l'homme homosexuel moyen parlait de centaines de partenaires. De même, les lesbiennes accordent plus d'importance aux aspects romantiques de leurs relations que les homosexuels masculins. Par conséquent, la façon dont les gens mènent leur vie sexuelle et romantique tiendrait moins au fait qu'ils soient homosexuels ou hétérosexuels qu'à celui d'être un homme ou une femme.

DÉBUTS DU DÉVELOPPEMENT SEXUEL

Pour que ses expériences sociales et sexuelles soient gratifiantes à l'âge adulte, un individu a besoin d'acquérir une *identité* de genre *appropriée* — c'est-à-dire que les garçons ont besoin de s'identifier au sexe masculin et les filles, au sexe féminin. Ce développement est plutôt compliqué et il commence dans le sein maternel.

Hormones prénatales

Durant les 2 premiers mois suivant la conception, seuls les chromosomes de l'embryon humain sont capables d'indiquer s'il deviendra un garçon ou une fille. Jusqu'à ce stade, les deux sexes sont d'apparence identique et possèdent des tissus qui vont éventuellement se transformer en testicules ou en ovaires, de même qu'un tubercule génital qui deviendra soit un pénis, soit un clitoris. Cependant, entre les 2e et 3e mois, une glande sexuelle primitive, ou gonade, se transforme en testicules si l'embryon est génétiquement mâle (c'est-à-dire s'il possède des chromosomes XY — voir au chapitre 2) ou en ovaires si l'embryon est génétiquement femelle (chromosomes XX). Au terme de la formation des testicules ou des ovaires, ceux-ci produisent des hormones sexuelles qui contrôlent le développement des organes internes de reproduction et des parties génitales externes. Les hormones sexuelles ont plus d'importance pour le développement prénatal que pour la sexualité adulte.

Les hormones critiques pour le développement génital sont les androgènes. Si les glandes sexuelles embryonnaires produisent suffisamment d'androgènes, le nouveau-né aura des organes génitaux mâles ; si la quantité d'androgènes est insuffisante, le nouveau-né aura des organes génitaux femelles, *même* s'il est génétiquement mâle (XY). Le développement anatomique de l'embryon femelle n'exige pas d'hormones femelles, mais seulement l'absence d'hormones mâles. Bref, la nature produira une femelle, à moins que les androgènes n'interviennent.

L'influence des androgènes, appelée *androgénisation*, s'étend au-delà de l'anatomie. Il se peut que l'androgénisation précoce soit responsable de traits et de comportements masculins qui se manifestent par la suite. Dans une série d'expériences, on a donné des injections de testostérone (un type d'androgènes) à des femelles de singe gravides et on a observé attentivement leurs rejetons femelles. Ces femelles présentaient des changements anatomiques (des pénis au lieu de clitoris) par comparaison avec des femelles normales et agissaient de façon différente également. Elles se montraient plus agressives dans leur jeu, plus masculines dans leurs ébats sexuels et moins intimidées à l'approche des pairs (Goy, 1968 ; Phoenix, Goy et Resko, 1968). Ceci dénote la possibilité d'une détermination hormonale chez le singe de certains comportements propres au genre (comme une plus grande agressivité chez le mâle). S'il en est ainsi chez l'être humain, il s'ensuit que certains aspects typiques de notre identité de genre seraient contrôlés par les hormones plutôt que par le milieu social. Des chercheurs ont même suggéré que des traits rares, comme le génie musical et la *dyslexie* (une perturbation du mécanisme de la lecture qu'on retrouve plus fréquemment chez les hommes que chez les femmes) seraient partiellement attribuables à une androgénisation excessive (Geschwind, 1984). La question du contrôle hormonal chez l'être humain reste controversée.

Hormones et environnement

Une bonne part de nos connaissances sur les effets des hormones prénatales et de l'environnement initial chez l'être humain sont le fruit d'études portant sur les *hermaphrodites*, c'est-à-dire des individus nés avec les deux types de tissus, mâle et femelle. Dans certains cas, ils possèdent des organes génitaux qui paraissent ambigus (un organe externe qu'on pourrait décrire soit comme un gros clitoris, soit comme un pénis minuscule) ou des parties génitales externes qui sont en conflit avec les organes sexuels internes (un pénis en même temps que des ovaires) (voir la figure 10-10). Ces conditions se présentent à la suite de déséquilibres hormonaux prénataux qui se traduisent par un fœtus génétiquement femelle ayant reçu trop d'androgènes ou un fœtus génétiquement mâle en ayant reçu trop peu. Quelle identité de genre aura un nouveau-né hermaphrodite auquel on aurait donné la mauvaise désignation sexuelle à la naissance — disons, un nouveau-né aux parties génitales externes ambiguës qu'on aurait déclaré de sexe masculin à la naissance et qu'on reconnaîtrait par la suite comme génétiquement de sexe féminin (XX) et pourvu d'ovaires?

Dans la plupart des cas de ce type, le sexe déclaré à la naissance et le rôle sexuel dans lequel l'individu est élevé exercent une influence beaucoup plus considérable sur l'identité de genre que les gènes et les hormones de l'individu. Prenons par exemple le cas de 2 nouveau-nés génétiquement femelles qui possédaient des parties génitales externes ambiguës parce que leurs glandes sexuelles fœtales avaient produit trop d'androgènes (leurs organes internes étaient, cependant, nettement de sexe féminin). Les 2 enfants furent opérés pour corriger le grossissement du clitoris. Les parties génitales de l'une furent « féminisées » et elle fut élevée comme une petite fille ; les parties génitales de l'autre bébé furent modifiées pour ressembler à un pénis, et on l'éleva comme un garçon. Selon les témoignages, les deux enfants grandirent en se sentant en sécurité dans leurs rôles sexuels respectifs. La fillette était un peu « garçonne », mais son apparence était féminine. Le garçon fut accepté comme un mâle parmi ses pairs et il manifesta un intérêt romantique à l'égard des filles. Des cas comme ceux-là permettent d'affirmer que l'identification de genre d'un individu est plus influencée par la façon dont une personne est désignée et élevée que par l'action de ses hormones (Money, 1980).

Pourtant, il est aussi des cas qui mènent à la conclusion contraire. Les plus célèbres se sont produits il y a plusieurs années, dans des villages retirés de la République Dominicaine. Il y avait en cause 18 mâles génétiques qui, compte tenu que leurs cellules étaient insensibles aux androgènes que leurs corps avaient produits durant la période prénatale, naquirent avec des organes internes nettement masculins, tout en étant pourvus de parties génitales qui se rapprochaient plus de celles d'une femme, y compris un organe sexuel

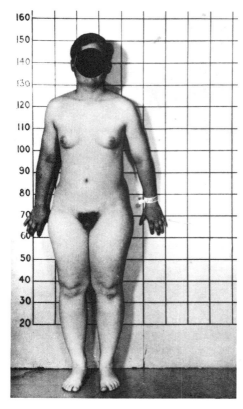

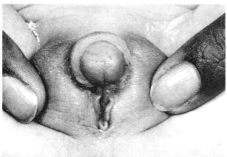

FIGURE 10-10

Hermaphrodisme *La présence de trop d'androgènes chez les fœtus femelles ou de trop peu chez les fœtus mâles peut donner des parties génitales externes d'apparence ambiguë. La photographie du haut est celle d'un garçon qui a subi un traitement tardif et qui a été l'objet d'une mammectomie après que cette photographie a été prise. La photographie du bas montre le grossissement du clitoris d'un nouveau-né de sexe féminin.*

semblable à un clitoris. Les 18 enfants furent élevés comme des filles, ce qui était contradictoire tant par rapport à leurs gènes que par rapport à leur environnement hormonal prénatal. Quand ils parvinrent à la puberté, la montée des hormones mâles donna lieu aux changements somatiques habituels et transforma leurs organes sexuels à l'apparence de clitoris en organes ressemblant à des pénis. La plupart de ces « garçons élevés comme des filles » se transformèrent rapidement en garçons. Ils ont semblé éprouver peu de difficulté à s'adapter à une identité de genre de type masculin ; ils prirent des emplois comme mineurs et bûcherons et trouvèrent vite des partenaires sexuels féminins. Dans ce cas-là, la biologie l'a emporté sur l'environnement (Imperato-McGinley, Peterson, Gautier et Sturla, 1979). Toutefois, le cas des hermaphrodites dominicains a soulevé la controverse : le degré de constance dans leur éducation féminine n'a pas été établi de façon claire, d'autant plus qu'ils possédaient des parties génitales ambiguës.

Ceux qui prétendent que l'environnement exerce une influence déterminante peuvent invoquer en leur faveur un autre cas incroyable. Des jumeaux identiques avaient eu un environnement prénatal tout à fait normal. Mais à l'âge de 7 mois, par suite d'une erreur tragique, le pénis de l'un fut entièrement coupé au cours d'une opération, qui était supposée être une circoncision de routine. Dix mois plus tard, les parents angoissés ont autorisé une intervention chirurgicale destinée à transformer leur enfant en petite fille — ses testicules furent enlevés et on pratiqua une opération pour créer la forme préliminaire d'un vagin. On administra ensuite à l'enfant des hormones sexuelles femelles et on l'éleva comme s'il s'agissait d'une fille. En moins de quelques années, l'enfant parut avoir assumé une identité de genre féminin : elle marqua une plus grande préférence que son frère jumeau pour les vêtements, les jouets et les activités de type féminin. Ce qu'il y a d'étonnant dans ce cas, c'est 1) que l'environnement l'ait emporté à la fois sur les gènes et sur un environnement prénatal *normal* (dans tous les autres cas qui ont été considérés, l'environnement prénatal n'avait pas été tout à fait normal) et 2) qu'on ait eu cette occasion de comparer des individus ayant des gènes et des hormones prénatales identiques, mais ayant reçu une éducation différente. Pourtant, les partisans de l'influence biologique comme facteur déterminant restent sceptiques quant à la validité de conclusions fondées sur un cas unique.

Que pouvons-nous conclure au sujet de l'identité de genre ? De toute évidence, les hormones prénatales et l'environnement sont, tous deux, des facteurs de première importance dans la détermination de l'identité de genre, facteurs agissant généralement en harmonie l'un avec l'autre. Quand ils s'opposent, comme chez certains hermaphrodites, la plupart des experts reconnaissent que c'est l'environnement qui prédomine. Mais ce domaine prête toujours à la controverse et il est possible que l'opinion des experts se modifie avec l'accumulation de nouvelles données.

Transsexualisme

Certaines personnes croient que leur corps est compatible avec l'un des deux sexes — par exemple, que leurs organes internes et externes sont tous des organes mâles — mais que leur identité de genre est celle de l'autre sexe — ils se considèrent comme des femmes. Ces *transsexuels* (généralement de sexe masculin) ont l'impression d'être nés dans le mauvais corps. Ils ne sont pas homosexuels au sens usuel du mot. La plupart des homosexuels sont satisfaits de leur anatomie et s'identifient de façon correcte comme des hommes ou des femmes ; c'est tout simplement qu'ils ont une préférence pour les membres de leur propre sexe. Les transsexuels, au contraire, se conçoivent comme des membres du sexe *opposé* (souvent depuis leur tendre enfance) et ils peuvent se montrer si déçus et si malheureux de leur apparence physique qu'ils sollicitent des traitements hormonaux et chirurgicaux pour transformer leurs organes et leurs caractéristiques sexuelles secondaires.

Les médecins américains ont pratiqué plusieurs milliers d'opérations pour changer le sexe d'individus. S'il s'agit de mâles, les traitements hormonaux

peuvent contribuer au grossissement des seins, au ralentissement de la croissance de la barbe et à l'arrondissement de la silhouette; l'opération chirurgicale consiste dans l'ablation des testicules et d'une partie du pénis et le façonnement des tissus qui restent pour former un vagin et des lèvres. Dans le
cas des femmes, les traitements hormonaux peuvent stimuler la croissance
de la barbe, raffermir les muscles et rendre la voix plus grave; l'opération
chirurgicale consiste dans l'ablation des ovaires et de l'utérus, la réduction
du tissu mammaire et, dans certains cas, dans la formation d'un organe qui
ressemble à un pénis. Même si une opération de changement de sexe ne rend
pas la reproduction possible, elle peut quand même transformer l'apparence
de façon remarquable. Cependant, à cause du caractère radical de l'intervention chirurgicale, on n'y a recours qu'après mûre réflexion. L'individu passe
habituellement par une série de séances de « counseling psychologique » et
on le soumet à un traitement hormonal; on exige habituellement qu'il vive
comme un membre du sexe opposé pendant un an ou plus avant l'opération.
Les experts sont partagés sur la question de savoir si une opération de changement de sexe contribue réellement à une meilleure adaptation de ces individus transsexuels (Hunt et Hampson, 1980).

   Comment expliquer le transsexualisme? Selon une hypothèse intéressante, certains cas de transsexualisme pourraient résulter d'une erreur hormonale prénatale, semblable à celle qui donne l'hermaphrodisme, mais qui
surviendrait à un stade plus avancé du développement fœtal. Si une telle erreur
devait se produire après la formation des parties génitales externes, mais avant
le développement complet des mécanismes cérébraux qui influencent le comportement sexuel, le sens qu'un individu aurait de son identité sexuelle pourrait entrer en contradiction avec son sexe physique. Il ne s'agit là que de
spéculation, toutefois nous pouvons raisonnablement poser en principe que
les deux types de facteurs, biologiques et environnementaux, ont un rôle
à jouer dans le transsexualisme (Money, 1980).

COMPORTEMENT MATERNEL

Chez de nombreuses espèces, les soins dont il faut entourer les petits constituent un facteur plus puissant pour la mobilisation du comportement que
la faim, la soif ou la sexualité. Une mère rat, par exemple, acceptera plus volontiers de franchir des obstacles et de s'exposer à la douleur pour se rendre
auprès de ses petits que pour se procurer de la nourriture lorsqu'elle est affa-
mée ou de l'eau lorsqu'elle est assoiffée. Même si les êtres humains ne sont
pas toujours des parents aussi attentionnés que les rats, le soin des petits est
également l'une des motivations fondamentales de notre espèce.

Facteurs biologiques

Comme pour la sexualité, les hormones jouent un rôle majeur dans le comportement maternel des espèces inférieures, mais pas chez les primates. Des
rates encore vierges que l'on met plusieurs jours en présence de ratons nouvellement nés se mettent à construire un nid, à lécher les petits, à les ramener
près d'elles et finalement à se placer au-dessus d'eux dans une posture d'allaitement. Si on lui injecte du plasma sanguin provenant d'une rate qui vient
de mettre bas, une rate vierge va commencer à manifester un comportement
maternel en moins d'une journée (Terkel et Rosenblatt, 1972). Les schèmes
de comportement maternel semblent être génétiquement programmés dans
le cerveau du rat et les hormones servent à accroître la sensibilité de ces mécanismes neuraux. Les influences hormonales dépendent de l'équilibre entre
les hormones femelles (l'œstrogène et la progestérone) et la prolactine du
lobe antérieur de l'hypophyse, laquelle stimule la production du lait.

   Chez l'être humain, les hormones ont moins d'influence. Si le comportement maternel de l'humain était orienté principalement par les hormones,

il y aurait probablement moins de cas de parents exerçant des sévices sur leurs enfants. Il arrive que des femmes abandonnent leurs petits nouvellement nés ou vont même jusqu'à les tuer, et il y a beaucoup plus d'enfants abusivement battus qu'on ne le croit. Aux États-Unis, selon une évaluation modérée, on dénombre chaque année approximativement 350 000 enfants qui sont l'objet d'abus physiques, sexuels ou affectifs de la part des personnes qui en ont la garde; une estimation moins prudente situe entre 1,4 et 1,9 million le nombre d'enfants qui risquent, chaque année, d'être blessés gravement par un membre de leur famille (Wolfe, 1985). Les parents en cause dans ces situations ont généralement reçu peu ou pas d'amour durant leur enfance et ils ont eux-mêmes été souvent battus par leurs parents, ce qui dénote l'importance des premières expériences pour le comportement parental. Chez les primates et les êtres humains, l'expérience a une influence beaucoup plus grande que l'action potentielle des « hormones maternelles ».

Mais nous ne pouvons pas écarter la biologie complètement. Les *éthologistes* (des hommes et femmes de science qui étudient le comportement animal en milieu naturel) ont proposé un certain nombre de facteurs qui pourraient jouer un rôle déterminant dans le comportement parental de l'être humain. L'une de ces possibilités serait que l'apparence distinctive et « mignonne » d'un bébé (grosse tête, de grands yeux, nez retroussé, visage joufflu, etc.) jouerait le rôle de *déclencheurs innés* de sentiment et de comportements parentaux. En d'autres mots, notre espèce — et la plupart des autres espèces — auraient pu connaître une évolution qui ferait en sorte que les traits « mignons » des bébés suscitent des sentiments maternels et paternels chez les adultes. Dans la même veine, le sourire du poupon, qui semble avoir des origines d'ordre prénatal, a toutes les apparences d'un déclencheur préprogrammé du comportement parental. (Voir l'analyse critique « Instincts et comportement maternel », pour plus de détails.)

Facteurs environnementaux

Le comportement maternel des primates est fortement influencé par l'expérience et l'apprentissage. Les femelles des singes qu'on élèverait en isolement ne manifesteraient aucun des comportements maternels normaux quand plus tard elles deviendraient mères (voir au chapitre 3, p. 83). Elles semblent nourrir très peu d'affection pour leur progéniture et, en général, elles les ignorent. Lorsqu'à l'occasion, elles portent attention à leurs petits, c'est parfois pour les battre sauvagement. Une mère peut essayer d'écraser la tête de son enfant qui vient de naître ou, dans des cas extrêmes, le mordre même jusqu'à ce qu'il meure (Suomi, Harlow et McKinney, 1972). On constate ici l'existence d'un parallèle entre le comportement parental atroce de ces mères singes élevées en isolement et les sévices auxquels s'adonnent des individus qui ont été élevés par des parents au comportement inadéquat. Ceux qui ont eux-mêmes été victimes de mauvais soins parentaux semblent portés à agir de la même façon avec leur progéniture.

L'aspect « mignon » agit comme déclencheur inné des sentiments maternels et paternels.

MOTIVATIONS DE CURIOSITÉ

Jusqu'à présent, tous les modèles dont nous avons parlé se rapportaient à la survie soit de l'individu, soit de l'espèce. Les psychologues d'une génération antérieure avaient cru qu'aussitôt qu'un organisme a pu satisfaire tous ses besoins organiques, il préfère l'état de repos; toutefois, cette croyance s'est révélée erronée. Les gens, comme les animaux d'ailleurs, sont motivés vers la recherche de stimulations — vers l'exploration active de leur entourage, même si cette activité ne répond à aucun besoin corporel. Il semble donc exister une troisième catégorie générale de motivations, soit la *curiosité*, à laquelle nous nous intéresserons brièvement.

Exploration et manipulation

Il semble que nous sommes pourvus de tendances innées à manipuler et à examiner les objets. Nous donnons aux bébés des hochets, des parcs à l'allure de gymnases et d'autres jouets, car nous savons qu'ils aiment tenir, secouer ces objets et tirer sur eux. Les singes s'amusent de la même façon. En effet, nombre d'expériences montrent que les singes aiment tripoter les objets. Qu'on place divers trucs mécaniques dans sa cage et le singe commencera à les mettre en pièces, gagnant d'adresse avec la pratique, sans en retirer de récompense évidente si ce n'est la satisfaction de les manipuler. Si on nourrit le singe chaque fois qu'il met un puzzle en pièces, son comportement change ; il perd intérêt à la manipulation et considère le puzzle comme un moyen d'obtenir de la nourriture (Harlow, Harlow et Meyer, 1950).

Alors qu'elle est parfois exécutée par pur plaisir, la manipulation prend à d'autres moments le caractère d'une *investigation*. Le singe — ou la personne — saisit l'objet, le regarde, le réduit en pièces et en examine les morceaux, dans le but apparent d'en apprendre plus sur cet objet. Piaget a fait un certain nombre d'observations sur ce genre de réactions apparaissant au début de la vie du nouveau-né humain. Dès les premiers mois de la vie, le nourrisson apprend déjà à tirer sur une corde pour faire bouger un hochet suspendu — une forme de manipulation qu'on pourrait considérer tout simplement comme distrayante. Entre 5 et 7 mois, le bébé, anticipant un jeu de cache-cache, enlève le linge qu'on place sur son visage. Vers 8 à 10 mois, l'enfant va commencer à rechercher les objets derrière ou sous d'autres objets ; à 11 mois, il se mettra à « expérimenter » les objets, faisant varier leur emplacement ou leur position (Piaget, 1952). Cette sorte de comportement de recherche ou d'investigation est typique de l'enfant qui est en train de se développer et elle semble se manifester comme une motivation indépendante de tout besoin physiologique de l'organisme.

Stimulation sensorielle

ÉTUDES DE PRIVATION SENSORIELLE   L'exploration et la manipulation apportent, l'une et l'autre, une information sensorielle nouvelle et changeante. Ce changement des apports sensoriels est peut-être l'une des raisons qui poussent les êtres humains et les animaux à manipuler et à examiner les objets : peut-être avons-nous un besoin de stimulation sensorielle. Des études, au cours desquelles on réduit considérablement l'apport sensoriel, viennent appuyer

Jeux de « singerie » chez de jeunes singes

ANALYSE CRITIQUE

Instincts et comportement maternel

La notion d'*instinct* est apparue depuis longtemps dans l'étude du comportement. Vers le début du siècle, les psychologues se servaient beaucoup de ce concept et ils essayaient d'expliquer tout le comportement humain en termes d'instincts (McDougall, 1908). Au cours des années 1920, cette notion est tombée en disgrâce, en partie parce qu'on qualifiait cavalièrement plusieurs actes d'« instinctifs » et en partie parce que le concept s'intégrait mal à la théorie du behaviorisme qui commençait à faire son chemin (Stellar et Stellar, 1985). Plus tard, toutefois, à partir des années 50, un groupe d'éthologistes européens ramenèrent l'étude de l'instinct dans le champ d'examen scientifique et ranimèrent l'intérêt pour ce concept. Pour qu'un comportement soit déclaré instinctif, il faut qu'il soit inné, spécifique (c'est-à-dire propre à une espèce donnée) et qu'il se manifeste sous la même forme chez tous les membres de l'espèce. Ainsi l'*innéité*, la *spécificité* et l'existence de *schèmes d'action prédéterminés* constituent les principales caractéristiques de la conception éthologique du comportement instinctif.

Le comportement maternel des animaux est l'un des domaines où la conception éthologique a connu du succès. Les « patterns » de réponse que les animaux manifestent dans le soin de leurs petits offrent un exemple clair de comportement instinctif. La nidification, le dégagement du sac amniotique pour que le nouveau-né soit capable de respirer, la distribution de la nourriture aux petits et le fait de les ramener auprès de soi quand ils s'écartent du nid, voilà autant de schèmes de comportement complexes que les animaux manifestent sans jamais avoir eu l'occasion de les apprendre; d'où la nécessité qu'ils soient innés. La femelle de l'écureuil remplit ses responsabilités maternelles de la même manière que toutes les autres mères de son espèce; par conséquent, le comportement est propre à l'espèce et est constitué de schèmes d'action prédéterminés.

Le phénomène de l'*empreinte* constitue l'une des découvertes les plus étonnantes des éthologistes. Rappelons qu'au chapitre 7, nous avons décrit l'empreinte comme un type d'apprentissage par le nouveau-né qui constitue la base de l'attachement du petit à ses parents. Le caneton fraîchement éclos à la suite d'une incubation artificielle va suivre un être humain, un leurre en bois, ou presque tout autre objet mobile qu'il aperçoit immédiatement après l'éclosion. Ainsi, il suffit au caneton de suivre un leurre en bois pendant 10 minutes à peine pour se former une empreinte sur ce leurre; il restera ensuite attaché à cet objet, le suivra même dans des circonstances peu favorables et le préférera à un canard vivant. L'empreinte se forme le plus facilement durant les 14 heures qui suivent l'éclosion, mais elle peut se former à n'importe quel moment durant les 2 premiers jours de la vie. Après cet intervalle, l'empreinte est difficile à établir, probablement parce que le caneton a alors appris à craindre les objets étranges.

Les éthologistes ont constaté la présence de l'empreinte chez plusieurs espèces — y compris le chien, le mouton et le cobaye — mais c'est chez les oiseaux qui sont capables de marcher ou de nager dès leur naissance qu'elle se forme le plus nettement. Un mécanisme inné agit de façon à assurer que les petits suivront leur mère (qui est normalement le premier objet mobile qu'ils aperçoivent) et resteront près d'elle, plutôt que d'errer ici et là dans un milieu dangereux.

L'étude des canards sauvages (malards) a permis d'identifier les stimuli importants pour la formation de l'empreinte chez les oiseaux et d'établir l'origine de ce phénomène avant la naissance même. Les canetons produisent déjà

cette hypothèse. Dans la première recherche de ce genre, on avait payé des collégiens pour qu'ils restent étendus sur un lit, dans une pièce éclairée et partiellement isolée sur le plan de la stimulation auditive. Ils portaient des lunettes diaphanes leur permettant de percevoir une lumière diffuse sans être en mesure de percevoir les formes ni les configurations. Des gants et des manchons de carton fort servaient à réduire la stimulation tactile (voir la figure 10-11). Le ronflement d'un éventail et celui d'un appareil de climatisation produisaient constamment un bruit masquant. De brèves périodes d'arrêt étaient prévues pour les repas et les besoins d'hygiène; mais à part ces arrêts momentanés, les sujets restaient dans des conditions de stimulation très appauvries par comparaison avec la vie normale. Après deux ou trois jours, la plupart d'entre eux refusaient de poursuivre l'expérience; la situation était suffisamment intolérable pour annuler tout désir de gains pécuniaires. Quelques-uns se mirent à avoir des hallucinations visuelles qui allaient de l'apparition d'éclairs lumineux et de figures géométriques jusqu'à des scènes

des sons dans leur coquille une semaine avant de s'en échapper. Les mères répondent à ces sons par des signaux de gloussement, dont la fréquence augmente à l'approche de l'éclosion. Ces stimuli auditifs, qui précèdent et suivent l'éclosion, ainsi que les stimulations tactiles dans le nid après la naissance, forment chez les canetons une empreinte absolue sur la

Formation d'empreinte chez les canetons *Le caneton fraîchement éclos suit le leurre ayant la forme d'un canard le long d'une piste circulaire. Le caneton se formera vite une empreinte sur le leurre et le suivra de préférence à un canard vivant de sa propre espèce. Plus le caneton devra faire d'efforts pour suivre ce leurre (comme le fait de franchir un obstacle) plus l'empreinte sera marquée. (D'après Hess, 1958; 1958 par Scientific American, Inc. Tous droits réservés.)*

femelle qui est dans le nid. Si le caneton non éclos entend l'enregistrement d'une voix humaine disant: « Viens, viens, viens » au lieu du gloussement de sa mère, il se formera aussi facilement une empreinte sur un leurre émettant le son « Viens, viens, viens » que sur un autre leurre reproduisant le gloussement normal du canard. Les canetons qui ont entendu l'appel d'une cane avant l'éclosion sont plus susceptibles de se former une empreinte sur des leurres qui produisent le gloussement des canards (Hess, 1972).

En plus de concepts de spécificité et des schèmes d'action prédéterminés, les éthologistes ont créé le concept de *déclencheur* pour désigner dans l'environnement un stimulus particulier qui suscite un comportement spécifique. Chez certains jeunes goélands, la présence d'une tache rouge ou jaune sur le bec de la mère « déclenche » chez le petit fraîchement éclos une réponse de picotage qui amène la mère à regurgiter la nourriture que le petit mangera. En faisant varier la couleur et la forme de la tache sur des modèles en carton ou en observant si le jeune goéland picote le « bec », les chercheurs sont capables d'identifier les caractéristiques du déclencheur auquel l'animal réagit.

Les déclencheurs jouent également un rôle important dans le comportement sexuel des animaux inférieurs. Le ventre gonflé de la femelle de l'épinoche provoque les avances amoureuses du mâle. Les comportements de révérence et de roucoulement du pigeon ramier font surgir toute une séquence de comportements de reproduction chez la femelle (nidification, ponte et couvée des œufs) et ils sont responsables des changements hormonaux qui accompagnent ces activités (Lehrman, 1964).

Plus un animal occupe un échelon élevé sur l'échelle de l'évolution, moins il manifeste de comportements instinctifs

et plus c'est l'apprentissage qui détermine ses actes. Cependant, même les êtres humains manifestent certains schèmes de comportement instinctuel, dont le *réflexe des points cardinaux* du nouveau-né. L'application d'une tétine (ou d'un doigt) sur la joue d'un nouveau-né suscite le revirement de la tête et l'ouverture simultanée de la bouche. Si la bouche entre en contact avec la tétine, elle se referme sur celle-ci et se met à sucer. Ce schème de comportement est automatique et peut se produire même quand le bébé est endormi. Vers l'âge de 6 mois environ, le réflexe des points cardinaux cède pour faire place au comportement volontaire; généralement, l'enfant de 6 mois voit la tétine, cherche à l'attraper et essaie de l'amener vers sa bouche.

L'éthologiste autrichien, Konrad Lorenz, montre comment de jeunes canetons le suivent au lieu de suivre leur mère parce qu'il a été le premier objet mobile qu'ils ont aperçu après leur éclosion.

d'aspect onirique. Ils perdirent l'orientation dans le temps et dans l'espace, devinrent incapables de penser avec clarté ou de se concentrer un tant soit peu et donnèrent un rendement médiocre quand on leur demanda de résoudre des problèmes. Bref, cette condition de *privation sensorielle* avait un effet préjudiciable sur le fonctionnement et entraînait des symptômes ayant quelque ressemblance avec ceux que manifestent certains malades mentaux (Heron, Doane et Scott, 1956).

On mena un certain nombre d'études similaires par la suite. Dans certaines expériences, le sujet reposait immergé jusqu'au cou dans un bain d'eau tiède pendant plusieurs jours; on essayait ainsi de réduire encore plus la stimulation sensorielle. Les résultats obtenus ont révélé certaines différences selon la méthode utilisée, mais dans la plupart des cas les sujets tombaient d'ennui, se montraient nerveux, irritables et émotivement perturbés. De toute évidence, les gens ont besoin de variété dans la stimulation et ils réagissent défavorablement à l'absence d'une telle variété (Zubek, 1969).

DIFFÉRENCES INDIVIDUELLES DANS LA RECHERCHE DE LA STIMULATION Les gens présentent certaines différences dans l'ardeur avec laquelle ils recherchent certains des mobiles dont nous avons parlé ici, et les différences individuelles relatives à la motivation de curiosité sont particulièrement prononcées. Dans un effort pour mesurer de telles différences, Zuckerman (1979) a mis au point un test appelé Échelle de recherche de sensations (*Sensation Seeking Scale* — SSS). Cet instrument comprend une panoplie d'items élaborés en vue d'évaluer le désir d'un individu de s'engager dans des activités aventureuses, de rechercher de nouvelles sortes de sensations, de se complaire dans

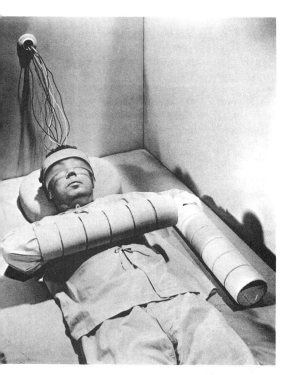

FIGURE 10-11
Expérience sur la privation sensorielle *Des manchons de carton fort et un bandeau translucide réduisent la stimulation.*

TABLEAU 10-3
Échelle de recherche de sensations *Échantillon d'items présentés dans ce test et façon de noter les résultats. Chaque item comprend 2 choix. Indiquez celui qui constitue la meilleure description de vos goûts ou de vos sentiments. Si vous n'aimez ni l'une ni l'autre des propositions, optez quand même pour celle qui vous déplaît le moins. Répondez à chacun des items. (Les items de ce test ont été fournis gracieusement par Marvin Zuckerman).*

1. A. Je ne peux pas endurer les esprits lourds ou ennuyeux.
   B. Je trouve quelque chose d'intéressant chez presque tous ceux à qui je parle.

2. A. Un bon tableau devrait choquer ou secouer les sens.
   B. Un bon tableau devrait susciter un sentiment de paix et de sécurité.

3. A. Les gens qui font de la motocyclette doivent avoir une sorte de besoin inconscient de se blesser.
   B. J'aimerais conduire une motocyclette ou aller en motocyclette.

4. A. Je préférerais vivre dans une société idéale dans laquelle chacun se sentirait à l'abri, en sécurité et heureux.
   B. J'aurais préféré vivre aux moments troublés de l'histoire.

5. A. J'aime parfois faire des choses qui sont un peu épeurantes.
   B. Une personne sensée évite les activités dangereuses.

6. A. Je n'aimerais pas me faire hypnotiser.
   B. J'aimerais me faire hypnotiser.

7. A. Le but le plus important dans l'existence est de vivre le plus intensément et de faire le plus d'expériences possibles.
   B. Le but le plus important dans l'existence est de trouver la paix et le bonheur.

8. A. J'aimerais essayer le saut en parachute.
   B. Je ne voudrais jamais essayer de sauter d'un avion, avec ou sans parachute.

9. A. J'entre dans l'eau froide petit à petit, en prenant le temps de m'y habituer.
   B. J'aime plonger ou sauter directement dans l'océan ou dans une piscine d'eau froide.

10. A. Quand je vais en vacances, je préfère le confort d'une bonne chambre et d'un bon lit.
    B. Quand je vais en vacances, je préfère le dépaysement que procure le camping.

11. A. Je préfère les gens qui expriment leurs émotions, même s'ils sont parfois plus instables.
    B. Je préfère les gens qui sont calmes et d'humeur égale.

12. A. Je préférerais un travail sédentaire.
    B. Je préférerais un travail qui force à voyager.

13. A. J'ai très hâte de regagner l'intérieur quand il fait froid dehors.
    B. Une journée vive et froide me donne de l'énergie.

14. A. Je tombe d'ennui à voir toujours les mêmes visages.
    B. J'apprécie la familiarité rassurante des amis de tous les jours.

Notation:
Marquez un point pour chacun des items suivants que vous avez encerclé: 1A, 2A, 3B, 4B, 5A, 6B, 7A, 8A, 9B, 10B, 11A, 12B, 13B, 14A. Calculez le total de votre recherche de sensations et comparez-le aux normes suivantes:

0 — 3 Très faible	6 — 9 Moyenne	12 — 14 Très forte
4 — 5 Faible	10 — 11 Forte	

l'excitation découlant de la stimulation sociale et de fuir l'ennui. Le tableau 10-3 présente un échantillon des items faisant partie de ce test ; vous serez peut-être intéressé à réagir à ces items avant de poursuivre votre lecture.

Les recherches menées à l'aide de ce test ont révélé l'existence de fortes différences individuelles dans la recherche de la stimulation (Carrol, Zuckerman et Vogel, 1982). De plus, la recherche de sensations semble être un trait constant dans une variété de situations ; les individus qui disent trouver du plaisir dans les expériences nouvelles se rapportant à un domaine de leur vie ont tendance à se décrire comme aventureux dans d'autres domaines. Les psychologues ont établi un lien entre les scores élevés obtenus à ce test et un certain nombre de caractéristiques du comportement : s'adonner à des sports, des occupations ou des hobbies risqués (saut en parachute, motocyclette, lutte contre les incendies, plongée sous-marine) ; rechercher la diversité dans les expériences sexuelles et les stupéfiants ; faire preuve de courage dans les situations de phobies usuelles (hauteurs, ténèbres, serpents) ; prendre des risques au jeu ; accorder une préférence aux mets exotiques. Même quand on leur demande de décrire leurs habitudes normales de conduite automobile, ceux qui ont des scores élevés de recherche de sensations rapportent qu'ils conduisent à des vitesses plus rapides que ceux qui ont des scores faibles (voir la figure 10-12).

Les variations dans la recherche de sensations peuvent exercer une influence sur la façon dont les individus réagissent les uns envers les autres. Les amateurs de sensations fortes peuvent trouver que ceux qui ont de faibles scores de recherche de sensations sont ennuyants ou qu'ils mènent des vies aux horizons bouchés ; en contrepartie, ceux qui ont de faibles scores peuvent penser que les amateurs de sensations fortes s'adonnent à des activités futiles et imprudentes. Ces attitudes sont importantes dans le choix de partenaires conjugaux. Il existe une corrélation significative entre les scores de recherche de sensations des époux, hommes et femmes : ceux qui ont des scores élevés ont tendance à prendre des partenaires à scores élevés, et la même relation se retrouve chez ceux qui ont des scores faibles. La compatibilité par rapport à ce trait de personnalité semble être un facteur assez précis pour permettre de prédire l'adaptation conjugale (Fisher, Zuckerman et Neeb, 1981 ; Farley, 1986). Quand l'un des partenaires a un score très élevé et l'autre, un score très faible, la probabilité de discorde conjugale s'accroît.

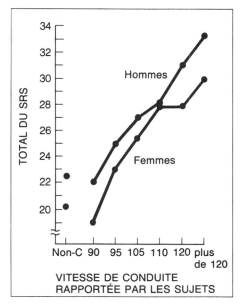

FIGURE 10-12
Scores de recherche de sensations et vitesse de conduite automobile *On a demandé à des sujets à quelle vitesse ils conduisaient habituellement dans de bonnes conditions sur une autoroute affichant une limite de vitesse de 90 kilomètres à l'heure. Les résultats ont révélé l'existence d'une relation significative entre la vitesse de conduite rapportée et les scores de recherche de sensations (SRS). Les non-conducteurs (Non-C) et ceux qui respectaient la limite de vitesse, ou qui conduisaient plus lentement encore, avaient les SRS les plus bas ; les scores augmentaient avec chaque degré d'augmentation de vitesse de conduite. La différence entre les sexes qu'on observe ici est celle qu'on trouve généralement dans de telles études ; les hommes ont typiquement des SRS plus élevés que les femmes. (D'après Zuckerman et Neeb, 1980)*

PRINCIPES COMMUNS AUX DIVERSES MOTIVATIONS

On peut généralement classer les motivations en fonction des besoins de survivance, des besoins sociaux et du besoin de satisfaire la curiosité. Les différences entre ces divers types sont bien réelles, mais nous n'avons rien dit de leurs traits communs. Dans cette dernière partie, nous allons examiner deux principes qui, selon les psychologues, s'appliqueraient à toutes les motivations fondamentales.

Réduction de tendance

Durant les années 1940 et 1950, plusieurs psychologues étaient d'avis que toutes les motivations fondamentales opéraient selon le principe de la *réduction de tendance*. Les motivations visent à la réduction d'un état psychologique que l'individu ressent comme une tension, cette réduction de tension ou de tendance lui procurant du plaisir. La réduction de tendance semble pouvoir s'appliquer aux motivations de survivance. En effet, quand nous sommes privés de nourriture, nous ressentons bien une tension qui est réduite par le fait de manger et nous vivons cette réduction comme une expérience agréable. Toutefois, dans le cas de motivations comme la sexualité, la réduction de tendance semble être moins plausible ; pour la rendre plus vraisemblable, les théoriciens de la réduction de tendance ont fait valoir que dans l'activité sexuelle, c'est la chute de tension associée à l'orgasme qui tient lieu de récompense (Hull, 1943).

Au fil des ans, la théorie de la réduction de tendance est tombée en défaveur, notamment à cause de son explication insatisfaisante de la sexualité. Des expériences sur les rats ont démontré qu'un mâle choisirait de consacrer son temps à une femelle sexuellement réceptive même si, chaque fois qu'il la montait, l'expérimentateur l'en retirait avant que l'éjaculation se produise. Dans pareil cas, la tension devrait continuer de s'accroître et il ne devrait y avoir ni réduction de tendance, ni récompense; toutefois, la stimulation sexuelle est apparemment gratifiante en elle-même — elle apporte sa propre récompense (Friedman, Sheffield, Wulff et Backer, 1951). De même, la théorie de la réduction de tendance n'a jamais su rendre compte du mobile de curiosité. Selon cette théorie, les faibles niveaux de stimulation sensorielle ne devraient produire que peu de tendance et devraient donc être désirables. Cependant, les études de privation sensorielle ont montré que les niveaux de stimulation peu élevés sont très désagréables et qu'ils suscitent même des tendances. Par ailleurs, la théorie de la réduction de tendance suppose que tout le monde cherche à éviter les situations qui produisent des tensions excessives; or, certains individus (sans doute pour la plupart de ceux qui ont des scores de recherche de sensations élevés) sont en quête de telles situations comme les tours en montagnes russes et le parachutisme (Green, Beatty et Arkin, 1984).

Niveau d'activation

Les psychologues d'aujourd'hui rejettent la réduction de tendance au profit du principe du *niveau d'activation*, d'après lequel les gens recherchent un niveau optimal de tendance ou d'activation. Le niveau optimal varie d'une personne à l'autre — comme le démontrent les différences individuelles dans la recherche de stimulations. La privation physiologique, comme la faim ou la soif, élève l'activation au-dessus de son niveau optimal et se traduit par un comportement destiné à abaisser ce niveau. Par contre, trop peu de stimulation, comme dans les situations de privation sensorielle, peut amener (motiver) un organisme à élever son niveau d'activation. Nous recherchons la stimulation (la stimulation sexuelle y compris), la nouveauté et la complexité de l'environnement, mais jusqu'à une certaine limite seulement. Bien que la notion de niveau d'activation ne soit pas sans soulever certaines critiques, il semble qu'elle soit plus apte à devenir un principe unificateur des tendances fondamentales que la notion de réduction de tendance.

RÉSUMÉ

1. Les motivations, qui donnent au comportement *direction* et *énergie*, sont de types différents: de *survivance*, d'*ordre social* et de *curiosité*. Les motivations de survie, telles la faim et la soif, agissent en conformité avec l'*homéostasie*; elles contribuent au maintien de la constance du milieu interne. L'homéostasie implique une *variable contrôlée*, des *capteurs* qui mesurent la variable, une *valeur idéale* de cette variable, un *comparateur* et des *ajustements* auxquels le système s'adonne quand la variable a une valeur supérieure ou inférieure à la valeur idéale.

2. La façon dont nous contrôlons notre température est un exemple d'homéostasie. La variable contrôlée est la température du sang et les capteurs sont logés dans diverses régions du corps, y compris l'hypothalamus. La valeur idéale et le comparateur sont aussi dans l'*hypothalamus*. Les ajustements sont soit des réactions physiologiques automatiques (le frisson, par exemple), soit des réponses de comportement volontaire (endosser un chandail).

3. La soif est une autre motivation homéostasique. Deux variables sont contrôlées, le *liquide intracellulaire* et le *liquide extracellulaire*. La perte de liquide intracellulaire est décelée par des *osmorécepteurs*, des cellules de l'hypothalamus qui réagissent à la déshydratation; cette action entraîne à son tour la libération de l'*hormone antidiurétique* (ADH) qui règle l'activité des reins, permettant la réabsorption d'eau dans la circulation sanguine. Le liquide extracellulaire est mesuré par des *capteurs de pression artérielle* situés dans les reins.

4. La faim est une motivation homéostasique complexe comprenant plusieurs variables contrôlées, dont le *glucose*, les *graisses* et les *acides aminés*. On a trouvé

des capteurs de glucose dans l'hypothalamus et dans le foie. En plus des capteurs qui déclenchent l'activité de manger, il existe aussi des *capteurs de satiété*, que l'on trouve dans le tube digestif (nommément l'estomac, le duodénum et le foie) et qui informent le cerveau de l'acheminement des nutriments dont il a besoin.

5. Deux régions du cerveau sont essentielles à la faim : l'*hypothalamus latéral* et l'*hypothalamus ventro-médian*. La destruction de la première conduit à la sous-alimentation, alors que l'absence de la seconde se traduit par l'abus de nourriture. Selon une interprétation de ces effets, les régions ventro-médiane et latérale exerceraient des influences réciproques sur le *point fixé* pour la masse corporelle : l'endommagement de la région ventro-médiane hausserait le point fixé, alors que des dommages à la région latérale l'abaisseraient. Une autre hypothèse veut que ces effets résultent d'une interférence avec les trajets nerveux qui passent à travers les sites hypothalamiques.

6. Les gens deviennent obèses quand ils 1) absorbent trop de calories, 2) dégagent trop peu de calories ou 3) sont génétiquement prédisposés à l'embonpoint. Quant à la raison pour laquelle les personnes obèses prennent trop de calories, c'est qu'elles ont tendance à trop manger quand elles s'écartent d'un régime alimentaire, qu'elles mangent plus quand elles sont sous le coup d'émotions et qu'elles sont plus sensibles aux signaux externes de la faim que les individus de masse normale. Si les personnes obèses dégagent trop peu de calories, c'est qu'elles ont souvent un taux de métabolisme relativement bas (parce qu'elles suivent un régime ou à cause de leur forte proportion de tissus adipeux) et qu'en règle générale, elles ne font pas assez d'exercices physiques. Dans le traitement de l'obésité, il semble que le maintien d'une réduction de masse dépende du développement d'une attitude de maîtrise de ses habitudes alimentaires, ce à quoi l'on peut parvenir par modification du comportement et par des exercices réguliers.

7. Les hormones femelles (*œstrogènes* et *progestérones*) et les hormones mâles (*androgènes*) sont responsables des modifications du corps à la puberté, mais elles ne jouent qu'un rôle restreint dans l'activation sexuelle de l'être humain. Par contre, il existe un contrôle hormonal substantiel de l'activité sexuelle chez les espèces inférieures.

8. Les premières expériences sociales avec les parents et les pairs exercent une forte influence sur la sexualité adulte. Les singes élevés en isolement présentent des problèmes sexuels à l'âge adulte. Dans le cas des êtres humains, les normes et les attitudes culturelles sont autant de facteurs environnementaux qui déterminent la sexualité adulte. Malgré le fait que les sociétés occidentales deviennent de plus en plus tolérantes au sujet de la sexualité avant le mariage, les hommes et les femmes ont encore des attitudes différentes à son égard. Les interactions sexuelles entre membres d'un même sexe ne sont pas chose rare durant l'enfance, mais seul un faible pourcentage des gens deviennent exclusivement *homosexuels* à l'âge adulte. L'homosexualité est probablement le résultat d'un certain nombre de facteurs psychologiques et sociaux.

9. Les hormones prénatales jouent un rôle important dans le développement sexuel. Si les glandes sexuelles embryonnaires produisent suffisamment d'androgènes, le nouveau-né aura des organes génitaux masculins ; si les androgènes ne sont pas suffisants, le nouveau-né aura des organes génitaux féminins, même s'il s'agit d'un mâle génétique. Dans les cas où le déséquilibre hormonal conduit à l'*hermaphrodisme* (l'état d'individus nés avec les deux tissus, mâle et femelle), la désignation et le rôle sexuels dans lesquels l'individu sera élevé auront une influence plus grande sur l'identité de genre que les gènes et les hormones de l'individu.

10. Le comportement maternel des animaux inférieurs semble programmé de façon héréditaire et déclenché par des hormones. Le comportement maternel des primates et des êtres humains est toutefois fortement influencé par l'expérience. Les singes femelles élevées en isolement ne manifestent aucun des comportements maternels usuels quand elles deviennent mères.

11. Les êtres humains et les animaux semblent avoir des motivations de curiosité innées qui les poussent à explorer et à manipuler les objets. La manipulation des objets apporte à l'organisme une variété d'apports sensoriels ; les études sur la *privation sensorielle* montrent que l'absence des apports sensoriels perturbe le fonctionnement normal.

12. Les psychologues avaient coutume de croire que toutes les motivations fondamentales procédaient par *réduction de tendance*, principe selon lequel toutes les motivations viseraient à la réduction de tensions. Mais la notion de réduction de tendance ne rend pas compte de façon satisfaisante des motivations de sexualité ou de curiosité. Selon un principe plus prometteur, tous les gens recherchent un *niveau d'activation optimal*.

LECTURES SUGGÉRÉES

BARTOSHUK, A. *La motivation*, Montréal, Les Éditions HRW ltée, 1976.

FREUD, S. *La vie sexuelle*, 5ᵉ éd., Paris P.U.F., 1977.

HOUILLON, C. *Sexualité*, Paris, Hermann, 1969.

KARLI, P. *L'homme agressif*, Paris, Éditions Odile Jacob, 1987.

KATCHADOURIAN, H. A., LUNDE, D.T. et TROTTER, R. *La sexualité humaine*, Montréal, Les Éditions HRW ltée, 1982.

LÉVY, J.C. et CRÉPAULT, C. *La sexualité humaine: fondements bioculturels*, Montréal, Presse de l'Université du Québec, 1972.

MASTERS, W.H. et JOHNSON, V.E. *Les réactions sexuelles*, Paris, Laffont, 1968.

MASTERS, W.H. et JOHNSON, V.E. *Les perspectives sexuelles*, Paris, Medsi, 1980.

TINBERGEN, N. *L'étude de l'instinct*, Paris, Payot, 1953.

Émotion

Les sentiments les plus fondamentaux qui nous habitent ne portent pas uniquement sur des motivations comme la faim et la sexualité, mais aussi sur des émotions comme la joie et la colère. Émotions et motivations sont étroitement reliées. Les émotions sont capables de mobiliser et d'orienter la conduite de la même façon que le font les motivations essentielles. L'émotion peut également accompagner le comportement motivé : la sexualité, par exemple, n'est pas seulement un puissant mobile mais aussi une source de joie.

Malgré leurs similitudes, on doit établir des différences entre motivations et émotions. Selon le postulat le plus généralement utilisé pour faire la distinction entre elles, les émotions seraient déclenchées de l'extérieur alors que les motivations seraient mobilisées de l'intérieur. En d'autres mots, les émotions sont habituellement suscitées par des événements extérieurs et les réactions émotionnelles sont dirigées vers des événements ; les motivations, au contraire, sont souvent suscitées par des événements internes (un déséquilibre homéostasique, par exemple) et s'orientent naturellement vers certains objets dans l'environnement (comme la nourriture, l'eau ou un partenaire). Autre distinction entre émotions et motivations : les émotions activent invariablement le système nerveux autonome, alors que les motivations peuvent ne pas agir sur lui. Ces distinctions ne sont pas absolues. Il peut arriver qu'une source externe déclenche une motivation, comme lorsque la vue de la nourriture fait naître la faim. De même, le malaise résultant d'un déséquilibre homéostasique — une faim intense, par exemple — peut entraîner des émotions. Il n'en reste pas moins que les émotions et les motivations sont tellement différentes dans leurs sources d'activation, dans l'expérience subjective qui les accompagne et dans leurs effets sur le comportement, qu'elles méritent d'être traitées séparément.

COMPOSANTES D'UNE ÉMOTION

Dans un article rédigé il y a plus d'un siècle, William James, psychologue de l'Université Harvard, a soulevé la question suivante : « Qu'est-ce qu'une émotion ? » (James, 1884). Psychologues et physiologistes se sont évertués depuis lors à trouver une réponse à cette question. Les réponses proposées se sont concentrées sur les 5 composantes suivantes d'une émotion :

1. Expérience subjective.
2. Réactions corporelles internes, particulièrement celles qui font intervenir le système nerveux autonome.
3. Sentiment ou prise de conscience de l'avènement d'une situation positive ou négative.
4. Expression faciale.
5. Réaction par rapport à la source présumée de l'émotion.

Les questions critiques dans l'étude des émotions portent sur les relations entre ces composantes. L'une de ces questions est formulée comme suit : « De quelle façon les autres composantes contribuent-elles à l'expérience subjective d'une émotion ? » ; autrement dit, est-il essentiel qu'il y ait activation du système autonome pour que l'émotion soit ressentie? Faut-il que l'individu ait un sentiment particulier — ou qu'il ait une expression faciale donnée? Une deuxième question critique se lit comme suit: « Quelles sont les composantes qui font que différentes émotions sont ressenties de différentes façons? » Autrement dit: « Quelles sont les composantes qui *différencient* les émotions? » Pour bien saisir la distinction entre ces deux questions, il faut reconnaître que, d'une part, il se peut que pour ressentir une émotion, une personne doive *nécessairement* être l'objet d'une activation du système autonome, mais que d'autre part, les « patterns » d'activation étant presque identiques pour toutes les formes d'émotions, ils ne peuvent pas servir à différencier les émotions.

Ces deux questions vont orienter nos propos dans presque tout ce chapitre, au cours duquel nous allons aborder, à tour de rôle, l'activation du système autonome, l'évaluation cognitive et les expressions faciales. Par la suite, nous porterons notre attention sur la dernière de ces composantes, soit les réactions émotionnelles, et nous nous intéresserons particulièrement à l'agressivité. Tout au long du chapitre, nous traiterons surtout des états affectifs les plus intenses, même si les idées et les principes que cette étude fera ressortir sont valables pour une variété de sentiments.

ACTIVATION DU SYSTÈME AUTONOME

Bases physiologiques

Lorsque nous sommes en proie à une émotion forte, comme la peur ou la colère, nous ressentons habituellement un certain nombre de changements corporels — accélération de la pulsation cardiaque et de la respiration, assèchement de la bouche et de la gorge, accroissement de la tension musculaire, transpiration, tremblement des extrémités et sentiment de défaillance dans la région de l'estomac (voir le tableau 11-1). La plupart des modifications physiologiques que se produisent durant la mobilisation émotionnelle sont le résultat de l'activation de la *division sympathique* du système nerveux autonome, laquelle prépare le corps pour les réactions d'urgence (voir au chapitre 2, p. 53). Le système sympathique est responsable des changements suivants :

1. Hausse de la tension artérielle et accélération du rythme cardiaque.
2. Accélération de la respiration.
3. Dilatation de la pupille de l'œil.
4. Accroissement de la transpiration et diminution de la sécrétion de salive et de mucus.
5. Élévation du taux de sucre dans le sang pour fournir plus d'énergie.
6. Coagulation plus rapide du sang dans le cas de blessure.
7. Diminution de la motilité des voies gastro-intestinales: détournement du sang de l'estomac et des intestins vers le cerveau et les muscles squelettiques.
8. Hérissement des poils sur la peau (« chair de poule »).

Le système sympathique prépare l'organisme à la production d'énergie. À mesure que l'émotion se résorbe, le *système parasympathique*, qui a pour rôle de conserver l'énergie, reprend le dessus et ramène l'organisme à son état normal.

Ces activités du système nerveux autonome sont elles-mêmes déclenchées par l'activité de certaines régions critiques du cerveau, dont l'*hypothalamus* (qui, nous l'avons vu au dernier chapitre, joue un rôle majeur dans plusieurs motivations biologiques) et de certaines parties du système limbique. Des impulsions en provenance de ces régions sont transmises à des noyaux qui, dans le tronc cérébral, contrôlent le fonctionnement du système

DURANT VOS MISSIONS DE COMBAT, ET EN RAPPORT AVEC ELLES, AVEZ-VOUS RESSENTI	SOUVENT	PARFOIS	TOTAL
Des battements de cœur et un pouls rapides	30%	56%	86%
Que vos muscles étaient très tendus	30	53	83
Que vous vous irritiez, que vous vous fâchiez ou que vous vous mettiez en colère facilement	22	58	80
Que vous aviez la bouche ou la gorge sèche	30	50	80
Une «transpiration nerveuse» ou des «sueurs froides»	26	53	79
Des «papillons» dans l'estomac	23	53	76
Que c'était irréel: que cela ne pouvait vous arriver à vous	20	49	69
Le besoin d'uriner fréquemment	25	40	65
Des tremblements	11	53	64
De la confusion ou du désarroi	3	50	53
Des faiblesses ou des étourdissements	4	37	41
Qu'au retour de votre mission, vous ne pouviez plus vous rappeler les détails de ce qui s'était passé	5	34	39
Des nausées	5	33	38
Une incapacité à vous concentrer	3	32	35
Que vous aviez mouillé ou sali vos pantalons	1	4	5

TABLEAU 11-1
Symptômes de la peur durant un vol de combat. Inspiré des témoignages de pilotes de combat durant la Seconde Guerre mondiale. (D'après Shaffer, 1947)

nerveux autonome. Ce dernier agit alors directement sur les muscles et sur les organes internes pour amorcer quelques-uns des changements somatiques précités; il exerce aussi une action indirecte en stimulant les hormones surrénales responsables de divers autres changements corporels. Des hormones additionnelles, qui jouent un rôle essentiel dans la réaction au stress, sont sécrétées par l'hypophyse en réponse directe au signal de l'hypothalamus.

Notons que les hausses d'activation physiologique que nous avons décrites sont caractéristiques des états émotionnels comme la colère et la peur, durant lesquels l'organisme doit se préparer à l'action — lutter ou fuir, par exemple. (Nous décrirons au chapitre 14 le rôle que joue cette « réaction de lutte ou de fuite » dans les situations menaçantes ou chargées de stress.) Certaines de ces réponses peuvent également se produire durant l'excitation résultant de la joie ou de l'activation sexuelle. Au cours d'émotions comme la peine ou la tristesse, toutefois, certaines fonctions somatiques peuvent devenir déprimées ou ralenties.

Intensité des émotions

Pour déterminer la relation qui existe entre la hausse de l'activation physiologique et l'expérience subjective d'une émotion, des chercheurs ont étudié la vie affective d'individus souffrant de lésions de la moelle épinière. Lorsque la moelle est séparée du reste du système nerveux, les sensations qui arrivent à des points situés au-dessous de la lésion ne sont pas transmises au cerveau. Puisque certaines de ces sensations proviennent du système nerveux sympathique, les blessures réduisent le rôle de l'activation du système autonome

ANALYSE CRITIQUE

Utilisation de l'activation pour la détection des mensonges

FIGURE 11-1

Le polygraphe   *Le bandeau appliqué sur le bras mesure la fréquence cardiaque et la tension artérielle, le pneumographe qui entoure la cage thoracique mesure le taux de respiration et les électrodes placées sous les doigts mesurent le RPG. Les tracés donnent les réactions physiologiques du sujet pendant qu'il ment et pendant qu'il simule le mensonge. Le tracé de la respiration (ligne du haut) montre qu'il a retenu sa respiration au moment de se préparer à la première simulation. Il s'est montré capable de produire des changements sensibles de la fréquence cardiaque et du RPG à la seconde simulation. (D'après Kubis, 1962)*

L'activation du système autonome étant théoriquement indissociable de l'émotion et le mensonge étant vraisemblablement souce d'émotion, nous pouvons utiliser la présence de l'activation pour déduire que quelqu'un est en train de mentir. C'est là la théorie sur laquelle s'appuie le test du *détecteur de mensonge*, dans lequel un appareil, appelé *polygraphe*, mesure simultanément plusieurs réactions physiologiques reconnues comme des éléments de l'activation du système autonome. Les mesures le plus souvent enregistrées sont des modifications du rythme cardiaque, de la tension artérielle, de la respiration et du réflexe psychogalvanique ou RPG (un changement rapide de la conductivité de la peau qui accompagne l'activation du système autonome).

La façon habituelle de procéder, quand on utilise un polygraphe, consiste à faire d'abord des enregistrements pendant que le sujet est détendu ; cette mesure servira d'étalon ou de *ligne de base* pour l'évaluation des réponses suivantes. L'examinateur pose ensuite une série de questions préparées avec soin et auxquelles le sujet peut répondre par « oui » ou par « non ». Certaines des questions sont dites « critiques » parce que les personnes coupables sont susceptibles de mentir en y répondant (par exemple, « Avez-vous cambriolé la Pâtisserie Moderne le 4 juin dernier ? »). D'autres questions sont des questions de « contrôle » ; même les gens innocents risquent de mentir en réponse à ces questions (par exemple, « Avez-vous jamais pris quelque chose qui ne vous appartenait pas ? ») Enfin, d'autres questions sont « neutres » (par exemple, « Habitez-vous à Montréal ? »). Les questions critiques sont intercalées parmi les questions neutres et les questions de contrôle ; on laisse suffisamment de temps entre chaque question pour que les tracés du polygraphe reviennent à la normale. On présume que seules les personnes coupables devraient avoir des réactions physiologiques plus prononcées aux questions critiques qu'aux autres questions.

Toutefois, l'utilisation du polygraphe en vue de la détection du mensonge est loin d'être un procédé infaillible. En effet, la réaction à une question permet de constater qu'un sujet est dans un état d'activation, sans pour autant permettre d'expliquer *pourquoi* il est dans cet état. Un sujet innocent peut être très tendu ou avoir des réactions émotives à certains mots employés dans les questions et, par conséquent, donner l'impression de mentir alors qu'il dit la vérité. Par contre, il se peut qu'un menteur expérimenté manifeste très peu de réactions émotives quand

il ment. Et il n'est pas impossible qu'un sujet averti puisse « tromper » la machine en pensant à quelque chose d'excitant ou en contractant ses muscles durant les questions neutres, constituant ainsi un étalon comparable aux réactions aux questions critiques. Les tracés de la figure 11-1 montrent les réactions à un vrai mensonge et à des mensonges simulés. Dans cette expérience, le sujet avait choisi un nombre et il tentait ensuite de cacher l'identité de ce nombre à l'examinateur. Le nombre était 27 et on peut effectivement noter un changement marqué dans le rythme cardiaque et le RPG du sujet quand il dit « non » au chiffre 27. Le sujet simule ensuite le mensonge quand on présente le nombre 22 : il contracte ses orteils, produisant ainsi des réactions observables dans la fréquence cardiaque et le RPG.

À cause de ces problèmes et d'autres de même nature, la plupart des cours de justice n'admettent pas les résultats du détecteur de mensonge comme éléments de preuve ; celles qui le font exigent généralement que les deux parties soient d'accord pour son inscription en preuve. Néanmoins, on a souvent recours à ces tests dans les enquêtes criminelles préliminaires et dans la sélection des employés pour des postes de confiance.

Les représentants de l'American Polygraph Association ont prétendu à une exactitude de 90 % ou mieux pour les tests polygraphiques menés par des opérateurs qualifiés. Des critiques considèrent, toutefois, que la cote d'exactitude est de beaucoup inférieure. Lykken (1984), par exemple, prétend que dans les études portant sur des situations de la vie réelle, le test du détecteur de mensonge n'est exact qu'environ 65 % des fois et qu'une personne innocente a 50 % de risques de subir un échec. Il soutient que le polygraphe ne détecte pas seulement l'activation qui accompagne le mensonge, mais aussi le stress qu'une personne honnête subit quand elle se trouve attachée à l'appareil. Néanmoins, plusieurs firmes croient que les avantages à tirer de ces tests sont plus grands que les risques et son emploi est de plus en plus répandu dans l'industrie privée, ainsi que dans les corps policiers. C'est ainsi qu'aux États-Unis, le FBI fait subir plusieurs milliers de tests du polygraphe chaque année, la plupart du temps pour suivre des pistes ou vérifier des faits précis — domaines où, au dire général des experts, le polygraphe s'avère le plus utile. Les tests menés par le FBI sur plusieurs hauts fonctionnaires du gouvernement américain ont contribué à étayer la preuve relative au scandale du Watergate, au début des années 1970. En droit criminel et en droit privé, tout individu a légale-

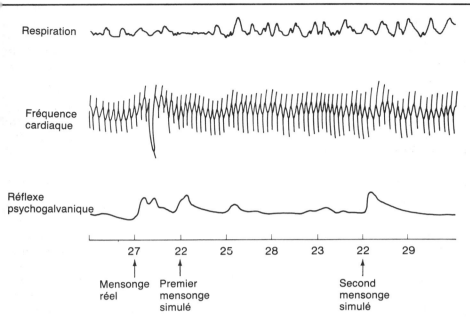

Respiration

Fréquence
cardiaque

Réflexe
psychogalvanique

27   22   25   28   23   22   29

Mensonge   Premier   Second
réel   mensonge   mensonge
            simulé   simulé

blement la vérité — car, il est théoriquement impossible de contrôler volontairement ses cordes vocales. Par ailleurs, un enregistrement du type stress indique seulement que l'individu est tendu ou anxieux, et pas nécessairement qu'il ment.

L'analyseur de stress vocal présente un avantage par rapport au polygraphe : on n'a pas à relier le sujet à un équipement compliqué. En réalité, il n'est même pas nécessaire que le sujet soit présent, car l'appareil fonctionne aussi bien à partir d'une conversation téléphonique, de messages radiophoniques ou télévisés que d'après des enregistrements au magnétophone. Puisqu'il est possible d'analyser la voix des gens à leur insu, l'usage éventuel de l'analyseur à des fins contraires à l'éthique soulève de graves préoccupations. La question du degré d'exactitude de l'analyseur de stress vocal est un problème d'un autre ordre. Des chercheurs prétendent qu'il est aussi précis que le polygraphe pour établir une distinction entre le coupable et l'innocent ; d'autres soutiennent que ses résultats sont purement aléatoires. Il reste beaucoup de recherche à faire pour déterminer la relation qui existerait entre les modulations de la voix et les autres mesures physiologiques de l'émotion (Rice, 1978 ; Lykken, 1980).

ment le droit de refuser de se soumettre au test du polygraphe. Malheureusement, cette protection est loin de représenter une garantie dans le cas d'un individu dont le refus peut, pour une raison ou pour une autre, mettre en péril sa carrière ou la chance d'accéder à un bon poste.

Un autre type de détecteur de mensonge mesure certaines modulations de la voix qui ne sont pas décelables par l'oreille humaine. Tous les muscles, y compris ceux qui contrôlent les cordes vocales, vibrent légèrement lorsqu'ils sont utilisés. Ce tremblement, transmis aux cordes vocales, se trouve supprimé par l'activité du système nerveux autonome quand le locuteur est sous l'effet d'un stress. On enregistre d'abord la voix sur bande magnétophonique, puis, en faisant passer la bande dans une machine appelée *analyseur de stress vocal* (à une vitesse quatre

fois plus lente que celle de l'enregistrement initial), on obtient une représentation visuelle de la voix sur un ruban de papier graphique. La voix d'une personne détendue donne une série d'ondes comme celles qu'on voit du côté gauche du graphique de la figure 11-2. Quand celui qui parle est en état de stress, le tremblement est effacé — comme le montre la partie droite du graphique de la figure 11-2.

Pour la détection du mensonge, on utilise l'analyseur de stress vocal essentiellement de la même façon que le polygraphe ; des questions « critiques » sont intercalées entre des questions neutres et on compare les enregistrements des réponses aux deux types de questions. Si les réponses données aux questions critiques donnent la forme d'ondes associée à la détente, c'est que la personne dit proba-

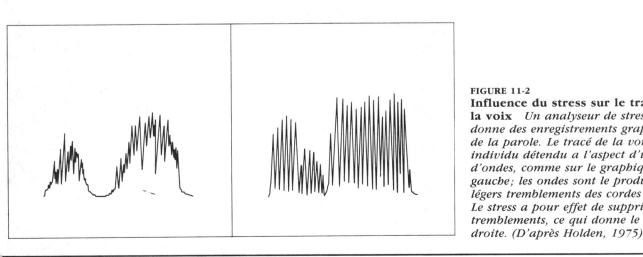

FIGURE 11-2
Influence du stress sur le tracé de la voix *Un analyseur de stress vocal donne des enregistrements graphiques de la parole. Le tracé de la voix d'un individu détendu a l'aspect d'une série d'ondes, comme sur le graphique de gauche ; les ondes sont le produit de légers tremblements des cordes vocales. Le stress a pour effet de supprimer ces tremblements, ce qui donne le tracé de droite. (D'après Holden, 1975)*

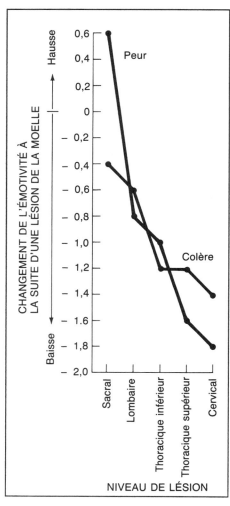

CHANGEMENT DE L'ÉMOTIVITÉ À LA SUITE D'UNE LÉSION DE LA MOELLE

Hausse

Baisse

0,6
0,4
0,2
0
- 0,2
- 0,4
- 0,6
- 0,8
- 1,0
- 1,2
- 1,4
- 1,6
- 1,8
- 2,0

Peur

Colère

Sacral   Lombaire   Thoracique inférieur   Thoracique supérieur   Cervical

NIVEAU DE LÉSION

FIGURE 11-3
Lésions de la moelle épinière et émotivité *Des sujets souffrant de lésions de la moelle ont comparé l'intensité de leurs expériences émotives avant et après la blessure. Leurs témoignages ont été quantifiés sous forme de degré de changement: 0 signifie «aucun changement»; un changement léger (par exemple, «Je le sens moins, je suppose») reçoit une cote -1, s'il s'agit d'une baisse, ou +1 dans le cas d'une hausse; un changement marqué (par exemple, «je le sens beaucoup moins») reçoit une cote -2 ou +2. Notons que plus la lésion est élevée, plus la chute de l'émotivité à la suite de la blessure est importante. (D'après Schachter, 1971; Hohmann, 1962)*

dans l'émotion ressentie. Au cours de l'une de ces études, des vétérans de guerre souffrant de lésions de la moelle avaient été répartis en 5 groupes, d'après la localisation de la blessure sur l'épine dorsale. Ceux du groupe 1 avaient des lésions près du cou (au niveau cervical), ce qui abolissait toute innervation du système sympathique et ne laissait intacte qu'une seule ramification du système nerveux parasympathique. Les sujets du groupe 5 présentaient des lésions situées près de la base de l'épine dorsale (au niveau du sacrum) et bénéficiaient donc d'une innervation, au moins partielle, des nerfs sympathiques et parasympathiques. Les autres groupes se distribuaient entre ces 2 extrêmes. Les 5 groupes constituaient ainsi un continuum de sensations corporelles: plus la lésion était haute, moins il y avait de rétroaction du système nerveux autonome vers le cerveau.

On a interviewé les sujets pour déterminer leurs sentiments dans des situations de peur, de colère, de chagrin et d'excitation sexuelle. Le sujet devait se remémorer un incident générateur d'émotion antérieur à sa blessure et un incident comparable qui avait suivi sa blessure, pour ensuite comparer l'intensité de l'expérience émotive dans les deux cas. La figure 11-3 présente les données recueillies pour les états de peur et de colère. Il ressort clairement que plus la lésion se situe au haut de la moelle (c'est-à-dire moins il y a de sensations corporelles), plus l'expérience émotive est diminuée, à la suite de la blessure. La même réaction s'applique aux conditions d'excitation sexuelle et de chagrin. La privation d'activation du système autonome entraîne effectivement une chute marquée de l'expérience émotive.

Les commentaires des patients dont les lésions étaient les plus élevées sur la moelle épinière laissent supposer qu'ils sont capables de *réagir* émotivement aux situations d'activation mais qu'ils ne *ressentent* vraiment pas l'émotion. Ils disent par exemple: « C'est une sorte de colère froide. Parfois je simule la colère quand je suis témoin d'une injustice. Je fulmine, je jure et je fais un boucan de tous les diables, parce que j'ai compris que si tu ne le fais pas de temps en temps, les gens vont abuser de toi; mais il n'y a plus la chaleur qu'il y avait autrefois. C'est une colère de type cérébral. » Ou encore: «Je dis que j'ai peur, par exemple lorsque je me présente à un examen vraiment difficile à l'école; mais je n'ai pas vraiment peur, je ne me sens pas tendu et tremblant, avec une sensation de vide dans le creux de l'estomac, comme auparavant. »

L'expérience qui précède est importante mais elle n'est pas tout à fait objective — les situations émotives variaient d'une personne à l'autre et les sujets évaluaient eux-mêmes leurs propres expériences. Une étude de contrôle ultérieur a fait appel à une situation plus objective : tous les sujets furent placés dans la même situation et leurs expériences affectives furent évaluées par des juges indépendants. On a présenté à des sujets masculins souffrant de blessures à la moelle épinière des images de femmes nues et de femmes vêtues et on leur demandait de s'imaginer qu'ils étaient seuls avec chacune de ces femmes. Les sujets rapportaient leurs «pensées et sentiments», que des juges évaluaient par rapport à l'émotion exprimée. Les patients dont les lésions étaient les plus élevées témoignaient moins d'excitation sexuelle que ceux dont les lésions se situaient plus bas (Jasmos et Hakmiller, 1975).

Différenciation des émotions

Il est évident que l'activation du système autonome contribue à l'intensité des émotions. Mais cette contribution permet-elle de différencier les émotions ? Existe-t-il un schème d'activité physiologique pour la joie, un autre pour la colère, un autre encore pour la peur et ainsi de suite ? Cette question remonte à l'article original de William James sur l'émotion (James, 1884) dans lequel il proposait que la perception des changements corporels *constituait* l'expérience objective d'une émotion : « Nous avons peur parce que nous courons » ; « nous sommes en colère parce que nous frappons ». Le physiologiste danois Carl Lange était arrivé à la même conclusion à peu près en même temps, mais pour lui, les changements corporels comprenaient l'activation du système autonome. On désigne sous le nom de *théorie de James-Lange* la combinaison de ces deux prises de position et on fait le raisonnement suivant : étant donné que la perception de l'activation du système autonome (et peut-être d'autres changements corporels) constitue l'expérience de l'émotion et étant donné que les émotions différentes sont ressenties différemment, chaque émotion doit avoir son schème distinct d'activité du système autonome. Selon la théorie de James-Lange, c'est l'activation du système autonome qui différencierait les émotions.

La théorie a été violemment contestée au cours des années 1920 par le physiologiste Walter Cannon (1927) qui lui fit 3 objections principales :

1. Les organes internes étant des structures relativement insensibles et mal desservies par les nerfs, les changements intérieurs se font trop lentement pour qu'ils soient une source de sentiments affectifs.

2. La production artificielle des changements corporels associés à une émotion — par injection d'une substance comme l'adrénaline, par exemple — ne donne pas l'expérience d'une vraie émotion.

3. Le schème d'activation du système autonome ne semble pas différer grandement d'un état émotionnel à l'autre ; par exemple, si la colère fait battre le cœur plus rapidement, il en va de même de la vue d'une personne aimée.

Par conséquent, ce troisième argument rejette explicitement l'hypothèse voulant que l'activation du système autonome permette de différencier les émotions.

Les psychologues ont repris ce troisième argument tout en mettant au point des mesures de plus en plus précises des éléments qui composent l'activation du système autonome. Les premières expériences n'ont pas réussi à identifier des schèmes physiologiques distincts qui caractériseraient les différentes émotions, mais les études récentes ont été plus heureuses sur ce point. Une étude de Ekman et de ses collaborateurs (1983), démontre particulièrement bien l'existence de schèmes autonomes distincts pour les différentes émotions. Des sujets ont donné des expressions émotives pour chacune des 6 émotions suivantes : surprise, dégoût, tristesse, colère, peur et bonheur en suivant des directives leur indiquant lesquels des muscles faciaux ils devaient contracter (la plupart des sujets étaient des acteurs et ils étaient aidés dans leur tâche par l'utilisation d'un miroir et par des conseils sur ce qu'ils devaient faire). Pendant qu'ils maintenaient une expression d'émotion durant

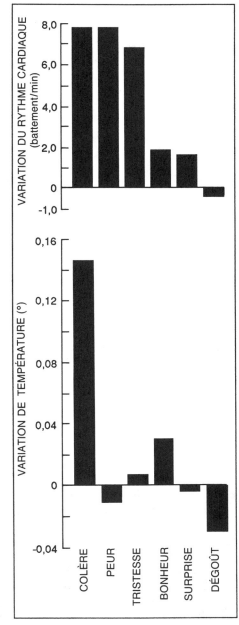

FIGURE 11-4
Activations différentes pour des émotions différentes *Changements du rythme cardiaque A) et de la température d'un doigt de la main droite B). Dans le cas de la fréquence cardiaque, les changements associés à la colère, à la peur et à la tristesse étaient tous significativement plus prononcés que ceux associés au bonheur, à la surprise et au dégoût. Dans le cas de la température du doigt, le changement associé à la colère était considérablement et très significativement différent de ceux associés à toutes les autres émotions. (D'après Ekman, Levenson et Frieson, 1983)*

10 secondes, les chercheurs enregistraient leur rythme cardiaque, la température de leur peau et d'autres réactions indicatrices d'activation du système autonome. Un certain nombre de ces mesures laissaient apparaître des différences entre les émotions (voir la figure 11-4). Le cœur battait plus rapidement dans le cas des émotions négatives, telles que la colère, la peur et la tristesse, que dans le cas du bonheur, de la surprise et du dégoût ; et on pouvait établir une distinction partielle entre les 3 premières de ces émotions en s'appuyant sur le fait que la température dermale était plus élevée dans le cas de la colère que dans le cas de la peur ou de la tristesse. Ainsi, même si la colère et la vue d'une personne aimée font toutes deux battre le cœur plus vite, seule la colère le fait battre *beaucoup plus* vite ; et en dépit du fait que colère et peur aient beaucoup de points communs, la colère est « chaude » et la peur est « froide » (peu étonnant que les gens décrivent leur colère en disant que leur « sang bouille »).

Ce sont là des résultats importants, mais ils sont loin de représenter des preuves sans équivoque de la théorie de James-Lange ou de l'affirmation prétendant que l'activation du système autonome soit la *seule* composante qui permette de différencier les émotions. Tout ce que l'étude de Ekman a démontré, c'est qu'il existait certaines différences physiologiques entre les émotions et non pas que ces différences sont perçues et ressenties comme *les* différences qualitatives entre les émotions. Même si l'activation du système autonome contribue vraiment à la différenciation de certaines émotions, il est peu vraisemblable qu'elle permette de différencier *toutes* les émotions ; la différence entre les sentiments de satisfaction et de fierté, par exemple, a peu de chance de se retrouver dans les réactions viscérales. De même, les deux premiers arguments que Cannon a soulevés contre la théorie de James-Lange sont toujours valables : l'activation du système autonome est trop lente pour permettre de différencier les expériences affectives, et la mobilisation artificielle ne donne pas une véritable émotion. Pour ces raisons, beaucoup de psychologues persistent à croire que la différenciation des émotions doit faire intervenir un autre facteur que l'activation du système autonome. On pense généralement que cet autre facteur est l'évaluation cognitive de la situation qui suscite l'émotion.

ÉVALUATION COGNITIVE

Quand nous sommes témoins d'un événement ou d'une action, nous interprétons la situation en fonction de nos objectifs et de notre bien-être personnels ; le résultat de l'évaluation est une connaissance, ou une croyance, qui est soit positive, soit négative (« J'ai gagné la partie et je suis heureux » ou « J'ai raté mon examen et je suis déprimé »). Cette interprétation est appelée *évaluation cognitive* et elle comprend deux parties distinctes : le processus d'évaluation et la croyance qui en découle.

Intensité et différenciation des émotions

Il est évident que l'évaluation que nous faisons d'une situation contribue à notre expérience émotive. Si nous nous trouvons dans une voiturette qui se met à descendre une pente raide, nous ressentons de la peur, sinon de la terreur ; mais si nous savons que la « voiturette » est un élément d'une rame de montagnes russes, la peur est généralement beaucoup moins forte. Si quelqu'un nous dit qu'il (ou elle) ne peut nous blairer, il se peut que nous ressentions une forte colère ou beaucoup de peine si cette personne était un ou une ami(e) ; par contre, s'il s'agissait d'un ou d'une malade mental(e) que nous n'avons jamais rencontré(e) auparavant, notre réaction émotive serait très faible. Quand nous regardons un film montrant des membres d'une tribu africaine en train de pratiquer une incision sur le corps d'un jeune homme, il se peut que nous ressentions de l'indignation, si nous avons l'impression qu'il s'agit de torture, mais que nous nous sentions plutôt indifférents si nous croyons que ce sont là des cérémonies rituelles d'initiation à la virilité. Dans tous ces cas, et dans d'innombrables cas semblables, c'est l'évaluation cognitive que nous faisons de la situation qui détermine l'intensité de notre expérience affective (Lazarus, Kanner et Folkman, 1980).

L'évaluation cognitive joue également un rôle prépondérant dans la différenciation des émotions. Contrairement à ce qui arrive dans le cas de l'activation du système autonome, les croyances découlant de l'évaluation cognitive sont assez riches pour permettre de distinguer plusieurs sortes de sentiments différents, et le processus d'évaluation lui-même peut être assez rapide pour rendre compte de la vitesse à laquelle certaines émotions surgissent. D'ailleurs, nous insistons presque toujours sur les croyances émotives quand nous décrivons la qualité d'une émotion. Nous disons « Je me suis mis en colère parce que c'était injuste » ou « J'ai eu peur parce que j'avais été abandonné » ; l'injustice et l'abandon sont évidemment des croyances résultant d'un processus cognitif.

Des observations permettent de croire que les évaluations cognitives suffisent dans bien des cas à identifier la qualité de l'expérience. C'est dire que si on pouvait placer les gens dans un état d'activation du système autonome qui soit neutre, la qualité de leur émotion serait déterminée uniquement par leur évaluation de la situation. Ce sont Schacter et Singer (1962) qui ont mis cette hypothèse à l'épreuve pour la première fois au moyen d'une expérience importante.

On a donné à des sujets une injection d'adrénaline, laquelle suscite généralement une activation du système autonome, se manifestant par une accélération des fréquences cardiaque et respiratoire, par des tremblements musculaires et par une sensation de trouille. L'expérimentateur manipula ensuite l'information donnée aux sujets quant aux effets de l'adrénaline. À certains, il dit que cette drogue susciterait un état d'euphorie et à d'autres, qu'elle provoquerait la colère chez eux. Après que chaque sujet fut informé des « effets » de l'injection, on le laissa dans une salle d'attente avec une autre personne qui, de toute évidence, semblait être un autre sujet, mais qui en fait était un imposteur, complice de l'expérimentateur. En présence d'un sujet ayant été prévenu de la possibilité d'effets euphoriques, le complice adoptait un comportement euphorique (il fabriquait des avions de papier, jouait au « basket » en lançant des boulettes de papier dans le panier aux déchets et ainsi de suite). Quand il s'agissait d'un sujet à qui l'on avait dit que la drogue pouvait susciter de la colère, le complice jouait la colère (il se plaignait de l'expérience, critiquait le questionnaire auquel les sujets devaient répondre, puis déchirait le questionnaire et quittait la pièce avec fracas).

Ces manipulations de l'information avaient pour but d'influencer l'évaluation de la situation par les sujets, ce qui se produisit effectivement : les sujets façonnèrent leur expérience affective de façon conforme à l'information dont ils disposaient. Quand l'information avait suggéré que l'injection créerait un état d'euphorie, les sujets étaient plus susceptibles d'évaluer leurs sentiments comme reflétant le bonheur et la satisfaction ; par contre, si on leur avait dit que l'injection les rendrait colériques, ils avaient tendance à évaluer leurs sentiments comme reflétant l'irritation et la colère. Malgré le caractère identique de l'activation du système autonome dans les deux situations, l'émotion vécue était différente ; la nature de l'émotion dépendait des évaluations que les sujets faisaient de la situation vécue.

FIGURE 11-5
Composantes d'une expérience émotive : 1 *Les croyances découlant d'une évaluation cognitive et la perception de l'activation du système autonome contribuent ensemble à l'expérience émotive. (D'après Reisenzein, 1983)*

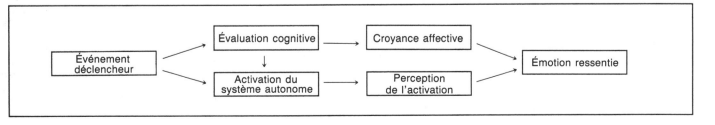

Toutefois, même si l'activation du système autonome pouvait être la même dans les situations d'euphorie et de colère, elle n'était vraisemblablement pas neutre (Marshall, 1976; Maslach, 1979). Les sujets ont en effet évalué leurs expériences de façon plus négative (moins heureux, ou plus irrités) que ne le justifiaient les agissements du complice, ce qui laisse entendre que l'activation physiologique produite par l'adrénaline serait ressentie comme désagréable dans une certaine mesure. Par conséquent, il reste encore à démontrer qu'on peut orienter l'interprétation d'une activation tout à fait neutre. Or, une étude subséquente a permis de faire cette démonstration. Des sujets s'adonnèrent d'abord à des exercices physiques ardus et participèrent ensuite à une tâche dans laquelle ils subissaient des provocations de la part d'un complice de l'expérimentateur. Les exercices créèrent une activation physiologique neutre qui persistait jusqu'à ce que les sujets fassent l'objet de provocations; en principe cette activation devrait se combiner à toute activation suscitée par la provocation, donnant par le fait même une expérience de colère plus intense. Effectivement, les sujets qui avaient fait des exercices réagirent de façon plus agressive à la provocation que d'autres sujets qui n'en avaient pas fait (Zillman et Bryant, 1974).

Les conclusions qui découlent de cette ligne de recherche sont illustrées dans la figure 11-5. Dans une situation émotive, un événement stimulant entraîne généralement deux réactions: une activation du système autonome et une évaluation cognitive; l'activation et l'évaluation mènent, respectivement, à une *perception* de l'activation et à une croyance affective, laquelle détermine alors la nature de l'émotion ressentie. (La perception de l'activation et la croyance affective ne sont pas vécues comme indépendantes; au contraire, l'activation est *attribuée* à la croyance — « Mon cœur bat rapidement *parce que* je suis en colère. ») Généralement, c'est le même événement déclencheur qui est responsable des deux: activation et évaluation. Dans les études que nous venons de rapporter cependant, les expérimentateurs ont arrangé la situation pour que l'activation et l'évaluation viennent de sources différentes (par exemple, l'injection d'une part et le comportement du complice, d'autre part), permettant ainsi des analyses séparées du rôle de chaque composante. Les résultats indiquent que l'activation et l'évaluation contribuent toutes les deux à l'intensité de l'expérience — et que parfois c'est l'évaluation seule qui peut déterminer la qualité de l'expérience. Même si les recherches montrent que l'activation peut contribuer à la différenciation des émotions, son rôle semble moins essentiel que celui de l'évaluation*.

Le contenu de l'évaluation

Évidemment, ce ne sont pas toutes les situations qui suscitent une émotion; ce doit donc être un aspect particulier de la situation qui mène à une réponse affective. Mandler (1984) prétend que cet aspect particulier est une *interruption du comportement ou de la pensée en cours*. Dans la colère ou la peur, l'interruption est souvent un blocage d'une activité voulue; dans la joie ou la surprise, l'interruption peut être un événement positif inattendu. Dans tous les cas, l'interruption joue le rôle de déclencheur des processus d'évaluation qui ont pour but de déterminer la nature exacte de cette interruption. Bien que l'interruption déclenche aussi l'activation du système autonome, c'est la nature de la situation interrompue qui détermine principalement la qualité de l'expérience.

Il nous faut par conséquent trouver quels sont les aspects précis d'une situation interrompue qui conduisent à l'évaluation de la peur, qui conduisent à celle de la joie, et ainsi de suite pour les diverses émotions. Essentielle-

TABLEAU 11-2
Émotions primaires et leurs causes *Huit émotions primaires et les situations qui leur sont associées. (D'après Plutchik, 1980)*

ÉMOTION	SITUATION
Chagrin	Perte de la personne aimée
Peur	Menace
Colère	Obstacle
Joie	Partenaire possible
Confiance	Membre du groupe
Dégoût	Objet affreux
Anticipation	Territoire nouveau
Surprise	Objet nouveau et soudain

---

* Il existe, néanmoins, des cas d'émotions où aucune évaluation cognitive n'intervient (Zajonc, 1984). Certaines expériences de peur peuvent, effectivement, résulter d'un conditionnement classique durant l'enfance (voir au chapitre 7). Si, par exemple, des séances pénibles chez le médecin avaient été régulièrement précédées d'une période dans une salle d'attente, la personne en cause pourrait ressentir une peur substantielle quand elle se trouve à nouveau dans une salle d'attente, même à l'âge adulte. Dans pareils cas, l'expérience à l'âge adulte n'est pas le résultat d'une interprétation d'une situation en fonction des objectifs actuels.

ment, ce que nous cherchons à connaître, ce sont les causes des différentes émotions. Les psychologues ont abordé ce problème de deux façons différentes. L'une consiste à postuler qu'il n'existe qu'un groupe relativement restreint d'émotions « primaires » et à relier chaque émotion à une situation fondamentale de la vie. Le tableau 11-2 présente une liste de quelques émotions (la peur, par exemple) accompagnées des situations qui les déclenchent (la menace). On peut retrouver ces émotions primaires dans toute société humaine et dans tout le règne animal. Leur caractère universel justifie leur choix comme émotions primaires et l'identification des situations fondamentales interrompues en des termes applicables même aux espèces inférieures.

L'autre façon d'aborder le problème de l'identification des aspects circonstanciels de l'émotion met l'accent sur les processus cognitifs ; cette approche semble donc convenir davantage à l'être humain qu'aux espèces inférieures. Au lieu de partir d'un ensemble d'émotions primaires, cette méthode se fonde sur un ensemble d'aspects circonstanciels auxquels une personne porte attention. La théorie associe alors diverses combinaisons de ces aspects à des émotions précises. On en trouve un exemple dans le tableau 11-3. L'un des aspects circonstanciels est le caractère désirable de l'événement anticipé et un autre est le fait que cet événement se produise ou non. En combinant ces deux aspects (la colonne gauche du tableau 11-3) nous obtenons quatre situations possibles et chacune de ces dernières semble donner une émotion distincte. (Nous n'utilisons que 4 émotions dans notre exemple par souci de simplicité.) Lorsqu'un événement souhaité se produit, nous connaissons la *joie* ; lorsqu'il ne se présente pas, nous avons du *chagrin* ; lorsqu'un événement inopportun survient, nous sommes *désolés* ; et lorsque l'événement inopportun ne se produit pas, nous nous sentons *soulagés*. Par exemple, si une jeune femme marie un jeune homme séduisant que l'on sait aux prises avec un problème d'alcool, il peut arriver qu'elle ressente surtout de la joie, sa rivale du chagrin, ses parents de la désolation et les parents du fiancé du soulagement. L'avantage de cette méthode vient de ce qu'elle détermine le processus d'évaluation d'une façon détaillée et qu'elle rend compte d'une vaste gamme d'expériences affectives.

Quelques conséquences d'ordre clinique

Les évaluations cognitives permettant une bonne différenciation des émotions, elles aident à expliquer une observation clinique insolite. Les cliniciens rapportent en effet que dans certains cas, le patient a l'air de vivre une émotion sans en être conscient. Autrement dit, ce patient n'a pas d'expérience subjective de l'émotion et réagit pourtant d'une manière qui convient à cette émotion — par exemple, il agit de façon hostile, sans ressentir de colère. Il lui arrive aussi d'éprouver ultérieurement cette émotion et d'admettre que, dans un sens, il doit avoir eu cette émotion plus tôt. Selon Freud (1976), ce phénomène fait intervenir le refoulement d'idées « douloureuses », et les travaux contemporains sur l'évaluation et l'émotion sont compatibles avec son hypothèse. Comme la croyance associée à une situation détermine la qualité de l'émotion, le fait d'empêcher cette croyance de pénétrer jusqu'à la conscience (refoulement) empêche le patient de ressentir la qualité de l'émotion.

Un autre point de rencontre entre l'analyse clinique et la recherche expérimentale concerne le développement affectif. Les travaux des cliniciens permettent de croire que les sensations de plaisir et de détresse qu'éprouve une personne changent très peu pendant qu'elle passe de l'enfance à l'âge adulte ; ce qui évolue, cependant, ce sont les idées associées à ces sensations (Brenner, 1980). Ainsi, il se peut que la sensation de joie soit la même à 3 ans et à 30 ans, mais ce qui nous rend joyeux est très différent. Ce pattern évolutif correspond parfaitement aux faits que nous avons décrits à propos de l'émotion. Les sensations de plaisir et de détresse sont probablement attribuables à une rétroaction provenant de l'activation du système autonome et il se peut que la nature de cette activation ne change pas au cours de la vie. Par contre, les idées associées aux sensations sont tout simplement des croyances affectives et elles devraient manifester la même sorte d'évolution que les autres aspects de la connaissance.

TABLEAU 11-3
Aspects circonstanciels primaires et leurs conséquences *Combinaisons de deux aspects de situation et les émotions qui leur sont associées. (D'après Roseman, 1979)*

SITUATION	ÉMOTION
Désirable et se produit	Joie
Désirable et ne se produit pas	Chagrin
Indésirable et se produit	Désolation
Indésirable et ne se produit pas	Soulagement

Enfin, les travaux sur l'évaluation s'accordent bien avec un phénomène connu, non seulement des cliniciens, mais de chacun d'entre nous : le degré d'émotion associé à une situation donnée dépend de notre expérience antérieure. Face à un employeur excessivement exigeant, certaines personnes se sentiront agacées, d'autres seront furieuses. Pourquoi cette différence? Probablement parce que les expériences antérieures ont été différentes : il se peut que ceux qui se mettent en colère aient souffert par le passé sous un régime autoritaire, alors que ceux qui ne ressentent que de l'agacement n'auraient pas connu de telles expériences. Le processus d'évaluation représente un lien probable entre l'expérience antérieure et l'émotion actuelle; c'est-à-dire que notre expérience passée influence nos croyances relatives à la situation présente et que ces croyances agissent ensuite sur l'émotion que nous ressentons. (On trouve dans le conditionnement classique un autre lien possible entre l'expérience antérieure et l'émotion actuelle, surtout quand cette émotion en est une de peur.)

EXPRESSION ÉMOTIVE

De toute évidence, l'expression faciale qui accompagne une émotion sert à communiquer cette émotion. Depuis la publication de l'œuvre classique de Charles Darwin, *L'expression des émotions chez l'homme et les animaux*, en 1872, les psychologues ont considéré la communication de l'émotion comme une fonction importante, une fonction à valeur de survivance pour les espèces. Ainsi, le fait de paraître apeuré peut avertir les autres de la présence d'un danger et quand nous nous apercevons que quelqu'un est en colère, nous savons que cette personne peut être sur le point de se montrer agressive. Des travaux plus récents vont plus loin que la tradition darwinienne, en suggérant qu'outre leur rôle de communication, les expressions émotives contribuent, tout comme l'activation et l'évaluation, à l'expérience subjective de l'émotion.

Communication des expressions émotives

Certaines expressions faciales semblent avoir une signification universelle, peu importe la société dans laquelle la personne est élevée. Lorsque des individus de 5 pays différents (États-Unis, Chili, Argentine, Brésil et Japon) ont regardé des photographies montrant des expressions faciales de bonheur, de colère, de tristesse, de dégoût, de peur et de surprise, ils ont eu peu de difficulté à identifier les émotions véhiculées par chaque expression. Même des membres de tribus illettrées et éloignées, qui n'avaient pratiquement eu aucun contact avec la culture occidentale (les tribus Fore et Dani de la Nouvelle-Guinée), se sont montrés capables d'identifier correctement les expressions faciales. Par ailleurs, des collégiens américains auxquels on a présenté sur bande vidéo des émotions exprimées par les indigènes Fore ont identifié ces émotions avec exactitude, bien qu'ils aient parfois confondu peur et surprise (Ekman, 1982).

Le caractère universel de certaines expressions émotives vient appuyer l'hypothèse de Darwin sur l'existence de réactions innées qui sont le produit de l'évolution historique. Selon Darwin, plusieurs des manières dont nous exprimons l'émotion sont des schèmes innés qui avaient à l'origine une certaine valeur de survie. L'expression du dégoût, par exemple, serait associée aux tentatives de l'organisme pour se débarrasser de quelque chose de désagréable qu'il aurait avalé. Voici ce que dit Darwin (1872) :

> Dans son sens le plus simple, le terme « dégoût » signifie quelque chose qui offense le goût. Mais comme le dégoût cause aussi de la contrariété, il s'accompagne généralement d'un froncement des sourcils et, souvent, de gestes qui semblent vouloir éloigner l'objet offensant ou nous protéger contre lui. Le dégoût excessif s'exprime par des mouvements dans la région de la bouche qui sont identiques à ceux qui précèdent l'acte de vomir. La bouche s'ouvre largement, la lèvre supérieure est fortement rétractée. La fermeture partielle des paupières, ou le détournement des yeux ou du corps entier, sont également très caractéristiques de l'expression du dédain. Ces gestes semblent vouloir dire que la personne dédaignée ne vaut pas la peine qu'on la regarde, ou qu'elle est désagréable à voir. Le crachat semble être une forme presque universelle de mépris ou de dégoût ; et évidemment, le fait de cracher représente le rejet par la bouche de tout ce qui est offensant.

Alors que certaines expressions faciales et certains gestes semblent être associés à des émotions particulières, d'autres sont le fruit de l'apprentissage culturel. Un psychologue a fait une recension de romans chinois dans le but de déterminer comment les auteurs chinois décrivent les diverses émotions humaines. Bon nombre des attitudes corporelles qui accompagnent l'émotion (rougissement, pâleur, sueurs froides, tremblement, chair de poule) correspondent, dans le livre de fiction chinois, aux mêmes symptômes de l'émotion que dans les ouvrages occidentaux. Toutefois, les Chinois ont d'autres façons, assez différentes, d'exprimer les émotions. Les citations suivantes, tirées de romans chinois, seraient sûrement mal interprétées par le lecteur américain qui ne serait pas familier avec cette culture (Klineberg, 1938).

« Ils sortirent la langue. »
(Ils donnèrent des signes de surprise)

« Il se frappa les mains. »
(Il était inquiet ou déçu)

« Il se gratta les oreilles et les joues. »
(Il était heureux)

« Ses yeux devinrent ronds et s'ouvrirent largement. »
(Elle se mettait en colère)

Ainsi, en plus des expressions fondamentales de l'émotion qui semblent universelles, on trouve des formes d'expression conventionnelles ou stéréotypées, une sorte de « langage de l'émotion » reconnu par les membres d'une culture donnée. Les comédiens adroits sont capables de transmettre à leur auditoire l'émotion voulue en utilisant les expressions faciales, le ton de la voix et les gestes selon des schèmes que l'auditoire reconnaîtra. Pour la simulation des émotions, ceux d'entre nous qui sont des comédiens moins habiles peuvent quand même communiquer leurs intentions en exagérant les expressions conventionnelles : serrer les dents et fermer les poings pour indiquer la colère, soulever les sourcils pour exprimer le doute ou la désapprobation, et ainsi de suite.

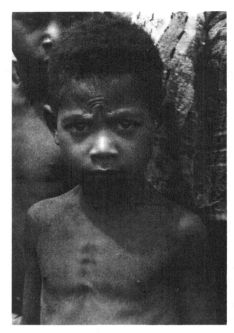

Les émotions sont véhiculées par des expressions faciales à caractère universel. Ces photographies d'individus habitant la Nouvelle-Guinée et les États-Unis montrent que les émotions sont communiquées par des expressions faciales identiques. De gauche à droite, on a pour chaque culture le bonheur, la tristesse et le dégoût.

Localisation cérébrale

Les expressions émotives universelles (celles qui sont associées à la joie, à la colère et au dégoût, par exemple) sont également très spécifiques : des muscles particuliers participent à l'expression des émotions particulières. Cette association de l'universalité et de la spécificité permet de supposer qu'un système neurologique spécialisé aurait pu se former au cours de l'évolution de l'être humain pour interpréter les expressions émotives primitives, et des faits récents indiquent que ce système serait situé dans l'hémisphère cérébral droit.

Une source de données découle d'études dans lesquelles on présente des images d'expressions émotives soit au côté gauche, soit au côté droit du champ visuel du sujet. (Rappelez-vous qu'au chapitre 2 nous avons vu que les stimuli présentés dans le champ visuel gauche étaient projetés vers l'hémisphère droit et ceux présentés dans le champ visuel droit vers l'hémisphère gauche.) Quand les sujets doivent dire laquelle des deux émotions se trouve manifestée sur l'image, ils sont plus rapides et plus précis quand celle-ci est présentée dans leur champ visuel gauche — c'est-à-dire quand elle est projetée vers leur hémisphère droit. En outre, si les deux moitiés du visage transmettent des émotions différentes (une moitié serait souriante alors que l'autre froncerait les sourcils), c'est l'expression qui tombe dans le champ visuel gauche qui a le plus de poids dans la décision du sujet. Une autre source de données relatives à la localisation des expressions émotives nous vient d'études de patients qui ont subi des lésions cérébrales à la suite d'apoplexies ou d'accidents. Les patients dont les dommages se limitent à l'hémisphère droit éprouvent plus de difficulté à identifier les expressions faciales des émotions que ceux dont les dommages se limitent à l'hémisphère gauche (Etcoff, 1985).

Le système dont nous disposons pour reconnaître les expressions émotives semble être fortement spécialisé. Il se distingue particulièrement de notre capacité de reconnaître les physionomies. Considérons le cas de l'individu atteint de *prosopagnosie*, soit une personne qui éprouve une difficulté tellement grande de reconnaître les visages familiers que parfois, elle n'arrive même pas à reconnaître son propre visage ! Ce sujet peut, pourtant, reconnaître les expressions émotives : il peut vous dire qu'une personne donnée est heureuse, même quand il ne sait pas que cette personne est sa femme (Bruyer et coll., 1983). Les capacités de reconnaître les visages et de reconnaître les émotions sont également affectées différemment par la stimulation électrique

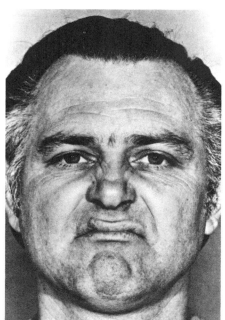

de diverses régions de l'hémisphère droit : la reconnaissance des visages est perturbée par la stimulation dans la région pariéto-occipitale, alors que celle de l'émotion est perturbée par la stimulation de la circonvolution temporale médiane (Fried et coll., 1982).

En plus d'être communiquées par les expressions faciales, les émotions s'expriment aussi par des variations de schèmes vocaux (tout particulièrement les variations de hauteur tonale, de synchronisation et d'inflexions). Certaines de ces variations semblent avoir un caractère universel et spécifique : une élévation brusque de la hauteur tonale dénote la peur, par exemple. Le système neurologique spécialisé dans la perception de ces indices émotionnels est situé dans l'hémisphère cérébral droit et les preuves sur lesquelles on s'appuie pour le savoir sont semblables à celles qu'on invoque pour la localisation de la perception des expressions faciales. Si on présente une voix chargée d'émotion à l'oreille gauche ou à l'oreille droite (lesquelles envoient des projections aux hémisphères droit et gauche respectivement), les sujets montrent plus de précision dans l'identification de l'émotion quand le son est présenté à l'oreille gauche. D'ailleurs, les patients souffant de lésions cérébrales limitées à l'hémisphère droit éprouvent plus de difficulté à identifier les émotions à partir d'indices vocaux que les patients dont les dommages se limitent à l'hémisphère gauche (Ley et Bryden, 1982).

Intensité et différenciation des émotions

La notion voulant que les expressions faciales, en plus de leur fonction de communication, apportent également une contribution à notre expérience émotive est parfois appelée *hypothèse de la rétroaction faciale*. Selon cette

FIGURE 11-6
Composantes d'une expérience émotive : 2 *L'expression émotive, les croyances affectives et la perception de l'activation contribuent ensemble à l'expérience émotive. (D'après Reisenzein, 1983)*

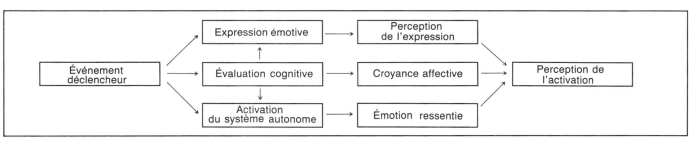

ANALYSE CRITIQUE

Processus antagonistes dans l'émotion

Étant donné les faits qui démontrent que les émotions fortes peuvent avoir un effet perturbateur, pourquoi certaines personnes s'adonnent-elles de façon répétitive à des activités qui déclenchent une forte activation comme le parachutisme? Si l'on s'en remet à une vieille plaisanterie, ils le font « parce qu'ils se sentent bien quand c'est fini! ». Fait étonnant, il semble y avoir du vrai dans cette boutade, un élément de vérité qui a été saisi par la *théorie* de l'émotion dite de *processus antagonistes* (Solomon et Corbit, 1974; Solomon, 1980).

Cette théorie part du postulat que le cerveau est organisé pour pouvoir s'opposer aux états émotionnels ou les supprimer, que ces états soient positifs ou négatifs. Chacun des états émotionnels aurait son état contraire qui l'annulerait; lorsque l'un des membres d'une telle paire est suscité (appelons-le A), il mobilise rapidement son rival (appelons-le B), qui finit par ramener le système à sa ligne de base:

Ligne de base → État A → État B → Ligne de base

Ce type de processus se trouve illustré dans les comptes rendus des réactions émotives dont les parachutistes à l'entraînement sont typiquement l'objet (Epstein, 1967). Durant leur première chute à vide (avant que le parachute ne s'ouvre), leur réaction en est une de peur (c'est l'état A). Après avoir touché la terre, l'élève parachutiste se déplace habituellement ici et là pendant quelques minutes avec une expression de stupeur, puis il se met à sourire et devient très sociable. Il s'ensuit un état d'euphorie (c'est l'état B) qui finira par se dissiper et se confondre avec un comportement normal de ligne de base (voir la figure 11-7A).

On peut comprendre le déroulement temporel de ce processus émotionnel en examinant le volet de gauche de la figure 11-7B. Quand l'événement émotionnel se produit, il déclenche un processus *a*; ceci donne naissance à l'état A. Quelque temps après que le processus *a* est en marche, le processus *b* se trouve activé et agit pour contrer et supprimer l'état affectif engendré par le processus *a*. À tout moment, la différence entre l'amplitude du processus *a* et celle du processus *b* détermine l'état émotif ou la réponse manifeste; cette différence est représentée dans la courbe du haut du volet gauche de la figure 11-7B.

Cette courbe reflète aussi l'évolution dans le temps d'une expérience émotive. Lorsqu'un stimulus générateur d'émotion est présenté pour la première fois, une émotion surgit et atteint un point culminant en quelques secondes. Puis, pendant que l'événement se déroule, l'émotion diminue légèrement par rapport à ce point et se fixe à un niveau stable. Cette séquence se produit parce qu'au début, le processus *a* ne rencontre pas d'opposition et atteint un point culminant pour l'état A; mais pendant que le processus *b* se trouve graduellement mobilisé, il entre en soustraction avec le processus *a*, abaissant par le fait même le niveau culminant de l'état A. Une fois le stimulus générateur d'émotion disparu, c'est l'émotion contraire qui est ressentie. Ceci se produit parce que le processus *a* s'évanouit presque immédiatement, alors que le processus *b* recule plus lentement; c'est donc l'état B qui est perçu jusqu'à ce que le processus *b* ait fait son temps.

Retournons à l'exemple du parachutisme pour l'interpréter en fonction de ces processus sous-jacents. La chute à vide est de toute évidence un événement générateur d'émotion. Dès le début, le processus *a* est mis en branle, donnant lieu à un sommet émotif pour l'état A — à savoir, une peur intense. Peu de temps après (toujours durant la chute à vide), le processus *b* s'amorce graduellement et réduit l'intensité de l'état A; mais le parachutiste ressent encore une peur considérable. Quand le parachute s'ouvre, la peur est encore atténuée. Au moment où le parachutiste

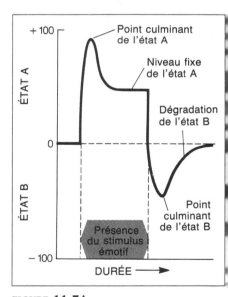

FIGURE 11-7A
Dynamique temporelle d'une réponse affective *Déroulement standard d'une réponse affective produite par un stimulus générateur d'émotion lors de sa présentation initiale. Cette courbe est la même que celle qui est tracée à la partie supérieure du volet de gauche de la figure 11-7B.*

touche le sol, ce qui élimine l'événement générateur de la peur, le processus *a* disparaît rapidement, mais le processus *b* persiste, donnant lieu à l'état B — un sentiment de soulagement. Ce déroulement de la réaction émotive peut s'observer dans notre comportement de tous les jours, mais il se trouve souvent confondu avec des facteurs culturels et les efforts que nous faisons pour supprimer ou pour maîtriser nos émotions. On peut, dans des situations de laboratoire bien contrôlées, démontrer le déroulement temporel d'un état émotif, tel qu'il apparaît dans la figure 11-7B.

Jusqu'ici, nous ne nous sommes intéressés qu'à la première expérience d'un événement générateur d'émotions. Mais le saut en parachute doit être répété plusieurs fois et la théorie des processus antagonistes tient compte de la répétition de l'événement. Selon cette théorie, la première fois qu'on fait l'expérience d'un stimulus de cette nature, le processus *b* est assez faible et lent à se produire. L'expérience répétée du stimulus renforce le processus *b* jusqu'à ce qu'il soit déclenché beaucoup plus rapidement et avec une bien plus grande intensité; ceci se reflète sur le volet droit de la figure 11-7B. Il s'ensuit que le niveau manifeste de l'état A se trouve réduit et, lorsque le stimulus disparaît, l'intensité de l'état B est grandement amplifiée. La courbe du haut du volet droit de la figure 11-7B illustre le déroulement temporel d'une réaction émotive à un stimulus qu'on a rencontré plusieurs fois. Ce schème de réactions a été vérifié également par l'expérimentation. Ainsi, la première expérience d'un événement qui déclenche une activation va donner lieu à une forte expérience de l'état A suivie d'une expérience plutôt faible de l'état B; mais avec la répétition de la situation stimulante, l'intensité de l'état A va se trouver atténuée, alors que l'intensité de l'état B va être considérablement amplifiée. Ce qui explique que certaines personnes continuent à s'adonner à des activités suscitant une forte activation comme le parachutisme et les tours en montagnes russes: l'état négatif A se trouve plus que compensé par l'état positif B.

Cette analyse des effets de la répétition de l'expérience d'événements générateurs d'activation peut également servir à décrire l'évolution de la sujétion aux stupéfiants. L'absorption des quelques premières doses d'un opiacé suscite une forte expérience de plaisir, appelée un « flash », qu'on a décrit comme une forme de plaisir sexuel intense, qui est ressentie à travers tout le corps. Le flash est suivi d'un état d'euphorie moins vif. Une fois que

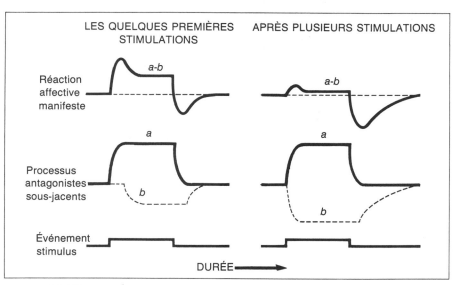

FIGURE 11-7B
Processus antagonistes dans l'émotion *Le volet de gauche illustre la réaction affective aux quelques premières présentations d'un stimulus; le volet de droite montre la réaction après des présentations répétées du stimulus. La courbe du haut dans chacun des volets est la réponse manifeste produite par le jeu réciproque des processus antagonistes; on l'obtient en prenant la différence entre les processus antagonistes sous-jacents a et b, décrits dans la deuxième rangée de la figure (c'est-à-dire, en soustrayant la courbe b de la courbe a). La rangée du bas de la figure indique la présence et l'absence du stimulus activateur de l'émotion. Notons que le processus b a une latence plus courte, une intensité accrue et une dégradation plus lente à mesure qu'augmente la fréquence de présentation du stimulus et que celui-ci devient plus familier. Ces changements dans le processus b expliquent pourquoi il y a changement dans la réaction émotive manifeste à mesure qu'on fait l'expérience répétée d'un stimulus. (D'après Solomon, 1980)*

l'effet de la drogue s'estompe, l'usager passe a un état désagréable d'appétit insatiable, appelé sevrage, état qui se dissipe avec le temps. Le schème de ce processus est conforme à celui de la courbe que l'on trouve au haut du volet gauche de la figure 11-7B. L'opiacé produit un niveau de pointe de l'état A (le flash), suivi d'un léger déclin d'intensité (l'euphorie); lorsque le stupéfiant a perdu son effet, l'état B (sevrage) se manifeste et se dissipe ensuite graduellement. Quand l'individu fait un usage fréquent de stupéfiants, son expérience affective évolue selon le cheminement prévu par la théorie des processus antagonistes (voir le volet de droite de la figure 11-7B). Il n'éprouve plus de flash et le sentiment d'euphorie est minime ou totalement absent. Le syndrome de sevrage devient beaucoup plus marqué et sa durée s'accroît de façon considérable. Ceux qui consomment des stupéfiants depuis longtemps éprouvent de faibles sensations d'euphorie, suivies de sensations intenses et prolongées d'abjection.

Au début, on a recours aux stupéfiants à cause de leurs effets agréables.

Après un usage répété toutefois, on les prend pour contrecarrer l'effet antagoniste et désagréable résultant de l'usage antérieur de ces mêmes stupéfiants. Un cercle vicieux s'est formé: plus on use fréquemment d'une drogue, plus le processus antagoniste se fait intense et dure longtemps. Pour se débarasser de cet effet consécutif désagréable, l'usager fait à nouveau appel au stupéfiant, renforçant davantage le processus antagoniste. Celui qui s'est adonné à la drogue depuis longtemps continue d'en prendre pour atténuer la sensation d'abjection résultant de sa consommation antérieure, plutôt que pour obtenir la sensation d'euphorie qui était, à l'origine, associée à son usage. Le taux d'échec élevé de la plupart des programmes de traitement de la sujétion aux stupéfiants démontre bien la difficulté de rompre ce cercle. La théorie des processus antagonistes n'est pas une méthode de traitement de la sujétion aux drogues, mais elle constitue un cadre utile pour l'évaluation de tels programmes (Solomon, 1980).

Sommes-nous heureux parce que *nous rions?*

hypothèse, tout comme nous recevons de l'information rétroactive sur (ou « nous percevons ») l'activation de notre système autonome, nous recevons également une information rétroactive sur (ou « percevons ») notre expression faciale, et cette information rétroactive s'ajoute aux autres composantes d'une émotion pour donner une expérience plus intense. Ceci veut dire que si vous décidez de faire un sourire et si vous gardez ce sourire durant quelques secondes, vous allez commencer à vous sentir plus heureux ; si vous prenez un air maussade, vous vous sentirez tendu et irrité. (Essayez.) À l'appui de cette hypothèse, on a constaté que des sujets qui adoptent des réactions faciales exagérées face à des situations génératrices d'émotions rapportent plus de réactions émotives que des sujets qui ne prennent pas cette attitude (Laird, 1974). D'autres études indiquent que les expressions faciales ont possiblement un effet indirect sur l'émotion en augmentant l'activation du système autonome. On a démontré une telle influence indirecte dans une expérience dont nous avons déjà parlé dans ce livre, expérience au cours de laquelle l'adoption d'expressions émotives particulières donnait lieu à des modifications du rythme cardiaque et de la température corporelle. Nous devons donc ajouter l'expression émotive à notre liste de facteurs qui contribuent à l'expérience émotive (voir la figure 11-6).

Mais *de quelle façon* exactement les expressions faciales exercent-elles une influence soit sur l'activation du système autonome, soit sur l'expérience subjective d'une émotion ? Israel Waynbaum, un médecin français, a apporté une réponse intéressante à cette question en 1906, laquelle a été reprise récemment par Zajonc (1985). Selon Waynbaum et Zajonc, la contraction de certains muscles faciaux agit sur la circulation dans des vaisseaux sanguins avoisinants. Cette réaction affecte, à son tour, la circulation du sang dans le cerveau, ce qui peut déterminer la température cérébrale et l'activité des neurotransmetteurs — et cette activité pourrait très bien faire partie de l'activité corticale sous-jacente à l'émotion. Ainsi, quand on rit, la contraction des muscles faciaux entraîne une augmentation du flot sanguin vers le cerveau, effet qui peut contribuer à la production d'un sentiment d'euphorie. Le point critique est le lien entre les muscles faciaux et le sang, car une fois que l'expression est « entrée » dans la circulation sanguine, elle peut être communiquée n'importe où.

Il se trouve également beaucoup de chercheurs contemporains qui croient que les expressions faciales peuvent déterminer la *qualité* des émotions. Comme les expressions associées aux émotions primaires sont distinctes et se produisent rapidement, il est plausible qu'elles contribuent à la différenciation des émotions. Tompkins (1980) a fait remarquer que l'information rétroactive provenant d'une expression faciale est soit acceptable, soit inacceptable en soi, suggérant par conséquent qu'elle procurerait un moyen grâce auquel l'individu serait en mesure de distinguer ses émotions positives et ses émotions négatives d'après les expressions faciales. Si les recherches à venir devaient appuyer la notion voulant que l'expression faciale permette de différencier les émotions, nous reviendrions (en partie du moins) à la théorie de William James à l'effet que l'émotion *est* la perception de certains changements corporels — nous sommes heureux *parce que* nous rions.

QUEL EST LE POUVOIR D'ADAPTATION DES ÉMOTIONS ?

Dans quelle mesure les expériences émotives sont-elles bénéfiques ? Jusqu'à quel point sont-elles nuisibles ? Nous aident-elles surtout à survivre ou sont-elles principalement des sources de perturbation ? Les réponses à ces questions dépendent, en partie, de l'intensité et de la durée des émotions ressenties.

En ce qui concerne l'intensité, un niveau modéré d'activation émotionnelle a tendance à produire un état d'éveil et d'intérêt pour la situation en cours. Quand les émotions se font intenses, toutefois, elles entraînent habituellement, qu'elles soient agréables ou désagréables, certaines perturbations de la pensée ou du comportement. La courbe de la figure 11-8 montre la relation entre le niveau d'activation émotionnelle d'une personne et l'efficacité de cette dernière dans l'accomplissement d'une tâche. À des niveaux très bas d'activation (au moment du réveil, par exemple), il est possible qu'on ne porte pas bien attention à l'information sensorielle et que le rendement soit relativement médiocre. C'est à des niveaux modérés d'activation que le rendement est le meilleur. À des niveaux élevés d'activation émotionnelle, le rendement commence à décroître, probablement parce que l'individu n'est pas en mesure de consacrer suffisamment de ressources cognitives à la tâche.

Le niveau optimal d'activation et la forme de la courbe varient avec les tâches. Une tâche simple, routinière et bien maîtrisée risque beaucoup moins d'être dérangée par l'activation émotionnelle qu'une activité plus complexe, qui dépend de l'intégration de plusieurs mécanismes de pensée. Durant un moment de grande frayeur, vous seriez probablement toujours capable d'épeler votre nom, mais vous auriez de la difficulté à bien jouer aux échecs. Ce qui constitue exactement un niveau excessif d'activation émotive dépend de l'individu, comme le montrent les études du comportement adopté au cours de catastrophes, telles des incendies ou des inondations soudaines. Environ 15 % des gens font preuve d'un comportement organisé et efficace dans ces situations, ce qui laisse supposer que leur niveau optimal d'activation émotive n'a pas été dépassé. La majorité des gens, quelque 70 %, se trouvent désorganisés à des degrés divers, mais ils sont encore capables de fonctionner avec une certaine efficacité. Les 15 % qui restent sont tellement troublés qu'ils sont absolument incapables de fonctionner ; ils peuvent être pris de panique ou afficher des comportements sans buts et complètement inadéquats, indiquant qu'ils se trouvent bien au-dessus du niveau d'activation émotive (Tyhurst, 1951).

Parfois les émotions intenses ne trouvent pas rapidement d'issue et elles restent irrésolues. Il se peut que la situation qui suscite la colère (un conflit prolongé avec le patron, par exemple) ou qui cause de la crainte (l'inquiétude à propos de la maladie d'un être cher) persiste pendant une longue période de temps. Malgré le fait que les changements physiologiques qui accompagnent la colère et la peur peuvent avoir une valeur d'adaptation (ils nous mobilisent pour la lutte ou pour la fuite), ils peuvent, s'ils durent trop longtemps, épuiser nos ressources et même causer des dommages aux tissus. Un état chronique d'activation accrue peut ainsi grever lourdement la santé de l'individu. Nous étudierons plus en détail la relation entre le stress et la maladie au chapitre 14. Qu'il suffise pour le moment de noter que le stress émotionnel de longue durée peut affecter la santé physique tout autant que l'efficacité mentale.

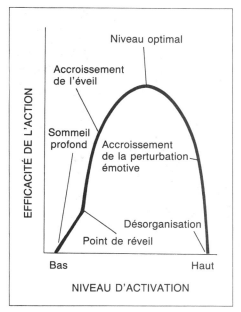

FIGURE 11-8
Activation émotionnelle et efficacité de l'action *La courbe indique la relation hypothétique entre le niveau d'activation émotionnelle et l'efficacité de l'action. La forme précise de la courbe varie en fonction des tâches ou des comportements différents. (D'après Hebb, 1974)*

L'AGRESSIVITÉ EN TANT QUE RÉACTION ÉMOTIVE

Quand nous sommes en proie à une émotion, nos réaction peuvent être variées. Parfois nous inhibons toute expression de l'émotion ou nous ne l'exprimons que verbalement (« Je suis très en colère même si je ne le fais pas voir »). À d'autres moments, nous laisserons apparaître une réaction émotive typique — sourire et rire quand nous sommes heureux, battre en retraite quand nous avons peur, nous montrer agressifs quand nous sommes furieux, et ainsi de suite. Parmi ces réactions typiques, les psychologues en ont choisi une en particulier sur laquelle ils ont concentré leurs efforts de recherche : l'agressivité.

Cette préférence est en partie attribuable à la signification sociale de l'agression. En effet, au niveau social, un seul acte d'agression peut, à une époque où les armements nucléaires sont facilement accessibles, conduire à un véritable désastre. Au niveau individuel, beaucoup de gens sont l'objet de pensées et d'impulsions agressives fréquentes et la façon dont ils composent avec ces pensées ont des effets importants sur leur santé et sur leurs relations interpersonnelles. L'importance de l'agressivité tient aussi au fait qu'elle représente, pour différentes théories d'interaction sociale, un sujet principal d'étude. Ainsi, la *théorie psychanalytique* de Freud considère l'agres-

L'agressivité est-elle une tendance ou le fruit de l'apprentissage?

sivité comme une tendance et la *théorie de l'apprentissage social* y voit une réaction qui est le fruit de l'apprentissage. Ces deux points de vue ont dominé une bonne partie de la recherche sur l'agressivité.

Dans l'exposé qui suit, nous allons d'abord décrire ces différentes positions de même que les recherches qui s'y rapportent, et nous verrons ensuite comment ces points de vue s'écartent l'un de l'autre en ce qui concerne les effets du spectacle de l'agression auquel nous exposent les médias populaires. Retenez bien la définition que nous donnons ici à l'agression : un comportement qui part de *l'intention* de faire du mal (physiquement ou verbalement) à une autre personne ou de détruire sa propriété. La notion-clef dans cette définition est l'intention. Si une personne vous marchait accidentellement sur le pied dans un ascenseur bondé et s'en excusait aussitôt, vous n'interpréteriez pas son comportement comme agressif ; mais si quelqu'un s'avance vers vous lorsque vous êtes assis à votre pupitre et vous écrase le pied, vous n'hésiteriez pas à qualifier l'acte d'agressif.

L'agressivité : une tendance

Nous n'aborderons que les aspects de la théorie psychanalytique et de la théorie de l'apprentissage social qui se rapportent à l'agression. Ces deux théories seront présentées plus en détail au chapitre 13, où nous étudierons la personnalité, et aux chapitres 15 et 16, où nous analyserons le comportemnt anormal et son traitement.

Selon la théorie psychanalytique que nous a d'abord proposée Freud, bon nombre de nos actions seraient déterminées par des instincts, tout particulièrement l'instinct sexuel. Lorsque l'expression de ces instincts se trouve frustrée, il y a induction d'une tendance agressive. Plus tard, des théoriciens de tradition psychanalytique ont élargi cette *hypothèse de frustration-agressivité* sous la forme qui suit : chaque fois que l'effort d'une personne pour atteindre *un but quelconque* se trouve bloqué, il y a induction d'une tendance agressive qui amène (motive) le comportement à causer des dommages à l'obstacle (personne ou objet) qui est la cause de la frustration (Dollard et coll., 1939). Cette hypothèse comporte deux aspects essentiels : l'un à l'effet que la cause usuelle de l'agression est la frustration ; l'autre que l'agressivité possède les propriétés d'une tendance fondamentale — étant une forme d'*énergie* qui *persiste* tant que son but n'est pas atteint, en même temps qu'une réaction *innée* (la faim, la sexualité et les autres tendances fondamentales possèdent ces propriétés). Comme nous allons le voir, c'est l'aspect tendance de l'hypothèse frustration-agressivité qui a plus particulièrement prêté le flanc à la controverse.

VIOLENCE SOUDAINE   L'idée d'une tendance agressive s'accorde bien avec la notion populaire de la violence vue comme un type de comportement soudain, explosif et irrationnel : c'est comme si l'énergie agressive s'accumulait jusqu'à ce qu'elle trouve un exutoire. Les reportages des journaux et de la télévision sur le crime ont tendance à encourager cette façon de voir. Généralement, toutefois, le passé du contrevenant n'est pas aussi innocent que les comptes rendus des médias voudraient nous le laisser croire. Au cours des années 60, par exemple, un étudiant de l'Université du Texas s'est installé dans la tour du campus et a tiré sur autant de personnes qu'il a pu, jusqu'à ce qu'il soit finalement abattu. Les articles des journaux l'ont décrit comme un jeune Américain modèle, un ancien enfant de chœur et un scout exemplaire. Des enquêtes subséquentes ont révélé, cependant, que sa vie avait été farcie d'actes agressifs, dont des assauts sur la personne de sa femme et d'autres individus et un passage en cour martiale pour insubordination et bagarres durant son entraînement militaire chez les fusilliers marins. Il avait également une passion : la collection d'armes à feu.

Ce cas est typique : la plupart des gens qui commettent des actes d'agression ont un passé de comportements agressifs (à l'exception de certains individus psychotiques qui peuvent être poussés à commettre des actes de violence par des croyances qui tiennent du délire). Les individus qui sont les plus agressifs à 30 ans aujourd'hui étaient hier les enfants de 10 ans les plus agressifs. L'agressivité semble s'installer durant l'enfance et elle reste relativement stable par la suite (Huesmann, Eron, Lefkowitz et Walder, 1984).

ORIGINES BIOLOGIQUES DE L'AGRESSIVITÉ   Les données dont nous disposons sur les fondements biologiques de l'agressivité chez les animaux nous offrent de meilleures preuves de l'existence d'une tendance agressive. Des études démontrent qu'une légère stimulation électrique dans une région précise de l'hypothalamus donne lieu à un comportement agressif, et même meurtrier, chez les animaux. Lorsqu'on stimule l'hypothalamus d'un chat au moyen d'électrodes implantées, l'animal émet un genre de sifflement, son poil se hérisse, ses pupilles se dilatent et il frappera un rat ou un autre objet placé dans sa cage. La stimulation d'une région différente de l'hypothalamus provoque des comportements assez différents : le chat ne manifeste aucune des réactions de « rage » décrites plus haut, mais il va plutôt traquer froidement le rat et le tuer.

Des techniques similaires ont été utilisées pour susciter des comportements agressifs chez les rats. Un rat élevé en laboratoire, qui n'a jamais tué une souris ni vu un rat sauvage en tuer une, peut vivre assez paisiblement avec une souris dans sa cage. Mais dès qu'on stimule l'hypothalamus de ce rat, l'animal bondit sur la souris et la tue exactement de la même façon que le ferait un rat sauvage — en faisant une profonde morsure au cou, morsure qui sectionne la moelle épinière. C'est comme si la stimulation déclenchait une réaction meurtrière innée qui était demeurée latente jusque là. Par contre, si on injecte une substance neurochimique inhibitrice dans la même partie du cerveau chez des rats qui tuent spontanément les souris dès qu'ils les aperçoivent, ces rats deviennent temporairement paisibles (Smith, King et Hoebel, 1970).

Chez les mammifères supérieurs, ces schèmes d'agression instinctive tombent sous le contrôle du cortex et sont donc plus soumis à l'influence de l'expérience. Les singes qui vivent en groupes établissent une hiérarchie de domination entre eux : un ou deux mâles deviennent des leaders et les autres se situent à divers niveaux de subordination. Quand on stimule électriquement l'hypothalamus d'un singe dominant, celui-ci attaque les mâles subordonnés, mais pas les femelles. La même stimulation appliquée à un singe d'un rang inférieur produit un comportement de peur et de soumission (voir la figure 11-9). La stimulation de l'hypothalamus n'entraîne donc pas une réaction d'agression automatique. En choisissant sa réaction, le singe « considère » plutôt l'environnement et son souvenir des expériences antérieures. Les êtres humains font de même. Bien que nous soyons pourvus de mécanismes neurologiques liés à l'agression, l'activation de ces mécanismes est généralement commandée par le cortex (sauf dans certains cas de lésion cérébrale). En effet, chez la plupart des individus, la fréquence à laquelle le comportement agressif s'exprime, la forme qu'il prend et les situations dans lesquelles il se manifeste sont déterminées, en grande partie, par l'expérience et les influences sociales. (On trouvera d'autres comparaisons entre l'agression chez les êtres humains et l'agression chez les autres animaux dans l'analyse critique, « Les instincts et leur inhibition » p. 402.)

L'agressivité : une réponse acquise

La *théorie de l'apprentissage social* porte sur l'interaction humaine, mais elle prend ses origines dans les études behavioristes de l'apprentissage animal (comme celles dont nous avons parlé au chapitre 7). Elle concentre son attention sur les schèmes de comportement que les gens adoptent en réaction aux contingences de l'environnement. Il arrive que certains comportements sont récompensés alors que d'autres ont des résultats défavorables ; grâce au processus de renforcement différentiel, les gens finissent par choisir les schèmes de comportement qui rencontrent le plus de succès. La théorie de l'apprentissage social se distingue du behaviorisme strict dans ce sens qu'elle insiste sur l'importance des processus cognitifs. Parce qu'ils peuvent se représenter les situations sous la forme de symboles, les gens sont capables de

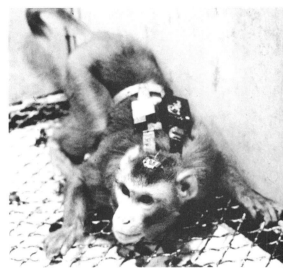

FIGURE 11-9
Stimulation cérébrale et agression   *On fait passer par contrôle radio à distance un faible courant électrique dans des électrodes insérées dans l'hypothalamus du singe. La réaction de l'animal (attaque ou fuite) dépend de sa position dans la hiérarchie de domination de la colonie. (Gracieuseté de M. José Delgado)*

prévoir les effets probables de leurs actes et de modifier leur comportement en conséquence.

La théorie de l'apprentissage social s'écarte encore du behaviorisme strict en mettant l'accent sur l'*apprentissage vicariant*, ou apprentissage par observation. Plusieurs schèmes de comportement s'apprennent grâce à l'observation du comportement des autres et des conséquences de ce comportement. L'enfant qui est le témoin de la mimique douloureuse d'un frère ou d'une sœur assis sur la chaise du dentiste sera probablement craintif quand arrivera le moment de sa première visite pour soins dentaires. La théorie de l'apprentissage social accorde une grande importance au rôle des *modèles* dans la transmission des comportements spécifiques comme des réponses affectives, et elle s'arrête à des questions comme celles de l'identification des types de modèles les plus efficaces et des facteurs qui déterminent si le comportement imitateur (modelé) qui est appris sera véritablement utilisé (Bandura, 1973).

Étant donné cette insistance sur l'apprentissage, il n'y a pas à s'étonner que la théorie de l'apprentissage social rejette la conception de l'agressivité en tant qu'instinct ou tendance découlant de la frustration; la théorie soutient plutôt que l'agressivité est semblable à toute autre réponse acquise. L'agressivité peut s'apprendre par observation ou par imitation et, plus elle se trouve renforcée souvent, plus elle est susceptible de se manifester. La personne frustrée par le blocage d'un de ses objectifs ou perturbée par un événement qui provoque un stress quelconque est l'objet d'une activation émotive désagréable. La réponse suscitée par cette activation sera différente selon les types de réponses que l'individu a appris à utiliser pour composer avec les situations de stress. La personne frustrée peut chercher à trouver de l'aide auprès des autres, agresser, s'échapper, essayer encore plus fort de surmonter l'obstacle ou s'insensibiliser au moyen de stupéfiants ou d'alcool. La réponse adoptée sera celle qui, dans le passé, a le mieux réussi à soulager la frustration. Selon cette théorie, la frustration provoque de l'agression surtout chez les gens qui ont appris à réagir aux situations contrariantes par des conduites agressives (Bandura, 1977).

La figure 11-10 fait voir comment la théorie de l'apprentissage social diffère de la théorie psychanalytique (l'hypothèse frustration-agressivité) dans sa façon de conceptualiser l'agression. La théorie de l'apprentissage social postule 1) que la frustration n'est qu'une cause, parmi plusieurs, de l'agression et 2) que l'agression est une réponse qui ne présente pas les propriétés du type tendance.

IMITATION DE L'AGRESSIVITÉ   Une source de données sur lesquelles s'appuie la théorie de l'apprentissage social se trouve dans les études qui montrent que l'agressivité, comme toute autre réponse, peut s'apprendre par imi-

FIGURE 11-10
Deux conceptions de l'agressivité   *Ce diagramme est une représentation schématique des facteurs responsables de l'agressivité selon la théorie psychanalytique (l'hypothèse frustration-agressivité) et selon la théorie de l'apprentissage social. Du point de vue de la théorie de l'apprentissage social, l'activation émotionnelle créée par des expériences désagréables peut conduire à l'un ou l'autre de plusieurs comportements différents, tout dépendant du comportement qui a été renforcé dans le passé.*

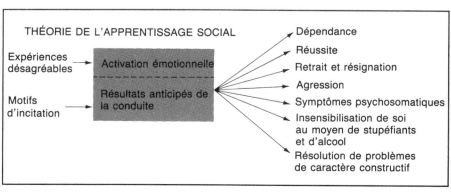

FIGURE 11-11
Imitation de l'agression des adultes par des enfants *Des enfants de classes maternelles ont observé un adulte qui exprimait diverses formes de comportement agressif à l'égard d'un mannequin gonflé. Après avoir observé l'adulte, les filles comme les garçons eurent des comportements agressifs à l'endroit du mannequin; ils répétaient plusieurs des gestes précis d'agression que l'adulte avait employés, dont les gestes de soulever le mannequin et de le lancer, de le frapper avec un marteau et de lui donner des coups de pied.*

tation. Des enfants d'école maternelle qui avaient observé un adulte se livrant à des formes d'agression variées à l'endroit d'un gros mannequin de caoutchouc gonflé ont par la suite imité plusieurs gestes de l'adulte, y compris des schèmes de comportement agressif inusités et non conventionnels (voir la figure 11-11). On présenta aussi dans l'expérience deux versions, enregistrées sur bande cinématographique, du comportement agressif d'un modèle (l'une montrant un adulte qui se comporte de façon agressive à l'endroit du mannequin et l'autre montrant un personnage de bande dessinée qui agit de la même façon). Les résultats ont été aussi révélateurs dans un cas que dans l'autre. Les enfants qui avaient visionné l'un ou l'autre des deux films se sont montrés aussi agressifs envers le mannequin que les enfants qui avaient observé un modèle vivant se livrant à des actes agressifs. Le graphique de la figure 11-12 présente les mesures du comportement agressif de chacun des groupes et de deux groupes de contrôle qui n'avaient observé aucun modèle ou un modèle non agressif. La conclusion qu'on tire de telles études est que l'observation, en personne ou sur film, de modèles d'agressivité accroît la probabilité d'actes agressifs de la part de l'observateur.

RENFORCEMENT DE L'AGRESSIVITÉ   La théorie de l'apprentissage social semble également confirmée par le fait que l'agressivité est sensible aux contingences de renforcement tout comme d'autres types de réponses. Plusieurs études montrent que les enfants sont plus susceptibles d'exprimer les réponses agressives apprises en observant des modèles agressifs quand ils sont renforcés pour l'exécution de ces actes d'agression ou quand ils constatent que les modèles agressifs sont renforcés. Dans l'une de ces études, les chercheurs ont observé des enfants pendant 10 semaines, notant les actes d'agression interpersonnels de même que les événements qui suivaient immédiatement l'agression, tels les agents de renforcement positif (la victime faisait une grimace ou pleurait), les punitions (la victime contre-attaquait) ou les réactions neutres (la victime ne faisait aucun cas de l'agresseur). Les enfants qui manifestaient le niveau général de comportement agressif le plus élevé étaient ceux dont l'acte d'agression était le plus souvent suivi de renforcement positif. Les enfants qui n'étaient pas agressifs au début, mais qui parvenaient occasionnellement à faire cesser les attaques contre eux en ripostant, se sont mis graduellement à déclencher des attaques de leur propre chef (leur agressivité se trouvait renforcée). Les enfants qui manifestaient le moins d'agression étaient ceux dont les contre-attaques étaient vouées à l'échec (pas

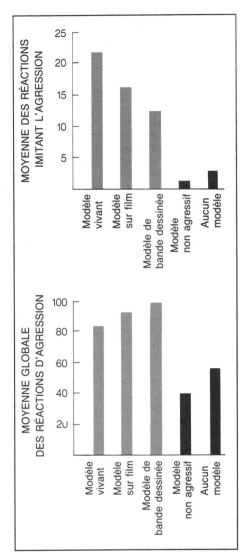

FIGURE 11-12
Imitation de l'agression *Le fait d'observer des modèles agressifs (vivants ou sur film) accroît considérablement la quantité d'actes agressifs accomplis par des enfants si l'on compare cette situation à celle de l'observation d'un modèle non agressif ou à une situation où il n'y a pas de modèle du tout. Notons que l'observation du modèle vivant entraîne l'imitation d'un plus grand nombre d'actes d'agression précis, alors que l'observation d'un modèle sur film (personnage réel ou de bande dessinée) suscite plus de réactions agressives de toutes natures. (D'après Bandura, 1973)*

de renforcement). De toute évidence, les conséquences de l'agression jouent un rôle marqué dans le façonnement du comportement (Patterson, Littman et Bricker, 1967).

Expression de l'agressivité et catharsis

Les études qui tentent d'établir une distinction entre l'agressivité-tendance et l'agressivité-réponse acquise concentrent souvent leur intérêt sur la *catharsis* (l'élimination d'une émotion grâce à une expérience intensive de cette même émotion). Si l'agressivité est « de l'énergie qui persiste », l'expression de l'agressivité devrait alors être cathartique, aboutissant à une réduction des sentiments et des actes agressifs. Par contre, si l'agressivité est une réponse acquise, l'expression de l'émotion pourrait entraîner une augmentation de tels actes (si effectivement l'agression se trouve renforcée). Les faits, pour le moment, favorisent la thèse de la réponse acquise.

L'AGIR AGRESSIF Les psychologues ont effectué plusieurs expériences en laboratoire pour savoir si l'agressivité diminuait d'intensité une fois qu'elle s'était exprimée partiellement. Les expériences faites avec des enfants montrent que la participation à des activités agressives a pour effet soit d'accroître les comportements agressifs, soit de les maintenir au même niveau. L'expérimentation avec des adultes a donné des résultats similaires. Quand on leur donne la possibilité d'infliger des chocs électriques répétés à une autre personne (qui ne peut leur rendre la pareille), des collégiens deviennent de plus en plus durs. Et les sujets que l'on a mis en colère se montrent encore plus cruels dans leurs attaques successives que ceux que l'on n'a pas provoqués. Si l'agression avait un effet de catharsis, l'activité agressive des sujets en colère devrait entraîner une réduction de leur tendance agressive et plus ces sujets se livreraient à des actes agressifs, moins ils devraient se montrer durs (Berkowitz, 1965 ; Geen et Quanty, 1977).

Certains faits relatifs à la catharsis proviennent également de situations réelles. Dans l'un de ces cas, on a d'abord interviewé des travailleurs californiens de l'industrie aérospatiale, qui avaient perdu leur emploi, pour savoir ce qu'ils ressentaient à l'égard de leur compagnie et de leurs contremaîtres ; plus tard, on leur demanda de décrire leurs sentiments par écrit. Si l'agressivité avait valeur cathartique, les hommes qui avaient exprimé beaucoup de colère durant les interviews auraient dû en exprimer relativement moins dans leurs témoignages écrits. Or, les résultats indiquent le contraire : les hommes qui avaient donné libre cours à leur colère durant les conversations en exprimaient encore plus dans leurs comptes rendus. Le fait de fumer de colère durant les conversations avait peut-être « attisé » l'agressivité. Une autre étude a examiné la relation entre l'hostilité ressentie par une société culturelle (à l'endroit de ses voisins) et les sortes de jeux auxquels on s'adonne dans cette société. On a trouvé que les peuples plus belliqueux se livraient à des jeux plus brutaux. Là encore, l'agression semble engendrer l'agression plutôt que de l'éteindre (Ebbesen, Duncan et Konečni, 1975).

Ces résultats s'opposent à la notion voulant que l'agression ait une valeur cathartique. Il est des circonstances, toutefois, où l'expression de l'agressivité mène à une diminution de ses manifestations. Par exemple, le comportement agressif peut éveiller des sentiments d'angoisse chez l'agresseur, sentiments qui auraient un effet inhibiteur sur la poursuite de l'activité agressive, surtout face aux conséquences fâcheuses de son comportement. Mais dans de tels cas, l'influence exercée sur la conduite agressive peut s'expliquer sans que l'on doive conclure à la réduction d'une tendance agressive. De plus, même si la transposition de sentiments hostiles dans l'action ne réduit pas généralement l'agressivité, elle peut quand même faire que l'agresseur se sente mieux. Mais ceci peut être dû au fait que cette personne se sent plus puissante et plus en maîtrise de la situation et non parce qu'elle ressent la diminution d'une tendance agressive.

LE VISIONNEMENT DE LA VIOLENCE   La plupart des études dont nous avons parlé se rapportent aux conséquences de l'expression directe de l'agressivité. Qu'en est-il des effets de l'expression indirecte, ou vicariante, de l'agressivité par observation de la violence à la télévision ou au cinéma? Le visionnement de la violence a-t-il valeur cathartique, en servant d'exutoire aux fantasmes d'une tendance agressive ou a-t-il plutôt pour effet de susciter l'agressivité en présentant des modèles de comportements violents? Nous avons déjà vu que, dans une situation de laboratoire, les enfants imitent les comportements violents de modèles vivants ou de personnages présentés dans des films, mais comment réagiraient-ils dans un milieu plus naturel? C'est là une question importante, étant donné la quantité de violence à laquelle nous exposent les médias.

Plusieurs études expérimentales ont permis de contrôler l'écoute de la télévision chez les enfants: un groupe d'enfants regardaient, chaque jour durant une période de temps fixe, des émissions de personnages animés se livrant à des actes de violence; un autre groupe regardait, durant la même période de temps, des personnages animés qui n'étaient pas violents. On nota soigneusement la quantité d'actes agressifs auxquels s'adonnaient ces enfants au cours de leur activité quotidienne. Ceux qui étaient témoins de violence à la télévision devinrent plus agressifs dans leurs échanges avec leurs pairs, alors que les autres ne manifestèrent aucun changement sur le plan de l'agressivité interpersonnelle (Steuer, Applefield et Smith, 1971).

L'étude que nous venons de citer comprend un groupe expérimental et un groupe de contrôle. Toutefois, la plupart des études qui traitent des habitudes d'écoute des enfants sont du type corrélationnel; elles établissent la relation entre la quantité de contacts avec la violence à la télévision et le degré de recours de la part des enfants à des comportements agressifs pour résoudre des conflits interpersonnels. Cette corrélation est nettement positive (Singer et Singer, 1981), même chez les enfants finlandais, qui n'ont accès qu'à un nombre restreint d'émissions présentant de la violence (Lagerspetz, Viemero et Akademi, 1986). Cependant, les corrélations ne permettent pas de conclure à l'existence de relations causales. Il pourrait se trouver que ce soient les enfants les plus agressifs qui préfèrent regarder les émissions de violence à la télévision — c'est-à-dire que l'agressivité pousserait un enfant à chercher à voir de la violence, plutôt que l'inverse.

Pour évaluer cette contre-hypothèse, une étude longitudinale a permis de suivre l'évolution des habitudes d'écoute sur une période de 10 ans. Cette recherche porta sur plus de 800 enfants âgés de 8 à 9 ans. Les chercheurs recueillirent des renseignements sur les préférences d'écoute et sur l'agressivité de chacun des enfants (telle qu'évaluée par leurs compagnons de classe). Les garçons qui préféraient les émissions contenant une part considérable de violence se révélèrent beaucoup plus agressifs dans leurs relations interpersonnelles que ceux qui accordaient leur préférence à des émissions présentant peu de violence, ce qui semble confirmer les résultats des études précédentes. Dix ans plus tard, plus de la moitié des sujets originaux furent interviewés à propos de leurs préférences relatives aux émissions de télévision; ils subirent également un test pour mesurer leurs tendances à la délinquance et furent évalués par des pairs concernant l'agressivité. La figure 11-14 indique que les contacts fréquents à l'âge de 9 ans avec la violence télévisée sont en relation positive avec l'agressivité des garçons à l'âge de 19 ans. Ce qui est crucial, c'est que la corrélation reste significative même quand des méthodes statistiques sont utilisées pour contrôler le degré d'agressivité dans l'enfance, réduisant ainsi la possibilité que le niveau d'agressivité initial soit le facteur déterminant à la fois les préférences d'écoute dans l'enfance et l'agressivité à l'âge adulte.

Il est intéressant de noter que les résultats ne révèlent aucune relation constante entre les habitudes d'écoute des filles et leur comportement agressif à l'un ou l'autre de ces deux âges. Cette constatation est conforme aux résultats d'autres études qui indiquent que les filles sont beaucoup moins portées que les garçons à imiter le comportement agressif, à moins qu'elles ne soient clairement renforcées quand elles le font. Dans notre société, les

Les enfants imitent souvent ce qu'ils voient à la télévision.

ANALYSE CRITIQUE

Les instincts agressifs et leur inhibition

Durant la première phase de ses travaux, Freud prétendait que l'agressivité était une tendance découlant de la frustration. Plusieurs années plus tard, il adoptait la position plus extrême voulant que l'agressivité soit fondée sur l'instinct. Freud postulait l'existence d'un *instinct de mort* qui peut être dirigé soit vers l'intérieur, sous forme de comportement auto-destructeur, soit vers l'extérieur, sous forme d'agressivité. La prétention voulant que l'agressivité soit un instinct signifie que les gens se livrent à l'agression afin d'exprimer un désir inné : le but ultime de l'agressivité n'est pas l'élimination d'un agent de frustration mais l'agression elle-même.

Freud en arriva à cette prise de position pessimiste dans une tentative pour expliquer le carnage insensé de la Première Guerre mondiale. Il a exprimé son point de vue dans une lettre qu'il écrivait à Albert Einstein en 1932. Einstein, s'intéressant aux efforts de la Ligue des Nations pour la promotion de la paix mondiale, avait demandé à Freud son opinion sur les motifs qui poussent les peuples à se battre entre eux. Il voulait savoir s'il était possible que les êtres humains soient dotés d'un « appétit de haine et de destruction ». Freud lui fit cette réponse :

« Vous manifestez de l'étonnement devant le fait qu'il soit si facile de soulever l'enthousiasme des hommes à l'idée d'une guerre et vous soupçonnez aussi l'existence d'une force dans leur for intérieur — un instinct de haine et de destruction — qui irait se joindre aux efforts des marchands de guerre Je suis entièrement d'accord avec vous. Nous croyons dans un instinct de cette nature et nous nous sommes effectivement consacrés, durant les dernières années, à l'étude de ses manifestations... L'instinct de mort se transforme en instinct destructeur ... il est dirigé vers l'extérieur, sur des objets. La créature vivante maintient sa propre existence, pourrait-on dire, en détruisant une existence étrangère (1963, page 41). »

Bien que la conception de l'agressivité-instinct de Freud soit rejetée par la plupart des cliniciens, elle s'accorde avec les théories de l'agression proposées par les éthologistes. En effet, plusieurs éthologistes considèrent que les animaux comme les êtres humains ont un instinct d'agression qui doit trouver un exutoire quelconque (voir par exemple, Eibl-Eibesfeldt, 1970 ; Lorenz, 1981). Les travaux antérieurs sur l'éthologie se fondaient sur le postulat de l'existence d'une différence majeure entre les êtres humains

FIGURE 11-13
Schèmes rituels de comportements de combat   *Le gnou défend son territoire contre un rival au moyen d'une provocation en duel stylisée. Ces escarmouches, qui peuvent se produire plusieurs fois par jour, aboutissent rarement à des effusions de sang. A. Les deux antagonistes paissent, face à face, se mesurant des yeux. B. Brusquement, ils s'agenouillent dans la position de combat, les yeux dans les yeux. C. Prétendant pressentir un danger, ils lèvent la tête feignant un signe d'alerte, ce qui est apparemment un moyen de réduire la tension. D. Quand ils en sont à ce point, le défi peut être levé ou aboutir à une brève lutte à cornes entrecroisées.*

et les espèces inférieures — à savoir, que les animaux avaient acquis au cours de l'évolution des mécanismes servant au contrôle de leurs instincts agressifs, alors que les êtres humains n'avaient pas bénéficié d'une telle évolution (voir par exemple, Ardrey, 1966; Lorenz, 1966). Les travaux plus récents, cependant, laissent entendre que les animaux ne sont pas meilleurs pour maîtriser leurs instincts que nous le sommes.

Au cours des années 1960, Lorenz et d'autres éthologistes firent un certain nombre d'observations sur l'agressivité animale et ses limites. Ils ont constaté qu'au sein d'une même espèce, les animaux se battaient généralement pour protéger leurs petits et pour se disputer la nourriture, les partenaires et les sites de nidification. Ce type d'agression a pour effet d'assurer que les mâles les plus forts participeront à la procréation — puisque ce sont eux qui l'emporteront dans la compétition pour les faveurs des femelles — et rend également probable une distribution des animaux sur l'espace habité, de sorte que chaque groupe se taille un « territoire » particulier. Selon Lorenz, les animaux peuvent profiter en toute sécurité de ces avantages de l'agression, car ils se sont formés, grâce au processus de l'évolution, des inhibitions qui les empêchent de détruire leur propre espèce. De nombreuses espèces ont des schèmes rituels de comportements de menace et d'agression qui semblent en grande partie innés (voir la figure 11-13). Ils évitent le combat au moyen d'une parade de menaces et ils luttent d'après un schème rituel et stylisé; d'ailleurs, la bataille entraîne rarement des blessures graves, car le perdant peut recourir à des signes de soumission (le loup, par exemple, se couche en exposant la gorge) qui mettent fin à toute agression additionnelle de la part du vainqueur. Tout ceci, d'après Lorenz, fait contraste avec les êtres humains qui ont créé des armes puissantes capables de causer la mort instantanée à de grandes distances et qui ne possèdent pas d'inhibition pour contrebalancer leurs instincts destructeurs.

Des observations plus récentes de la part des éthologistes remettent en question leur croyance antérieure à l'effet que les animaux « savent comment » inhiber leur agressivité. On sait maintenant que plusieurs animaux n'utilisent pas de signaux innés pour arrêter leurs attaques et que les signaux stéréotypés auxquels ils ont effectivement recours ont des effets variables sur les réactions de leurs ennemis. Le nombre de meurtres, de viols et d'infanticides parmi les animaux est beaucoup plus élevé qu'on ne pensait durant

Les soins de toilette réciproques: une réaction sociale qui inhibe l'agression.

les années 1960. Une sorte de meurtre se rapporte à des guerres de frontières entre chimpanzés (Goodall, 1978). Dans un cas bien documenté qui s'est passé dans le parc national de la rivière Gombe, en Tanzanie, un « gang » de 5 chimpanzés mâles défendait son territoire contre tout mâle étranger qui s'y aventurait. Quand le gang rencontrait un groupe de deux étrangers ou plus, sa réaction était violente, mais pas meurtrière; par contre, s'il s'agissait d'un intrus seul, un membre du gang saisissait son bras, un autre sa jambe, pendant qu'un troisième membre du gang le frappait à mort. Dans certains cas, deux membres du gang traînaient l'intrus sur des rochers jusqu'à ce qu'il meure. Au cours d'un autre conflit frontalier entre chimpanzés, observé durant les années 1970, une tribu d'environ 15 chimpanzés décima un groupe voisin moins nombreux en exécutant à tour de rôle chacun des mâles de ce groupe. Des observations de ce genre ont conduit à une révision complète des croyances relatives au rôle de l'agression animale. En effet, le sociobiologiste bien connu, E.O. Wilson, est allé jusqu'à prétendre que : « Si vous calculez le nombre de meurtres par animal individuel par heure d'observation, vous constatez que le taux de meurtres est plus élevé que chez l'être humain, même quand l'on tient compte de nos guerres » (1983, p. 79).

Certains experts sont d'avis qu'en plus de présenter un nombre comparable de cas d'agression, les animaux et les êtres humains ont des mécanismes d'inhibition de l'agressivité qui sont semblables. Parmi les comportements des animaux qui semblent inhiber l'agression, on constate le

maintien d'une distance appropriée par rapport à un ennemi possible (de fortes odeurs et des vocalisations stridentes permettent de déceler la présence des autres et de prendre ses distances, remplissant ainsi cette fonction) et l'adoption d'une réponse sociale incompatible avec l'agression. L'une de ces réponses est l'échange simultané de soins de toilette — l'attouchement ou la manipulation de la fourrure ou des plumes l'un de l'autre. Le facteur le plus important dans la réduction de l'agression est sans doute la familiarité. Plusieurs des rituels sociaux auxquels s'adonnent les animaux (comme le reniflement et l'inspection des parties du corps et les comportements d'accueil stéréotypés) semblent les familiariser avec leurs odeurs et leurs apparences respectives, ce qui les aideraient à faire la distinction entre les membres de leur groupe et les étrangers.

Le maintien des distances, l'adoption de réponses sociales incompatibles avec l'agression et l'acquisition de familiarité sont aussi des activités auxquelles les êtres humains ont recours pour éviter l'agression. Ces parallèles entre les êtres humains et les autres animaux (et d'autres mentionnés au cours de cet exposé) sont d'un intérêt considérable, mais ce ne sont là que de bien faibles preuves de l'existence d'un instinct ou d'une tendance agressive chez l'être humain. Au point où nous en sommes, nous disposons d'un plus grand nombre de faits qui indiquent que l'agressivité est un comportement acquis (voir la section « L'agressivité : une réponse acquise »).

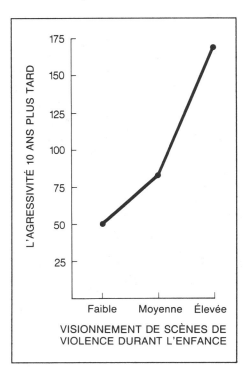

FIGURE 11-14
Visionnement de scènes de violence à la télévision durant l'enfance et agressivité manifestée à l'âge adulte *La préférence manifestée par des garçons de 9 ans pour le visionnement d'émissions de violence à la télévision est en corrélation positive avec le comportement agressif de ces mêmes garçons à l'âge de 19 ans. (D'après Eron, Huesmann, Lefkowitz et Walder, 1972)*

filles sont moins susceptibles d'être renforcées pour des comportements agressifs. D'ailleurs, la plupart des rôles agressifs à la télévision étant tenus par des hommes, les femmes risquent moins de trouver des modèles agressifs à imiter.

En somme, la majorité des études mènent à la conclusion que l'observation d'actes de violence a effectivement pour effet d'accroître l'agressivité interpersonnelle, particulièrement chez les jeunes enfants. Ces faits vont à l'encontre de l'agression-catharsis et de la conception voulant que l'agressivité soit une tendance.

EN QUOI L'OBSERVATION D'ACTES DE VIOLENCE INFLUENCE-T-ELLE LE COMPORTEMENT SOCIAL? *Comment expliquer* que la simple vue d'actes de violence puisse conduire à des comportements agressifs? L'une des raisons, déjà mentionnée, c'est que la violence représentée dans des films procure des modèles d'agression. Bien que cela constitue probablement une partie de l'explication, il existe d'autres raisons pour l'existence de ce lien entre le visionnement de la violence et le comportement agressif, raisons qui, dans certains cas, dépassent la théorie de l'apprentissage social. Voici une recension d'explications plausibles:

1. *Le modelage de styles de conduite agressive.* Nous avons déjà fait remarquer que les enfants imitent le comportement associé aux modèles agressifs. On a rapporté plusieurs incidents dans lesquels de jeunes enfants ou des adolescents reproduit un acte violent dont ils avaient auparavant été témoins à la télévision. Et même, dans l'un de ces cas, les parents d'une victime ont intenté une poursuite en justice contre un réseau de télévision, prétendant qu'une émission, présentée durant les heures où les enfants regardent habituellement la télévision, était à l'origine d'une attaque brutale contre leur fillette de 9 ans. Les 3 jeunes inculpés avaient admis avoir copié la méthode d'assaut présentée dans l'émission. Les forces policières rapportent qu'un certain nombre de crimes violents sont commis par des individus qui tentent de reproduire l'intrigue d'un spectacle télévisé (Mankiewicz et Swerdlow 1977).

2. *L'accroissement de l'activation.* Quand des enfants regardent des émissions représentant de la violence à la télévision, ils deviennent beaucoup plus activés sur le plan affectif que lorsqu'ils regardent des émissions dépourvues de violence, ce qui se traduit d'ailleurs par une augmentation significative de leur réflexe psychogalvanique ou RPG (Osborn et Endsley, 1971). Il se peut que cette activation s'ajoute à une activation suscitée par la colère, si le spectateur se trouve déjà frustré ou ennuyé.

3. *La désensibilisation à la violence.* Le spectacle de la violence déclenche une activation émotive chez les jeunes enfants, mais avec la répétition de telles expériences, leurs réactions physiologiques aux manifestations de violence s'amenuisent. En effet, le contact avec la violence à la télévision réduit chez les enfants, comme chez les adultes, la sensibilité affective à l'agression dans la vie réelle présentée dans les bulletins télévisés (Thomas, Horton, Lippincott et Drabman, 1977). L'affadissement émotionnel résultant du spectacle répété de la violence à la télévision pourrait affecter notre capacité de compassion pour les souffrances de victimes dans la vie réelle et réduire notre disposition à leur venir en aide.

4. *La diminution de la maîtrise du comportement agressif.* D'habitude, en dépit du fait que nous soyons furieux et que nous ayons envie de faire du mal à une personne qui nous a provoqué, de nombreuses contraintes nous empêchent de donner libre cours à nos impulsions. L'expérimentation indique, toutefois, que le spectacle d'une autre personne se comportant agressivement affaiblit ces contraintes (Doob et Wood, 1972; Diener, 1976).

5. *La déformation des conceptions sur la résolution des conflits.* À la télévision ou au cinéma, on résout les conflits interpersonnels beaucoup plus souvent par l'agression physique que par tout autre moyen. Et à voir les « bons » triompher des « méchants » grâce à la violence, on finit par trouver ce genre de conduite non seulement plus acceptable, mais peut-être même moralement justifiée, particulièrement chez les jeunes enfants qui peuvent trouver difficile de distinguer la fiction de la réalité.

Ces explications différentes peuvent s'appliquer à différents types d'enfant. Il se peut, par exemple, que seuls les enfants agressifs apprennent, au spectacle de la violence, à réduire leur maîtrise de soi. D'autres genres de différences entre les enfants exercent également une influence sur la relation entre la violence à la télévision et l'agressivité. Les enfants qui éprouvent des difficultés à l'école ou dans leurs rapports avec les autres, ou qui s'identifient plus facilement aux personnages violents, courent plus de risques d'être influencés par la violence à la télévision (Huesmann, Lagerspetz et Eron, 1984).

Notre recension ne prétend nullement avoir tenu compte de toutes les causes plausibles de l'agressivité. Les causes usuelles de la colère et de l'agressivité comprennent la perte de l'estime de soi ou la perception qu'une autre personne s'est montrée injuste (Averill, 1983) ; ni l'un ni l'autre de ces facteurs n'a pris une place centrale dans l'étude de l'agression en tant que réponse acquise. De même, plusieurs facteurs d'ordre social interviennent dans l'incitation à l'agression : les conditions de pauvreté, d'entassement dans des logements trop petits, l'action répressive des autorités (telle la police) et les valeurs du groupe culturel auquel on appartient, pour n'en nommer que quelques-uns. Nous étudierons certaines de ces influences sociales au chapitre 18.

L'étude de l'agressivité nous révèle de façon claire qu'une réaction émotive est un événement compliqué. De même, chacune des composantes d'une émotion que nous avons considérées — activation du système autonome, évaluation cognitive et expression émotive — est elle-même un phénomène complexe mettant en cause de multiples facteurs. Il n'est donc pas surprenant que nous en sachions encore si peu sur cet aspect de notre vie.

RÉSUMÉ

1. Parmi les composantes d'une émotion, on a l'*expérience subjective*, l'*activation du système autonome*, l'*évaluation cognitive* et l'*expression émotive*. Une question fondamentale à se poser est la suivante : « Quelles sont les contributions de l'activation, de l'évaluation et de l'expression à l'expérience subjective d'une émotion ? » Autre question : « Lesquelles de ces composantes permettent de *différencier* les émotions ? »

2. Les émotions fortes font intervenir une activation physiologique résultant de la mobilisation de la *division sympathique* du *système nerveux autonome*. Les gens dont la moelle épinière a été endommagée, et dont, par conséquent, l'information rétroactive en provenance du système nerveux autonome est limitée, rapportent qu'ils ressentent des émotions moins fortes. L'activation du système autonome peut aussi contribuer à la différenciation des émotions, puisque le schème de l'activation (par exemple, le rythme cardiaque, la température de la peau) varie selon les différentes émotions.

3. Une *évaluation cognitive* est une analyse d'une situation qui aboutit à une croyance émotive. De telles évaluations influencent tant l'intensité que la qualité d'une émotion. Quand les gens sont placés dans un état d'activation indifférenciée (par l'injection d'adrénaline, par exemple), la qualité de leur expérience affective est déterminée presque entièrement par leur évaluation de la situation. Le fait que les évaluations permettent de différencier les émotions aide à comprendre pourquoi l'expérience antérieure influence l'émotion et pourquoi les gens peuvent avoir une émotion sans en être conscients.

4. Les expressions faciales qui accompagnent les émotions primaires ont une signification universelle : des gens appartenant à différentes sociétés culturelles s'entendent sur la nature de l'émotion exprimée sur une photographie donnée. La capacité de reconnaître une expression émotive se trouve localisée dans l'hémisphère cérébral droit et elle est neurologiquement distincte de la capacité de reconnaître les physionomies. Il se peut qu'en plus de leur rôle de communication, les expressions émotives contribuent aussi à l'expérience subjective d'une émotion.

5. La valeur d'adaptation d'une expérience émotive dépend de son intensité et de sa durée. Une émotion faible entraîne de la vigilance ; une émotion forte peut être perturbatrice. Des émotions fortes trop persistantes peuvent même causer des dommages tissulaires.

6. L'*agressivité* est une réaction typique à la colère (quoiqu'elle puisse se manifester pour d'autres raisons également). Dans la première version de la *théorie psychanalytique*, l'agressivité était considérée comme une *tendance découlant de la frustration* ; selon la *théorie de l'apprentissage social*, l'agression est une *réponse acquise* (le fruit de l'apprentissage).

7. Chez les animaux inférieurs, l'agressivité se trouve contrôlée par des mécanismes nerveux situés dans l'*hypothalamus*. La stimulation de l'hypothalamus d'un rat ou d'un chat peut entraîner une réaction de « rage » ou même une réaction « meurtrière ». Chez l'être humain et les autres mammifères supérieurs, l'agressivité est contrôlée au niveau du cortex.

8. Conformément à ce que nous apprend la théorie de l'apprentissage social, les réponses agressives peuvent s'acquérir par *imitation* et augmenter de fréquence quand elles sont positivement renforcées.

9. Les faits indiquent que l'agressivité a pour effet soit d'accroître le nombre des comportements agressifs subséquents, soit de les maintenir au même niveau. L'expression indirecte, ou vicariante, de l'agressivité a des effets semblables : il existe une relation positive entre la quantité des contacts des enfants avec la violence présentée à la télévision et le degré d'agressivité dans leurs comportements.

10. Le spectacle de la violence peut conduire au comportement agressif parce qu'il enseigne des modèles de conduite agressive, accroît l'activation, désensibilise les gens à l'endroit de la violence, réduit les contraintes imposées à l'agression et déforme les conceptions sur la résolution des conflits.

ANDRÉANI, T. *Les conduites émotives*, Paris, P.U.F. 1968.

BRUYER, R. *Le visage et l'expression faciale*, Bruxelles, Pierre Mardaga, 1983.

DELGADO, J.M.R. *L'émotivité*, Montréal, Les Éditions HRW, 1976.

DIEL, P. *Psychologie de la motivation*, 3ᵉ éd., Paris, Payot, 1962.

FEYEREISEN, P., DEHANNOY, J.D. *Psychologie du geste*, Bruxelles, Pierre Mardaga, 1985.

FROMM, E. *La passion de détruire. Anatomie de la destructivité humaine*, Paris, Robert Laffont, 1973.

GORANSON, R. *Les effets de la violence à la télévision: questions et données*. Rapport soumis à la Commission royale d'enquête de la province d'Ontario sur la violence dans l'industrie des communications. Faculté des sciences sociales, Université Laval, 1977.

LEYENS, J.P. « La valeur cathartique de l'agression: un mythe ou une inconnue? » Dans *Année psychologique*, 77, 525-550, 1977.

LEYENS, J.P. et HERMAN, G. « Cinéma violent et spectateurs agressifs. » dans *Psychologie française*, 24 (2), 151-168, 1979.

LORENZ, K. *L'agression. Une histoire naturelle du mal*, Paris, Flammarion, 1969.

NUTTIN, J. *Théorie de la motivation humaine*, Paris, P.U.F., 1980.

PAULUS, J. *Réflexes, émotions, instincts*, Bruxelles, Pierre Mardaga, 1974.

VAN RILLAER, J. *L'agressivité humaine*, Bruxelles, Pierre Mardaga, 1976.

WALLON, H. *Les origines du caractère chez l'enfant*, 3ᵉ éd., Paris, P.U.F., 1954.

LECTURES SUGGÉRÉES

Sixième partie

NATHAN LYONS

Sans titre, New York, 1967
Tiré de « Notations in Passing » M.I.T., 1974

PERSONNALITÉ ET INDIVIDUALITÉ

Les habiletés mentales et la façon de les mesurer

12

Les caractéristiques de la personnalité et les habiletés mentales varient grandement d'une personne à l'autre. Dans ce chapitre, nous allons nous intéresser aux différences individuelles sur le plan des habiletés mentales et aux tests conçus pour les mesurer. Au chapitre 13, nous aborderons les méthodes utilisées pour évaluer les différences de personnalité. Les caractéristiques qui font qu'un test est efficace sont les mêmes, toutefois, peu importe l'objectif du test ; les conditions requises pour qu'un test soit valable s'appliquent de la même façon aux tests de personnalité qu'aux tests d'habiletés mentales.

L'utilisation de tests d'aptitude pour l'affectation des élèves à des classes spécialisées, pour l'admission des étudiants au collège et aux écoles professionnelles et pour la sélection des candidats à des emplois est un sujet de débat public et de controverse. Lorsque les premiers tests d'aptitude furent créés, vers la fin du siècle dernier, ils furent accueillis avec enthousiasme et condidérés comme une méthode objective et impartiale d'identifier le talent et de s'assurer que chacun profite des occasions qui pourraient se présenter à lui. Grâce aux tests, on allait pouvoir choisir les gens à qui l'on offrirait des postes ou des études avancées en se fondant sur le mérite plutôt que sur les antécédents familiaux, la richesse, la classe sociale ou l'influence politique. Les États-Unis — une société démocratique constituée d'une vaste population hétérogène — s'est montrée particulièrement empressée à utiliser les tests pour classer les étudiants et choisir les employés. Pour ne citer qu'un exemple, les examens de la Fonction publique, auxquels des milliers d'individus se soumettent annuellement en vue d'obtenir un emploi du gouvernement, furent introduits au cours des années 1880, afin d'assurer que ces postes soient comblés par des personnes compétentes plutôt que par des candidats au favoritisme politique.

Beaucoup considèrent encore les tests d'aptitudes comme le meilleur moyen dont nous disposons pour établir ce que les gens sont capables de faire et pour les conseiller à propos d'emplois et de professions éventuels. D'autres prétendent que ces tests sont étroits et limités : ils ne mesureraient pas les caractéristiques qui sont les plus importantes pour décider du succès d'un individu au collège ou au travail — nommément : la motivation, les habiletés sociales et les qualités de leadership — et ils ne seraient pas équitables à l'égard des minorités. Nous examinerons les faits sur lesquels on s'appuie de part et d'autre dans cette controverse.

TYPES DE TESTS D'HABILETÉ

À la fin du cours secondaire, la plupart d'entre nous avions déjà une certaine expérience des tests d'aptitude. Les examens pour l'obtention d'un permis de conduire, les tests de lecture et de mathématiques à l'école primaire, les examens de compétence exigés dans beaucoup d'écoles secondaires pour l'obtention du diplôme et les tests pour évaluer le degré de maîtrise du sujet de certains cours particuliers (dactylographie, histoire, chimie, etc.) sont tous des tests d'aptitude.

Un test est essentiellement un échantillon de comportement prélevé à un moment donné. On établit souvent une distinction entre *tests de rendement* (qui sont conçus pour mesurer les habiletés déjà acquises et qui indiquent ce qu'une personne est capable de faire maintenant) et les *tests d'aptitude* (conçus pour prévoir ce qu'une personne peut faire si elle s'y entraîne). Toutefois, la distinction entre ces deux types de tests n'est pas très nette. Tout test évalue l'état actuel de l'individu, que le test se propose de mesurer ce qui a été appris ou de prévoir le rendement dans l'avenir. Les deux sortes de tests comprennent souvent des questions du même genre et donnent des résultats qui sont en forte corrélation. Au lieu de considérer les tests d'aptitude et de rendement comme deux catégories distinctes, il est plus utile de les concevoir sur un même continuum.

Aptitude par opposition à rendement

Les tests situés aux deux extrémités du continuum aptitude-rendement se distinguent les uns des autres par leur objectif surtout. On pourrait, par exemple, donner un test de connaissance des principes de la mécanique à la fin d'un cours sur ce sujet, afin de mesurer la maîtrise de la matière du cours par l'étudiant — soit pour obtenir une mesure de *rendement*. Des questions semblables pourraient se trouver incluses dans une batterie de tests utilisés pour la sélection de candidats à un programme de formation de pilotes, puisqu'on a constaté que la connaissance des principes de la mécanique était un bon facteur pour la prévision du succès dans le pilotage des avions. Ce dernier test serait considéré comme une mesure d'*aptitudes* puisque les résultats serviraient à prédire le rendement d'un candidat en tant qu'étudiant-pilote. Ainsi, la désignation d'un instrument de mesure comme test d'aptitude ou test de rendement dépend plus de son objectif que de son contenu.

On peut également distinguer les tests qui se situent à une extrémité ou l'autre du continuum aptitude-rendement en fonction de la *particularité de l'expérience antérieure pertinente*. À un bout de ce continuum on trouve les tests de rendement conçus pour mesurer la maîtrise d'une matière assez définie, comme la théorie musicale, l'histoire de l'Europe ou la conduite prudente et légale d'un véhicule moteur. À l'autre bout du continuum, on a les tests d'aptitude qui, au niveau de l'expérience antérieure, ne supposent qu'une connaissance générale résultant du fait d'avoir grandi dans un milieu culturel donné. Un test d'aptitudes musicales, par exemple, se propose de prédire dans quelle mesure un étudiant, avant même d'avoir reçu un enseignement, pourra profiter de leçons sur la musique. Ainsi, le Profil d'aptitudes musicales (Musical Aptitude Profile, Gordon, 1967) n'exige aucune connaissance

Deux dimensions descriptives des tests d'habileté *Tous les tests, quels qu'ils soient, se situent sur un continuum aptitudes-rendement, de même que sur un continuum général-particulier. Un test de vocabulaire espagnol, par exemple, ou un test de dactylographie (nombre de mots tapés correctement à la minute) se situeraient vers l'extrémité «rendement» sur le continuum aptitudes-rendement et vers l'extrémité «particulier» sur le continuum général-particulier. Le Profil d'aptitudes musicales, qui n'exige aucune connaissance musicale préalable et qui est conçu pour prédire la capacité d'un individu de tirer profit de leçons de musique, s'adresse également à un type d'habileté assez particulier, mais il se situe vers l'extrémité «aptitudes» de la dimension aptitudes-rendement. La plupart des tests d'intelligence (comme le Stanford-Binet et le Barbeau-Pinard) sont plutôt généraux, étant donné qu'ils prélèvent un échantillon d'une variété d'habiletés et sont conçus pour mesurer les aptitudes plutôt que l'acquisition d'habiletés. Les tests d'aptitudes scolaires du type SAT et ACT (American College Testing Program) sont assez généraux; ils mesurent le rendement sur le plan de la compréhension et du raisonnement verbal et mathématique, mais ne présument en rien de la maîtrise de cours particuliers.*

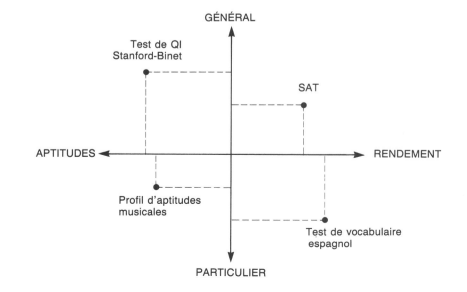

préalable des techniques musicales. Il mesure la capacité que possède un individu d'identifier les tons et les rythmes qui se ressemblent et de discriminer les sélections musicales qui sont exécutées avec goût. Cependant, même si aucune expérience préalable particulière n'est requise, la capacité d'une personne de comprendre des directives données en français et son expérience antérieure de l'écoute musicale (musique occidentale plutôt que musique orientale, par exemple) auraient sûrement une influence sur les résultats obtenus à ce test.

Nous verrons plus loin que le succès aux tests d'« intelligence » (tests d'aptitude conçus pour évaluer la capacité générale d'apprentissage que possèdent les individus) dépend effectivement, dans une certaine mesure, de l'expérience antérieure, même si on prend tous les moyens pour trouver des questions qui ne reflèteraient pas les résultats d'un entraînement particulier.

À mi-chemin entre les tests d'aptitude (qui présument peu en termes d'expérience pertinente antérieure) et les tests de rendement (qui mesurent la maîtrise d'une matière définie), on trouve des tests destinés à évaluer à la fois aptitudes et rendement. Citons par exemple le Test d'aptitudes scolaires (Scholastic Aptitude Test — SAT) que l'on exige pour l'admission de nombreux collèges américains. Le SAT comprend une section verbale, qui permet de mesurer le vocabulaire et la capacité de comprendre ce qu'on lit, et une section mathématique, permettant de mesurer la capacité de résoudre les problèmes qui exigent le raisonnement arithmétique, l'algèbre et la géométrie. Ainsi, bien qu'il porte sur ce qui a été appris (les habiletés verbales et mathématiques acquises par l'individu au cours de 12 années d'éducation), ce test évite les questions qui dépendent de connaissances précises et tente plutôt de rendre compte de la capacité d'utiliser les habiletés acquises pour résoudre de nouveaux problèmes.

Généralité par opposition à particularité

On peut aussi établir une distinction parmi les tests d'habileté en fonction d'un continuum général-particulier, car l'ampleur ou la variété de leur contenu varie d'un test à l'autre. Le Profil d'aptitudes musicales se situerait à l'une des extrémités de ce continuum, tout comme un test de dactylographie, un examen pour permis de conduire, un test d'aptitudes en mathématiques ou un test de compréhension de lecture. Tous ces tests mesurent des habiletés assez particulières. À l'extrémité « général » du continuum, on trouverait les examens de compétence dans les études secondaires et les tests d'aptitudes scolaires (comme le SAT), qui essaient d'évaluer le niveau de développement éducationnel dans une variété de matières, de même que la plupart des tests dits « d'intelligence ». Un *test d'intelligence* est un test d'aptitude conçu pour prédire le rendement par rapport à une gamme d'habiletés. Généralement, ces tests ne contiennent pas d'items auxquels on pourrait répondre par simple rappel ou en recourant à des techniques acquise grâce à un entraînement particulier. Au contraire, ils s'en tiennent à des items qui exigent un mélange de capacité d'analyser, de comprendre des concepts abstraits et d'appliquer des connaissances antérieures à la solution de nouveaux problèmes. Les tests d'intelligence comprennent généralement des tâches verbales, figuratives et quantitatives. Même si l'on doit admettre que la tentative de mesurer les capacités intellectuelles générales de façon à prédire ce qu'un individu peut réaliser grâce à l'éducation et l'entraînement est louable en soi, on doit déplorer le choix de l'étiquette « test d'intelligence ». Cette expression suppose en effet que les gens sont dotés d'une capacité innée, appelée intelligence, dont la quantité serait fixée de façon définitive et qui échapperait à l'influence de l'éducation et de l'expérience. Nous verrons plus loin qu'un grand nombre de variables peuvent influencer la cote qu'une personne obtient à un test d'intelligence. En outre, même s'il est possible que certains individus soient plus habiles que d'autres dans l'exécution d'une variété de tâches, ces habiletés ne sont pas assez constantes pour en déduire que celui qui se situe au-dessus de la moyenne pour une tâche donnée se classera nécessairement au-dessus de la moyenne pour toutes les tâches.

Étudiante du niveau secondaire en train de passer un test d'aptitudes scolaires.

CONDITIONS DE VALIDITÉ D'UN TEST

Dans notre société, les scores obtenus aux tests entraînent des conséquences considérables pour l'individu. Dans les classes du niveau élémentaire, les élèves sont souvent affectés à des programmes particuliers d'après leur rendement à des tests de mathématiques et de lecture. Dans certaines écoles secondaires, l'obtention du diplôme dépend du succès à des tests de compétence minimale. Les tests font partie des exigences d'admission de nombreux collèges et de la plupart des écoles professionnelles et universitaires. Aux États-Unis, la plupart des étudiants du secondaire qui veulent accéder au collège doivent passer soit le SAT ou un test d'admission équivalent, l'American College Testing Program (ACT). L'admission au collège est fondée sur les scores obtenus à ces tests, sur les notes méritées au cours secondaire et sur d'autres critères encore. Toujours aux États-Unis, les candidats aux écoles de droit et de médecine doivent passer des tests d'admission particuliers — le Law School Admissions Test (LSAT) et le Medical College Admissions Test (MCAT); plusieurs départements dans les universités exigent que les étudiants se soumettent au Graduate Record Exam (GRE). Ceux qui veulent avoir accès à des programmes de formation dans la plupart des professions (l'art dentaire, le nursing, la pharmacologie, la comptabilité et l'administration commerciale, pour n'en nommer que quelques-uns) doivent aussi passer par des tests spéciaux d'admission*. Une fois le programme de formation complété, d'autres tests sont exigés pour obtenir le permis de pratique ou un certificat de compétence. Dans presque tous les métiers ou les professions, l'obtention du certificat ou de la licence — qu'il s'agisse de la plomberie, des soins de beauté, de la physiothérapie, de la médecine, de la psychologie clinique, ou du droit — dépend du succès obtenu à des examens oraux. De plus, bon nombre d'entreprises et de services gouvernementaux sélectionnent les candidats aux postes offerts, déplacent les employés ou leur accordent de l'avancement en fonction des résultats de tests.

Étant donné que les tests jouent un rôle si important dans notre vie, ils doivent absolument permettre de mesurer les données pour lesquelles ils ont été conçus et leurs scores doivent refléter exactement les connaissances et les talents du sujet. Pour qu'un test soit utile, il faut que ses scores soient à la fois *fidèles* et *valides*.

Fidélité

Les scores d'un test sont *fidèles* quand ils sont susceptibles d'être reproduits et quand ils sont constants. Les tests peuvent manquer de fidélité pour plusieurs raisons. Les items de tests ambigus ou qui prêtent à confusion peuvent avoir des significations différentes à différents moments pour celui qui passe le test. Des tests trop courts peuvent ne pas fournir un échantillon suffisant des habiletés mesurées ou encore, leur évaluation peut devenir trop subjective. Si un test donne des résultats différents quand on le fait passer plusieurs fois à un même sujet, ou quand les résultats sont compilés par des évaluateurs différents, il manque de fidélité. Pour établir une analogie, supposons qu'on ait un ruban à mesurer fait de caoutchouc. Si l'on ne sait pas à quel point il s'étire chaque fois que l'on prend une mesure, les résultats ne sont pas fiables et la mesure n'est pas fidèle, peu importe le soin qu'on prend à noter le résultat. Nous devons disposer de tests fidèles si nous voulons nous fier aux résultats obtenus.

Pour évaluer la fidélité, on doit obtenir, pour un même individu et un même test, deux scores indépendants. On peut le faire soit en répétant le test, soit en donnant le test sous deux versions différentes, mais équivalentes, soit en calculant indépendamment les scores obtenus pour chaque moitié du test. Si les deux mesures donnent des scores à peu près de même

---

* Au Canada, et au Québec en particulier, on pose à peu près à tous les niveaux des conditions similaires, bien que la nature des tests et des examens soit très variable d'une institution à l'autre.

niveau, le test est fidèle. Bien sûr, il faut s'attendre à des différences, attribuables au hasard et aux erreurs de mesure; c'est pourquoi on doit avoir recours à une mesure statistique du degré de relation entre les deux ensembles de scores. Cette relation s'exprime par un coefficient de corrélation r (voir au chapitre 1, p. 25). Le coefficient de corrélation entre deux ensembles de scores de tests est un *coefficient de fidélité*. Les tests d'habileté psychologique bien construits ont généralement des coefficients de fidélité de $r = 0,90$ ou plus.

Validité

Les tests sont *valides* quand ils mesurent ce qu'ils prétendent mesurer. Ainsi, un examen en sciences économiques qui serait truffé de questions compliquées ou de questions-pièges constituerait en fait un test de l'aptitude verbale de l'étudiant plutôt qu'un test des notions assimilées durant le cours. Un tel examen pourrait être *fidèle* (un étudiant obtiendrait le même score si l'on répétait le test), mais ce ne serait pas un test *valide* du rendement au cours. Ou encore, un test du sens de l'humour peut être fait de farces difficiles à saisir si l'on n'est pas à la fois très intelligent et très cultivé. Là aussi, on peut avoir une mesure fidèle de quelque chose (peut-être de l'intelligence ou du niveau d'éducation) mais ce test n'est pas valide en tant que test d'humour.

Pour évaluer la validité, il nous faut aussi avoir deux scores pour chaque individu: le score au test et une autre mesure de l'habileté ou du rendement dont il est question. Cette dernière mesure s'appelle un *critère*. Supposons qu'un test se propose de prédire le succès de ceux qui veulent apprendre à dactylographier. Pour déterminer si le test est valide, on le fait passer à un groupe de sujets avant qu'ils étudient la dactylographie. Une fois qu'ils ont reçu l'entraînement nécessaire, les étudiants passent des tests qui permettent d'évaluer le nombre de mots tapés à la minute. C'est là une mesure de leur succès qui sert de critère. On peut alors obtenir un coefficient de corrélation entre les scores au premier test et les scores au critère. Ce coefficient de corrélation s'appelle *coefficient de validité* et il nous informe de la valeur d'un test donné par rapport à un objectif donné. Plus le coefficient de validité est élevé, plus la prédiction d'après le test est exacte.

Toutefois, bon nombre de tests sont conçus pour la prédiction de capacités plus variées et plus difficiles à mesurer que la simple habileté à dactylographier. Les scores du Test d'admission au collège médical (Medical College Admissions Test — MCAT), par exemple, sont utilisés (en même temps que d'autres renseignements) pour la sélection des étudiants en médecine. Quand l'objectif de son utilisation est la prédiction du succès à l'école de médecine, on peut utiliser les notes moyennes obtenues par le sujet comme critère; la corrélation entre ces notes et le score au MCAT est une façon de mesurer la validité du test. Mais si le MCAT a pour but de prédire le succès du sujet en tant que médecin, le problème de la validation devient beaucoup plus difficile. En effet, quel critère devra-t-on choisir? Le revenu annuel, le succès dans la recherche, les contributions au bien-être de la population de son village ou de son quartier, l'évaluation de son succès par des patients ou des collègues, le nombre de poursuites pour incurie ou erreur médicale? Même si ceux qui donnent le test arrivaient à s'entendre pour accepter l'un ou l'autre de ces critères, il serait probablement difficile de le mesurer.

Nous traiterons plus loin de la validité des tests d'habileté, c'est-à-dire de leur capacité de prédire le rendement. Le point important qu'il faut retenir pour le moment, c'est que l'évaluation de la validité d'un test doit tenir compte de l'usage qu'on se propose de faire de ce test et des inférences que l'on veut dégager d'après ses résultats.

Uniformité méthodologique

Dans une large mesure, la fidélité et la validité d'un test dépendent de l'uniformité dans la façon de procéder à l'administration et à la notation du test. Quand il s'agit de mesurer l'habileté, comme dans la prise de toute mesure

Alfred Binet en compagnie de ses filles

scientifique, on s'efforce de contrôler les conditions de manière à réduire au minimum l'influence des variables étrangères. C'est pourquoi les tests d'habileté généralement reconnus comportent des directives bien précises, des limites de temps (ou dans certains cas, l'indication qu'il n'y a pas de limite de temps) et des méthodes prescrites de notation. Les explications données au sujet par l'examinateur, et la façon dont ce dernier présente tout ce qui se rattache au test, doivent respecter les normes établies à chaque administration du test.

Bien sûr, il est impossible d'anticiper et de contrôler toutes les variables étrangères. Le sexe et le caractère racial de l'examinateur, par exemple, vont varier. Ces caractéristiques, tout comme le comportement général de l'examinateur (son expression faciale, le ton de sa voix, etc.), pourraient influencer le rendement de celui qui passe le test. Même s'il est impossible de contrôler de telles variables, on doit tenir compte de leur influence dans l'évaluation des résultats du test. Par exemple, si un petit garçon noir donne des résultats médiocres à un test administré par une femme blanche, il faudrait examiner la possibilité que les niveaux de motivation et d'anxiété de l'enfant aient été différents si l'examinateur avait été un Noir de sexe masculin.

TESTS D'APTITUDES INTELLECTUELLES

La fidélité, la validité et l'uniformité méthodologique sont des conditions essentielles qui s'appliquent à tous les tests — que le test soit conçu pour mesurer des traits de personnalité (comme nous le verrons au chapitre 13), la maîtrise d'une matière donnée, des compétences de travail, ou la probabilité de succès au collège ou à une école professionnelle. Dans cette section, nous nous intéressons plus particulièrement aux tests permettant de mesurer les habiletés intellectuelles générales. Ces tests sont souvent appelés «tests d'intelligence», mais, comme nous l'avons déjà indiqué, beaucoup de psychologues considèrent cette expression inopportune. Il n'y a pas de consensus général sur ce qui constitue l'intelligence, qui ne saurait d'ailleurs être considérée indépendamment de la culture et de l'expérience passée d'un individu. Il faudrait, au cours de cet exposé sur les tests d'intelligence, ne pas oublier ces mises en garde.

Contexte historique

C'est Sir Francis Galton qui, il y a un siècle, fut le premier à tenter de mettre au point des tests de capacité intellectuelle. Naturaliste et mathématicien, Galton en vint à s'intéresser aux différences individuelles en s'inspirant de la théorie de l'évolution de son cousin, Charles Darwin. Galton croyait qu'il y avait des familles biologiquement supérieures aux autres — plus robustes et plus brillantes. Selon lui, l'intelligence était une question d'habileté exceptionnelle aux plans sensoriel et perceptif, habileté qui se transmettait d'une génération à l'autre. Puisque toute information est acquise par les sens, plus l'appareil perceptif d'un individu est sensible et immédiat, plus cet individu devrait être intelligent. Galton a soumis plus de 9 000 visiteurs de l'Exposition de Londres de 1884 à une batterie de tests mesurant des variables comme la dimension de la tête, le temps de réaction, l'acuité visuelle, les seuils auditifs, le souvenir de formes visuelles. À son grand désappointement, il dut constater qu'il n'était pas possible de distinguer les hommes de science britanniques éminents des citoyens ordinaires sur la base de la dimension de leur tête et que des mesures comme le temps de réaction avaient peu de rapports avec les autres mesures de l'intelligence. Les tests de Galton ne se sont pas révélés très utiles. Il reste qu'il est l'inventeur du coefficient de corrélation, qui joue un rôle important en psychologie.

Les premiers tests présentant des ressemblances avec les tests d'intelligence contemporains ont été élaborés par le psychologue français Alfred Binet. En 1881, le gouvernement français promulgua une loi rendant l'école obligatoire pour tous les enfants. Avant cette date, on gardait habituellement à la maison les enfants dont le rythme d'apprentissage était lent. Dorénavant, les enseignants auraient à affronter une grande variété de différences individuelles. Le gouvernement demanda à Binet d'inventer un test qui permettrait de repérer les enfants qui étaient trop lents sur le plan intellectuel pour bénéficier du programme scolaire régulier.

Binet présuma que l'intelligence devait se mesurer en utilisant des tâches qui exigent des capacités de raisonnement et de solution de problèmes plutôt que des habiletés sensori-motrices. En collaboration avec un autre psychologue français, Théodore Simon, Binet publia en 1905 une échelle d'intelligence, qu'il révisa en 1908 et de nouveau en 1911.

La méthode de Binet: une échelle d'âge mental

Selon Binet, un enfant lent, ou dont les capacités intellectuelles sont amoindries, est un enfant normal dont la croissance mentale serait retardée. Aux tests, l'enfant lent se comporterait comme un enfant normal plus jeune, alors que l'enfant « brillant » aurait les aptitudes mentales caractéristiques des enfants plus âgés. Binet construisit une échelle d'*âge mental* destinée à mesurer l'intelligence en fonction des sortes de changements qui se produisent ordinairement en vieillissant. Les *scores moyens d'âge mental* (ÂM) correspondent à l'*âge chronologique* (ÂC) — c'est-à-dire à l'âge calculé à partir de la date de naissance. L'ÂM d'un enfant brillant se situe au-dessus de son ÂC; l'ÂM d'un enfant qui est lent, au-dessous de son ÂC. Pour les professeurs ou les autres personnes qui traitent avec des enfants d'aptitudes mentales différentes, il devenait donc facile d'interpréter l'échelle d'ÂM.

LE CHOIX DES ITEMS   Les tests d'intelligence ayant pour objectif de mesurer les capacités plutôt que les effets d'un entraînement particulier, c'est-à-dire les aptitudes plutôt que le rendement, ils devraient être constitués d'items qui ne demandent pas de formation particulière. Il existe deux moyens principaux de choisir des items de cette nature. L'un consite à choisir des *items qui ont un aspect de nouveauté*, c'est-à-dire des items qui donnent à l'enfant peu éduqué la même chance de réussite qu'à celui qui a reçu une certaine formation à l'école ou à la maison. La figure 12-1 présente des exemples d'items de nouveauté. On demande ici à l'enfant de choisir des figures qui sont semblables, en supposant que les dessins utilisés ne sont familiers à aucun des enfants. Le second moyen consiste à choisir des *items familiers* en tenant pour acquis que tous ceux auxquels le test s'adresse auront eu la formation antérieure requise pour le traitement de ces items. Le problème suivant est un exemple d'item qu'on suppose familier:

> *Inscrivez un* A *si la phrase est absurde; inscrivez un* S *si elle est sensée.*
> S   A   Madame Chose n'a pas eu d'enfant, et on me dit que sa mère n'en avait pas eu non plus.

Bien sûr, un tel item n'est « équitable » que pour les enfants qui connaissent le français, qui savent lire et qui comprennent tous les mots de la phrase. Dans le cas de ces enfants, le fait de percevoir l'absurdité de cette affirmation constitue un test valide de leurs aptitudes intellectuelles.

Plusieurs items dans les tests d'intelligence présupposent que le sujet possède certaines connaissances générales et qu'il est familier avec le vocabulaire du test. Mais il n'est jamais possible de satisfaire pleinement à ces conditions. La langue que l'on parle dans tel foyer n'est jamais exactement la même que celle que l'on utilise dans un autre; les lectures mises à la disposition des sujets et l'importance que l'on attache aux capacités cognitives varient aussi. Les items de nouveauté eux-mêmes dépendent des discriminations perceptives qui peuvent avoir été acquises dans un certain milieu culturel, mais pas dans un autre. Malgré ces difficultés, toutefois, il est possible de choisir des items raisonnablement satisfaisants. Les items que l'on trouve dans les tests contemporains d'intelligence sont ceux qui ont résisté à de nombreuses années de pratique, contrairement à de nombreux autres qui, à l'essai, se sont

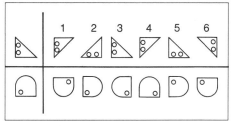

FIGURE 12-1
Items de nouveauté utilisés dans les tests d'intelligence   Les consignes suivantes accompagnent le test: *« Marquez d'un trait toutes les cartes à droite qui sont semblables à la carte échantillon à gauche. Vous pouvez donner un mouvement de rotation à la carte échantillon, mais vous ne devez pas la retourner »* (les cartes 2, 3 et 6 de la première ligne sont bonnes; sur la deuxième ligne, les cartes 1, 3 et 5 sont bonnes).

révélés non satisfaisants. Il est bon de se rappeler, cependant, que la validité des tests d'intelligence dont nous disposons est fondée sur le succès dans la prédiction du rendement scolaire au sein d'un milieu culturel donné.

ÉCHELLE D'INTELLIGENCE STANFORD-BINET   Les items des tests originaux de Binet ont été adaptés pour les enfants américains d'âge scolaire par Lewis Terman à l'Université Stanford. Il formula des règles pour l'administration du test et calcula des normes de niveau d'âge en faisant passer le test à des milliers d'enfants. En 1916, il publia la révision Stanford des tests de Binet. Cet instrument est devenu l'un des tests d'intelligence les plus connus et les plus largement utilisés; il a été révisé en 1937, 1960, 1972 et tout récemment en 1986.

Terman a retenu le concept de Binet relatif à l'âge mental. Chaque item du test a été situé au niveau d'âge où une majorité substantielle des sujets le réussissait. On pouvait calculer l'âge mental d'un enfant en faisant la somme des items qu'il parvenait à réussir à chaque niveau d'âge. En outre, Terman adopta un indice d'intelligence commode proposé par le psychologue allemand William Stern. C'est le *quotient intellectuel* (QI). Il représente l'intelligence comme un rapport entre l'âge mental (ÂM) et l'âge chronologique (ÂC):

$$QI = \frac{\hat{A}M}{\hat{A}C} \times 100$$

On multiplie par 100 afin que le QI prenne une valeur de 100 quand l'ÂM est égal à l'ÂC. Si l'ÂM retarde par rapport à l'ÂC, le QI qui en résultera sera donc inférieur à 100; si l'ÂM dépasse l'ÂC, le QI sera supérieur à 100.

Comment doit-on interpréter le QI? La distribution des QI dans la population prend la forme d'une courbe semblable à celle qui représente plusieurs des différences entre individus, telles les différences de taille; c'est la *courbe de distribution normale*: elle a la forme d'une cloche (voir la figure 12-2). Sur cette courbe, la plupart des cas se regroupent autour d'une valeur centrale, ou moyenne; à partir de cette dernière, les nombres décroissent progressivement pour se réduire à quelques cas seulement aux deux extrémités. Les qualificatifs qu'on utilise ordinairement pour décrire les divers niveaux de QI sont également présentés dans cette figure*.

Évaluations d'habiletés mentales particulières

Le Stanford-Binet a recours à un grand éventail d'items différents pour mesurer l'intelligence. Jusqu'à la révision de 1986, tous les items contribuaient

---

* La révision la plus récente du Stanford-Binet (Thorndike, Hagen et Sattler, 1986) utilise des scores d'âge standard, plutôt que des scores de QI. Ces nouveaux scores peuvent s'interpréter en termes de percentiles qui donnent le pourcentage des sujets du groupe de standardisation qui se situent au-dessus ou au-dessous d'un score donné.

— Note du traducteur: la révision de 1937 (Terman-Merrill) comporte deux versions (L et M) et a été adaptée en français par F. Cesselin.

FIGURE 12-2
Distribution des QI   *Distribution des scores de QI qu'on s'attend de trouver dans le cas d'un vaste échantillon d'individus et les adjectifs utilisés pour décrire les divers niveaux de QI. On juge normal un QI qui se situe entre 90 et 110; très supérieur au-dessus de 130; et retardé au-dessous de 70.*

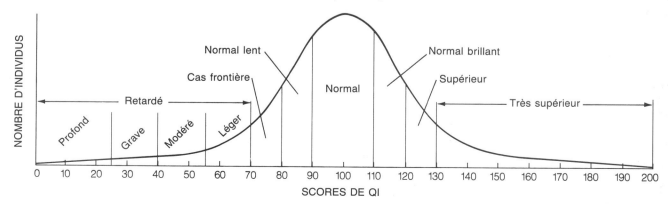

RAISONNEMENT VERBAL

Vocabulaire   Définition de mots comme « dollar » et « enveloppe ».

Compréhension   Répondre à des questions, comme « Où les gens achètent-ils la nourriture ? » et « Pourquoi les gens se peignent-ils ? »

Absurdités   Identification des aspects « bizarres » d'une image, comme une fillette qui fait du vélo sur un lac ou un homme chauve qui se peigne le crâne.

Relations verbales   Dire ce que les 3 premiers items d'une phrase ont en commun et en quoi ils sont différents du quatrième : foulard, cravate, manchon, chemise.

RAISONNEMENT QUANTITATIF

Quantitatif   Exécution de tâches arithmétiques simples, comme procéder à l'addition de 2 et de 4 (représentés par des dés) en choisissant un dé indiquant 6.

Nombres en série   Donner les 2 nombres suivants d'une série, comme :

20   16   12   8   __   __ .

Construction d'une équation   Construire une équation avec l'ensemble suivant :

2   3   5   +   =   Une bonne réponse, parmi plusieurs possibles, serait :

2   +   3   =   5.

RAISONNEMENT VISUEL / ABSTRAIT

Analyse de patterns   Reproduire un dessin simple à l'aide de cubes.

Copier   Reproduire une forme géométrique que l'examinateur dessine devant le sujet : un rectangle entrecoupé de 2 diagonales, par exemple.

MÉMOIRE À COURT TERME

Mémoire des perles   Après avoir vu l'image de perles à formes différentes enfilées sur une tige, reproduire de mémoire la séquence en enfilant de vraies perles sur une tige.

Mémoire des phrases   Répéter après l'examinateur des phrases comme « Il est temps d'aller se coucher » et « Jean a fait une peinture pour l'anniversaire de sa mère. »

Mémoire des chiffres   Répéter après l'examinateur une série de chiffres, comme 5 — 7 — 8 — 3, dans le même ordre et à rebours.

Mémoire des objets   Après avoir examiné des images d'objets individuels, comme une horloge et un éléphant, une à la fois, identifier sur une image qui comprend également des objets étrangers (par exemple, un autobus, un clown, un *éléphant*, des œufs et une *horloge*), les objets qu'on a vus dans l'ordre exact de leur apparition.

TABLEAU 12-1
Exemples d'items de l'Échelle d'intelligence Stanford-Binet de 1986.   *Bien que le test ne soit pas présenté en fonction de l'âge, il s'agit d'items typiques pour des enfants de 6 à 8 ans.*

également au score de QI global. Or, dans certains cas, un enfant pouvait très bien réussir à un test de vocabulaire, mais plutôt mal à un test qui exige de dessiner des figures géométriques. Bien que l'examinateur était en mesure de prendre note de ces forces et faiblesses, celles-ci ne se reflétaient pas dans le score de QI. C'est pourquoi, se ralliant à l'opinion courante voulant que l'intelligence soit faite d'un ensemble d'habiletés différentes, la version de 1986 regroupe les tests en 4 vastes champs d'aptitudes intellectuelles : *raisonnement verbal, raisonnement visuel/abstrait, raisonnement quantitatif*, et *mémoire à court terme*. On attribue un score indépendant à chacun de ces champs ; le tableau 12-1 donne quelques exemples d'items, regroupés par champs.

ÉCHELLES D'INTELLIGENCE DU TYPE WECHSLER   La révision 1986 du Stanford-Binet étant toute récente, les chercheurs et les cliniciens n'ont pas encore

Objets utilisés pour le test Mémoire des perles du Stanford-Binet de 1986.

Sous-test « Dessins avec blocs » du test Barbeau-Pinard *Le sujet essaie de disposer les cubes de façon à reproduire un dessin présenté sur une image.*

pu déterminer la valeur diagnostique de ce regroupement des habiletés intellectuelles particulières. Par contre, l'un des premiers tests d'intelligence conçus pour mesurer des aptitudes indépendantes, soit le test élaboré par David Wechsler en 1939, a connu un usage très répandu. Wechsler avait, à l'origine, construit ce test parce qu'il trouvait que le Stanford-Binet ne convenait pas aux adultes et qu'il dépendait trop des capacités verbales. L'Échelle d'intelligence de Wechsler pour adultes* (Wechsler Adult Intelligence Scale, ou WAIS, 1939, 1955, 1981), de même que l'Épreuve individuelle d'intelligence de l'Institut de psychologie de l'Université de Montréal (communément appelée le Barbeau-Pinard, d'après le nom de ses auteurs et décrite au tableau 12-2) se divisent en 2 parties: une échelle *verbale* et une échelle *non verbale*. Ces tests donnent des scores indépendants de même qu'un QI global. Plus tard (1958, 1974), Wechsler élabora un test semblable pour les enfants, l'Échelle d'intelligence de Wechsler pour enfants (WISC).

Les items de la partie non verbale exigent la manipulation ou la redistribution de cubes, d'images ou d'autre matériel. Les réponses, de même que la présentation des stimuli, ne font aucun appel aux capacités verbales du sujet. L'évaluation et la classification indépendantes des items à l'intérieur d'un test (sous-tests, en réalité) donnent une image plus précise des points forts et des points faibles dans le fonctionnement intellectuel de l'individu. Elles indiquent, par exemple, dans quelle mesure l'individu peut travailler efficacement sous pression (certains des sous-tests ont des limites de temps, d'autres pas) ou encore, comment ses aptitudes verbales se comparent avec sa capacité de manipuler un matériel non verbal. La figure 12-3 montre un profil de test et la façon dont les scores sont combinés pour donner des QI. Le sujet qui a obtenu ces résultats a tendance à mieux réussir dans les tâches non verbales. Ce profil de scores laisse soupçonner que ce jeune homme ne connaît pas les succès scolaires qu'il devrait; ses scores les plus bas sont ceux des sous-tests les plus étroitement associés aux « matières scolaires » — information, arithmétique et vocabulaire. L'important décalage qu'il remarque entre les échelles verbale et non verbale incite l'examinateur à se mettre à la recherche de problèmes d'apprentissage particuliers (en l'occurrence, de déficiences au niveau de la lecture ou du langage).

Les tests que nous venons de citer, le Stanford-Binet et les échelles de type Wechsler, remplissent les conditions d'un bon test; c'est-à-dire qu'ils se révèlent à la fois fidèles et valides. L'échelle du Stanford-Binet donne un coefficient de fidélité d'environ 0,90 à la répétition du test; le WAIS donne 0,91. Les deux types de tests permettent de prédire d'une façon assez valide le succès à l'école; la corrélation entre les scores de QI obtenus à ces tests et les notes scolaires se situe entre 0,40 et 0,60, à peu près.

Tests collectifs

Le Stanford-Binet, le Barbeau-Pinard et les échelles de Wechsler sont des *tests individuels d'aptitude*, c'est-à-dire qu'un examinateur spécialement entraîné les fait passer à un seul sujet à la fois. Les *tests collectifs d'aptitude* peuvent au contraire être passés par un grand nombre d'individus en même temps, en présence d'un seul examinateur; ils se présentent habituellement sous forme de questionnaires auxquels on répond par écrit (voir la figure 12-4). Par comparaison avec les tests collectifs, le test individuel comporte de nombreux avantages: l'examinateur peut s'assurer que le sujet comprend les questions, il peut évaluer la motivation de ce dernier (fait-il des efforts réels?) et, en observant soigneusement la façon dont le sujet aborde les diverses tâches, il peut obtenir des renseignements additionnels sur les points forts et les points faibles de son fonctionnement intellectuel. Par contre, les tests collectifs d'aptitude s'avèrent utiles quand l'évaluation porte sur de grands nombres d'individus. Les forces armées, par exemple, ont recours à un certain nombre de

---

* Les tests de Wechsler pour adultes et pour enfants ont été traduits en français de même que dans plusieurs autres langues. On en a fait des adaptations pour le Québec et pour l'Europe. (Note du traducteur)

SOUS-TEST	DESCRIPTION
Échelle verbale	
Connaissances	Vingt-huit questions de connaissances générales, auxquelles on doit donner une réponse précise (par exemple: «Dans quel pays demeurez-vous?»).
Jugement	Deux items pour vérifier les connaissances pratiques et la capacité d'évaluer l'expérience passée (par exemple: «Pourquoi les meurtriers sont-ils condamnés à mort?»)
Mémoire des chiffres	Le sujet doit répéter (dans l'ordre normal d'abord, et ensuite dans l'ordre inverse, à rebours) des séries de chiffres que l'expérimentateur lui énumère à voix haute. Tests d'attention et de capacité d'appréhension mnémonique.
Similitudes	On demande au sujet de dire «de quelle façon» 2 choses qu'on lui nomme se ressemblent (par exemple: une orange et une banane). Mesure de la pensée abstraite.
Arithmétique	On présente les données d'un problème et on demande au sujet de le résoudre mentalement et de donner la réponse. Vérification de la compréhension des 4 opérations fondamentales de l'arithmétique.
Vocabulaire	Évaluation de l'étendue du vocabulaire.
Échelle non verbale	
Images à compléter	Présentation successive de quinze images dans lesquelles il manque un détail essentiel. Le sujet doit découvrir et nommer la «partie importante» qui manque. Test d'attention et de mémoire visuelle.
Substitution	Jumelage de chiffres (de 1 à 9) avec des symboles simples, mais peu courants. Évaluation de la rapidité de l'apprentissage de connexions nouvelles entre 2 objets et de la vitesse de l'écriture.
Assemblage d'objets	Pièces de casse-tête qu'on doit assembler pour former des objets complets (images découpées représentant des éléments de la vie ordinaire: un enfant, un profil, une main). Renseigne directement sur les fonctions perceptives du sujet, sur son pouvoir d'analyse et de synthèse et sur ses méthodes de travail.
Histoires en images	On présente successivement 6 séries d'images. Disposée dans le bon ordre, chaque série raconte l'histoire d'un événement simple exposé en plusieurs épisodes. Les images sont présentées dans un désordre prévu: le sujet doit reconstituer la série de façon à lui donner un sens. Évaluation de l'attention et de la compréhension des situations sociales.
Dessins avec blocs	On présente un jeu de blocs au sujet et on lui demande de reproduire exactement, avec ces cubes, le dessin d'un modèle qu'on lui montre sur une carte. Évaluation de la coordination visuo-motrice et de la capacité de percevoir les relations entre un tout et ses parties.

TABLEAU 12-3
Sous-tests de l'Épreuve individuelle d'intelligence générale de Barbeau-Pinard *Les sous-tests des Échelles d'intelligence (pour adultes et pour enfants) de Wechsler sont similaires.*

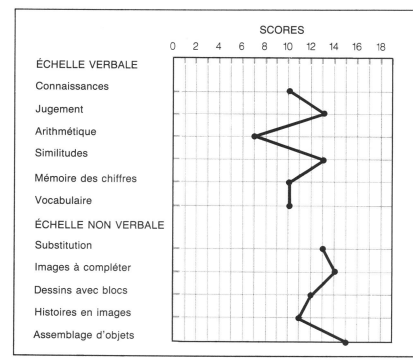

TEST		Scores	
Connaissances		10	
Jugement		13	
Arithmétique		7	
Similitudes		13	
Mémoire des chiffres		10	
Vocabulaire		10	
Score verbal		63	
Mémoire des chiffres		13	
Images à compléter		14	
Dessins avec blocs		12	
Histoires en images		11	
Assemblage d'objets		15	
Score non verbal		65	
Score total		128	
SCORE VERBAL 63		QI 108	
SCORE NON VERBAL 65		QI 121	
SCORE GLOBAL 128		QI 115	

FIGURE 12-3
Profil obtenu au Test d'intelligence générale Barbeau-Pinard *Scores obtenus par un jeune homme de 16 ans. Le tableau de droite montre comment les notes obtenues aux sous-tests sont combinées pour donner un score verbal, un score non verbal et un score global. Le manuel qui accompagne le test fournit des tables (adaptées aux âges) pour la transformation des scores en QI. Notez que ce sujet a un QI, à l'échelle non verbale, de 13 points supérieur au QI à l'échelle verbale.*

tests collectifs pour mesurer les aptitudes intellectuelles générales et les talents particuliers et pour faciliter la sélection d'hommes et de femmes assignés à des tâches particulières, y compris les pilotes d'avion, les navigateurs, les techniciens en électronique et les concepteurs de programmes pour ordinateurs.

Le SAT, l'ACT et le GRE sont d'autres exemples de tests collectifs; on les utilise aux États-Unis et dans certaines universités anglophones du Canada pour la sélection des candidats aux études collégiales ou universitaires*.

VALIDITÉ DES PRÉDICTIONS FONDÉES SUR LES TESTS

Les tests d'aptitudes générales, comme le Stanford-Binet et les Échelles d'intelligence du type Wechsler, permettent effectivement de prédire le succès dans les études et nous donnent une mesure de ce que la plupart des gens considèrent comme du « talent ». Quand on demande aux instituteurs de classer leurs élèves en fonction de leur « talent », les corrélations entre les rangs attribués par les instituteurs et les scores que ces élèves obtiennent aux tests d'intelligence varient entre 0,60 et 0,80. Ces corrélations seraient probablement plus élevées si ce n'était de certains biais de jugement très particuliers. En effet, les enseignants ont tendance, par exemple, à surévaluer les enfants les plus jeunes et à sous-évaluer les plus âgés; apparemment, ils fondent leur jugement sur l'âge mental plutôt que sur le QI, qui est l'expression de la relation entre l'âge mental et l'âge chronologique. Les professeurs sont également portés à surestimer les filles et à sous-estimer les garçons. En général, les enfants qui sont sociables, avides d'apprendre et qui manifestent de la confiance en eux-mêmes — qui se portent volontaires dans les activités proposées et qui lèvent la main pour répondre — sont considérés par leurs maîtres et par leurs pairs comme plus brillants que les étudiants qui se replient sur eux-mêmes et se tiennent cois, même s'ils obtiennent les mêmes résultats aux tests qu'on leur donne. Dans ces cas, les scores aux tests d'aptitudes représentent une meilleure évaluation de leurs capacités que le jugement des professeurs.

---

* Dans certaines universités francophones, on se sert également de batteries de tests collectifs pour la sélection des étudiants dans certaines facultés et disciplines. (Note du traducteur)

Perception de l'espace

Lequel des 4 dessins suivants obtiendra-t-on en dépliant la boîte?

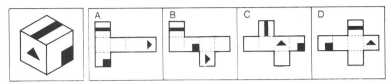

Compréhension mécanique

Lequel de ces ponts est le plus résistant?

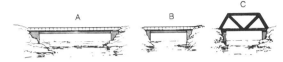

Connaissance des mots

Fétidité s'applique plus exactement à
A une mare d'eau visqueuse
B un amas de débris
C une odeur nauséabonde
D un animal mort

Camaraderie s'applique plus exactement à
A un intérêt pour la photographie
B une grande amitié
C des jalousies mesquines
D des projets d'artisanat et de peinture

Information générale

Laquelle des taxes suivantes a exigé, pour son imposition, un amendement à la Constitution des États-Unis?
A impôt sur le revenu
B taxe de vente
C taxe sur les boissons alcoolisées
D taxe sur le tabac

Picasso est un célèbre
A poète
B peintre
C philosophe
D soldat

Raisonnement arithmétique

Il en coûte 0,50 $ le mètre carré pour traiter la toile en vue de la rendre imperméable à l'eau. Combien faudra-t-il débourser pour traiter une toile de camion qui mesure 500 cm x 800 cm?
A 6,67 $
B 18 $
C 20 $
D 180 $

Les tarifs postaux qui s'appliquent aux colis expédiés dans la zone locale sont de 18 cents pour le premier kilogramme et de 1 1/2 cent pour chaque kilogramme additionnel. Combien de kilogrammes peut-on expédier dans la zone locale en payant 1,50 $?
A 88
B 89
C 100
D 225

FIGURE 12-4
Test collectif *Voici quelques items tirés de l'échelle Armed Services Vocational Aptitude Battery (ASVAB) qui est utilisée pour le recrutement dans toutes les forces armées des États-Unis.*

Résultats aux tests et succès scolaire

Les scores obtenus aux tests d'intelligence entretiennent des corrélations assez élevées avec les mesures de rendement scolaire (par exemple, les notes, la poursuite des études, la probabilité de les compléter), du moins au cours des études primaires et secondaires. Les jeunes qui récoltent des scores supérieurs à des tests comme le Stanford-Binet, les Échelles d'intelligence de Wechsler et le Barbeau-Pinard obtiennent de meilleures notes, apprécient mieux leur milieu scolaire et restent plus longtemps aux études. Toutefois, à mesure que les étudiants progressent sur le plan scolaire — du primaire au secondaire, au collège et à l'université — les corrélations entre les scores aux tests d'intelligence et les mesures du rendement dans les études diminuent graduellement (voir le tableau 12-3). Plusieurs facteurs contribuent au déclin progressif des coefficients de validité avec l'augmentation de la scolarisation. Nous verrons bientôt que l'un des facteurs les plus importants est la sélection.

Jusqu'ici nous avons parlé de la relation entre le rendement scolaire et les tests conçus pour mesurer l'aptitude générale à apprendre (les présumés tests d'intelligence qui donnent un QI). Qu'en est-il des tests d'aptitudes scolaires, comme le SAT, qui mesurent des habiletés acquises et qui sont conçus pour prédire le succès au collège? On a fait subir le test à des millions de candidats aux études collégiales depuis de nombreuses années et plusieurs corrélations ont été calculées entre les scores au SAT et les notes moyennes à la fin de la première année d'études collégiales. Les corrélations varient d'une étude à l'autre, donnant une corrélation médiane d'environ 0,38 pour la partie verbale SAT et 0,34 pour la partie mathématiques (Linn, 1982).

Dans une certaine mesure, ces corrélations sous-évaluent la relation entre les scores aux tests et les notes obtenues au collège, car les données-critères (la moyenne des notes) ne sont recueillies que chez les individus qui poursui-

NIVEAU D'ÉDUCATION	CORRÉLATIONS TYPIQUES
École primaire	0,60 – 0,70
École secondaire	0,50 – 0,60
Collège	0,40 – 0,50
Université	0,30 – 0,40

TABLEAU 12-3
Corrélations entre les scores de QI et le succès scolaire *Les chiffres du tableau représentent les corrélations qu'on trouve généralement entre les scores aux tests d'intelligence et les autres mesures du rendement scolaire (par exemple, les notes ou les scores aux tests de rendement) à différents niveaux du programme d'études. (Données provenant de diverses sources.)*

ANALYSE CRITIQUE

Tests équitables sur le plan de la culture

Le rendement d'une personne à un test d'aptitude dépend nettement du milieu culturel dans lequel elle a grandi. Ce fait est évident dans le cas des tests verbaux qui exigent une familiarité avec une langue particulière. Nous ne nous attendrions pas à ce qu'un enfant vivant dans un foyer où le français est utilisé comme langue seconde obtienne des scores aussi élevés aux items verbaux d'un test en langue française que l'enfant dont les parents ne parlent que le français. Mais même parmi les enfants de familles francophones, le vocabulaire d'un foyer de classe moyenne peut se révéler significativement différent de celui qui est utilisé dans un foyer de classe défavorisée. Au cours d'une étude, par exemple, on a demandé à des enfants de considérer l'item suivant :

Choisissez UN MOT qui ne va
pas avec les autres,
violoncelle   harpe   tambour
violon   guitare

La plupart des enfants des classes moyenne et supérieure ont répondu « tambour », la bonne réponse. Les enfants appartenant à des familles ayant un statut économique inférieur ont le plus souvent répondu « violoncelle », un mot qui, parce qu'il était moins familier, leur semblait ne pas aller avec les autres (Eells et coll., 1951). Les enfants provenant de foyers à statut socio-économique supérieur sont plus susceptibles d'avoir déjà vu un violoncelle, ou du moins d'avoir entendu ce mot, que ne le sont les enfants des familles plus pauvres.

On a élaboré plusieurs tests fondés sur la culture et le langage des populations de Noirs américains (voir Williams, 1972 ; Boone et Adesso, 1974). Le vocabulaire et les idiomes utilisés dans ces tests sont plus ou moins caractéristiques de la langue anglaise parlée par les Noirs et ils se traduisent dans des items comme le suivant :

« Running a game » signifie :
A. faire un chèque sans fonds
B. suivre quelque chose du regard
C. diriger un concours
D. obtenir ce que l'on veut

Ceux qui sont familiers avec le langage parlé dans les milieux culturels noirs sauront que D est la bonne réponse.

Ces tests font ressortir l'impact des facteurs culturels sur les scores qu'on obtient aux tests ; les Noirs peuvent obtenir des QI de 20 points plus élevés que ceux des Blancs à des tests de ce genre. Mais les scores aux tests n'entretiennent apparemment que peu de relations avec les autres mesures d'intelligence ou de rendement appliquées aux membres de l'une ou l'autre race (Matarazzo et Wiens, 1977).

Les expériences culturelles peuvent également influencer le rendement aux items non verbaux. Les opérations numériques et les concepts mathématiques sont enseignés à l'école surtout. Même les items qui, à première vue, ne semblent pas avoir de rapports avec l'éducation scolaire (comme le fait de reconnaître l'élément manquant dans le dessin d'un objet usuel ou de manipuler des cubes pour former

vent effectivement des études collégiales. Si tous ceux qui ont passé le SAT avaient poursuivi des études collégiales et si les scores qu'ils avaient obtenus aux tests étaient mis en corrélation avec leurs notes de première année, les corrélations seraient bien plus élevées. La grandeur d'une corrélation est affectée par le taux de variation des mesures mises en corrélation ; en général, plus il s'agit d'un groupe choisi, plus l'étendue des scores est limitée et plus la corrélation est faible. Les collégiens possèdent des aptitudes supérieures à celles de la population générale. Si on faisait passer les tests à toute la population d'âge collégial et que tous faisaient des études collégiales, la corrélation entre les scores aux tests et les notes obtenues à la fin de la première année d'études serait plus élevée encore.

Un exemple permettra peut-être de mieux comprendre le fait que les corrélations sont plus faibles dans un groupe choisi. Dans le monde de la boxe, à l'époque où il n'y avait pas de catégories en fonction de la masse corporelle des pugilistes, la masse était un bon indice pour prédire l'issue d'un match. Un boxeur de 115 kilos pouvait généralement battre un boxeur de 70 kilos, en dépit des différences d'entraînement ; la corrélation entre la masse et le succès était assez élevée. Toutefois, quand on adopta le système des catégories, les boxeurs ont dû se limiter à n'affronter que des adversaires de masse équivalente (les poids lourds contre les poids lourds, les poids plume contre les poids plume et ainsi de suite) et la masse devint alors un mauvais indice de prédiction des résultats (Fricke, 1975).

un pattern) ne sont pas entièrement étrangers à la culture. Si, par exemple, on présente à des enfants de milieux défavorisés le dessin d'un peigne avec plusieurs dents cassées et qu'on leur demande de nommer les parties qui manquent (un item du WISC), il se peut qu'ils soient embarrassés; il se peut que, pour eux, un peigne aux dents cassées soit un objet plus commun qu'un peigne intact (Hewitt et Massey, 1969).

Dans certaines sociétés primitives, les dessins et les images sont rares. Lorsqu'on a demandé à des enfants nigériens de manipuler des cubes colorés pour former un pattern (une tâche qui se retrouve dans plusieurs tests d'intelligence), ils ont réussi assez bien quand le modèle à reproduire était lui aussi composé de cubes. Mais il leur était difficile de copier un dessin d'après une image si l'examinateur ne procédait pas à une démonstration avec les cubes (D'Andrade, 1967).

Les psychologues ont fait de nombreuses tentatives pour créer des tests qui seraient équitables sur le plan de la culture (voir la figure 12-5), mais les résultats ne sont pas prometteurs. D'une part, ces tests ne permettent pas de prédire le rendement à l'école (ou, dans certains cas, au travail) avec autant d'exactitude que les tests d'aptitude plus traditionnels. Cette constatation n'a pas à nous surprendre, puisque ce que l'on considère un bon rendement à l'école ou au travail dépend aussi de la culture. D'autre part, lorsqu'ils sont appliqués à des groupes culturels différents, les tests équitables sur le plan de la culture donnent souvent des différences

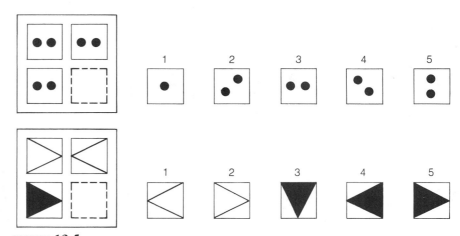

FIGURE 12-5
Un test équitable sur la plan de la culture *Échantillon d'items conçus comme relativement indépendants de la culture dans laquelle on a grandi. Le sujet doit choisir celui des 5 dessins de droite qui complète le mieux la série représentée à gauche.*

aussi grandes que les tests qu'ils sont censés remplacer.

Il est probablement impossible, en principe, de créer un test qui soit tout à fait équitable sur le plan de la culture; les antécédents culturels d'un individu exerceront toujours une influence sur son rendement. Les habiletés qu'une société considère importantes sont celles qu'elle prendra la peine de mesurer par des tests. Si une société attache de la valeur à la capacité d'écrire et de calculer, ce sont ces habiletés qui seront perçues comme capables de prédire le succès. Si on valorise plutôt (comme chez les Kpelle du Libé-

ria) la sociabilité et la capacité d'introduire des énigmes dans les récits, ce sont ces habiletés qu'on s'efforcera de tester (Cole, 1981).

En l'absence de tests véritablement équitables sur le plan de la culture nous devons nous contenter pour l'instant de tenir compte du caractère culturel de nos tests d'intelligence standard et d'interpréter les scores avec prudence, sans perdre de vue les antécédents du sujet — la langue que l'on parle dans son foyer et les sortes d'apprentissage auxquels il est exposé.

Même si l'influence de la sélection sur les corrélations entre les scores obtenus au SAT et les résultats scolaires est moins marquée que dans l'exemple que nous venons de citer, elle est quand même substantielle. Par exemple, dans le cas de classes de première année collégiale qui présentaient de grandes variations dans les scores de la partie verbale du SAT, la corrélation entre ces scores et les notes moyennes est de 0,44. Dans les collèges où le taux de variation est moins grand, la corrélation est de 0,31 (Schrader, 1971). Plus le groupe est choisi ou homogène, plus la corrélation est faible.

Lorsqu'on corrige « statistiquement » les corrélations pour tenir compte du caractère sélectif de la population, on obtient des corrélations de l'ordre de 0,50. Quelle est la valeur d'une corrélation de cette grandeur en termes de pouvoir de prédiction? Une corrélation de 0,50 indique qu'il existe une probabilité de 44 % qu'un étudiant se classant dans la cinquième partie supérieure de la courbe de distribution des scores au SAT se trouvera aussi dans la cinquième partie supérieure de la distribution des notes moyennes de première année, alors que la probabilité qu'un étudiant se classant dans la cinquième partie inférieure de la courbe des scores au SAT obtienne des notes de ce niveau n'est que de 4 % (Schrader, 1965). Si l'on ne connaissait pas les scores au test, la probabilité serait, évidemment, de 20 %. Ainsi, les scores du SAT accroissent le pouvoir de prédiction de façon considérable, mais il est clair aussi que les notes de première année des étudiants ayant obtenu des scores identiques au SAT vont varier beaucoup.

Différences de groupe dans le succès aux tests

On remarque souvent des différences considérables dans le taux de succès moyen aux tests d'aptitude lorsqu'on étudie certains sous-groupes de la population. Les enfants des familles de classes moyenne et supérieure, par exemple, obtiennent en moyenne des scores plus élevés que les enfants de familles démunies. Mais on observe également des différences moyennes de succès aux tests d'aptitudes générales, tout comme aux tests de rendement, que le groupe d'enfants soit défini en termes d'occupation, d'éducation ou de revenu des parents (Speath, 1976). Les membres de certains groupes minoritaires aux États-Unis — les Noirs, les Hispano-américains et les Amérindiens — ont aussi tendance à récolter des scores moins élevés aux tests d'habileté que les membres de la majorité blanche (Coleman et coll., 1966; Bock et Moore, 1982; Jones, 1984).

Les hommes et les femmes obtiennent également des scores différents à certains tests, à cause de la façon dont le test a été construit. La plupart des tests d'intelligence (le Stanford-Binet, les Échelles d'intelligence de Wechsler, le Barbeau-Pinard, par exemple) ont été élaborés de façon à minimiser les différences sexuelles, soit en éliminant les items comportant de grandes différences individuelles, soit en assurant un juste équilibre entre les items favorisant les femmes et les items favorisant les hommes. Un test d'aptitudes générales qui n'a pas été conçu pour écarter les différences individuelles (le Test d'aptitudes différentielles) indique que les filles du cours secondaire réussissent mieux que les garçons du même groupe d'âge aux tests de vitesse et de précision dans les tâches d'écriture et de copie, et aux tests d'utilisation du langage, alors que les garçons sont bien meilleurs que les filles aux tests de relations spatiales et de raisonnement sur la mécanique (Linn, 1982). Au SAT, hommes et femmes obtiennent des résultats comparables dans la partie verbale, mais les garçons et les hommes donnent des meilleurs scores dans la partie mathématique (Benbow et Stanley, 1980).

Deux points méritent d'être soulignés quand on parle de différences de groupe dans le succès aux tests. D'abord, il ne s'agit que de différences *moyennes*; l'amplitude des différences entre sous-groupes est généralement faible en comparaison de la variabilité au sein des groupes. Ainsi, certains enfants de familles défavorisées obtiendront des scores plus élevés que la plupart des enfants de familles à revenus supérieurs et, à l'inverse, certains enfants plus riches, des scores plus faibles que la plupart des enfants pauvres. En deuxième lieu, comme nous le verrons plus loin, on ne saurait considérer que les différences de groupe par rapport à des scores moyens obtenus à des tests constituent des preuves de l'existence de différences innées en ce qui concerne les aptitudes. Elles reflètent probablement des différences dans des facteurs associés à l'environnement familial et aux occasions d'apprendre. Néanmoins, dans la mesure où les différences de groupes dans les scores moyens récoltés aux tests reflètent des différences dans la probabilité de succès à l'école ou au travail, il est indispensable d'arriver à la compréhension de ces distinctions.

Nous considérerons plus loin certaines des raisons possibles des différences de réussite aux tests entre les groupes raciaux, ethniques et socio-économiques. Mais l'existence de différences de groupe ne signifie pas que les tests ne sont pas utiles pour prévoir le succès. Les tests d'aptitude permettent de prédire le rendement scolaire des étudiants appartenant à des minorités tout aussi bien que celui des étudiants faisant partie de la majorité. Par exemple, lorsqu'on classe des élèves noirs du cours élémentaire d'après les scores obtenus à un test d'intelligence, les rangs permettent de prédire le rendement scolaire en mathématiques et en lecture tout aussi bien que dans le cas d'élèves de race blanche. De même, les scores au SAS sont des indications du succès probable en première année d'études collégiales autant pour les Noirs et les Américains d'origine mexicaine que pour les Blancs (Linn, 1982).

En disant que les tests d'aptitutde ne sont pas biaisés, on ne se trouve pas à nier le fait que la société exerce de la discrimination à l'endroit des groupes minoritaires. Il ne fait aucun doute qu'il existe des facteurs sociaux qui jouent au détriment des groupes minoritaires et qui entraînent l'obtention de scores inférieures aux tests d'aptitude et aux mesures-critères (les notes, le rang en classe, etc.).

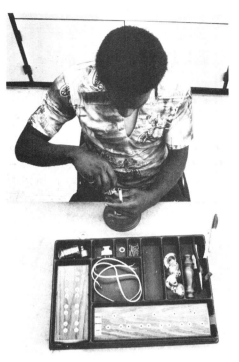

Un test d'aptitudes pour la mécanique: assemblage d'une lampe en une période de temps limitée.

Utilisation des tests pour prédire le succès

Malgré leur utilité pour la prédiction du rendement scolaire, les tests d'aptitude ne sont qu'un seul type de mesure et on devrait toujours les utiliser en les combinant avec d'autres informations. Les notes obtenues en dernière année du cours secondaire, par exemple, donnent une corrélation aussi élevée avec la moyenne des notes de la première année du cours collégial que les scores au SAT. Cette constatation soulève certaines questions quant à l'utilité des tests d'admission. On peut répondre toutefois que les scores des tests d'admission aux études collégiales procurent un moyen de contrôler la variabilité dans la qualité de l'enseignement donné par les différentes écoles secondaires (les notes octroyées par une école pourraient bien ne pas être équivalentes à celles qu'on obtient dans une autre). En fait, en combinant les scores obtenus au SAT avec les notes obtenues au secondaire, on peut réellement établir une meilleure prédiction du succès au collège qu'en utilisant l'une ou l'autre de ces mesures séparément.

Les tests d'aptitude peuvent fournir une assez bonne indication de la capacité de lecture et de compréhension d'un certain matériel ou de la capacité de résolution de problèmes mathématiques. Toutefois, ils ne permettent pas de mesurer les préoccupations sociales d'un individu, sa motivation au travail ou son entregent. Les tests nous donnent une certaine base pour la prédiction du succès scolaire, mais ils n'indiquent pas quels sont les étudiants qui deviendront des hommes de science ou des écrivains créatifs, des professeurs ou des avocats de talent et des chercheurs ou des médecins exceptionnels.

Les scores des tests d'admission nous apportent un type de renseignement seulement. On devrait les évaluer en même temps que d'autres mesures (résultats obtenus à l'école secondaire, recommandations, réalisations particulières) quand on veut prédire le rendement scolaire d'un candidat.

ANALYSE CRITIQUE

Entraînement à la maîtrise des tests et habitude des tests

On offre quotidiennement dans les journaux des cours qui prétendent devoir améliorer le score d'un candidat à des tests d'admission comme le Scholastic Aptitude Test (SAT), le Law School Admissions Test (LSAT), le Medical College Admissions Test (MCAT), le Graduate Record Examination (GRE) et le Graduate Management Aptitude Test (GMAT). L'entraînement à la maîtrise des tests de ce genre est devenu une affaire lucrative. La question de savoir dans quelle mesure l'entraînement permettrait d'améliorer les résultats aux tests est toutefois l'objet de controverses : si l'entraînement réussit vraiment à produire des scores meilleurs, les candidats qui sont capables de payer pour s'enrôler à de tels cours auraient un avantage sur ceux qui ne peuvent pas se le permettre.

De toute évidence, la familiarité avec les méthodes de passation des tests représente un atout. L'individu qui a déjà passé des tests et qui sait à quoi s'attendre sera plus confiant que celui dont l'expérience des tests est très limitée. L'*habitude des tests* implique entre autres le fait d'être accoutumé à travailler avec des feuilles de réponses séparées, de savoir qu'on doit considérer *toutes* les réponses d'un item à choix multiple plutôt que de s'arrêter à la première qui semble appropriée, qu'on ne doit pas s'attarder aux questions difficiles et qu'il faut déceler les pièges dans les items qui comportent des indices additionnels. Il est également utile de savoir quand il faut prendre des risques. Si les réponses incorrectes ne sont pas pénalisées, il est raisonnable de s'en remettre à l'intuition quand on ne connaît pas la bonne réponse. Dans le cas de tests comme le SAT, où une mauvaise réponse à un item à 4 choix reçoit une note − 1/4 (par comparaison avec 1 pour la bonne réponse et 0 si l'on ne répond pas), il est avantageux de deviner quand on sait qu'un ou deux des choix proposés ne sont pas possibles.

La plupart des cours à l'intention des candidats aux tests d'admission comportent de l'information sur les stratégies de passation et des exercices comportant des questions-échantillons. Des livrets d'exercices se rapportant à la plupart des principaux tests d'admission se trouvent sur le marché et ils peuvent servir à un auto-entraînement du même genre. La familiarité avec la forme du test, la connaissance des stratégies de passation d'un test, et les exercices préalables d'après des échantillons d'items de test permettent vraiment d'obtenir de meilleurs scores aux tests, mais cette amélioration n'est substantielle que dans le cas de sujets novices dans l'art des tests (de récents immigrants, par exemple, ou des étudiants venant d'écoles où l'on se sert peu de tests). Les finissants des écoles secondaires américaines, qui font un grand usage de tests objectifs, n'auraient probablement pas avantage à passer plus d'une journée à s'exercer à l'aide des items de test.

Que dire des cours sur des matières précises ? Les tests d'admission sont conçus pour mesurer les aptitudes d'un individu relatives à un programme particulier d'études et ceux qui élaborent les tests

NATURE DE L'INTELLIGENCE

Certains psychologues conçoivent l'intelligence comme une capacité générale de compréhension et de raisonnement qui se manifeste de diverses façons. C'était le postulat de base de Binet. Même si son test comprenait plusieurs sortes d'items différents (évaluant des habiletés comme la capacité d'appréhension dans la mémoire immédiate, l'arithmétique et le vocabulaire), il remarqua qu'à tous ces items les enfants à l'intelligence vive avaient tendance à mieux se classer que les enfants à l'intelligence lente. Il en conclut que ces diverses tâches constituaient un échantillon d'une habileté ou d'une faculté fondamentale :

> « Il semble que dans l'intelligence, il y ait une faculté fondamentale, dont l'altération ou l'absence sont de la plus haute importance pour la vie pratique. Cette faculté, c'est le jugement, autrement dit le bon sens, le sens pratique, l'initiative, la faculté de s'adapter aux circonstances. Bien juger, bien comprendre, bien raisonner, voilà l'activité essentielle de l'intelligence. » (Binet et Simon, 1905)

En dépit des divers sous-tests compris dans ses échelles, David Wechsler croit aussi que « l'intelligence est la capacité composite ou globale que possède l'individu d'agir en fonction d'un objectif, de penser rationnellement et de composer efficacement avec son environnement » (Wechsler, 1958).

essaient d'éviter les items qui se prêteraient à une amélioration de rendement à la suite d'un entraînement à court terme ou de cours sur des matières de spécialisation. Cependant, la partie verbale du SAT (comme celle du LSAT, du MCAT et du GRE) dépend beaucoup du vocabulaire et plusieurs des problèmes de la partie mathématiques supposent une connaissance de l'algèbre et de la géométrie du niveau secondaire. Dans le cas d'individus qui pensent être faibles dans ces matières, une récapitulation pourrait s'avérer utile. Plusieurs études ont démontré que l'entraînement en mathématiques améliorait les scores de la partie mathématiques dans le cas d'étudiants qui ne suivaient pas à ce moment-là de cours de mathématiques, mais qu'il profitait peu à ceux qui étudiaient déjà cette matière. L'étude du vocabulaire au moyen de cartes projetées au tachistoscope et la lecture avec dictionnaire aideraient à se préparer à la partie verbale.

Au cours des 30 dernières années, on a procédé à de nombreuses études pour connaître l'influence de l'entraîneement sur les scores au SAT. Ces études ont porté sur une variété de méthodes d'entraînement comprenant des programmes offerts sur le marché tout autant que des programmes proposés aux étudiants dans les écoles secondaires publiques ou privées. Les résultats varient considérablement selon la durée et le type de programme de même qu'en fonction de la présence ou de l'absence d'un groupe de contrôle. (Les groupes de contrôle sont importants parce

que les étudiants qui s'inscrivent à ces cours d'entraînement sont susceptibles d'être, sur bien des points — surtout en termes de niveau de motivation — différents des autres et, par conséquent, il est difficile d'évaluer leur amélioration dans les tests sans se référer à un groupe d'étudiants comparables.)

Messick et Jungeblut (1981) ont publié une analyse de recherches sur l'entraînement au SAT comportant des groupes de contrôle. Ils arrivent à la conclusion que 30 heures de cours sur les habiletés verbales peuvent, par exemple, entraîner des gains de scores moyens d'environ 14 points dans la partie verbale du SAT. Un autre 30 heures de cours sur les habiletés relatives aux mathématiques peut donner des gains de scores moyens d'environ 26 points dans la partie mathématiques. Ces gains résultant de 60 heures de cours représentent 40 points sur l'échelle globale du SA. Comme les scores du SAT se situent entre un minimum de 400 et un maximum de 1600, des gains de cet ordre ont peu de chances d'influencer les décisions relatives à l'admission au collège. Une étude subséquente de Der Simonian et Laird (1983) en arrive à des conclusions semblables.

Plusieurs études (sans groupes de contrôle) rapportent des gains beaucoup plus élevés de 50 à 80 points aux deux parties du SAT (Pallone, 1961 ; Marron, 1965). Toutefois, les sujets de ces recherches s'étaient inscrits à des programmes d'entraînement plutôt intensifs qui pouvaient durer jusqu'à 6 mois. La question

qui se pose ici porte sur la différence entre *enseignement* et *entraînement*. Le SAT est conçu pour l'évaluation des habiletés *acquises*. Une année d'études secondaires en grammaire anglaise et en algèbre améliore effectivement les scores au SAT ; on ne doit pas se surprendre qu'un cours d'entraînement de 6 mois produise un effet similaire (Jones, 1984).

Quelles recommandations devrait-on faire concernant l'entraînement aux tests d'admission ? Pour fins d'équité, un bref cours sur les stratégies de passation de tests, s'ajoutant à des exercices avec des échantillons d'items dans des conditions d'examen, aiderait à équilibrer l'habitude des tests chez des individus qui ont eu plus, ou moins, d'expérience des tests objectifs. La récapitulation des connaissances de vocabulaire, d'algèbre et de géométrie serait peut-être bénéfique à ceux dont les antécédents dans ces domaines ont laissé apparaître des déficiences. Il ne vaut probablement pas la peine que des gens qui auraient reçu une éducation de niveau secondaire normale investissent beaucoup de temps ou d'argent dans des cours d'entraînement.

Méthode factorielle

D'autres psychologues mettent en doute l'existence d'une « intelligence générale ». Ils croient que les tests d'intelligence constituent un échantillon d'un certain nombre d'habiletés mentales relativement *indépendantes les unes des autres*. L'*analyse factorielle* est une méthode qui permet d'obtenir des informations plus précises sur les sortes d'habiletés responsables de la réussite aux tests d'intelligence. Il s'agit d'une technique mathématique employée pour identifier le nombre minimum d'habiletés, ou de *facteurs*, nécessaires pour rendre compte des relations (corrélations) observées entre les réponses données à un ensemble de tests différents. L'idée fondamentale est que 2 tests en corrélation très élevée l'un avec l'autre mesurent probablement la même habileté sous-jacente. L'analyse factorielle de données provenant d'un agencement de tests révèle le nombre des facteurs distinguables qui entrent dans la matrice de corrélation, ainsi que le poids (influence) relatif de chacun de ces facteurs. La méthode est trop complexe pour qu'on puisse la décrire en détail ici, mais le tableau 12-4 en donne un bref aperçu.

L'inventeur de l'analyse factorielle, Charles Spearman (1904), a émis l'hypothèse qu'il y aurait chez tous les individus un facteur général d'intelligence (appelé *g*) en quantités variables. On décrirait généralement les gens comme des esprits brillants ou des esprits lourds selon la quantité de *g* qu'ils posséderaient. D'après Spearman, le facteur *g* serait l'agent principal du suc-

TABLEAU 12-4
Méthode de l'analyse factorielle

Sur quelles données porte l'analyse factorielle et quelles sont les principales étapes de cette analyse? Les données sont tout simplement les scores obtenus à une variété de tests se proposant de mesurer divers contenus ou processus psychologiques. Chacun des membres d'un large groupe d'individus obtient un score pour chacun des divers tests. Tous ces scores peuvent alors être mis en corrélation les uns avec les autres (intercorrélations), ce qui veut dire que nous pouvons établir une relation entre les scores obtenus au test 1 par plusieurs individus et leurs scores au test 2 et ainsi de suite. Ces intercorrélations donnent une table de corrélations appelée *matrice de corrélation*. Voici un exemple d'une telle matrice, fondée sur 9 tests seulement.

TESTS	2	3	4	5	6	7	8	9
1	0,38	0,55	0,06	− 0,04	0,05	0,07	0,05	0,09
2		0,36	0,40	0,28	0,40	0,11	0,15	0,13
3			0,10	0,01	0,18	0,13	0,12	0,10
4				0,32	0,60	0,04	0,06	0,13
5					0,35	0,08	0,13	0,11
6						0,01	0,06	0,07
7							0,45	0,32
8								0,32

Les 3 groupes de corrélations **encadrés** indiquent que ces ensembles de tests ont quelque chose en commun que ne partagent pas les autres tests (c'est-à-dire qu'ils présentent de fortes corrélations). La non-pertinence du jugement fondé sur une table de corrélations de ce genre apparaît quand on prend note des corrélations élevées additionnelles qu'entretient le test 2 avec les tests 4, 5 et 6 et qui ne sont pas incluses dans les groupes encadrés. Nous pouvons avoir recours à l'analyse factorielle pour savoir plus précisément sur quoi s'appuient ces corrélations. Si la matrice de corrélation contient un nombre de corrélations statistiquement significatives et un nombre de corrélations se rapprochant de zéro, il est évident que certains tests mesurent des habiletés semblables d'un certain type, alors que d'autres tests mesurent des habiletés de types différents. L'analyse factorielle a pour but de donner des renseignements plus précis sur ces habiletés sous-jacentes.

cès aux items des tests d'intelligence. On trouverait, en outre, des facteurs spéciaux, appelés *s*, qui se rapporteraient directement à des habiletés ou à des tests particuliers. Un test d'arithmétique et un test de relation spatiale, par exemple, viseraient chacun des *s* distincts. Les résultats d'un individu aux tests d'intelligence refléteraient sa quantité de *g*, plus la valeur de ses divers facteurs *s*. Le rendement d'une personne en mathématiques serait une fonction de son intelligence générale et de ses aptitudes pour les mathématiques.

Un autre chercheur, Louis Thurstone (1938), s'est plus tard opposé à l'importance accordée par Spearman à l'intelligence générale. Selon Thurstone, l'intelligence pouvait se décomposer en un certain nombre d'habiletés primaires. Pour identifier ces habiletés, il appliqua l'analyse factorielle aux résultats d'un grand nombre de tests différents. Une partie des items de ces tests portait sur la compréhension verbale, une autre sur le calcul arithmétique, et ainsi de suite. Thurstone espérait trouver un moyen de regrouper les items des tests d'intelligence qui soit plus définitif que la méthode de classification d'items plutôt grossière utilisée dans les échelles verbales et non verbales de Wechsler.

Après avoir établi les intercorrélations des scores de tous ses tests (c'est-à-dire après avoir mis en corrélation chaque test avec chacun des autres), Thurstone a appliqué l'analyse factorielle pour obtenir un ensemble de facteurs fondamentaux. Les items qui étaient les plus représentatifs de chacun

En analyse factorielle, on utilise des méthodes mathématiques (assistées par des ordinateurs ultra-rapides) pour calculer la corrélation entre chacun des tests et chacun des facteurs sous-jacents possibles. De telles corrélations entre les scores de tests et les facteurs s'appellent *saturations de facteurs*; si un test donne une corrélation de 0,05 avec le facteur I, de 0,10 avec le facteur II et de 0,70 avec le facteur III, il est le plus fortement «saturé» avec le facteur III. Les 9 tests correspondant à la matrice de corrélations décrite **plus haut** donnent, par exemple, la *matrice de facteurs* qui apparaît **à gauche**.

	FACTEURS		
TESTS	I	II	III
1	0,75	− 0,01	0,08
2	0,44	0,48	0,16
3	0,72	0,07	0,15
4	0,08	0,76	0,08
5	− 0,01	0,49	− 0,01
6	0,16	0,73	0,02
7	− 0,03	0,04	0,64
8	0,02	0,05	0,66
9	− 0,01	0,10	0,47

Les saturations encadrées dans la matrice factorielle montrent quels sont les tests qui entretiennent les corrélations les plus fortes avec chacun des facteurs sous-jacents. Les groupes sont les mêmes que ceux que l'on trouve dans la matrice de corrélation, mais on leur donne ici une plus grande précision. Le problème du test 2 subsiste, car il est saturé presque également avec les facteurs I et II. Ce test n'est évidemment pas un test «pur» du point de vue des facteurs. Une fois identifiés, les 3 facteurs qui rendent compte des intercorrélations des 9 tests peuvent être interprétés en étudiant le contenu des tests les plus fortement saturés par rapport à chaque facteur. L'analyse factorielle proprement dite est un procédé strictement mathématique, mais la désignation et l'interprétation des facteurs repose sur une analyse psychologique.

des facteurs découverts furent utilisés pour former de nouveaux tests; on fit alors passer ces tests à un autre groupe de sujets et Thurstone analysa de nouveau les intercorrélations. Après un certain nombre d'études de ce type, il identifia 7 facteurs constituant les *habiletés primaires* révélées par les tests d'intelligence: signification verbale, fluidité verbale*, aptitude numérique, aptitude spatiale, mémoire, vitesse perceptive et raisonnement (voir les descriptions au tableau 12-5).

Thurstone conçut une batterie de tests pour mesurer chacune de ces habiletés; c'est le *Test of Primary Mental Abilities* (Test d'aptitudes mentales primaires). Des versions révisées de ce test sont encore utilisées un peu partout. Les capacités de prédiction de ce test ne sont toutefois pas meilleures que celles offertes par les tests d'intelligence générale, telles les échelles de Wechsler. L'espoir qu'entretenait Thurstone de découvrir, grâce à l'analyse factorielle, les éléments fondamentaux de l'intelligence, ne s'est pas complètement matérialisé pour diverses raisons. Les habiletés primaires ne sont pas tout à fait indépendantes les unes des autres; il existe des intercorrélations

* Piéron (1957) utilise les expressions richesse et mobilité verbale (pour fluidité verbale), habileté arithmétique (pour aptitude numérique), représentation spatiale (pour aptitude spatiale) et induction ou raisonnement (pour raisonnement). Nous avons préféré retenir ici la terminologie employée dans la traduction française de la batterie de Thurstone (Test d'aptitudes mentales primaires). (Note du traducteur)

significatives entre elles, ce qui rend plus plausible le concept d'un facteur d'intelligence générale proposé par Spearman. De plus, le nombre d'habiletés fondamentales identifiées par l'analyse factorielle dépend de la nature des items de tests choisis. D'autres chercheurs, utilisant des items de test différents et d'autres méthodes d'analyse factorielle, ont identifié de 20 à 150 facteurs qui représenteraient la gamme des habiletés intellectuelles (Ekstrom, French, Harman et Derman, 1976; Ekstrom, French et Harman, 1979; Guilford, 1982). Ce manque de constance dans le nombre et la nature des facteurs soulève des doutes quant à la validité de la *méthode factorielle*. L'analyse factorielle continue, néanmoins, d'être une technique des plus importantes pour l'étude du rendement intellectuel (Cronbach, 1984).

Méthode du traitement de l'information

Jusqu'aux années 1960, c'est la méthode factorielle qui dominait dans la recherche sur l'intelligence. Toutefois, avec le développement marqué de la psychologie cognitive et l'insistance de cette dernière sur les *modèles de traitement de l'information* (p. 9), une nouvelle méthode est apparue. Les divers chercheurs donnent des définitions quelque peu différentes de cette méthode, mais on peut dire que fondamentalement, elle consiste dans une tentative de comprendre l'intelligence en fonction des processus cognitifs mis en cause dans des activités intellectuelles (Hunt, 1985). Plus précisément, la méthode du traitement de l'information s'interroge sur:

1. Les processus mentaux qui interviennent dans les divers tests d'intelligence.
2. La rapidité et l'exactitude de ces procédés.
3. Les types de représentations mentales sur lesquels ces procédés agissent.

Au lieu de tenter d'expliquer l'intelligence en termes de facteurs, cette méthode s'efforce d'identifier les processus mentaux responsables du comportement intelligent. La méthode du traitement de l'information part du postulat que les différences individuelles relatives à une tâche donnée dépendent des processus particuliers auxquels les différents individus font appel et de la vitesse et de l'exactitude de ces processus. L'objectif est d'utiliser un modèle de trai-

TABLEAU 12-5
Habiletés mentales primaires de Thurstone *Procédant par analyse factorielle, Thurstone a identifié 7 facteurs constituant les habiletés mentales primaires révélées par les tests d'intelligence. (D'après Thurstone et Thurstone, 1963)*

APTITUDE	DESCRIPTION
Signification verbale	La capacité de comprendre la signification des mots; les tests de vocabulaire représentent ce facteur.
Fluidité verbale	La capacité de trouver les mots rapidement, comme dans la solution d'anagrammes ou la découverte de rimes.
Aptitude numérique	La capacité de manipuler les chiffres et de faire des calculs.
Aptitude spatiale	La capacité de se représenter visuellement les relations espace-forme (par exemple, reconnaître la même figure présentée sous des angles différents).
Mémoire	La capacité de se rappeler des stimuli verbaux, comme des couples de mots ou des phrases.
Vitesse perceptive	La capacité de saisir les détails visuels rapidement et de déceler les ressemblances et les différences entre des objets présentés sur images.
Raisonnement	La capacité de découvrir une règle générale d'après des cas qu'on présente (trouver le principe derrière une série de chiffres après n'avoir observé qu'une partie de la série).

tement de l'information propre à une tâche particulière pour identifier des outils appropriés permettant de mesurer les processus qui la composent. Ces mesures peuvent être aussi simples que la réponse à un item à choix multiples ou elles peuvent comprendre la vitesse de réponse du sujet, peut-être même les mouvements oculaires et les potentiels évoqués qui accompagnent la réponse. En principe, on utilise toute information nécessaire, quelle qu'elle soit, pour évaluer l'efficacité de chaque processus qui entre dans la tâche.

Les travaux de Sternberg et son *modèle à composantes* de l'intelligence peuvent servir à illustrer la méthode du traitement de l'information. Sternberg postule que celui qui passe un test possède des processus mentaux, qu'il appelle *composantes*, lesquels opèrent de façon organisée pour produire les réponses qu'on recueille quand on administre un test d'intelligence. Il existe un grand nombre de composantes qu'on classe dans les 5 catégories du tableau 12-6. Sternberg choisit une tâche particulière dans un test d'intelligence et l'utilise dans une série d'expériences pour essayer d'identifer les composantes en jeu dans la tâche. Considérons, par exemple, les tests d'analogie du genre suivant:

avocat: client:: docteur: (médecine, patient)

Une série d'expériences sur des problèmes d'analogie ont amené Sternberg à conclure que les composantes essentielles étaient le *processus de codage* et le *processus de comparaison*. Le sujet donne un code à chacun des mots de l'analogie en se formant une représentation mentale du mot — dans le cas présent, une liste d'attributs du mot qui sont repêchés de la mémoire à long terme. Par exemple, une représentation mentale du mot « avocat » pourrait comprendre les attributs suivants: formation universitaire, versé dans les procédures légales, représente des clients en cour, etc. Une fois que le sujet s'est formé une représentation mentale de chacun des mots de l'analogie, le processus de comparaison parcourt les représentations à la recherche d'attributs appareillés qui résolvent l'analogie.

Les problèmes d'analogie font intervenir d'autres processus, mais Sternberg a montré que les différences individuelles dans cette tâche doivent être principalement attribuées à l'efficacité des processus de codage et de comparaison. Les données expérimentales démontrent que les individus qui obtiennent des scores élevés dans les problèmes d'analogie (les bons sujets) consacrent plus de temps au codage et se forment des représentations mentales plus précises que les individus qui obtiennent des scores inférieurs (les sujets médiocres). Par contre, alors que les bons sujets sont plus rapides que les autres dans l'appariement des attributs, les deux types de sujets arrivent à la *même précision* dans cet appariement. Par conséquent, les meilleurs scores obtenus par les bons sujets à ces tests sont attribuables à l'efficacité

COMPOSANTES	PROCESSUS
Métacomposantes	Processus de contrôle d'ordre supérieur utilisés pour la planification de l'action et la prise de décisions dans la résolution de problèmes.
Composantes d'action	Processus qui exécutent les projets et qui traduisent en actes les décisions choisies par les métacomposantes.
Composantes d'acquisition	Processus qui interviennent dans l'apprentissage de nouvelles informations.
Composantes de rétention	Processus en jeu dans le repêchage de l'information déjà emmagasinée dans la mémoire.
Composantes de transfert	Processus en jeu dans la transposition, d'une situation à une autre, de l'information retenue.

**TABLEAU 12-6
Composantes de l'intelligence** *Schéma utilisé par Sternberg pour la classification des nombreux processus-composantes qui interviennent dans la résolution de problèmes. (D'après Sternberg, 1985)*

accrue de leurs processus de codage, mais le temps qu'ils passent à résoudre le problème est un mélange compliqué de lenteur de codage et de comparaisons rapides (Pellegrino, 1985).

La méthode factorielle et la méthode du traitement de l'information fournissent des interprétations complémentaires du rendement aux tests d'intelligence. Les facteurs comme les habiletés mentales primaires de Thurstone sont utiles pour l'identification de vastes régions de forces et de faiblesses. Ils peuvent indiquer qu'une personne est forte sur le plan de la fluidité verbale et de la signification verbale, mais faible sur le plan du raisonnement. Si on donnait des tests additionnels, une analyse de traitement de l'information pourrait fournir un profil diagnostique des processus responsables de la faiblesse observée. Une analyse des processus pourrait révéler une déficience au niveau des métacomposantes (le choix des stratégies utilisées pour s'attaquer au problème, par exemple), ou des composantes de rétention (comme le rappel lent ou inexact de l'information pertinente), ou des composantes de transfert (comme une capacité médiocre de transposer d'une situation à une autre ce qui a été appris).

Aspects de l'intelligence

S'efforçant de généraliser sa méthode, Sternberg (1985) soutient qu'une théorie globale de l'intelligence devrait faire intervenir un ensemble beaucoup plus grand de composantes que celles qui ont été identifiées jusqu'à maintenant par les psychologues travaillant dans le milieu restreint d'un laboratoire ou d'une situation de test typique. Il soutient que cet ensemble élargi de composantes entretiendrait des relations non seulement avec l'« intelligence scolaire » mais aussi avec l'« intelligence pratique »; elles seraient organisées et opéreraient en groupes qui pourraient porter à peu près les étiquettes suivantes :

1. Capacité d'apprendre et de tirer profit de l'expérience.
2. Capacité de penser ou de raisonner de façon abstraite.
3. Capacité de s'adapter aux caprices d'un monde en changement et plein d'incertitudes.
4. Capacité de se motiver à accomplir de façon expéditive les tâches qu'on doit accomplir.

Les psychologues — qu'ils adoptent dans leur travail la méthode factorielle ou la méthode de traitement de l'information — se diraient généralement d'accord avec cette liste. La plupart des tests d'intelligence en usage aujourd'hui sont assez efficaces dans l'évaluation des deux premières capacités, mais leur valeur est minimale pour l'évaluation des deux dernières. C'est sans doute ce qui explique que les tests d'intelligence traditionnels s'avèrent très efficaces dans la prédicton du rendement scolaire, mais beaucoup moins valables dans la prédiction du succès personnel en dehors des cadres du milieu de l'éducation. Notre capacité de mesurer l'intelligence au moyen du type de tests qui ont cours aujourd'hui a probablement atteint un plafond. Il faudra inventer de nouvelles méthodes qui permettraient d'évaluer plus exactement la motivation et la capacité de résoudre les problèmes pragmatiques, si l'on veut accroître le pouvoir de prédiction des tests d'intelligence. Ces nouvelles méthodes vont probablement exiger une situation de test comportant plus d'interaction que celle qui caractérise les tests sur papier, crayon en main. Il se peut que les tests pilotés par ordinateur apportent la souplesse et la richesse d'interaction requises; des travaux de recherches sont présentement engagés dans cette voie.

INFLUENCES DE L'HÉRÉDITÉ ET DU MILIEU

Tout le monde n'a pas les mêmes aptitudes intellectuelles. Quelle part de ces différences individuelles faut-il attribuer aux gènes particuliers qui constituent notre héritage et quelle part tient du milieu dans lequel on a été élevé?

La controverse milieu-hérédité au sujet de plusieurs aspects de la conduite humaine a été très souvent soulevée en rapport avec l'intelligence. La plupart des experts s'entendent pour admettre qu'au moins certains aspects de l'intelligence sont héréditaires, mais les opinions diffèrent quant à l'importance de la contribution du milieu par rapport à celle de l'hérédité.

Parenté génétique et intelligence

La plupart des faits utilisés pour soutenir la thèse de l'hérédité de l'intelligence proviennent d'études mettant en corrélation les QI d'individus qui sont, à divers degrés, génétiquement parents. Le tableau 12-7 présente un résumé des résultats obtenus dans plus de 100 recherches de ce genre. En général, plus les liens de parenté génétique sont étroits, plus l'intelligence mesurée par les tests est de même niveau. La corrélation moyenne entre les QI des parents et ceux de leurs enfants naturels est de 0,40 ; entre ceux des parents et ceux de leurs enfants adoptifs, la corrélation est de 0,31 environ. Parce qu'ils proviennent d'un même œuf, les jumeaux identiques (vrais jumeaux) ont exactement la même hérédité ; la corrélation entre leurs QI est très forte, soit 0,86 environ. Les QI des jumeaux fraternels (ou faux jumeaux, qui ne se ressemblent pas plus génétiquement que frères et sœurs d'une même famille, puisqu'ils sont issus d'œufs distincts) présentent des corrélations de l'ordre de 0,60.

Malgré la forte influence des facteurs génétiques sur l'intelligence, les résultats présentés dans le tableau 12-7 montrent que le milieu a aussi son importance. Notons que lorsque les frères et sœurs sont élevés ensemble — dans le même milieu familial — la ressemblance entre les QI est plus forte. D'autres études indiquent que la capacité intellectuelle des enfants adoptifs est plus élevée qu'on l'aurait prévu en se fondant sur les habiletés de leurs parents naturels (voir Scarr et Weinberg, 1976). Le milieu exerce vraiment une influence sur l'intelligence.

D'après des données comme celles du tableau 12-7, il est possible d'évaluer la proportion de la variabilité des scores à un test attribuable au milieu et celle qui est attribuable à l'hérédité. Plusieurs méthodes peuvent servir à faire ces estimations ; la plus courante consiste à comparer la variabilité des jumeaux identiques et des jumeaux fraternels par rapport à un trait donné. Pour faire cette comparaison, on fait une estimation de deux quantités : 1) la variabilité totale attribuable tant au milieu qu'à l'hérédité, (V_t), l'estimation étant fondée sur les différences observées entre couples de jumeaux fraternels, et 2) la variabilité de l'environnement prise séparément, (V_e), fondée sur les différences entre couples de jumeaux identiques. La différence entre ces deux quantités, (V_g), constitue la variabilité attribuable aux facteurs génétiques, c'est-à-dire $V_t = V_e + V_g$. Le rapport d'« héritabilité », ou tout simplement la *part héréditaire* (H), est le rapport entre la variabilité génétique et la variabilité totale.

$$H \text{ (Part héréditaire)} = \frac{V_g}{V_t}$$

PARENTÉ	CORRÉLATION
Jumeaux identiques	
Élevés ensemble	0,86
Élevés séparément	0,72
Jumeaux fraternels	
Élevés ensemble	0,60
Frères et sœurs	
non jumeaux	
Élevés ensemble	0,47
Élevés séparément	0,24
Parents/enfants	0,40
Parents adoptifs/enfants	0,31
Cousins	0,15

TABLEAU 12-7
Études familiales de l'intelligence *Données sommaires de 111 études recensées dans une enquête sur la documentation mondiale ayant trait aux ressemblances familiales par rapport aux mesures de l'intelligence. Les chiffres représentent les coefficients de corrélation moyens des scores de QI entre individus présentant divers degrés de parenté. En général, l'allure des corrélations indique que plus la proportion de gènes communs à deux membres d'une famille est grande, plus la corrélation moyenne entre leurs QI est forte. (D'après Bouchard et McGue, 1981)*

En d'autres mots, la part héréditaire est le taux de variation d'un trait attribuable à des différences génétiques au sein d'une population donnée. La part héréditaire se situe entre 0 et 1. Lorsque les jumeaux identiques se ressemblent beaucoup plus que les jumeaux fraternels par rapport à un trait donné, H se rapproche de 1. Lorsque la similitude entre jumeaux identiques est à peu près la même qu'entre jumeaux fraternels, H est alors près de 0.

Il existe un certain nombre de façons de faire une estimation de H sans comparer des jumeaux identiques à des jumeaux fraternels. La théorie qui nous permet d'arriver à de telles estimations est trop longue à exposer pour qu'on la présente ici, mais elle figure dans la plupart des manuels de génétique. Aux fins de notre exposé, il suffit de dire que H mesure, dans une popu-

ANALYSE CRITIQUE

Théorie des intelligences multiples

Howard Gardner (1983) propose une façon d'aborder l'étude de l'intelligence qui ressemble, en bien des points, à la méthode factorielle et à la méthode du traitement de l'information. Néanmoins, sa méthode comporte tellement de caractéristiques uniques qu'elle mérite une considération toute particulière.

Selon Gardner, il n'y a pas d'intelligence unitaire; il existe plutôt au moins 6 sortes d'intelligences distinctes, indépendantes les unes des autres, chacune agissant comme un sytème (ou module) séparé dans le cerveau, suivant ses propres règles. Les 6 intelligences sont:

1. Linguistique
2. Logique-mathématique
3. Spatiale
4. Musicale
5. Somato-kinesthésique
6. Personnelle

Les 3 premières sont des composantes familières de l'intelligence et la description que Gardner en donne est semblable à ce que d'autres théoriciens ont proposé; il s'agit de ce que les tests d'intelligence standard mesurent. Les 3 dernières sont étonnantes et peuvent même paraître frivoles dans une discussion sur l'intelligence, mais Gardner croit qu'elles méritent un rang comparable aux 3 premières. Il soutient que l'intelligence musicale, par exemple, a eu une plus grande importance que l'intelligence logico-mathématique dans le cours de l'histoire humaine. Le développement de la pensée logique scientifique est arrivé tardivement dans l'évolution de l'espèce humaine (c'est une invention de la culture occidentale dans la foulée de la Renaissance); les habiletés musicales et artistiques, par contre, nous accompagnent depuis l'aube de la civilisation.

L'intelligence musicale comprend la capacité de percevoir la hauteur tonale et le rythme et se trouve à la base du développement de la compétence musicale. L'intelligence somato-kinesthésique se rapporte au contrôle des mouvements de notre corps et à la capacité de manipuler et de manier les objets avec adresse: on en trouve des exemples chez les danseurs et les gymnastes, qui acquièrent un contrôle précis des mouvements de leur corps, ou chez les artisans, les joueurs de tennis et les neurochirurgiens qui sont capables de manier les objets avec précision.

L'intelligence personnelle a 2 composantes qu'on peut considérer comme distinctes, à savoir l'intelligence intrapersonnelle et l'intelligence interpersonnelle. L'intelligence intrapersonnelle est la capacité de contrôler l'évolution de ses propres sentiments et émotions, de les distinguer les uns des autres et d'utiliser cette information pour orienter son action. L'intelligence interpersonnelle, par ailleurs, est la capacité d'appréhender et de comprendre les besoins et les intentions d'autres individus et de suivre l'évolution de leur humeur et de leur tempérament, ce qui permet de prévoir comment ils vont se comporter dans des situations nouvelles.

Gardner analyse chacune des sortes d'intelligence de plusieurs points de vue:

---

lation donnée, la fraction de la variance observée attribuable à des différences d'hérédité. Il est important de noter que H se réfère à une *population d'individus* et non pas à un seul individu. La taille, par exemple, a un H de 0,90, ce qui signifie que 90 % de la variance relative à la taille observable dans une population doit être attribuée à des différences génétiques et 10 % à des différences de milieu. (Ceci ne veut pas dire que l'individu qui fait 1 m 75 a grandi de 1 m 57 grâce à des facteurs génétiques et qu'il doit les 18 cm restants à l'environnement.) Quand on traite d'intelligence, on utilise souvent H à tort pour désigner la fraction de l'intelligence de l'individu qui serait attribuable à l'hérédité; une telle utilisation de ce terme n'est pas justifiée.

Les estimations du caractère héréditaire de l'intelligence ont varié grandement d'une étude à l'autre. Des chercheurs ont donné des valeurs aussi grandes que 0,87; d'autres, des valeurs aussi faibles que 0,10. Pour les données présentées au tableau 12-7, l'estimation de H est de 0,74. Cette forte variabilité des estimations du caractère héréditaire laisse soupçonner que les résultats des recherches sont influencés par un bon nombre de variables incontrôlables et imprévisibles. On ne doit pas oublier que la recherche sur la nature héréditaire des traits est fondée sur des études sur le terrain et non sur des expériences bien contrôlées en laboratoire; on observe les cas individuels là où on les trouve. Les études sur le terrain sont toujours assujetties à l'influence de variables incontrôlables et sont particulièrement suspectes quand divers chercheurs arrivent à des conclusions bien différentes (Teasdale et Owen, 1984).

les opérations cognitives en cause, l'apparition de prodiges et d'autres individus exceptionnels, les preuves découlant de cas de lésions cérébrales, les manifestations dans différents milieux culturels et le cours possible du développement attribuable à l'évolution.

Pour raisons d'hérédité ou d'entraînement, des individus particuliers développent certaines intelligences plus que d'autres, mais toute personne normale devrait développer chacune d'elles jusqu'à un certain degré. Les intelligences entrent en interaction et s'appuient les unes sur les autres, mais fonctionnent quand même comme des systèmes semi-autonomes. Chaque intelligence est un «module encapsulé» dans le cerveau, agissant selon ses propres règles et procédures; certains types de lésions cérébrales peuvent affecter un type d'intelligence sans avoir d'effets sur les autres. Gardner n'est pas le premier à défendre la nature modulaire des différentes fonctions mentales, mais la plupart des théoriciens qui partagent cette conviction tiennent toujours pour acquis que les activités des divers modules sont coordonnées par un processus de contrôle central (ou routine exécutive). Gardner croit, toutefois, que l'on peut expliquer le comportement sans postuler l'existence d'un processus de contrôle exécutif.

Les sociétés occidentales ont une haute opinion des 3 premiers types d'intelligence, qui correspondent à ce que les tests d'intelligence standard mesurent. Mais les faits de l'histoire et de l'anthropologie indiquent que d'autres intelligences ont été tenues en plus haute estime durant les premières périodes de l'histoire humaine et qu'il en est de même encore aujourd'hui, dans certaines sociétés culturelles non occidentales. D'ailleurs, les activités auxquelles un milieu culturel attache de l'importance exercent une influence sur le mode de développement d'une intelligence donnée: par exemple, un garçon doué d'une intelligence somato-kinesthésique exceptionnelle pourra devenir un joueur de baseball aux États-Unis ou un danseur de ballet en Union Soviétique.

Les idées de Gardner sur les intelligences personnelle, musicale et somato-kinesthésique sont séduisantes et vont sans doute donner naissance à de nouveaux efforts pour mesurer ces habiletés et les utiliser pour arriver à la prédiction d'autres variables. Comme nous l'avons déjà fait remarquer, les tests de QI traditionnels sont bons pour prédire les notes qui seront obtenues au collège, mais ils ne sont pas particulièrement utiles plus tard dans la vie comme indices du succès au travail ou de progression dans la carrière. Il est possible que d'autres mesures d'autres aptitudes, comme l'intelligence personnelle, contribuent à expliquer pourquoi des individus qui ont de brillants dossiers universitaires échouent lamentablement plus tard dans la vie, alors que des étudiants plus faibles deviennent des leaders charismatiques. Peu importe le jugement qu'on porte sur les travaux de Gardner, il présente un plaidoyer convaincant à l'effet que l'intelligence ne recouvre pas que des habiletés verbales et mathématiques et que la société tirerait un meilleur parti d'une conception plus large de ce que nous appelons l'intelligence.

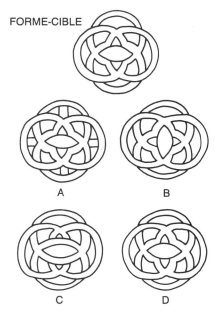

FORME-CIBLE

A   B

C   D

Aptitudes spatiales *La vitesse à laquelle on peut apparier des patterns est un indice d'intelligence spatiale. Dans cet étalage de quatre patterns, trouvez celui qui est identique à la forme-cible. (D'après Gardner, 1983)*

Autre fait qui vient compliquer la situation davantage: il est possible que les postulats sur lesquels repose l'évaluation de la nature héréditaire des traits ne soient pas toujours justes. Dans la recherche sur les jumeaux, par exemple, on postule que les jumeaux élevés ensemble connaissent à peu près le même environnement, qu'ils soient des jumeaux fraternels ou identiques. Mais il se peut qu'il en soit tout autrement. Les jumeaux identiques se ressemblent plus que les jumeaux fraternels et ce fait, à lui seul, peut amener les parents et les proches à les traiter de façon plus semblable que s'il s'agissait de jumeaux fraternels (par exemple, on est plus enclin à faire porter les mêmes vêtements à des jumeaux identiques qu'à des jumeaux fraternels).

En l'absence d'études mieux contrôlées, il est impossible d'arriver à une estimation fiable du caractère héréditaire des traits. Il est évident que l'hérédité exerce une influence sur l'intelligence, mais le degré exact de cet effet reste incertain. Il est probablement moins grand que certains chercheurs l'ont prétendu (voir Jensen, 1980) mais il n'est pas complètement absent, comme certaines critiques de ces recherches ont voulu le faire croire (Kamin, 1976). L'habileté intellectuelle dépend fort probablement d'un certain nombre de gènes dont les effets individuels sont légers, mais cumulatifs. S'il n'y avait que 5 à 10 paires de gènes en cause, les combinaisons possibles donneraient une distribution normale de scores de QI et ouvriraient la porte à une grande variabilité de capacités intellectuelles, même au sein d'une seule famille; il ne serait pas rare de voir les rejetons de parents à fort QI avoir des QI faibles et inversement (Bouchard, 1976).

ANALYSE CRITIQUE

Race et intelligence

Le débat sur la contribution des facteurs génétiques de l'intelligence a porté principalement sur l'existence possible de différences héréditaires entre races sur le plan de l'intelligence — particulièrement sur la question de savoir si les Noirs seraient, de façon innée, moins intelligents que les Blancs. Étant donné la controverse acerbe soulevée par ce débat et son impact sur les politiques sociales, il est important d'examiner avec soin les données dont nous disposons.

Aux tests ordinaires d'intelligence, les Américains de race noire obtiennent, dans l'ensemble, des scores de QI de 10 à 15 points inférieurs à ceux des Blancs. Ce fait est admis; la controverse porte sur l'interprétation de cette différence. Certains spécialistes des sciences du comportement et certains généticiens croient que les deux groupes sont différents sur le plan des aptitudes innées (voir Jensen, 1980). D'autres prétendent que les différences entre Blancs et Noirs quant au QI moyen sont entièrement attribuables aux différences entre les environnements des deux groupes (voir Kamin, 1976). Plusieurs croient que les différences génétiques et les différences de milieu se confondent tellement qu'il n'est pas possible pour le moment de résoudre cette question (Loehlin, Lindzey et Spuhler, 1975). Les points en cause sont extrêmement complexes; nous ne pouvons ici que présenter un résumé des principaux points de vue.

1. Malgré leur apparence physique différente, les Blancs et les Noirs ne représentent pas des groupements biologiques distincts. En réalité, les différences connues dans la structure des gènes sont, dans la plupart des cas, plus marquées *à l'intérieur* d'une même race qu'entre deux races.

2. La part héréditaire est une donnée statistique qui ne s'applique qu'aux populations (comme la mortalité infantile, ou le taux des naissances); elle dépend de la variation génétique et de la variation du milieu chez un groupe déterminé d'individus à un moment donné. Ainsi, même si les estimations de la part héréditaire établies d'après des populations de Blancs indiquent que les variations de QI sont en partie fonction de l'hérédité, ces estimations ne nous autorisent pas à extrapoler quant aux rapports de la part héréditaire au sein de populations de race noire. En outre, les estimations de la part héréditaire ne nous apprennent rien sur les différences *entre* populations. Il se pourrait que le caractère héréditaire d'un trait soit le même chez 2 groupes, alors que les différences entres ces groupes seraient entièrement causées par l'environnement. Supposons, par exemple, que la part héréditaire de la taille est la même chez 2 populations, A et B. Si les membres de la population A sont élevés sous un régime de famine, ils seront plus courts, en moyenne, que ceux de la population B. Les variations dans la taille des adultes au sein de chaque groupe pourraient quand

Influences du milieu

Nous pouvons concevoir que les gènes d'un individu imposent une limite supérieure et une limite inférieure à son intelligence — c'est-à-dire qu'ils déterminent l'étendue de la variation des capacités intellectuelles. Les influences du milieu — ce qui arrive à l'individu au cours de son développement — vont déterminer à quel niveau le QI de l'individu va s'établir sur cette étendue. Autrement dit, les gènes ne déterminent pas le comportement particulier, mais ils définissent plutôt une étendue des réactions probables face à l'environnement — *l'étendue (ou le champ) des variations*. La figure 12-6 illustre ce point; elle montre les étendues hypothétiques des réactions des QI d'individus possédant différentes possibilités génétiques et élevés dans des environnements appauvris, moyens et enrichis. Dans chaque cas, la présence d'un environnement enrichi élève le score de QI de l'individu et celle d'un environnement appauvri l'abaisse. Mais chaque type d'individus possède son propre champ de réactions; les personnes qui détiennent les capacités génétiques d'une intelligence moyenne ou supérieure ont, dans des conditions normales (courbes C et D), des champs de réactions beaucoup plus étendus que les individus qui accusent un retard (courbe B) ou qui sont déficients (courbe A) sur le plan intellectuel. Celui qui jouit des possibilités supérieures (D) est, semble-t-il, le mieux en mesure d'utiliser un environnement enrichi; par contre, il subirait la plus forte baisse de QI dans des conditons d'environnement appauvri. Plusieurs études portent à croire, en effet, que

même être influencées par l'hérédité (c'est-à-dire que les individus mal nourris issus de parents de grande taille seront plus grands que les individus mal nourris dont les parents sont petits); mais la différence entre les tailles moyennes des 2 groupes est clairement le résultat de l'environnement. Bref, les estimations de la part héréditaire ne nous permettent pas de tirer de conclusion sur les différences entre populations (Mackenzie, 1984).

3. On trouve, parmi les populations de race noire, une certaine tendance vers une corrélation positive entre la pâleur de la peau (probablement un indice du niveau de métissage avec les Blancs) et le QI. Mais ces corrélations sont très faibles (de l'ordre de 0,15) et elles peuvent s'expliquer d'après des différences existant dans le milieu — une couleur de peau plus pâle entraînerait une discrimination moins forte et de meilleures chances de réussir.

4. Une étude portant sur des enfants illégitimes engendrés par des soldats de l'armée américaine pendant l'occupation de l'Allemagne après la Seconde Guerre mondiale, n'a pas révélé de différences notables dans la moyenne des QI entre les enfants dont les pères étaient blancs et ceux dont les pères étaient noirs. Comme ces enfants ont tous été élevés par des mères allemandes de même statut social, et comme ils ont été placés dans les mêmes classes que les enfants du même âge à l'école, on peut dire que les résultats de cette étude confirment l'opinion à l'effet que l'environnement est le principal facteur déterminant des différences de QI entre les races (Eyferth, Brandt et Wolfgang, 1960).

5. Lorsque les enfants noirs ou les enfants métissés (dont l'un des parents est noir) sont adoptés avant l'âge d'un an et élevés par des familles de blancs dont les revenus et l'éducation se situent au-dessus de la moyenne, ils obtiennent un QI de plus de 15 points supérieur à celui des enfants noirs issus de milieux défavorisés et élevés dans leur famille naturelle. Les résultats qu'obtiennent aux tests de rendement scolaire les enfants adoptés sont légèrement supérieurs aux normes nationales (Scarr et Weinberg, 1976).

6. Les données obtenues aux États-Unis par l'Office d'évaluation nationale du progrès de l'éducation (National Assessment of Educational Progress) et par le Bureau des examinateurs pour l'admission au collège (College Entrance Examination Board) démontrent que les différences entre les taux de succès des étudiants noirs et des étudiants blancs ont connu une réduction constante au cours des 20 dernières années. Ces réductions se manifestent dans les tests de rendement en lecture et en mathématiques et s'appliquent à tous les niveaux de la première à la douzième année d'études; le SAT donne aussi les mêmes résultats. La persistance de cette tendance permet de supposer que des réductions dans les différences entre Blancs et Noirs se manifesteront encore dans les années à venir (Jones, 1984). Les changements sociaux qui touchent les Noirs ont été considérables au cours des 20 dernières années; on est en droit de s'attendre que des changements aussi profonds suscitent de plus grandes aspirations chez les jeunes Noirs et leur donnent des preuves que la réussite scolaire ajoute à leurs chances de succès dans leurs carrières. L'amélioration des niveaux de réussite des Noirs au cours des années récentes vient appuyer cette hypothèse.

Nous croyons pour notre part qu'il n'est pas possible de tirer, d'après les faits dont nous disposons, de conclusions valables au sujet des différences raciales innées sur le plan de l'intelligence. Les différences culturelles et environnementales entre Noirs et Blancs influencent de façon complexe le développement des capacités cognitives et aucune étude n'a réussi à évaluer ni à éliminer ces effets. Tant qu'il y aura des différences systématiques dans la façon dont les enfants blancs et les enfants noirs sont élevés (et tant que les effets de ces différences ne pourront être évalués de façon sûre), il ne sera pas possible de tirer des conclusions valables sur les différences innées entre les races sur le plan de l'intelligence.

---

c'est sur les enfants dont les aptitudes se situent au-dessus de la moyenne qu'un milieu hostile exerce les effets les plus marqués (Weisman, 1966; Scarr-Salapatek, 1971; Scarr, 1981).

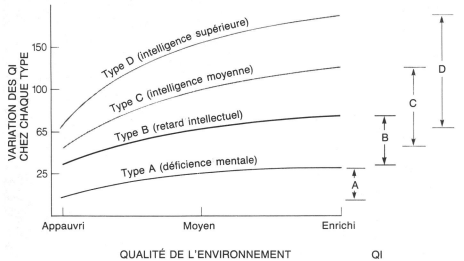

FIGURE 12-6
Effets de différents environnements sur le QI *Les courbes représentent l'étendue hypothétique des variations de réactions de 4 individus qui ont hérité de capacités intellectuelles différentes. L'individu dit de type D a, par exemple, un QI d'environ 65 s'il est élevé dans un environnement appauvri, mais son QI est supérieur à 180 s'il est élevé dans un environnement enrichi au maximum. Les flèches verticales à droite indiquent l'étendue des scores de QI possibles pour chaque type. (D'après Gottesman, 1963)*

Parmi les conditions du milieu qui déterminent la façon dont les capacités intellectuelles d'un individu vont s'épanouir, citons la nutrition, la santé, la qualité des stimuli, le climat affectif au foyer et le type de rétroaction découlant de la conduite. Si on compare 2 enfants dotés des mêmes gènes, celui qui aura bénéficié de la meilleure alimentation prénatale et postnatale, du milieu familial offrant le plus de stimulation sur le plan intellectuel et le plus de sécurité sur le plan affectif, et des récompenses les plus pertinentes pour ses réussites sur le plan scolaire, obtiendra le score de QI le plus élevé quand on l'évaluera en première année du cours primaire. Des études ont montré que les différences de QI entre enfants de niveaux socio-économiques inférieur et supérieur s'accentuent de plus en plus entre le moment de la naissance et celui de l'admission à l'école. Ce qui permet de supposer que les conditions de l'environnement accentuent toute différence d'intelligence présente à la naissance (Bayley, 1970).

UNE LONGUEUR D'AVANCE AU DÉPART   Parce que les enfants issus de familles de milieux défavorisés ont tendance à tirer de l'arrière sur le plan du développement cognitif même avant leur arrivée à l'école, on s'est efforcé de leur fournir plus de stimulation intellectuelle durant leur petite enfance. En 1965, dans le cadre de la « guerre à la pauvreté » menée par le président Johnson, le Congrès des États-Unis a voté les crédits nécessaires à la réalisation d'un certain nombre de programmes sociaux visant à fournir des expériences d'apprentissage à des enfants de 2 à 5 ans issus de foyers pauvres. Ces programmes, réunis sous le nom de Project Head Start (Partir en avance), prenaient des formes variées. Ainsi, dans le cadre de certains programmes, des éducateurs spécialisés rendaient visite plusieurs fois par semaine aux enfants dans leur foyer pour jouer avec eux. Ils incitaient les enfants à participer à des activités comme construire des choses avec des cubes, regarder des images, nommer les couleurs, et ils leur enseignaient des notions comme « gros-petit » et « rude-lisse ». En fait, ces éducateurs donnaient aux enfants le type de stimulations que reçoivent habituellement de leurs parents les enfants issus de foyers de niveau économique supérieur. Ils enseignaient aussi aux parents à entraîner leurs enfants dans le même genre d'activités. Dans le cadre d'autres programmes, les enfants se rendaient dans des classes spéciales où, mis en interaction avec des éducateurs, ils se livraient au même genre d'activités de jeu et d'apprentissage; certains de ces programmes mettaient les parents à contribution, d'autres pas.

Les programmes Head Start donnent aux enfants d'âge préscolaire l'occasion de se préparer pour l'école primaire en leur procurant une stimulation intellectuelle accrue.

Les résultats de ces programmes d'éducation précoce se sont révélés prometteurs en général. Les enfants qui y ont participé obtiennent des scores plus élevés au Stanford-Binet et au WISC au moment d'entrer à l'école que les enfants qui n'ont pas reçu d'attention particulière; ils ont également tendance à faire preuve de plus de confiance en eux-mêmes et à mieux fonctionner sur le plan social.

Des contrôles ultérieurs indiquent que certains des gains obtenus grâce à des programmes d'éducation précoce sont durables. C'est ainsi que dans le cadre de plusieurs études, on a suivi jusqu'à la fin des études secondaires le cheminement d'enfants de milieux défavorisés qui avaient participé à des programmes préscolaires spéciaux à l'âge de 3 ans. À 15 ans, ces enfants étaient dans des classes qui dépassaient de plus d'une année complète celles où se trouvait un groupe de contrôle équivalent d'élèves qui n'avaient pas suivi de programme préscolaire. En outre, quand on les compare aux étudiants du groupe de contrôle, ceux qui ont bénéficié de cette expérience préscolaire 1) ont des scores plus élevés aux tests de lecture, d'arithmétique et d'usage du langage, 2) sont moins susceptibles d'avoir besoin de classes correctives spéciales, 3) manifestent moins de comportements asociaux et 4) ont plus de chances de garder un emploi après leurs études (Hohmann, Banet et Weikart, 1979; Palmer et Anderson, 1979; Lazar et Darlington, 1982; Zigler et Berman, 1983).

Les programmes Head Start ont démontré qu'une stimulation intellectuelle précoce peut avoir des influences significatives sur le rendement scolaire ultérieur. Mais la nature des méthodes utilisées semble avoir moins d'importance que la participation des parents. Les programmes qui ont recours à la collaboration active des parents — en les intéressant à l'évolution de leurs enfants et en leur apprenant comment créer un environnement plus stimulant — ont tendance à donner de meilleurs résultats.

L'étude d'enfants israéliens vivant dans des kibboutzs démontre l'existence d'influences du milieu sur le rendement intellectuel de façon encore plus spectaculaire que le Projet Head Start. Depuis un certain temps, Israël doit faire face au problème de la disparité d'antécédents intellectuels et éducationnels parmi les Juifs issus de diverses milieux culturels. Les capacités intellectuelles moyennes des Juifs de lignées européennes sont, en général, considérablement plus grandes que celles des Juifs issus de pays arabes. La différence moyenne de QI entre ces 2 groupes est au moins aussi importante que la différence moyenne de QI entre Blancs et Noirs aux États-Unis. Par contre, les enfants israéliens élevés dans certains types de kibboutzs échappent à cette règle; ils ne logent pas avec leurs parents, vivant plutôt dans une maison pour enfants sous les soins de femmes qui ont reçu une formation spéciale en puériculture. Dans de telles conditions, les scores de QI des enfants ont tendance à ne pas montrer de relation avec le pays d'origine des parents. Les enfants dont les parents proviennent de pays arabes ont des scores aussi bons que les enfants de parents originaires d'Europe. Il existe toujours des différences individuelles entre les scores de QI, mais ces différences ne sont pas associées à l'ascendance (Smilansky, 1974). Nous avons donc là une certaine indication de la contribution qu'un milieu enrichi peut apporter pour aider les enfants à atteindre leur plein potentiel intellectuel.

PERSPECTIVES SUR LES TESTS D'HABILETÉS

En dépit de leurs limites, les tests d'habiletés représentent l'un des instruments les plus largement utilisés que la psychologie ait produits. Pour que ces tests conservent leur utilité cependant, il faut absolument les analyser d'un point de vue réaliste. On ne doit pas surestimer leur valeur en les prenant pour une mesure fixe et définitive de ce qu'une personne peut accomplir. Il ne faudrait pas non plus les rejeter à cause de leurs imperfections évidentes et les remplacer par d'autres méthodes d'évaluation qui pourraient se révéler moins valables.

«Je regrette, mais ce dossier est un peu mêlé. Il se trouve que 184 est votre masse en livres et non votre QI.»

L'un des sujets particulièrement préoccupants est l'usage qu'on fait des tests pour décider de l'affectation des élèves à des classes du programme scolaire. Les enfants qui obtiennent des scores faibles peuvent être placés sur une voie « ralentie » ou affectés à une classe spéciale dite pour « étudiants lents » ; ceux qui ont des scores élevés seront peut-être orientés vers une voie « accélérée » ou des programmes « enrichis ». Or, à moins que les responsables de l'école procèdent à des réévaluations périodiques et à moins que dans les classes pour étudiants lents, on ne mette l'accent sur les habiletés scolaires, l'affectation initiale de l'élève risque de fixer de façon définitive son avenir en milieu scolaire. Des jeunes qui possèdent le potentiel pour réussir des études collégiales peuvent se voir déconseiller de s'inscrire aux programmes préparatoires au collège en raison des premiers scores qu'ils ont obtenus aux tests. Les parents, comme les enseignants, doivent comprendre que les scores aux tests — qu'on les appelle tests d'intelligence ou tests de rendement — ne permettent de mesurer que le rendement présent. Les questions d'un test d'intelligence dépendent moins de la scolarisation, mais elles ne mesurent pas les capacités innées ; les scores aux tests peuvent donc changer avec les modifications qui interviennent dans le milieu.

L'utilisation des tests pour classer les élèves est une question sociale controversée, car un nombre considérable et disproportionné d'enfants issus des minorités et de milieux défavorisés ont été affectés à des classes spéciales pour étudiants lents sur la foi de scores obtenus à des tests collectifs d'intelligence et de rendement. Des poursuites en justice intentées par des parents ont poussé certains états américains à interdire l'utilisation des tests collectifs d'intelligence pour fins de classement (voir Wigdor et Garner, 1982, p. 110-116).

La question est compliquée. On a probablement abusé des tests d'aptitudes (tant des tests d'intelligence que des tests de rendement) et mal utilisé ces tests dans les écoles. Souvent les professeurs ne savent pas comment interpréter des résultats de tests et il peut leur arriver d'en tirer des conclusions par trop générales et absolues, en se fondant sur le score obtenu à un seul test. Mais il est plus important encore que les décisions sur l'affectation à des classes spéciales s'appuient sur plusieurs facteurs — jamais uniquement sur des scores de tests. Avant de classer un enfant au nombre des étudiants lents, on devrait considérer divers facteurs, dont son dossier médical et l'histoire de son développement, ses compétences sociales, et son milieu familial.

Quand on en use comme il se doit, les tests d'aptitudes peuvent remplir une fonction importante. En effet, ils aident l'enseignant à répartir ses élèves aux habiletés variées en groupes d'apprentissage homogènes. (Il devient possible de prodiguer le même enseignement à des enfants qui se situent approximativement au même niveau de maîtrise de la lecture et des concepts mathématiques.) Les tests d'aptitudes peuvent également servir d'instruments diagnostiques permettant de tirer avantage des occasions éducationnelles dans le cas d'enfants issus des minorités ou des milieux défavorisés. On devrait procéder à une évaluation plus approfondie dans le cas de l'enfant qui obtient des scores peu élevés aux tests collectifs d'intelligence (lesquels ne devraient d'ailleurs servir que de premier moyen de dépistage). Des tests individuels subséquents peuvent aider 1) à vérifier si les scores de tests collectifs représentent une évaluation juste des capacités actuelles de l'enfant, 2) à découvrir les points faibles et les points forts propres à cet enfant sur le plan intellectuel et 3) à identifier le programme d'enseignement le mieux indiqué pour l'amélioration des capacités de l'enfant. Les tests doivent servir à adapter l'enseignement aux besoins individuels et non pas à apposer une étiquette à l'enfant.

Souvent, la comparaison des scores obtenus aux tests d'intelligence et de ceux obtenus aux tests de rendement apporte des renseignements précieux. Il peut arriver, par exemple, que des enfants, dont les scores aux tests de rendement en mathématiques ou en lecture sont peu élevés, obtiennent d'assez bons résultats aux tests d'intelligence. Un tel décalage devrait inciter le professeur à se demander si les aptitudes de l'enfant en mathématiques et en lecture sont bien exploitées et s'il n'y aurait pas lieu d'y accorder une attention particulière. Il est possible que cet enfant réussisse assez bien en classe une fois qu'on aura apporté des correctifs à ses problèmes d'apprentissage particuliers. Sans l'information provenant du test d'intelligence, l'enfant pourrait être placé à tort dans un groupe d'étudiants lents.

On s'inquiète également de savoir quel type d'habiletés ces tests d'aptitudes mesurent réellement. Nous l'avons déjà dit, le SAT et d'autres tests d'admission se sont avérés utiles pour prédire le succès au collège. Mais si les responsables de l'admission aux programmes d'études collégiales attachent trop d'importance aux scores obtenus aux tests, ils risquent de ne pas reconnaître les étudiants qui pourraient avoir un talent exceptionnel pour les arts, pour le théâtre ou pour la musique. Ils peuvent également laisser pour compte des étudiants qui ont investi toutes leurs énergies et mobilisé tout leur enthousiasme à la création dans un domaine précis (par exemple, un projet en sciences qui s'est mérité un prix ou l'élaboration d'un programme communautaire innovateur). Dans tout procédé de sélection, on devrait étudier les scores de tests d'intelligence et d'aptitudes scolaires dans le contexte d'autres types d'information.

Il faut toujours se demander si les scores sont valides dans le cas d'un individu particulier ou pour des fins particulières et l'on doit sans cesse améliorer les méthodes d'évaluation. Néanmoins, les tests d'aptitude sont encore, malgré leurs limites, les outils les plus efficaces dont nous disposions pour juger de l'emploi, du niveau scolaire ou du type de formation qui convient le mieux à un individu donné. D'ailleurs, les autres outils disponibles sont peu nombreux. Si l'on choisissait de se fier uniquement à son propre jugement, on donnerait dans la sorte de préjugés que ces tests ont pour objet d'éliminer. L'orientation au hasard des individus vers des emplois ou vers des programmes ne serait avantageux ni pour l'individu ni pour la société.

RÉSUMÉ

1. Les tests comprennent les *tests d'aptitude* (qui sont conçus pour prédire ce qu'une personne pourra accomplir si elle reçoit la formation voulue) et les *tests de rendement* (qui mesurent les talents acquis et indiquent ce dont le sujet est capable présentement). Ces deux genres de tests peuvent avoir recours à des types d'items semblables, mais leurs objectifs sont différents, de même que la quantité d'*expérience antérieure* qu'ils présupposent. Certains tests d'habileté mesurent des capacités particulières; d'autres couvrent un vaste champ d'habiletés.

2. Pour être utiles, les tests doivent répondre à certaines normes. Les études de *fidélité* indiquent si les scores obtenus varient avec le temps. Les études de *validité* indiquent à quel point un test mesure ce qu'il se propose de mesurer — comment il réussit à prédire selon un critère acceptable. Pour qu'un test soit fiable et valide, il est indispensable qu'on adopte des *méthodologies uniformes*.

3. Les premiers tests d'intelligence efficaces ont été conçus par le psychologue français Alfred Binet, à qui l'on doit le concept d'*âge mental*. Dans le cas d'un enfant brillant, l'âge mental est supérieur à son âge chronologique; celui d'un enfant lent est inférieur à son âge chronologique. La révision des échelles de Binet (le Stanford-Binet) adopte le *quotient intellectuel* (QI) comme indice de développement mental. Le QI exprime l'intelligence en termes de rapport entre l'âge mental (ÂM) et l'âge chronologique (ÂC).

4. Trois tests d'aptitude fréquemment utilisés, l'Échelle individuelle d'intelligence de Wechsler pour adultes (WAIS), l'Échelle d'intelligence de Wechsler pour enfant (WISC) et l'Épreuve individuelle d'intelligence générale (Barbeau-Pinard) comportent 2 échelles, l'une verbale, l'autre non verbale, de sorte que l'on peut étudier séparément les 2 genres d'activités. Le Stanford-Binet et les 3 tests que nous venons de citer sont des *tests individuels*, c'est-à-dire qu'un examinateur spécialement entraîné les fait passer à un seul sujet. Les *tests collectifs d'aptitude* peuvent être donnés simultanément à un grand nombre de sujets.

5. Les scores obtenus aux tests d'habileté entretiennent des corrélations assez fortes avec ce que nous nous représentons comme « le talent » et avec les mesures de rendement scolaire. Mais ils ne permettent pas de mesurer la motivation, ni le leadership, ni d'autres caractéristiques importantes pour le succès.

6. Binet, comme Weschsler, postulait que l'intelligence consiste dans une *capacité générale* de raisonnement. Spearman, lui, a proposé l'existence d'un facteur général (g) et d'habiletés spécifiques (s) identifiables par la méthode de l'*analyse factorielle*. Thurstone s'est servi de l'analyse factorielle pour isoler 7 *aptitudes mentales primaires*, qu'il considérait comme les éléments fondamentaux de l'intelligence. Des variantes de ce test sont encore très largement utilisées, mais

leur pouvoir de prédiction n'est pas plus grand que celui des tests d'intelligence générale, comme les échelles de Wechsler et le Barbeau-Pinard. L'analyse factorielle continue de représenter une importante méthode pour l'analyse des données provenant de test ; cette façon de voir l'intelligence s'appelle la *méthode factorielle*.

7. Une autre façon de considérer l'intelligence est la *méthode du traitement de l'information*. Cette méthode est une tentative pour comprendre le comportement intellectuel en fonction des processus cognitifs sous-jacents qui interviennent quand nous affrontons une tâche de résolution de problème. La méthode du traitement de l'information a produit des analyses détaillées des processus mentaux en cause dans plusieurs tâches utilisées pour évaluer l'intelligence. La méthode factorielle et la méthode du traitement de l'information nous donnent des interprétations complémentaires du rendement dans les tests d'intelligence. Ces deux méthodes ont fait progresser notre compréhension de l'intelligence scolaire, mais leur défaut commun est de ne pas s'être révélées particulièrement efficaces dans l'évaluation de l'intelligence pragmatique.

8. Les études sur les corrélations des QI entre personnes présentant des degrés de parenté génétique divers montrent que l'hérédité joue un certain rôle dans l'intelligence. Cependant, les estimations du *caractère héréditaire* varient en fonction des facteurs associés au milieu, comme la nutrition, la stimulation intellectuelle et le climat affectif au foyer, qui exercent tous une influence sur la position du QI à l'intérieur du *champ de réactions* déterminé par l'hérédité.

9. En dépit de leurs limites, les tests d'aptitudes représentent toujours la méthode la plus objective dont nous disposons pour l'évaluation des capacités individuelles. Cependant, les scores aux tests doivent être interprétés dans le contexte d'autres informations.

BARBEAU, G. et PINARD, A. *Épreuve individuelle d'intelligence générale*, Montréal, Centre de psychologie et de pédagogie, 1951.

BINET, A. *L'étude expérimentale de l'intelligence*, Paris, Castes, 1922.

BONNET, C., HOC, TIBERGHIEN, G. *Psychologie, intelligence artificielle et automatique*, Bruxelles, Pierre Mardaga, 1987.

CHÂTEAU, J. *L'intelligence ou les intelligences*, Bruxelles, Pierre Mardaga, 1983.

DÉSILETS, J., ROY, D. *L'apprentissage du raisonnement*, Montréal, Les Éditions HRW, 1986.

LAFLEUR, N. *Écriture et créativité*, Montréal, Leméac, 1980.

OLÉRON, P. *L'intelligence*, Paris, P.U.F., 1974.

OLÉRON, P. *Les composantes de l'intelligence d'après les recherches factorielles*, Paris, P.U.F., 1957.

PIAGET, J. *La naissance de l'intelligence chez l'enfant*, Neuchâtel, Delachaux et Niestlé, 1936.

REUCHLIN, M. *La psychologie différentielle*, 2e éd., Paris, P.U.F., 1974.

WECHSLER, D. *La mesure de l'intelligence*, Paris, P.U.F., 1956.

LECTURES SUGGÉRÉES

La personnalité et son évaluation

13

Dans son acception populaire, le mot *personnalité* prend un certain nombre de sens. Quand nous disons que quelqu'un a « beaucoup de personnalité », nous nous référons d'habitude à l'efficacité sociale et au charme de cet individu. Les cours qui prétendent « améliorer votre personnalité » essaient d'enseigner des habiletés au niveau des relations sociales et de corriger votre apparence ou votre façon de parler de manière à susciter des réactions favorables de la part des autres. Nous utilisons parfois le terme personnalité pour décrire les caractéristiques les plus frappantes d'un individu. Par exemple, nous pouvons dire de quelqu'un qu'il a une « personnalité agressive » ou une « personnalité timide ».

Lorsque les psychologues parlent de personnalité, cependant, ils s'intéressent surtout aux *différences individuelles* — aux caractéristiques qui distinguent un individu d'un autre. Les psychologues ne s'accordent pas sur une définition exacte du terme. Pour nos propres fins, toutefois, nous allons définir la personnalité *comme les patterns caractéristiques du comportement, de la pensée et de l'émotion qui déterminent l'adaptation d'une personne à l'environnement.*

L'utilisation du mot *caractéristique* dans la définition suppose une certaine constance dans le comportement — une tendance à agir et à penser de certaines façons dans plusieurs situations différentes. Vous connaissez probablement une personne, par exemple, qui exprime rarement de la colère, même quand on la provoque, et une autre qui prend la mouche à la moindre contrariété. Le comportement est le produit de l'interaction entre les caractéristiques de la personnalité et les conditions sociales et physiques de l'environnement. Mais, comme nous le verrons plus loin, les théoriciens de la personnalité ne partagent pas tous les mêmes vues quant au contrôle du comportement, car certains croient davantage à un *contrôle interne* — déterminé par les caractéristiques personnelles d'un individu et par conséquent assez constant — alors que d'autres font plus confiance à un *contrôle externe* — déterminé par la situation particulière dans laquelle le comportement se produit.

Quand nous parlons du comportement, nous nous référons à la *personnalité publique* — le « vous » que les autres observent et qu'ils écoutent, l'image de vous-même que vous présentez au monde. Votre personnalité publique comprend, entre autres, vos traits d'expression et vos manières (votre façon de parler, la façon dont vous vous tenez), votre humeur générale (selon que vous êtes habituellement gai ou maussade), la façon dont vous réagissez aux situations menaçantes et les attitudes que vous manifestez. Il se peut que vous vous comportiez autrement dans une grande réunion sociale qu'avec un petit groupe d'amis intimes, mais les autres sont quand même capables d'observer le côté public de votre personnalité et on peut le mesurer de diverses façons.

Il existe aussi un côté privé et caché de votre personnalité. Votre *personnalité privée* comprend les fantasmes, les pensées et les expériences que vous ne partagez pas avec les autres. Il vous est arrivé des expériences particulières dont vous n'avez jamais parlé à personne, des désirs trop enfantins ou trop embarrassants à révéler, des rêves et des souvenirs qui restent votre seule propriété. Les pensées et les souvenirs qui vous trottent dans la tête, pendant que vous attendez que le cours débute ou pendant que vous vous promenez dans les bois, font partie de votre personnalité privée. Vous pouvez en révéler certains au cours d'un entretien privé et intime avec une autre personne, mais en général, ils n'appartiennent qu'à vous seul.

LE FAÇONNEMENT DE LA PERSONNALITÉ

À la naissance, un enfant est doté de certaines potentialités. Les caractéristiques physiques — la couleur des yeux et des cheveux, la constitution et la forme du nez — sont essentiellement déterminées au moment de la conception. L'intelligence et certaines habiletés particulières, comme le talent musical et artistique, dépendent également, dans une certaine mesure, de l'hérédité. En outre, de plus en plus de faits indiquent que les différences de sensibilité affective sont peut-être innées. Une étude portant sur des nourrissons a montré qu'on pouvait, peu après la naissance, déceler des différences constantes par rapport à des caractéristiques comme le niveau d'activité, le champ d'attention, la capacité de s'adapter à des changements dans l'environnement et l'humeur générale. Un bébé peut avoir tendance à se montrer actif, facilement distrait et disposé à accueillir de nouveaux objets et de nouvelles personnes, alors qu'un autre peut paraître tranquille la plupart du temps, capable de se concentrer longuement sur une activité et méfiant face à tout ce qui est nouveau. Dans le cas de plusieurs des enfants ayant été l'objet de cette recherche, ces premières caractéristiques de tempérament ont persisté jusqu'à l'âge adulte (Thomas et Chess, 1977).

Les parents réagissent de façons diverses à des bébés qui présentent des caractéristiques différentes. C'est ainsi qu'est déclenché un processus réciproque pouvant accentuer à l'excès certains des traits de personnalité présents à la naissance. Par exemple, le nouveau-né qui cesse de pleurer quand on le prend et qui se blottit dans vos bras est plus agréable à tenir que celui qui se raidit, détourne la tête et continue de crier. Par conséquent, celui qui se blottit a des chances d'être pris dans les bras plus souvent que l'autre; les prédispositions de comportement initiales se trouvent renforcées par les réactions des parents.

Les prédispositions biologiques qui nous accompagnent à la naissance sont façonnées par les expériences que nous rencontrons au cours de la croissance. Certaines de ces expériences sont *communes*, partagées par la plupart des membres d'un milieu culturel donné; d'autres sont *uniques* à l'individu.

Influences biologiques

Le fait que des différences d'humeur et de niveau d'activité peuvent se manifester très tôt après la naissance semble révéler l'influence de facteurs génétiques. La recherche sur l'hérédité des traits de personnalité s'est concentrée sur l'étude de jumeaux. Comme nous l'avons vu lors de la discussion sur l'intelligence, au chapitre 12, la comparaison entre des jumeaux identiques (qui partagent la même hérédité parce qu'ils sont issus d'un même œuf) et des jumeaux fraternels (qui ne présentent pas plus de ressemblance sur le plan génétique que des frères et sœurs ordinaires) peut servir de base à l'estimation du caractère héréditaire des divers aspects de la personne.

Lors d'une étude, des mères ont évalué leurs jumeaux du même sexe (âge moyen, 4 1/2 ans) en fonction d'un certain nombre de traits de personnalité. Les jumeaux identiques étaient jugés beaucoup plus semblables, sur le plan de la sensibilité affective, du niveau d'activité et de la sociabilité, que les jumeaux fraternels (voir le tableau 13-1). Quand on fait passer des tests de personnalité à des jumeaux adultes, les jumeaux identiques donnent en général des réponses qui se ressemblent plus que celles que donnent les jumeaux fraternels (Loehlin et Nichols, 1976).

Toutefois, comme nous l'avons déjà fait remarquer, les jumeaux identiques sont souvent traités d'une façon plus semblable que les jumeaux fraternels et les similitudes qu'on observe dans leur personnalité pourraient être le résultat d'une plus grande ressemblance dans les traitements qu'ils auraient reçus. Une façon d'éviter ce problème est d'étudier des jumeaux identiques

	CORRÉLATIONS POUR LES GARÇONS		CORRÉLATIONS POUR LES FILLES	
	IDENTIQUES	FRATERNELS	IDENTIQUES	FRATERNELS
Émotivité	0,68	0,00	0,60	0,05
Activité	0,73	0,18	0,50	0,00
Sociabilité	0,65	0,20	0,58	0,06

TABLEAU 13-1
Similitudes dans la personnalité des jumeaux *Les mamans de 139 jumeaux de même sexe (âge moyen, 4 1/2 ans) les ont situés sur des échelles mesurant trois caractéristiques de personnalité. Même s'il est possible que les jumeaux identiques soient traités de façon plus semblable que les jumeaux fraternels (et qu'ils aient par conséquent un environnement plus semblable), la valeur des corrélations laisse supposer que l'héritage génétique d'un individu a une grande importance dans la détermination de la personnalité. (D'après Buss et Plomin, 1975)*

qui ont été élevés séparément. Il est intéressant de noter que d'après une recension des travaux établissant une comparaison entre jumeaux qui ont vécu séparés une partie de leur vie et jumeaux élevés ensemble, il ne semble y avoir aucune indication que le fait d'être séparés contribuerait à faire diminuer les ressemblances de personnalité (Willerman, 1979). Au contraire, certains faits indiqueraient que les jumeaux identiques élevés séparément ont tendance à se ressembler *davantage* que les jumeaux identiques élevés ensemble. On suppose que les jumeaux élevés dans le même foyer ressentiraient le besoin d'acquérir des personnalités indépendantes ou complémentaires. Si l'un des jumeaux joue au basket, l'autre peut décider de se joindre à un club alpin; ou si l'un devient un pianiste brillant, l'autre peut se tourner vers la peinture. Les jumeaux élevés séparément ne ressentent pas le besoin de trouver des compléments ou de rivaliser entre eux, et il se peut qu'ils soient ainsi portés à laisser libre cours à leurs penchants naturels. (Voir l'analyse critique: « Influences génétiques sur la personnalité – jumeaux identiques élevés séparément », qui apporte des considérations additionnelles sur ce sujet.)

Même si les études sur les jumeaux permettent de penser que certains traits de personnalité sont héréditaires, on n'a pas de preuves que ces caractéristiques dépendent de gènes spécifiques. Les ressemblances dans la constitution et la physiologie des jumeaux identiques pourraient expliquer en partie les similitudes qui marquent leur personnalité.

CONSTITUTION La croyance à l'existence d'un lien entre constitution et traits de personnalité se reflète dans des lieux communs populaires comme « les gens gras sont gais » ou « les individus grands et minces qui portent des lunettes sont des intellectuels ». Cette idée est loin d'être nouvelle. Même Shakespeare fait dire à Jules César: « Qu'on m'entoure d'hommes qui sont gras, ... Cassius, là-bas, a un air maigre et affamé; il pense trop: ce genre d'homme est dangereux... Je voudrais qu'il soit plus gras » (*Jules César*, premier acte, deuxième scène).

L'une des premières théories de la personnalité classait les individus en trois catégories selon la conformation de leur corps et prétendait à l'existence d'une relation entre ces types corporels et les traits de personnalité (voir la figure 13-1). On dit qu'un individu courtaud et grassouillet (*endomorphe*) est sociable, détendu et d'humeur égale; un individu grand et mince (*ectomorphe*) est caractérisé par sa retenue, sa timidité et son goût de la solitude; un individu bien bâti, musclé (*mésomorphe*) est bruyant, agressif et amateur d'activités physiques (Kretschmer, 1925; Sheldon, 1954).

Cependant, les tentatives visant à associer la constitution corporelle à des traits de personnalité précis ne donnant généralement que de très faibles corrélations, la plupart des psychologues ne considèrent pas que cette classification est utile. La masse corporelle et la force musculaire des gens évoluent avec l'âge, le régime alimentaire et l'exercice physique. Il se peut que vous connaissiez des individus courtauds et grassouillets qui sont sociables et détendus, mais vous en avez probablement rencontrés aussi qui étaient timides et repliés sur eux-mêmes.

Par contre, il est presque certain que la condition physique d'une personne exerce une influence sur sa personnalité — surtout à cause des limites qu'elle impose aux possibilités de cette personne et à cause des réactions que cette condition physique suscite chez les autres. Par exemple, une jeune fille courte et potelée ne serait pas très réaliste si elle cherchait à devenir une

FIGURE **13-1**
Types de constitution associés à la personnalité   *Ces dessins illustrent une théorie proposée par Kretschmer (1925) qui classifie les types de personnalité en fonction de leur constitution. La recherche n'a pas apporté beaucoup d'appui à ces idées et la plupart des psychologues doutent aujourd'hui de l'utilité d'une telle classification.*

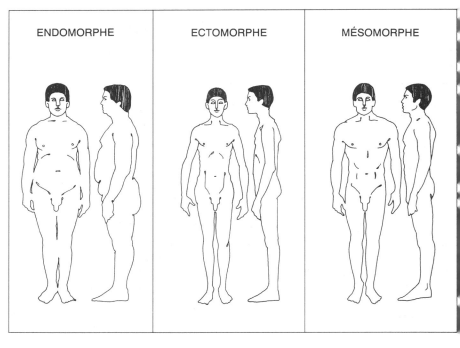

ballerine, un mannequin ou une étoile du basket professionnel; celle qui fait plus de deux mètres ne sera probablement jamais gymnaste aux Olympiques. Il se peut que les garçons forts et bien musclés aiment prendre des risques sur le plan physique et désirent s'affirmer; leurs camarades plus faibles apprendront peut-être tôt dans la vie à éviter les bagarres et à s'en remettre à leurs capacités intellectuelles pour se procurer ce qu'ils désirent. Nos constitutions physiques ne déterminent pas de caractéristiques particulières de la personnalité, mais elles peuvent façonner cette dernière en influençant la façon dont les autres nous traitent, la nature de nos échanges avec eux et les sortes de situations que nous recherchons ou que nous évitons.

PHYSIOLOGIE CORPORELLE   Les différences entre les individus portent non seulement sur la constitution du corps, mais aussi sur un certain nombre de mesures physiologiques (par exemple, la dimension des glandes endocrines, la sensibilité du système nerveux autonome et l'équilibre entre les divers neurotransmetteurs). En fin de compte, il se peut que nous découvrions que certaines différences de personnalité se rattachent à des différences physiologiques et biochimiques. Les travaux de recherche se sont intéressés à certaines possibilités fascinantes. On en trouve un exemple dans une série d'études

Exemples d'amateurs de sensations plus ou moins fortes.

visant à découvrir les bases physiologiques d'un trait de personnalité appelé « la recherche de sensations fortes ». On peut, à l'aide d'un test de personnalité (voir à la page 370) mesurer le désir qu'entretient une personne de faire de nouvelles expériences et sa disposition à prendre des risques pour y parvenir. Ceux qui obtiennent des scores élevés à ce test (les amateurs de sensations) ont tendance à avoir, dans la circulation sanguine, de plus faibles concentrations d'une enzyme qui affecte la transmission nerveuse dans le cerveau que ceux qui ont des scores faibles (Zuckerman, 1979). Cette enzyme (la monoamine–oxydase ou MAO) contrôle la concentration de deux neurotransmetteurs qui jouent, à ce que l'on croit, un rôle important dans le comportement émotif et motivé.

L'existence d'une telle relation reste hypothétique pour un certain nombre de raisons. Les niveaux de MAO subissent l'influence de l'âge d'un individu et de l'équilibre des hormones sexuelles de telle sorte que la concentration de MAO dans le sang peut ne pas refléter exactement sa concentration dans le cerveau. Les perspectives qui découlent de cette hypothèse n'en sont pas moins fascinantes : il se pourrait que la chimie corporelle d'un cascadeur et d'un joueur d'échecs soient différentes. Et comme les niveaux de MAO se transmettent par hérédité, la recherche de sensations pourrait être un trait familial.

On ne peut douter du fait que le niveau d'énergie et l'humeur d'un individu subissent l'influence de mécanismes physiologiques et biochimiques (le chapitre 15 étudie quelques théories biochimiques de l'anxiété et de la dépression). Cependant, dans l'état actuel de nos connaissances, il est difficile de faire la part des causes et des effets — c'est-à-dire de déterminer jusqu'à quel point de telles différences feraient partie de notre héritage biologique et dans quelle mesure elles découleraient des expériences que nous avons faites au cours de notre vie.

Les expériences communes

Dans une culture particulière, toutes les familles partagent certaines croyances, coutumes et valeurs. En grandissant, l'enfant apprend à se conduire selon les attentes de son milieu. L'une de celles-ci se rapporte aux *rôles sexuels* (voir au chapitre 3). La plupart des sociétés s'attendent à des comportements différents de la part des garçons et de la part des filles. Les rôles sexuels peuvent varier d'une culture à l'autre, mais on considère « naturel » dans toute société que garçons et filles manifestent des différences prévisibles sur le plan de la personnalité, simplement à cause de leur appartenance à l'un ou à l'autre sexe.

Une société aussi complexe que la nôtre comprend de nombreux sous-groupes culturels dont chacun a sa propre conception des valeurs morales, des critères de propreté, de la façon de s'habiller et des définitions du succès. Le sous-groupe exerce une influence sur le développement de la personne.

On s'attend à ce que tous les garçons manifestent certaines caractéristiques de personnalité, mais on s'attend aussi à ce qu'un garçon élevé dans un taudis du centre-ville se conduise autrement, dans certains domaines, que le garçon élevé dans la banlieue bourgeoise.

Certains rôles, comme la profession, découlent de choix individuels. Mais ces rôles sont aussi façonnés par les décrets du milieu culturel. Nous nous sommes formés des stéréotypes sur les médecins, les camionneurs, les vedettes du disco et les chanteurs d'opéra. Les stéréotypes rattachés à une profession sont toutefois devenus beaucoup moins rigides depuis quelques années. Le changement le plus important se rapporte aux rôles sexuels : nous ne sommes plus surpris de voir des femmes qui sont chauffeurs de taxi, qui travaillent à l'installation et à la réparation de lignes de téléphone ou dans la construction, ni de rencontrer des secrétaires, des infirmiers ou des standardistes de sexe masculin. De même, les façons de se vêtir et l'image qu'on donne de sa personne sont plus souples : les joueurs de hockey peuvent porter des cheveux longs et bouclés sous leurs casques, les femmes qui travaillent dans les bureaux peuvent porter le pantalon, les médecins et les avocats de sexe masculin afficher barbe et bijoux et les divas, se montrer en « blue jeans ». Néanmoins, pour se sentir à l'aise dans une profession, les gens semblent enclins à se comporter et à se tenir comme les autres membres de cette profession.

Le comportement de l'adulte est prévisible dans la mesure où il se conforme aux rôles sociaux et professionnels. Nous savons assez bien comment vont se comporter des gens qui assistent à une réception officielle, à une réunion politique, à un match de hockey ou à une cérémonie funèbre.

Malgré le fait que les pressions exercées par par le milieu culturel et par les sous-groupes contribuent au façonnement de personnalités similaires, on ne peut jamais, en s'appuyant sur la connaissance du milieu dans lequel une personne a grandi, prévoir complètement l'évolution d'une personnalité individuelle. Cela tient principalement à deux raisons : 1) les influences culturelles sur l'individu ne sont pas uniformes, car elles sont transmises par des parents ou par d'autres personnes qui ne partagent peut-être pas tous les mêmes valeurs et les mêmes façons de faire et 2) l'individu connaît certaines expériences qui lui sont propres.

Les expériences uniques

Chacun a sa propre façon de réagir aux pressions exercées par le milieu. Nous l'avons déjà dit, les différences de comportement personnelles peuvent être la conséquence de différences biologiques. Elles peuvent également apparaître à cause des récompenses que les parents décernent et des punitions qu'ils imposent, en fonction du comportement de l'enfant, et être liées aussi au type de conduite dont les parents se font les modèles. Même s'il peut arriver qu'ils ne ressemblent pas à leurs parents, les enfants sont influencés par ces derniers. On trouve un témoignage des effets opposés de ces influences dans la description d'eux-mêmes que nous donnent deux frères, qui sont des personnages du roman *Work of Art* (Oeuvre d'art) de Sinclair Lewis. Chacun des frères attribue sa personnalité à l'environnement dans lequel il a été élevé.

> Mon père (de dire Ora) était un vaurien, sale, paresseux, toujours en ribote et ma mère ne savait pas faire grand-chose, à part la cuisine ; elle était trop occupée pour faire vraiment attention à moi, et les gamins que je connaissais étaient une bande de fainéants mal embouchés qui avaient l'habitude de se tenir avec des clochards, près du réservoir d'eau ; je n'ai jamais eu la chance de recevoir une formation scolaire officielle et j'ai été abandonné à moi-même quand j'étais encore un marmot. Naturellement, je suis devenu une sorte de vagabond qui ne peut s'encombrer de la pensée des « dettes » qu'il aurait envers un tas de commerçants crapuleux et je suppose que je suis enclin à la paresse et pas trop scrupuleux quand il s'agit des femmes ou de la boisson. Mais ma première éducation a vraiment eu un résultat splendide. Élevé de façon tellement contraire aux conventions, je serai toujours un antipuritain. Je ne rejetterai jamais les plaisirs de la chair et ne répudierai jamais le caractère sacré de la beauté.
>
> Mon père (de dire Myron) était assez insouciant et il a toujours aimé la bouteille et les bonnes blagues avec les copains ; ma mère était très occupée à pren-

dre soin de nous, et j'ai entendu beaucoup de saletés de la bouche des clochards là-haut, près du réservoir d'eau. Peut-être est-ce en guise de réaction tout simplement que je suis devenu presque obsédé par le paiement des dettes, très tâtillon à propos de mon travail et effrayé par la boisson et par les femmes. Mais mon éducation aura donné un résultat vraiment splendide. Simplement par contraste, elle a fait de moi un bon et solide puritain de la Nouvelle-Angleterre, à l'ancienne mode. (Lewis, 1934, p. 278)

Même si de telles divergences dans la façon de réagir à un même environnement ne risquent guère de se rencontrer dans la vie réelle, il n'en reste pas moins que les individus réagissent vraiment de façons différentes dans des circonstances semblables.

En plus d'être « marqué » par une hérédité biologique unique et par les façons déterminées dont la culture se transmet, l'individu est façonné par les expériences particulières. Une maladie nécessitant une longue convalescence peut comporter, à cause des soins prodigués et des attentions reçues, une gratification qui affecte profondément la personnalité. La mort d'un des parents peut venir modifier les identifications usuelles en termes de rôle sexuel. Un accident traumatisant, une occasion qui se présente de faire preuve d'héroïsme, le fait de quitter ses amis pour aller habiter ailleurs — voilà des exemples parmi tant d'autres d'expériences qui façonnent le développement.

Les expériences communes et les expériences uniques d'un individu entrent en interaction avec les potentialités héréditaires pour mouler la personnalité. Dans plusieurs théories, on a tenté d'expliquer le déroulement de cette interaction et de préciser la meilleure façon de décrire les personnalités qui en résultent. La plupart des théories de la personnalité peuvent se regrouper dans l'une des quatre catégories suivantes : théories des traits, théories de l'apprentissage social, théories psychanalytiques et théories phénoménologiques. Dans ce chapitre, nous allons présenter de brèves descriptions de chacune de ces positions théoriques et nous donnerons ensuite des exemples de quelques-unes des méthodes utilisées pour évaluer la personnalité. On ne saurait étudier scientifiquement la personnalité sans disposer de moyens satisfaisants pour mesurer les variables en cause.

POINT DE VUE DE L'ÉTUDE DES TRAITS

En abordant l'analyse de la personnalité par l'*étude des traits*, on essaie d'isoler et de décrire, chez un individu, les propriétés fondamentales responsables de l'orientation de sa conduite. Cette méthode est centrée sur la personnalité publique et elle porte davantage sur la description de la personnalité et sur la prédiction du comportement que sur le développement de la personnalité. Les théories sur les traits postulent que les gens se distinguent les uns des autres par rapport à un certain nombre de *dimensions*, ou d'*échelles* de personnalité, chacune représentant un *trait* particulier. Ainsi, nous pourrions situer un individu sur des échelles d'intelligence, de stabilité affective, d'agressivité, etc. Pour en arriver à une description globale de la personnalité, il nous faudrait savoir comment l'individu s'est classé par rapport à un certain nombre de dimensions.

Un trait est toute caractéristique qui varie d'un individu à l'autre de façon relativement permanente et constante. Quand, de façon informelle, nous nous décrivons nous-même et nous décrivons les autres avec des adjectifs comme « agressif », « prudent », « irritable », « intelligent », ou « anxieux », nous utilisons des termes de traits. Les psychologues, qui travaillent dans ce domaine de la théorie des traits, s'intéressent à l'identification des traits fondamentaux qui procurent une bonne description de la personnalité et à la découverte de façons de mesurer ces traits.

Identification des traits fondamentaux

Le langage comprend des milliers de mots qui se réfèrent à des caractéristiques du comportement. Comment pouvons-nous les réduire à un nombre

ANALYSE CRITIQUE

Influences génétiques sur la personnalité – jumeaux identiques élevés séparément

Sur le plan des traits de personnalité, les jumeaux identiques, comme nous l'avons déjà noté, ont tendance à se ressembler plus que les jumeaux fraternels. Bien que cette constatation laisse entrevoir l'influence de l'hérédité, il est difficile de dissocier les effets du milieu et de l'hérédité. Il peut arriver qu'à cause de leur ressemblance physique, les jumeaux identiques se voient traiter de façon plus similaire par leurs parents et par les autres, et que leurs environnements soient donc plus semblables que ceux des jumeaux fraternels.

Pour étudier l'influence de l'hérédité sur la personnalité et sur le comportement, la situation idéale consisterait à séparer les jumeaux identiques à la naissance et à les élever dans des milieux radicalement différents. Bien que des considérations d'ordre humanitaire s'opposent à l'exécution d'une expérience contrôlée de ce genre, un projet de recherche entrepris à l'Université du Minnesota, auquel on a donné le nom d'Étude Minnesota sur des jumeaux élevés séparément (Minnesota Study of Twins Reared Apart), tend à remplir les conditions nécessaires à cette expérience (Bouchard et coll., 1981; Lykken,

1982; McGue et Bouchard, 1984). Les expérimentateurs retracèrent et amenèrent au laboratoire pour fins d'étude 30 couples de jumeaux identiques qui avaient été séparés, à un âge moyen de 6 semaines, et avaient été élevés dans des familles différentes. Ces jumeaux n'avaient pas vécu ensemble depuis leur enfance et ils ne s'étaient pas non plus rencontrés avant d'être devenus adolescents. (En fait, certains d'entre eux ne s'étaient jamais vus avant que cette étude les réunisse.)

Les jumeaux participèrent à des entrevues prolongées, durant lesquelles on leur posa des questions sur des thèmes comme leurs expériences d'enfance, leurs peurs, leurs hobbies, leurs goûts musicaux, leurs attitudes sociales et leurs intérêts sexuels. On leur fit passer également divers tests psychologiques et médicaux. L'analyse de l'énorme quantité de résultats recueillis va se poursuivre durant plusieurs années et on se propose d'étudier au moins 20 autres couples de jumeaux avant de tirer des conclusions. Mais les résultats préliminaires laissent présager l'existence de similitudes frappantes.

Les jumeaux aux antécédents les plus différents sont Oskar Stohr et Jack Yufe.

maniable de traits qui seraient utiles et significatifs pour la description de la personnalité? L'*analyse factorielle* (voir à la page 429) nous permet d'aborder ce problème. Comme nous l'avons dit au chapitre 12, l'analyse factorielle est une technique statistique complexe, qui permet de transformer un grand nombre de mesures en un plus petit nombre de dimensions indépendantes.

Supposons, par exemple, que nous choisissions un grand nombre de mots qui décrivent des traits de personnalité et que nous les disposions en couples représentant des qualités opposées (propre-négligé, calme-anxieux, sensible-insensible, collaborateur-négativiste, et ainsi de suite). Demandons à un groupe de personnes d'évaluer leurs amis en fonction de chacun de ces couples de mots. En traitant ces évaluations par analyse factorielle, on obtiendrait un nombre relativement petit de dimensions, ou *facteurs*, qui rendrait compte de la plupart des intercorrélations parmi les évaluations. Le tableau 13-2 présente 5 dimensions de traits qui se dégagent de plusieurs études fondées sur ce type de procédé (Norman, 1963; Digman et Inouye, 1986).

C'est Raymond Cattell qui a réalisé l'étude la plus vaste des traits de personnalité; il a recueilli des données durant trois décennies au moyen de questionnaires, de tests de personnalité et d'observations de comportements dans des situations de vie réelle. Cattell a identifié 16 facteurs qu'il considère comme les traits fondamentaux de la personnalité. La figure 13-2 montre ces facteurs et les adjectifs qui les décrivent.

Cattell a élaboré un questionnaire pour mesurer ses 16 traits: le Questionnaire des 16 facteurs de personnalité (Sixteen Personality Factor Questionnaire, abbréviation: 16 PF)*. Pour obtenir un score à chacun des facteurs, on note et on compile les réponses objectives (oui ou non) du sujet à plus de 100 questions. Par exemple, en répondant «non» à la question, «Avez-vous tendance à vous tenir à l'écart dans les rencontres sociales?»,

---

* Le test original, le Sixteen Personality Factor Questionnaire, a été traduit en français. L'adaptation canadienne (versions de 1962 et de 1977) est connue sous le nom de Test 16 PF. (Note du traducteur)

Nés à Trinidad d'un père juif et d'une mère allemande, ils furent séparés tôt après leur naissance. La mère amena Oskar en Allemagne, où il fut élevé par sa grand-mère en milieu catholique et nazi. Jack resta avec son père et fut élevé en milieu juif, passant une partie de sa jeunesse dans un kibboutz israélien. Bien que les deux familles n'entretinrent jamais de correspondance et que les deux frères mènent maintenant des vies assez différentes, des ressemblances remarquables attirèrent l'attention quand ils se rencontrèrent la première fois pour participer à cette étude. Les deux hommes portent des moustaches et des lunettes à cadres de broche. Leurs manières et leurs tempéraments sont semblables et ils partagent les mêmes idiosyncrasies : les deux aiment les mets épicés et les liqueurs sucrées, ils sont distraits, ils tirent la chasse d'eau des cabinets avant de les utiliser et aiment à tremper les toasts beurrés dans leur café. Oskar est porté à crier après sa femme ; Jack le faisait aussi avant de se séparer d'avec sa femme.

Un couple de jumelles à antécédents assez différents sont devenues deux ménagères britanniques, après avoir été séparées durant la Seconde Guerre mondiale et élevées dans des familles de niveaux socio-économiques différents. Les jumelles, qui ne s'étaient jamais rencontrées depuis, ont surpris les expérimentateurs en se présentant toutes deux à l'entrevue avec 7 bagues aux doigts ! Cependant, avant de conclure que le penchant pour les bagues est un trait héréditaire, il nous faudrait envisager la possibilité, plus vraisemblable, que ces jumelles aient reçu en héritage génétique de belles mains, suscitant chez elles par le fait même leur goût pour les bagues. Malgré les différences de leurs antécédents socio-économiques, ces jumelles manifestèrent des ressemblances frappantes dans plusieurs des tests. Les deux eurent des résultats à peu près équivalents dans les tests d'aptitudes, même si celle qui avait grandi dans un milieu de niveau socio-économique inférieur donna des scores légèrement supérieurs.

En l'absence de données soigneusement analysées, on se laisse facilement impressionner par les similitudes de personnalité entre les jumeaux et on est porté à ignorer les différences. Il n'en reste pas moins que les résultats préliminaires ont étonné les chercheurs, qui font remarquer qu'à plusieurs des tests d'habileté et de personnalité, les scores des jumeaux se rapprochent plus les uns des autres que ce à quoi l'on serait en droit de s'attendre si la même personne passait le test deux fois. Quand on analyse les données recueillies auprès de tous les couples de jumeaux, la concordance la plus forte se manifeste dans les scores des tests d'habileté, les profils d'ondes cérébrales, la sociabilité et ce qu'on pourrait appeler le « tempo » ou « niveau d'énergie ».

Même une fois compilés, ces résultats ne seront pas définitifs, car l'échantillon sera encore petit. Il se pourrait que la découverte de *différences* de personnalité entre les membres d'un couple de jumeaux s'avère plus significative que la découverte de similitudes. Si l'on constate que les jumeaux identiques se distinguent par rapport à une variable donnée, on saura que cette variable n'est pas déterminée par l'hérédité.

on obtient un point du côté « dominant » de l'échelle. En reportant sur un graphique le score obtenu par un individu à chacun des facteurs, nous obtenons un *profil de personnalité* — une sorte de description « sténographique » de la personnalité de cet individu. La figure 13-2 présente un profil typique.

Évaluation de la méthode de l'étude des traits

Même si l'étude des traits semble être une façon objective et scientifique d'analyser la personnalité, elle soulève certains problèmes. Les facteurs de personnalité identifiés dans une étude particulière dépendent souvent de la sorte de données analysées (auto-évaluation, par exemple, par opposition à

DIMENSION DU TRAIT	COUPLES D'ADJECTIFS DESCRIPTIFS
Extraversion	Loquace-silencieux Franc-cachottier Aventureux-prudent
Amabilité	Complaisant-irritable Gentil-capricieux Coopérateur-négativiste
Droiture	Propre-négligent Responsable-irresponsable Persévérant-lâcheur
Stabilité affective	Calme-anxieux Équilibré-nerveux Pas hypocondriaque-hypocondriaque
Culture	Sensible à l'art-insensible à l'art Raffiné-rustre Intellectuel-irréfléchi

TABLEAU 13-2
Les traits et leurs composantes *Le tableau présente les 5 traits qu'on a identifiés dans une étude utilisant l'analyse factorielle. Les couples d'adjectifs décrivent les deux extrémités des échelles relatives à chaque dimension (D'après Norman, 1963)*

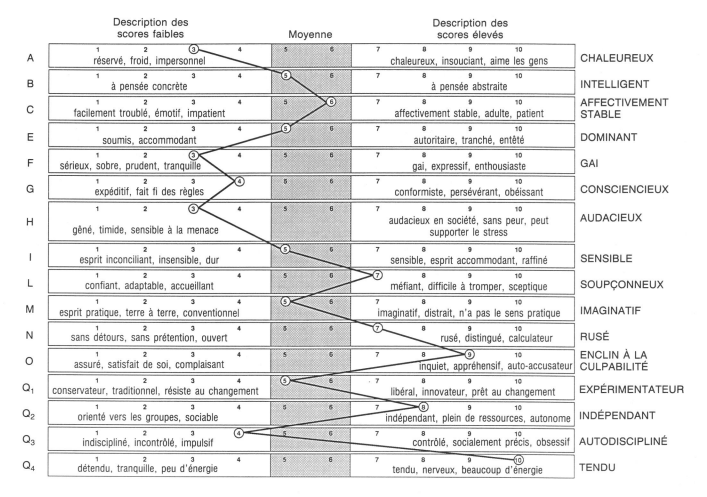

	Description des scores faibles	Moyenne	Description des scores élevés	
A	1 2 ③ 4 réservé, froid, impersonnel	5 6	7 8 9 10 chaleureux, insouciant, aime les gens	CHALEUREUX
B	1 2 3 4 à pensée concrète	⑤ 6	7 8 9 10 à pensée abstraite	INTELLIGENT
C	1 2 3 4 facilement troublé, émotif, impatient	5 ⑥	7 8 9 10 affectivement stable, adulte, patient	AFFECTIVEMENT STABLE
E	1 2 3 4 soumis, accommodant	⑤ 6	7 8 9 10 autoritaire, tranché, entêté	DOMINANT
F	1 2 ③ 4 sérieux, sobre, prudent, tranquille	5 6	7 8 9 10 gai, expressif, enthousiaste	GAI
G	1 2 3 ④ expéditif, fait fi des règles	5 6	7 8 9 10 conformiste, persévérant, obéissant	CONSCIENCIEUX
H	1 2 ③ 4 gêné, timide, sensible à la menace	5 6	7 8 9 10 audacieux en société, sans peur, peut supporter le stress	AUDACIEUX
I	1 2 3 4 esprit inconciliant, insensible, dur	⑤ 6	7 8 9 10 sensible, esprit accommodant, raffiné	SENSIBLE
L	1 2 3 4 confiant, adaptable, accueillant	5 6 ⑦	8 9 10 méfiant, difficile à tromper, sceptique	SOUPÇONNEUX
M	1 2 3 4 esprit pratique, terre à terre, conventionnel	⑤ 6	7 8 9 10 imaginatif, distrait, n'a pas le sens pratique	IMAGINATIF
N	1 2 3 4 sans détours, sans prétention, ouvert	5 6 ⑦	8 9 10 rusé, distingué, calculateur	RUSÉ
O	1 2 3 4 assuré, satisfait de soi, complaisant	5 6	7 8 ⑨ 10 inquiet, appréhensif, auto-accusateur	ENCLIN À LA CULPABILITÉ
Q₁	1 2 3 4 conservateur, traditionnel, résiste au changement	⑤ 6	7 8 9 10 libéral, innovateur, prêt au changement	EXPÉRIMENTATEUR
Q₂	1 2 3 4 orienté vers les groupes, sociable	5 6	7 ⑧ 9 10 indépendant, plein de ressources, autonome	INDÉPENDANT
Q₃	1 2 3 ④ indiscipliné, incontrôlé, impulsif	5 6	7 8 9 10 contrôlé, socialement précis, obsessif	AUTODISCIPLINÉ
Q₄	1 2 3 4 détendu, tranquille, peu d'énergie	5 6	7 8 9 ⑩ tendu, nerveux, beaucoup d'énergie	TENDU

FIGURE 13-2
Profils de personnalité *Les noms des traits représentent 16 facteurs de personnalité obtenus par l'analyse factorielle d'un grand nombre d'évaluations. Les facteurs A jusqu'à O proviennent de l'analyse factorielle d'évaluations d'une personne par une autre; les 4 facteurs Q figurent uniquement dans des données découlant d'une auto-évaluation. Un test de personnalité fondé sur les 16 facteurs mesure le niveau de chacun des facteurs et les scores sont portés sur un graphique pour donner un profil. (D'après Cattell, 1986)*

l'évaluation d'une personne par une autre) et de la technique d'analyse factorielle particulière qui a été utilisée. Certains chercheurs n'ont trouvé que 5 facteurs représentant les dimensions fondamentales de la personnalité alors que d'autres en ont décelé plus de 20.

Malgré l'absence de consensus sur le nombre de traits fondamentaux, il y a un certain chevauchement. Deux des dimensions qu'on retrouve dans la plupart des études fondées sur l'analyse factorielle de la personnalité sont l'*introversion–extraversion* et la *stabilité–instabilité*. La dimension introversion-extraversion détermine dans quelle mesure l'orientation fondamentale d'un individu est tournée vers son propre moi ou vers le monde extérieur. À l'extrémité introversion de l'échelle, on trouve les individus qui sont timides et préfèrent travailler seuls; ils ont tendance à se replier sur eux-mêmes, surtout aux moments de conflit ou de stress affectifs. Se situent à l'extrémité extraversion de l'échelle les individus qui sont sociables et préfèrent les tâches leur permettant de travailler directement avec d'autres; en période de stress, ils recherchent la compagnie. La stabilité-instabilité est une dimension de l'affectivité qui situe les individus calmes, bien adaptés et fiables du côté stable de l'échelle et les individus maussades, anxieux, capricieux et irresponsables de l'autre côté.

Une autre critique qu'on adresse à cette méthode concerne la variabilité du comportement d'une situation à l'autre. Le jeune garçon qui obtient un score élevé au facteur « dominant » du 16 PF peut adopter une attitude autoritaire avec ses camarades de classe, mais pas avec ses parents et ses maîtres; même par rapport à ses compagnons, il peut arriver qu'il se montre agressif dans certaines occasions et docile dans d'autres. Comme nous le verrons plus loin, les tests qui se proposaient de mesurer des traits n'ont pas connu le succès que les psychologues auraient souhaité lorsqu'il s'agit de prédire le comportement dans une variété de situations. Pour pouvoir prévoir le comportement, nous avons besoin de savoir comment les caractéristiques personnelles — les tendances à être sociable, agressif, anxieux, etc. — sont influencées par les conditions particulières du milieu. Les résultats des recherches indiquent que l'*interaction* entre les traits et les variables de la situation est le facteur le plus important.

POINT DE VUE DE L'APPRENTISSAGE SOCIAL

Les tenants de la théorie des traits concentrent leur intérêt sur les facteurs *personnels* qui déterminent le comportement. Ils partent du postulat que les traits prédisposent l'individu à réagir de façon constante dans diverses situations. Les situations exercent pourtant une influence : Pierre ne réagit pas de façon aussi agressive lorsqu'une jolie serveuse répand accidentellement du café sur lui que lorsqu'un camionneur vient lui couper le chemin sur une route encombrée. Pourtant, les adeptes de la théorie des traits prétendent que Pierre se comportera de façon plus agressive dans les deux situations que Michel, dont les scores d'agressivité sur l'échelle du 16 PF sont moins élevés.

La *théorie de l'apprentissage social*, par contre, met l'accent sur l'importance des facteurs de l'*environnement*, ou de la *situation*, dans la détermination du comportement. Pour un théoricien de l'apprentissage social, le comportement est le produit d'une interaction continue entre des facteurs personnels et des facteurs d'environnement. Les circonstances de l'environnement façonnent le comportement par l'intermédiaire de l'apprentissage et le comportement de l'individu façonne, à son tour, l'environnement. Personnes et situations s'influencent réciproquement. Pour prévoir le comportement, nous avons besoin de savoir comment les caractéristiques de l'individu entrent en interaction avec les caractéristiques de la situation.

Renforcement et apprentissage social

L'influence des autres — les récompenses et les punitions qu'ils apportent — est très importante pour la détermination du comportement d'un individu. D'après la théorie de l'apprentissage social, les différences individuelles observées dans la conduite proviennent en grande partie des différences dans les sortes d'expériences d'apprentissage rencontrées au cours de la croissance. Certains schèmes de comportement sont appris par expérience directe : l'individu se comporte d'une certaine façon et il est récompensé ou puni en conséquence. Mais plusieurs réactions sont acquises sans renforcement direct, grâce à un *apprentissage fondé sur l'observation* ou apprentissage *vicariant* (voir au chapitre 11, p. 398). Les gens sont capables d'apprendre en observant les actions des autres et en prenant note des conséquences de ces actions. Il serait en effet très lent et très inefficace d'apprendre toute notre conduite seulement par renforcement direct des réponses. Selon les théoriciens de l'apprentissage social, le renforcement ne serait pas *nécessaire* à l'apprentissage, mais il le *faciliterait* en orientant l'attention de l'individu.

Même si le renforcement n'est pas indispensable à l'apprentissage, il est essentiel à l'*exécution* du comportement acquis. Selon l'un des postulats de base de la théorie de l'apprentissage social, les gens adopteraient des conduites susceptibles de provoquer un renforcement. Le répertoire des comportements acquis par un individu est vaste ; dans une situation donnée, le comportement qu'il choisit dépend du résultat qu'il attend. La plupart des adolescentes savent comment se battre, car elles ont pu observer leurs compagnons de classe ou des personnages de télévision se livrer à l'agression en frappant avec les poings et les pieds, et ainsi de suite. Mais comme cette sorte de conduite est rarement renforcée chez les filles, il est peu probable qu'elles l'adoptent, sauf dans des circonstances exceptionnelles.

Apprentissage social

On peut créer son propre environnement

Le renforcement à l'origine de l'expression du comportement appris est soit *direct* — récompenses tangibles, approbation ou désapprobation sociale, ou allégement de conditions hostiles, soit *vicariant* — observation de quelqu'un qui reçoit une récompense ou une punition pour une conduite semblable à celle de l'observateur, soit *autogène* — évaluation par un individu de son propre comportement en s'adressant à lui-même éloges ou reproches.

Interaction personne-situation

Selon les théoriciens de l'apprentissage social, les façons d'agir d'une personne dans une situation donnée dépendent des caractéristiques de cette situation, de l'évaluation que l'individu en fait et des renforcements antérieurs des comportements adoptés dans des situations semblables (ou de l'observation des réactions d'autres personnes placées dans des situations similaires). Les gens ont un comportement constant dans la mesure où les situations dans lesquelles ils se retrouvent et les rôles qu'on s'attend à les voir adopter restent relativement inchangés.

Par ailleurs, la plupart des conduites sociales ne sont pas récompensées de la même façon d'une situation à l'autre. Les individus apprennent à reconnaître les contextes dans lesquels tel comportement est approprié et ceux où il ne le serait pas. Dans la mesure où une personne se trouve récompensée pour la même réaction dans plusieurs situations différentes, une *généralisation* se produit, ce qui fait que le même comportement apparaîtra ensuite dans une variété de contextes. Ainsi, le garçon qui reçoit de son père un renforcement pour son comportement agressif, à la maison aussi bien qu'à l'école et au jeu, se formera probablement une personnalité uniformément agressive. Mais le plus souvent, les réactions agressives reçoivent un renforcement différencié et les *discriminations* acquises déterminent les situations dans lesquelles l'individu manifestera de l'agressivité (l'agression sera acceptable, par exemple, durant une partie de hockey, mais pas en classe).

FACTEURS LIÉS À LA PERSONNE   Dans la prédiction de la façon dont une personne se conduira dans une situation donnée, les théoriciens de l'apprentissage social accordent plus d'importance aux différences individuelles dans le développement cognitif et dans les expériences d'apprentissage qu'aux traits de motivation (comme l'agressivité ou la dépendance). Voici une liste de certaines des variables individuelles, ou *facteurs liés à la personne* qui entrent en interaction avec les conditions de la situation pour exercer une influence sur la conduite:

1. *Les compétences: Que savez-vous faire?* Les compétences comprennent les capacités intellectuelles, les habiletés sociales et physiques et d'autres habiletés particulières.
2. *Les stratégies de codage: Comment le percevez-vous?* Les gens ont des façons différentes de porter une attention sélective à l'information qu'ils reçoivent, de coder (se représenter) les événements et de regrouper l'information sous des catégories sémantiques. Un événement perçu comme menaçant par une personne peut être considéré comme un défi par une autre.
3. *Les attentes: Qu'est-ce qui va arriver?* Les attentes quant aux conséquences de différents comportements orienteront le choix de conduite de l'individu. Si vous trichez à un examen et que l'on vous surprend, à quoi vous attendez-vous? Si vous dites à votre ami(e) ce que vous pensez réellement de lui (d'elle), qu'adviendra-t-il de votre amitié? Les attentes que nous avons face à nos propres capacités auront aussi une influence sur notre conduite: il se peut que nous anticipions les conséquences d'un certain comportement, mais que nous n'agissions pas parce que nous sommes incertains de notre capacité d'agir.
4. *Valeurs subjectives: Est-ce que ça en vaut la peine?* Des individus qui nourrissent des attentes similaires peuvent choisir de se conduire de façons différentes parce qu'ils prêtent des valeurs différentes aux résultats. Deux étudiants peuvent s'attendre à ce qu'un certain comportement fasse plaisir à leur professeur; toutefois, l'un de ces étudiants peut attacher de l'importance à ce résultat, l'autre pas.

5. *Les systèmes et les plans auto-régulateurs: Comment y parvenir?* Les gens se montrent différents dans les normes qu'ils s'imposent et dans les règles qu'ils adoptent pour régler leur conduite (y compris dans les récompenses et les punitions qu'ils se donnent pour leur succès et leurs échecs) de même que dans leur capacité à faire des plans réalistes pour l'atteinte d'un but. (D'après Mischel, 1986, p. 305-313)

TOUS ces facteurs liés à la personne (appelés parfois variables cognitives d'apprentissage social liées à la personne) entrent en interaction avec les conditions d'une situation particulière pour déterminer la conduite d'un individu dans cette situation.

ENVIRONNEMENTS QU'ON CRÉE SOI-MÊME   Nous ne réagissons pas tout simplement de façon passive aux conditions de la situation. Les relations entre notre conduite et les « situations » de la vie sont affaire de réciprocité. Par leur propre activité, les gens créent les conditions de l'environnement qui agissent sur leur conduite. Pour prendre un exemple simple, regardons ce que fait le rat placé dans une boîte de Skinner dont le plancher est fait d'un grillage électrisable. Des chocs de brève durée sont programmés pour se produire à toutes les minutes, mais l'animal peut éviter le choc en appuyant sur un levier. Les animaux qui apprennent ce comportement de contrôle peuvent se constituer un environnement dépourvu de punition; ceux qui apprennent lentement auront des expériences désagréables. Par conséquent, l'*environnement potentiel* est le même pour tous les animaux, mais l'*environnement réel* dépend de leur comportement (Bandura, 1977).

De la même façon, dans la vie, nous choisissons et influençons nos propres situations. D'abord, nous préférons nous impliquer et passer du temps dans les situations qui nous rendent à l'aise. Il s'agit généralement de situations qui favorisent l'expression de nos attitudes et dispositions caractéristiques ou qui renforcent nos conceptions de ce que nous sommes. Ainsi, les extravertis sont beaucoup plus portés que les introvertis à rechercher les situations sociales stimulantes qui font appel à la tendance à s'affirmer, à l'esprit de compétition et à la culture de l'intimité (Furnham, 1981); les amateurs de sensations fortes font le choix d'activités qui procurent des frissons (Zuckerman, 1979); et ceux qui sont préoccupés du maintien de leur image de satisfaction de soi optent pour les contextes dans lesquels le succès viendra renforcer leur image d'individu compétent et dans lesquels l'échec pourra être attribué à des circonstances extérieures, donc sans menace pour l'image qu'ils se font d'eux-mêmes (Jones et Berglas, 1978).

En second lieu, une fois que nous sommes placés dans une situation — que nous avons choisie ou pas — une grande part de ce qui arrive est attribuable à nos propres activités. L'individu à l'esprit très compétitif peut s'arranger pour transformer une situation exempte de rivalité en une occasion de défi. Celui qui agit de façon contrariante suscite de l'hostilité de la part des autres, alors que celui qui se comporte de manière chaleureuse et amicale récolte ce qu'il sème. Les situations dans lesquelles nous nous trouvons sont un peu notre œuvre.

Évaluation de la méthode de l'apprentissage social

Grâce à son insistance sur l'identification des variables de l'environnement qui suscitent des comportements particuliers, la théorie de l'apprentissage social a contribué de façon importante à notre compréhension dans les domaines de la psychologie clinique et de la théorie de la personnalité. Elle nous a amenés à considérer l'activité humaine comme un ensemble de réactions à des environnements déterminés et nous a aidés à concentrer notre attention sur les façons dont les situations contrôlent notre conduite et sur les moyens de les changer pour modifier notre comportement. Au chapitre 16, nous verrons que l'application prudente des principes de l'apprentissage s'est révélée efficace pour la modification des comportements inadaptés.

On a reproché aux théoriciens de l'apprentissage social d'accorder, dans l'explication du comportement, une importance exagérée aux facteurs liés

« Très bien, je fais les présentations : « Le moi », voici « le ça ». Bon ! Maintenant, retournez à vos affaires. »

à la situation et de négliger ainsi la « personne » en psychologie de la personnalité (Carlson, 1971). Comme nous le verrons plus loin, plusieurs théoriciens de la personnalité se refusent à admettre que la personnalité est aussi peu stable que le laisse entendre la théorie de l'apprentissage social.

POINT DE VUE PSYCHANALYTIQUE

La *théorie psychanalytique* aborde la personnalité très différemment des deux théories dont nous avons parlé jusqu'ici. La théorie des traits, comme celle de l'apprentissage social, s'en tient surtout à la personnalité publique ; les deux s'intéressent d'abord au comportement. Les théories psychanalytiques, au contraire, explorent la personnalité privée — les mobiles *inconscients* qui guident la conduite. La théorie psychanalytique s'intéresse également à la façon dont la personnalité se développe.

Les théories de Freud, conçues au cours des 50 années où il traita des personnes émotivement perturbées, tiennent dans 24 volumes. Le plus récent, *Outline of Psychoanalysis*, a été publié en 1940, un an après sa mort. Nous ne pouvons présenter ici qu'un résumé très sommaire de la théorie de Freud sur la personnalité.

Freud compare l'esprit humain à un iceberg : la pointe qui émerge à la surface de l'eau représente l'*expérience consciente*, alors que la masse plus considérable qui reste submergée est l'*inconscient* — un stock de pulsions, de passions et de souvenirs inaccessibles, qui influencent nos pensées et notre conduite. C'est cette partie inconsciente de l'esprit que Freud a cherché à explorer par la technique de l'*association libre*, qui consiste à demander à un individu de parler de tout ce qui lui vient consciemment à l'esprit, quelque ridicules ou banales que puissent lui paraître ces pensées. En analysant les associations libres (y compris la remémoration des rêves et des souvenirs de la tendre enfance) faites par ses patients, Freud a essayé d'aider ceux-ci à prendre conscience d'une bonne partie de ce qui était inconscient et, ce faisant, de découvrir les facteurs fondamentaux de la personnalité.

Structure de la personnalité

Selon Freud, la personnalité est composée de trois grands systèmes ; le *ça*, le *moi* et le *surmoi*. Chaque système a sa propre fonction, mais les trois entrent en interaction pour diriger la conduite.

LE ÇA   Le *ça* est la partie la plus primitive de la personnalité, à partir de laquelle le moi et le surmoi se développent plus tard. Il est présent à la naissance et il est constitué des pulsions biologiques fondamentales (ou tendances) : le besoin de manger, de boire, d'évacuer les déchets organiques, d'éviter la douleur et d'obtenir du plaisir sexuel. Freud pensait que l'agressivité est également une tendance biologique fondamentale (voir au chapitre 11). Le ça recherche la gratification immédiate de ces pulsions. Le ça, comme le jeune enfant, agit en fonction du *principe du plaisir* : il s'efforce d'éviter la douleur et d'obtenir du plaisir en ne tenant aucun compte des circonstances extérieures.

LE MOI   Les enfants apprennent vite que leurs pulsions ne peuvent pas toujours recevoir gratification immédiate. La faim doit attendre jusqu'à ce que quelqu'un fournisse de la nourriture. La satisfaction du soulagement des pressions exercées sur la vessie ou sur les intestins doit être retardée jusqu'à ce qu'on atteigne la chambre de toilette. Certaines impulsions — celle de frapper quelqu'un ou de jouer avec ses parties génitales — peuvent entraîner des punitions de la part d'un des parents. Une nouvelle partie de la personnalité, le *moi*, se développe au fur et à mesure que l'enfant apprend à tenir compte des exigences de la réalité. Le moi obéit au *principe de réalité* : la gratification des pulsions doit être mise en veilleuse jusqu'à la rencontre de conditions appropriées dans l'environnement. En tenant compte du monde réel, le moi, par exemple, différera la gratification tirée des impulsions sexuelles jusqu'à ce que les conditions s'y prêtent. Il est essentiellement le « dirigeant » de la personnalité : c'est lui qui décide quelles sont les actions qui conviennent, à quels instincts du ça on cédera et de quelle façon. Le moi se fait le médiateur entre les exigences du ça, les réalités du monde et les prescriptions du surmoi.

LE SURMOI   Cette troisième partie de la personnalité, le *surmoi*, est la représentation intériorisée des valeurs et des principes moraux de la société, tels que les parents et les autres les ont enseignés à l'enfant. C'est essentiellement la conscience individuelle. Le surmoi juge si un acte est bon ou mauvais. Le ça recherche du plaisir, le moi vérifie la réalité et le surmoi s'efforce d'atteindre la perfection. Le surmoi se forme d'après les récompenses et les punitions données par les parents. Il incorpore toutes les actions qui ont attiré des punitions ou des reproches à l'enfant, de même que toutes celles qui lui ont valu des récompenses.

Au départ, les parents contrôlent la conduite des enfants de façon directe, par les récompenses et les punitions. Grâce à l'incorporation dans le surmoi des normes parentales, l'enfant en arrive à contrôler lui-même sa conduite. Il n'a plus besoin de personne pour lui dire que c'est mal de voler ; le surmoi le lui dit. La violation des normes du surmoi, ou même la tendance à les violer, suscite de l'anxiété liée à la peur de perdre l'amour des parents. Selon Freud, cette anxiété est en grande partie inconsciente ; l'émotion, qui est *consciente* en est une de culpabilité. Si les normes parentales sont trop rigides, l'individu peut se sentir envahi par la culpabilité et inhiber toute pulsion sexuelle ou agressive. Par contre, l'individu qui n'incorpore aucune norme de conduite sociale acceptable ressent peu de contraintes d'ordre comportemental et peut se livrer à des conduites excessivement égoïstes ou criminelles. On considère qu'une telle personne a un surmoi qui est faible.

Les trois composantes de la personnalité se trouvent parfois en conflit : le moi retarde la gratification que le ça veut avoir immédiatement, et le surmoi s'en prend au ça et au moi parce que souvent, la conduite n'est pas à la hauteur du code moral qu'il représente. Mais la plupart du temps, chez l'individu normal, les trois forment équipe et assurent une conduite cohérente.

ANXIÉTÉ ET MÉCANISMES DE DÉFENSE   Selon Freud, le conflit entre, d'une part, les pulsions du ça (surtout les instincts sexuels et agressifs) et, d'autre part, les influences restrictives du moi et du surmoi constitue la source de motivation à l'origine d'une bonne partie de la conduite. Étant donné que la société condamne la libre expression de l'agressivité et des comportements sexuels, les pulsions de cette nature ne peuvent trouver d'éxutoires immédiats et directs. Les enfants apprennent très tôt qu'ils ne devraient pas manipuler leurs organes génitaux en public ou frapper leurs frères et sœurs. Ils finissent par intérioriser les restrictions des parents à l'égard de la satisfaction des pulsions, développant ainsi le surmoi. Plus une société (ou ses représentants, les parents) impose de contraintes à l'expression des pulsions, plus il y a de possibilités de conflit entre les trois parties de la personnalité.

Les désirs du ça représentent des forces puissantes qui doivent trouver une forme d'expression ; le fait d'interdire cette expression ne les abolit pas. Les individus qui ressentent le besoin de faire une chose pour laquelle ils seront punis deviennent anxieux. Une façon de réduire l'anxiété consiste à exprimer la pulsion sous une forme déguisée ; on évite ainsi la punition de la part de la société et la condamnation de la part du surmoi. On peut, par exemple, déplacer des pulsions agressives en les transformant en un intérêt pour les voitures de course ou en se faisant le grand défenseur de causes politiques.

Une autre façon d'alléger l'anxiété est le *refoulement*, qui consiste à repousser la pulsion à l'extérieur de la conscience, c'est-à-dire dans l'inconscient. Ces méthodes de réduction de l'anxiété, que l'on appelle *mécanismes de défense*, sont des moyens de se protéger contre une angoisse douloureuse. Elles ne sont jamais totalement efficaces pour l'allégement de la tension et

L'entraînement à la toilette est l'une des premières expériences de contrainte imposée à l'enfant.

ce qui reste de cette dernière peut prendre la forme d'une nervosité qui, comme l'a souligné Freud, est le prix qu'on doit payer pour le privilège de la civilisation. Une société qui n'imposerait pas de limites à la libre expression des instincts du ça donnerait probablement des individus totalement à l'abri de l'angoisse ou de la tension. Mais pareille société ne survivrait sans doute pas longtemps; toutes les sociétés doivent imposer certaines contraintes à la conduite, pour le bien commun.

Les mécanismes de défense forment la base de la théorie de Freud sur la conduite mal adaptée; nous les étudierons plus à fond au chapitre 14. Pour le moment, nous nous contenterons de faire remarquer qu'il y a des différences individuelles sur le plan de l'équilibre entre les systèmes du ça, du moi et du surmoi et quant aux mécanismes de défense utilisés contre l'angoisse. La façon dont une personne aborde une situation difficile reflète sa façon de faire face aux exigences contradictoires du ça, du moi et du surmoi.

Développement de la personnalité

Freud pensait que durant les 5 premières années de sa vie, l'individu passe par plusieurs stades de développement qui influencent sa personnalité. Appliquant une définition très large de la sexualité, il a appelé ces périodes des *stades psychosexuels*. À chacun de ces stades, les pulsions du ça orientées vers le plaisir (la libido) se concentrent sur une région déterminée du corps et sur les activités associées à cette région.

Freud a appelé la première année de la vie le *stade oral* du développement psychosexuel. Au cours de cette période, les nourrissons prennent plaisir à l'acte de se nourrir et de téter; effectivement, ils se mettront dans la bouche le pouce ou n'importe quel autre objet qu'ils peuvent attraper. Durant la deuxième année de la vie, le *stade anal*, les enfants font leur première expérience de l'imposition d'un contrôle sur eux-mêmes, l'entraînement à la propreté. On présume qu'ils trouvent une gratification dans l'action de retenir ou d'expulser les matières fécales. Au *stade phallique*, qui s'étend à peu près de l'âge de 3 ans à l'âge de 6 ans, les enfants commencent à tirer plaisir à la manipulation de leurs organes génitaux. Ils découvrent la différence entre les hommes et les femmes et il peut arriver qu'ils orientent leurs pulsions sexuelles naissantes vers le parent du sexe opposé.

Une *période de latence* succède au stade phallique; durant cette période, les enfants deviennent moins préoccupés de leur corps et font porter leur attention vers le savoir-faire nécessaire pour traiter avec l'environnement. La période finale, le *stade génital*, apparaît durant l'adolescence. Les jeunes commencent à faire porter leur intérêt sexuel vers les autres et deviennent capables d'aimer d'une façon plus mûre.

Freud était d'avis qu'à chacun de ces stades, des problèmes particuliers peuvent arrêter (ou fixer) le développement, ce qui aurait des conséquences durables sur la personnalité de l'individu. La libido resterait attachée aux activités propres à ce stade. Ainsi, une personne qui aurait été sevrée très tôt et qui n'aurait pas eu suffisamment de plaisir lié à la succion pourrait se *fixer* au stade oral. Devenu adulte, cette personne pourrait être excessivement dépendante des autres et avide des plaisirs oraux comme manger, boire ou fumer. On dit d'un tel individu qu'il a une personnalité « orale ». Il pourra arriver que la personne fixée au stade anal de son évolution psychosexuelle manifeste une préoccupation exagérée pour la propreté, l'ordre et l'économie et qu'elle ait tendance à résister aux pressions venant de l'extérieur.

Modifications des théories de Freud

Les psychanalystes qui vinrent après Freud trouvèrent que celui-ci avait attaché trop d'importance aux aspects instinctifs et biologiques de la personnalité et qu'il n'avait pas reconnu le fait que les individus sont le produit de la société dans laquelle ils vivent. Selon les néo-freudiens, dont Alfred Adler, Karen Horney, Erich Fromm et Harry Stack Sullivan, la personnalité est façonnée beaucoup plus par les gens, par la société et par la culture qui entourent l'individu que par ses besoins biologiques. Ils ont moins insisté sur le pouvoir de contrôle de l'inconscient, croyant que les gens sont plus raisonnables dans leurs projets et leurs décisions que Freud ne l'avait pensé.

Des théoriciens plus récents de la psychanalyse ont mis l'accent sur le rôle du moi. Les *analystes du moi* — tels Heinz Hartman et David Rapaport — croient que le moi existe à la naissance, qu'il se développe indépendamment du ça et qu'il remplit des fonctions qui s'ajoutent à celle de la découverte de moyens réalistes de satisfaire aux pulsions du ça. Ces fonctions du moi consistent dans l'apprentissage de façons de composer avec l'environnement et dans la découverte d'un sens à donner à l'expérience vécue. Les satisfactions du moi comprennent l'exploration, la manipulation et la compétence dans l'action. Cette conception rapproche le concept du moi des processus cognitifs. Les psychanalystes contemporains n'ont pas rejeté le concept du ça, ni l'importance des tendances biologiques dans la motivation de la conduite. Mais ils portent un intérêt égal à des questions comme le degré de distance psychologique par rapport aux parents, le degré d'attachement aux autres par opposition à la préoccupation de sa propre personne et la force des sentiments de compétence et d'estime de soi de l'individu.

Évaluation de la théorie psychanalytique

La théorie psychanalytique a eu un impact énorme sur les conceptions psychologiques et philosophiques de la nature humaine. Les contributions principales de Freud ont été la reconnaissance du fait que les besoins et les conflits inconscients motivent une bonne partie de notre conduite et la mise en relief de l'importance des premières expériences de l'enfance dans le développement de la personnalité. L'importance qu'il a accordée aux facteurs sexuels a provoqué une prise de conscience de leur rôle dans les problèmes d'adaptation et a ouvert la voie à l'étude scientifique de la sexualité. Mais Freud a fait ses observations durant l'ère victorienne, alors que les normes sexuelles étaient très sévères; on comprend donc pourquoi plusieurs de ses patients avaient des conflits centrés sur leurs désirs sexuels. Aujourd'hui, les sentiments de culpabilité liés à la sexualité sont moins fréquents et pourtant le nombre des malades mentaux reste à peu près le même. Les conflits sexuels ne sont pas l'unique cause des troubles de la personnalité — peut-être n'en sont-ils même pas la cause principale.

Certains critiques font remarquer également que la théorie de Freud sur la personnalité repose presque entièrement sur les observations d'individus perturbés sur le plan affectif. Il se peut donc que cette théorie ne soit pas une description adéquate de la personnalité normale et saine. De plus, bon nombre d'idées freudiennes étaient décidément « sexistes ». Par exemple, sa théorie voulant que le développement psychosexuel de la femme soit façonné par l'« envie du pénis » — et par les sentiments concomitants d'indignité découlant du défaut d'un tel appareil — est certainement inadéquate quand on considère notre prise de conscience actuelle du rôle des facteurs sociaux dans l'identification du genre (Chodorow, 1978). Ce n'était probablement pas le pénis de son frère que la petite fille de l'ère victorienne enviait, mais sa plus grande indépendance, son plus grand pouvoir et son statut social.

En dépit du fait que la psychanalyse ait exercé une influence puissante sur notre conception de la nature humaine, elle a été sérieusement critiquée en tant que théorie scientifique. Les concepts théoriques de Freud sont ambigus et difficiles à définir. Il ne donne pas de précisions, par exemple, sur les comportements qui indiqueraient qu'un enfant se trouve fixé au stade anal du développement sexuel, ni sur ceux qui indiqueraient qu'il n'y est pas fixé. Les efforts de recherche pour identifier des types de personnalité orale et anale semblent indiquer que la façon dont les parents éduquent l'enfant (par exemple, l'insistance continuelle sur la propreté et sur la précision ou les tentatives pour rendre l'enfant excessivement dépendant) exercent une plus grande influence sur la personnalité future que les événements particuliers survenant au cours de stades psychosexuels déterminés.

La théorie psychanalytique postule au départ que des conduites très différentes peuvent être les signes d'une même pulsion ou d'un même conflit fondamental. Par exemple, la mère qui éprouve du ressentiment envers son enfant peut se montrer punitive et abusive, ou elle peut renier ses pulsions hostiles en devenant excessivement inquiète et en prenant une attitude protectrice exagérée vis-à-vis de l'enfant — ce que Freud appelle une *formation réactionnelle* (voir au chapitre 14). Lorsqu'on attribue des conduites contradictoires à la même motivation, il est difficile de prouver la présence ou l'absence d'un tel mobile. Et il n'est pas facile, par conséquent, de faire des prédictions théoriques qu'on pourra vérifier dans les faits.

La plupart des psychanalystes qui ont modifié ou développé les théories de Freud s'intéressaient à des concepts qui les aideraient à comprendre leurs patients; ils n'avaient reçu que peu (ou pas) de formation dans l'élaboration de théories ou en méthodologie de la recherche. Récemment, on a assisté à un regain d'intérêt pour la reformulation de la théorie psychanalytique en termes vérifiables et pour la sujétion de cette théorie à une évaluation expérimentale (Silverman et Weinberger, 1985).

POINT DE VUE PHÉNOMÉNOLOGIQUE

L'attitude phénoménologique sur le plan de l'étude de la personnalité consiste à se concentrer sur l'*expérience subjective* de l'individu — sa façon personnelle de percevoir le monde. Les théories phénoménologiques se distinguent des théories dont nous avons parlé jusqu'ici par le fait qu'elles ne s'intéressent généralement pas aux antécédents de l'individu sur le plan de la motivation et qu'elles ne cherchent pas à prédire sa conduite. Elles se penchent plutôt sur la façon dont l'individu perçoit et interprète les événements — c'est-à-dire sur la *phénoménologie* de l'individu.

Dans un sens, le point de vue phénoménologique est une réaction à la fois contre la notion psychanalytique voulant que les êtres humains soient motivés par des tendances inconscientes et contre l'importance que les behavioristes accordent au comportement manifeste. Plutôt que de s'arrêter à des mesures objectives d'une situation ou de scruter les profondeurs de l'enfance et de ses motivations, les phénoménologues font porter leur attention sur la perception subjective de ce qui se passe actuellement. Tandis que la plupart des théories de la personnalité observent l'individu de l'extérieur, les théories phénoménologiques essaient de pénétrer dans la propre expérience psychologique de la personne — de comprendre comment cet individu particulier interprète le monde et en fait l'expérience.

La position phénoménologique par rapport à la personnalité comprend des concepts qu'on a qualifiés d'« humanistes » (parce qu'ils s'intéressent aux qualités qui distinguent les êtres humains des animaux — nommément le contrôle de soi et la liberté de choix) et des théories du « soi » (parce qu'elles traitent des expériences intérieures et subjectives qui donnent à l'individu le sens de son existence). La plupart des théories phénoménologiques insistent également sur le côté positif de l'être humain et sur ses efforts de croissance personnelle et d'*actualisation de soi*. Certaines caractéristiques du point de vue phénoménologique sur la personnalité vont devenir plus évidentes lorsque nous exposerons les idées de l'un de ses principaux porte-parole, Carl Rogers.

Propos de Carl Rogers sur le point de vue phénoménologique : *« Le point d'observation le plus avantageux pour la compréhension de la conduite est celui du cadre de référence interne de l'individu lui-même. »*
« L'organisme répond à une tendance fondamentale et à un objectif primordial: actualiser, maintenir et rehausser l'organisme en train de vivre l'expérience. »
« Lorsque l'individu perçoit et accepte, dans un sytème cohérent et intégré, toutes ses expériences sensorielles et viscérales, il est alors nécessairement plus en mesure de comprendre les autres et de les accepter comme des individus distincts. » (Rogers, 1951)

La théorie du soi de Rogers

Comme Freud, Rogers a conçu sa théorie d'après ses expériences de travail auprès de personnes affectivement perturbées (Rogers, 1951, 1977). Il a été impressionné par ce qu'il a interprété comme une tendance innée de l'individu à progresser dans le sens de la croissance, de la maturité et des changements positifs. Il en vint à croire que la force fondamentale qui motive l'organisme humain est l'actualisation de soi — une tendance vers l'épanouissement ou l'actualisation de toutes les capacités de l'organisme. Un organisme en croissance cherche à réaliser son potentiel dans les limites de l'hérédité. Il est possible que parmi ses actions, une personne ne perçoive pas toujours nettement celles qui mènent à la croissance et celles qui sont régressives. Mais une fois que la voie est claire, l'individu choisit de croître plutôt que de régresser. Rogers ne nie pas l'existence d'autres besoins, dont certains sont biologiques, mais il les conçoit comme subordonnés à la motivation de l'organisme pour l'amélioration de soi.

La foi de Rogers en la primauté de l'actualisation de soi est à la base de sa *thérapie* « non directive » ou *axée sur la personne*. Cette méthode psychothérapeutique postule que tout individu (si les circonstances le permettent) possède la motivation et la capacité de changer et que c'est l'individu lui-même qui est le mieux en mesure de décider de l'orientation qu'il faut donner à un tel changement. Le rôle du thérapeute est de servir de caisse de résonnance pendant que l'individu explore et analyse ses problèmes. Cette méthode se distingue de la thérapie psychanalytique, durant laquelle le thérapeute analyse les antécédents du patient pour identifier le problème et planifier une démarche d'action corrective. (Voir au chapitre 16, un exposé des diverses façons de concevoir la psychothérapie.)

Le concept central de la théorie de Rogers est le *soi*. Rogers admet qu'au début, il répugnait à utiliser le concept du soi parce qu'il avait l'impression qu'il n'était pas scientifique :

> Dans mon cas, j'ai commencé à travailler en ayant le sentiment bien arrêté que le « soi » était un terme vague, ambigu, dépourvu de signification scientifique, qui était disparu du vocabulaire du psychologue au moment du départ des partisans de l'introspection. Par conséquent, j'ai mis du temps à reconnaître que lorsqu'on donnait l'occasion aux clients d'exprimer leurs problèmes et leurs attitudes dans leurs propres mots, sans les guider ni interpréter pour eux, ils avaient tendance à parler en termes du soi. Les expressions caractéristiques étaient des attitudes comme celles-ci : « J'ai l'impression de ne pas être mon vrai moi ». « Je me demande qui je suis, vraiment. » « Je ne voudrais pas que personne connaisse le véritable moi. » « Je n'ai jamais eu la chance d'être moi-même. » « Je me sens bien de pouvoir me laisser aller et d'*être* tout simplement moi-même, ici. » « Je pense que si je fais éclater la façade de plâtre, j'ai un moi assez solide — un bon édifice de brique substantiel, là-dessous. »* Il m'a semblé évident, d'après de telles expressions, que le soi (self) était un élément important dans l'expérience du client et que, de façon assez singulière, son objectif était de devenir son « vrai soi » (real self) (Rogers, 1959, p. 200-201).

Le soi, ou concept de soi, (Rogers utilise indifféremment ces deux termes) devint la pierre angulaire de la théorie de Rogers. Le soi englobe toutes les idées, les perceptions et les valeurs que caractérise le pronom « je » ou « moi » ; il comprend la prise de conscience de « ce que je suis » et de « ce que je peux faire ». Cette perception du soi, à son tour, influence à la fois la perception du monde et la conduite de la personne. Par exemple, la femme qui se perçoit comme une personne forte et compétente agit différemment de celle qui se considère faible et inefficace. Le concept de soi ne reflète pas nécessairement la réalité ; un individu peut avoir beaucoup de succès et être respecté par les autres et, pourtant, se considérer lui-même comme un raté.

D'après Rogers, l'individu évalue toute expérience en fonction de ce concept de soi. Les gens désirent se conduire d'une façon qui s'accorde avec leur image de soi ; les expériences et les sentiments qui n'y correspondent pas représentent donc une menace et peuvent être interdits de séjour dans la conscience. Cette conception se rapproche beaucoup du concept de refoulement proposé par Freud, mais Rogers est d'avis qu'un tel refoulement n'est ni nécessaire, ni permanent. (Freud dirait que le refoulement est inévitable et que certains aspects de notre expérience restent toujours inconscients.)

---

* Plusieurs de ces expressions, qu'on doit traduire par « moi » dans ces phrases, utilisent les mots « self » et « myself » en anglais, se référant au « soi » ou « soi-même ». Nous nous sommes conformés à l'usage courant qui traduit la « theory of self » par « théorie du soi » ou « théorie du self ». (Note du traducteur)

Plus une personne renie de domaines de l'expérience parce qu'ils ne correspondent pas à son concept de soi, plus l'écart entre le soi et la réalité devient grand et plus il y a risque de mésadaptation. Un individu dont le concept de soi n'est pas conforme à ses sentiments et à son expérience personnelle doit se défendre contre la vérité, car la vérité est porteuse d'angoisse. Si le décalage devient trop important, les défenses peuvent s'effondrer, ce qui fait naître une anxiété grave ou d'autres formes de perturbations affectives. La personne bien adaptée a, au contraire, un concept de soi qui est en harmonie avec la pensée, l'expérience et la conduite ; le soi n'est pas rigide mais souple, et il peut changer au fur et à mesure qu'il assimile des expériences et des idées nouvelles.

La théorie de Rogers reconnaît un autre soi qui est le *soi idéal*. Nous avons tous une conception de la sorte de personne que nous aimerions être. Plus le soi idéal se rapproche du soi réel, plus l'individu devient épanoui et heureux. Lorsqu'il y a un écart important entre le soi idéal et le soi réel, l'individu est malheureux et mécontent.

Par conséquent, deux types de décalage peuvent se présenter : l'un entre le soi et les expériences de la réalité et l'autre entre le soi et le soi idéal. Rogers a émis des hypothèses sur la façon dont ces décalages peuvent survenir.

Développement du soi

Sa conduite étant constamment évaluée (parfois positivement, parfois négativement) par ses parents et par les autres, l'enfant apprend vite à distinguer, parmi ses pensées et ses actions, celles qui sont considérées comme méritoires et celles qui ne le sont pas. Afin de conserver la *considération positive* d'autrui (un besoin que Rogers présume universel), l'enfant exclut les expériences blâmables de son concept de soi, même s'il s'agit, dans certains cas, d'expériences valables. Par exemple, le soulagement des tensions physiologiques des intestins ou de la vessie est une expérience agréable pour l'enfant. Pourtant, à moins que l'enfant n'urine ou ne défèque en privé et à l'endroit approprié, les parents réprouvent habituellement de telles activités en les qualifiant de « méchantes ». Pour conserver la faveur des parents, l'enfant doit dénier sa propre expérience — le fait que déféquer ou uriner donne de la satisfaction.

Les sentiments de rivalité et d'hostilité à l'égard d'un jeune frère ou d'une jeune sœur ayant usurpé le centre d'attention sont naturels. Mais les parents réprouvent le fait de frapper un petit frère ou une petite sœur et punissent habituellement un tel geste. Les enfants doivent trouver le moyen d'intégrer cette expérience dans leur concept de soi. Ils peuvent décider qu'ils sont méchants et donc avoir honte. Ils peuvent conclure que leurs parents ne les aiment pas et se sentir en conséquence rejetés. Ou encore, ils peuvent renier leurs sentiments et se persuader qu'ils ne veulent pas frapper le bébé. Chacune de ces attitudes constitue une déformation de la vérité. La troisième solution est la plus facile pour l'enfant. Mais elle signifie une dénégation de ses sentiments réels, lesquels deviennent alors inconscients. Plus les gens sont forcés de renier leurs sentiments et d'accepter les valeurs des autres, plus ils se sentent mal à l'aise face à eux-mêmes.

Évidemment, il faut imposer certaines contraintes au comportement. Des considérations d'hygiène obligent à appliquer des restrictions quant à l'élimination des matières fécales. Et on ne saurait laisser les enfants battre leurs petits frères et petites sœurs. Rogers prétend que la meilleure solution pour les parents est de reconnaître que les sentiments de l'enfant sont valables tout en expliquant à ce dernier leurs propres façons de voir et les raisons qui obligent à la contrainte.

Autres points de vue sur le soi

Au cours des dernières années, il s'est manifesté un regain d'intérêt pour la compréhension de la personnalité en fonction du concept de soi. Les travaux de recherche ont porté sur deux domaines principaux. Les psychologues cognitivistes se sont intéressés au concept de soi surtout en tant que structure mnémonique qui guide le processus d'information. Les psychologues sociaux font porter leur intérêt sur la façon dont le concept de soi que nourrit une personne façonne les interactions sociales et est façonné par elles. Voyons quelques exemples de travaux dans ces deux domaines.

CONCEPTS DE SOI ET COGNITION   Au chapitre 1, nous avons établi une distinction entre la façon dont les cognitivistes, d'une part, et les phénoménologues, d'autre part, abordent l'étude de la psychologie. Dans plusieurs cas toutefois, les deux démarches que nous avons décrites chevauchent ; il est difficile de situer une théorie ou un théoricien particuliers dans une catégorie unique. Au sens large, la théorie de Rogers sur la personnalité est cognitive, car elle s'intéresse à la façon dont nous percevons et comprenons le monde et notre propre personne. Elle est également phénoménologique, puisqu'elle s'appuie sur le témoignage que donne l'individu de ses expériences subjectives plutôt que sur des mesures du comportement manifeste ou sur des observations faites par les autres. Par exemple, pour étudier le résultat de la psychothérapie axée sur la personne, on évalue souvent la croissance personnelle en comparant la concordance entre la description que le sujet donne de son « soi réel » et de son « soi idéal », à différents moments — disons au début de la psychothérapie et après 6 mois de traitement. La plus grande concordance entre les deux soi, rapportée par le sujet, est une mesure de sa croissance personnelle réalisée grâce à sa psychothérapie. Ainsi, ce sont sur des auto-témoignages, plutôt que sur des observations du comportement, que s'appuient les théories de Rogers.

D'autres psychologues, adoptant une attitude cognitive, voient dans le soi un système de concepts de soi, ou de *schèmes du soi*, qui organisent et guident le traitement de l'information pertinente au soi. Comme nous l'avons dit dans des chapitres précédents, les schèmes sont des structures cognitives emmagasinées en mémoire, des représentations abstraites d'événements, d'objets et de relations dans le monde réel. Les schèmes du soi sont des généralisations, ou des théories, sur le soi dérivées des expériences antérieures. Durant le cours d'une vie, nous devenons de plus en plus conscients des caractéristiques distinctives de notre apparence, de notre tempérament, de nos capacités et de nos préférences. Nous devenons des experts à notre propre endroit. Nous pouvons arriver à comprendre que nous sommes timide, créateur, entêté, intimidé par les grands groupes, que nous sommes un parent affectueux, et ainsi de suite. En même temps, nous finissons par en savoir beaucoup sur ce que signifie le fait d'être « timide », « entêté », ou « un parent affectueux ». Ces généralisations sur le soi, ou schèmes du soi, organisent et guident la façon dont nous traitons l'information pertinente à notre personne. Nous nous mettons en quête d'information qui concorde avec notre schème du soi et nous orientons notre conduite de façon qu'elle soit conforme à ce schème (Markus et Sentis, 1982).

Supposons par exemple, que dans la vie privée, vous ne soyez pas d'accord avec une opinion exprimée par un de vos proches compagnons, mais que publiquement vous indiquiez que vous partagez son opinion. Si « avoir du tact » et « être indépendant » sont des schèmes du soi qui prédominent chez vous, il est probable que vous allez interpréter votre comportement dans cette situation (être d'accord publiquement tout en étant en désaccord dans le privé) comme une manifestation de tact plutôt que de conformisme. Si, par contre, « complaisant » et « non affirmatif de soi » sont des schèmes du soi saillants, vous aurez tendance à considérer votre comportement comme un autre exemple écœurant de votre incapacité de vous affirmer.

Les cognitivistes, à l'encontre des phénoménologues, vérifient généralement leurs idées sur le soi par des expériences en laboratoire. Ces travaux ont démontré que nos schèmes du soi influencent vraiment notre façon de traiter l'information qui nous est pertinente. Les individus qui possèdent un schème du soi bien articulé sous un aspect donné — comme indépendance-dépendance — peuvent porter des jugements sur eux-mêmes plus facilement que ceux qui n'ont pas d'idée bien arrêtée d'eux-mêmes, à savoir s'ils sont dépendants ou indépendants. C'est-à-dire qu'ils sont capables de décider plus rapidement si les qualificatifs de traits appartenant à ce domaine (comme « conformiste », « accommodant », « indépendant ») s'appliquent à eux, que les individus pour lesquels la dimension dépendant-indépendant ne représente pas un élément important de leur concept de soi. On a trouvé des résultats similaires pour d'autres dimensions de la personnalité, comme masculinité-féminité, extraversion-introversion (Markus et Smith, 1981).

Nos schèmes du soi exercent également une influence sur la façon dont nous portons attention à de l'information et dont nous nous en rappelons. Nous passons plus de temps à scruter l'information rétroactive qui confirme nos concepts de soi qu'à prêter attention à de l'information qui leur est contradictoire (Swann et Read, 1981). Et nous nous souvenons mieux de l'information qui confirme notre concept de soi que de l'information qui contredit nos schèmes du soi. En fait, il peut nous arriver de rejeter l'information rétroactive qui ne convient pas à nos schèmes du soi (Markus, 1977), ou de faire des entorses aux faits pour être en mesure de conserver la confiance que nous avons dans nos concepts de soi (Simon et Feather, 1973). Ces résultats permettent de supposer que les concepts de soi nous aident à intégrer nos expériences, créant par le fait même un monde plus stable pour nous. Étant donné que les schèmes du soi résistent à l'information rétroactive contradictoire, on n'a pas à se surprendre que, dans certains cas, les concepts du soi qu'entretiennent les individus par rapport à eux-mêmes concordent mal avec la façon dont les gens perçoivent ces mêmes individus (Felson, 1981).

LE SOI PRIVÉ ET LE SOI PUBLIC   Comme nous l'avons déjà dit, le soi a des aspects privés et publics à la fois. Le soi privé est fait de nos pensées, de nos émotions et de nos croyances personnelles. Le soi public est ce que nous montrons aux autres — les comportements, les manières et les façons de nous exprimer qui créent les impressions que les gens se font de nous. Ces deux aspects du soi influencent la conduite: nos actes sont guidés par nos sentiments et nos croyances personnelles de même que par le contexte social dans lequel nous nous trouvons — c'est-à-dire, par la considération de la façon dont les autres vont réagir à ce que nous faisons.

Certaines circonstances peuvent contribuer à intensifier notre conscience de notre soi privé, alors que d'autres circonstances auront pour effet de centrer notre attention sur notre soi public. Le fait de placer un miroir devant une personne, pendant qu'elle s'adonne à une tâche expérimentale, semble intensifier sa conscience de soi privé — comme l'indique, par exemple, sa tendance accrue à se comporter en conformité avec ses croyances personnelles ou une prise de conscience plus grande de ses émotions. Par contre, la présence d'une caméra de télévision ou d'un auditoire augmente la conscience du soi public — comme le reflète une tendance accrue à changer ses attitudes pour se conformer à l'opinion des autres (Scheier et Carver, 1983). Des circonstances momentanées peuvent donc nous donner une conscience sélective de l'aspect privé ou de l'aspect public du soi et influencer en conséquence nos expériences et nos actes.

Les différences individuelles dans l'attention que l'on se porte à soi-même viennent se superposer à ces situations transitoires qui nous affectent tous. Les gens sont différents par rapport au degré d'attention qu'ils portent généralement à leur propre personne comme par rapport à la concentration qu'ils mettent à se préoccuper d'eux-mêmes. Certains, par exemple, sont enclins à l'introspection et analysent fréquemment leurs sentiments et leurs mobiles. D'autres sont généralement préoccupés de la façon dont les autres les perçoivent.

La disposition à porter attention à sa propre personne a été appelée *conscience de soi*. Le tableau 13-3 présente quelques items d'un questionnaire conçu pour mesurer la conscience de soi. Une analyse des réponses indique que les dimensions privées et publiques de la conscience de soi sont relativement indépendantes; il ne s'agit pas simplement des deux extrémités d'un même continuum, mais de tendances distinctes. Ainsi, le fait d'avoir un score faible sous l'un de ces deux aspects de la conscience de soi ne veut *pas* dire nécessairement que la personne obtiendra un score élevé sous l'autre aspect.

CONSCIENCE DE SOI PRIVÉ

Je réfléchis beaucoup à mon sujet.

Je porte généralement attention à mes sentiments intérieurs.

J'essaie constamment de me comprendre.

J'examine sans cesse mes mobiles.

Je suis sensible à mes changements d'humeur.

J'ai tendance à m'examiner attentivement.

En général, je suis conscient de moi-même.

Je suis conscient de la façon dont mon esprit fonctionne quand je travaille à résoudre un problème.

Souvent mes propres fantasmes portent sur ma personne.

J'ai souvent l'impression que je suis ailleurs et que je m'observe.

CONSCIENCE DE SOI PUBLIC

Je me préoccupe de ce que les autres pensent de moi.

Je m'inquiète généralement de savoir si je fais bonne impression.

Je me préoccupe de la façon dont je me présente.

Je suis inquiet de l'image que je donne de moi-même.

Je suis généralement conscient de mon apparence.

Une des dernières choses que je fais avant de quitter la maison c'est de me regarder dans le miroir.

Je me préoccupe de ma façon de faire les choses.

TABLEAU 13-3
Questionnaire pour l'évaluation des consciences de soi public et privé *(D'après Fenigstein, Scheier et Buss, 1975)*

En fait, cette échelle permet de distinguer quatre groupes différents d'individus. Dans le premier groupe, les sujets sont bien conscients de leur moi privé, mais relativement indifférents à leur moi public. Un autre ensemble d'individus portent assez d'attention à leur moi public, mais ne sont pas très conscients de leur moi privé. Les sujets d'un troisième groupe se montrent très sensibles aux deux aspects de leur moi. Enfin, un quatrième groupe est constitué de sujets qui prêtent peu d'attention à l'un ou l'autre de leurs moi.

La plupart des travaux ont porté principalement sur les deux premiers groupes. Les sujets qui ont des scores élevés en conscience de soi privé (c'est-à-dire qui sont portés à l'introspection) ont tendance à se montrer plus sensibles aux états affectifs transitoires que les personnes qui obtiennent des scores peu élevés dans cette catégorie. Ils manifestent plus de signes de comportements colériques en réaction à la provocation et sont davantage influencés par le visionnement de diapositives à caractère agréable et désagréable (Scheier, 1976; Scheier et Carver, 1977). Ces sujets sont également moins sensibles à la suggestion, plus imperméables à la propagande politique et plus réalistes dans la description de leur propre comportement (Scheier, Buss et Buss, 1978; Scheier, Carver et Gibbons, 1979; Carver et Scheier, 1981). Essentiellement, ils semblent avoir une meilleure connaissance d'eux-mêmes que les personnes qui ont des scores faibles en conscience de soi privé. Ils sont également plus susceptibles de dévoiler des aspects privés de leur vie à leurs époux et épouses et à leurs partenaires intimes (Franzoi; Davis et Young, 1985).

Qu'en est-il des sujets qui obtiennent des scores élevés à l'échelle de la conscience de soi public? Les recherches indiquent qu'ils sont plus sensibles au rejet social que ceux qui se situent plus bas dans cette échelle. Les individus qui ont une forte conscience de soi public réussissent mieux à prévoir la sorte d'impression qu'ils font sur les autres et attachent plus d'importance à leur identité « sociale » dans la description qu'ils donnent de leur personne — leurs caractéristiques physiques, par exemple, leurs gestes, leurs manières et leur appartenance à des groupes (Fenigstein, 1979; Tobey et Tunnell, 1981; Cheek et Briggs, 1982). S'il s'agit de femmes, elles sont susceptibles d'utiliser plus de maquillage que celles dont les scores en conscience de soi public sont peu élevés (Miller et Cox, 1981).

Les dimensions de conscience de soi public et privé exercent une influence sur la constance de personnalité, dont nous parlerons à la fin du présent chapitre. Les individus à scores élevés en conscience de soi privé et à scores faibles en conscience de soi public font preuve d'une plus grande constance de comportement dans un ensemble de situations différentes en comparaison des individus à scores faibles en conscience de soi privé et forts en conscience de soi public. Ceux qui sont forts en conscience de soi privé ont tendance à se conduire en conformité avec leurs attitudes et leurs croyances personnelles plutôt que de modeler leurs activités sur les exigences sociales des situations qui changent (Scheier et Carver, 1983).

Évaluation du point de vue phénoménologique

En faisant porter l'attention sur la façon unique dont l'individu perçoit et interprète les événements, la position phénoménologique réintroduit le rôle de l'expérience privée dans l'étude de la personnalité. Plus que toute autre théorie dont nous avons parlé, la théorie de Rogers se concentre sur la personne en santé, considérée comme un tout, et présente une vision positive et optimiste de la nature humaine. Toutefois, une théorie phénoménologique de la personnalité ne saurait être complète; elle ne comporte pas une analyse suffisante des causes de la conduite. Il se peut que le concept de soi que nourrit un individu soit un facteur important dans l'orientation de son comportement, mais à quoi attribuer le concept de soi particulier qu'entretient cet individu? Une explication complète se doit de comprendre également les conditions et variables qui influencent le concept de soi d'une personne.

En outre, même s'il est vrai que le concept de soi d'un individu affecte indubitablement sa conduite, la nature de ce rapport n'est pas claire. Quelqu'un peut se considérer honnête et fiable, mais se comporter plus ou moins honnêtement selon les situations. De même, les modifications des croyances et des attitudes personnelles n'entraînent pas toujours des changements dans la conduite. C'est souvent le contraire qui se produit: les gens modifient leurs croyances pour les rendre conformes à leur conduite.

La notion du soi a un long passé en psychologie. Les premières tentatives de définition du soi se sont révélées difficiles et ont conduit à des théories qu'on ne pouvait soumettre à l'épreuve de phénomènes observables. On assimilait parfois le soi à des agents psychiques, comme l'âme et la volonté; d'où le fait que le concept manquait de crédibilité et était écarté à cause de son manque de rigueur scientifique. Au cours des dernières années, l'influence combinée des prises de positions cognitivistes et phénoménologiques a conduit à la réintroduction du soi comme concept-clef dans les théories de la personnalité, mais il se trouve maintenant formulé en des termes qui se prêtent à une évaluation rigoureuse.

ÉVALUATION DE LA PERSONNALITÉ

Quelle que soit la théorie à laquelle on adhère, il faut, pour étudier la personnalité, avoir recours à des méthodes d'évaluation des facteurs de personnalité. Nous portons, à tout moment, des jugements non systématiques sur la personnalité. Quand nous choisissons nos amis, des collaborateurs éventuels, un chef politique ou un partenaire conjugal, nous faisons des prédictions implicites sur des comportements futurs. Parfois nos prévisions sont erronées. Nos premières impressions peuvent être déformées parce que nous nous arrêtons à une caractéristique particulière qui nous frappe davantage, d'une façon positive ou négative, et nous laissons cette impression fausser notre perception des autres aspects de l'individu. Cette tendance à adopter un jugement préconçu sur la base d'un trait particulier est connue sous le nom d'*effet de halo*. À d'autres moments, notre première impression d'un individu s'appuie sur un *stéréotype* des caractéristiques soi-disant typiques du groupe auquel il appartient. Ou encore, il peut arriver que la personne jugée se fasse voir « sous son meilleur jour ». Pour ces raisons et d'autres encore, les évaluations non systématiques des autres peuvent induire en erreur.

Nombreuses sont les occasions où il est souhaitable d'obtenir une évaluation plus objective de la personnalité. Lorsqu'ils procèdent à la sélection d'individus pour des postes importants, les employeurs doivent être renseignés sur l'honnêteté du candidat, sur sa capacité d'affronter le stress, et ainsi de suite. Les conseillers en orientation, qui doivent aider les étudiants dans leur choix de carrière, peuvent donner plus de sages avis si, en plus de connaître leur rendement à l'école, ils disposent de données sur la personnalité de ces étudiants. Pour décider du meilleur traitement dont pourrait profiter un malade mental ou de la meilleure méthode de réhabilitation d'un criminel, on doit pouvoir procéder à une évaluation objective de la personnalité de l'individu. On peut généralement classer sous trois rubriques les nombreuses méthodes utilisées pour l'évaluation de la personnalité : les *méthodes d'observation*, les *inventaires de personnalité* et les *techniques projectives*.

Méthodes d'observation

Un observateur formé à cette fin peut observer un individu en milieu naturel (observation des interactions d'un enfant avec ses camarades de classe), dans une situation expérimentale (observation d'un étudiant essayant de répondre à un test délibérément conçu pour être trop difficile pour qu'on puisse le terminer durant la période fixée), ou dans le contexte d'une interview. L'interview se distingue de la conversation à bâtons rompus par le fait qu'elle poursuit un objectif : elle peut servir, par exemple, à l'évaluation d'un candidat à un poste, à la recherche de tendances suicidaires possibles chez un patient, à l'évaluation de la gravité des problèmes affectifs d'un individu ou à l'examen des possibilités qu'un prisonnier enfreigne les conditions de sa libération sur parole. L'interview peut être *non structurée* — c'est alors la personne interviewée qui détermine en grande partie ce dont on parle, bien que l'interviewer réussisse habituellement à obtenir des renseignements additionnels grâce à l'habile emploi de questions supplémentaires. L'interview peut aussi être *structurée* — elle suit un cheminement déterminé, assez semblable à celui du questionnaire imprimé, et elle est préparée de façon à assurer que tous les thèmes pertinents seront abordés. L'interview non structurée est utilisée plus fréquemment dans une situation clinique ou de counseling ; l'interview structurée est plus souvent indiquée dans le cas de la sélection de candidats à un poste ou de sujets de recherches, pour lesquels il est indispensable qu'on obtienne des données comparables d'un sujet à l'autre.

L'exactitude de l'information obtenue en interview tient à une foule de facteurs, qu'il serait trop long d'analyser ici. Disons cependant que la recherche sur le processus de l'interview a clairement démontré que les changements, même légers, dans le comportement de l'interviewer ont un effet marqué sur ce que le sujet dit ou sur ce qu'il fait. Un simple hochement de la tête au bon moment de la part de l'interviewer peut, par exemple, accroître de beaucoup la loquacité de la personne interviewée. Si l'interviewer augmente la durée de ses interventions, le sujet est porté à faire de même (Matarazzo et Wiens, 1972). En tant que moyen d'évaluer la personnalité, l'interview prête le flanc à plusieurs sources d'erreurs et de déformations ; le succès de cette technique dépend de l'adresse et de la perspicacité de l'interviewer.

On peut enregistrer sous une forme standardisée les impressions obtenues au cours d'une interview ou de l'observation du comportement en utilisant des *échelles d'évaluation*. Ces échelles permettent de faire un relevé des jugements portés sur un trait de personnalité. On en trouve des exemples

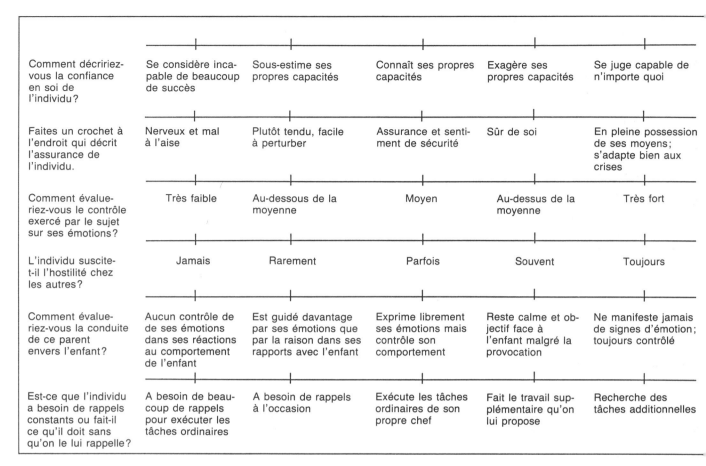

Comment décririez-vous la confiance en soi de l'individu?	Se considère incapable de beaucoup de succès	Sous-estime ses propres capacités	Connaît ses propres capacités	Exagère ses propres capacités	Se juge capable de n'importe quoi
Faites un crochet à l'endroit qui décrit l'assurance de l'individu.	Nerveux et mal à l'aise	Plutôt tendu, facile à perturber	Assurance et sentiment de sécurité	Sûr de soi	En pleine possession de ses moyens; s'adapte bien aux crises
Comment évalueriez-vous le contrôle exercé par le sujet sur ses émotions?	Très faible	Au-dessous de la moyenne	Moyen	Au-dessus de la moyenne	Très fort
L'individu suscite-t-il l'hostilité chez les autres?	Jamais	Rarement	Parfois	Souvent	Toujours
Comment évalueriez-vous la conduite de ce parent envers l'enfant?	Aucun contrôle de de ses émotions dans ses réactions au comportement de l'enfant	Est guidé davantage par ses émotions que par la raison dans ses rapports avec l'enfant	Exprime librement ses émotions mais contrôle son comportement	Reste calme et objectif face à l'enfant malgré la provocation	Ne manifeste jamais de signes d'émotion; toujours contrôlé
Est-ce que l'individu a besoin de rappels constants ou fait-il ce qu'il doit sans qu'on le lui rappelle?	A besoin de beaucoup de rappels pour exécuter les tâches ordinaires	A besoin de rappels à l'occasion	Exécute les tâches ordinaires de son propre chef	Fait le travail supplémentaire qu'on lui propose	Recherche des tâches additionnelles

TABLEAU 13-4
Quelques exemples d'échelles d'évaluation

au tableau 13-4. Ces genres d'échelles fournissent à l'observateur un cadre de référence pour l'enregistrement de ses impressions.

Pour que l'évaluation ait une signification, il faut que l'évaluateur 1) comprenne l'échelle, 2) connaisse suffisamment la personne à évaluer pour être capable de porter des jugements valables et 3) évite l'« effet de halo ». À moins que l'évaluateur ne connaisse assez bien la personne ou que le comportement à évaluer ne soit très particulier, les évaluations peuvent subir l'influence des stéréotypes sociaux. Autrement dit, il peut arriver que les jugements s'appuient plutôt sur la façon dont l'évaluateur conçoit la pensée ou le comportement d'une « ménagère de banlieue », d'un « professeur de collège » ou d'un « athlète d'université » plutôt que sur la conduite même du sujet que l'on évalue. Malgré ce genre de difficultés, les descriptions d'une même personne que donnent différents observateurs dans des situations différentes concordent souvent assez bien.

Inventaires de personnalité

Une autre méthode d'évaluation de la personnalité est fondée sur les propres observations d'un individu par rapport à lui-même. L'*inventaire de personnalité* est en fait un questionnaire qui permet à une personne de faire connaître ses réactions ou ses sentiments dans certaines situations. L'inventaire ressemble à une interview structurée, car on y pose les mêmes questions à tous et les réponses sont habituellement données sous une forme qui se prête facilement au calcul d'un score, calcul qui se fait souvent par ordinateur. Un inventaire de personnalité peut être construit de façon à ne mesurer qu'une seule dimension de la personnalité (tel le niveau d'anxiété) ou plusieurs traits de personnalité simultanément. Le Questionnaire des 16 facteurs de personnalité (soit le 16 PF, dont nous avons déjà parlé dans ce chapitre) donne, par exemple, un profil de personnalité montrant les scores obtenus par rapport à 16 traits différents.

Rappelons que le test 16 PF est issu de l'application de la techique statistique de l'*analyse factorielle*. Cattell a eu recours à cette technique pour identifier les 16 traits de personnalité fondamentaux; il a ensuite choisi des questions qui représentaient le mieux chacun des traits et les a réunies dans un test qui donne des scores pour des caractéristiques de personnalité comme la dominance ou l'ascendant, la stabilité affective et l'auto-discipline. L'Inventaire multiphasique de la personnalité, conçu au Minnesota (Minnesota Multiphasic Personality Inventory — MMPI), a été construit d'après une méthode différente.

INVENTAIRE MULTIPHASIQUE DE LA PERSONNALITÉ DE MINNESOTA   Ce test, communément appelé MMPI, se compose d'environ 550 énoncés (sur les attitudes, les réactions émotives, les symptômes physiques et psychologiques, les expériences antérieures) auxquels le sujet répond par « vrai », « faux » ou « ne sais pas ». Voici des exemples de ces items:

- Jamais je n'ai fait quelque chose de dangereux juste pour en tirer des sensations fortes.
- Je m'abandonne très peu à la rêverie.
- Mon père ou ma mère m'ont souvent forcé à obéir même si je croyais que ce n'était pas raisonnable.
- Parfois, mes pensées ont devancé de beaucoup ma capacité de les exprimer.

Les réponses reçoivent une note qui varie selon leur correspondance avec les réponses données par des gens qui ont différentes sortes de problèmes (voir le tableau 13-5).

Le MMPI a été créé pour aider les cliniciens à diagnostiquer les troubles de la personnalité. Mais au lieu de partir du postulat de l'existence de traits de personnalité définis et de formuler des questions pour les mesurer, les auteurs du test ont posé des centaines de questions, pouvant constituer des items de test à des groupes d'individus, chacun des groupes présentant un

NOM DE L'ÉCHELLE	ABRÉVIATION	INTERPRÉTATION DES SCORES ÉLEVÉS
Franchise	L	Dénégation de faiblesses communes à tous
Fréquence	F	Profil non valide
Correction	K	Sur la défensive; évasif
Hypocondrie	Hs	Insiste sur les maux physiques
Dépression	D	Malheureux, déprimé
Hystérie	Hy	Réagit au stress en niant les problèmes
Déviation psychopatique	Pd	Se conforme peu aux normes sociales; a souvent des démêlés avec la justice
Masculinité-féminité	Mf	Orientation féminine (de l'homme); orientation masculine (de la femme)
Paranoïa	Pa	Méfiant
Psychasthénie	Pt	Inquiet, anxieux
Schizophrénie	Sc	Replié sur lui-même; pensées bizarres
Hypomanie	Ma	Impulsif; sensible
Introversion-extraversion sociale	Si	Introverti, timide

TABLEAU 13-5
Échelles du MMPI *Les trois premières échelles sont des échelles de « validité »; elles servent à déterminer si la personne a répondu avec soin et de façon honnête aux items du test. Par exemple, l'échelle F (fréquence) mesure la tendance à donner des réponses rares ou atypiques. Un score élevé à cette échelle indique que l'individu s'est montré insouciant ou confus dans sa façon de répondre. (Cependant ceux qui ont des scores F élevés ont souvent des scores élevés également à l'échelle Sc (schizophrénie, qui est une mesure de la pensée bizarre). Les échelles « cliniques » qui restent avaient été nommées ainsi, à l'origine, pour représenter des catégories de troubles psychiatriques, mais aujourd'hui, l'interprétation met l'accent sur les attributs de la personnalité plutôt que sur les catégories diagnostiques.*

écart par rapport à la norme sur un critère particulier. Pour constituer l'inventaire, on a retenu seulement les questions qui permettaient d'établir une distinction entre les groupes. On donne à cette technique le nom de *construction empirique*, parce que les items du test entretiennent une relation réelle (empirique) avec la caractéristique de personnalité mesurée. Par exemple, pour créer une échelle d'items qui différencie les paranoïaques des individus normaux, on a posé les mêmes questions à deux groupes; le *groupe critère* comprenait des individus qui avaient été hospitalisés par suite d'un diagnostic de paranoïa et le *groupe de contrôle*, des personnes chez qui on n'avait jamais diagnostiqué de problèmes psychiatriques, mais qui ressemblaient au groupe critère quant à l'âge, au sexe, au niveau socio-économique et à d'autres variables importantes. Des items qui, de prime abord, pourraient sembler susceptibles de départager les individus normaux et les individus paranoïaques — par exemple, «je crois que la plupart des gens mentiraient pour réussir » — peuvent ne pas nécessairement permettre cette distinction quand on les soumet à une vérification empirique. Dans les faits, les patients qu'on avait diagnostiqués comme paranoïaques étaient, de façon significative, *moins* portés à répondre «vrai » à cet énoncé que ne l'étaient les gens normaux.

Or, le MMPI ayant été conçu d'après les différences entre le groupe critère et le groupe de contrôle, le fait que la personne dise la vérité ou non n'a vraiment pas d'importance. Ce qui importe, c'est qu'elle se prononce dans un sens ou dans l'autre. Quand les schizophrènes répondent «vrai » et les normaux «faux » à l'énoncé «Ma mère ne m'a jamais aimé », leurs réponses permettent de distinguer les deux groupes, peu importe la façon dont leurs mères se sont vraiment conduites. C'est un des avantages d'un test fondé sur la méthode de construction empirique comparativement à un test dont les auteurs partent du postulat voulant que certaines réponses soient des indices de traits de personnalité particuliers.

Bien qu'à l'origine, elles aient été conçues pour identifier les personnes qui souffrent de troubles sérieux de la personnalité, les échelles du MMPI ont été largement utilisées pour l'étude des populations normales. On a réuni suffisamment de données pour établir des descriptions de la personnalité d'individus présentant différents agencements de hauts scores et de bas scores par rapport aux diverses échelles. L'évolution récente de la technologie a amené l'utilisation de l'ordinateur pour la notation et l'interprétation des résultats du test. Les items du MMPI ne présentant pas un échantillon adéquat de certains des traits utiles à la description de la personnalité normale (comme le caractère consciencieux d'une personne ou son esprit de collaboration), les psychologues recommandent qu'on s'en serve avec d'autres tests qui permettent de mesurer une plus vaste gamme de caractéristiques de la personnalité (Costa, Zonderman, McCrae et Williams, 1985).

QUESTIONNAIRE PSYCHOLOGIQUE CPI Le *California Psychological Inventory* * (CPI) constitue un autre test de personnalité à construction empirique. Il utilise certaines des questions du MMPI, mais il a été conçu dans le but de mesurer des traits de personnalité plus «normaux ». Il comprend des échelles qui évaluent des traits comme la dominance, la sociabilité, la confiance en soi, la responsabilité et la socialisation. On a constitué des groupes de comparaison pour certaines de ces échelles en demandant à des étudiants du secondaire et du collégial de désigner des compagnons de classe qu'ils situaient au haut ou au bas par rapport aux traits. Ainsi, pour l'échelle de dominance, le groupe critère était composé d'étudiants qui avaient été décrits par leurs pairs comme dominants (agressifs, sûrs d'eux-mêmes, indépendants), alors que le groupe contrôle comprenait les étudiants considérés comme soumis (farouches, manquant de confiance en eux-mêmes, inhibés). Les items conservés dans l'échelle de dominance sont ceux qui ont donné une différence statistiquement significative entre le groupe critère et le groupe contrôle.

Plusieurs échelles du CPI portent sur des traits liés au succès scolaire et des études ont permis d'établir des corrélations entre ces scores et les notes

---

* Une traduction en langue française de ce test est disponible au Canada sous le nom de Questionnaire psychologique (CPI). Il n'y a cependant pas d'adaptation française des 11 grilles de correction et du manuel américain. (Note du traducteur)

obtenues au collège. L'une de ces études, par exemple, a montré que les étudiants se situant à un niveau élevé sur l'échelle mesurant la « réussite par adaptation » avaient tendance à bien réussir dans les cours qui favorisaient le conformisme — c'est-à-dire la sorte de cours dans lesquels on doit apprendre un noyau fixe de données pour ensuite les « régurgiter » en réponse à un test objectif. Les étudiants qui avaient un score élevé à l'échelle mesurant la « réussite par exploitation de ses ressources personnelles » avaient tendance à bien réussir dans les cours qui favorisaient l'étude autonome et la prise en charge de ses propres objectifs. Les meilleures moyennes dans l'ensemble des matières étaient obtenues par les étudiants qui se situaient à un haut niveau sur les deux échelles (Domino, 1971).

La plupart des inventaires de personnalité supposent que l'individu est capable de comprendre les questions et qu'il veut y répondre honnêtement. Dans le cas de plusieurs items de tests de personnalité, toutefois, la « meilleure » réponse est assez évidente et il peut arriver que les individus essaient de fausser leurs réponses. Si le test est donné par un employeur éventuel, les candidats voudront sûrement se présenter sous leur meilleur jour. Si l'admission à un programme de psychothérapie dépend des résultats du test, il peut arriver que des sujets orientent leurs réponses de façon à donner l'impression d'avoir besoin d'aide. Et même quand une personne tente d'être très franche et objective, elle a tendance à donner des réponses qui sont « socialement valorisées ». Il est difficile de répondre « oui » à l'item du MMPI « Je manque certainement de confiance en moi-même », même si dans le fond on sent que c'est vrai. La confiance en soi est un trait souhaitable dans notre société ; le manque de confiance en soi est indésirable sur le plan social.

Un autre facteur de personnalité qui influence les réponses aux tests est la tendance de certains individus à « acquiescer » — à se montrer d'accord avec les questions. Il peut arriver, par exemple, qu'une personne réponde « oui » à « Je suis une personne heureuse et insouciante », tout en répondant « oui » par la suite à l'énoncé « Je me sens souvent extrêmement déprimée ». Les résultats du test nous apprendraient alors quelque chose au sujet du comportement du sujet — sa tendance à tomber d'accord avec les questions — mais ils seraient peu révélateurs de son humeur habituelle. Pour contrebalancer les effets de la tendance à l'acquiescement, les constructeurs de tests essaient (dans la mesure du possible) de « renverser » la formulation des questions de manière que l'on ait des versions « oui » et des versions « non » pour chaque item. On a eu recours à diverses méthodes pour contrecarrer la falsification délibérée ou les tendances à donner des réponses socialement valorisées et à acquiescer, mais celles-ci n'ont eu qu'un succès partiel.

Techniques projectives

Les inventaires de personnalité se veulent objectifs ; ils sont faciles à quantifier et leur fidélité ainsi que leur validité se prêtent facilement à une évaluation. Toutefois, leur structure rigide — des questions précises auxquelles les sujets sont forcés de répondre en choisissant l'une des réponses suggérées — limitent considérablement la liberté d'expression. Les *tests projectifs*, par contre, s'efforcent d'explorer la personnalité privée et ils permettent à l'individu d'être beaucoup plus « personnel » dans ses réponses. Dans un test projectif, on présente un stimulus ambigu et le sujet peut y réagir comme il l'entend. Théoriquement, parce que le stimulus est ambigu et n'exige pas une réponse déterminée, le sujet *projette* sa personnalité sur le stimulus. Les tests projectifs s'adressent à l'imagination de l'individu ; on postule que par le truchement des produits de son imagination, la personne révèle quelque chose d'elle-même. Le test de Rorschach et le Test d'aperception thématique sont deux des techniques projectives les plus généralement utilisées.

TEST DE RORSCHACH   Le test de Rorschach, conçu par le psychiatre suisse Hermann Rorschach durant les années 1920, est composé d'un jeu de 10 cartes représentant chacune une tache d'encre plutôt complexe, comme celle de la figure 13-3. Certaines de ces taches sont colorées et les autres sont noires. Le sujet doit regarder une carte à la fois et dire tout ce à quoi la tache ressem-

« Rorschach ! Qu'est-ce qu'on va bien faire de toi ? »

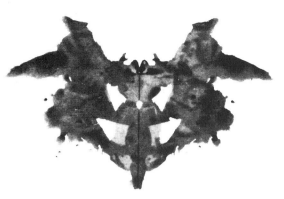

FIGURE 13-3
**Une tache d'encre du test de
Rorschach**   *Cette tache est l'une des
taches d'encre standardisées du test de
Rorschach. On demande au sujet de
dire ce qu'il voit dans la tache ; elle
peut être regardée sous n'importe quel
angle.*

ble. Une fois que le sujet a regardé les 10 cartes, l'examinateur reprend habituellement chacune des réponses et demande au sujet d'en clarifier certaines et d'indiquer quels aspects de la tache lui ont donné telle ou telle impression.

On peut attribuer une note aux réponses du sujet en tenant compte de divers aspects. Les 3 catégories principales sont 1) la *localisation* — à savoir si la réponse portait sur la totalité de la tache ou sur une partie seulement de celle-ci, 2) les *caractéristiques* — à savoir si le sujet réagissait à la forme de la tache, à sa couleur ou à des différences de texture et de jeux d'ombres, et 3) le *contenu* — ce que la réponse représente. La plupart des examinateurs notent également les réponses en fonction de leur fréquence habituelle ; une réponse est dite « populaire », par exemple, si plusieurs personnes la donnent dans le cas d'une même tache d'encre.

D'après ces catégories, on a mis au point plusieurs systèmes de notation compliqués. Mais, justement parce que ces systèmes ont montré qu'ils avaient une faible valeur de prédiction, bon nombre de psychologues font plutôt reposer leurs interprétations sur une évaluation impressionniste des réponses de même que sur la réaction générale du sujet à la situation de test : si, par exemple, l'individu se tient sur la défensive, s'il est expansif, s'il montre un esprit compétitif ou coopératif, et ainsi de suite. L'interprétation du test de Rorschach exige plus de formation et d'expérience que tout autre test de personnalité.

TEST D'APERCEPTION THÉMATIQUE TAT   Le Test d'aperception thématique est un autre test projectif largement utilisé ; il a été créé à l'Université Harvard, durant les années 1930, par Henry Murray. On montre au sujet jusqu'à 20 images ambiguës représentant des personnes et des scènes, comme celle de la figure 13-4, et on lui demande de raconter une histoire reliée à chaque image. On l'encourage à laisser aller son imagination et à raconter toute histoire qui lui vient à l'esprit. Le test a pour but de révéler les « thèmes » fondamentaux qui reviennent dans les créations imaginaires d'une personne. Le mot *aperception* désigne une disposition à percevoir, de certaines façons, d'après l'expérience individuelle antérieure. Les gens interprètent les images ambiguës selon leurs aperceptions et fabriquent des histoires en termes de scénarios ou de thèmes préférés qui reflètent leurs fantasmes personnels. Si le sujet est tracassé par des problèmes particuliers, ceux-ci peuvent se manifester dans certaines des histoires qu'il raconte ou dans des récits qui s'écartent de façon marquée par rapport aux thèmes habituels des réponses associées à une ou deux de ces images. Lorsqu'on lui montra une image semblable à celle de la figure 13-4, un homme de 21 ans raconta l'histoire suivante :

> Elle a préparé cette chambre pour l'arrivée de quelqu'un et elle ouvre la porte pour un dernier examen général de la pièce. Elle attend probablement le retour à la maison de son fils. Elle essaie de tout replacer dans le même ordre que lorsqu'il a quitté. Elle semble avoir un tempérament très tyrannique. Elle a toujours mené son garçon par le bout du nez et elle a l'intention de le reprendre en charge dès qu'il sera de retour. Ce n'est là que le début de son règne et le fils, nettement subjugué par cette attitude despotique de sa mère, va se laisser entraîner à nouveau dans le régime de vie bien ordonné qu'elle lui impose. Il va passer sa vie à se traîner les pieds dans les sentiers qu'elle lui a tracés. Tout ceci représente la domination complète qu'elle exercera sur la vie de son fils jusqu'à ce qu'elle meure (Arnold, 1949, p. 100).

FIGURE 13-4
Test d'aperception thématique
*Voici une image semblable à l'une de
celles qui sont utilisées dans le Test
d'aperception thématique. Les images
comportent habituellement des éléments d'ambiguïté permettant au sujet
d'y « voir » des éléments de son expérience personnelle ou de son imagination.*

Bien que l'image originale ne représente qu'une femme qui se tient debout dans une porte entrouverte et qui regarde dans une chambre, la disposition du sujet à orienter sa réaction par rapport à sa relation avec sa mère a donné naissance à cette histoire de la domination exercée par une mère sur son fils. Des faits connus par la suite sont venus confirmer l'interprétation du clinicien à l'effet que le récit reflétait les propres problèmes du sujet.

Dans son analyse des réactions aux cartes du TAT, le psychologue recherche des thèmes qui reviennent et qui pourraient révéler les besoins de l'individu, ses mobiles ou sa façon caractéristique de disposer des relations interpersonnelles.

PROBLÈMES POSÉS PAR LES TESTS DE PROJECTION   On a conçu plusieurs autres tests de projection. Dans certains de ceux-ci, on demande au sujet de dessiner des personnes, des maisons, des arbres, etc. D'autres consistent dans des phrases à compléter; ces dernières commencent habituellement par « Souvent, j'aimerais », « Ma mère » ou « J'ai envie d'abandonner quand ils ». En réalité, tout stimulus auquel une personne peut réagir « individuellement » pourrait servir de base à un test de projection. Malheureusement, la plupart des tests de projection n'ont pas été l'objet de recherches suffisantes pour que soit garantie leur utilité dans l'évaluation de la personnalité.

Le Rorschach et le TAT, par contre, ont été soumis à de nombreuses études, mais les résultats de celles-ci n'ont pas toujours été encourageants. En général, la fidélité du Rorschach n'est pas grande, car l'interprétation des réponses dépend trop du jugement du clinicien; les mêmes données peuvent être évaluées de façons bien différentes par deux examinateurs différents. En outre, les tentatives pour démontrer que le Rorschach est capable de prédire le comportement ou d'établir les distinctions entre des groupes ont eu un succès partiel. On a fait beaucoup de tentatives pour améliorer la méthode de Rorschach.

Le TAT fait meilleure figure. Lorsqu'on a recours à des systèmes de notation précis — dans l'évaluation des motivations pour la réussite ou des thèmes liés à l'agressivité, par exemple — le coefficient de fidélité d'un examinateur à l'autre est assez bon. Mais le lien entre les scores obtenus au TAT et le comportement réel n'est pas simple à établir. Les individus n'agissent pas nécessairement d'après leurs préoccupations. Il se peut que la personne qui débite un certain nombre d'histoires ayant comme thème l'agressivité ne soit pas très agressive dans la réalité. Apparemment, l'individu compense le besoin d'inhiber des tendances agressives par l'expression de ces impulsions dans ses fantasmes. Quand on évalue à la fois l'inhibition liée à l'expression de l'agressivité *et* la force des tendances agressives d'après les histoires du TAT, la relation avec le comportement devient plus prévisible. Chez un groupe de garçons ayant des inhibitions faibles selon les tests, la corrélation entre la quantité d'agressivité dans les histoires et l'agressivité manifeste était de + 0,55. Par ailleurs, chez d'autres dont le degré d'inhibition était élevé, la corrélation entre le nombre de thèmes liés à l'agressivité et l'agressivité manifeste était de -0,50 (Olweus, 1969).

Les défenseurs du Rorschach et du TAT font remarquer qu'il n'est pas juste de s'attendre à des prédictions exactes sur la seule base des réponses à des tests; les thèmes des histoires ou les réactions aux taches d'encre ne prennent une signification que lorsqu'on les analyse à la lumière d'une information additionnelle — le vécu d'une personne, d'autres résultats de tests et l'observation de la conduite. Le clinicien adroit utilise les résultats des tests de projection pour donner des interprétations hypothétiques de la personnalité de l'individu; il les confirme ensuite ou les rejette, selon l'information additionnelle dont il dispose. Ces tests aident à découvrir des zones de conflit possibles.

Test d'aperception thématique.

CONSTANCE DE LA PERSONNALITÉ

Notre expérience quotidienne nous révèle que les gens ont des personnalités relativement stables. Nous connaissons tous des gens aimables, autoritaires, agressifs et bons vivants. Nous percevons une constance dans la personnalité d'individus que nous connaissons bien et nous croyons être capables de prévoir comment ils vont se comporter dans une variété de situations.

La plupart des théories de la personnalité postulent justement l'existence d'un noyau stable de personnalité. Les théories de traits partent du postulat que certains traits fondamentaux de la personnalité caractérisent l'individu dans une variété de situations qui se répètent chaque jour et, dans une certaine mesure, durant toute une vie. Ainsi, quand un individu semble se comporter honnêtement ou consciencieusement dans plusieurs situations, nous croyons pouvoir prévoir comment il va agir dans d'autres situations et même

ANALYSE CRITIQUE

L'effet Barnum

Aucune donnée scientifique ne permet d'affirmer que la position des étoiles ou des planètes au moment de la naissance aurait un effet sur la personnalité (Carlson, 1985). Et pourtant, l'astrologie — l'étude de la « façon dont les corps célestes influencent le destin des individus » — est extrêmement populaire. Les gens achètent des livres sur l'astrologie et lisent avec avidité leur horoscope quotidien dans les journaux, acceptant les attributions de traits de personnalité et les prédictions comme des probabilités, sinon comme des faits. Qu'est-ce qui nourrit cette croyance? La réponse semble se trouver dans le fait que les descriptions astrologiques sont assez générales pour pouvoir s'appliquer à presque n'importe qui.

Des études ont démontré que les gens sont portés à considérer les descriptions générales comme des reflets exacts de leur propre personnalité. Dans l'une de ces expériences, on a fait passer à des collégiens un test de personnalité. Quelques jours plus tard, on remettait à chaque étudiant un rapport dactylographié dans une enveloppe scellée et on lui demandait de donner une cote d'exactitude à l'évaluation. Les sujets ignoraient que toutes les descriptions de personnalité étaient *identiques*. La plupart des étudiants ont dit que la description leur allait assez bien (Forer, 1949). Et il suffit de jeter un regard sur certains des énoncés du rapport d'évaluation pour comprendre pourquoi:

- Vous avez tendance à vous montrer critique à votre propre endroit. À certains moments, vous êtes extraverti, affable, sociable, alors qu'à d'autres

comment il va se conduire dans plusieurs années. La théorie psychanalytique se fonde aussi sur la constance; des conflits non résolus durant l'enfance (centrés, par exemple, sur l'entraînement à la propreté) donnent naissance à un ensemble de caractéristiques de la personnalité (l'obstination, une propreté exagérée et la préoccupation des détails) qui caractérisent une personne durant toute sa vie.

Les théories du soi postulent également que le concept de soi joue un rôle central dans l'intégration de la conduite, contribuant ainsi à la constance de la personnalité. Malgré le fait que nous pouvons changer de façon considérable, nous nous considérons toujours la même personne stable. D'ailleurs, le sentiment de cette constance dans notre pensée et dans notre comportement est essentiel à notre bien-être. La perte d'un sens de stabilité est caractéristique de la désorganisation de la personnalité.

Dans plusieurs cas, toutefois, les recherches n'ont pas réussi à révéler une constance de personnalité aussi marquée que ce que nos théories ou nos intuitions nous portent à croire. La constance de la personnalité est une question très controversée chez les psychologues.

Constance dans le temps

Les études longitudinales révèlent une forte constance des caractéristiques de la personnalité. Au cours d'une recherche de grande envergure, on a observé plus de 100 sujets, sur une période de 35 ans. Le premier examen a été fait quand les sujets commençaient leur cours secondaire: les psychologues évaluaient chaque individu par rapport à un certain nombre de traits de personnalité au moyen d'une méthode standardisée. Les mêmes sujets ont été évalués de nouveau à la fin du cours secondaire, puis au milieu de la trentaine et enfin au milieu de la quarantaine; chaque évaluation a été faite par un groupe différent de juges. Pour les 3 ans séparant le début et la fin du cours secondaire, 58 % des facteurs de personnalité ont donné une corrélation positive significative. Pour la période de 30 ans allant de la fin du secondaire jusqu'au milieu de la quarantaine, 31 % des items ont donné une corrélation significative. Le tableau 13-6 présente une liste de certaines des caractéristiques de la personnalité qui se sont révélées les plus constantes dans le temps (Block, 1971, 1981).

D'autres études d'individus, portant sur l'ensemble de la vie adulte (de l'âge de 20 ans jusqu'à 68 ans environ), ont révélé que 3 grands traits de personnalité — appelés extraversion sociale, contrôle des impulsions et stabilité

occasions vous êtes introverti, méfiant, réservé.

- Dans des circonstances de stress, vous doutez parfois de vous-même.
- Bien que vous ayez beaucoup d'affection pour vos parents, il s'est présenté des occasions où vous n'étiez pas d'accord avec eux.
- Votre adaptation sexuelle vous a causé des problèmes.

Ces énoncés ressemblent à ceux que l'on trouve dans les descriptions astrologiques de la personnalité fondées sur les signes du zodiaque. Parce qu'elles conviennent à beaucoup de gens, de telles descriptions créent une illusion d'exactitude lorsqu'on les applique aux cas individuels. On a donné l'appellation d'« *effet Barnum* » à ce phénomène, en s'inspirant de la devise

du célèbre promoteur de cirque P.T. Barnum: « Il naît un dupe à chaque minute. »

Des études récentes indiquent que les gens sont plus susceptibles d'accepter comme exacte une description de leur personnalité quand on leur dit qu'elle est fondée sur un test de projection que lorsqu'on leur dit qu'elle est fondée sur une interview ou sur un inventaire de personnalité (Snyder, 1974). Apparemment, il y a un certain mythe associé aux tests de projection — les gens croient qu'ils révèlent quelque chose d'eux-mêmes par des moyens qu'ils ne comprennent pas tout à fait; les interviews et les inventaires de personnalité sont des techniques plus familières et les gens tiennent pour acquis qu'il est possible d'influencer consciemment leurs réponses.

La popularité et l'acceptation des évaluations de la personnalité faites par les astrologues, les chiromanciennes et par ceux qui « lisent les feuilles de thé » ou qui interprètent les tarots semblent résulter de la valeur mystique associée au rituel et du caractère universel des descriptions de la personnalité. En plus, certains diseurs de bonne aventure sont assez adroits quand il s'agit de déceler des indices dans l'apparence de l'individu et dans ses réactions. L'exactitude surprenante d'une petite partie de la description de la personnalité peut prédisposer le sujet à accepter l'évaluation complète.

---

affective — restent relativement constants si on se fonde sur des évaluations par le sujet lui-même, par son époux ou son épouse et par 5 de ses connaissances (Conley, 1985).

STABILITÉ ET CHANGEMENT   Bien que certains individus présentent des caractéristiques assez stables tout au long de leur vie, d'autres sont l'objet de modifications considérables de la personnalité. Dans notre monde actuel, qui connaît des changements sociaux et technologiques si rapides, beaucoup de gens se trouvent en conflit entre le maintien de leur image de soi (rester

CORRÉLATION: DÉBUT ET FIN DU COURS SECONDAIRE	CORRÉLATION: FIN DU SECONDAIRE ET ÂGE ADULTE	ITEM ÉVALUÉ
Hommes		
0,58	0,53	Est une personne vraiment fiable et responsable
0,57	0,59	A tendance à mal contrôler ses besoins et ses impulsions; est incapable de différer la gratification
0,50	0,42	Travaille à l'encontre de ses propres objectifs
0,35	0,58	Apprécie les impressions esthétiques; réagit sur le plan de l'esthétique
Femmes		
0,50	0,46	Essentiellement soumise
0,39	0,43	Attache de l'importance à la compagnie des autres; grégaire
0,48	0,49	A tendance à se montrer rebelle et non conformiste
0,45	0,42	S'intéresse aux problèmes philosophiques, par exemple à la religion, aux valeurs, à la signification de la vie

TABLEAU 13-6
Constance de la personnalité   *Le tableau présente une liste de quelques-uns des traits de personnalité qui se sont révélés les plus stables au cours d'évaluations sur une période de plusieurs années, comprises entre les études secondaires et l'âge adulte. Grâce à des corrélations de cet ordre, il est possible de prédire assez bien les caractéristiques des adultes d'après des évaluations antérieures (D'après Block, 1971).*

constants) et la réalisation de leur plein potentiel (explorer de nouveaux rôles et comportements). Le développement de la personnalité est fait à la fois de constance et de changement.

Même si les modifications de la personnalité peuvent survenir à n'importe quel moment dans la vie, ils sont plus susceptibles de se manifester durant l'adolescence et au début de l'âge adulte. L'étude longitudinale d'étudiants de première année du cours secondaire a révélé la présence de différences individuelles frappantes dans le degré de constance de la personnalité au cours des périodes considérées. Certains semblent avoir acquis une personnalité stable assez tôt dans la vie; d'autres changent considérablement durant les années qui s'écoulent entre les études secondaires et le milieu de l'âge adulte. Ceux qui changent sont, en général, des individus dont l'adolescence a été marquée de conflits et de tensions, tant à l'intérieur d'eux-mêmes, qu'en relation avec la société et avec les valeurs de l'âge adulte. On décrivait, par exemple, les hommes qui ont changé comme des jeunes qui, durant leurs études secondaires, manquaient de sécurité et de maturité, étaient vulnérables, ne savaient pas où se diriger et étaient portés à se conformer aux prescriptions culturelles de la société de leurs pairs. Adolescentes, les femmes qui ont changé plus tard étaient perçues comme des jeunes filles qui manquaient de sécurité et qui étaient révoltées; ces dernières attachaient une grande valeur à l'indépendance et considéraient leurs parents comme vieux jeu.

Ceux qui n'ont pas changé étaient, au contraire, des gens détendus, efficaces, qui poursuivaient confortablement des objectifs culturels qui leur étaient chers. Ils semblaient s'accepter tels qu'ils étaient et assumer les rôles traditionnels et les valeurs de leur milieu culturel. On décrivait les hommes comme des individus sûrs d'eux-mêmes, adultes, capables de s'adapter et féconds. Les femmes avaient tendance à entretenir des rapports positifs avec leurs parents et avec les autres adultes; on les présentait comme des femmes soumises et productrices, qui acceptaient les rôles sexuels traditionnels. Ainsi, bien qu'il existe évidemment une foule de raisons individuelles qui poussent les gens à rechercher le changement, nous pouvons tirer la conclusion générale que, chez les deux sexes, ceux qui ont changé avaient perçu la vie comme une lutte et avaient été forcés de changer; dans le cas de ceux qui n'ont pas changé, la vie avait été plus facile.

Constance dans des situations variables

Nous l'avons vu, les grands traits de caractère de la plupart des gens restent plutôt stables malgré le passage du temps. Cependant , on trouve moins de preuves sur la constance de la personnalité, quand on examine les mesures du comportement d'une situation à l'autre — par exemple, l'agressivité à la maison et l'agressivité à l'école. C'est ce domaine de la recherche qui a soulevé le plus de controverses parmi les psychologues qui s'intéressent à la personnalité. Le débat est centré sur la question de savoir si la constance est suffisante d'une situation à une autre pour que l'étude des traits soit vraiment utile pour la prédiction du comportement.

Vers la fin des années 1920, Hartshorne et May ont effectué une étude, devenue classique, sur la constance du comportement. Ils ont donné, à quelque 11 000 étudiants des cours élémentaire et secondaire, un grand nombre de tests de comportement conçus pour mesurer l'altruisme, le contrôle de soi et l'honnêteté dans diverses situations — à la maison, à l'école, durant des compétitions d'athlétisme et à l'église. Pour vérifier l'honnêteté, par exemple, les enfants étaient placés dans des situations où ils avaient l'occasion d'être malhonnêtes tout en croyant qu'ils ne seraient pas pris — garder pour eux une partie de l'argent qu'on leur avait donné pour jouer, tricher à un test, mentir sur le nombre de tractions qu'ils sont capables de faire ou sur la quantité de travail fait à la maison. La corrélation entre les comportements dans les situations différentes a été assez faible. Par exemple, en comparant les scores de n'importe quelle paire de tests utilisés pour mesurer l'honnêteté, on obtenait une corrélation moyenne de 0,23. La faiblesse de ces corrélations a amené Hartshorne et May à la conclusion que l'honnêteté, tout comme la malhonnêteté, n'était pas un trait de caractère ; le comportement est particulier à la situation (Hartshorne et May, 1929).

Le débat sur l'utilité de l'étude des traits fut ranimé quelque 40 années plus tard par Walter Mischel (1968). Comme Hartshorne et May, Mischel est arrivé à la conclusion que la situation est plus importante que la personne dans la détermination du comportement. Il est parvenu à cette conclusion après des efforts répétés pour prévoir l'efficacité outre-mer de professeurs engagés dans le Peace Corps (groupe de jeunes recrutés par le gouvernement des États-Unis pour travailler auprès des pays en voie de développement). Pour ce faire, il se fonda sur des tests de personnalité administrés pendant que les candidats étaient à l'entraînement aux États-Unis. Il dut constater que, même s'il avait fait de son mieux, il n'était pas en mesure de prédire avec exactitude le rendement de ces professeurs (Mischel, 1965). Par la suite, il analysa les travaux publiés dans le domaine pour voir quel est le rapport entre les tests de personnalité conçus pour mesurer un trait particulier et les autres mesures de ce même trait qui pourraient ressortir des résultats à une tâche expérimentale particulière ou de l'observation dans une situation naturelle. Il constata que les corrélations entre tests de personnalité et mesures d'un trait en situation étaient plutôt faibles dans la plupart des recherches qu'il analysa — généralement inférieures à 0,30. Les corrélations entre la mesure d'un même trait dans deux situations différentes étaient également peu élevées (Mischel, 1968).

Cette recension de Mischel souleva un sérieux débat sur la question de savoir si ce sont les caractéristiques de la personne ou celles de la situation qui ont le plus d'influence sur le comportement. Cette discussion amena les psychologues intéressés à la personnalité à examiner à nouveau les méthodes qu'ils utilisaient pour recueillir leurs données et à proposer diverses explications de ce *paradoxe de la constance*. Par l'expression paradoxe de la constance on se réfère au fait que notre intuition nous dit, d'une part, que les gens possèdent des caractéristiques générales qui donnent lieu à des comportements constants, alors que, d'autre part, il arrive souvent que les résultats des travaux de recherche n'apportent pas d'appui à cette intuition.

Selon les théoriciens de l'apprentissage social, qui croient que la conduite est, en grande partie, déterminée par la situation (dépendant plus de la nature de la situation particulière que de traits ou de dispositions durables de l'individu), l'intuition de la constance de personnalité serait plutôt une illusion. Ils soutiennent que les traits sont plus souvent dans l'« œil de celui qui perçoit » que dans la personne observée. Nous sommes portés à accorder plus de constance à la conduite des gens qu'il n'en existe vraiment et ce, pour plusieurs raisons, dont les quatre suivantes :

1. Plusieurs caractéristiques d'un individu restent plutôt constantes — l'apparence physique, la façon de parler, les gestes expressifs et ainsi de suite. Ces attributs quasi permanents aident à créer une impression de constance de la personnalité.

2. Nos idées préconçues sur la façon dont les gens se conduisent peuvent nous entraîner à faire des généralisations qui dépassent ce que nous observons réellement. Il peut arriver que nous remplacions les données qui nous manquent par nos « théories implicites de la personnalité » concernant les traits et les comportements qui iraient ensemble. Des stéréotypes portant sur le comportement typique d'un « homosexuel », d'une « femme de carrière » ou d'un « athlète » peuvent nous amener à attribuer plus de constance aux actes d'un individu que ce que nous révèlent vraiment nos observations.

3. Notre propre présence peut pousser les gens à se conduire de certaines façons. Ainsi, les personnes que nous connaissons peuvent donner l'impression d'avoir des comportements constants justement parce que notre présence agit comme stimulus à chacune des observations que nous faisons. Il est possible qu'ils se conduisent bien différemment quand nous ne sommes pas là.

4. Étant donné que les actions d'une autre personne constituent un trait saillant de toute situation, nous avons tendance à surestimer l'importance des caractéristiques de personnalité en tant que causes du comportement et à sous-estimer le rôle des éléments mêmes de la situation qui peuvent entraîner la personne à agir comme elle le fait. Lorsque nous voyons quelqu'un qui agit

de manière agressive, nous présumons que cet individu a des tendances agressives et qu'il se comportera de la même façon dans d'autres contextes — même s'il est possible que les facteurs de la situation soient alors bien différents. On a appelé *erreur fondamentale d'attribution* cette tendance à sous-estimer les influences de la situation sur le comportement (voir au chapitre 17).

Les théoriciens de la personnalité, qui croient que le comportement est déterminé par des dispositions ou par des motifs durables (les tenants d'une théorie des traits ou les psychanalystes) prétendent que la personnalité est beaucoup plus constante que ne l'indique la recherche sur les variations liées à la situation. Ils font ressortir les défauts inhérents à la méthodologie de plusieurs études et insistent sur la nécessité de réunir plusieurs mesures de comportement faites dans des situations diverses et de tenir compte des différences individuelles de constance.

COMBINAISONS DE MESURES   La plupart des travaux révélant peu de constance d'une situation à une autre portent sur un petit échantillon de comportements. De telles études peuvent, par exemple, mettre en corrélation le score d'un individu à une échelle de mesure de l'agression avec le comportement agressif manifesté dans des expériences en laboratoire. On peut notamment étudier le lien entre le secours qu'un individu accorde dans une situation (donner de l'argent pour des œuvres charitables) avec l'aide qu'il apporte dans une autre situation (venir au secours d'une personne en détresse). Or, il se peut que la corrélation entre deux mesures de cette sorte (peu importe lesquelles) ne soit pas représentative. On obtiendra probablement une image plus exacte en réunissant plusieurs mesures du comportement relatif au même trait de façon à obtenir un *score combiné*. Dans l'étude de Hartshorne et May, par exemple, les corrélations de scores combinés sont beaucoup plus élevées. Lorsqu'on met en corrélation les scores combinés obtenus par des enfants à la moitié des tests d'honnêteté avec leurs scores à l'autre moitié des tests, la corrélation est de 0,72. Cette corrélation est bien supérieure à la corrélation moyenne de 0,23, obtenue entre deux tests simples d'honnêteté, quels qu'ils soient, et elle dénote une constance considérable (Rushton, Jackson et Paunonen, 1981).

On peut également recourir à la méthode de la combinaison des mesures pour démontrer la stabilité des traits sur des périodes de temps. Lors d'une étude, des collégiens notèrent à chaque jour, et ce durant plusieurs semaines, leurs expériences les plus agréables et les plus désagréables de la journée, en décrivant les émotions qui accompagnaient chacune de ces expériences, leurs impulsions (ce qu'ils aimeraient faire en réaction à la situation) et leurs comportements réels. En comparant les réponses données par le sujet lors de deux journées différentes, peu importe lesquelles, on obtient des corrélations assez faibles (généralement inférieures à 0,30). Cependant, si on faisait la moyenne des réponses du sujet pendant des périodes de 14 à 28 jours, les corrélations obtenues étaient beaucoup plus élevées (souvent supérieures à 0,80). Les coefficients de fidélité des mesures devenaient de plus en plus élevés, à mesure qu'on augmentait le nombre de jours de l'échantillon (Epstein, 1979; Epstein et O'Brien, 1985).

D'autres travaux ont donné des résultats semblables quand l'observation du comportement a porté sur une période de temps prolongée. Au cours d'une étude de Leon (1977), par exemple, on a observé des gens durant quatre semaines, puis on les a évalués par rapport à des variables associées à leur sociabilité et à leur tendance à se montrer impulsifs. En dépit du fait que les corrélations entre deux jours d'observation étaient plutôt faibles, la moyenne des évaluations faites au cours des 14 premiers jours donnait une corrélation de 0,81 avec la moyenne des évaluations des 14 jours suivants. Il semble donc qu'on soit capable de trouver une constance considérable dans les traits de personnalité, pourvu que l'échantillon de la conduite soit assez grand. Sur le plan pratique, ceci veut dire que si nous voulons porter des jugements valables sur les autres — quand nous voulons savoir s'ils seraient des associés de confiance en affaires, des amis fidèles ou des partenaires conjugaux convenables — il nous faut les observer en plusieurs occasions. Un échantillon trop restreint (une première impression) pourrait se révéler inadéquate. Comme l'a fait remarquer un psychologue:

> Il y a beaucoup à gagner, que ce soit au jeu ou quand nous prenons des risques dans nos rapports interpersonnels, à avoir raison la plupart du temps. Je trouvais que la femme que j'allais épouser était une personne chaleureuse et bien attentionnée. Ceci ne veut pas dire que je croyais qu'elle ne se mettrait jamais en colère après moi ou qu'elle me comprendrait toujours. Si son comportement devait être aussi immuable d'une situation à l'autre, ce serait une personne rigide, un robot. Je veux dire que, d'après mon évaluation, son comportement général devrait faire ressortir et confirmer ces attributs, du moins suffisamment pour que je sois prêt à risquer mon bonheur futur en me fondant sur mon jugement qui, heureusement, était juste. Remarquez que ce qui a joué un rôle primordial, c'est le fait d'avoir été au courant d'un échantillon d'événements d'après lesquels une prédiction des comportements généraux dans un autre échantillon d'événements a été formulé (Epstein, 1977, p. 84).

DIFFÉRENCES INDIVIDUELLES DANS LA CONSTANCE   Dans la plupart des travaux sur les traits de personnalité, on présume que l'on peut décrire chacun des traits de personnalité d'un individu, autrement dit, que les gens ne se distinguent les uns des autres que par la quantité du trait qu'ils possèdent. Mais, même si certains individus sont constants par rapport à certains traits, peu de gens sont constants à l'égard de tous les traits. Lorsqu'on nous demande de faire la description d'un ami, nous choisissons quelques traits qui nous paraissent pertinents. Si on nous demande de décrire un autre ami, nous utilisons un autre ensemble de traits. Il semble donc que, pour tout individu donné, nous nous attendons à trouver de la constance uniquement par rapport aux seuls traits qui caractérisent sa personnalité.

Dans le cadre d'une étude, on a demandé à des collégiens d'évaluer leur propre variabilité d'une situation à l'autre par rapport à un ensemble de traits (Bem et Allen, 1974). Les étudiants, qui s'étaient identifiés comme stables par rapport à un trait particulier, avaient tendance à se montrer beaucoup plus constants dans diverses situations que ceux qui s'étaient dits variables par rapport à ce trait. Par exemple, les étudiants qui avaient dit qu'ils étaient constamment aimables avaient tendance à obtenir un niveau de bienveillance assez constant dans les évaluations faites par leurs parents, par leurs compagnons et dans des observations directes dans plusieurs situations (une corrélation entre situations de 0,57). Par contre, les étudiants qui s'étaient dits variables sur le plan de la bienveillance avaient tendance à être moins constants (une corrélation entre situations de 0,27).

Si, comme l'indique cette étude, la constance des gens par rapport à des traits différents varie effectivement, une sélection de sujets faite au hasard contiendra des individus qui manifestent de la constance et d'autres qui sont variables à l'égard d'un trait donné. Une tentative visant à démontrer l'existence d'une constance de situation à situation chez un tel groupe de sujets mélangés ne peut que donner des résultats médiocres.

Des travaux subséquents ont montré que les gens qui présentent de la constance dans leurs comportements se divisent en deux groupes: ceux qui sont constants par rapport à plusieurs dimensions de comportement (il se pourrait, en effet, que pour eux, la constance elle-même soit un trait) et ceux qui ne se montrent constants que par rapport à un ou deux traits (l'agressivité ou la sociabilité, par exemple). La prise de conscience de ses propres sentiments intimes est l'une des différences individuelles associées à la constance du comportement. Les individus qui obtiennent des scores élevés à l'Échelle de la conscience de soi privé (ce qui montre qu'ils sont sensibles à leurs sentiments intimes) font preuve de plus de constance du comportement d'une situation à l'autre que les gens qui donnent des scores faibles à cette échelle (Underwood et Moore, 1981). Ils sont portés à répondre en se fondant sur leurs sentiments plutôt qu'en fonction des exigences sociales de la situation.

Interactionnisme

Le débat personne-situation est en train de trouver une solution graduelle. La plupart des psychologues s'entendent pour dire qu'il faut connaître les caractéristiques de l'individu *et* celles de la situation en cause pour prévoir le comportement. Les gens ont des dispositions de personnalité constantes qui les portent à agir de façon particulière, mais ils perçoivent également des différences parmi les conditions du milieu. Par conséquent, même l'individu le plus agressif aura un comportement relativement paisible à l'église, tandis que l'individu le plus paisible se comportera plutôt énergiquement sur un terrain de football. Constance et souplesse sont deux attributs essentiels de la personnalité d'un être humain.

En plus d'ajuster leur comportement pour répondre aux exigences d'une situation, les gens recherchent ou évitent également certaines situations à cause de leurs caractéristiques de personnalité. Ainsi, l'individu qui ressent le besoin de dominer les autres peut rechercher les affrontements, alors qu'une personne plus soumise essaierait plutôt d'éviter de telles situations. D'ailleurs, une fois que les gens se trouvent dans une situation donnée, leur comportement a une influence sur ce qui arrive. La personne qui agit avec dureté est susceptible de créer un environnement social plus hostile que celle qui fait preuve de tact et se montre sensible aux sentiments des autres.

On appelle *interactionnisme* cette interaction compliquée entre la personne et le milieu (Bandura, 1978; Endler, 1981). Cette conception laisse entendre que le comportement humain est le résultat des interactions en cours entre les dispositions constantes de la personnalité et les circonstances dans lesquelles les gens se trouvent. Les dispositions personnelles, le comportement manifeste et les variables de la situation forment une chaîne entrecroisée, chacun des éléments influençant les autres. Ainsi, le comportement façonne la situation, mais il peut également exercer une influence sur nos dispositions. Le fait d'affronter avec succès une situation de défi peut, par exemple, changer la tendance d'un individu à la résignation.

VERS UNE CONCEPTION INTÉGRÉE DE LA PERSONNALITÉ

Nous avons examiné diverses façons de concevoir la personnalité. Chacune nous informe sur la formation des caractéristiques individuelles et sur leur interaction avec les conditions de l'environnement pour déterminer le comportement. Le lecteur se demande sans doute quelle est la meilleure perspective à adopter pour étudier la personnalité — comment se former une vision cohérente de la personne prise individuellement. Les psychologues se posent d'ailleurs la même question. Le domaine de la psychologie de la personnalité est actuellement dans un état de fluctuation et de transition. Il est évident qu'aucune théorie simplifiée ne peut suffire à expliquer la personnalité et on a plutôt tendance actuellement à faire la synthèse de plusieurs influences.

Lorsqu'on essaie de jauger l'importance relative des différences individuelles et des conditions du milieu dans le choix du comportement, on a avantage à considérer la situation comme une *source d'information* — information que la personne interprète et à laquelle elle réagit en fonction de ses expériences antérieures et de ses aptitudes. Certaines situations ont un grand pouvoir. Devant un feu rouge, la plupart des conducteurs immobilisent leur véhicule; les conducteurs savent ce qu'il signifie, ils sont motivés à y obéir et ils ont la capacité de s'arrêter quand ils l'aperçoivent. Il nous serait assez facile de prédire le nombre d'individus qui réagiraient de la même manière à un feu rouge. D'autres situations ont peu d'influence. Supposons qu'un professeur d'art montre à des étudiants une diapositive d'une peinture abstraite et qu'il leur demande de faire des commentaires sur sa signification. On doit s'attendre à une variété de réponses. La peinture n'a pas la même signification pour tous ceux qui la voient et tous n'ont pas la même conception de la réponse souhaitable. Dans les situations ayant peu d'influence, ce sont les différences individuelles plutôt que le stimulus qui sont les facteurs les plus déterminants de la conduite. Des chercheurs s'efforcent de classer les situations sociales en fonction de la variabilité des comportements qui leur sont associés et d'identifier les attributs qui rendent une situation plus ou moins déterminante (voir, par exemple, Schutte, Kenrick et Sadalla, 1985).

Les recherches actuelles sur la personnalité accordent une plus grande attention aux processus cognitifs et essaient d'établir un équilibre entre ces processus et d'autres aspects de la personnalité. Les gens présentent des différences quant à leurs aptitudes intellectuelles, à leur façon de percevoir les événements et de se les représenter en mémoire et dans les stratégies qu'ils utilisent pour résoudre les problèmes. La coutume veut que l'on considère séparément les capacités intellectuelles et la personnalité ; même si nous traitons de ces sujets dans des chapitres différents, il n'en reste pas moins que les deux entretiennent des relations étroites l'un avec l'autre. Des études montrent, par exemple, que la façon dont les gens classent les objets et les événements est associée à leurs caractéristiques de personnalité. Les individus qui usent de catégories vastes ont tendance à être plus accueillants face aux expériences de la vie que ceux qui limitent leurs catégories à un groupe plus étroit de stimuli (Block, Buss, Block et Gjerde, 1981). Les recherches futures vont probablement adopter une définition plus large de la personnalité, où seront inclus les facteurs intellectuels et, plus particulièrement, la gamme des processus cognitifs auxquels un individu a recours pour résoudre des problèmes et pour faire face à des situations nouvelles.

Un autre domaine qui commence à constituer une partie importante de la théorie de la personnalité est celui des interactions sociales. « Les autres » jouent un rôle considérable dans la plupart des situations et le comportement dans les contextes sociaux est un processus continu d'échanges réciproques ; notre comportement détermine la façon dont l'autre réagit et sa réponse influence à son tour notre comportement, et ainsi de suite. Les rôles sociaux prescrits, l'idée que nous nous faisons des autres et les qualités que nous leur prêtons, tout cela exerce une influence importante sur la conduite. Nous reviendrons sur ces processus socio-psychologiques aux chapitres 17 et 18.

RÉSUMÉ

1. Le terme *personnalité* se réfère aux schèmes caractéristiques de comportement, aux pensées et aux émotions responsables de la façon dont un individu s'adapte à son milieu. Il désigne la *personnalité publique*, que les autres peuvent connaître, de même que la *personnalité privée*, faite de pensées et d'expériences qu'on révèle rarement.

2. Certaines caractéristiques de personnalité (comme l'humeur générale et le niveau d'énergie) sont influencées par des *facteurs biologiques* héréditaires. Les expériences communes à un *milieu culturel* et à des *groupes sous-culturels* (tels les rôles sexuels) et celles qui appartiennent en propre à l'individu entrent en interaction avec des prédispositions innées pour façonner la personnalité. Parmi les principales modalités théoriques utilisées pour en arriver à la compréhension de la personnalité, citons les *théories des traits*, de l'*apprentissage social*, les *théories psychanalytique* et *phénoménologique*.

3. Les *théories des traits* postulent qu'on peut décrire une personnalité en la situant par rapport à un certain nombre de *dimensions continues*, ou d'*échelles*, chacune d'elles représentant un trait. La méthode de l'*analyse factorielle* a été employée pour identifier les traits fondamentaux. Deux dimensions que l'on a retrouvées de façon assez constante dans les études d'analyse factorielle de la personnalité sont l'*introversion-extraversion* et la *stabilité-instabilité*.

4. La *théorie de l'apprentissage social* part du postulat voulant que les différences de personnalité découlent des variations dans les expériences d'apprentissage de l'individu. Les réponses peuvent être apprises sans renforcement, grâce à l'*observation*, mais le renforcement est important pour déterminer si les réponses ainsi apprises seront *exécutées*. Le comportement d'une personne dépend des caractéristiques de la situation, lesquelles entrent en interaction avec l'évaluation que l'individu fait de la situation et ses expériences de renforcement. Le comportement des gens est constant dans la mesure où les situations qu'ils rencontrent et les rôles qu'on leur assigne restent relativement stables.

5. La *théorie psychanalytique* présume qu'une bonne partie de la motivation humaine est *inconsciente* et doit être inférée indirectement d'après la conduite. Freud concevait la personnalité comme composée de trois systèmes — le *ça*, le *moi* et le *surmoi* — qui entrent en interaction et parfois en conflit. Le ça fonctionne

d'après le *principe du plaisir*, recherchant la gratification immédiate d'impulsions biologiques. Le moi obéit au *principe de réalité*, différant la gratification jusqu'à ce qu'elle puisse être réalisée selon des modes socialement acceptables. Le surmoi (la conscience) impose des *standards moraux* à l'individu.

6. Compte tenu des aspects dynamiques de la théorie psychanalytique, on tient pour acquis que ce sont les pulsions refoulées du ça qui causent l'anxiété, laquelle peut être réduite par des *mécanismes de défense*. Les aspects génétiques supposent que la *fixation* (l'arrêt du développement) à l'un des *stades psychosexuels* donne lieu à certains types de personnalité (telle la personnalité orale ou anale).

7. Les *théories phénoménologiques* s'intéressent à l'expérience subjective de l'individu. Elles mettent en évidence un *concept du soi* de la personne et le mouvement vers la croissance, ou l'*actualisation de soi*. Pour Rogers, l'aspect le plus important de la personnalité est la *concordance* entre le *soi* et la *réalité* et entre le *soi* et le *soi idéal*. Deux conceptions plus récentes s'intéressent plus particulièrement a) au soi en tant que système de *schèmes du soi* (généralisations sur le soi) qui organise et guide le traitement de l'information pertinente pour le soi et b) aux différences individuelles dans la *conscience de soi privé* et la *conscience de soi public*.

8. La personnalité peut être évaluée par l'*observation* d'un individu en situation naturelle ou durant une interview. Les observateurs peuvent enregistrer leurs impressions sur une *échelle d'évaluation*, en prenant soin d'éviter l'*effet de halo* et les *stéréotypes*. Les observations de l'individu sur sa propre personnalité peuvent être enregistrées au moyen d'*inventaires de personnalité*, comme l'Inventaire multiphasique de la personnalité de Minnesota (MMPI) et le Questionnaire psychologique (CPI).

9. On trouve dans les *tests projectifs*, tels le Rorschach et le Test d'aperception thématique (TAT), des façons moins structurées d'aborder l'évaluation de la personnalité. Comme les stimuli de ces tests sont ambigus, on présume que l'individu projette sa personnalité sur le stimulus.

10. Des études longitudinales indiquent que les caractéristiques de la personnalité sont assez stables, malgré le passage du temps. Néanmoins, certains individus conservent des personnalités stables très tôt dans la vie et d'autres changent considérablement entre le moment de leur passage aux études secondaires et celui où ils atteignent l'âge adulte.

11. Des études, démontrant l'existence de faibles corrélations entre les mesures d'un même trait de personnalité observé dans deux situations différentes et des mesures de ce trait résultant de tests de personnalité ou de mises en situation, ont soulevé un débat sur l'importance relative des facteurs personnels par opposition aux facteurs de la situation dans la détermination du comportement. Les théoriciens de l'apprentissage social ont soutenu que le comportement dépend plus de la situation que des traits permanents de l'individu. Les tenants de la psychologie des traits et de la psychanalyse ont fait remarquer qu'on peut démontrer l'existence de constantes de la personnalité en utilisant des *mesures combinées* de situations variées ou de répétition de situations dans le temps et en tenant compte des *différences individuelles de constance*.

12. L'*interactionnisme* apporte une solution à ce débat en reconnaissant le fait que le comportement est le résultat d'une interaction réciproque entre les dispositions personnelles et les variables de situation. La situation fournit l'information que la personne interprète et sur laquelle elle agit selon son expérience antérieure et ses habiletés.

AUGER, L. *Communication et épanouissement personnel*, Montréal, CIM/Éditions de l'Homme, 1972.

CATTELL, R.B. *La personnalité*, Paris, P.U.F., 1956.

CHÉNÉ, H. *Index des variables mesurées par les tests de personnalité*, Québec, Presses de l'Université Laval, 1986.

DOLTO, F. *L'image inconsciente du corps*, Paris, Seuil, 1984.

ELLENBERGER, H. *À la découverte de l'inconscient. Histoire de la psychiatrie dynamique*, Villeurbanne, Simep Editions, 1974.

EYSENCK, H. J. *Les dimensions de la personnalité*, Paris, P.U.F., 1950.

FREUD, S. *Abrégé de psychanalyse*, Paris, P.U.F., 1955.

FREUD, S. *Trois essais sur une théorie de la sexualité*, Paris, Gallimard, 1970a.

FREUD, S. *Le mot d'esprit et ses rapports avec l'inconscient*, Paris, Gallimard, 1970b.

FREUD, S. *La psychopathologie de la vie quotidienne* (5ᶜ éd.), Paris, Payot, 1977.

GENDLIN, E. *Une théorie du changement de la personnalité*, Montréal, Éditions du Centre interdisciplinaire de Montréal, 1975.

HUBER, W. *Introduction à la psychologie de la personnalité*, Bruxelles, Dessart-Mardaga, 1977.

JUNG, C.-G. *Les types psychologiques*, Genève, Librairie de l'Université, 1983.

L'ÉCUYER, R. *Le concept de soi*, Paris, P.U.F., 1978.

MOUSTAPHA, S. *Échec du principe du plaisir*, Paris, Seuil, 1979.

MURRAY, H. A. *Exploration de la personnalité*, Paris, P.U.F., 1953.

ROGERS, C. R. *Le développement de la personne*, Montréal, Dunod, 1976.

LECTURES SUGGÉRÉES

Septième partie

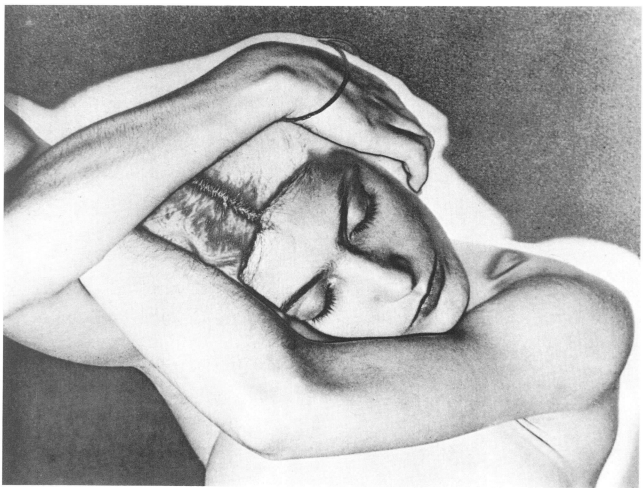

MAN RAY
© 1987 par Juliet Man Ray.
International Museum of Photography
at George Eastman House.

Solarisation, 1929

STRESS, PSYCHOPATHOLOGIE ET THÉRAPIE

Stress et affrontement des problèmes

14

Aussi ingénieux que nous puissions nous montrer dans la résolution des problèmes, les circonstances de la vie nous obligent inévitablement à affronter le stress. Nous n'atteignons pas toujours facilement nos objectifs : il y a des obstacles à surmonter, il faut faire des choix et accepter des délais. Le rythme rapide que nous impose la société d'aujourd'hui exerce beaucoup de pression sur chacun d'entre nous. Nous nous trouvons constamment aux prises avec un sentiment d'urgence, avec des pressions pour réaliser de plus en plus de choses le plus rapidement possible. Les agents de stress provenant de l'environnement et du travail — pollution de l'air et par le bruit, encombrement de la circulation sur les routes, échéances à respecter, surchages de travail — meublent de plus en plus notre quotidien. Nous adoptons tous un mode caractéristique de réactions à ce genre de pressions. Dans une certaine mesure, c'est notre façon de réagir à ces situations de stress qui détermine à quel point notre adaptation aux circonstances de la vie sera adéquate. Dans ce chapitre, et dans les deux qui suivent, nous allons examiner les façons dont les gens réagissent au stress ; nous verrons ce qui arrive quand on a recours à des techniques inefficaces pour affronter la réalité, techniques qui mettent l'adaptation en péril. Nous parlerons également d'une variété de comportements anormaux et des méthodes utilisées pour leur traitement.

CONCEPT DE STRESS

Le stress est devenu un thème populaire. Nous sommes inondés de messages quant à ses effets nocifs et à la façon de le maîtriser ou de le prévenir. Mais qu'est-ce que le stress ? On s'entend peu sur la définition de ce terme. Les chercheurs le définissent de façons différentes selon leur orientation théorique.

Définitions du stress

Les façons d'aborder l'étude du stress se répartissent en trois vastes catégories. Certains disent que le stress est une *réponse* ; ces chercheurs s'intéressent à l'identification des schèmes de réactions psychologiques et physiologiques qui interviennent dans les situations difficiles. Quand c'est la réponse qui est mise en évidence, nous parlons d'un état de stress ou d'un organisme en proie au stress. L'un des pionniers de la recherche sur le stress, Hans Selye, a défini le stress comme « la réponse non spécifique du corps à toute exigence qui s'adresse à lui » (Selye, 1974). Par « non spécifique », il voulait dire que le même schème de réponse pouvait être suscité par un nombre indéfini de stimuli de stress, ou *agents de stress* différents. Nous parlerons de ce schème stress-réponse dans un moment.

Une autre façon d'aborder le stress est centrée sur le *stimulus* ; on conçoit le stress en termes d'environnement, comme un événement ou un ensemble de circonstances qui exigent une réponse inaccoutumée. Dans ce cadre, les chercheurs ont étudié les événements catastrophiques, comme les tornades, les tremblements de terre ou les incendies, de même que des circonstances de stress plus chroniques comme la détention pénale ou l'entassement domiciliaire. Nous le verrons plus loin, ces chercheurs ont également étudié la relation entre l'accumulation d'événements générateurs de stress (perte d'emploi, divorce, mort d'un partenaire conjugal) et la vulnérabilité à des maladies physiques subséquentes. Ils ont aussi essayé d'identifier les caractéristiques qui faisaient qu'une situation représente un stress.

Une troisième façon de poser le problème est de voir dans le stress ni un stimulus ni une réponse, mais bien une *transaction* — ou une relation — entre la personne et le milieu, qui surcharge les ressources de cette personne. Selon cette conception transactionnelle, il ne suffit pas de considérer exclusivement les stimuli et la réponse. S'il est vrai qu'il y a des situations génératrices de stress pour tout individu (les désastres naturels, une maladie grave, ou la perte d'un être cher), plusieurs expériences moins dramatiques (se présenter à un examen, se disputer avec son conjoint, être pris dans un embouteillage) représentent un stress pour certains individus, mais pas pour d'autres. Les réponses aux situations de stress, même les réactions physiologiques à des stimuli douloureux, peuvent être fortement influencées par des facteurs psychologiques. Pour comprendre le stress, il nous faut savoir comment l'individu évalue la situation par rapport 1) à ses motivations ou à ses besoins particuliers et 2) à ses ressources pour composer avec elle. Dans la perspective transactionnelle, le stress est le reflet d'une relation entre une personne et le milieu, lequel est perçu par cette personne comme une surcharge de ses ressources représentant une menace à son bien-être (Lazarus et Folkman, 1984). L'*évaluation cognitive* et l'*affrontement* (« coping ») constituent deux processus essentiels pour déterminer le degré de stress de la relation personne-milieu. L'évaluation cognitive est un processus qui permet de juger pourquoi et dans quelle mesure une personne perçoit une situation comme menaçante. L'affrontement se réfère aux stratégies comportementales et cognitives utilisées pour composer avec les exigences stressantes de la situation et avec les émotions qu'elles suscitent.

Évaluation cognitive

Au chapitre 11, nous avons parlé de l'influence exercée par l'évaluation cognitive d'une situation sur la qualité et l'intensité de l'émotion ressentie. Quand il s'agit précisément de stress, l'évaluation cognitive est le processus qui consiste à juger d'un événement en fonction de son influence sur le bien-être d'une personne. Cette évaluation se fait en deux temps. Dans l'*évaluation*

primaire, on pose la question : « Qu'est-ce que cela implique pour moi ? Suis-je à l'abri ou suis-je en difficulté ? » L'*évaluation secondaire* consiste ensuite à se demander : « Que puis-je y faire ? » D'après l'évaluation primaire, on peut trouver la situation 1) sans effet sur le bien-être, 2) bénigne-positive ou 3) génératrice de stress. Une situation évaluée comme source de stress fait intervenir trois types de jugement. La personne peut trouver qu'elle a déjà subi certains dommages (par exemple, la perte d'un être cher, une blessure qui la prive de ses capacités ou une atteinte à son image). Par ailleurs, le jugement peut comporter la *menace* d'un tel dommage ou d'une telle perte. Un troisième jugement consiste à percevoir la situation comme un *défi* : l'individu peut en retirer des avantages, mais ceux-ci comportent également des risques (Lazarus et Folkman, 1984).

Une promotion à un poste supérieur peut être perçue comme une menace et un défi à la fois. Dans un cas comme dans l'autre, l'événement représente un stress car l'individu doit mobiliser des énergies pour répondre aux nouvelles exigences. La différence principale vient de ce que les évaluations de défi sont marquées par des émotions agréables, comme l'enthousiasme et l'excitation, alors que la menace est caractérisée par des émotions négatives, comme la peur et l'anxiété. Lors d'une étude sur le stress associé aux situations d'examen, la plupart des étudiants ont rapporté qu'ils éprouvaient des sentiments de menace et de défi à la fois, deux jours avant de passer un examen trimestriel (Folkman et Lazarus, 1985).

Quand l'évaluation primaire aboutit à un jugement de situation génératrice de stress (je suis en difficulté), l'évaluation secondaire répond alors à la question « Suis-je capable de faire quelque chose et quoi donc ? » La réponse face à un événement générateur de stress dépend des expériences antérieures de l'individu en situation semblable et de ses ressources — ses capacités de résolution de problèmes, son moral, ses appuis sociaux et ses ressources matérielles.

RÉACTIONS PHYSIOLOGIQUES AU STRESS

Le corps réagit en mobilisant une séquence compliquée de réactions innées à la perception d'une menace. Si la menace est éliminée rapidement, ces réactions d'urgence se calment et l'état physiologique revient à la normale. Quand la situation source de stress persiste, une autre séquence de réactions se manifeste pendant que l'on esssaie de s'adapter à l'agent de stress chronique.

Réaction d'urgence

Que vous tombiez dans un ruisseau glacial, que vous vous trouviez face à un assaillant brandissant un couteau ou que vous soyez terrifié au moment de faire votre premier saut en parachute, votre corps réagira de façons similaires. Peu importe l'agent de stress, votre organisme se prépare automatiquement à faire face à la situation urgente. Il y a un besoin d'énergie rapide et, par conséquent, le foie libère des sucres additionnels (glucose) pour alimenter la combustion musculaire; de même des hormones sont sécrétées pour stimuler la transformation des graisses et protéines en sucre. Le métabolisme corporel s'accélère en préparation à la dépense d'énergie associée à l'activité physique. La fréquence cardiaque, la tension artérielle et le rythme respiratoire augmentent et les muscles se tendent. Pendant ce temps, des activités non essentielles, comme la digestion, ralentissent. La salive et les mucosités s'assèchent, permettant d'accroître les dimensions des voies acheminant l'air vers les poumons. C'est ce qui fait qu'un des premiers signes de stress est la sensation d'avoir la bouche sèche. Il y a sécrétion d'endorphines, les antalgiques naturels du corps, et constriction des vaisseaux sanguins de surface pour réduire la perte de sang dans le cas de blessure. La rate libère une plus grande quantité de cellules rouges dans le sang pour aider au transport de l'oxygène et la moelle des os produit plus de corpuscules blancs pour combattre l'infection.

La plupart des réactions physiologiques sont le fait du système nerveux autonome (voir au chapitre 2, p. 53) contrôlé par l'hypothalamus. On a qualifié l'hypothalamus de « centre du stress » à cause du double rôle qu'il joue dans les états d'urgence: contrôler le système nerveux autonome et mobiliser l'hypophyse.

Le système nerveux autonome et le système endocrinien collaborent de façons complexes à l'orchestration de la réaction au stress. Le système nerveux autonome stimule, par exemple, le noyau central des glandes surrénales (la médullosurrénale), qui inonde les voies sanguines de l'hormone *adrénaline*. Celle-ci entre en interaction avec les récepteurs des cellules de divers organes du corps pour accroître le rythme cardiaque et la tension artérielle et pour pousser le foie à libérer des sucres additionnels.

L'hypothalamus alerte également l'hypophyse en vue de la sécrétion de deux hormones importantes. L'une d'elles stimule la glande thyroïde qui, à son tour, met plus d'énergie à la disposition du corps. L'autre, l'hormone adrénocorticotrope (ACTH), agit sur la couche externe des glandes surrénales (la corticosurrénale) pour l'amener à libérer un groupe d'hormones, appelées corticostéroïdes, qui jouent un rôle important dans les processus métaboliques et dans la libération de glucose par le foie. L'ACTH donne aussi le signal à d'autres organes du corps en vue de la libération de 30 hormones environ, qui contribuent, chacune à sa façon, à l'adaptation du corps aux situations d'urgence.

Deux noms servent à désigner ce schème complexe et inné de réactions: la réaction de « lutte ou de fuite », parce qu'elle prépare l'organisme à attaquer ou à s'échapper (Cannon, 1929) et la « réaction d'alarme » (Selye, 1962; 1974). Cette réaction est déclenchée par une grande variété d'agents psychologiques et physiologiques de stress. Bien que les composantes physiologiques de la réaction de lutte ou de fuite soient d'une grande valeur pour aider la personne — ou l'animal — à composer avec une menace physique, elles n'ont pas beaucoup de valeur d'adaptation pour l'affrontement de plusieurs des sources modernes de stress. En fait, l'activation chronique qui ne trouve pas d'exutoire dans de l'activité physique appropriée peut, comme nous allons le voir plus loin, contribuer à la maladie.

Syndrome général d'adaptation

Qu'arrive-t-il si l'agent de stress n'est pas éliminé et s'il continue longtemps d'exercer son action? Comment le corps s'adapte-t-il? Selye a étudié ces questions de façon expérimentale durant plusieurs années. Il a soumis des rats à une variété d'agents de stress — le froid, la chaleur, des doses non létales

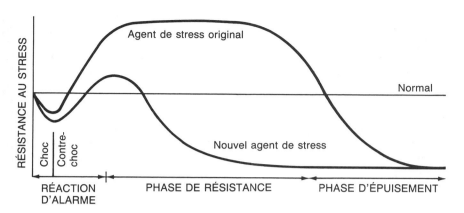

FIGURE 14-1
Syndrome général d'adaptation *La courbe du haut décrit la résistance à un agent de stress sur une période de temps. Au cours de la phase de réaction d'alarme, la résistance tombe brièvement (phase de choc) pour s'accroître considérablement par la suite (phase de contrechoc). La résistance continue d'augmenter durant la phase de résistance et reste élevée jusqu'à la fin de cette phase. Si l'agent de stress agit durant une période de temps prolongée, le corps arrive à une phase d'épuisement et sa capacité de résistance finit par s'écrouler. Si l'on introduit un nouvel agent de stress pendant que le corps est encore exposé au stress initial, la capacité de résistance est considérablement réduite, comme le laisse voir la courbe du bas. (D'après Selye, 1962)*

de poison, des traumatismes — et a constaté que tous ces agents produisaient un schème similaire de changements physiologiques. Il a donné à ces réactions physiologiques le nom de *syndrome général d'adaptation* (SGA), qui comprend trois phases : la *réaction d'alarme*, la *résistance* et l'*épuisement* (voir la figure 14-1).

La réaction d'alarme, réponse initiale du corps à un agent de stress, comporte deux phases. Durant la *phase de choc*, la température et la tension artérielle tombent, le rythme cardiaque s'accélère et les muscles se détendent. Ces réactions sont immédiatement suivies d'une *phase de contrechoc*, durant laquelle le corps rebondit et mobilise ses moyens de défense. La phase de contrechoc de la réaction d'alarme est essentiellement la réaction d'urgence que nous avons déjà décrite. Le corps est toutefois incapable de maintenir longtemps un niveau aussi intense d'activation. Si l'agent de stress n'est pas assez grave pour entraîner la mort, l'organisme entre dans une phase de résistance.

Durant la phase de résistance, l'hypophyse continue de sécréter l'ACTH, qui stimule la corticosurrénale pour qu'elle continue de libérer des corticostéroïdes. Ces hormones aident à accroître la résistance du corps. En effet, les glandes surrénales prennent du volume durant la phase de résistance, reflet de leur activité accrue. À mesure que la résistance à l'agent de stress particulier augmente, la plupart des processus physiologiques qui avaient été perturbés durant la réaction d'alarme reviennent à la normale. Après quelques jours d'exposition à un agent de stress, les animaux qui participent à l'expérience semblent s'adapter. Les glandes surrénales reprennent leur volume normal et commencent à renouveler leurs stéroïdes. Même si tout paraît normal, cependant, il n'en est pas ainsi. Si on introduit un second agent de stress durant cette phase, l'animal est incapable de résister et il peut mourir. Ainsi, alors que la résistance spécifique à l'agent de stress original s'est accrue, la résistance générale est faible.

Si la présence de l'agent de stress nocif continue durant une période de temps prolongée, la capacité de l'organisme de résister à cet agent et à d'autres agents de stress s'effondre et la phase d'épuisement s'installe. L'hypophyse et la corticosurrénale sont incapables de poursuivre leur sécrétion d'hormones, certains des symptômes de la réaction d'alarme refont surface et la mort peut s'ensuivre. On a constaté que chez les animaux qui avaient succombé à la suite d'une exposition prolongée à des agents de stress, les glandes surrénales étaient endommagées. Leurs ganglions lymphatiques et leurs thymus, qui jouent un rôle essentiel dans l'immunité, étaient ratatinés et leurs estomacs étaient couverts d'ulcères hémorragiques.

Le syndrome général d'adaptation est une description des changements physiologiques observés sur des animaux de laboratoire, mais Selye laisse entendre que toute expérience de stress prolongé peut suivre le même cheminement — chez l'être humain aussi bien que chez l'animal. Quand nous nous engageons, par exemple, dans une tâche inhabituelle très ardue, nous éprouvons beaucoup de difficulté au début, ce qui exige beaucoup d'énergie physique et psychologique. Nous passons ensuite par une période d'adapta-

L'anxiété de test peut nuire au succès de l'étudiant à un examen.

tion au cours de laquelle nous travaillons à la tâche et nous résistons au stress. Finalement, nous perdons notre capacité de supporter le fardeau et tombons d'épuisement devant ces exigences continues (Selye, 1979).

La notion de SGA a permis d'expliquer certaines des maladies associées au stress dont nous allons parler plus loin. Malheureusement, comme les travaux expérimentaux ont porté sur des animaux, les conclusions auxquelles ils aboutissent ne rendent pas compte de l'importance de l'évaluation cognitive dans les réactions humaines au stress, processus par lequel la signification que l'on donne à la situation détermine la nature des réactions physiologiques qui se produisent (Mason, 1971). De plus, des faits indiquent que les réactions physiologiques varient selon la nature de l'agent de stress (Terman et coll., 1984).

RÉACTIONS PSYCHOLOGIQUES AU STRESS

Des émotions négatives, de même qu'une perturbation de l'activité cognitive, accompagnent les réactions physiologiques engendrées par le stress.

Perturbations cognitives

Le rendement dans une tâche, surtout s'il s'agit d'une tâche compliquée, a tendance à se détériorer quand l'activation émotionnelle atteint des niveaux élevés (voir la figure 11-8, p. 395). Le stress affecte notre aptitude à nous concentrer et à organiser nos pensées de façon logique. Plutôt que de garder notre attention sur la tâche en cours, notre pensée a tendance à se trouver dominée par de l'inquiétude quant aux conséquences de nos actions et par des idées d'autodépréciation. Les étudiants qui, par exemple, sont particulièrement enclins à s'inquiéter des examens — un état appelé *anxiété des tests* — sont portés à se préoccuper de leurs inaptitudes et de la possibilité d'échouer. Ces idées noires peuvent les distraire au point de les empêcher de se conformer aux directives et de négliger ou de mal interpréter les indices d'information évidents que renferment les questions. Avec l'accroissement de l'anxiété, ils éprouvent de la difficulté à se rappeler de données qu'ils avaient bien apprises.

Dans les périodes de stress, les gens sont portés à recourir à des schèmes de comportement qui ont été efficaces dans le passé. Les personnes prudentes peuvent devenir encore plus prudentes et se dégager entièrement de la situation, alors que ceux qui sont agressifs peuvent perdre contrôle et frapper à tort et à travers dans toutes les directions. Quand les premières tentatives en vue de maîtriser la situation échouent, l'anxiété s'accroît souvent et l'individu devient plus rigide dans ses efforts, incapable d'apercevoir les autres solutions possibles. On a vu des gens pris au piège dans des édifices en flammes parce qu'ils poussaient sans arrêt contre des portes de sortie qui ouvraient dans l'autre sens; dans leur panique, ils n'arrivaient pas à considérer l'autre possibilité.

Réponses émotives

Les situations de stress produisent des réactions émotives qui vont de la gaieté de cœur (quand l'événement est évalué comme un défi grave mais qu'on peut relever) jusqu'aux émotions plus communes d'anxiété, de colère, de découragement et de dépression. Quand la situation de stress persiste, nos émotions peuvent alterner entre l'un et l'autre de ces états, selon le succès de nos efforts pour composer avec la situation.

ANXIÉTÉ   La réaction première à une situation jugée menaçante est l'anxiété. Par anxiété, nous voulons dire l'émotion désagréable, caractérisée par des termes comme « inquiétude », « appréhension », « tension » et « crainte », que nous éprouvons tous à certains moments, à des degrés divers. Les divers théoriciens ont des conceptions différentes de l'anxiété, selon ce qu'ils perçoivent comme représentant une menace pour les gens. C'est pourquoi, nous ne tenterons pas d'en donner une définition plus précise.

On considère généralement l'anxiété comme « normale » ou « névrotique » selon que la réaction de l'individu semble convenir ou non à la situation qui l'a provoquée. L'anxiété normale, ou *anxiété objective*, a valeur d'adaptation ; elle pousse la personne à traiter avec la situation nocive. L'*anxiété névrotique*, qui est démesurée par rapport au danger réel qui se présente (tel le trac), réduit souvent la capacité de l'individu de faire face à la situation. Nous parlerons de certaines réactions d'anxiété névrotique au chapitre 15, quand nous traiterons des phobies et d'autres troubles d'anxiété.

Freud voyait dans l'anxiété objective une réponse réaliste au danger externe, réponse synonyme de la peur. Il croyait, par contre, que l'anxiété névrotique provenait de pulsions internes inacceptables que l'individu essaie de contrôler. Ces impulsions étant surtout inconscientes, la personne ne perçoit pas le motif de son anxiété. Plusieurs psychologues croient encore utile de faire la distinction entre peur et anxiété. Cependant, comme il n'est pas certain que ces deux émotions puissent se différencier en s'appuyant soit sur les réactions physiologiques, soit sur la description que donne l'individu de ses sentiments, nous emploierons les termes « anxiété » et « peur » de façon interchangeable. Tout comme il existe des degrés divers d'anxiété, allant de l'appréhension légère à la panique, on a probablement divers degrés de prise de conscience de la cause du malaise que l'on ressent. Les gens aux prises avec des conflits internes ont souvent une certaine idée de ce qui les rend anxieux, même s'ils sont incapables d'identifier nettement tous les facteurs en cause.

Freud pensait que l'anxiété névrotique était le résultat d'un conflit inconscient entre les *pulsions du ça* (principalement sexuelles et agressives) et les contraintes imposées par le *moi* et le *surmoi* (voir au chapitre 13). Plusieurs pulsions du ça sont une menace pour l'individu parce qu'elles s'opposent à des valeurs sociales ou personnelles. Il se peut que la jeune fille ne reconnaisse pas consciemment qu'elle entretient des sentiments fort hostiles à l'égard de sa mère, parce que ces sentiments viennent en conflit avec sa conviction qu'un enfant doit aimer ses parents. En admettant ses sentiments réels, elle détruirait son concept de soi comme enfant affectueuse et elle risquerait de perdre l'amour et l'appui de sa mère. Quand elle commence à se sentir en colère contre sa mère, l'anxiété suscitée devient le *signal* d'un danger imminent. La fillette s'engage alors dans des manœuvres défensives pour exclure les impulsions anxiogènes de sa conscience. Ces manœuvres, ou *mécanismes de défense*, représentent une partie importante de la théorie de Freud sur le comportement de maladaptation, théorie dont nous parlerons dans la section sur l'affrontement du stress.

Chaque fois qu'une personne réagit de façon excessive en manifestant une grande anxiété dans une situation généralement perçue comme un stress léger, nous sommes en droit de postuler que la source de danger vient plus des sentiments intérieurs que du stress extérieur. Alors que Freud considérait les conflits inconscients comme la source interne de l'anxiété, les behavioristes se sont intéressés surtout à la façon dont l'anxiété devient associée à certaines situations par l'entremise de l'apprentissage. Par exemple, la fillette, que ses parents punissent chaque fois qu'elle se révolte contre leurs désirs et essaie de s'affirmer, finit par apprendre à associer la douleur de la punition au comportement d'affirmation de soi. Lorsqu'elle songe à affirmer ses propres désirs et à défier ses parents, elle devient anxieuse.

Les peurs acquises durant l'enfance sont parfois difficiles à dissiper. Il peut arriver que l'enfant, dont la première réaction est d'éviter ou de fuir la situation anxiogène, soit incapable de reconnaître que la situation ne présente plus de danger. Il est possible que la fillette qu'on a punie pour son comportement d'affirmation de soi n'apprenne jamais qu'il est convenable et avantageux pour elle d'exprimer ses désirs dans certaines situations.

Selon une troisième conception de l'anxiété, nous ressentons cette émotion chaque fois que nous faisons face à une situation qui semble échapper à notre contrôle. Il peut s'agir d'une situation nouvelle qu'il nous faut, d'une

manière ou d'une autre, structurer et intégrer dans notre façon de concevoir le monde et notre propre personne. Il est possible que ce soit une situation ambiguë — comme le sont plusieurs de nos expériences — qu'il nous faudra adapter à notre conception du mode de fonctionnement du monde. Il semble y avoir, au centre de l'expérience de l'anxiété, un sentiment d'impuissance et de manque de contrôle des événements. Nous le verrons plus loin, le degré d'anxiété que nous ressentons dans les situations de stress dépend largement du sentiment d'avoir la situation bien en main.

COLÈRE ET AGRESSION   La colère, qui peut conduire à l'agression, est une autre réaction commune devant une situation de stress. Des études en laboratoire ont démontré que certains animaux se conduisent de façon agressive face à une variété d'agents de stress, y compris l'entassement dans un habitat trop restreint, le choc électrique et le fait de ne pas recevoir une récompense de nourriture attendue. Si on donne un choc à deux animaux placés dans une même cage dont ils ne peuvent pas s'évader, ils se mettent à se battre quand le choc commence et cessent de le faire quand le choc s'arrête.

Les enfants se mettent souvent en colère et manifestent des comportements agressifs quand ils ressentent de la *frustration*. Comme nous l'avons dit au chapitre 11, l'*hypothèse frustration-agressivité* suggère que chaque fois que les efforts d'une personne pour atteindre un but se trouvent enrayés, une tendance agressive est mobilisée et suscite un comportement visant à causer du dommage à l'objet — ou à la personne — qui est cause de la frustration. Même si les recherches ont démontré que l'agression n'est pas une réponse inévitable à la frustration, elle fait certainement partie des réponses possibles. Lorsqu'un enfant prend un jouet à un autre enfant, il est probable que le second enfant va s'attaquer au premier dans une tentative de recouvrer son jouet. En général, les adultes expriment leur agressivité verbalement plutôt que physiquement; ils sont plus susceptibles d'échanger des injures que d'échanger des coups.

L'agression directe contre la source de frustration n'est pas toujours réalisable, ni souhaitable. Parfois cette source est vague et intangible. L'individu ne sait pas où diriger ses attaques, mais il est furieux et recherche un objet sur lequel il pourrait donner libre cours à ses sentiments. D'autres fois, la personne responsable de la frustration est tellement puissante qu'il serait dangereux de s'y attaquer. Lorsque les circonstances empêchent de s'en prendre directement à la cause de la frustration, il peut arriver que l'agression soit *dirigée ailleurs*: l'action agressive peut être détournée sur une personne innocente ou sur un objet au lieu d'être dirigée vers la cause réelle de la frustration. La femme qui reçoit des réprimandes à son travail peut faire de sa famille le bouc émissaire du ressentiment qu'elle n'a pu exprimer à son patron. L'étudiant, en colère contre le professeur qui lui a donné une note injuste, peut se défouler sur son compagnon de chambre. L'enfant frustré par ses expériences scolaires peut avoir recours à du vandalisme contre les propriétés de l'école.

Les préjugés à l'égard des groupes minoritaires comportent souvent un élément d'agressivité déplacée ou dirigée vers un *bouc émissaire*. Durant les périodes de dépression économique, quand l'argent est rare et les emplois peu nombreux, les gens sont tentés de tenir quelques groupes minoritaires, relativement impuissants, responsables de tous leurs maux. C'est ainsi que, dans le passé, les Nazis ont blâmé les Juifs, les fermiers du sud des États-Unis ont blâmé les Noirs, les ouvriers protestants de Boston ont blâmé les Irlandais catholiques, les employés de ferme de Californie ont blâmé les Mexicains entrés aux États-Unis en fraude, et ainsi de suite. Plusieurs facteurs contribuent à la formation des préjugés; le déplacement d'agression en réaction à la frustration peut constituer l'un de ces facteurs.

APATHIE ET DÉPRESSION   L'étude du comportement humain se trouve compliquée par la tendance des différents individus à réagir à des situations similaires de façons différentes. Même si l'agression active est une réponse commune à l'agression, il n'est pas rare qu'on observe la réponse contraire du repli sur soi et de l'apathie. Quand les conditions de stress persistent sans que l'individu réussisse à composer avec elles, l'apathie peut s'accentuer et aboutir à la dépression.

Nous ignorons pourquoi, devant la même situation, une personne réagit par de l'agression et une autre par de l'apathie. Il semble toutefois probable que l'apprentissage constitue un facteur important. Les réactions à la frustration peuvent s'apprendre à peu près de la même manière que les autres comportements. Les enfants qui frappent avec colère quand ils sont frustrés et qui constatent alors que leurs besoins s'en trouvent satisfaits (soit par suite de leurs propres efforts, soit parce que l'un des parents s'empresse de les apaiser) vont probablement avoir recours au même comportement la prochaine fois que leurs mobiles seront frustrés. Ceux dont les déchaînements agressifs n'ont jamais de succès, et qui découvrent qu'il n'est pas dans leur pouvoir de combler leurs besoins par leur propre activité, pourront fort bien s'en remettre au repli sur soi lorsqu'ils feront face de nouveau à des situations de frustrations.

Des études ont démontré que les animaux et les hommes peuvent apprendre à rester impuissants face aux situations de stress. La théorie de l'*apprentissage de l'impuissance** a trouvé ses origines dans une expérience en laboratoire semblable à celles que nous avons rapportées au chapitre 7. Un chien placé dans une boîte d'évitement (un appareil fait de deux compartiments séparés par une barrière) apprend rapidement à sauter dans le compartiment voisin pour échapper à un choc électrique qui lui est appliqué aux pattes à travers le grillage qui forme le plancher. Si on allume une lampe quelques secondes avant d'électriser le grillage, le chien peut apprendre à éviter totalement le choc en sautant vers le compartiment inoffensif dès le signal. Toutefois, si le chien a auparavant été placé dans un autre enclos, où il ne pouvait éviter les chocs ni y échapper — situation dans laquelle rien de ce qu'il faisait ne pouvait mettre fin au choc — il éprouve ensuite beaucoup de difficulté à apprendre la réaction d'évitement appropriée à la nouvelle situation. L'animal reste tout simplement assis et subit le choc, même si un saut facile vers le compartiment voisin mettrait fin à son inconfort. Certains chiens n'apprennent jamais, même quand l'expérimentateur tente de leur démontrer la bonne façon de réagir en les transportant par-dessus la barrière.

Les expérimentateurs en ont conclu que les animaux avaient appris, par conditionnement préalable, qu'ils étaient incapables d'éviter le choc et ont donc abandonné leurs tentatives en ce sens, même dans une situation nouvelle. Cet apprentissage de l'impuissance était difficile à surmonter (Overmeier et Seligman, 1967).

De nombreuses expériences ont été faites pour tenter de démontrer l'existence d'un apprentissage de l'impuissance chez l'être humain, mais les résultats obtenus ont été difficiles à interpréter. Les conditions qui échappent au contrôle n'aboutissent pas toujours à l'impuissance et à la passivité; elles engendrent parfois de l'anxiété et un regain d'effort (Wortman et Brehm, 1975). De toute évidence, le modèle animal de l'apprentissage de l'impuissance est trop simple pour rendre compte du comportement humain. Comme nous le verrons quand nous traiterons de la dépression dans le prochain chapitre la théorie de l'apprentissage de l'impuissance a été élaborée pour rendre compte de la façon dont une personne perçoit les événements négatifs. Ce ne sont pas à proprement parler les événements incontrôlables mais bien les interprétations de l'individu qui créent les sentiments d'impuissance et de découragement. Il n'en reste pas moins que le sentiment d'exercer un contrôle sur nos vies et sur ce qui nous arrive est un facteur extrêmement important dans notre capacité de maîtriser le stress.

Prisonniers de la Seconde Guerre mondiale dans un camp de concentration nazi, au moment de leur libération (Buchenwald, Allemagne; 1945).

---

* On pourrait aussi traduire par « apprentissage de l'abandon » l'expression *learned helplessness* désignant le fait que, suite à des expériences répétées d'insuccès, on apprend à avoir une réaction d'impuissance ou d'abandon des efforts pour maîtriser la situation ou y échapper de façon active. (Note du traducteur)

ANALYSE CRITIQUE

Composer avec la captivité

Imaginez que vous êtes enfermé seul dans une petite cellule sans fenêtre, sans livres ni journaux et sans papier ni crayon pour écrire. Les mois passent sans que vous ayez l'occasion de respirer l'air frais ou d'apercevoir le soleil, la lune, de voir du gazon et des arbres. La rare nourriture que vos geôliers vous apportent a peu de valeur nutritive; vous êtes constamment en proie à la faim. Vos blessures et vos maladies sont laissées sans traitement de même que les abcès dans votre bouche; vous ne recevez ni soins médicaux ni soins dentaires. Vos mains sont souvent gardées liées et l'on vous enchaîne parfois à votre lit des jours durant.

Il est difficile de concevoir beaucoup de situations qui engendreraient des sentiments plus forts de frustration, d'impuissance et de désespoir. Et pourtant plusieurs membres des forces armées capturés au cours des guerres de Corée et du Viêt-nam ont dû endurer ce type de réclusion rigoureuse durant des mois, ou même durant des années dans certains cas. L'un des facteurs, qui a permis aux prisonniers du Viêt-nam de composer avec la captivité, a été l'entraînement qu'ils avaient reçu sur les techniques de survie en prison.

Les études effectuées sur les gens qui sont détenus comme otages, prisonniers de guerre ou pensionnaires de camps de concentration, indiquent que l'apathie et la dépression sont des formes courantes de réaction à la frustration et aux conditions traumatiques qui ne laissent aucun espoir d'évasion. Face à des privations continues, à la torture et à des menaces de mort, beaucoup de prisonniers sombrent dans le détachement, l'absence d'émotion et l'indifférence devant les événements qui se déroulent dans leur environnement. Certains abandonnent tout effort de composer avec la situation ou de continuer d'exister. Des interviews faites auprès de membres des forces armées américaines libérés des camps de prisonniers après la guerre de Corée ont montré qu'ils avaient presque tous connu des sentiments de repli sur eux-mêmes et d'apathie à certains moments durant leur incarcération. Certains ont complètement lâché; ils se sont repliés sur leur grabat en attendant la mort, ne faisant aucun effort pour manger ou pour prendre soin d'eux-mêmes. Deux remèdes ont semblé aider à sauver un homme à l'article de la mort: l'obliger à se lever et à faire quelque chose, n'importe quoi, et l'amener à s'intéresser à un projet actuel ou futur. En un sens, ces deux remèdes donnaient à l'individu un objectif vers lequel il pouvait diriger ses efforts (Strassman, Thaler et Schein, 1956).

La préoccupation à l'égard des réactions des prisonniers américains durant la guerre de Corée a amené les responsables

SOURCES DE STRESS

D'innombrables événements créent du stress. Certains d'entre eux sont des changements majeurs qui affectent un grand nombre d'individus — événements tels que les guerres, les accidents industriels qui libèrent de la radioactivité et des éléments toxiques et les cataclysmes, dont les tremblements de terre et les inondations. D'autres changements sont importants dans la vie d'un individu — le déménagement dans une autre région, par exemple, le changement d'emploi, le mariage, la perte d'un ami, une maladie grave. Outre ces grands bouleversements, qui exigent des ajustements majeurs, la vie comporte ses « petites contrariétés », comme le fait de perdre son portefeuille, d'être pris dans un embouteillage, de se disputer avec son patron, etc.

Même s'il est devenu populaire de centrer l'attention sur les stress de l'environnement, la source du stress se trouve souvent à l'intérieur de l'individu sous la forme de *conflit* entre des mobiles contradictoires.

Conflit

Quand deux motivations sont en conflit, la satisfaction de l'une entraîne la frustration de l'autre. Il se peut, par exemple, qu'un étudiant n'ait pas les capacités nécessaires pour devenir un athlète exceptionnel, mais que ses résultats scolaires lui permettent tout de même d'être admis à une école de droit. Même quand il n'y a qu'une seule motivation en cause, un conflit peut apparaître s'il se présente plusieurs moyens différents d'atteindre l'objectif. Vous pouvez, par exemple, recevoir une bonne éducation dans plusieurs collèges,

militaires à créer des programmes en vue de préparer les membres des forces armées à affronter les frustrations de l'emprisonnement. Les témoignages d'individus incarcérés durant la guerre du Viêt-nam indiquent que leur entraînement à la survie leur a été utile. Le fait de savoir comment se garder physiquement et mentalement actifs, comment s'appuyer les uns les autres et se concentrer sur les façons de résoudre les problèmes quotidiens a grandement contribué à combattre la dépression et les sentiments d'impuissance. Les prisonniers de guerre rapatriés ont rapporté que les comportements les plus utiles comprenaient la *communication*, les *pensées d'avenir* et l'*exercice physique*. Les comportements les moins utiles étaient de *penser au suicide*, de *se parler à soi-même* et de *s'inquiéter de sa famille* (Richlin, 1977).

Dans plusieurs camps d'internement du Viêt-cong, les prisonniers étaient mis en réclusion dans des cellules individuelles et les gardiens appliquaient rigoureusement les règlements interdisant la communication. Le prisonnier surpris en train de parler à un compagnon subissait des tortures atroces. Malgré l'interdiction, certains prisonniers de guerre avaient imaginé des moyens ingénieux pour communiquer entre eux. Les sons produits en tapant des doigts, en toussant, en crachant et en se dégageant la gorge servaient à la transmission de messages. Un prisonnier pouvait aussi communiquer en laissant traîner ses sandales selon un code quand il passait devant la cellule d'un autre prisonnier. Ainsi, un prisonnier de guerre pouvait, en balayant l'enceinte de la prison, transmettre un message à tous les prisonniers de la prison par la façon qu'il avait de déplacer son balai (Stockdale, 1984).

Le fait de disposer de stratégies pour composer avec le stress de l'incarcération semble avoir aidé à survivre. Même si les prisonniers américains de la guerre du Viêt-nam ont été détenus deux fois plus longtemps (huit ans dans certains cas) que les prisonniers de la guerre de Corée, ceux qui ont connu la prison au Viêt-nam sont revenus en meilleures conditions physique et émotive que ceux de la guerre de Corée. Le taux de mortalité durant la captivité au Viêt-nam était également plus bas : environ 38 % de tous les membres des forces armées incarcérés durant la guerre de Corée n'ont pas survécu à la captivité, alors que seulement 15 % des prisonniers de la guerre du Viêt-nam sont morts durant leur internement.

Cependant, avant d'arriver à la conclusion que l'entraînement à la survie est le facteur responsable des différences de taux de mortalité, nous devons tenir compte des autres aspects qui différenciaient les détenus en Corée et au Viêt-nam. En effet, la plupart des hommes capturés durant la guerre de Corée appartenaient à l'infanterie. Il y avait des officiers, mais la majorité étaient des recrues. Par contre, la plupart des hommes incarcérés dans le Viêt-nam du nord étaient des pilotes, généralement plus âgés au moment de leur capture (âge moyen de 31 ans) et ayant une éducation plus poussée que les prisonniers de guerre de Corée. Étant donné la nature du procédé de sélection des pilotes, les prisonniers du Viêt-nam étaient probablement aussi plus stables sur le plan affectif et plus motivés que le soldat moyen. Leur maturité, leur stabilité affective et leurs ressources intellectuelles ont probablement joué un rôle vital dans leur capacité de survie. Autre facteur qui a contribué au taux de mortalité supérieur en Corée : les froids extrêmes auxquels furent exposés les prisonniers de guerre, froids qui ont contribué à l'épuisement de leur énergie physique.

L'entraînement à la survie n'a donc pas été l'unique facteur responsable de la capacité des prisonniers de guerre du Viêt-nam à résister à l'incarcération. Néanmoins, une telle préparation semble effectivement aider les gens à affronter le stress de la captivité. En conséquence, le gouvernement des États-Unis donne maintenant l'entraînement à la survie à tous les membres du personnel militaire et diplomatique qui courent un grand risque d'être capturés.

---

mais le choix du collège à fréquenter crée une situation de conflit. Même si vous finissez bien par atteindre votre but, votre progrès vers celui-ci est retardé par la nécessité de faire un choix.

Dans notre société, les conflits les plus envahissants et les plus difficiles à résoudre se produisent généralement entre les mobiles suivants :

1. *Indépendance/dépendance* Dans les moments de stress, nous pouvons souhaiter de nous en remettre à la dépendance caractéristique de l'enfance, c'est-à-dire trouver quelqu'un qui prendra soin de nous et qui résoudra nos problèmes. Mais on nous a appris que la capacité de se tenir sur ses propres jambes et de prendre des responsabilités est un signe de maturité.

2. *Intimité/isolement* Le désir d'être proche d'une autre personne et de partager nos pensées et nos émotions les plus intimes peut venir en conflit avec la peur d'être blessé ou rejeté si nous nous exposons trop.

3. *Collaboration/compétition* Dans notre société, on attache beaucoup d'importance à la compétition et au succès. La compétition commence dès la tendre enfance entre frères et sœurs, elle se poursuit à l'école et atteint son point culminant dans les rivalités commerciales et professionnelles. On nous presse en même temps de collaborer et d'aider les autres.

4. *Expression de ses impulsions/normes morales* Toute société exige un certain degré de contrôle des impulsions. Nous avons vu au chapitre 3 qu'une bonne partie de l'apprentissage au cours de l'enfance porte sur l'assimilation des contraintes que le milieu culturel impose aux impulsions innées. La sexualité et l'agressivité sont deux domaines dans lesquels nos impulsions entrent le plus fréquemment en conflit avec nos normes de moralité ; la violation de ces normes peut engendrer de forts sentiments de culpabilité.

Ces quatre champs présentent les plus grandes occasions de conflit grave. Les tentatives pour en arriver à un compromis valable entre mobiles contradictoires peuvent créer des stress considérables.

ÉVÉNEMENT DE LA VIE	VALEUR DE CHANGE-MENT DE LA VIE
Mort du conjoint	100
Divorce	73
Séparation	65
Période d'emprisonnement	63
Mort d'un membre de la famille immédiate	63
Blessure ou maladie	53
Mariage	50
Congédiement	47
Réconciliation conjugale	45
Début de la retraite	45
Modification de l'état de santé d'un membre de la famille	44
Grossesse	40
Difficultés sexuelles	39
Arrivée d'un nouveau membre dans la famille	39
Réajustement sur le plan des affaires	39
Changement de situation financière	38
Perte d'un ami intime	37
Changement de type de travail	36
Saisie reliée à une hypo-thèque ou à un prêt	30
Changement dans les responsabilités au travail	29
Départ d'un fils ou d'une fille du foyer	29
Difficultés avec les beaux-parents	29
Succès personnel extraordinaire	28
Entrée (ou sortie) de l'épouse sur le marché du travail	26
Début ou fin de la fréquentation scolaire	26
Changement dans les conditions de vie	25
Révision des habitudes personnelles	24
Difficultés avec le patron	23
Changement dans l'horaire ou conditions de travail	20
Déménagement	20
Changement d'école	20
Changement dans les loisirs	19
Changement dans les activités paroissiales	19
Changement dans les activités sociales	18
Changement dans les habitudes de sommeil	16
Changement dans les habitudes alimentaires	15
Vacances	13
Noël	12
Violations mineures de la loi	11

TABLEAU 14-1
Échelle des événements de la vie *Cette échelle, également connue sous le nom d'Échelle de Holmes et Rahe pour l'évaluation du rajustement social (Holmes and Rahe Social Readjustment Rating Scale), mesure le stress en termes de changements dans la vie. (D'après Holmes et Rahe, 1967)*

Changements de vie

Tout changement dans la vie d'un individu — qu'il soit agréable ou désagréable — exige certains rajustements. Les études portant sur les histoires personnelles suggèrent que les troubles émotifs et physiques auraient tendance à se grouper autour des périodes de changement majeur. Lors d'une étude destinée à mesurer les changements de la vie, des chercheurs ont élaboré l'*Échelle des événements de la vie* (« Life Events Scale »), présentée au tableau 14-1. Les événements de la vie sont placés sur l'échelle selon un ordre allant de l'événement le plus chargé de stress (la mort d'un conjoint) à celui le moins chargé (violations mineures de la loi).

Pour en arriver à cette échelle, les auteurs ont analysé des milliers d'interviews et d'histoires de cas médicaux pour identifier les sortes d'événements qui, selon les gens, étaient sources de stress. Étant donné que le mariage (un événement positif, mais qui exige une somme considérable d'ajustements) semblait représenter un événement critique chez la plupart des gens, il fut placé au centre de l'échelle et on lui attribua une valeur arbitraire de 50. Les chercheurs ont ensuite demandé à environ 400 hommes et femmes (d'âges, d'antécédents et d'états civils variés) de comparer le mariage à un certain nombre d'autres événements de la vie. On leur posa des questions comme « Est-ce que cet événement nécessite plus ou moins de rajustement que le mariage ? » et « Est-ce que ce rajustement nécessiterait moins ou plus de temps à se réaliser ? » On demandait ensuite aux sujets d'attribuer une valeur en points à chaque événement, en s'appuyant sur leur évaluation de la gravité et du temps requis pour s'adapter. Ce sont ces évaluations qui ont servi à l'élaboration de l'échelle du tableau 14-1.

Pour obtenir une mesure de la quantité de stress qu'un sujet a vécu, on lui demande de marquer d'un crochet les items qui s'appliquent à lui sur une période de temps donnée. On fait ensuite la somme des valeurs de changement de la vie pour arriver à un score total de stress. Les études qui ont utilisé l'Échelle des événements de la vie ont montré qu'il existe une relation constante entre le nombre des événements de stress dans la vie d'un individu et la santé physique et psychologique de cet individu. Plus de la moitié des gens, dont la somme des valeurs de changement de la vie s'établissait entre 200 et 300 au cours d'une même année, ont présenté des problèmes de santé durant l'année suivante ; 79 % de ceux dont les scores totaux dépassaient 300 devinrent malades au cours de l'année qui suivit.

Pour rendre compte des données associant les changements dans la vie à la maladie, ceux qui ont utilisé l'Échelle des événements de la vie ont formulé l'hypothèse que plus un individu passe par des changements majeurs, plus il doit faire un effort considérable pour s'adapter. Il semble que cet effort abaisse la résistance naturelle du corps à la maladie. D'autres chercheurs ont toutefois exprimé des doutes au sujet de ces conclusions en invoquant les raisons suivantes :

1. Il est difficile de séparer les effets du stress et ceux de facteurs comme le régime alimentaire, l'usage du tabac, de l'alcool et d'autres habitudes générales d'hygiène. Les individus qui font des efforts pour composer avec des changements de vie majeurs (un nouveau poste, la perte d'un conjoint) peuvent augmenter leur consommation d'alcool, manger plus souvent sur le pouce, prendre moins de sommeil et délaisser l'exercice physique. Dans de tels cas, la plus grande vulnérabilité face à la maladie risque plus de provenir de changements dans la pratique habituelle de l'hygiène que de l'action directe du stress sur la résistance à la maladie.

2. Les gens présentent des différences dans leurs tendances à porter attention aux symptômes physiques et à rechercher des soins médicaux. L'infection respiratoire ou la douleur gastrique qu'un individu ignore peut, chez une autre personne, suffire à justifier une consultation chez le médecin. Les individus malheureux et insatisfaits de leur vie sont plus susceptibles de s'inquiéter de leurs symptômes et de frapper à la porte du médecin que les gens qui sont accaparés par des activités qui leur plaisent. Les données de plusieurs études de changement de vie étant fondées sur des dossiers médicaux, il se peut que le facteur de sélection dans la recherche d'aide soit significatif. Il est possible que le stress soit plus important pour le déclenchement du comporte-

ment de recherche d'aide que pour le déclenchement de la maladie comme telle.

3. Certains des items de l'Echelle des événements de la vie pourraient être le *résultat* de la maladie plutôt qu'en être la cause. Il se peut que la mauvaise santé physique et psychologique d'un individu contribue à ses difficultés conjugales, professionnelles ou financières, ou à la modification de ses activités sociales ou de ses habitudes de sommeil.

4. L'échelle postule que le changement est en soi cause de stress. Cependant, des recherches subséquentes n'ont pas permis d'établir que les changements de vie *positifs* étaient associés à la mauvaise santé; d'ailleurs, dans certains cas, l'absence de changement (ennui) est source de stress. Le fait que le changement (ou son absence) soit ou ne soit pas source de stress dépend de l'histoire personnelle de l'individu et des circonstances de sa vie actuelle.

Une échelle créée plus récemment échappe à cette dernière objection, car on demande aux sujets d'indiquer le caractère désirable et l'impact de chacun des événements — pour juger s'il est bon ou mauvais et pour évaluer son influence sur leur vie. Ainsi, le caractère bon ou mauvais d'un nouveau poste ou d'un déménagement est laissé au jugement de la personne qui participe à l'enquête. Des études faites au moyen de cette échelle ont permis d'établir que les gens ayant subi un grand nombre d'événements qu'ils considèrent mauvais sont plus susceptibles de rapporter qu'ils sont l'objet de problèmes physiques ou affectifs six mois plus tard (Sarason, Johnson et Siegel, 1978).

Contrariétés quotidiennes

Peut-être que ce ne sont pas les événements majeurs de la vie, mais plutôt les frustrations et les agacements mineurs du quotidien qui produisent le plus grand stress. Pour étudier cette possibilité, un groupe de chercheurs ont mené une enquête portant sur une année entière pour connaître les effets des contrariétés de la vie quotidienne sur des hommes et femmes d'âge moyen. Ils ont donné à leurs sujets des questionnaires et des listes d'événements de la vie pour y enregistrer les « contrariétés » ou les causes d'irritation qui se présentaient au jour le jour, de même que les « bons moments » ou choses agréables. Les exemples de contrariétés comprenaient la perte momentanée d'objets, les préoccupations quant à des sommes d'argent qu'on doit, trop d'interruptions, trop de responsabilités, pas assez de temps à consacrer à la famille et les disputes. Les chercheurs ont constaté que l'accumulation de contrariétés quotidiennes permettait encore mieux de prédire l'état de santé physique et psychologique que les événements majeurs dans la vie des gens (DeLongis et coll., 1982).

Il semble aussi que le caractère de stress associé aux changements de vie majeurs soit en partie fonction des contrariétés quotidiennes qu'ils créent. Par exemple, la peine qu'éprouve la veuve à la suite de la perte de son mari peut être aggravée par le fait de se trouver aux prises avec des responsabilités aussi inaccoutumées que les réparations à faire à la voiture, la nécessité de se débrouiller dans une situation financière qui a changé et la préparation des rapports d'impôt sur le revenu. Dans la mesure où les changements de la vie (perte d'emploi, divorce, mort d'une personne chère) perturbent le train de vie quotidien de l'individu, ces changements sont susceptibles de créer des contrariétés.

Avant de conclure que les changements de vie et les contrariétés quotidiennes sont, en eux-mêmes, la *cause* d'une mauvaise santé physique et mentale, nous devons considérer la façon dont l'individu évalue un événement et quelles sont ses capacités de l'affronter. Un changement d'emploi peut être une cause de détresse pour l'un et être considéré comme un défi stimulant par un autre. Il arrive qu'une personne réagisse à un embouteillage avec philosophie, n'éprouvant qu'une légère irritation, alors qu'une autre devient furieuse. Ce qui est perçu comme une contrariété par un individu dépend de sa situation de vie et de ses capacités d'affrontement. Certaines contrariétés peuvent être le reflet d'une incapacité de faire face aux événements. La personne qui éprouve de la difficulté à affronter la critique risque de connaître plus de contrariétés associées à l'autorité dans son travail que l'individu qui n'est pas vulnérable sur ce point. Les contrariétés engendrées par l'incapacité d'affronter les difficultés et par les vulnérabilités d'une personne finissent par avoir un effet plus néfaste sur le moral et la santé que les contrariétés qui découlent de circonstances aléatoires dans l'environnement.

Facteurs de situation qui influencent le stress

L'évaluation cognitive et les capacités d'affrontement sont des variables personnelles qui ont une influence sur la gravité du stress. Les gens ont des réactions différentes face à la même situation de stress, selon ce qu'elle signifie pour eux et selon le degré de confiance qu'ils ont dans leur capacité de composer avec elle. Mais on a constaté que certaines caractéristiques de l'agent de stress ont une influence sur sa gravité, à savoir son caractère prévisible et contrôlable.

PRÉVISIBILITÉ   Être capable de prévoir l'occurrence d'un événement générateur de stress — même quand l'individu est incapable de le contrôler — réduit généralement la gravité du stress subi. Des expériences en laboratoire démontrent que l'être humain, comme l'animal, préfère les événements désagréables prévisibles à ceux qui sont imprévisibles. Dans l'une de ces études, des rats avaient à choisir entre un choc annoncé et un choc qui ne l'était pas. Si le rat appuyait sur un levier au début d'une série de présentations de chocs, chaque choc se trouvait précédé d'un son avertisseur. Si l'animal n'appuyait pas sur le levier avant le début des chocs, aucun signal d'avertissement n'était donné durant cette séance de présentations de chocs. Tous les rats ont vite appris à appuyer sur le levier, indiquant par là une préférence marquée pour les chocs prévisibles (Abbott, Schoen et Badia, 1984).

Les sujets humains choisissent généralement les chocs prévisibles également. Ils manifestent aussi moins d'activation affective et se disent moins angoissés pendant qu'ils attendent l'avènement de chocs prévisibles; ils trouvent les chocs prévisibles moins désagréables que les chocs imprévisibles de même intensité (Katz et Wykes, 1985). Comment expliquer ces résultats? Dans le cas des chocs imprévisibles, il n'y a pas de période « sûre »; dans celui des chocs prévisibles, le sujet (animal ou être humain) peut se détendre, dans une certaine mesure, jusqu'à ce que le signal annonce l'imminence du choc. Autre possibilité: le signal d'avertissement, qui précède l'événement désagréable, permettrait aux sujets de mettre en branle un processus quelconque de préparation permettant d'atténuer les effets d'une stimulation nocive sur le système nerveux.

Dans les situations de vie réelle, l'absence de prévisibilité — ou *incertitude* — peut faire qu'il est très difficile à un individu de composer avec les événements de stress. L'un des problèmes majeurs auxquels doivent faire face, par exemple, les patients cancéreux en traitement, est le fait de ne pas être assurés de leur guérison tant qu'il ne s'est pas écoulé de nombreuses années sans rechute. Ils doivent affronter chaque jour l'incertitude d'un avenir peut-être désastreux.

Une incertitude tenaillante de même nature a créé du stress chronique chez les gens habitant près de Three Mile Island (Middletown, Pennsylvanie), où un accident à la centrale nucléaire avait libéré des gaz radioactifs. Plusieurs des résidents croient qu'ils ont été exposés à la radiation et éprouvent de l'appréhension quant aux conséquences futures de ce contact. Par comparaison avec un groupe témoin, ces résidents ont fait état de plus de problèmes physiques et affectifs et, deux ans après l'accident, ils ont donné des rendements inférieurs aux tâches d'un test (Baum, Gatchel, Fleming et Lake, 1981).

Un autre exemple concerne les femmes dont les maris ont été portés sur les listes des combattants manquant à l'appel pendant la guerre du Viêt-nam. Le fait de ne pas savoir si leur mari est vivant ou s'il est mort leur a rendu très difficile la nécessité de surmonter leur chagrin et de continuer à vivre normalement. En comparaison avec les épouses de soldats morts au combat et avec les épouses de prisonniers de guerre, ces femmes sont celles dont la santé physique et psychologique s'est révélée la plus précaire (Hunter, 1979).

POSSIBILITÉ DE CONTRÔLE   La possibilité d'exercer un certain contrôle sur un événement source de stress atténue également la gravité du stress. Lors d'une étude, on a montré à des sujets des photographies en couleur de victimes de mort violente. Le groupe expérimental était capable de mettre fin à la séance de visionnement en appuyant sur un bouton. Les sujets du groupe de contrôle devaient regarder les mêmes photographies durant la période de temps décidée par le groupe expérimental, mais ils n'étaient pas capables de mettre fin à la présentation. Face aux photographies, le groupe expérimental manifesta moins d'anxiété (les mesures étant établies en fonction de la réponse psychogalvanique, RPG) que le groupe qui n'avait aucun contrôle sur la durée du visionnement (Geer et Maisel, 1972).

Dans une autre expérience, deux groupes de sujets furent exposés à un bruit fort, extrêmement désagréable. On a dit aux sujets de l'un des groupes qu'ils pouvaient arrêter le bruit en appuyant sur un bouton, mais on leur demandait instamment de ne pas le faire à moins que ce soit absolument nécessaire. Les sujets de l'autre groupe n'avaient aucun contrôle sur le bruit. Aucun des sujets disposant d'un bouton de contrôle n'appuya effectivement sur ce bouton, ce qui veut dire que le contact avec le bruit a été le même pour les deux groupes. Néanmoins, le rendement à des tâches subséquentes de résolution de problèmes était significativement inférieur chez le groupe qui n'avait pas de contrôle sur le bruit, ce qui indique qu'ils étaient plus dérangés par le bruit que le groupe qui avait la possibilité de le contrôler. Le fait de croire qu'on est en mesure de contrôler la durée d'un événement désagréable semble atténuer l'anxiété, même si ce contrôle n'est jamais exercé ou si cette croyance est erronnée (Glass et Singer, 1972).

APPUIS SOCIAUX   L'appui émotionnel et l'intérêt que nous portent les autres rend le stress plus tolérable. Le divorce, la mort d'un être cher ou une maladie grave sont généralement des événements plus dévastateurs si l'individu doit les affronter seul. De nombreuses études montrent que les gens qui ont plusieurs liens sociaux (conjoint, amis, parents et appartenance à des groupes) vivent plus longtemps et risquent moins de succomber à des maladies associées au stress que ceux qui ont peu de contacts sociaux sur lesquels s'appuyer (Cohen et Wills, 1985). Les amis et la famille peuvent apporter de l'aide de plusieurs façons. Ils peuvent soutenir l'estime que nous avons de nous-même en nous aimant en dépit de nos problèmes. Ils peuvent donner de l'information et des conseils, servir de compagnie pour nous faire oublier nos inquiétudes et nous apporter de l'aide financière et matérielle. Tous ces

Les désastres, comme le séisme qui a dévasté la ville de Mexico en 1985, ont tendance à rallier les individus et à les amener à travailler en vue d'un objectif commun. Le stress est plus facile à tolérer quand d'autres le partagent.

appuis ont tendance à réduire les sentiments d'impuissance et à accroître notre confiance dans la capacité de composer avec la situation.

Parfois, cependant, famille et amis peuvent accroître le stress. En minimisant la gravité du problème ou en prodiguant une assurance aveugle que tout va bien aller, on peut susciter plus d'anxiété qu'en n'offrant aucun appui du tout. Une étude auprès d'étudiants universitaires devant passer des examens cruciaux permet de supposer que les conjoints qui apportent un appui réaliste (« Je suis inquiet, mais je sais que tu vas faire de ton mieux ») aident plus que ceux qui nient toute possibilité d'échec (« Je ne suis pas inquiet, je suis sûr que tu vas réussir »). Dans ce dernier cas, l'étudiant doit s'inquiéter non seulement d'échouer l'examen mais aussi de perdre le respect de son conjoint (Mechanic, 1962).

Le stress est plus facile à supporter quand sa cause est partagée par d'autres. Les désastres communautaires (inondations, séismes, tornades, guerres) paraissent souvent faire ressortir ce qu'il y a de meilleur chez les gens (Nilson et coll., 1981). On a tendance à oublier les conflits et les angoisses individuelles quand on travaille ensemble contre un ennemi commun ou vers un objectif que tous partagent. Durant le bombardement intensif de la ville de Londres au cours de la Seconde Guerre mondiale, par exemple, on a constaté une chute marquée dans le nombre de personnes sollicitant de l'aide pour des problèmes affectifs.

AFFRONTEMENT DU STRESS

L'anxiété et l'activation physiologique créées par les situations de stress étant très inconfortables, l'individu est motivé à faire quelque chose pour alléger le malaise. Le processus par lequel une personne tente de répondre à des exigences génératrices de stress est appelé *affrontement* (« coping »), et il prend deux formes principales. L'une est centrée sur le problème : l'individu évalue la situation de stress et fait quelque chose pour la changer ou pour l'éviter. L'autre est centrée sur la réaction émotionnelle au problème : l'individu essaie de réduire l'anxiété sans traiter directement avec la situation anxiogène. Dans le premier cas, on parle d'*affrontement axé sur le problème*, dans l'autre, d'*affrontement axé sur l'émotion* (Lazarus et Folkman, 1984).

Supposons qu'on vous avertit que vous êtes sur le point d'échouer à un cours obligatoire. Vous pourriez en discuter avec le professeur, préparer un calendrier de travail pour répondre aux exigences du cours et appliquer ensuite ce programme ; ou vous pourriez juger que vous êtes incapable de répondre aux exigences dans l'intervalle de temps qui vous reste et que vous devez donc vous inscrire pour reprendre ce cours durant le trimestre d'été. Ce sont là deux actions qui constituent des méthodes d'affontement axé sur le problème. Par ailleurs, vous pourriez essayer de réduire l'anxiété suscitée par l'avertissement de l'échec en refusant d'admettre cette possibilité ou en vous persuadant qu'un diplôme universitaire ne vaut rien — ou vous pourriez étouffer votre anxiété avec de l'alcool. Ce sont là des stratégies d'affrontement axé sur l'émotion.

Chaque individu traite avec les situations de stress de sa propre façon, recourant souvent à une combinaison de stratégies axées sur le problème et axées sur l'émotion. Dans la plupart des cas, c'est la résolution de problèmes qui est le moyen le plus sain. Mais les problèmes ne sont pas tous solubles. Quand il s'agit d'une maladie débilitante ou de la perte d'un être cher, les gens peuvent avoir besoin d'alléger la détresse émotionnelle jusqu'à ce qu'ils soient en mesure d'affronter la situation dans son ensemble. Nous nous servons souvent de l'affrontement axé sur l'émotion pour garder de l'espoir, pour maintenir notre moral de façon à pouvoir continuer à fonctionner. En général, les formes d'affrontement axé sur l'émotion sont plus susceptibles de se présenter quand l'individu, sous le coup d'un niveau de stress élevé, décide qu'il ne peut rien faire pour changer les conditions menaçantes. Par contre, les formes d'affrontement axé sur le problème sont plus probables quand les niveaux de stress sont modérés et quand la situation est jugée modifiable (Lazarus et Folkman, 1984).

Certaines stratégies axées sur l'émotion sont d'ordre comportemental — par exemple, faire des exercices physiques pour oublier le problème, prendre un verre, donner libre cours à sa colère, rechercher de l'appui affectif chez des amis. D'autres sont d'ordre cognitif: on en a des exemples quand on refuse temporairement de penser au problème — «J'ai décidé que ça ne méritait pas qu'on s'inquiète à ce sujet» — et quand on minimise la menace en changeant la signification de la situation — «J'ai décidé que son amitié n'avait pas tellement d'importance pour moi». Ces deux déclarations indiquent que la personne procède à une réévaluation d'une situation de stress de façon à la rendre moins menaçante.

Il se peut que notre réévaluation du problème soit réaliste: peut-être qu'à bien y penser, le problème ne mérite vraiment pas qu'on s'inquiète sérieusement. Parfois, cependant, nous nous mentons à nous-même en cherchant à réduire l'anxiété et nous déformons la réalité de la situation.

Mécanismes de défense en tant qu'affrontement axé sur l'émotion

Freud a utilisé l'expression *mécanismes de défense* pour désigner des processus inconscients qui protègent une personne contre l'anxiété en déformant dans une certaine mesure la réalité. Ces stratégies axées sur l'émotion ne modifient pas la situation de stress; elles changent simplement la façon de la percevoir ou d'y penser. Par conséquent, tous les mécanismes de défense comportent un élément d'*illusion sur soi-même*.

Le mot «mécanisme» n'est pas le plus approprié, car il implique une forme de fonctionnement mécanique. Freud a en effet subi l'influence des idéologies du XIXe siècle, où l'on avait tendance à concevoir l'être humain comme une machine complexe. En fait, nous allons parler de certaines stratégies axées sur l'émotion que les gens utilisent pour réduire l'anxiété au minimum dans les situations qu'ils sont incapables de contrôler de façon efficace. Mais puisque l'expression «mécanisme de défense» est encore celle qu'on rencontre le plus souvent, nous allons continuer à nous en servir.

Nous avons tous, à un moment ou l'autre, recours aux mécanismes de défense. Ils nous aident à traverser les périodes difficiles jusqu'à ce que nous puissions traiter plus directement avec la situation de stress. Les mécanismes de défense ne sont des indices de maladaptation de la personnalité que lorsqu'ils deviennent le mode dominant de résolution des problèmes.

REFOULEMENT Freud considérait que le *refoulement* était le mécanisme de défense fondamental et le plus important de tous. Dans le refoulement, les impulsions et les souvenirs qui sont trop effrayants ou trop douloureux se trouvent exclus de la conscience. Les souvenirs qui évoquent de la honte ou de la culpabilité sont fréquemment refoulés. Freud croyait que le refoulement de certaines pulsions de la période enfantine était un fait universel. Il prétendait que tous les jeunes garçons sont attirés sexuellement vers leur mère et qu'ils éprouvent des sentiments de rivalité et d'hostilité à l'égard de leur père (le *complexe d'Oedipe*); ces pulsions sont refoulées afin d'éviter les conséquences douloureuses que leur satisfaction directe entraînerait. Plus tard dans la vie, les sentiments et les souvenirs incompatibles avec l'image de soi, et donc potentiellement générateurs d'anxiété, peuvent se trouver refoulés. Il peut arriver que les sentiments d'hostilité envers un être aimé ou les expériences d'insuccès soient bannis de la mémoire consciente.

Il faut distinguer le refoulement de la *répression**. Le processus de répression en est un de contrôle autonome, délibéré — on empêche les pulsions,

---

* Dans la langue anglaise, on utilise le terme *repression* au sens large de «refoulement». Dans la langue française, le terme répression est la plupart du temps employé dans le sens de «rejet conscient et volontaire» par opposition au *refoulement* entendu comme «rejet inconscient et involontaire»; en anglais, on utilise le terme *suppression* pour désigner ce rejet conscient et volontaire d'une motivation. (Note du traducteur)

© 1975 United Features Syndicate

les tendances ou les désirs de se manifester, peut-être en les cultivant dans son for intérieur, tout en les reniant publiquement ou en mettant temporairement de côté les souvenirs pénibles de façon à se concentrer sur une tâche. L'individu est conscient de la répression de ses pensées, mais en grande partie *inconscient* des pulsions ou des souvenirs refoulés.

Freud était d'avis que le refoulement est rarement tout à fait réussi. Les pulsions refoulées menacent de s'infiltrer dans la conscience; l'individu devient anxieux (bien qu'il ne sache pas pourquoi) et utilise l'un des mécanismes de défense, que nous allons décrire, pour empêcher les pulsions partiellement refoulées d'arriver à la conscience. C'est pourquoi l'on dit que ces autres mécanismes de défense contribuent au refoulement.

RATIONALISATION   Dans la fable d'Ésope, le renard qui rejette les raisins qu'il ne peut atteindre « parce qu'ils sont trop verts » nous offre un bel exemple du mécanisme de défense appelé *rationalisation*. Rationalisation ne veut pas dire « agir rationnellement »; le terme signifie plutôt: attribuer des motifs logiques ou socialement désirables à ce que nous faisons pour avoir l'air d'agir rationnellement. La rationalisation sert à deux fins: elle vient alléger notre déception quand nous n'arrivons pas à atteindre un but — « de toute façon, je n'en voulais pas » — et elle nous fournit des mobiles acceptables pour l'explication de notre conduite. Si nous agissons sous le coup d'une impulsion ou suivant des motifs que nous ne voulons pas admettre (pas même à nous-même), nous rationalisons notre action de façon à faire apparaître notre conduite sous un meilleur jour.

Dans cette recherche pour trouver la « bonne » raison plutôt que la « vraie », nous pouvons faire appel à plusieurs excuses. Habituellement, ces excuses sont plausibles; le problème vient de ce qu'elles ne disent pas tout. Par exemple, « Ma compagne de chambre a oublié de me réveiller » ou « J'avais trop de choses à faire ». Les deux énoncés sont vrais, mais ce ne sont pas là les vraies raisons pour lesquelles cette personne ne s'est pas acquittée de ce qu'elle devait faire. Les individus qui veulent vraiment faire quelque chose se servent du réveille-matin ou trouvent le temps nécessaire.

Une expérience faisant intervenir la suggestion post-hypnotique (voir au chapitre 4, p. 149) démontre ce processus de rationalisation. On dit à un sujet sous hypnose que lorsqu'il émergera de la transe où il est plongé, il surveillera les gestes de l'hypnotiseur. Quand ce dernier enlèvera ses lunettes, le sujet ouvrira la fenêtre, mais ne se souviendra pas que l'hypnotiseur lui avait dit de le faire. Sorti de sa transe, le sujet a un peu sommeil, mais il se met quand même à circuler parmi les gens qui sont dans la pièce et fait la conversation normalement tout en surveillant furtivement l'hypnotiseur. Quand ce dernier enlève machinalement ses lunettes, le sujet ressent une impulsion à ouvrir la fenêtre; il fait un pas dans cette direction, mais hésite. Inconsciemment, il mobilise ses désirs de paraître raisonnable; il cherche donc une raison pour expliquer son impulsion à ouvrir la fenêtre et dit: « Ne fait-il pas un peu lourd ici? ». Ayant trouvé l'excuse qu'il lui fallait, il ouvre la fenêtre et se sent mieux (Hilgard, 1965).

FORMATION RÉACTIONNELLE   Parfois, les individus peuvent se cacher à eux-mêmes le mobile qui les fait penser ou agir en donnant une forte expression à un mobile contraire. On appelle cette tendance *formation réactionnelle*. La mère d'un enfant non désiré peut se sentir coupable de ne pas être portée vers lui, devenir trop tolérante et surprotéger l'enfant pour l'assurer de son amour et aussi, peut-être, pour se persuader elle-même qu'elle est un bonne maman. Une mère qui voulait tout faire pour sa fille ne pouvait pas comprendre pourquoi cette dernière se montrait si insensible à ses avances. Au prix de grands sacrifices, elle lui offrit à grands frais des leçons de piano et essaya de l'aider durant ses séances de pratique quotidienne. Croyant se montrer extrêmement bonne, elle n'en était pas moins très exigeante et, effectivement, hostile. Elle n'était pas consciente de sa propre hostilité, mais quand on l'obligea à la constater, elle admit que, alors qu'elle était elle-même enfant, elle détestait les leçons de piano. Sous le prétexte conscient de se montrer bonne, elle était inconsciemment cruelle envers sa fille. Cette dernière, ressentant vaguement ce qui se passait, finit par présenter des symptômes de malaises psychologiques.

Les gens qui partent en croisade, déployant un zèle fanatique, contre le libertinage, l'alcool et le jeu donnent peut-être dans la formation réactionnelle. Souvent ces individus ont des antécédents marqués de difficultés avec ce genre de problèmes et leur croisade effrénée peut représenter un moyen de se protéger eux-mêmes contre la possibilité d'une rechute.

PROJECTION   Nous possédons tous des traits de caractère indésirables que nous n'avouons pas, même à nous-mêmes. Un mécanisme inconscient, la *projection*, nous protège contre de tels aveux en attribuant ces traits indésirables en quantité démesurée à d'autres individus. Supposons que vous êtes porté à critiquer les autres et à manquer d'amabilité à leur égard, mais que vous éprouveriez du dégoût face à vous-même si vous admettiez cette tendance. En vous persuadant que ceux qui vous entourent sont cruels ou peu aimables, votre traitement rude à leur endroit n'est pas attribuable à *vos* mauvais penchants — vous leur «rendez tout simplement ce qu'ils méritent». Si vous pouvez vous convaincre que tout le monde triche aux examens, la constatation que vous avez une tendance à «prendre des raccourcis» sur le plan scolaire devient un moindre mal. La projection est vraiment une forme de rationalisation, mais elle est tellement répandue dans notre milieu culturel qu'elle mérite qu'on s'y arrête.

INTELLECTUALISATION   L'*intellectualisation* est une tentative pour se dégager d'une situation de stress affectif en l'abordant en des termes intellectuels et abstraits. Cette sorte de défense est souvent une nécessité pour les gens qui doivent faire face à des questions de vie ou de mort dans leur travail quotidien. Le médecin, qui est continuellement confronté à la souffrance humaine ne peut pas se permettre de s'impliquer affectivement dans la vie de chaque malade. En effet, une certaine quantité de détachement peut être essentielle au médecin pour agir avec compétence. Cette sorte d'intellectualisation fait problème seulement quand elle devient un style de vie tellement envahissant que ces individus se détachent de toute expérience affective.

DÉNÉGATION   Lorsqu'une réalité extérieure est trop désagréable à affronter, l'individu peut nier son existence. Les parents d'un enfant atteint d'une maladie incurable peuvent refuser d'admettre la gravité de la situation, même après avoir été bien informés du diagnostic et de l'issue fatale. Étant incapables de tolérer la douleur qu'entraînerait le fait d'admettre la réalité, ils ont recours au mécanisme de défense appelé *dénégation*. On peut observer des formes moins poussées de dénégation chez les individus qui ignorent constamment la critique ou qui s'entêtent à ne pas voir que les autres sont fâchés contre eux ou qui refusent de reconnaître les signes évidents de l'infidélité de leur partenaire conjugal.

Parfois la dénégation des faits peut être préférable à leur affrontement. Dans une situation de crise grave, la dénégation peut donner à la personne le temps d'affronter plus graduellement les faits qui la menacent. Les victimes de crise cardiaque ou de lésions à la moelle épinière pourraient, par exemple, abandonner totalement si elles étaient pleinement conscientes de leur condition. L'espoir donne à l'individu la motivation de persister dans ses efforts. Les membres des forces armées qui ont vécu le combat ou l'emprisonnement rapportent que la dénégation de la possiblité de mourir les avait aidés à fonctionner. Dans de telles situations, la dénégation a nettement valeur d'adaptation. Par contre, les aspects négatifs de la dénégation sont manifestes quand les gens remettent à plus tard la recherche de soins médicaux: une femme peut, par exemple, nier qu'une bosse sur un sein pourrait être cancéreuse, retardant ainsi la consultation d'un médecin.

DÉPLACEMENT   Le dernier mécanisme de défense que nous étudierons est celui qui réussit le mieux à remplir son rôle (la réduction de l'anxiété) tout en permettant une certaine gratification du mobile inacceptable. Grâce au *déplacement*, une motivation qui ne saurait être satisfaite d'une certaine manière se trouve orientée vers une nouvelle voie. Nous avons vu un exemple de déplacement quand nous avons parlé de la colère qui ne pouvait être dirigée vers la source de frustration et qui, par conséquent, était orientée vers un objet moins menaçant.

Freud avait l'impression que le déplacement était la façon la plus satisfaisante de composer avec les pulsions agressives et sexuelles. On ne peut pas changer les tendances fondamentales, mais il est possible de modifier l'objet visé par ces tendances. Les pulsions sexuelles dirigées vers les parents, par exemple, ne peuvent sans inconvénients trouver satisfaction, mais ces pulsions peuvent être déplacées vers un objet d'amour plus convenable. Les pulsions érotiques, qui ne peuvent être exprimées directement, trouvent une expression indirecte dans les activités créatrices comme l'art, la poésie et la musique. Il est possible d'exprimer d'une façon acceptable sur le plan social les impulsions hostiles par le truchement de la participation à des sports de contact physique.

Il paraît improbable que le déplacement élimine vraiment les pulsions frustrées, mais les activités de substitution aident vraiment à alléger la tension qui surgit quand une tendance fondamentale est déjouée. Les activités de maternage, par exemple, de même que le fait de recevoir des soins maternels ou la recherche de compagnons peuvent contribuer à la réduction de la tension associée au fait de ne pas trouver une satisfaction directe à des besoins sexuels.

Affrontement axé sur le problème

Quand on compose avec la situation de stress elle-même, plutôt qu'avec les émotions engendrées par elle, on peut fuir le problème ou essayer de trouver un moyen quelconque de le modifier ou de le résoudre. Les stratégies de résolution de problèmes comprennent la définition du problème, l'invention d'autres solutions, la pondération des diverses solutions possibles en termes de coûts et bénéfices, le choix entre ces solutions et la mise en application de ce choix. L'habileté de l'individu à appliquer ces stratégies dépend de son champ d'expérience, de ses aptitudes intellectuelles et de sa capacité d'exercer un contrôle sur lui-même.

Les stratégies axées sur le problème peuvent également être dirigées sur soi: la personne change quelque chose chez elle-même au lieu de modifier l'environnement. On en a des exemples quand l'individu change son niveau d'aspiration, trouve d'autres sources de gratification, ou acquiert de nouvelles habiletés. Lorsque, par exemple, l'emploi qu'occupe quelqu'un est une source de stress chronique pour lui, ce genre de stratégies peut représenter la solution la meilleure.

Soulignons que la plupart des gens ont recours aux *deux* formes de stratégies (axée sur le problème et axée sur l'émotion) quand ils composent avec les stress de la vie quotidienne. Dans plusieurs études, on a demandé aux gens de noter les événements générateurs de stress vécus au cours d'une année entière. Les sujets indiquaient sur une liste de vérification les pensées et les comportements qu'ils avaient utilisés pour faire face aux exigences de chacun de ces événements. Les résultats révèlent qu'ils ont presque tous utilisé les deux formes de stratégie pour traiter avec pratiquement toutes leurs expériences de stress (Folkman et Lazarus, 1980; Folkman et coll., 1986).

Parfois, les deux formes de stratégie peuvent se faciliter l'une l'autre. Prenons l'exemple d'une étudiante qui se sent extrêmement angoissée quand elle se présente à un examen important. Mais dès qu'elle porte son attention sur les questions, son anxiété diminue. Dans ce cas-là, l'affrontement axé sur

le problème (se mettre à la tâche) réduit les sentiments de désarroi. Parfois, cependant, les deux formes de stratégies peuvent se nuire entre elles. La personne qui souffre parce qu'elle a une décision difficile à prendre trouve l'angoisse insupportable et prend une décision prématurée, pour faire diminuer ce sentiment pénible. Ici, la stratégie employée pour réduire l'angoisse nuit à la résolution efficace du problème.

STRESS ET MALADIE

Quand nous avons parlé de la phase de résistance du syndrome général d'adaptation, nous avons fait remarquer que les tentatives faites par le corps pour s'adapter à la présence continuelle d'un agent de stress épuisaient les ressources corporelles et le rendaient vulnérable à la maladie. Le stress chronique peut entraîner des troubles physiques comme les ulcères, l'hypertension et les maladies cardiaques. Il peut également affecter le système d'immunité en réduisant les capacités dont dispose le corps pour combattre les bactéries et les virus qui l'envahissent. Les médecins estiment, en effet, que le stress émotionnel joue un rôle important dans plus de la moitié de tous les problèmes médicaux.

Les *troubles psychosomatiques* sont des perturbations physiques dans lesquelles les émotions joueraient un rôle central. Le terme « psychosomatique » est dérivé des mots grecs *psychê* (« esprit ») et *soma* (« corps »). Une méprise commune consiste à croire que les gens qui présentent des troubles psychosomatiques ne seraient pas vraiment malades et n'auraient pas besoin d'attention médicale. Les symptômes d'une maladie psychosomatique sont, au contraire, le reflet de perturbations physiologiques associées à des dommages tissulaires et à la douleur; il est impossible de distinguer l'ulcère peptique causé par le stress de l'ulcère qui serait le résultat d'un usage massif et prolongé de l'aspirine.

La recherche en médecine psychosomatique s'est traditionnellement concentrée sur des maladies comme l'asthme, l'hypertension, les ulcères, les colites et la polyarthrite rhumatoïde. Les chercheurs se sont efforcés de trouver des relations entre des maladies particulières et les attitudes caractéristiques envers les événements générateurs de stress ou les façons de composer avec ces événements. On disait, par exemple, que les individus souffrant d'hypertension avaient l'impression que la vie était menaçante et qu'ils devaient, par conséquent, se tenir constamment sur leurs gardes. On croyait que ceux qui souffraient de colites étaient des personnes en colère qui étaient incapables d'exprimer ce sentiment. Cependant, on a dû constater l'impossibilité de répéter les résultats de la plupart des études faisant état d'attitudes caractéristiques associées à des maladies particulières. Ainsi, l'hypothèse voulant que les gens qui réagissent de la même façon au stress seraient vulnérables aux mêmes maladies n'a généralement pas connu de confirmation. Il y a cependant, comme nous allons le voir bientôt, une exception importante dans le cas de la recherche sur les maladies coronariennes et les schèmes de comportement de *Type A*.

Aujourd'hui, la recherche psychosomatique a pris une orientation beaucoup plus large et l'expression « médecine psychosomatique » est remplacée par *médecine behaviorale*, soit un champ interdisciplinaire qui attire des spécialistes de la psychologie et de la médecine. Elle cherche à apprendre comment les variables sociales, psychologiques et biologiques entrent en combinaison pour produire la maladie et comment on pourrait changer le comportement et le milieu pour favoriser la santé.

Ulcères

Un ulcère peptique est une lésion (un trou) dans la tunique de l'estomac ou du duodénum produite par la sécrétion excessive d'acide chlorhydrique.

Les contrôleurs aériens, qui travaillent sous une pression énorme et sont forcés de prendre des décisions instantanées mettant en jeu la sécurité de centaines de personnes, contractent très souvent des ulcères peptiques.

Durant le processus de la digestion, l'acide chlorhydrique entre en interaction avec des enzymes pour réduire la nourriture en éléments assimilables par le corps. Lorsque cet acide est sécrété en quantités excessives, il ronge graduellement la muqueuse qui protège les parois de l'estomac, y produisant de petites lésions. Un certain nombre de facteurs peuvent accroître la sécrétion d'acide chlorhydrique, et le stress psychologique semble être l'un de ceux-ci.

Les études sur les animaux ont montré que le stress pouvait produire des ulcères. Dans une série d'expériences portant sur des rats, on a causé des ulcères en administrant un léger choc électrique sur la queue de l'animal. Les rats, examinés par groupes de trois, étaient placés dans l'appareil illustré dans la figure 14-2. L'animal placé dans la chambre située à gauche est capable de faire cesser les chocs programmés en faisant tourner une roue. De plus, chaque choc se trouve précédé d'un signal d'avertissement, de sorte que si l'animal tourne la roue au bon moment, il peut retarder la présentation du choc suivant. Le sort du rat occupant le compartiment du milieu est associé à celui du rat de gauche, c'est-à-dire qu'il reçoit des chocs de même intensité et de même durée que son compagnon de gauche, mais il ne peut rien faire pour les contrôler. L'animal qui occupe la chambre de droite est rattaché aux fils comme les deux autres, mais les électrodes ne sont pas branchées, ce qui fait qu'il ne reçoit aucun choc.

Une fois que les animaux eurent été soumis à ce procédé pendant un certain temps, on les examina pour voir s'ils avaient des ulcères. Les rats qui pouvaient faire quelque chose pour contrôler les chocs avaient moins d'ulcérations que leurs compagnons du compartiment du milieu. Les animaux-témoins (chambre de droite), qui n'avaient pas reçu de chocs, n'avaient aucune ulcération (Weiss, 1972).

Cette expérience, et d'autres semblables, permet de supposer qu'une exposition prolongée à un stress incontrôlable contribue vraiment à la formation d'ulcères. Même si nous ne pouvons généraliser de l'animal à l'être humain sans recherches additionnelles, il semble vraisemblable de dire que le stress est un des facteurs qui entraînent la formation d'ulcères — surtout chez des individus biologiquement prédisposés à sécréter de hauts niveaux d'acide chlorhydrique.

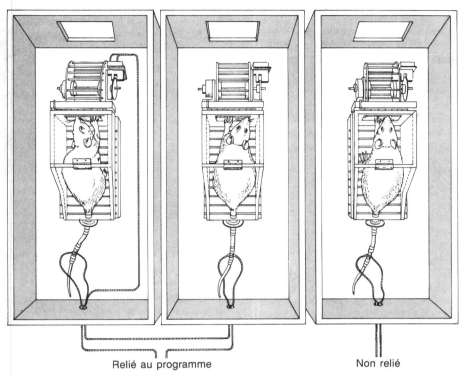

Relié au programme   Non relié

FIGURE 14-2
Les ulcères chez les rats *Le rat de gauche est le sujet d'évitement-échappement; il peut faire cesser le choc prévu par le programme en tournant la roue. De plus, le fait de tourner la roue durant les intervalles entre les chocs reporte le choc à plus tard. Le rat du centre est relié au premier rat par des fils électriques, de sorte que lorsque le premier reçoit un choc, le second reçoit simultanément le choc de même intensité et de même durée. L'activité du second rat n'a aucun effet sur la série des chocs. Les électrodes sur la queue du rat-contrôle, dans le compartiment de droite, ne sont pas branchées et ce rat ne reçoit jamais de chocs. À la fin de l'expérience, on évalue la quantité de lésions gastriques chez les rats. (D'après Weiss, 1972; © 1972 par Scientific American, Inc. Tous droits réservés)*

Maladies cardiaques

Le stress joue également un rôle dans la maladie cardiaque. Dans un domaine de recherche, on a identifié un schème de comportement, appelé « Type A », qui semble caractéristique des gens qui ont des crises cardiaques (Friedman et Rosenman, 1974). On décrit les individus de Type A comme des gens excessivement compétitifs et axés sur le rendement; ils ont le sens du temps qui presse, éprouvent de la difficulté à se détendre et deviennent impatients et furieux face à des délais ou à des individus qu'ils jugent incompétents. Selon ce postulat, les personnes de ce genre, tout en se présentant comme des gens sûrs d'eux-mêmes, sont en proie à des sentiments constants de doute de leur propre personne; ils s'efforcent de faire augmenter sans cesse leur productivité. La liste du tableau 14-2 présente certains comportements communs de Type A. On classe dans le Type B les individus qui ne manifestent pas les caractéristiques qu'on prête au Type A. Les individus de type B sont capables de se détendre sans ressentir de culpabilité et de travailler sans s'agiter; ils n'ont pas le sens du temps qui presse ni l'impatience qui l'accompagne, et ils sont généralement difficiles à mettre en colère.

Plusieurs études longitudinales indiquent que les gens qui manifestent un comportement de Type A sont plus susceptibles de faire une crise cardiaque que les individus de Type B (Rosenman et coll., 1975; Haynes, Feinleib et Kannel, 1980). On ne sait pas encore très bien comment le comportement de Type A affecte le système cardio-vasculaire. Les effets physiologiques associés à la sorte de stress que ressentent les individus de Type A pourraient mettre en cause une hausse des niveaux de cholestérol dans le sang, une tendance accrue à la formation de caillots sanguins, un accroissement de la tension artérielle ou une sécrétion plus abondante de l'hormone noradrénaline, qui peut donner lieu à des anomalies du rythme cardiaque. Des études montrent que les individus de Type A, comparés à ceux de Type B, présentent des changements plus marqués dans toutes ces mesures, quand ils doivent faire face à des tâches génératrices de stress (Wright, Contrada et Glass, 1985).

En 1981, l'American Heart Association, après avoir passé en revue les données sur les individus de Type A, a décidé qu'on devrait classer le comportement de Type A comme un facteur de risque à l'égard des maladies car-

ANALYSE CRITIQUE

Contrôle des réactions physiologiques au stress

Parmi les techniques qu'on a employées pour aider les gens à contrôler leurs réactions physiologiques au stress, on trouve la *rétroaction biologique*, l'*entraînement à la détente* et les *thérapies behaviorales cognitives*. Lors de l'entraînement à la rétroaction biologique, les sujets reçoivent de l'information (rétroaction) concernant un aspect de leur état physiologique, puis ils essaient de modifier cet état. Par exemple, dans un procédé pour apprendre à contrôler les céphalées par tension nerveuse, des électrodes sont placées sur le front de façon que tout mouvement des muscles du front puisse être détecté électroniquement, amplifié et retransmis au sujet sous la forme d'un signal sonore. La hauteur tonale du signal, ou du son, s'accroît quand le muscle se contracte et décroît quand il se détend. En apprenant à contrôler la hauteur tonale du son, l'individu apprend à garder le muscle en état de détente. (Le relâchement des muscles du front entraîne généralement le relâchement des muscles du cuir chevelu et du cou également.) Après 4 à 8 semaines, le sujet apprend à reconnaître la naissance de la tension et à la réduire sans la rétroaction fournie par l'appareil (Tarler-Benlolo, 1978).

On a toujours présumé que les processus physiologiques contrôlés par le système nerveux autonome, comme le rythme cardiaque et la tension artérielle, étaient automatiques et échappaient au contrôle volontaire. Toutefois, des expériences faites durant les années 60 ont montré que l'on pouvait, par conditionnement opérant (voir au chapitre 7, p. 241), amener des rats à accélérer ou à ralentir leur rythme cardiaque (voir DiCara et Miller, 1968). Des études subséquentes en laboratoire ont démontré que les sujets humains étaient également capables de modifier leur rythme cardiaque et leur tension artérielle (voir la figure 14-3). Les résultats de telles études ont suscité l'invention de nouveaux procédés pour traiter les patients souffrant d'hypertension. L'un de ces procédés consiste à montrer aux sujets un graphique de leur tension artérielle pendant son enregistrement et de leur enseigner des techniques pour le relâchement de différents groupes de muscles. On demande aux sujets de tendre leurs muscles (de serrer un poing, par exemple, ou de resserrer l'abdomen), de relâcher cette tension et de remarquer la différence dans la sensation. En débutant par les muscles des pieds et des chevilles, et en montant progressivement par tout le corps jusqu'aux muscles qui contrôlent le cou et le visage, le patient apprend à modifier la tension musculaire. Cette combinaison de rétroaction biologique et

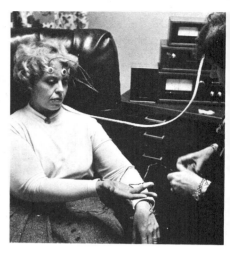

Rétroaction biologique appliquée aux céphalées *Les capteurs mesurent les contractions des muscles du front et la température des doigts . Des doigts froids sont souvent un signe de tension.*

d'entraînement à la détente s'est révélée efficace pour faire baisser la tension artérielle de certains individus (Tarler-Benlolo, 1978).

Des recensions de nombreuses études utilisant la rétroaction biologique et l'entraînement à la détente pour contrôler les céphalées et l'hypertension arrivent à la conclusion que la variable la plus importante est l'*apprentissage de la détente* (Runck, 1980). Certaines personnes apprennent plus rapidement à se détendre quand elles reçoivent une rétroaction biologique. D'autres apprennent à se détendre aussi bien quand elles reçoivent un simple entraînement à la détente musculaire, sans rétroaction biologique particulière. L'utilité de l'entraînement à la détente semble dépendre de l'individu. Certaines personnes, qui ne sont pas suffisamment disciplinées pour soigner leur tension élevée à l'aide de médicaments, réagissent mieux à l'entraînement à la détente, alors que d'autres, même si elles ont appris à contrôler leur tension artérielle grâce à la relaxation, peuvent éventuellement cesser d'appliquer cette méthode parce qu'elles trouvent qu'elle exige trop de temps.

Les gens qui sont capables de contrôler leurs réactions physiologiques par rétroaction biologique et par entraînement à la détente en laboratoire éprouveront plus de difficulté à le faire dans de véritables situations de stress, surtout s'ils continuent d'interagir suivant des comportements qui créent de la tension chez eux. C'est pourquoi, une façon additionnelle d'aborder le contrôle du stress fait porter les efforts sur le changement des réponses cognitives et comportementales de l'individu aux situations de stress. Les *thérapies behaviorales cognitives* essaient d'aider les gens à identifier les situations génératrices de stress qui produisent leurs symptômes physiologiques et à modifier leur façon d'affronter ces situations. On demandera, par exemple, à celui qui souffre de céphalées par tension nerveuse de commencer à noter systématiquement leur occurrence et à évaluer la gravité de chaque mal de tête et les circonstances dans lesquelles il s'est manifesté. On lui enseigne ensuite à surveiller le déroulement de ses réactions à ces événements générateurs de stress : il doit noter ses sentiments, ses pensées et son comportement avant, durant et après l'événement. Souvent, après une période d'auto-surveillance, certaines relations apparaissent parmi les variables de la situation (par exemple, des critiques de la part d'un contremaître ou d'un compagnon de travail); ses pensées (« Je suis incapable de rien faire de bien »); et ses réactions émotionnelles, comportementales et physiologiques (dépression, repli sur soi et céphalées).

L'étape suivante consiste à tenter d'identifier les attentes ou les croyances qui pourraient expliquer les réactions de maux de tête (par exemple, « Je m'attends à tout faire à la perfection et, par conséquent, la moindre critique me trouble » ou « Je me juge sévèrement, je me déprime et je finis par subir un mal de tête »). L'étape finale, la plus difficile, est d'essayer de changer quelque chose dans la situation de stress, dans sa façon d'en juger ou dans son comportement. Les choix pourraient comprendre : trouver un emploi qui suscite moins de stress, reconnaître que son besoin de perfection mène à des angoisses inutiles à propos des erreurs, ou apprendre à s'affirmer davantage dans ses échanges avec les autres, au lieu de se replier sur soi-même.

Ce bref résumé sur l'utilisation de la thérapie behaviorale cognitive pour l'affrontement des situations de stress ne rend pas justice aux procédés en cause. On en trouvera une description plus détaillée au chapitre 16. Ces trois méthodes, rétroaction biologique, entraînement à la détente et thérapie behaviorale cognitive, se sont toutes révélées utiles pour aider les gens à contrôler leurs réactions physiologiques au stress. Des recherches permettent de supposer que l'amélioration obtenue à la suite de thérapies behaviorales cognitives a plus de chance de persister avec le temps (Holroyd, Appel et Andrasik, 1983). Ce n'est pas surprenant, puisque les exigences complexes de la vie de tous les jours nécessitent souvent le recours à des habiletés d'affrontement souples; la capacité de se détendre peut ne pas constituer une méthode efficace pour affronter certains des stress de la vie. Les programmes de contrôle du stress font fréquemment appel à un mélange de techniques de rétroaction biologique, d'entraînement à la détente et de modifications cognitives du comportement.

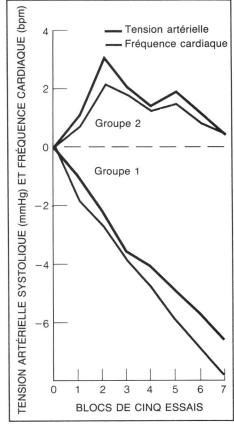

FIGURE 14-3
Conditionnement opérant de la tension artérielle et de la fréquence cardiaque *Un groupe de sujets masculins ont reçu une rétroaction biologique (une lumière et un son) chaque fois que leur tension artérielle et leur fréquence cardiaque diminuaient simultanément (groupe 1); l'autre groupe recevait la même rétroaction quand la tension artérielle et la fréquence cardiaque augmentaient simultanément (groupe 2). Toutes les fois qu'un sujet, d'un groupe ou de l'autre, produisait 12 bonnes réactions fréquence-tension consécutives, il était renforcé au moyen de diapositives (paysages et femmes nues) et d'un montant d'argent. Les sujets ont atteint un degré significatif de contrôle de la tension artérielle et de la fréquence cardiaque en une seule séance de conditionnement. Le groupe renforcé en vue de la diminution des deux fonctions est parvenu à un contrôle de plus en plus efficace d'une séance à l'autre; le groupe renforcé en vue de l'augmentation des fonctions réussissait moins bien. (D'après Schwartz, 1975)*

TABLEAU 14-2
Caractéristiques du comportement de Type A *Quelques-uns des comportements qui caractérisent les gens prédisposés à contracter des maladies de coeur. (D'après Friedman et Rosenman, 1974)*

Penser ou faire deux choses à la fois.

Se fixer des échéanciers de productivité de plus en plus serrés.

Ne pas s'intéresser à l'environnement ou à ce qui est beau.

Presser les gens à dire ce qu'ils ont à dire.

Se mettre indûment en colère quand on est forcé de faire la queue ou quand on suit une voiture que l'on juge trop lente.

Croire que pour qu'une chose soit bien faite, on doit la faire soi-même.

Gesticuler en parlant.

Branler fréquemment les genoux ou taper rapidement des doigts.

Adopter des schèmes verbaux explosifs ou user fréquemment d'obscénités.

Avoir le culte d'être toujours à temps.

Éprouver de la difficulté à rester assis et ne rien faire.

Vouloir presque toujours gagner au jeu, même avec les enfants.

Mesurer son propre succès et celui des autres en termes quantitatifs (nombre de clients rencontrés, d'articles rédigés, etc.).

Claquer des lèvres, hocher de la tête, serrer les poings, frapper sur les tables ou aspirer de l'air en parlant.

Se montrer impatient quand on regarde les autres faire des choses qu'on croit pouvoir faire mieux ou plus rapidement.

Cligner des yeux rapidement ou lever les sourcils comme dans un tic.

---

diaques. Cependant, deux études plus récentes ne sont pas parvenues à établir de relation entre types de personnalité A et B et crises cardiaques subséquentes (Case, Heller, Case et Moss, 1985; Shekelle et coll., 1983). Selon certains chercheurs, cet échec serait attribuable au fait que la définition actuelle du comportement de Type A est trop vague. Ils prétendent que le sens de l'urgence du temps et l'esprit de compétition ne seraient pas les éléments les plus importants; la variable cruciale serait la colère. Plusieurs études ont permis de constater que le niveau d'hostilité d'un individu est un meilleur facteur de prédiction de la maladie cardiaque que le niveau général de comportement du Type A (Thoresen, Telch et Eagleston, 1981; Dembroski, MacDougall, Williams et Haney, 1985). L'impatience et l'ambition semblent donc moins néfastes que l'agacement constant.

Un projet, qui visait à modifier le comportement de Type A et portait sur plus de 1000 individus ayant subi au moins une crise cardiaque, a connu un succès considérable. On a aidé les sujets du groupe expérimental à changer leur comportement de Type A. Pour réduire leur sentiment du temps qui presse, par exemple, on a demandé à ces individus de s'entraîner à faire la queue (situation que les sujets de Type A trouvent extrêmement irritante) et de profiter de l'occasion pour réfléchir à des choses auxquelles ils n'ont pas normalement le temps de s'arrêter, ou pour observer les gens, ou pour amorcer une conversation avec un étranger. Le traitement consistait aussi à apprendre à modifier certains comportements particuliers (comme interrompre les autres quand ils parlent ou parler ou manger rapidement), à remettre en cause des croyances fondamentales (comme l'idée que le succès dépend de la quantité de travail accompli) et à trouver des moyens de rendre leur environnement au travail et à la maison moins épuisant (comme encourager leur conjoint à diminuer le nombre des obligations sociales inutiles).

Dans cette recherche, la variable dépendante importante est l'occurrence d'une autre crise cardiaque. À la fin de cette étude, 4 1/2 ans plus tard, le groupe expérimental avait un taux de rechute cardiaque qui était presque la moitié de celui des sujets-témoins auxquels on n'avait pas enseigné la façon de modifier leur style de vie. De toute évidence, le fait d'apprendre à modifier son comportement de Type A est bénéfique à la santé de l'individu (Friedman et coll., 1985).

Dans cette étude, on a également constaté que c'est l'hostilité qui est le facteur le plus significatif pour la prédiction de maladies cardiaques. Les individus qui ont subi une crise cardiaque subséquente, à laquelle plusieurs devaient d'ailleurs succomber, ne sont pas différents de ceux qui sont restés en santé, quand on regarde le score Type A total, les antécédents familiaux et les mesures générales de stress chronique. Mais ils avaient obtenus des scores de 2 à 3 fois plus élevés aux mesures de comportement hostile.

Une autre étude rapporte un succès considérable dans la réduction de l'hostilité chez des individus de Type A. Les sujets étaient des étudiants-officiers d'un collège militaire des États-Unis (U.S. Army War College) qui ne donnaient aucun signe de maladie cardiaque mais qui, à cause de leurs scores Type A élevés, étaient des candidats probables à de futurs problèmes cardiaques. Un programme de counseling, qui a duré 8 mois et qui était conçu pour modifier le comportement de Type A, a produit un certain nombre de changements souhaités, le plus spectaculaire étant une réduction de l'hostilité et du sens de l'urgence temporelle. Les sujets qui ont connu la plus forte réduction des caractéristiques de Type A avaient des niveaux de cholestérol sanguin beaucoup plus bas à la fin de l'étude (Gill et coll., 1985). Il reste à savoir, cependant, combien de temps les effets du counseling de Type A vont durer et si les sujets expérimentaux auront ou non moins de crises cardiaques que les sujets-témoins qui n'ont reçu aucun counseling.

Le système d'immunité

La *psycho-immunologie*, l'étude de la façon dont les facteurs psychologiques affectent le système d'immunité du corps, est un domaine de recherche relativement nouveau en médecine behaviorale. Le système d'immunité est un mécanisme de surveillance qui protège le corps contre les micro-organismes qui sont des causes de maladie. Il contrôle notre vulnérabilité aux cancers, aux maladies infectieuses, aux allergies et aux affections auto-immunes (c'est-à-dire des maladies comme la polyarthrite rhumatoïde, dans laquelle les cellules immunes attaquent le tissu normal du corps). Les preuves s'accumulent à l'effet que le stress affecte la capacité que possède le système d'immunité de protéger le corps.

Plusieurs études sur des animaux ont démontré que le stress créé expérimentalement accroît la vulnérabilité envers une variété d'agents d'infection (Borysenko et Borysenko, 1982) ainsi que la fréquence et le taux de croissance des tumeurs (Riley, 1981). Évidemment, il est plus difficile d'obtenir et d'interpréter des données se rapportant à l'être humain. Comme nous l'avons noté précédemment, on ne saurait ignorer l'effet des événements générateurs de stress sur les conduites qui affectent la santé (régime alimentaire, sommeil, usage de la cigarette et des drogues) quand on étudie la relation entre stress et maladie. Néanmoins, une recension des documents de recherche indique que le stress peut exercer une influence sur le fonctionnement du système d'immunité et sur notre vulnérabilité à l'égard des maladies infectieuses (Jemmott et Locke, 1984).

Deux études servent à illustrer les sortes d'agents de stress psychologique qui ont été associées à des réactions immunes affaiblies. L'une de ces recherches a démontré que, durant les examens ou les périodes de tension liées aux études, les étudiants ont des niveaux plus bas d'un anticorps qui protège contre les infections respiratoires (Jemmot et coll., 1985). L'autre recherche, qui portait sur des veufs dont les épouses avaient succombé à des cancers du sein, a démontré que la sensibilité des lymphocytes de ces sujets (une catégorie de cellules blanches du sang qui sont des éléments essentiels du système d'immunité) avait diminué de façon significative durant le mois qui avait suivi la mort de leur compagne et que, dans certains cas, elle était restée à un niveau peu élevé pendant toute l'année suivante (Schleifer, Keller, McKengey et Stein, 1979).

Malgré le fait que le lien entre les agents de stress et le fonctionnement défectueux du système d'immunité soit assez fort, seuls quelques individus soumis à des stress deviennent malades. Afin d'expliquer ce phénomène, deux chercheurs ont monté une expérience pour déterminer si la capacité de contrôler un agent de stress modifierait le fonctionnement du système d'immunité. La possibilité d'exercer un contrôle est, comme nous l'avons déjà dit, l'un des facteurs qui atténuent la gravité du stress. Se servant d'un appareil similaire à celui de la figure 14-2, ils ont exposé des rats à des chocs électriques que les animaux pouvaient ou ne pouvaient pas contrôler. Les deux groupes ont reçu la même quantité de chocs, mais un seul de ces groupes était en mesure de faire cesser le choc en tournant la roue.

En guise de mesure de la réaction du système d'immunité, les expérimentateurs ont étudié la facilité avec laquelle les cellules T du rat (un type de lymphocite qui tue les virus envahisseurs) se multipliaient quand elles étaient « mises au défi » par un envahisseur. Ils ont constaté que les cellules T des rats qui avaient la possibilité de contrôler les chocs se multipliaient aussi facilement que celles des rats qui ne subissaient aucun stress. Par contre, les cellules T des rats exposés à des chocs incontrôlables ne se multipliaient que très peu. Par conséquent, les chocs (le stress) ne nuisaient à la réaction immune que chez les rats incapables de les contrôler (Laudenslager et coll., 1983).

Toujours au moyen d'un appareillage expérimental du même genre, ces chercheurs ont étudié l'effet de chocs incontrôlables sur une autre mesure du système d'immunité : la capacité de destruction de tumeurs d'un type de cellules T, appelées « cellules meurtrières naturelles ». Ces cellules meurtrières naturelles (CMN) jouent un rôle primordial dans la surveillance de tumeurs et aident à prévenir la formation de tumeurs cancéreuses. Les CMN des rats qui n'étaient pas soumis à un stress ou des rats qui pouvaient contrôler l'agent de stress détruisaient les tumeurs de façon normale, alors que les CMN des rats incapables de contrôler l'agent de stress arrivaient moins bien à détruire les cellules des tumeurs (Maier et Laudenslager, 1985).

Peut-être que les événements de stress (telle la perte d'un conjoint), qui produisent dans la vie une suppression des réponses immunes, ont cet effet parce que les individus croient qu'ils sont incapables de contrôler ces événements négatifs. Des faits viennent appuyer cette hypothèse. Lors d'une étude, on a trouvé que les gens qui étaient l'objet de plusieurs expériences négatives dans la vie, mais qui ne réagissaient pas à ces événements par de l'anxiété ou de la dépression, avaient une activité de CMN très grande, plus grande même que les gens qui n'avaient éprouvé que peu de stress dans leur vie. Ce sont ceux qui avaient des niveaux d'anxiété et de dépression élevés en réaction aux stress de la vie qui avaient aussi le moins d'activité de CMN. Une bonne maîtrise du stress semble être accompagnée de hauts niveaux d'activité de CMN (Locke et coll. 1984).

Le système d'immunité est extrêmement complexe; il utilise un bon nombre d'armes différentes pour intervenir de façons complexes afin d'assurer la protection du corps. Il en reste beaucoup à découvrir sur la façon dont il joue son rôle et on en sait encore moins sur ses relations avec le système nerveux. Les scientifiques ont cru un moment que le système d'immunité agissait de façon assez indépendante, isolément des autres systèmes physiologiques. Mais les études actuelles laissent entrevoir de plus en plus que le système d'immunité et le système nerveux ont de nombreuses connexions anatomiques et physiologiques. Pour n'en donner qu'un exemple, les chercheurs constatent aujourd'hui que les lymphocytes sont munis de récepteurs sensibles à un certain nombre de neurotransmetteurs. Ces cellules du système d'immunité sont donc équipées pour recevoir des messages du cerveau qui pourraient modifier la façon dont elles se comportent.

Au fur et à mesure que la recherche en psycho-immunologie nous fournira des renseignements additionnels sur les liens entre le système nerveux et le système d'immunité, nous en arriverons à une meilleure compréhension de la façon dont les attitudes mentales affectent la santé.

Individus qui résistent au stress

Certaines personnes vivent des expériences de stress l'une après l'autre sans jamais s'effondrer. D'autres sont gravement perturbées même par des agents de stress de faible niveau. Comme nous l'avons fait remarquer tout au long de ce chapitre, on compte deux variables importantes pour la médiation des effets des agents de stress : d'une part, l'évaluation cognitive que l'individu fait de la situation et, d'autre part, les ressources dont il dispose pour l'affronter. Plusieurs chercheurs ont tenté de définir de façon plus précise les caractéristiques de la personnalité qui rendent les individus plus résistants au stress. Dans l'une de ces études, on a donné à plus de 600 hommes, occupant des postes de cadres dans une même entreprise, des listes de pointage, en leur demandant de citer tous les événements stressants et toutes les maladies qu'ils avaient connus durant les trois années précédentes. On a formé deux groupes pour fins de comparaison : le premier groupe avait donné des scores supérieurs à la moyenne, tant pour les événements stressants que pour les maladies ; le second groupe avait des scores aussi élevés quant au stress, mais se situait *au-dessous de la moyenne* sur le plan des maladies. Les membres des deux groupes répondirent ensuite à des questionnaires de personnalité détaillés. L'analyse des résultats indique que trois dimensions principales permettent de distinguer les hommes à stress élevé ayant peu de maladies et ceux qui devenaient malades à cause du stress : ils étaient plus activement engagés dans leur travail et dans leur vie sociale, ils étaient plus orientés vers le défi et le changement et ils se sentaient plus en contrôle des événements dans leur vie (Kobasa, 1979).

Bien sûr, on pourrait prétendre que ces différences de personnalité étaient le *résultat* plutôt que la *cause* des maladies. Il est, par exemple, difficile pour les gens de s'engager dans le travail ou dans les activités sociales quand ils sont malades. Les chercheurs ont donc procédé à une étude longitudinale dans laquelle ils ont évalué les caractéristiques de personnalité de gestionnaires en santé pour observer ensuite, sur une période de 2 années, leurs scores de stress quotidien et la gravité de leurs maladies. Les résultats ont montré que les gestionnaires présentant des scores élevés quant à l'engagement, aux sentiments de contrôle et aux réactions positives au changement se sont gardés en meilleure santé que ceux qui avaient de faibles scores sur ces trois dimensions (Kobasa, Maddi et Kahn, 1982). Le facteur le plus important semble être l'attitude face au changement. Les individus qui perçoivent le changement comme un défi — considérant, par exemple, la perte d'un poste comme une occasion de se trouver une nouvelle carrière plutôt que comme un recul — sont susceptibles de connaître moins de stress et de retourner la situation à leur avantage.

On a résumé sous les termes *engagement*, *contrôle* et *défi* les caractéristiques de la personnalité des individus *endurcis*, qui résistent au stress. Ces caractéristiques entretiennent des relations réciproques avec les facteurs qui influencent la gravité du stress, facteurs dont nous avons déjà parlé. Par exemple, l'engagement dans les relations avec autrui procure un appui social en périodes de stress. Le sentiment d'exercer un contrôle sur les événements de la vie reflète le sens de la compétence personnelle et influence également la façon dont on évalue les événements générateurs de stress. Les gens qui ont l'impression d'être capables d'exercer un contrôle sur les situations de stress (au lieu de se sentir impuissants) sont plus susceptibles de prendre les moyens de remédier à la situation. Le défi fait aussi intervenir l'évaluation cognitive, la croyance que le changement est chose normale dans la vie et qu'il devrait être perçu comme une occasion d'épanouissement plutôt que comme une menace à la sécurité.

RÉSUMÉ

1. On a défini le stress comme une *réponse*, un *stimulus* et une *transaction* entre les exigences de l'environnement et la capacité que possède une personne de composer avec elles. Dans la perspective transactionnelle, le stress survient quand un individu évalue qu'un événement surcharge ses ressources à la limite et met son bien-être en péril.

2. L'*évaluation cognitive* que fait une personne détermine le degré de stress. L'*évaluation primaire* consiste à décider qu'une situation est ou non pertinente, ou anodine-positive, ou source de stress (c'est-à-dire qu'elle représente une perte, une menace de perte ou un défi). L'*évaluation secondaire* consiste à juger des ressources dont dispose une personne pour affronter la menace.

3. Les réactions physiologiques qui préparent l'organisme à affronter une menace perçue (la réaction d'urgence, ou de *lutte ou fuite*) dépendent du *système nerveux autonome*, commandé par l'*hypothalamus*. L'hypothalamus envoie également un signal à l'*hypophyse* de sécréter *l'hormone adrénocorticotrope* (ACTH) qui active la libération de nombreuses autres hormones responsables de l'ajustement du corps aux urgences.

4. Le *syndrome général d'adaptation* (SGA) décrit l'adaptation du corps à un stress continu. Ses phases sont la *réaction d'alarme* (phase de choc et contrechoc), la *résistance* et l'*épuisement*.

5. Les réactions psychologiques au stress comprennent le *dysfonctionnement cognitif* (difficulté de concentration et rigidité du comportement), les réponses émotives comme l'*anxiété* (tant objective que névrotique), la *colère* et l'*agressivité* (tant directe que déplacée), l'*apathie* et la *dépression* (qui peut refléter l'*impuissance apprise*).

6. Parmi les sources de stress, on compte les *conflits* entre motivations contradictoires, les *changements de vie* majeurs et les *contrariétés quotidiennes*. La capacité de *prévoir* l'occurrence d'un événement de stress et d'exercer un certain *contrôle* sur sa durée atténue la gravité du stress, tout comme l'*appui social* apporté par autrui.

7. Pour composer avec la situation de stress, les gens ont recours à un mélange de *stratégies axées sur le problème*, visant à changer la situation d'une façon quelconque, et de *stratégies axées sur l'émotion*, visant à réduire l'anxiété sans traiter directement le problème. On appelle *mécanismes de défense* certaines stratégies axées sur l'émotion qui déforment la réalité. Ces mécanismes de défense comprennent le *refoulement*, la *rationalisation*, la *formation réactionnelle*, la *projection*, l'*intellectualisation*, la *dénégation* et le *déplacement*.

8. Les *troubles psychosomatiques* sont des perturbations physiologiques dans lesquelles les émotions joueraient un rôle central. La *médecine behaviorale*, un champ interdisciplinaire, cherche à découvrir comment les facteurs sociaux, psychologiques et biologiques se combinent pour causer la maladie et comment on peut modifier le comportement et le milieu pour protéger la santé.

9. Le stress chronique peut contribuer à l'apparition de troubles physiques, comme les ulcères et les maladies cardiaques, et peut accroître la vulnérabilité à l'endroit des maladies infectieuses en nuisant au fonctionnement du système d'immunité du corps. Les caractéristiques de la *personnalité de Type A* (hostilité, impatience, sens de l'urgence temporelle et ambition) prédisposent un individu à la maladie cardiaque. L'incapacité de contrôler les événements générateurs de stress semble jouer un rôle dans la formation d'ulcères et dans un fonctionnement diminué du système d'immunité.

10. Les caractéristiques de la personnalité des individus qui résistent au stress (ceux qui conservent la santé malgré de nombreux événements stressants dans leur vie) peuvent se résumer dans les termes *engagement*, *contrôle* et *défi*.

BROWN, B. B. *Stress et biofeedback*, Montréal, Étincelle, 1978.
FREUD, A. *Le moi et les mécanismes de défense*, Paris, Payot, 1970.
HANSON, P. G. *Les plaisirs du stress*, Montréal, Les Éditions de l'Homme, 1987.
JACOBSON, E. *Savoir relaxer pour combattre le stress*, Montréal, Les Éditions de l'Homme, 1980.
LAMONTAGNE, Y. *Techniques de relaxation*, Montréal, Éditions France-Amérique, 1982.
LASSONDE, L. *Mieux comprendre son anxiété*, St-Hyacinthe, J.M.L., 1986.
LERICHE, A. M. *La peur*, Paris, Colin, 1975.
LUTHE, W. et SCHULTZ, J. H. *Les techniques autogènes*, Montréal, Décarie éditeur, 1983.
MARX, C. H., MAYER, F., NUTTIN, J., OOSTERRIETH, P. A. et PIAGET, J. *Les processus d'adaptation*, Paris, P.U.F., 1967.
SELYE, H. *Stress sans détresse*, Montréal, La Presse, 1974.
SELYE, H. *Le stress de ma vie*, Montréal, Stanké éditeur, 1976.
SHREEVE, C. M. *La dépression*, Montréal, Éditions France-Amérique, 1986.

LECTURES SUGGÉRÉES

Psychologie anormale

15

Nous connaissons presque tous des périodes au cours desquelles nous nous sentons angoissés, déprimés, irritables sans raison ou incapables d'affronter les problèmes de la vie. Dans une époque de changements sociaux et technologiques si rapides, il n'est pas facile d'arriver à mener une vie satisfaisante qui ait un sens. Beaucoup de nos conceptions traditionnelles sur le travail, la religion, la sexualité, le mariage et la famille sont remises en question et les valeurs sociales et religieuses, dans lesquelles nos grands-parents puisaient un sentiment de sécurité, n'offrent plus une orientation nette à la conduite. Rares sont les individus qui parviennent à traverser la vie sans périodes de solitude, de remises en question et de découragement. En réalité, environ un tiers des Américains devront faire l'expérience, au moins une fois dans leur existence, de problèmes affectifs ou mentaux assez graves qui, si on les soumettait à un diagnostic, seraient classés parmi les troubles mentaux (Robins et coll., 1984).

Dans ce chapitre, nous allons étudier le cas de certains individus qui souffrent de troubles mentaux graves et de personnes qui se sont engagées dans des styles de vie autodestructifs. Nous considérerons également une variété de moyens inefficaces d'affronter le stress et les problèmes de la vie. Les comportements dont nous parlerons sont qualifiés d'« anormaux », mais, comme nous le verrons, la ligne qui sépare les conduites « normale » et « anormale » est loin d'être clairement établie.

COMPORTEMENT ANORMAL

Définition de l'anormalité

Qu'entendons-nous par comportement « anormal »? Quels sont les critères qui nous permettent de le distinguer du comportement « normal »? On ne s'entend pas sur ce point, mais la plupart des tentatives de description de l'anormalité se fondent sur l'une ou plusieurs des définitions suivantes.

LA DÉVIATION PAR RAPPORT AUX NORMES STATISTIQUES   Le terme « *anormal* » signifie « qui s'écarte de la norme ». Beaucoup de traits, comme la taille, la masse et l'intelligence se situent à différents points sur une échelle de grandeur, lorsqu'on les mesure chez une population. La plupart des gens se trouvent dans la région de la moyenne quant à la taille; quelques-uns seulement sont anormalement grands ou petits. Une des définitions de l'état anormal s'appuie donc sur la *fréquence statistique*: la « conduite anormale » est celle qui est statistiquement rare ou qui s'écarte de la norme. Mais, selon cette définition, la personne extrêmement intelligente ou excessivement heureuse serait classée parmi les anormaux. Par conséquent, lorsqu'on définit la conduite anormale, il faut considérer aussi d'autres facteurs, et non la seule fréquence statistique.

LA DÉVIATION PAR RAPPORT AUX NORMES SOCIALES   Toute société possède des lois ou des normes définissant ce qu'est une conduite acceptable; le comportement qui s'écarte de ces normes de façon significative est considéré comme anormal. D'habitude, mais pas toujours toutefois, un tel comportement est également statistiquement peu fréquent dans la société. L'utilisation de la déviation par rapport aux normes sociales comme critère de définition de l'état anormal pose cependant plusieurs problèmes.

Il peut arriver qu'un comportement considéré comme normal dans une société soit vu comme anormal dans une autre. Certaines tribus africaines, par exemple, ne trouvent pas inaccoutumé le fait d'« avoir des visions » ou d'« entendre des voix » lorsqu'il n'y a personne qui parle. Toutefois, dans la plupart des sociétés, les conduites de ce genre sont jugées anormales. Un autre problème vient de ce que le concept de conduite anormale évolue avec le temps dans un même milieu culturel. Il y a 30 ans, la plupart des Américains auraient considéré quelqu'un qui fumait de la marijuana ou qui se montrait nu sur la plage comme une personne anormale. Aujourd'hui, ces types de conduites ont tendance à être perçus comme des styles de vie différents plutôt que comme les signes d'un état anormal.

Ainsi, les conceptions de ce qui est normal et de ce qui est anormal varient d'une société à l'autre et se modifient avec le temps au sein d'une même société. Toute définition de l'état anormal doit donc comporter plus que la simple notion de conformité aux normes sociales.

LE CARACTÈRE INADAPTÉ DE LA CONDUITE   Plutôt que de définir la conduite anormale en termes de déviation par rapport à des normes soit statistiques, soit sociales, plusieurs spécialistes des sciences sociales croient que le critère le plus important est la façon dont cette conduite affecte le bien-être de l'individu et/ou du groupe social. Selon ce critère, est anormale la conduite qui contribue à l'*inadaptation* — c'est-à-dire celle qui a des effets négatifs sur l'individu ou sur la société. Certains types de déviation nuisent au bien-être de l'individu (l'homme qui a tellement peur des foules qu'il ne peut prendre l'autobus ou le métro pour se rendre à son travail; l'alcoolique qui devient incapable de garder un emploi; la femme qui tente de se suicider). D'autres formes de déviation nuisent à la société (l'adolescent qui entre dans des crises d'agressivité violente; l'individu paranoïde qui trame l'assassinat de personnages politiques). Si nous avons recours au critère de l'inadaptation, tous les cas dont nous venons de parler seront considérés comme anormaux.

L'ÉTAT DE DÉSARROI PERSONNEL   Un quatrième critère se rapporte aux sentiments subjectifs éprouvés par l'individu qui se trouve dans un état anormal — dans un état de désarroi — plutôt qu'au comportement de ce même individu. La plupart des gens considérés comme « malades mentaux » se sentent très malheureux; ils sont angoissés, déprimés ou agités et certains souffrent d'insomnie, de perte d'appétit et de nombreux maux et douleurs. Parfois, il est possible que le désarroi personnel soit le seul symptôme; la conduite de l'individu peut paraître normale à un observateur occasionnel.

Aucune de ces définitions ne constitue à elle seule une description complète et satisfaisante de la conduite anormale. Dans la plupart des cas, on fait appel aux quatre critères — fréquence statistique, déviation sociale, inadaptation de la conduite et désarroi personnel — quand on pose un diagnostic d'état anormal. La définition *juridique* d'un tel état (qui consiste à déclarer une personne *aliénée* en se fondant surtout sur son incapacité de distinguer le bien du mal ou d'exercer un contrôle sur son comportement) est moins appropriée au diagnostic que chacun des quatre critères présentés ici. Nous nous permettons d'insister sur le fait que l'*aliénation* est un terme juridique que les psychologues n'utilisent pas quand ils parlent des états anormaux.

Qu'est-ce que la normalité?

Il est encore plus difficile de définir ce qui est normal que ce qui est anormal, mais la plupart des psychologues seraient d'accord pour dire que les qualités qui suivent sont des indices d'un bon état émotionnel. Ces caractéristiques n'établissent pas de démarcation nette entre la « santé mentale » et la « maladie mentale »; elles représentent plutôt les traits que la personne

The Scream d'*Edward Munch (1893)*

normale possède à un *degré supérieur* comparativement à l'individu reconnu comme anormal.

1. *Une perception juste de la réalité*   Les individus normaux sont assez réalistes dans leur évaluation de leurs propres réactions et aptitudes et dans leur interprétation de ce qui se passe dans le monde qui les entoure. Ils ne se trompent pas systématiquement sur ce que disent et font les autres, ils ne surestiment pas constamment leurs aptitudes en entreprenant plus qu'ils ne peuvent réaliser et ils ne sous-estiment pas non plus leurs capacités en se dérobant aux tâches difficiles.

2. *La connaissance de soi*   Les gens bien équilibrés ont une certaine conscience de leurs propres mobiles et sentiments. Bien que personne parmi nous n'arrive à une parfaite compréhension de ses sentiments ou de sa conduite, les individus normaux ne se cachent pas à eux-mêmes des mobiles ou des sentiments importants. Ils ont une meilleure conscience de ce qu'ils sont et de ce qu'ils font que ceux qu'on juge comme « malades mentaux ».

3. *La capacité d'exercer un contrôle volontaire sur sa conduite*   Les individus normaux sont assez confiants dans leur possibilité de contrôler et d'orienter leur conduite. Ils peuvent agir de façon impulsive à l'occasion, mais ils sont capables de contenir leurs pulsions sexuelles et agressives quand c'est nécessaire. Il peut leur arriver de ne pas se conformer aux normes sociales, mais leur décision d'agir de la sorte est volontaire et non pas le résultat d'impulsions incontrôlables.

4. *L'estime de soi et le sentiment d'être accepté par les autres*   Les personnes bien équilibrées ont une certaine conscience de leur valeur personnelle et se sentent acceptées par leur entourage. Elles sont à l'aise avec les autres et capables de réagir spontanément dans les situations sociales. De la même façon, elles ne se sentent pas obligées de subordonner leurs opinions à celles du groupe. Chez les individus jugés anormaux, ce sont des sentiments de carence de valeur personnelle, d'aliénation et de non-acceptation par les autres qui prédominent.

5. *La capacité de se créer des relations d'affection*   Les individus normaux sont capables de relations intimes et satisfaisantes avec les autres. Ils sont sensibles aux sentiments d'autrui et ne sont pas exigeants en ce qui a trait à la satisfaction de leurs propres besoins. Souvent, les personnes qui souffrent de troubles mentaux sont tellement inquiètes de leur propre sort qu'elles se replient sur elles-mêmes de façon excessive; préoccupées par leurs propres sentiments et efforts, elles recherchent l'affection, mais sont incapables de rendre la réciproque. Parfois, elles craignent l'intimité parce que leurs relations antérieures se sont révélées néfastes.

6. *La productivité*   Les personnes équilibrées sont capables d'utiliser leurs ressources pour des activités productives. Elles ont le goût de vivre et n'ont pas besoin de se forcer pour répondre aux exigences quotidiennes. Les symptômes résultant de tensions psychologiques et de problèmes laissés sans solutions sont souvent un manque chronique d'énergie et une vulnérabilité excessive à la fatigue.

Certaines personnes cherchent dans le travail créateur un exutoire à leurs conflits non résolus. Les artistes-peintres Van Gogh et Munch étaient probablement gravement perturbés sur le plan affectif (si on en juge d'après les descriptions qu'on a de leur comportement) et on se demande si leurs capacités de création auraient été aussi fortes s'ils avaient été mieux adaptés sur le plan affectif. La question est discutable, mais l'histoire de leur vie montre de façon évidente qu'ils ont produit leurs œuvres au prix de grandes souffrances pour eux et pour leurs proches. Même si quelques personnes perturbées arrivent à tirer avantage de leurs problèmes, la plupart des malades mentaux sont incapables d'employer leurs pleines ressources créatrices parce que leurs conflits émotionnels inhibent leur productivité.

Classification des comportements anormaux

Une vaste gamme de comportements ont été classés comme « anormaux ». Certains sont du type aigu et passager, conséquences d'un épisode de stress particulièrement violent, alors que d'autres sont du type chronique et durent toute une vie. Certains prennent leur origine dans des maladies ou des lésions du système nerveux; d'autres sont causés par des environnements sociaux insatisfaisants ou de mauvaises expériences d'apprentissage. Souvent ces facteurs chevauchent et exercent des actions réciproques les uns sur les autres. Le comportement et les problèmes affectifs de chaque individu sont uniques;

Autoportrait de *Vincent van Gogh* (1887)

il n'est pas deux personnes qui se conduisent exactement de la même manière ou qui partagent les mêmes expériences de la vie. Toutefois, il existe suffisamment de similitudes pour permettre aux professionnels de la santé mentale de classer les cas dans des catégories.

Un système de classification présente des avantages et des inconvénients. Si les divers types de comportement anormal ont des causes différentes, nous pouvons espérer découvrir ces causes en regroupant les individus d'après des ressemblances dans leur comportement pour chercher ensuite d'autres points sur lesquels ces personnes pourraient se ressembler. Une étiquette diagnostique permet également à ceux qui travaillent auprès d'individus perturbés de communiquer l'information plus rapidement et de façon plus concise. Le diagnostic d'un *trouble schizophrénique* est passablement révélateur de la conduite d'une personne. Le fait de savoir que les symptômes d'un individu sont semblables à ceux d'autres patients (dont le progrès a suivi un cheminement particulier ou qui ont tiré profit d'un certain type de traitement) est également utilisé pour décider comment traiter cet individu.

Cependant, certains inconvénients peuvent apparaître si nous accordons une trop grande importance à l'étiquette diagnostique. En effet, l'attribution d'une étiquette nous amène à ne pas porter attention aux caractéristiques uniques de chaque cas et à nous attendre à ce que la personne se conforme à la classification. Il peut nous arriver également d'oublier qu'une étiquette de comportement maladapté n'est pas une explication de ce comportement; la classification ne nous dit rien sur l'origine du comportement ni sur ce qui fait qu'il persiste. Il est également important de se souvenir que ce sont les comportements de l'individu qui reçoivent une étiquette les déclarant anormaux et *non pas* l'individu lui-même. Par conséquent, nous parlons de

TABLEAU 15-1
Catégories de troubles mentaux *Liste des principales catégories diagnostiques du DSM-III. Chaque catégorie comprend de nombreuses sous-classifications. Nous avons omis dans ce tableau quelques catégories laissées de côté («non classifiées ailleurs»). (D'après l'American Psychiatric Association, 1980)*

1. **Troubles qui apparaissent pour la première fois peu après la naissance et durant l'enfance ou l'adolescence**

   Cette catégorie comprend l'arriération mentale, l'hyperactivité, les angoisses de l'enfance, les troubles associés à l'alimentation (l'anorexie, par exemple) et d'autres déviations par rapport au développement normal.

2. **Troubles mentaux organiques**

   Désigne les troubles dans lesquels les symptômes psychologiques sont directement liés à un dommage cérébral ou au caractère anormal du milieu biochimique du cerveau; ils peuvent être le résultat du vieillissement, de maladies attribuables à la dégénérescence du système nerveux (exemples: la syphilis, la maladie d'Alzheimer) ou de l'absorption de substances toxiques (exemples: intoxication par le plomb, alcoolisme extrême).

3. **Troubles liés à l'usage de substances**

   Comprend l'abus de l'alcool, des barbituriques, des amphétamines, de la cocaïne et d'autres stupéfiants qui affectent la conduite. On a aussi inclus la marijuana et le tabac dans cette catégorie, ce qui entraîne beaucoup de controverses.

4. **Troubles schizophréniques**

   Groupe de troubles caractérisés par la perte de contact avec la réalité, perturbations prononcées de la pensée et de la perception et comportements bizarres.

5. **Troubles paranoïdes**

   Troubles caractérisés par des suspicions excessives et de l'hostilité, accompagnés de sentiments de persécution; le contact avec la réalité dans les autres domaines est satisfaisant.

6. **Troubles affectifs**

   Perturbations de l'humeur normale; la personne peut se sentir extrêmement déprimée, être l'objet d'une exaltation anormale, ou elle peut alterner entre périodes d'exaltation et de dépression.

7. **Troubles d'anxiété**

   Cette catégorie comprend les perturbations dans lesquelles l'anxiété est le symptôme principal (anxiété généralisée ou troubles liés à la panique), ainsi que

quelqu'un qui souffre d'un trouble schizophrénique (qui peut changer ou ne pas changer avec le temps) plutôt que de dire que cette personne est un ou une schizophrène. Les étiquettes devraient être attribuées à l'état de l'individu plutôt qu'à l'individu lui-même.

Pour la classification des troubles mentaux, la plupart des professionnels de la santé mentale en Amérique du Nord utilisent le *Diagnostic and Statistical Manual of Mental Disorders*, 3ᵉ édition, DSM-III (Manuel diagnostique et statistique des troubles mentaux), qui correspond étroitement au système international proposé par l'Organisation mondiale de la santé (OMS). Le tableau 15-1 dresse la liste des principales catégories de troubles mentaux qui sont classés dans le DSM-III. Nous traiterons plus en détail de quelques-uns de ces troubles mentaux plus loin dans ce chapitre.

Sous chacun de ces titres, le DSM-III nous offre une liste détaillée de sous-catégories, de même qu'une description des symptômes qu'on doit constater pour que le diagnostic s'applique. Le diagnostic individuel complet embrasse la plupart des aspects de la personne. En plus des principales catégories de diagnostic, il comprend:

1. Une description des caractéristiques saillantes de la personnalité du malade et ses façons d'affronter le stress.
2. Une liste de tout trouble physique actuel qui pourrait être pertinent pour la compréhension et le traitement du malade.
3. Un relevé des événements de stress qui auraient pu déclencher le trouble (divorce, perte d'un être cher, etc.).
4. Une évaluation de la capacité de fonctionnement social et occupationnel de l'individu au cours de l'année précédente.

---

les perturbations dans lesquelles l'anxiété apparaît dès que l'individu est en présence de situations redoutées (troubles phobiques) ou s'il ne s'efforce pas de résister à l'exécution de certains comportements rituels ou à l'entretien de pensées persistantes (troubles de compulsion obsessionnelle).

8. Troubles «somatoformes»

Les symptômes sont physiques, mais on ne peut leur découvrir aucun fondement organique; ce sont les facteurs psychologiques qui semblent y jouer le rôle principal. Cette catégorie comprend les troubles de conversion (par exemple, la femme qui répugne à s'occuper de sa mère invalide contracte soudainement une paralysie du bras) et l'hypocondrie (préoccupation exagérée de sa santé et peur d'être malade, alors qu'il n'y a aucune raison de s'en inquiéter).

9. Troubles dissociatifs

Modifications temporaires des fonctions de la conscience, de la mémoire ou de l'identité qui sont attribuables à des problèmes affectifs. Comprennent l'amnésie à la suite d'une expérience traumatique (l'individu ne peut se rappeler de rien de ce qui lui est arrivé) et la personnalité multiple (deux ou plusieurs systèmes de personnalité habitant le même individu).

10. Troubles psychosexuels

Regroupe les problèmes d'identité sexuelle (le transsexualisme, par exemple), de performance sexuelle (impotence, éjaculation précoce, frigidité) et d'objet sexuel (intérêt sexuel d'un adulte dirigé vers les enfants, par exemple). L'homosexualité n'est considérée comme un trouble que si l'individu est malheureux de son orientation sexuelle et souhaite la changer.

11. États non attribuables à un trouble mental

Cette catégorie comprend plusieurs des problèmes qui amènent les gens à rechercher de l'aide: problèmes matrimoniaux, difficultés parents-enfants, traitement abusif des enfants.

12. Troubles de personnalité

Schèmes de comportement mal adapté qui durent depuis longtemps et qui représentent des moyens infantiles et inadéquats d'affronter le stress ou de résoudre les problèmes. Les troubles de personnalité antisociale et narcissiste en sont deux exemples.

Toutes ces variables sont utiles pour décider du traitement et établir un pronostic.

Vous avez probablement entendu les termes « névrose » et « psychose » et vous vous demandez peut-être où ils se situent dans les catégories de troubles mentaux dont le tableau 15-1 établit la liste. Traditionnellement, ces termes désignaient de grandes catégories diagnostiques. Les *névroses* comprenaient un groupe de perturbations caractérisées par l'angoisse, le sentiment d'être malheureux et des comportements mal adaptés qui étaient rarement assez graves pour nécessiter l'hospitalisation. L'individu était généralement considéré capable d'un fonctionnement minimal dans la société. Les *psychoses* représentaient des troubles mentaux plus graves. Le comportement de l'individu et ses processus de pensée étaient tellement perturbés qu'il avait perdu contact avec la réalité, était incapable de composer avec les exigences de la vie quotidienne et devait généralement être hospitalisé.

Ni les névroses, ni les psychoses n'apparaissent parmi les catégories principales du DSM-III. Il y a plusieurs raisons à cette dérogation aux systèmes de classification précédents, mais la principale a trait à la précision du diagnostic. Ces deux catégories étaient plutôt vastes et regroupaient un certain nombre de troubles mentaux à symptômes assez différents. Il s'ensuivait que les professionnels de la santé mentale ne s'entendaient pas toujours sur le diagnostic appliqué à un cas particulier. Grâce au DSM-III, on essaie d'en arriver à un consensus plus général en regroupant les troubles en fonction de symptômes de comportement très précis, sans rien laisser entendre sur leurs origines ou sur le traitement. L'intention est de décrire ce que les cliniciens *observent* à propos des individus qui ont des problèmes psychologiques de manière à assurer la communication entre professionnels de la santé mentale. En conséquence, le DSM-III comprend beaucoup plus de catégories que les éditions précédentes de ce manuel. Des troubles auparavant classés sous les névroses (parce qu'on présumait qu'ils constituaient des façons d'affronter les conflits internes) se retrouvent maintenant dans le DSM-III sous trois catégories distinctes: troubles d'anxiété, troubles somatoformes et troubles dissociatifs.

Même si la psychose n'est plus une catégorie principale du DSM-III, on reconnaît que les individus, chez lesquels on a diagnostiqué des troubles schizophréniques et paranoïdes, certains troubles affectifs et certains troubles mentaux organiques, manifestent à certains moments dans leur maladie des *comportements psychotiques*. Ces individus évaluent de façon inexacte leurs perceptions et leurs pensées et font des inférences incorrectes concernant le déroulement des événements. La personne peut être l'objet d'*hallucinations* (fausses expériences sensorielles, comme le fait d'entendre des voix ou d'avoir des visions étranges) et/ou de *délires* (fausses croyances, comme le fait d'avoir la conviction que toutes les pensées sont contrôlées par un être puissant habitant une autre planète).

Ces questions vont s'éclairer lorsque nous examinerons de plus près certains des troubles mentaux présentés dans le tableau 15-1. Dans le reste de ce chapitre, nous allons étudier les troubles d'anxiété, les troubles affectifs, la schizophrénie et un type de trouble de la personnalité. L'alcoolisme et la sujétion aux drogues (tous deux classés parmi les troubles liés à l'usage de substances) ont été considérés au chapitre 4. On a également parlé, dans ce même chapitre, de la personnalité multiple, qui constitue un trouble dissociatif.

TROUBLES D'ANXIÉTÉ

Nous nous sentons tous, pour la plupart, angoissés et tendus face aux situations qui sont menaçantes ou sources de stress. Les sentiments de ce genre sont des réactions normales au stress. L'anxiété n'est considérée anormale que si elle survient dans des situations que la plupart des gens sont capables de maîtriser sans grande difficulté. Les *troubles d'anxiété* désignent un groupe de perturbations dans lesquelles l'anxiété constitue soit le symptôme principal (*anxiété généralisée* ou *troubles de panique*), soit le sentiment associé à l'effort de l'individu en vue de contrôler certains comportements mal adaptés (*troubles phobiques* et *troubles de compulsion obsessionnelle*).

Anxiété généralisée et troubles de panique

La personne qui souffre d'un *trouble d'anxiété généralisée* passe toutes ses journées dans un état de forte tension. Elle se sent vaguement mal à l'aise ou craintive la plupart du temps et elle est portée à réagir de façon excessive aux stress même légers. Les symptômes d'ordre physique les plus usuels sont l'incapacité de se détendre, la perturbation du sommeil, la fatigue, les céphalées, l'étourdissement et les palpitations cardiaques. En outre, le malade s'inquiète continuellement de problèmes éventuels et éprouve de la difficulté à se concentrer ou à prendre des décisions. Quand il parvient finalement à une décision, celle-ci devient la source d'inquiétudes additionnelles (« Ai-je prévu toutes les conséquences possibles ? » ou « Est-ce que cela va entraîner un désastre ? »). Le tableau 15-2 présente des descriptions fondées sur le témoignage de personnes aux prises avec des niveaux élevés d'anxiété chronique.

Les gens qui souffrent d'anxiété généralisée peuvent également être l'objet de crises de panique — épisodes de craintes ou de terreurs aiguës et envahissantes. Durant ces crises de panique, l'individu a la certitude que quelque chose d'épouvantable est sur le point de se produire. Ce sentiment s'accompagne généralement de symptômes comme les palpitations cardiaques, le manque de souffle, la transpiration, les tremblements musculaires, les étourdissements et la nausée. Ces symptômes sont le résultat de l'excitation de la division sympathique du système nerveux autonome (voir à la p. 53) et sont identiques aux réactions de l'individu qui a extrêmement peur. Au cours des crises de panique graves, la personne craint de mourir. Le récit personnel qui suit décrit jusqu'à quel point ce type d'expérience peut être terrifiant :

> Je me souviens que je marchais dans la rue, la lune luisait et soudain tout ce qui m'entourait parut étrange, comme dans un rêve. J'ai senti la panique monter en moi, mais j'arrivai à la repousser et à continuer. J'ai parcouru un demi-kilomètre à peu près, la panique s'aggravait à chaque minute... À ce moment, je transpirais tout en tremblant ; mon cœur battait rapidement et j'avais l'impression que mes jambes avaient la consistance d'une gelée... Terrifié, je me tins immobile, ne sachant que faire. Le peu de bon sens qu'il me restait me disait de retourner à la maison. Tant bien que mal, c'est ce que je fis lentement, m'agrippant aux clôtures sur la route. Je suis incapable de me souvenir du trajet même du retour, jusqu'au moment où j'entrai dans la maison, m'effondrant alors en larmes, sans ressources... Je suis resté à l'intérieur pendant quelques jours. Je me risquai à sortir en compagnie de ma mère et du bébé pour aller chez ma grand-mère, à quelques kilomètres de chez-nous. Là, je fus pris de panique, j'étais incapable d'endurer le bébé. Mon cousin a proposé que nous allions à la maison de ma tante, mais rendu là, j'ai eu une autre crise. J'étais certain que j'allais mourir. Par la suite, j'étais totalement incapable de sortir seul et même avec quelqu'un, c'était avec grande difficulté. En plus d'avoir ces crises d'étourdissement panique, je vivais dans l'appréhension constante de la prochaine crise. (Melville, 1977, p. 1, 14)

Les gens qui sont l'objet d'anxiété généralisée et de troubles de panique n'ont habituellement pas d'idée claire de ce qui leur fait peur. On dit parfois de cette sorte d'anxiété qu'elle est « flottante » parce qu'elle n'est pas déclenchée par un événement précis ; elle survient plutôt dans une variété de situations.

Phobies

Par contraste avec la vague appréhension des troubles d'anxiété généralisée, les peurs qui accompagnent les troubles phobiques sont plus définies. On dit de quelqu'un qu'il est atteint d'une *phobie* s'il réagit en ressentant une peur intense à un stimulus ou à une situation que la plupart des gens ne trouvent pas particulièrement dangereuse. L'individu admet généralement que

TABLEAU 15-2
Symptômes d'anxiété généralisée *Les énoncés présentés ici sont des descriptions qu'ont données d'eux-mêmes des individus qui avaient des niveaux élevés d'anxiété chronique. (D'après Sarason et Sarason, 1984)*

> *Je suis souvent dérangé par le battement de mon cœur.*
>
> *Les petits ennuis me tapent sur les nerfs et m'irritent.*
>
> *Il m'arrive souvent de me sentir effrayé pour aucune raison valable.*
>
> *Je m'inquiète continuellement et ça me déprime.*
>
> *J'ai souvent des épisodes de fatigue et d'épuisement total.*
>
> *Il m'est toujours difficile de me décider.*
>
> *J'ai toujours l'air de redouter quelque chose.*
>
> *Je me sens nerveux et tendu tout le temps.*
>
> *J'ai souvent l'impression d'être incapable de surmonter mes difficultés.*
>
> *Je me sens constamment sous pression.*

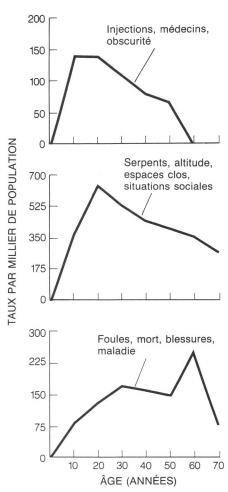

FIGURE 15-1

Peurs usuelles en fonction de l'âge *Ces graphiques font voir la prédominance de peurs particulières rapportées par des gens d'âges différents. Les peurs qui suivent le même pattern général d'âge sont représentées ensemble. Par exemple, la peur des injections, des médecins et de l'obscurité atteint un sommet vers l'âge de 10 ans et décroît ensuite. La peur des serpents, de l'altitude, des espaces clos et des situations sociales atteint un point culminant à l'âge de 20 ans. La peur des foules, de la mort, des blessures ou de la maladie devient prédominante plus tard dans la vie. (D'après Agras, Sylvester et Oliveau, 1969)*

sa peur est irrationnelle, mais il n'en ressent pas moins de l'anxiété (qui peut aller d'un fort sentiment de malaise jusqu'à la panique), qui ne peut être atténuée qu'en évitant l'objet ou la situation redoutés.

Nous avons presque tous peur de quelque chose ; les serpents, l'altitude, les tempêtes, les médecins, la maladie, les blessures et la mort sont les sept peurs les plus fréquemment rapportées par des adultes (Agras, 1975). Comme vous pouvez le constater à la figure 15-1, la prédominance des peurs particulières varie avec l'âge. Il semble y avoir un continuum entre ces peurs habituelles et les phobies, ce qui rend la distinction entre les deux un peu arbitraire. Cependant, une peur ne reçoit habituellement pas un diagnostic de phobie, à moins qu'elle n'entraîne des interférences considérables dans la vie quotidienne de l'individu. Une femme que la peur des endroits clos empêche de prendre l'ascenseur ou un homme que la crainte des foules empêche d'aller au théâtre ou de circuler sur des trottoirs encombrés seraient des exemples de phobie.

Le DSM-III divise les troubles phobiques en trois grandes catégories : les *phobies simples*, les phobies sociales et l'agoraphobie. Une phobie simple est la peur d'un objet, d'un animal ou d'une situation particulière. Les peurs irrationnelles des serpents, de l'altitude, des espaces clos et de l'obscurité en sont des exemples. Certaines personnes peuvent développer une phobie simple, mais rester normales sous les autres rapports. Dans les cas les plus graves, les individus ont un certain nombre de phobies qui nuisent à plusieurs autres aspects de leur vie et qui peuvent être imbriquées avec des comportements obsessifs ou compulsifs (voir la figure 15-2).

Les gens qui ont des *phobies sociales* ressentent une insécurité extrême dans les situations sociales et éprouvent une crainte exagérée de se trouver embarrassés. Souvent, ils ont peur de trahir leur anxiété par des signes comme le tremblement des mains, les rougeurs au visage ou des tremblements d'émotion dans la voix. Ces craintes sont généralement irréalistes : les individus qui ont peur de trembler ne tremblent pas ; ceux qui ont peur de bégayer ou de chevroter parlent, d'habitude, assez naturellement. Les plaintes que formulent le plus souvent les individus qui ont des phobies sociales portent sur la peur de parler ou de manger en public.

L'agoraphobie est celle que l'on rencontre le plus fréquemment chez les gens qui sollicitent une aide professionnelle. C'est également la phobie qui crée les plus graves handicaps. Le terme vient du grec et signifie « peur de la place du marché ». Les individus qui souffrent d'agoraphobie craignent de pénétrer dans des milieux qui leur sont étrangers. Ils évitent les espaces extérieurs, les foules et les voyages. Dans les cas extrêmes, il peut arriver que l'individu ait peur de quitter le milieu familier de sa résidence. L'incident qui suit, et qui concerne une femme souffrant d'agoraphobie, montre à quel point ces peurs peuvent causer du désarroi.

La personne qui vit à côté est une personne très gentille et je l'aime bien. Un jour, elle m'a demandé si je voulais la conduire en voiture à un grand centre commercial qu'on avait ouvert récemment à environ 8 kilomètres de l'endroit où nous vivons. Je ne savais pas comment lui dire que pour rien au monde je n'irais à ce centre commercial ni à tout autre endroit dans le voisinage. Elle doit avoir constaté à quel point j'étais troublée, car je tremblais comme une feuille et encore plus à l'intérieur de moi. Je m'imaginais dans la foule, m'égarant ou perdant connaissance. J'étais terrifiée par l'espace ouvert du centre commercial et par les foules. J'ai trouvé une excuse pour cette fois, mais je ne sais pas ce que je vais dire la prochaine fois. Peut-être que je vais tout simplement devoir lui avouer mon petit brin de folie (Sarason et Sarason, 1984, p. 140).

Les agoraphobiques ont généralement un passé de crises de panique. Ils deviennent effrayés à l'idée qu'une de ces crises les rende impuissants, loin de la sécurité de leur maison, à un endroit où ils ne pourraient compter sur personne pour leur venir en aide. Les espaces clos et bondés (tel un autobus ou un théâtre), où il serait difficile de s'échapper vers un endroit sûr, sont tout particulièrement terrifiants. Mais les agoraphobiques craignent également les espaces ouverts (grandes étendues d'eau, vastes plaines, rues dégarnies) et se sentent plus à l'aise quand l'espace est entouré d'arbres ou près

FIGURE 15-2
Phobies

Un jeune homme de 18 ans, qui commençait ses études collégiales, s'est adressé aux services de santé pour les étudiants parce que, chaque fois qu'il quittait la chambre qu'il occupait à la résidence du collège pour se diriger vers les salles de cours, il était pris de panique. « C'était si fort parfois que je pensais m'effondrer en me rendant au cours. Cela me donnait une impression terrifiante et je me suis mis à avoir peur de quitter la résidence. » Il n'arrivait pas à comprendre ses sentiments, puisqu'il était raisonnablement satisfait de ses cours et de ses professeurs. Même une fois de retour à la résidence, il était incapable de faire face à quelqu'un pendant plusieurs heures ou de se concentrer sur ses devoirs. Mais quand il restait dans sa chambre ou tout près de celle-ci, il se sentait assez bien.

Au cours des rencontres avec son thérapeute, le jeune homme parla d'autres peurs comme celle de contracter la syphilis ou de devenir prématurément chauve. À certains moments, ces craintes étaient assez intenses et persistantes pour l'amener à se nettoyer compulsivement les mains, les parties génitales et la tête jusqu'à ce que ces régions deviennent rouges, parfois même jusqu'à ce qu'elles saignent. En outre, il ne touchait aux poignées de porte qu'à contrecœur, ne buvait jamais à un abreuvoir public et ne se servait que des cabinets de toilette de sa maison ou de la résidence. Il admettait que ses craintes étaient sans fondement et exagérées, mais il avait également l'impression que plusieurs des précautions qu'il prenait et une bonne part de son inquiétude constante étaient nécessaires pour lui épargner une « angoisse mentale » encore plus grande.

L'examen du passé de cet étudiant a révélé qu'il entretenait de graves inquiétudes quant à son identité sexuelle et à sa virilité. Plus jeune, il avait évité de jouer avec les autres garçons parce qu'il ne pouvait courir aussi vite qu'eux ou lancer la balle aussi loin. Sa mère avait fortement récompensé sa tendance à ne pas se joindre aux autres, convaincue qu'elle était qu'il se ferait blesser s'il participait à leurs « chamailleries ». Il connut une maturation tardive et avait fait un séjour traumatisant dans un camp d'été, à peu près à l'époque où la plupart de ses compagnons parvenaient à la puberté. Constatant qu'il était moins développé sur le plan sexuel que ses camarades, il s'inquiéta de ses déficiences — il se demanda s'il était destiné à devenir une fille et il se mit à craindre des assauts sexuels de la part des autres garçons.

Malgré l'apparition tardive de sa puberté, il continua à s'inquiéter de son identité masculine et se mit même à s'imaginer à l'occasion qu'il était une fille. À ces moments-là, il devenait extrêmement angoissé et pensait sérieusement à se suicider.

L'objectif immédiat du traitement du thérapeute fut d'éliminer la peur irrationnelle de quitter la résidence, ce qui fut réalisé au moyen de la méthode de désensibilisation systématique (voir au chapitre 16). Il était évident, toutefois, que dans ce cas, les phobies étaient partie intégrante d'un problème profondément enraciné d'identité sexuelle qui allait exiger une psychothérapie intensive. (Kleinmuntz, 1974, p. 168-169)

d'un espace fermé (peut-être symbolique de leur chez-soi) facile à atteindre. Ce sont généralement des personnes très dépendantes. Un grand pourcentage des agoraphobiques ont manifesté de l'anxiété de séparation (peur d'être gardé éloigné de la mère) au cours de l'enfance, longtemps avant de devenir agoraphobiques (Gittelman et Klein, 1985). Alors que les phobies simples et les phobies sociales sont relativement faciles à traiter, l'agoraphobie est beaucoup plus tenace.

Troubles de compulsion obsessionnelle

Les individus qui souffrent de *psychonévrose obsessionnelle* se sentent obligés de penser à des choses auxquelles ils préféreraient ne pas penser ou de poser des gestes qu'ils ne désirent pas poser. Les *obsessions* consistent dans des intrusions persistantes de pensées ou d'images importunes. Les *compulsions* sont des impulsions irrésistibles vers l'exécution de certains actes ou rituels. Des pensées obsessionnelles peuvent être associées à des actions compulsives — par exemple, l'idée de l'existence de germes tenaces combinée avec la compulsion portant à laver les ustensiles plusieurs fois avant de les utiliser.

Nous avons tous à certains moments des pensées qui nous reviennent constamment (« Ai-je bien fermé la porte à clef? ») et des tendances à adopter des comportements rituels (« toucher » du bois après s'être vanté de sa chance). Mais quand une personne est affligée d'un trouble de compulsion obsessionnelle ou victime d'une psychonévrose obsessionnelle, ce genre de pensées occupent tellement de temps qu'elles nuisent sérieusement à la vie quotidienne. L'individu se rend compte du caractère irrationnel de ces pensées, mais il est incapable de les contrôler. Les pensées obsessionnelles se rapportent à une grande variété de sujets, mais la plupart du temps, elles ont trait à l'exécution d'actes agressifs ou sexuels. Il est possible qu'un jeune homme pense constamment à exhiber ses parties génitales en public ou à crier des

FIGURE 15-3
Pensées obsessionnelles

Une jeune femme de 32 ans, mère de deux petits enfants, vint demander de l'aide parce qu'elle ressentait un grand désarroi: elle avait des pensées obsessionnelles, importunes et répugnantes, dans lesquelles elle se voyait brutaliser et tuer ses enfants. En de rares occasions, son mari était aussi une « victime ». Ces pensées étaient tellement répugnantes, insensées et étrangères à ses sentiments conscients qu'elle avait longtemps eu peur de demander de l'aide et s'était sentie embarrassée de le faire. Elle avait vécu seule avec son problème pendant près de deux ans, en dépit d'une douleur psychologique, d'une tension et d'une agitation considérables. Finalement, la difficulté, qui allait en s'aggravant, atteint un sommet intolérable.

Ces pensées qui la troublaient terriblement n'étaient en fait pas tellement différentes de ce que toute jeune femme normale peut ressentir, face à ses enfants. Il peut arriver à bien des jeunes parents, moins inhibés et plus spontanés que cette maman, de dire de temps en temps: « Ah! aujourd'hui, j'aurais envie de jeter David par la fenêtre! Il m'énerve tellement! » La plupart des mères ne se sentent pas menacées par cette pensée ni très coupables de l'avoir eue. Elles l'oublient probablement assez vite. Mais la patiente en question était très effrayée par ces pensées et elle les désapprouvait. Pour elle, l'idée était presque aussi menaçante et aussi culpabilisante que l'acte lui-même.

Cette femme avait acquis tôt dans la vie un besoin défensif de nier la présence de tout sentiment négatif. Pour se protéger contre la culpabilité découlant du fait de nourrir des pensées aussi « terribles », elle s'était efforcée de s'en dissocier, de nier qu'elles étaient siennes. « Ce sont tout simplement des mots effroyables qui me viennent à la tête Ils n'ont rien à voir du tout avec ma façon de penser. Il n'est absolument pas possible que ce soient mes idées... »

La patiente avait été élevée par une mère angoissée qui manquait de confiance en elle et qui était incapable d'admettre chez elle ou chez ses enfants la moindre manifestation de sentiments négatifs. Sa fille comprit vite que tous les sentiments, sauf les sentiments d'amour, devaient être refoulés ou déniés. Cette patiente était l'aînée de trois enfants et on lui avait confié des responsabilités démesurées liées au soin des deux autres enfants. Elle se sentait dépossédée de sa part de l'affection de ses parents, éprouvait beaucoup de ressentiment à l'endroit de sa petite sœur et de son petit frère et s'imaginait comment les choses seraient s'ils n'étaient pas là. Les fantasmes meurtriers qu'elle avait occasionnellement à leur égard étaient accompagnés d'une culpabilité et d'une angoisse énormes. Par conséquent, les fantasmes et les sentiments émotionnels qui y étaient liés avaient été complètement refoulés et écartés de la conscience. Ces conflits antérieurs avaient été réactivés durant son mariage, quand les besoins de son mari et de ses enfants semblaient devoir l'emporter sur les siens. (Laughlin, 1967, p. 324-325)

obscénités quand il se trouve à l'église, ou qu'une mère pense continuellement à noyer son bébé dans la baignoire. La probabilité que ces pensées se transforment en actes est mince. Néanmoins, les individus qui sont hantés par de telles pensées obsessives en sont horrifiés; ils sont incapables de comprendre pourquoi elles reviennent et vivent dans la crainte de passer à ces actes « redoutables ». La figure 15-3 raconte l'histoire d'une jeune maman qui était affligée par l'idée fixe d'assassiner ses deux petits enfants. La sorte d'interdiction que ses parents avaient imposé à l'expression de tout sentiment négatif est assez caractéristique des antécédents des personnes qui finissent par avoir des troubles de compulsion obsessionnelle. Quand ils sont supprimés ou reniés, les sentiments normaux de colère deviennent une partie « aliénée » de la personnalité et ne trouvent une expression que de façons indirectes.

Les actes compulsifs vont des modes bénins de comportements superstitieux — comme le fait de ne pas marcher sur les lignes de séparation des trottoirs ou celui de disposer les objets sur son bureau dans un ordre précis avant de commencer un travail — jusqu'à des rituels compliqués comme ceux décrits dans la figure 15-4.

La plupart d'entre nous retirons une certaine satisfaction de l'exécution de routines ou de rituels familiers, particulièrement dans les périodes de stress. Mais les gens qui souffrent de troubles de compulsion obsessionnelle deviennent profondément angoissés quand ils tentent de résister à leurs compulsions et ils se sentent soulagés quand ils passent à l'acte.

Nous apposons parfois une étiquette de personnalité compulsive — ou encore de personnalité obsessive-compulsive — à la personne qui est excessivement soigneuse, méticuleuse et qui se montre, d'une façon exaspérante, attentive aux moindres détails. Ces gens sont souvent rigides également dans leur pensée et dans leur conduite et sont très moralisateurs. On est porté à supposer que lorsqu'une personnalité obsessive-compulsive subit un stress, elle réagit par la formation d'un trouble de compulsion obsessionnelle. Or, cette hypothèse ne se vérifie pas dans les faits. Les résultats de tests de personnalité révèlent que les personnes qui souffrent de *troubles de compulsion obsessionnelle* ne possèdent pas les traits d'une *personnalité obsessive-compulsive* (Rachman et Hodgson, 1980). Nous devrions noter, en plus, que les gens qui ont des personnalités obsessives-compulsives sont enclins à se montrer fiers de leur méticulosité et de l'attention qu'ils portent aux détails. Les individus qui souffrent de troubles de compulsion obsessionnelle abhorrent, tout au contraire, leurs symptômes et désirent s'en débarasser.

Pour comprendre les troubles d'anxiété

Nous ignorons pourquoi certaines personnes deviennent anxieuses de façon chronique, mais leurs réactions semblent refléter des sentiments d'impuissance dans des situations qui prennent figures de menaces pour eux. Les théories sur les troubles d'anxiété se sont intéressées surtout aux conflits internes, aux réponses acquises face aux événements extérieurs, aux connaissances mal adaptées et à des facteurs biologiques.

PERSPECTIVE PSYCHANALYTIQUE   La théorie psychanalytique postule que les sources de l'anxiété sont internes et inconscientes. La personne a refoulé certaines pulsions inacceptables ou « dangereuses » qui, si elles étaient exprimées, pourraient mettre en péril son estime de soi ou ses rapports avec autrui. Dans les situations où ces pulsions (de nature sexuelle ou agressive, le plus souvent) risquent d'être éveillées, l'individu ressent une angoisse profonde. Étant donné que la source de cette anxiété est inconsciente, la personne ne connaît pas la raison de son appréhension.

D'un point de vue psychanalytique, les phobies sont des façons de composer avec l'anxiété en la déplaçant pour l'orienter vers un objet ou une situation que l'on peut éviter. Par exemple, l'étudiant, dont on rapporte le cas à la figure 15-2, pouvait éviter le réveil de ses pulsions homosexuelles en s'isolant dans sa chambre à l'écart des autres hommes et en n'utilisant pas les cabinets publics. Les obsessions et les compulsions servent également à protéger l'individu contre la prise de conscience de la vraie cause de son angoisse. Les pensées obsessives sont des impulsions inacceptables (hostilité, envies de détruire, désirs sexuels qui ne conviennent pas) qui ont été refoulées et qui finissent par réapparaître sous formes déguisées. L'individu a l'impression qu'elles ne lui appartiennent pas et il peut se livrer à des actes compulsifs pour détruire ces impulsions interdites ou les expier. La mère qui est obsédée par l'idée de tuer son bébé peut se sentir forcée de vérifier plusieurs fois dans la nuit pour s'assurer que l'enfant se porte bien. Les rituels

« Ronald est *extrêmement* compulsif. »

FIGURE 15-4

Rituels compulsifs

Une femme de 30 ans avait pris l'habitude d'accomplir une série tellement compliquée d'actions rituelles que leur exécution occupait la plus grande partie de ses heures de veille. Elle ne pouvait se mettre au lit le soir avant d'avoir vérifié chaque porte et chaque fenêtre 3 fois pour s'assurer qu'elles étaient solidement fermées. Elle vérifiait aussi la cuisinière à gaz et les lampes-témoin de la fournaise et du chauffe-eau pour être certaine qu'il n'y avait pas de fuites. Son bain quotidien et sa toilette prenaient beaucoup de son temps ; souvent elle se douchait 3 ou 4 fois de suite — se frottant chaque fois vigoureusement le corps avec un savon spécial contre les bactéries — avant d'être convaincue qu'elle était finalement assez propre pour mettre ses vêtements. Elle ne portait que des effets lavables, ne se fiant pas au nettoyage à sec pour les débarrasser de tous les germes possibles, et chaque article devait avoir été lavé et rincé 3 fois avant qu'elle le porte. Les mêmes précautions hygiéniques entouraient ses gestes chaque fois qu'elle faisait la cuisine ; elle ébouillantait chaque récipient et ustensile avant et après usage et elle ne mangeait rien qu'elle n'avait préparé elle-même.

Cette femme avait toujours été exceptionnellement propre et ordonnée, mais ses « opérations de sécurité » avaient pris de plus en plus d'importance avec les années, jusqu'à atteindre des proportions pathologiques. Elle se rendait parfois compte du caractère insensé de ces précautions, mais elle devenait très anxieuse dès qu'elle essayait d'interrompre ou de retrancher quelque chose à ses rituels. (R. L. Atkinson, histoire de cas inédite)

compulsifs concourent également à empêcher les impulsions menaçantes de pénétrer jusqu'à la conscience de l'individu : la personne qui est toujours affairée a peu d'occasions de se livrer à des pensées inavouables ou à commettre des actes inconvenants.

PERSPECTIVE BEHAVIORALE Les psychologues qui travaillent dans le cadre de la théorie de l'apprentissage considèrent que l'anxiété est déclenchée plutôt par des événements externes particuliers que par des conflits internes. L'anxiété généralisée apparaît quand une personne se sent incapable de composer avec plusieurs situations de la vie quotidienne et se sent donc appréhensive la plupart du temps. Les phobies sont perçues comme des réponses d'évitement qui peuvent être apprises directement par suite d'expériences apeurantes (acquérir la peur des chiens après avoir été attaqué par l'un d'eux) ou de façon vicariante, par l'observation des réponses effrayées d'autrui.

Le paradigme du conditionnement classique (voir p. 232) fournit une explication de la façon dont des objets ou des situations anodines peuvent devenir le centre d'une phobie : le jumelage d'un objet neutre (stimulus conditionnel) avec un événement traumatique (stimulus inconditionnel) crée la peur de l'objet neutre (réponse conditionnée). L'enfant, par exemple, qui se fait piquer par une guêpe pendant qu'il cueille une fleur jaune acquiert une phobie pour les fleurs jaunes. Le conditionnement classique décrit bien le traumatisme précipitateur d'une phobie, quand on peut identifier ce traumatisme. Il y a un nombre considérable de preuves, provenant d'expériences de laboratoire avec des animaux et des êtres humains, à l'effet que le jumelage d'un objet neutre avec une situation apeurante suscite une grande peur de l'objet neutre. Cette explication des phobies fait cependant problème. Les phobies sont presque toujours limitées à un certain ensemble d'objets, plutôt que de porter sur tout objet présent en même temps que l'événement traumatique. Pourquoi, par exemple, les phobies de l'obscurité sont-elles très courantes, alors qu'il ne se présente pas de cas de phobie du pyjama, même si les deux se trouvent jumelés avec le traumatisme de la nuit ? Pourquoi avons-nous des phobies des serpents et des insectes, mais jamais de phobies de chatons ou d'agneaux ? Et pourquoi les phobies des couteaux et des fusils sont-elles rares, même si ces deux objets accompagnent souvent des blessures ?

On a proposé la notion de *conditionnement préparé* en guise d'explication. Les êtres humains ne seraient biologiquement prédisposés, ou « préparés », à réagir avec peur qu'en présence de certaines catégories d'objets ou de situations dangereuses. Quand ces objets ou situations sont jumelés à un traumatisme, le conditionnement de peur se fait rapidement et est très résistant à l'extinction (Seligman, 1971 ; Seligman et Rosenhan, 1984). L'objet de la majorité des phobies courantes aurait été, à un moment de la préhistoire, vraiment dangereux pour nos ancêtres. Il se pourrait que la sélection naturelle ait favorisé ceux parmi nos ancêtres qui apprenaient rapidement (par un contact minimal seulement avec le traumatisme) que les étrangers, l'altitude, les serpents, les gros animaux et l'obscurité étaient dangereux. L'évolution aurait sélectionné certains objets, tous dangereux à une période antérieure, qui se conditionnent facilement au traumatisme. Nous risquons moins de devenir conditionnés à la peur d'autres objets (tels les agneaux, les fusils, les prises d'électricité) soit parce qu'ils n'ont jamais été dangereux, soit parce qu'ils sont d'origine trop récente pour avoir été l'objet de sélection naturelle. Ainsi, les phobies ne seraient pas des cas de conditionnement classique ordinaire, mais de conditionnement classique préparé.

Une série d'expériences en laboratoire apportent un appui à l'idée que les gens seraient mieux préparés à apprendre la crainte de certains objets plutôt que d'autres. On a procédé au conditionnement de la peur chez des étudiants qui s'étaient portés volontaires ; on a utilisé à cette fin une variété de stimuli conditionnés « préparés » (images de serpents ou d'araignées) et de stimuli « non préparés » (images de maisons, de visages ou de fleurs). Les images étaient suivies d'un bref choc électrique douloureux. Le conditionnement de la peur, tel que mesuré par la réponse psychogalvanique (voir à la page 235), se fit beaucoup plus rapidement pour les stimuli préparés que pour les stimuli non préparés. En effet, le conditionnement fut établi après un seul jumelage du choc électrique avec les images de serpents et d'araignées, mais il fallut 4 ou 5 jumelages pour conditionner la peur des sujets aux visages, aux maisons ou aux fleurs. Une expérience subséquente a montré que les propriétés de conditionnement aux fusils ressemblaient à celles qui s'appliquent aux fleurs et non aux propriétés de conditionnement aux serpents et aux araignées (Ohman, Fredrikson, Hugdahl et Rimmo, 1976).

Le fait de voir dans les phobies une forme de conditionnement préparé aide à comprendre leur caractère irrationnel et leur résistance à l'extinction. Dans le cas du conditionnement normal de la peur, dès qu'il n'y a plus jumelage du stimulus inconditionnel (choc électrique, par exemple) avec le stimulus conditionnel, il y a extinction rapide de la peur. Il ne semble pas qu'il en soit ainsi dans le conditionnement préparé de la peur. Lors d'une expérience, on conditionna des étudiants à la peur en jumelant au choc soit des serpents ou des araignées, soit des maisons ou des visages. À la fin des séances de conditionnement (quand on enleva les électrodes) on constata une extinction immédiate de la peur des maisons et des visages, mais la peur des serpents et des araignées resta forte (Hugdahl et Ohman, 1977).

Alors que certaines phobies semblent le résultat d'expériences terrifiantes dont l'individu a vraiment été l'objet, d'autres peuvent avoir été acquises de façon vicariante, par observation. Les parents craintifs ont tendance à avoir des enfants qui partagent leurs peurs. L'enfant qui voit ses parents s'effrayer dans une variété de situations peut en arriver à accepter de telles réactions comme normales. Les études ont en effet permis de constater l'existence d'une forte corrélation entre les peurs d'une mère et celles de son enfant.

Nous le verrons dans le prochain chapitre, le traitement des phobies dans le cadre de la théorie de l'apprentissage utilise diverses techniques pour l'extinction des réponses de peur à l'objet ou à la situation phobique.

PERSPECTIVE COGNITIVISTE L'analyse cognitive des troubles d'anxiété s'intéresse tout particulièrement à la façon dont les gens angoissés pensent aux situations de danger possibles. Les individus qui souffrent d'anxiété généralisée sont enclins à faire des évaluations irréalistes de certaines situations, surtout de celles où la possibilité de danger est plutôt faible. Ils surestiment constamment tant le *degré* de dommages que sa *probabilité*. Cette sorte d'attitude mentale rend une personne vigilante à l'excès, toujours sur le qui-vive, à l'affût du moindre signe de danger. Un bruit soudain dans la maison est, par exemple, interprété comme indiquant la présence de cambrioleurs; le grincement strident de freins dans la rue signifie que son enfant court un danger. Cette vigilance excessive et cette attente de la catastrophe mène à une mobilisation continue du corps en réaction au danger. Par conséquent, les changements physiologiques caractéristiques de la réaction de lutte ou de fuite (tremblements, rythme cardiaque accéléré, mains moites, tension musculaire) sont présents la plupart du temps.

La théorie cognitive de l'obsession tient pour acquis que nous sommes tous, occasionnellement, l'objet de pensées indésirables et répétitives. Il arrive souvent, par exemple, que des airs connus ou des ritournelles publicitaires fassent une intrusion non sollicitée dans la conscience. Mais nous sommes capables de les écarter, tout autant que les idées plus répugnantes qui nous viennent parfois à l'esprit. Plus le contenu de l'obsession est source d'anxiété, plus il est difficile pour qui que ce soit — que l'individu soit une personne obsessive ou non — de se défaire de ces pensées. D'ailleurs, plus nous sommes stressés, plus ces idées sont fortes et fréquentes. S'il s'agit d'une personne déjà anxieuse, les pensées obsessives seront plus perturbantes et plus difficiles à écarter.

Quand un événement suscite une pensée troublante chez une personne qui n'est pas obsessive, il se peut que cette dernière trouve l'idée inacceptable, mais elle ne deviendra pas angoissée et s'en débarrassera facilement. Par contre, cette même pensée rendra anxieuse la personne obsessive et cette anxiété va réduire sa capacité de s'en défaire. La pensée va persister, et l'incapacité pour l'obsessif de l'ignorer donnera naissance à une angoisse additionnelle qui va accroître sa vulnérabilité envers la pensée intruse.

Les rituels compulsifs sont, dans la perspective cognitiviste, des tentatives en vue de neutraliser la mauvaise pensée par un acte qui assure la sécurité. C'est ainsi que la personne obsédée par l'idée de maladie et de microbes se nettoie les mains et lave ses aliments des douzaines de fois. Celui qui est en proie à l'idée obsessive que les portes ne sont pas fermées à clef ira les vérifier plusieurs fois au cours de la nuit. Ces rituels trouvent un renforcement dans le soulagement de l'anxiété. Soulagement temporaire, toutefois. Les pensées obsessives reviennent à la charge à une fréquence et à une intensité accrues et le rituel doit être répété chaque fois que l'idée fait surface.

Comme nous allons le voir au chapitre suivant, la méthode cognitiviste prône le traitement des troubles d'obsession au moyen de la technique de l'arrêt de la pensée, afin d'aider l'individu à interrompre ces pensées obsessives. Le traitement appliqué à l'anxiété généralisée et aux phobies consiste principalement à aider les individus à faire des évaluations plus réalistes et rationnelles de leur personne et des situations dans lesquelles ils se trouvent.

PERSPECTIVE BIOLOGIQUE   Les troubles d'anxiété ont tendance à se concentrer dans certaines familles. Environ 15 % des parents, des frères et des sœurs de gens qui souffrent de troubles d'anxiété ont le même problème (Carey et Gottesman, 1981). Cependant, cette constatation n'est pas une preuve que les perturbations ont une base héréditaire, puisque ces individus vivent généralement ensemble et connaissent donc les mêmes environnements. Les résultats d'études sur les jumeaux apportent cependant des données plus solides qui militent en faveur d'une prédisposition héréditaire à deux types de troubles d'anxiété : la panique et l'agoraphobie avec crises de panique. Rappelons que les jumeaux identiques proviennent d'un même œuf et partagent la même hérédité ; les jumeaux fraternels proviennent de deux œufs différents et ne se ressemblent pas plus sur le plan génétique que des frères et sœurs ordinaires. Les deux membres d'un couple de jumeaux identiques risquent plus d'être affligés de crises de panique, quand l'un d'entre d'eux souffre de ce problème, comparativement à des jumeaux fraternels (Torgersen, 1983).

Nous ne savons pas encore ce qui est attribuable à l'hérédité, mais des chercheurs étudient la possibilité qu'il s'agisse d'un déséquilibre dans le système chimique du cerveau responsable du contrôle de l'anxiété. En 1960, on a découvert et mis sur le marché, sous la marque de commerce Valium et Librium, un groupe de médicaments appelés *benzodiazépines*. Ces drogues se sont révélées efficaces pour la réduction de l'anxiété (voir au chapitre 16 une étude de leurs mérites et désavantages). Subséquemment, des chercheurs ont découvert que ces substances étaient efficaces parce qu'elles se combinent à certaines molécules réceptrices dans des neurones du cerveau, influençant par le fait même la transmission nerveuse (voir au chapitre 2, p. 38). La découverte de sites récepteurs pour des drogues qui combattent l'anxiété a déclenché la recherche en vue de découvrir une substance naturelle produite par le corps humain et pouvant agir de la même façon au maintien d'un équilibre convenable de l'anxiété. Or jusqu'à présent, on n'est pas parvenu à trouver une « Valium naturelle », mais les chercheurs ont beaucoup appris sur les récepteurs de benzodiazépines et sur la façon dont certaines substances agissent pour augmenter ou pour diminuer l'anxiété (Costa, 1985).

Il semble y avoir trois « points d'ancrage » précis sur le site récepteur de benzodiazépine : l'un sert à accueillir la molécule de benzodiazépine, dont les effets combattent l'anxiété ; un second accueille les composés qui causent l'anxiété (dont les effets se trouvent bloqués par l'administration des benzodiazépines) ; le troisième reçoit un groupe de substances qui bloquent tant les effets des benzodiazépines que ceux des composés qui causent l'anxiété. L'identification qu'on a pu faire de ces trois sites récepteurs permet de supposer que le cerveau sécrète une substance qui produit l'expérience subjective de la peur et de l'anxiété et d'autres substances qui bloquent cet effet. Le rapport entre ces substances peut donner soit un individu affectivement stable, soit un individu anxieux (Agras, 1985).

Parmi les troubles de l'anxiété, ce sont les crises de panique qui dépendent le plus directement de facteurs biologiques. Chez les individus susceptibles de crises de panique spontanées, certaines substances chimiques peuvent déclencher une attaque, alors qu'elles n'ont aucun effet sur les individus normaux ni sur les phobiques dont l'anxiété est une réaction à des stimuli externes. D'autres drogues sont capables de bloquer les crises de panique spontanées (Lader, 1985). Toutefois, même si les troubles de panique ont un fondement biochimique, il est indubitable que les expériences du milieu ont un rôle important à jouer. Ce type de perturbation peut être le produit d'une interaction entre prédispositions biologiques et expériences remontant à l'enfance. Il se peut que, dès la naissance, certains enfants aient un seuil peu élevé en ce qui a trait à l'éveil de l'anxiété. Ces enfants seraient plus enclins que d'autres à connaître l'anxiété de séparation quand ils sont privés des soins de leur mère. Comme nous l'avons noté plus haut, l'anxiété de séparation est souvent le précurseur de troubles de panique à l'âge adulte.

TROUBLES AFFECTIFS

Les *troubles affectifs* sont des perturbations de l'*affect* ou de l'humeur. La personne peut se trouver complètement déprimée, ou dans un état de forte excitation maniaque, ou elle peut connaître tour à tour des périodes de dépression et d'excitation. Ces changements d'humeur sont souvent tellement outrés qu'il devient nécessaire d'hospitaliser le malade.

Dépression

Presque tous les gens deviennent déprimés à certains moments. La plupart d'entre nous connaissons des périodes durant lesquelles nous nous sentons tristes, léthargiques et incapables de nous intéresser à quelqu'activité, si agréable soit-elle. La dépression est une réaction normale à de nombreux stress de la vie. Parmi les situations qui déclenchent le plus souvent la dépression, on compte les échecs à l'école ou au travail, la perte d'un être cher et la constatation que la maladie ou le vieillissement drainent nos ressources. On considère la dépression anormale seulement quand elle est hors de proportion par rapport à l'événement en cause et qu'elle persiste plus longtemps que chez la plupart des gens.

Bien que la dépression soit caractérisée par un dérangement de l'humeur, elle présente vraiment quatre ensembles de symptômes. En plus des symptômes affectifs — ou humeur — il y a des symptômes d'ordre cognitif, d'ordre motivationnel et des symptômes physiques. Il n'est pas indispensable qu'un individu manifeste tous ces types de symptômes pour qu'on pose le diagnostic de dépression, mais plus il présente de symptômes, et plus ceux-ci sont graves, plus nous pouvons être assurés que cet individu souffre de dépression.

La tristesse et la mélancolie sont les symptômes affectifs les plus évidents de la dépression. L'individu se sent désespéré et malheureux, il a souvent des crises de larmes, et il se peut qu'il pense à se suicider. La dépression est presque toujours accompagnée de la perte de satisfaction ou de plaisir de vivre. Les activités qui avaient coutume d'apporter des gratifications semblent ternes et sans joie. La personne déprimée perd graduellement intérêt à ses violons d'Ingres, à la récréation et aux activités familiales. La plupart des patients déprimés rapportent qu'ils ne trouvent plus de satisfaction dans ce qui jusque-là avait représenté des intérêts majeurs dans leur vie et plusieurs disent avoir perdu l'intérêt et l'affection qu'ils portaient aux autres.

Les symptômes cognitifs consistent avant tout dans des pensées négatives. Les individus déprimés ont tendance à avoir peu d'estime de soi, à se sentir impuissants et à se blâmer de leurs échecs. Ils ont perdu espoir en l'avenir et sont pessimistes quant à la possibilité pour eux d'améliorer leur sort.

Dans les cas de dépression, la motivation est à un bas niveau. La personne déprimée a tendance à être passive et elle éprouve de la difficulté à s'engager dans toute activité. La conversation suivante entre un patient et son thérapeute illustre cette passivité. Cet homme, qui avait été hospitalisé

à la suite d'une tentative de suicide, passait ses journées assis sans bouger dans la salle de repos. Son thérapeute décida d'essayer de l'intéresser à certaines activités :

THÉRAPEUTE : On me dit que vous passez presque toute la journée dans la salle de repos. Est-ce vrai ?

PATIENT : Oui, le fait de rester tranquille me donne la paix d'esprit dont j'ai besoin.

THÉRAPEUTE : Quand vous êtes assis ici, quelle est votre humeur ?

PATIENT : Je me sens terriblement mal tout le temps. Je souhaiterais seulement pouvoir tomber dans un trou quelque part et mourir.

THÉRAPEUTE : Vous sentez-vous mieux après être resté assis pendant 2 ou 3 heures ?

PATIENT : Non, ça ne change rien.

THÉRAPEUTE : Alors, vous restez assis dans l'espoir de trouver la paix de l'esprit, mais on ne dirait pas que votre dépression s'améliore.

PATIENT : J'en ai tellement marre.

THÉRAPEUTE : Envisageriez-vous d'être plus actif ? J'ai plusieurs raisons de croire que si vous augmentiez votre niveau d'activité, cela pourrait aider.

PATIENT : Il n'y a rien à faire ici.

THÉRAPEUTE : Pensez-vous que vous pourriez accepter d'essayer certaines activités, si je pouvais vous en proposer une liste ?

PATIENT : Si vous pensez que ça peut aider, mais je pense que vous perdez votre temps. Je n'ai aucun intérêt.

(Beck, Rush, Shaw et Emery, 1979, p. 200)

Les symptômes physiques de la dépression sont, entre autres, la perte d'appétit, les troubles du sommeil et le manque d'énergie. Étant donné que les pensées de la personne déprimée sont tournées vers l'intérieur, plutôt que vers les événements extérieurs, il peut lui arriver d'amplifier ses douleurs et ses peines, ainsi que ses inquiétudes à propos de sa santé.

Comme nous le constatons par cette description de ses nombreux symptômes, la dépression peut avoir des effets débilitants. Heureusement, la plupart des épisodes de dépression sont d'une durée relativement courte. Les personnes déprimées se rétablissent progressivement, avec ou sans traitement. Environ un quart des épisodes de dépression persistent moins d'un mois, la moitié durent moins de trois mois et un autre quart se prolongent pendant 1 an ou plus. Seulement 10 % de ce dernier groupe de patients ne s'en remettent pas et restent déprimés de façon chronique (Lewinsohn, Fenn et Franklin, 1982). Malheureusement, les épisodes de dépression ont tendance à se reproduire. Près de la moitié des individus qui ont eu une dépression vont en connaître une autre. En général, plus la personne était stable avant le premier épisode, moins il y a de risque que la dépression se présente à nouveau.

Manie dépressive

La majorité des dépressions ne sont pas accompagnées de manies. Mais de 5 à 10 % des dépressions sont une phase de la *manie dépressive*. On donne aussi à la manie dépressive le nom de *trouble bipolaire;* l'individu passe d'un pôle à l'autre du continuum de l'affect.

Les gens qui ont des épisodes maniaques se conduisent d'une façon qui, à première vue, semble à l'opposé de la dépression. Durant les épisodes légers de manie, l'individu est plein d'énergie, enthousiaste et rempli de confiance en lui-même. Il parle continuellement, court d'une activité à l'autre n'ayant besoin que de peu de sommeil et fait des plans grandioses, portant peu d'attention à leur caractère réaliste. À la différence de l'exubérance joyeuse caractéristique de l'excitation normale, la conduite maniaque donne l'impression que l'individu est poussé à agir et a souvent une expression d'hostilité plutôt que d'excitation joyeuse.

Dans les états maniaques aigus, les gens rappellent davantage l'image populaire du « fou furieux ». Ils sont excessivement excités et bougent constamment. Ils marchent de long en large, chantent, crient ou frappent des poings contre les murs pendant des heures. Ils s'enragent si on tente de s'interposer dans leur conduite et peuvent devenir injurieux. Toutes les pulsions (y compris les pulsions sexuelles) s'expriment immédiatement dans des actes ou des mots. Ces individus sont confus, désorientés et peuvent avoir des fantasmes de richesse, de réalisations grandioses ou de pouvoirs considérables.

Les épisodes maniaques peuvent se présenter sans dépression, mais il en est rarement ainsi. En général, l'épisode de dépression finit par se manifester au terme de l'épisode maniaque. La dépression ressemble à ce que nous avons déjà décrit.

La manie dépressive est relativement rare. Alors qu'environ 20 % des femmes adultes et 10 % des hommes adultes aux États-Unis ont connu une dépression grave à un moment donné, environ 1 % seulement de la population adulte a souffert de manie dépressive, trouble qui semble frapper homme et femme en proportion égale. La manie dépressive est différente des autres troubles affectifs: elle tend à se manifester plus tôt dans la vie, elle est plus susceptible de tenir à la famille, elle réagit favorablement à différentes médications thérapeutiques et risque de réapparaître si elle n'est pas traitée. Ces faits portent à croire que les facteurs biologiques jouent un rôle plus important que les facteurs psychologiques dans la manie dépressive.

Pour comprendre les troubles affectifs

La dépression est l'un des troubles affectifs les plus répandus. Étant donné sa grande fréquence et la possibilité qu'elle entraîne des effets débilitants, on a consacré beaucoup d'efforts à l'identification de ses causes. Nous allons jeter un bref coup d'œil sur diverses façons de s'attaquer à la compréhension des troubles affectifs.

PERSPECTIVE PSYCHANALYTIQUE   Les théories psychanalytiques interprètent la dépression comme une *réaction à une perte:* perte d'un être cher, perte de statut ou perte de l'appui moral venant d'un groupe d'amis. Quelle que soit la nature de cette perte, si la personne déprimée réagit d'une façon aussi forte, c'est parce que la situation actuelle réanime toutes les craintes associées à une perte antérieure qui se serait produite durant la tendre enfance, soit la perte de l'affection des parents. Pour une raison quelconque, les besoins de l'individu en termes d'affection et de soins affectueux n'ont pas été satisfaits durant l'enfance. Par la suite, une perte survenant durant la vie amène l'individu à régresser jusqu'à l'état de dépendance et d'impuissance qu'il éprouvait lorsque la perte originale s'est produite. Une partie du comportement de la personne déprimée représente donc un cri pour réclamer de l'amour: c'est une expression d'impuissance, une demande d'affection et de sécurité (White et Watt, 1981).

Chez le dépressif, la réaction à la perte se complique de sentiments de colère à l'endroit de la personne qui l'abandonne. Les théories psychanalytiques postulent que les gens portés à la dépression ont appris à refouler leurs sentiments d'hostilité parce qu'ils ont peur de s'aliéner ceux dont ils dépendent. Quand les choses vont mal, ils intériorisent leur colère et se blâment eux-mêmes. Il peut arriver, par exemple, qu'une femme éprouve une hostilité extrême à l'égard de l'employeur qui l'a congédiée, mais parce qu'ils suscitent de l'anxiété, ses sentiments de colère sont tournés vers l'intérieur. Elle a recours au mécanisme de défense de la projection: ce n'est pas elle qui est en colère, mais les autres qui sont fâchés contre elle. Elle suppose qu'ils ont de bonnes raisons de la rejeter: elle est incompétente et méprisable.

Les théories psychanalytiques laissent entendre que les sentiments d'abjection et de faible estime de soi de l'individu déprimé prennent leur origine dans un besoin enfantin de l'approbation des parents. L'estime de soi d'un petit enfant dépend effectivement de l'approbation et de l'affection de ses parents. Mais quand une personne atteint l'âge de la maturité, la perception de sa propre valeur devrait provenir aussi de la reconnaissance de ses réalisations et de sa compétence. Chez l'individu porté à la dépression, l'estime de soi dépend surtout de ressources externes — l'approbation et l'appui des autres. En l'absence de ce support, la personne peut sombrer dans un état de dépression.

ANALYSE CRITIQUE

Suicide et dépression

La conséquence la plus désastreuse de la dépression est le suicide. Des 25 000 cas reconnus de personnes qui, à chaque année, mettent fin à leur vie par le suicide aux États-Unis, la vaste majorité (au moins 80 %) souffrent de dépression. Toutefois, les morts attribuables au suicide ne sont pas toutes rapportées pour une variété de raisons. À cause des stigmates associés au suicide, il peut arriver que les médecins et les coroners se laissent persuader par les parents de rapporter un décès comme accidentel quand les circonstances sont ambiguës. En outre, plusieurs accidents de la route dans lesquels le chauffeur est seul dans la voiture sont probablement des suicides. Il est possible également que certains individus recherchent la mort en s'adonnant à des sports ou à des occupations dangereuses, en adoptant des habitudes moribondes (tel l'usage abusif de stupéfiants) ou en cessant de prendre leurs médicaments lorsqu'ils sont atteints de maladie physique. Par conséquent, il se peut que le taux annuel réel des suicides se rapproche plus de 50 000. On a estimé que le nombre de tentatives de suicide ratées représente environ 2 à 8 fois le nombre des cas de suicides recensés (Shneidman, 1985).

Les femmes tentent de se suicider environ 3 fois plus souvent que les hommes, mais les hommes réussissent à se donner la mort 3 fois plus souvent que les femmes. Le nombre plus élevé de tentatives de suicide chez les femmes est probablement associé au plus grand nombre de cas de dépression parmi les femmes. Le fait que les hommes réussissent mieux dans leurs tentatives tient au choix de la méthode : les femmes ont tendance à adopter des moyens moins fatals, comme se couper les poignets ou prendre des doses excessives de somnifères ; les hommes sont portés à utiliser des armes à feu ou à respirer des vapeurs de monoxyde de carbone ou à se pendre.

Parmi les raisons les plus fréquemment invoquées par les suicidaires, citons la dépression, la solitude, la mauvaise santé, les problèmes conjugaux et (dans le cas des hommes) les difficultés financières ou liées au travail (Farberow et Shneidman, 1965 ; Shneidman, 1985).

Le taux de suicide le plus élevé se retrouve chez les gens dans la quarantaine ; ce taux demeure élevé jusqu'à la soixantaine et au-delà. Cependant, on constatait récemment une augmentation des cas de suicide chez les adolescents et chez les jeunes adultes. En effet, le nombre de suicides parmi les jeunes de 15 à 24 ans a triplé aux États-Unis au cours des 2 dernières décennies. Chaque année, quelque 250 000 jeunes appartenant à ce groupe d'âge tentent de se suicider et plus de 5000 d'entre eux y parviennent (Davis, 1983). Les collégiens risquent 2 fois plus de se donner la mort que les jeunes du même âge qui ne sont pas aux études (Murphy et Wetzel, 1980).

Cette augmentation du taux de suicide chez les collégiens ne se constate pas seulement aux États-Unis, mais aussi au Canada, dans les pays d'Europe, en Indes et au Japon. Bien des raisons peuvent expliquer l'accroissement du découragement chez les collégiens : le fait de vivre éloigné de chez soi pour la première fois et d'avoir à affronter de nouveaux problèmes ; d'essayer de rester à la tête du peloton alors que la compétition est beaucoup plus féroce qu'elle ne l'était durant les études secondaires ; de ressentir la solitude résultant de l'absence des amis de longue date et l'anxiété liée à la formation de nouvelles amitiés.

Une étude de la vie et du succès scolaires des collégiens qui se sont suicidés a révélé qu'ils étaient plus maussades, qu'ils faisaient plus d'efforts et qu'ils se sentaient déprimés plus souvent que leurs compagnons non suicidaires. Ils avaient également manifesté à plusieurs reprises leur intention de se suicider à d'autres personnes. Les événements principaux qui auraient contribué au déclenchement de leur geste semblent avoir été l'inquiétude

Les théories psychanalytiques de la dépression mettent donc l'accent sur la perte, la dépendance excessive envers l'approbation externe et la tendance à intérioriser la colère. Elles semblent proposer une explication raisonnable de certains des comportements manifestés par des individus déprimés, mais elles sont difficiles à prouver autant qu'à réfuter. Certaines études indiquent que les gens prédisposés à la dépression sont plus susceptibles d'avoir perdu un parent tôt dans la vie en comparaison de l'individu moyen (Roy, 1981 ; Barnes et Prosen, 1985). Mais on constate que le facteur de la perte d'un parent (pour cause de décès ou de séparation) est également présent dans les cas de gens qui souffrent d'autres types de troubles mentaux et la plupart de ceux qui subissent une telle perte ne sont pas nécessairement affligés de problèmes affectifs à l'âge adulte (Tennant, Smith, Bebbington et Hurry, 1981).

au sujet de leurs résultats, la santé physique et leurs relations avec les autres (Seiden, 1966). Nous ne saurions être sûrs toutefois que ces facteurs soient réellement la cause des suicides ; il se peut, en effet, que les difficultés dans les études et dans les relations interpersonnelles ne soient que des conséquences d'une dépression grave. L'inquiétude d'un individu au sujet de sa santé est souvent un symptôme de dépression.

Les collégiens suicidaires ont, en moyenne, des dossiers scolaires supérieurs à ceux de leurs compagnes et compagnons non suicidaires, alors qu'au secondaire, la plupart des adolescents qui se suicident ont des notes exceptionnellement faibles. Les adolescents ont tendance à être des décrocheurs (« drop outs ») ou des jeunes qui ont des problèmes de comportement à l'école secondaire. La caractéristique saillante des adolescents qui tentent de se suicider est l'isolement social : ils se décrivent comme solitaires, la plupart ont des parents divorcés ou séparés, un grand nombre ont des parents alcooliques et 25 % d'entre eux ne vivaient pas à la maison au moment de leur tentative de suicide (Rohn et coll., 1977).

Un autre facteur qui contribue au suicide chez les plus jeunes est l'abus des stupéfiants. Une étude a permis d'établir que la moitié des gens de moins de 30 ans qui se donnaient la mort manifestaient des signes d'usage abusif de drogues « dures ». On ne sait pas bien si c'est l'abus des stupéfiants qui a amené (*cause*) ces gens à la dépression et au suicide ou s'ils se seraient tournés vers la drogue comme moyen de composer avec la dépression, mettant fin à leurs jours en constatant que les drogues ne sont d'aucun secours. Dans bien des cas, cependant, l'usage des stupéfiants semble avoir précédé les problèmes psychologiques (Rich, Young et Fowler, 1985).

Certains individus se suicident parce qu'ils trouvent leur désarroi affectif intolérable et ne voient pas d'autre solution à leurs problèmes que la mort. Leur unique motivation est de mettre fin à leur vie. Dans d'autres cas, l'individu ne souhaite pas vraiment mourir, mais il cherche à impressionner les autres quant au caractère sérieux de son dilemme. La tentative de suicide est motivée par un désir de communiquer ses sentiments de désespoir et de changer le comportement des autres. On en trouve des exemples chez la femme qui prend une dose excessive de somnifères quand son amant menace de l'abandonner ou chez l'étudiant qui a recours au même moyen quand ses parents exercent des pressions sur lui pour qu'il réussisse au-delà de ses capacités. La tentative de suicide est un cri au secours.

Certains experts utilisent le terme *parasuicide* pour désigner les actes non fatals au cours desquels une personne se blesse délibérément ou absorbe une substance en dépassant la dose prescrite ou recommandée pour fins thérapeutiques (Kreitman, 1977). On préfère le terme « parasuicide » à celui de « tentative de suicide » parce qu'il ne laisse pas nécessairement entendre qu'on souhaite mourir. Comme nous l'avons déjà dit, il y a beaucoup plus de parasuicides que de suicides. Toutefois, la plupart des gens qui commettent des actes suicidaires sont dans un tel état de trouble et de stress que leur raisonnement est loin d'être limpide. Ils ne savent pas bien s'ils veulent vivre ou mourir, ils voudraient les deux à la fois, l'un plus que l'autre généralement. Comme le meilleur facteur de prédiction du suicide est la tentative antérieure, on se doit de prendre au sérieux les parasuicides. Peu de gens se suicident sans signaler au préalable leur intention à quelqu'un. C'est pourquoi, celui qui parle de suicide peut vraiment passer aux actes. Plusieurs régions communautaires ont créé des centres de prévention du suicide, auxquels les individus en difficulté peuvent s'adresser pour obtenir de l'aide, soit par contact téléphonique ou en personne.

Les médias font généralement grand état des cas dramatiques de suicide, comme le fait de sauter du haut d'un pont. Des faits démontrent qu'un tel battage publicitaire encourage les individus suicidaires à céder à leurs impulsions. Une étude californienne portant sur une durée de 7 ans a montré qu'au cours de la semaine qui suit un suicide dont on a beaucoup parlé dans les journaux, le taux de suicide augmente de 9 % par rapport à la moyenne normale. Les accidents d'automobile fatals et les écrasements d'avions privés (qui pourraient être une forme déguisée de suicide) augmentent également (Phillips, 1978).

La publicité peut également rendre des sites célèbres attrayants pour les suicidaires. Le pont Golden Gate de San Francisco est, à l'heure actuelle, l'endroit favori au monde pour se suicider, avec près de 700 morts par suicide officiellement enregistrées, et peut-être 200 morts additionnelles non recensées comme telles. Le pont Bay Bridge, situé à quelque 9 kilomètres de là, et qui est de la même hauteur, n'est la scène que de très peu de suicides, lesquels d'ailleurs sont beaucoup moins publicisés. Un chercheur a constaté que la moitié des résidents du secteur East Bay (de l'autre côté de ce pont) qui se sont suicidés en sautant d'un pont avaient traversé le Bay Bridge pour aller sauter du haut du pont Golden Gate. Apparemment, personne n'a jamais fait le contraire (Seiden, 1981, cité dans Markham, 1981). Ainsi, la publicité provenant des médias semble vraiment jouer un rôle, fournissant sans doute aux individus suicidaires un modèle à imiter.

PERSPECTIVE BEHAVIORISTE   Les théoriciens de l'apprentissage partent du postulat que l'absence de renforcement joue un rôle primordial dans la dépression. L'inactivité de la personne déprimée et ses sentiments de tristesse sont attribuables à un taux peu élevé de renforcement positif et/ou à un taux considérable d'expériences désagréables (Lewinsohn, Mischel, Chaplin et Barton, 1980 ; Lewinsohn, Hoberman, Teri et Hautziner, 1985). Plusieurs des événements qui déclenchent la dépression (comme la mort d'une personne chère, la perte d'un emploi, ou une mauvaise santé) réduisent le taux de renforcement auquel on est habitué. De plus, il se peut que les gens qui sont portés à la dépression ne disposent pas des habiletés sociales capables soit de procurer des renforcements positifs, soit de leur permettre de composer de façon efficace avec les événements désagréables.

Une fois que les gens sont devenus déprimés et inactifs, leur source principale de renforcement réside dans la sympathie et l'attention qu'ils reçoivent de leurs parents et amis. Une telle attention peut d'abord renforcer les comportements mêmes qui sont inadaptés (les larmes, les plaintes, l'autodépréciation, les menaces de suicide). Mais comme il est peu intéressant d'être auprès de quelqu'un qui refuse de s'égayer, l'attitude de la personne déprimée finit par aliéner même ses proches, entraînant ainsi une réduction additionnelle de renforcement, ainsi que l'accroissement de l'isolement social et du chagrin. Un taux peu élevé de renforcement positif contribue encore davantage à la diminution de l'activité et de l'expression de comportements qui auraient des chances d'être récompensés. Cette diminution des activités et celle des récompenses finissent par former un cercle vicieux.

PERSPECTIVE COGNITIVISTE   Les théories cognitivistes de la dépression s'intéressent non pas à ce que les gens *font* mais à leur perception d'eux-mêmes et du monde dans lequel ils vivent. L'une des théories cognitivistes les plus influentes, soit la théorie conçue par Aaron Beck, tire ses origines d'une vaste expérience de thérapie auprès de patients déprimés (Beck, 1976; Beck, Rush, Shaw et Emery, 1979). La théorie de Beck laisse entendre que les individus prédisposés à la dépression se sont graduellement formé une attitude générale d'évaluation des événements d'un point de vue négatif et autocritique. Ils s'attendent d'échouer plutôt que de réussir et ils ont tendance à amplifier les échecs et à minimiser les succès quand ils évaluent leur activité. (Par exemple, l'étudiant qui reçoit une mauvaise note à un seul examen parmi plusieurs se considère un raté dans ses études; l'avocat se voit comme un incompétent, malgré une succession de réalisations méritoires.) Quand les choses vont mal, ils ont également tendance à se blâmer eux-mêmes plutôt que de déplorer les circonstances. (Quand la pluie vient gâcher la fête en plein air, l'hôte s'en prend à lui-même plutôt qu'à la température.) De ce point de vue, il ne serait donc pas utile, en soi, d'encourager les gens déprimés à se montrer plus actifs sur le plan social en espérant qu'ils reçoivent plus de renforcement positifs: ils vont simplement trouver de nouvelles occasions de se faire des reproches. La théorie cognitive appliquée à la dépression s'efforce plutôt d'identifier et de corriger les formes de pensée déformée qui sont sous-jacentes à la dépression (voir au chapitre 16). En outre, on apprend aux individus déprimés à maîtriser les situations qu'ils croyaient insurmontables.

Une autre méthode cognitiviste pour aborder la dépression a été proposée par Martin Seligman; elle est issue des expériences sur l'*apprentissage de l'impuissance*, expériences que nous avons considérées au chapitre 14. Selon cette théorie, les gens deviennent déprimés lorsqu'ils *croient* que leur activité n'a aucune influence sur le dénouement agréable ou douloureux des événements. La dépression est causée par l'expectative de l'impuissance future. La personne déprimée s'attend à ce que de mauvaises choses se passent et croit qu'il n'est rien qu'elle puisse faire pour les empêcher de se produire.

D'après Seligman, trois dimensions contribuent à la formation de ce sentiment d'impuissance. La première dépend de ce que la personne perçoit son problème comme *interne* ou *externe*. La théorie de l'impuissance présume qu'un individu risque plus de devenir déprimé quand il croit que le problème est interne, découlant de son incapacité personnelle d'en contrôler la solution. Ainsi, l'étudiant ou l'étudiante qui subit un échec à un cours obligatoire et qui attribue son insuccès à des efforts insuffisants de sa part (il ou elle n'a pas assez étudié) risque plus de se sentir déprimé que celui ou celle qui attribue son échec à des facteurs extérieurs (le professeur a mal présenté sa matière et l'examen final était injuste).

La seconde dimension tient à la façon dont la personne perçoit la situation : *stable* ou *instable*. Par exemple, un autre étudiant peut attribuer son échec à son manque d'aptitude — il a travaillé fort et son rendement passé à des cours similaires s'est également révélé médiocre. La théorie prévoit que cet étudiant sera plus gravement déprimé que les étudiants cités dans nos deux exemples précédents, car il attribue son échec à un facteur interne stable (pas susceptible de changer dans l'avenir).

La troisième dimension de l'impuissance se rapporte au continuum *global-particulier*. La personne qui interprète ce qui arrive comme une preuve de son impuissance totale risque plus d'être déprimée que quelqu'un qui se voit comme impuissant seulement dans une situation particulière. Ainsi, l'étudiant qui subit des échecs dans une variété de matières, et en conclut qu'il est « stupide », court plus de risques de se déprimer que celui qui n'échoue que les cours sur les langues et arrive à la conclusion qu'il ne possède pas cette aptitude particulière.

En résumé, la théorie de Seligman prévoit que les individus qui expliquent les événements négatifs en termes de causes internes, stables et globales — « C'est moi qui suis responsable ; cela va durer éternellement et ça va affecter tout ce que je fais » — auront tendance à devenir déprimés quand des événements négatifs se produiront (Peterson et Seligman, 1984).

Les théories de Beck et de Seligman ont suscité un grand nombre de recherches sur les processus cognitifs des gens déprimés et les résultats ont démontré que les attitudes autocritiques et les attributions d'impuissance sont des composantes importantes de la dépression. Toutefois, on est loin d'être certain dans quelle mesure ce genre de pensées ne *précéderait* l'épisode dépressif plutôt que de l'*accompagner*. La théorie de Beck, comme celle de Seligman, postule que les individus qui tombent dans la dépression possèdent un style cognitif dépressif stable présentant toutes les caractéristiques d'un trait de personnalité qui les prédisposerait à connaître des périodes de dépression. Un certain nombre d'études, portant sur des individus légèrement déprimés (des étudiants du collégial, pour la plupart), ont en effet révélé l'existence d'une relation entre un style cognitif d'autocritique et d'impuissance d'une part, et le degré de dépression ressenti face aux événements négatifs d'autre part (Peterson et Seligman, 1984). Néanmoins, la plupart des études faites auprès de malades hospitalisés et gravement déprimés arrivent à la constatation que des patterns de cognition dépressive accompagnent effectivement cet état, mais qu'ils ne sont *pas* apparents après l'épisode de dépression. Une fois que la dépression a disparu, ces sujets ne sont pas différents des sujets-témoins (qui n'ont jamais connu de dépression) dans leur façon d'interpréter les événements négatifs (Hamilton et Abramson, 1983, Fennell et Campbell, 1984). Il se pourrait donc qu'un style dépressif d'interprétation soit un *symptôme* plutôt qu'une *cause* de dépression. Il s'agit d'un symptôme important, toutefois, car l'intensité des croyances négatives d'un malade permet vraiment de prédire le temps nécessaire à son rétablissement (Brewin, 1985).

Il se peut que la façon dont une personne interprète les événements négatifs soit moins importante pour la formation d'une dépression que la croyance qu'elle entretient sur sa capacité de contrôler sa propre vie. Nous avons fait remarquer au chapitre 14 que les situations de stress sont moins troublantes

Impuissance à contrôler la situation.

quand l'individu croit qu'il peut exercer un certain contrôle sur celles-ci. La confiance qu'on a dans sa capacité de composer avec les événements négatifs peut contribuer à accroître la résistance à la dépression.

PERSPECTIVE BIOLOGIQUE   La prédisposition à la formation de troubles affectifs, tout particulièrement de troubles maniaco-dépressifs, semble héréditaire. Les faits provenant d'études sur des jumeaux montrent que lorsqu'un jumeau identique est l'objet d'un diagnostic de manie dépressive, il y a 72 % de probabilité que l'autre jumeau finisse par souffrir du même trouble. Dans le cas de jumeaux fraternels, la proportion correspondante n'est que de 14 %. Ces chiffres, appelés *taux de correspondance*, représentent la probabilité que deux jumeaux possèdent la même caractéristique quand l'un des deux est doté de cette caractéristique. Le taux de correspondance pour les jumeaux identiques souffrant de dépression (40 %) surpasse également le taux pour les jumeaux fraternels (11 %), la différence entre ces deux taux étant beaucoup moins grande que la différence entre les taux de jumeaux souffrant de manie dépressive (Allen, 1976). Cette comparaison indique que les troubles maniaco-dépressifs sont plus étroitement liés à des facteurs génétiques que les troubles dépressifs.

Le rôle précis joué par les facteurs génétiques dans les troubles affectifs est loin d'être clair. Il semble toutefois probable qu'une anomalie biochimique soit en cause. En effet, un grand nombre de données indiquent que nos humeurs sont contrôlées par les *neurotransmetteurs*, qui font passer les impulsions nerveuses d'un neurone à l'autre (voir aux pages 37-38). Un certain nombre de substances chimiques jouent le rôle de neurotransmetteurs dans diverses parties du système nerveux et le comportement normal exige un équilibre délicat entre ces substances. Citons deux neurotransmetteurs, auxquels on attribue un rôle important dans les troubles affectifs, soit la *noradrénaline* et la *sérotonine*. Ces deux neurotransmetteurs, qui appartiennent à une classe de composés appelés *amides biogènes*, se trouvent dans des régions du cerveau qui contrôlent le comportement affectif (le système limbique et l'hypothalamus). Une hypothèse généralement acceptée veut que la dépression soit associée à une déficience de l'un de ces neurotransmetteurs ou des deux à la fois, et que la manie soit associée à un excédent de l'un ou des deux. Cependant, la preuve, sur laquelle cette hypothèse s'appuie, est indirecte et fondée largement sur les effets de certaines drogues sur le comportement et sur l'activité des neurotransmetteurs. La réserpine, par exemple, médicament utilisé dans le traitement de l'hypertension, produit parfois une dépression, comme effet secondaire. La recherche sur les animaux a démontré que cette drogue entraîne une diminution dans les niveaux de sérotonine et de noradrénaline du cerveau. Par contre, les amphétamines (« speed »), qui produisent un « sommet » (« high ») émotionnel, facilitent la libération de ces deux neurotransmetteurs.

Les médicaments qui sont efficaces dans le soulagement de la dépression accroissent les quantités de noradrénaline et de sérotonine disponibles dans le système nerveux. Deux catégories principales d'antidépresseurs agissent de façons différentes pour élever les niveaux de neurotransmetteurs. Les *inhibiteurs de la monoamino-oxydase* (MAO) bloquent l'activité d'une enzyme qui peut détruire tant la noradrénaline que la sérotonine, contribuant ainsi à augmenter la concentration de ces deux neurotransmetteurs dans le cerveau. Les *antidépresseurs tricycliques* empêchent le *recaptage* (le processus grâce auquel les neurotransmetteurs sont récupérés par les terminaisons nerveuses dont ils avaient été libérés) de la sérotonine et de la noradrénaline, prolongeant par le fait même la durée de leur activité. Ces drogues affectant autant la sérotonine que la noradrénaline, il est difficile de distinguer les rôles que jouent ces deux neurotransmetteurs dans les troubles dépressifs. Certaines études indiquent que c'est la sérotonine qui joue le rôle principal; d'autres laissent croire que ce serait la noradrénaline. Il est possible que chacun de ces neurotransmetteurs soient en cause, mais dans des sous-types différents de dépression.

Dans le cadre de recherches qui utilisent des techniques nouvelles, on étudie les effets à long terme des antidépresseurs sur les récepteurs postsynaptiques des neurones. Les médicaments antidépressifs exigent du temps pour devenir efficaces : les tricycliques, tout comme les inhibiteurs de MAO, prennent de une à deux semaines avant de commencer à soulager les symptômes de la dépression. Or, ces observations ne concordent pas avec l'élévation temporaire des niveaux de noradrénaline et de sérotonine constatée lors de l'administration initiale de ces drogues. En effet, on a découvert qu'après quelques jours, les neurotransmetteurs reviennent à leur concentration antérieure à l'administration de ces drogues. Il n'est donc pas possible qu'une augmentation de la noradrénaline et de la sérotonine constitue en soi le mécanisme qui soulage la dépression. Les données préliminaires indiquent que ces antidépresseurs accroissent la sensibilité des récepteurs postsynaptiques tant de la sérotonine que de la noradrénaline. Le calendrier du cheminement de ce processus correspond bien avec le déroulement de l'action des médicaments sur les symptômes (Charney et Heninger, 1983 ; Charney, Heninger et Sternberg, 1984). Ainsi, malgré le fait que les niveaux de noradrénaline ou de sérotonine du malade redeviennent bas, il se peut qu'il soit alors en mesure d'utiliser ces neurotransmetteurs plus efficacement parce que les récepteurs sur lesquels ils agissent sont devenus plus sensibles.

Les systèmes de neurotransmetteurs qui contrôlent l'humeur et l'affection sont d'une complexité incroyable et nous ne faisons que commencer à les comprendre. Le fait que certains des médicaments les plus nouveaux, qui se sont révélés efficaces dans le soulagement de la dépression, ne semblent pas avoir d'influence sur les niveaux de noradrénaline et de sérotonine, permet de supposer que d'autres systèmes de neurotransmetteurs interviennent également. Il est donc possible que plusieurs systèmes de neurotransmetteurs, agissant seuls ou en conjonction, soient responsables des symptômes dépressifs (McNeal et Cimbolic, 1986).

Il ne fait aucun doute que des changements biologiques dans le système nerveux interviennent dans les troubles affectifs. La question qui n'est pas résolue est de savoir si les modifications physiologiques sont la cause ou le résultat des changements psychologiques. On a constaté, par exemple, que les gens qui se comportent délibérément comme s'ils passaient par un épisode maniaque manifestent des changements du niveau des neurotransmetteurs qui sont similaires à ceux qu'on observe chez les vrais patients maniaques (Post, Kotin, Goodwin et Gordon, 1973). L'épuisement de la noradrénaline peut donner lieu à certaines sortes de dépression, mais il est possible que, dans la chaîne causale qui mène à la dépression, il y ait un chaînon antérieur correspondant à des sentiments d'impuissance ou à la perte d'appuis affectifs.

VULNÉRABILITÉ ET STRESS   Toutes les théories dont nous avons parlé ont quelque chose d'important à nous apprendre sur la nature de la dépression. Il est possible que des caractéristiques physiologiques héréditaires prédisposent un individu à des changements excessifs de l'humeur. Il se peut aussi que les premières expériences — la perte de l'affection parentale ou l'incapacité de parvenir à la gratification par ses propres efforts — rendent une personne *vulnérable* à la dépression plus tard dans la vie. Les sortes d'événements de stress qui, selon les sujets déprimés, déclencheraient leurs troubles se situent habituellement dans la gamme des expériences normales de la vie ; c'est-à-dire que ce sont des situations que la plupart des gens sont capables d'affronter sans connaître de dépression anormale. Ainsi, le concept de vulnérabilité nous aide à comprendre pourquoi certaines personnes font une dépression lorsqu'elles connaissent une expérience de stress, alors que d'autres n'en font pas.

Parmi les autres éléments, identifiés comme facteurs d'accroissement de la vulnérabilité à la dépression, notons le fait de posséder peu d'habiletés sociales, d'être pauvre, d'être très dépendant des autres, d'avoir des enfants âgés de moins de 7 ans et de *ne pas* disposer d'une personne proche et intime à qui se confier. C'est cette dernière condition qui paraît être la plus importante, chez les femmes du moins, puisque c'est celle qui revient de la façon la plus constante dans les diverses études (Brown et Harris, 1978 ; Campbell, Cope et Teasdale, 1983 ; Bebbington, Sturt, Tennant et Hurry, 1984). Le fait d'entretenir une relation intime et confiante avec son époux ou avec un(e) ami(e) a fait décroître le risque qu'une femme devienne déprimée quand elle doit faire face à une situation de stress dans la vie. Cette constatation s'accorde avec les résultats de la recherche (dont nous avons parlé au chapitre 14) qui indique que les appuis sociaux contribuent à réduire la gravité des événements de stress.

La dépression a des causes multiples qui peuvent aller de celles qui sont déterminées presque entièrement par une hérédité biochimique anormale à celles qui tiennent exclusivement à des facteurs psychologiques ou environnementaux. La plupart des cas se situent entre ces deux extrêmes et font intervenir un mélange de facteurs génétiques, de facteurs liés aux premières phases du développement et de facteurs touchant à l'environnement.

SCHIZOPHRÉNIE

Schizophrénie est le terme par lequel on désigne un groupe de troubles caractérisés par une grave désorganisation de la personnalité, la distorsion de la réalité et une incapacité de fonctionner dans la vie quotidienne. L'expression *troubles schizophréniques*, soit la catégorie figurant dans le DSM-III (voir le tableau 15-1), est plus exacte, car la plupart des experts sont d'avis que la schizophrénie couvre plusieurs perturbations sérieuses, chacune d'elles pouvant avoir une cause différente. Toutefois, « schizophrénie » est le terme historique et celui qui est utilisé le plus souvent.

La schizophrénie se rencontre dans toutes les sociétés, même celles qui sont éloignées des stress de la civilisation industrielle, et elle semble avoir été le fléau de l'humanité au cours de toute son histoire. Aux États-Unis, bon an mal an, environ 6 personnes sur 1000 reçoivent des traitements pour la schizophrénie. Ce trouble se manifeste généralement au début de l'âge adulte, les plus nombreux cas apparaissant entre 25 et 35 ans. Parfois la schizophrénie se déclare lentement sous la forme d'un processus graduel d'isolement volontaire et de conduites inadéquates. Dans d'autres cas, le début de la schizophrénie est soudain et marqué d'une confusion intense et de remous affectifs; ce type d'irruption est généralement déclenché par une période de stress chez des individus dont la vie a pris des tendances d'isolement, de préoccupation de soi et de sentiments d'insécurité. Le cas que présente la figure 15-5 semble faire partie de cette dernière catégorie, même s'il n'est pas caractérisé par l'irruption brusque qu'on constate souvent.

Caractéristiques de la schizophrénie

Que le trouble schizophrénique se déclare progressivement ou soudainement, ses symptômes sont nombreux et variés. On peut résumer les caractéristiques primaires sous les titres suivants, même si toutes les personnes qui se voient attribuer un diagnostic schizophrénique ne présentent pas nécessairement tous ces symptômes.

TROUBLES DE LA PENSÉE ET DE L'ATTENTION   Alors que les troubles affectifs sont caractérisée par des perturbations de l'humeur, la schizophrénie, elle, est caractérisée par les perturbations de la *pensée*. Le passage suivant, tiré des écrits d'un schizophrène, montre combien il est difficile de comprendre la pensée schizophrène.

> Si les choses tournent par rotation de l'agriculture ou des niveaux en regards et synchronisé avec tout; je me réfère à un document antérieur quand j'ai fait certaines remarques qui étaient des faits également vérifiés et il y en a un autre qui concerne ma fille, elle a une oreille droite à lobe inférieur, son nom étant Mary Lou... Beaucoup d'abstraction a été passée sous silence et laissée inachevée dans ce sirop, produit de lait et autres, à cause de l'économique, des différentiels, des subsides, de la banqueroute, des outils, des édifices, des obligations, des actions nationales, des cochonneries de fondations, de la température, des échanges, du gouvernement dans les niveaux d'interruptions et de fusibles dans

FIGURE 15-5

Trouble schizophrénique

WG, un beau jeune homme d'allure athlétique de 19 ans, a été admis aux services psychiatriques sur recommandation de son médecin. Les parents ont dit, au moment de son admission, que le comportement de leur fils avait changé du tout au tout au cours des quelques mois précédents. Au secondaire, il avait été un étudiant convenable, mais récemment, il avait été forcé de quitter le collège parce qu'il échouait dans toutes les matières. Il s'était montré brillant dans une variété de sports — natation, poids et haltères, course à pied — gagnant plusieurs médailles, mais maintenant il avait délaissé toute forme d'exercice. Bien que très soigneux de sa santé et n'ayant pratiquement jamais parlé de problèmes physiques, il avait exprimé de façon répétée au cours des quelques dernières semaines, de vagues plaintes relatives à sa tête et à sa poitrine, ce qui, selon lui, prouvait qu'il était « en très mauvaise forme ». Au cours des derniers jours, il avait passé la plupart de son temps assis dans sa chambre, regardant fixement à travers la fenêtre. Il était devenu insouciant quant à son apparence personnelle et son habillement (ce qui ne lui ressemblait pas du tout).

Bien qu'il ne fît aucun doute que le patient avait récemment manifesté de sérieux changements dans sa conduite, une conversation plus poussée avec ses parents révéla que son adaptation au cours de l'enfance et de l'adolescence n'avait pas été sans problème. Il s'était toujours montré péniblement timide, sauf dans les situations rigoureusement structurées, et il avait passé une grande partie de son temps seul (souvent en s'exerçant avec les poids). Malgré ses prouesses athlétiques, il n'avait réellement pas d'amis intimes...

Les membres du personnel des services psychiatriques éprouvèrent de la difficulté à converser avec le patient; il fut impossible de procéder à une interview diagnostique ordinaire. Dans la plupart des cas, il se montra avare d'information. Il répondait habituellement aux questions directes, mais souvent sur un ton plat, dépourvu de chaleur affective. Il arrivait fréquemment que ses réponses ne présentaient pas de lien logique avec les questions. Les observateurs furent souvent mis à rude épreuve au moment de rédiger le détail de leurs conversations avec le patient. Après avoir parlé avec lui pendant un moment, ils se demandaient eux-mêmes sur quoi portait exactement la conversation.

À certains moments, le désaccord entre le contenu des mots prononcés par le patient et son expression émotionnelle était frappant. Par exemple, pendant qu'il parlait de façon sympathique d'une maladie aiguë qui avait retenu sa mère au lit durant une partie de l'automne précédent, ce garçon riait continuellement en sourdine.

Parfois, WG devenait agité et parlait avec une intensité bizarre. En une occasion, il parla de « sensations électriques » et d'un « courant électrique dans son cerveau ». Une autre fois, il révéla que lorsqu'il restait éveillé la nuit, il entendait une voix lui répéter l'ordre suivant, « Il va falloir que tu le fasses ». Le patient avait l'impression que, pour une raison quelconque, une force extérieure à lui-même exerçait sur lui une influence pour qu'il commette un acte de violence — encore indéfini — contre ses parents (Hofling, 1975, p. 372-373).

l'électronique aussi tous formellement énoncés pas nécessairement factualisés. (Maher, 1966, p. 395)

Pris isolément, les mots et les phrases ont un sens, mais ils n'ont pas de signification les uns par rapport aux autres. La juxtaposition de mots et de phrases sans relations et les associations de mots particulières (qu'on appelle parfois « salades de mots ») sont typiques des écrits et du langage schizophrènes.

La perturbation de la pensée chez le schizophrène semble refléter une difficulté générale de « filtrage » des stimuli non pertinents. Nous sommes capables, pour la plupart, de concentrer notre attention de façon sélective. Parmi la masse de données sensorielles qui nous parviennent, nous sommes capables de choisir des stimuli qui se rapportent à la tâche que nous sommes en train d'accomplir et nous ignorons le reste. La personne qui souffre de schizophrénie semble incapable de repérer et d'écarter les stimuli qui n'ont rien à voir avec la situation. Elle est ouverte, sur le plan perceptif, à plusieurs stimuli simultanés et elle éprouve de la difficulté à se retrouver dans cette profusion de stimulations, comme le montre ce témoignage d'un patient schizophrène :

Je suis incapable de me concentrer. C'est le détournement de l'attention qui me nuit. Je capte des conversations diverses. C'est comme si on était un transmetteur. Les sons passent à travers moi, mais j'ai l'impression que mon esprit ne peut pas venir à bout de tout. Il est difficile de se concentrer sur un son unique. (McGhie et Chapman, 1961, p. 104)

L'incapacité de « filtrer » les stimuli non pertinents est évidente dans plusieurs aspects de la pensée du schizophrène. Le caractère de disjonction du langage schizophrène reflète l'intrusion d'associations non pertinentes. Souvent, un seul mot déclenchera une série d'associations, tel que le démontre la phrase suivante écrite par un patient schizophrène :

> Je suis peut-être un « bébé bleu », mais « bébé social » pas, mais cependant un bébé au cœur bleu pourrait être dans le livre bleu publié avant la guerre.

Ce patient avait déjà eu des troubles cardiaques et il se peut qu'il ait d'abord voulu dire « j'étais un bébé bleu ». L'association du « bébé bleu » avec « sang bleu » dans le sens de statut social peut avoir été à l'origine de l'interruption « mais < Bébé social > pas ». Et la dernière proposition montre l'échange entre les deux significations : l'intention était de dire « cependant un bébé bleu aurait pu être dans le livre bleu (registre social) » (Maher, 1966, p. 413).

TROUBLES DE LA PERCEPTION   Durant les épisodes de schizophrénie aiguë, les patients disent souvent que le monde leur apparaît comme *différent* ; les bruits semblent plus forts et les couleurs plus vives. Il peut arriver que leur propre corps n'ait plus l'air d'être le même ; les mains peuvent paraître plus grandes ou plus petites, les jambes exagérément longues, les yeux déplacés dans le visage. Certains patients ne se reconnaissent pas dans le miroir, ou y voient leur réflexion en triple exemplaire. Au cours de la phase aiguë de la schizophrénie, plusieurs patients traversent des périodes durant lesquelles ils sont incapables de percevoir un tout ; par exemple, quand ils regardent les infirmières ou les médecins, ils ne peuvent les percevoir comme des personnes ; ils ne voient que des parties — un nez, l'œil gauche, un bras, et ainsi de suite. Le dessin de la figure 15-6 montre cette fragmentation d'un tout chez une patiente schizophène.

TROUBLES DE L'AFFECT   Généralement, les schizophrènes n'arrivent pas à présenter des réactions affectives « normales » ou appropriées. Ils sont souvent repliés sur eux-mêmes et se montrent insensibles à des situations qui devraient les rendre tristes ou heureux. Il peut arriver, par exemple, qu'un homme ne manifeste aucune réaction émotive en apprenant que sa fille a un cancer. Cet amortissement ou nivellement de l'expression émotionnelle cache souvent, toutefois, des bouleversements internes et la personne peut finir par éclater dans des explosions de colère.

L'individu schizophrène exprime parfois des émotions qui conviennent mal à la situation ou à la pensée véhiculée. Un patient, par exemple, sourira en parlant d'événements tragiques. Puisque nos émotions subissent l'influence des processus cognitifs, il n'est pas surprenant que la désorganisation des pensées et des perceptions s'accompagne de changements dans les réactions émotives.

> La moitié du temps je parle d'une chose et je pense à environ une demi-douzaine de choses en même temps. Les gens peuvent trouver bizarre que je rie de quelque chose qui n'a rien à voir avec ce dont je suis en train de parler mais ils ne savent pas ce qui se passe en dedans et à quel point ceci me tourne dans la tête. Voyez-vous, il se peut que pendant que je parle de quelque chose d'assez sérieux, d'autres sujets qui sont drôles me viennent en même temps à l'esprit et me portent à rire. Si seulement je pouvais me concentrer sur une chose à la fois, je n'aurais pas l'air aussi cinglé. (McGhie et Chapman, 1961, p. 104)

ÉVASION EN DEHORS DE LA RÉALITÉ   Durant les épisodes de schizophrénie, l'individu est porté à se tenir à l'écart des interactions avec les autres et à s'absorber dans ses pensées et fantasmes intérieurs. On donne à cet état de repliement sur soi-même le nom d'*autisme* (du mot grec *autos*, qui signifie « soi-même »). Comme le dernier témoignage que nous avons cité le laisse entendre, la personne qui manifeste un comportement émotionnel inapproprié peut être en train de réagir à ce qui se passe dans son univers intime plutôt qu'aux événements extérieurs. Le repliement sur soi-même peut être tellement fort qu'il se peut que l'individu ne sache pas quel jour ou quel mois l'on est ni où il se trouve.

Dans les cas de schizophrénie aiguë, l'évasion en dehors de la réalité est temporaire. Dans les états chroniques, l'évasion peut s'étendre sur de plus longues périodes et s'intensifier jusqu'au point où l'individu devient totale-

FIGURE 15-6
Fragmentation perceptive   *Ce dessin, exécuté par une schizophrène, montre la difficulté qu'elle éprouve à percevoir le visage comme un tout. (D'après Arieti, 1974)*

ment insensible aux événements extérieurs, restant silencieux et immobile des jours durant; il faut alors en prendre soin comme d'un nouveau-né.

DÉLIRES ET HALLUCINATIONS   Durant la phase aiguë de la schizophrénie, la distorsion des processus de pensée et des perceptions s'accompagne de délires. Les plus courants consistent à croire que des forces externes tentent de prendre le contrôle des pensées et des actes de l'individu. Ces *délires d'influence* comprennent la croyance que les pensées sont diffusées à travers l'univers de telle sorte que les autres peuvent les entendre, que des pensées étranges (venues de l'extérieur) sont insérées dans l'esprit, ou que des sentiments et des actions sont imposés par une force extérieure quelconque. Dans bien des cas, on rencontre également la conviction que certaines personnes ou certains groupes menacent l'individu ou complotent dans son dos (*délires de persécution*). Il arrive parfois, mais moins souvent, que les schizophrènes se prennent pour des personnages importants et puissants (*délires de grandeur*).

On dit de celui ou de celle qui a des délires de persécution que c'est une personne *paranoïde*. Ce malade peut se méfier de ses parents et de ses amis, craindre d'être empoisonné, se plaindre qu'on le surveille, qu'on le suit ou qu'on parle de lui. Les crimes dits « sans mobiles », dans lesquels un individu attaque ou tue quelqu'un sans motif apparent, sont parfois commis par des gens qui reçoivent plus tard un diagnostic de schizophrénie paranoïde.

Les hallucinations peuvent se produire isolément ou faire partie d'une croyance délirante. Les hallucinations auditives — généralement, des voix qui disent à l'individu ce qu'il doit faire ou qui passent des commentaires sur ses actes — sont les plus fréquentes. Les hallucinations visuelles — visions de créatures étranges ou d'êtres célestes — sont un peu moins fréquentes. D'autres hallucinations sensorielles (une odeur nauséabonde qui se dégage du corps du sujet, le goût du poison dans ses aliments, la sensation d'être touché ou piqué par des aiguilles) se produisent rarement. En rapportant sa propre expérience de schizophrénie, Mark Vonnegut décrit sa première hallucination visuelle.

Posture de rigidité caractéristique de certains patients schizophrènes.

> Et puis, une nuit... alors que j'essayais de m'endormir... j'ai commencé à écouter mon cœur et à le sentir battre. Soudain, j'ai eu terriblement peur qu'il ne s'arrête. Et de nulle part surgit un visage iridescent, incroyablement ridé. Petit point infiniment distant à l'origine, il se précipita en avant, devenant infiniment grand. Je ne pouvais voir rien d'autre. Mon cœur s'était arrêté. Le moment dura une éternité. J'essayai de faire disparaître le visage mais il se moqua de moi. J'étais parvenu tant bien que mal à prendre le contrôle de mon rythme cardiaque, mais je ne savais pas comment l'utiliser. Je tenais ma vie dans mes mains, mais j'étais incapable de l'empêcher de me filer entre les doigts. Je tentai de regarder le visage dans les yeux et je m'aperçus que j'avais quitté tout terrain familier.
>
> Il, ou elle, ou quoi que ce soit... ne semblait pas m'aimer beaucoup. Mais le pire, c'était qu'il ne cessait d'avancer. Il n'avait aucun respect de mon espace personnel, aucune disposition à maintenir une certaine distance de dialogue. Quand je fus en mesure de distinguer facilement tous ses traits, quand nous nous sommes trouvés, lui et moi, plus ou moins sur la même échelle, j'ai cru qu'il y avait environ de 30 à 60 cm entre nous deux, mais en réalité il était encore à des centaines de kilomètres de moi et il continuait d'avancer et d'avancer jusqu'à ce que je sois perdu quelque part dans un pore quelconque de son nez et il continuait d'avancer
>
> Il n'y avait rien d'irréel du tout dans ce visage. Son aspect concret faisait que, par comparaison, le Roc de Gibraltar paraissait être fait d'ouate. Je souhaitais pouvoir prendre assez de repos en restant tout simplement couché sans bouger. De toute façon, la perspective de ne pas pouvoir dormir m'effrayait beaucoup moins que la possibilité de perdre contact avec l'univers (Vonnegut, 1975, pages 96-98).

Les signes de la schizophrénie sont nombreux et variés. Les efforts pour dégager une signification de la variété des symptômes se compliquent du fait que certains de ceux-ci peuvent résulter de la pertubation même, alors que d'autres peuvent découler de la réaction à la vie limitée, et souvent ennuyante, que l'on mène dans un hôpital psychiatrique ou des effets de la médication.

Pour comprendre la schizophrénie

Plus que tout autre trouble mental, la schizophrénie a été l'objet de nombreuses recherches visant à expliquer sa nature. Dans un effort pour expliquer les perturbations de la communication et de la perception, qui sont souvent typiques de l'état schizophrénique, des chercheurs ont étudié le fonctionnement cognitif des gens portant le diagnostic de schizophrène — la façon dont ils portent une attention sélective aux stimuli, dont ils stockent l'information en mémoire et dont ils utilisent le langage. D'autres se sont intéressés aux différences biologiques entre les individus schizophrènes et les autres, en termes d'hérédité biologique, de fonctionnement du système nerveux et de biochimie du cerveau. D'autres encore ont examiné les effets qu'ont sur la schizophrénie des facteurs du milieu comme le niveau social, l'interaction familiale et les événements de stress de la vie.

Malgré l'accumulation des données de recherche, on ne comprend pas encore bien les causes de la schizophrénie. Pourtant, certains domaines de recherche sont prometteurs, dont trois approches que nous allons considérer ici.

PERSPECTIVE BIOLOGIQUE Il est devenu de plus en plus évident qu'il existe une prédisposition héréditaire à la schizophrénie. L'étude des souches familiales montrent que les parents de schizophrènes risquent plus d'être atteints de cette maladie que les gens issus de familles exemptes de schizophrénie. La figure 15-7 indique le risque que court tout individu de devenir schizophrène durant sa vie en fonction de ses relations familiales avec une personne qui aurait été l'objet d'un diagnostic de schizophrénie. On remarque que le jumeau identique d'un schizophrène risque 3 fois plus qu'un jumeau fraternel de devenir schizophrène lui-même, et 46 fois plus qu'un étranger pris dans la population générale. Toutefois, moins de la moitié des jumeaux identiques de schizophrènes sont eux-mêmes schizophrènes, même s'ils partagent les mêmes gènes. Cette constatation démontre l'importance des facteurs de l'environnement.

On ne sait rien des modes de transmission et actuellement, il n'est pas possible non plus de prévoir, parmi les individus à risques, ceux qui deviendront effectivement des schizophrènes. Le pattern adopté par l'hérédité laisse supposer que plusieurs gènes interviennent, plutôt qu'un seul gène dominant ou récessif (Nicol et Gottesman, 1983).

FIGURE 15-7
Parentés génétiques et schizophrénie *Le risque que court un individu de devenir schizophrène durant sa vie est en grande partie fonction de son degré de parenté génétique avec un schizophrène et non pas fonction du degré de partage des mêmes conditions environnementales. Dans le cas de l'individu dont les deux parents sont schizophrènes, la parenté génétique ne peut s'exprimer sous forme de pourcentage, mais la régression de la « valeur génétique » de l'individu par rapport à celle des parents est égale à 1, soit la même qui prévaut pour des jumeaux identiques. (D'après Gottesman et Shields, 1982)*

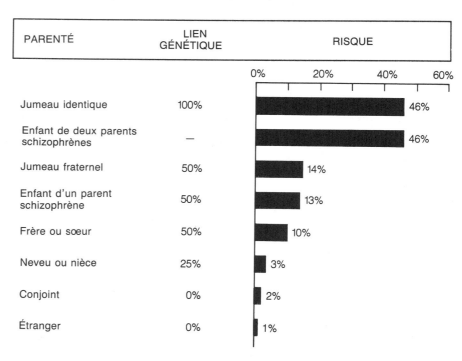

Tenant pour acquis que la prédisposition génétique envers la schizophrénie est en partie attribuable à une déficience ou à un déséquilibre dans la chimie corporelle, les chercheurs ont, au cours des années, essayé de trouver des différences biochimiques entre les schizophrènes et les individus normaux. On a fait état d'un certain nombre de différences entre des échantillons de sang ou d'urine prélevés chez des personnes normales et chez des personnes hospitalisées pour raisons de schizophrénie; souvent ces différences ont été annoncées comme des percées scientifiques majeures devant permettre une meilleure compréhension des causes de la schizophrénie. Malheureusement, la plupart de ces découvertes se sont révélées décevantes: soit qu'on ne puisse reproduire les résultats, soit que l'on finisse par constater que ces différences étaient associées à une condition physiologique qui n'avait rien à voir avec le trouble de schizophrénie. Ce dernier point représente l'un des problèmes majeurs dans la recherche d'une explication causale de la schizophrénie: une condition anormale décelée chez des patients schizophrènes et pas chez des sujets-témoins peut être ou bien la *cause* de la maladie, ou bien son *résultat*, ou elle peut même découler d'un aspect quelconque du *traitement* utilisé. Par exemple, la première admission d'un patient schizophrène à l'hôpital est souvent précédée de semaines d'agitation et de panique intenses qui ont, sans aucun doute, entraîné des bouleversements de l'état corporel. Ces changements — associés à la perte de sommeil, à un régime alimentaire inadéquat et au stress général — ne sauraient être considérés comme la cause de la schizophrénie. D'autres anomalies biochimiques peuvent se rapporter au traitement. La plupart des patients schizophrènes sont traités au moyen de médication dont les traces persistent dans le sang pendant un certain temps. Certaines des conditions reliées à une hospitalisation prolongée, comme un changement dans le régime alimentaire, peuvent également provoquer des changements biologiques.

Tous ces facteurs compliquent le problème de l'identification de différences entre schizophrènes et sujets-témoins, différences qui nous éclaireraient sur les origines de la schizophrénie. Malgré ce genre de difficultés, des recherches récentes, s'appuyant sur notre connaissance accrue des neurotransmetteurs et sur l'utilisation de nouvelles techniques pour mesurer l'activité cérébrale, nous apportent des indications prometteuses.

Les théories biochimiques sur les troubles affectifs se sont intéressées surtout à la noradrénaline et à la sérotonine, mais la recherche sur la schizophrénie a concentré ses efforts sur la *dopamine*, un neurotransmetteur agissant dans une région du cerveau qui jouerait un rôle dans le contrôle de l'affectivité, soit le système limbique. L'*hypothèse de la dopamine* voudrait que la schizophrénie soit causée par un excès de dopamine à certaines synapses du cerveau. Il se peut que cet excès résulte de la surproduction du neurotransmetteur ou d'un contrôle défectueux du mécanisme de recaptage, grâce auquel la dopamine retourne dans les vésicules des neurones présynaptiques pour y être entreposée. Il se pourrait également que l'excès soit attribuable à la sensibilité excessive des récepteurs de dopamine ou à un trop grand nombre de récepteurs. Les faits qui montrent l'importance de la dopamine proviennent de deux sources. D'abord, les médicaments efficaces pour soulager la schizophrénie, et que l'on appelle *agents antipsychotiques,* réduisent la quantité de dopamine utilisable dans le cerveau. Les chercheurs croient qu'ils y arrivent en bloquant les récepteurs de dopamine. Ces médicaments ne guérissent pas complètement la schizophrénie, mais ils réduisent considérablement les hallucinations et les délires, améliorent la concentration mentale et rendent les symptômes schizophréniques moins bizarres. De plus, on a constaté que l'efficacité thérapeutique d'un médicament particulier allait de pair avec son pouvoir de bloquer les récepteurs de dopamine (Creese, Burt et Snyder, 1978).

Des observations sur les effets des amphétamines (qui font accroître la libération de dopamine) viennent renforcer l'hypothèse voulant qu'une anomalie du métabolisme de la dopamine soit la cause fondamentale de la schizophrénie. Les habitués des drogues qui prennent des doses excessives d'amphétamines manifestent des comportements psychotiques qui s'appa-

« **Votre problème tient à plusieurs facteurs: le stress de l'environnement, les premières expériences de l'enfance, le déséquilibre chimique et, avant tout, le fait que vos deux parents soient aussi cinglés qu'un coucou bavarois.** »

rentent étroitement avec la schizophrénie; on peut d'ailleurs soulager ces symptômes avec les mêmes médicaments antipsychotiques qu'on utilise dans le traitement de la schizophrénie. L'administration de faibles dosages d'amphétamines à des schizophrènes accentue considérablement leurs symptômes. Dans de tels cas, la drogue ne produit pas une schizophrénie qui lui est propre; elle exacerbe plutôt les symptômes présents chez le patient, quels que soient ces symptômes (Snyder, 1980).

L'intensification de l'action de la dopamine aggrave donc les symptômes de la schizophrénie, alors que le blocage de la dopamine les atténue. On ne connaît pas la différence exacte entre le métabolisme des schizophrènes et celui des individus normaux.

Malgré ses aspects prometteurs, l'hypothèse de la dopamine rencontre encore des difficultés. C'est ainsi que dans certains cas de schizophrénie, l'état du malade ne s'améliore *pas*, quand on lui administre des médicaments antipsychotiques. Il ne fait aucun doute que la schizophrénie n'est pas une seule maladie, mais un groupe de perturbations; il se peut que certains cas de schizophrénie soient attribuables à un excès de dopamine, alors que d'autres auraient des causes qu'on n'a pas réussi à identifier jusqu'à présent. Les chercheurs actuels ont recours à de nouvelles techniques — la tomographie par émission de positrons (PET, positron emission tomography) et la tomographie transverse axiale par ordinateur (CT, computerized axial tomography, voir pages 44 et 45) — pour étudier l'activité cérébrale de patients schizophrènes et pour chercher des anomalies fonctionnelles et structurales.

PERSPECTIVE SOCIALE ET PSYCHOLOGIQUE   De nombreuses études faites aux États-Unis et dans d'autres pays ont révélé que le taux de schizophrénie est significativement plus élevé parmi les classes de niveau socio-économique inférieur que parmi les classes moyenne et supérieure (Dohrenwend, 1973; Strauss, 1982). Personne ne sait à quoi attribuer cette relation entre classe sociale et schizophrénie, mais on a proposé plusieurs explications.

1. *Diagnostic différentiel*   Les thérapeutes répugnent à appliquer l'étiquette « schizophrénie » à des patients à revenus supérieurs, à cause de l'effet dommageable que ce stigmate pourrait avoir sur la carrière de leur patient.
2. *Dérive vers le bas*   Parce qu'ils possèdent peu d'habiletés pour affronter les situations, les individus atteints de schizophrénie éprouvent de la difficulté à terminer leurs études et à se trouver un emploi satisfaisant. Ils dérivent graduellement vers le bas de l'échelle sociale et rejoignent les classes inférieures.
3. *Stress accru*   La vie, dans des conditions de pauvreté et dans des quartiers ou des régions où la criminalité est élevée, où les taudis pullulent et où les écoles sont inadéquates, crée suffisamment de stress additionnel pour déclencher des troubles schizophréniques, particulièrement chez des individus génétiquement prédisposés à cette maladie.

Les faits indiquent que toutes ces explications, surtout les deux dernières, pourraient êtres justes (Kosa et Zola, 1975; Brenner, 1982; Fried, 1982).

La recherche sur le rôle des facteurs psychologiques dans la genèse de la schizophrénie s'est concentrée sur les relations parents-enfants et sur les modes de communication au sein des familles. L'étude des familles de patients schizophrènes a permis d'identifier deux types de rapports familiaux qui semblent contribuer à cette maladie. Dans le premier type, les parents sont nettement divisés et ne sont pas intéressés à collaborer dans la poursuite d'un but commun; ils se méprisent l'un l'autre, essaient de dominer leur soi-disant partenaire et rivalisent pour se gagner la loyauté des enfants. Dans le second type, il n'y a pas de lutte ouverte; le parent dominateur témoigne de psychopathologie grave, que son conjoint accepte passivement comme chose normale (Lidz, 1973). Les deux types de familles comprennent des parents bizarres, qui manquent de maturité et utilisent leurs enfants pour satisfaire leurs besoins; ces deux genres de familles sont susceptibles de donner des enfants qui se sentent confus, rejetés et incertains des vrais sentiments des gens. En un sens, ces enfants grandissent en apprenant à accepter comme normales les distorsions de la réalité qui sont le fait de leurs parents.

L'observation des interactions au sein des familles de schizophrènes semble indiquer que les problèmes de communication représentent une partie importante du comportement anormal des parents. Ils semblent souvent incapables de fixer leur attention et de transmettre un message cohérent à ceux qui les écoutent. Leur conversation est par conséquent décousue et confuse, comme on peut le constater dans l'exemple suivant.

> LA FILLE : (soit la patiente, *sur un ton de plainte*) Personne ne m'écoute. Tout le monde essaie de me fermer.
> LA MÈRE : Personne ne veut t'enfermer.
> LE PÈRE : Si tu veux frayer avec les intellectuels, il va falloir te souvenir que *fermer*, pris dans ce sens là, n'est pas un verbe pronominal.
> (adapté d'un exemple en langue anglaise de Singer et Wynne, 1963, p. 195)

Il est évident que les membres de cette famille ne communiquent pas les uns avec les autres de façon signifiante. Chacun suit, à sa façon, le fil de ses propres pensées. Après plusieurs conversations de ce genre, même une personne normale pourrait finir par avoir des troubles de pensée!

En plus de communiquer d'une manière qui crée de la confusion et de l'incertitude, les parents d'enfants qui deviendront plus tard schizophrènes ont tendance à traiter leur progéniture de façon hostile et critique : quand l'enfant fait quelque chose de mal, c'est lui qu'ils critiquent plutôt que sa façon d'agir (« Tu ne vaux rien ») et ils lui *disent* ce qu'ils pensent et ressentent plutôt que d'*écouter* ce qu'il dit (« Tu sais que tu n'aimes pas frayer avec ce garçon-là. »). L'amalgame de communication confuse et d'attitudes parentales négatives semble être un meilleur facteur de prédiction d'une schizophrénie éventuelle que l'une ou l'autre de ces deux variables prises séparément (Goldstein, 1985). La relation de cause à effet n'est pas claire, cependant. Il se peut que les problèmes de communication et les attitudes parentales négatives soient le résultat des tentatives faites par ces mêmes parents pour composer avec un enfant dont le comportement est perturbé ou inusité, même avant qu'il soit reconnu comme schizophrène. En d'autres mots, est-ce que les agissements anormaux des parents sont la cause du comportement maladapté de l'enfant ou est-ce que les caractéristiques étranges de l'enfant (tendance à être distrait, difficulté à se concentrer, etc.) sont la cause de la conduite des parents? On n'a pas encore trouvé réponse à cette question. Mais quel que soit leur rôle dans le déclenchement du comportement schizophrène, la désorganisation de la famille et le rejet parental sont des facteurs importants pour l'évaluation de la gravité de la maladie et pour l'élaboration d'un pronostic de guérison (Roff et Knight, 1981).

En plus de relations familiales perturbées, d'autres événements traumatiques (comme la mort prématurée de l'un ou des deux parents) se retrouvent plus fréquemment dans les antécédents des personnes qui deviennent schizophrènes. Une enfance marquée par des stress de nature variée pourrait contribuer à la maladie. En général, plus l'enfance a été marquée de stress, plus la perturbation schizophrène est grave.

VULNÉRABILITÉ ET STRESS   La plupart des individus qui vivent dans la pauvreté ou qui connaissent une enfance troublante et accompagnée de stress ne deviennent *pas* des schizophrènes. Certains individus qui finissent par recevoir l'étiquette de « schizophrène » naissent probablement avec une prédisposition génétique à la schizophrénie. Mais il semble invraisemblable que l'hérédité à elle seule puisse expliquer cette maladie. Il ne fait aucun doute que la prédisposition génétique et le stress de l'environnement agissent l'un sur l'autre pour produire la schizophrénie. Il est possible que la situation s'apparente à celle de l'acquisition des allergies : il existe une prédisposition héréditaire aux sensibilités allergiques, mais certains événements dans le milieu sont nécessaires au déclenchement de la réaction.

Quelque 50 études longitudinales sont présentement en cours auprès d'enfants présentant de fortes probabilités de devenir schizophrènes. Les chercheurs suivent le cheminement de ces enfants depuis leurs premières années jusqu'à l'adolescence, dans un effort pour mettre le doigt sur certains des facteurs déterminant l'apparition de la maladie. Dans la plupart de ces études, on a estimé que les enfants couraient un risque élevé en se fondant sur le fait qu'au moins l'un de ses parents était schizophrène (Mednick, 1973; John, Mednick et Schulsinger, 1982; Steffy et coll., 1984). D'autres chercheurs ont sélectionné les sujets de leur groupe à risque élevé en s'appuyant sur des mesures psychophysiologiques ou sur des caractéristiques de comportements qu'ils considèrent comme des présages de schizophrénie (Garmezy, 1974; Mednick et coll., 1984).

Les sujets à risque élevé sont généralement jumelés à un groupe-témoin d'enfants qui n'ont pas d'antécédents familiaux de maladie mentale et qui ne manifestent aucun signe précurseur de psychopathologie. On observe soigneusement l'évolution des deux groupes au moyen de tests et d'interviews périodiques avec les parents, les maîtres et les compagnons et compagnes de l'enfant. Quand un sujet du groupe expérimental devient manifestement schizophrène, il est jumelé à la fois avec un sujet du groupe à risque élevé qui a gardé sa santé et avec un sujet du groupe-témoin qui est également en santé. On peut ainsi comparer les antécédents de l'individu qui devient schizophrène avec ceux d'un sujet à risque élevé et avec ceux d'un sujet normal à faible risque.

La plupart des études ont débuté durant les années 60 et 70 et se poursuivent encore; les sujets sont maintenant de jeunes adultes. Certains sont déjà devenus schizophrènes et on s'attend à ce que beaucoup d'autres le deviennent au cours de la prochaine décennie. En conséquence, les données dont nous disposons actuellement sont surtout des comparaisons entre les groupes à risque élevé et à faible risque. Elles indiquent que l'enfant à risque élevé ressemble, sous bien des aspects, à un schizophrène adulte. C'est ainsi que la compétence sociale des enfants à risque élevé est jugée médiocre et ces enfants ont tendance à avoir peu de succès dans les tâches qui exigent une attention soutenue ou une pensée abstraite.

Les données préliminaires, se rapportant aux sujets à risque élevé qui sont devenus plus tard schizophrènes, indiquent qu'ils étaient différents des sujets à risque élevé qui sont restés en santé sur les points suivants. Les sujets qui sont devenus malades:

1. étaient plus susceptibles d'avoir subi des complications à la naissance qui pourraient avoir affecté le fonctionnement de leur système nerveux;
2. étaient plus susceptibles d'avoir été séparés de leurs mères quand ils étaient très jeunes;
3. avaient un père plus susceptible d'avoir été hospitalisé, les diagnostics allant de l'alcoolisme à la schizophrénie;
4. étaient plus suceptibles de manifester des comportements inadaptés à l'école. Leurs enseignants décrivaient les garçons comme des enfants anxieux et solitaires présentant des problèmes d'indiscipline; les filles étaient décrites comme des enfants repliées sur elles-mêmes, qui se tenaient à l'écart et qui avaient peu de contrôle sur leur conduite.

Lorsque ces études en cours nous fourniront des données additionnelles sur ces sujets à risque élevé, nous devrions avoir une meilleure compréhension de la façon dont les facteurs génétiques et les facteurs du milieu agissent les uns sur les autres pour produire la schizophrénie.

TROUBLES DE PERSONNALITÉ

Les *troubles de la personnalité* sont des patterns de conduite inadaptée qui sont en place depuis longtemps. Au chapitre 13, nous avons décrit les *traits de personnalité* comme des façons durables de percevoir l'environnement ou d'entrer en relation avec lui et de se concevoir soi-même. Quand les traits de personnalité deviennent tellement inflexibles et entraînent tellement de maladaptation qu'ils nuisent de façon significative à la capacité de fonctionnement de l'individu, on les appelle des troubles de personnalité. Les troubles de personnalité sont des façons immatures et inadéquates d'affronter le stress ou de résoudre les problèmes. Ils sont généralement évidents dès le début de l'adolescence et peuvent persister durant toute la vie adulte.

À la différence des gens atteints de troubles affectifs ou de troubles d'anxiété, qui présentent également des comportements inadaptés, ceux qui ont des troubles de personnalité ne se sentent généralement pas troublés ou angoissés et ne sentent pas le besoin de modifier leur comportement. Ils ne perdent pas contact avec la réalité ou ne donnent pas de signes d'une désorganisation prononcée de leur conduite, contrairement aux individus atteints de troubles de schizophrénie.

Le DSM-III donne une liste de 12 troubles de personnalité. On y décrit, par exemple, celui qui est atteint d'un *trouble de personnalité narcissiste* comme une personne qui possède un sens exagéré de sa propre importance, qui est hantée par des fantasmes de succès, en quête constante d'admiration et d'attention, et qui se montre insensible aux besoins des autres et les exploite souvent. Les *troubles de personnalité dépendante* sont caractérisés par une orientation passive face à la vie, une incapacité de prendre des décisions ou d'accepter des responsabiltés, une tendance à se déprécier soi-même et le besoin constant d'un appui de la part des autres.

La plupart des troubles de personnalité énumérés dans le DSM-III n'ont pas été l'objet de beaucoup de recherche. En outre, les caractéristiques de ces divers troubles de personnalité chevauchent, ce qui fait que l'accord sur cette classification des individus n'est pas très prononcé. C'est la personnalité asociale qui représente le trouble de personnalité le mieux étudié et au sujet duquel on peut poser le diagnostic le plus fiable.

Personnalité asociale

Les gens qui ont des *personnalités asociales* (également appelés *personnalités psychopathiques*) semblent avoir peu de sens de la responsabilité, de sens moral ou de préoccupation à l'égard des autres. Leur conduite est régie presque exclusivement par leurs propres besoins. En d'autres mots, ils n'ont pas de *conscience*. Alors que l'individu normal arrive à comprendre dès son jeune âge qu'il faut imposer des limites à son comportement et que les plaisirs doivent parfois être différés en considération des besoins d'autrui, les individus qui ont des personnalités asociales ou antisociales tiennent rarement compte de désirs autres que les leurs. Ils se conduisent de façon impulsive, recherchent la gratification immédiate de leurs besoins et ne peuvent pas supporter la frustration.

Le terme « personnalité asociale » est quelque peu trompeur, car ces caractéristiques ne correspondent pas à la description de la plupart des gens qui commettent des actes antisociaux. Le *comportement* antisocial découle d'un certain nombre de causes, y compris l'affiliation à un gang de délinquants ou à un groupe criminel, le besoin d'attirer l'attention et d'atteindre un statut particulier, la perte de contact avec la réalité et l'incapacité de contrôler ses impulsions. La plupart des jeunes délinquants et des criminels adultes montrent effectivement de l'intérêt pour d'autres personnes (leur famille ou les membres du gang) et ils ont un certain code de conduite morale (« on ne dénonce pas un ami »). Au contraire, les *personnalités* asociales ont peu de considération pour quiconque sauf pour eux-mêmes, et ils semblent ressentir peu de culpabilité ou de remords, peu importe le degré de souffrance que leur conduite peut entraîner chez les autres. Parmi les autres caractéristiques de la personnalité asociale, on relève une grande facilité à mentir, un besoin de frissons et d'excitation, peu d'inquiétude quant à la possibilité d'être blessé et une incapacité de modifier son comportement à la suite de punitions. Ces individus sont souvent des gens aimables, intelligents et charmants qui manipulent les autres avec beaucoup de facilité — en d'autres mots, de bons « vendeurs ». Le fait de paraître compétents et sincères leur permet d'obtenir des emplois prometteurs, mais ils ont peu de stabilité. Leur nervosité et leur impulsivité les entraînent bientôt dans une escapade qui dévoile leur vraie nature; ils accumulent les dettes, abandonnent leurs familles, dilapident l'argent de leur employeur ou commettent des crimes. Lorsqu'ils se font attraper, leurs

ANALYSE CRITIQUE

L'aliénation mentale, moyen de défense juridique

Comment la loi doit-elle traiter celui qui souffre de troubles mentaux et qui commet un crime? Les individus dont les facultés mentales sont affaiblies devraient-ils être tenus responsables de leurs actes? Ces questions préoccupent considérablement ceux qui s'intéressent aux sciences sociales et aux sciences du comportement, de même que les membres de la profession juridique et les individus qui travaillent auprès des criminels.

La notion voulant qu'une société civilisée ne devrait pas punir la personne qui est mentalement incapable de contrôler sa conduite a constitué une partie importante de la loi occidentale, à travers les siècles. En 1724, un tribunal anglais a soutenu qu'un homme n'est pas responsable d'un acte « s'il n'est pas plus conscient de ce qu'il fait, que ne le serait... une bête sauvage ». La plupart des règles modernes de responsabilité légale reposent toutefois sur l'arrêt M'Naghten de 1843. M'Naghten, un Écossais, était pris d'un délire paranoïde : il se disait persécuté par le Premier ministre d'Angleterre, Sir Robert Peel. En tentant de tuer Peel, il abattit par erreur le secrétaire de Peel. Tous ceux qui ont participé au procès étaient convaincus, devant les divagations sans queue ni tête de M'Naghten, que ce dernier était fou. On le jugea irresponsable pour cause d'aliénation mentale et on l'interna dans un hospice d'aliénés, où il resta jusqu'à sa mort. Mais la reine Victoria n'avait pas aimé le verdict — de toute évidence, selon elle, il ne fallait pas prendre à la légère l'assassinat politique — et elle demanda à la Chambre des Lords de reconsidérer la décision. Celle-ci fut maintenue et les principes de la définition juridique de l'aliénation mentale furent consignés dans un texte. L'arrêt M'Naghten déclare qu'un accusé peut être trouvé « non coupable » pour cause d'aliénation à condition qu'il ait été si gravement perturbé au moment de son acte qu'il ne savait pas ce qu'il fai-

sait ou, s'il savait ce qu'il faisait, qu'il ne savait pas alors que c'était mal.

L'arrêt M'Naghten fut adopté aux États-Unis et la connaissance de la distinction entre le bien et le mal est resté un point sur lequel se sont appuyées pendant plus d'un siècle la plupart des décisions concernant l'aliénation mentale du point de vue légal. Dans quelques états américains, on a ajouté aux statuts la doctrine de l'« impulsion irrésistible », laquelle reconnaît que certains individus atteints d'aliénation mentale peuvent répondre correctement quand on leur demande si un acte particulier est moralement bon ou mal, sans être capables pour autant de contrôler leur comportement.

Au cours des années 1970, un certain nombre d'états et de tribunaux du gouvernement fédéral ont adopté une définition plus large de l'aliénation mentale, suivant la proposition de l'American Law Institute, qui se lit comme suit : « Une personne n'est pas responsable d'un comportement criminel si, au moment d'un tel comportement, elle ne dispose pas, à cause d'une maladie ou d'une déficience mentale, de la capacité substantielle, soit d'apprécier le caractère répréhensible de son comportement, soit de rendre ce comportement conforme aux exigences de la loi. » Le qualificatif *substantielle* laisse entendre qu'une incapacité quelconque ne suffit pas pour échapper à la responsabilité criminelle, mais que l'incapacité « totale » n'est pas requise non plus. L'emploi du terme *apprécier* plutôt que *savoir* implique que la prise de conscience du bien ou du mal, sur le plan intellectuel, n'est pas suffisante ; les individus doivent avoir une certaine compréhension des conséquences morales ou légales de leur conduite avant qu'on puisse les en tenir criminellement responsables.

Le problème de la responsabilité légale dans le cas d'individus mentalement perturbés est devenu un sujet de plus en

déclarations de repentir sont tellement convaincantes que souvent ils échappent à la punition et on leur donne une autre chance. Mais ils tiennent rarement promesse et ce qu'ils disent a peu de rapport avec ce qu'ils ressentent ou ce qu'ils font (voir la figure 15-8).

On considère que les deux caractéristiques les plus révélatrices de trouble de personnalité asociale sont « l'absence d'amour » (l'incapacité de ressentir quelque intropathie*, ou empathie, ou loyauté à l'égard d'une autre personne) et « l'absence de culpabilité » (l'incapacité d'avoir des remords de ses actes, peu importe dans quelle mesure ces actes sont répréhensibles).

Pour comprendre les personnalités asociales

Quels sont les facteurs qui contribuent au développement de la personnalité asociale? On devrait s'attendre à ce que les individus qui ont ce type de per-

* Voir Piéron, 1957, p. 187 (Note du traducteur)

plus débattu, à la suite de l'acquittement, pour raison d'aliénation mentale, de John Hinckley Jr., accusé d'un attentat contre la personne du Président Reagan en 1981. Beaucoup d'Américains semblent croire que l'aliénation mentale comme moyen de défense est un échappatoire juridique qui permet à trop d'individus coupables de s'en tirer. Certains membres de la profession légale et des professions s'intéressant à la santé mentale prétendent que les procédures utilisées actuellement par les tribunaux — au cours desquelles des psychiatres et des psychologues, appelés par les avocats de la poursuite et par ceux de la défense, présentent des preuves contradictoires concernant l'état mental de l'inculpé — sèment la confusion chez les jurés et contribuent peu à aider la justice. On a suggéré de limiter le témoignage des experts aux preuves de conditions anormales qui ont trait à la prise de conscience et la perception de l'accusé au moment du crime, c'est-à-dire à l'intention qu'avait ou non l'accusé de commettre un crime. Les autres témoignages portant sur des déficiences plus subtiles du jugement et de la capacité de contrôle sur la conduite ne seraient plus pertinentes à la décision relative au verdict, mais pourraient être invoqués au moment de prononcer la sentence. Une autre proposition réclame la constitution d'un groupe de témoins-experts qui seraient choisis par le tribunal. Ces experts ne témoigneraient ni pour la poursuite ou ni pour la défense, mais tenteraient d'en arriver à une conclusion impartiale quant à l'état mental de l'accusé au moment où le crime a été commis.

Aux États-Unis, pour le moment, les lois concernant le motif d'aliénation mentale comme moyen de défense sont dans un état de fluctuation. En 1984, le Congrès a promulgué une loi limitant le test de l'aliénation à la question de savoir si l'inculpé savait ou non qu'il était en train de commettre un crime. On s'attend à ce que les tribunaux fédéraux se conforment à cette loi et un bon nombre d'États ont adopté des lois similaires. Trois États (l'Idaho, le Montana et l'Utah) ont tout simplement aboli le plaidoyer d'aliénation et plusieurs autres ont remplacé le verdict de non-culpabilité pour raison d'aliénation mentale par un nouveau verdict de culpabilité assortie d'aliénation mentale. La personne sous le coup d'un tel verdict recevrait des traitements de psychothérapie dans un hôpital pour malades mentaux et prendrait le chemin de la prison pour y purger le reste de la sentence quand elle serait jugée mentalement compétente. Il reste à savoir si le traitement dans l'un ou l'autre de ces établissements serait suffisant pour réhabiliter l'individu.

En dépit des controverses qui ont cours, les cas réels d'acquittement pour cause d'aliénation mentale sont assez rares ; les jurés n'osent pas croire que les gens ne sont pas moralement responsables de leurs actes et les avocats, prévoyant qu'un plaidoyer d'aliénation risque d'échouer, n'ont tendance à l'utiliser qu'en dernier ressort. Moins de 1 % des inculpés accusés de crimes graves sont déclarés « non coupables » pour raison d'aliénation mentale.

La question des troubles mentaux exerce son impact principal plus tôt dans le déroulement du processus judiciaire. En effet, plusieurs individus atteints de « maladie mentale » ne se rendent jamais jusqu'au procès. Aux États-Unis et au Canada, par exemple, la loi exige que l'accusé soit *habilité à subir son procès*. L'individu jugé habilité à subir son procès est capable 1) de comprendre les accusations et 2) de collaborer avec son avocat dans la préparation de sa défense. La question de la capacité de l'inculpé est fondamentalement liée à l'idéal, que partagent entre autres les Américains et les Anglosaxons, d'un procès équitable ; elle est essentiellement distincte de la question de savoir si une personne était « aliénée » ou non au moment où le crime a été commis. Au cours d'une audition préliminaire, le juge entend les preuves quant à l'état mental de l'accusé. Le juge a le pouvoir d'annuler l'inculpation et de confier l'individu à une institution psychiatrique (si le crime n'est pas grave) ou de détenir l'accusé et de différer l'accusation jusqu'au moment où l'accusé sera jugé habilité à subir son procès. Vu la surcharge des tribunaux et les frais qu'occasionne un procès, les juges préfèrent souvent régler des cas de maladie mentale de cette façon, surtout quand ils pensent que l'hôpital psychiatrique va fournir un traitement approprié et assurer l'internement.

Il y a beaucoup plus d'individus gardés dans les hôpitaux pour aliénés criminels parce qu'ils ont été déclarés inaptes à subir leur procès qu'il s'en trouve qui ont été jugés non coupables pour cause d'aliénation mentale. Ces individus, dont plusieurs ne sont pas dangereux, finissent souvent par être détenus plus longtemps que s'ils étaient condamnés pour le crime dont ils étaient accusés. En effet, avant que l'usage des médicaments antipsychotiques soit répandu, les individus jugés non habilités à subir un procès étaient souvent confiés à une institution mentale pour la vie. En 1972, cependant, la Cour Suprême des États-Unis a décrété qu'on ne pouvait détenir indéfiniment les inculpés jugés non habilités à subir un procès. Maintenant, les juges essaient de soumettre de tels individus à un procès ou de les libérer après une période ne dépassant pas 18 mois. La décision d'une remise en liberté exige qu'on prenne en considération sérieuse la gravité du crime et la possibilité d'un comportement dangereux ultérieur . Malheureusement, les données dont nous disposons à l'heure actuelle pour prédire si un individu est susceptible de commettre un acte dangereux ne sont pas très fiables.

sonnalité aient été élevés par des parents qui ne leur ont donné aucune discipline ni aucune formation morale. Pourtant, la réponse à cette question n'est pas aussi simple. Même si certains individus proviennent effectivement de milieux dans lesquels les comportements antisociaux sont renforcés et où les criminels adultes servent de modèles pour le développement de la personnalité, plus nombreux encore sont ceux issus de « bonnes familles » et élevés par des parents bien en vue et respectés de leur milieu.

On ne dispose pas encore de théorie bien appuyée par les faits pour expliquer les causes de la formation de personnalités asociales. Plusieurs facteurs interviennent probablement et ils peuvent varier d'un cas à l'autre. Les recherches actuelles sont orientées vers les facteurs biologiques et vers la qualité de la relation parents-enfants.

FACTEURS BIOLOGIQUES Les psychologues cliniciens ont l'impression que l'individu asocial éprouve peu d'anxiété face aux malaises ou aux punitions

FIGURE 15-8
La personnalité asociale

Un homme de 40 ans fut condamné pour faux et détournement de fonds. Il avait été arrêté en même temps qu'une jeune femme de 18 ans avec laquelle il s'était marié quelques mois avant son arrestation, devenant par le fait même bigame. Celle-ci ignorait l'existence du premier mariage de son mari. Ce dernier avait déjà été condamné pour 2 autres mariages bigames avant celui-ci, et également pour 40 tentatives d'émission de faux chèques.

Les circonstances de son arrestation illustrent bien l'impulsivité et l'absence d'intuition typiques de plusieurs cas de personnalité asociale. Il s'était trouvé un emploi comme gérant d'un petit restaurant; le propriétaire, qui vivait dans un village voisin, avait pris des dispositions pour passer au restaurant à la fin de chaque semaine, histoire de vérifier le progrès des affaires et de recueillir les revenus. Notre sujet était logé au-dessus du restaurant et recevait un petit salaire, de même qu'un certain pourcentage du contenu de la caisse. À la fin de la première semaine, il prit tout l'argent (n'ayant pas fait de dépôt à la banque chaque soir comme convenu) et partit peu de temps avant le passage de son employeur; il laissa une série de messages griffonnés sur les murs et farcis de vulgarités, disant qu'il avait pris l'argent parce que le salaire était « trop bas ». Il se trouva un logement avec « sa femme » à quelques pâtés de maisons du restaurant, ne faisant aucun effort pour se cacher. On l'appréhenda quelques jours plus tard.

Au cours de l'enquête, il apparut qu'il avait passé les derniers mois à encaisser des chèques dans des magasins à rayons de villes diverses. Il préparait le chèque et envoyait sa femme l'encaisser; il fit observer que le fait que sa compagne ignore sincèrement qu'il n'avait pas de compte en banque la mettait à l'abri de tout soupçon. Il n'avait pas pris la peine d'utiliser un faux nom en signant les chèques ou le contrat de mariage bigame, et pourtant il parut surpris de la rapidité avec laquelle les policiers avaient découvert son jeu.

Une étude des antécédents de cet homme montra qu'il avait reçu une bonne éducation (surtout dans des écoles privées) et que ses parents étaient bien pourvus financièrement. Ils avaient fait le projet de l'envoyer au collège, mais son dossier scolaire était insuffisant (bien qu'à l'examen, on constata qu'il était d'intelligence supérieure). Ne pouvant entrer au collège, il commença à travailler comme représentant d'assurances et il eut d'abord du succès. Il avait l'air distingué et s'exprimait remarquablement bien.

Juste au moment où il commençait à se tailler un brillant avenir dans la vente des assurances, il rencontra des difficultés, car il ne transmettait pas les chèques que les clients lui remettaient pour acquitter leur première prime. Il avoua avoir encaissé ces chèques et avoir dépensé l'argent, surtout pour acheter des vêtements et de la boisson. Apparemment,

l'idée ne lui était pas venue que le système de comptabilité de la compagnie décèlerait rapidement un détournement de cette sorte. En fait, il exprima, en badinant, de l'indignation devant le fait que la compagnie avait été incapable de comprendre qu'il se proposait de rembourser l'argent à même son salaire. On n'intenta pas d'action contre lui, mais on lui demanda de démissionner et ses parents remboursèrent l'argent qui manquait.

Après cette aventure, il entra dans l'armée et fut envoyé à l'École des officiers, d'où il sortit avec le grade de sous-lieutenant. Il fut affecté à une unité d'infanterie, où il se mit bientôt en difficultés, passant d'infractions bénignes (ivresse durant le service, présence clandestine de femmes dans ses quartiers) à l'encaissement de faux chèques. Il passa en cour martiale et fut licencié pour démérite. À partir de ce moment, il adopta un mode de vie qui consistait à trouver une femme qui le fasse vivre (avec ou sans mariage), pour s'enfuir ensuite avec son argent et en trouver une autre, quand la vie devenait trop ennuyante.

À son procès, il fut condamné à 5 ans de prison; il prononça un plaidoyer long et bien articulé, implorant la clémence du tribunal pour la jeune femme que l'on jugeait en même temps que lui, exprimant le regret d'avoir ruiné la vie de cette dernière et déclarant qu'il était heureux d'avoir l'occasion de payer sa dette envers la société. (Maher, 1966, pages 214-215)

à venir, et cette impression est corroborée par des études expérimentales. Dans l'une de celles-ci, on comparait deux groupes de délinquants masculins choisis dans le centre de détention d'un tribunal pour enfants: un groupe était composé d'individus qui avaient reçu un diagnostic de troubles de personnalité asociale et l'autre groupe portait l'étiquette « réactions d'adaptation de l'adolescence ». Les expérimentateurs mesuraient la réaction psychogalvanique (RPG, voir page 235) dans des conditions de stress. Des électrodes inactives étaient attachées à la jambe du sujet et on lui disait que dans 10 minutes, il recevrait un choc électrique très fort, mais pas dommageable. (Il y avait une grande horloge bien à la vue du sujet, de sorte qu'il savait précisément à quel moment le choc devait se produire; en fait, on ne donna aucun choc.) Les deux groupes ne manifestaient aucune différence dans les mesures de RPG durant les périodes de repos ou en réaction à une stimulation auditive ou visuelle. Cependant, durant les 10 minutes d'attente du choc, les sujets inadaptés donnaient, de façon significative, plus de signes de tension que le groupe asocial, et quand l'horloge marqua l'heure où le choc devait se produire, la plupart des sujets inadaptés manifestèrent une chute soudaine de la résistance électrodermale (dénotant une augmentation brusque d'anxiété); *aucun* des sujets asociaux n'eut cette réaction (Lippert et Senter, 1966).

D'autres études menées dans les prisons ont montré que, par comparaison avec d'autres détenus, les individus à personnalité asociale n'apprennent pas à éviter les chocs aussi rapidement et ne donnent pas autant de signes d'activité du système nerveux autonome que d'autres prisonniers quand ils sont placés dans des conditions diverses (Lykken, 1957 ; Hare, 1970). Ces données ont conduit à l'hypothèse voulant que les individus asociaux soient dotés, en naissant, d'un *système nerveux autonome moins sensible ;* cela expliquerait pourquoi ils semblent avoir besoin d'autant d'excitation et pourquoi ils ne réagissent pas normalement aux menaces de danger qui détournent la plupart des gens des actes antisociaux. Il faut toutefois se montrer prudent quand on fait ce genre d'interprétation. Il est possible que les asociaux considèrent les situations expérimentales comme des sortes de jeux et ils pourraient alors essayer de prendre une attitude « excessivement calme » vis-à-vis de ce jeu, en essayant de contrôler leurs réactions.

INFLUENCES PARENTALES   Selon la théorie psychanalytique, la formation d'une conscience, ou d'un sur-moi, dépend de l'existence d'une relation d'affection avec un adulte durant la tendre enfance. Les enfants normaux intériorisent les valeurs de leurs parents (valeurs qui reflètent généralement celles de la société) parce qu'ils désirent ressembler à leurs parents ; ils craignent de perdre l'amour de leurs parents s'ils ne se conduisent pas conformément à ces valeurs. L'enfant qui ne reçoit d'amour ni de l'un ni de l'autre parent n'a pas peur de perdre cet amour. Il ne s'identifie pas à des parents qui le rejettent et il n'assimile pas leurs principes. Toute raisonnable que puisse sembler cette théorie, elle ne convient pas à toutes les données. Plusieurs enfants rejetés n'acquièrent pas des personnalités asociales et certains de ceux qui le font ont été choyés durant leur enfance.

Selon la théorie de l'apprentissage, la conduite antisociale est influencée par le type de modèles qu'ont été les parents et la sorte de comportement que ceux-ci récompensaient. Un enfant acquiert une personnalité asociale s'il apprend qu'il peut éviter d'être puni en se montrant charmant, aimable et repentant. L'enfant qui est capable d'échapper constamment à la punition en prétendant qu'il a du regret et en promettant de « ne jamais plus le faire » peut apprendre que ce n'est pas l'acte qui compte, mais le charme et la capacité de se montrer repentant. De plus, si cet enfant est comblé par ailleurs — s'il n'a jamais à attendre ou à travailler pour obtenir une récompense — il n'apprend pas à supporter la frustration. L'absence de tolérance de la frustration et la conviction qu'on peut se tirer d'affaires grâce à la séduction et en prenant un air contrit sont deux caractéristiques de la personnalité asociale. En outre, l'enfant qui est toujours à l'abri de la frustration et de l'infortune n'est probablement pas en mesure de sympathiser avec ceux qui sont dans la détresse (Maher, 1966). Il existe sans doute un grand nombre de modes d'interaction familiale qui favorisent la formation d'une personnalité asociale.

RÉSUMÉ

1. Le diagnostic du comportement anormal repose sur la *fréquence statistique,* les *normes sociales,* le *caractère adaptatif du comportement* et le *désarroi personnel.* On compte parmi les caractéristiques dénotant une bonne santé mentale *la perception efficace de la réalité,* la *connaissance de soi,* le *contrôle exercé sur la conduite,* l'*estime de soi,* la *capacité d'établir des relations d'affection* et *la productivité.*

2. Le DSM-III classifie les troubles mentaux d'après des symptômes de comportement définis. Un tel système de classification facilite la communication et fournit une base pour la recherche. Toutefois, chaque cas est unique et l'on ne devrait pas se servir des catégories diagnostiques pour caser les individus.

3. Les troubles d'anxiété comprennent l'*anxiété généralisée* (inquiétude et tension constantes), les *troubles de panique* (crises soudaines d'appréhension envahissante), les *phobies* (craintes irrationnelles d'objets ou de situations particuliers) et les *troubles de compulsion obsessionnelle* (persistance de pensées indésirables, ou *obsessions,* s'accompagnant d'impulsions, ou de *compulsions,* vers l'exécution de certains actes).

4. Les théories psychanalytiques attribuent les troubles d'anxiété à des conflits non résolus et inconscients. Les théories de l'apprentissage s'intéressent à l'anxiété en tant que réponse acquise face à des événements extérieurs et font appel au concept de *conditionnement préparé* pour expliquer les phobies. Les théories cognitivistes mettent l'accent sur la façon dont les gens anxieux pensent aux dangers possibles : leur sur-estimation de la probabilité et du degré de dommage crée une tension chez eux et les prépare physiologiquement au danger éventuel ; ils sont incapables d'écarter les pensées obsédantes et essaient par conséquent de neutraliser ces pensées nocives par des actes compulsifs. Les théories biologiques laissent entendre que certains cas de troubles d'anxiété (notamment les crises de panique) sont le résultat d'un déséquilibre dans les neurotransmetteurs du cerveau qui contrôlent l'anxiété.

5. Les *troubles affectifs* sont des perturbations de l'humeur : *dépression ; manie ;* ou alternance entre ces deux humeurs, qu'on appelle *manie dépressive*. La tristesse, la perte de gratification dans la vie, les pensées négatives et le manque de motivation sont les principaux symptômes de la dépression. Les théories psychanalytiques voient dans la dépression une *réactivation de la perte de l'affection parentale* chez une personne qui est *dépendante de l'approbation extérieure* et qui a tendance à *orienter la colère vers l'intérieur*. Les théories de l'apprentissage font porter leur attention sur la *réduction du renforcement positif*.

6. La théorie cognitive de Beck sur la dépression prétend que les individus portés à la dépression évaluent constamment les événements d'un point de vue négatif et autocritique. La théorie de l'*apprentissage de l'impuissance,* qu'on doit à Seligman, attribue la dépression à un style d'explication qui invoque des causes *internes, stables* et *globales* pour rendre compte des *événements nocifs*. Des cognitions dépressives accompagnent la dépression, mais elles n'en sont peut-être pas une cause principale.

7. Il se peut que certains troubles affectifs subissent l'influence d'anomalies héréditaires dans le métabolisme de certains *neurotransmetteurs* (tels que la *noradrénaline* et la *sérotonine*). Des prédispositions génétiques et des expériences vécues dans l'enfance peuvent rendre les gens *vulnérables* à la dépression dans les moments de stress.

8. La *schizophrénie* est avant tout un trouble de la pensée caractérisé par de la difficulté à écarter par filtrage les stimuli non pertinents, par des perturbations de la perception, par un affect inadéquat, des délires et des hallucinations et par un repli sur soi-même. La recherche sur les causes de la schizophrénie s'est concentrée sur les faits démontrant une prédisposition héréditaire à cette maladie, sur des déficiences possibles du métabolisme de neurotransmetteurs (l'*hypothèse de la dopamine*), sur des facteurs sociaux et des rapports familiaux qui s'écartent de la normale. L'étude des enfants à risque élevé identifie certains facteurs qui permettraient de prévoir l'occurrence de la schizophrénie.

9. Les *troubles de la personnalité* sont des schèmes bien en place de comportements inadaptés qui représentent des façons immatures et inadéquates d'affronter le stress ou de résoudre les problèmes. Les individus caractérisés par une *personnalité asociale* sont impulsifs, manifestent peu de culpabilité, ne sont préoccupés que de leurs propres besoins et se trouvent fréquemment en contravention de la loi. L'insensibilité du système nerveux et l'inconstance dans l'attribution des punitions et des récompenses par les parents sont deux des explications possibles de ce genre de trouble.

ARÈS, L. L., BOUDREAU, J. et MÉNARD, S. *Introduction à l'expertise psycho-légale*, Montréal, Corporation professionnelle des psychologues du Québec, 1983.

BARNES, M. et BERKE, J. *Un voyage à travers la folie*, Paris, Seuil, 1973.

BETTELHEIM, B. *La forteresse vide : l'autisme infantile et la naissance du soi*, Paris, Gallimard, 1971.

BURKE, R. J. et WEIR, T. « L'importance des réseaux d'aide non professionnelle dans notre société ». Dans *Santé mentale au Canada, 29* (1), 1981, p. 3-5.

CARDINAL, M. *Les mots pour le dire*, Paris, Livre de poche, 1975.

COOPER, D. *Le langage de la folie*, Paris, Seuil, 1978.

DOLTO, F. *Le cas Dominique,* Paris, Seuil, 1971.

DOUGIER, M. *Névroses et troubles psychosomatiques*, Bruxelles, Dessart-Mardaga, 1976.

EYSENCK, J. J. *La névrose et vous*, Bruxelles, Dessart-Mardaga, 1979.

FENICHEL, O. *La théorie psychanalytique des névroses*, Paris, P.U.F., 1973.

FREUD, A. *Le moi et les mécanismes de défense*, Paris, Payot, 1970.

FREUD, S. *Inhibition, symptôme et angoisse*, Paris, P.U.F., 1968.

FREUD, S. *Psychopathologie de la vie quotidienne*, Paris, P.U.F., 1968.

HAYEZ, J.-Y., RIETHMULLER, S., VEROUGSTRAETE, C. et WEGER, J. *Le jeune, le juge et les psy*, Paris, Fleurus, 1987.

JOSHI, P. *Conceptions contemporaines de la santé mentale*, Montréal, Décarie éditeur, 1983.

MASSERMAN, J. *La psychothérapie et les troubles de la personnalité*, Montréal, Les Éditions HRW, 1975.

LECTURES SUGGÉRÉES

Méthodes de thérapie

16

Dans ce chapitre, nous allons étudier certaines méthodes utilisées pour le traitement des comportements anormaux. Quelques-unes visent à aider l'individu à comprendre les causes de ses problèmes, d'autres tentent de modifier les pensées et le comportement directement; certaines font appel à des interventions biologiques et d'autres recherchent les façons dont le milieu peut aider l'individu. Le traitement des troubles mentaux est étroitement associé aux théories expliquant les causes de ces perturbations. Un bref historique des façons de traiter le malade mental illustrera l'évolution des méthodes en fonction du développement des théories sur la nature humaine et sur les causes des troubles mentaux.

PERSPECTIVE HISTORIQUE

Selon l'une des premières croyances (partagée par les Chinois, les Égyptiens et les Hébreux), la personne atteinte de troubles mentaux était sous l'emprise d'esprits maléfiques. On exorcisait ces démons par des techniques comme la prière, les incantations, la magie et l'utilisation de purgatifs concoctés à partir d'herbes spéciales. Quand ces traitements échouaient, on prenait des mesures plus extrêmes pour s'assurer que le corps soit un lieu de résidence désagréable pour l'esprit malin. Le fouet, la privation totale de nourriture, le feu et même la lapidation jusqu'à ce que mort s'ensuive étaient des méthodes de « traitement » que l'on rencontrait souvent.

Les premiers progrès vers la compréhension des troubles mentaux ont été réalisés par le médecin grec Hippocrate (v. 460 — 377 av. J.-C.). Ce dernier rejetait la démonologie et prétendait que les troubles mentaux étaient le résultat d'une perturbation de l'équilibre des liquides corporels. Comme les médecins grecs et romains qui l'ont suivi, il plaida en faveur d'un traitement plus humain du malade mental. Ces médecins insistaient sur l'importance d'un milieu agréable, de l'exercice physique, d'une alimentation appropriée, des massages et des bains apaisants; ils avaient également recours à des méthodes moins souhaitables, comme la saignée, la purgation et les instruments de contrainte mécaniques. Malgré l'absence, durant cette période, d'établissements destinés spécialement au malade mental, les médecins soignaient avec beaucoup de bienveillance plusieurs de ces individus dans des temples dédiés aux dieux grecs et romains.

Malheureusement, cette conception progressiste ne dura pas. Les superstitions et les croyances à la démonologie des premiers temps réapparurent au cours du Moyen Âge. On considérait que les malades mentaux étaient des suppôts de Satan, qu'ils possédaient des pouvoirs surnaturels leur permettant de causer des inondations, de provoquer la peste et de faire du mal aux autres. Les individus atteints de perturbations graves étaient traités avec cruauté: les gens croyaient qu'en les battant, en les affamant et en les torturant, c'est le démon qu'ils punissaient. Ce type de cruauté atteignit son point culminant avec les procès pour sorcellerie, qui envoyèrent à la mort des milliers d'individus (dont plusieurs étaient des malades mentaux) au cours des XVe, XVIe et XVIIe siècles.

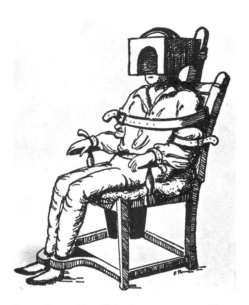

Les premiers asiles

Durant la dernière partie du Moyen Âge, les villes créèrent des asiles pour disposer des malades mentaux. Ces asiles n'étaient que des prisons ; les internés étaient enchaînés dans des cellules infectes et enténébrées et on les traitait plus comme des bêtes que comme des êtres humains. Ce n'est pas avant 1792, année où l'on confia à Philippe Pinel la direction d'un asile à Paris, qu'une certaine amélioration fut apportée. Pour fins d'expérimentation, on autorisa Pinel à enlever les chaînes qui retenaient les internés. Au grand étonnement des sceptiques, qui croyaient que Pinel était devenu fou pour libérer ainsi de telles « brutes », son expérience se révéla un succès. Une fois libres de leurs mouvements, placés dans des salles propres et ensoleillées et traités avec bonté, beaucoup de ceux que l'on avait considérés pendant des années comme des fous irrécupérables s'améliorèrent au point de pouvoir quitter l'asile.

Vers le début du XXe siècle, la médecine et la psychologie faisaient d'énormes progrès. En 1905, on démontra qu'un trouble mental, connu sous le nom de *paralysie générale*, avait une cause physique : une infection syphilitique acquise plusieurs années avant que les symptômes de la maladie ne se manifestent. La paralysie générale est caractérisée par un déclin progressif des fonctions mentales et physiques, marqué de changements de personnalité et de délires et hallucinations. En l'absence de traitements, le malade meurt en moins de quelques années. Le spirochète de la syphilis reste dans le corps après la disparition de l'infection génitale initiale et il détruit graduellement le système nerveux. À une époque donnée, plus de 10 % des malades admis dans les hôpitaux psychiatriques étaient atteints de paralysie générale, mais aujourd'hui, on ne relève que très peu de cas de cette maladie, grâce à l'efficacité de la pénicilline dans le traitement de la syphilis (Dale, 1975).

La découverte du lien entre la paralysie générale et une maladie physique a encouragé ceux qui croyaient que la maladie mentale avait des origines biologiques. Vers la même époque à peu près, Sigmund Freud et ses disciples jetaient les fondements de l'explication de la maladie mentale en termes de facteurs psychologiques. Enfin, les expériences en laboratoire de Pavlov vinrent démontrer que les animaux pouvaient devenir émotivement troublés si on les force à prendre des décisions qui dépassent leurs capacités.

Malgré ces progrès scientifiques, le public du début des années 1900 ne comprenait pas encore la maladie mentale et regardait les asiles psychiatriques et les internés avec crainte et horreur. Clifford Beers se donna comme tâche d'éduquer la population en matière de santé mentale. Au cours de sa jeunesse, Beers avait été victime d'un trouble de manie dépressive et avait été gardé pendant trois ans dans plusieurs hôpitaux publics et privés. Bien que les chaînes et les autres méthodes de torture eussent été abandonnées depuis longtemps, la camisole de force était encore fréquemment utilisée pour retenir les patients surexcités. À cause de manques de fonds, l'hôpital psychiatrique public moyen — avec des salles surpeuplées, une nourriture infecte et un personnel malveillant — était loin d'être un endroit de séjour agréable. Une fois rétabli, Beers raconta ses expériences dans un livre maintenant devenu

Dans les asiles d'Angleterre, on utilisait encore, au début du XIXe siècle, des machines rotatives comme celle-ci, dans lesquelles on faisait tourner les patients à de grandes vitesses.

Un « fauteuil tranquillisant » utilisé dans un hôpital de Philadelphie, vers 1800, pour maîtriser les patients intraitables.

La « crèche », un instrument de confinement utilisé dans une institution pour malades mentaux de New York en 1882.

célèbre, *A Mind That Found Itself** (1908). Ce volume éveilla l'intérêt du public. Beers travailla sans relâche pour éclairer la population sur la question de la maladie mentale et il participa à la création du Comité national pour la santé mentale. En 1950, cet organisme se joignit à deux groupes apparentés pour constituer l'Association nationale pour la santé mentale. Ce mouvement « d'hygiène mentale » joua un rôle considérable en stimulant la mise sur pied de cliniques d'orientation de l'enfant et de centres communautaires de santé mentale pour contribuer tant à la prévention qu'au traitement des troubles mentaux.

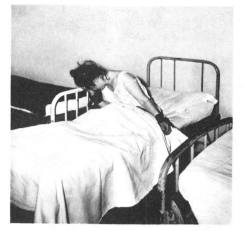

Possibilités modernes de traitement

Les hôpitaux psychiatriques se sont améliorés considérablement depuis l'époque de Beers, mais il y a encore place pour de l'amélioration. La plupart des gens qui ont besoin d'être hospitalisés pour troubles mentaux sont d'abord admis dans la salle de psychiatrie d'un hôpital général, où l'on procède à l'évaluation de leur état. Quand on prévoit plus qu'une courte période d'hospitalisation, il peut arriver qu'on les transfère dans un hôpital psychiatrique public ou privé. Les meilleurs hôpitaux sont des endroits confortables et bien tenus qui offrent un bon nombre d'activités thérapeutiques : psychothérapie individuelle et en groupe, récréation, thérapie occupationnelle (conçue pour l'enseignement d'habiletés particulières, de même que pour créer une détente) et cours de formation pour aider les malades à se préparer à un emploi à leur sortie. Les pires institutions se contentent d'être des centres de détention où les malades mènent une vie ennuyante dans des salles misérables et surpeuplées et reçoivent peu de traitements autre que la médication. La plupart des hôpitaux psychiatriques se situent entre ces deux extrêmes.

Conditions de vie dans un hôpital psychiatrique au cours des années 1950.

Depuis le début des années 60, on s'efforce d'en arriver graduellement à ne plus traiter les patients mentalement perturbés dans des hôpitaux mais plutôt dans le milieu communautaire d'où ils viennent. Peu importe la qualité des services qu'on y trouve, l'hôpital présente des inconvénients inhérents à l'hospitalisation. Il éloigne le patient de sa famille et de ses amis, tend à créer chez l'individu l'impression qu'il est « malade » et incapable de se débrouiller dans le monde extérieur, favorise les attitudes de dépendance et peut décourager la participation active à la solution des problèmes.

Après que les médicaments antipsychotiques et antidépresseurs (voir pages 592 et 593) fussent devenus accessibles un peu partout, au début des années 60, un grand nombre de patients purent quitter les institutions psychiatriques et rentrer chez eux pour y recevoir des traitements comme patients externes. Aux États-Unis, la Loi sur les centres communautaires de santé mentale, adoptée en 1963, a permis d'engager des sommes du Trésor fédéral pour la création de centres communautaires de traitement. Ces centres pourvoient au traitement des patients externes et offrent un certain nombre de services, y compris l'hospitalisation pour de brèves périodes et l'hospitalisation partielle. L'hospitalisation partielle est plus souple que l'hospitalisation traditionnelle : l'individu peut recevoir des traitements au centre pendant le jour et retourner chez lui le soir, ou travailler le jour et passer ses nuits au centre.

Malgré le mérite certain de l'objectif visé par le traitement des malades mentaux au sein de leur milieu communautaire, le mouvement vers la réduction des séjours à l'hôpital et la fermeture de plusieurs hôpitaux psychiatriques publics, urbains et régionaux, a entraîné certaines conséquences déplorables, surtout à cause de l'insuffisance des services qu'offrent la plupart des milieux communautaires. Certains des patients qu'on renvoie chez eux sont trop handicapés pour pourvoir à leurs propres besoins financiers ou pour fonctionner sans surveillance ; certains sont contraints de vivre dans des taudis infects et surpeuplés ou encore dans les rues. L'homme échevelé que l'on aperçoit sur le coin de la rue se parlant à lui-même et lançant à l'occasion un charabia à la tête des passants est peut-être l'une des victimes de la « désinstitutionnalisation ». La femme d'un certain âge qui, avec tout son avoir empilé

---

* *Un esprit qui s'est retrouvé.* (Note du traducteur)

La désinstitutionnalisation a eu pour effet de jeter littéralement à la rue un grand nombre de malades.

dans un sac à emplettes, passe une nuit dans le vestibule d'un édifice à bureaux et une autre dans une station de métro, est probablement une autre de ces victimes.

Plusieurs individus dont l'état s'améliore à l'hôpital et qui seraient en mesure de se débrouiller pourvu qu'on les aide, ne reçoivent pas ensuite les soins adéquats en thérapie externe ni l'assistance dont ils auraient besoin pour se faire des amis, trouver un lieu de résidence et un emploi. En conséquence, un nombre inestimable de malades mentaux mènent un existence de « porte tournante », entrant et sortant des institutions entre des tentatives avortées de s'en tirer par eux-mêmes. Environ la moitié de tous les patients auxquels on donne congé dans les hôpitaux publics doivent être réadmis après moins d'un an.

Tout en reconnaissant qu'il n'existe pas de solution facile à ce problème, il semble évident que l'on doit trouver des fonds et les orienter vers deux objectifs. L'un est l'amélioration des services aux patients externes de façon à aider ceux qui pourraient se débrouiller pourvu qu'on les aide comme il convient. L'autre est la création de possibilités de résidences alternatives (comme des foyers pour petits groupes) pour ces patients qui sont incapables de fonctionner en dehors d'un environnement protégé, de même que pour ceux qui ont besoin qu'on leur aide à faire le passage de l'hôpital à une vie indépendante. Les faits démontrent que les centres de traitement résidentiel coûtent moins cher à faire fonctionner et sont, dans le cas de plusieurs patients, plus efficaces que les hôpitaux traditionnels (Kiesler, 1982). Néanmoins, 70 % des fonds dépensées par le gouvernement américain pour la santé mentale vont aux soins hospitaliers.

Les professions liées à la psychothérapie

Quel que soit l'endroit où s'exerce la thérapie — dans un hôpital, dans un centre communautaire de santé mentale, dans une clinique privée ou dans un bureau — elle peut faire appel aux membres de diverses professions. Il peut arriver qu'un psychiatre, un psychologue clinicien et un travailleur social en psychiatrie s'occupent ensemble d'un cas particulier, ou encore, qu'ils travaillent indépendamment.

Le *psychiatre* est détenteur d'un doctorat en médecine et il a reçu une formation additionnelle, appelée « internat », durant laquelle il a travaillé sous supervision pour apprendre à faire le diagnostic du comportement anormal et à exercer la psychothérapie. Subséquemment, plusieurs psychiatres — pas tous, cependant — subissent un examen en psychiatrie et reçoivent un diplôme de certification. En sa qualité de médecin, le psychiatre est le seul professionnel de la santé mentale qui soit autorisé à prescrire des médicaments.

Le titre de *psychanalyste* est réservé aux individus qui ont reçu une formation spécialisée dans un institut de psychanalyse pour y apprendre les théories et les méthodes qui découlent de celles de Freud. Le programme de formation s'étend généralement sur plusieurs années, durant lesquelles l'aspirant doit se faire psychanalyser lui-même, ainsi que traiter plusieurs patients au moyen de la méthode psychanalytique pendant qu'on supervise son travail. Jusqu'à tout récemment, la plupart des instituts psychanalytiques exigeaient que leurs étudiants soient détenteurs d'un doctorat en médecine. C'est pourquoi la majorité des psychanalystes sont psychiatres*. Toutefois, la plupart des psychiatres ne sont pas psychanalystes.

Le *psychologue clinicien* est généralement détenteur d'un doctorat (Ph. D. ou D. Ps.) en psychologie, obtenu au terme d'une formation universitaire de 7 à 8 ans. Il a dû faire plusieurs internats spécialisés dans les domaines des tests et du diagnostic, de la psychothérapie et souvent de la recherche. Le psychologue clinicien administre et interprète les tests psychologiques, exerce la psychothérapie et s'adonne parfois à la recherche. Le *psychologue-*

---

* Il y a cependant de plus en plus de psychanalystes qui ne sont pas médecins. En anglais, on les désigne sous le nom de « lay analysts » (traduction littérale : « analystes laïques »). (Note du traducteur)

conseil, ou celui qui fait du counseling**, est détenteur d'une maîtrise (M. A., M. Sc. ou M. Ps.) ou d'un doctorat (Ph. D. ou D. Ps.) en psychologie ; il a reçu une formation universitaire analogue à celle du psychologue clinicien. Sa formation porte plus sur des problèmes d'adaptation personnelle que sur les troubles mentaux et se concentre souvent dans des champs définis comme le counseling appliqué aux problèmes d'orientation et d'adaptation des étudiants, aux relations matrimoniales et relations de couples et aux relations familiales.

Le *travailleur social en psychiatrie* a généralement obtenu une maîtrise (M. A. ou M. Sc.) d'une école universitaire de travail social et il a reçu une formation spéciale dans les domaines de l'interview et de l'application des techniques de traitement dans les foyers et dans le milieu communautaire. À cause de cette formation spéciale, le travailleur social est souvent appelé à recueillir de l'information sur les conditions du milieu familial du patient et à interviewer ses parents, en plus de participer à l'application des techniques thérapeutiques.

Dans les hôpitaux psychiatriques, une quatrième profession se pratique : celle d'*infirmier(ère) en psychiatrie*. Le nursing psychiatrique est une branche du nursing qui exige une formation spéciale axée sur la compréhension et le traitement des troubles mentaux. Dorénavant, quand nous parlerons des techniques psychothérapeutiques, nous ne mentionnerons pas la profession précise des psychothérapeutes ; nous tenons pour acquis que ce sont tous des membres, bien formés et compétents, de l'une ou l'autre des professions que nous venons de décrire.

TECHNIQUES DE PSYCHOTHÉRAPIE

Le terme *psychothérapie* se rapporte au traitement des troubles mentaux par des moyens *psychologiques* (plutôt que physiques ou biologiques). Il englobe une vaste gamme de techniques qui se proposent toutes d'aider les individus perturbés sur le plan affectif, à modifier leur comportement, leurs pensées et leurs émotions de façon à trouver des méthodes plus efficaces pour affronter le stress et composer avec leur entourage. Certains psychothérapeutes croient que la modification du comportement dépend de la façon dont l'individu comprend ses motivations et ses conflits inconscients. D'autres sont d'avis que les gens sont capables d'apprendre à résoudre leurs problèmes sans nécessairement chercher les facteurs qui en sont la cause. Malgré des différences d'ordre technique, la plupart des méthodes de psychothérapie ont plusieurs traits fondamentaux en commun. Toutes reposent sur la communication entre deux individus — *le client* (ou le patient) et le *psychothérapeute*. On encourage le client à exprimer librement ses craintes, ses émotions et ses expériences les plus intimes sans avoir peur d'être jugé ou condamné par le thérapeute. Ce dernier, à son tour, offre sa sympathie et sa compréhension au patient et essaie de l'aider à trouver des moyens plus efficaces pour faire face à ses problèmes.

Psychanalyse

Freud et ses collègues ont élaboré la méthode de la *psychanalyse*, la première technique de psychothérapie formalisée. Freud croyait que la plupart des troubles mentaux sont le résultat de conflits inconscients entre les pulsions agressives et sexuelles du ça et les contraintes imposées par le moi et le sur-moi. Ces conflits, refoulés depuis la tendre enfance, empêchent l'individu de traiter avec l'environnement d'une façon adulte. L'objectif de la psychanalyse est d'amener à la conscience les craintes et les mobiles refoulés afin que l'indi-

---

** Terme américain pour désigner le travail du conseiller dans le domaine de la psychologie générale, de la psychologie scolaire ou de l'orientation professionnelle. (Note du traducteur)

Le cabinet de Freud à Vienne offrait le confort de son célèbre divan, de même qu'une collection de pièces d'antiquités égyptienne, grecque et romaine.

vidu puisse disposer d'eux d'une façon plus rationnelle et plus réaliste. Quand les gens comprennent ce qui les pousse à agir, ils sont capables de prendre leurs problèmes en main de façon plus efficace.

ASSOCIATION LIBRE   L'une des techniques principales à laquelle les psychanalystes ont recours pour faciliter le recouvrement de conflits inconscients est l'*association libre*. On encourage le client à donner libre cours à ses pensées et sentiments et à exprimer verbalement tout ce qui lui vient à l'esprit sans le corriger ni le censurer, ce qui constitue une tâche plutôt difficile. En effet, dans une conversation, nous essayons généralement de maintenir un lien entre nos propos et d'exclure les idées non pertinentes de façon à ne pas trop nous écarter de ce que nous voulons faire comprendre. En outre, nous avons, la plupart d'entre nous, passé notre existence à apprendre à nous montrer prudents et à réfléchir avant de parler; nous n'exprimons pas d'habitude les idées passagères qui nous paraissent inconvenantes, stupides ou honteuses.

Avec l'entraînement, toutefois, et grâce à l'encouragement de l'analyste, l'association libre devient plus facile. Mais même les individus qui s'efforcent consciemment de laisser le champ libre à leurs pensées se trouvent occasionnellement « bloqués ». Quand un client reste silencieux, change brusquement de sujet ou se montre incapable de se rappeler les détails d'un événement, l'analyste présume que cette personne résiste à se remémorer certaines pensées ou sentiments. Freud pensait que le blocage, ou la *résistance*, vient du contrôle exercé par l'inconscient de l'individu sur des questions sensibles et que ce sont précisément ces questions que l'analyste devrait explorer.

INTERPRÉTATION   Le psychanalyste s'efforce de vaincre les résistances du client et de favoriser chez lui une meilleure compréhension de lui-même au moyen de l'*interprétation*. Cette interprétation revêt généralement deux formes. Dans la première, l'analyste attire l'attention de l'individu sur ses résistances. Les gens apprennent souvent quelque chose sur eux-mêmes par le simple fait de remarquer à quel moment une suite d'associations vient à bloquer brusquement, à quel moment ils oublient un rendez-vous, à quel moment ils veulent changer le sujet de conversation, et ainsi de suite. Dans l'autre forme d'interprétation, l'analyste peut déduire par lui-même la nature générale de ce qui est caché derrière les propos du client et tenter de faciliter des associations additionnelles. Il peut arriver, par exemple, que le patient dise quelque chose qu'il croit insignifiant, puis qu'il s'excuse à demi du peu d'importance de ce qu'il raconte. À ce moment-là, l'analyste peut faire remarquer que ce qui est insignifiant en apparence pourrait être une allusion à quelque chose d'important. Si l'interprétation arrive à point, cette suggestion peut donner lieu à de nouvelles associations révélatrices. L'analyste prend bien soin de ne pas suggérer *quelle est précisément cette chose* qui est importante ; l'objectif est d'amener l'individu à le découvrir par lui-même.

TRANSFERT   En psychanalyse, on considère que les attitudes du patient à l'endroit de l'analyste sont une partie importante du traitement. Tôt ou tard, le client finit par avoir de fortes réactions émotives à l'égard du psychanalyste. Parfois, ces réactions sont positives et amicales ; parfois, il s'agit de réactions négatives et hostiles. Souvent ce sont des réactions inadéquates à ce qui se passe durant les séances de thérapie. Cette tendance, de la part du client, à faire du thérapeute l'objet de réactions émotives est connue sous le nom de *transfert* : le client exprime à l'endroit de l'analyste des attitudes qu'il a réellement envers d'autres personnes qui sont, ou qui étaient, importantes dans sa vie. Freud postulait que le transfert représente des reliquats des réactions de l'enfance à l'endroit des parents et il a utilisé ce transfert d'attitudes comme moyen d'expliquer aux clients l'origine infantile de plusieurs de leurs inquiétudes et craintes. En analysant les sentiments de leurs clients à leur endroit, les analystes aident leurs patients à en arriver à une meilleure compréhension de leurs réactions émotives à l'égard des autres. L'homme, par exemple, qui a toujours fait état de l'admiration qu'il porte à un frère aîné décèle quelque chose dans l'attitude de l'analyste qui lui rappelle son frère. Une crise de colère contre l'analyste peut conduire ce client à faire la découverte de sentiments hostiles à l'endroit de son frère, sentiments qu'il ne s'était jamais avoués auparavant.

ABRÉACTION, COMPRÉHENSION INTUITIVE ET RÉSOLUTION PAR RÉPÉTITION   On attribue généralement l'évolution de l'amélioration au cours de la thérapie psychanalytique à trois expériences principales : l'*abréaction*, l'acquisition progressive de la *compréhension intuitive* de ses difficultés et la *résolution* par répétition des conflits et des réactions à ces conflits.

L'*abréaction* est la libération d'une émotion supprimée. Le fait d'exprimer des émotions intenses ou de revivre des expériences affectives antérieures dans la sécurité de la séance de thérapie apporte souvent un soulagement au client. (On appelle également ce processus *catharsis*, comme s'il s'agissait d'une sorte de nettoyage émotif.) L'abréaction n'élimine pas les causes de conflit, mais elle peut ouvrir le chemin à l'exploration plus poussée de sentiments et d'expériences refoulés.

Une personne parvient à la *compréhension intuitive* (*insight*) quand elle découvre les racines du conflit. Parfois, cette intuition apparaît quand le patient recouvre le souvenir d'une expérience refoulée, mais la notion populaire selon laquelle une guérison psychanalytique serait attribuable au rappel d'un unique épisode dramatique est erronée. Les troubles d'un individu proviennent rarement d'une seule source et la compréhension intuitive est le résultat d'une progression constante dans la connaissance de soi. L'intuition et l'abréaction doivent fonctionner ensemble : les patients doivent comprendre leurs sentiments et ressentir ce qu'ils comprennent. La réorientation n'est jamais simplement intellectuelle.

Au fur et à mesure que l'analyse se déroule, le patient passe par un long processus de rééducation connu sous le nom de processus de *résolution (des conflits) par répétition (working through)*. En réexaminant les mêmes conflits encore et encore, tels qu'ils ont été vécus dans une variété de situations, le client apprend à faire face à la réalité, plutôt qu'à la nier, et à réagir de façon plus adulte et plus efficace. En résolvant ces conflits par répétition au cours de la thérapie, la personne devient assez forte pour affronter la menace de la situation originale de conflit et pour y réagir sans anxiété indue. L'objectif de la psychanalyse est d'en arriver à une modification en profondeur de la personnalité de l'individu qui permettra à ce dernier d'affronter les problèmes à partir de bases réalistes.

La psychanalyse est un processus long, intensif et coûteux. Le client et l'analyste se rencontrent généralement dans des séances de 50 minutes, plusieurs fois par semaine durant un an au moins et souvent durant plusieurs années. La psychanalyse réussit le mieux quand elle s'adresse à des individus fortement intéressés à résoudre leurs problèmes, capables de verbaliser leurs sentiments avec une certaine facilité et financièrement capables de payer.

Psychothérapie psychanalytique

Depuis l'époque de Freud, on a élaboré plusieurs formes de psychothérapie fondées sur des concepts freudiens. Elles ont en commun la prémisse voulant que les troubles mentaux résultent de conflits et de craintes inconscientes, mais elles s'écartent de la psychanalyse classique de bien des façons; on les regroupe généralement sous le terme *psychothérapies psychanalytiques*. Comme nous l'avons indiqué au chapitre 13, les psychanalystes qui ont succédé à Freud ont accordé une plus grande importance aux facteurs sociaux et culturels, par opposition aux tendances biologiques, dans le façonnement de la conduite humaine. Ils ont également insisté davantage sur le rôle du moi dans l'orientation du comportement et dans la solution des problèmes et, par le fait même, ont moins appuyé sur le rôle des pulsions agressives et sexuelles inconscientes.

Les méthodes classiques de la psychanalyse ont également été modifiées. La psychothérapie psychanalytique contemporaine a tendance a être plus brève et moins intense. Souvent le thérapeute limite la durée de la thérapie, fixant au client comme au thérapeute une période de temps pour s'attaquer aux problèmes et atteindre certains objectifs. Les séances sont moins fréquentes, une ou deux fois par semaine en général, ce qui donne au client le temps de penser, entre les rencontres, à ce dont il va parler et d'examiner ses interactions quotidiennes à la lumière de l'analyse. Il y a moins d'insistance sur une reconstruction complète des expériences de l'enfance et on porte une plus grande attention aux problèmes soulevés par le mode actuel d'interaction de l'individu avec les autres. L'association libre est souvent remplacée par la discussion directe des points critiques: le psychothérapeute psychanalytique peut se permettre d'être plus directif, soulevant des questions sur des sujets qui lui semblent pertinents plutôt que d'attendre que le client y fasse allusion. Le transfert y est toujours considéré comme une partie importante du processus thérapeutique, mais le thérapeute est libre d'essayer de limiter l'intensité des sentiments de transfert.

Cependant, on trouve toujours comme élément central, la ferme conviction du thérapeute psychanalytique à l'effet que les peurs et les mobiles inconscients forment le noyau de la plupart des problèmes affectifs et que l'intuition et le processus de résolution par répétition sont essentiels à la guérison. Comme nous allons voir dans la partie suivante de notre exposé, les tenants de la thérapie behaviorale n'acceptent pas cette façon de voir.

Thérapies behaviorales

Le terme *thérapie behaviorale* recouvre un certain nombre de méthodes thérapeutiques différentes qui s'appuient sur la théorie de l'apprentissage. Les thérapies behaviorales, ou thérapies du comportement, postulent que les comportements inadaptés sont des façons d'affronter le stress qui résultent d'un apprentissage et que certaines des techniques utilisées en recherche expérimentale sur l'apprentissage peuvent être employées pour substituer aux réactions inadaptées des réactions mieux appropriées. Alors que la psychanalyse s'intéresse à la compréhension de la façon dont les conflits antérieurs de l'individu influencent sa conduite, la thérapie behaviorale est plus directement axée sur la conduite elle-même.

Les spécialistes de la thérapie behaviorale font remarquer que si l'intuition, ou la connaissance de soi, est un objectif valable, elle n'arrive pas par elle-même à modifier le comportement. Il nous arrive souvent de comprendre pourquoi nous nous comportons d'une certaine manière dans une situation sans pour autant être en mesure de changer cette conduite. Il se peut bien que vous soyez capable de retracer les causes de cette timidité excessive que vous éprouvez quand vous devez prendre la parole en classe, ses origines étant liées à un certain nombre d'événements passés — votre père critiquait

« Laissez-nous tranquilles! Je fais de la thérapie behaviorale! J'aide mon patient à vaincre sa peur de l'altitude!»

vos opinions chaque fois que vous les exprimiez, votre mère se faisait un devoir de corriger votre langage, vous n'avez pas saisi les occasions qui s'offraient à vous de parler en public durant votre cours secondaire parce que vous aviez peur de vous mesurer à votre frère aîné qui était responsable des débats. Le fait de comprendre les motifs à l'origine de votre crainte ne vous rendra probablement pas plus loquace dans les discussions en classe.

Contrairement à la psychanalyse, qui s'efforce de changer la personnalité de l'individu, les thérapies behaviorales ont tendance à se concentrer sur des objectifs assez circonscrits : la modification des comportements inadaptés dans des situations particulières. Les adeptes de la thérapie behaviorale se préoccupent également plus que les psychanalystes d'arriver à une validation scientifique de leurs techniques.

DÉSENSIBILISATION SYSTÉMATIQUE   La *désensibilisation systématique* peut être considérée comme un processus de « déconditionnement » ou de « contre-conditionnement ». Cette technique est très efficace pour l'élimination des peurs ou des phobies. Il s'agit d'affaiblir une réponse inadaptée en renforçant une réponse incompatible ou antagoniste. La relaxation, par exemple, s'oppose à l'anxiété ; il est difficile d'être détendu et anxieux en même temps. L'une des méthodes utilisées pour désensibiliser de façon systématique une personne à l'égard d'une situation redoutée consiste à entraîner d'abord l'individu à se détendre, puis à l'exposer graduellement à la situation anxiogène, soit en imagination, soit dans la réalité. Par l'entraînement à la relaxation, le patient apprend à contracter et à relâcher divers muscles de son corps, commençant, par exemple, par les pieds et les chevilles et montant progressivement tout le long du corps jusqu'aux muscles du visage et du cou. Il apprend à reconnaître les sensations qui accompagnent la détente complète des muscles et à distinguer divers degrés de tension. Le thérapeute a parfois recours aux médicaments et à l'hypnose pour aider les gens incapables de se détendre autrement.

Pendant qu'il apprend à se détendre, l'individu travaille de concert avec le thérapeute à la mise au point d'une *hiérarchie d'anxiété*, soit une liste de situations ou de stimuli qui rendent la personne angoissée ; on attribue à chacune de ces situations un rang, en partant des moins anxiogènes pour aller jusqu'aux plus terrifiantes. La femme, par exemple, qui souffre d'agoraphobie (p. 530) et qui se sent très angoissée dès qu'elle quitte la sécurité de sa maison, pourrait construire une hiérarchie qui commence par une marche jusqu'à la boîte postale au coin de la rue. Quelque part vers le milieu de la liste, on trouverait une balade en voiture jusqu'au centre commercial. Tout en haut de la liste, il y aurait peut-être un voyage en avion, seule, vers une ville éloignée. Une fois que cette femme a appris à relaxer et qu'elle a élaboré la hiérarchie, la désensibilisation commence. Elle se tient assise, les yeux fermés dans un fauteuil confortable, pendant que le thérapeute lui décrit la moins anxiogène des situations de la liste. Si elle se montre capable de s'imaginer dans cette situation sans que sa tension musculaire augmente, le thérapeute passe alors à l'item suivant de la liste. Si cette femme rapporte quelque sentiment d'angoisse en imaginant une scène, elle concentre ses efforts sur la relaxation et la même scène est imaginée de nouveau jusqu'à ce que toute anxiété soit neutralisée. On continue d'appliquer ce procédé pendant une série de séances jusqu'à ce que la situation qui engendrait le plus d'anxiété à l'origine ne provoque maintenant que de la détente. Parvenue à ce stade, la cliente a été systématiquement désensibilisée à l'égard de situations anxiogènes grâce au renforcement d'une réponse antagoniste ou incompatible — la relaxation.

Bien que la désensibilisation par imagination visuelle de scènes se soit révélée efficace pour la réduction de peurs ou de phobies, elle est moins efficace que la désensibilisation par contact direct avec les stimuli redoutés. C'est dire que, dans notre exemple, la femme perdrait probablement ses craintes plus rapidement si elle était placée vraiment dans les situations anxiogènes, grâce à une série d'étapes graduées, et si elle parvenait à tolérer chaque situation jusqu'à ce que son anxiété disparaisse (Sherman, 1972). Chaque fois que c'est possible, le thérapeute essaie de combiner vie réelle et désensibilisation symbolique.

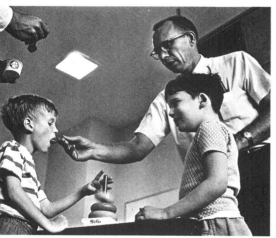

FIGURE 16-1
Renforcement du comportement
Ces deux enfants autistes participaient à un programme de thérapie behaviorale intensive à l'Institut neuropsychiatrique de l'Université de Californie à Los Angeles. On les voit ici recevant des renforcements immédiats sous forme de nourriture parce qu'ils sont entrés en interaction l'un avec l'autre. On utilisait aussi d'autres techniques, dont l'observation de modèles du comportement approprié et la punition (chocs électriques) du comportement d'automutilation. Le garçon de droite, muet et manifestant des comportements d'automutilation au moment où il a commencé à participer au programme, a pu retourner chez lui moins d'un an plus tard et être inscrit en première année dans une école spéciale, deux ans plus tard.

ENTRAÎNEMENT À L'AFFIRMATION DE SOI   La *réaction d'affirmation de soi* est une autre sorte de réponse qui s'oppose à l'anxiété. Certaines personnes se sentent angoissées dans des circonstances sociales parce qu'elles ne savent pas comment « défendre » ce qu'elles croient juste, ou « dire non » quand les autres abusent d'elles. En répétant des *réponses d'affirmation de soi* — d'abord dans des jeux de rôles avec le thérapeute, puis dans des situations de vie réelle — l'individu parvient non seulement à se débarrasser de son angoisse, mais aussi à acquérir des techniques de maîtrise de situation plus efficaces. Le thérapeute identifie les sortes de situations dans lesquelles le client se montre passif, puis il l'aide à découvrir et à répéter des réponses d'affirmation de soi qui pourraient être efficaces. Voici une liste de situations qui peuvent être utilisées au cours de séances thérapeutiques successives :

- Quelqu'un vient se placer en avant de vous pendant que vous faites la queue.
- Un ami vous demande de faire quelque chose que vous ne voulez pas faire.
- Votre patron vous critique injustement.
- Vous retournez de la marchandise défectueuse à un magasin.
- Vous êtes agacé par le bavardage de personnes placées derrière vous au cinéma.
- Le mécanicien a mal réparé votre voiture.

La plupart des gens n'aiment pas se trouver dans de pareilles situations, mais certains individus répugnent tellement à s'affirmer qu'ils ne disent rien et laissent plutôt s'accumuler du ressentiment et des sentiments d'impuissance. Dans l'entraînement à l'affirmation de soi, le client répète avec le thérapeute les réponses efficaces possibles dans de telles situations et il les essaie graduellement dans la vie réelle.

RENFORCEMENT POSITIF ET EXTINCTION   Quand une personne timide apprend et répète des réponses d'affirmation de soi, elle est susceptible de recevoir un *renforcement positif* considérable — de la part du thérapeute, qui fait l'éloge de ses nouvelles habiletés, de la part d'autres personnes, qui sont impressionnées par le changement dans sa conduite, et en constatant les résultats positifs de ces actions. Le *renforcement systématique*, fondé sur les principes du conditionnement opérant (voir au chapitre 7), s'est révélé efficace comme méthode de modification du comportement, surtout chez les enfants.

Nous pouvons illustrer la façon de procéder en présentant le cas d'une élève de troisième année qui était distraite en classe, refusait de finir ses devoirs ou de participer aux travaux de la classe et passait la plus grande partie de son temps à rêvasser. De plus, elle possédait des habiletés sociales médiocres et n'avait que très peu d'amis. On décida que le comportement à renforcer était celui de « l'orientation vers le travail » : être attentive aux tâches et aux directives de l'institutrice, finir les lectures prescrites et participer aux discussions en classe. Le renforcement était donné sous forme de fèves, qui servaient de jetons à échanger contre des privilèges particuliers auxquels la fillette attachait de la valeur, comme occuper la première place dans les rangs (3 fèves) ou avoir la permission de rester en classe à la fin de la journée, pour aider l'institutrice dans la préparation de projets spéciaux (9 fèves). Chaque fois que l'institutrice constatait que cette élève avait un comportement « orienté vers le travail », elle déposait une fève dans un pot.

Au cours des 3 premiers mois de traitement, la fillette termina 12 unités de travail, par comparaison à 0 durant les 3 mois qui avaient précédé le régime de renforcement. Pendant les 3 derniers mois du traitement, elle termina 36 unités, soit un comportement se situant au même niveau que celui du reste de la classe. Un contrôle ultérieur (l'année suivante) montra que cette élève maintenait son rendement en classe. Elle faisait preuve également d'une amélioration marquée de ses habiletés sociales et elle était acceptée par plus de compagnons et compagnes (Walker, Hedberg, Clement et Wright, 1981). C'est une constatation qu'on fait couramment : l'amélioration du comportement dans un domaine de la vie débouche souvent sur des gains additionnels (Kazdin, 1982).

Le renforcement des réponses souhaitées peut s'accompagner de l'extinction de celles qui sont indésirables. Par exemple, si un enfant crie habituellement pour réclamer l'attention de sa mère, celle-ci pourrait l'ignorer chaque fois qu'il se comporte ainsi et le renforcer en lui portant attention seulement quand il vient vers elle et lui parle sur un ton de conversation.

Dans certains cas, la conduite que le thérapeute désire renforcer se manifeste rarement ou est totalement absente, telle la parole chez un enfant muet. On fait alors appel à une technique qui ressemble au *façonnement (shaping) du comportement*, mis au point par Skinner (p. 240): les réactions voisines ou qui vont dans le sens du comportement souhaité sont renforcées et le thérapeute exige peu à peu une approximation de plus en plus parfaite jusqu'à ce que le comportement-cible se manifeste. On a utilisé un procédé de ce genre pour développer le langage d'un garçon de 6 ans gravement perturbé qui ne parlait qu'en utilisant presque exclusivement que des phrases de deux mots. On entraîna le petit garçon à réagir à des images montrant des gens occupés à des activités diverses. Au début, on le renforçait (avec de la nourriture et des éloges) pour toute réponse verbale aux images. Ensuite, on lui enseigna à utiliser des phrases simples pour décrire les images et on ne le renforça seulement que lorsqu'il répondait par une phrase. Finalement, il apprit à utiliser la conjonction « et » entre deux phrases et alors, il n'était récompensé que s'il formulait deux phrases correctes se rapportant à l'image (par exemple, « Le garçon est en train de lire et la maîtresse met le livre de côté »). Une fois que le garçonnet fut parvenu à produire régulièrement des phrases composées correctes en présence des images utilisées jusque-là, on intercala occasionnellement, au cours de l'entraînement, des essais avec de nouvelles images. Le sujet devait produire des phrases complètes, conformes à la grammaire et convenant à ces nouvelles images avant qu'on le récompense. Après 30 séances d'entraînement d'une demi-heure, l'enfant réagissait correctement aux stimuli nouveaux dans 70 % des essais. En outre, il commença à décrire des objets et des événements dans ses conversations en classe et durant les récréations (Stevens-Long, Schwarz et Bliss, 1976).

Des techniques semblables se sont montrées efficaces pour apprendre à des enfants gravement perturbés à entrer en interaction avec d'autres enfants, à se tenir assis tranquilles à un pupitre et à répondre convenablement à des questions (voir la figure 16-1). Au lieu de prendre des repas réguliers au petit déjeuner ou au déjeuner, ces enfants recevaient des morceaux de nourriture quand leurs réactions se rapprochaient des comportements-cibles. Même si elles semblent cruelles, ces techniques sont des moyens efficaces pour conduire à l'adoption de comportements plus normaux quand toutes les autres tentatives ont échoué. Une fois que l'enfant commence à réagir à des formes primaires de récompenses (comme la nourriture), les récompenses sociales (éloges, attention et privilèges spéciaux) deviennent des agents de renforcement efficaces.

Un certain nombre d'hôpitaux psychiatriques ont mis au point des « systèmes de jetons » (token economies) utilisés dans les salles où les patients chroniques sont en profonde régression, pour susciter des conduites socialement acceptables. Des jetons (qu'on peut plus tard échanger contre de la nourriture et des privilèges comme regarder des émissions de télévision) sont distribués au malade qui s'habille comme il se doit, qui communique avec d'autres patients, qui élimine le « parler psychotique », qui aide quelqu'un, etc. Ces programmes ont contribué à améliorer non seulement le comportement des patients, mais aussi l'activité générale dans les salles.

MODÈLES   Un autre moyen efficace pour modifier le comportement consiste dans la présentation de *modèles* (voir p. 398). L'observation du comportement d'un modèle (soit en personne ou sur bande vidéo) s'est avérée efficace pour atténuer les peurs et pour enseigner de nouvelles habiletés. Une étude devenue classique illustre cette façon de recourir à des modèles pour le traitement des phobies des serpents (Bandura, Blanchard et Ritter, 1969). Les sujets étaient de jeunes adultes dont les peurs des serpents étaient assez graves pour limiter leurs activités de diverses façons — certains, par exemple, ne pouvaient faire du jardinage ou des randonnées à pied dans la campagne de peur de rencontrer des serpents. Après un premier test pour déterminer jusqu'à quelle distance ils pouvaient s'approcher d'un serpent vivant mais

FIGURE 16-2
Présentation de modèles comme forme de traitement de la phobie des serpents *Les photographies montrent une jeune fille servant de modèle d'interaction avec un serpent vivant.*

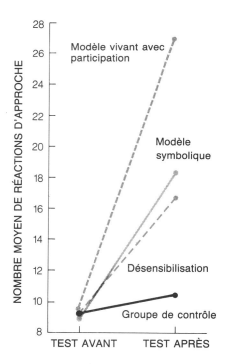

FIGURE 16-3
Traitement de la phobie des serpents *Nombre moyen de réactions d'approche vers le serpent manifestées par les sujets avant et après avoir reçu différentes sortes de traitement de thérapie behaviorale. (D'après Bandura, Blanchard et Ritter, 1969)*

inoffensif retenu dans un aquarium, les sujets reçurent des cotes selon l'intensité de leur peur et ils furent répartis en quatre groupes appariés. L'un de ces groupes fut soumis au procédé de désensibilisation systématique que nous avons déjà décrit : ils apprirent à relaxer pendant qu'ils imaginaient des situations de plus en plus anxiogènes en présence de serpents. Un second groupe, après avoir appris des techniques de détente musculaire regardèrent, un film dans lequel un enfant et des modèles adultes prenaient plaisir à des interactions de plus en plus étroites avec un gros serpent. On avait demandé à ces sujets d'arrêter la projection du film si une scène particulière provoquait de l'anxiété, de revenir en arrière jusqu'au début de cette scène et de se détendre à nouveau. (On appelle ce procédé « présentation symbolique de modèle »). Un troisième groupe imitait le comportement d'un modèle « en chair et en os » pendant que celui-ci exécutait progressivement des activités toujours plus effrayantes avec le serpent (voir la figure 16-2). Les sujets ont été amenés graduellement à toucher le serpent avec une main gantée, puis avec leurs mains nues, à tenir le serpent, à le laisser s'enrouler autour de leurs bras, et — finalement — à laisser le serpent se déplacer librement dans la pièce, à aller le chercher et à le laisser ramper sur leur corps. Ce procédé s'appelait « présentation de modèle vivant avec participation ». Le quatrième groupe était un groupe de contrôle et ne recevait aucun entraînement particulier.

La figure 16-3 donne le nombre de réactions d'approche vers le serpent qu'ont eues les sujets avant et après avoir reçu différentes sortes de traitement. Les trois groupes de traitement présentent une amélioration par comparaison avec le groupe de contrôle, mais c'est le groupe chez qui l'on a combiné l'utilisation de modèles vivants avec une participation guidée qui a obtenu les meilleurs résultats. Presque tous les sujets de ce groupe ont complètement dominé leur peur des serpents.

Des études faites par la suite ont indiqué que la méthode la plus efficace pour éliminer les phobies des serpents est de commencer par l'utilisation de modèles avec participation durant laquelle on guide l'individu dans la manipulation du serpent ; on le laisse ensuite faire lui-même l'expérience progressive des divers degrés de contact étroit avec le reptile (Bandura, Adams et Beyer, 1976). De cette façon, le sujet acquiert une impression de maîtrise de la situation — le sentiment que le contrôle dont il fait preuve est la conséquence de sa propre activité (Bandura, Adams, Hardy et Howells, 1980).

On a souvent jumelé l'usage de modèles avec le jeu de rôles durant lequel le thérapeute aide l'individu à répéter ou à pratiquer des comportements mieux adaptés. Dans l'exemple qui suit, un thérapeute aide un jeune homme à dominer la timidité qu'il ressent quand il doit demander à des jeunes filles de sortir avec lui. Le jeune client venait de faire semblant qu'il était engagé dans une conversation téléphonique avec une jeune fille et il a fini par lui demander de l'accompagner.

LE CLIENT : « À propos (pause), je suppose que tu ne veux pas sortir samedi soir ? »

LE THÉRAPEUTE : Jusqu'au moment précis où tu lui as demandé de sortir, tu étais très bon. Par contre, si j'étais la fille, je pense que j'aurais pu me sentir un peu insultée quand tu as dit « À propos ». C'est comme si ta demande était plutôt accidentelle. De plus, de la façon dont tu as formulé ta question, tu lui laisses plus ou moins entendre qu'elle ne veut pas sortir avec toi. Regarde-moi un instant, comme si j'étais toi. Voyons, qu'est-ce que tu penses de ceci : « Samedi, on présente un film au cinéma Champlain, et je voudrais le voir. Si tu n'as pas d'autres projets, j'aimerais beaucoup t'amener. »

LE CLIENT : Ça faisait bien. Comme si vous étiez sûr de vous-même et que vous aimiez la fille.

LE THÉRAPEUTE : Pourquoi n'essaies-tu pas ?

LE CLIENT : « Tu as vu quel film on présente au Champlain ? Bien, j'aimerais y aller et j'aimerais t'amener samedi, si tu n'as rien de mieux à faire. »

LE THÉRAPEUTE : Bon, c'était sûrement mieux. Le ton de ta voix était particulièrement bon. Mais la dernière phrase, « si tu n'as rien de mieux à faire », donnait l'impression que tu ne penses pas avoir grand-chose à offrir. Pourquoi ne t'essaies-tu pas encore une fois ?

LE CLIENT : « J'aimerais voir le film au Champlain samedi et, si tu n'as pas d'autres projets, j'aimerais t'amener ».

LE THÉRAPEUTE : Beaucoup mieux. Excellent, d'ailleurs. Tu étais sûr de toi, énergique et sincère.

(Rimm et Masters, 1979, p. 74).

CONTRÔLE DE SOI   Le client et le thérapeute se rencontrant rarement plus d'une fois par semaine, le client doit apprendre à contrôler sa propre conduite, de façon à faire des progrès en dehors de l'heure de thérapie. De plus, quand les gens sentent que c'est à eux-mêmes qu'ils doivent leur amélioration, ils sont plus susceptibles de continuer à faire des progrès. Le contrôle de soi implique qu'on surveille ou qu'on observe son propre comportement et qu'on a recours à diverses techniques — *autorenforcement, autopunition, contrôle des conditions de stimulation, acquisition de réactions incompatibles* — pour modifier les conduites inadaptées. Un individu surveille son propre comportement en notant soigneusement les sortes de situations qui donnent lieu à des conduites inadaptées et les sortes de réactions qui sont incompatibles avec elles. La personne qui s'inquiéterait de sa sujétion à l'alcool prendrait note des sortes de situations dans lesquelles elle est le plus portée à boire et essaierait de contrôler ces situations ou de trouver une réaction incompatible avec l'acte de boire. L'homme qui trouve difficile de ne pas se joindre à ses compagnons de travail pour l'apéritif du midi pourrait faire le projet de prendre son lunch à son pupitre, évitant ainsi la situation. S'il a la tentation de prendre un verre pour se détendre en arrivant chez lui, il pourrait trouver, dans une partie de tennis ou une course à pied autour du pâté de maisons, un autre moyen de soulager sa tension. Ces deux activités sont incompatibles avec l'acte de prendre un verre.

L'autorenforcement consiste dans le fait de s'attribuer une récompense immédiate chaque fois qu'on a atteint un objectif précis — se féliciter, par exemple, se permettre de regarder son émission de télévision favorite, appeler un ami au téléphone, manger un mets favori. Pour assurer l'autopunition, il faut prendre des mesures pour que le fait de ne pas atteindre un objectif soit suivi de conséquences fâcheuses — comme se priver d'une chose qu'on aime (*ne pas* regarder son émission favorite) ou se forcer à faire une tâche désagréable (nettoyer sa chambre). Selon la sorte de comportement qu'on veut modifier, on fera appel à diverses combinaisons d'autorenforcement, d'autopunition ou de contrôle des stimuli et des réactions. Le tableau 16-1 présente un programme de contrôle de la consommation de nourriture.

TABLEAU 16-1
Programme de contrôle de la consommation de nourriture *Le programme montre comment on peut utiliser les principes de l'apprentissage pour aider à contrôler la consommation de nourriture. (D'après Stuart et Davis, 1972; O'Leary et Wilson, 1975)*

SURVEILLANCE DE SOI

Journal personnel. Notez dans le détail tout ce que vous mangez. Notez la quantité, la sorte d'aliments et leur valeur énergétique, le moment de la journée et les circonstances. Cette information permettra d'établir la quantité de kilojoules absorbés qui contribue au maintien de votre masse actuelle. Elle servira aussi à l'identification des stimuli qui servent d'aiguillon ou de renforcement pour votre comportement de consommation alimentaire.

Évolution de la masse. Prenez une décision quant à la quantité de masse que vous voulez perdre et fixez-vous un objectif hebdomadaire. Cet objectif doit être réaliste — de 0,5 à 1 kg. Notez l'évolution de votre masse chaque jour, sur un graphique. En plus de montrer à quel point la masse varie avec l'ingestion de nourriture, ce témoin visuel aura un effet de renforcement sur vos efforts pour suivre un régime alimentaire quand vous constaterez les progrès que vous faites.

CONTRÔLE DES CONDITIONS DE STIMULATION

Utilisez les moyens suivants pour réduire l'éventail des stimuli associés à l'acte de manger:

1. Ne mangez qu'à heures fixes, à une table précise; utilisez un napperon, une serviette de table, des assiettes, des verres et des ustensiles particuliers. *Ne* mangez *pas* à d'autres moments ni à d'autres endroits (debout dans la cuisine, par exemple).
2. *N'associez pas* l'action de manger avec d'autres activités, comme la lecture ou l'écoute de la télévision.
3. Ne gardez chez vous que des aliments compatibles avec votre régime.
4. N'allez chez l'épicier ou chez le boucher qu'après avoir pris un repas complet et n'achetez que les articles indiqués sur une liste préparée à l'avance.

MODIFICATION DE L'ACTE DE MANGER LUI-MÊME

Employez les moyens suivants pour interrompre les réactions en chaîne qui rendent l'acte de manger automatique:

1. Mangez très lentement en portant une grande attention à vos aliments.
2. Attendez d'avoir fini de mâcher et d'avaler avant de prendre d'autres aliments avec votre fourchette.
3. Déposez vos ustensiles pendant de courts intervalles périodiques avant de continuer à manger.

ADOPTION DE RÉACTIONS INCOMPATIBLES

Lorsque vous serez tenté de manger à d'autres moments que ceux qui sont prévus, cherchez une activité de rechange incompatible avec l'acte de manger. Par exemple, faites des exercices de gymnastique au son de la musique, partez faire une promenade, parlez avec un ami (de préférence un ami qui sait que vous suivez un régime), étudiez votre projet de régime et le graphique de l'évolution de votre masse en calculant la masse que vous avez perdue.

AUTORENFORCEMENT

Prenez des dispositions en vue de vous attribuer une récompense qui prenne la forme d'une activité que vous aimez (regarder la télévision, lire, penser à une nouvelle garde-robe, visiter un ami) quand vous avez réussi à vous en tenir à un comportement approprié durant toute la journée en ce qui a trait à votre consommation de nourriture. Promettez-vous des récompenses plus importantes (par exemple, vous acheter un objet que vous désirez) pour la perte d'une quantité de masse déterminée. L'autopunition (en plus de la privation d'une récompense) est probablement moins efficace, parce que suivre un régime alimentaire est déjà une aventure plutôt déprimante. Mais vous pourriez peut-être réduire la fréquence des excès de nourriture en vous répétant immédiatement à vous-même les conséquences désastreuses d'un tel comportement ou en regardant un photographie peu flatteuse de vous-même en maillot de bain.

Thérapies behaviorales cognitives

Les techniques de thérapie behaviorale dont nous avons parlé jusqu'à présent s'intéressent à la modification directe du comportement sans accorder grande attention aux processus de pensée et de raisonnement de l'individu. Au début, les thérapeutes du comportement faisaient peu de cas de l'importance de la connaissance, préférant l'approche stricte de stimulus-réponse. Ils considéraient l'analyse des croyances et des attitudes comme un retour à la sorte d'introspection non scientifique à laquelle Watson s'était objecté au début du siècle (voir à la page 7). Au cours des dernières années toutefois, les thérapeutes de la modification du comportement ont porté une attention de plus en plus marquée aux facteurs cognitifs — les pensées de l'individu, ses attentes et son interprétation des événements — pour l'identification des comportements et l'adoption de stratégies de changement.

La thérapie behaviorale cognitive est un terme général qu'on applique aux méthodes de traitement qui utilisent les techniques de modification du comportement tout en y incorporant des procédés conçus pour changer les croyances qui conduisent à une mauvaise adaptation. Le thérapeute s'efforce d'aider les clients à contrôler les réactions affectives troublantes, comme l'anxiété et la dépression, en leur enseignant des moyens plus efficaces de réfléchir sur leurs expériences et de les interpréter. Par exemple, comme nous l'avons noté en traitant de la théorie cognitive de Beck sur la dépression (voir à la p. 540), les individus déprimés ont tendance à évaluer les événements d'un point de vue négatif et autocritique. Ils s'attendent à échouer plutôt qu'à réussir et ils ont tendance à amplifier leurs échecs et à minimiser leurs succès quand ils évaluent leur rendement. Pour traiter la dépression, les spécialistes de la thérapie behaviorale cognitive essaient d'aider leurs clients à reconnaître les déformations de leur pensée et à apporter des changements qui soient plus conformes à la réalité. Le dialogue qui suit montre comment un thérapeute peut, en posant des questions pertinentes et au bon moment, amener une cliente à prendre conscience du caractère irréaliste de ses croyances.

LE THÉRAPEUTE: Pourquoi voulez-vous mettre un terme à votre vie?

LA CLIENTE: Sans Raymond, je ne suis rien... Je ne peux pas être heureuse sans Raymond... Mais je ne suis pas capable de sauver notre mariage.

LE THÉRAPEUTE: Comment a été votre mariage?

LA CLIENTE: Misérable depuis le commencement... Raymond m'a toujours trompée... Je l'ai à peine vu au cours des 5 dernières années.

LE THÉRAPEUTE: Vous dites que vous ne pouvez pas être heureuse sans Raymond... Vous sentez-vous heureuse quand vous êtes avec Raymond?

LA CLIENTE: Non, nous nous disputons tout le temps et je me sens encore pire.

LE THÉRAPEUTE: Vous dites que vous n'êtes rien sans Raymond. Avant que vous rencontriez Raymond, aviez-vous l'impression que vous étiez rien?

LA CLIENTE: Non, j'avais l'impression d'être quelqu'un.

LE THÉRAPEUTE: Si vous étiez quelqu'un avant de connaître Raymond, pourquoi avez-vous besoin de lui pour être quelqu'un maintenant?

LA CLIENTE: (perplexe) Hmm...

LE THÉRAPEUTE: Si vous vous libériez de ce mariage, pensez-vous que les hommes seraient capables de s'intéresser à vous — sachant que vous êtes disponible?

LA CLIENTE: Je suppose que peut-être ils le seraient.

LE THÉRAPEUTE: Est-il possible que vous puissiez trouver un homme qui serait plus constant que Raymond?

LA CLIENTE: Je ne sais pas... Je suppose que c'est possible...

LE THÉRAPEUTE: Alors, qu'avez-vous vraiment à perdre si vous cassez ce mariage?

LA CLIENTE: Je ne sais pas.

La thérapie behaviorale cognitive s'efforce de modifier les croyances d'un client qui mènent à une mauvaise adaptation.

LE THÉRAPEUTE :   Est-il possible que les choses s'améliorent pour vous si vous mettez fin au mariage ?

LA CLIENTE :   Ce n'est pas garanti.

LE THÉRAPEUTE :   Avez-vous présentement un *vrai mariage* ?

LA CLIENTE :   Je suppose que non.

LE THÉRAPEUTE :   Si vous n'avez pas un vrai mariage, qu'avez-vous vraiment à perdre si vous décidez de mettre fin à ce mariage ?

LA CLIENTE :   (longue pause) Rien, je suppose.

(Beck, 1976, p. 280-291)

La composante behaviorale du traitement entre en ligne de compte quand le thérapeute encourage sa cliente à formuler des moyens différents de percevoir sa situation et à faire ensuite le test des conséquences possibles. Il pourrait, par exemple, demander à la femme qui participait à ce dialogue de noter par écrit, à intervalles réguliers, les états d'humeur dans lesquels elle se trouve et de voir ensuite comment sa dépression et ses sentiments d'estime de soi fluctuent en fonction de ce qu'elle fait. Si elle constate qu'elle se sent plus mal après les échanges avec son mari que lorsqu'elle se trouve seule ou qu'elle communique avec quelqu'un d'autre, cette information pourrait servir à saper sa croyance qu'elle « ne peut pas être heureuse sans Raymond ».

Les spécialistes de la thérapie behaviorale cognitive combinent souvent des techniques de modification du comportement avec des directives précises sur la façon de traiter les pensées négatives. Un programme pour aider quelqu'un à surmonter son agoraphobie pourrait comprendre une désensi-

TABLEAU 16-2
Pour affronter la dépression
Programme de traitement de la dépression associant des techniques cognitives et des techniques behaviorales. Il s'agit d'une présentation condensée d'un cours en 12 séances qui a été utilisé avec succès pour traiter des individus en groupes restreints. (D'après Lewinsohn, Antonuccio, Steinmetz et Teri, 1984)

COURS SUR L'ART DE SUSCITER DES CHANGEMENTS PERSONNELS

Identifier avec précision les comportements-cibles et noter par écrit le taux de base de leur production ; repérer les événements ou les situations qui précèdent le comportement-cible et les conséquences (positives ou négatives) qui le suivent ; fixer des objectifs de changement et choisir des agents de renforcement.

ENTRAÎNEMENT À LA DÉTENTE

Apprendre à relaxer ses muscles progressivement pour contrôler l'anxiété qui accompagne souvent la dépression ; surveiller continuellement sa tension musculaire dans les situations quotidiennes et appliquer les techniques de relaxation.

AUGMENTATION DU NOMBRE D'ÉVÉNEMENTS AGRÉABLES

Surveiller la fréquence des activités agréables et établir un calendrier hebdomadaire pour que chaque jour comprenne un équilibre entre activités négatives ou indifférentes et activités agréables.

STRATÉGIES COGNITIVES

Apprendre des méthodes permettant d'augmenter le nombre des pensées positives et de diminuer le nombre des pensées négatives ; en vue d'identifier les pensées irrationnelles et de les remettre en question et en vue d'utiliser des autodirectives (langage intérieur) pour faciliter la maîtrise des situations qui font problème.

ENTRAÎNEMENT À L'AFFIRMATION DE SOI

Identifier les situations où le fait de ne pas s'affirmer ajoute aux sentiments de dépression ; apprendre à affronter les interactions sociales de façon plus agressive au moyen de l'observation de modèles et du jeu de rôles.

ACCROÎTRE LE NOMBRE DES INTERACTIONS SOCIALES

Identifier les facteurs responsables du taux peu élevé d'interaction sociale (comme prendre l'habitude de tout faire seul, se sentir mal à l'aise à cause du manque d'habiletés sociales) ; juger quelles sont les activités qu'il faut augmenter (comme appeler des amis pour suggérer des rencontres) ou diminuer (comme regarder la télévision), de façon à améliorer le niveau des interactions sociales agréables.

bilisation systématique (d'abord à l'aide d'images, puis en effectuant des excursions réelles s'étendant de plus en plus loin de la maison), accompagnée d'un entraînement à la pensée positive. Le thérapeute apprend au client à remplacer les dialogues intérieurs qui sont des présages d'échecs («Je suis tellement nerveux que je sais que je vais m'évanouir dès que j'aurai quitté la maison») par des autodirectives positives («Restons calme; je ne suis pas seul; même si je fais une crise de panique, il y aura quelqu'un pour m'aider»). Le tableau 16-2 est la description d'un programme destiné au traitement de la dépression par des techniques favorisant la modification du comportement et des attitudes.

Les spécialistes de la thérapie behaviorale cognitive conviennent qu'il est important de modifier les croyances d'une personne si l'on veut en arriver à un changement de comportement qui soit durable. La plupart d'entre eux soutiennent, toutefois, que les techniques behaviorales contribuent plus que les techniques purement verbales à influencer les processus cognitifs. Pour vaincre l'anxiété que suscite l'idée de devoir prononcer un discours en classe, par exemple, il sera avantageux de penser positivement: «Je connais bien le sujet et je suis sûr que je suis capable de présenter mes idées de façon convaincante»; «Le thème est intéressant et les autres étudiants vont aimer ce que j'ai à dire.» Mais la répétition réussie du discours devant un confrère et à nouveau devant un groupe d'amis contribuera probablement encore d'avantage à atténuer l'anxiété. Une bonne exécution accroît notre sentiment de maîtrise. Bandura assure, en effet, que tous les procédés thérapeutiques efficaces donnent au client un sens de maîtrise ou de *compétence personnelle*. Le fait d'observer d'autres personnes qui affrontent une situation avec succès, de se persuader soi-même verbalement que l'on est capable de maîtriser une situation difficile et le fait de constater, d'après des indices internes, que l'on est détendu et en pleine possession de ses moyens, tous ces facteurs contribuent à la création d'un sentiment de compétence personnelle. Mais le plus fort sentiment d'efficacité vient de l'exécution elle-même, d'expériences personnelles de maîtrise de la situation. Essentiellement, rien ne réussit autant que le succès (Bandura, 1984).

Thérapies humanistes

Les spécialistes des *thérapies humanistes* s'intéressent au caractère unique de chaque individu et à la tendance naturelle de ce dernier vers la croissance et l'actualisation de soi (voir p. 464). Le praticien de la thérapie humaniste n'interprète pas la conduite de l'individu (comme le ferait un psychanalyste) et n'essaie pas non plus de la modifier (comme le tenant de la thérapie behaviorale). L'objectif de la thérapie humaniste est de faciliter à l'individu l'examen de ses propres pensées et sentiments et de l'aider à découvrir ses propres solutions. Cette façon d'aborder le problème deviendra plus compréhensible si nous étudions la *thérapie axée sur la personne* (autrefois appelée *thérapie axée sur le client*), l'une des premières thérapies humanistes.

La *thérapie axée sur la personne*, conçue par Carl Rogers, s'appuie sur le postulat que le client est le meilleur expert en ce qui le concerne et que, lorsqu'on leur en donne l'occasion, les gens sont capables de découvrir des solutions à leurs propres problèmes. La tâche du thérapeute consiste à favoriser cette évolution — et non pas à poser des questions indiscrètes, ni à donner des interprétations, ni à suggérer des modes de conduite. En effet, Rogers préfère le terme «facilitateur» à celui de «thérapeute».

La thérapie axée sur la personne se prête à une description plutôt simple, mais dans les faits, elle exige beaucoup d'adresse et elle est beaucoup plus subtile qu'elle ne paraît de prime abord. Le thérapeute commence par expliquer la nature des séances de rencontre: la responsabilité de la résolution des problèmes incombe au client; il est libre de partir quand il le voudra et de choisir de revenir ou non; la relation a un caractère privé et confidentiel; le client est libre de parler de choses intimes sans danger de recevoir des reproches ou de voir ses propos répétés à d'autres. Une fois la situation structurée, ce sont les clients qui prennent la parole la plupart du temps. D'habi-

Carl Rogers (en haut, au centre) en train de «faciliter» les échanges au sein d'un groupe de thérapie.

tude, ils en ont beaucoup à dire. Le thérapeute est un auditeur patient mais vigilant. Quand le client s'arrête de parler, comme s'il s'attendait à ce que le thérapeute dise quelque chose, ce dernier, en général, reflète et accepte les sentiments exprimés par la personne. Par exemple, si un homme a parlé de sa mère querelleuse, le thérapeute pourra dire : « Vous sentez que votre mère essaie de contrôler vos actes. » Le but est de *clarifier* les sentiments que la personne a exprimés et non pas de les juger ou de les commenter.

Au début de la thérapie, dans la plupart des cas, les patients ont de mauvaises opinions d'eux-mêmes, mais à force de faire face aux problèmes et d'essayer de trouver des solutions, ils commencent à se percevoir sous un meilleur jour. Un client, par exemple, avait commencé par des déclarations comme celle-ci :

> Tout est de travers chez moi. J'ai l'impression d'être anormal. Je ne fais même pas les choses ordinaires de la vie. Je suis sûr d'échouer peu importe ce que j'entreprends. Je suis inférieur. Quand j'essaie d'imiter les gens qui réussissent, je ne fais que jouer la comédie. Je ne peux pas continuer comme ça.

Quand arriva la dernière interview, le client exprima des attitudes qui contrastent considérablement avec les énoncés de la première interview :

> Je me suis inscrit à un nouveau cours, que j'ai moi-même choisi. Je change vraiment. J'ai toujours essayé d'atteindre le niveau des autres, niveau qui dépassait mes capacités. J'en suis arrivé à comprendre que je ne suis pas tellement brillant, mais que je peux m'en tirer quand même. Je ne passe plus autant de temps à m'inquiéter à mon sujet. Je suis beaucoup plus à l'aise avec les gens. Mon travail m'apporte un sentiment de réussite. Je ne me sens pas encore tellement stable, pourtant, et j'aimerais avoir l'impression que je pourrai revenir pour recevoir de l'aide supplémentaire, si j'en ai besoin. (Snyder et coll., 1947)

Pour savoir si cette sorte d'évolution est typique, des chercheurs ont fait l'analyse d'enregistrements d'interviews. Lorsqu'on classifie et qu'on reporte sur un graphique les propos des clients, le résultat de la thérapie se révèle assez facile à prédire. Durant les premières interviews, les gens consacrent beaucoup de temps à l'exposé de leurs problèmes et à la description des symptômes. À mesure que la thérapie progresse, ils expriment de plus en plus des idées qui dénotent qu'ils en arrivent à une *compréhension* de leurs problèmes particuliers. En classant toutes les remarques des clients sous deux catégories seulement, soit sous « reformulations de problèmes » soit sous « déclarations de compréhension et intuition », l'accroissement graduel de l'intuition devient évident à mesure que la thérapie progresse (voir la figure 16-4).

Qu'est-ce que le praticien de la thérapie axée sur la personne fait donc pour provoquer ces changements? Rogers est d'avis que les qualités les plus importantes d'un bon thérapeute sont l'« empathie »*, la chaleur et la sincérité. L'*empathie* se réfère à la capacité de comprendre les sentiments que le client tente d'exprimer *et* la capacité de communiquer cette compréhension au client. Le thérapeute doit adopter le cadre de référence du client et il doit s'efforcer de voir les problèmes comme le client les voit. Par *chaleur*, Rogers veut dire une acceptation entière de l'individu tel qu'il est, y compris la conviction que cette personne a la capacité d'agir de façon constructive par rapport à ses problèmes. Le thérapeute qui est *sincère* est ouvert et honnête et ne joue pas un rôle, pas plus qu'il ne se dérobe sous une façade professionnelle pour agir. Les gens hésitent à se dévoiler devant ceux qu'ils perçoivent comme des « faux jetons ». Rogers croit que le thérapeute qui possède ces qualités facilitera l'épanouissement et l'analyse de soi de son client (Rogers, 1970; Truax et Mitchell, 1971).

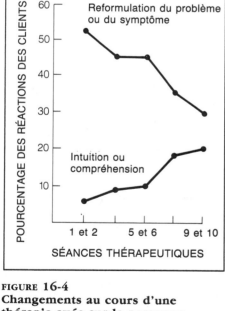

FIGURE 16-4
Changements au cours d'une thérapie axée sur la personne
La description et la reformulation de problèmes par le client cèdent progressivement la place, au cours de la thérapie, à une augmentation de la fréquence d'énoncés dénotant la compréhension. (D'après Seeman, 1949)

---

* Terme utilisé couramment en sciences psychologiques pour désigner « une sorte de communion affective par laquelle on s'identifierait avec un autre être, dont on réussirait à éprouver les sentiments ». On a proposé également le mot « intropathie » comme équivalent de l'« einfühleinz » allemand qui a ce sens, mais l'usage ne s'est pas répandu (voir Piéron, p. 187). (Note du traducteur)

Par leur insistance sur l'analyse empirique du processus thérapeutique, Rogers et ses collègues ont apporté une contribution importante au champ de la recherche sur la psychothérapie. Ils ont, par exemple, été les premiers à pratiquer l'enregistrement sur ruban magnétique des séances de thérapie en vue d'une analyse ultérieure par des chercheurs. La thérapie axée sur la personne connaît certaines limites, cependant. Comme la psychanalyse, elle ne semble avoir du succès seulement qu'auprès des individus qui sont assez loquaces et qui ressentent le besoin de parler de leurs problèmes. Dans le cas des gens qui ne recherchent pas volontairement de l'aide ou qui sont gravement perturbés et incapables de discuter de leurs sentiments, on doit généralement avoir recours à des méthodes plus directes. En outre, en utilisant uniquement les témoignages des clients sur eux-mêmes comme paramètre de l'efficacité de la psychothérapie, le praticien de la thérapie axée sur la personne ignore le comportement en dehors de la séance thérapeutique. Les individus qui manquent de sécurité et qui se sentent inefficaces dans leurs relations interpersonnelles ont souvent besoin qu'on les aide à modifier leur comportement.

Thérapie de groupe

Plusieurs problèmes affectifs mettent en cause les difficultés rencontrées par un individu dans ses relations avec les autres — sentiments d'isolement, de rejet et de solitude et incapacité d'entrer en interaction satisfaisante avec les autres, par exemple. Bien que le thérapeute puisse aider l'individu à résoudre certains de ces problèmes, le test définitif est la façon dont la personne parvient à transposer, dans ses relations quotidiennes, les attitudes et réactions apprises au cours de la thérapie. La *thérapie de groupe* permet aux clients de résoudre leurs problèmes en présence d'autrui, de voir comment les autres réagissent à leur conduite et d'expérimenter des façons nouvelles de réagir lorsque les anciennes se révèlent insatisfaisantes.

Les thérapeutes de diverses orientations (psychanalytique, humaniste et behavioriste) ont modifié leurs techniques pour qu'elles s'appliquent aux thérapies de groupe. Celles-ci ont été utilisées dans une grande diversité de situations dans les hôpitaux et dans les cliniques externes de psychiatrie, avec les parents d'enfants perturbés de même qu'avec des adolescents dans les institutions pénales, pour ne citer que quelques exemples. Ordinairement, les groupes sont composés d'un petit nombre d'individus (de 6 à 12 de préférence) qui vivent des problèmes semblables. En général, le thérapeute reste à l'arrière-plan, laissant les membres du groupe se raconter leurs expériences, passer des commentaires sur la conduite des uns et des autres et discuter de leurs propres problèmes aussi bien que de ceux des autres membres du groupe. Au début, les membres du groupe sont portés à se tenir sur la défensive et à se montrer mal à l'aise quand ils font état de leurs points faibles, mais ils prennent graduellement une attitude plus objective à l'égard de leur propre conduite et deviennent de plus en plus conscients de l'influence que leurs attitudes et leurs comportements ont sur les autres. Ils acquièrent une plus grande capacité de s'identifier aux autres membres du groupe et de sympathiser avec eux, de même qu'un sentiment d'estime de soi, quand ils se voient capables d'aider un autre grâce à un témoignage de compréhension ou à une interprétation valable.

La thérapie de groupe présente plusieurs avantages sur la thérapie individuelle. Elle permet d'épargner du temps, puisqu'un seul thérapeute peut aider plusieurs personnes à la fois. L'individu trouve réconfort et appui dans le fait de constater que d'autres personnes ont des problèmes semblables aux siens — et peut-être, plus graves. La personne se trouve en mesure d'apprendre de façon vicariante, en observant comment les autres se comportent, et elle a aussi l'occasion d'analyser les attitudes et les réactions par des échanges avec une variété d'individus et non pas avec le seul thérapeute. Les groupes sont particulièrement efficaces quand ils donnent aux participants l'occasion d'acquérir de nouvelles habiletés sociales grâce à l'observation de modèles dans le groupe et de s'entraîner à la pratique de ces habiletés au sein du groupe.

La thérapie de groupe offre aux individus l'occasion de travailler à la solution de leurs problèmes en échangeant avec les autres.

GROUPES DE RENCONTRE Le *groupe de rencontre*, aussi connu sous le nom de *groupe d'entraînement à la sensibilité* (plus brièvement, *T-group*, ou *groupe T* si l'on veut), est un dérivé de la thérapie de groupe et est devenu populaire durant les années 1960 et 1970. Les groupes de rencontre offrent aux gens l'occasion de devenir plus conscients de leur façon d'entrer en relation avec les autres, ainsi que de la façon dont les autres les perçoivent eux-mêmes; les participants deviennent plus ouverts dans leurs interactions. Les groupes sont généralement composés de 12 à 20 individus qui peuvent se rencontrer soit pour une seule séance intensive de week-end, soit pour plusieurs séances plus courtes réparties sur une période de quelques mois. On demande instamment aux membres du groupe d'exprimer des attitudes et des sentiments qu'on ne manifeste pas habituellement en public. Le leader du groupe (ou *facilitateur*, comme on l'appelle parfois, parce que sa tâche n'est réellement pas de conduire les autres) suggère aux membres d'analyser leurs propres sentiments et mobiles de même que ceux des autres membres du groupe. L'objectif est de provoquer des échanges non inhibés par des attitudes défensives, ce qui favorise la franchise et l'honnêteté.

Carl Rogers, qui a étudié divers types de groupes de rencontre, a noté qu'on retrouve souvent le même pattern de changement d'une séance à l'autre (Rogers, 1970). Au début, on voit généralement s'installer une certaine confusion et une part de frustration quand le facilitateur précise bien qu'il n'assume pas la responsabilité de diriger le groupe. Les membres résistent également à exprimer leurs sentiments; il peut arriver, quand un membre décrit certains sentiments personnels, que les autres essaient de l'arrêter, en se demandant s'il est bien convenable d'exprimer de tels sentiments devant le groupe. À l'étape suivante, les participants commencent petit à petit à parler de sentiments et de problèmes qu'ils ont connus en dehors du groupe. Puis ils se mettent à parler des rapports au sein du groupe; souvent, le premier sentiment alors exprimé est une attitude négative à l'égard de soi ou d'un autre membre du groupe. Quand l'individu découvre que ses sentiments sont acceptés, un climat de confiance commence à s'établir. Quand arrivent les dernières séances, les membres du groupe en sont arrivés à réagir avec impatience devant des attitudes défensives; ils essaient de faire tomber les façades, en insistant auprès des autres pour qu'ils se montrent tels qu'ils sont. Le tact et la dissimulation polie, qui sont choses acceptées à l'extérieur du groupe, ne sont pas tolérés au sein de celui-ci.

En théorie, l'information rétroactive que l'individu reçoit quant à l'effet de son comportement sur les autres et le sentiment qu'il a d'être accepté par le groupe entraînent un accroissement de la conscience de soi et des modifications de la conduite, tant à l'extérieur qu'à l'intérieur du groupe. Cependant, les recherches qu'on a faites sur les résultats de la participation aux groupes de rencontre soulèvent des doutes, quant à l'importance des modifications du comportement qui se produisent vraiment. Une étude portant sur plus de 200 collégiens, qui avaient participé à des groupes de rencontre dirigées par des facilitateurs bien formés, a démontré qu'un tiers seulement de ces étudiants donnaient des signes de changement positif à la suite de cette expérience (conclusion découlant de témoignages personnels et d'évaluations de la part d'amis intimes). Un autre tiers de ces étudiants ne montraient aucun changement et le reste des sujets manifestaient des changements négatifs — ou ils avaient quitté le groupe parce que l'expérience les troublait, ou ils avaient eu par la suite l'impression que cette expérience contribuait à la recrudescence de leurs problèmes personnels, sans leur apporter de solutions (Lieberman, Yalom et Miles, 1973).

Bien que les groupes de rencontre fournissent l'occasion aux gens en santé sur le plan psychologique d'apprendre à mieux se connaître eux-mêmes à partir des réactions franches des autres, ils ne représentent généralement pas une aide pour ceux qui ont des problèmes affectifs. Les groupes de rencontre se sont révélés moins efficaces pour produire des modifications du comportement que la thérapie individuelle ou que les groupes de thérapie plus traditionnels, et les améliorations résultant de la participation à un groupe de rencontre semblent être passagères (Bednar et Kaul, 1978). Dans la thérapie traditionnelle, les participants sont choisis avec soin et les séances sont distribuées sur de plus longues périodes, de sorte qu'il est possible de résoudre les problèmes interpersonnels. Enfin, l'accent que met le groupe de rencontre sur l'« expression libre de l'émotion » risque de nuire aux individus dont l'estime de soi est trop fragile pour résister aux critiques et aux pressions venant d'un groupe (Kirsch et Glass, 1977).

Les groupes de rencontre semblent perdre graduellement de leur popularité. À leur place, on voit apparaître un nombre croissant de groupes de « prise en charge de soi », des regroupements volontaires de gens qui se rencontrent régulièrement pour échanger de l'information et appuyer les efforts qu'ils font les uns et les autres pour surmonter un problème commun. Le plus connu de ces groupes est celui des Alcooliques anonymes. Une autre forme, qui prend des noms différents (Recovery, Inc. aux États-Unis, Auto-psy au Québec), est une organisation à laquelle adhèrent d'anciens malades mentaux (qui s'appellent souvent eux-mêmes « ex-psychiatrisés »). D'autres groupes aident les gens à composer avec des situations de stress particulières comme le deuil, le divorce et la situation de la famille « monoparentale ».

THÉRAPIE FAMILIALE ET CONJUGALE   Les problèmes associés à la communication des sentiments, à la satisfaction de ses propres besoins et à la réponse adéquate aux besoins et aux exigences des autres prennent des proportions plus grandes dans le contexte du mariage et de la vie familiale. Dans la mesure où elles mettent en cause plus d'un client et portent surtout sur les relations interpersonnelles, on peut considérer la *thérapie conjugale* et la *thérapie familiale* comme des formes particulières de thérapie de groupe.

Le taux élevé de divorce et le nombre de couples qui recherchent de l'aide pour faire face aux difficultés associées à leur relation ont fait de la thérapie conjugale (ou matrimoniale) un champ de pratique grandissant. Les études montrent en effet que la thérapie conjointe et simultanée des deux partenaires est plus efficace pour résoudre les problèmes matrimoniaux que la thérapie individuelle qui s'adresse à un seul des partenaires (Gurman et Kniskern, 1981).

Il existe plusieurs façons d'aborder la thérapie conjugale, mais la plupart d'entre elles font porter leur effort sur l'aide à apporter aux partenaires pour qu'ils communiquent ce qu'ils ressentent, pour qu'ils acquièrent une meilleure compréhension et une plus grande sensibilité face à leurs besoins mutuels et qu'ils cherchent à trouver des moyens plus efficaces de composer avec leurs conflits. Certains couples s'aventurent dans le mariage avec des attentes très différentes et souvent irréalistes quant aux rôles d'un époux et d'une épouse, ces mésententes pouvant mener leur relation à la catastrophe. Le thérapeute peut les aider à clarifier leurs attentes et à arriver à un compromis mutuellement acceptable. Parfois, les couples négocient des *contrats de comportement*, se mettant d'accord sur les changements de comportement que chaque personne accepte d'apporter pour créer une relation plus satisfaisante et décidant des récompenses et des punitions auxquelles ils peuvent avoir recours l'un et l'autre pour garantir ces changements.

La thérapie familiale chevauche la thérapie conjugale mais elle a une origine quelque peu différente. Elle a été créée pour parer au nombre croissant de personnes qui, ayant connu une amélioration en thérapie individuelle alors qu'elles étaient séparées de leur famille — souvent dans un milieu institutionnel — avaient des rechutes quand elles retournaient chez elles. Il devint clair que beaucoup de ces gens provenaient d'un milieu familial perturbé qu'il fallait changer si l'on voulait préserver les progrès accomplis par l'individu. La prémisse fondamentale de la thérapie familiale est que le problème manifesté par le « patient identifié » est le signe qu'il y a quelque chose qui ne va pas dans la famille prise comme un tout; autrement dit, le *système familial* ne fonctionne pas comme il se doit. La difficulté peut venir d'une mauvaise communication entre les membres de la famille ou d'une alliance entre quelques membres de la famille qui a pour conséquence d'exclure les autres. La mère, par exemple, qui trouve que la relation avec son mari est insatisfaisante peut faire porter toute son attention sur son fils. En conséquence, son époux et sa fille se sentiront négligés et son fils, perturbé par la prédilection

En thérapie familiale, on analyse les relations interpersonnelles entre les membres d'une famille.

NOM	OBJECTIFS	MÉTHODES
Thérapie de la gestalt	Faire prendre conscience de la personnalité « globale » en faisant revivre les conflits non résolus et en révélant les aspects de l'être qui sont écartés de la conscience. L'accent est mis sur la nécessité d'être profondément conscient de ses sentiments et de ses réactions du moment.	Thérapie en situation de groupe, mais le thérapeute travaille avec une seule personne à la fois. Les méthodes employées pour accroître la prise de conscience sont l'abréaction des fantasmes, des rêves ou des deux aspects d'un conflit. Elle combine l'insistance de la psychanalyse sur la résolution des conflits internes, l'importance qu'accorde le behavioriste à la prise de conscience de sa propre conduite et la préoccupation humaniste pour l'actualisation de soi.
Thérapie de réalité	Préciser les valeurs auxquelles l'individu adhère et évaluer le comportement actuel et les projets d'avenir en relation avec ces valeurs. Forcer l'individu à prendre des responsabilités.	Le thérapeute aide l'individu à percevoir les conséquences des plans d'action possibles et à opter pour une solution ou un objectif réaliste. Une fois qu'un plan d'action a été choisi, on peut signer un « contrat » par lequel le client s'engage à agir comme prévu.
Thérapie affectivité-raison	Remplacer certaines idées « irrationnelles » (« Il faut absolument que les autres nous aiment et nous admirent constamment »; « Il faut se montrer compétent dans tous les domaines »; « Les gens sont pratiquement incapables de contrôler leur peine et le sentiment qu'ils ont d'être malheureux ») par des idées plus réalistes. Postule que les changements d'ordre cognitif entraîneront des changements d'ordre affectif.	Le thérapeute s'attaque aux idées de l'individu (parfois de façon subtile, parfois directement) et les réfute dans le but de le persuader d'adopter un point de vue plus « rationnel » face à la situation. Semblable à la thérapie cognitive de Beck, sauf que le thérapeute se montre plus direct et plus critique.
Analyse transactionnelle	Prendre conscience des intentions à la base des communications de l'individu; éliminer les subterfuges et les tromperies pour que l'individu soit en mesure de percevoir son propre comportement tel qu'il est vraiment.	Thérapie en situation de groupe. Les communications entre couples mariés ou entre les membres d'un groupe sont analysées pour permettre d'identifier l'aspect de la personnalité qui a la parole — « le parent », « l'enfant » ou « l'adulte » (similarité avec le surmoi, le ça et le moi de Freud) — et l'intention à l'origine du message. Les interactions sociales de caractère destructif ou les « jeux que les gens jouent entre eux » sont dénoncés.
Hypnothérapie	Soulager les symptômes et renforcer les processus du moi en aidant l'individu à mettre la réalité de côté et à faire un usage constructif de son imagerie.	Le thérapeute a recours à diverses techniques hypnotiques dans une tentative d'atténuer les conflits et les doutes en orientant l'attention de l'individu, de modifier les symptômes au moyen de la suggestion directe ou du déplacement et de consolider la capacité de l'individu d'affronter la réalité.

TABLEAU 16-3
Quelques formes de psychothérapie

étouffante de sa mère et par le ressentiment contre lui de son père et de sa sœur, se met à avoir des problèmes à l'école. Bien que la demande d'aide puisse résulter, à l'origine, des difficultés scolaires du fils, il est évident que celles-ci ne sont que le symptôme d'un problème familial beaucoup plus fondamental.

En thérapie familiale, la famille entière rencontre régulièrement un ou deux thérapeutes (en général, un homme et une femme). Après avoir observé les interactions entre les membres de la famille, le thérapeute aide chacun des membres à prendre conscience de la façon dont il entre en relation avec les autres et de la façon dont ses actes pourraient contribuer aux problèmes familiaux. Parfois, on confronte les sujets à des enregistrements sur bandes vidéo pour leur faire comprendre la nature de leur interaction les uns avec les autres. En d'autres occasions, le thérapeute peut rendre visite à la famille dans son foyer pour observer les conflits et les échanges verbaux tels qu'ils se présentent en milieu naturel. Il devient souvent évident que les conduites qui font problème se trouvent renforcées par les réactions des membres de la famille. Par exemple, les accès de colère d'un jeune enfant ou les problèmes anorexiques d'une adolescente peuvent être renforcés, sans qu'on s'en rende compte, par l'attention qu'ils suscitent de la part des parents. Le thérapeute peut enseigner aux parents à surveiller de façon suivie leur comportement et celui de leurs enfants pour voir si leurs réactions ne renforceraient pas la conduite qui fait problème et, le cas échéant, à modifier les occasions de renforcement.

Une approche éclectique

Il existe, en plus de celles dont nous venons de parler, plusieurs formes de psychothérapie. Le tableau 16-3 en présente quelques-unes. La plupart des psychothérapeutes, cependant, n'appliquent pas de façon stricte une méthode *unique*. Ils adoptent plutôt une *approche éclectique*, choisissant parmi les diverses techniques celles qui leur semblent mieux indiquées pour chacun de leurs clients. Bien que leur orientation théorique les porte à favoriser une méthode ou une « école » particulière (par exemple, à se montrer plus « psychanalytiques » que « behavioristes »), ils se sentent libres de rejeter les notions qui ne leur paraissent pas pertinentes et d'utiliser les techniques des autres écoles. Bref, ils sont souples dans leur façon d'aborder la thérapie. Lorsqu'il a affaire à un individu très angoissé, par exemple, le psychothérapeute éclectique pourra, au début, recommander des tranquillisants et l'entraînement à la relaxation afin d'abaisser le niveau d'angoisse de ce client. (La plupart des psychanalystes ne le feraient pas, toutefois, car ils croient que l'angoisse est nécessaire pour motiver le client dans l'analyse de ses conflits.) Ensuite, pour aider le client à comprendre l'origine de ses problèmes, le thérapeute éclectique pourra aborder certains aspects de sa vie passée tout en jugeant inutile d'analyser les expériences de l'enfance aussi à fond que le ferait le psychanalyste. (Par contre, le thérapeute axé sur la personne refuserait de fouiller dans le passé de son client.) Le thérapeute pourrait aussi avoir recours à des techniques éducatives : donner de l'information sur la sexualité et la reproduction dans le but de soulager les angoisses d'un adolescent qui se sentirait coupable devant ses désirs sexuels, ou encore, expliquer le fonctionnement du système nerveux autonome pour convaincre une femme angoissée que certains de ses symptômes, comme les palpitations cardiaques ou le tremblement des mains, ne sont pas les signes d'une maladie.

Une autre technique psychothérapeutique consiste à modifier l'entourage du patient. Il arrive, par exemple, que le thérapeute soit d'avis qu'un jeune homme, pour qui les relations avec ses parents provoquent des conflits graves, se trouvera toujours incapable de faire des progrès sensibles pour surmonter ses difficultés s'il ne quitte pas le toit familial. Il pourra alors recommander que le jeune homme fréquente un collège éloigné de chez lui ou cherche du travail dans une autre ville. Quand il s'agit d'un enfant plus jeune, il peut arriver occasionnellement que le milieu familial représente un tel danger pour la santé mentale de l'enfant que le thérapeute voit, avec le concours des centres d'assistance sociale et des tribunaux, à ce que l'enfant soit placé en foyer nourricier.

EFFICACITÉ DES PSYCHOTHÉRAPIES

Dans quelle mesure la psychothérapie s'avère-t-elle efficace ? Quelles sont les méthodes qui ont le plus de succès ? Il n'est pas facile de répondre à ces questions. La recherche sur l'efficacité de la psychothérapie se heurte à plusieurs obstacles majeurs. Comment décider qu'un individu s'est amélioré ? Quelles mesures de l'amélioration seraient valides ? Comment peut-on déterminer ce qui a causé le changement ?

Évaluation de la psychothérapie

L'évaluation de la psychothérapie est une tâche très difficile parce qu'il faut tenir compte d'un très grand nombre de variables. Un fort pourcentage des

« Aujourd'hui nous allons essayer la thérapie d'aversion. Chaque fois que vous direz quelque chose de stupide, je vais vous verser un seau d'eau sur la tête. »

gens qui présentent des problèmes psychologiques, par exemple, prennent du mieux sans intervention professionnelle. Ce phénomène est appelé *rémission spontanée*, un terme emprunté à la médecine. Plusieurs maladies physiques connaissent une certaine évolution et, sauf complications, l'individu se rétablit sans traitement particulier. Cependant, le mot « spontané » ne convient pas vraiment pour décrire le rétablissement sans aide professionnelle à la suite de troubles psychologiques. Certaines maladies mentales s'améliorent réellement d'elles-mêmes, au bout d'un certain temps — un peu à la manière d'une grippe ordinaire. Ceci est tout particulièrement vrai de la dépression (voir la p. 538). Mais dans la plupart des cas, l'amélioration qui se fait en l'absence de traitement n'est pas spontanée; elle est plutôt le résultat d'événements extérieurs — généralement des modifications dans les conditions de vie de l'individu ou l'aide d'une autre personne.

Plusieurs individus affectivement perturbés qui ne s'adressent pas à des professionnels sont capables de s'améliorer avec l'aide d'un non-professionnel, comme un ami, un professeur ou un directeur de conscience. Nous ne pouvons pas considérer ces guérisons comme spontanées; mais, étant donné qu'elles ne sont pas attribuables à la psychothérapie, on les inclut dans le taux de rémission spontanée, qui s'étend de 30 à 60 %, tout dépendant du trouble particulier que l'on étudie (Bergin et Lambert, 1978). Pour tenir compte de ceux qui se seraient améliorés sans traitement, toute évaluation d'une psychothérapie se doit de comparer un groupe d'individus qui ont reçu un traitement avec un groupe-témoin qui n'en a pas reçu. La psychothérapie est jugée efficace quand l'amélioration du client par suite de l'intervention est plus forte que toute amélioration survenant sans thérapie au cours de la même période. On résout généralement le problème déontologique relié au fait de laisser quelqu'un sans traitement en composant le groupe-témoin d'individus qui sont sur une liste d'attente. Les membres de cette liste d'attente sont reçus en interview au début de la recherche, ce qui permet de recueillir l'information de base, mais ils ne reçoivent pas de traitement avant que la recherche ait pris fin. Malheureusement, plus la recherche est longue (et il faut du temps pour mesurer l'amélioration, tout particulièrement dans le cas des thérapies fondées sur l'intuition), plus il devient difficile de garder les gens sur une liste d'attente.

Un second problème majeur dans l'évaluation de la psychothérapie consiste dans la mesure du résultat. Comment déterminer si la thérapie a été bénéfique à l'individu? Nous ne pouvons pas toujours nous fier à l'évaluation faite par le sujet lui-même. En effet, certains sujets disent qu'ils se sentent mieux simplement pour faire plaisir au thérapeute ou pour se convaincre eux-mêmes qu'ils n'ont pas gaspillé leur argent. Les thérapeutes connaissent l'*effet bonjour-adieu* depuis longtemps. Au début de la thérapie (le « bonjour »), les gens ont tendance à exagérer leur détresse et leurs problèmes afin de convaincre le thérapeute du fait qu'ils ont vraiment besoin d'être aidés. À la fin de la thérapie (l'« adieu »), ils sont portés à exagérer leur état de bien-être pour exprimer leur appréciation des efforts du thérapeute et pour se persuader eux-mêmes que leur temps et leur argent ont été employés à bon escient. Il faut tenir compte de ces phénomènes quand on évalue l'idée que le patient se fait du progrès accompli.

Le jugement que le thérapeute porte sur le « succès » du traitement ne peut pas toujours servir de critère objectif non plus. Le thérapeute a tout intérêt à déclarer que son client est mieux. Mais il arrive parfois que les changements observés par le thérapeute durant les séances de traitement ne se transposent pas dans les situations de la vie réelle. L'évaluation de l'amélioration doit donc comporter au moins trois mesures indépendantes: l'évaluation que le client fait de son progrès, l'évaluation du thérapeute et le jugement d'une troisième partie, tels des personnes proches du client (parents, amis) ou un clinicien étranger au traitement.

Parmi les autres mesures du résultat auxquelles on pourrait faire appel pour évaluer l'efficacité de la psychothérapie, citons des scores de test (comme l'Inventaire multiphasique de la personnalité Minnesota ou l'Inventaire de Beck sur la dépression) et, dans le cas de la thérapie behaviorale, des changements dans le comportement-cible (une diminution des actes compulsifs, par exemple). Les mesures de l'amélioration dans la vie de la personne, en dehors de la situation de thérapie — rendement plus efficace au travail ou à l'école, réduction de la consommation d'alcool, diminution des activités antisociales — sont plus signifiantes, mais elles sont souvent difficiles à obtenir dans les études à long terme de l'efficacité de la psychothérapie.

Malgré ces obstacles, les chercheurs ont été capables de procéder à plusieurs études d'évaluation de la psychothérapie. Plutôt que de parler d'études particulières, nous allons jeter un regard sur une évaluation de grande envergure qui visait à répondre à la question de savoir si la psychothérapie est efficace. Les auteurs de cette recherche ont recensé 475 rapports publiés d'études dans lesquelles on comparait au moins un groupe de thérapie à un groupe-témoin qui n'a pas reçu de traitement. Au moyen d'un procédé statistique compliqué, ils ont déterminé l'amplitude de l'effet rapporté dans chaque étude en comparant le changement moyen découlant du traitement (dans des mesures comme l'estime de soi, l'anxiété et le rendement au travail et à l'école) avec celui du groupe-témoin. Ils sont arrivés à la conclusion que les individus qui ont fait l'objet d'une thérapie étaient en meilleur état que ceux qui n'avaient pas reçu de traitement. Le patient moyen, qui a subi une psychothérapie, manifeste une plus grande amélioration que 80 % des patients non traités du groupe-témoin (Smith, Glass et Miller, 1980).

Comparaison des psychothérapies

La psychothérapie produit une amélioration plus marquée que l'absence de traitement, mais les différentes méthodes thérapeutiques ont-elles toutes la même efficacité? L'étude d'évaluation dont nous venons de parler a tenté de répondre à cette question en analysant les résultats de 50 études dans lesquelles on comparait une thérapie behaviorale (y compris la désensibilisation systématique et la modification du comportement) avec une thérapie non behaviorale (incluant des thérapies axées sur la personne, des approches psychanalytiques et éclectiques). À leur tour, les sujets de ces deux types de thérapie furent comparés avec ceux d'un groupe-témoin qui n'avait pas reçu de traitement. Les chercheurs ont constaté que les thérapies behaviorales, comme les thérapies non behaviorales, étaient supérieures à l'absence de traitement. De plus, il n'y avait, en moyenne, que peu de différences entre les deux catégories de thérapie. Ce résultat fut confirmé par d'autres chercheurs (Sloane et coll., 1975; Luborsky, Singer et Luborsky, 1975; Berman, Miller et Massman, 1985). Comment se fait-il que des thérapies qui adoptent des méthodes aussi différentes donnent des résultats aussi similaires? On a proposé plusieurs possibilités d'explication (voir Stiles, Shapiro et Elliott, 1986). Nous en citons deux.

Peut-être certaines thérapies sont-elles efficaces pour certains troubles ou problèmes, alors qu'elles se révéleraient relativement inefficaces pour d'autres? Quand on a recours à des thérapies particulières pour traiter une vaste gamme de troubles, il se peut qu'elles soient utiles dans certains cas et pas dans d'autres cas et la moyenne des résultats obtenus dans ces cas différents pourrait donc voiler les points forts directement attribuables à une thérapie particulière. Il nous faudrait savoir quel traitement est efficace pour quel problème.

Il existe des indices. Nous savons, par exemple, que la désensibilisation systématique et l'observation de modèles sont efficaces pour éliminer les peurs spécifiques ou les phobies, alors que les thérapies psychanalytiques et axées sur la personne ne le sont pas. Quand nous voulons changer des comportements précis, les thérapies behaviorales cognitives réussissent généralement mieux que les thérapies d'intuition. Mais si l'objectif est la compréhension de soi, les thérapies plus globales comme la thérapie psychanalytique et la thérapie axée sur la personne sont alors mieux indiquées.

Nous savons également qu'aucune des psychothérapies ne connaît beaucoup de succès dans le traitement de la schizophrénie ou de la manie dépressive. Néanmoins, la psychothérapie peut être utile (quand on l'utilise en même temps que certaines thérapies biologiques décrites dans la partie suivante de notre exposé) pour aider ce type de patient à composer avec les problèmes de la vie de tous les jours.

La tâche qui incombe aux évaluateurs dans l'avenir est d'identifier le trouble pour lequel chacune des thérapies est particulièrement efficace. L'appariement de la thérapie et du thérapeute qui conviennent au patient contribuera à améliorer l'efficacité d'ensemble d'un traitement. Aux États-Unis, le National Institute of Mental Health (Institut national de la santé mentale) a subventionné une étude de grande envergure qui porte sur le traitement de la dépression et poursuit cet objectif. La recherche, qui a mobilisé 28 thérapeutes et 240 patients, compare l'efficacité de deux formes de psychothérapie brève (la thérapie behaviorale cognitive et la thérapie interpersonnelle) et le traitement au moyen d'un médicament antidépresseur. La thérapie behaviorale cognitive concentra ses efforts sur la pensée déformée des patients et sur leurs perceptions négatives d'eux-mêmes ; la thérapie interpersonnelle tenta d'aider les patients à acquérir de meilleures façons d'entrer en relation avec les membres de leurs familles, leurs compagnons de travail et les autres. Dans les deux cas, on utilisa des séances hebdomadaires d'une heure durant des périodes de 12 à 16 semaines. Le médicament antidépresseur fut administré une fois la semaine par des cliniciens expérimentés qui apportaient également aux patients appui et encouragement.

Les résultats préliminaires indiquent qu'*en moyenne*, les trois traitements eurent un succès équivalent dans le soulagement des symptômes de la dépression ; plus de la moitié des patients de chacun des groupes se rétablirent. Mais tout semble indiquer que certains types de malades réagissaient mieux à certains types de traitements. On procède actuellement à l'analyse de cet aspect des données, de même qu'à l'étude du degré d'amélioration maintenu par les patients durant des observations subséquentes s'étendant sur une période de 18 mois (Elkind et coll., 1986).

L'efficacité similaire des différentes psychothérapies tient également au fait qu'elles ont toutes certains facteurs en commun. Il se pourrait en effet que les changements positifs soient davantage attribuables à ces facteurs communs, qu'aux techniques de thérapie particulières utilisées.

Facteurs communs dans les psychothérapies

Une école de psychothérapie met l'accent sur l'intuition ; une autre, sur les modèles et le renforcement ; une autre encore, sur l'« empathie » et la chaleur humaine. Mais se pourrait-il que ces éléments ne constituent pas les variables essentielles ? N'y aurait-il pas d'autres facteurs plus importants, communs à la plupart des psychothérapies, mais sur lesquels les thérapeutes n'insistent pas quand ils parlent de leur travail (Garfield, 1980) ?

UNE RELATION INTERPERSONNELLE CHALEUREUSE ET CONFIANTE   Peu importe le type de thérapie, dans une bonne relation thérapeutique, client et thérapeute entretiennent respect et considération mutuels. Le client doit croire que le thérapeute le comprend et est préoccupé par le problème qui l'amène. Malgré le fait que la thérapie behaviorale puisse donner l'impression qu'il s'agit d'un procédé plutôt impersonnel, du moins d'après les descriptions qu'on en fait dans les manuels, les études indiquent que les thérapeutes expérimentés qui utilisent cette méthode manifestent autant de sympathie, de compréhension et de profondeur d'engagement interpersonnel que les thérapeutes d'orientation psychanalytique (Sloane et coll. 1975). Le thérapeute qui comprend nos problèmes et qui croit que nous pouvons les résoudre se gagne notre confiance et contribue ainsi à accroître le sens que nous avons de notre propre compétence et à nous convaincre que nous sommes capables de réussir.

RÉCONFORT ET SOUTIEN   Nos problèmes nous semblent souvent insurmontables et uniques. Le fait d'en parler avec un « expert », qui ne considère pas nos difficultés comme hors de l'ordinaire et qui indique qu'on peut les résoudre, est en soi rassurant. Le fait de trouver quelqu'un qui va nous aider

Pour qu'un traitement soit efficace, le thérapeute doit rassurer le patient et lui apporter son appui ; il doit également maintenir une relation chaleureuse et confiante.

à affronter les problèmes que nous n'avons pas été capables de résoudre par nous-même nous procure également un sentiment d'espoir et l'impression d'être appuyés. Effectivement, les thérapeutes qui ont le plus de succès sont, peu importe leur méthode de psychothérapie, ceux qui établissent avec leurs clients une relation d'aide qui constitue un véritable soutien (Luborsky et coll., 1985).

DÉSENSIBILISATION   Nous avons déjà parlé de la désensibilisation systématique, soit des techniques particulières de thérapie du comportement visant à aider l'individu à perdre sa peur de certains objets ou situations. Cependant, plusieurs types de psychothérapie peuvent promouvoir une certaine sorte de désensibilisation plus vaste. Quand, dans l'atmosphère réconfortante d'une séance de thérapie, nous discutons d'événements et d'émotions qui nous ont troublés, ces expériences perdent peu à peu leur caractère menaçant. Les problèmes que nous remâchons en solitaire et en nous faisant du mauvais sang peuvent s'amplifier hors proportion ; nos difficultés, quand elles sont partagées avec un autre, nous semblent souvent moins graves. Plusieurs autres hypothèses peuvent également expliquer comment la désensibilisation opère en psychothérapie. Par exemple, la verbalisation des événements qui nous troublent peut aider à réévaluer la situation de façon plus réaliste. Selon la théorie de l'apprentissage, la discussion répétée des expériences angoissantes dans la sécurité d'un milieu thérapeutique (où la punition n'a pas sa place) pourrait graduellement résoudre l'anxiété qui leur est associée. Quel que soit le procédé en cause, la désensibilisation semble vraiment être un facteur commun à plusieurs sortes de psychothérapie.

RENFORCEMENT DES RÉPONSES D'ADAPTATION   Les thérapeutes du comportement se servent du renforcement comme d'une technique pour accroître les attitudes et les actions positives. Mais tout thérapeute à qui le client se confie et à qui il fait confiance devient un agent de renforcement ; c'est-à-dire que le thérapeute a tendance à exprimer son approbation à l'égard des comportements ou des attitudes jugées favorables à une meilleure adaptation et à ignorer ou à désapprouver les attitudes ou les réponses inadaptées. La nature des réponses qui seront renforcées dépend de l'orientation théorique du thérapeute et de ses objectifs thérapeutiques. L'utilisation de renforcement peut-être être intentionnelle ou pas ; dans certains cas, il se peut que le thérapeute ne soit pas conscient du fait qu'il renforce, ou ne renforce pas comme il le devrait, le comportement d'un client particulier. Les thérapeutes axés sur la personne croient, par exemple, qu'ils doivent laisser le client décider du sujet à discuter durant la séance de thérapie et ne veulent pas influencer le cours de la conversation du client. Le renforcement peut être subtil, toutefois ; un sourire, un hochement de la tête ou un simple « hum-hum » après certains énoncés du client peuvent en faire augmenter la probabilité de récurrence.

Comme l'objectif de toutes les psychothérapies est d'amener le client à changer ses attitudes et son comportement, il est indispensable qu'un certain type d'apprentissage intervienne durant la thérapie. Le thérapeute doit être conscient de l'influence qu'il exerce sur le client en tant qu'agent de renforcement et il devrait utiliser consciemment cette connaissance pour faciliter les changements souhaités.

COMPRÉHENSION OU INTUITION   Toutes les psychothérapies dont nous avons parlé apportent au client une *explication* de ses difficultés — comment elles sont apparues, pourquoi elles persistent et comment on peut les changer. Dans le cas de l'individu en psychanalyse, cette explication peut prendre la forme d'une compréhension progressive de peurs refoulées durant l'enfance et de la façon dont ces sentiments inconscients ont contribué aux problèmes actuels. Le thérapeute du comportement pourrait informer le client du fait que ses peurs actuelles sont le résultat d'un conditionnement antérieur et qu'elles peuvent être vaincues en apprenant des réponses qui sont incompatibles avec les réponses actuelles. Le client qui rencontre un spécialiste de la théorie behaviorale cognitive peut apprendre que ses difficultés découlent de la conviction déraisonnable que l'on se doit d'être parfait ou d'être aimé de tous.

ANALYSE CRITIQUE

La réponse placebo

On a communément recours aux placebos dans la recherche sur l'efficacité des médicaments. Un placebo est une substance inerte (reconnue pour ne pas avoir d'effets pharmacologiques) à laquelle on donne l'apparence d'un médicament actif — essentiellement, une pilule de sucre. Les placebos sont utilisés dans la recherche sur les médicaments afin de contrôler 1) les attentes du patient quant à l'action bénéfique du médicament, 2) la croyance du chercheur dans l'efficacité du médicament et 3) les effets positifs de l'attention accrue portée au patient par les membres du personnel médical et découlant du fait qu'il est un sujet de recherche. On adopte habituellement une méthode à *double insu* : on donne le médicament à un groupe de patients et un groupe comparable reçoit le placebo, mais ni les patients, ni les chercheurs (ni quiconque appelé à juger des résultats) ne savent avant la fin de l'étude quelles sont les pilules qui contiennent la substance active et quelles sont celles qui sont un placebo. Puisque ni les patients ni les chercheurs ne « connaissent » la nature des pilules, on a appelé la méthode « double insu »*. Quand le taux d'amélioration est plus élevé chez ceux qui ont reçu le vrai médicament, on considère que celui-ci a un effet thérapeutique. Si l'amélioration est à peu près la même chez les deux groupes de patients, on en conclut que, quelle que soit la réaction positive au médicament, celle-ci est un effet de placebo et le médicament est jugé inefficace.

Toutes les réactions qui ne peuvent s'expliquer par les effets réels du médicament sont considérées comme des réponses placebo — c'est-à-dire attribuables à des causes inconnues et non pharmacologiques. De telles causes inconnues sont généralement présumées de nature psychologique.

Les effets de placebo peuvent être très puissants. Par exemple, dans une étude, 40 % des patients souffrant d'une maladie cardiaque douloureuse (angine de poitrine) ont dit éprouver un soulagement profond de leurs symptômes après avoir été soumis à un procédé diagnostique qu'ils croyaient être une opération pour les guérir de leur problème (Beecher, 1961). Quand il s'agit du traitement de troubles psychologiques, les placebos sont souvent aussi efficaces que les médicaments. Une recension d'études, dans lesquelles on avait donné aux patients soit un médicament anxiolytique (pour soulager l'anxiété), soit un placebo, a permis de constater que les taux d'amélioration des patients qui avaient reçu des placebos étaient généralement aussi élevés, et souvent plus élevés, que les taux de ceux à qui on avait donné de vrais médicaments (Lowinger et Dobie, 1969).

Avant l'avènement de la médecine scientifique, presque tous les médicaments étaient des placebos. On a donné aux patients toutes les substances imaginables — de la fiente de crocodile, des pastilles de vipères déshydratées, le liquide séminal de grenouilles, des araignées, des vers et des excréments humains — préparées de toutes les façons possibles, en vue du traitement de leurs symptômes. Au cours de l'histoire de la médecine, les patients ont été tour à tour purgés, empoisonnés, lessivés, saignés, chauffés, gelés, poussés à des transpirations excessives et soumis à des chocs (Shapiro et Morris, 1978). Médecins et guérisseurs ayant traditionnellement occupé des positions honorables et respectées, leurs « traitements » doivent avoir été bénéfiques à au moins quelques-uns de leurs patients. Nous devons présumer que leur efficacité est attribuable à la réponse placebo. Les hommes de science attribuent également aux effets de placebo les guérisons fondées sur la prière et sur la suggestion, ainsi que diverses formes de cures miraculeuses.

Comment se peut-il que des explications aussi différentes mènent toutes à des résultats positifs ? Il est possible que la nature précise des intuitions et de la compréhension qu'apporte le thérapeute soit relativement peu importante. Il est peut-être plus essentiel de fournir au client une explication du comportement ou des sentiments que celui-ci trouve angoissants et de lui offrir un ensemble d'activités (comme l'association libre ou l'entraînement à la détente) qui, de l'avis du client et du thérapeute, sont susceptibles de soulager son anxiété. Lorsqu'une personne est en proie à des symptômes troublants et qu'elle n'est certaine ni de leur cause ni de leur degré possible de gravité, elle se sent rassurée d'être en rapport avec un professionnel, qui semble connaître la nature du problème et qui propose des façons de le résoudre. La prise de conscience du fait qu'un changement est dans l'ordre du possible

Certains cliniciens ont laissé entendre que la réponse placebo pourrait être l'une des raisons pour lesquelles la psychothérapie donne des résultats (Lieberman et Dunlap, 1979; Wilkins, 1984). Selon ce point de vue, pratiquement toute méthode de psychothérapie devrait avoir des effets positifs, pourvu que les clients croient à son efficacité. S'il en est ainsi, il devient important pour le thérapeute de communiquer au client sa conviction que la méthode de traitement utilisée aura du succès.

Certains cliniciens trouvent troublante l'idée que les réponses placebos joueraient un rôle central en psychothérapie. Ils ont l'impression que cette conception associe la psychothérapie à la fumisterie des guérisseurs et des charlatans et laisse croire que le processus thérapeutique consiste à se leurrer soi-même. Ce n'est pas le cas. Médecins et psychothérapeutes savent depuis longtemps que les attitudes et les croyances d'un patient sont très importantes dans l'évaluation de l'efficacité du traitement. Tout traitement se révélera plus efficace si le patient lui accorde foi et s'il est motivé à l'utiliser comme il convient. Au lieu de nier l'importance de l'effet placebo, il vaudrait mieux continuer à étudier les variables qui y contribuent.

De plus, les chercheurs désireux de démontrer l'efficacité d'une technique thérapeutique donnée devraient instituer des contrôles pour tenir compte de la réponse placebo. Les études les plus sérieuses le font en ajoutant un groupe placebo témoin, de même qu'un groupe de patients qui ne reçoivent pas de traitement. Par exemple, dans une expérience conçue pour vérifier l'efficacité de la désensibilisation systématique dans le soulagement de l'anxiété associée au fait de devoir prononcer un discours public, on a utilisé les groupes suivants : désensibilisation systématique, thérapie d'intuition, « placebo-attention » et groupe de contrôle sans traitement. Les sujets du groupe placebo-attention rencontraient un thérapeute sympathique qui les amenait à croire qu'une pilule arriverait à réduire leur sensibilité globale au stress. Pour les en convaincre, le thérapeute leur faisait écouter une « bande magnétique de stress » (présentée comme une bande utilisée pour entraîner les astronautes à bien fonctionner dans des conditions de stress) pendant plusieurs séances, après qu'ils eurent absorbé le « tranquillisant ». En réalité, la pilule était un placebo et la bande contenait des bruits non verbaux qui avaient été, lors d'autres recherches, jugés plutôt ennuyeux que sources de stress. Grâce à ce procédé, l'expérimentateur a suscité chez les sujets l'attente que leur anxiété liée au fait de devoir parler en public serait atténuée s'ils prenaient cette pilule. Les résultats de l'étude ont révélé que le groupe de désensibilisation systématique s'améliorait beaucoup plus que le groupe de contrôle sans traitement, que le groupe placebo-attention et que les groupes de thérapie d'intuition, ces deux derniers réagissant à peu près de la même façon à leurs formes de thérapie (Paul, 1967). En incluant le groupe attention-placebo, l'expérimentateur a été en mesure de conclure que le succès de la technique de désensibilisation systématique n'était pas attribuable uniquement à l'effet de placebo.

Le mécanisme qui produit les réponses placebo reste inconnu. On a proposé de nombreuses hypothèses, mais jusqu'à maintenant, aucune ne s'appuie sur une vérification empirique. Un groupe d'explications porte principalement sur l'influence sociale (voir au chapitre 18). Les patients ayant tendance à considérer les médecins et les thérapeutes comme des individus puissants sur le plan social, ils pourraient être suggestibles à l'influence de telles « autorités » et se laisser facilement persuader que des résultats bénéfiques se produiront. En outre, le rôle de patient présuppose certains comportements de convenance. Un « bon patient » est celui qui prend du mieux; l'amélioration dont témoigne le patient justifie l'intérêt initial accordé par les thérapeutes, de même que l'intérêt dont ils feront preuve par la suite.

D'autres explications se concentrent sur les expectatives de l'individu. Il est possible que la personne qui effectue le traitement crée, de façon délibérée ou non, des attentes quant aux effets de la thérapie. Le patient arrive également avec certaines expectatives, fondées sur ses expériences antérieures. La croyance qu'on va prendre du mieux, alliée à un fort désir que cela se produise, sont les ingrédients essentiels de l'espoir. Et l'espoir peut exercer une influence considérable sur nos émotions et sur nos processus corporels. Selon certains chercheurs, cette influence se ferait par l'intermédiaire du groupe endorphine de neurotransmetteurs. Nous avons vu plus tôt comment les endorphines, les « opiacés naturels du cerveau », agissent sur l'humeur et sur l'expérience subjective de la douleur. On pourrait arriver à constater que les endorphines jouent un rôle important dans la réponse placebo.

---

* On emploie aussi les expressions « double contrôle », « double inconnue », « double anonymat » ou « double aveugle », cette dernière étant une traduction littérale de l'anglais « double blind ». (Note du traducteur)

---

donne espoir à l'individu, et l'espoir est un facteur important dans la facilitation du changement. (Voir l'analyse critique, « La réponse placebo ».)

Notre discussion des facteurs communs à toutes les psychothérapies n'a pas pour but de dénier la valeur de certaines méthodes particulières de traitement. Le thérapeute le plus efficace est peut-être celui qui reconnaît l'importance des facteurs communs et s'en sert d'une façon planifiée avec tous ses clients, mais qui choisit également les techniques les mieux indiquées dans chaque cas individuel. Cette hypothèse semble indiquer que la formation des futurs thérapeutes devrait être plus éclectique, moins rattachée exclusivement à une école particulière de psychothérapie et plus ouverte à une variété de façons de procéder. Elle devrait promouvoir une recherche systématique des techniques et des stratégies les plus efficaces et les plus pertinentes par rapport à des problèmes précis.

THÉRAPIES BIOLOGIQUES

La conception biologique du comportement anormal présume que les troubles mentaux sont, comme les maladies physiques, causés par des dysfonctionnements biochimiques ou physiologiques du cerveau. Au chapitre 15, nous avons mentionné plusieurs théories biologiques à l'occasion de notre discussion de l'étiologie de la schizophrénie et des troubles affectifs. Les thérapies biologiques comprennent l'usage de médicaments, les chocs électroconvulsifs et les interventions chirurgicales.

Médicaments psychothérapeutiques

La thérapie biologique qui a connu le plus grand succès est celle qui consiste dans l'utilisation de médicaments pour modifier l'humeur et la conduite. La découverte, au début des années 50, de drogues capables de soulager certains des symptômes de la schizophrénie a fait franchir une étape importante au traitement des individus gravement perturbés. Il n'était plus nécessaire de retenir physiquement avec des camisoles de force les patients fort agités, les patients qui avaient passé la plupart de leur temps sous le coup d'hallucinations et de comportements bizarres devenaient plus sensibles aux influences extérieures et mieux capables de fonctionner. En conséquence, les salles psychiatriques devinrent plus faciles à gérer et on pouvait libérer les patients plus tôt. Quelques années plus tard, la découverte de médicaments capables de soulager la dépression grave eut un effet bénéfique similaire pour la population et pour le personnel des hôpitaux. La figure 16-5 montre la réduction du nombre de pensionnaires des hôpitaux psychiatriques après l'introduction des médicaments antipsychotiques et antidépresseurs. Vers cette même époque, on introduisait un groupe de médicaments capables de soulager l'anxiété.

MÉDICAMENTS ANXIOLYTIQUES   Les médicaments qui atténuent l'anxiété appartiennent à la famille appelée *benzodiazépines*. On les reconnaît sous le nom courant de *tranquillisants* et ils sont mis en marché sous des marques de commerce comme Valium (diazepam), Librium (chlordiazépoxyde) et Xanax (alprazolam). Ces médicaments réduisent la tension et sont cause de somnolence. Comme l'alcool et les barbituriques, ils dépriment l'action du sytème nerveux central. Les médecins de famille émettent souvent des ordonnances de tranquillisants pour aider les gens à composer avec le stress durant les périodes difficiles qu'ils traversent dans la vie. On a également recours à ces médicaments dans le traitement de l'anxiété, du syndrome de privation d'alcool et des troubles physiques associés au stress. On peut, par exemple, jumeler l'administration de médicaments anxiolytiques et la désensibilisation systématique dans le traitement des phobies, afin d'aider l'individu à se détendre quand on le confronte à la situation redoutée.

Malgré l'utilité possible à court terme des tranquillisants, les bénéfices que procureraient ces substances dans l'ensemble sont discutables et il est évident que l'on prescrit ces médicaments beaucoup trop souvent et que l'on en fait un usage abusif. Jusqu'à tout récemment (avant que certains des dangers deviennent apparents), le Valium et le Librium étaient les deux médicaments qui faisaient l'objet du plus grand nombre d'ordonnances médicales aux États-Unis (Julien, 1985). Les dangers d'une consommation excessive de tranquillisants sont nombreux. Le fait de dépendre d'une pilule pour soulager son anxiété peut empêcher une personne d'analyser la *cause* de son angoisse et de découvrir des moyens plus efficaces de composer avec la tension. Facteurs plus importants encore, l'usage prolongé de tranquillisants peut créer une dépendance physique, ou sujétion (voir à la p. 130). Même si les tranquillisants ne créent pas d'accoutumance aussi forte que les barbituriques, une tolérance se forme avec l'usage répété et l'individu éprouve des symptômes de sevrage graves quand on décide d'arrêter la médication. Enfin, les tranquillisants nuisent à la concentration, y compris celle qui est néces-

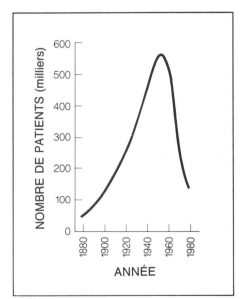

FIGURE 16-5
Pensionnaires des hôpitaux psychiatriques publics   *Ce graphique donne le nombre de patients résidant dans les hôpitaux psychiatriques urbains et régionaux des États-Unis de 1880 à 1980. Au milieu des années 50, le nombre de patients hospitalisés a commencé à diminuer de façon spectaculaire. Le facteur le plus important de ce déclin a été l'usage répandu des médicaments antipsychotiques et antidépresseurs. Parmi les autres facteurs, mentionnons l'apparition de cliniques externes plus convenables, l'institution d'hôpitaux de jour et la création de services communautaires auxiliaires. (Données fournies par le National Institute of Mental Health)*

saire à la conduite d'une voiture, et peuvent causer la mort s'ils sont consommés en même temps que l'alcool.

MÉDICAMENTS ANTIPSYCHOTIQUES   La plupart des *agents antipsychotiques* qui soulagent les symptômes de la schizophrénie appartiennent à la famille appelée *phénothiazines*. Donnons comme exemples le Thorazine (chlorpromazine) et la Prolixine (fluphénazine). On a donné à ces médicaments le nom de « tranquillisants majeurs », mais l'expression n'est pas vraiment appropriée, car ils n'agissent pas sur le système nerveux de la même manière que les barbituriques ou que les agents anxiolytiques. Ils peuvent causer une certaine somnolence et léthargie, mais ils ne provoquent pas de sommeil profond même en dose massive (on peut facilement réveiller l'individu). De même, ils créent rarement le sentiment agréable de légère euphorie associé à l'absorption de faibles doses d'agents anxiolytiques. Actuellement, les effets psychologiques des médicaments antipsychotiques sur les individus normaux sont, en général, désagréables. Ce qui explique pourquoi on abuse rarement de ces drogues.

Au chapitre 15, nous avons traité de la théorie voulant que la schizophrénie soit causée par l'activité excessive du neurotransmetteur qu'est la dopamine. Les agents antipsychotiques bloquent les récepteurs de la dopamine. Parce que leurs molécules sont structuralement similaires aux molécules de la dopamine, elles se fixent aux récepteurs postsynaptiques des neurones de la dopamine, bloquant par le fait même l'accès de la dopamine à ces récepteurs. (La dopamine devient incapable d'activer ses récepteurs.) Une synapse possède à elle seule beaucoup de récepteurs. Si tous ces derniers se trouvent bloqués, la transmission à travers les synapses échouera. Quand seulement quelques-uns de ces récepteurs sont bloqués, la transmission est ralentie. Le pouvoir clinique d'un agent antipsychotique est directement proportionnel à sa capacité de rivaliser dans le monopole des récepteurs de la dopamine.

Les neurones dotés de récepteurs pour la dopamine se trouvent concentrés dans le système réticulaire, le système limbique et l'hypothalamus. Le système réticulaire filtre de façon sélective le flot des messages en provenance des organes sensoriels vers le cortex cérébral et contrôle l'état d'activation de l'individu. Le système limbique et l'hypothalamus sont importants pour la régulation des émotions. L'altération de l'activité nerveuse dans ces régions pourrait expliquer les effets calmants des médicaments antipsychotiques, quoiqu'à ce jour, nous n'avons aucune idée des processus en cause.

Quelle que soit leur méthode d'opération, les médicaments antipsychotiques sont efficaces pour atténuer les hallucinations et la confusion d'un épisode schizophrénique aigu et pour restaurer les processus rationnels de pensée. Ces médicaments ne « guérissent » pas la schizophrénie ; pour que les patients soient capables de bien fonctionner hors de l'hôpital, il faut continuer à leur donner une dose d'entretien. Plusieurs des symptômes caractéristiques de la schizophrénie — amortissement des émotions, claustration, difficultés d'attention soutenue — restent en place. Néanmoins, les médicaments antipsychotiques réduisent la durée du séjour des patients à l'hôpital et ils préviennent les rechutes. L'étude de schizophrènes vivant en milieu communautaire révèle que le taux de récidive de ceux qui prennent une des phénothiazines est généralement 50 % moins élevé que le taux de récidive de ceux qui reçoivent un placebo (Hogarty et coll., 1979).

Malheureusement, les médicaments antipsychotiques ne soulagent pas tous les patients schizophrènes. De plus, ces médicaments ont des effets secondaires déplaisants — assèchement de la bouche, vue brouillée, difficulté de concentration — qui amènent beaucoup de patients à cesser de prendre la médication. Un usage prolongé peut occasionner des effets secondaires plus graves (exemples : hypotension et trouble musculaire provoquant des mouvements involontaires de la bouche et du menton). Les chercheurs sont toujours en quête de médicaments qui soulageraient les symptômes de la schizophrénie en entraînant moins d'effets secondaires.

MÉDICAMENTS ANTIDÉPRESSEURS   Les *médicaments antidépresseurs* contribuent à remonter le moral des gens déprimés. Ces substances donnent de l'énergie plutôt qu'ils ne tranquillisent, apparemment parce qu'elles augmentent la quantité disponible des deux neurotransmetteurs (noradrénaline et sérotonine) qui sont en quantité insuffisante dans certains cas de dépression. Les deux catégories principales d'agents antidépresseurs agissent de manières différentes pour élever le niveau des neurotransmetteurs. Les *inhibiteurs de la monoamine-oxydase* (MAO) — exemples : Nardil et Parnate — bloquent l'activité d'une enzyme capable de détruire tant la noradrénaline que la sérotonine, contribuant par le fait même à augmenter la concentration de ces deux neurotransmetteurs dans le cerveau. Les *antidépresseurs tricycliques* — exemple : Tofranil et Elavil — empêchent le *recaptage* de la sérotonine et de la noradrénaline, prolongeant ainsi la durée d'activité de ces neurotransmetteurs. (Rappelez-vous que le *recaptage* est le processus par lequel les neurotransmetteurs sont ramenés dans les terminaisons nerveuses qui les avaient libérés.) Ces deux catégories de médicaments se sont révélés efficaces pour soulager certains types de dépression, soit, selon toute probabilité, les dépressions causées par des facteurs biologiques plutôt que par des facteurs du milieu. Toutefois, comme les agents antipsychotiques, les antidépresseurs peuvent produire des effets secondaires indésirables.

Les antidépresseurs ne sont pas des stimulants comme le sont les amphétamines ; ils ne produisent pas des sentiments d'euphorie et n'augmentent pas l'énergie. En fait, un patient peut devoir prendre ces médicaments pendant plusieurs semaines avant que l'on observe un changement d'humeur. C'est pourquoi, on préfère parfois avoir recours à la thérapie électroconvulsive, qui agit plus rapidement, pour traiter les individus suicidaires profondément déprimés. (Nous allons parler de la thérapie électroconvulsive dans la prochaine partie de ce chapitre.)

Les antidépresseurs ne sont pas efficaces dans le traitement de la dépression qui se manifeste dans les troubles de manie dépressive. Cependant, un autre médicament, le lithium, s'est révélé très efficace dans ces cas-là. En effet, il atténue les revirements excessifs d'humeur et ramène l'individu à un état d'équilibre affectif plus normal.

La thérapie fondée sur la médication a réussi à atténuer la gravité de certains types de troubles mentaux. Beaucoup d'individus qui autrement devraient être hospitalisés peuvent continuer de vivre dans leur milieu communautaire grâce à ces médicaments. Cependant, l'application de cette forme de thérapie connaît des limites. Toutes les substances thérapeutiques sont capables de produire des effets secondaires indésirables. En outre, plusieurs psychologues ont l'impression que ces médicaments atténuent les symptômes sans exiger de l'individu qu'il affronte les problèmes personnels qui contribuent à son malaise. Il ne fait pas de doute que des anomalies biochimiques ont un rôle à jouer dans la schizophrénie et dans les troubles affectifs les plus graves, mais les facteurs psychologiques ont également leur importance. Il est impossible de changer soudainement par l'administration de médicaments des attitudes et des méthodes d'affrontement des problèmes qui se sont développées graduellement au cours d'une vie. Quand on prescrit des médicaments dans le cas de troubles psychologiques, une aide psychothérapeutique est généralement requise également.

Thérapie électroconvulsive et psychochirurgie

En *thérapie électroconvulsive* (TEC), appelée aussi *thérapie d'électrochoc*, on applique un léger courant électrique au cerveau pour produire une attaque semblable à une convulsion épileptique. La TEC a été une forme populaire de traitement entre 1940 et 1960 environ, avant que les agents antipsychotiques et antidépresseurs ne deviennent faciles d'accès. Aujourd'hui, on ne l'utilise que dans les cas de dépression profonde, quand les patients ne réagissent pas à la thérapie fondée sur les médicaments.

La TEC a été l'objet de beaucoup de controverses et de l'appréhension du public pour plusieurs raisons. À une période donnée, on l'a utilisée à tort et à travers dans les hôpitaux psychiatriques pour traiter des troubles comme l'alcoolisme et la schizophrénie, cas pour lesquels elle n'était d'aucun secours.

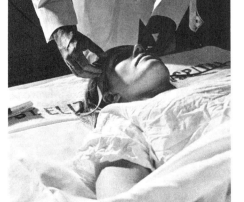

Administration de thérapie d'électrochoc à une patiente.

Avant qu'on invente des méthodes plus raffinées, la TEC était une expérience terrifiante pour le patient, qui restait souvent éveillé jusqu'à ce que le courant électrique déclenche l'attaque et produise un évanouissement momentané. Le patient souffrait souvent de confusion et de perte de mémoire après le traitement. Occasionnellement, l'intensité des spasmes musculaires qui accompagnaient la crise cérébrale donnait lieu à des blessures physiques.

Aujourd'hui, la TEC comporte peu de malaise. Le patient subit une anesthésie de courte durée et on lui injecte un relaxant musculaire. Un courant électrique bref et très faible est transmis au cerveau à travers les deux tempes ou à la tempe qui se trouve du côté de l'hémisphère cérébral non dominant. On n'administre que le courant minimal nécessaire au déclenchement d'une attaque cérébrale, puisque c'est l'attaque même — *non pas* l'électricité — qui a valeur thérapeutique. Le relaxant musculaire prévient le spasme convulsif des muscles du corps et les blessures possibles. L'individu se réveille en moins de quelques minutes et ne se souvient de rien qui se rapporte au traitement. En général, on administre de 4 à 6 traitements sur une période de plusieurs semaines.

L'effet secondaire le plus indésirable de la TEC est la perte de mémoire. Certains patients présentent des trous de mémoire concernant des événements survenus jusqu'à 6 mois avant le traitement, de même qu'une capacité affaiblie de retenir des informations nouvelles durant 1 ou 2 mois suivant le traitement. Toutefois, quand on n'use que de très faibles dosages d'électricité (la quantité est calibrée avec grand soin pour chaque patient, de façon qu'elle soit tout juste suffisante à la production d'une attaque), les problèmes de mémoire sont réduits au minimum (Sackeim et Malitz, 1985).

Personne ne sait comment les attaques provoquées par l'électricité soulagent la dépression. Les crises cérébrales entraînent effectivement une libération massive d'un certain nombre de neurotransmetteurs, dont la noradrénaline et la sérotonine; l'insuffisance de ces deux neurotransmetteurs peut représenter un facteur important dans certains cas de dépression. Quel que soit le mode de son action, la TEC est efficace pour sortir les gens d'une dépression profonde et immobilisante; son action est plus rapide que celles des médicaments (Janicak et coll., 1985).

La *psychochirurgie* consiste dans la destruction de certaines régions du cerveau, soit en coupant des fibres nerveuses, soit en les supprimant par irradiation ultrasonique. Le plus souvent, les fibres détruites sont celles qui relient le lobe frontal au système limbique ou à certaines régions de l'hypothalamus (le système limbique et l'hypothalamus étant deux structures qui, croit-on, jouent un rôle important dans l'émotion). La psychochirurgie est une technique fort controversée et des comités formés par le Congrès, aux États-Unis, ont fait des enquêtes pour déterminer si cette méthode ne devrait pas être complètement prohibée. Certaines des premières techniques chirurgicales ont permis à des individus de devenir détendus et d'humeur agréable (ils n'étaient plus violents et ne manifestaient plus de tendances suicidaires), mais leurs cerveaux étaient tellement endommagés qu'ils ne pouvaient plus fonctionner de façon efficace. Des techniques plus récentes semblent entraîner des pertes intellectuelles minimes et leur utilisation pourrait aider les patients profondément déprimés et suicidaires ou ceux qui souffrent de douleurs irréductibles, dans les cas où toutes les autres formes de traitement auraient échoué (Valenstein, 1980).

AMÉLIORATION DE LA SANTÉ MENTALE

La prévention et le traitement des troubles mentaux est un problème qui nous préoccupe énormément en tant que nation et en tant que société. Un progrès considérable a été réalisé dans ce domaine depuis les années 50. Au début de ce chapitre, nous avons noté que la Loi sur les centres communautaires de santé mentale, adoptée par le Congrès des États-Unis en 1963, a rendu disponibles, dans ce pays, les sommes nécessaires à la création de centaines de centres communautaires de santé mentale, qui permettent de soigner les gens tout en les gardant auprès de leurs familles et de leurs amis plutôt que dans un grand hôpital psychiatrique. Ces centres communautaires offrent une hospitalisation à court terme, le traitement en clinique externe et un service d'urgence jour et nuit. On s'y préoccupe également de la prévention des problèmes affectifs, de concert avec les écoles, les tribunaux de la jeunesse et les autres centres de services communautaires.

Ressources communautaires et paraprofessionnelles

Pour répondre aux besoins psychologiques de groupes différents, on a mobilisé une grande variété de ressources communautaires. L'une de ces ressources est la *maison de transition,* où des patients qui ont été hospitalisés peuvent vivre pendant que se fait la transition du retour à une vie indépendante au sein de la société. Il existe également des centres d'hébergement pour les gens qui se rétablissent après avoir connu des problèmes liés à la consommation d'alcool et de drogues, pour les jeunes délinquants ou les fugueurs et pour les femmes battues. On trouve enfin des *centres spéciaux* (appelés, aux États-Unis, « rap centers ») où les adolescents qui sont en difficulté peuvent se rendre pour parler de leurs problèmes entre eux et avec des conseillers sympathiques; dans plusieurs communautés, ces centres jouent un rôle important tout comme les *centres pour la jeunesse* qui pourvoient à l'orientation professionnelle et à la rééducation et aident à résoudre les problèmes d'ordre personnel ou familial.

INTERVENTION EN SITUATION DE CRISE   L'*intervention en situation de crise* est un mode d'intervention mis sur pied assez récemment pour apporter une aide immédiate aux individus et aux familles aux prises avec un stress intense. Durant ces périodes de perturbation affective aiguë, les gens se sentent souvent écrasés et incapables de faire face à la situation; il se peut qu'ils ne soient pas en mesure d'attendre jusqu'à la prochaine séance thérapeutique ou encore qu'ils ne sachent où s'adresser. Une des formes de cette intervention en situation de crise se fait dans des endroits désignés, souvent situés dans des centres communautaires de santé mentale, où l'on peut se présenter à toute heure du jour et de la nuit et recevoir une attention immédiate. Le thérapeute qui s'y trouve aide à clarifier le problème, rassure l'individu, suggère un plan d'action et se fait aider par d'autres organisations ou par les membres de la famille. Cette sorte de thérapie est ordinairement brève — 5 ou 6 séances — et procure l'appui dont la personne a besoin pour traverser la crise qui se présente. De telles interventions à court terme écartent souvent la nécessité d'une hospitalisation.

Une autre forme d'intervention en situation de crise consiste dans la « *ligne ouverte* ». Les centres téléphoniques pour intervention dans les situations de crise sont habituellement tenus par des bénévoles, sous la direction de spécialistes de la santé mentale. Certains s'occupent plus précisément de la prévention du suicide; d'autres visent des objectifs plus généraux et aident les personnes en détresse à trouver la sorte d'aide particulière dont ils ont besoin. Ces bénévoles reçoivent souvent un entraînement préalable qui met l'accent sur la nécessité d'écouter attentivement, d'évaluer les possibilités d'un suicide, de se montrer sympathique et compréhensif, de transmettre des renseignements sur les ressources communautaires, d'apporter espoir et assurance et d'obtenir le nom et le numéro de téléphone du correspondant avant qu'il ne raccroche, de façon qu'un professionnel puisse continuer à s'occuper du problème. La plupart des grandes villes en Amérique du Nord disposent de ces types de lignes ouvertes pour venir en aide aux gens qui passent par des périodes de stress intense. Il existe aussi des lignes ouvertes spécialisées pour s'occuper des cas de sévices sur les enfants, de victimes de viol, de femmes battues et de fugues. On fait connaître le plus possible ces numéros de téléphone dans l'espoir d'atteindre ceux qui ont besoin de secours.

THÉRAPEUTES PARAPROFESSIONNELS   La plupart des programmes communautaires dont nous avons parlé ne pourraient exister sans l'appui de paraprofes-

Thérapeutes non professionnels *Les collégiens et autres bénévoles peuvent beaucoup pour l'accroissement de la portée des programmes thérapeutiques dans les hôpitaux et les centres de santé mentale, qu'il s'agisse d'individus ayant reçu une formation dans l'application de techniques thérapeutiques spéciales ou tout simplement de quelqu'un prêt à aider et à prêter une oreille attentive et sympathique. La jeune femme qu'on voit ici s'occupe d'un enfant perturbé.*

FIGURE 16-6
Un programme d'hébergement pour jeunes délinquants *Conférence familiale dans une « résidence en groupe » (Achievement Place) où des jeunes garçons ont été envoyés par les tribunaux à cause de problèmes de comportement. Les garçons et leurs parents-éducateurs professionnels se réunissent tous les jours pour discuter des règles de conduite, décider ensemble des conséquences de la dérogation à ces règles, critiquer certains aspects du programme et évaluer le travail de celui de leurs pairs à qui l'on a confié la responsabilité de surveiller plusieurs des activités des pensionnaires.*

sionnels. Comme le besoin de services psychologiques excède de beaucoup les possibilités des thérapeutes disponibles, l'apport des citoyens conscients de leurs responsabilités peut être précieux. Des gens de tous âges et d'antécédents très divers ont été formés à l'exercice de diverses fonctions dans le domaine de la santé mentale. Des collégiens ont servi de compagnons à des malades hospitalisés ; des femmes qui ont élevé leur famille avec succès ont suivi un entraînement de « conseiller en santé mentale », afin de pouvoir travailler auprès des adolescents dans les cliniques communautaires ou pour donner des conseils aux mères des jeunes qui présentent des problèmes de comportement et s'occuper d'enfants schizophrènes ; d'anciens malades mentaux, des toxicomanes et d'anciens prisonniers ont appris à aider d'autres individus aux prises avec des problèmes semblables à ceux qu'ils ont connus eux-mêmes.

Plusieurs programmes d'hébergement sont gérés par des non-professionnels, sous la supervision de thérapeutes formés à cette fin. On en trouve un exemple remarquable dans une institution appelée « Achievement Place »* : il s'agit d'un foyer situé au Kansas et dans lequel des couples jouent le rôle de substituts parentaux auprès d'un groupe de garçons qui leur ont été confiés par les tribunaux pour raison de délinquance (voir la figure 16-6). Dans cet établissement, on a recours à des méthodes de thérapie behaviorales pour éliminer (par extinction expérimentale) le comportement agressif et récompenser les réussites sur le plan social. Des données sur les activités subséquentes de ces jeunes montrent que ceux qui terminent le programme d'Achievement Place ont moins de démêlés avec la justice et obtiennent des notes scolaires légèrement plus élevées que les individus libérés sur parole ou qui passent par une maison de transition pour jeunes délinquants (Fixsen, Phillips, Phillips et Wolf, 1976). À l'heure actuelle, il existe 80 Achievement Places à travers les États-Unis ; elles sont toutes organisées selon le modèle original du Kansas.

Promouvoir votre propre bien-être affectif

Les problèmes auxquels les gens sont confrontés varient beaucoup et il n'y a pas de panacée pour le maintien de la santé psychologique. Par ailleurs, l'expérience des thérapeutes permet de formuler quelques suggestions générales.

ACCEPTEZ VOS SENTIMENTS Les émotions fortes peuvent susciter l'angoisse. La colère, le chagrin, la peur et le sentiment de n'avoir pu réaliser son idéal

---

* On pourrait traduire par « Centre de réalisation ». (Note du traducteur)

ou ses objectifs, voilà toutes des émotions désagréables et il peut arriver que nous essayons d'échapper à l'angoisse en refusant de reconnaître ces sentiments. Les tentatives d'éviter l'angoisse en affrontant les situations d'une façon non émotive conduisent parfois à une fausse sorte de détachement ou de sang-froid qui peut être destructrice. En voulant réprimer toute émotion, nous pouvons perdre la capacité de reconnaître comme normales les joies et les peines qui font partie de notre engagement vis-à-vis des autres.

Les émotions désagréables sont des réactions normales dans maintes situations. Il n'y a pas lieu de se sentir honteux lorsqu'on s'ennuie de son chez-soi, lorsqu'on a peur d'apprendre à nager ou lorsqu'on se met en colère quand quelqu'un nous déçoit. Ce sont là des émotions naturelles et il vaut mieux les accepter que les renier. Quand il n'est pas possible d'exprimer ses sentiments directement — il ne serait peut-être pas sage, par exemple, de dire au patron ce que l'on pense de lui — il est bon de trouver une sorte de soupape pour la décharge de la tension. Faire une promenade, jouer au tennis ou s'entretenir de la situation avec un ami, voilà autant de moyens qui peuvent aider à dissiper la colère. Tant que nous sommes conscients de notre droit d'éprouver des émotions, nous sommes en mesure de les exprimer par des moyens indirects ou par des solutions de rechange, quand les voies directes ne peuvent être empruntées.

CONNAISSEZ VOS POINTS FAIBLES   Il se peut que le fait de connaître les sortes de situations qui vous bouleversent ou qui vous portent à réagir avec excès vous aide à vous protéger contre le stress. Peut-être certaines personnes vous agacent-elles? Vous pourriez les éviter ou essayer de trouver ce qui, précisément, vous dérange chez elles. Il est possible que leur apparence si pondérée et la si grande assurance qu'elles manifestent suscitent chez vous un sentiment d'insécurité. Les efforts pour toucher du doigt les causes de votre malaise vous aideront peut-être à voir la situation sous un angle différent. Il peut aussi vous arriver de vous sentir très angoissé quand vous devez prendre la parole en classe ou présenter le résultat d'un travail publiquement. Dans ce cas-là également, il vous est possible de tenter d'éviter de telles situations ou de reprendre confiance en vous-même en suivant des cours d'art oratoire. (Plusieurs écoles offrent des cours spécialement destinés à l'apprentissage du contrôle du « trac de l'orateur »). Vous pouvez également donner une interprétation nouvelle à la situation. Au lieu de vous dire : « Tout le monde s'apprête à me critiquer dès que j'aurai ouvert la bouche », vous pourriez vous dire : « La classe va être intéressée par ce que j'ai à dire et, s'il m'arrive de commettre quelques erreurs, je ne m'en ferai pas. »

Plusieurs personnes se sentent particulièrement angoissées quand elles travaillent sous pression. Une planification soignée et une bonne répartition de votre travail pourraient contribuer à écarter le sentiment d'être submergé au dernier moment. La stratégie qui consiste à se donner délibérément plus de temps qu'on croit nécessaire pour se rendre à un cours ou à un rendez-vous suffira souvent à éliminer une source de stress.

CULTIVEZ VOS TALENTS ET VOS INTÉRÊTS   Les gens qui s'ennuient et qui sont malheureux s'intéressent souvent à peu de choses. Les collèges et les centres communautaires offrent aujourd'hui aux gens de tous âges des occasions pratiquement illimitées de développer leurs talents dans de nombreux domaines — les sports, les matières scolaires, la musique, les arts, le théâtre et l'artisanat. Souvent, plus vous en apprenez sur un sujet, plus celui-ci (et l'univers) devient intéressant pour vous. En outre, le sentiment de compétence qui accompagne l'acquisition de nouvelles habiletés peut contribuer beaucoup à rehausser l'estime de soi.

ENGAGEZ-VOUS VIS-À-VIS DES GENS   Ce sont les sentiments d'isolement et de solitude qui se trouvent au cœur même de la plupart des troubles affectifs. Nous sommes des « être sociaux » qui ont besoin de l'appui, du réconfort et de l'assurance que leur apportent leurs semblables. Quand on dirige toute son attention sur ses propres problèmes, on risque de tomber dans une auto-analyse malsaine. Le partage de nos inquiétudes avec les autres nous aide souvent à voir nos problèmes dans une perspective plus nette. D'ailleurs, l'intérêt porté au sort d'autrui peut rehausser le sentiment de sa propre valeur.

SACHEZ QUAND DEMANDER DE L'AIDE Les suggestions qui précèdent sont susceptibles d'aider à promouvoir le bien-être affectif ; il faut reconnaître toutefois que la compréhension et l'aide que l'on peut s'apporter à soi-même ont des limites. Certains problèmes sont difficiles à résoudre par soi-même. La tendance qui nous porte à nous tromper sur nous-même peut nous empêcher de percevoir objectivement nos problèmes et il se peut aussi que nous ne connaissions pas toutes les solutions possibles. Lorsque vous avez l'impression que vous faites peu de progrès dans la maîtrise d'un problème, c'est alors le temps d'avoir recours à une assistance professionnelle — un psychologue-conseiller, un psychologue-clinicien, un psychiatre ou un autre thérapeute spécialisé. La capacité de faire appel aux autres est un indice de maturité affective et non pas un signe de faiblesse. N'attendez pas de vous sentir écrasé. Le fait de recevoir une aide psychologique quand le besoin s'en fait sentir devrait devenir une chose aussi naturelle que le fait de s'adresser à un médecin pour une maladie physique.

RÉSUMÉ

1. Le traitement de la maladie mentale a fait des pas de géant à travers les siècles : on est parti de l'ancienne conception voulant que le comportement anormal résulte d'une possession par des esprits malins et mérite donc le châtiment ; on est ensuite passé à l'internement dans des asiles mal tenus et isolés de la société ; puis sont apparus nos hôpitaux psychiatriques modernes et nos centres communautaires de santé mentale, qui font appel à une grande variété de moyens visant à aider les gens à comprendre et à modifier leur comportement.

2. La *psychothérapie* consiste dans le traitement des troubles mentaux par des moyens psychologiques. La *psychanalyse*, qui a été créée par Freud, est une forme particulière de psychothérapie. Grâce à la méthode de l'*association libre*, les pensées et les sentiments refoulés sont ramenés à la conscience du client. L'analyste *interprète* ces associations et aide ainsi l'individu à comprendre l'origine de ses problèmes. Le *transfert*, c'est-à-dire la tendance à exprimer à l'endroit de l'analyste les sentiments que le client éprouve envers les personnages importants dans sa vie, constitue une autre source d'interprétation. Grâce aux processus d'*abréaction*, de *compréhension intuitive* et de *résolution par répétition*, l'individu devient capable d'affronter les problèmes de façon plus réaliste.

3. La *psychothérapie psychanalytique*, qui s'appuie sur des conceptions venant de Freud, est plus brève que la psychanalyse et insiste plus sur les fonctions de résolution de problèmes du moi (par opposition aux pulsions sexuelles et agressives du ça) et sur les problèmes interpersonnels actuels de l'individu (par opposition à une reconstitution totale des expériences de l'enfance).

4. Les *thérapies behaviorales* utilisent des techniques fondées sur les principes d'apprentissage pour *modifier* la conduite des individus. Ces méthodes comprennent la *désensibilisation systématique* (l'individu apprend à se détendre dans des situations qui engendraient auparavant de l'anxiété), l'*entraînement à l'affirmation de soi*, le *renforcement* des conduites adaptées et l'extinction de celles qui ne le sont pas, la présentation de *modèles* des conduites appropriées et les techniques de *contrôle* de soi.

5. La *thérapie behaviorale cognitive* utilise les techniques de modification du comportement, mais y incorpore également des stratégies pour changer les croyances qui mènent à une mauvaise adaptation. Le thérapeute aide l'individu à remplacer les interprétations irrationnelles des événements par d'autres qui sont plus réalistes.

6. Les *thérapies humanistes* aident l'individu à analyser ses problèmes et à les résoudre avec le minimum d'intervention de la part du thérapeute. Carl Rogers, qui a conçu la *psychothérapie axée sur la personne*, croyait que les *caractéristiques du thérapeute* nécessaires à l'épanouissement du client et à son auto-analyse sont l'*empathie*, la *chaleur humaine* et la *sincérité*.

7. La *thérapie de groupe* offre à l'individu l'occasion d'examiner ses attitudes et sa conduite en compagnie d'autres personnes aux prises avec des problèmes similaires. Les *groupes de rencontre*, une ramification de la thérapie de groupe, peuvent contribuer à aider des individus psychologiquement sains à mieux se connaître, mais elles ne semblent pas aider ceux qui ont des problèmes affectifs. La *thérapie conjugale* et la *thérapie familiale* sont des formes spécialisées de

thérapie de groupe qui aident les couples ou les parents et les enfants à trouver des moyens plus efficaces d'entrer en relation les uns avec les autres et de traiter leurs problèmes.

8. L'efficacité de la psychothérapie est difficile à évaluer à cause des problèmes liés à la définition du « *succès* » *d'un traitement* et au contrôle de la *rémission spontanée*. Les résultats de la recherche indiquent que la psychothérapie est d'un secours réel, mais que les diverses méthodes ne présentent pas de différences importantes quant à l'efficacité. Les facteurs qui sont le fait commun des diverses thérapies — une *relation interpersonnelle chaleureuse et confiante, appui et assurance, désensibilisation, intuition* et *renforcement des réponses d'adaptation* — sont peut-être plus importants pour la production d'un changement positif que ne le sont les méthodes thérapeutiques particulières.

9. Les *thérapies biologiques* comprennent la *thérapie électroconvulsive* (TEC), la *psychochirurgie* et l'usage de *médicaments psychothérapeutiques*. De ces trois traitements, c'est la thérapie par médication qui s'est révélée, de loin, la plus efficace. On se sert des *médicaments anxiolytiques* pour réduire l'anxiété profonde et pour aider les individus à affronter les situations de crise. Les *médicaments antipsychotiques* se sont révélés efficaces dans le traitement de la schizophrénie, les *antidépresseurs* aident à remonter le moral des patients déprimés et le *lithium* a du succès dans le traitement des troubles de manie dépressive.

10. La *prévention* et le *traitement* des troubles mentaux sont des questions qui préoccupent sérieusement notre société. Parmi les ressources communautaires qui offrent du secours aux individus, on trouve les *maisons de transition*, les *centres d'hébergement* pour les gens qui ont des problèmes sociaux et diverses formes de services d'*intervention en situation de crise*. Nous pouvons promouvoir notre propre santé affective en acceptant nos sentiments comme chose naturelle, en repérant nos points faibles, en cultivant nos talents et nos intérêts, en nous engageant vis-à-vis des autres et en sachant quand il est temps de rechercher une aide profesionnelle.

ANTHONY, E. J. et FOULKES, S. H. *Psychothérapie de groupe*, Paris, P.U.F., 1973.

AYLLON, T. et AZRIN, N. *Traitement comportemental en institution psychiatrique*, Bruxelles, Pierre Mardaga, 1973.

BOSZORMENYI-NAGY, I. et FRAMO, J. L. (éd.) *Psychothérapies familiales*, Paris, P.U.F., 1981.

CHENEVERT, M. *Techniques spécialisées d'entraînement à l'affirmation de soi à l'usage des professionnels de la santé,* Saint-Hyacinthe, Québec, Édisem, 1980.

DABROWSKI, GRANGER, L. et coll. *Psychothérapies actuelles,* Québec, Les Éditions Saint-Yves, 1977.

DUGUAY, R., ELLENBERGER, H. F. et coll. *Précis pratique de psychiatrie,* Montréal, Chenelière et Stanké, 1981.

EGAN, G. *Communication dans la relation d'aide,* Montréal, Les Éditions HRW, 1987.

EIGUER, A. *Un divan pour la famille: du modèle groupal à la thérapie familiale psychanalytique,* Paris, Le Centurion, 1983.

FISCH, R., WEAKLAND, J. H. et SEGAL, L. *Tactiques du changement,* Paris, Seuil, 1986.

FREUD, S. *La technique psychanalytique,* Paris, P.U.F., 1967.

GARNEAU, J. et LARIVEY, M., *L'autodéveloppement,* Montréal, Éditions de l'Homme, 1983.

GAUTHIER, G. *Le counseling de groupe. L'aide psychologique par la rencontre en groupe,* Québec, Presses de l'Université du Québec, 1982.

HALEY, J. *Nouvelles stratégies en thérapie familiale,* Montréal, Éditions France-Amérique, 1981.

HARPER, R. A. *Les nouvelles psychothérapies,* Toulouse, Privat, 1978.

JOLY, Y. et coll. *La thérapie de couple dans une perspective systémique. Approche interactionnelle,* Montréal, Les Éditions Bellarmin, 1986.

JUNG, C.-G. *La guérison psychologique,* Genève, Librairie de l'Université, 1984.

RIEL, M. et MORISSETTE, L. *Guide des nouvelles thérapies,* Québec, Presses de l'Université du Québec, 1984.

ROGERS, C. R. *La relation d'aide et la psychothérapie,* Paris, Éditions sociales françaises, 1971.

ROGERS, C. R. *Les groupes de rencontre,* Paris, Dunod, 1973.

STURDIVANT, S. *La femme et la psychothérapie,* Bruxelles, Pierre Mardaga, 1987.

WATZLAWICK, P. *Le langage du changement,* Paris, Seuil, 1980.

WRIGHT, J., SABOURIN, S., MATHIEU, M. et GENDREAU, P. *L'intervention auprès du couple: diagnostic et traitement,* Montréal, Service de psychologie de l'Université de Montréal, 1985.

LECTURES SUGGÉRÉES

Huitième partie

VILHO SETÄLÄ
Musée photographique de Finlande,
Helsinki

Petits hommes, ombres géantes, 1929

COMPORTEMENT SOCIAL

Traitement de l'information sociale

17

La psychologie sociale est l'étude de l'interaction sociale : de la façon dont nous pensons, sentons et agissons en présence des autres et, comment, à leur tour, nos pensées, nos sentiments et nos actes sont influencés par les autres. Comment percevons-nous et interprétons-nous les comportements et les mobiles des autres? Dans quelle mesure nos croyances, nos attitudes et nos comportements sociaux sont-ils constants? Qu'est-ce qui détermine qui nous aimons et qui nous détestons? Quels sont les processus de l'influence sociale?

Pour aborder les questions de ce genre, les psychologues sociaux s'appuient sur deux observations fondamentales, que nous avons déjà mentionnées (voir les chapitres 13 et 14), mais qui sont particulièrement pertinentes dans l'étude de l'interaction sociale. La première observation est que le comportement humain est fonction à la fois de la personne et de la situation. Chaque personne apporte avec elle dans une situation un ensemble unique d'attributs personnels, qui amènent des individus différents à agir de manières différentes dans la même situation. Mais chaque situation fait également qu'un ensemble unique de forces agissent sur la personne, l'amenant à agir de façons différentes dans des situations différentes.

La seconde observation est à l'effet que si les personnes définissent des situations comme réelles, ces situations ont des conséquences réelles (Thomas et Thomas, 1928). Autrement dit, les gens ne réagissent pas uniquement aux caractéristiques objectives d'une situation, mais à leurs propres interprétations subjectives, ou évaluations cognitives, de cette situation. C'est l'une des raisons expliquant que des personnes différentes se comportent de manières différentes dans la même situation objective. L'individu qui interprète une action dommageable comme une marque d'hostilité réagit autrement que celui qui voit dans la même action un signe d'insensibilité. Ainsi, pour comprendre l'interaction sociale, il est indispensable d'avoir une compréhension particulièrement détaillée du traitement de l'information sociale — de la façon dont nous percevons et interprétons les comportements et les mobiles des autres. Par conséquent, ce chapitre portera uniquement sur le traitement de l'information sociale. Le chapitre 18 traitera de l'influence sociale.

SCIENCE INTUITIVE DES JUGEMENTS SOCIAUX

Nous sommes tous psychologues. Quand nous nous efforcons de comprendre les autres et de nous comprendre nous-mêmes, nous sommes des scientifiques non officiels qui élaborent leurs propres théories intuitives de la conduite humaine. Pour ce faire, nous abordons les mêmes tâches fondamentales que l'homme de science officiel (Nisbett et Ross, 1985). D'abord, nous *observons et recueillons des faits* (« Mon ami Christian affirme que les femmes devraient avoir le droit de se faire avorter »; « Lee Yamuri a obtenu le meilleur score au test de mathématique »; « Mon cœur bat très vite »). En second lieu, nous essayons de *déceler des covariations*, de discerner des relations (« Il semble que la plupart des gens qui sont en faveur de l'avortement semblent également s'opposer à la peine de mort »; « En général, les Asiatiques semblent réussir mieux en mathématiques et en sciences que les autres »; « On dirait que mon cœur bat plus vite quand Robert se trouve dans l'entourage »). Enfin, nous essayons de faire des *inférences de cause à effet* (« Est-ce que Christian est en faveur de l'avortement par conviction réelle ou à cause de pressions de la part des pairs quant à l'expression d'attitudes libérales? »; « Est-ce que les étudiants asiatiques excellent en mathématiques et en sciences parce qu'ils sont naturellement plus brillants ou parce que leurs familles attribuent une grande valeur à l'éducation? »; « Suis-je en amour avec Robert ou ne serait-ce qu'une passion sexuelle? »).

Il est surprenant de constater dans quelle mesure nos efforts intuitifs pour appliquer le raisonnement scientifique à la vie de tous les jours sont efficaces. L'interaction sociale serait chaotique si nos théories informelles du comportement humain ne possédaient pas une validité substantielle. Toutefois, nous commettons également un certain nombre d'erreurs systématiques dans notre élaboration de jugements sociaux et, ironiquement, nos théories elles-mêmes viennent souvent poser des entraves au traitement exact de l'information. Comme nous le verrons, nos théories peuvent vraiment façonner nos perceptions des faits, déformer notre estimation des relations entre les faits et biaiser nos évaluations de cause à effet.

Recueillir des faits

La première difficulté que nous affrontons en tant que scientifiques non officiels consiste à recueillir les faits d'une façon systématique, sans parti pris. Quand un chercheur qui procède à une enquête veut estimer combien de citoyens sont en faveur du droit d'une femme à l'avortement, il prend grand soin de s'assurer qu'il s'adressera à un échantillon d'individus choisis au hasard, ou représentatifs, de façon que le nombre de catholiques, de protestants, d'hommes, de femmes, et ainsi de suite, qu'il interrogera soit proportionnel à leurs pourcentages dans la population. Mais lorsque nous essayons nous-mêmes, en procédant à une enquête en tant que chercheurs non officiels, d'arriver à cette estimation de façon intuitive, notre source principale de données est probablement fondée sur les gens que nous rencontrons tous les jours. De toute évidence, il ne s'agit donc pas d'un échantillon représentatif de la population.

Les organes de communication publique (les médias) constituent une autre source principale de données qui s'offre à nous; or, il ne s'agit pas non plus d'un échantillon représentatif, car les données n'ont pas été choisies au hasard. La presse, la radio et la télévision, par exemple, accordent nécessairement plus d'attention à un petit nombre de protestataires contre l'avortement qui tiennent une manifestation devant une clinique médicale qu'à un nombre plus considérable d'individus qui appuient silencieusement les services d'avortement de cette clinique. On ne peut pas dire pour autant que les médias prennent une position « biaisée » dans le sens ordinaire du terme; ils ne font que transmettre l'information. Il n'en reste pas moins que les données qu'ils nous procurent ne sont pas un échantillon sur lequel on peut se fier et à partir duquel on peut arriver à un estimation de l'opinion publique.

Le chercheur qui procède à une enquête tient également des registres exacts des données. Dans la vie ordinaire cependant, nous accumulons constamment l'information dans notre tête et, plus tard, quand on nous demande de porter un jugement, nous devons essayer de nous rappeler des faits pertinents d'après le souvenir que nous en avons. Par conséquent, non seulement les données que nous recueillons sont-elles un échantillon biaisé au départ, mais les données sur lesquelles nous nous appuyons vraiment pour formuler nos jugements sociaux sont, de plus, biaisées par les problèmes de rappel sélectif.

Les manifestations se rapportant à la question de l'avortement sont une illustration de l'effet d'attensité*.

* Se référant au terme anglais « vividness », Piéron utilise le mot « attensité » pour parler du « caractère — indépendant de l'intensité — d'impressions sensorielles prenant un relief perceptif particulier » (Piéron, p. 386). (Note du traducteur)

ATTENSITÉ L'un des facteurs qui exerce une influence, à la fois sur l'information à laquelle nous portons attention et sur l'information dont nous nous rappelons, est son *attensité*. Des recherches ont démontré que nos estimations et nos jugements sont souvent plus fortement influencés par une information qui s'impose à l'attention que par une information terne d'une fidélité égale ou supérieure (Nisbett et Ross, 1985).

Dans une expérience, on a donné à des étudiants, qui étaient inscrits à un cours d'introduction à la psychologie et qui avaient l'intention de s'inscrire à des études universitaires dans cette discipline, de l'information sur des cours avancés de psychologie, en leur demandant d'indiquer les cours qu'ils se proposaient de suivre. Ces sujets ont soit examiné un résumé statistique de l'évaluation des cours faite par des étudiants ayant déjà suivi ces cours (jugements sur une échelle de 5 points allant de Mauvais à Excellent), soit écouté 2 ou 3 étudiants faire des remarques informelles sur chacun des cours durant une rencontre face à face. Le choix des sujets fut moins influencé par le résumé statistique que par les remarques qu'ils entendirent — même si on avait ajouté à ce résumé statistique des citations écrites des mêmes remarques. L'information écrite, plutôt terne, exerçait donc moins d'influence que l'information obtenue de vive voix, malgré le fait que la première s'appuyait sur des données plus complètes et plus représentatives (Borgida et Nisbett, 1977).

Au cours d'une étude révélant les effets de l'attensité sur des jugements fondés sur l'information dont on se rappelait, des sujets avaient à lire des témoignages prétendument tirés d'un procès où une personne, d'un bon caractère par ailleurs, était accusée d'avoir conduit en état d'ébriété. La moitié des sujets ont lu des témoignages sans éclat en faveur de la poursuite et des témoignages brillants en faveur de la défense, alors que l'autre moitié ont lu des témoignages brillants en faveur de la poursuite et des témoignages sans éclat en faveur de la défense. Par exemple, pour décrire le comportement de l'inculpé à la soirée qui a précédé son départ au volant de sa voiture, le témoignage plat de la poursuite disait qu'il avait trébuché contre une table, renversant un bol sur le plancher. La version plus piquante déclarait qu'il avait fait tomber un gros bol plein de punch, éclaboussant dans toute sa largeur un tapis de peluche blanc. Le témoignage sans éclat de la défense soutenait que l'individu n'était pas ivre puisqu'il avait été assez vigilant pour éviter une voiture qui venait en sens inverse, alors que la version plus imagée lui faisait éviter une Volkswagen orange clair. Soulignons que les descriptions plus imagées ne devraient pas logiquement affecter la nature des faits et, effectivement, l'attensité des témoignages n'a pas influencé les jugements que les sujets ont porté après la lecture des témoignages, quant à la culpabilité de l'accusé. Mais quand, le jour suivant, on demanda à nouveau aux sujets de se prononcer sur la culpabilité de l'inculpé, ceux qui avaient lu le témoignage imagé de la poursuite changèrent leurs verdicts pour des verdicts de culpabilité et ceux qui avaient lu le témoignage également imagé de la défense changèrent pour des verdicts de non-culpabilité (Thompson, Reyes et Bower, 1979).

L'effet d'attensité soulève un problème particulier dans le cas des médias. Même si les reporters accordaient scrupuleusement la même place dans leurs comptes rendus aux aspects spectaculaires et non spectaculaires d'une question — ce qu'ils ne font pas généralement — nos propres tendances de traitement de l'information entraîneraient la déformation. Les études que nous venons de décrire semblent indiquer, par exemple, que même si on rapportait à la télévision des résultats d'enquête démontrant qu'à l'échelle nationale, la majorité s'est montrée favorable aux droits à l'avortement, il est toujours plus probable que nous allons entreposer en mémoire et repêcher plus tard les images saillantes de la manifestation contre l'avortement, jugeant qu'elles constituent des « données » pertinentes sur l'opinion publique.

SCHÈMES Même si nous pouvions recueillir les faits d'une façon systématique et sans déformation, nos perceptions des faits restent toujours exposées à la déformation résultant de nos attentes et de nos préconceptions actuelles — nos théories — sur ce que *devraient* être les données. Chaque fois que nous percevons un objet ou un événement quelconque, nous comparons l'information qui nous arrive avec nos souvenirs de rencontres précédentes avec des objets et des événements similaires. Dans des chapitres précédents, nous avons vu que, dans bien des cas, nos souvenirs des objets et des événements ne sont pas des reproductions exactes des stimuli originaux, mais des reconstructions simplifiées de nos perceptions originales. Comme nous l'avons dit au chapitre 8, on donne le nom de *schèmes* à ce genre de représentations ou de structures mnémoniques, qui sont le résultat du fait que nous percevons et que nous pensons en termes de représentations mentales de catégories de personnes, d'objets, d'événements ou de situations. Le processus qui consiste à chercher dans la mémoire le schème le plus conforme aux données perçues s'appelle *traitement de schèmes*. Les schèmes et les représentations schématiques nous permettent de structurer et de traiter efficacement une quantité énorme d'information. Au lieu de devoir percevoir et nous souvenir de tous les détails de chaque nouvel objet ou événement, nous pouvons simplement constater qu'il ressemble à l'un de nos schèmes préexistants et coder (ou nous rappeler) seulement ses caractéristiques les plus saillantes. Le traitement de schèmes se fait d'une manière typique, rapidement et de façon automatique; en général, nous ne sommes même pas conscients du fait qu'un traitement quelconque de l'information se produit.

Nous avons, par exemple, des schèmes pour différents types de personne. Quand quelqu'un vous apprend que vous allez rencontrer un extraverti, vous repêchez immédiatement votre schème « extraverti » en anticipation de la rencontre imminente. Le schème « extraverti » est constitué d'un ensemble de traits reliés les uns aux autres, tels la sociabilité, la chaleur humaine et probablement la tendance à se montrer bruyant et l'impulsivité. Les schèmes généraux de ce genre, qui s'appliquent à la personne, sont parfois appelés *stéréotypes*. Nous avons également des schèmes de personnes particulières, comme celui du premier ministre du Canada, de notre meilleur ami, et même de notre propre personne (voir au chapitre 13). Face à une offre d'emploi pour un poste de conseiller en psychologie, vous êtes capable d'évaluer rapidement et de façon automatique la correspondance entre votre schème « conseiller en psychologie » et votre schème « moi-même », puis de décider si vous devez vous porter candidat.

Des résultats de recherche confirment le fait que les schèmes nous aident à traiter l'information. Si on demande explicitement aux gens de se souvenir d'autant d'information qu'ils le peuvent au sujet d'une personne-stimulus, ils se rappellent effectivement de *moins* d'information que si on leur demandait simplement de se faire une idée de cette personne (Hamilton, 1979). La directive de « se faire une idée » amène le sujet à chercher divers schèmes se rapportant à la personne, afin de faciliter la structuration et le rappel du matériel. De même, les gens sont capables de mieux se rappeler une liste de traits si on leur dit de penser à chacun des traits en fonction du rapport de ces derniers avec leur propre personne que s'ils essaient simplement de les apprendre de façon abstraite (Rogers, Kuiper et Kirker, 1977). Le schème « moi-même » (ou schème de soi) procure une façon de structurer les éléments à mémoriser. Sans schèmes et sans traitement schématique, nous serions tout simplement submergés par l'information qui nous inonde. Nous serions de très mauvais agents de traitement de l'information.

Mais le prix qu'il faut payer pour une telle efficacité est une déformation de notre perception des faits. Voyons, par exemple, l'impression que vous vous ferez de Jean en vous appuyant sur l'observation suivante de son comportement.

> Jean a quitté la maison pour aller chercher du papier à lettres. Il s'engagea dans la rue ensoleillée avec deux de ses amis, se chauffant au soleil en déambulant. Jean pénétra dans le magasin, qui était bondé. Il causa avec une connaissance en attendant de capter l'attention du commis. En sortant, il s'arrêta pour faire la causette avec un ami de son école qui arrivait justement au magasin. En quittant le magasin, il se dirigea vers l'école et chemin faisant, il rencontra une fille qu'on lui avait présentée la veille. Ils s'entretinrent un bref moment, puis Jean partit pour l'école. Après la classe, Jean quitta l'école seul et entreprit sa longue

marche à pied vers la maison. Le soleil resplendissait dans la rue. Marchant du côté ombragé, il aperçut, venant dans sa direction, la jolie fille qu'il avait rencontrée le soir précédent. Jean traversa la rue et pénétra dans un magasin de bonbons. Le magasin était bondé d'étudiants et il aperçut quelques visages familiers. Il attendit tranquillement de capter l'attention de l'homme au comptoir et il lui donna sa commande. Pour prendre sa consommation, il s'assit à une table de côté. Quand il eut vidé son verre, il s'en alla à la maison (Luchins, 1957, p. 34-35).

Quelle impression avez-vous de Jean? Le considérez-vous comme une personne affable et ouverte ou timide et introvertie? Si vous êtes d'opinion que le qualificatif qui convient le mieux à Jean est « amical », vous êtes d'accord avec 78 % des gens qui ont lu cette description. Mais examinez bien la description, elle est vraiment composée de deux portraits très différents. Jusqu'à la phrase qui commence par « Après la classe, Jean quitta », Jean est représenté dans plusieurs situations comme un individu plutôt affable. Dans la suite du récit cependant, on rencontre une série de situations presque identiques, où on le décrit beaucoup plus comme un solitaire. En effet, 95 % des gens à qui l'on ne présente que la première moitié de la description l'évaluent comme quelqu'un d'« amical », alors que 3 % seulement de ceux qui ne lisent que la seconde partie de la description arrivent à la même conclusion. Par conséquent dans la description combinée que vous avez lue, le caractère « amical » de Jean semble l'avoir emporté sur l'aspect « inamical ». Mais quand des individus lisent la même description en commençant d'abord par la moitié « inamicale », 18 % seulement évaluent Jean comme « amical »; c'est le comportement inamical de Jean qui laisse l'impression la plus forte (voir le tableau 17-1). Habituellement, la première information reçue a la plus grande influence sur notre impression générale. C'est ce qu'on appelle *l'effet de primauté*.

On a constaté l'existence de l'effet de primauté à plusieurs reprises, dans plusieurs sortes d'études de formation d'impression, y compris des études utilisant des personnes réelles plutôt que des personnes fictives. On a, par exemple, demandé à des sujets qui observaient un étudiant aux prises avec une série de problèmes difficiles (problèmes à choix multiple) d'évaluer ses aptitudes générales (Jones et coll., 1968). Bien que dans tous les cas, l'étudiant résolvait exactement 15 problèmes correctement, on lui prêtait plus d'aptitudes quand ses succès arrivaient surtout au commencement de la série que s'ils survenaient vers la fin. En outre, quand on demande aux sujets de se rappeler du nombre de problèmes résolus correctement, ceux qui avaient vu les 15 réussites concentrées vers le commencement de la série donnaient une estimation moyenne de 20,6, tandis que les sujets qui avaient vu les réussites à la fin les estimaient à 12,5, en moyenne.

Bien que plusieurs facteurs contribuent à l'effet de primauté, il semble bien qu'il faille y voir surtout la conséquence du traitement schématique. Quand nous essayons, pour la première fois, de nous faire une impression d'une personne, nous fouillons activement dans notre mémoire pour y repêcher le ou les schèmes de personnes qui correspondent le mieux à l'information perçue. À une étape donnée du processus, nous prenons une décision préliminaire : « Cette personne est aimable » (ou autre chose). Nous assimilons ensuite à ce schème toute information additionnelle et écartons toute information incompatible, considérant qu'elle ne s'applique pas à la « vraie » personne que nous avons fini par connaître. Par exemple, quand on leur demande explicitement de réconcilier les contradictions apparentes dans le comportement de Jean, les sujets disent parfois que Jean est « vraiment amical, mais qu'il était probablement fatigué à la fin de la journée » (Luchins, 1957). Par conséquent, nos perceptions deviennent « déterminées par le schème » et donc relativement imperméables à de nouveaux faits. Notre « théorie » sur Jean façonne notre perception de tous les faits subséquents.

Des « théories » de ce genre peuvent également agir sur le repêchage dans la mémoire. Au chapitre 8, par exemple, nous avons décrit une expérience au cours de laquelle les sujets lisaient des énoncés concernant la vie antérieure d'une femme (par exemple, « Bien qu'elle n'eut jamais de cavalier attitré lorsqu'elle fréquentait le secondaire, elle sortait quand même avec des

CONDITIONS	POURCENTAGE DE CEUX QUI JUGENT JEAN « AMICAL »
Description amicale seulement	95
Amicale en premier — inamicale en dernier	78
Inamicale en premier — amicale en dernier	18
Description inamicale seulement	3

Traitement schématique et effet de primauté *Une fois qu'un schème de « Jean » s'est formé, l'information qui arrive par la suite lui est assimilée. (D'après Luchins, 1957)*

Le scénario de l'accueil

garçons »). Lors d'une séance subséquente, les sujets apprirent, soit qu'elle avait adopté le style de vie d'une lesbienne à l'âge adulte, soit qu'elle s'était mariée. Quand on leur a demandé de dire ce dont ils se rappelaient de son passé, les sujets ont, de façon sélective, repêché les faits et événements qui étaient compatibles avec leur nouveau schème de cette femme. Les sujets auxquels on avait présenté un dénouement « lesbienne » étaient plus susceptibles de se souvenir qu'elle n'avait jamais eu d'ami attitré, tandis que ceux qui avaient connu le dénouement « mariage », étaient plus portés à se souvenir qu'elle sortait avec les garçons (Snyder et Uranowitz, 1978). Cette expérience montre comment un schème nouveau peut exercer une influence sur le rappel d'anciennes données. L'effet de primauté démontre la façon dont un schème préexistant peut affecter l'interprétation de nouvelles données.

SCÉNARIOS   En plus des schèmes de personnes, nous avons des schèmes pour les événements et les interactions sociales. On appelle ce genre de schèmes des *scénarios* (Abelson, 1976). L'un des plus familiers est le scénario de l'accueil. Quand nous saluons une connaissance avec la phrase « Comment ça va ? », le scénario commande la phrase « Bien, et toi ! ». La personne qui répond plutôt par une longue liste de tracas choisit de ne pas se conformer à ce scénario social conventionnel. Certains scénarios sont plus complexes et plus abstraits. Lorsqu'on nous invite à fêter l'anniversaire de naissance de quelqu'un, nous évoquons un scénario général de fête d'anniversaire, une image abstraite ou une structure cognitive dans notre esprit, qui nous informe de la façon convenable de nous vêtir, nous rappelle d'apporter un cadeau et nous aide, en général, à anticiper ce qui va se passer. Comme les autres schèmes, les scénarios nous permettent de traiter l'information rapidement et de façon automatique — même sans y réfléchir — en nous permettant de passer rapidement sur les détails précis de chaque nouvelle interaction.

On a illustré cet aspect des scénarios de façon amusante dans une expérience où une personne, qui était sur le point d'utiliser une machine à photocopie, était approchée par une complice de l'expérimentateur lui demandant la permission de se servir de la machine en premier (Langer, Blank et Chanowitz, 1978). La complice déclarait ou bien qu'elle avait un petit nombre de copies à faire, ou bien qu'elle en avait un grand nombre, et présentait sa demande de l'une des trois manières suivantes.

1. Demande seulement: « Excusez-moi. J'ai 5 (20) pages. Puis-je utiliser la machine ? »
2. Demande et raison valable: « Excusez-moi, j'ai 5 (20) pages. Puis-je utiliser la machine, parce que je suis pressée ? »
3. Demande et raison non valable: « Excusez-moi, j'ai 5 (20) pages. Puis-je utiliser la machine parce que je dois faire des copies ? »

À quels degrés d'acquiescement doit-on s'attendre à la suite de chacune de ces demandes ? Il est raisonnable, évidemment, de s'attendre à plus d'acquiescement dans le cas du plus petit nombre de pages (5 pages au lieu de 20). En outre, nous savons tous que la manière polie — et la plus efficace — de formuler une demande est de l'accompagner d'un motif valable. C'est là le « scénario-demande » que nous avons tous appris. Il est donc logique de s'attendre à plus d'acquiescement à la demande 2 qu'à la demande 1. La condition expérimentale intéressante est la demande 3, qui semble conforme au scénario poli, mais qui comporte une raison — « je dois faire des copies » — dénuée d'information. Pourquoi voudrait-on se servir d'une machine à photocopier si ce n'est pour faire des copies ? Ainsi, malgré son apparence, la demande 3 ne contient pas plus d'information que la demande 1.

Le tableau 17-2 donne le pourcentage des sujets qui se sont rendus à la demande dans chaque condition. Quand la demande est anodine, un motif non valable inséré dans un scénario convenable mène au même résultat qu'un motif valable. Apparemment, l'individu répond à la forme de la demande « sans réfléchir » — c'est-à-dire sans penser à sa signification. La demande plus importante (20 pages) semble donner à la personne suffisamment de temps d'hésitation pour réfléchir consciemment sur sa signification et, par conséquent, une raison qui n'en est pas une ne s'avère pas plus efficace que l'absence de raison.

THÉORIES   Les schèmes et les scénarios sont vraiment des mini-théories sur les objets et sur les événements quotidiens. Mais des théories plus développées influencent également notre perception des faits. Dans une démonstration particulièrement élégante de ce phénomène, on a demandé à des étudiants de lire le résumé de deux soi-disant authentiques études sur la question de la peine capitale; notons que ces étudiants tenaient fortement à des croyances divergentes sur l'effet dissuasif de la peine de mort sur le comportement des meurtriers éventuels. L'une de ces études semblait démontrer que la peine capitale avait un effet dissuasif et l'autre semblait indiquer le contraire (Lord, Ross et Lepper, 1979). Ces étudiants lisaient également une analyse citique de la méthodologie utilisée dans chacune de ces deux études. Les expérimentateurs rapportent que les étudiants prenant parti pour l'une et l'autre des positions trouvaient que l'étude qui appuyait leur point de vue était sensiblement plus convaincante et mieux faite que l'autre étude. En outre, ils étaient plus convaincus du bien-fondé de leur position initiale qu'ils ne l'étaient avant d'avoir lu *l'une ou l'autre* des preuves à l'appui de ces positions! Ces résultats nous amènent à la constatation troublante que l'introduction de preuves dans un débat public dans l'espoir de résoudre la question — ou du moins de tempérer les prises de position extrémistes — a tendance à polariser encore plus l'opinion publique. Les tenants de chaque position vont trier et faire un choix parmi les faits de façon à étayer leurs opinions initiales (Nisbett et Ross, 1985).

En 1982, une série d'événements tragiques au Moyen-Orient a permis à des chercheurs d'examiner comment des croyances bien ancrées affectent la perception de l'information dans une situation de vie réelle. Au Liban, des éléments appuyés par Israël ont massacré un bon nombre de civils vivant dans des camps de réfugiés libanais. La télévision a fait une grande place à ces événements et le rôle d'Israël était assez controversé. Les chercheurs ont interrogé des individus qui étaient favorables à Israël, tout comme des individus favorables aux Arabes sur ce qu'ils pensaient des reportages télévisés de cet événement; ils constatèrent que chacun des groupes étaient d'avis que les médias avaient déformé les faits au détriment de leur parti. Les sujets favorables à Israël estimaient, par exemple, que 17% seulement des références à Israël contenues dans les émissions d'information lui étaient favorables, tandis que 57% lui étaient défavorables. Les sujets favorables aux Arabes estimaient que 42% des références à Israël lui étaient favorables et que 26% seulement lui étaient défavorables. Les deux groupes prétendaient que les téléspectateurs et auditeurs qui étaient neutres avaient été orientés dans la direction hostile à leurs propres croyances (Vallone, Ross et Lepper, 1985). Nos théories façonnent notre perception des faits!

Déceler des covariations

Quand deux choses varient l'une par rapport à l'autre (par exemple la taille et la masse ou l'éducation et le revenu), on dit qu'elles *co-varient* ou qu'elles

CONDITION	POURCENTAGE DE CEUX QUI ACQUIESCENT À LA DEMANDE POUR L'UTILISATION DE LA MACHINE À PHOTOCOPIER	
	DEMANDE ANODINE	DEMANDE IMPORTANTE
Demande seulement	60	24
Demande et raison valable	94	42
Demande et raison non valable	93	24

TABLEAU 17-2
Traitement automatique du scénario de demande   *Quand la demande était anodine, une raison non valable, enrobée dans le scénario approprié, s'est avérée aussi efficace qu'une raison valable. Quand la demande était importante, une raison non valable, n'était pas plus efficace que l'absence totale de raison. (D'après Langer, Blank et Chanowitz, 1978)*

ANALYSE CRITIQUE

Le schème du genre

La plupart des schèmes dont nous avons parlé s'appliquent à des domaines limités d'objets ou d'événements (comme des personnes particulières, la fête d'anniversaire) et ils nous aident à structurer et à interpréter des aspects restreints et particuliers de la vie de tous les jours. Mais il existe des schèmes qui couvrent un champ beaucoup plus vaste ; ils organisent des domaines étendus d'expérience et deviennent, effectivement, une paire de lentilles à travers lesquelles nous regardons de vastes aspects de notre univers. Le genre est souvent un schème de cette sorte, car dans la plupart des milieux culturels, la distinction entre les hommes et les femmes a tendance à structurer plusieurs caractéristiques de la vie quotidienne. Non seulement s'attend-t-on à ce que les jeunes garçons et filles acquièrent des habiletés et des comportements propres à leurs sexes respectifs, mais on s'attend aussi à les voir adopter ou acquérir des concepts de soi et des attributs de personnalité directement identifiables à leur sexe, c'est-à-dire une masculinité ou une féminité qui soient conformes à la définition qu'en donne la culture particulière dans laquelle ils sont élevés. Nous l'avons vu au chapitre 3, le processus par lequel une société apprend aux enfants à se conformer à de telles attentes s'appelle la *caractérisation sexuelle*.

Selon l'hypothèse de la psychologue Sandra Bem (1981), en plus d'apprendre les concepts et les comportements particuliers que son milieu culturel associe au sexe, l'enfant apprend à percevoir et à structurer diverses sortes d'information en fonction d'un *schème du genre*. Selon sa

théorie, dans toute culture, quelle qu'elle soit, les individus qui ont adopté une identité de genre devraient faire un plus grand usage du schème du genre que ceux qui n'en ont pas adopté.

Dans sa recherche, Bem identifie les personnes qui ont adopté une identité de genre en demandant à ses sujets de s'évaluer eux-mêmes par rapport à une liste de traits de personnalité à caractérisation sexuelle. On définit comme « masculin » les sujets qui se situent eux-mêmes au haut de l'échelle par rapport aux traits du stéréotype masculin (*affirmation de soi, indépendance*, par exemple) et au bas de l'échelle par rapport aux traits du stéréotype féminin (*compatissant, tendre*, par exemple) ; les sujets qui présentent le profil inverse sont définis comme « féminins » ; les individus qui s'attribuent à la fois des traits masculins et féminins sont décrits comme des *androgynes* (*andros*, du grec « homme » et *gynes*, du grec « femme »).

Dans une série d'études de validation de ce procédé de classification, les individus androgynes ont manifesté à la fois de l'indépendance « masculine » et de la compassion « féminine », tandis que ceux qui avaient adopté un modèle sexuel conforme à leur sexe (hommes masculins et femmes féminines) avaient tendance à ne manifester que le comportement du stéréotype s'appliquant à leur sexe (Bem, 1975 ; Bem, Martyna et Watson, 1976).

Lors d'une expérience conçue pour vérifier si les individus qui ont adopté un modèle sexuel précis utilisent ou non le schème du genre pour structurer l'information, on présenta aux sujets une liste

sont en *corrélation*. La détection de telles covariations ou corrélations est une tâche fondamentale pour toutes les sciences et, en tant que chercheurs intuitifs intéressés à la conduite humaine, nous percevons — ou croyons percevoir — de telles corrélations à tout moment (« Les personnes qui sont favorables à l'avortement semblent plus susceptibles d'être contre la peine capitale » ; « Les Asiatiques semblent mieux réussir en mathématiques que les non Asiatiques » ; « Mon cœur semble s'emballer quand Robert est dans les environs »).

Les résultats de la recherche démontrent toutefois que nous réussissons plutôt mal dans cette tâche. Une fois encore, ce sont nos théories qui nous induisent en erreur. Notamment, quand nos schèmes ou nos théories nous prédisposent à penser que deux choses co-varient, nous surestimons la corrélation, au point parfois de voir des « corrélations illusoires ». Mais en l'absence de théories, nous sous-estimons la corrélation ; il peut même arriver que nous ne détections pas une corrélation qui est éminemment présente dans les faits.

Ce phénomène a été bien démontré dans une série d'études montées par des chercheurs qui étaient intrigués par la façon routinière dont les psychologues cliniciens associent les réponses des patients aux tests projectifs avec les caractéristiques de personnalité ou les symptômes, bien que de telles corrélations ne s'appuient sur aucune étude expérimentale. Pour commencer, ces chercheurs ont recueilli les témoignages de 32 cliniciens qui, au cours de leur pratique, avaient analysé les réponses données aux taches d'encre

de mots pour leur demander plus tard de se rappeler autant de mots qu'ils le pouvaient, sans tenir compte de leur ordre sur la liste. Cette liste comprenait des noms propres, des noms d'animaux, des verbes et des articles de vêtement. La moitié des noms propres étaient des noms d'homme et la moitié des noms de femme et un tiers des mots de chacune des autres catégories avaient été évalués par des juges comme masculins (exemple : *gorille, lancer, pantalons*), un tiers comme féminins (*papillon, rougir, bikini*), et un tiers comme neutres (*fourmi, monter, chandail*)*. Les travaux de recherche sur la mémoire ont montré que lorsqu'un individu a codé un certain nombre de mots en fonction d'un schème sous-jacent (ou réseau d'associations), il s'ensuit que le fait de penser à l'un des mots se rapportant à ce schème accroît la probabilité qu'il pense à un autre mot de ce réseau. Par conséquent, l'ordre dans lequel l'individu se rappelle les mots devrait révéler l'existence de chaînes ou de grappes de mots reliés les uns aux autres dans la mémoire par le schème. Quand un sujet pense à un nom d'animal, il est probable qu'il pensera ensuite à un autre nom d'animal. Notons que les sujets de cette expérience pouvaient regrouper les mots soit en fonction de la catégorie sémantique (noms propres, noms d'animaux, verbes, vêtements) soit en fonction du genre.

Les individus qui avaient adopté une identité de genre ont fait, de façon significative, plus de regroupements en fonction du genre que les individus qui n'en avaient pas adopté. Par exemple, si une personne à identité sexuelle bien définie se rappelait par hasard du mot *papillon*, associé à la catégorie « féminin », elle était plus susceptible de faire suivre ce mot d'un autre « féminin », comme *bikini*, alors que la personne sans identité sexuelle nette était plus portée à faire suivre *papillon* d'un autre nom d'animal. Ainsi, la probabilité que les sujets à caractérisation sexuelle relient les mots dans leur mémoire en fonction du genre était plus forte ; tel que le prévoit la théorie, ils sont plus portés à utiliser le schème du genre pour structurer l'information.

Les individus à caractérisation sexuelle structurent également l'information se rapportant à leur personne en fonction du schème de genre. Dans une étude, ils se sont montrés beaucoup plus rapides à s'évaluer par rapport aux traits de caractérisation sexuelle que par rapport aux autres traits. Les hommes masculins, par exemple, s'identifiaient plus rapidement au trait masculin *affirmation de soi* qu'à un trait sexuellement neutre, comme *honnête*. Selon la théorie, ils avaient codé en mémoire tant leur concept de soi que les termes de personnalité à caractérisation sexuelle en fonction du schème de genre ;

ainsi, au lieu de devoir faire une recension en détail de leur personnalité, ils n'avaient qu'à « chercher » le trait dans le schème pour voir s'il y était. Par contre, les individus sans identité sexuelle nette — qui ne structurent ni leur concept de soi, ni leurs traits de personnalité en fonction du schème de genre — n'étaient pas plus rapides quand il s'agissait de traits à caractérisation sexuelle que lorsqu'ils avaient affaire à des traits sexuellement neutres (Girvin, 1978, tel que cité dans Bem, 1981). Des études subséquentes ont donné des résultats similaires (Markus, Crane, Bernstein et Siladi, 1982).

Selon Bem, la leçon à tirer de la théorie du schème de genre *n'est pas* que chaque individu devrait être androgyne, c'est-à-dire à la fois masculin et féminin. Une telle prescription empêcherait autant la personne d'avoir un caractère individuel unique que la prescription traditionnelle qui veut que les hommes se montrent masculins et les femmes féminines. Elle soutient plutôt que les comportements humains et les attributs de personnalité ne devraient plus être identifiés à un genre et que la société devrait cesser de faire des projections de genre dans des situations qui n'ont rien à voir avec les organes génitaux. Bref, l'individu ne devrait pas avoir à se montrer androgyne, mais la société devrait être moins influencée par le schème de genre.

---

* Notez qu'il s'agit d'une traduction de mots anglais utilisés dans une expérience qui s'est faite dans cette langue. À cause de l'attribution d'un genre aux mots dans la langue française (ce qui n'est pas le cas en anglais), l'évaluation par les juges du caractère masculin, féminin ou neutre de ces mots n'aurait probablement pas été la même. (Note du traducteur)

---

de Rorschach (voir à la p. 475) par plusieurs hommes homosexuels. Ces cliniciens rapportaient que les hommes homosexuels étaient plus portés que les hommes hétérosexuels à voir des images anales et des vêtements féminins dans les taches d'encre — en dépit du fait que des travaux de recherche bien contrôlés n'avaient pas réussi à confirmer la validité de ces images comme indices de l'homosexualité chez l'homme. Qui plus est, seulement 2 des 32 cliniciens avaient inclus dans leur liste l'une ou l'autre des 2 seules images de Rorschach (un monstre sur l'une des cartes et un animal sur l'autre) que les données de recherche *avaient* effectivement établies comme indicateurs valides de l'homosexualité masculine (Chapman et Chapman, 1969).

Ces chercheurs font l'hypothèse que l'on perçoit, à tort, une corrélation entre les images invalides et l'homosexualité parce que ces images font partie d'un stéréotype populaire — un schème — de l'homosexualité, alors que les 2 images valides ne seraient pas identifiées parce qu'elles n'entrent pas dans ce stéréotype. Plusieurs expériences sont venues confirmer cette hypothèse.

On avait demandé à des sujets étudiants participant à l'une de ces expériences d'examiner une série de cartes de Rorschach. Sur chaque carte figurait une tache d'encre, une description de l'image que le patient avait déclaré avoir vue et un énoncé au sujet de 2 « symptômes » manifestés par le patient. Les images décrites comprenaient 5 signes stéréotypés, mais invalides, de l'homosexualité, les 2 signes valides qui ne faisaient pas partie du stéréotype et des signes-contrôles sans rapport (des images de nourriture, par exemple).

Les « symptômes » étaient soit l'homosexualité (« éprouve des sentiments sexuels à l'endroit d'autres hommes »), soit des problèmes sans rapport (« se sent triste et déprimé une bonne partie du temps »). Les cartes avaient été soigneusement conçues de façon qu'*aucun* signe ne soit systématiquement associé à l'homosexualité.

Après qu'ils eurent étudié les cartes, les étudiants prirent connaissance de 4 symptômes, puis on leur demanda s'ils avaient remarqué « un type général d'élément perçu le plus souvent par les hommes qui ont ce problème ». Tout comme les psychologues cliniciens qui exercent la profession, les étudiants ont rapporté, à tort, que les signes invalides — mais pas les signes valides, ni les signes-contrôle — étaient associés à l'homosexualité. Même quand on eut réarrangé les cartes pour que les signes valides soient associés à l'homosexualité, dans 100 % des cas, les sujets continuèrent de rapporter deux fois plus souvent la corrélation inexistante avec les signes invalides que la corrélation parfaite avec les signes valides.

En tant que chercheurs intuitifs, nous sommes « déterminés par la théorie ». Nous percevons les covariations que nos théories nous prédisposent à voir alors que nous n'arrivons pas à voir les covariations que nos théories ne nous ont pas préparés à voir.

STÉRÉOTYPES QUI CONDUISENT À LEUR PROPRE CONFIRMATION   Comme les travaux que nous venons de décrire l'indiquent, nos schèmes de catégories de personnes — les stéréotypes — sont en réalité des théories miniatures de la covariation. Le stéréotype de l'extraverti ou de l'homosexuel est une théorie sur la nature des traits ou comportements particuliers qui seraient associés à certains autres traits ou comportements. C'est pourquoi on a également appelé les stéréotypes des *théories implicites de personnalité* (Schneider, 1973).

Les stéréotypes ont une mauvaise réputation à cause de leur association avec le préjugé et la discrimination. Cependant, il est important de reconnaître que le processus de pensée sous-jacent aux stéréotypes — traitement schématique — n'est pas pernicieux comme tel, ni pathologique. Étant donné qu'il nous est tout à fait impossible d'aborder chaque nouvelle personne comme s'il s'agissait d'un individu unique, notre utilisation de schèmes ou de stéréotypes d'appoint est inévitable tant que des expériences additionnelles ne viendront pas raffiner ou répudier les schèmes. C'est un fait, par exemple, que certains étudiants, qui arrivent des régions rurales du pays pour suivre des cours dans un collège de la ville de New York, croient pendant quelques semaines que tous les habitants de New York sont juifs et que tous les Juifs vivent à New York. Il ne faut pas nécessairement voir de la malice ou de la méchanceté à la base d'un tel stéréotype; le nouvel étudiant n'a tout simplement pas rencontré assez de Catholiques new-yorkais ou de Juifs texans pour découper l'environnement social en catégories schématiques plus exactes et plus finement différenciées. Beaucoup de nos stéréotypes ont ce caractère bénin et sont abandonnés à mesure que nos expériences se multiplient.

Cependant, comme nous l'avons vu, les schèmes résistent au changement, car ils nous entraînent à mal percevoir les faits qui pourraient justement nous amener à les modifier. Dès lors, on comprend que les stéréotypes ne sont pas faciles à abandonner, même quand les expériences sont multiples. Mais un processus encore plus insidieux se fait sentir: nos schèmes n'influencent pas seulement nos perceptions; ils influencent également notre conduite et nos interactions sociales. Nos stéréotypes peuvent nous amener à nous comporter envers ceux qui sont l'objet de ces stéréotypes d'une façon susceptible de confirmer nos expectatives. Par conséquent, nos stéréotypes peuvent entretenir leur propre perpétuation tout autant que leur propre confirmation.

Ce phénomène a été illustré lors d'une étude dans laquelle des collégiens de race blanche jouaient le rôle d'interviewers auprès de candidats à un emploi. On leur présenta pour fins d'interview des candidats de race blanche et des candidats de race noire, qui étaient tous en réalité des complices des expérimentateurs. Les chercheurs constatèrent que les sujets (les interviewers) se montraient moins aimables durant l'interview de candidats noirs que durant celle de candidats blancs. Les sujets manifestèrent également une plus grande distance interpersonnelle, firent plus d'erreurs de langage et terminèrent l'interview plus tôt quand elle s'adressait à des candidats noirs.

Mais ce n'était là qu'une partie de l'expérience. Les chercheurs ont ensuite entraîné des interviewers blancs à pratiquer les deux styles d'interviews (amical et moins amical) que les sujets originaux avaient adoptés. De nouveaux sujets — tous des blancs — furent ensuite recrutés pour jouer, cette fois, le rôle de candidats à l'emploi. Certains d'entre eux reçurent le traitement amical lors de l'interview; les autres, le traitement moins amical. Plus tard, en regardant les bandes vidéo de ces interviews, des juges évaluèrent le rendement et l'attitude des sujets-candidats. Les résultats montrent que les sujets qui ont été traités de la façon moins amicale par les interviewers (comme les candidats noirs dans la première expérience) recevaient des évaluations significativement moins bonnes sur le plan du rendement et de l'attitude que ceux qui avaient été traités de façon amicale (Word, Zanna et Cooper, 1974). Cette étude indique que les individus qui ont des préjugés peuvent, dans leur interaction avec les autres, adopter des façons de faire qui suscitent effectivement des comportements stéréotypés, lesquels entretiennent par le fait même leurs préjugés.

Le stéréotype de l'attrait fait qu'on attribue des caractéristiques plus désirables aux individus qui sont beaux.

Les stéréotypes peuvent conduire à leur propre confirmation de façon encore plus profonde en façonnant vraiment les personnalités à long terme de ceux qui sont l'objet de stéréotypes. La preuve de l'existence d'un tel phénomène provient de recherches sur l'attrait physique. Disons tout d'abord qu'un stéréotype très répandu, attribue aux personnes physiquement séduisantes beaucoup d'autres caractéristiques enviables. Dans une expérience, on a montré à des sujets masculins et féminins des photographies tirées d'un album annuel de collège, en leur demandant d'évaluer les individus photographiés par rapport à un certain nombre de traits. Chaque photographie avait auparavant été évaluée comme très séduisant(e), moyen(ne) ou pas séduisant(e). Comparativement aux individus « pas séduisants », les individus plus « séduisants » étaient jugés plus sensibles, bienveillants, intéressants, forts, posés, sociables, ouverts, excitants et sexuellement sensibles. On supposa également qu'ils avaient un statut plus élevé, qu'ils étaient plus susceptibles de se marier, d'être heureux dans leur mariage et de connaître le bonheur (Dion, Berscheid et Walster, 1972).

En second lieu, les faits démontrent qu'un tel stéréotype peut conduire à sa propre confirmation même à l'occasion d'une interaction très brève. Lors d'une expérience, on engagea des sujets masculins dans une conversation téléphonique d'une durée de 10 minutes avec une étudiante qu'ils n'avaient jamais vue mais qu'ils croyaient soit physiquement attirante, soit peu attirante sur le plan physique. Les expérimentateurs avaient créé cette croyance en montrant au sujet une prétendue photographie de sa correspondante — photographie qui, en réalité, n'avait aucun rapport avec l'aspect physique de la femme au téléphone. Les analyses des conversations montrent que les hommes qui croyaient parler avec une personne séduisante étaient plus affables, plus ouverts et plus sociables que ceux qui croyaient que leur interlocutrice était peu attrayante. Cette constatation est intéressante en soi, mais il y a plus. Les conversations téléphoniques étaient enregistrées sur bandes à 2 pistes et les juges écoutèrent la conversation de la femme sans entendre son interlocuteur masculin et sans connaître sa croyance quant à l'aspect séduisant ou non de la femme. Ces juges évaluèrent les femmes soi-disant séduisantes comme des personnes plus sociables, plus posées et ayant plus d'humour que les femmes dont les interlocuteurs croyaient qu'elles étaient peu séduisantes. Les stéréotypes entretenus par les hommes au sujet de l'attrait physique des femmes conduisirent donc à leur propre confirmation au cours d'une conversation téléphonique de 10 minutes (Snyder, Tanke et Berscheid, 1977).

Enfin, des données indirectes semblent indiquer que ce processus d'« autoconfirmation » produit des effets à longue portée dans le monde réel; le stéréotype populaire de la personne physiquement séduisante semble comporter un brin de vérité. Au cours d'une expérience, des étudiants masculins parlèrent au téléphone pendant environ 5 minutes avec des étudiantes qu'ils n'avaient jamais vues et évaluèrent ensuite les habiletés sociales de leurs interlocutrices. Des observateurs indépendants évaluèrent ensuite le caractère physiquement séduisant de ces femmes. Or, les chercheurs ont constaté que les femmes les plus séduisantes obtenaient effectivement, de la part de leurs interlocuteurs, des évaluations plus favorables de leurs habiletés sociales que les femmes moins séduisantes (Goldman et Lewis, 1977). D'autres études ont démontré que l'attrait physique entretient une corrélation avec un concept de soi positif (Lerner et Karabenick, 1974), une bonne santé mentale (Adams, 1981), l'affirmation de soi et la confiance en soi (Jackson et Huston, 1975; Goldman et Lewis, 1977; Dion et Stein, 1978) et une variété d'autres caractéristiques positives.

Ces faits portent donc à croire que les individus les plus attirants auraient une plus haute estime de soi, une meilleure santé mentale et des habiletés sociales plus grandes que les individus qui ne sont pas attirants, parce que les premiers seraient mieux traités dans la vie de tous les jours. Ils acquièrent ces traits enviables parce qu'ils sont les premiers à trouver un emploi, ils sont payés plus chers, progressent plus rapidement dans l'échelle sociale et ainsi de suite. Ainsi, comme nous allons le voir plus loin dans ce chapitre, ils partent avec une longueur d'avance quand il s'agit de dénicher un partenaire pour une soirée ou un conjoint.

Faire des inférences sur la causalité

On trouve, au cœur de la plupart des sciences, la recherche des causes et des effets. De même, en tant que chercheurs intuitifs, nous avons l'impression que nous pouvons vraiment comprendre un aspect du comportement humain quand nous savons pourquoi il s'est produit ou quelle en est la cause. Supposons, par exemple, qu'une athlète célèbre participe à la publicité télévisée d'une marque de céréale pour le petit déjeuner. Pourquoi le fait-elle? Aime-t-elle réellement ce produit, ou est-ce qu'elle le fait pour l'argent? Un homme donne un baiser à sa compagne à la fin d'une soirée. S'agit-il seulement d'une convention sociale ou est-ce parce qu'il a de l'affection pour elle? Peut-être s'agit-il d'un individu qui embrasse tout le monde. Ou peut-être que tout le monde serait porté à embrasser cette femme-là en particulier? Vous faites un don de cinq dollars à Fame Pereo. Pourquoi? Vous êtes altruiste? Généreux? Fervent chrétien? On a exercé des pressions sur vous? Vous avez besoin d'un reçu pour votre déclaration d'impôts sur le revenu? Vous croyez aux objectifs de cet organisme?

Chacun de ces cas pose un problème d'attribution. Nous sommes témoin d'un comportement — le nôtre peut-être — et il faut décider, entre plusieurs causes possibles, celle à laquelle nous devons attribuer l'action. En psychologie sociale, la tâche qui consiste à tenter de faire des inférences sur les causes de comportement s'appelle le *problème d'attribution* et l'étude du processus d'attribution est devenue une préoccupation centrale de cette branche de la psychologie (Heider, 1958; Kelley, 1967).

L'inférence de causes et effets est un cas particulier de la détection de covariations. Supposons que vous vous réveillez le matin avec la goutte au nez. Vous constatez que les azalées de votre jardin viennent de s'épanouir et vous faites l'hypothèse qu'elles sont la cause de vos reniflements. Voyons comment vous procédez pour mettre cette hypothèse à l'épreuve. Vous essayez de voir si vos symptômes apparaissent et disparaissent selon que vous vous approchez ou que vous vous éloignez des régions où se trouvent les azalées. Autrement dit, vous faites une expérience pour voir si vos symptômes et les azalées covarient. Est-ce que la conséquence ou l'effet apparaît et disparaît en même temps que la cause soupçonnée? Le cas échéant, les azalées sont condamnées. Mais si vos reniflements restent constants — pas de covariation — les azalées n'ont alors rien de distinctif et vous devez conclure que là n'est pas la cause. Ainsi, vous utilisez le *caractère distinctif* de vos réactions face au stimulus soupçonné pour juger si ce dernier est la cause du problème.

La *constance* constitue un autre critère. Si vous avez manifesté les mêmes symptômes au cours des trois dernières années, chaque fois que les azalées venaient en fleurs, vous êtes presque assuré de tenir le coupable. Mais si c'est la première fois que les symptômes se présentent — un événement qui n'est pas constant — vous ne sauriez être aussi certain.

Finalement, vous appelez un médecin qui dit que vous êtes la seizième personne à formuler cette plainte au cours de la journée et que « c'est toujours ce qui arrive quand les azalées fleurissent ». En d'autres mots, votre cas n'est pas unique. D'autres ont la même réaction face au même stimulus. C'est là le critère du *consensus*.

Ainsi, vous essayez de déceler une covariation qui satisfasse trois critères : l'effet ne doit varier qu'avec la cause soupçonnée (caractère distinctif); il doit le faire chaque fois que l'expérience est menée (constance); d'autres personnes doivent obtenir le même résultat (consensus).

Nous nous servons des mêmes trois critères quand nous tentons de comprendre la conduite de nos amis et de nos connaissances (Kelley, 1973). Supposons que Julie s'extasie au sujet d'un repas qu'elle a pris récemment dans un restaurant chinois. En termes très généraux, il existe trois causes possibles à ses éloges. La première est le stimulus lui-même : peut-être que les mets étaient réellement des plus succulents. La seconde source possible de son émerveillement est peut-être quelque chose dans sa personne : Julie est réellement une mordue de la cuisine chinoise. La troisième possibilité est la situation particulière : c'était son anniversaire et n'importe quoi lui aurait semblé fantastique. Pour faire le choix entre ces trois catégories de causes, nous faisons à nouveau appel aux trois critères, soit le caractère distinctif, la constance et le consensus. Si elle ne fait l'éloge d'aucun restaurant à part celui-là (caractère distinctif), si elle est ravie chaque fois qu'elle y mange (constance) et si tout le monde abonde dans le même sens (consensus), ce restaurant doit, en effet, être extraordinaire. Mais si Julie vante tous les restaurants chinois tout le temps — et que personne d'autre ne le fait — nous nous trouvons probablement à en apprendre plus sur Julie que sur le restaurant. Enfin, si elle n'a jamais fait l'éloge d'un restaurant auparavant — y inclus celui-ci — et si, à part Julie, aucun autre convive à son repas d'anniversaire n'a particulièrement apprécié la nourriture, nous pouvons probablement conclure qu'un élément de cette situation particulière (son anniversaire, probablement) est venu rehausser ses perceptions gustatives.

Les résultats de la recherche viennent corroborer le fait que les gens utilisent vraiment, dans la réalité, ces critères de cette façon (McArthur, 1972), mais ils révèlent également que, dans bien des cas, nous ne l'appliquons ni correctement ni à fond (Nisbett et Ross, 1985). Par exemple, il arrive que nous n'appliquions pas le critère de consensus aussi complètement que nous le devrions. Le problème principal toutefois — vous devez commencer à vous en douter — vient de ce que nous entretenons des théories de la causalité qui faussent nos inférences.

L'ERREUR FONDAMENTALE D'ATTRIBUTION   Comme plusieurs des exemples que nous avons présentés le laissent voir, l'une des principales tâches d'attribution quotidiennes consiste à décider si le comportement qu'on est en train d'observer reflète un élément unique chez la personne qui en est l'auteur (ses attitudes, ses traits de personnalité, etc.) ou un élément de la situation dans laquelle elle se trouve. Si nous faisons l'inférence qu'il y a chez la personne un élément fondamentalement responsable du comportement (par exemple, cette athlète trouve vraiment ces céréales délicieuses), on dit alors que notre inférence est une *attribution interne* ou de *prédisposition* (« prédisposition » réfère aux croyances, attitudes et caractéristiques de personnalité d'une personne). Si, par contre, nous arrivons à la conclusion que c'est une cause externe qui est avant tout responsable de ce comportement (exemples : l'argent, des normes sociales rigoureuses, des menaces), on parle *d'attribution externe* ou de *situation*).

Le fondateur de la théorie moderne de l'attribution, Fritz Heider, avait noté que le comportement de l'individu s'impose tellement aux observateurs qu'ils l'acceptent tel qu'il se présente et n'accordent pas suffisamment d'impor-

« Messieurs dames, je parle en faveur des Scrunchies parce que je *mange* des Scrunchies. Dieu me soit pris à témoin, je ne fais pas seulement que *dire* que j'en mange, j'en mange *vraiment*. En fait, messieurs dames, je ne mange jamais rien d'autre. Et si vous ne me croyez pas, je peux vous fournir une déclaration écrite de la part de mon médecin personnel. »

Dessin de Ross; © 1976 *The New Yorker Magazine*, Inc.

tance aux circonstances qui l'entourent (1958). Les recherches récentes sont venues confirmer les hypothèses de Heider. Nous sous-évaluons les causes du comportement qui tiennent de la situation et nous sautons trop facilement à des conclusions sur les prédispositions de la personne. Autrement dit, dans les sociétés occidentales, notre schème de cause et d'effet relatif au comportement humain donne un trop grand poids à la personne et un poids trop faible à la situation. Un psychologue a donné à cette déformation, qui favorise l'attribution de prédisposition au détriment de l'attribution de situation, le nom d'*erreur fondamentale d'attribution* (Ross, 1977).

Dans l'une des expériences qui font ressortir cette déformation, on a demandé à des sujets d'écouter un individu qui prononçait un discours soit en faveur, soit contre la ségrégation raciale. On a explicitement informé les sujets du fait que cet individu participait à une expérience et qu'on lui avait indiqué la position qu'il devait défendre; autrement dit, cet orateur n'avait pas le choix. En dépit de cette information, quand on leur demanda de juger de l'attitude réelle de l'orateur face à la ségrégation raciale, les sujets ont fait l'inférence qu'il entretenait une point de vue similaire à celui qu'il défendait dans son discours. En d'autres mots, les sujets faisaient une attribution de prédisposition même si les forces attenantes à la situation étaient tout à fait suffisantes pour rendre compte du comportement (Jones et Harris, 1967). Cet effet est donc assez puissant. Même quand on prépare délibérément des présentations ternes et sans enthousiasme et même si l'orateur se contente de lire une version transcrite du discours, en prenant une voix monotone et en s'abstenant de faire des gestes, les observateurs restent toujours disposés à attribuer à l'orateur les attitudes exprimées (Schneider et Miller, 1975).

PERCEPTION DE SOI   Nous comprendre nous-mêmes, c'est l'une des tâches principales qui nous échoient en tant que scientifiques non officiels du comportement humain. Or, une *théorie de perception de soi* soutient que dans les jugements que nous portons sur nous-mêmes, nous utilisons les mêmes processus d'inférence — et commettons la même sorte d'erreurs — que lorsque nous portons des jugements sur les autres (Bem, 1972). Tout comme nous tentons d'évaluer les forces de la situation environnante pour savoir si l'athlète de la réclame télévisée aime vraiment les céréales dont elle proclame les mérites, nous examinons parfois notre propre comportement et les circonstances qui l'entourent pour décider de ce que nous sentons ou croyons nous-mêmes. Cette affirmation peut sembler étrange, car nous prétendons généralement à une connaissance immédiate de nos propres sentiments et croyances. Mais ce n'est pas toujours le cas. Voyez cette remarque que l'on entend souvent: « C'est mon deuxième sandwich; je suppose que j'étais plus affamé que je l'avais cru. » De toute évidence, cette personne s'était d'abord trompée sur son état interne et, en se fondant sur l'observation de son propre comportement, elle est maintenant arrivée à la conclusion qu'elle avait eu tort. Ceci semble indiquer que, chaque fois que les sensations internes ne sont pas très fortes, l'individu se trouve forcément placé dans le rôle d'un observateur extérieur pour faire des attributions exactes. Ainsi, l'observation de soi-même, «Je me suis rongé les ongles toute la journée; il doit y avoir quelque chose qui me tracasse » s'appuie sur la même sorte d'évidence que l'observation d'un ami, « Tu t'es rongé les ongles toute la journée; il doit y avoir quelque chose qui te tracasse »: le comportement manifeste de celui qui se ronge les ongles.

Considérons l'expérience suivante: on a amené des collégiens, un à la fois, dans une pièce exiguë, leur demandant d'y travailler durant une heure à des tâches ennuyeuses et répétitives (enfiler des fuseaux sur une tige et faire tourner des chevillons de bois). Après avoir complété ces tâches, certains d'entre eux se virent offrir 1 $, et d'autres 20 $, pour dire au sujet suivant que les tâches avaient été amusantes et intéressantes. Tous les sujets acquiescèrent à cette demande. Plus tard, on leur demanda d'évaluer à quel point ils avaient pris plaisir à exécuter ces tâches. Comme le montre la figure 17-1, les sujets qui n'avaient reçu que 1 $ ont dit qu'ils avaient, effectivement, aimé les tâches. Cependant, les sujets auxquels on avait donné 20 $ ne les ont pas trouvées plus amusantes que les sujets-contrôles, à qui l'on n'avait pas demandé de parler à un autre sujet (Festinger et Carlsmith, 1959).

Cette expérience est un exemple de ce qu'on appelle une *expérience de consentement forcé* et elle a été vraiment conçue pour vérifier la théorie de la *dissonance cognitive* de Festinger (Festinger, 1957), dont nous parlons plus loin dans ce chapitre. Pour l'instant, examinons les résultats du point de vue de la théorie de la perception de soi. Comment se fait-il que la petite somme d'argent, et non la forte somme, ait amené les individus à croire ce qu'ils s'étaient eux-mêmes entendu dire?

La théorie de la perception de soi présume que les sujets ont observé leur comportement (dire que les tâches étaient amusantes et intéressantes) et qu'ils ont dû résoudre le problème de l'attribution : « Pourquoi ai-je dit ça? » En outre, on tient pour acquis qu'ils ont résolu le problème de la même façon qu'un observateur de l'extérieur l'aurait fait. L'observateur hypothétique entendrait l'individu dire que les tâches ont été amusantes et il devrait décider de faire soit une attribution de prédisposition (l'individu l'a dit parce qu'il le croit vraiment), soit une attribution de situation (il l'a fait pour l'argent). Si l'individu reçoit 20 $, l'observateur est plus porté à faire une attribution de situation : « Tout le monde l'aurait fait pour cette somme. » Mais si l'individu ne touche que 1 $, l'observateur est plus enclin à faire une attribution de prédisposition : « Cette personne n'aurait pas consenti à le dire pour seulement 1 $; c'est donc qu'elle le croit. » Si nous postulons que les sujets passent par le même processus d'inférence que l'observateur de l'extérieur, il s'ensuit que les sujets qui ont reçu 20 $ attribuent leur comportement aux facteurs de la situation et décident qu'ils n'ont vraiment pas trouvé les tâches amusantes. Mais les sujets qui n'ont touché que 1 $ font une attribution de prédisposition : « Je dois trouver que les tâches sont amusantes; autrement, je ne l'aurais pas dit. »

L'ERREUR D'ATTRIBUTION FONDAMENTALE DANS LA PERCEPTION DE SOI   Les résultats de l'expérience que nous venons de décrire soulèvent un point subtil. Nous savons que tous les sujets avaient accepté, à la demande de l'expérimentateur, de dire au prochain sujet que les tâches étaient amusantes — même les sujets auxquels on n'avait offert que 1 $ pour le faire. Mais les sujets eux-mêmes l'ignoraient. Ainsi, quand des sujets qui ont touché 1 $ concluent implicitement qu'ils doivent trouver les tâches amusantes parce qu'autrement, ils n'auraient pas acquiescé à la demande, ils sont dans l'erreur. Ils devraient plutôt arriver à la conclusion qu'ils ont consenti à se plier à la demande parce qu'ils ont reçu 1 $. En d'autres mots, les sujets font une attribution de prédisposition concernant leur propre comportement alors qu'ils devraient faire une attribution de situation. Ils commettent l'erreur fondamentale d'attribution.

Une démonstration importante de l'erreur fondamentale d'attribution ressort d'une expérience dans laquelle on recrutait des couples de sujets masculins et féminins pour participer à un jeu de questions et réponses sur les connaissances générales. On désignait au hasard l'un des membres du couple pour être celui qui pose les questions (l'interrogateur) et pour trouver des questions difficiles dont il, ou elle, connaissait les réponses (par exemple, « Quel est le glacier le plus long du monde? »). L'autre membre du couple devait essayer de trouver la réponse (le répondant). Quand celui-ci n'était pas capable, celui, ou celle, qui avait posé la question donnait la réponse. Dans une reprise de l'expérience, des observateurs assistaient également au jeu. Une fois le jeu terminé, on demanda aux répondants et aux observateurs d'évaluer le niveau général de connaissances des deux membres du couple, par comparaison avec l'« étudiant moyen ». Il est important de noter que tous, répondants et observateurs, savaient que les rôles de chacun des membres du couple avaient été attribués au hasard.

Comme le montre la figure 17-2, ceux (ou celles) qui posaient les questions (les interrogateurs) ont jugé qu'ils possédaient un niveau de connaissances générales de niveau moyen, équivalent à celui du répondant. Par contre, les

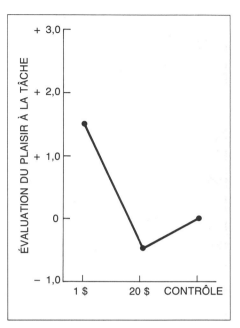

FIGURE 17-1
Expérience de consentement forcé *Plus l'incitateur* d'acquiescement à la demande de l'expérimentateur est fort, plus le changement d'attitude est important. (D'après Festinger et Carlsmith, 1959)*

* Terme suggéré par Piéron pour traduire le mot anglais incentive (voir Piéron, 1957, p. 178) (Note du traducteur)

ANALYSE CRITIQUE

Déformations du traitement de l'information — Sont-elles d'ordre cognitif ou motivationnel?

Jusqu'à présent, ce qu'on a dit dans ce chapitre laisse entendre que les *déformations du traitement de l'information* prennent leurs racines dans des facteurs cognitifs ou perceptifs, notamment le traitement schématique. Mais lorsqu'on a affaire à l'interprétation qu'un individu se donne de son propre comportement, il nous faut aussi considérer la possibilité que certaines des déformations de jugement soient d'ordre motivationnel, qu'elles soient des déformations qui servent les intérêts personnels de l'individu en cause, en accroissant son estime de soi ou en protégeant son image de soi. Les mécanismes de défense freudiens, dont nous avons parlé au chapitre 14, sont des exemples de tels processus motivationnels. Une question qui fait actuellement l'objet de discussions en psychologie sociale est de savoir si toutes les déformations de cette nature peuvent s'expliquer par des facteurs cognitifs ou si certaines d'entre elles exigent des explications d'ordre motivationnel.

On en trouve un exemple courant dans une étude des explications qu'ont données des collégiens des notes qu'ils s'étaient méritées à trois examens. Ces étudiants attribuaient les notes de niveau A et B à des facteurs personnels internes, comme les aptitudes et l'effort, mais celles de niveau C, D et F étaient, selon eux, attribuables à des facteurs externes, comme la difficulté de l'examen et la malchance (Bernstein, Stephan et Davis, 1979). Dans une autre étude, des sujets participaient à un jeu de compétition qui était truqué de telle sorte qu'on décidait au hasard des gagnants et des perdants. Les résultats ont montré que les gagnants attribuaient leurs gains à l'adresse et à l'effort, tandis que les perdants s'en prenaient à la chance (Snyder, Stephan et Rosenfeld, 1976). Ces attributions semblent certainement servir les intérêts personnels de celui qui les fait.

Il faut cependant se montrer prudent avant de conclure que les causes sont nécessairement d'ordre motivationnel.

Étant donné que nous essayons généralement de réussir et que nous voulons rarement l'échec, il est logique que nous attribuions nos succès à des facteurs internes et nos échecs à des facteurs externes. Nous échouons *malgré* nos aptitudes et nos efforts et non pas à cause d'eux. Et si nous avons un passé de succès, il devient alors rationnel d'attribuer un échec inattendu à des causes externes plutôt qu'à des causes internes durables. Par conséquent, il se peut que ces attributions, qui servent apparemment celui qui les fait, ne découlent pas seulement de facteurs purement cognitifs, mais elles peuvent être justes! Il existe, par contre, une étude bien conçue qui a contrôlé les expectatives de succès et d'échec des sujets et qui a quand même constaté l'existence de déformations servant les intérêts de l'individu (Ross et Sicoly, 1979).

Des débats de même nature se poursuivent à propos d'autres déformations. Plus tôt, nous avons, par exemple, interprété l'expérience 1 $ — 20 $ (dans laquelle les incitateurs les moins forts ont amené des sujets à dire qu'ils trouvaient les tâches amusantes) comme une illustration d'un phénomène purement cognitif de perception de soi, soit un ensemble d'attributions personnelles déformées par l'erreur fondamentale d'attribution. Cependant, comme nous le verrons plus tard dans la partie du chapitre qui traite des attitudes, ces mêmes résultats ont été interprétés en termes motivationnels de deux façons au moins. D'autres déformations apparentes de l'information font l'objet de débats similaires et on a monté plusieurs expériences astucieuses à l'appui de l'un ou l'autre des points de vue. La solution, toutefois, ne semble pas devoir apparaître bientôt. En fait, certains auteurs ont soutenu que les positions cognitives et motivationnelles sont formulées de telles façons qu'il n'est pas possible de résoudre ce débat en s'appuyant sur des faits (Tetlock et Levi, 1982).

répondants situaient l'interrogateur au-dessus de la moyenne, tout en se situant eux-mêmes au-dessous de la moyenne. Ils (ou elles) attribuaient le résultat du jeu à leur niveau de connaissance (et à celui de l'interrogateur) plutôt que de tenir compte de l'immense avantage de situation dont bénéficiait l'interrogateur — qui avait le privilège d'omettre toute question dont il (ou elle) ne connaissait pas la réponse. Les observateurs, conscients du fait que l'interrogateur pouvait poser des questions dont ni le répondant ni eux-mêmes ne connaissaient la réponse, ont situé les connaissances de l'interrogateur à un niveau encore plus élevé. En d'autres termes, les répondants, tout comme les observateurs, ont accordé trop de poids aux facteurs de prédisposition et pas assez aux facteurs de situation : l'erreur fondamentale d'attribution (Ross, Amabile et Steinmetz, 1977).

On peut conclure de cette étude que, dans une conversation, ceux qui choisissent le sujet de discussion ont tendance à être perçus comme mieux informés que ceux qui laissent passivement les autres décider de l'ordre du jour — même si tout le monde est bien conscient des rôles différents des participants. Ce fait a également des conséquences sur les rôles sexuels contemporains. En effet, la recherche a démontré que les hommes parlent plus que les femmes au cours des conversations mixtes (Henley, Hamilton et Thorne, 1985); ils interrompent les autres plus fréquemment (West et Zimmerman, 1983); et ils sont plus susceptibles de soulever les sujets de conversation (Fishman, 1983). L'étude sur le jeu de questions et réponses permet de constater, comme l'une des conséquences de ces patterns de rôles sexuels, qu'à la suite d'échanges mixtes, les femmes se perçoivent comme moins bien informées que les hommes et que les observateurs des deux sexes partagent cette illusion. La leçon qui se dégage est claire : l'erreur fondamentale d'attribution peut jouer à votre avantage ou à votre désavantage. Si vous voulez paraître bien informé, à vos propres yeux comme à ceux d'autrui, apprenez à structurer la situation de façon à contrôler vous-même le choix des sujets de discussion. Soyez celui qui pose les questions et non pas celui qui doit donner les réponses.

LOGIQUE INTUITIVE DES ATTITUDES SOCIALES

Mise à part la brève considération accordée aux facteurs de motivation qui auraient pu déformer les attributions personnelles, notre discussion du traitement de l'information sociale s'est concentrée exclusivement sur le fonctionnement cognitif, les processus de perception et de pensée. En abordant le concept d'*attitude*, le concept le plus central de la psychologie sociale, nous pouvons commencer à incorporer le fonctionnement affectif — les émotions et les sentiments — dans notre image de la personne en tant qu'individu qui procède au traitement de l'information.

Les attitudes sont les sympathies et antipathies — les penchants et les aversions à l'égard des objets, des personnes, des groupes, des situations ou de tout autre aspect identifiable de l'environnement, y compris les idées abstraites et les lignes de conduite sociale. Nous exprimons souvent nos attitudes dans des énoncés d'opinion : « J'aime les oranges »; « Je ne peux pas blairer les communistes ». En dépit du fait qu'elles sont l'expression de sentiments, les attitudes sont souvent reliées à des connaissances, plus particulièrement à des croyances se rapportant à l'objet des attitudes (« Les oranges sont remplies de vitamines »; « Les communistes n'ont pas de respect pour la liberté individuelle »). En outre, les attitudes se rattachent parfois aux actes que nous posons par rapport aux objets d'attitude (« Je mange une orange à tous les matins »; « Je ne discute jamais avec les communistes »). En conséquence, la psychologie sociale a, de façon typique, étudié les attitudes en tant que constituant l'un des éléments d'un système tripartite. Les croyances en sont la composante *cognitive*, l'attitude est la composante *affective* et les actes constituent la composante *comportementale*.

Les parties précédentes de ce chapitre ont porté principalement sur la question de savoir dans quelle mesure nous rencontrons du succès, en tant que chercheurs intuitifs, dans les jugements sociaux que nous portons. Il convenait que nous nous demandions si nos jugements étaient justes ou injustes, corrects ou incorrects, exacts ou inexacts. Mais on ne saurait objectivement juger des attitudes comme étant bonnes ou mauvaises, ce qui fait que la question la plus appropriée qu'on puisse se poser est celle de savoir si elles s'accordent logiquement entre elles et avec les croyances qui leur sont associées et les actes qui les accompagnent. Dans cette partie, nous évaluerons donc, non pas la compétence dont nous faisons preuve en tant que chercheurs intuitifs, mais celle que nous avons en tant que logiciens intuitifs.

Concordance cognitive

Certaines opinions semblent aller de pair. Par exemple, les gens qui luttent en faveur de la protection de l'environnement semblent souvent être les mêmes que ceux qui demandent un contrôle plus rigoureux des armes à feu,

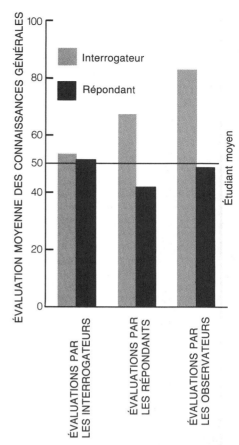

FIGURE 17-2
Erreur fondamentale d'attribution *Évaluations des participants après un jeu de questions et réponses. La personne qui pose les questions (interrogateur) est jugée supérieure tant par celui qui doit répondre (répondant) que par les observateurs, même si l'interrogateur bénéficie d'un avantage de situation énorme. Les observateurs, tout comme les répondants, attribuent un poids trop grand aux causes de prédisposition et trop faible aux causes de situation. (D'après Ross, Amabile et Steinmetz, 1977)*

qui s'opposent à la censure et qui se préoccupent le plus de la question du désarmement nucléaire. À première vue, ces diverses attitudes ne semblent pas se suivre logiquement les unes les autres. Et pourtant, le fait de savoir qu'une personne partage l'une de ces attitudes nous permet de deviner les autres avec assez d'exactitude; il semble bien y avoir une sorte de logique qui prévaut. Ces attitudes semblent toutes se conformer à un ensemble de valeurs sous-jacentes plus ou moins communes et que nous pourrions qualifier de « libérales ».

On peut discerner la même sorte de logique entre les attitudes « conservatrices ». Bon nombre des personnes qui sont en faveur de la censure et qui s'opposent à l'interdiction légale des armes à feu disent qu'elles appuient leurs opinions sur leur croyance en la valeur des libertés individuelles. Même celui qui n'est pas d'accord avec ces opinions est capable de reconnaître qu'elles sont logiques. Cependant, beaucoup de ces défenseurs des libertés individuelles sont d'avis que la place de la femme est à la maison, que l'usage de la marijuana doit être puni plus sévèrement et que l'homosexualité devrait être considérée comme illégale. Dans ces cas-là, la logique est loin d'être évidente et, pourtant, ces opinions aussi semblent étrangement prévisibles.

Bref, les attitudes adoptées par les gens leur semblent souvent avoir une sorte de logique interne, mais il ne s'agit généralement pas d'une logique formelle rigoureuse. Au contraire, c'est une sorte de psycho-logique et c'est cette psycho-logique que la psychologie sociale a étudiée sous l'étiquette *constance cognitive*. La prémisse fondamentale des théories de constance cognitive est que nous nous efforçons tous d'être constants dans nos croyances, nos attitudes et notre conduite et que l'inconstance a l'effet d'un irritant ou d'un stimulus qui nous pousse à modifier ou à changer l'une ou plusieurs de ces trois composantes jusqu'à ce qu'elles forment un tout cohérent, sinon logique.

CONCORDANCE ENTRE LES CROYANCES   L'une des premières expériences sur la constance cognitive a permis d'évaluer dans quelle mesure des ensembles de croyances se conformaient, effectivement, aux règles de la logique formelle. On a présenté aux sujets de cette recherche un questionnaire contenant 48 propositions extraites de 16 syllogismes logiques. Un *syllogisme logique* comprend trois propositions — deux prémisses et une conclusion découlant de ces prémisses. Par exemple, on a extrait trois propositions du syllogisme suivant:

> Toute forme de récréation qui représente une menace grave à la santé sera prohibée par le Service d'hygiène de la ville.

> La pollution grandissante de l'eau dans cette région aura pour conséquence que la natation devienne une menace sérieuse pour la santé.

> La natation sera prohibée sur les plages locales par le Service d'hygiène de la ville.

Dans le questionnaire, ces propositions n'apparaissaient pas sous la forme d'un syllogisme; elles étaient plutôt intercalées parmi des propositions provenant d'autres syllogismes et des items de remplissage.

Des étudiants du cours secondaire répondirent au questionnaire en indiquant sur une échelle numérique leur degré de confiance dans la véracité de chaque proposition. Environ une semaine plus tard, ces étudiants reçurent des messages persuasifs qui militaient en faveur de la véracité de la première prémisse de chacun des syllogismes, mais qui ne parlaient ni des secondes prémisses, ni des conclusions. Après avoir reçu ces messages, les étudiants indiquèrent à nouveau leur degré de confiance dans la véracité des 48 propositions.

Comme prévu, à la suite de la campagne de persuasion, les résultats révélèrent une tendance significative vers une plus forte croyance à l'endroit des propositions mentionnées dans les messages persuasifs. Ce qui offre un plus grand intérêt, cependant, c'est la constatation d'une tendance significative, bien que moins marquée vers une plus forte croyance à l'endroit des conclusions qui n'avaient pourtant pas été mentionnées dans les messages reçus

« Et perdez pas votre temps à interroger tout le monde dans ces appartements, jeune homme. Nous pensons tous de la même façon. »

— conformément aux prévisions fondées sur l'hypothèse de la constance cognitive (McGuire, 1960).

CONCORDANCE ENTRE LES ATTITUDES   Nous avons laissé entendre plus tôt que les attitudes d'une personne pourraient être cohérentes parce qu'elles découlent toutes d'un noyau central de valeurs sous-jacentes. On peut définir une *valeur* comme une attitude fondamentale à l'endroit de certains modes généraux de conduite (par exemple : courage, honnêteté, affabilité) ou de certaines finalités à l'existence (par exemple : égalité, salut de l'âme, liberté, ou épanouissement personnel) (Rokeach, 1968, 1973). Les valeurs sont donc une sorte d'attitude, mais elles se rapportent à des fins, pas à des moyens. La femme qui a une attitude positive face à l'argent pourrait, par exemple, l'expliquer en disant que l'argent l'aiderait à prendre sa retraite, que cette période de retraite lui permettrait de prendre des leçons de musique et que les leçons de musique aideraient à son épanouissement personnel. L'argent, la retraite et les leçons de musique ne peuvent être considérés comme des valeurs, car toutes ces choses sont perçues comme des moyens et non des fins — moyens d'atteindre la valeur de l'épanouissement personnel. Les étiquettes comme « esprit libéral » et « esprit conservateur » nous aident à prévoir plusieurs des attitudes d'un individu, car ces deux expressions se réfèrent à des valeurs générales sous-jacentes qui sont partagées par de vastes segments de la population. En fait, les Occidentaux — tant libéraux que conservateurs — ont plusieurs choses en commun et les différences d'opinion qu'ils manifestent tiennent à l'importance relative qu'ils leur accordent.

Ce fait a été très bien illustré dans une étude faite aux États-Unis. On a demandé à des individus de classer 12 valeurs par ordre d'importance. Le chercheur s'intéressait particulièrement aux valeurs *liberté* et *égalité* et il a calculé les rangs moyens attribués à ces valeurs par trois groupes d'individus : ceux qui avaient participé durant les années 1960 aux manifestations en faveur des droits civiques, ceux qui n'avaient pas participé à ces manifestations, mais qui leur étaient sympathiques et les individus qui ne leur étaient pas sympathiques. Le tableau 17-3 montre le rang attribué à « liberté » et à « égalité » dans la liste des 12 valeurs par chacun de ces groupes. Comme on peut le voir, la liberté s'est mérité l'un des premiers rangs chez tous les groupes, mais l'égalité a été considérée comme peu importante (l'avant-dernier rang parmi les 12) par ceux qui n'étaient pas sympathiques aux manifestations en faveur des droits civiques.

Ce même chercheur a monté une expérience semblable à celle sur les syllogismes, que nous avons décrite plus haut, afin de voir si l'absence de concordance pouvait susciter des changements d'attitudes ou de valeurs. Après avoir obtenu les rangs que des étudiants accordaient aux valeurs et avoir noté leurs attitudes face aux manifestations en faveur des droits civiques, il a discuté avec eux le rang peu élevé accordé par ceux qui n'étaient pas sympathiques aux manifestations en faveur des droits civiques ; il a formulé devant eux l'hypothèse selon laquelle de tels individus se préoccupent sans doute beaucoup de leur propre liberté, mais pourraient bien se montrer indifférents quand il s'agit de la liberté des autres. Il invitait ensuite les étudiants à réfléchir sur leurs propres valeurs et attitudes à la lumière de ces faits. Après 3 semaines, puis au bout de 3 à 5 mois, on demanda aux étudiants de donner un rang à leurs valeurs et d'énoncer leurs attitudes une fois de plus.

Cette étude, comme celle sur les syllogismes, a montré que l'absence de concordance produit des changements d'attitude. En particulier, les étudiants qui avaient accordé un rang élevé à l'égalité mais qui étaient, au début,

TABLEAU 17-3
Liberté et égalité en relation avec les attitudes face aux droits civiques   *Trois groupes d'individus, qui adoptaient des attitudes différentes à l'endroit des droits civiques ont attribué un rang, parmi 12 valeurs, à* liberté *et à* égalité. *Bien que tous les sujets aient accordé un rang élevé à la valeur* liberté, *seuls ceux qui étaient favorables aux manifestations pour les droits civiques ont également attribué un rang élevé à la valeur* égalité. *(D'après Rokeach, 1968)*

	PARTICIPANT	SYMPATHIQUE	NON SYMPATHIQUE
Liberté	1	1	2
Égalité	3	6	11

Le degré de concordance entre les valeurs d'une personne et ses attitudes est en relation directe avec son engagement à l'endroit des questions sociales.

opposés aux manifestations en faveur des droits civiques devinrent plus favorables aux droits civiques tout en continuant d'accorder de l'importance à l'égalité dans le rang attribué aux valeurs. Fait intéressant, les changements d'attitude face aux droits civiques étaient plus prononcés après 3 à 5 mois qu'ils ne l'avaient été 3 semaines après l'expérience — comme si les changements avaient besoin de temps avant de s'infiltrer dans le système de croyances. Enfin, les étudiants qui avaient d'abord accordé un rang peu élevé à l'égalité, mais qui étaient favorables aux droits civiques, accordèrent une importance plus grande à l'égalité dans les rangs attribués aux valeurs et maintinrent leurs attitudes favorables à l'endroit des droits civiques (Rokeach, 1968).

CONCORDANCE ENTRE CROYANCES ET ATTITUDES   La concordance entre nos croyances et nos attitudes est un fait courant dans la vie quotidienne. Si nous en arrivons à croire qu'une automobile d'un certain modèle est de tout repos, confortable et consomme peu, il est fort probable que nous aurons une attitude favorable à son endroit. Dans pareil cas, notre attitude semble prendre racine naturellement et inévitablement dans les croyances qui l'appuient. Un certain nombre de chercheurs ont démontré, au cours des ans, qu'il est même possible de faire des prédictions quantitatives à propos des attitudes des gens en ayant recours à des échelles numériques et à des formules algébriques pour mettre en rapport les croyances sous-jacentes et les valeurs (voir Rosenberg, 1956; Fishbein, 1963). Cette sorte de concordance obéit étroitement aux règles de logique formelles démontrées dans l'expérience sur les syllogismes.

Mais cette recherche sur les syllogismes a elle-même laissé apparaître une sorte de concordance entre croyances et attitudes que la logique formelle n'anticipe pas: il existe une forte corrélation entre le degré de véracité qu'attribuaient les sujets aux 48 propositions extraites des syllogismes et leurs attitudes face à ces propositions. Plus ils considéraient, en moyenne, qu'une proposition était vraie, plus ils pensaient qu'elle était souhaitable. En outre, quand le degré de croyance à l'une de ces propositions se modifiait, l'attitude du sujet à son endroit changeait. On donne souvent à cette sorte de concordance le nom de *rationalisation*. Si nous arrivons à croire qu'une chose est vraie, nous nous persuadons alors qu'elle est également désirable. L'ordre inverse de raisonnement peut aussi se produire: parce que nous croyons une chose souhaitable, nous nous persuadons qu'elle est vraie. C'est ce qu'on appelle la *pensée autistique* (ou pensée orientée par les souhaits, « *wishful thinking* »). Ces deux processus, rationalisation et pensée autistique, pourraient expliquer la corrélation entre les rangs accordés aux croyances et les rangs accordés aux attitudes. Les deux mènent à une concordance, qui n'est pas de nature logique mais psycho-logique, et ils font voir comment les croyances et les attitudes sont capables de s'influencer mutuellement.

CONCORDANCE ENTRE ATTITUDES ET COMPORTEMENT   L'une des raisons principales à l'origine de l'étude des attitudes est l'espoir d'y découvrir un moyen de prévoir la conduite. Un politicien candidat à une élection ne s'intéressera à une enquête sur les attitudes des électeurs qu'à la condition que les attitudes exprimées par ces derniers aient un rapport avec leur comportement au moment du vote. Le postulat, selon lequel les attitudes d'une personne déterminent son comportement, est profondément ancré dans la pensée occidentale et, dans bien des cas, le postulat s'avère valable. Par exemple, une enquête sur les élections présidentielles tenues entre 1952 et 1964 aux États-Unis révèle que 85 % des électeurs interrogés ont montré une concordance entre leurs attitudes 2 mois avant l'élection et leur vote réel à cette élection (Kelley et Mirer, 1974).

Dans d'autres cas, le postulat concordance attitude-comportement semble avoir été enfreint. L'étude classique qu'on cite habituellement sous ce rapport a été menée au cours des années 1930. Un professeur de race blanche a voyagé à travers les États-Unis avec un jeune couple chinois. À cette époque, les préjugés contre les Asiatiques étaient assez forts et il n'existait pas de lois contre la discrimination raciale dans les endroits publics. Les 3 voyageurs s'arrêtèrent dans plus de 200 hôtels, motels et restaurants et ont pu être servis sans problème dans tous ces établissements sauf un. Plus tard, une lettre fut expédiée à tous les commerces visités, leur demandant si oui ou non ils accepteraient comme hôtes un couple chinois. Des 128 réponses reçues, 92 % étaient négatives. En d'autres mots, ces propriétaires ont exprimé des attitudes qui étaient beaucoup plus empreintes de préjugés que leur comportement (LaPiere, 1934).

Cette étude montre que le comportement n'est pas déterminé uniquement par les attitudes et que bien d'autres facteurs affectent la concordance attitude-comportement. L'un des facteurs les plus évidents est le degré de contrariété dans la situation : nous sommes souvent forcés d'agir d'une façon qui ne concorde pas avec ce que nous pensons ou croyons. Quand nous étions jeunes, nous avons mangé des asperges que nous détestions et maintenant que nous sommes adultes, nous assistons à des cours et à des soirées qui ne sont pas sans rappeler le mauvais goût des asperges. Dans l'étude sur la discrimination raciale, il se pourrait que les propriétaires de commerce aient éprouvé de la difficulté à agir selon leurs préjugés quand ils se sont véritablement trouvés en face d'un couple asiatique qui demandait des services. Les lois actuelles contre la discrimination dans les endroits publics rend aujourd'hui la manifestation de pareils préjugés plus difficile encore qu'en 1934. La pression venant des pairs est capable d'exercer de telles influences sur le comportement. L'attitude d'un adolescent à l'endroit de la marijuana, par exemple, entretient une corrélation moyennement forte avec l'usage qu'il fait vraiment de cette drogue, mais le nombre d'amis de l'adolescent qui fument la marijuana est un facteur de prédiction qui est encore plus utile (Andrews et Kandel, 1979).

En général, les attitudes ont tendance à s'avérer les plus valables pour prédire le comportement 1) quand elles sont fortes et constantes, 2) quand elles s'appuient sur l'expérience directe de la personne et 3) quand elles se rapportent directement au comportement que l'on prédit.

L'importance de la force et de la constance des attitudes se trouve illustrée dans les enquêtes sur les élections présidentielles dont nous avons parlé plus haut. La plupart des défauts de concordance vote-attitude se présentèrent dans le cas d'électeurs qui avaient des attitudes faibles et ambivalentes. Beaucoup de ces électeurs éprouvent des sentiments d'ambivalence parce qu'ils sont l'objet de pressions contradictoires de la part d'amis et de collègues qui ne sont pas d'accord les uns avec les autres. Par exemple, l'homme d'affaires Juif appartient à un groupe ethnique qui adopte généralement des positions libérales, mais il appartient également à un monde des affaires qui a souvent des prises de position politique conservatrices, surtout sur les questions d'ordre économique. Quand vient le temps de voter, une telle personne

Les attitudes et les comportements ne concordent pas toujours. Plusieurs individus qui se préoccupent en général de la santé n'en sont pas moins des fumeurs.

est l'objet de pressions conflictuelles. De l'ambivalence et des conflits peuvent également se manifester chez l'individu lui-même. Quand les composantes cognitives et affectives (les croyances et l'attitude, respectivement) ne concordent pas entre elles, l'attitude n'est généralement pas un facteur de prédiction du comportement auquel on peut se fier (Norman, 1975).

Les attitudes fondées sur l'expérience directe permettent mieux de prédire le comportement que les attitudes formées d'après ce qu'on a lu ou de ce qu'on a entendu dire sur une question. Par exemple, durant une pénurie de logement dans une université, plusieurs étudiants de première année durent passer les quelques premières semaines du semestre dans des résidences temporaires surpeuplées. Des chercheurs ont mesuré les attitudes des étudiants face à la crise du logement et leur disposition à signer et à faire circuler des pétitions ou à faire partie de comités pour étudier la situation. Dans le cas des étudiants qui étaient obligés de vivre dans les résidences temporaires, il existait une forte corrélation entre leur attitude face à la crise et leur disposition à faire quelque chose pour la résoudre. Mais dans le cas des étudiants qui n'avaient pas d'expérience directe des résidences temporaires, on n'observait aucune corrélation de ce genre (Regan et Fazio, 1977). Il existe beaucoup d'autres exemples d'une relation très forte entre comportements et attitudes fondés sur des expériences directes (Fazio et Zanna, 1981).

Enfin, les attitudes précises permettent une meilleure prédiction du comportement que les attitudes qui ne se rapportent au comportement que de façon générale. Dans une étude par exemple, les attitudes générales face à l'environnement ne présentaient pas de liens avec la disposition à aider directement un organisme de protection de l'environnement, mais les attitudes précises à l'endroit de cet organisme présentaient de fortes relations (Weigel, Vernon et Tognacci, 1974). De même, la corrélation entre les attitudes à l'égard du contrôle des naissances et l'usage de contraceptifs oraux chez une femme au cours d'une période de deux années est de 0,08 seulement, mais les attitudes à l'endroit de « la pilule » en particulier entretiennent une corrélation de 0,7 avec ce comportement, soit l'usage de contraceptifs (Davidson et Jaccard, 1979).

THÉORIE DE LA DISSONANCE COGNITIVE   Nos propos sur la concordance attitude-comportement n'ont jusqu'à présent touché qu'à la moitié de la question. Nous avons étudié la façon dont les attitudes peuvent conduire à des comportements, mais il est également possible que le comportement conduise à des attitudes. La théorie la plus influente concernant ce processus est celle de Léon Festinger sur la dissonance cognitive. Tout comme les théories de la concordance cognitive en général, la théorie de la dissonance cognitive part du postulat qu'il existe une tendance vers la concordance cognitive : deux connaissances qui ne concordent pas l'une avec l'autre donneront lieu à un malaise qui motive la personne à éliminer le manque de concordance et à rétablir l'harmonie entre les connaissances. On a donné à ce malaise produit par le manque de concordance le nom de *dissonance cognitive* (Festinger, 1957).

Bien que la théorie de la dissonance cognitive traite généralement de plusieurs sortes de dissonance, elle s'est surtout illustrée par sa prédiction suivante : si l'individu adopte un comportement qui va à l'encontre de ses attitudes, il subit une pression de dissonance qui tend à lui faire modifier ses attitudes qui ne concordent pas avec ce comportement. La théorie affirme, en outre, que l'adoption d'un comportement dirigé contre les attitudes produit le plus de dissonance et entraîne donc le plus grand changement d'attitude, quand il n'existe pas d'autres raisons « consonantes » pour l'adoption de ce comportement. Ce phéomène a été illustré dans une expérience dont nous avons déjà parlé dans le contexte de la théorie sur la perception de soi, à savoir l'expérience 1 $ — 20 $ sur le consentement forcé, rapportée par Festinger et Carlsmith (1959).

Rappelez-vous que les sujets de cette expérience avaient été amenés à dire à un sujet qui attendait qu'une série de tâches fastidieuses avaient été amusantes et intéressantes. Les sujets qui avaient reçu 20 $ pour agir ainsi n'avaient pas changé leurs attitudes, mais les sujets qui n'avaient touché que

1 $ en étaient arrivés à croire que les tâches avaient, effectivement, été amusantes. Selon la théorie de la dissonance cognitive, le fait de recevoir 20 $ procure une raison consonante d'acquiescer à la demande de l'expérimentateur et, par conséquent, la personne éprouve peu ou pas de dissonance. Les inconsistances entre le consentement du sujet et son attitude face aux tâches se trouvent submergées par la concordance beaucoup plus grande entre l'acquiescement et l'incitation à consentir. En conséquence, les sujets qui ont reçu 20 $ n'ont pas changé leurs attitudes. Les sujets qui ont touché 1 $ cependant n'avaient pas de raison consonante de consentir. En conséquence, ils ont éprouvé de la dissonance, qu'ils ont réduite en arrivant à croire qu'ils avaient réellement trouvé les tâches amusantes. La conclusion générale est que le comportement générateur de dissonance entraînera des changements d'attitude si ce comportement peut être suscité en exerçant une quantité *minimale* de pression que ce soit sous forme de récompense ou de punition.

Des expériences auprès d'enfants ont confirmé la prédiction concernant la quantité minimale de punition. Si les enfants se rendent à une demande peu pressante de ne pas jouer avec un jouet attrayant, ils finissent par croire que le jouet n'a pas tout l'attrait qu'ils lui avaient prêté en premier lieu — croyance qui concorde avec leur observation du fait qu'ils ne jouent pas avec ce jouet. Mais si les enfants s'abstiennent de jouer avec le jouet sous une forte menace d'être puni, ils ne changent pas leur penchant pour le jouet (Aronson et Carlsmith, 1963 ; Freedman, 1965).

La théorie de la dissonance permet de prédire également avec succès un bon nombre d'autres phénomènes de changement d'attitude et elle a suscité beaucoup de recherches et de débats intenses.

Théories rivales sur le consentement forcé

Nous savons maintenant que deux théories, celle de la dissonance cognitive et celle de la perception de soi, prétendent expliquer les résultats des études sur le consentement forcé. La théorie de la dissonance est une théorie de la motivation, car elle soutient que le manque de concordance entre le comportement et l'attitude initiale de la personne motive le changement d'attitude. Au contraire, la théorie de la perception de soi laisse entendre que l'attitude initiale de la personne n'est pas pertinente et qu'il n'y a pas de malaise résultant du comportement. Les gens sont alors perçus non pas comme s'ils étaient en train de *changer* leurs attitudes, mais comme s'ils faisaient une *inférence* sur ce que doivent être leurs propres attitudes d'après l'observation de leur comportement. Il n'y a pas de tendance ou de processus de motivation en cause.

Une troisième théorie, la *théorie de la gestion de l'impression,* prétend que les sujets dans les expériences de ce genre sont motivés à faire bonne impression sur l'expérimentateur. Dans des conditions d'incitation faible (comme la réception de 1 $), leur comportement semble être une expression de leurs véritables attitudes et, par conséquent, l'expression d'une attitude contraire à la fin de l'expérience leur donnerait l'air d'être inconstants. En conséquence, ils expriment une attitude qui concorde avec leur comportement. Les changements d'attitude ne sont donc pas perçus comme le résultat de dynamiques cognitives internes, mais comme une tentative motivée d'éviter de donner une mauvaise impression dans une situation manigancée par l'expérimentateur (Tedeschi et Rosenfeld, 1981).

Chacune de ces théories a été appuyée par plusieurs expériences et chacune a également produit des données que les autres théories sont incapables d'expliquer. Plusieurs chercheurs en sont maintenant parvenus à la conclusion que toutes ces théories ont probablement en partie raison et que la recherche devrait s'appliquer à préciser quand et où chacune des théories s'applique (Fazio, Zanna et Cooper, 1977 ; Paulhus, 1982 ; Baumeister et Tice, 1984).

C'est un dénouement qu'on voit souvent dans l'histoire de la science. Les hommes de science en viennent rarement à l'adoption d'une nouvelle théorie et au rejet d'une autre parce qu'une expérience cruciale se révèle décisive. La plupart du temps, ils passent alternativement de l'une à l'autre parce qu'ils sont plus intéressés aux problèmes qu'ils peuvent étudier avec la nouvelle théorie et abandonnent simplement pour un moment les problèmes dont a rendu compte l'ancien paradigme (Kuhn, 1970). Au cours des années 1960, par exemple, quand la psychologie sociale s'intéressait surtout aux changements d'attitude, la théorie de la dissonance cognitive était très populaire. Mais quand l'attention s'est tournée vers les problèmes d'attribution durant les années 70, la théorie de la perception de soi semblait fournir un ensemble de concepts qui convenaient mieux. En ce moment, la façon dont les gens se présentent aux autres capte l'intérêt de plusieurs psychologues sociaux et, par conséquent, il pourrait se faire que la théorie de la gestion des impressions gagne en popularité.

Au-delà du laboratoire

Malgré le fait que les données sur la concordance entre croyances, attitudes et comportements semblent impressionnantes, les psychologues et les spécialistes des sciences politiques, qui ont analysé la mentalité publique hors du laboratoire de psychologie sociale, ont des opinions très partagées sur la cohérence idéologique de l'opinion publique en ce qui a trait aux questions sociales et politiques importantes (Kinder et Sears, 1985). L'un d'entre eux, qui croit que le public est idéologiquement naïf, a dit :

> En tant qu'intellectuels et étudiants en politique, nous sommes prédisposés par notre formation et notre sensibilité à prendre les idées politiques au sérieux... Nous sommes, par conséquent, enclins à oublier que la plupart des gens les prennent moins au sérieux que nous le faisons, qu'ils prêtent peu d'attention à ces questions, s'inquiètent rarement de la concordance de leurs opinions et passent peu ou pas de temps à penser aux valeurs, aux présuppositions et aux implications qui distinguent une orientation politique d'une autre (McClosky, cité par Abelson, 1968).

Un exemple d'une telle absence de constance a été révélé dans un sondage à l'échelle nationale mené par le journal *New York Times* et le réseau d'informations CBS, à la fin des années 1970. Le sondage a montré qu'une majorité d'Américains disaient ne pas être favorables à « la plupart des programmes de bien-être social parrainés par le gouvernement ». Par contre, 81 % se disaient en faveur du programme du gouvernement destiné à « apporter une aide financière aux enfants élevés dans des foyers à faibles revenus où l'un des parents est disparu ». De même 81 % étaient d'accord pour que le gouvernement « aide les pauvres gens à acheter de la nourriture à prix réduit pour leurs familles » (ce qui était en essence la même chose qu'un programme du gouvernement américain de distribution de timbres aux indigents pour l'achat de nourriture) et 82 % étaient d'accord pour qu'on paie les soins de santé des indigents (ce qui correspondait au programme Medicaid du gouvernement américain). Ce profil d'appui était similaire parmi presque toutes les catégories de gens — riches et pauvres, à idéologie libérale ou conservatrice, démocrates ou républicains.

Une enquête nationale antérieure, conçue précisément pour sonder cette sorte d'absence de concordance, avait révélé une contradiction similaire entre un conservatisme *idéologique* et un libéralisme *opérationnel* dans les attitudes à l'endroit du bien-être. Un Américain sur quatre était classé comme conservateur sur les questions concernant le concept général de bien-être, mais était simultanément classé comme libéral sur les questions se rapportant à des programmes de bien-être particuliers (Free et Cantril, 1967).

Il est important de se montrer prudent avant d'accuser quelqu'un d'inconstance, toutefois, car il se peut que ses opinions ne concordent tout simplement pas avec le cadre idéologique du chercheur. L'inconstance peut se trouver dans l'œil de celui qui regarde. Ainsi, l'opposition à la peine capitale est généralement classée parmi les positions « libérales », alors que l'opposition à l'avortement légal est généralement classée parmi les positions « conservatrices ». Et pourtant, il y a une cohérence assez logique dans le point de vue d'une personne qui, étant contre tout attentat à la vie, s'oppose tant

*De nombreux Américains idéologique-
ment conservateurs — s'opposant aux
programmes de bien-être parrainés par
le gouvernement — sont également
libéraux sur un plan opérationnel,
appuyant , par exemple, les programmes d'aide à l'alimentation et au
logement. L'inconstance des croyances
et des attitudes semble être plus répandue que la constance.*

à la peine capitale qu'à l'avortement légal. Un autre exemple nous est fourni
par le groupe idéologique d'Américains appelés « libertarians » qui, aux États-
Unis, s'opposent à toute interférence du gouvernement dans leur vie. Ils sont
« conservateurs » sur le plan des questions économiques (le marché libre devrait
régir le système économique) et dans leur opposition aux lois sur les droits
civiques imposées par le gouvernement. Mais ils sont « libéraux » quand il
s'agit de questions sociales personnelles, jugeant notamment que le gouvernement ne devrait pas criminaliser l'usage de la marijuana ni se mêler des
comportements sexuels individuels. Pour les « libertarians », les conservateurs
autant que les libéraux sont inconstants.

Néanmoins, les faits semblent indiquer que la plupart des citoyens n'organisent pas leurs croyances et leurs attitudes selon une idéologie générale préétablie. Le manque de constance, sinon l'inconstance, semble plus fréquent
que la constance.Cette hypothèse a amené un chercheur à suggérer que plusieurs de nos opinions existent sous la forme de *molécules d'opinion* isolées.
Chaque molécule serait constituée de 1) une croyance, 2) une attitude et 3)
une perception de l'appui social en faveur de l'opinion. En d'autres mots,
chaque opinion contient un fait, un sentiment et un parti (Abelson, 1968):
« C'est un fait que lorsque mon oncle Donat a eu mal au dos, c'est un chiro-
praticien qui l'a guéri (*fait*) » ; « Vous savez, j'ai l'impression qu'on s'est trop
moqué des chiros (*sentiment*), et je n'ai pas honte de le dire parce que je
connais beaucoup de gens qui partagent mon sentiment (*parti*) ». Ou « Les
Américains ne veulent réellement pas de l'Amendement sur l'égalité des droits
(*parti*) et moi non plus (*sentiment*). Cela nous mènerait aux chambres de
toilettes unisexes (*fait)* ».

Les molécules d'opinion remplissent des fonctions sociales importantes. D'abord, elles font office d'unités de sujet de conversation, nous donnant quelque chose de cohérent à dire quand un sujet particulier surgit dans
la conversation. Elles donnent également une apparence rationnelle à notre
accord spontané avec les amis et les voisins sur les questions sociales. Mais
ce qui est plus important encore, elles servent d'insignes d'identification aux
groupes sociaux importants. Elles résultent donc de notre identification à
des groupes, tout en renforçant cette identification. Par conséquent, le « fait »
et le « sentiment » sont des ingrédients moins importants dans une molécule
d'opinion que le « parti ».

En général, ce chapitre a présenté les croyances, les attitudes et les valeurs
comme des artéfacts cognitifs. Au chapitre 18, qui porte sur l'influence sociale,
nous les examinerons en tant qu'artéfacts sociaux.

PSYCHOLOGIE SOCIALE
DE L'ATTRACTION INTERPERSONNELLE

De toutes nos attitudes, les plus importantes sont sans doute nos attitudes envers les autres. Les questions qui souvent nous préoccupent le plus quand nous rencontrons des personnes nouvelles sont de savoir si elles nous aiment et si nous les aimons. Au-delà de cette première rencontre, nos préoccupations se portent souvent sur la façon de cultiver et d'orienter la relation à partir d'un penchant ou d'une attraction initiale vers une amitié plus profonde ou peut-être même l'intimité et l'amour. Il n'est probablement pas exagéré de dire que l'entretien de rapports personnels représente une priorité supérieure et constante pour la plupart des gens. En conséquence, la psychologie sociale s'est longtemps intéressée aux facteurs qui favorisent la formation de penchants ou d'attractions interpersonnelles et elle s'est récemment montrée disposée à pénétrer également dans les méandres de l'amour et de l'intimité. Certaines des données sont venues confirmer les notions généralement répandues sur l'attachement et l'amour, mais d'autres nous ont ménagé des surprises. Nous commençons avec l'attachement — à savoir, l'amitié et les premières phases de relations d'amour plus intimes.

Facteurs à l'origine de l'attachement

Après des années de spéculation et de potins dans les journaux et parmi la population, le prince Charles de Grande-Bretagne a fini par se marier. Pour les psychologues sociaux, l'aspect le moins étonnant de son choix a été le fait qu'il a marié « la fille d'en face », une femme qu'il connaissait depuis des années et qui partageait plusieurs des caractéristiques de ses antécédents sociaux, de ses attitudes et de ses intérêts. Et comme beaucoup de fiers Anglais l'on fait remarquer, sa beauté se mariait bien à l'élégance du Prince. Comme nous allons le voir, ce sont précisément là les facteurs déterminants de l'attraction interpersonnelle : la proximité, la familiarité et la similitude. Le fait d'être beau constitue encore un atout non négligeable, hélas.

ATTRACTION PHYSIQUE   La plupart d'entre nous trouvons qu'il y a quelque chose de pas tout à fait démocratique dans la possibilité que l'apparence physique d'une personne soit un facteur déterminant de l'attrait qu'exerce cette personne sur autrui. À l'encontre du caractère, de la gentillesse et des autres attributs personnels, l'apparence physique est un facteur sur lequel nous avons peu de contrôle et, par conséquent, il semble injuste de s'en servir comme critère pour aimer quelqu'un. En fait, les enquêtes menées sur une période de plusieurs décennies ont montré que les gens ne considèrent pas l'attraction physique très importante dans l'attribution de leur affection aux autres (Perrin, 1921 ; Tesser et Brodie, 1971).

Mais la recherche sur le comportement réel trace un tout autre tableau. Un groupe de psychologues ont monté une « soirée de danse informatisée » au cours de laquelle chaque individu se voyait assigner un ou une partenaire au hasard. Durant la pause, chacun répondait à un questionnaire anonyme destiné à évaluer son cavalier ou sa cavalière. En outre, les expérimentateurs obtinrent plusieurs scores de tests de personnalité pour chaque personne, de même qu'une évaluation indépendante de son degré d'attraction physique. Les résultats indiquent que seule l'attraction physique a joué un rôle sur le degré d'appréciation d'une personne par son ou sa partenaire. Aucune des mesures d'intelligence, d'habiletés sociales ou de personnalité n'était associée à l'affinité des partenaires les uns pour les autres (Walster, Aronson, Abrahams et Rottmann, 1966). Bien plus, l'importance de l'attraction physique continue à se faire sentir également dans les rencontres qui suivent la première (Mathes, 1975).

L'importance de l'attraction physique ne se limite pas uniquement aux fréquentations et à l'appariement des couples. Par exemple, les fillettes et les garçons (de 5 et 6 ans) qui sont physiquement séduisants sont plus populaires que leurs pairs moins comblés sur le plan de la beauté physique (Dion et Berscheid, 1972). Même les adultes sont touchés par l'attraction physique d'un enfant. Un chercheur a demandé à des femmes de lire la description d'un acte d'agression commis par un enfant de 7 ans. La description était accompagnée d'une photographie représentant soit un enfant séduisant, soit un enfant sans charme. Les femmes croyaient que l'enfant séduisant était moins susceptible que l'autre de commettre un acte d'agression semblable dans l'avenir (Dion, 1972).

Pourquoi l'attraction physique est-elle aussi importante ? Comme ce dernier résultat nous le rappelle, une partie de la raison tient au stéréotype populaire des gens physiquement attirants dont nous avons parlé plus haut. Non seulement croit-on que les gens qui sont beaux ont de plus belles personnalités, mais certains faits indiquent qu'il en serait ainsi — en partie parce que nous les traitons mieux.

Les données de la recherche suggèrent également que notre propre statut social et notre estime de soi se trouvent rehaussés quand nous sommes vus en compagnie de personnes physiquement séduisantes. Les femmes comme les hommes obtiennent des évaluations plus favorables quand un(e) ami(e) ou un(e) partenaire romantique attirant(e) les accompagne que lorsque leur compagnon ou compagne n'est pas attirant(e) — (Sigall et Landy, 1973 ; Sheposh, Deming et Young, 1977). Mais il y a un envers intéressant à cette médaille : les hommes comme les femmes sont jugés *moins* favorablement quand ils sont vus en compagnie d'un(e) *étranger* (ère) qui est physiquement plus attrayant(e) qu'eux (Kernis et Wheeler, 1981). Cet effet de dépréciation par contraste a été constaté dans d'autres études. Par exemple, des collégiens qui venaient de regarder une émission de télévision mettant en vedette de jeunes beautés ont accordé des rangs d'attraction physique moins élevés à la photographie d'une femme d'apparence physique plus ordinaire — tout comme l'avaient fait des femmes et des hommes à qui l'on avait présenté au préalable la photographie d'une femme d'une très grande beauté (Kenrick et Gutierres, 1980).

Heureusement, il y a de l'espoir pour ceux d'entre nous qui ne sont pas tellement beaux. Tout d'abord, l'attraction physique semble perdre de l'importance quand on choisit un partenaire en vue du mariage (Stroebe, Insko, Thompson et Layton, 1971). Et, comme nous allons le voir maintenant, plusieurs facteurs plus démocratiques interviennent en notre faveur.

PROXIMITÉ   L'examen de 5000 demandes de permis de mariage à Philadelphie, durant les années 1930, a révélé qu'un tiers des couples vivaient à moins de cinq pâtés de maison les uns des autres (Rubin, 1973). Les résultats des recherches montrent que le meilleur facteur unique de prédiction de l'amitié entre deux personnes est la distance entre leurs lieux de résidence. Dans une étude sur les liens d'amitié dans les immeubles résidentiels, on a demandé aux locataires de nommer les trois personnes qu'ils rencontraient le plus souvent sur le plan social. Les répondants ont mentionné 41 % de voisins immédiats (porte voisine), 22 % de voisins vivant à deux portes de leur propre logis (environ 9 mètres) et 10 % seulement de voisins vivant à l'autre bout du couloir (Festinger, Schachter et Back, 1950).

Les études sur les dortoirs de collège révèlent le même effet de proximité. Après une année scolaire complète, les compagnons de chambre étaient deux fois plus susceptibles d'être amis que les résidents du dortoir en général (Priest et Sawyer, 1967). Une étude des étudiants masculins de l'Académie de formation de la police de l'état du Maryland (Training Academy of the Maryland State Police) est encore plus frappante. Les nouveaux élèves de l'Académie sont répartis dans les chambres et en classe suivant l'ordre alphabétique de leur nom de famille. Par conséquent, plus les patronymes de 2 élèves sont alphabétiquement voisins, plus ils risquent de passer du temps à proximité l'un de l'autre. Or, les chercheurs ont demandé aux étudiants qui se trouvaient à l'Académie depuis 6 mois de nommer leurs 3 amis les plus intimes dans cette institution. En dépit du cours de formation intensive, grâce auquel tous les élèves arrivaient à se connaître très bien les uns les autres, on constata un solide effet de proximité « alphabétique ». En moyenne, chaque personne choisie comme meilleur ami n'était qu'à 4 ou 5 lettres de distance de la personne qui l'avait choisie, ce qui représente une proximité alphabétique significativement plus étroite que celle qu'on obtiendrait de façon aléatoire (Segal, 1974).

Il se trouve des cas, bien sûr, où voisins et compagnons de chambre se détestent et l'exception majeure à l'effet de proximité favorable à l'amitié semble se produire quand il y a des antagonismes au départ. Dans un test pour vérifier cette observation, on laissait un sujet attendre dans un laboratoire où se trouvait une femme complice de l'expérimentateur, qui se comportait soit d'une manière affable, soit d'une manière désagréable envers le sujet. Quand elle se montrait agréable, plus elle s'était assise à proximité du sujet, plus celui-ci l'avait aimée; lorsqu'elle avait un comportement désagréable, plus elle s'était assise près du sujet, moins il l'avait aimée. La proximité n'avait fait qu'accroître l'intensité de la réaction initiale (Schiffenbauer et Schiavo, 1976). Mais comme la plupart des premières rencontres vont probablement du neutre à l'agréable, le résultat le plus fréquent d'une proximité durable est l'amitié.

Ceux qui croient au miracle dans les affaires de cœur croient peut-être qu'il se trouve un partenaire idéal pour chacun d'entre nous, qui attend qu'on le découvre quelque part dans le vaste monde. S'il en est ainsi, le miracle beaucoup plus grand encore est la fréquence à laquelle les Divinités du destin conspirent pour placer cette personne à peu de distance.

FAMILIARITÉ   L'une des raisons principales qui font que la proximité engendre l'affinité tient au fait qu'elle accroît la *familiarité*; d'ailleurs, on dispose maintenant d'abondantes données de recherche démontrant que la familiarité comme telle — le simple contact — fait croître le penchant qu'on éprouve l'un pour l'autre (Zajonc, 1968). Il s'agit d'un phénomène assez général. Par exemple, des rats auxquels on fait entendre de façon répétée soit la musique de Mozart, soit celle de Schoenberg, en viennent à préférer le compositeur qu'ils ont entendu, et des êtres humains qui sont mis de façon répétitive en présence de syllabes dépourvues de sens ou de caractères chinois en viennent à préférer celles ou ceux qu'ils ont vus le plus souvent. Citons ici une étude qui entretient sans doute un rapport plus étroit avec notre propos actuel. Elle consiste à mettre des sujets en présence de photographies de visages et de leur demander ensuite dans quelle mesure ils croiraient aimer la personne représentée sur ces photos. Plus leur contact avec un visage avait été fréquent, plus il disait aimer ce visage et plus ils croyaient qu'ils aimeraient la personne qu'il représentait (voir figure 17-3).

Au cours d'une démonstration astucieuse de l'effet de *familiarité génératrice d'attraction*, des chercheurs ont photographié des femmes et ont ensuite développé des épreuves représentant soit le visage original, soit son image inversée (image-miroir). Ils montrèrent ensuite ces images aux femmes photographiées, à leurs amies du même sexe et à leurs amoureux. Les femmes photographiées préférèrent les épreuves en image-miroir dans une proportion de 68 à 32 %, mais leurs amies et leurs amoureux accordèrent leur préférence, dans une proportion de 61 à 39 %, aux épreuves qui n'étaient pas inversées (Mita, Dermer et Knight, 1977). Pouvez-vous deviner pourquoi?

L'effet de familiarité génératrice d'affinité est assez puissant. Des chercheurs l'ont constaté dans des études utilisant des interactions réelles, et non simplement des photographies et également dans des études où la personne n'est pas consciente de la présence du stimulus (Moreland et Zajonc, 1979; Wilson, 1979). L'effet se manifeste même quand la situation environnante est désagréable (Saegert, Swap et Zajonc, 1973) et quand les stimuli-cibles eux-mêmes sont neutres ou légèrement négatifs au départ. Ce n'est que lorsque les stimuli sont assez négatifs que l'effet ne se manifeste pas (Perlman et Oskamp, 1971). Il existe également la possibilité que des taux excessifs de répétition engendrent l'ennui et limitent l'effet.

La morale de ce qui précède est évidente. Si vous n'êtes pas une beauté ou si vous découvrez que votre admiration pour quelqu'un est à sens unique, persistez, accrochez-vous. Proximité et familiarité sont vos armes les plus puissantes.

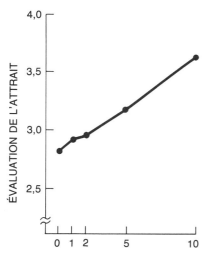

FIGURE 17-3
La familiarité engendre l'attrait *On a demandé à des sujets de regarder des photographies de visages inconnus et de dire dans quelle mesure ils croyaient qu'ils aimeraient la personne ainsi représentée. Ce sont les sujets qui voyaient la photographie pour la première fois qui ont donné les taux d'attraction les plus bas; par contre, ceux qui avaient vu la photographie le plus souvent ont donné les taux les plus élevés. (D'après Zajonc, 1968)*

SIMILITUDE   Selon un vieux dicton, les contraires s'attirent, et les amoureux aiment à raconter à quel point ils sont différents l'un de l'autre : « J'aime la planche à voile et elle préfère l'alpinisme », « Je suis à la Polytechnique et elle est en Histoire ». Ce que ces deux tourtereaux oublient sans doute c'est qu'ils aiment tous les deux les activités en plein air, qu'ils sont tous les deux aux études, qu'ils appartiennent au même parti politique, qu'ils sont de la même ethnie, de la même religion, qu'ils ont le même degré de culture, qu'ils sont à peu près du même âge et que la différence de leurs QI ne dépasse probablement pas deux points. Bref, le vieux dicton est plutôt erroné.

Les résultats de recherche, qui remontent jusqu'à 1870, viennent appuyer cette conclusion. Aux États-Unis, plus de 99 % des couples mariés sont de la même ethnie et 94 % de la même religion. De plus, les enquêtes statistiques révèlent que maris et femmes sont significativement semblables les uns aux autres non seulement en ce qui a trait aux caractéristiques sociologiques — âge, ethnie, religion, éducation et classe socio-économique — mais aussi par rapport aux caractéristiques psychologiques, comme l'intelligence, et aux caractéristiques physiques, comme la taille et la couleur des yeux (Rubin, 1973). Une étude des couples qui se fréquentent donnent les mêmes combinaisons, en plus de montrer que les couples adoptent également des attitudes similaires à l'endroit des rôles sexuels. De plus, on a constaté que les couples qui avaient les antécédents les plus semblables au début de la recherche avaient plus de chances d'être ensemble un an plus tard (Hill, Rubin et Peplau, 1976). Fait d'une pertinence particulière à nos propos antérieurs sur l'attraction physique, on a découvert que les couples sont aussi étroitement appariés par rapport à cette dimension, ce résultat étant d'ailleurs apparu dans plusieurs études (Berscheid et Walster, 1974).

Au cours d'une étude, par exemple, des juges ont évalué le degré d'attraction physique d'après des photographies de chacun des partenaires de 99 couples, sans savoir quelles étaient les deux personnes qui faisaient partie du même couple. Or, les évaluations de l'attraction physique des couples correspondaient significativement plus entre elles que les évaluations de photographies qui étaient regroupées en couples de façon aléatoire (Murstein, 1972). On est arrivé à des résultats similaires dans une étude sur le terrain dans des situations de vie réelle, étude au cours de laquelle des observateurs indépendants ont évalué le degré d'attraction physique de membres de couples dans des bars et dans des entrées de théâtre et lors d'événements sociaux (Silverman, 1971).

On explique généralement cette rencontre des couples sur le plan de l'attraction physique en fonction de la *théorie de l'expectative des valeurs* dans la prise de décision. Cette théorie affirme que nous ne considérons pas seulement la valeur de récompense d'un choix particulier — l'attrait du partenaire éventuel — mais aussi l'espoir de réussite, c'est-à-dire la probabilité que la personne consentira à s'unir à nous. En termes plus directs, les gens moins séduisants recherchent des gens moins séduisants parce qu'ils s'attendent à un rejet de la part de quelqu'un qui serait plus attirant qu'eux. Une étude d'un service de rencontres, qui utilise des bandes vidéo, a révélé que les hommes comme les femmes sont plus susceptibles de chercher à entrer en relation avait quelqu'un qui se situe au même niveau qu'eux sur le plan de l'attraction physique. Seuls les plus séduisants essayaient de rencontrer les partenaires les mieux servis sur le plan de la beauté (Folkes, 1982). L'aboutissement général de ce processus glacial, qui tient du marché public, est la similitude de l'attrait : nous nous retrouvons pour la plupart avec des partenaires qui sont à peu près aussi beaux ou aussi laids que nous.

Mais les ressemblances par rapport aux dimensions étrangères à l'attraction physique sont probablement encore plus déterminantes pour l'évolution à long terme d'une relation. Dans une recherche ambitieuse sur la similitude et l'amitié on a, en échange de leur participation à l'expérience, offert à des étudiants masculins de les loger gratuitement dans une grande maison de l'Université du Michigan. En se fondant sur l'information résultant de tests et de questionnaires, on a choisi pour certains de ces sujets des compagnons de chambre qui leur ressemblaient beaucoup et pour d'autres sujets, des compagnons qui leur ressemblaient très peu. Le chercheur a observé les formes d'amitié qui se sont développées au cours de l'année, recueillant des données de questionnaires et d'attitudes sur les participants à intervalles réguliers. Sous tous les rapports, ces hommes menaient la vie qu'ils auraient menée dans n'importe quelle autre résidence d'étudiants.

Les compagnons de chambre qui étaient semblables au départ s'appréciaient l'un l'autre et sont devenus de meilleurs amis que ceux qui ne se ressemblaient pas. Cependant, lorsqu'on répéta cette étude avec un nouveau groupe de sujets l'année suivante, l'effet de familiarité génératrice d'affinité s'avéra plus puissant que la similitude. En effet, en dépit de la similitude ou la dissimilitude dans le choix des compagnons de chambre, ceux qui partageaient la même chambre se lièrent d'amitié (Newcomb, 1961).

L'une des raisons pour lesquelles la similitude engendre l'amitié vient probablement du fait que les gens attribuent de la valeur à leurs propres opinions et préférences et aiment à se trouver avec d'autres personnes qui confirment leurs choix, ce qui, selon toute évidence, rehausse du même coup leur estime de soi. Mais peut-être que la principale raison qui fait que la similitude engendre l'amitié est la simple répétiton des facteurs que nous avons déjà considérés, à savoir la proximité et la familiarité. Tant les normes sociales que les circonstances découlant des situations nous entraînent dans le sillon de personnes qui nous ressemblent. La plupart des groupes religieux préfèrent ou exigent que les membres de leur groupe se fréquentent et se marient entre eux et les normes culturelles dictent ce qui est acceptable sur le plan de l'ethnie et de l'âge quand il s'agit d'assortir les couples — un couple formé par une femme plus âgée et un homme plus jeune est encore considéré comme inconvenant. Les circonstances découlant des situations jouent également un rôle important. Plusieurs couples se rencontrent au collège ou à l'université, ce qui est une garantie de similitude sur le plan du niveau d'éducation, de l'intelligence générale, des aspirations professionnelles et probablement de l'âge et du statut socio-économique. En outre, les joueurs de tennis se seront rencontrés sur les courts de tennis, les esprits libéraux à une manifestation contre l'apartheid et les gens homosexuels, à une soirée du Regroupement des homosexuels.

Malgré toutes ces considérations, le dicton voulant que les contraires s'attirent peut toujours s'appliquer dans le cas de certains traits de personnalité complémentaires (Winch, Ktsanes et Ktsanes, 1954). Pour prendre l'exemple le plus évident, disons que l'un des partenaires peut être très dominateur et, par conséquent, avoir besoin de quelqu'un de très soumis. La personne qui a des préférences très marquées s'accommodera peut-être mieux de quelqu'un qui est très souple ou même bonasse. C'est ce que l'on a appelé l'*hypothèse de la complémentarité des besoins*. Mais même dans le cas de traits complémentaires, il est souvent possible de discerner une similitude sous-jacente dans les attitudes. Par exemple, la relation matrimoniale dans laquelle le mari est autoritaire et l'épouse soumise ne sera exempte de secousses que si les deux partenaires s'entendent sur le caractère désirable de ces rôles sexuels traditionnels. Même une complémentarité réussie exige une similitude fondamentale des attitudes favorables à la dissimilitude.

Toutefois, l'obstacle majeur à l'hypothèse de la complémentarité des besoins vient de ce qu'il y a peu de faits pour l'appuyer (Levinger, Senn et Jorgensen, 1970). Dans une étude, on a constaté que l'adaptation conjugale parmi les couples mariés depuis au plus 5 ans dépend plus de la similitude que de la complémentarité (Meyer et Pepper, 1977). De même, les tentatives d'identification des paires de traits de personnalité qui donneraient lieu à la complémentarité n'ont pas connu beaucoup de succès. En fin de compte, c'est la similitude qui remporte la palme.

L'amour

Le processus par lequel les relations évoluent de l'amitié vers un plus grand rapprochement qui aboutit à l'intimité a pris le nom de *pénétration sociale* (Altman et Taylor, 1973). La pénétration sociale a à la fois de l'ampleur et de la profondeur. L'ampleur se réfère au nombre de différents domaines de la vie et de la personnalité des partenaires qui sont engagés dans la relation et la profondeur, au degré de partage entre les partenaires concernant l'essence même de leurs personnalités — espoirs, désirs, craintes, angoisses, incertitudes, et ainsi de suite.

La clef de la pénétration sociale est la *transparence réciproque*; les partenaires doivent se dévoiler l'un à l'autre et cette démarche peut être très délicate. Au début d'une relation, il y a une *norme rigoureuse de réciprocité*; au fur et à mesure qu'un partenaire commence à révéler quelque chose de lui ou d'elle-même, l'autre doit être disposé à faire de même. De cette manière, la confiance s'installe et l'intimité s'accroît. Les recherches montrent que la cadence du dévoilement de soi a une grande importance. Si l'un des partenaires s'expose trop tôt, l'autre peut être porté à reculer (Rubin, 1975).

Dans les rapports romantiques à notre époque, la révélation de soi se fait plutôt hâtivement. Une étude a permis de constater que la plupart des couples qui s'étaient fréquentés pendant une période de 8 mois en moyenne s'étaient engagés dans un dévoilement complet dans des domaines très personnels et intimes de leurs vies (Rubin, Hill, Peplau et Dunkel-Schetter, 1980). Près des trois quarts des femmes ont dit qu'elles avaient entièrement révélé leurs sentiments au sujet de leur relation sexuelle, presque la moitié avaient totalement avoué ce qu'elles pensaient de l'avenir de cette relation et plus de la moitié avaient donné toute l'information dont elles disposaient sur leurs expériences sexuelles antérieures. Un tiers des partenaires des deux sexes avaient fait un complet aveu des choses se rapportant à eux dont ils avaient le plus honte.

Un dévoilement de soi aussi rapide et aussi complet n'a pas toujours été la norme. Dans une recherche, on a demandé à des collégiens et à des gens du troisième âge de décrire les relations caractéristiques des jeunes de 22 ans de leurs propres générations. Les résultats indiquent que les jeunes d'aujourd'hui s'attendent à ce que les couples révèlent leurs sentiments, tant négatifs que positifs, plus franchement et plus librement que ne l'avaient fait les générations antérieures (Rands et Levinger, 1979). Jusqu'à la fin des années 1950, les normes sociales des classes moyennes insistaient beaucoup plus sur la retenue et la protection de soi. La révolution sexuelle des années 60 a changé non seulement le comportement sexuel, mais également les normes sociales se rapportant au dévoilement de soi (Altman et Taylor, 1973). C'était l'époque des groupes de rencontre et de l'intimité instantanée. Malgré le déclin marqué de la popularité des groupes de rencontre, les nouvelles normes s'appliquant à la transparence ont été maintenues dans les relations sentimentales.

Le concept de l'amour romantique est très ancien, mais la croyance en son étroite corrélation avec le mariage est plus récente et loin d'être universelle. Dans certaines cultures non occidentales, le mariage est encore considéré comme un arrangement contractuel et financier qui n'a absolument rien à voir avec l'amour. Dans notre propre société, le lien entre l'amour et le mariage s'est effectivement solidifié au cours des 20 dernières années. En 1967, environ les deux tiers des collégiens, mais seulement le quart environ des collégiennes, disaient qu'ils ne marieraient pas une personne qu'ils n'aimaient pas, même si celle-ci possédait toutes les autres qualités qu'ils souhaitaient (Kephart, 1967). Peut-être les femmes de cette époque devaient-elles se montrer plus pratiques à l'endroit de leur sécurité financière. Une répétition de cette étude en 1976 révèle cependant qu'au moins 86 % des hommes et 80 % des femmes refuseraient maintenant un mariage sans amour. En effet, ces chercheurs rapportent que beaucoup de jeunes gens, hommes et femmes, croient que si l'amour romantique venait à s'effacer dans la relation, ce serait une cause suffisante pour y mettre fin (Campbell et Berscheid, 1976).

Une étude des mariages durables aux États-Unis et au Japon semble indiquer que ces conceptions romantiques pourraient changer avec le temps. Les mariages américains ont débuté avec un niveau d'amour plus élevé que les mariages japonais préarrangés, tel que l'indiquent les mesures d'expression de l'affection, de l'intérêt sexuel et de la satisfaction conjugale. La quantité d'amour partagée par les couples diminue chez les 2 groupes au point où l'on ne pouvait observer de différences entre eux après 10 années (Blood, 1967). Comme l'a exprimé l'écrivain du XVIe siècle Giraldi: «Une histoire d'amour c'est, dans un sens, le drame de sa lutte contre le temps.»

Cependant, ce déclin de l'amour sentimental n'est pas le signe précurseur de l'échec du mariage. Beaucoup de couples dans l'étude dont nous venons de parler témoignent de mariages plutôt gratifiants. Ces mariages heureux étaient caractérisés par la communication entre les partenaires, une division équitable des tâches et une égalité dans le pouvoir de prise de décisions. L'amour romantique est fantastique pour les débutants, mais les forces soutenantes d'une bonne relation à long terme sont moins excitantes, exigent indubitablement plus de travail et tiennent plus de l'égalité que de la passion. De quoi décevoir les romantiques peut-être, mais il s'agit là de nouvelles encourageantes et une excellente matière à propagande pour les apôtres de l'égalité des sexes.

RÉSUMÉ

1. La *psychologie sociale* est l'étude de l'interaction sociale, de notre façon de penser, de sentir et d'agir en présence des autres et de la façon dont, à leur tour, nos pensées, nos sentiments et nos actes sont influencés par les autres. La psychologie sociale insiste sur le fait que le comportement humain est fonction à la fois de la personne et de la situation.

2. Dans notre tentative pour comprendre les autres et pour nous comprendre nous-mêmes, nous élaborons des théories intuitives de la conduite humaines en nous livrant aux mêmes tâches que celles qu'exécute un scientifique officiel: *recueillir des données, déceler des covariations* et *faire des inférences sur la causalité*. Cependant, nos théories elles-mêmes ont le pouvoir de façonner nos perceptions des faits, de déformer nos estimations de la covariation et de faire dévier nos évaluations des causes et des effets. Nous sommes portés, par exemple, à remarquer et à nous rappeler l'information qui est éclatante plutôt que terne et cette tendance déforme nos jugements sociaux.

3. Le *traitement schématique* est l'acte de percevoir et d'interpréter l'information saisie en termes de structures mnémoniques simplifiées appelées *schèmes*. On appelle *stéréotypes* les schèmes de catégories de personnes et *scénarios* les schèmes d'événements et d'interventions sociales. Les schèmes constituent des théories miniatures d'objets et d'événements de tous les jours. Ils nous amènent à traiter l'information sociale de façon efficace en nous permettant de coder et de repêcher uniquement les caractéristiques saillantes d'un nouvel objet ou événement.

4. Les schèmes étant des simplifications de la réalité, le traitement schématique entraîne des déformations et des erreurs dans notre traitement de l'information sociale. Quand nous nous formons des impressions des autres personnes, par exemple, nous sommes exposés à l'*effet de primauté*; la première information reçue évoque un schème initial et, par conséquent, elle acquiert plus de pouvoir pour déterminer notre impression qu'en détient l'information subséquente. En général, le traitement schématique engendre des perceptions qui résistent au changement et qui sont relativement imperméables aux nouveaux faits.

5. Nous ne sommes pas très efficaces dans la détection des covariations ou des corrélations entre variables. Lorsque nos schèmes ou théories nous amènent à nous attendre que deux choses varient l'une avec l'autre, nous surestimons leur corrélation réelle; par contre, quand nous n'avons pas de théorie, nous sous-estimons leur corrélation.

6. Les stéréotypes, comme les autres schèmes, résistent au changement. En outre, ils peuvent se perpétuer eux-mêmes et conduire à leur propre confirmation, car ils poussent ceux qui les entretiennent à se comporter de telle façon qu'ils suscitent les comportements stéréotypés chez les autres.

7. L'*attribution* est le processus par lequel nous tentons d'interpréter et d'expliquer le comportement des autres — c'est-à-dire de déceler les causes de leurs actes. Nous sommes enclins à attribuer une action, ou un événement, à une cause possible avec laquelle elle covarie — pourvu qu'elle ne varie qu'avec la cause possible (*caractère distinctif*) et qu'elle le fasse en plusieurs occasions (*constance*) et pour plusieurs observateurs (*consensus*).

8. L'une des tâches d'attribution majeures consiste à décider si on doit attribuer l'action d'un individu à des *causes de prédisposition* (la personnalité ou les attitudes de cet individu) ou à des *causes liées à la situation* (forces sociales ou autres circonstances externes). Nous sommes portés à accorder trop de poids aux facteurs prédisposition et trop peu aux facteurs de situation. On a donné le nom d'*erreur fondamentale d'attribution* à cette déformation. Bon nombre de principes de traitement schématique et d'attribution s'appliquent au processus de *perception de soi*. Les individus commettent parfois l'erreur fondamentale d'attribution à l'égard de leur propre comportement.

9. Les *attitudes* sont les penchants et les aversions à l'endroit des aspects identifiables de l'environnement — objets, personnes, événements ou idées. Elles sont les composantes *affectives* d'un système à 3 volets qui comprend également les croyances (la composante *cognitive*) et les actes (la composante *comportementale*). Dans la recherche sur les attitudes, l'une des questions fondamentales consiste à déterminer le degré de concordance entre ces composantes, tout particulièrement entre les attitudes et le comportement. En général, les attitudes permettent le mieux de prédire le comportement quand elles sont 1) bien ancrées et constantes, 2) fondées sur l'expérience directe de la personne et 3) reliées directement au comportement qu'on prédit.

10. La *théorie de la dissonance cognitive* prétend que lorsque les actes d'une personne ne concordent pas avec ses attitudes, le malaise engendré par cette dissonance entraîne la personne à modifier ses attitudes afin qu'elles deviennent conformes à son agir. La *théorie de la perception de soi* et la *théorie de la gestion des impressions* offrent des explications alternatives du même phénomène. Ces 3 théories peuvent être partiellement valables, mais dans des circonstances différentes.

11. Les spécialistes des sciences sociales ont des avis partagés concernant le degré de cohérence des opinions des citoyens sur les questions sociales et politiques. Beaucoup de ces opinions semblent remplir, sur le plan personnel, des fonctions sociales plutôt qu'intellectuelles, en renforçant l'identification à des groupes, par exemple.

12. Plusieurs facteurs exercent une influence déterminante sur notre attrait envers une personne particulière. Les plus importants sont l'*attraction physique*, la *proximité*, la *familiarité* et la *similitude*. On a donné le nom de *pénétration sociale* au processus d'évolution d'une relation de la sympathie vers une plus grande intimité. La clef de la *pénétration sociale* est la transparence réciproque. Un dévoilement de soi hâtif et complet est un fait beaucoup plus courant aujourd'hui qu'il y a quelques années.

13. Des observations transculturelles semblent indiquer que les forces soutenantes d'une bonne relation à long terme tiennent moins de l'amour romantique que de la communication entre partenaires, d'une division équitable des tâches et de l'égalité dans la prise de décisions.

LECTURES SUGGÉRÉES

BÉGIN, G., JOSHI, P. *Psychologie sociale*, Québec, Presses de l'Université Laval, 1979.

CVETKOVICH, G., BAUMGARDNER, S. R. et TRUMBLE, E. *Initiation à la psychologie sociale*, Montréal, Les Éditions HRW Ltée, 1985.

GERGEN, K. J. et GERGEN, M. N. *Psychologie sociale*, Montréal, Éditions Études Vivantes, 1984.

KLEINKE, C. L. *La première impression*, Montréal, Éditions du Centre interdisciplinaire de Montréal, 1979.

MAISONNEUVE, J. *La psychologie sociale*, 13e éd., Paris, P.U.F., 1981.

MEUNIER-TARDIF, C. *Le principe de Lafontaine*, Montréal, Libre Expression, 1979.

MYERS, G. E. et MYERS, M. T. *Les bases de la communication interpersonnelle. Une approche théorique et pratique*, Montréal, McGraw-Hill, 1984.

POITON, J. P. *La dissonance cognitive*, Paris, Colin, 1974.

STOETZEL, J. *La psychologie sociale*, 2e éd., Paris, Flammarion, 1978.

THOMAS, R. et ALLAPHILLIPPE, D. *Les attitudes*, Paris. P.U.F., 1983.

ZAJONC, R. B. *Psychologie sociale expérimentale*, Paris, Dunod, 1972.

Influence sociale

18

Comme nous l'avons dit au chapitre 17, la psychologie sociale est, en partie, l'étude de la façon dont les pensées, les sentiments et les comportements d'un individu subissent l'influence d'autres personnes. Pour la plupart d'entre nous, l'expression *influence sociale* a la connotation d'une tentative délibérée faite par une personne ou par un groupe en vue de changer nos attitudes ou nos comportements. Entre autres exemples, citons celui du parent qui essaie d'amener un enfant à manger des épinards, les efforts que font les réclames télévisées pour nous faire acheter des produits particuliers et les tentatives plus graves d'une secte religieuse visant à persuader une jeune personne d'abandonner ses études et sa famille pour se consacrer entièrement à une mission « supérieure ».

La psychologie sociale a identifié trois processus fondamentaux d'influence sociale (Kelman, 1961) :

1. *Acquiescement* La personne visée par l'influence (la « cible ») se conforme publiquement aux désirs de la source d'influence, sans changer toutefois ses croyances ni ses attitudes intimes. (L'enfant avale les épinards, mais il les déteste toujours.)
2. *Intériorisation* La cible change ses croyances, attitudes ou comportements à cause d'une réelle conviction de la validité de la position prêchée par la source d'influence. (Un homme d'âge mûr cesse de fumer après avoir lu — et cru — les mises en garde indiquant que le tabagisme est une cause de cancer.)
3. *Identification* La cible change ses croyances, attitudes ou comportements pour ressembler à une source d'influence respectée ou admirée. (L'étudiante du secondaire se met à fumer de façon à ressembler à un groupe d'étudiantes plus âgées qu'elle admire.)

Nous examinerons chacun de ces processus dans ce chapitre.

Plusieurs sources d'influence sont aussi subtiles qu'involontaires. Nous verrons, par exemple, que la simple présence physique des autres peut nous influencer de plusieurs façons insoupçonnées. En outre, nous subissons la forte influence des *normes sociales* — règles implicites et expectatives qui nous dictent ce que nous devons penser et comment nous devons nous comporter. Celles-ci vont du superficiel au profond. Les normes sociales nous dictent de faire face à la porte quand nous sommes dans un ascenceur et déterminent la durée du regard que nous pouvons porter sur un étranger avant de passer pour impoli. Les normes sociales peuvent également créer et entretenir toute une idéologie de racisme et de sexisme dans une société. Enfin, il arrive souvent que les formes manifestes d'influence doivent leur succès à des normes sociales subtiles, auxquelles nous adhérons sans en être conscients.

Étant donné que les normes sociales peuvent nous influencer même en l'absence d'autrui, la définition de la psychologie sociale précise généralement qu'il s'agit de l'étude de la façon dont les pensées, les sentiments et les comportements de l'individu se trouvent inlfuencés par la présence *réelle, imaginaire* ou *implicite* des autres (G. Allport, 1985). Et c'est l'influence sociale dans ce sens plus large qui nous intéresse dans ce chapitre.

L'influence sociale occupe une position centrale dans l'interaction humaine et dans la vie communautaire. Collaboration, communauté, altruisme et amour, autant de concepts qui concernent l'influence sociale. Mais nous avons tendance à prendre ces phénomènes comme s'ils allaient de soi et à faire porter notre intérêt sur des influences sociales associées à de la peine. Pour des raisons socio-historiques, les psychologues ont en effet concentré leurs efforts sur l'étude des influences sociales qui sont causes de malheur. En conséquence, tout comme le chapitre sur la psychologie anormale s'est intéressé surtout au côté négatif de la conduite humaine, ce chapitre porte sur les aspects sombres du comportement social. Certaines données sont troublantes, voire déprimantes. Mais tout comme l'étude de la psychologie anormale nous a également ouvert des perspectives sur des thérapies efficaces, l'étude des influences sociales problématiques nous révèle des moyens plus efficaces de composer avec ces dernières. Nous le verrons, les principes de l'influence sociale qui peuvent être sources de malheur sont ceux-là mêmes qui peuvent fournir des antidotes à ce malheur.

PRÉSENCE DES AUTRES

Facilitation sociale

En 1897, le psychologue Norman Triplett examinait les records de vitesse de cyclistes et remarquait que plusieurs de ces derniers parvenaient à des vitesses plus grandes quand ils rivalisaient entre eux que lorsqu'ils couraient seuls contre la montre. Ceci l'amena à produire l'une des premières expériences en psychologie sociale. Il demanda à des enfants de faire tourner un moulinet de canne à pêche aussi rapidement qu'ils le pouvaient durant une période fixée. Il arrivait parfois que deux enfants travaillent en même temps dans la même pièce, chacun avec son propre moulinet. En d'autres occasions, ils travaillaient seuls. Malgré le fait que les données qu'il a publiées soient difficiles à interpréter (Schmitt et Bem, 1986), Triplett a rapporté que beaucoup d'enfants travaillaient plus vite en *coaction* — c'est-à-dire en présence d'un autre qui était occupé à la même tâche — que lorsqu'ils travaillaient seuls.

Depuis cette expérience, plusieurs études ont démontré les effets facilitateurs de la coaction, tant chez l'humain que chez l'animal. Des collégiens, par exemple, résolvent plus de problèmes de multiplication en coaction que quand ils sont seuls (F. Allport, 1920, 1924), des fourmis travaillant en groupe à la construction de galeries transportent trois fois plus de sable par fourmi que lorsqu'elles travaillent isolément (Chen, 1937) et beaucoup d'animaux mangent plus en présence d'autres membres de leur espèce (voir par exemple, Platt, Yaksh et Darby, 1967).

Peu de temps après l'expérience de Triplett sur la coaction, des psychologues ont découvert que la présence d'un spectateur passif — un témoin plutôt qu'un « coacteur » — facilite également la performance. En effet, la présence d'une assistance avait le même effet sur le rendement des étudiants durant la tâche de multiplication que celle des coacteurs dans l'expérience dont nous avons parlé (Dashiell, 1930). Ces effets de la coaction et de l'assistance ont reçu le nom collectif de *facilitation sociale*.

Mais même ce cas le plus simple de l'influence sociale devait se révéler plus compliqué que les psychologues sociaux l'avaient d'abord pensé. Des chercheurs constatèrent, par exemple, que les sujets commettaient plus d'erreurs dans les problèmes de multiplication exécutés dans des circonstances de coaction ou en présence de spectateurs que lorsqu'ils travaillaient seuls (Dashiell, 1930). Autrement dit, le travail perdait en qualité même s'il gagnait en quantité. Dans d'autres recherches, toutefois, la qualité s'améliorait en présence de coacteurs ou d'une assistance (voir par exemple, Dashiell, 1935; Cottrell, 1972). Comment réconcilier ces contradictions?

Un examen serré a révélé que les comportements qui s'amélioraient en présence de coacteurs et d'une assistance étaient généralement ceux qui étaient soit des réponses bien rodées, soit des réponses instinctives, comme le fait de manger. Dans l'exécution de ce type de comportements instinctifs, ou qui résultent d'une longue pratique, la réponse la plus probable ou qui a la plus forte prépondérance est la bonne réponse. Les comportements dont le

Facilitation sociale: la présence de spectateurs peut favoriser la réalisation de meilleures performances.

rendement est affaibli sont ceux pour lesquels la réponse la plus probable ou la plus prépondérante est une fausse réponse. Dans un problème de multiplication, par exemple, il y a beaucoup de mauvaises réponses, mais une seule bonne réponse. Ce pattern de résultats trouve une explication dans un principe de motivation bien connu : un niveau élevé de tendance ou d'activation contribue à communiquer de l'énergie aux réponses prépondérantes de l'organisme. Si la simple présence d'un autre membre de l'espèce élève le niveau d'activation générale ou de tendance d'un organisme, les comportements simples ou bien appris devraient donc présenter de la facilitation sociale, puisque ces comportements seraient la réponse prépondérante. Par contre, les comportements plus complexes, ou ceux qui viennent tout juste d'être appris — dans lesquels la réponse prépondérante ou plus probable risque plus d'être incorrecte — seraient affaiblis quand l'organisme est dans un état d'activation (Zajonc, 1965, 1980).

Un bon nombre d'expériences, menées tant chez des sujets humains que chez des sujets animaux, ont mis cette théorie de la facilitation sociale à l'épreuve. Dans l'une de celles-ci, particulièrement astucieuse, on laissait des cancrelats courir le long d'une allée droite dans une boîte obscurcie (but) pour échapper à un projecteur lumineux très brillant (voir la figure 18-1). Les chercheurs constatèrent que les cancrelats couraient plus vite s'ils étaient jumelés que s'ils étaient seuls. Mais quand on compliqua la réponse d'échappement, en exigeant des cancrelats qu'ils fassent un virage à angle droit pour découvrir la boîte qui était le but de la course, les cancrelats jumelés mettaient plus de temps à atteindre le but que les cancrelats qui couraient seuls. En d'autres mots, la présence de coacteurs facilitait le rendement dans l'allée simple (qui était droite), mais nuisait au rendement dans l'allée complexe (avec virage) (Zajonc, Heingartner et Herman, 1969). On répéta cette expérience en laissant tous les cancrelats courir seuls, mais devant des « spectateurs », soit 4 cancrelats situés dans de petites boîtes de plexiglas placées le long du parcours. Dans ce cas également, la présence d'autres cancrelats — même s'ils n'étaient que des spectateurs — facilita le rendement quand la réponse prépondérante (courir le long de l'allée droite) était la bonne et nuisit au rendement quand la réponse prépondérante n'était pas la bonne.

Des travaux sur des sujets humains ont également servi à confirmer cette théorie de la facilitation sociale. L'une de ces expériences était analogue à celle des cancrelats et a indiqué que les sujets apprenaient plus rapidement à circuler dans un labyrinthe simple mais plus lentement dans un labyrinthe compliqué lorsqu'ils étaient en présence de spectateurs que lorsqu'ils étaient seuls (Hunt et Hillery, 1973). Les gens mémorisent également des listes de mots faciles plus rapidement en présence d'autres personnes que quand ils sont seuls; par contre, la présence d'autrui ralentit la mémorisation de mots difficiles (Cottrell, Rittle et Wack, 1967).

Étant donné que les effets de facilitation sociale se présentent chez les organismes inférieurs, il semble qu'on ne doive pas les attribuer à des processus cognitifs complexes. Cependant, une théorie suggère que la facilitation sociale devrait être attribuée non pas à la simple présence d'autres personnes, mais à des sentiments de compétition ou à la peur d'être évalué; selon cette hypothèse, ce seraient des préoccupations de ce genre qui feraient monter le niveau d'activation. Même dans les premiers travaux sur la coaction, on avait pu constater que, si on élimine tous les éléments de rivalité et de compétition, les effets de facilitation se trouvent diminués ou disparaissent totalement (Dashiell, 1930). D'autres expériences montrent que les effets de l'assistance varient selon que la personne a le sentiment d'être évaluée. Par exemple, le rendement s'améliore quand c'est un « expert » qui surveille les sujets, alors qu'il diminue si l'assistance est composée d'étudiants du niveau du baccalauréat qui veulent assister à une expérience de psychologie (Henchy et Glass, 1968 ; Paulus et Murdock, 1971). Dans une étude, on banda les yeux des spectateurs afin qu'ils soient incapables de regarder et d'évaluer le succès des sujets; on constata que les résultats des sujets ne semblaient avoir subi aucun effet de facilitation sociale (Cottrell, Wack, Sekerak et Rittle, 1968).

La difficulté inhérente à la plupart de ces travaux, cependant, vient de ce que les sujets peuvent toujours être préoccupés par leur évaluation, même

BOÎTES DE COACTION

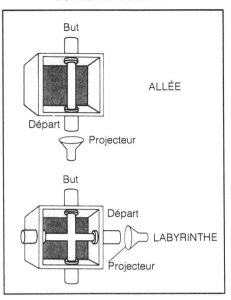

BOÎTES DE SPECTATEURS

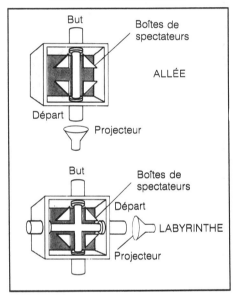

FIGURE 18-1
Expérience de facilitation sociale
Diagrammes de l'allée et du labyrinthe utilisés dans les expériences de Zajonc sur la facilitation sociale; des cancrelats servaient de sujets. (D'après Zajonc, 1965)

| CONDITION | NOMBRE MOYEN DE SEC. POUR TERMINER UNE TÂCHE DE DACTYLOGRAPHIE | |
	TÂCHE FACILE	TÂCHE DIFFICILE
Seul (ligne de base)	15	52
Évaluation	7	63
Simple présence	10	73

TABLEAU 18-1
Facilitation sociale en simple présence d'un autre individu *La simple présence d'un autre entraîne des effets de facilitation sociale. Quand des sujets savent qu'on les évalue ou quand ils sont tout simplement en présence d'un autre individu, ils exécutent une tâche facile plus rapidement et une tâche difficile plus lentement que s'ils étaient seuls. (D'après Schmitt, Gilovich, Goore, et Joseph, sous presse)*

dans des conditions d'isolement ou de simple présence d'autrui; ils savent en effet que l'expérimentateur enregistre leurs résultats et les évalue. Par conséquent, ces études ne permettent pas de déterminer si, chez l'être humain, la facilitation sociale peut être suscitée par la simple présence d'autres personnes.

Lors d'une expérience conçue pour éliminer les préoccupations des sujets quant à l'évaluation possible, tant dans la condition « seul » que dans la condition « simple présence », on a conduit chaque sujet dans une salle d'attente où on lui a demandé de s'asseoir devant un ordinateur et de donner « des informations de base avant que l'expérience ne commence ». Les instructions sur l'écran de l'ordinateur demandaient d'abord au sujet d'écrire son nom (comme Jim Untel), puis d'élaborer un nom de code en dactylographiant son nom à l'envers, en intercalant entre chaque lettre un chiffre selon un ordre ascendant (par exemple l 1 e 2 t 3 n 4 u 5 m 6 i 7 j). Il s'agissait, en fait, de l'expérience elle-même et elle se terminait avant que le sujet se rende même compte qu'elle avait commencé. L'ordinateur enregistrait automatiquement le temps qu'il fallait au sujet pour taper son nom (la tâche facile) et le nom de code (la tâche difficile) sur le clavier. Un groupe de sujets faisaient ce travail isolément dans la pièce (condition « seul »). L'autre groupe de sujets tapaient leurs réponses pendant que l'expérimentateur regardait par-dessus leur épaule (condition d'« évaluation »). Un troisième groupe travaillait en présence d'une personne qui avait les yeux bandés et qui portait des écouteurs; cette personne faisait face au mur opposé à celui où se trouvait l'ordinateur, et on avait dit au sujet qu'il s'agissait d'un sujet attendant de participer à une expérience sur la privation sensorielle (condition de « simple présence »).

Les résultats révélèrent que la simple présence d'autrui *peut vraiment* produire des effets de facilitation (voir le tableau 18-1). Comparés aux sujets de la condition « seul », les sujets de la condition « évaluation », comme ceux de la condition « simple présence », exécutèrent la tâche simple plus rapidement et la tâche difficile plus lentement, ce qui maintient le pattern d'action de la facilitation sociale (Schmitt, Gilovich, Goore et Joseph, sous presse).

On a proposé deux autres théories pour rendre compte des effets de facilitation sociale. Selon la théorie de la distraction-conflit, la présence des autres distrairait l'individu, créant un conflit relatif à la quantité d'attention à accorder à la tâche et à la présence des autres. C'est ce conflit d'attention — plutôt que la préoccupation relative à la présence d'un autre ou la capacité d'évaluer — qui fait monter le niveau d'attention et qui entraîne des effets de facilitation sociale (Sanders et Baron, 1975; Baron, 1986). La théorie de la présentation de soi fait valoir que la présence des autres rehausse le désir de l'individu de faire bonne impression. Dans le cas de tâches faciles, ce facteur mène à une concentration et à un effort plus grands, et donc à un meilleur rendement. Par contre, s'il s'agit de tâches difficiles, le désir amplifie les frustrations imposées par la tâche et cause de l'embarras, du repliement sur soi-même ou une anxiété excessive, tous ces facteurs menant à un rendement amoindri (Bond, 1982). Chacune de ces théories s'appuie sur des résultats de recherches et il semble probable que toutes les conditions proposées — simple présence, préoccupation à l'endroit de l'évaluation, distraction-conflit et désir de faire bonne impression — contribuent à la production d'effets de facilitation sociale (Sanders, 1984).

Désindividualisation

À peu près à la même époque où Triplett faisait son expérience en laboratoire sur la facilitation sociale, un autre observateur du comportement humain, Gustave Le Bon, adoptait une position plus engagée face à la coaction en groupe. Dans son ouvrage *La psychologie des foules* (1895), il déplore que « les foules (soient) toujours inférieures à l'individu isolé... La populace est volage, crédule, intolérante; elle témoigne de la violence et de la férocité propres aux êtres primitifs... des femmes, des enfants, des sauvages et ceux qui appartiennent aux classes inférieures... fonctionnant sous l'influence de

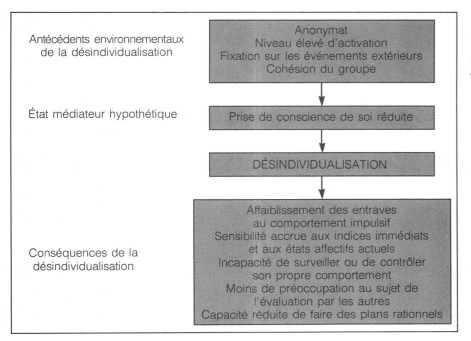

FIGURE 18-2
Antécédents et conséquences de la désindividualisation *L'une des explications du comportement des foules identifie ses causes à une perte de l'identité personnelle dans certaines situations de groupe. (D'après Diener, 1979)*

la moelle épinière ». Le Bon croyait que les comportements agressifs et immoraux manifestés par les foules lyncheuses (et, selon lui, les classes inférieures durant la Révolution française) se propageaient par « contagion » à travers une populace, détruisant le sens moral et le contrôle de soi des hommes — sinon des femmes, des enfants ou des sauvages. C'est ce qui entraîna les foules à se livrer à des actes de destruction qu'aucun individu pris à part ne commettrait.

En dépit des préjugés manifestes de Le Bon, ses observations avaient vraiment un semblant de validité. La contrepartie moderne de sa théorie se fonde sur le concept de *désindividualisation*, une idée proposée d'abord par Festinger, Pepitone et Newcomb (1952) et développée par Zimbardo (1970) et Diener (1979, 1980). Leurs théories suggèrent que certaines conditions, souvent présentes dans les groupes, sont capables d'entraîner les individus à vivre un état psychologique de *désindividualisation*, soit le sentiment d'avoir perdu son identité personnelle et de s'être fondu anonymement dans le groupe. Ceci mène à la réduction des freins ordinairement imposés au comportement impulsif et à d'autres conditions cognitives et affectives associées au comportement indiscipliné des masses. Les nombreux antécédents et les diverses conséquences de la désindividualisation que Diener nous propose sont illustrés à la figure 18-2. Notons que les conditons antécédentes conduisent à la désindividualisation en créant chez l'individu un amoindrissement de la prise de conscience de soi.

La plupart des études sur la désindividualisation ont analysé les effets de la variable antécédente de l'anonymat. Dans l'une de ces expériences, des collégiennes, qui faisaient partie de groupes de 4 sujets, devaient donner des chocs électriques à une autre femme qui, croyaient-elles, était en train de participer à une expérience d'apprentissage. Chez la moitié des sujets, on avait créé un état de désindividualisation en suscitant chez elles le sentiment d'anonymat. Elles portaient d'épais vêtements de laboratoire et des cagoules qui leur cachaient le visage ; en outre l'expérimentateur ne s'adressait à elles seulement qu'en tant que groupe, n'utilisant jamais leurs noms individuels. Les autres sujets gardaient leurs propres vêtements et portaient de gros macarons qui les identifiaient. De plus, on présentait les femmes du second groupe l'une à l'autre en donnant leur nom. Durant l'expérience, chacun des sujets disposait d'un bouton devant lui, bouton sur lequel il devait appuyer quand la personne qui faisait la tâche d'apprentissage commettait une erreur. En pressant le bouton on donnait un choc à cette dernière. Les résultats mon-

La désindividualisation — le fait de se fondre dans un groupe et de devenir anonyme — fait qu'il est plus facile de contrevenir aux normes sociales.

Suicide collectif à Jonestown, en Guyane *Plus de 900 membres d'une secte religieuse, disciples de Jim Jones, ont suivi ses ordres et se sont suicidés en absorbant du poison. L'identification à un leader charismatique et le partage de ses croyances peuvent exercer une influence puissante sur les actes des gens.*

trent que les sujets désindividualisés administraient des chocs qui étaient d'une intensité 2 fois plus grande que ceux qu'administraient les sujets des groupes individualisés (Zimbardo, 1970).

On a fait une démonstration habile de la désindividualisation en prenant avantage de la coutume de la fête de l'Halloween, où l'on revêt des costumes qui cachent l'identité pour quêter du bonbon sous la menace de jouer un sale tour à quelqu'un. Les enfants qui se présentaient à la porte de l'expérimentateur étaient reçus par un adulte qui demandait à chaque enfant de ne prendre qu'un seul bonbon. Puis, l'adulte disparaissait pour un moment, donnant aux enfants l'occasion de se servir plus généreusement. Dans le cas de certains enfants, on leur avait demandé leur nom, alors que dans d'autres cas les enfants avaient gardé l'anonymat. Les enfants des groupes anonymes piquèrent plus de bonbons que les enfants qui étaient seuls ou qui avaient révélé leur identité à l'adulte (Diener, Fraser, Beaman et Kelem, 1976).

Ces expériences ne tranchent pas la question, cependant. Par exemple, les vêtements épais de laboratoire et les cagoules de la première étude avaient des connotations négatives (ils ressemblaient aux costumes du Ku Klux Klan) et il se pourrait que ce soit les rôles suggérés par cet accoutrement, plutôt que l'anonymat, qui suscitèrent le comportement. Pour vérifier une telle possibilité, on répéta l'expérience des chocs, mais cette fois chaque sujet portait l'une de trois tenues : un costume du type Ku Klux Klan, un uniforme d'infirmière ou ses propres vêtements. Cette expérience révisée ne donna pas les mêmes résultats que la première ; le fait de porter un costume du genre Ku Klux Klan n'a exercé qu'un effet minime sur l'intensité des chocs administrés. Fait plus significatif : les sujets qui portaient des uniformes d'infirmières donnèrent moins de chocs que les sujets du groupe de contrôle, qui avaient gardé leurs propres vêtements, ce qui semble indiquer que l'uniforme encourage celui ou celle qui le porte à jouer le rôle qu'il dénote. Il se peut que l'anonymat accroisse l'agression, mais cette étude montre que ce n'est pas un fait inéluctable (Johnson et Downing, 1979).

La désindividualisation est un processus complexe et les expériences ont souvent confondu l'action d'un grand nombre de variables (les effets de l'anonymat, par exemple, avec les effets de la participation à un groupe — c'est l'anonymat qui semble être la variable essentielle, non l'appartenance à un groupe). Plusieurs travaux démontrent néanmoins que les facteurs soupçonnés de produire la désindividualisation contribuent vraiment à réduire la conscience de soi et à accroître le comportement impulsif comme l'illustre la figure 18-2 (Diener, 1979 ; Prentice-Dunn et Rogers, 1980). La théorie de la désindividualisation semble avoir une certaine validité pour l'explication du phénomène qui gênait tant Le Bon. Toutefois, il est évident qu'il y a d'autres facteurs qui interviennent. Des comportements collectifs comme les révolutions ou le suicide collectif qui s'est produit en 1978 au sein de la secte religieuse de Jonestown, en Guyane, prennent leur origine dans des croyances enracinées et partagées par les membres d'un groupe ou dans le charisme d'un leader de masses. Il est également indubitable que les gens qui font partie d'une foule en délire peuvent se permettre de se conduire de façon irresponsable parce qu'ils savent qu'ils risquent moins d'être arrêtés et punis que s'ils commettaient les mêmes actes seuls.

Intervention de témoins

Dans des chapitres précédents, nous avons fait observer que les gens ne réagissent pas simplement aux aspects objectifs d'une situation, mais à leurs propres interprétations subjectives de ce qu'elle signifie. Dans ce chapitre, nous avons vu que même la facilitation sociale, un type primitif d'influence, dépend en partie de l'interprétation de l'individu concernant ce que les autres sont en train de penser ou de faire. Mais le processus par lequel il définit ou interprète la situation est souvent le mécanisme même par lequel les individus exercent une influence les uns sur les autres.

En 1964, une jeune femme, Kitty Genovese, a été assassinée près de son domicile dans la ville de New York, durant la nuit. Comme elle s'est défendue, la perpétration du meurtre a pris plus d'une demi-heure. Quarante voisins ont entendu ses appels au secours, mais personne ne lui vint en aide. Personne même n'a téléphoné à la police (Rosenthal, 1964).

La population des États-Unis fut saisie d'horreur devant cet incident et les psychologues sociaux ont voulu trouver les causes de ce que l'on appelait l'« apathie du témoin ». Leurs travaux ont montré, cependant, que le terme « apathie » ne convenait pas parfaitement. Ce n'est pas la simple indifférence qui empêche les témoins de s'interposer dans une situation de crise. Il y a d'abord des forces de dissuasion réalistes, comme le danger physique. En second lieu, le fait de « s'en mêler » conduit souvent à de longues comparutions en cour ou à d'autres gros ennuis. Troisièmement, les situations d'urgence sont imprévisibles et exigent une action immédiate, non planifiée ; rares sont ceux qui y sont préparés. Enfin, on risque de paraître ridicule en voyant une urgence là où il n'y en a pas. Des chercheurs sont arrivés à la conclusion « que le témoin d'une situation de crise se trouve dans une position peu enviable. On pourrait s'étonner du fait que quelqu'un finisse par intervenir » (Latané et Darley, 1970, p. 247).

À première vue, on pourrait supposer que la présence d'autres témoins puisse donner à quelqu'un le courage d'agir malgré les risques ; cependant, les données de la recherche indiquent le contraire. Souvent, c'est la présence des autres qui nous empêche de nous en mêler. Plus précisément, la présence d'autrui contribue 1) à la définition de la situation comme ne constituant *pas* un cas d'urgence et 2) à l'émiettement de la responsabilité d'intervention.

DÉFINITION DE LA SITUATION La plupart des situations d'urgence se présentent de façon ambiguë au départ. Cet individu qui titube est-il malade ou tout simplement ivre ? La vie de cette femme est-elle réellement menacée ou s'agit-il seulement d'une querelle de ménage ? Est-ce de la fumée qui s'échappe de la fenêtre ou seulement de la vapeur ? Une façon courante de résoudre ces dilemmes est de différer l'action, de faire comme s'il n'y avait rien d'anormal et de regarder autour de soi pour voir comment les autres réagissent. Que risque-t-on d'apercevoir ? D'autres personnes qui, pour les mêmes motifs, se comportent également comme s'il n'y avait rien d'insolite. Il se crée un état d'*ignorance pluraliste* ; c'est-à-dire que chaque membre du groupe des badauds trompe chacun des autres en définissant la situation comme ne constituant pas une urgence. Nous avons tous entendu parler de foules prises de panique parce que chacun entraîne l'autre à réagir de façon excessive. Le phénomène contraire, à savoir lorsqu'une foule endort ses membres jusqu'à l'inaction, se présente peut-être plus fréquemment. Plusieurs expériences témoignent de l'existence d'un tel effet.

Dans l'une de ces expériences, on avait invité des collégiens à se présenter à une interview. Pendant qu'ils étaient assis dans la salle d'attente exiguë, un nuage de fumée a commencé à s'échapper d'un trou dans le mur. Certains des sujets se trouvaient seuls dans la pièce quand cela se produisait, alors que d'autres formaient des groupes de trois. Les expérimentateurs les observèrent au moyen d'un miroir à sens unique ; ils attendirent 6 minutes. De tous les sujets qui étaient seuls, 75 % ont rapporté la présence de la fumée en moins de 2 minutes environ. Par contre, moins de 13 % de ceux qui étaient en groupe signalèrent la présence de fumée durant la période de 6 minutes, même si la pièce était entièrement remplie de fumée. Ces derniers sujets avaient conclu que ce devait être de la vapeur, des émanations provenant du système de climatisation, des nuages de pollution (smog) ou en fait n'importe quoi sauf un incendie réel ou une situation d'urgence. Cette expérience montre donc que les témoins sont capables de considérer entre eux qu'il s'agit de situations non urgentes (Latané et Darley, 1968).

Mais ces sujets avaient peut-être tout simplement peur de paraître « lâches ». On a donc procédé à une étude similaire, dans laquelle l'« urgence » ne comportait pas de danger personnel. Assis dans la pièce expérimentale, les sujets entendaient, dans le bureau voisin, l'expérimentatrice monter sur une chaise pour atteindre un rayon de bibliothèque et tomber par terre en s'écriant : « Oh, mon Dieu — mon pied... je... je ne suis pas capable de le bouger. Oh ! ma cheville... je n'arrive pas à enlever cette chose de sur moi. »

Même si tous ces passants ont sans aucun doute remarqué l'homme gisant sur le trottoir, personne ne s'est arrêté pour l'aider — pour voir s'il dormait, s'il était malade, ivre ou mort. En l'absence d'autres personnes, il est plus probable qu'il se soit trouvé quelqu'un pour venir en aide à la victime.

ANALYSE CRITIQUE

La théorie de l'impact social

Chacun des phénomènes d'influence sociale dont nous avons traité dans ce chapitre a donné lieu à des tentatives d'explication de la part d'une ou de plusieurs théories. L'un des chercheurs, à qui on doit la recherche sur l'intervention des témoins, a essayé d'élaborer une théorie plus abstraite qui résumerait, à défaut d'expliquer exactement, tous ces phénomènes. Il lui a donné le nom de *théorie de l'impact social* (Latané, 1981). Une telle théorie ne se propose pas de remplacer les théories individuelles, mais de les incorporer dans un cadre plus général en tant que cas particuliers.

Deux propositions de cette théorie nous intéressent ici. La figure 18-3 illustre la première, selon laquelle l'impact social de toute source d'influence s'accroît avec le nombre, l'imminence et la force ou l'importance des sources. Cette proposition prédit, par exemple, que les effets de facilitation sociale augmenteront avec le nombre des coacteurs ou des spectateurs présents, avec le caractère immédiat ou saillant de leur présence pour l'individu, ainsi qu'avec l'importance qu'ils ont pour lui. Nous avons vu que les effets de facilitation sociale étaient plus faibles quand les spectateurs ont les yeux bandés (moins de caractère immédiat) et plus forts si le spectateur est un « expert » plutôt qu'un étudiant du premier cycle universitaire (plus d'importance).

Les résultats de bon nombre de travaux, qui ne sont pas du domaine de la facilitation sociale, s'accordent également avec cette proposition. Par exemple, quand ils ont à réciter un poème en présence d'un auditoire, les individus se jugent de plus en plus nerveux au fur et à mesure que le nombre et le statut des membres de l'auditoire s'élève (Latané et Harkins, 1976). Quand les bègues lisent à voix haute devant un auditoire, ils bégaient plus à mesure que le nombre des auditeurs s'accroît (Porter, 1939). Nous verrons d'autres illustrations de cette proposition quand nous parlerons de la conformité et de l'obéissance.

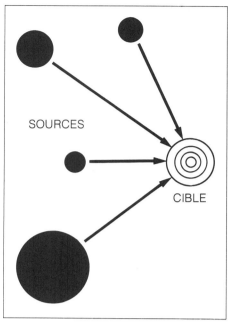

FIGURE 18-3

Multiplication de l'impact social *L'impact social qu'exerce une source d'influence sur l'individu-cible augmente en fonction du nombre de sources (le nombre de cercles **pleins** ici), de l'imminence des sources (la proximité des cercles pleins par rapport aux cercles concentriques) et de la force ou de l'importance des sources (la dimension des cercles). (D'après Latané, 1981)*

La figure 18-4 illustre la seconde proposition, selon laquelle l'impact social d'une source *diminue* à mesure que l'imminence et l'importance des *cibles* augmentent. La première proposition porte donc sur la multiplication de l'impact, laquelle est attribuable au nombre des sources d'influence, tandis que la seconde traite de la répartition de l'impact

Elle continuait de se plaindre pendant une minute environ. L'incident au complet durait approximativement 2 minutes. Seul un rideau séparait le bureau de la victime de la pièce où les sujets attendaient, seuls ou par groupes de deux. Les résultats ont confirmé ceux de l'expérience avec la fumée. Parmi les sujets qui se trouvaient seuls, 70 % se sont portés au secours de la femme, alors que seulement 40 % de ceux qui faisaient partie des groupes de deux ont offert leur aide. Encore une fois, ceux qui ne sont pas intervenus prétendaient plus tard qu'ils n'étaient pas certains de ce qui s'était passé, mais qu'ils avaient jugé que ce n'était pas grave (Latané et Rodin, 1969). La présence des autres, dans ces expériences, a produit de l'ignorance pluraliste ; chaque personne, constatant l'attitude calme de l'autre, a remédié au caractère ambigu de la situation en décidant qu'il ne s'agissait pas d'une situation d'urgence.

sur des cibles multiples. Cette seconde proposition décrit, par exemple, l'émiettement des responsabilités dans les situations d'urgence : plus il y a de témoins présents dans une telle situation, moins il y a de pression sur chacun d'entre eux pour qu'il intervienne.

Un certain nombre d'autres études viennent appuyer l'hypothèse de la diffusion de l'impact. Nous avons, par exemple, illustré l'hypothèse de la multiplication de l'impact en faisant observer que les exécutants deviennent de plus en plus nerveux au fur et à mesure que l'auditoire s'accroît — soit lorsque le nombre de sources agissant sur une cible unique augmente. Une étude portant sur des participants à un spectacle d'amateurs permet d'illustrer l'hypothèse de la diffusion de l'impact. Ceux qui se produisaient en solo étaient environ 6 fois plus nerveux que ceux qui participaient au sein d'un groupe de 10 personnes (Jackson et Latané, 1981). En effet, dans le cas du spectacle en groupe, l'impact de la source (l'auditoire) se trouve réparti sur plusieurs cibles (les participants).

Dans une autre étude sur la répartition de l'impact, des chercheurs enregistrèrent le nombre des hôtes d'un restaurant qui laissaient un pourboire au serveur ou à la serveuse. Les chercheurs considéraient que l'une des raisons de donner un pourboire est liée à la présence d'un sentiment d'obligation et que ce sentiment devrait s'effriter ou se diviser lorsque plusieurs clients partagent la même addition. Dans le restaurant étudié, le pourboire moyen était d'environ 15 %. L'individu qui prenait son repas seul donnait un pourboire moyen de près de 19 %, alors que les groupes de 5 ou 6 personnes donnaient moins de 13 % (Freeman, Walker, Borden et Latané, 1975). Une étude des rassemblements évangéliques de Billy Graham, dont le nombre de participants peut varier entre 2000 et 143 000 personnes, a révélé que le pourcentage des participants disposés à venir devant l'assemblée pour « implorer le Christ » diminuait en fonc-

tion directe de l'ampleur du rassemblement (Latané, 1981).

L'un des phénomènes majeurs prévus par la proposition de la répartition de l'impact est la « fainéantise sociale ». Durant les années 1920, un chercheur allemand du nom de Ringelmann a fait un travail inédit sur la façon dont l'action collective influençait l'effort fourni par l'individu. Il demanda à des ouvriers, quand ils travaillaient seuls, en groupes de 3 et en groupes de 6, de tirer le plus fort possible sur un câble. Évidemment l'effort total du groupe augmentait avec la dimension du groupe, mais l'effort individuel de chaque membre diminuait considérablement, au point où les groupes de 6 personnes n'utilisaient que 36 % de leur potentiel (calculé d'après la somme des efforts individuels) (Moede, 1927, rapporté par Latané, 1981). Des études plus récentes ont reproduit ces résultats, en utilisant des tâches variées (Petty, Harkins, Williams et Latané, 1977 ; Latané, Williams et Harkins, 1979).

Peut-être avez-vous décelé l'existence d'une contradiction apparente dans les résultats des expériences dont nous venons de parler ? En effet, la présence de coacteurs est supposée donner de la facilitation sociale — augmentation de la tendance et de l'effort — et non entraîner de la fainéantise sociale. Selon la théorie de l'impact, la différence critique dépend du rôle que jouent « les autres » dans la situation. Quand chacun exécute la tâche indépendamment, les participants exercent une pression d'ordre compétitif ou évaluatif l'un sur l'autre. Plusieurs sources agissent sur chaque cible individuelle ; par conséquent, la multiplication de l'impact se produit (voir la figure 18-3). Mais quand un groupe d'individus se partagent une même tâche, l'expérimentateur représente l'unique source et son influence se répartit sur plusieurs cibles ; il faut donc appliquer la configuration présentée à la figure 18-4. Ces processus cognitifs peuvent également contribuer à la fainéantise sociale. Chacun peut avoir l'impression que

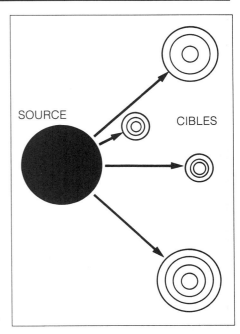

FIGURE 18-4

Répartition de l'impact social *L'impact d'une source décroît avec l'augmentation du nombre, de l'imminence et de l'importance des cibles. (D'après Latané, 1981)*

d'autres membres du groupe ne font pas leur juste part et peut, par le fait même, se sentir moins enclin à travailler à sa capacité. Ou encore, chaque individu peut croire que sa propre contribution sera moins facilement identifiable quand il travaille en groupe, cette croyance donnant lieu à un émiettement de la responsabilité. Une étude plus récente a permis de constater que la fainéantise sociale diminue quand la tâche prend plus l'apparence d'un défi et lorsque les individus croient qu'ils peuvent apporter une contribution unique à l'effort du groupe (Harkins et Petty, 1982).

ÉMIETTEMENT DE LA RESPONSABILITÉ   Il semble donc évident que l'« ignorance pluraliste » peut entraîner les individus à définir une situation comme ne constituant pas une urgence. Mais ce mécanisme n'explique pas les incidents comme le meurtre de la dame Genovese, situation où l'aspect d'urgence était très clair. D'ailleurs, les voisins de Kitty Genovese ne pouvaient se voir les uns les autres derrière les rideaux de leurs fenêtres et, par conséquent, n'auraient pu dire si les autres étaient calmes ou pris de panique. Le mécanisme fondamental en cause ici est l'*émiettement de la responsabilité*. Parce que chacun sait que plusieurs autres personnes sont témoins, il en conclut que le fardeau de la responsabilité ne repose pas uniquement sur ses épaules. Chacun peut se dire : « Assurément, quelqu'un d'autre doit avoir fait quelque chose à l'heure qu'il est ; un autre va intervenir. »

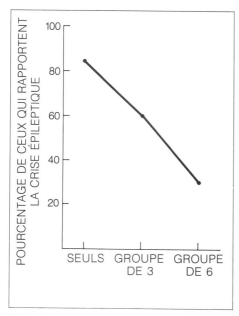

FIGURE 18-5

Émiettement de la responsabilité *Le pourcentage des sujets qui ont rapporté la crise épileptique dont une victime apparente était l'objet a diminué en fonction de l'augmentation du nombre de personnes qui, selon le sujet, participaient à son groupe de discussion. (D'après Darley et Latané, 1968)*

Pour mettre cette hypothèse à l'épreuve, on a monté une expérience dans laquelle chaque sujet occupait une cabine individuelle dans le but de participer à une discussion de groupe portant sur les problèmes personnels auxquels sont confrontés les collégiens. Afin d'éliminer la gêne, le débat allait se faire par le truchement d'un système d'interphones. Chaque personne aurait la parole durant 2 minutes. Le microphone ne serait branché que dans la cabine de la personne ayant la parole et l'expérimentateur n'écouterait pas. En réalité, les voix de tous les participants (sauf celle du sujet) provenaient d'enregistrements sur bandes magnétiques. Au premier tour, l'un des participants « enregistrés » mentionnait qu'un de ses problèmes consistait en des attaques épileptiques ; au second tour, la voix de cet individu donnait l'impression qu'il commençait en fait à subir une attaque et demandait de l'aide. Les expérimentateurs attendaient pour voir si le sujet quitterait sa cabine afin de les avertir de l'incident, et pour noter combien de temps il laisserait passer avant de le faire. Notons 1) que le caractère d'urgence n'est pas du tout ambigu, 2) que le sujet ne peut savoir comment réagissent les autres « témoins » qui, croit-il, occupent les autres cabines et 3) qu'il sait que l'expérimentateur ne peut savoir ce qui se passe. On avait laissé entendre à certains sujets que le groupe de discussion n'était composé que d'eux-même et de la victime de l'attaque. À d'autres, on avait dit qu'il s'agissait d'un groupe de 3 personnes, et à d'autres, d'un groupe de 6.

On constata que 85 % des sujets qui croyaient être les seuls témoins de l'attaque l'ont rapportée ; 62 % de ceux qui croyaient faire partie d'un groupe de 3 ont rapporté l'incident, alors que 31 % seulement de ceux qui pensaient qu'il y avait 5 autres témoins sont intervenus (voir la figure 18-5). Des interviews ultérieures ont révélé que tous les sujets avaient considéré la situation comme un cas d'urgence. D'ailleurs, la plupart étaient très affectés, émotivement, par le fait d'avoir à choisir entre laisser la victime souffrir, d'une part, ou se précipiter, d'autre part, peut-être follement et sans nécessité, pour demander du secours. En fait, les sujets qui n'avaient pas rapporté l'attaque semblaient effectivement plus perturbés que ceux qui l'avaient rapportée. De toute évidence, nous ne saurions interpréter leur non-intervention comme de l'apathie ou de l'indifférence. Au contraire, la présence des autres semble avoir émietté la responsabilité (Darley et Latané, 1968).

Si on réduisait au minimum l'ignorance pluraliste et l'émiettement de la responsabilité, est-ce que les gens se porteraient à l'aide des autres ? Pour le savoir, 3 psychologues ont utilisé le métro de la ville de New York comme laboratoire (Piliavin, Rodin et Piliavin, 1969). Deux expérimentateurs masculins et deux expérimentateurs féminins montaient séparément à bord d'un wagon de métro ; les femmes s'assoyaient et enregistraient les résultats pendant que les deux hommes restaient debout. Au moment où le train se mettait en marche, l'un des hommes s'avançait en chancelant et s'effondrait, restant couché en fixant le plafond jusqu'à ce qu'on vienne à son aide. S'il ne recevait aucun secours, l'autre homme l'aidait finalement à se relever. On a étudié plusieurs variantes de la situation : la victime pouvait porter une canne (de façon à paraître malade) ou sentir l'alcool (de façon à paraître ivre). Parfois, la victime était de race blanche ; parfois, de race noire. Il n'y avait aucune ambiguïté : l'homme paraissait nettement avoir besoin d'assistance. L'émiettement de la responsabilité a été réduit, car personne ne pouvait continuer à supposer qu'un autre allait intervenir. Les gens devaient donc finir par se porter au secours de la victime.

Les résultats ont corroboré l'hypothèse optimiste. La victime qui portait une canne a reçu une aide spontanée dans plus de 95 % des essais, et ceci en moins de 5 secondes en moyenne. Même l'homme « ivre » a été aidé dans la moitié des cas, à l'intérieur d'un intervalle de 109 secondes en moyenne. Les deux types de victimes « à canne », Blanc ou Noir, ont reçu l'aide de témoins blancs ou noirs. Il n'y avait aucun rapport entre le nombre de témoins et le temps de latence du secours apporté, ce qui porte à croire que l'émiettement de la responsabilité avait bel et bien été réduit au minimum. Et tout cela s'est déroulé dans le métro de la ville de New York ! En plus d'appuyer les explications proposées quant à la non-intervention des témoins, de tels résultats devraient nous amener à réviser les stéréotypes que nous entretenons à l'égard des passagers du métro de New York.

LE RÔLE DE MODÈLES « SECOURABLES »   Dans l'expérience du métro de New York, dès qu'une personne se portait au secours de la victime, plusieurs autres s'avançaient. Ceci permet de supposer que, tout comme les individus prennent d'autres personnes comme modèles pour décider qu'une situation ne constitue pas une urgence (ignorance pluraliste), ils utiliseraient d'autres personnes comme modèles indiquant quand on doit se montrer secourable. Bryan et Test (1967) ont mis cette hypothèse à l'épreuve dans une étude portant sur le nombre d'automobilistes qui arrêtaient pour offrir leur aide à une femme dont la voiture avait subi une crevaison (voiture-« test »). Durant certaines périodes d'expérimentation, une autre voiture, également victime d'une crevaison (la voiture-« modèle ») était immobilisée le long de la route, à 200 mètres en amont de la voiture-test. La voiture-modèle était soutenue par un cric et une femme regardait un homme qui changeait le pneu. Sur 4000 véhicules, 93 se sont arrêtés pour offrir de l'aide. Le nombre d'offres de secours a été de 35 quand il n'y avait pas de voiture-modèle, et de 58 quand il y en avait, soit une différence statistiquement significative. Cette expérience démontre que l'exemple des autres non seulement contribue à définir quand il ne faut pas agir dans une situation de crise, mais sert aussi de modèle pour nous indiquer comment et quand il faut se montrer bon Samaritain.

LE RÔLE DE L'INFORMATION   Seriez-vous plus porté à intervenir dans une situation de crise maintenant que vous avez lu ce qui précède? Une expérience faite à l'Université du Montana porte à croire que oui. Au moyen d'un film ou d'un cours, on a présenté à des étudiants de premier cycle universitaire les faits décrits plus haut concernant le phénomène de l'intervention des témoins. Deux semaines plus tard, chaque étudiant était placé devant une situation d'urgence simulée, pendant qu'il faisait une promenade en compagnie d'une autre personne (un complice des expérimentateurs). Une « victime » de sexe masculin était étendue sur le plancher, dans un corridor. De par son attitude, le complice ne donnait aucun signe d'être en présence d'une situation d'urgence. On constata que 43 % de ceux qui avaient assisté au cours ou qui avaient vu le film se portèrent à l'aide de la victime, comparativement à 25 % seulement de ceux qui n'avaient pas été sensibilisés — différence statistiquement significative (Beaman, Barnes, Klentz et McQuirk, 1978). Pour le bénéfice de la société, vous devriez peut-être relire ces dernières pages!

ACQUIESCEMENT

Comme nous l'avons indiqué au début de ce chapitre, l'influence sociale mène à l'*acquiescement* quand un individu-cible se conforme publiquement aux désirs d'une source d'influence, sans pour autant modifier ses croyances ou ses attitudes intimes. Quand une source obtient l'acquiescement en se posant en exemple, nous parlons de *conformité* et quand une source obtient l'acquiescement en manifestant de l'autorité, nous parlons d'*obéissance*. Dans les deux cas, l'individu donne son consentement parce que la source a le pouvoir de dispenser récompenses et punitions. Le plus souvent, il s'agit de récompenses et de punitions sociales, telles que l'approbation et la désapprobation ou l'acceptation et le rejet. Dans cette section, nous étudions les deux formes d'acquiescement: la conformité à la pression des pairs et l'obéissance à l'autorité.

Conformité à une majorité

Quand nous sommes dans un groupe, il peut arriver que nous constations que nous sommes en minorité sur une question quelconque. C'est une réa-

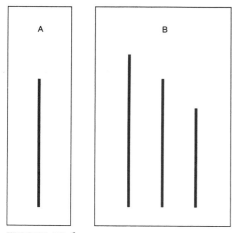

FIGURE 18-6

Type de stimuli utilisés dans l'expérience de Asch *Après avoir vu la carte A, les sujets devaient choisir la ligne de même longueur sur la carte B. Les cartes présentées ici sont typiques et montrent à quel point la bonne décision était évidente (D'après Asch, 1958)*

« Attendez un instant, les gars — j'ai finalement décidé de rendre la décision unanime. »

Dessin de Victor; © 1978 *The New Yorker Magazine*, Inc.

lité de la vie à laquelle la plupart d'entre nous sommes forcés de nous habituer. Si nous devions décider que la majorité est une source d'information plus valide que notre propre expérience, nous pourrions changer d'idée et nous conformer à l'opinion de la majorité. Mais imaginez-vous dans une situation où vous seriez convaincu que c'est vous qui avez raison. Cèderiez-vous, dans ces circonstances, à la pression sociale? C'est la sorte de conformité que Solomon Asch décida d'étudier dans une série d'expériences devenues classiques (1952, 1955, 1958).

La méthode standard d'Asch consiste à placer un sujet devant une table avec un groupe de 7 ou 9 autres sujets (complices de l'expérimentateur). On montre au groupe une carte sur laquelle on a tracé 3 lignes verticales de longueurs différentes et on demande à chacun des membres de dire laquelle des lignes est de la même longueur qu'une ligne étalon présentée sur une autre carte (voir la figure 18-1). Chaque « sujet » donne sa réponse à tour de rôle; le vrai sujet est assis à l'avant-dernier siège. Les jugements sont très faciles à faire et, à la plupart des essais, tout le monde donne la même réponse. Mais à certains essais « critiques » prédéterminés, les complices ont reçu au préalable la consigne de donner une mauvaise réponse. Asch observe ensuite le degré de conformité que ce procédé suscite de la part de ses sujets.

Les résultats sont frappants. Malgré l'évidence de la bonne réponse, le sujet moyen se conformait à l'opinion du groupe dans 32 % des essais, et 74 % de tous les sujets se conformèrent au moins une fois. En outre, il n'était pas nécessaire que le groupe soit nombreux pour obtenir une telle conformité. Lorsque Asch fit varier la grandeur du groupe de 2 à 16, il constata qu'un groupe de 3 ou 4 complices était tout aussi efficace à produire de la conformité que les groupes plus nombreux (Asch, 1958).

Comment expliquer que l'évidence de la bonne réponse n'ait pas suscité l'indépendance de l'individu face à la majorité? Pourquoi la confiance d'une personne dans sa capacité de poser des jugements sensoriels simples ne constitue-t-elle pas une force puissante contre la conformité?

Selon une interprétation, ce serait justement ce caractère évident de la bonne réponse qui, dans l'expérience de Asch, serait à l'origine des forces puissantes qui poussent à la conformité (Ross, Bierbrauer et Hoffman, 1976). Dans la vie réelle, les différends portent généralement sur des jugements difficiles ou subjectifs, comme le fait d'avoir à décider des mesures économiques qui réussiraient le mieux à réduire l'inflation ou d'avoir à juger lequel de deux tableaux est le plus agréable sur le plan esthétique. Dans de tels cas, nous nous attendons à différer d'opinion avec les autres à l'occasion; nous savons même que le fait de représenter une minorité d'une seule personne dans un groupe qui serait unanime autrement est une possibilité vraisemblable, même si elle est inconfortable.

Or, la situation mise en place par Asch est beaucoup plus extrême. L'individu se voit en butte avec un désaccord unanime relatif à un simple fait physique, une occurrence bizarre et sans précédent qui ne semble fondée sur aucune explication rationnelle. Les sujets sont vraiment perplexes et tendus. Ils se frottent les yeux, incapables de croire ce qu'ils voient et s'avancent pour examiner les lignes de plus près. Ils ne savent pas où se mettre, marmonnent, rient nerveusement pour cacher leur embarras et regardent les autres membres du groupe d'un œil inquisiteur, dans l'espoir de trouver un indice quelconque pour résoudre ce mystère. Après l'expérience, ils offrent sans conviction quelques semblants d'hypothèses sur les illusions d'optique ou suggèrent — assez justement — que peut-être la première personne faisait parfois erreur et que les sujets suivants emboîtaient le pas l'un après l'autre, à cause de pressions à se conformer (Asch, 1952).

Pensez à ce que signifie la décision de s'opposer à la majorité dans de telles circonstances. Le sujet doit croire que son désaccord paraîtra aussi incompréhensible au groupe que les jugements du groupe lui semblent incompréhensibles. Les autres sujets vont sûrement le trouver incompétent, voire hors de contact avec la réalité. De même, si le sujet diffère continuellement d'opinion, ce désaccord répété va prendre le caractère d'une mise en doute de sa part quant à la compétence du groupe, un acte de défi qui demande énor-

A

B

C

mément de courage, compte tenu que les propres capacités perceptives de ce sujet sont soudain, et de façon inexplicable, elles-mêmes remises en question. Un tel acte de défi est en contravention d'une solide norme sociale qui veut qu'on n'insulte pas les autres. Cette crainte (« Qu'est-ce qu'ils vont penser de moi ? » et « Qu'est-ce qu'ils vont croire que je pense d'eux ? ») a un effet inhibiteur sur la dissuasion et engendre de fortes pressions à se conformer dans cette situation de Asch.

Les pressions dans le sens de la conformité sont beaucoup moins fortes quand le groupe n'est pas unanime. Il suffit qu'un seul complice de l'expérimentateur s'écarte de la majorité pour que le degré de conformité tombe de 32 % des essais à environ 6 %. En effet, un groupe de 8 qui ne contient qu'un seul dissident produit moins de conformité qu'un groupe unanime de 3 (Asch, 1958). Fait surprenant, le sujet dissident n'a même pas à donner la bonne réponse. Même quand les réponses de ce dernier sont encore *plus* erronées que celles de la majorité, le charme se trouve rompu et les sujets sont plus enclins à donner leur propres jugements, qui sont corrects (Asch, 1955 ; Allen et Levine, 1969). L'identité du dissident importe peu non plus. Un dissident de race noire réduit le taux de conformité chez des sujets blancs, pleins de préjugés, tout aussi bien qu'un dissident de race blanche (Malof et Lott, 1962). Dans une variante de l'expérience qui s'approche de l'absurde, la conformité a diminué de façon significative, même quand les sujets croyaient que le dissident était tellement handicapé sur le plan visuel qu'il était incapable de voir les stimuli (Allen et Levine, 1971). Il semble évident que la présence, ne fût-ce que d'une seule personne, qui s'écarte de la norme et qui partagera ainsi l'opprobre ou le ridicule éventuels venant du groupe, permet au sujet d'exprimer sa différence de jugement sans se sentir totalement isolé. La théorie de l'impact social (voir l'analyse critique précédente) verrait dans ce phénomène le résultat de la répartition des forces sociales sur un plus grand nombre de ciblés.

Si la situation de conformité utilisée par Asch est différente de la plupart des situations de la vie réelle, pourquoi eut-il recours à une tâche dans laquelle la bonne réponse était évidente ? C'est qu'il voulait étudier la conformité publique pure, non contaminée par la possibilité que les sujets changent d'avis sur les bonnes réponses. Autrement dit, c'était l'acquiescement et non l'intériorisation qui l'intéressait. Plusieurs variantes de l'expérience de Asch ont fait appel à des jugements plus difficiles ou plus suggestifs et, en dépit du fait qu'ils reflètent la réalité de façon plus fidèle peut-être, elles ne nous permettent pas d'évaluer les effets de la simple pression de conformité à une majorité dans une situation où le sujet est convaincu que son jugement est le bon. Malheureusement, on ne tient presque jamais compte de cette différence critique entre la situation originale imaginée par Asch et ses variantes subséquentes, qui utilisent des tâches plus difficiles, plus subjectives ou ambiguës (Ross, Bierbrauer et Hoffman, 1976).

Obéissance à l'autorité

Dans l'Allemagne nazie, entre 1933 et 1945, des millions d'innocents furent systématiquement mis à mort dans les camps de concentration. Il se peut bien que le maître d'oeuvre de cette horreur, Adolf Hitler, ait été un monstre psychopathe. Mais il n'aurait pas pu y arriver seul. Que penser de ceux qui

Résistance à l'opinion de la majorité

A. Tous les membres du groupe, sauf l'homme qui se trouve le sixième en partant de la gauche, sont des complices de l'expérimentateur auxquels il a été préalablement demandé de donner toutes les mêmes réponses erronnées à 12 des 18 essais. Le numéro 6, à qui l'on a dit qu'il participait à une expérience sur le jugement visuel, devient donc un dissident isolé quand il donne la bonne réponse.
B. Manifestant la tension qu'exerce sur lui son désaccord répété avec la majorité, le sujet angoissé se penche en avant pour examiner la paire de cartes.
C. Ce sujet particulier maintient son jugement en disant «je dois dire ce que je vois ».

«Bien, coup donc! Si vous tous, les finfins, vous êtes d'accord, qui suis-je pour m'objecter? »

faisaient marcher la machine au jour le jour, qui ont construit les fours et les chambres à gaz, qui y ont entassé des êtres humains, qui ont compté les cadavres et qui faisaient la paperasse? S'agissait-il de monstres, aussi?

Pas si l'on s'en remet aux propos de la spécialiste de la philosophie sociale Hannah Arendt (1963), qui assista au procès d'Adolf Eichmann, un criminel de guerre nazi qui fut déclaré coupable et exécuté pour avoir causé la mort de millions de Juifs. Elle le décrivit comme un bureaucrate ordinaire, terne et non agressif, qui se percevait lui-même comme un simple rouage dans une énorme machine. Le compte rendu, qu'on vient de publier, d'une partie de la transcription de l'interrogatoire subi par Eichmann avant son procès vient appuyer l'opinion d'Arendt. Plusieurs psychiatres ont trouvé qu'Eichmann était tout à fait sain d'esprit et que ses rapports personnels étaient assez normaux. Il croyait sincèrement qu'on aurait dû permettre aux Juifs d'émigrer vers un territoire séparé et il avait d'ailleurs défendu cette position au sein du service de sécurité d'Hitler. En plus, il entretenait en secret une maîtresse juive — ce qui représentait un crime pour un officier des SS — et il avait un demi-cousin juif, qu'il s'arrangea pour protéger durant la guerre (Von Lang et Sibyll, 1983).

Dans son ouvrage sur Eichmann, sous-titré *Un témoignage sur la banalité du Mal,* Arendt en arrive à la conclusion que la plupart des « méchants » du Troisième Reich n'étaient que des gens ordinaires se conformant aux ordres de supérieurs. Cette constatation laisse entendre que nous serions tous capables de tels méfaits et que l'existence de l'Allemagne nazie fut un événement moins incompatible avec la condition humaine normale que ce que nous acceptons généralement de reconnaître. Comme le dit Arendt, « en certaines circonstances, même la personne la plus honnête peut devenir un criminel ». Conclusion qui n'est pas facile à accepter, car il est plus rassurant de croire que le mal monstrueux serait l'œuvre d'individus monstrueux. En effet, l'attachement affectif que nous portons à une telle explication du mal est apparu de façon éclatante dans l'intensité des attaques dirigées contre Arendt et ses conclusions.

Le problème de l'obéissance à l'autorité s'est manifesté encore en 1969, lorsqu'un groupe de soldats américains en service au Viêt-nam ont tué bon nombre de civils dans le village de My Lai, prétendant avoir simplement obéi aux ordres. Cette fois encore, le public a été forcé d'envisager la possibilité que des citoyens ordinaires acceptent d'obéir à l'autorité en contravention de leur propre conscience morale.

Cette question fut étudiée empiriquement dans une série de travaux importants et controversés, exécutés par Stanley Milgram (1963, 1974) à l'Université Yale. Il recruta des hommes et des femmes ordinaires au moyen d'une annonce dans les journaux, offrant de payer 4,00 $ pour une participation d'une heure à une « expérience sur la mémoire ». Quand le sujet se présentait au laboratoire, on lui disait qu'il jouerait le rôle de professeur dans l'étude en cours. Le sujet devait lire une série de mots jumelés à l'intention d'un autre sujet, puis procéder à un test de la mémoire de « son élève » en lisant le premier mot de chacun des couples de mots et en demandant à l'élève de choisir le mot jumelé dans une liste de 4 mots. Chaque fois que l'élève commettait une erreur, le professeur devait appuyer sur un bouton pour lui donner un choc électrique.

Le sujet-« professeur » observait la scène pendant qu'on installait l'élève dans un fauteuil pourvu de fils électriques et qu'on attachait une électrode à son poignet. Le « professeur » était ensuite conduit dans une chambre attenante et s'assoyait devant une génératrice de chocs dont la console comprenait 30 commutateurs à levier, disposés en ligne horizontalement. Chaque commutateur portait une étiquette donnant un taux de voltage, dont les valeurs croissantes s'échelonnaient de 15 à 450 volts; des groupes de commutateurs voisins portaient une inscription descriptive allant de « Choc léger » jusqu'à « Danger : choc très intense ». Quand on fermait l'un des commutateurs, on entendait un fort vrombrissement électrique, des lampes s'allumaient et l'aiguille d'un voltmètre se déplaçait vers la droite. Pour montrer comment le tout fonctionnait, l'expérimentateur donnait au sujet un choc-échantillon

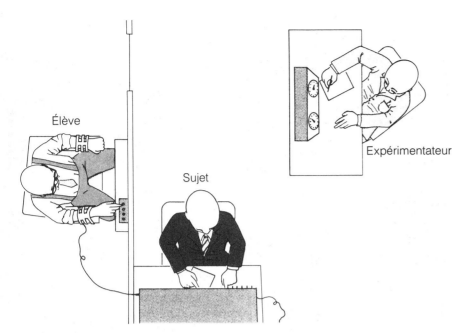

FIGURE 18-7
Expérience de Milgram sur l'obéissance   *On disait au sujet de donner à l'«élève» un choc plus intense après chaque erreur. S'il s'objectait, l'expérimentateur insistait sur la nécessité de poursuivre. (D'après Milgram, 1974)*

de 45 volts. Dès le début de «l'expérience», l'expérimentateur disait au sujet d'augmenter l'intensité d'un cran sur le générateur de chocs après chaque erreur de l'élève (voir la figure 18-7).

Bien sûr, l'élève ne recevait pas vraiment de chocs. Il s'agissait d'un comptable de 47 ans, à l'air gentil, qu'on avait spécialement préparé à jouer son rôle. À mesure qu'il commençait à faire des erreurs et que le niveau des chocs grimpait, on pouvait l'entendre protester dans l'autre pièce. Quand les chocs devinrent plus intenses, il se mit à crier et à jurer. À 300 volts, il donnait des coups de pied contre le mur et au choc du niveau suivant (portant l'inscription «choc très intense»), il ne répondait plus aux questions et ne faisait aucun bruit. Comme vous devez vous y attendre, plusieurs sujets commencèrent à s'objecter à ce procédé atroce, suppliant l'expérimentateur de s'arrêter là. Mais ce dernier répondait par une série d'«incitations», multipliant les arguments afin d'amener le sujet à poursuivre: «Continuez, s'il-vous-plaît»; «Il est nécessaire pour l'expérience que vous continuiez»; «Il est absolument essentiel que l'expérience se poursuive» et «Vous n'avez pas le choix — il *faut* continuer». On mesurait l'obéissance à l'autorité en notant le choc maximal qu'un sujet consentait à administrer avant de refuser absolument de continuer.

Milgram constata que 65 % des sujets ont continué d'obéir durant toute l'expérience, se rendant jusqu'à la fin des séries de chocs (450 volts). Aucun sujet n'arrêta avant d'avoir administré le choc de 300 volts, soit le point où l'élève a commencé à frapper du pied contre le mur (voir la figure 18-8). À quoi devons-nous attribuer une telle obéissance?

La disposition à obéir à l'autorité serait, selon Milgram, une exigence tellement indispensable à la vie communautaire qu'elle a probablement été inscrite dans notre espèce durant le processus d'évolution. La division du travail dans une société exige des individus la capacité de subordonner et de coordonner leur activité en fonction des buts et des objectifs de l'organisation sociale plus englobante. Parents, systèmes scolaires et entreprises commerciales, voilà autant de sources d'influence qui cultivent cette capacité en rappelant à l'individu l'importance de se conformer aux directives des autres qui «ont une meilleure vue d'ensemble». Pour comprendre l'obéissance dans une situation particulière, il faut donc connaître les facteurs qui persuadent les individus de sacrifier leur autonomie et de devenir des agents volontaires du système. L'expérience de Milgram fait très bien ressortir quatre de ces facteurs: les normes sociales, la surveillance, les tampons et la justification idéologique.

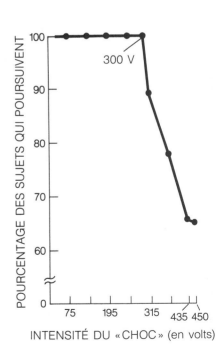

FIGURE 18-8
Obéissance à l'autorité   *Le pourcentage des sujets qui ont consenti à administrer un choc pénible n'a pas commencé à diminuer avant que l'intensité du choc atteigne 300 volts. (D'après Milgram, 1963)*

L'expérience de Milgram *La photo du haut, à gauche, fait voir le « générateur de chocs » utilisé dans l'expérience de Milgram sur l'obéissance. En haut, à droite, « l'élève-victime » est attaché à la « chaise électrique ». En bas, à gauche, un « sujet-professeur » expérimente le choc avant de commencer la « séance d'apprentissage ». En bas, à droite, le sujet-professeur refuse de poursuivre l'expérience. La plupart des sujets ont été profondément troublés par le rôle qu'on leur demandait de jouer, qu'ils aient continué à se prêter à l'expérience jusqu'à la fin ou qu'ils aient refusé à un moment donné d'aller plus loin. (Tiré du film* Obedience (Obéissance), *distribué par la New York University Film Library; copyright © 1965, par Stanley Milgram)*

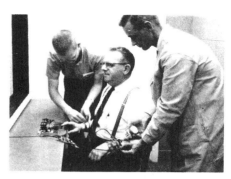

NORMES SOCIALES En répondant à l'annonce publiée dans le journal et en acceptant de participer à cette recherche, les sujets de l'expérience de Milgram avaient volontairement donné leur assentiment, sous forme de contrat implicite, à collaborer avec l'expérimentateur, à se plier aux consignes du responsable de l'expérience et à se rendre jusqu'à la fin de l'expérience. Nous avons là une norme sociale très rigoureuse; nous avons tendance à sous-estimer la difficulté à rompre un tel accord et à revenir sur la parole donnée de collaborer.

L'expérience avait également été conçue de façon à renforcer cette norme, en rendant la décision d'arrêter extrêmement difficile pour les sujets une fois qu'ils avaient commencé. La séance commence de façon plutôt innocente, comme une expérience sur la mémoire et l'escalade se fait graduellement. Une fois que les sujets commencent à administrer des chocs et à en élever le niveau, il n'y a plus de point d'arrêt naturel. Quand arrive le moment où ils voudraient s'arrêter, ils sont piégés. L'expérimentateur ne leur demande rien de nouveau; il veut seulement qu'ils continuent de faire ce qu'ils sont déjà en train de faire. Pour en arriver à rompre, ils doivent affronter la culpabilité et l'embarras de devoir avouer qu'ils avaient eu tort d'accepter au départ. Et plus ils reportent le moment d'abandonner, plus il leur est difficile d'admettre leur erreur de jugement qui les amena à poursuivre aussi loin qu'ils l'ont fait. Il est donc plus facile de continuer. Imaginez combien le degré d'obéissance serait réduit si les sujets devaient commencer par administrer le choc le plus intense en premier.

Enfin, le lâcheur éventuel fait face au dilemme de contrevenir à une règle d'étiquette sociale (se montrer poli) semblable à celle qui s'exerçait sur le sujet dans la situation de Asch. Dans ce dernier cas, l'expression du désaccord laissait entendre que le sujet croyait que les autres étaient incompétents. Dans la situation de Milgram, ne pas accepter de continuer équivaut à accuser l'expérimentateur de méchanceté et d'immoralité — une force encore plus puissante, qui contraint le sujet à agir comme il se doit et à se tenir tranquille.

Si des normes sociales de cette nature sont capables de mener à une telle obéissance dans les expériences de Milgram, il est facile d'imaginer quel pouvoir additionnel devait mobiliser la menace des punitions qui attendaient les lâcheurs en Allemagne nazie ou dans le service militaire, une fois que l'individu était « engagé ».

SURVEILLANCE   La présence constante ou la surveillance de l'expérimentateur est un facteur bien évident dans l'expérience de Milgram. Lorsque l'expérimentateur quitta la pièce et donna ses ordres par téléphone, l'obéissance passa de 65 % à 21 % (Milgram, 1974). De plus, plusieurs des sujets qui continuèrent dans ces conditions « trichèrent » en administrant des chocs d'intensité inférieure à celle qu'ils devaient donner, sans en avertir l'expérimentateur. En général, la conformité continue dépend de la surveillance continue, parce que l'agent d'influence n'obtient seulement qu'une conformité publique de l'individu-cible et non pas un acquiescement personnel. Comme nous allons le voir dans les sections suivantes, l'influence sociale fondée sur les processus d'intériorisation ou d'identification ne nécessite pas de surveillance pour se maintenir.

TAMPONS   Les sujets de Milgram avaient l'impression de se livrer à des actes de violence, mais plusieurs effets de tampon sont venus voiler ce fait ou diluer le caractère direct de l'expérience. Par exemple, l'élève était dans la pièce voisine, caché à la vue du sujet et incapable de communiquer. Milgram a démontré que l'obéissance passait de 65 à 40 % quand l'élève était dans la même pièce que le sujet. Si le sujet doit personnellement s'assurer que l'élève garde la main sur la plaque qui transmet le choc, l'obéissance baisse jusqu'à 30 %. Plus l'expérience de la personne avec la victime est directe (moins il y a de tampons entre la personne et la conséquence de son acte) moins le sujet obéit.

Le tampon le plus courant dans les situations qui se rapprochent des circonstances de guerre est l'éloignement de l'individu par rapport à l'acte de violence final. C'est ainsi qu'Eichmann a pu prétendre qu'il n'était pas directement responsable d'avoir tué des Juifs ; il a simplement pris indirectement les mesures menant à leur exécution. Milgram a introduit une situation analogue à celle du « maillon dans la chaîne » en exigeant seulement que le sujet ferme un commutateur permettant à un autre « professeur » (un complice) de donner le choc à l'élève. Dans ces conditions, l'obéissance monta en flèche : près de 93 % des sujets continuèrent jusqu'à la fin de la série de chocs. Dans cette situation, le sujet peut transférer la responsabilité à la personne qui donne vraiment le choc.

La génératrice de chocs jouait elle-même le rôle d'un tampon — un « agent » mécanique impersonnel qui donnait réellement le choc. Imaginez la chute du niveau d'obéissance si l'on avait exigé des sujets qu'ils frappent l'élève avec leurs poings. Dans la vie réelle, nous disposons de techniques analogues qui nous permettent de détruire des frères humains éloignés au

Éloignement de l'acte de violence final : (à gauche) vue aérienne du Pentagone (quartiers généraux du ministère de la Défense des États-Unis) ; (à droite) « Salle de guerre » du Pentagone.

moyen d'une commande à distance, nous épargnant ainsi la vision de leurs souffrances. En dépit du fait que nous serions probablement tous d'accord pour reconnaître qu'il est plus grave de tuer des milliers d'individus en appuyant sur un bouton que d'assommer une personne à mort avec une pierre, il est quand même psychologiquement plus facile d'appuyer sur le bouton. Tels sont les effets des tampons.

JUSTIFICATION IDÉOLOGIQUE   Le quatrième facteur d'obéissance volontaire, et sans doute le plus important, est l'acceptation par l'individu d'une idéologie qui légitime l'autorité du supérieur et qui justifie le fait de se conformer à ses directives. Les officiers nazis, comme Eichmann, croyaient à la suprématie de l'État allemand et, par conséquent, à la légitimité des ordres donnés au nom de son idéologie. De même, les soldats américains qui ont suivi les ordres de tirer sur des civils ennemis au Viêt-nam avaient tacitement accepté la prémisse selon laquelle la sécurité nationale exige une obéissance rigoureuse aux ordres militaires.

Dans les expériences de Milgram, c'est la « science » qui fournit l'idéologie légitimant des demandes plutôt démesurées. Certains ont critiqué les expériences de Milgram en disant qu'elles étaient artificielles, que le prestige d'une expérience scientifique amenait les gens à obéir sans se poser de questions aux procédés douteux dans lesquels ils étaient engagés, et que les gens dans la « vie réelle » n'agiraient jamais de la sorte. En effet, quand Milgram répéta son expérience dans une série de bureaux délabrés et fit disparaître du contexte toute association avec l'Université Yale, l'obéissance passa de 65 à 48 % (Milgram, 1974).

Mais l'argument principal de cette critique est erroné. En effet, le prestige de la science n'est pas un artifice sans pertinence ; c'est une partie intégrante de la démonstration de Milgram. Dans cette expérience, la science joue précisément le même rôle de légitimation que l'État allemand jouait dans l'Allemagne nazie et que la Sécurité nationale dans les exécutions en temps de guerre. La croyance à la primauté de la « recherche scientifique » *est* l'idéologie qui pousse les individus à abandonner leur autonomie morale personnelle et à subordonner volontairement leur propre indépendance aux buts et objectifs d'une organisation sociale plus vaste.

Obéissance à l'autorité dans la vie quotidienne

Étant donné qu'on a reproché aux expériences de Milgram leur caractère artificiel (voir Orne et Holland, 1968), il est révélateur de considérer un exemple d'obéissance à l'autorité dans des conditions plus ordinaires. Des chercheurs ont voulu voir si des infirmières travaillant dans des hôpitaux publics et des hôpitaux privés obéiraient à un ordre qui violait les règlements de l'hôpital et les normes d'éthique professionnelle (Hofling et coll., 1966). Pendant qu'elle était de service, une infirmière (le sujet) recevait un appel téléphonique d'un médecin qu'elle connaissait comme membre du personnel, mais qu'elle n'avait jamais rencontré : « C'est le docteur Untel du service de psychiatrie à l'appareil. On m'a demandé de voir monsieur Lebrun ce matin et je devrai l'examiner encore ce soir. J'aimerais qu'il prenne certains médicaments avant que je me présente. Voulez-vous, s'il vous plaît, vérifier dans votre armoire s'il y a de l'Astroten ? A-S-T-R-O-T-E-N. » En regardant dans l'armoire, l'infirmière vit une boîte portant l'étiquette :

ASTROTEN
Capsule 5 mg
Dose habituelle : 5 mg
Dose quotidienne maximale : 10 mg

Dès que l'infirmière lui confirmait avoir trouvé la boîte, le médecin poursuivait : « Bon ! Voulez-vous, s'il vous plaît, donner à monsieur Lebrun une dose de 20 mg d'Astroten. Je serai en haut dans 10 minutes ; je signerai la prescription à ce moment-là, mais j'aimerais que le médicament ait alors commencé à faire effet. » Un vrai psychiatre faisant partie du service, qui se tenait

Au chapitre 17, nous avons vu que les gens sous-estiment généralement le pouvoir exercé par les forces extérieures sur le contrôle du comportement, commettant ainsi l'*erreur fondamentale d'attribution*. Les études sur la conformité et l'obéissance illustrent ce fait — pas à cause de leurs résultats, mais à cause de notre étonnement face à ces résultats. Dans le cours de psychologie sociale qu'il donne chaque année, un psychologue décrit la méthode expérimentale de Milgram et demande aux étudiants de dire s'ils continueraient, eux, à administrer le choc après que l'élève a commencé à ruer contre le mur. Environ 99 % des étudiants disent que non (Aronson, 1984). Milgram lui-même a fait enquête auprès de psychiatres à une école de médecine réputée ; ils prédirent que la plupart des sujets refuseraient de continuer après avoir atteint 150 volts, que 4 % à peu près donneraient plus de 300 volts et que moins de 1 % se rendraient jusqu'à 450 volts. Dans une autre étude, on demanda aux sujets de « simuler » le déroulement complet de l'expérience de Milgram avec tout l'appareillage, génératrice de chocs et enregistrement sur bande sonore des protestations de l'« élève ». Qu'ils assument le rôle du sujet qui donne les chocs ou celui d'un observateur, tous les sujets continuèrent à sous-estimer considérablement les taux de conformité que Milgram avait effectivement obtenus, comme on peut le voir dans la figure 18-9 (Bierbrauer, 1973). L'expérience sur l'administration de médicaments par les infirmières donne des résultats comparables. Quand on donna à des infirmières, qui n'avaient pas participé à l'expérience, une description complète de la situation en leur demandant comment elles réagiraient elles-mêmes, 83 % dirent qu'elle n'auraient pas donné le médicament au patient et la plupart d'entre elles croyaient que la majorité des infirmières refuseraient également. Des 21 étudiantes-infirmières à qui l'on posa la question, toutes répondirent qu'elles n'auraient pas donné le médicament prescrit.

Les expériences sur l'obéissance illustrent donc de façon spectaculaire une leçon principale de la psychologie sociale :

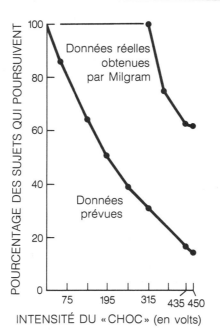

FIGURE 18-9

Acquiescement prévu et réel *La courbe du haut présente les données obtenues par Milgram et donne le pourcentage des sujets qui restent obéissants dans la situation, continuant d'administrer les chocs au fur et à mesure que le voltage augmentait. La courbe du bas est tirée d'une recherche dans laquelle des observateurs étaient témoins d'une répétition simulée de l'expérience de Milgram, et devaient ensuite prédire le pourcentage des sujets qui continueraient à se montrer obéissants quand le choc augmenterait. Les observateurs ont considérablement sous-estimé l'amplitude des forces associées à la situation et la probabilité de réactions d'obéissance dans la situation de Milgram. (D'après Bierbrauer, 1973)*

nous sous-évaluons considérablement la portée et le pouvoir sur le comportement humain des forces sociales et des forces découlant de la situation.

ANALYSE CRITIQUE

Le pouvoir des influences découlant de la situation

discrètement près de là, mettait fin à chaque essai expérimental en révélant la vraie nature de l'expérience au moment où l'infirmière décidait soit de verser le médicament (en réalité un placebo inoffensif), soit de refuser d'exécuter l'ordre donné, ou lorsqu'elle tentait de consulter un autre professionnel.

L'ordre donné violait plusieurs règles. La dose était nettement excessive. La prescription de médicaments par téléphone n'est pas permise. Ce médicament n'était pas « autorisé », c'est-à-dire qu'il n'était pas sur la « liste des stocks » indiquant médicaments « permis ». Enfin, l'ordre provenait d'une personne que l'infirmière ne connaissait pas directement. Malgré tout, 95 % des infirmières s'apprêtaient à donner le médicament. De plus, les appels téléphoniques ont tous été brefs, l'infirmière manifestant peu ou pas de résistance ou d'hésitation. Aucune des infirmières n'a insisté pour obtenir une prescription signée, mais plusieurs ont cependant voulu s'assurer auprès du médecin qu'il ne tarderait pas à se présenter. Au cours des interviews qui suivirent, toutes les infirmières ont déclaré qu'elles avaient déjà reçu des ordres de cette nature par le passé et que les médecins s'étaient montrés impatients quand elles avaient manifesté de l'opposition.

Révolte

Si les expériences sur l'acquiescement engendrent autant de conformité et d'obéissance, ce serait peut-être, entre autres raisons, que dans le cadre de ces études, les pressions sociales sont dirigées sur un individu pris isolément. Selon la théorie de l'impact social, l'influence sociale est moins puissante quand elle est répartie sur plusieurs individus-cibles, ce qui permet de supposer qu'un groupe d'individus pourrait être moins susceptible d'y céder, manifestant peut-être même un peu de révolte. Nous avons déjà fait état de certaines données qui appuient cette hypothèse : dans la situation de conformité de Asch, le sujet risque moins d'accepter les jugements erronés du groupe quand il se trouve au moins un autre dissident.

La situation d'obéissance de Milgram donne lieu à un phénomène similaire. Dans une variante de cette expérience, on a utilisé 2 complices additionnels. Ils furent présentés au sujet en tant que sujets qui joueraient aussi le rôle de professeurs. Le professeur no 1 lirait la liste des mots jumelés ; le professeur no 2 dirait au sujet s'il a tort ou raison ; le professeur no 3 (le sujet) administrerait le choc. Les complices se conformèrent aux directives jusqu'à ce que l'on ait atteint le niveau de choc de 150 volts, moment où le professeur no 1 annonça à l'expérimentateur qu'il abandonnait. Malgré l'insistance de l'expérimentateur pour le persuader de continuer, le professeur no 1 se leva de son siège et alla s'asseoir ailleurs dans la salle. Après le choc de 210 volts, c'était au tour du professeur no 2 de lâcher. L'expérimentateur se tourna alors vers le sujet et lui donna l'ordre de poursuivre seul. Seulement 10 % des sujets acceptèrent de terminer la série dans ces conditions. Une seconde variante faisait appel à 2 expérimentateurs plutôt qu'à 2 professeurs additionnels. Après l'administration de quelques chocs, ils commencèrent à discuter — l'un d'entre eux disant qu'ils devraient arrêter l'expérience ; l'autre prétendait qu'ils devaient continuer. Dans ces circonstances, pas un seul sujet n'accepta de continuer, en dépit des ordres répétés du second expérimentateur (Milgram, 1974).

Dans ces diverses variantes, l'incitation à la non-conformité et à la désobéissance venait de complices postés à cet effet. Une expérience plus récente a permis de vérifier la possibilité que des groupes de sujets soient portés, même en l'absence de complices, à se révolter contre l'autorité injuste. Des citoyens d'une communauté non universitaire furent recrutés par téléphone pour passer 2 heures dans un motel de leur région moyennant la somme de 10 $; ils devaient y assister les auteurs d'une recherche sur les « normes des groupes », recherche parrainée par un organisme appelé « Manufacturer's Human Relations Consultants » ou « MHRC » (Gamson, Fireman et Rytina, 1982). Neuf sujets, des hommes et des femmes, furent convoqués à chaque séance de groupe. À leur arrivée, on leur présenta une lettre expliquant que les litiges juridiques dépendent souvent des normes en vigueur dans la communauté et que pour recueillir des faits relatifs à ces normes, le MHRC réunit des citoyens représentatifs sous forme de groupes de discussion. On fit ensuite asseoir les sujets à une table en forme de U, face à des caméras et à des microphones servant à l'enregistrement sur bande vidéo, et on leur demanda de répondre à un questionnaire sur leurs antécédents et de signer un « accord de participation » autorisant le MHRC à procéder à des enregistrements sur bande vidéo dès qu'ils commenceraient à discuter. Le responsable de la rencontre, qui se présenta comme coordonnateur, fit ensuite lecture des faits relatifs à un procès qui se poursuivait actuellement. Les données essentielles du cas étaient les suivantes :

Le gérant d'un poste d'essence poursuivait une compagnie pétrolière parce qu'elle avait annulé son contrat de location du poste. La compagnie avait fait enquête sur son locataire et avait découvert qu'il vivait en concubinage. La compagnie prétendait que son style de vie contrevenait aux normes morales de la communauté locale et qu'en conséquence, il ne serait pas en mesure d'entretenir de bons rapports avec les clients; ils avaient donc décidé de révoquer son permis de location. L'individu poursuivait pour bris de contrat et viol de son intimité, soutenant que la compagnie voulait avoir sa peau parce qu'il avait critiqué publiquement, lors d'une interview à la télévision locale, la politique de la compagnie relativement à la fixation du prix de l'essence.

Après avoir présenté le cas, le coordonnateur demandait au groupe de s'engager dans la discussion pendant qu'on enregistrait le débat sur bande vidéo. Après discussion générale, les caméras s'arrêtèrent et le groupe fut invité à faire une pause. Avant de reprendre l'enregistrement, le coordonnateur demanda à trois des membres du groupe d'agir dans le débat comme s'ils étaient personnellement choqués du style de vie du gérant du poste d'essence. Ce second débat fut enregistré, il y eut une autre pause et 3 autres individus furent désignés pour abonder dans le même sens durant la séance qui suivit. Finalement, le coordonnateur demanda à chaque individu de se présenter seul devant la caméra et de s'objecter verbalement au scandale créé par le gérant du poste d'essence, de déclarer leur intention de boycotter le poste et de soutenir que le gérant devrait perdre son permis. On annonça aussi aux membres du groupe qu'on leur demanderait de signer des déclarations notariées accordant au MHRC le droit de produire les enregistrements comme preuve devant le tribunal, après les avoir coupés et recollés à volonté.

Au fur et à mesure qu'ils commencèrent à découvrir les mobiles du MHRC, tous les 33 groupes de cette expérience, sauf 1, se mirent à exprimer des objections: « Pouvez-vous nous assurer que le tribunal saura que ce ne sont pas là nos opinions réelles? »; « Est-ce que vous auriez objection à laisser l'enregistrement se poursuivre pendant que vous nous donnez ces directives, afin qu'il ne semble pas... »; « Est-ce que ces professionnels savent que ce que vous faites, c'est en réalité de la subornation et de l'incitation au parjure? » (Gamson, Fireman et Rytina, 1982, p. 62, 65). L'un des groupes décida même d'agir directement en ramassant du matériel sur les tables pour le donner au journal local.

Dans l'ensemble, 16 des 33 groupes se révoltèrent complètement — tous les membres refusèrent de signer la déclaration finale — et dans 9 autres groupes, la majorité des sujets refusèrent de signer. Dans les 8 autres groupes, seule une minorité refusa de signer, même si bon nombre de commentaires défavorables furent exprimés. On constate donc que comparativement à l'expérience de Milgram, l'obéissance à l'autorité a été clairement sapée dans cette recherche. Pourquoi?

Les deux expériences sont différentes sous plusieurs rapports, ce qui nous empêche d'affirmer avec certitude que la différence importante consiste dans l'utilisation d'un groupe pour cible plutôt qu'un individu isolé. Néanmoins, c'est l'élément le plus probable. En effet, les circonstances qui menèrent à la révolte dans l'expérience du MHRC semblent être les mêmes que celles que nous avons vu agir dans d'autres contextes de groupe: la définition de la situation et de la conformité.

Dans les recherches sur l'intervention des témoins, nous avons fait observer que dans un groupe, les individus définissent entre eux une situation ambiguë. On a donné, durant les pauses, amples occasions aux sujets de l'étude MHRC de discuter de la situation les uns avec les autres et de se faire part de leurs soupçons quant aux mobiles du MHRC. Voici certains des commentaires entendus: « Comment les gens vont-ils savoir que ce ne sont pas là nos opinions? » « Nous ne voulons pas nous retrouver un bon jour dans la situation de devoir lire dans le *New York Times* que, grâce à une nouvelle méthode de traitement de litiges (rires du groupe), ce pauvre diable (rires du groupe) a perdu son permis » (Gamson, Fireman et Rytina, 1982, p. 101, 102).

Les questionnaires préliminaires ont également indiqué que 80 à 90 % des sujets étaient initialement opposés à la position qu'on leur demandait d'adopter : ils étaient très tolérants à l'endroit d'un couple de personnes non mariées vivant ensemble ; ils voyaient les grandes compagnies pétrolières d'un œil critique et ils étaient d'avis qu'une compagnie n'avait rien à faire dans la vie privée de ses employés. Les membres du groupe pouvaient aussi se communiquer ces opinions les uns aux autres. Les chercheurs ont comparé les 23 groupes dans lesquels une majorité des membres entretenaient des opinions dissonantes au départ avec les 10 groupes qui affichaient, dès le début, des opinions moins discordantes. Ils ont constaté que 65 % des premiers groupes en vinrent à la révolte totale — personne ne signa les déclarations — alors que seulement 10 % des derniers groupes se révoltèrent. La majorité des groupes comprenaient également des individus qui avaient participé activement par le passé à des contestations et à des grèves ; ces groupes étaient également plus susceptibles de se soulever que les groupes dépourvus de tels « modèles de rôles ». Les sujets isolés de l'expérience de Milgram n'avaient aucune de ces occasions de mettre les informations en commun, de recevoir un appui social pour la dissidence ou de voir des modèles de rôles de désobéissance.

Mais avant de féliciter l'espèce humaine de son indépendance héroïque et de son autonomie face aux pressions sociales, nous devrions étudier la signification de ces résultats plus attentivement. Ils semblent indiquer que plusieurs des individus au sein des groupes ne faisaient pas un choix entre obéissance et autonomie, mais plutôt entre obéissance et conformité : obéis au coordonnateur ou conforme-toi à la norme de groupe en voie de formation, c'est-à-dire la désobéissance. Comme le font observer les chercheurs, « Plusieurs étaient indécis à ce moment-là, attendant de voir ce que les autres feraient, reportant leur décision aussi longtemps que possible ». On note également que certains de ceux qui avaient déjà signé les déclarations rayèrent leurs noms ou déchirèrent la formule. Comme le disait un sujet au coordonnateur, « Personnellement, je n'ai rien dit que je ne croyais pas, mais je ne signerai pas cela non plus, si le reste du groupe ne signe pas » (Gamson, Fireman et Rytina, 1982, p. 99).

Il se peut que devoir obéir ou se conformer ne vous semble pas constituer un choix très héroïque. Mais ces décisions font partie des processus qui forment le ciment social de l'espèce humaine. Plusieurs années avant que cette recherche n'ait lieu, un historien social faisait remarquer que la « désobéissance, quand elle ne procède pas d'une motivation criminelle, mais plutôt de motifs moraux, religieux ou politiques, est toujours un acte collectif justifié par les valeurs de la collectivité et par les engagements mutuels de ses membres » (Walzer, 1970, p. 4).

INTÉRIORISATION

On dit que les individus se conforment quand ils modifient leur comportement en fonction des désirs d'une personne qui exerce un pouvoir et maintient une surveillance continue de la cible de son influence. Mais dans le quotidien, la plupart des sources d'influence s'efforcent d'obtenir des changements auxquels l'individu « croit » et qui se maintiendront donc après que la source sera disparue. Le changement à long terme de cette nature s'appelle *intériorisation*. Assurément, l'objectif principal des parents, des éducateurs, du clergé, des politiciens et des publicistes est l'intériorisation et non pas uniquement le conformisme. En général, l'intériorisation se fait par l'intermédiaire d'une source de croyance qui a de la *crédibilité*, dont le message lui-même est persuasif et plausible. Dans cette partie, nous examinerons deux sources d'influence dont l'objectif est de persuader plutôt que de contraindre : les influences d'une minorité sur l'opinion de la majorité et l'influence des médias.

Influences d'une minorité

Un certain nombre de savants européens ont critiqué la recherche en psychologie sociale qui a cours en Amérique du Nord à cause de sa préoccupation du conformisme et de l'influence de la majorité sur la minorité. Ils soulignent, à juste titre, que l'innovation intellectuelle, le changement social et les révolutions politiques ont inévitablement eu lieu parce qu'une minorité bien informée et capable de s'exprimer avec conviction — une minorité parfois constituée d'un seul membre — se met à convertir les autres à son point de vue (Moscovici, 1976). Par conséquent, pourquoi ne pas étudier l'innovation et l'influence que les minorités peuvent exercer sur la majorité?

Pour appuyer leur point de vue, ces chercheurs européens ont délibérément commencé leurs travaux en montant en laboratoire une situation pratiquement identique à la situation de conformité de Asch. On a demandé à des sujets de poser une série de simples jugements perceptifs devant des complices de l'expérimentateur qui donnaient systématiquement la mauvaise réponse. Mais au lieu de placer un sujet isolé au milieu de plusieurs complices de ce genre, ces chercheurs ont placé 2 complices qui donnaient constamment des réponses erronées au milieu de 4 sujets réels. Les expérimentateurs ont constaté que la minorité était capable d'influencer environ 32 % des sujets à faire au moins un faux jugement. Pour en arriver là cependant, il a fallu que la minorité demeure constante durant toute l'expérience. Quand ils vacillaient ou faisaient preuve d'une inconstance quelconque dans leurs jugements, ils n'arrivèrent pas à influencer la majorité (Moscovici, Lage et Naffrechoux, 1969).

Depuis cette démonstration initiale de l'influence d'une minorité, on a entrepris plusieurs recherches, tant en Amérique du Nord qu'en Europe; plusieurs consistaient à demander à des groupes de discuter de questions sociales et politiques plutôt que de porter de simples jugements perceptifs. De façon générale, on constate que des minorités sont capables d'amener des majorités vers leur point de vue, quand elles adoptent une position constante sans se montrer rigides, dogmatiques ou arrogantes. Ce type de minorités est perçu comme ayant plus de confiance en soi et, occasionnellement, plus de compétence que la majorité (Maass et Clark, 1984). Les minorités sont également plus efficaces quand elles défendent une position conforme aux normes sociales en voie de formation dans le milieu social plus vaste. Lors de 2 expériences dans lesquelles on discutait des questions féministes, par exemple, les sujets ont été influencés significativement plus par la position d'une minorité alignée sur les normes sociales récentes (féminisme) que par un discours opposé aux nouvelles normes (antiféminisme) (Paicheler, 1976, 1977).

Mais le résultat le plus intéressant de cette recherche c'est la constatation que, dans ces expériences, les membres de la majorité font preuve d'intériorisation — un changement d'attitudes intimes — et non pas seulement d'acquiescement ou de conformisme public. En vérité, les minorités obtiennent parfois de l'intériorisation de la part des membres de la majorité, même quand elles ne réussissent pas à obtenir la conformité publique. Dans l'une de ces études, des groupes de sujets lisaient un prétendu sommaire d'un débat sur les droits des homosexuels, auquel avaient participé 5 étudiants comme eux, soit du premier cycle universitaire. Dans tous les cas, 4 des étudiants qui participaient au débat avaient adopté une position et une minorité de 1 avait défendu constamment le point de vue opposé. Dans certains des débats, la majorité avait été favorable aux droits des homosexuels et la minorité contre; dans d'autres débats, les positions de la minorité et de la majorité étaient inversées. Après lecture du sommaire, les sujets exprimèrent publiquement un accord considérable avec le point de vue de la majorité — peu importe que ce point de vue ait été favorable ou défavorable aux droits des homosexuels — mais les évaluations écrites montraient que les opinions s'étaient déplacées vers la position de la minorité (Maass et Clark, 1983).

Ces données servent à nous rappeler qu'à travers le monde, les majorités ont en général le pouvoir social d'approuver ou de désapprouver, d'accepter ou de rejeter, et c'est ce pouvoir qui peut obtenir l'acquiescement. Par contre, les minorités détiennent rarement un tel pouvoir social. Mais si elles ont de

La question des droits des homosexuels: une action de la part d'une minorité peut changer l'attitude de la majorité.

la crédibilité, elles auront alors le pouvoir de produire de l'intériorisation et, par conséquent, de l'innovation, du changement social et des révolutions.

Persuasion par les médias

Les médias exercent depuis longtemps une influence énorme sur la société. La télévision, en particulier, est devenue une « présence sociale » dont l'impact est considérable sur notre vie. À l'âge de 16 ans, la majorité des enfants auront passé plus de temps devant le poste de télé qu'en classe (Waters et Malamud, 1975) et l'on estime qu'un tiers des adultes américains regardent la télévision en moyenne 4 heures ou plus par jour (Gerbner et Gross, 1976). On peut donc comprendre qu'un grand nombre de personnes se soient inquiétées de l'influence des médias sur nos croyances, sur nos attitudes et sur notre conduite. Au chapitre 11, nous avons parlé des effets sur le comportement de la violence présentée à la télé. Ici, nous nous intéresserons au succès de la persuasion par les médias.

Si on en juge par la quantité d'argent que les entreprises et les partis politiques consacrent à la publicité télévisée, il faut conclure que les médias sont des agents de persuasion très efficaces. Or, cette conclusion est plus ou moins exacte. Dans le contexte d'un marché très concurrentiel ou d'une campagne électorale très serrée, une marge d'avance de quelques points de pourcentage revêt une importance énorme. La réclame dans les médias peut parfois assurer cette marge. Elle peut aussi faire connaître un nouveau produit ou créer un besoin, ou faire en sorte qu'on « se souvienne » du nom d'un politicien inconnu. Enfin, une réclame intensive et continue peut aider un groupe de manufacturiers à maintenir leur part d'un marché donné, même en situation de concurrence vive. Par exemple, malgré les nombreux rapports de recherche établissant que toutes les marques d'analgésiques vendus sans ordonnance procurent la même quantité de soulagement, avec la même rapidité et les mêmes garanties de sécurité, le marché n'en demeure pas moins dominé par 3 ou 4 marques qui font constamment l'objet d'une réclame intensive (Consumers Union, 1980). Cette réclame est évidemment dispendieuse et ces marques universellement connues coûtent à l'acheteur jusqu'à 7 fois plus cher que les marques moins annoncées et pourtant disponibles dans presque toutes les pharmacies et les grands magasins. Quand vous utilisez l'une de ces marques réputées, vous payez avant tout pour obtenir le privilège de vous faire persuader de payer ce prix, et vous êtes ainsi à même de connaître le pouvoir de persuasion des médias (Bem, 1970).

Par contre, si l'on considère la faible proportion de la clientèle visée que les médias réussissent à persuader, ou le peu d'influence qu'ils ont sur les croyances ou sur les attitudes d'un individu pris isolément, le pouvoir de persuasion des médias apparaît beaucoup moins impressionnant. Par exemple, à la suite d'une campagne intensive menée par l'industrie du pétrole en vue d'améliorer sa réputation, 13 % des sujets sondés étaient devenus plus favorables, mais 9 % étaient devenus moins favorables (Watson, 1966). Lors de l'élection présidentielle de 1960, 55 % de la population adulte regarda les fameux débats télévisés entre John F. Kennedy et Richard M. Nixon; 80 % de cette population regarda au moins l'un de ces débats. En outre, les journalistes avaient nettement perçu que Kennedy avait « gagné » la joute. Mais les résultats de sondages ont montré qu'il n'y avait pas eu de modification substantielle du vote à cause des débats (Katz et Feldman, 1962). Le débat de 1980 entre Jimmy Carter et Ronald Reagan eut lieu une semaine avant l'élection présidentielle et l'on prétend souvent qu'il a exercé une influence prépondérante dans la montée victorieuse de Reagan à la dernière minute. Mais un sondage du réseau de nouvelles CBS, effectué immédiatement après le débat, a montré que 7 % des spectateurs seulement ont fait passer leur préférence de Carter à Reagan et que 1 % des partisans de Reagan étaient passés à Carter. De nouveau, on constate que, malgré leur importance non négligeable dans une lutte serrée, des pourcentages aussi faibles ne témoignent pas d'une influence massive de la part des médias. Pourquoi donc les médias n'exercent-ils pas une plus grande influence?

PERSONNE NE REGARDE   La raison la plus banale, mais sans doute la plus critique, est que seule une faible proportion de l'auditoire-cible regarde cette réclame ou y porte attention. Par exemple, même si les cotes Nielsen montrent que dans le foyer moyen il y avait, en 1976, un poste de télévision qui fonctionnait presque 7 heures par jour, une autre enquête a révélé que personne ne se trouvait dans la pièce 19 % du temps où le poste était en marche et que 21 % du temps, il y avait quelqu'un dans cette pièce mais personne ne regardait l'écran. Même quand ils regardaient la télévision, les gens étaient souvent occupés à autre chose, entre autres : repassage, jeux, conversations au téléphone, lutte, danse et déshabillage (Comstock et coll., 1978).

De plus, à l'exception d'événements comme les débats présidentiels, la plupart des informations politiques et des annonces publicitaires n'atteignent qu'une infime partie de la population. Une majorité des adultes américains n'écoutent aucun bulletin de nouvelles nationales au cours d'une période moyenne de 2 semaines (Robinson, 1971). Même ceux qui regardent ces émissions retiennent peu de choses de ce qu'ils voient. Un sondage par téléphone a permis de constater que les téléspectateurs se rappellent moins de 2 des 20 reportages transmis au cours de l'émission d'information diffusée plus tôt dans la soirée. Même quand on leur rappela la nature des reportages, les spectateurs étaient incapables de se souvenir d'avoir entendu la moitié de ces reportages (Neuman, 1976).

CONTACTS SÉLECTIFS   Une deuxième raison pour laquelle les médias ne parviendraient pas à modifier nos croyances et nos attitudes serait que nous sommes plus susceptibles de venir en contact avec des opinions avec lesquelles nous sommes déjà d'accord. Les libéraux écoutent surtout les discours des politiciens libéraux et les conservateurs écoutent les discours des conservateurs. L'individu qui a des idées progressistes lit des revues progressistes, alors que le réactionnaire lit des organes bourgeois. Les résultats de la recherche font toutefois ressortir un fait intéressant : le choix de ces contacts n'est pas, la plupart du temps, prémédité ; nous avons tout simplement plus de chances d'être entourés de sources d'information qui appuient nos idées. L'homme d'affaires de tendance conservatrice lit probablement le *Wall Street Journal* parce qu'il s'intéresse au type d'information donné par ce journal ; le fait que ce dernier présente un point de vue conforme à ses opinions politiques est accidentel. Encore une fois, on voit que l'obstacle majeur que doit affronter celui qui chercherait à nous convaincre est de trouver d'abord le moyen de nous atteindre.

ATTENTION SÉLECTIVE   Même s'il parvient à nous atteindre, le rédacteur d'une annonce publicitaire a peu de contrôle sur l'attention que nous portons à son message. On a démontré ce fait au moyen de 2 expériences assez astucieuses : les sujets écoutaient des messages qui visaient à les persuader, mais qui étaient difficiles à entendre à cause de parasites dans la bande sonore. Les sujets pouvaient rendre le message plus facile à entendre en appuyant sur un bouton qui contribuait à éliminer l'interférence (Brock et Balloun, 1967 ; Kleinhesselink et Edwards, 1975). Or, on constata qu'ils étaient plus portés à éliminer les parasites des messages qui appuyaient leurs opinions que de ceux qui ne le faisaient pas. C'est ainsi que des étudiants très favorables à la légalisation de la marijuana éliminaient l'interférence dans les messages neutres, dans ceux qui réclamaient la légalisation de cette drogue ou même dans ceux qui s'opposaient à cette légalisation au moyen d'arguments faciles à réfuter ; toutefois, ils laissaient les parasites brouiller les messages qui s'attaquaient au projet de légalisation au moyen d'arguments difficiles à réfuter (Kleinhesselink et Edwards, 1975).

INTERPRÉTATION SÉLECTIVE   Même quand nous accordons toute notre attention au message, nous risquons de l'interpréter selon nos croyances et nos attitudes. Les politiciens apprennent à exprimer leurs opinions — ou leur manque d'opinions — d'une façon suffisamment ambiguë pour qu'un maximum d'individus soient capables d'interpréter le message comme conforme à leur point de vue. En outre, nous allons percevoir les messages provenant de sources avec lesquelles nous sommes déjà d'accord comme plus favora-

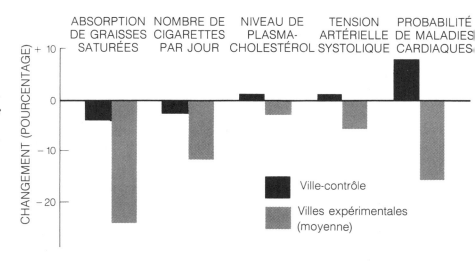

FIGURE 18-10

Campagne de persuasion par les médias *Une campagne intensive menée par l'intermédiaire de médias durant une période de 2 années a réussi à persuader les citoyens des villes expérimentales de modifier leurs habitudes quotidiennes afin de réduire le risque de contracter des maladies cardiaques. (D'après Farquhar et coll., 1977)*

bles à nos propres opinions qu'ils pourraient l'être en réalité. Au moment des élections présidentielles américaines, par exemple, les électeurs étaient portés à percevoir les positions adoptées par leur candidat préféré comme plus conformes à leurs propres points de vue qu'elles ne l'étaient vraiment (Granberg et Brent, 1974).

UN EXEMPLE DE RÉUSSITE   Il apparaît donc clairement que les médias ne risquent pas de nous faire subir un lavage de cerveau. En effet, à voir le nombre d'obstacles auxquels est confronté celui qui cherche à nous persuader, il y a de quoi s'étonner que les médias puissent arriver à un degré quelconque de persuasion. Mais dans certains cas, on a pu surmonter ces obstacles ; c'est d'ailleurs ce qu'a démontré l'étude suivante.

En 1972, les responsables du Programme de l'Université Stanford pour la prévention des maladies cardiaques ont entrepris une étude, dans trois milieux communautaires, pour voir si on pouvait convaincre les gens de modifier leurs habitudes quant à l'exercice physique, l'usage du tabac et l'alimentation, dans le but d'atténuer les risques de maladies cardiaques (Maccoby, Farquhar, Wood et Alexander, 1977). Cette enquête fut menée grâce à la collaboration de psychologues sociaux, d'experts en communication, de responsables de médias et d'experts en maladies cardiovasculaires. Soulignons qu'en plus d'avoir à faire face aux obstacles ordinaires de la persuasion par les médias, dont nous venons de parler, une intervention de cette nature exige aussi que les gens modifient des habitudes profondément ancrées, comme celles de fumer ou de trop manger. C'est pourquoi cette équipe de recherche dut inclure dans son programme tout ce que ses membres savaient sur la persuasion, la communication et le comportement.

On choisit deux petites villes du nord de la Californie, comprenant chacune une population d'environ 13 000 personnes, pour constituer le groupe expérimental, et une troisième ville, semblable aux deux autres, pour constituer le groupe de contrôle. On utilisa un échantillon de 400 personnes environ, choisies au hasard dans chacune des trois villes, et pour évaluer les effets de la campagne de prévention, on les interrogea avant, durant et après cette étude, qui dura 2 ans. Au cours de ces 2 années, la campagne sur les maladies cardiaques atteignit toute la population des deux villes du groupe expérimental de la façon suivante : environ 3 heures d'émissions de télévision, plus de 50 messages publicitaires télévisés, 100 messages à la radio, plusieurs heures d'émissions radiophoniques, des articles dans des hebdomadaires, de la réclame et des informations dans les journaux. Des messages publicitaires furent affichés dans les autobus, dans les magasins et dans divers endroits de travail, et on fit parvenir des dépliants aux participants par voie postale directe. Cette campagne se fit en anglais et en espagnol, étant donné la grande proportion d'hispanophones habitant ces villes.

L'équipe de recherche a observé que le niveau de connaissance des facteurs de risque inhérents aux maladies cardiaques avait monté de façon spectaculaire dans les deux villes, soit une augmentation d'environ 30 %, comparativement à 6 % pour la ville-contrôle (Maccoby, Farquhar, Wood et Alexander, 1977). La figure 18-10 indique que les sujets des villes expérimentales ont présenté des « baisses » beaucoup plus importantes que ceux de la ville-contrôle en ce qui a trait à la consommation de graisses saturées, à l'usage de la cigarette, aux niveaux de plasma-cholestérol, à la tension artérielle systolique et à la probabilité générale de contracter des maladies cardiaques (Farquhar et coll., 1977).

Ces résultats sont encore plus impressionnants quand on les compare aux résultats obtenus auprès d'un groupe de participants spécialement sélectionnés, qui s'étaient inscrits à un programme comprenant des séances hebdomadaires de counseling en tête-à-tête et d'information sur les moyens d'atténuer les risques de maladies cardiaques. Ces sujets étaient tous des personnes reconnues comme très susceptibles de contracter de telles maladies. Au cours de la deuxième année du programme de prévention, on soumit encore les participants à des séances de counseling et on les encouragea à continuer de changer leurs habitudes. Ces participants subissaient aussi les effets de la campagne générale des médias. Les résultats indiquent qu'au cours de la première année, ce groupe a réduit de façon significative les comportements comportant des risques, se montrant meilleurs en cela que les participants qui n'étaient soumis qu'à la campagne des médias. Ces derniers, toutefois, à la fin de la deuxième année, avaient presque rattrapé les premiers, présentant un taux de changement presque aussi élevé que les sujets soumis au counseling intensif (Farquhar et coll., 1977). Le grand succès de cette campagne en a suscité plusieurs autres, tant en Amérique du Nord que dans d'autres pays. Le groupe original de Stanford monte présentement des ateliers à l'intention des milieux communautaires qui désirent entreprendre eux-mêmes des programmes de ce genre et les chercheurs vérifient actuellement si les organisations communautaires existantes sont capables d'obtenir et de maintenir des changements de comportement aussi bénéfiques dans leurs propres milieux (Farquhar, Maccoby et Solomon, 1984).

Cette recherche démontre que la persuasion par l'intermédiaire des médias peut s'avérer efficace quand elle est faite avec soin et de façon intensive. Il est également important de noter que les sources d'influence agissant dans cette recherche avaient une cote de crédibilité très élevée. Il s'agissait d'experts sur la question des maladies cardiaques et le mobile de leurs efforts

Cette scène, tirée d'un film publicitaire tourné pour la télé et commandité par le Programme de l'Université Stanford pour la prévention des maladies cardiaques, nous fait voir un résident local qui déclare être maintenant capable de participer à des marathons, après avoir perdu une trentaine de kilos grâce à la gymnastique et à la course à pied.

pour susciter des changements de comportement parmi l'auditoire-cible ne pouvait pas être perçu comme intéressé — comme le serait un discours politique ou une réclame pour un produit. La crédibilité est la clef qui ouvre la porte à l'intériorisation.

IDENTIFICATION

Pratiquement tous les groupes auxquels nous appartenons, du noyau familial à la société en général, possèdent un ensemble implicite ou explicite de croyances, d'attitudes et de comportements qu'ils considèrent justes. Tout membre du groupe qui s'écarte de ces normes sociales risque l'isolement et le désaveu (désapprobation sociale). Ainsi, par l'intermédiaire de récompenses et de punitions sociales, nos groupes d'affiliation s'assurent de notre conformité. En outre, quand nous respectons ou admirons d'autres groupes ou individus, il se peut que nous nous conformions à leurs normes et que nous adoptions leurs croyances, attitudes et comportements de façon à leur ressembler ou à nous identifier à eux. C'est le processus de l'*identification*.

Groupes de référence

Nous appelons *groupes de référence* les groupes auxquels nous nous identifions, parce que nous nous référons à eux pour évaluer et ajuster nos opinions et nos actes. Un groupe de référence peut également faire office de cadre de référence en nous fournissant non seulement des croyances et des attitudes déterminées, mais une perspective générale qui nous offre une vision du monde — une idéologie ou un ensemble d'interprétations toutes faites des questions et des événements sociaux. Si nous adoptons éventuellement ces façons de voir et si nous intégrons l'idéologie du groupe dans notre système de valeurs, le groupe de référence aura alors produit une intériorisation. Le processus d'identification peut servir de pont entre le conformisme et l'intériorisation.

L'influence des groupes de référence a été mise en évidence dans une étude où les étudiants d'une école normale d'avant-garde écoutaient l'enregistrement d'un discours qui faisait appel à un retour vers les méthodes traditionnelles d'enseignement. Le discours était interrompu à plusieurs occasions par des applaudissements. On avait dit à la moitié des étudiants que l'auditoire qui se manifestait dans l'enregistrement était composé de collègues de leur propre institution; l'autre moitié des étudiants croyaient qu'il s'agissait de citoyens locaux. Sur la question de l'éducation progressive, les étudiants du premier groupe modifièrent leurs opinions plus que ceux du deuxième groupe, qui croyaient que les applaudissements venaient d'« étrangers » (Kelley et Woodruff, 1956).

L'individu n'a pas nécessairement à appartenir à un groupe de référence pour subir l'influence des valeurs de ce groupe. Les individus qui font partie des classes moyennes et inférieures se servent souvent des classes moyennes comme groupes de référence. Il se peut que le jeune athlète ambitieux utilise les athlètes professionnels comme groupe de référence, adoptant leurs points de vue et essayant d'autres façons de se modeler sur eux.

La vie serait simple si chacun d'entre nous ne s'identifiait qu'à un seul groupe de référence. Mais nous nous identifions pour la plupart à plusieurs groupes de référence, ce qui nous soumet souvent à des pressions conflictuelles. Nous avons fait remarquer, notamment au chapitre 17, que l'homme d'affaires juif pouvait être l'objet de pressions contradictoires puisque son groupe de référence ethnique prend généralement des positions plus libérales que ne le fait son groupe de référence du monde des affaires. Mais peut-être que l'exemple le plus durable de groupes de référence rivaux se trouve dans le conflit que plusieurs jeunes gens ressentent entre leur groupe de référence familial et le groupe de référence de leur collège ou de leurs pairs, conflit qui se répète à chaque génération. La recherche la plus étendue sur ce conflit

Les individus s'affilient à un certain nombre de groupes de référence. Il est possible que les attitudes et le comportement de cette jeune fille soient influencés par ses compagnes meneuses de claque, mais elle s'identifie probablement à d'autres groupes de référence qui peuvent promouvoir des valeurs similaires ou différentes.

est l'étude classique menée à Bennington par Theodore Newcomb — un examen des attitudes politiques de toute la population du Collège de Bennington, petit collège de tendance libérale situé dans le Vermont. La période couverte par cette recherche (de 1935 à 1939) pourrait servir de rappel utile à ceux d'entre nous qui, venant tout juste de découvrir, dans leur propre vie, l'existence du fossé entre générations, auraient tendance à y voir un phénomène nouveau.

Aujourd'hui, le Collège de Bennington a tendance à attirer les étudiants d'esprit libéral, mais en 1935, la plupart des étudiants étaient issus de familles riches et conservatrices. (Le collège est aujourd'hui accessible aux deux sexes, mais en 1935, c'était un collège réservé aux femmes.) Plus des deux tiers des parents des étudiantes de Bennington appartenaient au parti Républicain. Le milieu communautaire du Collège de Bennington était libéral durant les années 30, mais ce n'était pas là la raison qui amenait la plupart des étudiantes à choisir ce collège.

La constatation principale de Newcomb était qu'avec chaque année passée à Bennington, les étudiantes s'écartaient de plus en plus des attitudes de leurs parents pour se rapprocher des attitudes de la population du collège. Durant la campagne présidentielle de 1936, par exemple, environ 66 % des parents accordaient leur préférence au candidat républicain, Landon, au détriment du candidat démocrate, Roosevelt. Landon avait l'appui de 62 % des étudiantes de première année à Bennington et de 43 % des étudiantes de deuxième année ; mais cet appui tombait à 15 % chez les collégiennes de troisième et quatrième années.

Pour la plupart de ces femmes, ce cheminement vers le libéralisme était le reflet d'un choix délibéré entre deux groupes de référence antagonistes. Deux de ces jeunes femmes expriment dans les termes suivants leur évolution vers un tel choix :

> Toute ma vie je me suis opposée à la protection des gouvernantes et des parents. Au collège, j'ai échappé à cela, ou plutôt, je suppose que je devrais dire que j'ai changé cela pour rechercher l'approbation intellectuelle de professeurs et d'étudiantes plus avancés. J'ai ensuite découvert qu'on ne peut être réactionnaire et intellectuellement respectable.
> Devenir radicale signifiait penser par moi-même et, au sens figuré, faire un pied de nez à ma famille. Cela voulait dire également une identification intellectuelle avec les professeurs et les étudiantes auxquels je désirais le plus ressembler. (Newcomb, 1943, p. 134, 131).

Notons que, dans le second témoignage, la femme utilise le terme « identification » dans le même sens que nous. Soulignons aussi la façon dont ces femmes mélangent, dans leurs descriptions, le changement résultant des récompenses et des punitions sociales (conformisme) et le changement suscité par un attrait ressenti envers un groupe admiré qu'elles s'efforcent d'imiter (identification).

De l'identification à l'intériorisation

Comme nous l'avons mentionné plus haut, les groupes de référence tiennent également lieu de cadres de référence en fournissant à leurs membres des perspectives nouvelles sur le monde. Le milieu communautaire de Bennington, surtout les professeurs, donnaient aux étudiantes une vision de la dépression des années 1930 et de la menace de la Seconde Guerre mondiale qui échappait totalement à leur milieu familial riche et conservateur, et cette perspective a commencé à faire évoluer ces jeunes femmes de l'identification à l'intériorisation :

> Il ne m'a pas fallu beaucoup de temps pour constater que les attitudes libérales avaient valeur de prestige... Au début, je suis devenue libérale à cause de cette valeur de prestige ; je le reste parce que les problèmes autour desquels mon libéralisme gravite sont importants. Ce que je souhaite maintenant, c'est d'être efficace dans la solution des problèmes.

Les groupes de référence fournissent à leurs membres une opinion toute faite sur les questions sociales.

Prestige et considération ont toujours été tout ce qui compte pour moi... Mais je me suis arraché le cœur à essayer d'être honnête avec moi-même, de sorte qu'aujourd'hui, je connais vraiment les attitudes que je veux prendre et je vois les conséquences qu'elles auront sur ma propre vie. (Newcomb, 1943, p. 136, 137).

Beaucoup de nos croyances et de nos attitudes les plus importantes sont probablement fondées au départ sur l'identification. Chaque fois que nous nous identifions à un nouveau groupe de référence, nous nous engageons dans une démarche d'« essai » du nouvel ensemble de croyances et d'attitudes que ce groupe préconise. Nos « croyances réelles » sont dans un état de fluctuation ; elles peuvent changer d'un jour à l'autre. La première année de fréquentation du collège a souvent cet effet sur les étudiants, plusieurs des points de vue qu'ils apportent avec eux à cause du groupe de référence familial sont remis en question par des étudiants et des professeurs provenant de milieux très différents et entretenant des croyances différentes. Les étudiants font souvent l'« essai » de ces nouvelles croyances avec ardeur et beaucoup de conviction, pour les remplacer ensuite par des croyances encore plus nouvelles quand le premier ensemble ne leur convient pas tout à fait. C'est là un processus naturel de croissance. Même si ce processus ne prend jamais réellement fin chez ceux qui restent perméables aux nouvelles expériences, il s'accélère considérablement durant les années de collège, avant que l'individu se soit formé un noyau de croyances permanentes sur lequel il construira plus lentement et de façon moins radicale. Le vrai « travail » du collège consiste dans la formation d'une identité idéologique en fonction de plusieurs croyances et attitudes que l'on vérifie pour pouvoir aller de l'identification à l'intériorisation.

Il semble également que l'expérience du collège pousse la plupart des étudiants vers un libéralisme politique plus accentué — tout comme ce qui a été observé à Bennington, il y a plusieurs années. Des sondages menés entre 1961 et 1963 et à nouveau entre 1969 et 1970, par un magazine d'orientation politique conservatrice a établi la présence d'une telle tendance dans un groupe diversifié de collèges et d'universités (*National Review*, 1963, 1971). Dans le sondage de 1970, environ 77 % des étudiants disaient que leurs attitudes politiques avaient évolué vers la gauche depuis leur admission au collège, alors que 9 % seulement avaient évolué vers la droite. Bien que les collégiens des années 1980 ont moins tendance à se décrire comme libéraux ou radicaux que ceux des années 70, la contestation politique libérale trouve toujours un large appui chez les étudiants des campus collégiaux. Les enquêtes continuent de montrer que les plus jeunes sont plus libéraux que les adultes, particulièrement quand il s'agit de questions sociales, comme les droits des femmes, l'avortement, l'acceptation de l'homosexualité et ainsi de suite (Yankelovich, 1974, 1981).

Comme nous l'avons déjà dit, l'avantage que détient l'intériorisation sur le conformisme vient de ce que les changements intériorisés se maintiennent par eux-mêmes. La source originale d'influence n'a pas besoin de surveiller l'individu pour assurer le maintien des changements qu'elle a suscités. Le test de l'intériorisation est donc la stabilité à long terme des croyances, des attitudes et des comportements qui ont été suscités. Le libéralisme qui résultait de l'identification chez les femmes de Bennington a-t-il survécu quand ces étudiantes sont retournées dans le « vrai monde » ? La réponse est positive. Une étude de ces femmes a révélé que 25 ans plus tard, elles étaient restées libérales. Aux élections présidentielles de 1960, par exemple, 60 % des « anciennes » de Bennington ont préféré le démocrate Kennedy au républicain Nixon, par comparaison à moins de 30 % des femmes d'une classe socio-économique similaire, habitant des régions équivalentes et de niveau d'éducation similaire. Qui plus est, environ 60 % des « anciennes » de Bennington étaient actives en politique et la plupart (66 %) travaillaient au profit du parti démocrate (Newcomb, Koening, Flacks et Warwick, 1967).

Mais avec l'âge, nous ne perdons jamais notre besoin d'identification à des groupes de référence sur lesquels nous appuyer. Les attitudes politiques des femmes de Bennington sont restées stables, en partie, à cause de leur choix, après leur sortie du collège, de nouveaux groupes de référence — amis et époux — qui appuyaient les attitudes qu'elles avaient cultivées au collège. Celles qui ont épousé des hommes plus conservateurs risquaient plus d'être conservatrices en politique en 1960. Comme le fait remarquer Newcomb, nous choisissons souvent nos groupes de référence parce qu'ils partagent nos attitudes et par ailleurs, nos groupes de référence aident, à leur tour, à renforcer et à conserver nos attitudes. La relation est circulaire. La distinction entre identification et intériorisation a son utilité pour la compréhension de l'influence sociale, mais, dans les faits, il n'est pas toujours possible de les démêler.

RÉSUMÉ

1. La psychologie est, en partie, l'étude de la façon dont les pensées, les sentiments et les comportements de l'individu exercent une influence les uns sur les autres. On a identifié trois processus d'influence sociale : a) l'*acquiescement*, par lequel la personne se conforme publiquement et manifestement aux désirs de la source d'influence, sans pour autant changer ses croyances ni ses attitudes intimes ; b) l'*intériorisation*, par laquelle la personne change ses croyances, ses attitudes ou ses comportements parce qu'elle croit honnêtement à la validité de la position prêchée par la source d'influence ; c) l'*identification*, par laquelle la personne change ses croyances, attitudes ou comportements de façon à s'identifier ou à ressembler à une source d'influence respectée ou admirée.

2. Nous subissons aussi l'influence de *normes sociales*, règles et attentes implicites qui nous dictent ce qu'il faut penser et comment on doit se comporter. Étant donné que les normes nous influencent même en l'absence physique des autres, la définition de la psychologie sociale s'élargit pour inclure l'étude de la façon dont les pensées, les sentiments et les comportements de l'individu se trouvent influencés par la *présence réelle, imaginée* ou *sous-entendue* des autres.

3. Les êtres humains, comme les animaux, réagissent plus rapidement en présence d'autres membres de leur espèce. C'est ce que l'on appelle l'*effet de facilitation sociale* ; il se produit peu importe que les autres soient en train d'exécuter la même tâche (coacteurs) ou qu'ils soient tout simplement en train d'observer (spectateurs). La présence d'autrui semble agir pour élever le niveau de tendance de l'organisme. Dans le cas des êtres humains, les facteurs cognitifs, comme une préoccupation de se voir évalué, jouent également un rôle et il existe plusieurs théories rivales sur les effets de facilitation sociale.

4. La désinhibition du comportement agressif manifesté parfois par les foules ou par les bandes d'émeutiers est peut-être le résultat d'un état de *désindividualisation*, dans lequel l'individu a l'impression d'avoir perdu son identité personnelle et de s'être fondu dans le groupe. L'anonymat et la cohésion du groupe semblent atténuer la conscience de soi et contribuer à la désindividualisation. Parmi les conséquences de la désindividualisation, signalons l'affaiblissement des contraintes imposées au comportement impulsif, l'augmentation de la sensibilité aux indices immédiats et aux états affectifs courants et une diminution de la préoccupation face à la possibilité d'être évalué par les autres.

5. Le témoin d'une situation de crise est moins porté à intervenir ou à se porter à l'aide quand il se trouve en groupe que lorsqu'il est seul. Parmi les facteurs principaux qui détournent de l'intervention, citons la *définition de la situation* et l'*émiettement de la responsabilité*. En tentant d'avoir l'air calme, les témoins peuvent se donner mutuellement l'impression que la situation ne représente pas un cas d'urgence, créant par le fait même un état d'*ignorance pluraliste*. La présence d'autres personnes répartit également la responsabilité de telle sorte qu'il ne se trouve personne qui ressente la nécessité d'agir. Les témoins sont plus enclins à intervenir quand ces facteurs sont minimisés, surtout si au moins un individu fait un geste pour se porter à l'aide de la victime.

6. La *théorie de l'impact social* recouvre plusieurs phénomènes d'influence sociale en proposant 1) que l'impact social ou l'efficacité de l'influence sur un individu-cible *augmente* en fonction du nombre, du caractère direct et de l'importance des sources d'influence et 2) que l'impact social d'une source d'influence *décroît* à mesure que le nombre, le caractère direct et l'importance des cibles augmentent.

7. Quand une source d'influence obtient de l'acquiescement en se portant en exemple, on parle de *conformité*. Quand la source obtient l'acquiescement en exerçant son autorité, on parle d'*obéissance*. Asch a étudié la conformité à la pression sociale en se servant d'une tâche de perception simple, comportant une bonne réponse évidente. Il a constaté que des mauvaises réponses de la

part d'un groupe créent une forte pression sur l'individu, l'amenant à se conformer aux jugements du groupe. Les pressions vers le conformisme semblent découler du message qu'un désaccord transmettrait au groupe — à savoir que les autres membres du groupe sont incompétents ou que l'individu a perdu contact avec la réalité. On observe beaucoup moins de conformité quand le groupe n'est pas unanime.

8. Une série de travaux spectaculaires et controversés effectués par Milgram ont démontré que les gens obéissent à l'ordre d'un expérimentateur leur demandant d'administrer des chocs électriques à une victime innocente. Parmi les facteurs qui contribuent à la production de taux élevés d'obéissance, on compte les normes sociales (par exemple, le contrat implicite de poursuivre l'expérience jusqu'à la fin), la surveillance exercée par l'expérimentateur, les caractéristiques du montage expérimental (tampons) qui sépare la personne de la conséquence de ses actes et le rôle légitimant de la science, qui amène les gens à abandonner leur autonomie aux mains de l'expérimentateur.

9. L'obéissance à l'autorité illégitime peut s'effriter rapidement — et la révolte gronde — quand l'individu fait partie d'un groupe dont les membres ont l'occasion d'échanger les uns avec les autres sur la situation, lorsqu'ils sont capables de se donner un appui social mutuel pour se montrer en désaccord et qu'ils peuvent servir de modèles de rôle pour la désobéissance. Mais il se peut que l'individu ait alors à choisir entre l'obéissane à l'autorité et la conformité au groupe qui a décidé de se révolter.

10. Les études sur le conformisme et l'obéissance révèlent que les facteurs de situation exercent plus d'influence sur le comportement que la plupart d'entre nous le soupçonnons. Nous sommes portés à sous-estimer les forces qu'exerce la situation sur le comportement.

11. Une source d'influence qui détient un pouvoir social peut produire de l'acquiescement, mais seule une source d'influence qui a de la crédibilité (pouvoir de persuasion) peut conduire à l'intériorisation, soit une véritable croyance et un véritable changement d'attitude. Des travaux de recherche ont permis d'établir qu'une minorité d'individus insérés dans une groupe plus important peut amener la majorité vers le partage de son point de vue, si elle présente et maintient une position contraire constante sans se montrer rigide, dogmatique ou arrogante. De telles minorités sont perçues comme plus confiantes en elles-mêmes et, parfois, plus compétentes que la majorité. En certaines circonstances, la minorité obtient ce genre d'intériorisation même quand elle n'obtient pas de comportement conforme ; les membres de la majorité modifient leur opinion intime tout en continuant d'exprimer publiquement la position initiale de la majorité.

12. En dépit des sommes d'argent qu'on dépense pour persuader les gens par l'intermédiaire des médias, les résultats obtenus ne sont pas formidables. Le problème principal est celui d'atteindre l'auditoire visé. Les gens ont tendance à ne pas faire attention au message persuasif, ils cherchent surtout à se trouver devant des opinions avec lesquelles ils sont d'accord ; ils « étouffent » systématiquement les messages avec lesquels ils sont en désaccord et ils sont enclins à interpréter le message comme plus rapproché de leurs croyances initiales qu'il ne l'est en réalité. Néanmoins, lors d'une campagne d'information menée sur une large échelle pendant 2 années et ayant pour objectif de modifier les habitudes des gens afin de réduire l'incidence des maladies cardiaques, on a démontré que les médias peuvent être très efficaces quand on s'en sert habilement.

13. Nous manifestons le processus d'*identification* quand nous obéissons aux normes et adoptons les croyances, les attitudes et les comportements de groupes que nous respectons et admirons. Nous utilisons de tels *groupes de référence* pour évaluer et pour ajuster nos opinions et nos actes. Un groupe de référence peut exercer un pouvoir régulateur sur nos attitudes et sur notre comportement en dispensant des récompenses et des punitions sociales ou en nous fournissant un cadre de référence, une interprétation toute faite des événements et des questions sociales.

14. Nous nous identifions pour la plupart à plus d'un groupe de référence et ceci peut exercer des pressions conflictuelles sur nos croyances, nos attitudes et nos comportements. Les collégiens s'écartent fréquemment des points de vue de leur groupe de référence familial pour se rapprocher du groupe de référence du collège. En règle générale, ils évoluent dans une direction politiquement libérale et ce changement s'entretient lui-même durant les années subséquentes. Ces nouvelles façons de voir, généralement adoptées grâce au processus d'identification, deviennent par le fait même intériorisées. Elles sont également maintenues parce que nous sommes portés à choisir, après le collège, des groupes de référence nouveaux — époux et amis — qui sont déjà d'accord avec nous.

BONNANGE, C. et THOMAS, C. *Don Juan ou Pavlov. Essai sur la communication publicitaire*, Paris, Seuil, 1987.

FREUD, S. *Malaise dans la civilisation*, Paris, P.U.F., 1971.

McLUHAN, M. et WATSON, W. *Du cliché à l'archétype*, Montréal, Éditions Hurbubise HMH, 1973.

MILGRAM, S. *Soumission à l'autorité*, Paris, Calmann-Levy, 1974.

MOSCOVICI, S. *Psychologie des minorités actives*, Paris, P.U.F., 1979.

MUCCHIELLI, R. *Psychologie de la relation d'autorité*, Paris, Entreprise moderne d'édition, 1976.

SAINT-ARNAUD, Y. *Les petits groupes, participation et communication*, Montréal, Presses de l'Université de Montréal, 1978.

LECTURES SUGGÉRÉES

Comment lire un manuel : la méthode SQLRT

L'étude de l'apprentissage et de la mémoire est un thème qui occupe une place centrale en psychologie. Presque tous les chapitres de ce livre réfèrent à ces phénomènes, et le chapitre 7 («Apprentissage et conditionnement»), de même que le chapitre 8 («Mémoire»), leur sont exclusivement consacrés. Dans cette annexe, nous donnons la description d'une méthode de lecture et d'étude de l'information présentée sous forme de manuel. On a exposé au chapitre 8 (p. 290) les idées théoriques qui sont à la base de cette méthode; ici, nous décrivons la méthode à l'intention des lecteurs qui voudraient l'appliquer à l'étude de ce manuel.

Cette façon d'aborder la lecture des chapitres d'un manuel, appelée méthode SQLRT, s'est avérée très efficace pour l'amélioration de la compréhension et de la mémorisation des informations et des idées maîtresses*. La méthode tire son nom de la première lettre des cinq étapes de lecture d'un chapitre. Nous présentons ici, en marge, un diagramme des étapes ou phases d'une telle étude. La première et la dernière phases (Survol et Test) s'appliquent au chapitre dans son ensemble; les trois phases intermédiaires (Question, Lecture, Rappel) s'appliquent à chaque section principale d'un chapitre au moment de le lire.

PHASE S (SURVOL) Dans la première phase, vous procédez au survol du chapitre en entier, en le lisant en diagonale pour avoir une idée des thèmes principaux. Il suffit de parcourir la table des matières au début du chapitre et de faire une lecture en diagonale du chapitre en entier, en portant une attention particulière aux titres des sections principales et des sous-sections et en jetant un regard sur les photographies et sur les illustrations. L'aspect le plus important de la phase de survol consiste dans une lecture attentive du Résumé à la fin du chapitre, une fois qu'on a terminé la lecture en diagonale du chapitre. Prenez le temps de réfléchir sur chaque point du résumé; des questions vous viendront à l'esprit, questions auxquelles vous devriez trouver réponse quand vous lirez le texte au complet. La phase de survol vous donnera une vue d'ensemble des thèmes abordés dans le chapitre et vous montrera comment ils sont structurés.

---

* La méthode SQLRT, telle que décrite ici, est fondée sur les travaux de Thomas et H. A. Robinson (1982) et Spache et Berg (1978); leur travaux s'appuient, à leur tour, sur les contributions précédentes de F. P. Robinson (1970).

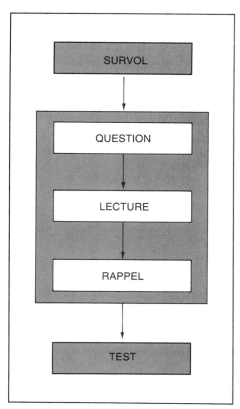

La méthode SQLRT

PHASE Q (QUESTION)   Comme nous l'avons déjà dit, vous devriez appliquer les phases Q, L et R à chaque section principale du chapitre à mesure que vous les rencontrez. Dans ce manuel, un chapitre typique comprend approximativement de 5 à 8 sections principales. Étudiez le chapitre une section à la fois, appliquant les phases Q, L et R à chacune des sections avant de passer à la suivante. Avant de lire une section, lisez le titre de la section et les titres des sous-sections. Puis convertissez les titres des thèmes en une ou plusieurs questions dont vous vous attendez à trouver les réponses au cours de la lecture de cette section. C'est la phase question.

PHASE L (LECTURE)   Pendant que vous lisez le texte de la section, essayez de répondre aux questions que vous vous êtes posées durant la phase Q. Réfléchissez sur ce que vous lisez et essayez d'établir des relations avec d'autres notions que vous possédez déjà. Vous pouvez choisir de marquer ou de souligner les mots, les phrases ou les propositions-clefs dans le texte. Il est probablement préférable de différer la décision de prendre des notes jusqu'à ce que vous ayez lu la section en entier et identifié toutes les idées-clefs, de façon à pouvoir juger de leur importance relative.

PHASE R (RAPPEL)   Après avoir terminé la lecture d'une section, essayez de vous rappeler les idées principales et de vous réciter l'information. La récitation est un moyen puissant pour fixer le matériel en mémoire. Traduisez les idées que vous avez rencontrées sous forme de mots et récitez cette information (de préférence à voix haute, ou, si vous n'êtes pas seul, à voix basse). Cette étape du rappel va faire ressortir les trous de mémoire dans votre connaissance et vous aidera en même temps à structurer et à consolider l'information dans votre esprit. Une fois que vous avez ainsi terminé une section du chapitre, passez à la section suivante et reprenez les phases Q, L et R. Continuez de cette façon jusqu'à ce que vous ayez fini toutes les sections du chapitre.

PHASE T (TEST)   Une fois que la lecture du chapitre a été complétée, vous devriez passer en revue tout le matériel en vérifiant votre connaissance de l'information. Repassez vos notes et faites un test de mémorisation des faits principaux. Essayez de comprendre le rapport qui existe entre les diverses données et la façon dont elles se trouvent structurées dans le chapitre. La phase-test peut exiger que vous vous reportiez à différents endroits dans le texte du chapitre pour vérifier les faits et les idées principales. À ce moment-là, vous devriez relire le résumé du chapitre ; et ce faisant, vous devriez être capable d'élaborer chaque proposition du résumé en plusieurs phrases détaillées.

Les données de recherche indiquent que la méthode SQLRT est très utile et nettement préférable à la simple lecture directe d'un chapitre d'un bout à l'autre (Thomas et Robinson, 1982). La phase de rappel a une importance particulière ; il vaut mieux consacrer jusqu'à 80 % du temps d'étude à un effort actif de récitation que de passer tout le temps à lire et à relire le matériel (Gates, 1917). Des études démontrent également que la lecture attentive du résumé du chapitre *avant* d'aborder le chapitre lui-même est particulièrement fructueuse (Reder et Anderson, 1980). Le fait de lire le résumé d'abord donne une vue d'ensemble du chapitre qui aide à structurer le matériel au fil de la lecture du chapitre. Même si vous deviez décider de ne pas suivre chacune des étapes de la méthode SQLRT, vous devriez accorder une attention toute particulière au mérite de la récitation et du rappel de même qu'à l'utilité de la lecture préliminaire du résumé en guise d'introduction au matériel.

Bref historique de la psychologie

Boring, un historien de la psychologie, a dit que la psychologie était une jeune science qui avait une longue histoire; il est vrai, en effet, qu'à travers l'histoire on s'est toujours intéressé aux questions psychologiques. Les livres sur l'histoire de la psychologie nous présentent les points de vue des premiers philosophes Grecs, notamment ceux de Platon et d'Aristote. Après les Grecs, c'est saint Augustin (354-430) qui est considéré comme un autre grand précurseur de la psychologie moderne, à cause de son intérêt pour l'introspection et de sa curiosité au sujet des jeunes enfants et des foules qui assistaient aux courses de chars. Descartes (1596-1650) a laissé son empreinte sur la psychologie en proposant la théorie voulant que les animaux soient des machines qu'on pouvait étudier de la même façon que les autres engins mécaniques. Il a également introduit le concept de l'action réflexe, qui a pris une place importante en psychologie. Beaucoup de philosophes éminents des XVIIᵉ et XVIIIᵉ siècles — Leibnitz, Hobbes, Locke, Kant et Hume pour n'en nommer que cinq — se sont attaqués à des questions psychologiques.

RACINES DE LA PSYCHOLOGIE CONTEMPORAINE

Deux tentatives initiales

Au XIXᵉ siècle, deux théories de l'esprit se sont disputé la faveur des savants. L'une, connue sous le nom de *psychologie des facultés*, était une doctrine sur les pouvoirs mentaux innés. Selon cette théorie, l'esprit possède quelques « facultés », ou « capacités d'opération mentale », distinctes et indépendantes — comme penser, sentir et vouloir — qui rendent compte de son activité. Ces facultés ont été divisées en sous-facultés: nous nous souvenons grâce à la sous-faculté de mémoire, imaginons grâce à la sous-faculté d'imagination, et ainsi de suite. La psychologie des facultés a servi à encourager, au début du XIXᵉ siècle, les champions de la *phrénologie* qui, à la suite de Gall, se sont efforcés à situer des facultés particulières dans différentes régions du cerveau.

Les *psychologues associationistes* défendait un point de vue contraire. Ils niaient l'existence de facultés innées de l'esprit; ils limitaient plutôt le contenu de l'esprit à des idées qui y pénétraient par la voie des sens pour ensuite s'associer entre elles selon des principes comme la similitude, le contraste

Wilhelm Wundt

Sir Francis Galton

et la contiguïté. Ils expliquaient toute activité par *l'association d'idées* — une notion qui a été développée par les philosophes britanniques surtout.

Les deux psychologies, psychologie des facultés et psychologie de l'association, ont leurs pendants dans la psychologie actuelle. La recherche de capacités mentales comme facteurs dans les tests psychologiques se rattache à la psychologie des facultés. Les recherches modernes sur la mémoire et sur l'apprentissage trouvent des antécédents dans la théorie originale de l'association. La psychologie des facultés a permis de prendre conscience des aspects innés du comportement, alors que l'associationnisme a mis l'accent sur l'environnement comme facteur déterminant du comportement. Le débat hérédité-environnement s'est poursuivi durant toute l'histoire de la psychologie.

Le laboratoire de Wundt

C'est à Wilhelm Wundt qu'on attribue le mérite d'avoir été le fondateur de la psychologie en tant que discipline scientifique. On donne habituellement 1879 comme date de fondation de cette science, soit l'année où Wundt a monté le premier laboratoire officiel de la psychologie à l'Université de Leipzig, en Allemagne. Dans ses recherches, Wundt s'intéressait surtout aux sens, plus particulièrement à la vision; mais ses collègues et lui ont également étudié l'attention, l'émotion et la mémoire.

La psychologie de Wundt s'appuyait sur l'*introspection* comme méthode d'étude des processus mentaux. Il avait hérité la méthode introspective de la philosophie, mais Wundt y ajouta une nouvelle dimension. La pure observation de soi n'était pas suffisante; il fallait y suppléer par l'expérimentation. Dans ses expériences, il faisait varier de façon systématique certaines des dimensions physiques d'un stimulus et il avait recours à la méthode introspective pour déterminer la façon dont ces changements physiques modifiaient la conscience.

L'une des expériences de Wundt sur le *temps de réaction* nous servira à illustrer sa façon d'aborder la recherche. Au cours de la séance expérimentale, le sujet devait appuyer sur une clef aussi rapidement que possible après l'apparition d'une lumière et on mesurait avec soin son temps de réaction. Wundt constata que le temps de réponse était plus long quand le sujet portait une attention minutieuse à la détection du début d'apparition de la lumière que lorsque son attention était dirigée vers l'exécution rapide du mouvement du doigt pour appuyer sur la clef. Le sujet réagissait très vite dans les deux cas, mais il y avait une différence de temps de réaction d'environ 0,1 seconde. Pour expliquer ces résultats étranges, Wundt établit une distinction entre *perception* et *aperception*. Lorsque l'attention est concentrée sur le mouvement du doigt, c'est une simple perception qui se produit et la lumière déclenche la réponse promptement. Mais quand l'attention est axée sur le stimulus, une activité additionnelle d'aperception intervient, qui donne une perception « plus riche » de la lumière. Wundt conclut que cette aperception exigeait approximativement 0,1 seconde. On n'accepte plus son interprétation, car nous savons aujourd'hui que les processus qui interviennent entre le stimulus et la réponse présentent une structuration plus complexe; mais les études de ce genre ont quand même contribué au lancement de la psychologie comme science expérimentale.

Jusqu'à sa mort, en 1920, l'influence personnelle que Wundt a exercée sur la psychologie a été d'une singulière importance. Bon nombre de pionniers de la psychologie américaine ont été formés dans le laboratoire de Wundt. Le premier laboratoire officiel de psychologie aux États-Unis a été fondé à l'Université John Hopkins en 1883, par G. Stanley Hall (qui avait étudié chez Wundt); par ailleurs, William James avait monté un petit laboratoire de démonstration à l'Université Harvard dès 1875. La première personne à porter le titre de « professeur de psychologie » aux États-Unis a été J. McKeen Cattell, un autre étudiant de Wundt, qui avait obtenu une chaire à l'Université de Pennsylvanie, en 1888. Avant la fin des années 1890, on retrouvait des étudiants de Wundt dans bon nombre d'universités américaines.

Autres racines de la psychologie contemporaine

Même si le mouvement vers la création de laboratoires de psychologie est venu surtout d'Allemagne, il y eut d'autres influences. En Angleterre, Sir Francis Galton a fait figure de pionnier dans l'étude des différences individuelles et a également exercé une influence importante sur le développement des tests d'intelligence. C'est Galton qui a inventé la technique statistique de la corrélation et qui a conçu l'indice qui devait par la suite être connu sous le nom de *coefficient de corrélation*.

L'influence exercée par la théorie de l'évolution par sélection naturelle, que l'on doit à Charles Darwin, nous est également venue d'Angleterre. La théorie de Darwin a établi l'existence d'une continuité entre les animaux et les êtres humains et elle se trouve, par le fait même, à l'origine des études comparées en psychologie.

Une autre aire d'influence sur la psychologie nous vient de la médecine, surtout de son action dans le traitement des maladies mentales. L'hypnotisme, par exemple, connaît une longue histoire en tant que forme de thérapie, histoire qui remonte jusqu'aux travaux d'Anton Mesmer, vers la fin du XVIIᵉ siècle. Un autre médecin viennois, Sigmund Freud, fondait la psychanalyse au début du siècle actuel.

ÉCOLES DE PSYCHOLOGIE

Structuralisme et fonctionnalisme

Lorsque la psychologie scientifique a fait surface, durant la dernière partie du XIXᵉ siècle, les chercheurs faisaient déjà des progrès importants en chimie et en physique, grâce à l'analyse des composés complexes (molécules) décomposés en leurs éléments (atomes). Ces succès ont poussé les psychologues à se mettre à la recherche des éléments mentaux entrant dans la composition des expériences plus compliquées. Si le chimiste faisait des progrès en décomposant l'eau en hydrogène et en oxygène, peut-être le psychologue pouvait-il en faire autant en considérant le goût de la limonade (une perception) comme une molécule d'expérience consciente à décomposer en ses éléments (les sensations) — tels le sucré, l'amer, le froid, etc. — qu'on pourrait identifier par introspection. C'était la méthode adoptée par Wundt et ses étudiants ; son principal tenant aux États-Unis fut E.B. Titchener, psychologue formé par Wundt et enseignant à l'Université Cornell. Étant donné que l'objectif poursuivi était l'identification de structures mentales, Titchener créa le terme de *structuralisme* pour décrire ce type de psychologie.

Mais d'aucuns s'objectèrent vigoureusement au caractère purement analytique du structuralisme. William James — un éminent psychologue de l'Université Harvard — s'irritait des entraves que les structuralistes se trouvaient à imposer au développement de la psychologie. James était d'avis qu'on devait accorder moins d'importance à l'analyse des éléments de la conscience et insister davantage sur la compréhension de son caractère personnel, fluide et mouvant. Il s'intéressait surtout à l'étude des opérations de l'esprit permettant à l'organisme de s'adapter à son environnement. Étant donné que James posait la question du fonctionnement de la conscience (particulièrement dans le processus d'adaptation), sa façon d'aborder la psychologie a reçu le nom de *fonctionnalisme*. Les écrits de James sur les *habitudes* en tant que mode d'adaptation ont contribué à préparer la voie à une psychologie centrée sur l'étude du processus d'apprentissage.

L'intérêt porté à la notion d'adaptation a été influencé par la théorie de Darwin sur la sélection naturelle. Selon cette thèse, la conscience n'aurait été le fruit de l'évolution que parce qu'elle aurait contribué à la réalisation d'une fin en guidant les activités de l'individu. L'accent qu'on mettait ainsi sur le rôle fonctionnel de la conscience conduisit à la reconnaissance du fait que la méthode introspective du structuralisme était trop restrictive. Les fonc-

William James

Dates importantes dans l'histoire de la psychologie *

400 av. J.-C.	Hyppocrate établit un lien entre les caractéristiques de la personnalité et les types corporels et propose une théorie physiologique (s'opposant à la démonologie) de la maladie mentale.
350 av. J.-C.	Aristote insiste sur l'observation objective de la conduite humaine et énonce trois principes pour expliquer l'association des idées.
400 apr. J.-C.	Saint Augustin, influencé par les « idées » de Platon, se livre à des introspections minutieuses dans ses *Confessions*.
1650	René Descartes présente la relation corps-esprit comme un rapport d'interaction.
1651	Thomas Hobbes devient le précurseur de l'associationnisme en déclarant que toutes les idées proviennent de l'expérience sensorielle.
1690	John Locke fait franchir une étape à la notion de Hobbes en affirmant que l'esprit, à la naissance, est une page blanche (*tabula rasa*).
1749	David Hartley donne une forme officielle à une doctrine d'associationnisme et propose une base neurologique pour expliquer la mémoire.
1781	*La Critique de la raison pure* d'Emmanuel Kant attaque l'associationnisme et la position nativiste; son ouvrage aura une forte influence sur les philosophes et sur les psychologues qui viendront après lui.
1809	Franz Gall et Johann Spurzheim attirent, par leurs travaux sur la phrénologie, l'attention sur l'étude des facultés mentales et des fonctions cérébrales.
1821	Pierre Flourens exécute les premières expériences signifiantes sur la localisation des fonctions cérébrales.
1822	Friedrich Bessel mesure les différences individuelles de temps de réaction dans les observations astronomiques.
1838	Johannes Müller formule la théorie des énergies nerveuses spécifiques.
1846	Ernst Weber conçoit par dérivation mathématique la première loi quantitative en psychologie.
1850	Hermann von Helmholtz mesure les vitesses de conduction des impulsions nerveuses.
1859	Charles Darwin publie *De l'origine des espèces par voie de sélection naturelle*, exposant sa théorie de l'évolution par sélection naturelle.
1860	Gustav Fechner publie *Éléments de psychophysique*, dans lequel il propose diverses méthodes pour mesurer la relation entre stimuli physiques et sensations.
1869	Sir Francis Galton étudie les différences individuelles et applique le concept d'adaptation sélective de Darwin à l'évolution des races.
1879	Wilhelm Wundt inaugure le premier laboratoire officiel de psychologie à l'Université de Leipzig.
1883	G. Stanley Hall monte le premier laboratoire de recherche en psychologie en Amérique, à l'Université John Hopkins.

* Note du traducteur: Pour assurer une meilleure compréhension de l'œuvre des auteurs, nous avons présenté les titres des ouvrages en français, même si quelques-uns de ceux-ci ne sont pas encore parus en traduction.

1885	Hermann Ebbinghaus publie les premières études expérimentales de la mémoire.
1890	Publication aux États-Unis des *Principes de psychologie* de William James.
1892	Edward Titchener de l'Université Cornell développe le structuralisme et en fait une source d'influence majeure sur la psychologie américaine.
1898	Edward Thorndike exécute certaines expériences sur l'apprentissage des animaux qui se classent parmi les premières études systématiques de ce genre.
1900	Sigmund Freud publie *L'interprétation des rêves*, ouvrage dans lequel il présente plusieurs de ses idées sur la psychanalyse.
1905	Alfred Binet et Théodore Simon élaborent le premier test d'intelligence.
1906	Ivan Pavlov publie les résultats de ses études sur le conditionnement classique.
1908	L'ouvrage de William McDougall, *Introduction à la psychologie sociale*, marque l'inauguration officielle du champ de la psychologie sociale.
1912	Max Wertheimer publie la première formulation de la psychologie de la Gestalt.
1913	John B. Watson exerce un impact majeur sur l'évolution de la psychologie avec son Manifeste behavioriste.
1917	Wolfgang Köhler publie les résultats de ses travaux sur la résolution des problèmes chez les primates.
1922	Edward Tolman présente ses premières idées sur le behaviorisme intentionaliste.
1929	Karl Lashley publie *Mécanismes cérébraux et intelligence*.
1935	Louis Thurstone élabore l'analyse factorielle.
1938	B. F. Skinner publie *Le comportement des organismes*, où il résume les premières recherches sur le conditionnement opérant.
1949	Dans *Organisation du comportement*, Donald Hebb de l'Université McGill présente une théorie qui comble le fossé entre neurophysiologie et psychologie.
1950	William Estes jette les bases d'une méthode mathématique pour aborder les théories de l'apprentissage.
1954	Le psychologue suisse Jean Piaget publie *La construction du réel chez l'enfant*, ouvrage qui oriente l'attention sur le développement cognitif.
1957	Noam Chomsky publie *Structures syntaxiques*, un livre qui présente une façon cognitive d'aborder le comportement du langage.
1958	Herbert Simon et ses collègues publient *Éléments d'une théorie de la résolution des problèmes*, livre dans lequel ils présentent une reformulation des problèmes classiques de la psychologie en termes de modèles de traitement de l'information.

Nous ne faisons pas mention des événements survenus depuis 1960 parce qu'il ne s'est pas écoulé suffisamment de temps pour juger de leur impact à long terme sur la psychologie.

John B. Watson

tionnalistes soutenaient que, pour découvrir comment l'organisme s'adapte à son environnement, il fallait ajouter aux données découlant de l'introspection des observations du comportement réel, y compris l'étude du comportement animal et le développement du comportement (psychologie génétique). C'est ainsi que le fonctionnalisme a élargie le champ de la psychologie pour y inclure le comportement en tant que variable dépendante. Mais, comme les structuralistes, les fonctionnalistes considéraient toujours la psychologie comme la science de l'expérience consciente et retenaient l'introspection comme méthode de recherche principale.

Le structuralisme et le fonctionnalisme ont joué des rôles importants durant la première phase du développement de la psychologie. Étant donné que chacune de ces orientations proposait une façon systématique d'aborder le domaine, elles sont toutes les deux considérées comme des *écoles* rivales *en psychologie*. Avec l'évolution de la psychologie, d'autres écoles se formèrent et se disputèrent le leadership. Dès 1920, le structuralisme et le fonctionnalisme devaient commencer à céder la place à trois nouvelles écoles : le behaviorisme, la psychologie de la Gestalt et la psychanalyse.

Behaviorisme

De ces trois nouvelles écoles, c'est le behaviorisme qui a exercé la plus grande influence sur la psychologie scientifique. Son fondateur, John B. Watson, réagissait contre la tradition de son époque — voulant que l'expérience consciente constitue l'objet de la psychologie — et proclamait de façon audacieuse, l'avènement d'une psychologie *sans* introspection. Watson n'a rien dit de la conscience dans ses études du comportement des animaux et des jeunes enfants. Il a jugé non seulement que les résultats de la psychologie animale et de la psychologie de l'enfant pouvaient se défendre par eux-mêmes sur le plan scientifique, mais qu'ils traçaient également une voie que la psychologie des adultes aurait avantage à suivre.

Pour que la psychologie devienne une science, de dire Watson, ses données doivent être accessibles à l'examen public comme le sont les données de toute autre science. Le comportement est public ; la conscience est privée. La science doit traiter de faits publics. Comme les psychologues devenaient de plus en plus impatients à l'endroit de l'introspection, le nouveau behaviorisme connut un succès rapide, surtout durant les années 1920 ; pendant une certaine période, la plupart des jeunes psychologues des États-Unis se disaient « behavioristes ». Les behavioristes considéraient que les travaux sur la réponse conditionnée, réalisés en Russie par Ivan Pavlov, représentaient un champ de recherche important. Dans la recherche aux États-Unis, on accordait déjà, avant l'avènement du behaviorisme, un certain intérêt à l'étude de la réponse conditionnée, mais c'est Watson qui fut responsable du rayonnement subséquent de son influence sur la psychologie.

Watson prétendait que presque tous les comportements étaient le résultat d'un conditionnement et que l'environnement façonne notre comportement en renforçant des habitudes particulières. La réponse conditionnée était conçue comme la plus petite unité indivisible du comportement, un « atome de comportement » qui pouvait servir à l'édification de comportements plus complexes. Tous les types de répertoires de comportements complexes résultant d'une formation ou d'une éducation particulières étaient considérés comme un tissu de réponses conditionnées qui s'enchaînent les unes aux autres.

Selon les behavioristes, tous les phénomènes psychologiques débutent par un stimulus et finissent dans une réponse — ce qui a donné lieu à l'expression *psychologie de stimulus-réponse (S-R)*. Dans son évolution à partir du behaviorisme, la psychologie S-R est allée au-delà des intentions des premiers behavioristes en se montrant disposée à faire des inférences sur des processus hypothétiques, intercalés entre la perception du stimulus et l'occurrence de la réponse, processus qu'on a appelés *variables intermédiaires*.

Si on adopte des définitions larges, de telle sorte que « stimulus » désigne une catégorie complète de conditions antécédentes et « réponse » désigne une catégorie complète de conséquences (le comportement lui-même et les résultats de ce comportement), la psychologie S-R devient simplement une psychologie de variables indépendantes et dépendantes. Conçue de cette manière, la psychologie S-R n'est pas une théorie particulière, mais un *langage* dont on peut se servir pour rendre l'information psychologique explicite et communicable. De ce point de vue, la conception S-R occupe une place prépondérante dans la psychologie contemporaine.

Psychologie de la Gestalt

Vers la même époque où Watson proclamait son behaviorisme aux États-Unis, la psychologie de la Gestalt faisait son apparition en Allemagne. Le mot *Gestalt* est un terme allemand qui se traduit par « forme » ou « configuration » et la psychologie prêchée par Max Westheimer, en 1912, était une psychologie qui s'intéressait à l'organisation des processus mentaux. Cette position en arriva à être identifiée très étroitement à Wertheimer et à ses collègues, Kurt Koffka et Wolgang Köhler, trois Allemands qui émigrèrent aux États-Unis.

Les premières expériences de la Gestalt portèrent sur la perception du mouvement, notamment le *phénomène phi*. Quand on présente deux jets séparés et momentanés de lumière l'un à la suite de l'autre, le sujet voit une seule lumière qui passe de la position du premier jet à celle du second (pourvu que l'intervalle de temps entre les deux jets et leur position dans l'espace respectent certaines limites). Ce phénomène du mouvement apparent était bien connu, mais les psychologues gestaltistes ont saisi l'importance théorique de l'agencement (temporel et spatial) des stimuli dans la production de cet effet. Nos expériences, conclurent-ils, dépendent des *patterns* formés par les stimuli et de l'*organisation de l'expérience*. Ce que nous percevons dépend de l'arrière-plan et d'autres aspects de l'ensemble. Le tout est différent de la somme de ses parties ; le tout consiste dans des parties en relations entre elles.

Bien qu'à l'instar de Watson, les psychologues de la Gestalt rejetaient eux aussi la psychologie introspective de leur époque, ils s'opposaient véhémentement au behaviorisme. Ils ne voulaient pas abandonner une sorte d'introspection libre appelée *phénoménologie*. Ils voulaient garder le droit de demander à une personne à quoi une chose ressemblait, et ce qu'elle voulait dire. Ils s'intéressaient à la perception du mouvement, à la façon dont les gens jugeaient des grandeurs et à l'apparence des couleurs sous des changements d'illumination.

L'importance que prend la perception dans tous les événements psychologiques a conduit ceux qui ont subi l'influence de la psychologie gestaltiste à faire un bon nombre d'interprétations particulières de l'apprentissage, de la mémoire et de la résolution de problèmes, soit des interprétations fondamentalement axées sur la perception. Ces interprétations, reconnues comme des formes de la théorie cognitive, ont contribué à jeter les assises des développements actuels de la psychologie cognitive.

Psychanalyse

Sigmund Freud a introduit la psychologie psychanalytique aux États-Unis en présentant une série de conférences à l'Université Clark, en 1909, répondant alors à l'invitation de G. Stanley Hall. Par conséquent, la première reconnaissance aux États-Unis de la valeur des travaux érudits de Freud est venue de psychologues. L'influence de Freud est devenue tellement envahissante que même ceux qui ignorent tout de la psychologie ont au moins une vague idée de ce qu'est la psychanalyse.

Si l'on doit se limiter à ne parler que d'une seule des théories de Freud dans ce contexte où nous traitons du behaviorisme et de la psychologie de la Gestalt, il faut naturellement porter notre choix sur son interprétation de l'*inconscient*. On trouve à la base de la théorie de Freud sur l'inconscient la conception voulant que les désirs inacceptables (défendus, punis) de l'enfance soient expulsés de la conscience pour former une partie de l'incons-

Wolfgang Köhler

Sigmund Freud

Herbert Simon

cient, d'où (tout en restant à l'extérieur de la conscience) ils exercent une influence. L'inconscient cherche constamment à s'exprimer, ce qu'il fait de nombreuses façons, y compris par les rêves, les lapsus et les maniérismes inconscients. La méthode de la psychanalyse — association libre sous la direction de l'analyste — est elle-même un moyen d'aider les désirs inconscients à trouver une expression verbale. Dans la théorie freudienne classique, ces désirs inconscients étaient presque exclusivement sexuels. Cette insistance sur la sexualité de l'enfance a été l'une des entraves à l'acceptation des théories de Freud quand elles furent énoncées pour les premières fois.

DÉVELOPPEMENTS RÉCENTS

En dépit des contributions importantes de la psychologie de la Gestalt et de la psychanalyse, la psychologie a été dominée par le behaviorisme jusqu'à la Seconde Guerre mondiale, surtout aux États-Unis. Une fois la guerre finie, l'intérêt pour la psychologie s'est accru et beaucoup de personnes ont été attirées vers des carrières dans ce domaine. Des instruments compliqués et de l'appareillage électronique devinrent disponibles ce qui permit d'étudier une plus vaste gamme de problèmes. L'expansion de ce programme de recherches fit ressortir le caractère trop restrictif des positions théoriques à partir desquelles on s'était jusque-là attaqué aux problèmes.

Cette façon de voir s'est trouvée renforcée par le développement des ordinateurs, au cours des années 50. Les ordinateurs, bien programmés, étaient capables d'exécuter des tâches — comme jouer aux échecs et faire la démonstration de théorèmes mathématiques — qui étaient auparavant l'apanage de l'être humain. Il devint évident que l'ordinateur offrait aux psychologues un outil puissant pour l'élaboration de théories sur les processus psychologiques. Une série d'articles brillants, publiée à la fin des années 50 par Herbert Simon (qui par la suite se vit attribuer le prix Nobel) et ses collègues, démontrait comment on pouvait, à l'aide de l'ordinateur, procéder à la *simulation* de phénomènes psychologiques. Beaucoup de vieilles questions psychologiques furent reformulées en termes de *systèmes de traitement de l'information*. On pouvait maintenant concevoir l'être humain comme un organisme qui traite de l'information. Les sens fournissent une voie d'entrée pour l'information; des opérations mentales agissent sur ces données; les données transformées créent une structure mentale qui est entreposée en mémoire; cette structure entre en interaction dans la mémoire avec d'autres structures pour engendrer une réponse. Le pouvoir de l'ordinateur a permis aux psychologues d'élaborer des théories sur les processus mentaux complexes pour ensuite évaluer les conséquences de leurs théories en les simulant sur ordinateur. Si la phase-réponse de la simulation sur ordinateur était compatible avec le comportement qu'on observait chez des individus en chair et en os, le psychologue pouvait avoir confiance à la théorie.

La méthode du traitement de l'information a procuré une façon plus riche et plus dynamique d'aborder la psychologie que la théorie S-R avec ses variables intermédiaires. De même, la méthode du traitement de l'information a permis de formuler avec précision certaines des spéculations de la psychologie de la Gestalt et de la psychanalyse, sous la forme de programmes d'ordinateurs; ainsi, on était en mesure de rendre concrètes et de vérifier au moyen de faits réels des conceptions antérieures sur la nature de l'esprit.

Le développement de la linguistique moderne est un autre facteur qui a conduit à un changement de perspective en psychologie au cours des années 50. Avant cette époque, les linguistes s'intéressaient avant tout à la description des langages; aujourd'hui, ils commencent à élaborer des théories sur les structures mentales nécessaires à la compréhension et à l'utilisation d'une langue. Le pionnier dans ce domaine a été Noam Chomsky; son livre, *Structures syntaxiques*, qui a été publié en 1957, a servi de base à une collaboration active entre psychologues et linguistes. Il a été suivi par un développement rapide du domaine de la *psycholinguistique*, nous offrant les premières analyses psychologiques signifiantes du langage.

En même temps, on assistait à d'importants progrès en neuropsychologie. Un bon nombre de découvertes sur le cerveau et le système nerveux ont permis d'établir des relations claires entre événements neurobiologiques et processus mentaux. Il devint de plus en plus difficile d'oser affirmer, comme certains des premiers behavioristes n'hésitaient pas à le faire, qu'il est possible de créer une science de la psychologie sans aucun lien avec la neurophysiologie.

Le développement de modèles de traitement de l'information, de la psycholinguistique et de la neuropsychologie a donné une psychologie à orientation très cognitive. On ne s'est pas mis d'accord sur une définition de la *psychologie cognitive*, mais celle-ci s'intéresse principalement à l'analyse scientifique des processus mentaux et des structures mentales. La psychologie cognitive ne s'adresse pas exclusivement à la pensée et à la connaissance. Ses premières préoccupations envers la représentation de la connaissance et les aspects complexes de la pensée humaine ont conduit à l'adoption du nom de «psychologie cognitive», mais son champ d'activité s'est ouvert à tous les domaines de la psychologie, y compris la psychologie clinique.

En une période de moins de 50 ans, l'orientation de la psychologie a bouclé la boucle. Après avoir rejeté l'expérience consciente comme impropre à l'investigation scientifique et s'être tournés vers l'étude du comportement, les psychologues se livrent à nouveau à la formulation de théories sur l'esprit, mais cette fois ils le font avec des outils nouveaux et plus puissants. L'apport du behaviorisme a été d'insister sur l'objectivité des résultats et sur la nécessité de pouvoir les reproduire — une insistance qui a trouvé une place en psychologie cognitive.

Dans une perspective historique, il est trop tôt pour évaluer la signification à long terme des développements récents de la psychologie. Ce qui est évident, toutefois, c'est la présence aujourd'hui d'un immense enthousiasme et d'une grande effervescence dans ce domaine, et plusieurs psychologues sont convaincus que nous traversons une période de progrès et de changements révolutionnaires. Comprendre comment notre esprit fonctionne, voilà un défi digne des meilleurs efforts intellectuels que nous puissions mobiliser.

LECTURES SUGGÉRÉES

ELLENBERGER, H. *À la découverte de l'inconscient. Histoire de la psychiatrie dynamique*, Villeurbane, Simep Éditions, 1974.
FRIEDLÄNDER, S. *Histoire et psychanalyse*, Paris, Seuil, 1975.
MUELLER, F. L. *Histoire de la psychologie*, Paris, Payot, 1960.
MUNN, N. L. *Traité de psychologie*, Paris, Payot, 1970.
REUCHLIN, M. *Histoire de la psychologie*, 9ᵉ éd., Paris, P.U.F., 1974.

Bref historique de la psychologie au Canada et au Québec

Dans un livre d'introduction à la psychologie qui s'adresse aux étudiants francophones, et à ceux du Canada en particulier, il convient de décrire en quelques lignes les débuts de la psychologie scientifique et professionnelle au Canada et au Québec.

Comme un peu partout dans le monde, la psychologie a d'abord été considérée comme une branche de la philosophie et elle a été enseignée comme telle dans les premières universités canadiennes, tant en langue anglaise qu'en langue française. C'est un Américain, James Mark Baldwin, qui fut le premier professeur de psychologie scientifique au Canada. Diplômé de Princeton, aux États-Unis, il avait complété ses études dans le laboratoire de Wundt, à Leipzig. En 1889, il était nommé « professeur de logique, de métaphysique et d'éthique » à l'Université de Toronto. Lors de son discours inaugural comme professeur, il déclara que le philosophe se devait, dès lors, d'être également un homme de science et que la psychologie comparée et expérimentale était une ramification directe de l'esprit scientifique moderne. La controverse qu'avait déjà soulevée sa nomination reprit de plus belle et on l'accusa d'être un « simple psychophysicien », ne valant pas beaucoup plus qu'un « matérialiste ». Dans « Toronto la Pure », sa présence faisait scandale. L'Université de Toronto lui accorda néanmoins des ressources modestes pour fonder un laboratoire de psychologie, « le premier en sol britannique ». En 1892, Baldwin fut l'un des membres fondateurs de l'American Psychological Association, dont il devint le sixième président en 1897. Il quitta l'Université de Toronto en 1893 et fut remplacé par l'Allemand, August Kirschmann, un autre étudiant de Wundt. La psychologie scientifique était lancée, et beaucoup plus tard, après la Première Guerre mondiale, elle devait se séparer complètement de la philosophie ; l'on vit apparaître à Toronto et à McGill des départements de psychologie tout à fait indépendants.

L'enseignement de la psychologie connut à peu près la même évolution dans les universités de langue française. À la suite de la réforme des Facultés Canoniques, en 1935, la Sacrée Congrégation des Séminaires et Universités demanda au universités catholiques à travers le monde d'inclure dans leurs programmes les matières scientifiques qui correspondaient aux divers secteurs de la philosophie. Quelques philosophes introduisirent peu à peu dans leurs cours des éléments de « psychologie scientifique », qui devaient servir de fondement à la « psychologie rationnelle ». Finalement, au Canada, deux religieux décidèrent de fonder, au sein de facultés de philosophie, des « Instituts de psychologie » dont les programmes, dès le départ, devaient être presque totalement indépendants de la psychologie « pneumatique », « mentale », « philosophique » ou « rationnelle ».

Le premier « Institut de psychologie » fut fondé à l'Université d'Ottawa par le révérend père Raymond Shevenell, o.m.i. Déjà en 1938, dans le cadre d'un cours de *Psychologie expérimentale* faisant partie du programme de la Faculté de philosophie, le Père Shevenell avait monté, avec l'autorisation du Recteur de l'Université, un laboratoire de psychologie. C'est d'ailleurs dans ces locaux qu'un groupe de psychologues canadiens conçurent, en décembre de la même année, l'idée de former un association de psycholoques canadiens. (La Société canadienne de psychologie devait être fondée en 1939.) Les efforts du Père Shevenell aboutirent donc à la création de l'Institut de psychologie de l'Université d'Ottawa, en 1941. Dès le début, l'orientation des programmes fut strictement expérimentale et quantitative, avec un fort accent sur la psychométrie ; cette même année, l'Université d'Ottawa publiait le premier test en langue française en Amérique, l'épreuve Otis-Ottawa.

Un an plus tard, le révérend père Noël Mailloux, o.p., fondait un « Institut de psychologie » à l'Université de Montréal. Il lui donnait comme mission « la formation de psychologues qui ne seraient pas simplement ce que l'on appelle couramment des psychotechniciens, mais de vrais spécialistes, capables de critiquer les théories et les données de façon à les associer dans des synthèses harmonieuses et puissantes, en continuité avec nos connaissances philosophiques ». Les Instituts de psychologie d'Ottawa et de Montréal connurent un développement très rapide et, au début des années 50, on trouvait leurs diplômés partout à travers le Canada français. Durant les années qui suivirent, des Départements de psychologie était créés à l'Université Laval, puis à l'Université de Sherbrooke, à l'Université de Moncton, au Nouveau-Brunswick, à l'Université Laurentienne de Sudbury, en Ontario, et plus récemment à l'Université du Québec à Montréal, et à Trois-Rivières. Des enseignements de psychologie se donnent également à l'Université du Québec à Rimouski, à Hull et à Chicoutimi.

Tout en maintenant des programmes d'enseignement scientifique et en appuyant cet enseignement sur la méthodologie et la recherche, les universités francophones attachèrent dès le début plus d'importance au développement de la psychologie clinique et de la psychologie appliquée sous toutes ses formes que la plupart des universités de langue anglaise au Canada. Au début des années 60, l'Association des psychologues du Québec se transformait en Corporation professionnelle des psychologues du Québec (CPPQ) et, grâce à ce statut légal, s'employait à favoriser le développement de la psychologie en tant que profession. Le développement fut très rapide et aujourd'hui, la CPPQ compte environ 3 500 membres œuvrant dans tous les domaines d'application de la psychologie.

Contentons-nous, en guise de conclusion, de dire que la psychologie québécoise est très jeune, mais vigoureuse. Située au point de rencontre de la psychologie d'inspiration européenne et de la psychologie américaine, à laquelle elle doit tellement, elle saura, nous l'espérons, tirer davantage de ces deux sources fécondes et apporter sur la scène internationale sa contribution à l'amélioration de la condition humaine.

Méthodes statistiques et mesures

Le travail des psychologues consiste en grande partie à prendre des mesures, soit en laboratoire, soit sur le terrain. Il peut s'agir de mesurer les mouvements oculaires chez les nouveau-nés quand ceux-ci se trouvent, pour la première fois, en présence d'un stimulus nouveau, d'enregistrer la réaction électrodermale de personnes placées dans des conditions de stress, de compter le nombre d'essais nécessaires à la production de réflexes conditionnés chez un singe qui a subi une lobotomie préfrontale, de calculer les scores obtenus à des tests de rendement par des étudiants soumis à un apprentissage par ordinateur, ou de dénombrer les patients dont l'état s'est amélioré à la suite d'un type particulier de psychothérapie. Dans toutes ces expériences, l'*opération de mesure* se traduit par des chiffres et le problème du psychologue est d'interpréter ces derniers pour en tirer des conclusions générales. Cette tâche s'appuie sur la *méthode statistique* — la discipline qui s'occupe de recueillir les données numériques, de les traiter et d'en dégager des inférences. Le but de cette annexe est de présenter un relevé de certaines méthodes statistiques qui jouent un rôle important en psychologie.

En rédigeant cet exposé, on a tenu pour acquis que les problèmes rencontrés par les étudiants dans le domaine des statistiques se situent essentiellement au niveau de la compréhension des données. Une connaissance élémentaire des statistiques ne dépasse *pas* les capacités de quiconque comprend suffisamment l'algèbre pour utiliser les signes plus (+) et moins (−) et pour substituer des chiffres à des lettres dans les équations.

STATISTIQUES DESCRIPTIVES

Les statistiques jouent avant tout le rôle d'une description « sténographique » de grandes quantités de données. Supposons que nous voulions étudier les scores obtenus aux examens d'admission au collège par 5000 étudiants, scores inscrits sur des cartes dans le bureau du registraire. Ces scores constituent les données brutes. Un examen rapide de ces cartes peut nous donner une certaine idée des scores des étudiants, mais il nous est impossible de les retenir tous. Il faut donc faire une sorte de résumé de ces données, par exemple en faisant la moyenne de tous les scores ou en identifiant le score le plus

84	75	91
61	75	67
72	87	79
75	79	83
77	51	69

TABLEAU 1
Données brutes　*Scores obtenus aux examens d'admission au collège par 15 étudiants; les scores sont présentés selon l'ordre dans lequel on a fait subir les tests.*

élevé et le score le plus bas. Ces résumés statistiques facilitent la mémorisation et l'analyse des données. Ce sont les énoncés sommaires de cette nature qu'on appelle *statistiques descriptives*.

Distributions de fréquence

Les items des données brutes deviennent compréhensibles quand ils sont regroupés dans une *distribution de fréquence*. Pour obtenir cette distribution, il faut d'abord diviser en intervalles l'échelle sur laquelle les items sont mesurés et compter ensuite le nombres d'items qui se situent dans chaque intervalle. L'intervalle au sein duquel des valeurs sont groupées s'appelle *intervalle de classe*. Le choix du nombre d'intervalles de classe à utiliser pour le regroupement des données n'obéit à aucune règle; il dépend uniquement du jugement du chercheur.

    Le tableau 1 présente un échantillon de données brutes portant sur les résultats obtenus aux examens d'admission par 15 collégiens. Les notes apparaissent dans l'ordre suivant lequel on a fait subir les tests (le premier étudiant a eu un score de 84, le deuxième de 61, et ainsi de suite). Dans le tableau 2, ces données sont groupées dans une distribution de fréquence dont l'intervalle de classe a été fixé à 10. L'un des scores se situe dans l'intervalle de 50 à 59, trois scores tombent dans l'intervalle de 60 à 69, et ainsi de suite. On remarque qu'il y a plus de scores dans l'intervalle de 70 à 79 et qu'il n'y en a pas qui se situent au-dessous de l'intervalle de 50 à 59, ni au-dessus de celui de 90 à 99.

    Il est souvent plus facile de comprendre une distribution de fréquence d'après une représentation graphique. La forme graphique la plus souvent utilisée est l'*histogramme de fréquence*; on en a un exemple dans la partie supérieure de la figure 1. On construit les histogrammes en dessinant des colonnes dont les bases sont déterminées par les intervalles de classe et les hauteurs par les fréquences dans les classes correspondantes. Une autre forme de présentation des distributions de fréquence sous forme graphique est le *polygone de fréquence*; on en a un exemple dans la partie inférieure de la figure 1. On construit les polygones de fréquence en représentant par un point vis-à-vis du centre de l'intervalle de classe la fréquence de chaque classe et en réunissant les points ainsi obtenus par des droites. Pour compléter le tracé, on ajoute une classe à chaque extrémité de la distribution et comme ces deux dernières classes ont une fréquence nulle, les deux bouts du tracé rejoignent l'axe horizontal. Le polygone de fréquence présente la même information que l'histogramme de fréquence, mais au moyen de lignes plutôt que de colonnes.

    Dans la réalité, nous aurions un beaucoup plus grand nombre d'items que ceux représentés dans la figure 1, mais nous nous en tenons (dans toutes nos illustrations) au minimum de données, afin que vous puissiez facilement comprendre chacune des étapes de la compilation et de la représentation des données.

Mesures de tendance centrale

Une *mesure de tendance centrale* consiste tout simplement dans un point représentatif sur notre échelle, soit un point central avec une dispersion de valeurs de chaque côté. On utilise généralement trois mesures de ce genre: la *moyenne*, la *médiane* et le *mode*.

    La *moyenne* est la valeur arithmétique bien connue, qu'on obtient en additionnant les scores et en les divisant par le nombre de ces scores. La somme des scores bruts du tableau 1 est 1125. En divisant cette somme par 15 (le nombre de notes ou de scores obtenus par les collégiens), on obtient une moyenne de 75.

    La *médiane* est le score de l'intervalle du milieu; on l'obtient en disposant les scores dans l'ordre et en comptant ensuite jusqu'au milieu en partant de chaque extrémité. Quand on dispose les 15 scores du tableau 1 dans l'ordre,

INTERVALLE DE CLASSE	NOMBRE DE PERSONNES DANS LA CLASSE
50-59	1
60-69	3
70-79	7
80-89	3
90-99	1

TABLEAU 2
Distribution de fréquence *Scores du tableau 1 répartis selon des intervalles de classe de 10.*

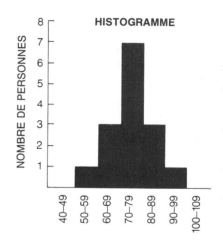

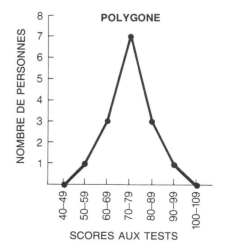

FIGURE 1
Diagrammes de fréquence *On représente graphiquement ici les données du tableau 2. En haut, nous avons un histogramme de fréquence et en bas, un polygone de fréquence.*

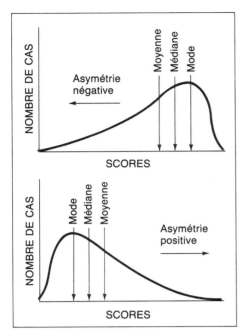

FIGURE 2
Courbes de distribution asymétriques *Notez que l'asymétrie est dite négative ou positive selon la direction de l'extension de la distribution par rapport à la tendance centrale. Remarquez également que la moyenne, la médiane et le mode ne sont pas identiques quand la distribution est asymétrique ; généralement, la médiane se situe entre la moyenne et le mode.*

du plus bas au plus élevé, le huitième en partant de chaque extrémité est 75. Si le nombre de cas est un nombre pair, on peut tout simplement prendre la moyenne des deux cas se situant de chaque côté du centre. Par exemple, s'il s'agit de 10 cas, la médiane est la moyenne arithmétique des scores des cas cinq et six.

Le *mode* est le score qui se rencontre le plus fréquemment dans une distribution donnée. Dans le tableau 1, le score le plus fréquent est 75 ; par conséquent, le mode de la distribution est 75.

Dans une *distribution symétrique*, où les scores sont répartis de façon égale de chaque côté du centre (comme dans la figure 1), la moyenne, la médiane et le mode ont tous la même valeur. Il n'en est pas ainsi des distributions *asymétriques* ou inégales. Supposons que nous voulions analyser les heures de départ d'un train du matin. Ce train part habituellement à temps ; il lui arrive d'être en retard, mais il ne part jamais avant l'heure prévue. Dans le cas d'un train dont l'heure de départ prévue est 8h00, les moments du départ au cours de la semaine pourraient être :

Lun	8h00	Moyenne =	8h07
Mar	8h04	Médiane =	8h02
Mer	8h02	Mode =	8h00
Jeu	8h19		
Ven	8h22		
Sam	8h00		
Dim	8h00		

Dans cet exemple, la distribution des heures de départ est asymétrique à cause des deux retards ; ceux-ci contribuent à élever la moyenne, mais ils ont peu d'effet sur la médiane et aucun sur le mode.

L'asymétrie est un facteur important car, si elle est mal comprise, les différences entre la moyenne et la médiane risquent parfois d'induire en erreur (voir la figure 2). Imaginons que deux partis politiques aient une discussion au sujet de la prospérité du pays. Il est possible que la moyenne et la médiane des revenus se déplacent dans des directions opposées. Il pourrait arriver qu'une série de hausses de salaires coïncide avec une réduction des revenus les plus élevés ; la médiane du revenu per capita aurait alors « monté » alors que la moyenne « descendait ». Le parti qui a intérêt à montrer que les revenus augmentent va choisir la médiane, alors que celui qui veut montrer que l'économie du pays est en danger va opter pour la moyenne.

La moyenne est la mesure de tendance centrale la plus généralement utilisée, mais il y a des cas où le mode ou la médiane sont des mesures plus pertinentes.

Mesures de variation

En règle générale, on a besoin de plus d'information sur la distribution qu'on n'en saurait obtenir au moyen d'une mesure de tendance centrale. Il nous faut, par exemple, une mesure indiquant si les scores se rassemblent autour de la moyenne ou s'ils sont très dispersés. Une mesure de dispersion des scores par rapport à la moyenne est une *mesure de variation*.

Les mesures de variation ont au moins deux utilités. D'abord, elles nous indiquent dans quelle mesure la moyenne est typique ou représentative des autres données. Si la variation est faible, nous savons que les scores individuels se rapprochent de la moyenne. Quand la variation est forte, la valeur représentative de la moyenne est moins assurée. Supposons, par exemple, qu'on ait à tailler des vêtements pour un groupe de personnes sans pouvoir compter sur des mesures précises. Dans ce cas, il serait utile de connaître leur taille moyenne ; mais il serait important également de connaître la dispersion des tailles. Cette deuxième mesure nous fournit un « calibre » que nous pouvons utiliser pour mesurer la quantité de variabilité parmi les tailles.

À titre d'illustration, analysons les données de la figure 3, qui présentent les distributions de fréquence des notes aux examens d'admission pour deux

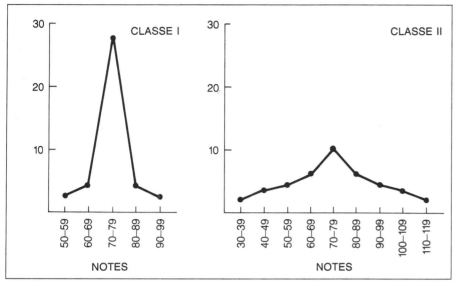

FIGURE 3
Différences de variation dans les distributions *Il est facile de constater que les notes de la classe I sont plus groupées autour de la moyenne que celles de la classe II, même si les moyennes des deux classes sont identiques (75). Toutes les notes de la classe I se situent entre 60 et 89, la plupart étant comprises dans l'intervalle 70-79; celles de la classe II sont dispersées de façon assez uniforme sur une grande étendue, soit de 40 jusqu'à 109. Cette différence dans la variabilité des deux distributions est reflétée dans l'écart-type, qui est plus petit pour la classe I que pour la classe II.*

classes de 30 étudiants. Les deux classes ont la même moyenne de 75, mais elles présentent des degrés de variation nettement différents. Tous les étudiants de la classe I ont des notes groupées autour de la moyenne, alors que les notes de la classe II sont très dispersées. On a donc besoin d'une mesure pour déterminer plus exactement comment ces deux distributions diffèrent l'une de l'autre. L'*étendue* (intervalle de variation) et l'*écart-type** sont deux mesures de variation auxquelles les psychologues ont fréquemment recours.

Pour simplifier les calculs, disons que cinq étudiants de chacune de ces classes posent leur candidature et obtiennent les résultats suivants à l'examen d'admission au collège:

Notes des étudiants de la classe I:
73, 74, 75, 76, 77 (moyenne: 75)

Notes des étudiants de la classe II:
60, 65, 75, 85, 90 (moyenne: 75)

Calculons maintenant les mesures de variation de ces deux échantillons.

L'*étendue* est la dispersion entre la note la plus basse et la note la plus haute. L'étendue pour les cinq étudiants de la classe I est 4 (de 73 à 77); pour ceux de la classe II, elle est de 30 (de 60 à 90).

L'étendue est très facile à calculer, mais c'est l'*écart-type* qu'on utilise le plus souvent, parce qu'il possède certaines propriétés avantageuses. L'une de celles-ci est son extrême sensibilité en tant que mesure de variation, car elle rend compte de chacune des notes et non seulement des cas extrêmes, comme le fait l'étendue. L'écart-type, représenté par la lettre grecque *sigma* (σ), indique dans quelle mesure les scores d'une distribution s'écartent de la moyenne. L'écart ou déviation (*d*) de chaque score par rapport à la moyenne est calculé et porté au carré; on calcule ensuite la moyenne de ces valeurs au carré. L'écart-type ou déviation standard est la racine carrée de cette moyenne[1]. Cette définition s'exprime par la formule suivante:

* L'écart-type est un indice de dispersion défini comme la racine carrée de la moyenne des carrés des écarts individuels à la moyenne. On le représente par le symbole σ (sigma). Synonymes: *déviation standard*, *écart-étalon*, etc. (Note du traducteur)

[1] Dans cette introduction, nous utiliserons toujours le *sigma* (σ). Toutefois, dans les textes scientifiques, on se sert de la lettre minuscule *s* pour désigner l'écart-type d'un *échantillon* et de la lettre grecque σ pour l'écart-type de la *population*. En outre, dans le calcul de l'écart-type d'un échantillon *s*, la somme de *d²* est divisée par *N* − 1 au lieu de *N*. Dans le cas des échantillons assez nombreux, toutefois, le fait de diviser par *N* − 1 ou par *N* a peu d'influence sur la valeur réelle de l'écart-type. Pour ne pas compliquer nos exemples ici, nous ne ferons pas de distinction entre l'écart-type d'un échantillon et celui d'une population; nous emploierons plutôt la même formule pour calculer les deux. On trouvera des explications plus détaillées de cette distinction dans Phillips (1982).

$$\sigma = \sqrt{\frac{\text{Somme de } d^2}{N}}$$

Exemple de calcul de l'écart-type. Les notes des échantillons des deux classes sont disposées dans le tableau 3 en prévision du calcul de l'écart-type. La première étape consiste à soustraire la moyenne de chaque note (la moyenne est 75 dans les deux classes). Cette opération donne des valeurs *d* positives pour les notes supérieures à la moyenne et des valeurs *d* négatives pour les notes inférieures à la moyenne. Les signes moins (–) disparaissent quand les valeurs *d* sont élevées au carré dans la colonne de droite. Les écarts au carré sont ensuite additionnés et divisés par *N*, soit le nombre de cas dans l'échantillon; dans notre exemple, N = 5. En prenant la racine carré, on obtient l'écart-type. Dans cet exemple, les deux écarts-types donnent à peu près les mêmes indications que les étendues.

INFÉRENCES STATISTIQUES

Maintenant que nous nous sommes familiarisés avec les statistiques en tant que moyen de description des données, nous pouvons nous tourner vers les processus d'interprétation — vers la déduction d'inférences d'après des données.

Populations et échantillons

Il faut d'abord faire la distinction entre une *population* et un *échantillon* prélevé dans cette population. Au moyen de recensements, Statistique Canada essaie de décrire l'ensemble de la population en recueillant des données descriptives sur l'âge, l'état civil et sur un grand nombre d'autres attributs de chacun des citoyens. Le terme *population* est le mot juste dans le cas du recensement, parce que cette opération vise à décrire *toutes* les personnes qui résident au Canada.

En statistiques, le mot population ne s'applique pas exclusivement aux personnes, ni même seulement aux animaux ou aux objets. Population peut se référer à toutes les températures enregistrées sur un thermomètre au cours des dix dernières années, à tous les mots de la langue française, ou à l'ensemble formé par toute autre accumulation de données. Souvent, nous n'avons pas accès à la population totale et nous essayons alors de la représenter par un échantillon choisi *au hasard* (d'une façon non systématique). Nous pouvons poser certaines questions à un groupe d'individus choisis au hasard, comme Statistique Canada l'a fait au cours des derniers recensements; nous pouvons obtenir des estimations des températures moyennes en consultant un thermomètre à des moments déterminés, sans enregistrer continuellement toutes les données; nous pouvons faire une évaluation du nombre de mots dans une encyclopédie en comptant les mots d'un certain nombre de pages choisies au hasard. Ces exemples portent tous sur la sélection d'un *échantillon* prélevé dans une population. Si nous répétons l'un ou l'autre de ces procédés, nous aboutirons à des résultats légèrement différents, étant donné qu'un échantillon ne représente pas complètement la population totale et comporte donc des *erreurs d'échantillonnage*. C'est là qu'intervient l'inférence statistique.

Un échantillon de données est recueilli auprès d'une population afin de faire des inférences en rapport avec cette population. On peut étudier un échantillon des données du recensement pour voir si la population vieillit ou s'il y a une tendance de migration vers les banlieues. De même, on étudie des résultats d'expériences pour savoir quels ont été les effets des manipulations expérimentales sur le comportement — si le seuil de hauteur tonale est influencé par l'intensité sonore, si les façons d'élever les enfants ont des effets mesurables plus tard dans la vie. Pour faire des *inférences statistiques*, il nous

NOTES DE LA CLASSE I (MOYENNE = 75)		
	d	*d²*
77 – 75 =	2	4
76 – 75 =	1	1
75 – 75 =	0	0
74 – 75 =	– 1	1
73 – 75 =	– 2	4
		10

Somme de d^2 = 10

Moyenne de $d^2 = \dfrac{10}{5} = 2,0$

Écart-type $(\sigma) = \sqrt{2,0} = 1,4$

NOTES DE LA CLASSE II (MOYENNE = 75)		
	d	*d²*
90 – 75 =	15	225
85 – 75 =	10	100
75 – 75 =	0	0
65 – 75 =	– 10	100
60 – 75 =	– 15	225
		650

Somme de d^2 = 650

Moyenne de $d^2 = \dfrac{650}{5} = 130$

Écart-type $(\sigma) = \sqrt{130} = 11,4$

TABLEAU 3
Calcul de l'écart-type

faut évaluer les relations exprimées par l'échantillon de données. Ces inférences sont toujours faites dans des circonstances qui comportent un certain degré d'incertitude à cause des erreurs d'échantillonnage. Si les tests statistiques indiquent que l'effet décelé dans l'échantillon est assez grand (par comparaison avec l'estimation de l'erreur d'échantillonnage), on peut alors être assuré que l'effet observé dans l'échantillon s'applique à la population en général.

L'inférence statistique est donc liée au problème qui consiste à dégager une conclusion ou à porter un jugement sur une caractéristique d'une population, en s'appuyant uniquement sur l'information obtenue d'après un échantillon de cette population. En guise d'introduction à l'étude de l'inférence statistique, nous examinerons d'abord la distribution normale et son utilité pour l'interprétation des écarts-types.

Distribution normale

Quand de grandes quantités de données sont recueillies, compilées et portées sur un histogramme ou polygone, elles se répartissent souvent selon une distribution symétrique qui prend à peu près la forme d'une cloche, que l'on appelle *distribution normale*. La plupart des items ou valeurs se situent autour de la moyenne (la partie élevée de la cloche) et les données très élevées et très basses de cette distribution forment les côtés de la cloche. Cette forme de courbe est particulièrement intéressante parce qu'on la retrouve également quand un grand nombre d'événements *aléatoires* se produisent tous de façon indépendante. L'instrument de démonstration illustré à la figure 4 permet de voir comment une suite d'événements, déclenchés au hasard, se traduisent par une courbe de distribution normale. La probabilité qu'une bille d'acier tombe à gauche ou à droite chaque fois qu'elle rencontre un point de bifurcation donne lieu à une distribution symétrique; la plupart des billes tombent directement vers le centre, mais une des billes atteint à l'occasion l'un des compartiments des extrémités. C'est une technique commode pour illustrer visuellement ce qu'on entend par une distribution au hasard, qui se rapproche de la distribution « normale ».

Mathématiquement, la distribution normale (figure 5) est une représentation de la distribution idéalisée que donne approximativement l'appareil illustré à la figure 4. La distribution normale représente la probabilité selon laquelle les items constitués par une population répartie ou distribuée normalement, se situeraient à une distance donnée de la moyenne. Les pourcentages indiqués à la figure 5 représentent le *pourcentage de la surface* comprise sous la courbe, entre les valeurs indiquées sur l'échelle; l'ensemble de cette surface représente la population totale. À peu près les deux tiers des cas (68 %) ont tendance à se situer entre plus ou moins un écart-type par rapport à la moyenne ($\pm$ 1σ); 95 % des cas se situent entre plus ou moins 2σ; et pratiquement tous les cas (99,7 %), entre plus ou moins 3σ. Le tableau 4 donne une liste plus détaillée des surfaces comprises sous les diverses parties de la courbe normale.

En nous fondant sur le tableau 4, essayons de retracer l'origine des valeurs 68 % et 95 % de la figure 5. Nous voyons, d'après la colonne 3 du tableau 4, qu'entre – 1σ et la moyenne, on a 0,341 de toute la surface, et entre + 1σ et la moyenne, également 0,341 de toute la surface. Si l'on additionne ces deux valeurs, on obtient 0,682, chiffre qui est arrondi dans la figure 5 pour donner 68 %. De la même façon, la surface comprise entre – 2σ et + 2σ est effectivement 2 x 0,477 = 0,954, chiffre arrondi à 95 %.

Ces pourcentages serviront de plusieurs façons. L'une est liée à l'interprétation des écarts réduits, sujet dont nous allons parler maintenant. Une autre a trait aux tests de signification.

Échelonnement des données

Quand nous voulons interpréter un score, nous avons souvent besoin de savoir s'il est élevé ou bas par rapport à d'autres scores. Si une personne qui passe

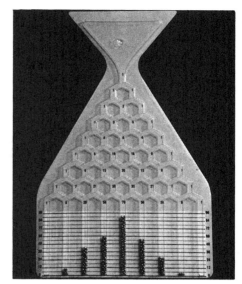

FIGURE 4
Instrument servant à démontrer l'effet de hasard dans une distribution *Quand on veut observer l'effet du hasard, on renverse d'abord la planche de façon que toutes les billes tombent dans le réservoir (haut de la figure). On retourne ensuite la planche et on la tient dans une position verticale jusqu'à ce que toutes les billes viennent se situer dans les neuf colonnes du bas (tel qu'on le voit sur la figure). Le nombre exact de billes qui tomberont dans chaque colonne variera d'une fois à l'autre. En moyenne, toutefois, les hauteurs des colonnes vont se rapprocher d'une distribution normale, la colonne la plus haute se trouvant au centre et la hauteur des autres colonnes diminuant graduellement en allant vers les extrémités.*

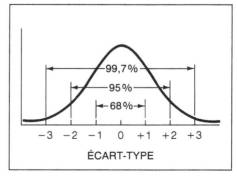

FIGURE 5
Distribution normale *On peut tracer la courbe de distribution normale quand on connaît la moyenne et l'écart-type. La surface qui se trouve sous la courbe, au-delà des points – 3 σ et + 3 σ, est pratiquement nulle.*

ÉCART-TYPE	(1) AIRE À LA GAUCHE DE CETTE VALEUR	(2) AIRE À LA DROITE DE CETTE VALEUR	(3) AIRE ENTRE CETTE VALEUR ET LA MOYENNE
− 3,0σ	0,001	0,999	0,499
− 2,5σ	0,006	0,994	0,494
− 2,0σ	0,023	0,977	0,477
− 1,5σ	0,067	0,933	0,433
− 1,0σ	0,159	0,841	0,341
− 0,5σ	0,309	0,691	0,191
0,0σ	0,500	0,500	0,000
+ 0,5σ	0,691	0,309	0,191
+ 1,0σ	0,841	0,159	0,341
+ 1,5σ	0,933	0,067	0,433
+ 2,0σ	0,977	0,023	0,477
+ 2,5σ	0,994	0,006	0,494
+ 3,0σ	0,999	0,001	0,499

TABLEAU 4
Délimitation des aires situées sous la distribution normale par rapport à l'aire totale

un test de conduite automobile prend une demi-seconde pour appliquer les freins après l'apparition d'un signal de danger, comment dire si cette personne est lente ou rapide? L'étudiant qui obtient la note 60 à l'examen de physique sera-t-il reçu ou non? Pour répondre aux questions de ce type, il nous faut construire une *échelle*, servant à la comparaison des scores.

DONNÉES ORDINALES   En alignant les scores selon un rang, du plus haut au plus bas, on obtient une sorte d'échelle. On interprète ensuite les scores en regardant à quel rang ils se situent dans l'ensemble des données. Les diplômés de l'École polytechnique de Montréal connaissent, par exemple, le rang qu'ils occupent dans leur classe — peut-être 35e ou 125e sur 400.

ÉCARTS RÉDUITS   L'écart-type est une unité commode pour la construction d'échelles, car nous savons quelle interprétation donner à un écart de 1σ ou de 2σ par rapport à la moyenne (voir le tableau 4). Un score qui a comme base une valeur multiple de l'écart-type s'appelle *écart réduit*. En psychologie, plusieurs échelles de mesure reposent sur le principe des écarts réduits.

Exemple de calcul d'écarts réduits. Le tableau 1 présentait les notes obtenues par 15 étudiants aux examens d'admission au collège. Si nous ne disposons pas d'autres renseignements, nous ne pouvons dire si ces notes sont typiques de la population de tous les collégiens. Supposons, cependant, que la note moyenne de la population à cet examen est 75 et son écart-type est 10.

Quel serait alors l'*écart réduit* d'un étudiant qui obtient 90 à cet examen? Il nous faut exprimer la distance qui sépare cette note de la moyenne en multiples de l'écart-type.

Écart réduit correspondant à une note de 90:

$$\frac{90 - 75}{10} = \frac{15}{10} = 1,5\sigma$$

Comme deuxième exemple, prenons un étudiant qui a une note de 53.
Écart réduit correspondant à une note de 53:

$$\frac{53 - 75}{10} = \frac{-22}{10} = -2,2\sigma$$

Dans ce cas, le signe moins nous dit que l'étudiant se classe au-dessous de la moyenne et à 2,2 écarts-types. Le signe de l'écart réduit (+ ou −) indique donc si le score se situe au-dessus ou au-dessous de la moyenne et sa valeur indique la distance en écarts-types entre le score et la moyenne.

Degré de représentativité de la moyenne

Comment la moyenne d'un échantillon peut-elle servir à faire une estimation de la moyenne de la population? Quand nous mesurons la taille d'un échantillon aléatoire de 100 collégiens, à quel point la moyenne de cet échantillon permet-elle de prédire la moyenne de la vraie population (c'est-à-dire la taille moyenne de tous les collégiens)? Ces questions soulèvent le problème lié à la déduction d'une *inférence* au sujet d'une population d'après l'information tirée d'un échantillon.

L'exactitude de ces inférences dépend des *erreurs d'échantillonnage*. Supposons que nous choisissions deux échantillons prélevés au hasard dans la même population, que nous prenions les mesures requises et que nous calculions la moyenne de chacun de ces échantillons. Quelles différences devrions-nous nous attendre à trouver de façon aléatoire entre la première et la deuxième moyenne?

Des échantillons aléatoires constitués l'un à la suite de l'autre d'après la même population auront des moyennes différentes, qui formeront une distribution de *moyennes d'échantillons* autour de la *vraie moyenne* de la population. Ces moyennes d'échantillons sont elles-mêmes des valeurs dont on peut calculer les écarts-types. Nous appelons cet écart-type l'*erreur-type de la moyenne*, ou σ_M, et nous pouvons en faire une estimation d'après la formule suivante :

$$\sigma_M = \frac{\sigma}{\sqrt{N}}$$

σ étant l'écart-type de l'échantillon et N, le nombre de cas ayant servi à calculer chaque moyenne d'échantillon.

Selon cette formule, la grandeur de l'erreur-type de la moyenne diminue quand la grandeur de l'échantillon augmente ; par conséquent, une moyenne fondée sur un grand échantillon est plus fiable (a plus de chance de se rapprocher de la moyenne réelle de la population) qu'une moyenne qui proviendrait d'un échantillon plus petit. Cette règle est d'ailleurs conforme au sens commun. Le calcul de l'erreur-type de la moyenne nous permet de faire des affirmations précises sur le degré d'incertitude de la moyenne que nous avons calculée. Plus il y a de cas dans l'échantillon, plus on réduit l'incertitude.

Signification d'une différence

Dans bon nombre d'expériences en psychologie, on recueille des données portant sur deux groupes de sujets : l'un des groupes est placé dans des conditions expérimentales déterminées alors que l'autre sert de groupe de contrôle. La question qui se pose alors est de savoir si les rendements moyens des deux groupes présentent des différences significatives et, le cas échéant, si ces différences s'appliquent aussi à la population dont ces sujets constituent un échantillon. Au fond, on se demande si la différence entre les deux moyennes des échantillons reflète une différence réelle ou si elle n'est que le simple résultat d'une erreur d'échantillonnage.

À titre d'exemple, analysons les résultats obtenus à un test de lecture par un échantillon de garçons de première année comparativement à ceux d'un échantillon de fillettes de première année. Les scores des garçons sont plus faibles que ceux des filles, si on se fonde sur les moyennes des deux groupes ; mais il y a une bonne part de chevauchement, certains garçons réussissant extrêmement bien et certaines filles ayant des résultats très faibles. Nous ne pouvons donc évaluer la différence de moyennes observée sans faire le test de sa *signification statistique*. C'est seulement quand on aura fait ce test qu'on pourra décider si les différences observées entre les échantillons reflètent de vraies différences dans la population ou si elles procèdent d'une erreur d'échantillonnage. Dans ces échantillons, les différences pourraient être attribuables à l'erreur d'échantillonnage si le pur hasard avait voulu qu'on tombe sur certaines des filles les plus brillantes et sur certains des garçons les moins doués.

Comme autre exemple, supposons que nous ayons élaboré une expérience permettant de comparer la force de poigne d'hommes droitiers et d'hommes gauchers. La partie supérieure du tableau 5 présente les données hypothétiques tirées de cette expérience. Dans un échantillon de 5 droitiers, les individus ont en moyenne 8 kg de plus de force de poigne que les individus d'un échantillon de 5 gauchers. Quelle inférence peut-on faire, de façon générale, à propos des gauchers et des droitiers ? Pouvons-nous prétendre, d'après ces données d'échantillonnage, que les droitiers sont plus forts que les gauchers ? Évidemment pas, car les moyennes obtenues par la plupart des droitiers ne seraient pas différentes des moyennes obtenues par la plupart des gauchers ; le seul score de 100, qui s'écarte vraiment de la moyenne, nous montre que nous avons affaire à une situation incertaine.

Supposons maintenant que nous ayons obtenu plutôt les résultats présentés dans la partie inférieure du tableau. Ici encore, nous trouvons la même différence moyenne de 8 kg, mais nous sommes portés à avoir plus confiance dans les résultats, parce que les gauchers ont eu de façon constante des scores inférieurs à ceux des droitiers. Les règles de statistique nous offrent un moyen efficace de tenir compte de la fidélité des différences de moyenne, nous évitant

FORCE DE POIGNE (KG) CHEZ LES DROITIERS	FORCE DE POIGNE (KG) CHEZ LES GAUCHERS
40	40
45	45
50	50
55	55
100	60
Total 290	Total 250
Moyenne 58	Moyenne 50

FORCE DE POIGNE (KG) CHEZ LES DROITIERS	FORCE DE POIGNE (KG) CHEZ LES GAUCHERS
56	48
57	49
58	50
59	51
60	52
Total 290	Total 250
Moyenne 58	Moyenne 50

TABLEAU 5
Signification d'une différence *Voici deux exemples permettant de comparer la différence entre des moyennes. La différence entre ces deux séries de moyennes (celles de la partie supérieure et celles de la partie inférieure du tableau) est la même, soit 8 kilogrammes. Les données de la partie inférieure du tableau donnent cependant une différence de moyennes plus fiable que ne le font les données de la partie supérieure.*

ainsi de nous en remettre uniquement à notre intuition pour décider qu'une différence est plus fiable qu'une autre.

Ces exemples permettent de supposer que la signification d'une différence dépend à la fois de la grandeur de la différence observée et de la variabilité des moyennes comparées. Nous pouvons, d'après l'erreur-type de la moyenne, calculer une *erreur-type de la différence entre les moyennes* (σ_{D_M}). Nous pouvons ensuite évaluer la différence obtenue en ayant recours au *rapport critique*, c'est-à-dire au rapport de la différence observée entre les moyennes (D_M) sur l'erreur-type de la différence entre les moyennes :

$$\text{Rapport critique} = \frac{D_M}{\sigma_{D_M}}$$

Ce rapport nous aide à évaluer la signification de la différence entre les deux moyennes. Grosso modo, un rapport critique devrait être de 2,0 ou plus pour que les différences entre les moyennes soient considérées comme significatives. Tout au long de ce volume, quand on dit que la différence entre des moyennes est « statistiquement significative », on veut dire que le rapport critique atteint au moins cette valeur.

Pourquoi choisir un rapport critique de 2,0 comme étant celui qui est statistiquement significatif? Tout simplement parce qu'une valeur aussi élevée ou plus élevée ne pourrait s'obtenir au hasard que 5 fois sur 100. D'où vient ce 5 sur 100? Nous pouvons traiter le rapport critique comme un écart réduit, parce qu'il est simplement la différence entre deux moyennes, exprimée sous la forme d'un multiple de son erreur-type. Si on se reporte à la colonne 2 du tableau 4, on constate que la probabilité d'obtenir de façon aléatoire un écart-type de 2,0 ou plus est de 0,023. Comme la possibilité d'une déviation dans la direction opposée est également de 0,023, la probabilité totale est 0,046. Ceci veut dire que, lorsque les moyennes des populations sont identiques, la probabilité que le hasard donne un rapport critique aussi élevé que 2,0 est de 46 fois sur 1000, soit environ 5 sur 100.

La règle selon laquelle un rapport critique devrait être d'au moins 2,0 est en réalité une règle pragmatique, c'est-à-dire une règle arbitraire mais commode, qui prescrit un « niveau de signification de 5 % ». Selon cette règle, nous commettrions moins de 5 erreurs sur 100 décisions en nous appuyant sur les données de l'échantillon pour conclure qu'une différence de moyenne existe alors que, dans les faits, une telle différence n'existerait pas. Il n'est pas toujours nécessaire de nous en tenir au niveau de 5 % ; un niveau de signification supérieur peut convenir dans certaines expériences, selon que l'on accepte plus ou moins de commettre occasionnellement une erreur d'inférence.

Exemple de calcul du rapport critique. Le calcul du rapport critique exige qu'on trouve l'*erreur-type de la différence entre les deux moyennes*, qui s'obtient d'après la formule suivante :

$$\sigma_{D_M} = \sqrt{(\sigma_{M_1})^2 + (\sigma_{M_2})^2}$$

Dans cette formule, σ_{M_1} et σ_{M_2} sont les erreurs-types des deux moyennes qui sont comparées.

Pour illustrer cette opération, supposons que nous voulions comparer les résultats obtenus à des tests de rendement en lecture par des garçonnets et des fillettes de première année du cours élémentaire, au Québec. Il faudrait constituer un échantillon d'écoliers et leur faire subir le test. Disons que le score moyen des garçons est de 70 et qu'il comporte une erreur-type de la moyenne de 0,40, alors que pour les filles, le score moyen est de 72, l'erreur-type étant de 0,30. Nous voulons voir, d'après ces échantillons, s'il y a une vraie différence entre le rendement en lecture des garçons et des filles dans l'ensemble de la population. Les données des échantillons portent à croire que les filles obtiennent vraiment de meilleurs scores de lecture que les garçons, mais sommes-nous en droit de conclure que c'est ce que nous aurions trouvé si nous avions fait passer le test à tous les garçons et à toutes les fillettes des écoles du Québec? Le rapport critique nous aide à prendre une décision.

$$\sigma_{D_M} = \sqrt{(\sigma_{M_1})^2 + (\sigma_{M_2})^2}$$

$$= \sqrt{0,16 + 0,09} = \sqrt{0,25}$$

$$= 0,5$$

$$\text{Rapport critique} = \frac{D_M}{\sigma_{D_M}} = \frac{72 - 70}{0,5} = \frac{2,0}{0,5} = 4,0$$

Comme le rapport critique est bien supérieur à 2,0, nous pouvons affirmer que la différence de moyenne observée est statistiquement significative au niveau de 5 %. Nous concluons donc qu'il y a une différence fiable entre les résultats des garçons et ceux des fillettes au test de lecture. Notons que le signe du rapport critique pourrait être positif ou négatif, selon celle des deux moyennes qui serait soustraite de l'autre; quand on interprète un rapport critique, on ne tient compte que de sa grandeur (non pas de son signe).

COEFFICIENT DE CORRÉLATION

La corrélation a trait à la variation concomitante de mesures appariées. Supposons qu'un test ait pour objet de prédire le succès au collège. Si c'est un bon test, les scores élevés seront associés à un bon rendement au collège et les scores faibles, à un rendement médiocre. Le coefficient de corrélation nous offre une façon de définir avec plus de précision le degré de relation entre deux facteurs. (Ce thème a été abordé aux pages 24-25. Il pourrait vous être utile de revoir ce matériel.)

Corrélation de Bravais-Pearson

La *corrélation de Bravais-Pearson*, aussi appelée *corrélation du moment des produits*, donne un indice qu'on est convenu de désigner par la lettre r; c'est la méthode à laquelle on fait le plus souvent appel pour déterminer le coefficient de corrélation. Le coefficient r varie entre la corrélation positive parfaite ($r = +1,00$) et la corrélation négative parfaite ($r = -1,00$). L'absence de toute relation donne $r = 0,00$.

La formule pour le calcul de la corrélation Bravais-Pearson est

$$r = \frac{\text{Somme } (dx) (dy)}{N\sigma_x\sigma_y}$$

Dans le cas présent, l'une des mesures jumelées est désignée comme le score x et l'autre comme le score y. Les termes dx et dy représentent les écarts de chacun des scores par rapport à sa moyenne, N est le nombre de mesures jumelées et σ_x et σ_y sont les écarts-types des scores x et des scores y.

Pour calculer le coefficient de corrélation, on doit déterminer la somme des produits $(dx) (dy)$. Cette somme peut, en plus des écarts-types calculés pour les scores x et pour les scores y, être ensuite insérée dans la formule.

Exemple de calcul de la corrélation Bravais-Pearson. Supposons que nous ayons recueilli les données qui apparaissent au tableau 6. Nous avons obtenu pour chaque sujet deux scores: le premier est un score de test d'admission au collège (désigné arbitrairement comme score x) et le second, les notes de première année du cours (le score y).

La figure 6 présente un *diagramme de dispersion* de ces données. Chaque point représente le score x et le score y d'un sujet donné; par exemple, le point du coin supérieur droit représente André (A). Un coup d'œil sur ces données permet de repérer facilement la présence d'une corrélation positive entre les scores x et y. André obtient le score le plus élevé au test d'admission et s'est également mérité les notes les plus fortes en première année; Édouard a les scores les plus faibles aux deux mesures. Les autres scores et notes des étudiants sont

TABLEAU 6
Calcul d'une corrélation Bravais-Pearson

SUJET	TEST D'ADMISSION (score x)	NOTES DE PREMIÈRE ANNÉE (score y)	(dx)	(dy)	(dx) (dy)
André	71	39	6	9	+ 54
Benoît	67	27	2	– 3	– 6
Charles	65	33	0	3	0
David	63	30	– 2	0	0
Édouard	59	21	– 6	– 9	+ 54
Total	325	150	0	0	+ 102
Moyenne	65	30			

$$\sigma_x = 4 \qquad \sigma_y = 6 \qquad r = \frac{\text{Somme } (dx)\,(dy)}{N\sigma_x\sigma_y} = \frac{+\,102}{5 \times 4 \times 6} = +\,0,85$$

quelque peu irréguliers, ce qui indique que la corrélation n'est pas parfaite; par conséquent r est inférieur à 1,00.

Nous allons calculer la corrélation pour illustrer la méthode, même si aucun chercheur ne consentirait, dans la réalité, à établir l'existence d'une corrélation d'après un si petit nombre de cas. Les détails sont présentés au tableau 6. En utilisant la technique décrite au tableau 3, nous calculons l'écart-type des scores x, puis l'écart-type des scores y. Nous calculons ensuite les produits (dx) (dy) pour chaque sujet et nous faisons le total des cinq cas. En insérant les résultats dans notre formule, on obtient un coefficient r de + 0,85.

Interprétation d'un coefficient de corrélation

Nous pouvons utiliser les corrélations pour faire des prévisions. Si l'expérience antérieure nous a appris, par exemple, qu'un certain test d'admission entretient une corrélation avec les notes de première année, nous sommes en mesure de prédire les notes qu'obtiendront les collégiens qui ont passé le test d'admission. Si la corrélation était parfaite, nous serions en mesure de prédire leurs notes sans nous tromper. Mais le r est habituellement inférieur à 1,00 et les prévisions comportent une marge d'erreur; plus le 4 se rapproche de 0, plus les erreurs de prédiction seront importantes.

Bien que nous ne puissions nous lancer dans l'étude des problèmes techniques associés à la prédiction des notes de première année d'après les tests d'admission, ou à la formulation d'autres prévisions similaires, nous pouvons quand même considérer la signification que nous devons attribuer aux coefficients de corrélation de différentes grandeurs. Il est évident que dans le cas d'une corrélation de 0,0 entre x et y, le fait de connaître x n'aidera pas à prédire y. Si la masse corporelle n'a pas de rapport avec l'intelligence, la connaissance de la masse des sujets ne nous sera d'aucune utilité quand nous essaierons de prédire les aptitudes intellectuelles de ces sujets. À l'extrême opposé, une corrélation parfaite équivaudrait à une efficacité de prédiction de 100 % : en connaissant x, nous pourrions prévoir y parfaitement. Qu'en est-il des valeurs intermédiaires de r? Nous pouvons en arriver à une certaine évaluation de la signification des corrélations de dimensions intermédiaires en examinant le diagramme de dispersion de la figure 7.

Dans les paragraphes précédents, nous n'avons pas insisté sur le signe du coefficient de corrélation, puisque le signe n'a pas de rapport avec la force d'une relation. La seule différence entre une corrélation $r = +0,70$ et $r = -0,70$, c'est que dans le cas d'un coefficient positif, des augmentations de x s'accompagnent d'augmentations de y, alors qu'un coefficient négatif indique que les augmentations de x s'accompagnent de diminutions de y.

Si le coefficient de corrélation est l'une des mesures statistiques les plus répandues en psychologie, c'est également l'une des techniques les plus mal utilisées. Ceux qui l'utilisent oublient parfois le fait que r ne permet pas de conduire à une relation de cause à effet entre x et y.

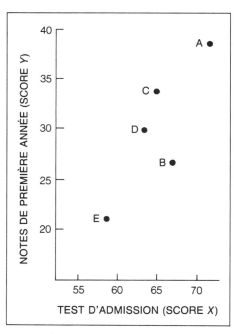

FIGURE 6
Diagramme de dispersion *Chaque point représente les scores x et y d'un étudiant particulier. Les lettres à côté des points identifient les étudiants auxquels se rapportent les données du tableau (A = André, B = Benoît, et ainsi de suite).*

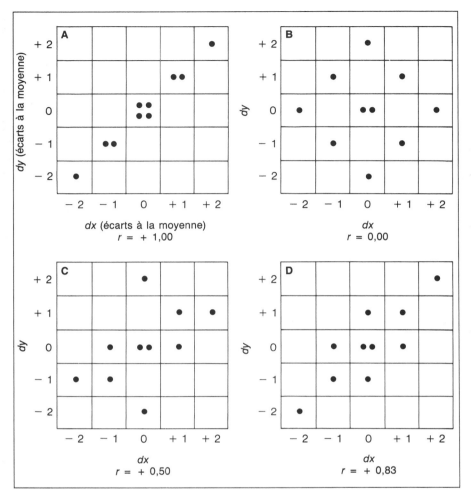

FIGURE 7
Diagrammes de dispersion représentant des corrélations de diverses grandeurs *Chaque point représente le score d'un individu à deux tests, x et y. En A, tous les cas se situent le long de la diagonale et la corrélation est parfaite (r = +1,00); quand nous connaissons le score d'un sujet pour x, nous savons que ce sera le même pour y. En B, la corrélation est 0; quand nous connaissons le score d'un sujet pour x, il est impossible de prédire si celui de y sera égal, supérieur ou inférieur à la moyenne. Par exemple, des 4 sujets dont le score est à la moyenne pour x (dx = 0), l'un obtient un score très élevé à y (dy = +2), l'un un score très bas (dy = -2), et les 2 autres restent dans la moyenne. En C et en D, les scores montrent une tendance diagonale, de sorte qu'un score élevé à x se trouve associé à un score élevé à y et un score faible à x suppose un score faible à y, mais la relation n'est pas parfaite. On peut vérifier la valeur des corrélations au moyen des formules présentées pour le calcul du coefficient de corrélation dans le texte. Ce calcul se trouve simplifié de beaucoup par la présentation des scores sous la forme d'écarts, ce qui permet leur inscription directe dans les formules. Le fait que les axes n'aient pas d'échelles conventionnelles ne modifie pas l'interprétation. Si nous donnions, par exemple, des valeurs de 1 à 5 aux coordonnées x et y pour calculer ensuite le r de ces nouvelles valeurs, le coefficient de corrélation serait le même.*

Quand deux ensembles de données sont en corrélation, nous pouvons soupçonner qu'ils ont des facteurs de causalité en commun, mais nous ne saurions conclure que l'un est la cause de l'autre (voir aux pages 24-25).

Les corrélations semblent parfois paradoxales. Par exemple, la corrélation entre le temps consacré à l'étude et les notes obtenues au collège sont légèrement négatives (environ − 0,10). En partant d'un postulat d'interprétation causale, nous pourrions conclure que la meilleure façon d'améliorer ses notes est de cesser d'étudier. On a une corrélation négative parce que certains étudiants bénéficient d'avantages sur les autres par rapport à l'obtention de bonnes notes (probablement à cause d'une meilleure préparation pour les études collégiales), de telle sorte que ceux qui étudient le plus fort sont souvent ceux qui éprouvent de la difficulté à obtenir les meilleures notes.

Cet exemple montre bien qu'on court un grand risque en donnant une interprétation causale à un coefficient de corrélation. Cependant, lorsque deux variables sont en corrélation, il existe toujours la possibilité d'une relation causale entre ces deux variables. Il est logique de chercher à découvrir les causes, et les corrélations peuvent nous aider dans cette recherche, en nous mettant sur la piste d'expérimentations qui permettraient de vérifier l'existence de relations de cause à effet.

BHUSHAN, V. *Inférence statistique*, Québec, Presses de l'Université Laval, 1987.
GILBERT, N. *Statistiques*, Montréal, Les Éditions HRW, 1981.
REUCHLIN, M. *Précis de statistique*, Paris, P.U.F., 1976.

LECTURES SUGGÉRÉES

Glossaire

Le glossaire donne la définition des termes techniques que l'on rencontre dans le texte de même que celle de mots ordinaires utilisés dans un sens spécifique en psychologie. Nous ne tentons pas ici de présenter une liste exhaustive des significations possibles; nous nous limitons à celles utilisées dans le texte. Pour trouver des définitions plus complètes et d'autres nuances sémantiques, on pourra consulter les dictionnaires de langue ou, mieux encore, le *Vocabulaire de la psychologie de Henri Piéron* (5e éd., Paris, P.U.F., 1973).

A

abréaction — En psychanalyse, procédé de réduction de la tension émotive en revivant (en parole ou en acte, ou les deux à la fois) l'expérience qui a donné naissance à cette tension. Voir **catharsis.**

absolu (seuil) — Voir **seuil.**

accommodation — En optique physiologique, on désigne ainsi les modifications oculaires adaptatives permettant d'assurer la netteté des images pour des distances différentes de vision. Chez l'homme et les mammifères, l'accommodation comporte essentiellement une déformation du cristallin dans le sens d'un accroissement du pouvoir de réfraction. (Piéron, 1957, p. 2)

accoutumance — Voir **dépendance.**

acétylcholine — Neurotransmetteur (médiateur synaptique) que l'on rencontre le plus souvent dans le système nerveux. On le trouve dans plusieurs synapses du cerveau et de la moelle épinière et il est particulièrement répandu dans une région du cerveau appelée hippocampe, qui joue un rôle prédominant dans la formation de nouveaux souvenirs. Voir **neurotransmetteur.**

achromatiques (couleurs) — Couleurs sans tonalité chromatique; blanc, gris neutre ou noir. Synonyme: *neutres.* À ne pas confondre avec incolore qui signifie: sans couleur (ni chromatique, ni blanche, ni grise, ni noire, comme dans le cas de l'air ou de l'eau pure).

acide désoxyribonucléique (ADN) — Grosses molécules du noyau cellulaire, principalement responsables de l'hérédité génétique de tous les organismes. C'est un acide nucléique polymérique qui comprend le sucre désoxyribose. Chez les organismes supérieurs, la majeure partie de l'ADN se trouve dans les chromosomes.

acquiescement — Forme de réaction aux influences sociales qui consiste pour un individu à se conformer extérieurement aux désirs de la source d'influence sans modifier ses croyances ou ses attitudes intimes. Lorsqu'une source d'influence obtient l'acquiescement en se servant d'exemples, on parle de conformité; lorsqu'elle l'obtient en exerçant son autorité, on parle d'obéissance. Voir **identification, intériorisation.**

acquisition — Stade de l'apprentissage durant lequel une nouvelle réponse ou réaction est adoptée (apprise) et progressivement renforcée. Voir **conditionnement.**

ACTH — Voir **corticotrophine.**

action (potentiel d') — Voir **potentiel.**

activation (niveau d') — Principe selon lequel les gens recherchent un niveau optimal de mobilisation d'énergie.

activation rayonnante — Un modèle qu'on a proposé pour expliquer le repêchage dans la mémoire à long terme; la mobilisation d'énergie qui émane de l'activation d'une représentation mentale et qui se partagerait dans plusieurs voies.

actualisation — Voir **réalisation de soi.**

adaptation à l'obscurité — Accroissement de la sensibilité à la lumière après que le sujet a passé une certaine période de temps continue dans l'obscurité ou dans des conditions d'illumination réduite.

adaptation à la lumière — Diminution de la sensibilité à la lumière quand le sujet a été exposé de façon continue à de hauts niveaux d'illumination.

adaptation générale (syndrome d') (SAG) — Les trois stades proposés par Selye pour décrire les réactions à un stress grave. Le premier stade (réaction d'alarme) comprend deux phases : la phase du choc durant laquelle la température et la tension artérielle tombent, le tonus musculaire se relâche et le rythme cardiaque s'accélère ; vient ensuite la phase de contre-choc au cours de laquelle le corps se prépare à agir. Durant le second stade (résistance), les fonctions corporelles reviennent à la normale, mais la résistance à un second agent de stress est faible. Si la situation de stress est très grave ou si elle se prolonge, on passe au troisième stade (épuisement) ; la constellation propre à la réaction d'alarme réapparaît et la mort peut s'ensuivre.

adaptation sensorielle — Perte de sensibilité qui se produit à la suite d'une stimulation prolongée et augmentation de sensibilité que l'on constate en l'absence de stimulation ; cette adaptation a été surtout étudiée dans le cas de la vision, de l'odorat, du goût et de la sensibilité à la température.

ADH — Voir **antidiurétique.**

adipocytes — Cellules graisseuses spécifiques dans le corps. Les individus obèses comptent un nombre beaucoup plus important de ces cellules que les non obèses et ils ont probablement, par conséquent, un niveau de base de graisses somatiques plus élevé. Synonymes : *lipocytes, cellules adipeuses.*

ADN — Voir **acide désoxyribonucléique.**

adoption d'un modèle — En théorie de l'apprentissage social, le processus par lequel un enfant acquiert des comportements d'ordre social et cognitif en observant et en imitant les autres. Voir **identification.**

adolescence — Chez l'être humain, période qui s'étend de la puberté à la maturité (approximativement de 16 ans jusqu'au début de la vingtaine). Voir **puberté.**

adrénaline — Hormone principale que sécrète la médullosurrénale en réaction aux situations de stress. Ses effets sont semblables à ceux résultant de la stimulation de la division sympathique du système nerveux autonome (ex. : activation cérébrale, accélération du rythme cardiaque et hausse de la tension artérielle). C'est aussi un neurotransmetteur excitateur du système nerveux central. (Aux États-Unis,

adrenalin désigne une marque de commerce ; la désignation commune est *epinephrine.*) Voir **surrénale, noradrénaline.**

affectif (trouble) — Perturbation mentale caractérisée par des dérangements de l'humeur ou de l'affect. La manie (excitation exagérée), la dépression et la manie dépressive cyclique en sont des exemples. Voir **bipolaire, dépression, maniaco-dépressifs.**

affective (expérience) — Toute expérience émotive, qu'elle soit agréable ou désagréable, bénigne ou intense. Voir **émotion.**

afférents (neurones) — Voir **neurones sensoriels.**

affirmation de soi (entraînement à l') — Forme de contre-conditionnement qui consiste à renforcer les réponses d'affirmation de soi ou les réactions d'approche dans une tentative d'extinction expérimentale de l'anxiété ou de la passivité qui peuvent prévaloir dans certaines situations. Voir **behaviorale (thérapie), contre-conditionnement.**

âge chronologique (ÂC) — Âge calculé à partir de la naissance ; il est déterminé en fonction du calendrier. Voir **âge mental.**

âge mental (ÂM) — Unité d'échelle proposée par Binet pour évaluer le rendement aux épreuves d'intelligence. Si un test d'intelligence est normalisé comme il se doit, un groupe représentatif d'enfants âgés de 6 ans devrait donner au test un âge mental moyen de 6 ans, ceux de 7 ans, un âge mental de 7 ans, etc. Un enfant dont l'âge mental se situe au-dessus de son âge chronologique (ÂC) est précoce ; celui dont l'ÂM est inférieur à son ÂC est dans un état d'arriération mentale. Voir **âge chronologique, quotient intellectuel.**

âge mental de base — Dans les tests individuels d'aptitude intellectuelle du type Binet, le niveau d'âge le plus élevé où toutes les épreuves sont réussies. Voir **âge mental.**

agencements perceptifs — Prédisposition à percevoir les *stimuli* en fonction de principes comme la proximité, la similarité, la continuité et la « clôture ». La *psychologie de la Gestalt* a fait ressortir l'importance de ces principes. Voir **forme et fond, Gestalt.**

agoraphobie — Peur d'être seul ou de se trouver dans un endroit public d'où il serait difficile de s'échapper ou encore, où l'on ne pourrait compter sur l'aide de personne en cas de panique. Voir **panique, phobie.**

agression — Comportement qui vise à faire du mal à autrui. Voir **agression hostile, agression instrumentale.**

agression hostile — *Agression* dont le but principal est de blesser.

agression instrumentale — *Agression* dont le but est d'obtenir des gratifications autres que la souffrance de la victime.

alpha (ondes) — Voir **électroencéphalogramme.**

ambivalence — Fait d'aimer et de haïr simultanément le même objet ou la même personne ; conflit suscité par un agent d'incitation qui est à la fois positif et négatif. Voir **conflit.**

amnésie — Perte totale ou partielle du souvenir des expériences passées. Elle est attribuable à des facteurs psychologiques (ex. : traumatisme d'ordre affectif) ou physiologiques (ex. : une lésion cérébrale) et peut comporter l'oubli des événements qui se seraient produits avant ou après le traumatisme à l'origine de l'amnésie. Voir **antérograde, rétrograde.**

amnésie de l'enfance — Incapacité de se souvenir des premières années de sa vie.

amnésie posthypnotique — Forme particulière de *suggestion posthypnotique* dans laquelle la personne hypnotisée oublie ce qui est arrivé durant l'hypnose jusqu'à ce qu'elle reçoive le signal de s'en rappeler. Voir **suggestion posthypnotique.**

amphétamines — Substances exerçant une action stimulante sur le système nerveux central, pour produire de l'agitation, de l'irritabilité, de l'anxiété et de la tachycardie. La dexédrine (un sulfate auquel on donne le nom courant de *speed*) et la méthamphétamine (*meth*) en sont deux types. Voir **dépresseurs, stimulants.**

anal (stade ou **phase)** — Second stade du *développement psychosexuel,* selon la théorie psychanalytique ; il suit le *stade oral.* Les sources de gratification et de conflit pertinentes à ce stade sont associées à l'excrétion et à la rétention des matières fécales. Voir **génital, phallique, psychosexuel.**

analyseur de stress vocal — Machine qui présente sous forme graphique les changements de la voix qui se produisent, chez un individu, durant *l'émotion.* On s'en sert comme *détecteur de mensonge.* Voir **polygraphe.**

analyste du moi — Psychanalyste qui se concentre sur les fonctions positives et intégratives du *moi* (ex. : composer avec l'environnement) plutôt que sur les fonctions du *ça* (ex. : la gratification des pulsions sexuelles). Heinz Hartman et David Rapaport sont considérés comme des analystes du moi. Voir **ça, moi, psychanalyste.**

androgènes — Nom collectif pour les hormones sexuelles mâles, dont la plus connue est la *testostérone,* sécrétée par les testicules. Voir **gonades, oestrogènes, testostérone.**

androgynie — Condition dans laquelle certaines caractéristiques masculines et féminines se retrouvent dans un même individu. L'androgyne possède des traits de personnalité de types masculin et féminin à la fois.

antérograde (amnésie) — Perte du souvenir des événements et des expériences qui se sont produits après le traumatisme qui est à l'origine de l'amnésie. Le patient est incapable de retenir ou d'apprendre de nouvelles informations, même si le rappel des choses apprises avant le début de la maladie n'est pratiquement pas touché. Voir **amnésie, rétrograde**.

anthropologie — Science qui étudie surtout les sociétés « pré-littéraires » (appelées aussi « primitives »). Ses principales divisions sont l'archéologie (l'étude des monuments physiques et des restes ou des ruines des civilisations antérieures), l'anthropologie physique (intéressée aux différences anatomiques entre les hommes et à leurs origines sur le plan de l'évolution), l'anthropologie linguistique, et l'anthropologie sociale (intéressée aux institutions et aux comportements sociaux).

anticipation — Voir **expectative**.

antidépresseurs — Médicaments utilisés pour relever l'humeur des individus déprimés; ils contribuent présumément à accroître la disponibilité des neurotransmetteurs que sont la noradrénaline et/ou la sérotonine. On dit aussi antidépressifs et thymoanaleptiques. On en a des exemples avec l'imipramine (*Tofranil*), l'isocarboxazide (*Marplan*) et la tranylcypromine (*Parnate*).

antidépresseur tricyclique — Catégorie d'agents antidépressifs (thymoanaleptiques) qui soulagent les symptômes de la dépression en empêchant le recaptage des neurotransmetteurs que sont la sérotonine et la noradrénaline, prolongeant ainsi leur action. Le médicament que l'on prescrit le plus souvent est l'imipramine (noms de commerce: *Tofranil* et *Elavil*). Voir **antidépresseurs**.

antidiurétique (hormone) (ADH) — Hormone sécrétée par l'hypophyse, qui indique au rein qu'il doit réabsorber l'eau dans le flot sanguin au lieu de l'excréter sous forme d'urine. Voir **hypophyse**.

antipsychotiques (agents) — Médicaments qui atténuent les symptômes psychotiques; on les utilise le plus souvent pour le traitement de la schizophrénie. La chlorpromazine et la réserpine en sont des exemples. Synonyme: *agents neuroleptiques*. Voir **psychotique**.

antisociale (personnalité) — Type de perturbation de la personnalité caractérisée par l'impulsivité, l'incapacité de se conformer aux lois et coutumes sociales et l'absence d'anxiété ou de culpabilité face à son propre comportement. Synonyme: *personnalité psychopathique*.

anxiété — État d'appréhension, de tension et d'inquiétude. Ce terme est synonyme de la peur pour certains théoriciens, alors que d'autres considèrent que l'objet de l'anxiété (un vague danger ou une prémonition) est moins spécifique que l'objet de la peur (un animal vicieux, par exemple). Voir **anxiété névrotique, anxiété objective**.

anxiété (hiérarchie d') — Liste de situations ou de stimuli auxquels une personne réagit, disposés selon un ordre de rang en partant des situations ou des stimuli les moins anxiogènes pour aller aux plus terrifiants. Cette liste est utilisée en thérapie behaviorale pour la désensibilisation systématique des patients à l'égard des stimuli anxiogènes grâce à l'association d'une relaxation profonde (plutôt que celle de l'anxiété) avec les situations. Voir **behaviorale, désensibilisation systématique**.

anxiété (troubles associés à l') — Groupe de perturbations mentales caractérisé par une anxiété intense ou par un comportement inadapté qui a pour but de soulager l'anxiété. Ce groupe comprend, entre autres, l'anxiété généralisée, les états de panique et les troubles d'ordre phobique et obsessionnels. Il s'agit d'une catégorie principale du DSM-III qui comprend la plupart des troubles que l'on désignait auparavant sous le nom de névroses. Voir **anxiété généralisée, névrose, obsessionnel, panique, phobiques**.

anxiété généralisée — Trouble associé à l'anxiété qui est caractérisé par une tension et une appréhension persistantes. L'anxiété généralisée peut être accompagnée de symptômes physiques comme l'accélération du rythme cardiaque, la fatigue, la perturbation du sommeil et les étourdissements.

anxiété névrotique — Peur qui n'entretient aucun rapport commensurable au danger réel (le trac, par exemple). Voir **anxiété, anxiété objective**.

anxiété objective — Peur qui est proportionnée au danger réel.

anxiolitiques — Dépresseurs du système nerveux central qui réduisent la tension. Ils provoquent un peu de somnolence, mais moins que les barbituriques. Le *Valium* et le *Librium* en sont des exemples. Synonyme: *tranquillisants*.

apathie — Insensibilité aux causes qui provoquent ordinairement l'émotion; indifférence. Une des conséquences de la frustration. Voir **frustration**.

aphagie — Incapacité de manger. Voir **boulimie**.

aphasie — Perte du langage articulé ou de la compréhension de la parole.

apnée — Suspension plus ou moins prolongée de la respiration. Peut conduire à des perturbations du sommeil dues à l'inhibition de la respiration.

apparent (mouvement) — Voir **phi, stroboscopique**.

appétitif (comportement) — On dit aussi « appétition » ou « comportement d'appétence »; désigne un comportement d'exploration, de recherche d'un objet ou d'une situation susceptible de satisfaire une tendance, un besoin, etc. Voir **aversion**.

apprentissage — Changements relativement permanents du comportement qui se produisent à la suite d'expériences répétées. Les changements résultant de la *maturation* ou de conditions temporaires de l'organisme (par exemple: la fatigue, l'influence des drogues, l'adaptation) n'entrent pas dans cette catégorie.

apprentissage associatif — Voir **associatif**.

apprentissage dépendant de l'état de l'organisme — Apprentissage qui se produit pendant que l'*organisme* est dans une condition biologique spécifique (sous l'effet d'une drogue par exemple), et dont on ne peut démontrer la présence, ou qui n'atteint son meilleur niveau d'efficacité que si l'organisme est replacé à nouveau dans la même condition.

apprentissage cognitif — Voir **cognitifs**.

apprentissage de couples associés — Apprentissage de couples stimulus-réponse, comme dans l'acquisition du vocabulaire d'une langue étrangère. Quand le premier membre d'un couple (le stimulus) lui est présenté, le sujet doit donner le second membre (la réponse). On emploie parfois l'expression *paires associées*.

apprentissage social (théorie de l') — Application de la théorie de l'*apprentissage* aux problèmes de la conduite personnelle et sociale. Synonyme: *théorie du comportement social*.

aptitude — « Ce mot, souvent employé à tort comme synonyme de *capacité*, désigne le substrat constitutionnel d'une capacité; la capacité seule peut être l'objet d'évaluation directe, l'aptitude étant une virtualité. Le terme anglais d'*ability* recouvre, sans distinction, les notions d'*aptitude* et de *capacité*. » (Piéron, 1957, p. 26). On a quand même créé des tests dits d'*aptitudes* pour prédire la capacité future à partir du rendement actuel. Voir **rendement**.

archétypes — Selon la psychologie de Carl Jung, contenu de l'inconscient collectif (idées fondamentales comme « Dieu » ou « mère »), jouant le rôle de modèles endogènes de conduites et de productions imaginatives.

arriération mentale — Fonctionnement intellectuel de niveau inférieur à la normale s'accompagnant d'une adaptation sociale déficiente.

associatif (apprentissage) — Fait d'apprendre que certaines relations existent entre des événements, qu'un événement est associé à un autre.

association (aires d') — Régions du cortex cérébral qui ne contribuent pas directement aux processus sensoriels ou moteurs ; site de l'intégration des influx provenant de voies sensorielles diverses, qui aurait, semble-t-il, un rôle à jouer dans l'apprentissage, la mémoire et la pensée.

association libre — 1) Expérience d'association de mots dans laquelle le sujet donne n'importe quel mot qui lui vient à l'esprit en réaction à un mot stimulus. 2) En psychanalyse, effort pour rapporter, sans modifications, tout ce qui vient à la *conscience*.

attachement — Tendance, que l'on retrouve surtout chez les jeunes organismes, à rechercher un contact étroit avec des individus particuliers et à se sentir en sécurité en leur présence.

attention — Concentration de la perception conduisant à une conscience plus aiguë d'une variété limitée de stimuli. Elle a à la fois des éléments de comportement manifestes et des éléments de comportement internes ou cachés. Voir **orientation.**

attitude — Manière d'être, de se comporter : attachement ou détachement vis-à-vis des êtres et des choses ; une affinité ou une aversion envers les objets, les personnes, les groupes, les situations ou d'autres aspects de l'environnement y compris des idées abstraites et des lignes d'action sociale. Les spécialistes de la psychologie sociale considèrent l'attitude comme l'une des composantes d'un système à trois parties. Les croyances forment la composante cognitive ; l'attitude est la composante affective ; l'action constitue la composante comportementale.

attribution — Processus par lequel nous essayons d'expliquer la conduite des autres. La théorie de l'attribution s'intéresse aux règles que les gens utilisent pour supputer les mobiles des comportements qu'ils observent. Voir **dispositions, situation.**

autisme — Absorption dans ses fantasmes aux dépens de l'intérêt pour la réalité ; symptôme de la schizophrénie. Voir **schizophrénie.**

autistique (pensée) — Forme de pensée associative, contrôlée plus par les besoins ou les désirs de l'individu que par la réalité. Voir **rationalisation, rêverie.**

auto-actualisation — Voir **réalisation de soi.**

autofaçonnement — Forme de façonnement qui fait appel aux deux types de conditionnement, classique et opérant, et qui n'exige pas la présence d'un expérimentateur. Voir **façonnement du comportement.**

automatique (écriture) — Acte d'écrire dont l'auteur est inconscient, c'est-à-dire qu'il ne se rend pas compte du fait qu'il écrit ; se présente souvent dans l'état d'hypnose. Voir **hypnose.**

autonome (système nerveux) — Division du système nerveux périphérique qui contrôle les muscles lisses, c'est-à-dire l'activité des organes corporels et des glandes. Il comprend deux sous-divisions : le sympathique et le parasympathique. Voir **parasympathique, périphérique, sympathique.**

autorégulation — Terme utilisé en thérapie behaviorale pour désigner l'action d'observer son propre comportement et d'avoir recours à des techniques comme l'autorenforcement ou le contrôle des facteurs de stimulation pour modifier les conduites inadaptées.

aversion — Comportement d'évitement. Voir **appétitif.**

aversion (conditionnement d') — Forme de conditionnement qui consiste dans l'extinction expérimentale d'une réponse indésirable grâce à son association avec une punition ; utilisé en thérapie behaviorale pour traiter l'alcoolisme, le tabagisme et les problèmes sexuels. Voir **behaviorale, contre-conditionnement.**

aveugle (tache) — Région insensible de la rétine (pupille) où les fibres nerveuses provenant des cellules ganglionnaires se réunissent pour former le nerf optique, d'où l'existence d'un scotome normal dans le champ visuel. Synonymes : *tache de Mariotte, punctum caecum, point aveugle.*

axée sur la personne (thérapie) — Méthode de psychothérapie, créée par Carl Rogers, dans laquelle le psychothérapeute adopte une attitude neutre (non directive), se contente de refléter les propos du client, sans interpréter ni conseiller. Le postulat de base est que le client est le meilleur expert lorsqu'il s'agit de ses propres problèmes et qu'il peut arriver à les résoudre dans une atmosphère d'acceptation où personne ne se pose en juge. On disait auparavant thérapie axée sur le client. Synonyme : *counseling non directif.*

axée sur le client (thérapie) — Voir **axée sur la personne.**

axone — Ramification d'un neurone, qui transmet l'influx à d'autres neurones. Voir **dendrite, neurone.**

B

Barnum (effet) — Se rapporte à la disposition que manifestent la plupart des gens à accepter les descriptions générales (comme celles proposées par les astrologues) comme étant vraies et s'appliquant à eux personnellement.

basilaire (membrane) — Membrane de l'oreille interne située à la base du canal cochléaire et portant l'organe de Corti. Les mouvements de la membrane basilaire stimulent les poils auditifs (cellules ciliées) de l'organe de Corti, produisant ainsi les effets nerveux de la stimulation auditive. Voir **cochlée, organe de Corti.**

bâtonnets — Dans l'oeil, cellules spécialisées de la *rétine* qui ne véhiculent que des sensations achromatiques ; elles jouent un rôle particulièrement important dans la vision périphérique et dans la vision nocturne. Voir **cônes.**

batterie de tests — Ensemble de tests mesurant des capacités différentes et destiné à l'évaluation des différences individuelles.

Bravais-Pearson (coefficient de corrélation, r, de) — Voir **corrélation (coefficient de).**

behaviorale (médecine) — Champ d'étude interdisciplinaire où l'on s'intéresse principalement à la part que prennent les variables sociales, psychologiques et biologiques dans la maladie et aux façons dont on peut changer les comportements et l'environnement pour favoriser la santé. Ce domaine s'est constitué grâce aux premières recherches sur les aspects psychosomatiques de la maladie. Voir **psychosomatiques.**

behaviorale (thérapie) — Méthode de psychothérapie basée sur les principes de l'apprentissage. Pour modifier le comportement, elle a recours à des techniques comme le contre-conditionnement, le renforcement et le façonnement. Voir **behaviorale cognitive.**

behaviorale cognitive (thérapie) — Mode de psychothérapie qui met l'accent sur l'influence qu'exercent sur le comportement les croyances d'un individu, ses pensées et ce qu'il dit de lui-même. Il s'agit d'une combinaison des méthodes de thérapie behaviorale avec des techniques qui ont pour objectif de changer ce qu'un individu pense de lui-même et des événements. Voir **behaviorale.**

behaviorisme — École de psychologie associée au nom de John B. Watson ;

elle définit la psychologie comme l'étude du comportement et limite exclusivement l'objet de la psychologie aux données observables du comportement extérieur, moteur, verbal et glandulaire, avec élimination totale de la conscience. Sous sa forme classique, le behaviorisme relevait d'une conception beaucoup plus étroite que le point de vue des behavioristes contemporains.

besoin — État physique qui reflète une absence ou un déficit au sein d'un organisme. Voir **mobile, tendance.**

binoculaires (indices) — Voir **distance.**

biofeedback — Voir **rétroaction biologique.**

biologique (thérapie) — Traitement des inadaptations que l'on trouve chez une personne alitée ou traitement des maladies mentales par des drogues, l'électroconvulsion ou d'autres méthodes exerçant une action directe sur les processus somatiques. Voir **psychothérapie.**

bipolaire (trouble) — Trouble affectif par lequel les gens ont des épisodes de manie et de dépression à la fois, ou uniquement de manie. Terme par lequel on désigne dans le DSM-III les troubles maniaco-dépressifs. Voir **affectif, maniaco-dépressifs.**

bouc émissaire — Objet d'un déplacement d'agressivité: une victime innocente et impuissante est blâmée ou punie parce qu'elle serait à l'origine de la frustration du sujet. Voir **déplacement d'agressivité.**

boulimie — Faim insatiable liée à un trouble mental. Synonyme: *hyperphagie.* Voir **aphagie.**

bout de la langue (phénomène de l'avoir sur le) — Expérience qui consiste à ne pas se rappeler d'un mot ou d'un nom alors qu'on est certain de le connaître.

brillance — Perception de la dimension de la couleur qui définit son rapprochement par rapport à la luminosité du blanc (par opposition au noir). Une couleur brillante reflète plus de lumière qu'une couleur mate. Synonyme (équivoque) de *luisance.* Piéron utilise des termes plus spécifiques (« leucie » et « phanie ») pour désigner cette dimension de la *sensation de couleur* (Piéron, 1957, p. 48, 200, 267). Voir **saturation, tonalité chromatique.**

brillance (constance de la) — Voir **constance de la brillance.**

Broca (aire de) — Pied de la troisième circonvolution frontale de l'hémisphère gauche; cette région participe au contrôle de la parole. Les individus souffrant de lésions dans l'aire de Broca éprouvent de la difficulté à énoncer correctement les mots et parlent lentement

et avec difficulté; souvent ce qu'ils disent a un sens, mais leurs propos ne contiennent que des mots clefs.

C

ça (le) — Dans la division tripartite de la personnalité faite par Freud, structure qui reflète les pulsions instinctuelles, non organisées. S'il n'est pas contenu, le ça recherche la gratification immédiate des besoins primitifs. Voir **moi, sur-moi.**

Cannon-Bard (théorie de) — Théorie classique de *l'émotion* proposée par Cannon et Bard. Cette théorie affirme que les stimuli qui déclenchent les émotions agissent en même temps sur le cortex et sur les réactions somatiques; les changements corporels et l'expérience de l'émotion se produiraient simultanément. Voir **James-Lange.**

capacité — « La possibilité de réussite dans l'exécution d'une tâche, ou l'exercice d'une profession. Elle peut être l'objet d'une évaluation directe; elle est conditionnée par une *aptitude* qu'elle révèle indirectement. » (Piéron, 1957, p. 52). Voir **rendement.**

caractérisation sexuelle — Acquisition des attitudes et des comportements qu'une société juge convenables pour un individu étant donné son sexe. Se distingue de *l'identité du genre.* Voir **identité du genre, rôle sexuel.**

caractéristiques sexuelles primaires — Propriétés anatomiques ou physiologiques qui rendent l'union sexuelle et la reproduction possibles.

caractéristiques sexuelles secondaires — Traits physiques qui, comme les organes de reproduction, permettent de distinguer mâles et femelles parvenus à maturité. Chez l'homme, la gravité de la voix et la barbe en sont des exemples.

carbonate de lithium — Voir **lithium.**

carte cognitive — Structure hypothétique de l'appareil mnémonique qui conserve et organise l'information sur les événements variés qui se produisent dans une situation d'apprentissage; image mentale de la situation d'apprentissage. Voir **schème.**

carte de cheminement — Diagramme qui représente la suite ordonnée des actes et des choix qui composent une conduite.

cas (histoire de) — Biographie rédigée pour des fins scientifiques; l'information provient souvent d'interviews et elle a parfois été accumulée pendant des années. Synonyme: *anamnèse.* Voir **longitudinale.**

castration — Ablation des gonades (des testicules chez le mâle et des ovaires chez la femelle).

catharsis — Réduction d'une impulsion ou d'une émotion par son expression directe ou indirecte, particulièrement par l'expression verbale et la rêverie.

cécité des couleurs — Défectuosité de la discrimination des couleurs chromatiques. Synonyme: *achromatopsie.* Voir **cécité rouge-vert, daltonisme, dichromatisme, trichromatisme.**

cécité (des couleurs) rouge-vert — Forme la plus courante de *daltonisme* partiel; variété de *dichromatisme.* On distingue la cécité au rouge et la cécité au vert, mais dans chacun de ces cas, il y a absence de perception du rouge et du vert; on retrouve les bandes achromatiques dans des régions différentes du spectre.

cellule complexe — Cellule du cortex visuel qui réagit à une ligne lumineuse ou à une arête d'une orientation particulière mais située n'importe où dans le champ visuel; elle intègre les impulsions provenant des cellules simples.

cellule simple — Cellule du cortex visuel qui réagit à une ligne lumineuse ou à une arête d'une orientation particulière et située à un point spécifique du champ visuel.

central (système nerveux) — Chez les vertébrés, désigne le cerveau et la moelle épinière, en tant que parties distinctes des nerfs et de leurs connexions périphériques. Voir **autonome.**

centrale (partie) — Partie du cerveau la plus centrale et la plus ancienne sur le plan de l'évolution. Elle comprend les structures qui règlent les processus vitaux essentiels, y compris le tronc cérébral. Voir **cervelet, hypothalamus, réticulaire, tronc cérébral.**

centrale (scissure) — Scissure que l'on retrouve à la surface de chacun des hémisphères cérébraux et qui sépare les lobes frontaux et pariétaux. Synonyme: *scissure de Rolando.*

cerveau dédoublé — Résultat d'une opération chirurgicale qui consiste à trancher le *corps calleux* de façon à séparer les fonctions des deux *hémisphères cérébraux.*

cervelet — Structure lobuleuse rattachée à la partie postérieure du *tronc cérébral* et qui règle le tonus musculaire et la coordination des mouvements compliqués.

champ visuel — Totalité de la scène qui est reflétée sur les *rétines* quand les yeux sont à un point de fixation.

chlorpromazine — Voir **antipsychotiques.**

choc (thérapie de) — Voir **électroconvulsive.**

chromatiques (couleurs) — Toutes les couleurs sauf le noir, le blanc et le gris; par exemple: le rouge, le jaune, le bleu, etc. Voir **achromatiques.**

chromosome X — Chromosome qui, jumelé avec un autre chromosome X, détermine que l'individu sera de sexe féminin et qui, s'il est jumelé à un chromosome Y, détermine que l'individu sera de sexe masculin. Le chromosome X transmet des *traits liés au sexe.*

chromosome Y — Chromosome qui, jumelé avec un chromosome X, détermine que l'individu sera de sexe masculin.

chromosomes — Corpuscules finement allongés se répartissant par paires dans toutes les cellules du corps et qui sont porteurs des caractères génétiques (*gènes*) transmis des parents à leurs descendants. Une cellule humaine comprend 46 chromosomes, disposés en 23 paires, un membre de chacune de ces paires provenant de la mère et l'autre du père. Voir **gène.**

circadien (rythme) — Cycle ou rythme qui dure approximativement 24 h. L'alternance veille-sommeil, la température du corps et l'élimination de l'eau suivent un rythme circadien, tout comme un certain nombre de facteurs physiologiques et de variables du comportement.

clairvoyance — Forme de perception extrasensorielle dans laquelle celui qui perçoit identifierait un stimulus qui n'agit ni sur ses propres organes sensoriels, ni sur ceux d'une autre personne. Voir **extrasensorielle, prédiction prophétique, psychokinésie, télépathie.**

claustrophobie — Peur des espaces (pièces, salles) fermés. Voir **phobie.**

cocaïne — Stimulant du système nerveux central extrait des feuilles de coca. La cocaïne accroît l'énergie, produit de l'euphorie et, à fortes doses, mène à la paranoïa.

cochlée — Partie de l'oreille interne qui contient les récepteurs de l'audition. Voir **basilaire, organe de Corti.**

codage — Transformation d'une donnée sensorielle sous une forme que le système mnémonique est en mesure de traiter.

cognitifs (processus) — Opérations mentales qui interviennent hypothétiquement dans la perception, la mémoire et le traitement de l'information et au moyen desquelles l'individu acquiert des connaissances, élabore des plans et résout des problèmes.

cognition — Pensées, connaissances, interprétations, compréhensions ou idées qu'entretient un individu. Voir **cognitifs.**

cognitive (psychologie) — Orientation en psychologie ou un champ de la psychologie qui met l'accent sur le rôle dynamique des opérations mentales dans la compréhension du comportement. Le psychologue « cognitif » explique le comportement à partir des représentations mentales et des processus mentaux qui agissent sur ces mêmes représentations pour donner des effets (y compris des réponses). Ce genre d'étude ne se limite pas à la pensée et à la connaissance; l'intérêt qu'on portait au début à ces deux thèmes est à l'origine de l'étiquette « psychologie cognitive », mais cet intérêt s'est étendu récemment à tous les domaines de la psychologie. Voir **intelligence artificielle, traitement de l'information, cognitives.**

cognitives (sciences) — Terme créé au cours des années 1970 pour attirer l'attention sur la façon dont l'être humain acquiert et organise ses connaissances; il s'agit d'un nouveau domaine scientifique consacré à la compréhension de la cognition. En plus de la psychologie, les disciplines touchées par les sciences cognitives sont les *neurosciences*, la *linguistique*, la *philosophie*, les *mathématiques* et l'*informatique* (tout particulièrement la partie qu'on désigne sous le nom d'intelligence artificielle). Voir **intelligence artificielle, cognitive.**

collectif (test) — Voir **groupe.**

complémentaires (couleurs) — Deux couleurs qui, dans un mélange par addition, donnent soit un gris, soit une couleur non saturée de la tonalité chromatique de l'élément prédominant.

comportement — Activités d'un organisme qui peuvent être observées par un autre organisme ou enregistrées par les instruments d'un expérimentateur. On inclut dans le comportement les témoignages verbaux liés aux expériences subjectives et conscientes. Voir **conscients.**

comportement (sciences du) — Sciences qui s'intéressent aux différents aspects du comportement des êtres humains et des organismes inférieurs; en particulier: l'*anthropologie*, la *psychologie* et la *sociologie*, mais aussi certains aspects de la biologie, des sciences économiques, des sciences politiques, de l'histoire, de la philosophie et d'autres champs d'étude.

comportement propre à l'espèce — Voir **instinct.**

compulsion — Action répétitive qu'une personne se sent poussée à faire et à laquelle elle ne peut résister; comportement rituel. Voir **obsession, obsessionnels.**

concept — Propriétés ou relations communes à une catégorie d'objets ou d'idées. Les concepts peuvent être composés de choses concrètes (par exemple: le concept *bouledogue* désigne une variété spécifique de chien) ou d'idées abstraites (par exemple: l'*égalité*, la *justice*, les *nombres*), suggérant des liens communs entre différents objets ou idées. Voir **concept classique, concept flou.**

concept classique — Idée dont toutes les applications concrètes doivent avoir des attributs mentionnés dans sa définition. Exemple: le concept de *célibataire;* chaque cas doit posséder les propriétés d'un être adulte et non marié. Voir **concept flou.**

concept flou — Notion vague, à partir de laquelle on doit se baser sur des attributs de prototype pour décider de l'appartenance d'un cas, ce qui fait qu'on ne peut jamais être sûr de la décision qu'on prend. Voir **prototype.**

concept hypothétique — Voir **construction hypothétique.**

concret — Voir **stade opératoire concret.**

conditionné (agent de renforcement) — Stimulus qui a acquis des propriétés de renforcement par association préalable avec un *stimulus renforçant.* Voir **renforcement.**

conditionnée (émotion) — Réponse émotive acquise par *conditionnement,* c'est-à-dire une réaction ou réponse suscitée par un stimulus qui n'avait pas, avant le conditionnement, le pouvoir de la déclencher.

conditionnée (réponse) — Dans le *conditionnement classique,* réponse apprise ou acquise qui correspond à un *stimulus conditionnel.* On la désigne par le sigle *RC.* Voir **inconditionnée, inconditionnel.**

conditionnel (stimulus) — Dans le *conditionnement classique,* stimulus auparavant neutre qui finit par susciter une réponse conditionnée grâce à son association avec un *stimulus inconditionné.* On dit alors qu'il est conditionnel. Sigle: *SC.* Voir **inconditionnée.**

conditionnement — Processus à la base de l'apprentissage des *réponses conditionnées.*

conditionnement classique — Processus en jeu dans les expériences de *conditionnement* du type de celles inventées par Pavlov. La principale caractéristique de ces expériences réside dans le fait que le *stimulus conditionnel,* qui était neutre à l'origine, acquiert, par jumelage répété avec le *stimulus inconditionné,* la réponse qui accompagnait au début ce *stimulus inconditionné.* Synonyme: *substitution de stimulus.*

conditionnement de trace — Technique de *conditionnement classique* selon laquelle le *SC* cesse avant le début du *SI.*

conditionnement différé — Voir **différé.**

conditionnement opérant — Consolidation d'une réponse opérante par présentation d'un *agent de renforcement* quand, et seulement quand, la réponse se produit. Synonyme: *conditionnement instrumental.* Voir **conditionnement classique.**

conditionnement pré-programmé — Hypothèse voulant que les êtres humains soient biologiquement prédisposés, ou préparés, par sélection découlant de l'évolution, à associer la peur à des objets ou situations qui étaient dangereux dans les temps anciens. Ceci explique pourquoi on voit apparaître chez les gens des phobies (peurs conditionnées) portant sur les serpents et les hauteurs mais pas sur les agneaux ou les fusils. Voir **conditionnement classique.**

conditionnement sémantique — Forme de *conditionnement classique* dans laquelle on se sert de *concepts sémantiques* comme *stimuli conditionnels* et dans laquelle aussi la *généralisation* se fait par l'intermédiaire de *similitudes* sémantiques.

conditionnement simultané — Technique de *conditionnement classique* selon laquelle le *SC* commence une fraction de seconde avant le début du *SI* et accompagne ce dernier jusqu'à ce que la *réponse* se produise. Voir **différé.**

cônes — Dans l'œil, cellules spécialisées de la *rétine* que l'on trouve en grande concentration dans la fovéa et, en beaucoup moins grand nombre et dispersées, dans le reste de la rétine. Les cônes véhiculent des sensations *chromatiques* et *achromatiques.* Voir **bâtonnets.**

conflit — Présence simultanée de pulsions, de désirs ou de tendances opposées ou mutuellement incompatibles. Voir **ambivalence.**

confusion — Voir **rôles (confusion des).**

connotation — Propriété qu'a un terme de désigner en même temps que l'objet certains de ses attributs; significations émotives et suggestives que comporte un mot ou un symbole au-delà de son sens de *dénotation.* Voir **dénotation.**

conscience — 1) Dans son sens moral, la conscience est la réalisation par un individu, en son for intérieur, des notions de bien et de mal qui servent de règles à sa conduite. Cette définition correspond à celle du terme anglais *conscience.* Voir **sur-moi.** 2) Dans un sens plus large (anglais, *consciousness*), la conscience se rapporte à l'aspect subjectif et incommunicable de l'activité psychique grâce à laquelle on appréhende les événements, on réfléchit sur l'expérience passée, on s'emploie à résoudre des problèmes, on accorde une attention sélective à certains stimuli au détriment des autres et on opte délibérément pour une conduite en réaction aux conditions du milieu et à ses

objectifs personnels. Bref, la conscience se rapporte a) à la surveillance que nous exerçons sur nous-mêmes et notre environnement pour nous assurer que nos perceptions, nos souvenirs et nos pensées nous sont fidèlement représentés et b) au contrôle que nous exerçons également sur nous-mêmes et notre environnement afin d'être capable de déclencher et d'interrompre des activités cognitives et comportementales. 3) Enfin, on traduit souvent par conscience le terme anglais *awareness* qui correspond plutôt à l'expression prise de conscience.

conscience de soi — Traduction plus ou moins satisfaisante de l'expression anglaise *self-consciousness.* Il s'agit d'une prise de conscience subjective de sa propre existence et de son état momentané. Prédisposition à porter attention à sa personne. Voir **soi (perception de).**

conscience de soi privée — Prédisposition à s'adonner à l'introspection, à examiner ses propres sentiments et mobiles.

conscience de soi publique — Prédisposition à nous préoccuper de l'image que nous transmettons aux autres. Voir **conscience de soi, conscience de soi privée.**

conscients (processus) — Événements, tels les perceptions, les images consécutives, les pensées intimes et les rêves, que le sujet lui-même est le seul à connaître. Ils sont accessibles aux autres grâce au témoignage verbal ou par l'intermédiaire d'inférences basées sur d'autres comportements. Synonyme: *expérience vécue.*

conseiller psychologique — Qualification professionnelle, introduite en 1951 aux États-Unis par la création, au sein de l'*American Psychological Association,* d'une division de «counseling psychology». Il s'agit d'un psychologue qui, par sa formation, est habilité à chercher à résoudre des problèmes personnels qui ne sont pas classés parmi les maladies, comme les problèmes d'adaptation sociale ou scolaire et les problèmes d'orientation professionnelle. Ce psychologue dispose d'un savoir-faire semblable à celui du *psychologue clinicien,* mais il travaille ordinairement dans un milieu non médical. Synonyme: *psychologue conseil.* Voir **psychiatre, psychologue clinicien.**

conservation — Terme utilisé par Piaget pour désigner la capacité que possède l'enfant de reconnaître le maintien de grandeurs et de relations (masse, volume, nombre), malgré des déplacements et des transformations perceptives variées, dans la conservation de longueurs, de volumes, etc. Voir **stade préopératoire.**

constance de la brillance — Tendance à percevoir un objet familier comme conservant la même brillance, quels que soient les degrés de lumière et d'ombre qui viennent modifier ses propriétés de stimulus.

constance de la couleur — Tendance à percevoir un objet familier comme étant de la même couleur, quels que soient les changements d'illumination qui viennent altérer ses propriétés de stimulus.

constance de la forme — Tendance à percevoir un objet familier comme conservant la même forme, quel que soit l'angle sous lequel il est vu.

constance de la grandeur — Tendance à percevoir un objet familier comme conservant sa dimension réelle, quelle que soit la distance à laquelle il est vu.

constance de l'objet — Tendance à percevoir un objet comme demeurant relativement inchangé sous des conditions d'illumination, de distance et de position qui varient considérablement.

constance de localisation — Tendance à percevoir l'endroit où se trouve un objet immobile comme gardant la même localisation même quand sa relation change par rapport à l'observateur.

constance perceptive — Tendance à percevoir les objets comme demeurant relativement inchangés malgré des conditions d'illumination, de distance et de position qui varient considérablement.

constructive (mémoire) — Utilisation des connaissances générales emmagasinées en mémoire pour construire et élaborer un compte rendu plus complet et détaillé de certains événements.

contre-conditionnement — En thérapie behaviorale, remplacement d'une réponse particulière à un stimulus par la création d'une autre réponse (d'habitude incompatible avec la première). Voir **affirmation de soi.**

construction hypothétique — Forme de mécanisme mental intermédiaire, résultat d'une inférence ou déduction. Cette création de l'esprit est considérée comme possédant des propriétés qui lui appartiennent en propre et qui sont différentes de celles spécifiquement exigées par l'explication qu'elle représente; par exemple: la *tendance,* dont l'existence est déduite à partir du comportement d'un organisme en état de privation et qui est utilisée pour expliquer des conduites ultérieures. On a également traduit cette expression anglaise originale, *hypothetical construct,* par *concept hypothétique* ou «*construit*» hypothétique.

contrôle (groupe) — Groupe qui, dans un devis expérimental comportant la comparaison de plusieurs groupes, ne subit pas le traitement dont l'effet est à l'étude. Voir **expérimental (groupe)**.

contrôle (processus de) — Mécanismes régulateurs qui servent à créer un équilibre ou à surveiller les activités orientées vers un objectif. Voir **homéostasie.**

convergente (pensée) — Production, dans les tests de compréhension, d'une réponse exacte spécifique, conforme à la vérité et aux faits. Voir **divergente.**

corps calleux — Large bande de fibres nerveuses qui relient les deux hémisphères cérébraux.

corrélation (coefficient de) — Indice numérique utilisé pour indiquer le degré de correspondance entre deux ensembles de mesures jumelées. Celui qu'on utilise le plus souvent est le coefficient de Bravais-Pearson représenté par *r*.

cortex cérébral — Couche de cellules formant la surface des hémisphères cérébraux des animaux supérieurs, y compris l'être humain. On l'appelle généralement *matière grise* parce que, vu en coupe, le cortex prend une apparence grise à cause de ses nombreux corps cellulaires, par contraste avec les fibres nerveuses myélinisées qui constituent la *matière blanche* du centre des hémisphères.

Corti — Voir **organe de Corti.**

corticotrophine (ACTH) — Hormone libérée par l'hypophyse, en réaction au stress; le courant sanguin la transporte jusqu'à la glande surrénale et divers autres organes du corps, entraînant la libération de quelque 30 hormones, qui jouent chacune un rôle dans l'adaptation du corps à des situations d'urgence. On dit aussi hormone corticotrope ou adrénocorticotrope ou encore, corticostimuline. Voir **substance libératrice de la corticotrophine.**

couleur — Voir **constance de la couleur.**

couleurs (cercle des) — Distribution des couleurs chromatiques sur la circonférence d'un cercle, les couleurs étant placées dans l'ordre où elles apparaissent dans le spectre, mais en ajoutant les rouges et les pourpres qui n'appartiennent pas au spectre (dits « hors spectre »). Les couleurs sont disposées de façon que celles qui se trouvent vis-à-vis l'une de l'autre soient les couleurs complémentaires du mélange par addition.

couleurs (solide des) — Représentation tridimensionnelle des dimensions psychologiques de la couleur: la tonalité chromatique disposée sur la circonférence, la saturation le long de chaque rayon, et la brillance de haut en bas.

couleurs rivales (théorie des) — Théorie de la perception des couleurs qui prétend qu'il existe deux types d'uni-

tés sensibles aux couleurs qui réagissent de façon contraire à chacune des couleurs de paires antagonistes. Un de ces types d'unités réagirait au rouge ou au vert, l'autre au bleu ou au jaune. Étant donné qu'une unité ne saurait réagir de deux façons différentes en même temps, on ne peut avoir de verts qui tirent sur le rouge, ni de bleus qui tirent sur le jaune. Voir **deux stades, trichromatique.**

courbe cumulative — Notation graphique des réponses produites durant une séance de *conditionnement opérant*. La pente de la courbe cumulative dénote le taux de réponses.

courbe d'apprentissage — Graphique représentant l'évolution de l'apprentissage, sur lequel l'axe vertical (l'ordonnée) définit une mesure de l'efficacité (quantité par unité de temps, temps par unité de quantité, erreurs, etc.), alors que l'axe horizontal (l'abscisse) indique une mesure d'exercice (essais, temps, etc.).

courbe des caractéristiques récepteur-opérateur — (courbe CRO ou ROC) — Fonction représentant les probabilités relatives d'obtenir des « touchés » et des « fausses alertes » avec un niveau de signal fixe dans une *tâche de détection de signaux*. Les facteurs qui influencent les tendances systématiques à répondre dans les directions données peuvent amener des variations dans le nombre de touchés et de fausses alertes, mais cette variation respecte les limites de la courbe CRO.

courbe normale — Représentation graphique de la *distribution normale*.

critère — 1) Ensemble de scores ou d'autres données normatives qui servent de points de comparaison en vue de la vérification du succès de prédiction d'un test. 2) Standard choisi comme objectif à atteindre dans une tâche d'apprentissage; par exemple: le nombre de parcours du trajet d'un labyrinthe à exécuter sans erreur comme indication que la solution du labyrinthe a été trouvée.

CRO — Voir **courbe des caractéristiques récepteur-opérateur.**

culture (test équitable sur le plan de la) — Type de tests d'intelligence construits en vue d'atténuer les effets systématiques des différentes expériences vécues par des enfants élevés dans un milieu rural ou dans un milieu urbain, parmi les classes de niveau socio-économique inférieur ou parmi les classes moyennes ou supérieures. On emploie également les expressions suivantes: « test équitable du point de vue de la culture », « test sans apport culturel », « test sans connotation culturelle ».

D

daltonisme — « Anomalie de la vision des couleurs caractérisée par la confusion des couleurs rouge et verte, ainsi nommée en raison de l'observation princeps de Dalton qui était affecté de cette anomalie » (Piéron, 1957, p. 89). Voir **cécité rouge-vert, dichromatisme, monochromatisme, trichromatisme.**

déchiffreur général de problèmes (DGP) — Programme d'ordinateur pour simuler la solution de problèmes chez l'être humain en fixant des sous-objectifs et en réduisant les écarts entre chaque sous-objectif subséquent. Voir **simulation par ordinateur.**

décibel (dB) — Dixième du bel. Unité (sans dimension) servant à mesurer l'intensité sonore.

déclencheur — Terme utilisé par les *éthologistes* pour désigner le *stimulus* qui met en branle un cycle de comportement instinctif. Synonymes: *stimuli clefs, stimuli déclencheurs*. Voir **instinct.**

défense (mécanisme de) — Ajustement fait, souvent inconsciemment, soit grâce à une action, soit grâce à l'évitement d'une action, en vue de ne pas prendre conscience de qualités ou de mobiles personnels qui pourraient diminuer l'estime de soi ou accroître l'anxiété. Le *déni de la réalité* et la *projection* en sont deux exemples.

dégradation de la mémoire — Cause principale de l'oubli en mémoire à court terme où l'information s'estompe tout simplement avec le passage du temps.

dé-individuation — État psychologique dans lequel les gens ont le sentiment d'avoir perdu leur identité personnelle et d'être confondus, de façon anonyme, dans un groupe. On a vu là la base hypothétique des comportements agressifs et impulsifs que l'on observe parfois parmi les foules et les meutes.

délire — Croyances fausses caractéristiques de certaines formes de troubles psychotiques. Elles prennent souvent la forme de délires de grandeur ou de délires de persécution. Voir **hallucination, illusion, schizophrénie paranoïde.**

delta (ondes) — Voir **électroencéphalogramme.**

dendrite — Partie spécialisée du *neurone* qui (avec le corps cellulaire) reçoit les influx des autres neurones. Voir **axone, neurone.**

déni de la réalité — *Mécanisme de défense* grâce auquel les pulsions ou les pensées inadmissibles ne sont pas perçues, ou ne sont pas autorisées à pénétrer jusqu'à la conscience totale.

dénotation — Désignation des objets auxquels renvoie un concept; sens principal d'un symbole; chose spécifique à laquelle le symbole renvoie (par exemple: l'adresse de ma maison est une dénotation; le fait que je demeure ou pas dans un quartier riche a un sens de *connotation* qui est secondaire à l'adresse elle-même). Voir **connotation**.

dépendance — État que peut créer chez un individu l'usage répété de certains produits comme les stupéfiants. La dépendance peut être psychique (sujétion) et/ou physique (accoutumance). La dépendance physique est caractérisée par la tolérance (l'individu qui en fait un usage continu en arrive à devoir absorber des doses de plus en plus fortes de la même substance pour obtenir les mêmes effets) et la crise de sevrage (l'individu qui cesse de prendre la substance en question a des symptômes physiques désagréables).

dépendante (variable) — Variable dont les changements (qui font l'objet de la mesure) sont attribués à, ou correspondent à, des changements de la *variable indépendante*. Dans l'expérimentation psychologique, la variable dépendante est souvent une réponse ou une réaction à un stimulus de quantité déterminée. Voir **indépendante**.

déplacement — 1) *Mécanisme de défense* grâce auquel un mobile qui peut ne pas être exprimé directement (par exemple: la sexualité, l'agressivité), apparaît sous une forme plus acceptable. 2) Principe selon lequel les sujets seraient éliminés de la mémoire à court terme à mesure que de nouveaux sujets s'ajoutent. Voir **mémoire à court terme, tronçon**.

déplacement d'agressivité — *Agressivité* dirigée contre une personne ou un objet autre que ce qui a été (ou est) à la source de la *frustration*. Voir **bouc émissaire**.

dépolarisation — Changement de *potentiel de repos* de la membrane de la cellule nerveuse déterminant la production d'un *potentiel d'action;* l'intérieur de la membrane devient plus positif. Voir **potentiel d'action, potentiel de repos**.

dépresseurs (agents) — Drogues psychoactives qui tendent à réduire l'activation. L'alcool et les opiacés en sont des exemples.

dépression — Perturbation de l'affectivité ou de l'humeur caractérisée par la tristesse et l'abattement, une baisse de la motivation et de l'intérêt à vivre, des pensées négatives (ex.: des sentiments d'impuissance, d'insuffisance et une pauvre estime de soi) et des symptômes physiques comme des troubles de sommeil, des pertes d'appétit et de la fatigue. Voir **affectif**.

désensibilisation systématique — Technique de thérapie behaviorale qui consiste à faire reproduire en imagination (ou parfois à confronter dans la réalité) des hiérarchies de situations anxiogènes, pendant que le sujet est dans un état de détente profonde. Ces situations deviennent progressivement dissociées de la réaction d'anxiété. Voir **behaviorale, contre-conditionnement**.

détecteur de caractéristiques — Terme général qui s'applique à tout mécanisme perceptif capable de déceler les traits distinctifs d'un tableau compliqué. Exemple: un détecteur de lignes (ou d'arêtes) dans un champ visuel. Comme on peut trouver, dans une série de segments de lignes disposés de façon angulaire les uns par rapport aux autres, une approximation de tout ce qui est visible, on a postulé que les détecteurs de caractéristiques constituaient les éléments à partir desquels on pouvait arriver à reconnaître les formes plus complexes. On dit aussi **détecteur de traits**.

détecteur de mensonge — Voir **polygraphe**.

détection des signaux (tâche de) — Tâche qui consiste à juger à chaque essai si un signal faible se présente ou non dans un contexte de bruit. Quand le sujet dit « oui » lorsque le signal apparaît, on dit que c'est un « touché » et s'il dit « oui » quand le signal n'apparaît pas, on dit qu'il s'agit d'une « fausse alerte ». Voir **courbe des caractéristiques récepteur-opérateur**.

détection des signaux (théorie de la capacité de) — Théorie des processus sensoriels et décisionnels en cause dans les jugements d'ordre psychophysique, qui s'applique plus particulièrement au problème de la détection des signaux faibles dans un contexte de bruit.

détente (entraînement à la) — Apprentissage de diverses techniques en vue du relâchement de la tension musculaire. Cet entraînement se base sur la méthode de détente progressive de Jacobson, au moyen de laquelle le sujet apprend à laisser se relâcher un à la fois les groupes musculaires parce qu'on présume que le relâchement musculaire est capable d'entraîner une détente sur le plan des émotions.

deux stades (théorie des couleurs aux) — Théorie de la perception des couleurs qui prétend qu'il existe trois types de cônes (en accord sur ce point avec la théorie trichromatique) suivis de processus opposés rouge-vert et bleu-jaune (en accord sur ce point avec la théorie des couleurs rivales). Cette théorie rend compte d'une grande partie de ce que nous savons de la vision

des couleurs et sert de prototype pour l'analyse d'autres systèmes de couleur. Voir **couleurs rivales, trichromatique**.

dichromatisme — Type de *daltonisme* qui consiste dans l'inexistence soit du système *rouge-vert,* soit du système *bleu-jaune*. Le dichromatisme rouge-vert est relativement fréquent; la forme bleu-jaune est le type le plus rare de daltonisme. Voir **monochromatisme, trichromatisme**.

diéthylamide de l'acide lysergique — Voir **LSD**

différé (conditionnement) — Méthode de *conditionnement classique* dans lequel le *SC* commence plusieurs secondes avant le début du *SI* et continue avec ce dernier jusqu'à ce que la réponse se produise. Voir **conditionnement simultané, trace**.

différences individuelles — Voir **individuelles**.

différence juste perceptible (djp) — Changement physique qu'on peut à peine percevoir dans un *stimulus;* mesure du *seuil différentiel*. Le terme est employé également comme unité pour situer sur une échelle les parties de sensation qui correspondent à des accroissements dans la grandeur de la stimulation. Voir **Weber**.

différentiel — Voir **seuil différentiel**.

discriminatif (stimulus) — Stimulus qui devient l'occasion d'une réponse opérante; par exemple: le frappement qui amène à ouvrir la porte. Le stimulus ne déclenche pas la réponse opérante dans le même sens qu'un stimulus évoque un *comportement répondant*. Voir **opérant**.

discrimination — 1) En *perception,* distinction de différences entre deux stimuli. 2) En *conditionnement,* réponse différentielle au stimulus positif (renforcé) et au stimulus négatif (non renforcé). Voir aussi **généralisation**. 3) En *psychologie sociale,* traitement préjudiciable (comme dans la discrimination raciale).

disparité binoculaire — Phénomène résultant de l'écart transversal entre l'œil droit et l'œil gauche et se traduisant par la projection d'images légèrement différentes sur chacune des rétines.

dispositions (attribution basée sur les) — Attribution des actes d'une personne à des dispositions intérieures (attitudes, traits, mobiles) par opposition à des facteurs liés à la situation. Voir **situation**.

dissociation — Processus par lequel certaines idées, certains sentiments ou certaines activités perdent leurs liens avec les autres aspects de la conscience ou de la *personnalité* et fonctionnent de façon automatique ou indépendante.

dissonance — 1) En *musique,* combinaison inharmonieuse des sons, par contraste avec la consonance. 2) En *psychologie sociale,* terme employé par Festinger pour désigner la perception d'une inconstance entre les attitudes d'un individu et sa conduite.

dissonance cognitive — État dans lequel un individu a des croyances ou des attitudes qui sont en *conflit* entre elles ou avec des tendances de *comportement;* quand une telle dissonance cognitive surgit, le sujet est porté à réduire la dissonance en modifiant sa conduite ou ses connaissances (Festinger).

distance (indices de) — 1) En *vision,* indices monoculaires qui permettent la perception de la distance des objets ; par exemple : recouvrement des objets, perspective, jeu des ombres et des lumières et mouvement relatif — et indices binoculaires utilisés en vision *stéréoscopique.* 2) En *audition,* indices correspondants responsables de la perception de la distance et de la direction des sources sonores ; par exemple : différences dans l'intensité et le temps des sons qui parviennent aux deux oreilles.

distribution normale — *Distribution de fréquence* standard, *symétrique* et en forme de cloche, sur les propriétés de laquelle s'appuient généralement les inférences statistiques sur les mesures dérivées des *échantillons.* Voir **courbe normale.**

divergente (pensée) — Production, dans les tests d'intelligence ou de créativité, de plusieurs réponses possibles plutôt que d'une réponse unique, « la bonne ». Voir **convergente.**

dizygotes — Voir **jumeaux dizygotes.**

djp — Voir **juste perceptible.**

DSM - III — Troisième édition des *Diagnostic and Statistical Manual of the American Psychiatric Association.*

dominance — 1) En *neuropsychologie,* prépondérance d'un processus en conflit avec un processus rival. 2) En *psychologie sociale,* échelon le plus élevé quand le rang social est réparti selon une hiérarchie domination-soumission, comme il arrive généralement dans les sociétés humaines et chez certains groupes d'animaux. Synonymes : *ascendant, domination, suprématie.*

dominant (gène) — Un des membres de la paire gènes qui, quand il est présent, détermine l'apparition chez l'individu du trait que ce gène contrôle, peu importe si l'autre membre de la paire est semblable ou différent (c'est-à-dire *récessif*). Voir **récessif.**

dopamine — *Neurotransmetteur du système nerveux central* qui, croit-on, joue un rôle dans la *schizophrénie.* Il est synthétisé à partir d'un acide aminé grâce à l'action de certaines enzymes somatiques et il est converti, à son tour, en *noradrénaline.* Voir **neurotransmetteur, noradrénaline.**

dopamine (hypothèse de la) — Hypothèse selon laquelle la *schizophrénie* serait associée à une quantité excessive du *neurotransmetteur dopamine;* les schizophrènes produiraient trop de dopamine ou manqueraient de cette enzyme qui sert à transformer la dopamine en *noradrénaline.* Voir **noradrénaline, schizophrénie.**

double contrôle — Devis expérimental fréquemment utilisé en recherche sur les drogues, selon lequel ni le chercheur ni les patients ne savent, avant que l'expérience ne soit terminée, lesquels des sujets sont soumis ou pas au traitement expérimental. Synonymes : *double insu, double inconnue, double anonymat.*

Down (syndrome de) — Voir **mongolisme.**

drive — En psychologie, terme américain pour désigner la *tendance.* Voir **tendance.**

dualité de la mémoire (théorie de la) — Théorie qui établit une distinction entre une *mémoire à court terme* de capacité limitée, et une *mémoire à long terme* de capacité virtuellement illimitée. L'information ne peut être encodée en mémoire à long terme que par l'intermédiaire de la mémoire à court terme. Voir **mémoire.**

dynamique de la personnalité — Ensemble des théories de la personnalité qui attachent une grande importance aux aspects dynamiques de la personnalité et qui s'intéressent aux caractères d'interaction du *comportement* (comme dans la résolution des conflits), aux hiérarchies de valeurs, à la perméabilité des frontières entre les aspects différents de la personnalité, etc. Ce point de vue fait contraste avec le point de vue génétique, mais les deux ne sont pas incompatibles.

E

écart-type (ς) — Indice de dispersion défini comme la racine carrée de la moyenne des carrés des écarts individuels à la moyenne. Synonymes : *déviation standard, écart-étalon, écart moyen quadratique.*

échantillon — Sélection de valeurs à partir d'un ensemble global appelé *population.* Si le choix se fait au hasard, on a un échantillon non biaisé ; s'il ne se fait pas au hasard, l'échantillon est biaisé et non représentatif. Voir **population.**

échelle (transposition sur) — Conversion de données brutes en scores plus faciles à interpréter comme des rangs, des centiles, des scores normalisés.

échelle d'évaluation — Technique qui permet à des évaluateurs de noter les jugements qu'ils portent sur d'autres personnes (ou sur eux-mêmes) en fonction des traits définis dans l'échelle.

ectomorphe — Un des trois types de constitution physique, selon la théorie de Sheldon. Il est caractérisé par la délicatesse de la peau, des cheveux fins et un système nerveux ultrasensible. Voir **endomorphe, mésomorphe, types.**

éducation (psychologie de l') — Étude de l'application des principes psychologiques à l'éducation des enfants et des adultes à l'école. Voir **psychologue scolaire.**

EEG — Voir **électroencéphalogramme.**

efférents (neurones) — Voir **neurones moteurs.**

effet — Voir **loi de l'effet.**

eidétique (imagerie) — Capacité de retenir des images visuelles de façon très nette, presque photographique. Le sujet peut décrire ces images avec beaucoup plus de détails qu'il lui serait possible de le faire à partir du seul souvenir. Voir **imagerie mentale.**

élaboration — Opération mentale de mémorisation, par laquelle on augmente le matériel verbal de façon à accroître le nombre des moyens employés pour repêcher les souvenirs.

électrochoc (thérapie d') — Voir **électroconvulsive.**

électroconvulsive (thérapie) — Forme de traitement de la dépression profonde qui consiste dans l'application d'un choc électrique au cerveau pour produire une crise qui ressemble à une convulsion épileptique. On dit aussi *thérapie d'électrochoc.*

électroencéphalogramme (EEG) — Enregistrement qu'on obtient en attachant des électrodes au cuir chevelu (ou parfois directement au cerveau) et en amplifiant l'activité électrique spontanée du cerveau. Les ondes les plus connues de l'EEG sont les *ondes alpha* (de 8 à 13 Hz) et les *ondes delta* (à fréquences plus lentes).

émiettement de la responsabilité — Tendance, manifestée par des individus qui sont en groupe, à ne pas agir (alors qu'ils sont dans une situation de crise) parce que d'autres personnes sont présentes et que la responsabilité vis-à-vis de l'action se trouve ainsi dispersée. Cette tendance est un facteur qui contribue grandement à empêcher les témoins d'intervenir dans des situations d'urgence.

émotion — État dans lequel se trouve l'organisme au cours d'une expérience de tonalité affective, légère ou intense. Voir **affective.**

empan mnémonique — Capacité d'appréhension de la mémoire immédiate (ou *mémoire à court terme*). L'empan se mesure habituellement par le nombre d'articles (chiffres, lettres, mots) qu'on peut répéter dans l'ordre après une seule présentation; il est généralement de 7 ± 2. Voir **mémoire à court terme, tronçon.**

empirisme — Position de ceux qui considèrent que le *comportement* est le résultat de l'expérience. Voir **nativisme.**

empreinte — Terme (traduction de l'anglais *imprinting*) utilisé par les *éthologistes* pour désigner un type d'apprentissage typique de l'espèce, qui se produit au cours d'une période limitée de temps, très tôt dans la vie de l'organisme, et qui est relativement inchangeable par la suite; par exemple: des canetons frais éclos apprennent à suivre une femelle adulte (habituellement la mère) entre onze et dix-huit heures après la naissance. Quel que soit l'objet qu'on leur présente à ce moment, ils continuent à le suivre par la suite. Voir **éthologie.**

endocrine (glande) — Glande à sécrétion interne, dont le produit est déversé directement dans le sang. Les *hormones* sécrétées par les glandes endocrines sont des agents importants de l'intégration des activités corporelles. Voir **hormones.**

endomorphe — Un des trois types de constitution physique, selon la théorie de Sheldon. Il est caractérisé par le développement prédominant des intestins et des autres organes viscéraux, y compris la proéminence de l'abdomen, comme dans le cas des individus obèses. Voir **ectomorphe, mésomorphe, types.**

endorphines — Groupe de neurotransmetteurs du cerveau libérés en réaction au stress et qui bloquent la douleur. Les opiacés, une catégorie de drogues qui comprend l'héroïne et la morphine, ont une forme moléculaire semblable à celle des endorphines et agissent comme ces substances, produites naturellement par l'organisme.

enfance (petite) — Période d'impuissance et de dépendance chez l'être humain et les animaux; chez l'humain, elle correspond approximativement aux deux premières années de la vie.

enquête (méthode d') — Méthode utilisée pour obtenir de l'information en interrogeant un grand *échantillon* d'individus.

enregistrement — Terme servant à décrire le processus réceptif grâce auquel l'information est traitée sans être perçue. Voir **perception.**

enseignement programmé — Voir **machine à enseignement programmé.**

équilibre (sens de l') — Sens qui permet la perception de la position du corps dans l'espace et celle du mouvement du corps pris comme un tout. Voir **kinesthésie, semi-circulaires, vestibulaire.**

ergonomie — Étude des systèmes homme-machine permettant, par exemple, de construire des machines plus adéquates, plus sécuritaires et de réduire l'erreur humaine au minimum. Les Américains appellent les psychologues qui travaillent dans ce domaine des « engineering psychologists »; on parle parfois des problèmes « homme-machine » en se référant à ce champ d'étude.

erreur fondamentale d'attribution — Tendance à sous-estimer les influences exercées par la situation sur la conduite et à présumer que c'est une caractéristique quelconque de l'individu qui est en cause; penchant systématique pour les *attributions basées sur les dispositions* au détriment des *attributions basées sur la situation*. Voir **attribution.**

éthologie — Science interdisciplinaire où la zoologie, la biologie et la psychologie s'associent pour étudier le comportement animal, surtout dans l'habitat même des espèces sous observation. La plupart des travaux ont porté sur les insectes, les oiseaux et les poissons, mais tout récemment ce champ d'étude s'est intéressé au comportement humain. Ses méthodes s'appuient typiquement sur l'observation de la nature et son orientation théorique a tendance à se fixer sur les contributions réciproques des facteurs de l'hérédité et de l'environnement dans la compréhension du comportement. Voir **empreinte, instinct.**

évaluation cognitive — L'interprétation qu'un individu fait d'un événement ou d'une situation en fonction des objectifs qu'il s'est donnés et de son bien-être. Cette évaluation cognitive influence autant la qualité que l'intensité de l'émotion ressentie et la gravité d'une menace qui serait perçue.

évaluation cognitive (théorie de l') — Théorie de l'émotion selon laquelle l'état affectif subjectif dépendrait de l'évaluation ou de l'analyse que l'individu fait de la situation, source d'émotion. Un état d'activation physiologique pourrait donner lieu à différentes émotions (antithétiques même) selon la façon dont la personne en cause évaluerait la situation. Voir **Cannon-Bard, James-Lange.**

éventail de réactions — Gamme des capacités intellectuelles possibles, déterminées par les gènes d'un individu. D'après cette notion, un environnement pourra, selon qu'il est enrichi, normal ou appauvri, contribuer à modifier le Q.I. d'un sujet, mais uniquement dans les limites de l'éventail de réactions génétiquement prédéterminé.

évitement (apprentissage d') — Forme d'apprentissage par lequel un organisme apprend à éviter un événement punitif en réagissant à un signal d'avertissement. Voir **conditionnement.**

évoqué (potentiel) — Décharge électrique qui se produit quelque part dans le système nerveux à la suite d'une stimulation à un autre endroit. Généralement, le potentiel mesuré est le produit d'une moyenne calculée par ordinateur.

exécution — Terme par lequel on traduit le mot *performance* utilisé en psychologie américaine pour distinguer le *comportement* manifeste de la connaissance et de l'information qui ne se traduisent pas dans l'action. Cette distinction est importante dans les théories de l'apprentissage. Voir **latent.**

exemple (stratégie de l') — Méthode utilisée pour la classification, dans laquelle 1) les réalisations concrètes antérieures d'un concept sont mémorisées et 2) un nouveau sujet est accepté comme appartenant à ce concept s'il ressemble suffisamment aux cas en mémoire.

expectative — Anticipation ou prévision d'événements sur la base de l'expérience passée et des stimuli présents. En psychologie, on utilise le terme expectative quand l'attente est teintée d'espérance, comme dans les études sur le niveau d'aspiration.

expérimental (devis) — Plan préparé en vue de la cueillette et du traitement des données d'une expérimentation projetée. Le devis est mis au point à la suite d'une exploration préliminaire, dans un but d'économie, de précision et de contrôle, de façon à pouvoir formuler les *inférences* et les décisions qui conviennent à partir des données.

expérimental (groupe) — Dans le cas d'un *devis expérimental* qui comporte la comparaison de deux groupes, le groupe expérimental est celui qui comprend les sujets soumis au traitement dont les effets font l'objet de l'expérimentation. Voir **contrôle.**

expérimentale (méthode) — Méthode d'étude des événements naturels qui cherche à contrôler les variables de façon à définir avec plus de précision les relations de cause à effet. On l'utilise le plus souvent, mais pas nécessairement, en laboratoire. Voir **observation, variable.**

expérimentale (psychologie) — Branche de la psychologie qui s'intéresse à l'étude en laboratoire des principes généraux de cette science tels qu'ils se reflètent dans le *comportement* des organismes inférieurs et des êtres humains.

extinction — 1) Technique expérimentale qui consiste à présenter, à la suite d'un *conditionnement classique* ou *opérant, le stimulus conditionnel* sans le *renforcement* habituel. 2) Diminution des réponses qui résulte de l'application de cette technique. Voir **renforcement.**

extrasensorielle (perception) (ESP) — Catégorie d'expériences controversées qui consistent dans des perceptions ne provenant pas d'une stimulation des organes sensoriels. Voir **clairvoyance, parapsychologie, prédiction prophétique, psychokinésie, télépathie.**

extraverti (ou extroverti) — Un des types psychologiques proposé par Jung. L'extraverti se préoccupe plus de la vie sociale et du monde extérieur que de son expérience intérieure. Voir **introverti.**

F

facilitation sociale — Phénomène qui consiste pour un organisme à exécuter une tâche plus rapidement quand il est en présence d'autres membres de son espèce.

façonnement du comportement — Modification du comportement opérant par renforcement des seules déviations de la réponse qui vont dans la direction souhaitée par l'expérimentateur.

facteur général (g) — 1) Capacité générale responsable des scores obtenus aux tests, plus particulièrement aux tests d'intelligence, distincte des capacités spéciales propres à chaque test (Spearman). 2) Habileté générale avec laquelle chacun des facteur primaires est en corrélation (Thurstone). Voir **factorielle.**

facteur spécial (s) — Capacité spécialisée responsable des scores obtenus aux tests, plus particulièrement aux tests d'intelligence ; par exemple : une habileté spécifique en mathématiques, distincte de l'intelligence générale.

factorielle (analyse) — Méthode statistique utilisée dans l'élaboration des tests et dans l'interprétation des scores provenant d'une batterie de tests. Cette méthode permet au chercheur de calculer le nombre minimum de facteurs requis pour rendre compte des corrélations entre les scores obtenus aux tests qui composent la batterie. Voir **facteur général, facteur spécial.**

faim (tendance de) — Tendance (*drive*) découlant de la privation de nourriture. Voir **tendance.**

faim spécifique — Appétit dirigé vers un agent d'incitation alimentaire particulier, comme la fringale des aliments sucrés.

fainéantise sociale — Phénomène qui consiste dans le fait que des individus font moins d'effort quand ils partagent un travail avec d'autres que lorsqu'ils travaillent seuls.

falaise visuelle — Dispositif expérimental composé d'une vitre placée au-dessus d'une surface à motifs, surface dont la moitié se trouve juste au-dessous de la vitre et l'autre moitié environ un mètre plus bas. On l'utilise pour vérifier la perception de la profondeur chez les animaux et les enfants.

familiale (thérapie) — Psychothérapie qui s'applique au groupe familial plutôt qu'à l'individu. Voir **groupe.**

fantasme — Rêverie, imagination ; conséquence, parfois, de la *frustration*. On s'en sert comme indice de *personnalité* dans les *tests projectifs*. Voir **projection.**

Fechner (loi de) — Postulat voulant que la grandeur perçue d'un stimulus augmente en proportion du logarithme de son intensité physique.

fidélité — Constance d'un test en tant qu'instrument de mesure. On l'évalue au moyen d'un *coefficient de corrélation* entre les scores obtenus aux deux moitiés d'un test, à des formes équivalentes d'un test, ou entre une première utilisation d'un test et sa répétition auprès du même *échantillon* ; une corrélation élevée indique un haut niveau de constance ou de fidélité des scores par rapport à la *population* étudiée. Voir **validité.**

figure et fond — Voir **forme et fond.**

filtre — Tout dispositif qui laisse traverser certains corps à l'exclusion des autres. Par exemple, un instrument électronique qui ne permettrait qu'à des fréquences sonores particulières de passer ou une lentille optique qui ne transmettrait que certaines longueurs d'onde. On trouve, enfouis dans le système sensoriel, divers types de filtres (optiques, mécaniques, chimiques, nerveux) qui admettent le passage de certains signaux à l'exclusion des autres. Un neurone du système sensoriel qui serait précédé d'un filtre ne réagirait qu'aux signaux qui traversent le filtre ; on dit qu'un tel neurone est en syntonie avec ces signaux. Voir **hypothèse du code neuronal spécifique.**

fixation — En psychanalyse, arrêt du développement d'un individu dû au fait qu'il n'a pas réussi à dépasser l'un des premiers stades du *développement psychosexuel* ou à changer les objets de l'attachement (par exemple : fixé au *stade oral*, ou fixé sur la mère).

fonction psychométrique — Courbe représentant la relation entre le pourcentage des fois où le sujet dit qu'il perçoit un stimulus et la mesure de l'énergie physique de ce même stimulus.

fonctions localisées — *Comportement* contrôlé par des régions bien connues du cerveau ; la vision, par exemple, est localisée dans les *lobes occipitaux.*

force sonore — Caractère de la sensation auditive liée à la pression acoustique du son, ou amplitude des ondes acoustiques qui constituent le *stimulus*. Les amplitudes les plus fortes donnent les forces sonores les plus fortes. Synonymes : *intensité subjective, sonie, sonorité*. Voir aussi **hauteur tonale, timbre.**

formation réactionnelle — *Mécanisme de défense* par lequel une personne désavoue un *mobile* répréhensible en exprimant avec force le mobile contraire. Voir **défense.**

forme — Voir **constance de la forme.**

forme et fond (perception) — Perception d'une forme comme constituant l'avant-scène par rapport à une arrière-scène. Les formes sont habituellement perçues de cette façon même quand les stimuli sont ambigus et quand les relations forme et fond sont interchangeables. On dit aussi *figure et fond.*

fovéa — Dans l'œil, petite région dans la partie centrale de la rétine, constituée surtout de *cônes* ; partie de la rétine la plus sensible à la vision des détails et des couleurs à la lumière du jour. Voir **cônes, rétine.**

fraternels (jumeaux) — Voir **jumeaux dizygotes.**

fratrie — Couple fraternel (de même sexe ou de sexe différent).

frontal — Voir **lobe frontal.**

frustration — 1) En tant qu'*événement* : circonstances adverses qui viennent bloquer ou empêcher une activité orientée vers un but. 2) En tant qu'*état* : contrariété, confusion ou colère engendrées par le fait d'être déjoué, déçu, défait.

frustration — agression (hypothèse de la) — Hypothèse voulant que la frustration (l'échec des efforts d'un individu dans la poursuite d'un objectif) engendre une tendance agressive qui, à son tour, mobilise un comportement d'agression.

fuseau — Caractéristique de l'*EEG* du sommeil du stade 2 ; elle consiste dans de brèves salves de *réponses* rythmiques de 13 à 16 Hz (fréquence légèrement plus élevée que l'*alpha*). Voir **électroencéphalogramme.**

G

ganglions — Ensemble de corps cellulaires de *neurones* et de *synapses* formant un centre situé à l'extérieur du cerveau et de la moelle épinière, comme les ganglions du système sympathique. Voir **noyaux.**

gastro-intestinale (motilité) — Mouvements de parties des voies digestives occasionnés par la contraction des muscles lisses ; indice d'émotivité.

gène — Facteur de transmission de caractères héréditaires constituant une unité fondamentale dépendante située à l'intérieur des *chromosomes.* Chaque chromosome contient plusieurs gènes. Les gènes se présentent typiquement en paires, un membre de la paire provenant d'un chromosome du père et l'autre du chromosome correspondant chez la mère. Voir **dominant, récessif.**

généralisation — 1) Dans la formation de concepts, la solution de problèmes et le transfert de l'apprentissage, découverte, de la part de celui qui apprend, d'une caractéristique ou d'un principe commun à une catégorie d'objets, d'événements ou de problèmes. 2) Dans le *conditionnement,* principe selon lequel, une fois qu'une *réponse conditionnée* a été associée à un stimulus particulier, les stimuli semblables suscitent également cette réponse. Voir **discrimination.**

généralisation excessive — Propension chez un enfant, quand il apprend une langue, à attribuer un sens trop large à un mot nouveau ; appeler tous les animaux « chien-chien », par exemple.

génétique — Branche de la biologie qui s'intéresse à l'hérédité et aux moyens par lesquels les caractéristiques héréditaires sont transmises.

génétique (psychologie) — Branche de la psychologie qui s'intéresse à l'étude des changements qui se produisent en fonction de la croissance et du développement de l'organisme, et tout particulièrement à la relation entre le *comportement* durant les premières années de la vie et la conduite ultérieure. Synonyme : *psychologie du développement.*

génétique du comportement — Étude de la transmission héréditaire des caractéristiques du comportement.

génital (stade) — Selon la psychanalyse classique, stade final du *développement psychosexuel,* dont le point culminant est l'union sexuelle avec un membre du sexe opposé. Voir **anal, oral, phallique, psychosexuel.**

génotype — En *génétique,* ensemble des caractères héréditairement transmis à un individu et qu'il transmettra lui-même à ses descendants, peu importe que cet individu possède ou non ces caractères. Voir **phénotypes.**

Gestalt (psychologie de la) — Système théorique qui s'intéresse surtout à la perception et qui met l'accent sur la forme, l'organisation, le tout et les propriétés de champ.

glia (ou glie) — Cellules formant le tissu conjonctif du système nerveux ; ce ne sont pas des neurones. Ces cellules constituent une portion substantielle du tissu cérébral. Des hypothèses récentes laissent entrevoir que ces cellules pourraient jouer un rôle dans la transmission nerveuse. Synonyme : *névroglie.*

gonades — Testicules chez le mâle, ovaires chez la femelle. Comme glandes à sécrétion externe, elles sont actives au moment de l'accouplement, mais en tant que glandes à sécrétion interne (*endocrines*), leurs *hormones* ont une influence sur les caractères sexuels secondaires tout autant que sur le fonctionnement sexuel. Les hormones mâles s'appellent *androgènes* et les hormones femelles, *oestrogènes.* Voir **androgènes, endocrine, oestrogènes.**

gradient de texture — Quand une surface est perçue comme possédant une texture définie (dure, douce, lisse, rude, etc.) et quand cette texture a un grain appréciable, cette dernière devient plus fine à mesure que la surface s'éloigne de l'observateur, ce qui donne un dégradé de texture, lequel joue un rôle important dans les jugements d'inclinaison et de *distance.* Voir **distance.**

grandeur — Voir **constance de la grandeur.**

grandeur de l'objet — Dimension représentée par la mesure de la surface d'un objet. Lorsque la *constance de la grandeur* prévaut chez l'observateur, celui-ci perçoit un objet distant comme se rapprochant de sa grandeur réelle.

grandeur rétinienne — Dimension de *l'image rétinienne* d'un objet ; elle diminue de façon directement proportionnelle à la distance de l'objet.

groupe (test de) — Test qu'un examinateur fait subir à plusieurs personnes simultanément. Un examen scolaire est habituellement un test de groupe. Synonyme : *test collectif.*

groupe (thérapie de) — Discussion de groupe ou autre activité de groupe ayant un objectif thérapeutique et à laquelle participent plus d'un client ou d'un patient à la fois. Voir **psychothérapie.**

H

habiletés primaires — Habiletés qui, selon l'*analyse factorielle,* seraient à la base même du succès aux *tests d'intelligence.* Voir **factorielle.**

habituation — Réduction de la force de la réaction à un stimulus répétitif. Presque tous les stimuli donnent généralement lieu à l'habituation ; ex. : la force perçue d'un ton pur qui persiste durant une demi-heure peut diminuer de 20 décibels.

habitude — Forme motrice de la mémoire se manifestant dans des activités facilitées par leur répétition ; c'est un comportement de type stimulus-réponse qui est le résultat d'un apprentissage. Voir **conditionnée.**

hallucination — Expérience sensorielle qui se produit en l'absence de stimuli externes correspondants, donc *perception* sans objet. Le sujet interprète à tort des expériences imaginaires comme étant de vraies perceptions. Voir **délire, illusion, schizophrénie.**

hallucinogènes — Drogues dont l'effet principal est de modifier l'expérience perceptive et de « développer les possibilités de la conscience ». Le LSD et la marijuana en sont des exemples. On dit aussi *agents psychodisleptiques.* Voir **psychédélique.**

halo (effet de) — Tendance à juger des personnes ou des valeurs comme étant semblables en dépit de différences objectives ; cette tendance peut être due au désir de voir ou de ne pas voir telle caractéristique.

harmonique — Son musical simple dont la fréquence est un multiple entier d'un son de référence (son *fondamental*) ; généralement produit par un instrument musical. Voir **timbre.**

hauteur tonale — Qualité des sons associée à la fréquence des ondes sonores qui constituent le *stimulus.* Les fréquences plus élevées correspondent à des hauteurs tonales plus élevées. Synonyme : *tonie.* Voir **force sonore, timbre.**

hédonisme — Théorie selon laquelle les êtres humains recherchent le plaisir et évitent la douleur ; dans une de ses formes extrêmes (en philosophie), cette théorie stipule que le plaisir ou le bonheur est l'état idéal qu'on doit chercher à atteindre.

hémisphère droit — Celui des deux *hémisphères du cerveau* qui est situé à droite ; il contrôle le côté gauche du corps et, chez la plupart des gens, la perception de la forme et les activités spatiales. On l'appelle parfois l'*hémisphère mineur.* Voir **cerveau dédoublé, corps calleux.**

hémisphère gauche — Celui des deux *hémisphères du cerveau* qui est situé à gauche; il contrôle le côté droit du corps et, chez la plupart des gens, la parole et les autres activités linéaires, séquentielles et logiques. On le qualifie parfois d'*hémisphère majeur*. Voir **cerveau dédoublé, corps calleux.**

hémisphères cérébraux — Deux larges masses de cellules nerveuses et de fibres constituant la plus grande partie du cerveau chez l'être humain et les autres animaux supérieurs. Les hémisphères sont séparés mais reliés entre eux par une large bande de fibres, le *corps calleux.* Voir **cerveau dédoublé, cortex cérébral.**

héréditaire (part) — Proportion de la variabilité totale d'un trait d'une *population* donnée qui est attribuable aux différences *génétiques* entre les individus de cette population. Synonyme: *héritabilité.*

hérédité-milieu (controverse) — Discussion au sujet de l'importance relative de l'apport naturel (hérédité) et des conséquences, sur les habiletés que l'on constate à l'état de maturité, d'avoir été élevé dans un environnement (milieu) particulier.

hermaphrodite — Individu né avec des organes génitaux dont l'apparence est ambiguë ou qui ne correspondent pas aux glandes sexuelles internes. Voir **transsexuel.**

héroïne — Agent dépresseur du système nerveux central qui est extrait de l'opium et dont l'usage entraîne une dépendance extrêmement forte.

hertz (Hz) — Unité de fréquence utilisée en électricité ou en acoustique correspondant à un cycle, c'est-à-dire à une période par seconde.

hétérosexualité — Intérêt porté à un membre du sexe opposé ou attachement envers lui; aboutissement habituel du *développement psychosexuel.*

heuristique — Terme qui, lorsqu'il s'agit de solution de problèmes, désigne une stratégie qui peut s'appliquer à une variété de problèmes et qui habituellement (mais pas toujours) mène à une bonne solution.

hiérarchies de concepts — Relations entre les *concepts* individuels. Voir **concept.**

hiérarchies de mobiles — Façon dont Maslow classifie les mobiles, en partant des motivations biologiques qui exigent satisfaction avant tout pour monter jusqu'à un sommet de *réalisation de soi,* qui serait la motivation humaine la plus élevée.

HL — Voir **hypothalamus latéral.**

homéostasie — Niveau optimal parfaitement équilibré de fonctionnement organique, maintenu par des mécanismes de régulation connus sous le nom

de mécanismes homéostatiques; par exemple: les mécanismes qui maintiennent une température corporelle uniforme.

homosexuel — Individu qui préfère entretenir des relations sexuelles avec des personnes du même sexe que le sien. Il peut s'agir d'hommes ou de femmes, mais on désigne souvent les femmes homosexuelles par le terme *lesbiennes.* À ne pas confondre avec *transsexuel.*

hormones — Sécrétions internes des glandes *endocrines,* qui sont véhiculées par le réseau sanguin et qui affectent la conduite. Voir **endocrine.**

humaniste (psychologie) — Façon d'aborder l'étude de la psychologie qui met l'accent sur le caractère unique de l'être humain; elle s'intéresse avant tout à l'expérience subjective et aux valeurs humaines. On la désigne souvent comme la troisième force en psychologie, par comparaison au *behaviorisme* et à la *psychanalyse.* Voir **phénoménologie.**

HVM — Voir **hypothalamus ventromédian.**

hypnose — État de disponibilité créé par une induction hypnotique ou un procédé équivalent. Dans cette condition, l'individu (le sujet) accepte les suggestions venant d'une autre personne (l'hypnotiseur) et éprouve des modifications de perception, de mémoire et d'action volontaire.

hypnotique (induction) — Procédé utilisé pour créer un état d'*hypnose* chez un individu dit susceptible ou prédisposé et qui implique généralement la détente et la stimulation de l'imagination.

hypnotique (transe) — État semblable à l'état onirique, comportant une hausse de la suggestibilité créée par un hypnotiseur chez un sujet. Voir **suggestion posthypnotique.**

hypophyse — *Glande endocrine* rattachée au cerveau juste au-dessous de l'*hypothalamus.* Elle comprend deux parties: le lobe antérieur et le lobe postérieur. Le lobe antérieur joue le rôle le plus important étant donné ses fonctions de régulation de la croissance et de contrôle sur d'autres glandes endocrines. Synonyme: *glande pituitaire.*

hypothalamus — Structure très importante (malgré ses petites dimensions) située entre le *tronc cérébral* et le *thalamus.* Considéré comme faisant partie du centre même du cerveau, l'hypothalamus comprend des « centres » qui contrôlent le *comportement* motivé, comme celui de manger, de boire, d'avoir des activités sexuelles et d'éprouver des *émotions*; il régit aussi l'activité des *glandes endocrines* et maintient l'*homéostasie* corporelle.

hypothalamus latéral (HL) — Région de l'*hypothalamus* importante pour la régulation de la consommation de nourriture. Une stimulation électrique de cette région incite un animal, dans des conditions expérimentales, à commencer à manger; la destruction du tissu cérébral dans la même région amène l'animal à cesser de manger.

hypothalamus ventro-médian (HVM) — Région de l'*hypothalamus* importante pour la régulation de la consommation de nourriture. Une stimulation électrique de cette région amène un animal, dans des conditions expérimentales, à cesser de manger; la destruction du tissu cérébral dans la même région déclenche un comportement vorace qui finit par conduire à l'obésité.

hypothèse (vérification d') — Fait de réunir de l'information et de soumettre les explications possibles d'un phénomène à des tests.

hypothèse du code neuronal spécifique — Selon cette hypothèse, le système sensoriel comprendrait différents types de neurones, lesquels seraient en syntonie avec les caractéristiques spécifiques d'un stimulus suscitant une sensation particulière. Des neurones spécifiques seraient en syntonie avec les caractéristiques particulières d'un stimulus parce qu'il y aurait des filtres situés à des endroits appropriés dans les niveaux inférieurs du système sensoriel. Selon cette perspective théorique, une scène se trouverait représentée dans l'esprit non pas par une image mais par un message en code composé de sensations qui correspondraient aux caractéristiques spécifiques du stimulus. Voir **détecteur de caractéristiques, filtre.**

hypothèse nulle — Hypothèse statistique stipulant que toutes les différences observées entre les conditions du traitement expérimental sont l'effet du hasard et ne reflètent pas des différences réelles. Le rejet de l'hypothèse nulle signifie que nous croyons que les conditions de traitement exercent vraiment une influence.

Hz — Voir **hertz.**

I

IA — Voir **intelligence artificielle.**

identification — 1) Processus normal d'acquisition, au cours de l'enfance, de rôles sociaux appropriés par imitation, en partie inconsciente, du comportement d'adultes qui sont importants pour l'enfant; par exemple: l'identification de l'enfant avec le parent du même sexe. 2) Attachement étroit à d'autres personnes dont on partage les intérêts; s'identifier à un groupe, par exemple. 3) Réaction aux influences sociales qui fait que l'individu modifie ses croyances, ses attitudes ou ses comportements afin de ressembler à la source d'influence qu'il admire ou respecte. Voir **acquiescement, référence, intériorisation.**

identification (modèles d') — Images que l'enfant se fait des adultes (particulièrement de ses parents) et qu'il copie, en partie inconsciemment. Voir **modèle.**

identification à un modèle — Traduction du terme « modeling », employé en théorie de l'apprentissage social pour décrire le processus par lequel un enfant acquiert des comportements sociaux et cognitifs par observation et imitation des autres.

identification aux schèmes — Processus cognitif qui consiste à chercher, dans la mémoire, le schème qui convient le mieux à l'information qui arrive. Voir **schème.**

identiques (jumeaux) — Voir **jumeaux monozygotes.**

identité (formation d'une) — Processus qui mène à l'intégration d'une *personnalité* adulte, comme conséquence des *identifications* antérieures et d'autres influences. Voir **rôles.**

identité du genre — Dans quelle mesure un individu se reconnaît comme étant un mâle ou une femelle. Voir **rôle sexuel.**

ignorance pluraliste — Propension des membres d'un groupe à s'induire en erreur les uns les autres par rapport à une situation ; par exemple : propension à définir un état d'urgence comme s'il n'en était pas un parce que les autres restent calmes et n'agissent pas.

illusion — En perception, fausse interprétation des rapports entre les stimuli présentés, de sorte que ce qui est perçu ne correspond pas à la réalité physique ; s'applique souvent, mais non exclusivement, à la sensation visuelle ou optique. Voir **délire, hallucination.**

image consécutive — Expérience sensorielle qui persiste quand un stimulus est retiré. Se dit habituellement de l'expérience visuelle ; par exemple : l'image consécutive négative d'un dessin ou la suite d'images colorées qui résultent du fait d'avoir regardé le soleil directement.

imagerie mentale — Images mentales utilisées pour faciliter le souvenir. Ne pas confondre avec l'*imagerie eidétique.* Voir **eidétique.**

IMAO — Voir **inhibiteurs de la monoamine-oxidase.**

imitation — *Comportement* qui se modèle sur un autre ou qui est une copie de celui-ci. Voir **identification.**

impact social (théorie de l') — Hypothèse générale sur l'influence sociale, selon laquelle l'effet exercé sur un individu-cible par toute source d'influence s'accroîtrait avec l'augmentation du nombre, du caractère immédiat et de l'importance des sources, mais irait en décroissant avec la diminution du nombre, du caractère immédiat et de l'importance des cibles (Latané).

impuissance (apprentissage de l') — Condition d'*apathie* ou d'incapacité qu'on peut créer expérimentalement en soumettant un organisme à un traumatisme inévitable (par exemple : chaleur ou froid intense, choc). Le fait d'être incapable d'éviter cette situation d'*aversion* ou de ne pouvoir y échapper produit un sentiment d'impuissance qui s'étend aux situations subséquentes.

incitation (agent d') — 1) Objet tangible apportant les stimuli qui entraînent une activité orientée vers ce *but* (cet objet). 2) Au sens large, tout but quel qu'il soit.

incitation (théorie de l') — Théorie de la *motivation* qui insiste sur l'importance des *agents d'incitation négatifs* ou *positifs* dans l'adoption des *comportements ;* elle fait remarquer que les *tendances* internes ne sont pas les seuls déclencheurs d'activité. Voir **réduction de la tendance.**

incitation négative (agent d') — Objet ou circonstance qui orientent le *comportement* vers une direction opposée, quand cet objet ou cette circonstance sont perçus ou anticipés.

incitation positive (agent d') — Objet ou circonstance vers lesquels le *comportement* est orienté, quand cet objet ou cette circonstance sont perçus ou anticipés.

inconditionnée (réponse) (RI) — Dans le *conditionnement classique,* réponse que donnait à l'origine le *stimulus inconditionnel ;* elle sert de base à l'élaboration d'une *réponse conditionnée* à un stimulus auparavant neutre. Voir **conditionnée.**

inconditionnel (stimulus) (SI) — Dans le *conditionnement classique,* stimulus qui suscite automatiquement une réponse, généralement par l'intermédiaire d'un réflexe, sans *conditionnement* préalable. Voir **conditionnée, conditionnel.**

inconscient (mobile) — Mobile dont le sujet ne se rend pas compte, ou qu'il perçoit de façon déformée. Comme il n'y a pas de partage net entre le conscient et l'inconscient, plusieurs mobiles comportent à la fois des aspects conscients et des aspects inconscients.

inconscients (processus) — 1) Souvenirs, impulsions et désirs qui ne sont pas accessibles à la conscience. Selon les théories psychanalytiques de Sigmund Freud, les souvenirs pénibles et les désirs sont parfois refoulés — c'està-dire qu'ils sont détournés vers l'inconscient où ils continuent d'exercer une influence sur nos actes, même si nous n'en prenons pas conscience. 2) Cette expression désigne plus rarement les processus physiologiques du corps (circulation, métabolisme, etc.) qui échappent à la conscience et que l'on devrait plutôt qualifier de « non conscients ». Voir **conscience.**

indépendante (variable) — Variable placée sous contrôle expérimental et avec laquelle les changements étudiés par l'expérimentation sont mis en *corrélation.* Dans les expériences psychologiques, la variable indépendante est souvent un stimulus dont les réponses constituent les *variables dépendantes* à l'étude. Voir **dépendante.**

individuelles (différences) — Dissemblances relativement persistantes dans la constitution des individus ou dans le comportement entre personnes ou membres de la même espèce.

inférence inconsciente — Terme utilisé par l'homme de science allemand Hermann von Helmholtz pour décrire le processus par lequel celui qui perçoit passe de la perception des sensations suscitées par un objet à la récognition des propriétés de cet objet. On fait cette inférence automatiquement et inconsciemment et finalement on ne remarque plus les sensations sur lesquelles elle s'appuie. Helmholtz a prétendu que l'inférence inconsciente était à la base de plusieurs phénomènes perceptifs, y compris la perception de la distance et des objets.

infirmier(ère) psychiatrique — Infirmier ou infirmière spécialement formés pour prendre soin des patients qui souffrent de troubles mentaux. Voir **psychiatre.**

influences conflictuelles — Pressions d'origine sociale exercées sur les croyances, les attitudes ou les comportements d'un individu. Elles entrent habituellement en jeu quand une personne s'identifie à plus d'un groupe de référence.

inhibiteurs de la monoamine-oxydase (IMAO) — Catégorie de drogues utilisées dans le traitement de la dépression ; elles freinent l'action d'une enzyme (la monoamine-oxydase) qui décompose certains neurotransmetteurs (tels la dopamine, la noradrénaline et la sérotonine) et prolongent par le fait même l'action des médiateurs synaptiques. Voir **antidépresseurs, monoamine-oxydase, neurotransmetteur.**

inhibition récurrente — Processus par lequel certains *récepteurs* du système visuel inhibent, quand ils sont stimulés, la décharge d'autres récepteurs visuels, permettant ainsi au système visuel de réagir aux changements de luminosité.

instinct — Nom que l'on donne au comportement qui est structuré, qui n'est pas le fruit d'un apprentissage, qui est orienté vers un but et qui est propre à une espèce, comme la nidification chez les oiseaux ou la migration des saumons. Voir **éthologie.**

insuline — *Hormone* sécrétée par le pancréas. Voir **hormones.**

intellectualisation — *Mécanisme de défense* grâce auquel une personne essaie de se libérer d'une situation menaçante sur le plan affectif en la traitant en termes abstraits et intellectuels. Voir **défense.**

intelligence — 1) Ce qu'un test d'intelligence, convenablement normalisé, mesure. 2) La capacité d'apprendre à partir de sa propre expérience, de penser en termes abstraits et de composer de façon efficace avec son environnement. Voir **âge mental, quotient intellectuel.**

intelligence artificielle (IA) — Domaine de recherche relativement neuf qui associe informatique et psychologie cognitive. On s'y intéresse à 1) l'utilisation des ordinateurs pour simuler les processus de pensée humaine et 2) l'élaboration de programmes d'ordinateurs qui agissent de façon intelligente et peuvent s'adapter aux changements circonstantiels. Essentiellement, c'est la science qui porte sur la construction de machines (ordinateurs) qui produisent des choses qui sont normalement l'oeuvre de l'esprit humain. Voir **simulation d'ordinateurs, cognitive, cognitives.**

interactionisme — Se dit, en théorie de la personnalité, d'un cadre à l'intérieur duquel on interprète le comportement comme résultant de l'interaction entre des dispositions ou traits de personnalité constants et les situations dans lesquelles les gens se retrouvent. Une forme limitative de ce modèle a recours à la méthode statistique de l'analyse de la variance pour séparer la portion de la variance du comportement qui est attribuable aux traits de personnalité, des influences de la situation et de l'interaction entre les deux. Une conception plus libre de la position interactioniste s'intéresse à la séquence réciproque des actes qui interviennent entre l'individu et la situation, y compris les réactions que la conduite d'une personne suscite chez les autres et l'influence que cette information rétroactive exerce sur les actes subséquents de cette même personne.

intermédiaire (variable) — Processus qui interviendrait entre le stimulus et la réponse, expliquant ainsi pourquoi

on obtient telle réponse plutôt qu'une autre avec le même stimulus. On peut déduire l'existence d'une variable intermédiaire sans apporter plus de précision ou on peut lui attribuer des propriétés concrètes et en faire un objet d'investigation.

intériorisation — Réaction à l'influence sociale qui fait qu'une personne modifie ses croyances, ses attitudes ou son comportement parce qu'elle a vraiment foi dans la validité de la prise de position prônée par la source d'influence. L'incorporation des opinions ou des comportements d'un autre dans notre propre système de valeurs. Voir **acquiescement, identification.**

interneurones — Neurones du système nerveux central qui reçoivent des messages en provenance des neurones sensoriels et les transmettent à d'autres interneurones ou à des neurones moteurs. Voir **neurones moteurs, neurones sensoriels.**

interprétation — En *psychanalyse,* désigne le fait pour le *psychanalyste* d'attirer l'attention du patient sur ses *résistances* dans le but de faciliter le flot des associations; désigne aussi l'explication des rêves. Voir **association libre.**

interview — Conversation entre un chercheur et un sujet utilisée pour recueillir des données pertinentes et bénéfiques au sujet (comme dans l'interview psychothérapeutique) ou pour obtenir de l'information (comme dans une enquête).

introspection — 1) Désigne une forme particulière d'introspection (introspection provoquée) visant à la description du contenu mental seulement sans intrusion de significations ou d'interprétations. 2) Toute forme de témoignage d'un sujet sur des expériences ou des événements subjectifs (*conscients*). Voir **phénoménologie.**

introverti — Un des types psychologiques proposés par Jung. L'introverti a tendance, surtout dans les moments de *stress* affectif, à se replier sur lui-même et à éviter les autres. Voir **extraverti.**

intuition — 1) Dans les expériences sur la solution des problèmes, perception des relations qui mènent à la solution. On emploie souvent le terme américain *insight,* qui se traduit le mieux par compréhension intuitive. La solution intuitive pourra être reproduite immédiatement quand le problème se posera à nouveau. 2) En *psychothérapie,* découverte par le patient des relations dynamiques entre événements antérieurs et postérieurs, ce qui l'amène à se rendre compte de l'origine de ses *conflits.*

inventaire de personnalité — Formulaire d'auto-évaluation comportant plusieurs énoncés ou questions portant sur les caractéristiques personnelles et le

comportement qui, dans l'opinion du sujet, s'appliqueraient ou non à lui. Voir **projection.**

J

James-Lange (théorie de) — Théorie classique de l'*émotion* qui porte le nom des deux hommes qui l'ont proposée, indépendamment l'un de l'autre. La théorie veut que le stimulus entraîne d'abord des réactions somatiques et que, ensuite, la prise de conscience de ces réactions constitue l'expérience de l'émotion. Voir **Cannon-Bard.**

JD — Voir **jumeaux dizygotes.**

jumeaux dizygotes — Jumeaux provenant d'oeufs différents. D'un point de vue génétique, ils ne se ressemblent pas plus que des frères ou des soeurs ordinaires et ils peuvent être de même sexe ou de sexes différents. Synonymes: *faux jumeaux, jumeaux biovulaires, bivitellins ou fraternels.*

jumeaux monozygotes (MZ) — Jumeaux issus d'un même oeuf. Ils sont toujours du même sexe et généralement d'apparence très semblable, bien que certains traits puissent se présenter en miroir, c'est-à-dire en position contralatérale l'un par rapport à l'autre; par exemple: l'un sera droitier, l'autre gaucher. Synonymes: *jumeaux identiques, monochorioniques, monoamniotiques, uniovulaires, univitellins, vrais jumeaux.*

juste perceptible (différence) (djp) — *Seuil différentiel* obtenu par la méthode des plus petites différences (méthode des limites); il s'agit du changement physique d'un stimulus, changement à peine perceptible. Le terme est employé également comme unité servant à préciser sur une échelle les variations perçues de la sensation correspondant à l'augmentation de la grandeur de la stimulation. Voir **Weber, seuil différentiel.**

K

kinesthésie — Modalité de la sensibilité proprioceptive (articulaire, musculaire, tendineuse) qui renseigne sur les mouvements des divers segments corporels. Voir **équilibre.**

Klinefelter (syndrome de) — Condition anormale des *chromosomes* sexuels; on a XXY au lieu de XX ou XY. L'individu est physiquement un mâle avec un pénis et des testicules, mais il possède des caractères typiquement féminins.

L

labyrinthe — Appareil auquel on a souvent recours dans l'étude expérimentale de l'*apprentissage* animal et humain; il est constitué d'un trajet plus ou moins direct et de culs-de-sac.

labyrinthe en T — Appareil dans lequel un animal se trouve confronté à deux voies possibles, l'une d'elles menant à un *renforcement* (eau, nourriture, etc.). On l'utilise généralement avec les rats ou des organismes inférieurs.

langage mimo-gestuel — Système de gestes utilisé par les enfants sourds. Au début il s'agit de simples pantomimes, mais avec le temps elles acquièrent les propriétés d'un langage.

latence — 1) Mesure temporelle d'une réponse, dénotant le délai entre la présentation du stimulus et le début de la réponse. 2) En *psychanalyse*, période de la moyenne enfance (approximativement de 6 à 12 ans) durant laquelle on présume que les pulsions tant sexuelles qu'agressives sont dans un état d'incubation, de telle sorte que l'attention de l'enfant se trouve orientée vers l'extérieur et que la curiosité qu'il manifeste à l'égard de son entourage le dispose à l'apprentissage. Voir **psychosexuel**.

latent (apprentissage) — Apprentissage qui n'est pas manifeste dans le *comportement* au moment où il se produit, mais qu'on peut démontrer plus tard en augmentant le *renforcement* d'un tel comportement.

latent (contenu) — Signification sous-jacente à un rêve; par exemple: les mobiles ou les désirs que ce rêve exprime, tels qu'on peut les *interpréter* à partir du *contenu manifeste*. Voir **interprétation, manifeste**.

latéral — Voir **hypothalamus latéral**.

lesbienne — Voir **homosexuel**.

libido — En *psychanalyse*, énergie de l'instinct sexuel, qui, au cours de toute la vie, s'attache à des objets nouveaux et s'exprime par diverses formes de comportement motivé.

limbique (système) — Ensemble de structures, à l'intérieur et autour du mésencéphale, qui forme une unité fonctionnelle pour la régulation des types de *comportements* motivationnels et affectifs, tels le cycle éveil-sommeil, l'excitation et le repos, l'absorption d'eau et de nourriture et l'accouplement.

linguistique — Voir **relativité linguistique (hypothèse de la)**.

liquide extracellulaire — Tout liquide organique, y compris le sang, qui se trouve à l'extérieur des cellules. C'est une des variables essentielles qui entrent en ligne de compte dans le contrôle de la soif.

liquide intracellulaire — Eau qui se trouve à l'intérieur des cellules du corps. C'est une des variables essentielles qui entrent en ligne de compte dans le contrôle de la soif.

lithium (carbonate de) — Composé à base de lithium (élément se rapprochant du sodium). A été utilisé avec succès au traitement des troubles maniaco-dépressifs.

lobe frontal — Partie de chaque *hémisphère cérébral*, située à l'avant de la *scissure centrale*.

lobe occipital — Partie de chaque *hémisphère cérébral*, située derrière les *lobes pariétaux* et *temporaux*.

lobe pariétal — Partie de chaque *hémisphère cérébral*, située derrière la *scissure centrale* et entre le *lobe frontal* et le *lobe occipital*.

lobe temporal — Partie de chaque *hémisphère cérébral*, située sur les côtés, en dessous de la *scissure latérale* et devant le *lobe occipital*.

localisation — Voir **constance de localisation**.

localisation cochléaire (théorie de la) — Théorie de l'audition qui associe la hauteur tonale à l'endroit sur la membrane basilaire où se produit l'activation. Les sons aigus se localisent à la base et les sons graves à l'apex de la membrane. On dit aussi théorie de l'emplacement. Voir **temporelle**.

localisations (méthode des) — Technique pour aider la mémorisation sérielle. Le matériel verbal est transformé en images mentales qui sont ensuite situées à des endroits successifs le long d'un trajet imaginaire, comme un déplacement d'une pièce à l'autre dans une maison ou le long d'une rue familière.

loi de l'effet — Phénomène par lequel tout comportement suivi d'un renforcement devient plus susceptible de se reproduire dans les mêmes circonstances; à même le réservoir intarissable des réponses possibles, ce sont celles qui débouchent sur un renforcement qui sont répétées par la suite, alors que celles qui ne sont pas renforcées succombent à l'extinction. Certains prétendent que la loi de l'effet est comparable au principe de la sélection naturelle: des réponses d'adaptation seraient sélectionnées à partir du bassin des réactions possibles et leur avènement serait rendu plus probable grâce au renforcement alors que les réponses qui ne correspondent pas à une adaptation seraient abandonnées à l'extinction. Voir **renforcement**.

longitudinale (étude) — Méthode de recherche qui étudie l'évolution de l'individu dans le temps et qui consiste dans la prise de mesures à intervalles périodiques.

LSD (diéthylamide de l'acide lysergique) — Agent psychoactif puissant capable d'entraîner des modifications excessives de la conscience, des hallucinations, des déformations de la perception et des changements d'humeur imprévisibles. On le désigne habituellement par le sigle anglais LSD.

lumière — Voir **adaptation à la lumière**.

M

machine à enseignement programmé — Appareil permettant à un sujet de contrôler son propre apprentissage au moyen d'un *programme* procédant par étapes à une vitesse déterminée par le sujet lui-même; la machine est construite de façon à donner au sujet une information quant à l'exactitude de chacune des *réponses* qu'il produit.

majeur (hémisphère) — Voir **hémisphère gauche**.

maniaco-dépressifs (troubles) — Perturbations affectives caractérisées par l'alternance d'états d'excitation et d'exubérance (phase maniaque) d'une part et d'abattement et de tristesse (phase dépressive) d'autre part. Certains individus ne connaissent que la phase maniaque. L'alternance entre l'humeur normale et des périodes de dépression ne répond *pas* au diagnostic de troubles maniaco-dépressifs. Voir **affectif, bipolaire**.

manifeste (contenu) — Élément du rêve dont on se souvient: les personnages et leur comportement; s'oppose au *contenu latent*, qu'on trouve par déduction. Voir **latent**.

mantra — Voir **méditation transcendantale**.

MAO — Voir **monoamine-oxydase**.

marijuana — Feuilles séchées du chanvre; connues aussi sous le nom de marihuana, haschisch, « herbe », « mari ». Le haschisch est effectivement un extrait des substances dont le chanvre est composé et est, par conséquent, plus fort que la marijuana. Son absorption peut rendre les expériences sensorielles plus intenses et entraîner un état d'euphorie.

masochisme — Désir pathologique de s'infliger à soi-même de la douleur et de la subir aux mains d'autrui. Voir **sadisme**.

maternelle (tendance) — *Tendance*, que l'on retrouve chez les animaux, et qui pousse la femelle à adopter des comportements associés à la mise bas, à l'alimentation et au soin des petits. Elle entraîne la nidification, le rassemblement des petits et d'autres formes de soins. Voir **tendance**.

matrimoniale (thérapie) — Psychothérapie auprès des deux membres d'un couple marié dans le but de résoudre les problèmes qui affectent leur relation. Le terme thérapie de couples s'applique aux partenaires formant un couple, marié ou non. Voir **psychothérapie**.

maturation — Processus de croissance qui entraînent chez l'individu des changements ordonnés du *comportement,* dont la synchronisation et la structuration sont relativement indépendantes de l'exercice ou de l'expérience, même s'ils exigent un environnement normal.

médiane — En statistique, valeur de la case moyenne quand les cases sont disposées selon l'ordre de grandeur des scores. Voir **tendance centrale**.

méditation — État alternatif de conscience dans lequel l'individu est profondément détendu et se sent séparé du monde extérieur ; il perd la conscience de son identité personnelle au profit d'un sentiment d'appartenance à une conscience plus vaste. On parvient à cet état méditatif en s'adonnant à certains procédés rituels, parmi lesquels la régularisation du rythme respiratoire, une limitation prononcée du champ de l'attention et l'adoption de positions corporelles du type yoga. Une forme commercialisée de méditation a donné lieu, sous le nom de méditation transcendantale, à de vastes campagnes publicitaires.

méditation tanscendantale (MT) — Voir **méditation**.

mélange additif des couleurs — Mélange de lumières colorées ; deux lumières de couleurs différentes projetées sur le même point d'une surface donnent un mélange additif des couleurs.

mélange soustractif des couleurs — Mélange de couleurs qui donne lieu à une absorption, de sorte qu'on a des résultats différents de ceux du mélange additif obtenu par le mélange de lumières projetées. Un mélange soustractif se produit quand des filtres colorés transparents sont placés l'un devant l'autre et quand les pigments sont mélangés.

mémoire à court terme — Structure hypothétique qui s'appuie sur le postulat selon lequel certains éléments du système mnémonique auraient une capacité restreinte et ne retiendraient l'information que pendant de brèves périodes de temps. La définition de ce type de mémoire immédiate varie un peu d'une théorie à l'autre.

mémoire à long terme — Structure relativement permanente du système mnémonique, en tant qu'opposée au caractère essentiellement transitoire de la mémoire à court terme.

mémoire du savoir — La sorte de mémoire qui, présumément, emmagasinerait l'information factuelle. Voir **mémoire du savoir-faire**.

mémoire du savoir-faire — La sorte de mémoire qui, présumément, emmagasine les compétences perceptives et motrices, telle la capacité de conduire une bicyclette. Voir **mémoire du savoir**.

mémoire sérielle (exploration de la) — Processus mental qui consiste à comparer un stimulus-test avec chacun des éléments contenus dans la mémoire à court terme, en les prenant l'un après l'autre. Voir **mémoire à court terme**.

mensonge (détecteur de) — Voir **analyseur de stress vocal, polygraphe**.

menstruation — Fonction physiologique caractérisée par la production de *menstrues,* ou règles, de la puberté à la ménopause.

menstrues — Écoulement sanguin périodique, d'une durée de quelques jours, qui se produit chez la femme nubile non enceinte à peu près chaque mois. Synonymes : *menstruations, règles.*

mésomorphe — Le deuxième des trois types de constitution physique, selon la théorie de Sheldon. Il est caractérisé par la proéminence de l'ossature et de la musculature, comme chez l'athlète typique. Voir **ectomorphe, endomorphe, types**.

mimo-gestuel — Voir **langage mimo-gestuel**.

mineur (hémisphère) — Voir **hémisphère droit**.

mnémotechniques (procédés) — Techniques utilisées pour l'amélioration de la mémoire, qui comprennent souvent un ensemble de symboles pour remplacer le matériel à retenir ; par exemple, pour mémoriser une série de chiffres, on peut remplacer ces chiffres par des lettres qui à leur tour formeront des mots ou des semblants de mots que l'on peut retenir facilement.

mobile — Toute condition de l'organisme qui influence sa disposition à mettre en branle ou à continuer une suite de *comportements.*

mode — Valeur que l'on rencontre le plus souvent dans une distribution de valeurs, ou *intervalle de classe* dans lequel se situent le plus grand nombre de cas. Voir **tendance centrale**.

modèle — 1) On construit souvent des systèmes en miniature à partir d'un modèle logique, mathématique ou physique. C'est-à-dire que les principes qui servent à l'organisation et à l'explication des données trouvent un parallèle dans ceux du modèle ; le clavier d'un piano, par exemple, sert de modèle à la compréhension du rôle de la *membrane basilaire ;* le thermostat est un modèle pour le principe de rétroaction de l'homéostasie. 2) En *thérapie behaviorale,* ce terme désigne une personne qui reproduit ou exécute des *comportements* que le thérapeute propose au patient d'imiter.

modes d'adaptation dirigés vers l'affectivité — Moyens de réduire l'anxiété ou le stress qui ne portent pas directement sur la situation anxiogène ; les mécanismes de défense en sont un exemple. Voir **défense**.

modes d'adaptation dirigés vers le problème — Réduction de l'anxiété ou du stress en s'adressant d'une façon ou d'une autre à la situation anxiogène ; par exemple, s'échapper ou trouver un moyen de modifier la situation.

moi (le) — Structure qui, dans la division tripartite de la *personnalité* proposée par Freud, correspond le plus étroitement à la perception du *soi,* ce soi qui assure le contrôle et qui retient l'impulsivité du *ça* pour retarder la gratification jusqu'à ce qu'elle puisse être assouvie par des moyens qui bénéficient de l'approbation sociale. Synonyme : l'*ego.* Voir **ça, sur-moi**.

moi idéal (le) — Il s'agit, dans la théorie de Carl Rogers, de la conception qu'on se fait du genre de personne qu'on souhaiterait être. L'existence d'une grande différence entre le moi idéal et le moi réel provoque chagrin et insatisfaction. Voir **soi**.

mongolisme — Forme de déficience mentale découlant d'une anomalie génétique (la présence d'un *chromosome* excédentaire de la paire 21). Les caractéristiques de ce syndrome, appelé aussi *syndrome de Down,* comprennent une langue épaisse, des plis excédentaires sur les paupières, et des doigts courts et trapus.

monoamine-oxydase (MAO) — Une des enzymes responsables de la décomposition d'un groupe de neurotransmetteurs appelés amines biogènes (la dopamine, la noradrénaline et la sérotonine en sont des exemples) ; on croit qu'elle joue un rôle important dans la régulation de l'émotivité. Les drogues qui inhibent l'action de cette enzyme (inhibiteurs MAO) servent au traitement de la dépression. Voir **antidépresseurs, inhibiteurs de la monoamine-oxydase, neurotransmetteur**.

monochromatisme — *Daltonisme* absolu, consistant dans l'*achromatisme* du système visuel. Anomalie rare. Voir **dichromatisme, trichromatisme**.

monoculaires — Voir **distance (indices de)**.

monozygotes — Voir **jumeaux monozygotes**.

moralité conventionnelle — Niveau II des stades du raisonnement moral proposés par Kohlberg; les actes y sont évalués en termes de sanctions externes, c'est-à-dire en fonction de leur approbation de la part des autres et de leur conformité aux lois et aux normes sociales. Voir **moralité préconventionnelle, moralité postconventionnelle.**

moralité postconventionnelle — Niveau III des stades du raisonnement moral proposés par Kohlberg; les actes y sont évalués en termes de conformité aux principes essentiels au bien-être de la communauté et/ou à l'éthique personnelle de l'individu. Voir **moralité conventionnelle, moralité préconventionnelle.**

moralité préconventionnelle — Niveau I des stades du raisonnement moral proposés par Kohlberg; les actes y sont évalués en fonction de leurs conséquences (selon qu'ils permettent d'éviter une punition ou d'obtenir une récompense) sans aucune notion de bien ou de mal. Voir **moralité conventionnelle, moralité postconventionnelle.**

morphème — La plus petite unité sémantique dans la structure d'une langue (il peut s'agir d'un mot, d'un radical ou d'un suffixe); par exemple: *son, fin, ant, pro.* Voir **phonème.**

motivation — Terme général se rapportant à la régulation du *comportement* de satisfaction des besoins et de recherche des buts. Voir **mobile.**

motivation physiologique — *Mobile* résultant d'un *besoin* organique évident, comme celui de nourriture ou d'eau.

motrice (aire) — *Aire de projection* dans le cerveau située à l'avant de la *scissure centrale.* La stimulation électrique de cette région entraîne généralement du mouvement ou des réactions motrices. Voir **somatosensorielle.**

mots-clefs (méthode des) — *Mnémotechnique* pour l'*apprentissage* d'une langue étrangère par le moyen de mots-clefs associés au son du mot étranger et à la signification du terme correspondant dans la langue maternelle de celui qui apprend. Voir **mnémotechniques.**

moyenne — Moyenne arithmétique; somme de toutes les valeurs individuelles divisées par leur nombre. Voir **tendance centrale.**

muscle cardiaque — Type spécial de muscle qui ne se trouve que dans le cœur.

muscle lisse — Type de muscles que l'on rencontre dans les organes digestifs, les vaisseaux sanguins et d'autres organes internes. Les muscles lisses sont sous

le contrôle du *système nerveux autonome.*

muscle strié — Type de muscles qui contrôlent le squelette, comme les bras et les jambes. Ils sont mobilisés par le *système nerveux somatique,* alors que les *muscles lisses* répondent au système nerveux autonome.

myéline (gaine de) — Gaine lipoïde qui entoure certaines fibres nerveuses dites *myélinisées.* Les influx se déplacent plus vite et avec une plus faible dépense d'énergie dans ces fibres que dans les fibres non myélinisées.

MZ — Voir **jumeaux monozygotes.**

N

nanomètre (nm) — Un milliardième de mètre. La longueur d'onde de la lumière se mesure en nanomètres.

narcissisme — Amour de soi; selon la théorie *psychanalytique,* expression normale du développement prégénital.

narcolepsie — Perturbation du sommeil caractérisée par une propension anormale à tomber endormi durant de brèves périodes à des moments inopportuns.

narcotiques — Voir **opiacés.**

nativisme — Position de ceux qui considèrent que le *comportement* est déterminé par des structures congénitales. Voir **empirisme.**

nerf — Faisceau de longs *axones* provenant de centaines ou même de milliers de *neurones.* Il peut comprendre à la fois des *neurones afférents* et des *neurones efférents.* Il met en contact des parties du système nerveux avec d'autres parties et avec des *récepteurs* et des *effecteurs.* Voir **axone, neurone.**

nerveuse (cellule) — Voir **neurone.**

neurone — Désigne la cellule nerveuse ou l'unité d'un système nerveux synaptique.

neurones moteurs — Cellules nerveuses qui transmettent des messages en provenance du cerveau ou de la moelle épinière jusqu'aux muscles et aux glandes. Synonyme: *neurones efférents.* Voir **neurones sensoriels.**

neurones sensoriels — Cellules nerveuses qui transmettent les messages au cerveau ou à la moelle épinière à partir des récepteurs sensoriels. Ceux-ci tiennent l'organisme informé des événements qui se produisent dans le milieu environnant ou à l'intérieur du corps. Synonyme: *neurones afférents.* Voir **neurones moteurs, récepteur.**

neurotransmetteur — Substance chimique responsable de la transmission de

l'influx nerveux d'un *neurone* à un autre à travers la *synapse.* Cette substance est habituellement sécrétée, à partir de petites vésicules situées dans les boutons terminaux des *axones,* en réponse au *potentiel d'action;* elle se diffuse à travers la synapse pour venir influencer l'activité électrique d'un autre neurone. Voir **adrénaline, dopamine, noradrénaline, sérotonine.**

névrose — Trouble mental qui fait que l'individu, se trouvant incapable de composer avec ses anxiétés et ses conflits, adopte des symptômes qui lui causent du désarroi, tels des obsessions, des compulsions, des phobies ou des crises d'anxiété. Selon la théorie psychanalytique, la névrose découlerait d'un recours à des mécanismes de défense pour écarter l'anxiété résultant de conflits inconscients. La névrose n'est plus une catégorie diagnostique dans le DMS-III. Voir **anxiété, obsessionnel, phobique.**

noradrénaline — Une des hormones sécrétées par la portion médullaire de la glande surrénale. Ses effets sur les émotions sont (sous certains rapports, mais pas tous) semblables à ceux de l'adrénaline. C'est également un neurotransmetteur du système nerveux central. Les synapses de la noradrénaline peuvent être soit excitatrices, soit inhibitrices. On croit que cette hormone joue un rôle dans la dépression et la manie-dépressive. (Aux États-Unis, la désignation commune est norepinephrine.) Voir **surrénale, adrénaline.**

normalisation des tests — Élaboration de normes en vue de l'interprétation des scores; on l'obtient en soumettant à un test un *échantillon* représentatif d'une *population* et en étudiant la *fidélité* et la *validité* de ce test. Voir **fidélité, validité.**

norme — Ce qui doit être pris comme modèle ou comme règle; c'est le rendement moyen, ordinaire ou standard dans des conditions spécifiques; par exemple: le score obtenu à un test de rendement par la moyenne des enfants de 9 ans, ou la masse moyenne, à la naissance, des enfants mâles arrivés à terme. Voir **normalisation des tests, sociales.**

noyau d'un concept — Partie d'une notion qui contient les attributs qui sont les plus essentiels pour décider de l'appartenance d'un cas à ce concept. Voir **prototype.**

noyaux — Ensembles de corps cellulaires de *neurones* réunis en groupes spécifiques dans le cerveau et la moelle épinière. Voir **ganglions.**

O

objet — Voir **constance de l'objet, grandeur de l'objet, permanence de l'objet.**

obscurité — Voir **adaptation à l'obscurité.**

observateur caché — Métaphore servant à décrire la *conscience* cachée en *hypnose,* conscience qui, croit-on, aurait des expériences différentes de celles de la conscience hypnotique, mais parallèles à celles-ci.

observation (méthode d') — Étude des événements tels qu'ils se présentent dans la nature, sans contrôle expérimental des variables ; par exemple : l'étude de la nidification chez les oiseaux ou celle du *comportement* d'enfants dans une situation de jeu. Voir **expérimentale.**

obsession — Idée, mot ou image qui s'impose à l'esprit et qui consiste souvent dans la suggestion d'un acte agressif ou sexuel. Voir **compulsion.**

obsessionnel (trouble) — Trouble lié à l'anxiété qui peut adopter l'une des trois formes suivantes : a) pensées qui reviennent continuellement, souvent troublantes et inopportunes (obsessions) ; b) envies fortes et irrésistibles de répéter des actes stéréotypés ou rituels (compulsions) ; c) une combinaison des deux. Voir **anxiété.**

Œdipe (complexe d') — Selon la théorie *psychanalytique,* attachement sexuel ressenti par l'enfant à l'égard du parent du sexe opposé ; il se présente comme l'aboutissement normal de la période infantile de développement.

Œdipe (stade d') — En *psychanalyse,* autre terme utilisé pour désigner le *stade phallique* du *développement psychosexuel,* parce que c'est à ce stade que se présente le *complexe d'Œdipe.* Voir **psychosexuel.**

œstrogènes — *Hormones* sexuelles produites et sécrétées par les ovaires chez la femelle ; elles sont partiellement responsables de l'apparition des caractères sexuels secondaires et elles exercent une influence sur la *tendance* sexuelle. Voir **androgènes.**

œstrus — Période de rut chez les femelles des mammifères pendant laquelle celles-ci sont réceptives à l'approche sexuelle du mâle. C'est un état cyclique, associé à la *menstruation* chez les primates et chez les humains. Synonymes : *chaleur, rut.* Voir **menstruation.**

olfactif (épithélium) — Portion spécialisée de l'épiderme qui, à l'intérieur de la cavité nasale, contient les *récepteurs* du sens de l'odorat.

ondes sinusoïdales — Déplacements cycliques qui sur un tracé prennent la forme d'une fonction trigonométrique

sinus. Les ondes sonores produites par les tons purs donnent cette fonction quand elles sont représentées par une courbe.

opérant (comportement) — *Comportement* qui se définit par le *stimulus* auquel il conduit plutôt que par le stimulus qui le suscite ; par exemple, le comportement qui mène à la *récompense.* Synonyme : *comportement instrumental.* Voir **répondant (comportement).**

opiacés — L'opium ou l'un de ses dérivés chimiques : codéine, morphine ou héroïne. Agents dépresseurs du système nerveux central qui soulagent la douleur et produisent de l'euphorie ; ils donnent tous lieu à la formation de fortes dépendances. Synonyme : *narcotiques.* Voir **héroïne.**

oral (comportement) — *Comportement* découlant du *besoin* chez le nouveauné du sucer ou, plus généralement, d'être nourri par la bouche.

oral(e) (stade ou phase) — En *psychanalyse,* premier stade du *développement psychosexuel* au cours duquel le plaisir provient de la stimulation des lèvres et de la bouche, comme dans la succion du sein maternel. Voir **anal, génital, phallique, psychosexuel.**

ordinateur — Voir **programme, simulation.**

oreille interne — Partie intérieure de l'oreille qui contient, en plus de la *cochlée,* l'*appareil vestibulaire* et les *canaux semi-circulaires.* Voir **basilaire, organe de Corti, otolithes.**

oreille moyenne — Partie de l'oreille contenant les osselets formant le marteau, l'enclume et l'étrier, lesquels relient le *tympan* à la fenêtre ovale.

organe de Corti — Dans l'oreille, récepteur même de l'audition, reposant sur la *membrane basilaire* dans la *cochlée* et contenant les cellules ciliées d'où les fibres du *nerf* auditif tirent leur origine. Synonyme : *tunnel de Corti.* Voir **basilaire, cochlée.**

orientation (réflexe d') — 1) Réaction non spécifique à un changement dans la stimulation ; elle comprend la réduction du rythme cortical alpha, la production du *réflexe psychogalvanique,* la dilatation de la pupille et des réponses vasomotrices complexes. C'est une expression qu'on doit aux psychologues russes. 2) Mouvements de la tête ou du corps qui orientent les *récepteurs* de l'*organisme* vers les parties de l'environnement où se produisent des changements de stimulation.

osmorécepteurs — Cellules hypothétiques qui seraient situées dans l'*hypothalamus* et qui réagiraient à la déshydratation en provoquant la libération d'*ADH* par l'*hypophyse* qui, à son tour, donne aux reins le signal de réabsorp-

tion de l'eau dans le réseau sanguin. Voir **anti-diurétique, récepteurs volumétriques.**

otolithes — Concrétions minérales (calcaires chez l'homme) de l'*oreille interne,* qui servent à l'équilibration.

ovariennes (hormones) — Voir **œstrogènes.**

P

pancréas — Organe corporel situé près de l'estomac. C'est une glande à sécrétion externe, qui déverse des sucs pancréatiques dans les intestins, mais certaines de ses cellules fonctionnent comme une glande à sécrétion interne (*endocrine*), déversant l'hormone *insuline* dans le réseau sanguin. Voir **endocrine.**

pandémonium (théorie du) — Un des premiers efforts portant sur l'intelligence artificielle en vue de construire un dispositif, basé sur l'ordinateur, qui serait capable de simuler le processus de la reconnaissance des « patterns ». Le système avait été construit pour reconnaître les lettres imprimées à la main et plusieurs psychologues soutiennent que l'opération présente des ressemblances importantes avec la reconnaissance des « patterns » chez l'être humain. Voir **intelligence artificielle, simulation par ordinateur.**

panique (état de) — Trouble anxiogène au cours duquel l'individu est en proie à des épisodes soudains et inexplicables de terreur et de sentiments de malheurs imminents qui s'accompagnent des symptômes physiologiques de la peur (palpitations, difficultés respiratoires, étourdissements). Voir **anxiété.**

parallèle (traitement) — Interprétation théorique du *traitement de l'information* voulant que plusieurs sources d'information soient traitées simultanément. Voir **sériel.**

paranoïde — Voir **schizophrénie paranoïde.**

parapsychologie — Branche de la *psychologie* qui étudie des phénomènes paranormaux comme la *perception extrasensorielle* et la *psychokinésie.* Voir **clairvoyance, extrasensorielle, prédiction prophétique, psychokinésie, télépathie.**

parasympathique (système) — Division du *système nerveux autonome* dont les fibres nerveuses prennent leur origine dans les parties crâniennes et sacrées de la moelle épinière. Le parasympathique est actif dans les états de détente et de repos du corps et il s'oppose, dans une certaine mesure, à l'action du *système sympathique.* Voir **sympathique.**

parathyroïdes (glandes) — *Glandes endocrines* adjacentes à la *glande thyroïde* dans le cou. Leurs hormones règlent le métabolisme du calcium, en maintenant ainsi l'excitabilité normale du système nerveux. Une déficience des parathyroïdes entraîne le tétanos. Voir **endocrine.**

pensée — Capacité d'imaginer ou de se représenter les objets ou les événements dans la mémoire et d'agir sur ces représentations. Solution de problèmes par des moyens mentaux plutôt que par manipulation directe.

perception — Terme général pour décrire l'ensemble du processus par lequel nous arrivons à savoir ce qui se passe autour de nous; il s'agit de la suite entière des événements, de la présentation d'un stimulus physique jusqu'à l'expérience phénoménologique à laquelle elle donne lieu. La perception est considérée comme un jeu de processus subalternes qui se produisent dans un système interactif à niveaux multiples. On donne le nom de processus sensoriels aux niveaux inférieurs de ce système, c'est-à-dire aux éléments qui sont étroitement associés aux organes sensoriels. Voir **sensoriels.**

perception extrasensorielle — Voir **extrasensorielle.**

perception de soi (théorie de la) — Hypothèse voulant que les attitudes et croyances subissent l'influence des observations qu'un individu porte sur son propre comportement; nous évaluons parfois nos sentiments à partir de l'observation de nos actes (Bem).

période critique — Stade du développement durant lequel l'organisme se trouve dans un état optimal de préparation pour l'apprentissage de certains ensembles de réponses. Certains faits indiquent qu'il y aurait une période critique pour l'apprentissage du langage; un enfant qui n'aurait pas eu d'expérience de langage avant l'adolescence éprouverait ensuite de grandes difficultés à l'acquérir.

périphérique (système nerveux) — Partie du système nerveux qui se situe à l'extérieur du cerveau et de la moelle épinière; le système nerveux périphérique comprend aussi le *système nerveux autonome* et le *système nerveux somatique*. Voir **autonome, somatique.**

permanence de l'objet — Terme employé par Piaget pour désigner la prise de *conscience* par l'enfant du fait qu'un objet continue d'exister même quand il est caché à la vue. Voir **sensori-moteur.**

personnalité — Constellations («patterns») caractéristiques du comportement, de la pensée et de l'émotion qui régissent l'adaptation d'un individu à son environnement. Synonyme: *individualité*.

personnalité (évaluation de la) — 1) Généralement parlant, détermination par toute méthode des caractéristiques personnelles d'un individu. 2) Plus spécifiquement, détermination de ces caractéristiques au moyen d'observations et de jugements complexes, en s'appuyant en partie sur le comportement dans des situations sociales créées à ces fins.

personnalité (psychologie de la) — Branche de la *psychologie* qui s'intéresse à la classification des individus et à ce qui les distingue entre eux. Cette spécialité relève à la fois de la *psychologie génétique* et de la *psychologie sociale*. Voir **génétique, sociale.**

personnalité (troubles de la) — Schèmes de *comportement* ou de caractère enracinés, habituels et rigides qui limitent sérieusement les possibilités d'adaptation de l'individu; la société considère souvent ces comportements comme inadaptés alors que l'individu ne les perçoit pas comme tels. Synonyme: *troubles caractériels*.

personnalités multiples — Existence chez un même individu de deux ou plusieurs personnalités intégrées et bien développées. Chaque personnalité a son propre ensemble de souvenirs et de comportements caractéristiques. Typiquement, les attitudes et les comportements des deux personnalités alternantes sont nettement différents.

personnalité psychopathique — Voir **antisociale.**

phallique (stade) — En *psychanalyse*, stade du *développement psychosexuel* dans lequel la gratification est associée à la stimulation des organes sexuels et l'attachement sexuel est dirigé vers le parent du sexe opposé. Voir **anal, génital, Œdipe, oral, psychosexuel.**

phénomène phi — *Mouvement stroboscopique* sous sa forme la plus simple. On l'obtient généralement en allumant et éteignant successivement deux sources lumineuses séparées et stationnaires; au moment où la première lumière s'éteint et où la seconde s'allume, le sujet perçoit un spot lumineux se déplaçant entre la position de la première lumière et celle de la seconde. Voir **stroboscopique.**

phénoménologie — Étude de l'expérience subjective d'un individu ou de sa perception unique et personnelle du monde. On y met l'accent sur la compréhension des événements du point de vue du sujet plutôt que de se concentrer sur son comportement. Voir **humaniste, introspection.**

phénotypes — En *génétique*, caractères que présente l'*organisme* individuel (par exemple: la couleur des yeux ou le niveau d'intelligence), en tant que distincts des *traits* que l'on peut véhiculer génétiquement sans les manifester. Voir **génotype.**

phéromones — Substances chimiques spéciales que sécrètent beaucoup d'animaux et qui, flottant dans l'air, attirent d'autres membres de la même espèce. Elles représentent une forme primitive de communication.

phobie — Expérience d'une peur excessive en l'absence d'un danger réel. Synonyme: *réaction phobique*. Voir **agoraphobie, claustrophobie.**

phobie simple — Peur excessive d'un objet, d'un animal ou d'une situation spécifique alors qu'il n'y a pas de danger réel. Voir **phobie, phobique.**

phobie sociale — Sentiment d'insécurité excessive qu'éprouvent des individus lorsqu'ils sont placés dans des situations sociales; sentiment qui s'accompagne d'une crainte exagérée de se trouver dans l'embarras. Voir **phobie, phobique.**

phobique (trouble) — Trouble lié à l'anxiété dans lequel les phobies sont tellement graves et envahissantes qu'elles perturbent sérieusement la vie de l'individu en cause. Voir **anxiété, phobie.**

phonème — Élément de la langue; représentation d'un son vocalique ou consonantique (simple ou complexe); le phonème est la plus petite unité du système de sons d'une langue; il sert à distinguer entre elles les suites de sons. Voir **morphème.**

physiologie — Branche de la biologie qui s'intéresse en particulier aux fonctions des systèmes organiques à l'intérieur du corps.

pituitaire (glande) — Voir **hypophyse.**

placebo — Substance inactive utilisée à la place d'un médicament ou d'une drogue active (par exemple: des cachets de mie de pain, des pilules de farine ou des ampoules de sérum physiologique); on donne habituellement le placebo (du verbe latin « je plairai ») à un *groupe contrôle* dans un test expérimental.

polygéniques (traits) — Caractéristiques — intelligence, taille, stabilité émotionnelle — déterminées par plusieurs jeux de gènes.

polygraphe — Appareil servant à la mesure simultanée de plusieurs *réponses* physiologiques qui accompagnent les *émotions;* par exemple: la fréquence cardiaque, la fréquence respiratoire, la tension artérielle et le RPG. On lui donne parfois le nom de « détecteur de mensonge » à cause de son utilisation pour déceler la culpabilité d'un sujet en étudiant ses réactions pendant qu'il répond à des questions. Voir **analyseur de stress vocal.**

population — En statistique, ensemble de tous les cas possibles à partir desquels on constitue un *échantillon*. Les formules statistiques habituelles pour faire des *inférences* en se basant sur des échantillons s'appliquent quand la population est sensiblement plus grande que l'échantillon (par exemple: de 5 à 10 fois plus grande que l'échantillon). Voir **échantillon.**

portillon (théorie du) — Hypothèse selon laquelle la sensation de douleur ne dépendrait pas seulement de l'activation de récepteurs de la douleur, mais exigerait également l'action d'un mécanisme nerveux de la moelle épinière, mécanisme qu'on appelle portillon et qui laisse passer ces signaux en direction du cerveau. La stimulation par pression aurait tendance à fermer le portillon; c'est pourquoi le fait de frotter une région endolorie atténuerait la douleur. Les attitudes, la suggestion et certaines substances pharmacologiques contribueraient également à la fermeture du portillon.

posthypnotique — Voir **amnésie, suggestion posthypnotique.**

potentiel d'action — Synonyme d'impulsion nerveuse. Onde d'activité électrique qui est transmise le long de l'*axone* quand la membrane du *neurone* devient dépolarisée. Voir **dépolarisation.**

potentiel de repos — Activité électrique que l'on observe dans la membrane du *neurone* quand celui-ci est en état de repos (c'est-à-dire quand il ne répond pas à l'influence d'autres neurones); l'intérieur de la membrane est alors un peu plus négatif que l'extérieur.

potentiels gradués — Changements d'activité électrique déclenchés dans les *dendrites* ou les corps cellulaires des *neurones* par la stimulation des *synapses* d'autres neurones. Quand les potentiels gradués atteignent un *seuil de dépolarisation,* ils déclenchent un *potentiel d'action.*

poussée de croissance de l'adolescent — Période de développement physique rapide qui précède la puberté, marquée par la maturation progressive des organes reproducteurs et par l'apparition des caractéristiques sexuelles secondaires. Voir **puberté, caractéristiques sexuelles secondaires.**

préconscients (souvenirs) — Souvenirs et pensées qui ne font pas, pour le moment, partie du contenu de la conscience, mais qui peuvent devenir conscients quand c'est nécessaire. Les souvenirs préconscients comprennent des souvenirs spécifiques d'événements personnels aussi bien que l'information accumulée au cours d'une vie. Voir **conscience.**

prédiction prophétique — Prétendue forme de *perception extrasensorielle* qui consiste dans la *perception* d'un événement futur. Voir **clairvoyance, extrasensorielle, télépathie.**

préjugé — Croyance ou opinion préconçue souvent imposée par le milieu, l'époque, l'éducation; on décide que quelque chose ou quelqu'un est bon ou mauvais à partir de peu ou pas de preuves; attitude ferme, qu'on n'accepte pas de discuter librement et rationnellement ou de modifier.

préopératoire — Voir **stade préopératoire.**

primaires — Voir **habiletés primaires, caractéristiques sexuelles primaires.**

primauté (effet de) — 1) Tendance que l'on observe, dans les expériences de mémorisation, à retenir les premiers mots d'une liste plus facilement que ceux qui suivent. 2) Tendance que l'on observe, dans les études de formation d'impression ou de changement d'attitude, à attribuer un plus grand poids à l'information que l'on reçoit d'abord par rapport à celle reçue ultérieurement. Voir **récence.**

privation sensorielle — Condition dans laquelle on réduit de façon considérable la stimulation qui affecte un sujet. Ce type de privation a habituellement des effets défavorables sur le fonctionnement de l'individu en cause.

proactive (interférence) — Interférence qu'exerce un premier apprentissage sur l'apprentissage et le rappel d'un nouveau matériel. Voir **rétroactive.**

processus antagonistes (théorie des) — Théorie des émotions voulant que le cerveau soit constitué de façon à supprimer les réactions émotives ou à leur faire opposition, que ces réactions soient agréables ou désagréables.

profil de tests — Graphique présentant un tracé des scores obtenus par un même individu (ou par un même groupe d'individus) à un certain nombre de tests. Ces scores sont disposés sur des rangées parallèles, d'après une échelle de valeurs commune, et ils sont reliés l'un à l'autre par des lignes de façon à faire ressortir les scores les plus élevés et les moins élevés.

profil de traits — Graphique présentant les évaluations d'un même individu par rapport à un certain nombre de *traits,* selon une échelle commune à ces traits. Les évaluations sont disposées sur des rangées parallèles de façon à donner une image visuelle de la structuration de l'ensemble de ces traits. Synonyme: *psychographe.* Voir **trait.**

profondeur (perception de la) — *Perception* de la *distance* entre un objet et l'observateur ou de la distance entre l'avant et l'arrière d'un objet solide. Voir **distance.**

progestérone — *Hormone* sexuelle produite par l'ovaire chez la femme; elle contribue à la préparation de l'utérus en vue de la grossesse et à celle des seins en vue de la lactation.

programme — 1) Plan en vue de la solution d'un problème; suite précise des consignes qui permettent à un ordinateur de procéder à la solution d'un problème. 2) Dans le contexte de l'apprentissage, on désigne par ce terme un ensemble de données disposées de façon à favoriser au maximum le processus d'apprentissage. Le programme peut être présenté sous la forme d'un livre tout comme sous une forme adaptable à un ordinateur.

programmé — Voir **machine à enseignement programmé.**

projection — *Mécanisme de défense* grâce auquel les gens se protègent contre la possibilité de devenir conscients de leurs propres caractéristiques indésirables en attribuant abusivement ces traits à d'autres. Voir **défense.**

projection (test de) — Test de personnalité dans lequel les sujets se révèlent (se projettent) par le truchement de productions imaginaires. Le test projectif offre des possibilités de répondre beaucoup plus librement que l'*inventaire de personnalité* à choix fixes. Exemples de tests projectifs: le test de Rorschach (taches d'encre à interpréter) et le test d'aperception thématique (images qui évoquent des histoires). Voir **inventaire de personnalité.**

prolactine — *Hormone* hypophysaire (pituitaire) qui sert d'amorce à la sécrétion du lait. Voir **hormones.**

proposition — Phrase ou partie de phrase qui établit une relation entre deux ou plusieurs termes: sujet, copule, attribut. Toutes les phrases se décomposent en propositions.

prosopagnosie — Incapacité de reconnaître des visages familiers; il peut arriver, dans les cas graves, que la personne en cause soit incapable de reconnaître son propre visage.

prototype — Partie d'une notion contenant les attributs qui décrivent les meilleurs exemples de ce concept.

psi — Capacité spéciale que détiendrait le sujet qui a du succès dans les expériences de *perception extrasensorielle* et de *psychokinésie.* Voir **extrasensorielle, psychokinésie.**

psychanalyse — 1) Méthode mise au point par Freud, et élaborée davantage par ses successeurs, pour traiter les *névroses.* 2) Système de théorie psychologique issu des expériences faites avec la méthode psychanalytique.

psychanalyste — Psychothérapeute qui a habituellement reçu une formation de psychiatre et qui utilise des méthodes apparentées à celles antérieurement proposées par Freud pour le traitement des névroses et d'autres troubles mentaux. Voir **psychiatre, psychologue clinicien.**

psychanalytique (psychothérapie) — Méthode de traitement des troubles mentaux qui s'appuie sur les théories de Freud, mais qui est plus brève et moins approfondie que la psychanalyse. On y attache moins d'importance à l'exploration des expériences infantiles et plus d'attention aux problèmes interpersonnels que le client rencontre dans son vécu actuel. Voir **psychanalyse.**

psychédélique — Mot inventé par Humphrey Osmond (en américain « psychedelic »), qui veut dire, étymologiquement, « manifestant l'esprit ». On traduit en français par *psychodysleptique.* Par drogues psychédéliques, on entend les drogues ou stupéfiants qui ont pour effet un épanouissement de la conscience. Voir **LSD.**

psychiatre — Médecin qui a reçu une formation spécialisée en vue du traitement et de la prévention des troubles mentaux, tant bénins que graves. Voir **psychanalyste, psychologue clinicien.**

psychiatrie — Branche de la médecine qui s'intéresse à la santé et à la maladie mentales. Voir **psychanalyste.**

psychiatrique — Voir **infirmier (ère) psychiatrique, travailleur social psychiatrique.**

psychoactives (drogues) — Drogues ou médicaments qui agissent sur le *comportement* et la conscience. Synonymes: *drogues psychodysleptiques, psycholeptiques, psychosomimétiques, psychotomimétiques, psychotoniques.* Voir **dépresseurs, hallucinogènes, LSD, psychédélique, stimulants, tranquillisants.**

psychochirurgie — Forme de *thérapie biologique* du *comportement* anormal. Elle implique la destruction d'aires spécifiques du cerveau, soit le plus souvent le sectionnement des fibres nerveuses qui relient les *lobes frontaux* au *système limbique* et/ou à l'*hypothalamus.*

psychodrame — Forme de jeu de rôles spontanée utilisée en *psychothérapie.*

psychodysleptiques (agents) — Voir **hallucinogènes, psychédélique.**

psychogalvanique (réflexe) (RPG) — Changements dans la conductance (ou la résistance) électrique de la peau qu'on peut déceler grâce à un galvanomètre sensible. Ces réactions sont généralement utilisées comme des indices des émotions. Synonymes: *réaction, réflexe,* ou *réponse électrodermale.* Voir **polygraphe.**

psychogénique — Qualificatif qui s'applique aux faits de *comportement,* aux modifications organiques ou aux affections pathologiques qui résultent de facteurs purement psychologiques (conflits émotifs, mauvaises habitudes, etc.) plutôt que somatiques; facteurs d'ordre fonctionnel plutôt qu'organique.

psychographe — Voir **profil de traits.**

psycho-immunologie — Champ de recherche de la médecine behaviorale dans lequel on étudie la façon dont les facteurs psychologiques affectent le système immunitaire du corps. Voir **behaviorale.**

psychokinésie (PK) — Présumée forme d'opération mentale qui agirait sur un corps matériel ou sur un système énergétique sans aucune évidence de contact ou de transfert d'énergie comme on en trouve d'habitude; par exemple: le fait d'influencer, par l'activité mentale, le chiffre qui apparaîtra sur un dé lancé par une machine en souhaitant seulement l'apparition de ce chiffre particulier. Voir **clairvoyance, extrasensorielle, prédiction prophétique, télépathie.**

psycholinguistique — Etude de l'acquisition du langage et de ses aspects psychologiques.

psychologie — Science qui étudie le *comportement* et les processus mentaux.

psychologie physiologique — Branche de la psychologie qui s'intéresse aux relations entre les fonctions physiologiques et le *comportement.* Synonyme: *psychophysiologie.*

psychologie sociale — Branche de la psychologie qui s'intéresse à l'interaction sociale et à la façon dont les individus s'influencent les uns les autres.

psychologue clinicien — Psychologue ordinairement détenteur d'un doctorat ou d'une maîtrise en *psychologie* et qui est formé en vue du diagnostic et du traitement des problèmes affectifs, des problèmes du *comportement* et des troubles mentaux. Voir **conseiller psychologique, psychiatre.**

psychologue conseil — Voir **conseiller psychologique.**

psychologue scolaire — Psychologue professionnel à l'emploi d'une école ou d'un système scolaire et dont les responsabilités comprennent l'administration des tests, l'orientation des élèves, la recherche, etc. Voir **éducation.**

psychopharmacologie — Étude de l'influence des drogues sur le *comportement.*

psychophysique — Nom donné par Fechner à la science des relations entre les processus mentaux et le monde physique. Ce terme est aujourd'hui réservé à l'étude des conséquences sensorielles d'une stimulation physique contrôlée.

psychose — Trouble mental grave où la pensée et l'émotivité sont tellement affectées que l'individu a, dans une large mesure, perdu contact avec la réalité. Le DSM-III ne considère plus la psychose comme une catégorie diagnostique majeure. Voir **psychotique.**

psychosexuel (développement) — En *psychanalyse,* théorie voulant que le développement passe par des stades (*oral, anal, phallique, latent, génital*), chacun de ces stades étant caractérisé par une zone de stimulation génératrice de sensations agréables et par des objets appropriés d'attachement sexuel. Ce développement atteint son point culminant dans l'accouplement hétérosexuel. Voir **anal, génital, latence, oral, phallique, psychosociaux.**

psychosociaux (stades) — Modification, proposée par Erikson, de la théorie psychanalytique du *développement psychosexuel,* pour accorder une plus grande attention aux problèmes sociaux ou aux problèmes du milieu associés aux divers stades de développement et pour ajouter des stades du développement adulte après la maturation génitale. Voir **psychosexuel.**

psychosomatiques (troubles) — Maladies physiques qui découlent de causes psychologiques. Synonyme: *troubles psychophysiologiques.*

psychothérapie — Traitement des troubles d'adaptation de la *personnalité* ou de la maladie mentale par des moyens psychologiques (d'habitude, mais pas exclusivement, par la consultation personnelle). Voir **biologique.**

psychotique (comportement) — Comportement qui manifeste des déficiences importantes du contact avec la réalité comme l'indique la présence de délires et/ou d'hallucinations. Il peut être le résultat de lésions cérébrales ou d'un trouble mental comme la schizophrénie ou des états maniaco-dépressifs. Voir **psychose.**

puberté — Âge où les organes sexuels ayant atteint leur maturité deviennent capables de participer à la reproduction; il est marqué par la menstruation chez les filles et l'apparition de cellules spermatiques dans la semence des garçons. Le développement des caractères sexuels secondaires (plus particulièrement la croissance et la pigmentation des poils dans la région pubienne et aux aisselles) marque le début de la puberté et la capacité de reproduction, son point culminant. Voir **caractéristiques sexuelles secondaires, poussée de croissance de l'adolescent.**

punition — Moyen utilisé pour diminuer la force d'une *réponse* en présentant un *stimulus* provoquant l'aversion chaque fois qu'une réponse se produit. Notez bien qu'un tel stimulus est effectivement punitif quand on l'applique, mais qu'il devient un *agent de renforcement négatif* chaque fois qu'on le retire, car il renforce ce qui a entraîné son retrait; c'est le mécanisme à la base de l'*apprentissage d'échappement*. Voir **renforcement négatif**.

Q

quotient intellectuel (QI) — Unité d'échelle, utilisée pour rapporter les scores obtenus aux tests d'*intelligence*; elle est basée sur le rapport entre l'*âge mental* et l'*âge chronologique*. Dans l'expression de ce rapport, on omet le point des décimales de sorte que le QI moyen de tout âge chronologique se trouve fixé à 100. Voir **âge chronologique, âge mental**.

quotient intellectuel de déviation — *Quotient intellectuel* calculé comme s'il s'agissait d'un *écart réduit* avec une *moyenne* de 100 et un *écart-type* de 15 (Wechsler) ou de 16 (Stanford-Binet) de façon à correspondre approximativement au quotient intellectuel traditionnel.

R

raisonnement déductif — Opérations mentales se rapportant à des arguments où la conclusion ne saurait être fausse si les prémisses sont vraies. Voir **raisonnement inductif**.

raisonnement inductif — Opérations mentales se rapportant à des arguments où il est improbable que la conclusion soit fausse si les prémisses sont vraies. Voir **raisonnement déductif**.

rappel libre — Tâche mnémonique dans laquelle on présente à un sujet une liste d'items (un à la fois d'habitude) pour lui demander subséquemment de les reproduire dans *n'importe quel ordre*.

rapport — 1) Relation de confiance établie entre le sujet et celui qui administre un test qui entraîne une bonne collaboration du sujet dans ses réponses. 2) Relation harmonieuse similaire entre un thérapeute et son patient. 3) La relation spéciale qui s'établit entre l'hypnotiseur et son sujet.

rationalisation — *Mécanisme de défense* grâce auquel on conserve l'estime de soi en trouvant des *mobiles* plausibles et acceptables aux *comportements* adoptés sous le coup de l'impulsion ou pour des motifs moins avouables. Voir **défense**.

réaction (temps de) — Temps qui s'écoule entre la présentation d'un *sti-*

mulus et l'avènement d'une *réponse*. Voir **latence**.

réactions à la situation orientées vers l'émotivité — Voir **modes d'adaptation dirigés vers l'affectivité**.

réactions à la situation orientées vers le problème — Voir **modes d'adaptation dirigés vers le problème**.

réalisation de soi — Propension fondamentale chez une personne à l'actualisation optimale de ses capacités; c'est une notion que l'on retrouve à la base des théories humanistes de la *personnalité*, comme celles proposées par Maslow et par Rogers. On emploie aussi les termes *actualisation, auto-actualisation* et *épanouissement*.

recaptage — Processus par lequel un *neurotransmetteur* est repris (réabsorbé) par les boutons terminaux de la *synapse* d'où il avait été libéré. Voir **neurotransmetteur**.

récence (effet de) — 1) Tendance que l'on observe, dans les expériences de mémorisation, à retenir les derniers mots d'une liste plus facilement que les autres. 2) Tendance que l'on observe, dans les études sur la formation des impressions et sur les changements d'attitude, à attribuer plus de poids à l'information que l'on vient de recevoir par rapport à l'information qu'on avait reçue avant. Voir **primauté**.

récepteur — Cellule ou ensemble de cellules spécialisées, sensibles à des types particuliers de *stimuli* et reliées à des *nerfs* composés de *neurones afférents*; par exemple: la *rétine* de l'œil. Dans un sens plus large, organe qui contient ces cellules sensibles; par exemple: l'œil ou l'oreille.

récepteurs volumétriques — *Récepteurs* hypothétiques qui contrôleraient l'absorption de l'eau en réagissant au volume du sang et des fluides corporels. La rénine, une substance sécrétée par les reins et déversée dans le réseau sanguin, pourrait être un récepteur volumétrique; elle détermine la constriction des vaisseaux sanguins et stimule la libération d'une *hormone*, l'angiotensine, laquelle exerce une action sur les cellules de l'*hypothalamus* pour engendrer la soif. Voir **osmorécepteurs**.

récessif (gène) — Un des membres de la paire de *gènes* qui ne peut déterminer le trait caractéristique ou l'apparence de l'individu que si l'autre membre de la paire est lui aussi récessif. Si ce dernier est *dominant*, l'effet du gène récessif se trouve masqué. Voir **dominant**.

re-codage — Processus qui contribue à l'amélioration de la mémoire à court terme en regroupant les items pour former une unité familière ou tronçon.

récognition — Acte mental qui consiste à reconnaître quelque chose ou quelqu'un en le situant dans une catégorie comme chaise ou en l'associant à un nom spécifique, comme «Jean Tout-le-monde». Il s'agit d'un processus de niveau supérieur qui fait intervenir l'apprentissage et la mémoire.

récompense — Synonyme de l'expression *renforcement positif*.

réduction de la tendance (théorie de la) — Théorie selon laquelle la meilleure explication possible d'une suite de *comportements* motivés est celle d'un déplacement allant d'un état d'aversion, accompagné d'une tension accrue (c'est-à-dire d'une *tendance*), dans la direction d'un état de tendance réduite auquel l'organisme aspire. L'objectif de cette série de comportements serait, en d'autres termes, la réduction de la tendance. Voir **besoin, incitation, mobile, tendance**.

référence (groupe de) — Tout groupe auquel un individu se réfère pour comparer, évaluer et adopter des opinions ou des *comportements*. On dit qu'on s'identifie à un tel groupe. Voir **identification**.

refoulement — *Mécanisme de défense* automatique et inconscient grâce auquel une impulsion ou un souvenir qui pourrait causer de l'angoisse ou provoquer des sentiments de culpabilité se trouve éliminé de la conscience. Voir **défense, répression**.

réfractaire (phase) — Période d'inactivité temporaire dans un *neurone* après une première décharge.

régression — Retour à des modes de *comportements* plus primitifs ou infantiles.

régression dans le temps — En *hypnose*, fait de revivre dans l'imagination des expériences qui s'appuient sur des souvenirs ou qui conviennent à un âge plus jeune. Voir **hypnose**.

réincarnation — Croyance dans la possibilité de re-naître; la personne croit qu'elle a eu une ou plusieurs existences, antérieures à celle qu'elle connaît présentement.

relativité linguistique (hypothèse de la) — Théorie voulant que les processus de pensée d'un individu et sa façon de percevoir l'univers soient reliés à son langage.

REM — Sigle basé sur l'abréviation de l'expression anglaise *Rapid Eye Movements*, qui signifie «mouvements oculaires rapides». Il s'agit de mouvements oculaires qui se produisent habituellement quand l'individu rêve durant son sommeil. On peut les mesurer en posant de petites électrodes latéralement sur et au-dessus des yeux du sujet; on enregistre alors les changements d'activité électrique associés au mouvement du globe oculaire dans son orbite.

rémission spontanée — Guérison d'une maladie ou amélioration en l'absence de traitement.

rencontre (groupe de) — Terme général pour désigner divers types de groupes où, pour des fins thérapeutiques, les gens se rencontrent en vue de mieux se connaître individuellement grâce aux échanges avec les autres. Synonymes : *groupes d'entraînement, groupes de sensibilisation.*

rendement — Terme qui signifie *réussite,* produit de l'exécution d'une tâche. Il a été utilisé pour désigner la performance éducative, l'acquisition d'habiletés (le succès en arithmétique, par exemple). Voir **aptitude, réalisation de soi.**

renforcement — 1) Dans le *conditionnement classique,* technique expérimentale dans laquelle le *stimulus inconditionnel* fait suite au *stimulus conditionnel.* 2) Dans le *conditionnement opérant,* technique analogue dans laquelle l'*agent de renforcement* fait suite à la *réponse opérante.* 3) Processus qui accroît la force du *conditionnement* à la suite de l'application de ces techniques. Voir **extinction.**

renforcement (agent de) — 1) Dans le *conditionnement classique,* c'est le *stimulus inconditionnel.* 2) Dans le *conditionnement opérant,* c'est le *stimulus* qui contribue au *renforcement* de l'*opérant* (généralement une *récompense*). On emploie aussi les termes *renforçateur* et *stimulus renforçant.*

renforcement (programme de) — Plan bien défini pour l'application du *renforcement* d'une *réponse* spécifique dans une proportion définie par rapport au nombre de fois où elle se produit.

renforcement négatif — *Renforcement* d'une *réponse* par le retrait d'un stimulus qui provoque l'aversion.

renforcement négatif (agent de) — Tout *stimulus* qui, quand il n'est plus présenté à la suite d'une *réponse,* accroît la probabilité de la production ultérieure de cette réponse. On peut classer parmi ces stimuli les bruits intenses, les chocs électriques et la chaleur ou le froid excessifs. Voir **punition.**

renforcement non contingent — *Renforcement* qui n'est pas lié à une *réponse* spécifique.

renforcement partiel — *Renforcement* d'une *réponse* spécifique qu'on n'applique pas spécifiquement chaque fois où elle se produit. Synonyme : *renforcement intermittent.*

renforcement positif — *Renforcement* d'une *réponse* par un stimulus positif.

renforcement positif (agent de) — Tout *stimulus* qui, quand il est présenté à la suite d'une réponse, accroît la probabilité de la production ultérieure de cette réponse. Synonyme : *récompense.*

repêchage — Recouvrement de l'information dans la mémoire.

repêchage de schèmes — Processus cognitif qui consiste à chercher à retrouver dans la mémoire les schèmes qui correspondent le mieux à l'information qui arrive. Voir **schème.**

répétition — Re-présentation mentale de l'information en mémoire à court terme. La répétition fait habituellement intervenir le langage intérieur. Ce processus facilite le rappel immédiat de l'information et son passage à la mémoire à long terme. Voir **dualité de la mémoire.**

répondant (comportement) — Terme utilisé par Skinner pour désigner un type de *comportement* qui correspond à l'activité réflexe, en ce qu'il est en grande partie sous le contrôle du stimulus et donc prévisible. Voir aussi **opérant.**

réponse — 1) Résultat d'une stimulation tel qu'il s'exprime dans le comportement sous la forme d'un mouvement ou d'une sécrétion glandulaire. 2) Désigne parfois toute activité de l'*organisme,* y compris les réactions du *système nerveux central* ou une activité mentale (comme une image ou un fantasme), peu importe qu'on identifie le *stimulus* ou non et qu'il se produise ou non des mouvements décelables. 3) Produit de l'activité de l'organisme, tel le nombre de mots qu'on peut dactylographier à la minute.

répression — 1) Processus de contrôle de soi par lequel il y a rejet conscient et volontaire d'une impulsion, d'un souvenir, d'une propension à agir ou d'un désir de poser un acte réprouvé. Voir **défense, refoulement.** 2) Une théorie de l'oubli.

reproduction sélective — Méthode d'étude des influences génétiques, qui consiste à accoupler des animaux qui manifestent certains traits et à choisir pour l'élevage les rejetons qui en sont porteurs. Si le trait est déterminé principalement par l'*hérédité,* la sélection continuelle au cours d'un certain nombre de générations donnera une lignée qui engendrera le trait en question.

réserpine — Voir **antipsychotiques.**

résistance — En *psychanalyse,* ce terme désigne un blocage de l'*association libre ;* c'est une barrière psychologique pour empêcher la pénétration de pulsions inconscientes sur le plan de la conscience. La résistance fait partie du processus contribuant au maintien du *refoulement.* Voir **interprétation, refoulement.**

résolution par répétition — Processus de rééducation qui consiste, en théra-pie psychanalytique, à amener les patients à affronter les mêmes *conflits* de façon répétée dans le cabinet de consultation, jusqu'à ce qu'ils soient capables de se mesurer à eux de façon indépendante et de maîtriser ces conflits dans la vie ordinaire.

résolution spatiale — En *optique,* se dit de la capacité de discerner des constellations spatiales. L'acuité visuelle et le seuil de contraste sont des mesures de résolution spatiale.

réticulaire (formation) — Système de voies et de connexions nerveuses mal définies au sein du *tronc cérébral ;* il se situe à l'extérieur des voies nerveuses clairement identifiables et joue un rôle important dans le mécanisme d'activation.

rétine — Partie de l'œil qui est sensible à la lumière ; elle est formée des *cônes* et des *bâtonnets.* Voir **bâtonnets, cônes.**

rétinienne (image) — Image que projette sur la *rétine* un objet dans le champ visuel.

rétroaction biologique — Technique de thérapie au moyen de laquelle les individus essaient de modifier leur état physiologique à partir d'éléments d'information qu'ils reçoivent sur cet état.

rétroactive (interférence) — Interférence qu'exerce un matériel récemment appris sur le rappel d'un matériel qui avait été appris antérieurement. Voir **proactive.**

rétrograde (amnésie) — Perte du souvenir des événements et des expériences qui se sont produits avant le traumatisme qui est à l'origine de l'amnésie ; on considère généralement qu'il s'agit d'une déficience de la capacité de repêchage de l'information plutôt que d'une véritable perte de cette information. Voir **amnésie, antérograde.**

réussite — Voir **rendement.**

rêverie — Jeu libre de la pensée ou de l'imagination. Étant donné que l'objet de cette activité mentale est le sujet lui-même, il s'agit la plupart du temps d'une *pensée autistique.* Voir **autistique.**

ribonucléique (acide) (ARN) — Molécules complexes qui contrôlent les fonctions cellulaires. Certaines théories voient dans l'ARN le médiateur chimique de la mémoire.

rivalité fraternelle — Jalousie entre enfants d'une même famille, prenant souvent sa source dans leur compétition pour obtenir l'affection parentale.

ROC — Voir **courbe des caractéristiques récepteur-opérateur.**

rôle sexuel — Tout le bagage des *attitudes* et des *comportements* qu'une société juge convenir à un individu, étant donné son sexe.

rôles (confusion des) — *Stade du développement psychosocial* qui, selon Erikson, serait caractéristique de plusieurs adolescents (et même d'adultes); il consiste dans un défaut d'harmonisation et d'intégration des diverses identifications. Voir **identité, identification.**

rôles (jeu de) — Méthode qui vise à l'enseignement d'attitudes et de *comportements* importants pour les relations interpersonnelles en demandant au sujet de tenir un rôle dans un scénario impromptu. On utilise cette méthode en *psychothérapie* ou dans les séances de formation au commandement (leadership). Voir **psychodrame.**

RPG — Voir **psychogalvanique (réflexe).**

S

saccade — Mouvement rapide, presque instantané des yeux, entre les périodes de fixation oculaire.

sadisme — Motivation pathologique qui entraîne le sujet à infliger de la douleur à une autre personne. Voir **masochisme.**

satiété (détecteurs de) — Cellules sensorielles situées dans différentes parties du système digestif ou du système qui contrôle la soif. Ces détecteurs émettent des signaux qui informent ces systèmes de l'arrivée prochaine des nutriments et des fluides dont ils ont besoin et de l'opportunité d'arrêter de manger ou de boire.

saturation — Dimension de la couleur qui dépend de sa pureté. Quand une couleur est fortement saturée, elle semble avoir une *tonalité chromatique* pure, exempte de gris, mais quand la saturation est faible, il semble y avoir beaucoup de gris mélangé avec cette couleur. Voir **brillance, tonalité chromatique.**

scénario — Schème ou représentation cognitive abstraite d'événements ou d'interactions sociales (ex.: une fête d'anniversaire). Voir **schème.**

schème — Des psychologues utilisent ce terme pour désigner des idées théoriques spécifiques que l'on entretient sur des événements mentaux; d'autres lui donnent un sens très large et très vague. Peu importe l'usage qu'on en fait, ce terme se réfère à des structures cognitives hypothétiques emmagasinées dans la mémoire, structures qui sont des représentations d'événements, d'objets et de relations qui existent dans le monde réel. C'est là un élément clef des théories sur les phénomènes psychologiques. Voir **carte cognitive, repêchage de schèmes.**

schème de genre — Une structure cognitive abstraite qui réorganise un ensemble d'informations variées en fonction de leurs connotations mâles ou femelles. Selon la théorie du schème de genre (S. Bem), les individus qui sont caractérisés sexuellement seraient plus susceptibles de recourir à un schème de genre que ceux qui ne sont pas caractérisés sexuellement. Voir **caractérisation sexuelle, schème.**

schème de soi — Généralisation ou théorie sur ce que l'on est; théorie dérivée de l'expérience passée. On présume que les schèmes de soi influencent notre façon de porter une attention sélective à l'information qui nous concerne personnellement, d'analyser cette information et de nous la remémorer. Synonyme: *concept de soi.* Voir **schème.**

schizoïde — Qui possède des caractéristiques semblables à celles de la *schizophrénie*, mais plus bénignes. Ces caractéristiques se présentent plus fréquemment parmi les familles de schizophrènes, ce qui semble appuyer l'hypothèse voulant que la schizophrénie ait des bases génétiques.

schizophrénie — Groupe de troubles mentaux ayant pour caractéristiques des perturbations graves de la pensée, de la perception, de l'affectivité et du comportement. Le raisonnement est illogique et habituellement accompagné de croyances qui tiennent du délire; déformées, les perceptions peuvent prendre la forme d'hallucinations; les émotions sont fades ou impropres; le comportement est bizarre et renferme des postures étranges, des mouvements stéréotypés et des propos insensés. L'individu se replie sur lui-même, se tenant à l'écart des autres et de la réalité. Ces troubles comportent des conditions biochimiques héréditaires anormales.

schizophrénie paranoïde — Réaction schizophrénique qui s'accompagne de *délires* de persécution. Synonymes: *paranoïa, psychose hallucinatoire chronique.*

scissure centrale — Sillon qu'on retrouve sur chacun des *hémisphères cérébraux* et qui sépare les *lobes frontaux* et *pariétaux.* Synonyme: *scissure de Rolando.*

scissure latérale — Sillon profond sur le côté de chacun des *hémisphères cérébraux* et au-dessous duquel se trouve le *lobe temporal.* Synonyme: *scissure de Sylvius.*

score d'ensemble — Combinaison de plusieurs mesures d'un même comportement ou d'un même trait.

sémantique — Voir **conditionnement sémantique.**

semi-circulaires (canaux) — Trois tubes osseux disposés en fer à cheval sur trois plans et formant une partie du labyrinthe de l'*oreille interne*; ils jouent un rôle important dans l'équilibration et le mouvement. Voir **équilibre, kinesthésie, vestibulaire.**

sensation — Expérience consciente suscitée par un stimulus très simple comme l'apparition d'un ton ou d'une lumière. Jadis, la distinction entre sensation et perception avait une grande importance théorique, la perception étant considérée comme une combinaison de sensations. Aujourd'hui, la ligne qui sépare la sensation de la perception est beaucoup moins nette et il semble préférable de considérer ces deux types d'expérience comme se situant sur un continuum.

sensoriels (processus) — Processus subalternes du système perceptif qui sont étroitement associés aux organes des sens. Ces processus procurent une information filtrée et sélectionnée sur les stimuli qui agissent sur eux; des processus supérieurs analysent cette information pour composer une représentation mentale de la scène. Voir **filtre, perception.**

sensori-moteur (stade) — Selon Piaget, premier stade (de la naissance jusqu'à l'âge de 2 ans) du développement cognitif; au cours de ce stade, le jeune enfant découvre les relations entre la sensation et le *comportement* moteur. Voir **permanence de l'objet.**

septale (aire) — Partie du cerveau située dans les profondeurs de la région centrale, entre les ventricules latéraux; une stimulation électrique de cette région semble (chez le rat, du moins) susciter un état apparenté au plaisir.

sériel (traitement) — Interprétation théorique du *traitement de l'information* voulant que plusieurs sources d'information soient traitées selon un ordre sériel: on ne porterait attention qu'à une seule source à la fois. Voir **parallèle.**

sérotonine — Médiateur synaptique (neurotransmetteur) que l'on trouve dans les systèmes nerveux central et périphérique à la fois. C'est un inhibiteur dont les effets se retrouvent dans divers processus, entre autres le sommeil, la perception de la douleur et les troubles affectifs (dépression et troubles maniaco-dépressifs). Voir **neurotransmetteur.**

seuil — La plus petite manifestation d'un phénomène qu'un sujet peut observer ou enregistrer dans des conditions définies; dans la croissance ou la décroissance d'une stimulation, il s'agit du point de transition où le stimulus, d'abord non perçu, commence à être perçu ou vice versa. La valeur obtenue dépend en partie de la méthode utilisée pour y arriver.

seuil absolu — Intensité ou fréquence à laquelle un *stimulus* devient efficace ou cesse de l'être, telle qu'on la mesure dans des conditions expérimentales.

seuil différentiel — Différence minimale qu'on peut percevoir entre deux *stimuli* dans des conditions expérimentales bien défines. Voir **différence juste perceptible, Weber.**

signification statistique — Confiance qu'on peut accorder à une mesure statistique en tant qu'énoncé de la réalité, c'est-à-dire la probabilité que la moyenne de la *population* se situe dans les limites établies à partir d'un *échantillon.* Cette expression se réfère à la *fidélité* des données statistiques et non pas à leur importance.

simulation par ordinateur — Utilisation d'un ordinateur pour représenter les éléments essentiels d'un phénomène ou d'un système afin d'en étudier les propriétés. En psychologie, la simulation consiste habituellement dans une tentative de programmation d'un ordinateur pour imiter la façon dont l'esprit traite l'information et résout les problèmes. Ainsi, le programme de l'ordinateur devient littéralement une théorie sur le mode de fonctionnement de l'esprit. Voir **cognitive, intelligence artificielle, traitement de l'information.**

situation (attribution basée sur la) — Fait d'attribuer les actes d'une personne à des facteurs de la situation ou de l'environnement plutôt qu'à des attitudes ou à des *mobiles* intérieurs. Voir **dispositions (attribution basée sur les).**

sociales (normes) — Règles conventionnelles qui régissent le *comportement,* les attitudes et les croyances des membres d'un groupe ou d'une communauté d'individus.

socialisation — *Façonnement* des caractéristiques individuelles et du *comportement* grâce à l'influence éducative de l'environnement social.

sociologie — Science sociale ou science du *comportement* qui traite de la vie en groupe et de l'organisation sociale dans les sociétés lettrées. Voir **comportement.**

soi (concept de) — Ensemble des idées, des sentiments et des attitudes que les gens entretiennent à leur propre sujet. Pour certains théoriciens, le concept de soi (*self-concept*) serait synonyme du *soi.*

soi (perception de) — Conscience qu'un individu a de sa personne; auto-évaluation objective de soi. Voir **conscience de soi.**

solution de problèmes (stratégies de) — Diverses tactiques auxquelles on peut avoir recours pour résoudre des problèmes. Un type de stratégies qui offre un intérêt spécial consiste à décomposer la solution d'une difficulté en une série de sous-objectifs. Ces sous-objectifs seront atteints en tant qu'étapes intermédiaires en vue de la réalisation ultérieure du but final.

somatique (système nerveux) — Partie du *système nerveux périphérique* formée par les nerfs qui relient le cerveau et la moelle épinière aux *récepteurs* sensoriels, aux muscles et à la surface du corps. Voir **autonome, périphérique.**

somatosensorielle (aire) — Région du *lobe pariétal* du cerveau qui reçoit les impulsions nerveuses découlant des expériences sensorielles telles la chaleur, le froid, le toucher et la douleur. Voir **motrice.**

sonde — Chiffre ou autre élément d'une liste à mémoriser que l'on présente, dans les expériences sur la mémoire, comme un indice à l'intention du sujet; on peut, par exemple, demander au sujet de donner le chiffre suivant dans la liste.

soustractif — Voir **mélange soustractif des couleurs.**

S-R — Voir **stimulus-réponse (psychologie).**

stabilisée (image rétinienne) — Image d'un objet sur la *rétine* quand on a recours à des dispositifs spéciaux pour annuler les légers mouvements que connaît le globe oculaire en vision normale. Ainsi stabilisée, l'image disparaît aussitôt, ce qui laisse supposer que les changements dans la stimulation des cellules rétiniennes occasionnés par les mouvements des yeux seraient nécessaires à la vision.

stade opératoire concret — Selon Piaget, troisième stade du développement cognitif (de 7 à 12 ans); l'enfant acquiert la pensée logique et maîtrise les notions de *conservation.*

stade opératoire formel — Selon Piaget, quatrième stade du développement cognitif. L'enfant de 12 ans et plus est capable d'appliquer des règles abstraites.

stade préopératoire — Selon Piaget, deuxième stade du développement cognitif (de 2 à 7 ans). Période durant laquelle l'enfant peut penser en termes de *symboles,* mais ne comprend pas encore certaines règles ou opérations, comme le principe de *conservation.* Voir **conservation.**

stades de développement — Périodes de développement qui suivent habituellement un ordre progressif et qui semblent représenter des changements soit dans la structure, soit dans la fonction de l'*organisme* (par exemple: les stades psychosexuels de Freud, les stades cognitifs de Piaget).

stéréoïdes — Substances chimiques complexes, dont certaines se retrouvent en grandes quantités dans les sécrétions de la corticosurrénale, et qui sont probablement associées à certaines formes de maladie mentale. Voir **surrénale.**

stéréotype — Schème, ou représentation cognitive abstraite, des traits de personnalité ou des attributs physiques d'une classe ou d'un groupe de gens. Ce schème est habituellement une généralisation excessive qui nous porte à présumer que chaque membre d'un tel groupe possède la caractéristique en question; par exemple: le stéréotype faux qui prétend que tous les homosexuels mâles seraient efféminés. Voir **schème.**

stimulants — Agents psychoactifs qui accroissent l'activation. Synonyme: *agents analeptiques.* Les amphétamines, la cocaïne et la caféine en sont des exemples.

stimulus (pluriel: **stimuli**) — 1) Énergie physique qui agit sur un *récepteur* sensible à cette sorte d'énergie. 2) Toute situation ou tout événement qui se prête à une description objective (soit à l'extérieur ou à l'intérieur de l'*organisme*) et qui déclenche une *réponse* de l'organisme. Voir **réponse.**

stimulus-réponse (psychologie) — Position psychologique selon laquelle tout *comportement* serait le fait d'une *réponse* de l'*organisme* à des stimuli; selon cette théorie, la tâche fondamentale d'une science psychologique est d'identifier les stimuli, les réponses qui leur sont associées et les processus qui interviennent entre le stimulus et la réponse.

stress — Terme général créé par H. Selye (1936) pour désigner une agression exercée sur un organisme. Il connaît des définitions diverses: 1) comme réaction, c'est la constellation des réponses physiologiques et psychologiques qui se produisent dans les situations difficiles; 2) comme stimulus, c'est un événement ou un ensemble de circonstances qui exigent une réponse inaccoutumée; 3) comme processus, c'est la formation d'une relation entre la personne et l'environnement que la personne en cause considère comme exerçant une imposition excessive sur ses ressources et représentant un danger pour son bien-être.

stroboscopique (mouvement) — *Illusion* de mouvement résultant de la présentation successive de « patterns » de stimulation individuels, disposés selon une progression qui correspond au mouvement; par exemple: les images successives d'une pellicule cinématographique. Voir **phénomène phi.**

structuration perceptive — Tendance à percevoir les stimuli en fonction de principes comme la proximité, la similarité, la continuité et la clôture (concept d'origine gestaltiste pour désigner une bonne forme ayant tendance à être fermée). Les psychologues de la Gestalt ont insisté sur ce processus. Voir **forme et fond, Gestalt.**

subconscients (processus) — De nombreux travaux de recherche indiquent que nous enregistrons et évaluons des stimuli dont nous ne prenons pas conscience. On dit que ces stimuli nous influencent subconsciemment ou qu'ils agissent à un niveau subconscient. Synonymes : *préconscient* (Freud), *infraconscient* (Burloud).

substance libératrice de la corticotrophine — Matière sécrétée par des neurones de l'hypothalamus, en réaction au stress. Elle est transportée à travers une structure semblable à un canal jusqu'à l'hypophyse où elle provoque la libération de l'ACTH (l'hormone principale du stress). Voir **corticotrophine.**

succès — Voir **rendement.**

suggestion posthypnotique — Suggestion que l'on applique à une personne hypnotisée afin qu'elle pose tel ou tel geste (habituellement à la suite d'un signal fixé à l'avance) quand elle ne sera plus sous l'état d'*hypnose*. L'action suggérée est généralement exécutée sans que le sujet soit conscient de son origine. Voir **hypnose.**

sujétion — Voir **dépendance.**

surdoué — Individu qui possède un niveau d'*intelligence* exceptionnellement élevé ; on désigne habituellement ainsi quelqu'un qui a un QI de 140 ou plus.

sur-moi (le) — Structure qui, dans la division tripartite de la *personnalité* proposée par Freud, correspond le plus étroitement à la conscience morale et qui exerce un contrôle par le truchement de scrupules moraux plutôt que par des moyens sociaux. On considère le sur-moi comme une conscience punitive, intraitable. Synonyme : le *super-ego*. Voir **ça** et **moi.**

surrénale (glande) — L'un des membres d'une paire de glandes endocrines situées au-dessus des reins. La portion médullaire de cette glande sécrète deux hormones : l'adrénaline et la noradrénaline. La portion corticale sécrète plusieurs hormones qu'on désigne globalement sous le nom d'*hormones corticosurrénales* et parmi lesquelles se trouve la cortisone. Voir **endocrine.**

symbole — Signe chargé de représenter un objet, un acte, une situation, une notion, et de s'y substituer le cas échéant. Le terme doit être réservé aux cas où le signe a un caractère imagé, dont la forme ou la nature paraissent présenter des rapports avec ce qui est symbolisé.

sympathique (système) — Division du *système nerveux autonome,* caractérisée par deux chaînes de *ganglions* disposés de chaque côté de la moelle épinière et dont les fibres nerveuses prennent leur origine dans les parties thoraciques et lombaires de la moelle épinière. Le sympathique est actif dans les états d'excitation émotive et il s'oppose dans une certaine mesure à l'action du système *parasympathique.* Voir **parasympathique.**

synapse — Point de jonction entre l'*axone* d'un *neurone* et les *dendrites* ou le corps cellulaire d'un autre neurone.

synapse excitatrice — *Synapse* dans laquelle le *neurotransmetteur* change la perméabilité de la membrane de la cellule réceptrice dans la direction d'une *dépolarisation.* Voir **dépolarisation.**

synapse inhibitrice — *Synapse* dans laquelle le *neurotransmetteur* change la perméabilité de la membrane de la cellule réceptrice dans la direction d'un *potentiel de repos,* c'est-à-dire pour l'empêcher de décharger.

T

tabula rasa — Expression latine qui signifie table rase. Chez Aristote, Leibnitz et les empiristes anglais des XVIIe et XVIIIe siècles (Locke, Hume, Berkeley, Hartley), cette expression traduit le postulat voulant que les êtres humains naissent dans un état d'esprit « vierge », dépourvu de toute représentation, sans connaissances ou idées innées ; toute connaissance serait le fruit de l'apprentissage et de l'expérience.

tache aveugle — Voir **aveugle.**

tachistoscope — Appareil permettant la présentation pendant un temps très court de chiffres, de mots, de symboles, d'images ou d'un autre matériel visuel.

télégraphique (parler) — Stade dans le développement du langage au cours duquel l'enfant ne retient que les éléments les plus significatifs et les plus saillants du parler des adultes. L'enfant est enclin à omettre les prépositions, les articles, les préfixes, les suffixes et les mots auxiliaires.

télépathie — Présumée forme de *perception extrasensorielle* dans laquelle la *perception* dépendrait d'un *transfert* de pensée d'une personne à une autre. Voir **clairvoyance, extrasensorielle, prédiction prophétique, psychokinésie.**

tempérament — Aspect de la personnalité qui consiste dans l'humeur caractéristique de l'individu, sa sensibilité face à la stimulation et son niveau d'énergie. Le tempérament est généralement conçu comme une prédisposition génétique parce qu'on peut observer chez les nouveau-nés des différences remarquables dans leur façon de réagir à la stimulation, leur humeur générale et leur niveau d'activité.

température (régulation de la) — Processus grâce auquel un organisme maintient sa température corporelle relativement constante.

temporelle (théorie) — Théorie de la perception de la hauteur tonale qui prétend que les impulsions nerveuses qui circulent le long du nerf auditif correspondent aux vibrations d'un ton. Si la réponse de la cellule nerveuse correspond à la forme de l'onde sonore, le système auditif serait alors en mesure de la capter et de réagir à sa fréquence globale. Voir **localisation cochléaire.**

tendance — 1) Activation de l'*organisme* découlant d'un manque, d'une privation ou d'une stimulation génératrice d'*aversion,* y compris les besoins des tissus, les drogues ou les conditions hormonales, et de stimuli internes ou externes spécifiques, comme la douleur. 2) Dans un sens large, tout *mobile.* Voir aussi **besoin, mobile.**

tendance — Voir **réduction de la tendance (théorie de la).**

tendance centrale (mesure de) — Valeur représentative d'une *distribution de fréquence,* de chaque côté de laquelle les autres valeurs se trouvent dispersées ; par exemple : la moyenne, la *médiane* ou le *mode* d'une distribution de mesures.

tension artérielle — Force de poussée exercée par le sang contre les parois des vaisseaux sanguins. On voit dans les changements de tension artérielle consécutifs à la stimulation un indice d'émotion ou d'activation.

test — Voir **batterie de tests, normalisation des tests, profil de tests.**

tests (méthode des) — Méthode de recherche psychologique ; elle permet au psychologue de réunir de vastes quantités de données utiles, puisées auprès d'un grand nombre d'individus, sans trop les déranger dans leur train de vie quotidien et n'ayant recours qu'à un matériel expérimental très simple.

testostérone — La mieux connue des *hormones* mâles ; elle est sécrétée par les testicules et joue un rôle important dans la croissance des organes sexuels et dans l'apparition des caractéristiques sexuelles secondaires du mâle. Elle agit sur la *tendance* sexuelle. Voir **andro-**

gènes, caractéristiques sexuelles secondaires.

thalamus — Deux groupes de *noyaux* de cellules nerveuses situés juste au-dessus du *tronc cérébral,* à l'intérieur des *hémisphères cérébraux.* On considère les thalami comme constituant la *partie centrale* du cerveau. Une partie de chaque thalamus agit comme un poste de relais sensoriel, alors que l'autre joue un rôle dans le sommeil et la veille; cette dernière partie est considérée comme appartenant au *système limbique.* Voir **hypothalamus.**

théorie — Série de postulats (axiomes) proposés dans le dessein d'expliquer les données dont on dispose et de prévoir de nouveaux événements; une théorie s'applique habituellement à une vaste gamme de phénomènes.

thyroïde (glande) — *Glande endocrine* située dans le cou et dont l'*hormone,* la thyroxine, joue un rôle important dans la vitesse du métabolisme. Voir **endocrine.**

timbre — Caractère de la sensation auditive permettant de distinguer divers sons complexes de même *hauteur tonale,* mais de compositions spectrales différentes parce que produits par des instruments différents; les différences sont en réalité dues à la présence d'*harmoniques* ou d'autres parasites. Voir **harmonique.**

tolérance — Sur le plan biologique, aptitude de l'*organisme* (variable suivant les sujets et les circonstances) à supporter sans symptômes morbides l'action d'un médicament ou d'une drogue; il faut, dans un cas de tolérance, utiliser une plus forte dose pour obtenir un effet équivalent à l'action antérieure de la drogue. La tolérance est un facteur important de la dépendance à l'égard des drogues.

tonalité chromatique — Variable qualitative spécifique de la sensation visuelle; dimension de la couleur qui permet de lui attribuer des noms différents (rouge, jaune, vert, etc.) correspondant à des longueurs d'ondes lumineuses. Voir **brillance, saturation.**

tout ou rien (principe du) — Règle selon laquelle l'influx nerveux d'un *neurone* isolé est indépendant de la force de stimulation; le neurone réagit entièrement (son potentiel d'action se décharge) ou pas du tout.

trace — Voir **conditionnement de trace.**

trace mnémonique — Changement hypothétique qui persisterait dans le système nerveux entre le moment où une chose est apprise et celui où on se la rappelle.

trait — Caractéristique durable ou dimension de la *personnalité* qu'on peut éva-

luer ou mesurer chez un individu. Voir **profil de traits.**

traitement de l'information (modèle de) — En général, il s'agit d'une représentation hypothétique d'un processus mental, représentation qui s'appuie sur des postulats relatifs au cheminement de l'information dans un système; c'est sous la forme d'un programme d'ordinateur qu'une telle représentation trouve habituellement sa meilleure expression. En psychologie cognitive, les théories sur les modes de fonctionnement mental sont souvent représentées sous la forme d'un modèle de traitement de l'information. La simulation de ce modèle par ordinateur permet d'étudier les propriétés et les implications de la théorie. Voir **cognitive, modèle, simulation par ordinateur.**

trait lié au sexe — *Trait* déterminé par un *gène* transmis par les mêmes *chromosomes* qui décident du sexe de l'individu; par exemple: cécité au rougevert. Voir **chromosome X, chromosome Y.**

traits (théorie des) — Théorie selon laquelle la façon la plus avantageuse de décrire la *personnalité* consiste dans la production des scores qu'un individu obtient sur un certain nombre d'échelles, chacun des scores représentant un trait ou une dimension de sa personnalité.

tranquillisants — Médicaments qui atténuent l'anxiété et réduisent l'agitation. Le Valium, par exemple.

transcendantale (méditation) — Voir **méditation.**

transducteur — Instrument (par exemple: une électrode ou un calibre) qui, en *psychophysiologie,* convertit des indicateurs physiologiques en d'autres formes d'énergie qu'on peut enregistrer et mesurer.

transfert — Terme utilisé en *psychanalyse* pour désigner le processus par lequel le patient fait inconsciemment du thérapeute l'objet d'une réaction affective, dirigeant ainsi vers le thérapeute des réactions qui conviennent plutôt à d'autres personnes qui ont joué un rôle important dans la vie de ce patient.

transsexuel — Terme qui sert à désigner un individu doté sur les plans physique et psychologique de sexes contradictoires. Les individus ainsi affectés ont parfois recours à la chirurgie ou à des traitements hormonaux pour changer leur genre physique. Ils ne se considèrent pas toutefois comme des homosexuels. Voir **homosexuel.**

travailleur social psychiatrique — Travailleur social qui a été formé en vue d'exercer une action (auprès des patients et de leur famille) visant à

résoudre des problèmes de santé et de maladie mentale, action qui se fait d'habitude en relation étroite avec des *psychiatres* et des *psychologues cliniciens.* Voir **psychiatre, psychologue clinicien.**

trichromatique (théorie) — Théorie de la perception des couleurs qui prétend qu'il existe trois récepteurs fondamentaux pour la couleur (des cônes), un récepteur pour le rouge, un autre pour le vert et un autre pour le bleu. Elle explique la cécité des couleurs ou le daltonisme par l'absence d'un ou de plusieurs types de récepteurs. Synonyme: *théorie de Young-Helmholtz.* Voir **couleurs rivales, deux stades.**

trichromatisme — Vision normale des couleurs, basée sur une classification en trois systèmes de couleurs: blanc-noir, bleu-jaune et rouge-vert. L'oeil normal voit ces trois paires; l'oeil du daltonien est incapable de voir un ou deux de ces trois systèmes. Voir **dichromatisme, monochromatisme.**

tronc cérébral — Structures situées près de la *partie centrale* du cerveau; elles comprennent essentiellement l'ensemble du cerveau sauf les *hémisphères cérébraux,* le *cervelet* et les parties qui en dépendent.

tronçon — La plus grande unité significative d'information qu'on peut stocker en *mémoire à court terme;* la mémoire à court terme peut contenir 7 ± 2 tronçons. Voir **mémoire à court terme.**

Turner (syndrome de) — Condition anormale des *chromosomes* sexuels dans laquelle une personne de sexe féminin naît avec un seul *chromosome X* plutôt qu'avec le couple XX habituel. Voir **chromosome X.**

tympan — Membrane située à l'extrémité intérieure du conduit auditif; elle sépare le conduit auditif de l'*oreille moyenne.* Voir **oreille moyenne.**

type A et type B — Deux constellations de comportement contrastantes observées au cours des études sur la cardiopathie ischémique (insuffisance coronarienne). Les individus de type A sont pressés, compétitifs, agressifs et ont une motivation exagérée en vue de la réussite; ceux de type B sont plus détendus et ressentent moins de pressions. Les types A sont susceptibles de contracter des maladies cardiaques.

types (théorie des) — Théorie selon laquelle la façon la plus avantageuse de décrire la *personnalité* consiste dans la classification des individus dans des catégories ou types, chaque catégorie ou type possédant des caractéristiques communes qui distinguent ses membres des autres catégories ou types. Voir **trait.**

V

valeurs — Attitudes fondamentales à l'égard d'un éventail de façons d'agir (ex.: courage, honnêteté) ou des buts idéologiques de l'existence (ex.: égalité, salut). Voir **attitude.**

validité — Valeur de prédiction d'un test quant aux fins qu'il poursuit. Elle se mesure par un *coefficient de corrélation* entre les scores obtenus à un test et les scores que ce test cherche à prédire, soit les scores découlant d'un critère donné. Voir **critère, fidélité.**

variable — Une des conditions ou les facteurs que l'on mesure ou que l'on contrôle dans une expérience. Voir **dépendante, indépendante.**

variance — Carré d'un *écart-type.*

variation (mesures de) — Mesures de la dispersion des valeurs dans une *distribution de fréquence.* Voir **écart-type.**

ventro-médian — Voir **hypothalamus ventro-médian.**

vestibulaire (appareil) — Deux vésicules (appelées *saccule* et *utricule*) situées dans le labyrinthe de l'*oreille interne*; elles contiennent les *otolithes.* La pression exercée par les otolithes sur les poils auditifs dans la matière gélatineuse de l'utricule et du saccule est responsable de la sensation d'être ou de ne pas être debout. Voir **équilibre.**

vicariant (apprentissage) — Apprentissage résultant de l'observation du *comportement* des autres et de la constatation des conséquences de ce comportement. Synonyme: *apprentissage par observation.*

vision stéréoscopique — 1) Perception binoculaire de la profondeur et de la distance d'un objet résultant du chevauchement des *champs de vision* des deux yeux. 2) Effet équivalent qu'on obtient quand deux images légèrement différentes sont présentées séparément et simultanément à chacun des yeux grâce à un appareil appelé *stéréoscope.* Voir **distance.**

volontaires (processus) — Activités adoptées par choix et contrôlées ou régies selon une intention ou un plan. Voir **contrôle.**

W

Weber (loi de) — Loi stipulant que le *seuil différentiel* est proportionnel à la grandeur du *stimulus* à partir duquel on le mesure. La loi ne vaut pas pour l'étendue complète de la *variation* du stimulus. Voir **seuil différentiel.**

Wernicke (aire de) — Région de l'hémisphère cérébral gauche impliquée dans la compréhension du langage. Les individus qui ont des lésions dans l'aire de Wernicke sont incapables de comprendre les mots; ils les entendent, mais ne savent pas ce qu'ils signifient.

X

XYY (syndrome) — Condition anormale qui consiste dans la présence d'un *chromosome sexuel Y* supplémentaire chez un mâle; on prétend que cette condition s'accompagne d'une *agressivité* exceptionnelle, quoique cette relation n'ait pas encore été démontrée de façon concluante. Voir **chromosomes, chromosome X, trait lié au sexe.**

Y

Young-Helmholtz (théorie de) — Voir **trichromatique.**

Z

zygote — Œuf fécondé. Voir **jumeaux dizygotes, jumeaux monozygotes.**

Remerciements

TABLEAUX

Chapitre 1

1-2 Stapp, J. et Fulcher, R. (1981) « The employment of APA members », *American Psychologist*, 36:1263-1314. Copyright ©1981 par American Psychological Association. Reproduit et adapté avec la permission des auteurs.

Chapitre 3

3-1 Adapté de *Review of Child Development Research*, Volume 1, édité par Martin L. Hoffman et Lois Wladis Hoffman. Copyright ©1964 par Russell Sage Foundation. Reproduit avec la permission de Basic Books, Inc., éditeurs. **3-2** Adapté de Kohlberg, L. (1967) « Moral education, religious education, and the public schools: A developmental view », dans T.R. Sizer (éd.), *Religion and Public Education*. Copyright ©1967 par Houghton Mifflin Co. Reproduit avec la permission de l'éditeur et de la National Conference of Christians and Jews, Inc. **3-3** Kuhn, D., Nash, S.C. et Brucken, L. (1978) « Sex role and concepts of two- and three-year olds », *Child Development*, 40:445-51. Copyright The Society for Research in Child Development, Inc. **3-5** Tableau modifié de « The Eight Ages of psychosocial development », de Erickson, E.H. (1950) *Childhood and Society* (2ᵉ éd), p. 274, utilisé avec la permission de W.W. Norton et Cie, Inc. et The Hogarth Press, Ltée. Copyright 1950, ©1963 par W.W. Norton et Cie, Inc. Copyright renouvelé 1978 par Erick H. Erikson.

Chapitre 4

4-1 Adapté de Brown, R., Galanter, E., Hess, E.H. et Mandler, G. (1962) *New Directions in Psychology*: Vol. 1. *Models of Attitude Change, Contemporary Psychophysics, Ethology: An Approach Toward the Complete Analysis of Behavior, Emotion*. Avant-propos de T.M. Newcomb, Copyright ©1962 par Holt, Rinehart et Winston, éditeurs.

Chapitre 6

6-1 Soal, S.G. et Bateman, F. (1954) *Modern Experiments in Telephathy*. New Haven: Yale University Press, p. 352.

Chapitre 8

8-1 Tulving, E. et Pearlstone, Z. (1966) « Availability vs accessibility of information in memory for words », *Journal of Verbal Learning and Verbal Behavior*, 5. Reproduit avec la permission de Academic Press, Inc. et des auteurs. **8-16** Bower G.H. et Clark, M.C. (1969) « Narrative stories as mediators for serial learning », *Psychonomic Science*, 14:181-82. Reproduit avec la permission de Psychonomic Society, Inc.

Chapitre 9

9-1 Tiré de « Functions of two-word sentences in child speech, with examples from several languages », dans Slobin, D.I, *Psycholinguistics*, pp. 44-45. Copyright ©1971 par Scott, Foresman et Cie. Reproduit avec permission. **9-2** Version révisée de Slobin, D.I. (1971) « Developmental psycholinguistics » dans W.O. Dingwall (Éd.), *A Survey of Linguistic Science*, Stamford, CT: Greylock Publishers, pp. 298-400. Reproduit avec la permission de Greylock Publishers.

Chapitre 10

10-1 Craighead, L.W., Stunkard, A.J. et O'Brien, R.M. (1981) « Behavior therapy and pharmacotherapy of obesity », *Archives of General Psychiatry*, 38:763-68. **10-2** Bell, A.P., Weinberg, M.S. et Hammersmith, S.K. (1981) *Sexual Preference: Its Development in Men and Women*. Copyright ©1981 par Indiana University Press. Reproduit avec la permission de l'éditeur. **10-3** Zuckerman, M. et Neeb, M. (1980) « Demographic influences in sensation seeking and expressions of sensation seeking in religion, smoking, and driving habits », *Personality and Individual Differences*, 1(3):197-206. Copyright ©1980, Pergamon Press, Ltée. Reproduit avec la permission de l'éditeur et des auteurs.

Chapitre 11

11-1 Shaffer, L.F. (1947) « Fear and courage in aerial combat », *Journal of Consulting Psychology*, 11:137-43. **11-2** Tiré du Chapitre 19 « Implications and Conclusions », dans *Emotion: A Psychoevolutionary Approach* par Robert Plutchik. Copyright ©1980 par Robert Plutchik. Reproduit avec la permission de Harper et Row, Publishers, Inc.

Chapitre 12

12-1 Tiré de *Taking the SAT*. College Entrance Examination Board, 1978, 1979. Échantillons de questions avec la permission de Educational Testing Service, propriétaire du copyright. **12-2** Adapté avec la permission de The Riverside Publishing Company. **12-4** Wechsler Adult Intelligence Scale. Copyright ©1955 par The Psychological Corporation. Tous droits réservés. **12-5** Tiré de Jensen, A.R. (1980) *Bias in Mental Testing*. New York: The Free Press. Copyright ©1980 par Arthur R. Jensen. Reproduit avec la permission de Macmillan Publishing Co., Inc. et Methuen et Cie, Ltée. **12-6** Tiré de Guilford, J.P. (1980) *The Nature of Human Intelligence*. Copyright ©1967 par McGraw-Hill, Inc. Utilisé avec la permission de McGraw-Hill Book Company. **12-7** Thurstone, L.L. et Thurstone, T.G. (1963) *Primary Mental Abilities*. Chicago

Il.: Science Research Associates, Inc. **12-9** Bouchard, T.L., Jr. et McGue, M. (1981) « Familial studies of intelligence : A review », *Science*, 212 (29 mai):1055-59. Copyright ©1981 par l'American Association for the Advancement of Science.

Chapitre 13

13-1 Bush, A.H. et Plomin, R. (1975) *A Temperament Theory of Personality Development.* Copyright ©1975 par John Wiley and Sons, Inc. Reproduit avec la permission de John Wiley and Sons, Inc. **13-2** Norman, W.T. (1963) « Toward an adequate taxonomy of personality attributes : Replicated factory structure in peer nomination personality ratings », *Journal of Abnormal and Social Psychology*, 66:574-83. Copyright ©1963 par l'American Psychological Association. Reproduit et adapté avec la permission de l'auteur. **13-5** Minnesota Multiphasic Personality Inventory. Copyright ©1943, renouvelé en 1970 par l'University of Minnesota. Publié par The Psychological Corporation, New York, N.Y. Tous droits réservés. **13-6** Block, J. (1971) *Lives Through Time.* Berkeley, Calif.: Bancroft Books.

Chapitre 14

14-1 Holmes, T.H. et Rahe, R.H. (1967) « The social readjustment rating scale », *Journal of Psychosomatic Research*, 11(2):213-18. Copyright ©1967, Pergamon Press, Ltée. Reproduit avec la permission de l'éditeur et des auteurs. Basé sur des recherches faites à l'University of Washington School of Medicine. **14-2** Adapté avec la permission d'Alfred A. Knopf, Inc. Tiré de *Type A Behavior and Your Heart*, par Meyer Friedman, M.D. et Ray H. Rosenman, M.D. Copyright 1974 par Meyer Friedman. Les droits pour le Commonwealth britannique obtenus avec la permission de Michael Joseph, Ltée.

Chapitre 15

15-1 American Psychiatric Association (1980) *Diagnostic and Statistical Manual of Mental Disorders* (3e éd.). Washington, D.C.: APA. **15-2** Sarason, I.G. et Sarason, B.R. (1980) *Abnormal Psychology: The Problem of Maladaptive Behavior* (3e éd.), p. 159. Reproduit avec la permission de Prentice-Hall, Inc., Englewood Cliffs, N.J.

Chapitre 17

17-1 Luchins, A. (1957) « Primary-recovery in impression formation », dans C.I. Hovland (Éd.), *The Order of Presentation Persuasion.* New Haven : Yale University Press, pp. 34-35. **17-3** Rokeach, M. (1968) *Beliefs, Attitudes, and Values.* San Francisco : Jossey-Bass.

TEXTE

Page 146 Benson, H., Kotch, J.B., Crassweller, K.D. et Greenwood, M.M. (1977) « Historical and clinical considerations of relaxation response », *American Scientist*, 65 (juillet 1977): 441-43.

Page 152 Reproduit avec la permission de *Psychology Today.* Copyright ©1982 par l'American Psychological Association.

Pages 257 Köhler, W. (1925) *The Mentality of Apes.* New York : Harcourt, Brace, pp. 174-75. Reproduit avec la permission de Routledge and Kegan Paul, Ltée.

Pages 359-60 Adapté de *The Longest War* par Carol Tavris et Carole Offir, copyright ©1977 par Harcourt Brace Jovanovich, Inc. Reproduit avec la permission de l'éditeur.

FIGURES

Chapitre 1

1-4 Gracieuseté de Sloan Foundation, 1978. **1-5** Darley, C.F., Tinklenberg, J.R., Roth, W.T., Hollister, L.E. et Atkinson, R.C. (1973) « Influence of marijuana on storage and retrieval processes in memory », *Memory and Cognition*, 1:196-200. **1-7** Atkinson, R.C. (1976) « Teaching children to read using a computer », *American Psychologist*, 29:169-78. Copyright ©1976 par l'American Psychological Association. Reproduite avec permission. **1-8** Hilgard, E.R. (1961) « Hypnosis and experimental psychodynamics », reproduite de H.W. Brosin, *Lectures on Experimental Psychiatry.* Copyright ©1961 par l'University of Pittsburg Press. Utilisée avec permission.

Chapitre 2

2-11 et **2-12** Sperry, R.W. (1970) « Perception in the absence of neocortical commissures », dans *Perception and Its Disorders*, Res. Publ. A.R.N.M.D., Vol. 48, Association for Research in Nervous and Mental Disease; Nebes, R.D. et Sperry, R.W. (1971) « Cerebral dominance in perception », *Neuropsychologia*, 9:247. Reproduite avec la permission de Pergamon Press, Ltée. **2-17** Thompson, R.W. (1954) « The inheritance and development of intelligence », *Proceedings of the Association for Research in Nervous and Mental Disease*, 33:209-31. Reproduite avec la permission de Pergamon Press, Ltée.

Chapitre 3

3-1 Frankenburg, W.K. et Dodds, J.B. (1967) « The Denver developmental screening test », *Journal of Pediatrics*, 71:181-91. **3-2** Fantz, R.L. (1961) « The origin of form perception », *Science*, 204:66-72. **3-4** Adaptée de Starkey, P., Spelke, E.S. et Gelman, R. (1986) « Numerical abstraction by human infants », ©1986 *Cognition* (sous impression). **3-9** Lamb, M. (Éd.) *The Role of the Father in Child Development.* New York : John Wiley and Sons, 1976. **3-10** Baumrind, D. (1967) « Child care practices anteceding three patterns of preschool behavior », *Genetic Psychology Monographs*, 75:43-88. **3-11** Ellis, W.D. (Éd.) (1967) *A Source Book of Gestalt Psychology.* Atlantic Highlands, N.J.: Humanities Press, Inc.; Londres : Routledge and Kegan Paul, Ltée. **3-12** Tanner, J.M., Whitehouse, R.H. et Takaishi, M. (1966) « Standards from birth to maturity for height, weight, height velocity, and weight velocity », *Archives of Diseases of Childhood*, 41:467. **3-13** Copyright ©Time, Inc. Tous droits réservés. Reproduite avec la permission de *Time*.

Chapitre 4

4-1 Adaptée de Ludwig, A.M., Brandsma, J.M., Wilbur, C.B., Bendfeldt, F. et Jameson, D.H. (1972) « The objective study of a multiple personality », *Archives of General Psychiatry*, 26:298-310. Copyright ©1972 par l'American Medical Association. **4-2** Adaptée de M'Guiness, J., pour W.C. Dement (1978) *Some Must Watch While Some Must Sleep.* New York : W.W. Norton and Company, Inc. Copyright ©1972, 1974, 1976 par W.C. Dement. **4-4** Cartwright, R.D. (1978) *A Primer of Sleep and Dreaming. Reading, MA.: Addison-Wesley.* Reproduite avec permission. **4-5** Johnston, L.D., O'Malley, P.M. et Backman, J.G. (1986) *Drug Use Among American High School Students, College Students, and Other Young Adults.* National Institute on Drug Abuse. Rockville, MD.: DHHS Publication No. (ADM) 86-1950. **4-7** Cooper, L.M. (1972) « Hypnotic amnesia », dans Fromm, E. et Shor, R.E. (Éd.) *Hypnosis: Research Development and Perspectives.* New York : Aldine.

Chapitre 5

5-3 et **5-5** Boynton, R. (1979) *Human Color Vision.* New York : Holt, Rinehart and Winston. **5-6** Dowling, J.E., and Boycott, B.B. (1966) « Organization of the primate retina », *Proceedings of the Royal Society of London*, Series B, 166:80-111. **5-8** Hecht, S. et Hsia, Y. (1945) « Dark adaptation following light adaptation to red and white lights », *Journal of the Optical Society of America*, 35:261-67. **5-9** Gesler, W.S. (1978) « Adaptation, afterimages and cone saturation », *Vision Research*, 18:279-89. **5-12** Carpenter, R.H.S. (1977) *Movements of the Eyes.* London: Pion, Ltée. **5-13** Wright, W.D. (1946) *Researchs on Normal and Color*

Defective Vision. London: Harry Kimpton. **5-20** Dartnall, H.J.A., Bowmaker, J.K. et Mollon, J.D. (1983) « Microspectrometry of human photoreceptors », dans Mollon, J.D. et Sharpe, L.T. (Éd.) *Colour Vision*. New York: Academic Press, Inc. **5-23** Cornsweet, T.N. (1970) Visual *Perception*. New York: Academic Press, Inc. **5-32** Moore, B.C.J. (1978) « Psychophysical tuning curves measured in simultaneous and forward masking », *Journal of the Acoustical Society of America*, 63:524-32. **5-33** Tirée de Nick Fasciano; copyright ©*Discover*, octobre 1983, Time, Inc. **5-35** Weinstein, S. (1968) « Intensive and extensive aspects of tactile sensitivity as a function of body part, sex and laterality », dans Kenshalo, D.R. (Éd.), *The Skin Senses*. Springfield, IL.: Charles C. Thomas, Éditeurs.

Chapitre 6

6-18 Conçue par Gerald Fisher. **6-24** Just, M.A. et Carpenter, P.A. (1980) « A theory of reading: From eye fixations to comprehension » *Psychological Review*, 87:329-54. **6-29** Blakemore, C. et Cooper, G.F. (1970) « Controlled visual environment », *Nature*, 228 (31 octobre 1970): 478. Copyright 1970 Macmillan Journals, Ltée. **6-30** Hein, A. et Held, R. (1967) Dissociation of the visual placing response into elicited and guided components. *Science*, 158:390-92, Figures 1 et 2. Copyright ©1967 par l'American Association for the Advancement of Science.

Chapitre 7

7-5 Hovland, C.I. (1937) « The generalization of conditioned responses: Part 1. The sensory generalization of conditioned responses with varying frequencies of tone », *Journal of General Psychology*, 17:125-48. **7-6** (A) Kandel, E.R. (1979) « Small systems of neurons », dans R. Thompson, *The Brain*, San Francisco: Freeman, Cooper et Cie. **7-7** Hawkins, R.D. et Kandel, E.R. (1984) « Is there a cell-biological alphabet for simple forms of learning? » *Psychological Review*, 91: 375-91. **7-8** Fuhrer, M.J. et Baer, P.E. (1965) « Differential classical conditioning: Verbalization of stimulus contingencies », *Science*, 150 (10 décembre 1965):1479-81. Copyright ©1965 par l'American Association for the Advancement of Science. **7-14** Adaptée de Olds, J. et Olds, M. (1965) « Drives, rewards and the brain », dans *New Directions in Psychology*, Vol. 2. Copyright ©1965 par Holt, Rinehart and Winston, Inc. **7-17** Hirsch, S.R. et Natelson, B.J. (1981) « Electrical brain stimulation and food reinforcement dissociated by demand elasticity », *Physiology and Behavior*, 18: 141-50. **7-20** Olton, D.S. et Samuelson, R.J. (1976) « Remembrance of places passed: Spatial memory in rats », *Journal of Experimental Psychology: Behavior Process*, 2:96-116. **Page 256** Tolman, E.G. et Houzek, C.H. (1983) « Introduction and removal of rewards, and maze performance in rats », *University of California Press Publications in Psychology*, 4:17. Reproduite avec la permission de l'University of California Press.

Chapitre 8

8-1 Melton, A.W. (1963) « Implication of short-term memory for a general theory of memory », *Journal of Verbal Learning and Verbal Behavior*, 2:1-21. **8-2** Posner, M.I. et Keele, S.W. (1967) « Decay of visual information from a single letter », *Science*, 158 (6 octobre 1967): 137-39. Copyright ©1967 par l'American Association for the Advancement of Science. **8-5** Waugh, N.C. et Norman, D.A. (1965) « Primary memory », *Psychological Review*, 72:89-104. Copyright ©1965 par l'American Psychological Association. Reproduite avec permission. **8-6** Sternberg, S. (1966) « High-speed scanning in human memory », *Science*, 153 (5 août 1966):652-54. **8-8** Murdock, B.B. (1962) « The serial position effect in free recall », *Journal of Experimental Psychology*, 64:482-88. Reproduite avec permission. **8-10** Bower, G.H. (1970) « Organization factors in memory », *Cognitive Psychology* 1:18-41. **8-11** Watkins, M.J., Ho, E. et Tulving, E. (1976) « Context effects in recognition memory for faces », *Journal of Verbal Learning and Verbal Behavior*, 15:505-18. **8-12** Sheingold, K. et Tenney, Y.J. (1982) « Memory for a salient childhood event », dans Neisser, U., *Memory Observed: Remembering in Natural Contexts*. San Francisco: Freeman, Cooper et Cie. **8-18** Loftus, E.F. et Loftus, G.R. (1974) « Reconstruction of automobile destruction: An example of the interaction between language and memory », *Journal of Verbal Learning and Verbal Behavior*, 13:585-89.

Chapitre 10

9-7 et **9-8** Cooper, L.A. et Shepard, R.N. (1973) « Chronometric studies of the rotation of mental images », dans W.G. Chase (Éd.), *Visual Information Processing*. New York: Academic Press, Inc. **9-9** Kosslyn, S.M., Ball, T.M. et Reisser, B.J. (1978) « Visual images preserve metric spatial information: Evidence from studies of image scanning », *Journal of Experimental Psychology: Human Perception and Performance*, 4:47-60. Copyright ©1978 par l'American Psychological Association. Reproduite avec permission.

Chapitre 10

10-3 Hoebel, B.G. et Teitelbaum, P. (1966) « Effects of force feeding and starvation on food intake and body weight of a rat with ventromedial hypothalamic lesions », *Journal of Comparative and Physiological Psychology*, 61:189-93. Copyright ©1966 par l'American Psychological Association. Reproduite et adaptée avec la permission des auteurs. **10-4** Powley, T.I. et Keesey, R.E. (1970) « Body weight and the lateral hypothalamic feeding syndrome », *Journal of Comparative and Physiological Psychology*, 70:25-36. Copyright ©1970 par l'American Psychological Association. Reproduite et adaptée avec la permission des auteurs. **10-5** Hibscher, J.A. et Herman, C.P. (1977) « Obesity, dieting, and the expression of « obese » characteristics », *Journal of Comparative and Physiological Psychology*, 91:374-80. Copyright ©1977 par l'American Psychological Association. Reproduite et adaptée avec la permission des auteurs. **10-6** Tirée de « Taste, deprivation and weight determinants of eating behavior » par R.C. Nisbett dans *Neurophysiology and Emotion*, édité par D.C. Glass. Copyright ©1967 par Russell Sage Foundation. Reproduite avec la permission de Basic Books, Inc., éditeurs. **10-7** Adaptée de *Human Sexuality* par Carole Wade Offir, 1982 par Harcourt Brace Jovanovich, Inc. Reproduite avec la permission de l'éditeur. **10-9** Hopkins, J.R. (1977) « Sexual behavior in adolescence », *Journal of Social Issues*, 33(2):67-85. **10-12** Zuckerman, M. et Neeb, M. (1980) « Demographic influences in sensation seeking and expressions of sensation seeking in religion, smoking, and driving habits », *Personality and Individual Differences*, 1:197-206. Reproduite avec la permission de Pergamon Press, Ltée.

Chapitre 11

11-1 Kubis, J.F. (1962) citée dans Smith, B.M., « The polygraph », dans Atkinson, R.C. (Éd.) *Contemporary Psychology*. San Francisco: Freeman, Cooper et Cie. **11-3** D'après Schachter, S. (1961) et Hohmann, G.W. (1962). Schachter, S. (1964) « The interaction of cognitive and physiological determinants of emotional state », dans P.H. Leiderman et D. Shapiro (Éd.) *Phychobiological Approaches to Human Behavior*. Stanford: Stanford University Press, p. 166. **11-4** Ekman, P., Levenson, R.W. et Frieson, W.V. (1983) « Autonomic nervous system activity distinguishes among emotions », *Science*, 221:1208-10. Copyright ©1983 par l'American Association for the Advancement of Science. **11-7** Solomon, R.L. (1980) « The opponent-process theory of acquired motivation », *American Psychologist*, 35:691-712. Copyright ©1980 par l'American Psychological Association. Reproduite et adaptée avec la permission de l'éditeur et de l'auteur. **11-8** Hebb, D.O. (1972) « Emotional arousal and performance », *Textbook of Psychology* (3ᵉ éd.) Philadelphie : W.B. Saunders Co., p. 199. **11-12** Bandura, A. (1973) *Aggression : A Social Learning Analysis.* Englewood Cliffs, N.J. : Prentice-Hall. Les figures 1-1 et 2-2 sont tirées de données de Bandura, Ross et Ross (1963) « Imitation of film-mediated aggressive models », *Journal of Abnormal Psychology*, 66:8. Copyright ©1963 par l'American Psychological Association. Reproduites avec permission. **11-14** Eron, L., Huesmann, L., Lefkowitz, M. et Walder, L. (1972) « Does television cause aggression? » *American Psychologist*, 27:253-63. Copyright ©1972 par l'American Psychological Association. Reproduite avec permission.

Chapitre 12

12-1 Thurstone, L.L. et Thurstone, T.G. (1942) « Factorial studies of intelligence », *Psychometric Monographs*, No. 2. Copyright ©1942 par l'University of Chicago. Tous droits réservés. **12-5** Cattell, R.B. (1977) Culture Fair Intelligence Test, Scale 2, Form A test booklet. Champaign, Il. : Institute for Personality and Ability Testing, Inc. 1949, 1960, 1977. Reproduite avec la permission du propriétaire du copyright. **12-6** Gottesman, I.I. (1963) « Genetic aspects of intelligent behavior », dans N. Ellis (Éd.), *Handbook of Mental Deficiency : Psychological Theory and Research.* New York : McGraw-Hill Book Co. Page 437 Gardner, H. (1983) *Frames of Mind.* New York : Basic Book, p. 170.

Chapitre 13

13-2 Tirée de Cattell, R.B. (1986) *The Handbook for the 16 Personality Factor Questionnaire (16PF).* Copyright ©1972, 1979, 1986 par l'Institute for Personality and Ability Testing. Reproduite avec permission.

Chapitre 14

14-1 Selye, H. (1979) *The Stress of Life* (éd. révisée) New York : Van Nostrand Reinhold. **14-3** Schwarts, G.E. (1973) « Biofeedback, self-regulation, and the patterning of physiological processes », *American Scientist*, 63:316.

Chapitre 15

15-1 Agras, S., Sylvester, D. et Oliveau, D. (1969) « The epidemiology of common fears and phobia », *Comprehensive Psychiatry*, 10:151-56. Reproduite avec la permission de Grune et Stratton, Inc. **15-2** Condensation et adaptation du rapport de cas 11-4 « Phobic neurosis », dans Kleinmutz, B., *Essentials of Abnormal Psychology.* Copyright ©1980 par Benjamin Kleinmutz. Avec la permission de Benjamin Kleinmutz. **15-3** Laughlin, H.P. (1967) The Neuroses. Woburn, MA. : Butterworth Publishers, Inc., pp. 324-25. Reproduite avec la permission de l'éditeur.

15-5 Hofling, C.K. (1975) *Textbook of Psychiatry for Medical Practice* (3ᵉ éd.). Philadelphie : Lippincott, p. 372. **15-7** Gottesman, I.I. et Shields, J. (1982) *Schizophrenia : The Epigenetic Puzzle.* New York : Cambridge University Press. **15-8** Tirée de Maher, B.A. (1966) *Principles of Psychopathology.* Copyright ©1966 par McGraw-Hill, Inc. Utilisée avec la permission de McGraw-Hill Book Co.

Chapitre 16

16-3 Bandura, A.L., Blanchard, E.B. et Ritter, B. (1969) « The relative efficacy of disensitization of modeling approaches to inducing behavior, affective and attitudinal changes », *Journal of Personality and Social Psychology*, 3:173-79. Copyright ©1969 par l'American Psychological Association. Reproduite avec permission. **16-4** Basée sur des données de Seeman, J. (1949) « A study of the process of non-directive therapy », *Journal of Consulting Psychology*, 13:157-68.

Chapitre 17

17-1 Festinger, L. et Carlsmith, J.M. (1959) « Cognitive consequences of forced compliance », *Journal of Abnormal and Social Psychology*, 58:203-10. Copyright ©1959 par l'American Psychology Association. Reproduite avec permission. **17-2** Ross, L.D., Amabile, T.M. et Steinmetz, J.L. (1977) « Social roles, social control, and biases in social-perception processes », *Journal of Personality and Social Psychology*, 35:485-94. Copyright ©1977 par l'American Psychological Association. Reproduite avec permission. **17-3** Zajonc, R.B. (1968) « Attitudinal effects of mere exposure », *Journal of Personality and Social Psychology*, 8:18. Copyright ©1968 par l'American Psychological Association. Reproduite avec permission.

Chapitre 18

18-2 Diener, E. (1979) « Deindividuation, self-awareness and desinhibition », *Journal of Personality and Social Psychology.* Copyright ©1979 par l'American Psychological Association. Reproduite avec permission. **18-3** et **18-4** Latané, B. (1981) « The Psychology of social impact » *American Psychologist*, 36:343-56. **18-5** Darley, J.M. et Latané, B. (1968) « Bystander intervention in emergencies : Diffusion of responsibility ». *Journal of Personality and Social Psychology*, 8:377-83. Copyright ©1968 par l'American Psychological Association. Reproduite avec permission. **18-7** Milgram, S. (1974) *Obedience to Authority : An Experimental View.* New York : Harper and Row, p. 91. **18-8** Milgram, S. (1963) « Behavioral study of obedience », Journal of *Abnormal and Social Psychology*, 67:371-78. Copyright ©1963 par l'Ameri-

can Psychological Association. Reproduite avec permission. **18-9** Beirbrauer, B. (1973) « Attribution and perspective : Effects of time, set and role on interpersonal inference », Stanford University (thèse de doctorat inédite). **18-10** Maccoby, N., Farquhar, J.W., Wood, P.D. et Alexander, J. (1977) « Reducing the risk of cardiovascular disease : Effects of a community-based campaign on knowledge and behavior », *Journal of Community Health*, 3:100-14.

ILLUSTRATIONS

Page 7 © par Lester Sloan / *Newsweek*; **8** Archives of the History of American Psychology. University of Akron; **10** Bettman Archive; **15** © Judy S. Gelles / Stock, Boston; **16** © 1982 Meri Hovtchens-Kitchens / The Picture Cube; **17** Owen Franken / Stock, Boston; **19** ©1980 Michael Heron / Woodfin Camp and Associates; **20** Toni Angermayer / Photo Researchers, Inc.; **43** (volets de gauche et de droite) Richard Estes / Photo Researchers; **45** (volet du haut)© Dan McCoy de Rainbow; **45** (volet du bas) Monte S. Buchsbaum, Dept. of Psychiatry, University of California, Irvine; **56** Dr. J.H. Tijo; **61** Tirée de A.M. Winchester, *Heredity, Evolution and Mankind.* St. Paul : West Publishing Company; **65** Mimi Forsythe / Monkmeyer Press Photo; **69** Elizabeth Crews; **71** Jason Laurie / Woodfin Camp and Associates; **72** (volet de gauche) Suzanne Szasz / Photo Researchers; **72** (volet de droite) Suzanne Szasz; **73** © Nancy Lutz / The Picture Cube; **74** Peter Vandermark / Stock, Boston; **76** George Zimbel / Monkmeyer Press Photo; **80** © Joan Menschenfreund / Taurus Photos; **82** Harlow Primate Lab / University of Wisconsin; **87** © Elizabeth Crews; **92** © Hella Hamid / Photo Researchers, Inc.; **95** © Alice Kendell / Photo Researchers, Inc.; **103** Paul S. Conklin; **105** Gracieuseté de Children's Defense Fund; **106** © Elizabeth Crews; **110** (volet du haut) Elizabeth Crews / Stock, Boston; **110** (volet du bas) © Rhoda Galyn / Photo Researchers, Inc.; **118** Owen Franken / Stock, Boston; **120** Alan Carey / Image Works; **123** Michael Heron ©1980, Woodfin Camp and Associates; **133** (volet de gauche)© Jock Pattle / Design Conceptions; **133** (volet de droite) Alan Carey / Image Works; **137** Laimute Druskis / Taurus Photos; **138** © Joel Gordon, 1980; **140** Eric Koll / Taurus Photos; **145** (volet du haut) Leo Choplin / Black Star; **145** (volet du bas)J. Daniels / Rapho / Photo Researchers, Inc.; **146** © 1975 par Jules Feiffer; **147** Mimi

Forsythe / Monkmeyer Press Photo; **150** Photo de Erik Arneson. Tirée de *Human Nature*, janvier 1978. ©1977 par Human Nature, Inc. utilisée avec la permission de l'éditeur; **154** Philip Daley; **172** © Bohan Hrynewych, 1975 / Stock, Boston; **176** (volet du bas) Dr Jay M. Enock, University of California, Berkeley; **179** (volet du haut) U.P.I. / Bettmann Newsphotos; **179** (volet du bas) Lee Boltin; **186** (volet du haut) © Charles Gupton / Stock, Boston; **186** (volet du bas) U.P.I. / Bettmann Newsphotos; **187** M. et E. Bernheim / Woodfin Camp Associates; **188** Ralph Crane, *Life Magazine*. © Time Inc.; **190** Mark Antman / The Image Works; **197** Salvador Dali / *The Slave Market With Disappearing Bust of Voltaire*. Le Musée Salvador Dali, St. Petersburg, Floride; **199** Keystone-Mast Collection, California Museum of Photography, University of California, Riverside; **200** M.C. Escher, *Waterfall*, 1961. © Héritiers de M.C. Escher, att. de: Cordon Art, Baarn, Hollande, Collection, Haags Gemeentemuseum, La Haye; **204** Harvey Stein; **209** Georges Seurat, *La Parade*. Metropolitan Museum of Art. Don de Stephen C. Clark, 1960 (61.101.17); **213** A.L. Yarbus; **214** (volet du haut, à droite) Frederik Bodin / Stock, Boston; **214** (volet du haut, à gauche) Mark Antman / Image Works; **216** Sidney Harris; **217** (volet du haut) Sidney Harris; **217** (volet du bas) © Elizabeth Crews; **220** © David Linton; **221** William Vandivert; **224** © Bill Yates, King Features Syndicate, Inc.; 1971; **232** Bettmann Archive; **237** © Dan McCoy de Rainbow; **240** Gracieuseté de B.F. Skinner; **241** Sibyl Shelton / Monkmeyer Press Photo; **243** Yerkes Regional Primate Center, Emory University; **244** Gracieuseté de James Simmons, Naval Ocean Systems Center; **245** Photos gracieuseté de Bruce Moore, tirées de H.M. Jenkins et B.R. Moore, (1973) *Journal of Experimental Analysis of Behavior*, 20:175; **247** Photo de Melanie Kaestner / Zephyr Picture Agency; **250** Sepp Seitz / Woodfin Camp and Associates; **257** Yerkes Primate Research Center, Emory University; **258** et **259** Lilo Hess / Three Lions; **260** Sidney Harris; **267** Random House; **274** Sidney Harris; **276** Bettmann Archive; **315** (volet du haut) William Hamilton; **315** (volet du bas) © Elizabeth Crews; **321** Gerald Emerson. Reproduite avec la permission gracieuse de *Omni* Magazine ©1982; **322** Gracieuseté de R.A. et B.T. Gardner; **328** © Phiz Mezey / Taurus Photos; **329** Joel Havemann; **342** René Burri / Magnum Pictures; **343** Suzanne Szasz; **344** Gracieuseté du Dr Neal E. Miller, professeur émérite, Rockefeller University; Research Affiliate, Yale University; **347** Jeff Albertson / The Picture Cube; **350** © Don Ivers / Jeroboam, Inc.; **357** Harlow Primate Lab / University of Wisconsin; **360** © Joel Gordon, 1979; **363** Money, J. et Ehrhardt, A. (1972) *Man and Woman, Boy and Girl*. Baltimore: Johns Hopkins University Press; **366** J. Anne Murphy; **367** Harlow Primate Lab / University of Wisconsin; **369** Thomas McEvoy, *Life Magazine*. ©1955, Time Inc.; **370** AT&T Bell Systems Science Service Films, *Gateways of the Mind*; **379** Rick Mansfield / The Image Works; **380** Paul S. Conklin; **382** Paul S. Conklin; **384** Peter Vandermark / Stock, Boston; **388** © Theresa Frare / The Picture Cube; **391** et **392** Visages de Nouvelle-Guinée: de *Face of Man*. New York: Garland, 1980. © Paul Ekman. Visages américains: de *Unmasking the Face*. Prentice-Hall, 1975. Édition de tiré-à-part, Consulting Psychologists Press, 1984. © Ekman and Friesen; **394** Paul S. Conklin; **396** Bruce Roberts / Rapho / Photo Researchers, Inc.; **397** Gracieuseté du Dr José M.R. Delgado; **399** Management Safeguard, Inc; **401** (volet du haut) George Roos / Peter Arnold, Inc; **401** (volet du bas) © John Garrett, 1978 / Woodfin Camp and Associates; **402** Richard D. Estes; **403** S. Nagendra / Photo Researchers, Inc.; **414** © Joseph Szabo / Photo Researchers, Inc.; **415** Photo de Melanie Kaestner / Zephyr Picture Agency; **420** (volet du haut) Gracieuseté de Riverside Publishing Company; **420** (volet du bas) © Sepp Seitz, 1982 / Woodfin Camp and Associates; **426** (volet de droite) © Joseph Szabo / Photo Researchers, Inc.; **426** (volet de gauche) © Elizabeth Crews; **427** Hugh Rogers / Monkmeyer Press Photo; **440** Alan Cary / The Image Works; **441** Sidney Harris; **450** (volet de gauche) Mark Antman / The Image Works; **450** (volet de droite) © Susan Lapides, 1981 / Design Conceptions; **451** (volet du haut, à droite) © Eric Kroll, 1979 / Taurus Photos; **451** (volet du haut, au milieu) © Lynn McLaren / Photo Researchers, Inc.; **451** (volet du bas, à droite) Robert V. Eckert Jr. / The Picture Cube; **451** (volet du bas, au milieu) © Michael Heron, 1978 / Woodfin Camp and Associates; **451** (volet du bas, à gauche) Rick Grosse / EKM-Nepenthe; **457** © Elizabeth Crews; **458** © Ed Lettau / Photo Researchers, Inc.; **460** Sidney Harris; **462** © Frank Siteman / Taurus Photos; **464** John T. Wood; **475** Sidney Harris; **477** © Sepp Seitz / Woodfin Camp and Associates; **492** (volet de gauche) © Arthur Tress / Photo Researchers, Inc.; **492** (volet de droite) Photo de Melanie Kaestner / Zephyr Picture Agency; **493** (volet de gauche) ©1981 Laimute E. Druskis / Taurus Photos; **493** (volet de droite) Robert V. Eckert, Jr. / EKM-Nepenthe; **494** Dave Schaefer / The Picture Cube; **496** Don Rutledge / Taurus Photos; **498** © Suzanne Szasz, 1981 / Photo Researchers, Inc.; **501** Margaret Bourke-White, *Life Magazine*. ©1945 Time Inc.; **503** (volets de gauche et de droite) Cathy Cheney / EKM-Nepenthe; **506** Sergio Dorantes / Sygma; **508** Charles Schultz. ©1975 United Features Syndicate; **510** Charles Schultz. ©1981 United Features Syndicate; **514** Sybil Shelton / Monkmeyer Press Photo; **524** Edvard Munch, *The Scream*, 1893. Nasjonalgalleriet, Oslo, Norvège; **525** Vincent van Gogh, *Auto-portrait*, 1887. Musée Stedelijk, Amsterdam; **533** Sidney Harris; **537** © Jean-Claude Lejeune / Stock, Boston; **538** Arthur Tress / Photo Researchers, Inc.; **542** (volet de gauche) © Joel Gordon, 1985; **542** (volet de droite) © Elizabeth Crews; **548** Figure 20 de Arieti, S., M.D. (1974) *Interpretation of Schizophrenia* par Silvano Arieti; ©1955 par Robert Brunner, Basic Books, Inc., New York; **549** Bill Bridges / Globe Photos; **551** Sidney Harris; **564** (au complet) Bettmann Archive; **565** (les deux) Jerry Cooke / Photo Researchers, Inc.; **566** © Ulricke Welsch / Stock, Boston; **568** Photographie de Edmund Engelman. © par Edmund Engelman, New York; **570** Sidney Harris; **572** Allan Grant Productions; **574** J. Olin Campbell; **577** © Nancy Bates / The Picture Cube; **579** Ted Lane Photography; **581** © Bohan Hrynewych / Stock, Boston; **583** © Tom Ballard / EKM-Nepenthe; **586** Sidney Harris; **588** Jean-Marie Simon / Taurus Photos; **594** N.I.M.H.; **596** St-Louis *Post-Dispatch* / Black Star; **597** Achievement Place; **606** Jean-Louis Atlan / Sygma; **610** © Hazel Hanken / Stock, Boston; **615** Paul S. Conklin; **624** Ivan Massar de Black Star; **625** Anestis Diakopoulos / Stock, Boston; **629** © Eric Koll / Taurus Photos; **635** (volet du haut) Ginger Chih; **635** (volets du milieu et du bas) Arthur Grace / Stock, Boston; **640** Alan Carey / Image Works; **644** (volet du haut) Daniel Brody / Stock, Boston; **644** (volet du bas) U.P.I. / Bettmann Newsphotos; **645** Beryl Goldberg; **651** (volet du haut) William Vandivert; **654** ©1965 par Stanley Milgram, du film *Obedience*, distribué par New York Film Division et le Pennsylvania State University, PCR; **655** (les deux) © Roger Mallock / Magnum Pictures; **661** ©1978 Eric A. Roth / The Picture Cube; **665** Elizabeth Crews; **666** Bob Smith / Rapho / Photo Researchers, Inc.; **667** © Volker Corell, 1980 / Black Star; **676** (les deux) Brown Brothers; **677** Brown Brothers;

680 Culver Pictures; **681** (volet du haut) Archives of the History of American Psychology, University of Akron, Akron, OH; **681** (volet du bas) Brown Brothers; **682** Gracieuseté de Carnegie-Mellon University.

Encart couleur

5-15 Fritz Goro, *Life Magazine*. ©1944 Time Inc. **5-16** Inmont Corporation. **5-17** American Optical Corporation. Photo © Susan Holtz. **5-18** Inmont Cor-poration. Jasper Johns, *Targets, 1967-1968*. Lithographie originale. Publiée par Universal Limited Art Editions.

Bibliographie

A

ABBOT, B.B., SCHOEN, L.S. et BADIA, P. (1984) « Predictable and unpredictable shock: Behavioral measures of aversion and physiological measures of stress ». *Psychological Bulletin*, 96:45-71.

ABELSON, R.P. (1968) « Computers, polls, and public opinion-Some puzzles and paradoxes ». *Transaction*, 5:20-27.

ABELSON, R.P. (1976) « Script processing in attitude formation and decision making ». Dans Carroll, J.S. et Payne, J.W. (Éd.), *Cognition and Social Behavior*. Hillsdale, N.J.: Erlbaum.

ABERNATHY, E.M. (1940) « The effect of changed environmental conditions upon the results of college examinations ». *Journal of Psychology*, 10:293-301.

ABRAHAMS, D., voir WALSTER, ARONSON, ABRAHAMS et ROTTMAN (1966).

ABRAMSON, L.Y., voir HAMILTON et ABRAMSON (1983).

ACKERMAN, R.H., voir CORKIN, COHEN, SULLIVAN, CLEG, ROSEN et ACKERMAN (1985).

ADAMS, G.R. (1981) « The effects of physical attractiveness on the socialization process ». Dans Lucher, G.W., Ribbens, K.A. et McNamara, J.A., Jr. (Éd.), *Psychological Aspects of Facial Form*. Craniofacial Growth Series. Ann Arbor: University of Michigan.

ADAMS, H.E., voir TURNER, CALHOUN et ADAMS (1981).

ADAMS, J.L. (1974) *Conceptual Blockbusting*. Stanford, Calif.: Stanford Alumni Association.

ADAMS, M. et COLLINS, A. (1979) « A schema-theoretic view of reading ». Dans Freedle, R.O. (Éd.), *New Directions Discourse Processing*, Vol. 12. Norwood, N.J.: Ablex.

ADAMS, N., voir SMITH, ADAMS et SCHORR (1978).

ADAMS, N.E., voir BANDURA, ADAMS et BEYER (1976).

ADAMS, N.E., voir BANDURA, ADAMS, HARDY et HOWELLS (1980).

ADELSON, E. (1982) « Saturation and adaptation in the rod system ». *Vision Research*, 22:1299-1312.

ADESSO, V.J., voir BOONE et ADESSO (1974).

AGRAS, W.S., (1975) « Fears and phobias ». *Stanford Magazine*, 3:59-62.

AGRAS, W.S. (1985) *Panic: Facing Fears, Phobias, and Anxiety*. New York: Freeman.

AGRAS, W.S. SYLVESTER, D. et OLIVEAU, D. (1969) « The epidemiology of common fears and phobia ». *Comprehensive Psychiatry*, 10:151-56.

AINSWORTH, M.D.S. (1979) « Infant-mother attachment ». *American Psychologist*, 34:932-37.

AINSWORTH, M.D.S., BLEHAR, M.C., WALTERS, E. et WALLS, S. (1978) *Patterns of Attachment: A Psychological Study of the Strange Situation*. Hillsdale, N.J.: Erlbaum.

AKADEMI, A., voir LAGERSPETZ, VIEMERO et AKADEMI (1986).

ALEXANDER, J., voir MACCOBY, FARQUHAR, WOOD et ALEXANDER (1977).

ALFORD, G.S. (1980) « Alcoholics anonymous: An empirical outcome study ». *Addictive Behaviors*, Vol. 5. Oxford: Pergamon Press.

ALLEN, A., voir BEM et ALLEN (1974).

ALLEN, M.G. (1976) « Twin studies of affective illness ». *Archives of General Psychiatry*, 35:1476-78.

ALLEN, V.L. et LEVINE, J.M. (1969) « Consensus and conformity ». *Journal of Experimental and Social Psychology*, 5 (n° 4): 389.

ALLEN, V.L. et LEVINE, J.M. (1971) « Social support and conformity: The role of independent assessment of reality ». *Journal of Experimental Social Psychology*, 7:48-58.

ALLISON, J., voir TIMBERLAKE et ALLISON (1974).

ALLPORT, F.H. (1920) « The influence of the group upon association and thought ». *Journal of Experimental Psychology*, 3:159-82.

ALLPORT, F.H. (1924) *Social Psychology*. Boston: Houghton Mifflin.

ALLPORT, G.H. (1985) « The historical background of social psychology ». Dans Lindzey, G. et Aronson, E. (Éd.), *The Handbook of Social Psychology* (3e éd.). New York: Random House. (Article publié la première fois en 1954).

ALTMAN, I. et TAYLOR, D.A. (1973) *Social Penetration: The Development of Interpersonal Relationships*. New York: Holt, Rinehart et Winston.

ALTUS, W.C. (1966) « Birth order and its sequelae ». *Science*, 151:44-49.

AMABILE, T.M., voir ROSS, AMABILE et STEINMETZ (1977).

AMERICAN PSYCHIATRIC ASSOCIATION (1980) *Diagnostic and Statistical Manual of Mental Disorders* (3e éd.). Washington, D.C.: American Psychiatric Association.

AMOORE, J.E. (1970) *The Molecular Basis of Odor*. Springfield, Ill.: Thomas.

ANASTASI, A. (1982) *Psychological Testing* (5e éd.). New York: Macmillan.

ANDERSON, D.J., voir ROSE, BRUGGE, ANDERSON et HIND (1967).

ANDERSON, J.R. (1982) « Acquisition of cognitive skill ». *Psychological Review*, 89:369-406.

ANDERSON, J.R. (1983) *The Architecture of Cognition*. Cambridge, Mass.: Harvard University Press.

ANDERSON, J.R. (1985) *Cognitive Psychology and Its Implications* (2e éd.). New York: Freeman.

ANDERSON, J.R., voir BRADSHAW et ANDERSON (1982).

ANDERSON, J.R., voir REDER et ANDERSON (1980).

ANDERSON, L.W., voir PALMER et ANDERSON (1979).

ANDERSON, N.H. et BUTZIN, C.A. (1978) « Integration theory applied to children's judgments of equity ». *Developmental Psychology*, 14:593-606.

ANDERTON, C.H., voir WADDEN et ANDERTON (1982).

ANDRASIK, F., voir HOLROYD, APPEL et ANDRASIK (1983).

ANDRES, D., voir GOLD, ANDRES et GLORIEUX (1979).

ANDREWS, K.H. et KANDEL, D.B. (1979) « Attitude and behavior ». *American Sociological Review*, 44:298-310.

ANDRYSIAK, T., voir SCHAEFFER, ANDRYSIAK et UNGERLEIDER (1981).

ANTONUCCIO, D.O., voir LEWINSOHN, ANTONUCCIO, STEINMETZ et TERI (1984).

ANTROBUS, J.S., voir ARKIN, ANTROBUS et ELLMAN (1978).

APPEL, M.A., voir HOLROYD, APPEL et ANDRASIK (1983).

APPLEFIELD, J.M., voir STEUER, APPLEFIELD et SMITH (1971).

ARAKAKI, K., voir KOBASIGAWA, ARAKAKI et AWIGUNI (1966).

ARDREY, R. (1966) *The Territorial Imperative*. New York: Dell.

AREND, R.A., voir MATAS, AREND et SROUFE (1978).

ARENDT, H. (1963) *Eichmann in Jerusalem: A Report on the Banality of Evil*. New York: Viking Press.

ARIETI, S. (1974) *Interpretation of Schizophrenia* (2ᵉ éd.). New York: Basic Books.

ARKIN, A.M., ANTROBUS, J.S. et ELLMAN, S.J. (Éd.) (1978) *The Mind in Sleep*. Hillsdale, N.J.: Erlbaum.

ARKIN, A.M., TOTH, M.F., BAKER, J. et HASTEY, J.M. (1970) « The frequency of sleep talking in the laboratory among chronic sleep talkers and good dream recallers ». *Journal of Nervous and Mental Disease*, 151:369-74.

ARKIN, R.M., voir GEEN, BEATTY et ARKIN (1984).

ARMSTRONG, S.L., GLEITMAN, L.R. et GLEITMAN, H. (1983) « What some concepts might not be ». *Cognition*, 13:263-308.

ARNOLD, M. (1949) « A demonstrational analysis of the TAT in a clinical setting ». *Journal of Abnormal and Social Psychology*, 44:97-111.

ARONSON, E. (1984) *The Social Animal* (4ᵉ éd.). San Francisco: Freeman.

ARONSON, E. et CARLSMITH, J.M. (1963) « The effect of the severity of threat on the devaluation of forbidden behavior ». *Journal of Abnormal and Social Psychology*, 66:584-88.

ARONSON, E., voir LINDZEY et ARONSON (1985).

ARONSON, E., voir WALSTER, ARONSON, ABRAHAMS et ROTTMAN (1966).

ASARNOW, J.R., voir STEFFY, ASARNOW, ASARNOW, MACCRIMMON et CLEGHORN (1984).

ASARNOW, R.F., voir STEFFY, ASARNOW, ASARNOW, MACCRIMMON et CLEGHORN (1984).

ASCH, S.E. (1952) *Social Psychology*. Englewood Cliffs, N.J.: Prentice-Hall.

ASCH, S.E. (1955) « Opinions and social pressures ». *Scientific American*, 193:31-35.

ASCH, S.E. (1958) « Effects of group pressure upon modification and distortion of judgments ». Dans Maccoby, E.E., Newcomb, T.M. et Hartley, E.L. (Éd.), *Readings in Social Psychology* (3ᵉ éd.). New York: Holt, Rinehart et Winston.

ASCHOFF, J. (1965) « Circadian rythm of a Russian vocabulary ». *Journal of Experimental Psychology: Human Learning and Memory*, 104:126-33.

ASLIN R.N. et BANKS, M.S. (1978) « Early visual experience in humans: Evidence for a critical period in the development of binocular vision ». Dans Schneider, S., Liebowitz, H., Pick, H. et Strevenson, H. (Éd.), *Psychology: From Basic Research to Practice*. New York: Plenum.

ASLIN, R.N., voir FOX, ASLIN, SHEA et DUMAIS (1980).

ATKINSON, J.W. et BIRCH, D. (1978) *An Introduction to Motivation*. New York: Van Nostrand.

ATKINSON, R.C. (1975) « Mnemotechnics in second-language learning ». *American Psychologist*, 30:821-28.

ATKINSON, R.C. (1976) « Teaching children to read using a computer ». *American Psychologist*, 29:169-78.

ATKINSON, R.C. et SHIFFRIN, R.M. (1971) « The control of short-term memory ». *Scientific American*, 224:82-90.

ATKINSON, R.C. et SHIFFRIN, R.M. (1977) « Human memory: A proposed system and its control processes ». Dans Bower, G.H. (Éd.), *Human Memory: Basic Processes*. New York: Academic Press.

ATKINSON, R.C., voir DARLEY, TINKLENBERG, ROTH, HOLLISTER et ATKINSON (1973).

AUERBACH, A., voir LUBORSKY, MCLELLAN, WOODY, O'BRIEN et AUERBACH (1985).

AUTRUM, H. et coll. (Éd.) (1971-1973) *Handbook of Sensory Physiology*. New York: Springer-Verlag.

AVERILL, J.R. (1983) « Studies on anger and aggression: Implications for theories of emotion ». *American Psychologist*, 38:1145-60.

AWAYA, S., MIYAKE, Y., IMAYUMI, Y., SHIOSE, Y., KNADA, T. et KOMURO, K. (1973) « Amblyopia ». *Japanese Journal of Opthalmology*, 17:69-82.

AWIGUNI, A., voir KOBASIGAWA, ARAKAKI et AWIGUNI (1966).

B

BACHEVALIER, J., voir MISHKIN, MALAMUT et BACHEVALIER (1984).

BACHMAN, J.G., voir JOHNSTON, O'MALLEY et BACHMAN (1986).

BACK, K., voir FESTINGER, SCHACHTER et BACK (1950).

BACKER, R., voir FRIEDMAN, SHEFFIELD, WULFF et BACKER (1951).

BADDELEY, A.D. (1976) *The Psychology of Memory*. New York: Basic Books.

BADDELEY, A.D. et HITCH, G.J. (1974) « Working memory ». Dans Bower, G.H. (Éd.), *The Psychology of Learning and Motivation*, Vol. 8. New York: Academic Press.

BADDELEY, A.D. et HITCH, G.J. (1977) « Recency re-examined ». Dans Dornic, S. (Éd.), *Attention and Performance*, Vol. 6. Hillsdale, N.J.: Erlbaum.

BADDELEY, A.D., THOMPSON, N. et BUCHANAN, M. (1975) Word length and the structure of short-term memory. *Journal of Verbal Learning and Verbal Behavior*, 14:575-89.

BADIA, P., voir ABBOTT, SCHOEN et BADIA (1984).

BAER, D.J. et CORRADO, J.J. (1974) « Heroin addict relationships with parents during childhood and early adolescent year ». *Journal of Genetic Psychology*, 124:99-103.

BEAR, P.E. et FUHRER, M.J. (1968) « Cognitive processes during differential trace and delayed conditioning of the G.S.R. » *Journal of Experimental Psychology*, 78:81-88.

BAGCHI, B., voir WENGER et BAGCHI (1961).

BAHRICK, L.E. et WATSON, J.S. (1985) « Detection of intermodel proprioceptive-visual contingency as a potential basis of self-perception in infancy ». *Developmental Psychology*, 21:693-973.

BAKER, B.L., voir GOLDSTEIN, BAKER et JAMISON (1986).

BAKER, J., voir ARKIN, TOTH, BAKER et HASTEY (1970).

BALL, T.M., voir KOSSLYN, BALL et REISER (1978).

BALLOUN, J.L., voir BROCK et BALLOUN (1967).

BANDUCCI, R. (1967) « The effect of mother's employment on the achievement, aspirations, and expectations of the child ». *Personnel and Guidance Journal*, 46:263-67.

BANDURA, A. (1973) *Aggression: A Social Learning Analysis*. Englewood Cliffs, N.J.: Prentice-Hall.

BANDURA, A. (1978) « The self-system in reciprocal determinism ». *American Psychologist*, 33:344-58.

BANDURA, A. (1980) *L'Apprentissage social*. Bruxelles, Pierre Mardaga.

BANDURA, A. (1984) « Recycling misconceptions of perceived self-efficacy ».

Cognitive Therapy and Research, 8:231-55.

BANDURA, A., ADAMS, N.E. et BEYER, J. (1976) « Cognitive processes mediating behavioral change ». *Journal of Personality and Social Psychology*, 35:125-39.

BANDURA, A., ADAMS, N.E., HARDY, A.B. et HOWELLS, G.N. (1980) « Tests of the generality of self-efficacy theory ». *Cognitive Therapy and Research*, 4:39-66.

BANDURA, A., BLANCHARD, E.B. et RITTER, B. (1969) « The relative efficacy of desensitization and modeling approaches for inducing behavioral, affective, and attitudinal changes ». *Journal of Personality and Social Psychology*, 13:173-99.

BANDURA, A. et MCDONALD, F.J. (1963) « Influence of social reinforcement and the behavior of models in shaping children's moral judgments ». *Journal of Abnormal and Social Psychology*, 67:274-81.

BANDURA, M.M., voir NEWCOMBE et BANDURA (1983).

BANET, B., voir HOHMANN, BANET et WEIKART (1979).

BANKS, M.S. (1982) « The development of spatial and temporal contrast sensitivity ». *Current Eye Research*, 2:191-98.

BANKS, M.S., voir ASLIN et BANKS (1978).

BANYAI, E.I. et HILGARD, E.R. (1976) « A comparison of active-alert hypnotic induction with traditional relaxation induction ». *Journal of Abnormal Psychology*, 85:218-24.

BARBEAU, G. et PINARD, A. (1951) *Épreuve individuelle d'intelligence générale*. Montréal, Centre de Psychologie et de Pédagogie.

BARBOUR, H.G. (1912) « Die Wirkung Unmittelbarer Erwarmung und Abkuhlung der Warmenzentrum auf die Korpertemperatur ». *Achiv fur Experimentalle Pathalogie und Pharmakologie*, 70:1-26.

BARCLAY, J.R., voir BRANSFORD, BARCLAY et FRANKS (1972).

BARLOW, H.B. (1972) « Single units and sensation: A neuron doctrine for perceptual psychology ». *Perception*, 1:371-94.

BARLOW, H.B., BLAKEMORE, C., PETTIGREW, J.D. (1967) « The neural mechanism of binocular depth discrimination ». *Journal of Physiology*, 193:327-42.

BARLOW, H.B. et MOLLON, J.D. (1982) *The Senses*. Cambridge: Cambridge University Press.

BARNES, G.E. et PROSEN, H. (1985) « Parental death and depression ». *Journal of Abnormal Psychology*, 94:64-69.

BARNES, P.J., voir BEAMAN, BARNES, KLENTZ et MCQUIRK (1978).

BARON, R.S. (1986) « Distraction-conflict theory: Progress and problems ». Dans Berkowitz, L. (Éd.), *Advances in Experimental Social Psychology*, Vol. 19. New York: Academic Press.

BARON, R.S., voir SANDERS et BARON (1975).

BARR, A. et FEIGENBAUM, E.A. (1982) « *The Handbook of Artificial Intelligence* ». Los Altos, Calif.: William Kaufman.

BARTIS, S.P., voir ZAMANSKY et BARTIS (1985).

BARTLETT, F.C. (1932) *Remembering: A Study in Experimental and Social Psychology*. Cambridge: Cambridge University Press.

BARTON, R., voir LEWINSOHN, MISCHEL, CHAPLIN et BARTON (1980).

BATCHELOR, B.R., voir HIRSCH et BATCHELOR (1976).

BATEMAN, F., voir SOAL et BATEMAN (1954).

BATTERMAN, N.A., voir KEIL et BATTERMAN (1984).

BATTERSBY, W. et WAGMAN, I. (1962) « Neural limits of visual excitability: Pt. 4. Spatial determinants of retrochiasmal interaction ». *American Journal of Physiology*, 203:359-65.

BAUM, A., GATCHEL, R.J., FLEMING, R. et LAKE, C.R. (1981) « Chronic and acute stress associated with the Three Mile Island accident and decontamination: Preliminary findings of a longitudinal study ». Technical report submitted to the U.S. Nuclear Regulatory Commission.

BAUMEISTER, R.F. et TICE, D.M. (1984) « Role of self-presentation and choice in cognitive dissonance under forced compliance: Necessary or sufficient causes? » *Journal of Personality and Social Psychology*, 43:838-52.

BAUMRIND, D. (1967) « Child care practices anteceding three patterns of preschool behavior ». *Genetic Psychology Monographs*, 75:43-88.

BAUMRIND, D. (1972) « Socialization and instrumental competence in young children ». Dans Hartup, W.W. (Éd.), *The Young Child: Reviews of Research*, Vol. 2. Washington, D.C.: National Association for the Education of Young Children.

BAYLEY, N. (1970) « Development of mental abilities ». Dans Mussen, P. (Éd.), *Carmichael's Manual of Child Psychology*, Vol. 1 New York: Wiley.

BEAMAN, A.L., BARNES, P.J., KLENTZ, B. et MCQUIRK, B. (1978). « Increasing helping rates through information dissemination: Teaching pays ». *Personality and Social Psychology Bulletin*, 4:406-11.

BEAMAN, A.L., voir DIENER, FRASER, BEAMAN et KELEM (1976).

BEATTY, W.W., voir GEEN, BEATTY et ARKIN (1984).

BEBBINGTON, P., STURT, E., TENNANT, C. et HURRY, J. (1984) « Misfortune and resilience: A community study of women ». *Psychological Medicine*, 14:347-63.

BEBBINGTON, P., voir TENNANT, SMITH, BEBBINGTON et HURRY (1981).

BECK, A.T. (1976) *Cognitive Therapy and the Emotional Disorders*. New York: International Universities Press.

BECK, A.T., RUSH, A.J., SHAW, B.F. et EMERY, G. (1979) *Cognitive Therapy of Depression*. New York: Guilford Press.

BECKER, B.J. (1983) « Item characteristics and sex differences on the SAT-M for mathematically able youths ». Presenté au Annual Meeting of American Educational Research Association, Montréal.

BEDNAR, R.L. et KAUL, T.J. (1978) « Experiential group research: Current perspectives ». Dans Garfield, S.L. et Bergin, A.E. (Éd.), *Handbook of Psychotherapy and Behavior Change* (2e éd.). New York: Wiley.

BEE, H. (1985) The Developing Child (4e éd.). New York: Harper et Row.

BEE, H.L. et MITCHELL, S.K. (1986) *Le développement humain*. Montréal, Éditions du Renouveau pédagogique.

BEECHER, H.K. (1961) « Surgery as placebo ». *Journal of American Medical Association*, 176:1102-107.

BEERS, C.W. (1908) *A Mind That Found Itself*. New York: Doubleday.

BÉGIN, G. et JOSHI, P. (1979) *Psychologie sociale*. Québec, Presses de l'Université Laval.

BEKESY, G. VON (1960) « *Experiments in Hearing* » (E.G. Weaver, trad.). New York: McGraw-Hill.

BELL, A.P. et WEINBERG, M.S. (1978) « *Homosexualities: A Study of Diversity Among Men and Women* ». New York: Simon et Schuster.

BELL, A.P., WEINBERG, M.S. et HAMMERSMITH, S.K. (1981) *Sexual Preference: Its Development in Men and Women*. Bloomington: Indiana University Press.

BELL, L.V. (1980) *Treating the Mentally Ill: From Colonial Times to the Present*. New York: Praeger.

BELLEZZA, F.S. et BOWER, G.H. (1981) « Person stereotypes and memory for people ». *Journal of Personality and Social Psychology*, 41 (n° 5):856-65.

BELLUGI, U., voir BROWN, CAZDEN et BELLUGI (1969).

BEM, D.J. (1970) *Beliefs, Attitudes and Human Affairs*. Belmont, Calif.: Brooks/Cole.

BEM, D.J. (1972) « Self-perception theory ». Dans Berkowitz, L. (Éd.), *Advances in Experimental Social Psychology*, Vol. 6. New York: Academic Press.

BEM, D.J. et ALLEN, A. (1974) On predicting some of the people some of the time: The search for cross-situational consistencies in behavior. *Psychological Review*, 81:506-20.

BEM, D.J., voir SCHMITT et BEM (1986).

BEM, S.L. (1975) « Sex-role adaptability: One consequence of psychological androgyny ». *Journal of Personality and Social Psychology*, 31:634-43.

BEM, S.L. (1981) « Gender schema theory: A cognitive account of sex typing ». *Psychological Review*, 88:354-64.

BEM, S.L., MARTYNA, W. et WATSON, C. (1976) « Sex typing and androgyny: Further explorations of the expressive domain ». *Journal of Personality and Social Psychology*, 34:1016-23.

BENBOW, C.P. et STANLEY, J.C. (1980) « Sex differences in mathematical ability: Fact or artifact? » *Science*, 210:1262-64.

BENDFELDT, F., voir LUDWIG, BRANDSMA, WILBUR, BENDFELDT et JAMESON (1972).

BENSON, H. (1975) « *The Relaxation Response* ». New York: Morrow.

BENSON, H. et FRIEDMAN, R. (1985) « A rebuttal to the conclusions of David S. Holmes' article: « Meditation and somatic arousal reduction. » » *American Psychologist*, 40:725-28.

BENSON, H., KOTCH, J.B., CRASSWELLER, K.D. et GREENWOOD, M.M. (1977) « Historical and clinical considerations of the relaxation response ». *American Scientist*, 65:441-43.

BENSON, H., voir JEMMOTT, BORYSENKO, MCCLELLAND, CHAPMAN, MEYER et BENSON (1985).

BERG, P., voir SPACHE et BERG (1978).

BERGIN, A.E. et LAMBERT, M.J. (1978) « The evaluation of therapeutic outcomes ». Dans Garfield, S.L. et Bergin, A.E. (Éd.), *Handbook of Psychotherapy and Behavior Change*, (2ᵉ éd.). New York: Wiley.

BERGLAS, S., voir JONES et BERGLAS (1978).

BERGMAN, T., voir HAITH, BERGMAN et MOORE (1977).

BERKELEY, G. (1709) « Essay Towards a New Theory of Vision ». Réimpression dans A.A. Luce et T.E. Jessup (Éd.), *The Works of George Berkeley*, Vol. 1. London: Nelson, 1948.

BERKOWITZ, L. (1965) « The concept of aggressive drive ». Dans Berkowitz, L. (Éd.), *Advances in Experimental Social Psychology*, Vol. 2. New York: Academic Press.

BERLIN, B. et KAY, P. (1969) *Basic Color Terms: Their Universality and Evolution*. Los Angeles: University of California Press.

BERMAN, J.S., MILLER, R.C. et MASSMAN, P.J. (1985) « Cognitive therapy versus systematic desensitization: Is one treatment superior? » *Psychological Bulletin*, 97:451-61.

BERMAN, L., voir YUSSEN et BERMAN (1981).

BERMAN, W., voir ZIGLER et BERMAN (1983).

BERNSTEIN, M. (1956) *The Search for Bridey Murphy*. New York: Doubleday.

BERNSTEIN, S., voir MARKUS, CRANE, BERNSTEIN et SILADI (1982).

BERNSTEIN, W.M., STEPHAN, W.G. et DAVIS, M.H. (1979) « Explaining attributions for achievement: A path analytic approach ». *Journal of Personality and Social Psychology*, 37:1810-21.

BERSCHEID, E. et WALSTER, E. (1974) « Physical attractiveness ». Dans Berkowitz, L.

(Éd.), *Advances in Experimental Social Psychology*. New York: Academic Press.

BERSCHEID, E. et WALSTER, E. (1978) *Interpersonal Attraction* (2ᵉ éd.). Menlo Park, Calif.: Addison-Wesley.

BERSCHEID, E., voir CAMPBELL et BERSCHEID (1976).

BERSCHEID, E., voir DION et BERSCHEID (1972).

BERSCHEID, E., voir DION, BERSCHEID et WALSTER (1972).

BERSCHEID, E. voir SNYDER, TANKE et BERSCHEID (1977).

BERTERA, J.H., voir RAYNER, INHOFF, MORRISON, SLOWIACZEK et BERTERA (1981).

BERTRAND, L.D., voir SPANOS, WEEKES et BERTRAND (1985).

BEVER, T.G., voir FODOR, BEVER et GARRETT (1974).

BEVER, T.G., voir TERRACE, PETITTO, SANDERS et BEVER (1979).

BEVERLY, K.I., voir REGAN, BEVERLEY et CYNADER (1979).

BEYER, J., voir BANDURA, ADAMS et BEYER (1976).

BIEDERMAN, I. (1981) « On the semantics of a glance at a scene ». Dans Kubovy, M. et Pomerantz, J. (Éd.), *Perceptual Organization*. Hillsdale, N.J.: Erlbaum.

BIERBRAUER, G. (1973) « Attribution and perspective: Effects of time, set, and role on interpersonal inference ». Dissertation de doctorat non publiée, Stanford University.

BIERBRAUER, G., voir ROSS, BIERBRAUER et HOFFMAN (1976).

BINET, A. (1922) *L'étude expérimentale de l'intelligence*, Paris, Castes.

BINET, A. et SIMON, T. (1905), « New methods for the diagnosis of the intellectual level of subnormals ». *Annals of Psychology*, 11:191.

BINET, A. et SIMON, T. (1908) Le développement de l'intelligence chez les enfants. Dans l'*Année psychologique*, 14, p. 1-94.

BIRCH, D., voir ATKINSON et BIRCH (1978).

BIRNBAUM, J.A. (1975) « Life patterns and self-esteem in gifted family oriented and career committed women ». Dans Mednic, M.S., Tangri, S.S., et Hoffman, L.W. (Éd.), *Women and Achievement*. Washington: Hemisphere Publisher.

BISIACH, E. et LUZZATI, C. (1978) « Unilateral neglect of representational space ». *Cortex*, 14:129-33.

BLACK, J.B., voir BOWER, BLACK et TURNER (1979).

BLACK, J.B., voir SEIFERT, ROBERTSON et BLACK (1985).

BLACKBURN, H., voir SHEKELLE, NEATON, JACOBS, HULLEY et BLACKBURN (1983).

BLAKE, R., voir SEKULER et BLAKE (1985).

BLAKEMORE, C. et COOPER, G.F. (1970) « Development of the brain depends on the visual environment ». *Nature*, 228:477-78.

BLAKEMORE, C. voir BARLOW, BLAKEMORE, et PETTIGREW (1967).

BLANCHARD, E.B., voir BANDURA, BLANCHARD et RITTER (1969).

BLANK, A., voir LANGER, BLANK et CHANOWITZ (1978).

BLEHAR, M.C., voir AINSWORTH, BLEHAR, WALTERS et WALL (1978).

BLISS, D., voir STEVENS-LONG, SCHWARTZ et BLISS (1976).

BLISS, E.L. (1980) « Multiple personalities: Report of fourteen cases with implications for schizophrenia and hysteria ». *Archives of General Psychiatry*, 37:1388-97.

BLOCK, J. (1971) *Lives Through Time*. Berkeley: Bancroft Books.

BLOCK, J. (1981) « Some enduring and consequential structures of personality ». Dans Rabin, A.I., Aronoff, J., Barclay, A.M. et Zucker, R.A. (Éd.), *Further Exploration in Personality*. New York: Wiley-Interscience.

BLOCK, J., BUSS, D.M., BLOCK, J.H. et GJERDE, P.F. (1981) « The cognitive style of breadth of categorization: Longitudinal consistency of personality correlates ». *Journal of Personality and Social Psychology*, 40:770-79.

BLOCK, J.H. (1980) « Another look at sex differentiation in the socialization behavior of mothers and fathers ». Dans Denmark, F. et Sherman, J. (Éd.), *Psychology of Women: Future Directions of Research*. New York: Psychological Dimensions.

BLOCK, J.H., voir BLOCK, BUSS, BLOCK et GJERDE (1981).

BLOOD, R.O. (1967) *Love Match and Arranged Marriage*. New York: Free Press.

BLUM, R. et ass (1972) *Horatio Alger's Children*. San Francisco: Jossey-Bass.

BOCK, R.D. et MOORE, E. (1982) *Advantage and Disadvantage: Vocational Prospects of American Young People*. Technical Report, National Opinion Research Center, University of Chicago.

BODEN, M. (1981) *Artificial Intelligence and Natural Man*, (réimpression). New York: Basic Books.

BOFF, K.R., KAUFMAN, L. et THOMAS, J.P. (Éd.) (1986) *Handbook of Perception and Human Performance*: Vol. 1 *Sensory Processes and Perception*. New York: Wiley.

BOLLES, R.C. (1970) « Species-specific defense reactions and avoidance learning ». *Psychological Review*, 77:32-48.

BOND, C.F. (1982) « Social facilitation: A self-presentational view ». *Journal of Personality and Social Psychology*, 42:1042-50.

BOND, L.A. et JOFFE, J.M. (Éd.) (1982) *Facilitating Infant and Early Childhood Development*. Hanover. N.H.: University Press of New England.

BOONE, J.A. et ADESSO, V.J. (1974) « Racial differences on a black intelligence test ».

Journal of Negro Education, 43:429-536.

BORDEN, R., voir FREEMAN, WALKER, BORDEN et LATANE (1975).

BORGIDA, E. et NISBETT, R.E. (1977) « The differential impact of abstract vs. concrete information on decisions ». *Journal of Applied Social Psychology*, 7:258-71.

BORING, E.G. (1930) « A new ambiguous figure ». *American Journal of Psychology*, 42:444-45.

BORING, E.G. (1942) *Sensation and Perception in the History of Experimental Psychology*. Appleton-Century-Crofts.

BORING, E.G. (1950) *A History of Experimental Psychology* (2e éd.), New York: Appleton-Century-Crofts.

BORING, E.G., voir HERRNSTEIN et BORING (1965).

BORTON, R., voir TELLER, MORSE, BORTON et REGAL (1974).

BORYSENKO, J., voir BORYSENKO et BORYSENKO (1982).

BORYSENKO, M. et BORYSENKO, J. (1982) « Stress, behavior, and immunity: Animal models and mediating mechanisms ». *General Hospital Psychiatry*, 4:59-67.

BORYSENKO, M., voir JEMMOTT, BORYSENKO, MCCLELLAND, CHAPMAN, MEYER et BENSON (1985).

BOUCHARD, T.J. (1976) « Genetic factors in intelligence ». Dans Kaplan, A.R. (Éd.), *Human Behavior Genetics*. Springfield, Ill.: Charles Thomas.

BOUCHARD, T.J., HESTON, L., ECKERT, E., KEYES, M. et RESNICK, S. (1981) « The Minnesota study of twins reared apart: Project description and sample results in the developmental domain ». *Twin Research*: Vol. 3. *Intelligence, Personality, and Development*. New York: Alan Liss.

BOUCHARD, T.J. et MCGUE, M. (1981) « Familial studies of intelligence: A review ». *Science*, 212:1055-59.

BOUCHARD, T.J., voir MCGUE et BOUCHARD (1984).

BOUTELLE, W., voir WEINGARTEN, GRAFMAN, BOUTELLE, KAYE et MARTIN (1983).

BOWE-ANDERS, C., voir ROFFWARG, HERMAN, BOWE-ANDERS et TAUBER (1978).

BOWER, G.H. (1972) « Mental imagery and associative learning ». Dans Gregg L.W. (Éd.), *Cognition in Learning and Memory*. New York: Wiley.

BOWER, G.H. (1981)« Mood and memory ». *American Psychologist*, 36:129-48.

BOWER, G.H., BLACK, J.B. et TURNER, T.R. (1979) « Scripts in memory for text ». *Cognitive Psychology*, 11:177-220.

BOWER, G.H. et CLARK, M.C. (1969) « Narrative stories as mediators for serial learning ». *Psychonomic Science*, 14:181-82.

BOWER, G.H., CLARK, M.C., WINZENZ, D. et LESGOLD, A. (1969) « Hierarchical retrieval schemes in recall of categorized word lists ». *Journal of Verbal Learning and Verbal Behavior*, 8:323-43.

BOWER, G.H. et HILGARD, E.R. (1981) *Theories of Learning* (5e éd.). Englewood Cliffs, N.J.: Prentice-Hall.

BOWER, G.H. et SPRINGTON, F. (1970) « Pauses as recoding points in letter series ». *Journal of Experimental Psychology*, 83:421-30.

BOWER, G.H., voir BELLEZZA et BOWER (1981).

BOWER, G.H., voir THOMPSON, REYES et BOWER (1979).

BOWER, S.A. ET BOWER, G.H. (1976) *Asserting Yourself*. Reading, Mass.: Addison-Wesley.

BOWER, T.G.R.(1982) *Development in Infancy* (2e éd.). San Francisco: Freeman.

BOWERS, K.S. (1984) « On being unconsciously influenced and informed ». Dans Bowers, K.S. et Meichenbaum, D. (Éd.), *The Unconscious Reconsidered*. New York: Wiley.

BOWERS, K.S. et MEICHENBAUM, D. (Éd.) (1984) *The Unconscious Reconsidered*. New York: Wiley.

BOWLBY, J. (1973) *Separation: Attachment and Loss*, Vol. 2. New York: Basic Books.

BOWMAKER, J.K., voir DARTNALL, BOWMAKER et MOLLON (1983).

BOYCOTT, B.B., voir DOWLING et BOYCOTT (1966).

BOYNTON, R. (1979) *Human Color Vision*. New York: Holt, Rinhart et Winston.

BRADSHAW, G.L. et ANDERSON, J.R. (1982) « Elaborative encoding as an explanation of levels of processing ». *Journal of Verbal Learning and Verbal Behavior*, 21:165-74.

BRAND, R.J., voir ROSENMAN, BRAND, JENKINS, FRIEDMAN, STRAUS et WRUM (1974).

BRANDSMA, J.M., voir LUDWIG, BRANDSMA, WILBUR, BENDFELDT et JAMESON (1972).

BRANDT, U., voir EYFERTH, BRANDT et WOLFGANG (1960).

BRANSFORD, J.D. et JOHNSON, M.K. (1973) Considerations of some problems of comprehension. Dans Chase, W.G. (Éd.), *Visual Information Processing*. New York: Academic Press.

BRANSFORD, J.D., BARCLAY, J.R. et FRANKS, J.J. (1972) « Sentence memory: A constructive versus interpretive approach ». *Cognitive Psychology*, 3:193-209.

BREHM, J.W., voir WORTMAN et BREHM (1975).

BRELAND, K. et BRELAND, M. (1961) « The misbehavior of organisms ». *American Psychologist*, 16:681-84.

BRELAND, K. et BRELAND, M. (1966) *Animal Behavior*. New York: Macmillan.

BRELAND, M., voir BRELAND et BRELAND (1961), (1966).

BRENNER, C. (1980) « A psychoanalytic theory of affects ». Dans Plutchik, R. et Kellerman, H. (Éd.) *Emotion: Theory, Research, and Experience*, Vol. 1. New York: Academic Press.

BRENNER, M.H. (1982) « Mental illness and the economy ». Dans Parron, D.L., Solomon, F., et Jenkins, C.D. (Éd.), *Behavior, Health Risks, and Social Disadvantage*. Washington, D.C.: National Academy Press.

BRENT, E.E., voir GRANBERG et BRENT (1974).

BREWER, W.F., et NAKAMURA, G.V. (1984) « The nature and functions of schemas ». Dans Wyer, R.S. et Srull, T.K. (Éd.), *Handbook of Social Cognition*, Vol. 1. Hillsdale, N.J.: Erlbaum.

BREWIN, C.R. (1985) « Depression and causal attributions: What is their relations? » *Psychological Bulletin*, 98:297-300.

BRICKER, W.A., voir PATTERSON, LITTMAN et BRICKER (1967).

BRIDGER, W.H. (1961) « Sensory habituation and discrimination in the human neonate ». *American Journal of Psychiatry*, 117:991-96.

BRIGGS, S.R., voir CHEEK et BRIGGS (1982).

BROADBENT, D.E. (1958) *Perception and Communication*. London: Pergamon Press.

BROCK, T.C. et BALLOUN, J.L. (1967) « Behavior receptivity of dissonant information ». *Journal of Personality and Social Psychology*, 6:413-28.

BRODIE, M., voir TESSER et BRODIE (1971).

BRONSON, G.W. (1972) « Infants' reactions to unfamiliar persons and novel objects ». *Monographs of the Society for Research in Child Development*, 37(3, série no 148).

BROOKS, B., voir KENSHALO, NAFE et BROOKS (1961).

BROTZMAN, E., voir HOFLING, BROTZMAN, DALRYMPLE, GRAVES et PIERCE (1966).

BROWN, A.E. (1936) « Dreams in which the dreamer knows he is asleep ». *Journal of Abnormal Psychology*, 31:59-66.

BROWN, D.P. (1977) « A model for the levels of concentrative meditation ». *International Journal of Clinical and Experimental Hypnosis*, 25:236-73.

BROWN, E.L. et DEFFENBACHER, K. (1979) *Perception and the Senses*. Oxford: Oxford University Press.

BROWN, G.W. et HARRIS, T. (1978) *Social Origins of Depression: A Study of Psychiatric Disorder in Women*. London: Tavistock.

BROWN, P.L. et JENKINS, H.M. (1968) « Autoshaping of the pigon's keypeck ». *Journal of the Experimental Analysis of Behavior*, 11:1-8.

BROWN, R. (1973) *A first Language: The Early Stages*. Cambridge, Mass.: Harvard University Press.

BROWN, R. (1985) *Social Psychology* (2e éd.). New York: Free Press.

BROWN, R., CAZDEN, C.B. et BELLUGI, U. (1969) « The child's grammar from 1 to 3 ». Dans Hill, J.P. (Éd.), *Minnesota Symposium on Child Psychology*, Vol. 2. Minneapolis: University of Minnesota Press.

BROWN, R.W. et MCNEILL, D. (1966) « The « tip-of-the-tongue » phenomenon ». *Journal of Verbal Learning and Verbal Behavior*, 5:325-37.

BROWN, S.W. (1970) « A comparative study of maternal employment and nonemployment ». Dissertation Ph.D non publiée, Mississipi State University (University Microfilms, 70-8610).

BROWN, T.S. et WALLACE, P.M. (1980) *Physiological Psychology*. New York: Academic Press.

BROZAN, N. (1985) « U.S. leads industrialized nations in teen-age births and abortions ». *New York Times* (March 13), p. 1.

BRUCKEN, L., voir KUHN, NASH et BRUCKEN (1978).

BRUGGE, J.F., voir ROSE, BRUGGE, ANDERSON et HIND (1967).

BRUNER, J.S., OLVER, R.R., GREENFIELD, P.M. et coll. (1966) Studies in *Cognitive Growth*, New York: Wiley.

BRUYER, R., LATERRE, C., SERON, X. et coll. (1983) « A case of prosopagnosia with some preserved covert remembrance of familiar faces ». *Brain and Cognition*, 2:257-84.

BRYAN, J.H. et TEST, M.A. (1967) « Models and helping: Naturalistic studies in aiding behavior ». *Journal of Personality and Social Psychology*, 6:400-707.

BRYANT, J., voir ZILLMANN et BRYANT (1974).

BRYDEN, M.P., voir LEY et BRYDEN (1982).

BUCHANAN, M., voir BADDELEY, THOMPSON et BUCHANAN (1975).

BURKHARD, B., voir DOMJAN et BURKHARD (1985).

BURT, D.R., voir CREESE, BURT et SNYDER (1978).

BUSCHKE, H., voir KINTSCH et BUSHKE (1969).

BUSS, A.H. et PLOMIN, R. (1975) *A Temperament Theory of Personality Development*. New York: Wiley.

BUSS, A.H., voir FENIGSTEIN, SCHEIER et BUSS (1975).

BUSS, A.H., voir SCHEIER, BUSS et BUSS (1978).

BUSS, D.M., voir BLOCK, BUSS, BLOCK et GJERDE (1981).

BUSS, D.M., voir SCHEIER, BUSS et BUSS (1978)

BUTCHER, J.N., voir COLEMAN, BUTCHER et CARSON (1984).

BUTCHER, J.N., voir KENDALL et BUTCHER (1982).

BUTTERS, N., voir SQUIRE et BUTTERS (1984).

BUTZIN, C.A., voir ANDERSON et BUTZIN (1978).

C

CAGGIULA, A.R. et HOEBEL, B.G. (1966) « A « copulation-reward site » in the posterior hypothalamus ». *Science*, 153:1284-85.

CAIN, W.S. (1978) « The odoriferous environment and the application of olfactory research ». Dans Carterette, E.C. et Friedman, M.P. (Éd.), *Handbook of Perception*, Vol. 7. New York: Academic Press.

CALDER, N. (1971) *The Mind of Man*. New York: Viking.

CALHOUN, K.S., voir TURNER, CALHOUN et ADAMS (1981).

CAMPBELL, B. et BERSCHEID, E. (1976) « The perceived importance of romantic love as a determinant of marital choice: Kephart revisited ten years later ». Manuscrit non publié.

CAMPBELL, E.A., COPE, S.J. et TEASDALE, J.D. (1983) « Social factors and affective disorder: An investigation of Brown and Harris's model ». British *Journal of Psychiatry*, 143:548-53.

CAMPBELL, E.H., voir FENNELL et CAMPBELL (1984).

CAMPBELL, E.Q., voir COLEMAN, CAMPBELL, HOBSON et coll. (1966).

CAMPBELL, F.W. et ROBSON, J.G. (1968) « Application of Fourier analysis to the visibility of gratings ». *Journal of Physiology*, 197:551-66.

CAMPBELL, H.J. (1973) *The Pleasure Areas*. London: Eyre Methuen.

CAMPOS, J.J., voir LAMB et CAMPOS (1982).

CANNON, J.T., voir TERMAN, SHAVIT, LEWIS, CANNON et LIEBESKIND (1984).

CANNON, W.B. (1927) « The James-Lange theory of emotions: A critical examination and an alternative theory ». *American Journal of Psychology*, 39:106-24.

CANNON, W.B. (1929) *Bodily changes in Pain, Hunger, Fear, and Rage*. New York: Appleton.

CANTRIL, H., voir FREE et CANTRIL (1967).

CARAMAZZA, A., et ZURIF, E.B. (1976) « Dissociation of algorithmic and heuristic processes in language comprehension: Evidence from Aphasia ». *Brain and Language*, 3:572-82.

CARAMAZZA, A., voir ZURIF, CARAMAZZA, MYERSON et GALVIN (1974).

CAREY, G. et GOTTESMAN, I.I. (1981) « Twin and family studies of anxiety, phobic, and obsessive disorders ». Dans Klein, D.F. et Rabkin, J. (Éd.), *Anxiety: New Research and Changing Concepts*. New York: Haven Press.

CARLSMITH, J.M., DORNBUSCH, S.M. et GROSS, R.T. (1983) Étude non publiée, communication personnelle.

CARLSMITH, J.M., voir ARONSON et CARLSMITH (1963).

CARLSMITH, J.M., voir FESTINGER et CARLSMITH (1959).

CARLSON, N.R. (1985) *Physiology of Behavior* (3e éd.). Boston: Allyn et Bacon.

CARLSON, R. (1971) Where is the person in personality research? Psychological Bulletin, 75:203-19.

CARLSON, S. (1985) « A double-blind test of astrology ». Nature, 318:419-25.

CARPENTER, P.A., voir DANEMAN et CARPENTER (1981).

CARPENTER, P.A., voir JUST et CARPENTER (1980).

CARPENTER, R.H.S. (1977) *Movements of the Eyes*. London: Pion.

CARR, K.D. et COONS, E.E. (1982). « Rats' self-administered nonrewarding brain stimulation to ameliorate aversion ». *Science*, 215:1516-17.

CARROL, E.N., ZUCKERMAN, M. et VOGEL, W.H. (1982) « A test of the optimal level of arousal theory of sensation seeking ». *Journal of Personality and Social Psychology*, 42:572-75.

CARROLL, D.W. (1985) *Psychology of Language*. Monterey, Calif.: Brooks/Cole.

CARSKADON, M.A., MITLER, M.M. et DEMENT, W.C. (1974) « A comparison of insomniacs and normals: Total sleep time and sleep latency ». *Sleep Research*, 3:130.

CARSON, R.C., voir COLEMAN, BUTCHER et CARSON (1984).

CARTERETTE, E.C. et FRIEDMAN, M.P. (Éd.) (1974 — 1978) *Handbook of Perception*, Vols. 1-11. New York: Academic Press.

CARTWRIGHT, R.D. (1974) « The influence of a conscious wish on dreams: A methodological study of dream meaning and function ». Journal of Abnormal Psychology, 83:387-93.

CARTWRIGHT, R.D. (1978) *A Primer on Sleep and Dreaming*. Reading, Mass.: Addison-Wesley.

CARVER, C.S. et SCHEIER, M.F. (1981) « Self-consciousness and reactance ». *Journal of Research in Personality*, 15:16-29.

CARVER, C.S., voir SCHEIER et CARVER (1977).

CARVER, C.S., voir SCHEIER et CARVER (1983).

CARVER, C.S., voir SCHEIER, CARVER et GIBBONS (1979).

CARVER, R.P. (1981) *Reading Comprehension and Reading Theory*. Springfield, Ill.: Thomas.

CASE, N.B., voir CASE, HELLER, CASE et MOSS (1985).

CASE, R. (1985) *Intellectual Development: Birth to Adolescence*. New York: Academic Press.

CASE, R.B., HELLER, S.S., CASE, N.B. et MOSS, A.J. (1985) « Type A behavior and survival after acute myocardial infarction ». *New England Journal of Medicine*, 312:737.

CASEY, K.L., voir MELZAK et CASEY (1968).

CASTELLUCI, V. et KANDEL, E.R. (1976) « Presynaptic facilitation as a mechanism for behavioral sensitization in Aplysia ». *Science*, 194:1176-78.

CATTELL, R.B. (1956) *La personnalité*. Paris, P.U.F.

CATTELL, R.B. (1986) *The Handbook for the 16 Personality Factor Questionnaire*. Champaign, Ill.: Institute for Personality and Ability Testing.

CAZDEN, C.B., voir BROWN, CAZDEN et BELLUGI (1969).

CHAFFEE, S., voir COMSTOCK, CHAFFEE, KATZMAN, MCCOMBS et ROBERTS (1978).

CHANOWITZ, B., voir LANGER, BLANK et CHANOWITZ (1978).

CHAPLIN, W., voir LEWINSOHN, MISCHEL, CHAPLIN et BARTON (1980).

CHAMPMAN, J., voir MCGHIE et CHAPMAN (1961).

CHAPMAN, J.P., voir CHAPMAN et CHAPMAN (1969).

CHAPMAN, L.J. et CHAPMAN, J.P. (1969) « Illusory correlation as an obstacle to the use of valid psychodiagnostic signs ». *Journal of Abnormal Psychology*, 74:271-80.

CHAPMAN, R., voir JEMMOTT, BORYSENKO, MCCLELLAND, CHAPMAN, MEYER et BENSON (1985).

CHARNEY, D.S. et HENINGER, G.R. (1983) « Monoamine receptor sensitivity and depression: Clinical studies of antidepressant effects on serotonin and noradrenergic function ». *Psychopharmacology Bulletin*, 20:213-23.

CHARNEY, D.S., HENINGER, G.R. et STERNBERG, D.E. (1984) « Serotonin function and mechanism of action of antidepressant treatment: Effects of amitriptyline and desipramine ». *Archives of General Psychiatry*, 41:359-65.

CHARNOV, E.L., voir LAMB, THOMPSON, GARDNER, CHARNOV et ESTES (1984).

CHASE, W.G. et SIMON, H.A. (1973) « The mind's eye in chess ». Dans Chase, W.G. (Éd.), *Visual Information Processing*. New York: Academic Press.

CHASE, W.G., voir ERICSSON, CHASE et FALOON (1980).

CHAUDURI, H. (1965) *Philosophy of Meditation*. New York: Philosophical Library.

CHEEK, J.M. et BRIGGS, S.R. (1982) « Self-consciousness and aspects of identity ». *Journal of Research in Personality*, 16:401-408.

CHEN, S.C. (1937) « Social modification of the activity of ants in nest-building ». *Physiological Zoology*, 10:420-36.

CHESS, S. et THOMAS, A. (1982) « Infant bonding: Mystique and reality ». *American Journal of Ortho-Psychiatry*, 52:213-22.

CHESS, S., voir THOMAS et CHESS (1977).

CHI, M., GLASER, R. et REES, E. (1982) « Expertise in problem solving ». Dans Sternberg, R. (Éd.), *Advances in the Psychology of Human Intelligence*, Vol. 1. Hillsdale, N.J.: Erlbaum.

CHODOROW, N. (1978) *The Reproduction of Mothering*. Los Angeles: University of California Press.

CHOMSKY, N. (1957) *Syntactic Structures*. The Hague: Mouton.

CHOMSKY, N. (1965) *Aspects of the Theory of Syntax*. Cambridge, Mass.: M.I.T. Press.

CHOMSKY, N. (1970) *Langage et pensée*. Paris, Payot.

CHOMSKY, N. (1980a) « On cognitive structures and their development: A reply to Piaget ». Dans Piatelli-Palmarini, M. (Éd.), *Language and Learning: The Debate Between Jean Piaget and Noam Chomsky*. Cambridge, Mass.: Harvard University Press.

CHOMSKY, N. (1980b) *Rules and Representations*. New York: Columbia University Press.

CIMBOLIC, P., voir MCNEAL et CIMBOLIC (1986).

CLARK, E.V. (1983) « Meanings and concepts ». Dans Mussen, P.H. (Éd.), *Handbook of Child Psychology*. New York: Wiley.

CLARK, E.V., voir CLARK et CLARK (1977).

CLARK, H.H. (1984) « Language use and language users ». Dans Lindzey, G. et Aronson, E. (Éd.), *The Handbook of Social Psychology*, Vol. 2 (3e éd.). New York: Harper et Row.

CLARK, H.H. et CLARK, E.V. (1977) *Psychology and Language: An Introduction to Psycholinguistics*. New York: Harcourt Brace Jovanovich.

CLARK, M.C., voir BOWER et CLARK (1969).

CLARK, M.C., voir BOWER, CLARK, WINZENZ et LESGOLD (1969).

CLARK, R.D., III, voir MAASS et CLARK (1983).

CLARK, R.D., III, voir MAASS et CLARK (1984).

CLARK, R.W., voir MINIUM et CLARK (1982).

CLARK, V., voir TASHKIN, COULSON, CLARK et coll. (1985).

CLARKE-STEWART, K.A. (1973) « Interactions between mothers and their young children: Characteristics and consequences ». *Monographs of the Society for Research in Child Development*, 38.

CLARKE-STEWART, K.A. (1982) *Daycare*. Cambridge, Mass.: Harvard University Press.

CLARKE-STEWART, K.A. (1978) « Popular primers for parents ». *American Psychologist*, 35:359-69.

CLARKE-STEWART, K.A. et FEIN, G.G. (1983) « Early childhood programs ». Dans Mussen, P.H. (Éd.), *Handbook of Child Psychology*, Vol. 2 (4e éd.). New York: Wiley.

CLARREN, S.K., voir STREISSGUTH, CLARREN et JONES (1985).

CLAYTON, R.R., voir O'DONNELL et CLAYTON (1982).

CLECKLEY, H., voir THIGPEN et CLECKLEY (1957).

CLEG, R.A., voir CORKIN, COHEN, SULLIVAN, CLEG, ROSEN et ACKERMAN (1985).

CLERGHORN, J.M., voir STEFFY, ASARNOW, ASARNOW, MACCRIMMON et CLEGHORN (1984).

CLEMENT, P.W., voir WALKER, HEDBERG, CLEMENT et WRIGHT (1981).

COATES, B., voir HARTUP et COATES (1967).

COE, W.C. et SARBIN, T.R. (1977) « Hypnosis from the Standpoint of a contextualist ». *Annals of the New York Academy of Sciences*, 296:2-13.

COHEN, J., voir WELKOWITZ, EWEN et COHEN (1982).

COHEN, N.J. et SQUIRE, L.R. (1980) « Preserved learning and retention of pattern analyzing skill in amnesia: Dissociation of knowing how and knowing that ». *Science*, 210:207-09.

COHEN, N.J., voir CORKIN, COHEN, SULLIVAN, CLEGG, ROSEN et ACKERMAN (1985).

COHEN, N.J., voir SQUIRE et COHEN (1984).

COHEN, N.J., voir SQUIRE, COHEN et NADEL (1984).

COHEN, S. et WILLS, T.A. (1985) « Stress, social support, and the buffering hypothesis ». *Psychological Bulletin*, 98:310-57.

COLBURN, H.S., voir DURLACH et COLBURN (1978).

COLE, M. (1981) « Mind as a cultural achievement: Implications for IQ testing ». *Annual Report, 1979 — 1980*. Research and Clinical Center for Child Development. Faculty of Education, Hokkaido University, Sapporo, Japan.

COLE, M. et COLE, S.R. (1987) *Human Development*. New York: Scientific American Books.

COLEMAN, J.C., BUTCHER, J.N. et CARSON, R.C. (1984) *Abnormal Psychology and Modern Life* (7e éd.). Glenview, Ill.: Scott, Foresman.

COLEMAN, J.S., CAMPBELL, E.Q., HOBSON, C.J. et coll. (1966) *Equality of Educational Opportunity, Supplemental Appendix 9.10*. Washington, D.C.: DHEW.

COLLINS, A., voir ADAMS et COLLINS (1979).

COLLINS, A.M. et QUILLIAN, M.R. (1969) « Retrieval time from semantic memory ». *Journal of Verbal Learning and Verbal Behavior*, 8:240-48.

COLLINS, J.K., voir HARPER et COLLINS (1972).

COMSTOCK, G., CHAFFEE, S., KATZMAN, N., MCCOMBS, M. et ROBERTS, D. (1978) *Television and Human Behavior*. New York: Columbia University Press.

CONDRY, J. et CONDRY, S. (1976) « Sex differences: A study in the eye of the beholder ». *Child Development*, 47:812-19.

CONDRY, S., voir CONDRY et CONDRY (1976).

CONGER, J.J. et PETERSON, A.C. (1983) *Adolescence and Youth: Psychological Development in a Changing World* (3e éd.). New York: Harper et Row.

CONGER, J.J., voir MUSSEN, CONGER, KAGAN et HUSTON (1984).

CONLEY, J.J. (1985) « Longitudinal stability of personality traits: A multitrait-multimethod-multioccasion analysis ». *Journal of Personality and Social Psychology*, 49:1266-82.

CONNOLLY, C., voir SYER et CONNOLLY (1984).

CONRAD, R. (1964) « Acoustic confusions in immediate memory ». *British Journal of Psychology*, 55:75-84.

CONSUMERS UNION (1980) *The Medicine Show* (5e éd.). Mount Vernon, N.Y.: Consumers Union of U.S., Inc.

CONTRADA, R.J., voir WRIGHT, CONTRADA et GLASS (1985).

COONS, E.E., voir CARR et COONS (1982).

COOPER, F., voir LIBERMAN, COOPER, SHANK-WEILER et STUDDERT-KENNEDY (1967).

COOPER, G.F., voir BLAKEMORE et COOPER (1970).

COOPER, J., voir FAZIO, ZANNA et COOPER (1977).

COOPER, J., voir WORD, ZANNA et COOPER (1974).

COOPER, L.A. et SHEPARD, R.N. (1973) « Chronometric studies of the rotation of mental images ». Dans Chase, W.G. (Éd.), Visual Information Processing. New York: Academic Press.

COOPER, L.A., voir SHEPARD et COOPER (1981).

COOPER, L.M. (1979) « Hypnotic amnesia ». Dans Fromm, E., et Shor, R.E. (Éd.), Hypnosis: Developments in Research and New Perspectives (réimpression). New York: Aldine.

COPE, S.J., voir CAMPBELL, COPE et TEASDALE (1983).

CORBIT, J.D., voir SOLOMON et CORBIT (1974).

CORDUA, G.D., MCGRAW, K.O., et DRABMAN, R.S. (1979) « Doctor or nurse: Children's perception of sex-typed occupations ». Child Development, 50:590-93.

COREN, S., PORAC, C. et WARD, L.M. (1984) Sensation and Perception (2e éd.). Orlando: Academic Press.

CORKIN, S., COHEN, J.J., SULLIVAN, E.V., CLEGG, R.A., ROSEN, T.J. et ACKERMAN, R.H. (1985) « Analyses of global memory impairments of different etiologies ». Dans Olton, D.S., Gamzu, E. et Corkin, S. (Éd.), Memory Dysfunction. New York: New York Academy of Sciences.

CORKIN, S., voir MILNER, CORKIN et TEUBER (1968).

CORRADO, J.J., voir BAER et CORRADO (1974).

CORSINI, R.J. (1984) Current Psychotherapies (3e éd.). Itasca, Ill.: Peacock.

COSCINA, D.V. et DIXON, L.M. (1983) « Body weight regulation in anorexia nervosa: Insights from an animal model ». Dans Darby, P.L., Garfinkel, P.E., Garner, D.M. et Coscina, D.V. (Éd.), Anorexia Nervosa: Recent Developments. New York: Allan R. Liss.

COSTA, P., voir MADDI et COSTA (1972).

COSTA, E. (1985) « Benzodiazepine/GABA interactions: A model to investigate the neurobiology of anxiety ». Dans Tuma, A.H., et Maser, J.D. (Éd.), Anxiety and the Anxiety Disorders. Hillsdale, N.J.: Erlbaum.

COSTA, P.T., JR., ZONDERMAN, A.B., MCCRAE, R.R., WILLIAMS, R.B., JR. (1985) « Content and comprehensiveness in the MMPI: An item factor analysis in a normal adult sample ». Journal of Personality and Social Psychology, 48:925-33.

COTMAN, C.W. et MCGAUGH, J.L. (1980) Behavioral Neuroscience: An Introduction. New York: Academic Press.

COTTRELL, N.B. (1972) « Social facilitation ». Dans McClintock, C.G. (Éd.), Experimental Social Psychology. New York: Holt, Rinehart et Winston.

COTTRELL, N.B., RITTLE, R.H. et WACK, D.L. (1967) « Presence of an audience and list type (competitional or noncompetitional) as joint determinants of performance in paired-associates learning ». Journal of Personality, 35:425-34.

COTTRELL, N.B., WACK, D.L., SEKERAK, G.J. et RITTLE, R.H. (1968) « Social facilitation of dominant responses by the presence of an audience and the mere presence of others ». Journal of Personality and Social Psychology, 9:245-50.

COULSON, A., voir TASHKIN, COULSON, CLARD et coll. (1985).

COX, C.L., voir MILLER et COX (1981).

COX, J.R., voir GRIGGS et COX (1982).

COYNE, J.C., voir DELONGIS, COYNE, DAKOF, FOLKMAN et LAZARUS (1982).

CRAIGHEAD, L.W., STUNKARD, A.J., et O'BRIEN, R.M. (1981) « Behavior therapy and pharmacotherapy for obesity ». Archives of General Psychiatry, 38:763-68.

CRAIGHEAD, W.E., KAZDIN, A.E. et MAHONEY, M.J. (1981) Behavior Modification: Principles, Issues, and Applications (2e éd.). Boston: Houghton Mifflin.

CRAIK, F.I.M. et LOCKHART, R.S. (1972) « Levels of processing: A framework for memory research ». Journal of Verbal Learning and Verbal Behavior, 11:671-84.

CRAIK, F.I.M. et WATKINS, M.J. (1973) « The role of rehearsal in short-term memory ». Journal of Verbal Learning and Verbal Behavior, 12:599-607.

CRAIK, K. (1943) The Nature of Explanation. New York: Cambridge University Press.

CRANE, M., voir MARKUS, CRANE, BERNSTEIN et SILADI (1982).

CRASSWELLER, K.D., voir BENSON, KOTCH, CRASSWELLER et GREENWOOD (1977).

CREESE, I., BURT, D.R. et SNYDER, S.H. (1978) « Biochemical actions of neuroleptic drugs ». Dans Iversen, L.L., Iversen, S.D. et Snyder, S.H. (Éd.), Handbook of Psychopharmacology. Vol. 10. New York: Plenum.

CRICK, F. et MITCHISON, G. (1983) The function of dream sleep. Nature, 304:111-14.

CRISTOL, A.H., voir SLOANE, STAPLES, CRISTOL, YORKSTON et WHIPPLE (1975).

CRONBACH, L.J. (1984) Essentials of Psychological Testing (4e éd.). New York: Harper et Row.

CROWDER, R.G. (1976) Principles of Learning and Memory. Hillsdale: N.J.: Erlbaum.

CROWDER, R.G. (1982) « The demise of short-term memory ». Acta Psychologica, 50:291-323.

CRUTCHFIELD, L., voir KNOX, CRUTCHFIELD et HILGARD (1975).

CUDECK, R., voir MEDNICK, CUDECK, GRIFFITH, TALOVIC et SCHULSINGER (1984).

CURETON, K.H., voir THOMPSON, JARVIE, LAKEY et CURETON (1982).

CURTISS, S., voir FROMKIN, KRASHEN, CURTISS, RIGLER et RIGLER (1974).

CYNADER, M., voir REGAN, BEVERLEY et CYNADER (1979).

D

D'ANDRADE, R.G. (1967) « Report on some testing and training procedures at Bassawa Primary School, Zaria, Nigeria ». Manuscrit non publié.

D'AQUILA, J.M., voir SANDERS. SOARES et D'AQUILA (1982).

DAKOF, G., voir DELONGIS, COYNE, DAKOF, FOLKMAN et LAZARUS (1982).

DALE, A.J.D. (1975) « Organic brain syndromes associated with infections ». In Freedman, A.M., Kaplan, H.I. et Sadock, B.J. (Éd.), Comprehensive Textbook of Psychiatry, Vol. 2. 1:1121-30. Baltimore, Md.: Williams et Wilkins.

DALE, L.A., voir WOLMAN, DALE, SCHMEIDLER et ULLMAN (1985).

DALRYMPLE, S., voir HOFLING, BROTZMAN, DALRYMPLE, GRAVES et PIERCE (1966).

DAMON, W. (1977) The Social World of the Child. San Francisco: Jossey-Bass.

DANEMAN, M. et CARPENTER, P.A. (1981) « Individual differences in working memory and reading ». Journal of Verbal Learning and Verbal Behavior, 19:450-66.

DARBY, C.L., voir PLATT, YAKSH et DARBY (1967).

DARIAN-SMITH, I. (Éd.) (1984) Handbook of Physiology: The Nervous System: Section 1, Vol. 3. Sensory Process. Bethesda, Md.: American Physiological Society.

DARLEY, C.F., TINKLENBERG, J.R., ROTH, W.T., HOLLISTER, L.E. et ATKINSON, R.C. (1973) « Influence of marijuana on storage and retrieval processes in memory ». Memory and Cognition, 1:196-200.

DARLEY, I.M., voir LATANE et DARLEY (1970).

DARLEY, J.M. et LATANE, B. (1968) « Bystander intervention in emergencies: Diffusion of responsibility ». Journal of Personality and Social Psychology, 8:377-83.

DARLEY, J.M., voir LATANE et DARLEY (1968).

DARLINGTON, R., voir LAZAR et DARLINGTON (1982).

DARTNALL, H.J.A., BOWMAKER, J.K. et MOLLON, J.D. (1983) « Microspectrometry of human photoreceptors ». Dans Mollon, J.D. et Sharpe, L.T. (Éd.), Colour Vision. New York: Academic Press.

DARWIN, C. (1859) On the Origin of the Species. London: Murray.

DARWIN, C. (1972) The Expression of Emotion in Man and Animals. New York: Philosophical Library.

DASHIELL, J.F. (1930) « An experimental analysis of some group effects ». Journal of Abnormal and Social Psychology, 25:190-99.

DASHIELL, J.F. (1935) « Experimental studies of the influence of social situations on the behavior of individual human adults ». Dans Murchison, C. (Éd.), *Handbook of Social Psychology*. Worcester, Mass.: Clark University.

DAVIDSON, A.R. et JACCARD, J.J. (1979) « Variables that moderate the attitude-behavior relations: Results of a longitudinal survey ». *Journal of Personality and Social Psychology*, 37:1364-76.

DAVIDSON, E.S., YASUNA, A. et TOWER, A. (1979) « The effects of television cartoons on sex-role stereotyping in young girls ». *Child Development*, 50:597-600.

DAVIS, A., voir EELLS, DAVIS, HAVIGHURST, HERRICK et TYLER (1951).

DAVIS, B., voir STUART et DAVIS (1972).

DAVIS, B., voir MOHS, DAVIS, GREENWALD et coll. (1985).

DAVIS, J.M., voir JANICAK, DAVIS, GIBBONS, ERICKSEN, CHANG et GALLAGHER (1985).

DAVIS, M.H., voir BERNSTEIN, STEPHAN et DAVIS (1979).

DAVIS, M.H., voir FRANZOI, DAVIS et YOUNG (1985).

DAVISON, G.C. et NEALE, J.M. (1986) *Abnormal Psychology: An Experimental Clinical Approach* (4e éd.). New York: Wiley.

DEBACA, P.C., voir HOMME, DE BACA, DEVINE, STEINHORST et RICKERT (1963).

DE CASPER, A.J. et FIFER, W.P. (1980) « Of human bonding: Newborns prefer their mother's voices ». *Science*, 208: 1174-76.

DEAUX, K. (1985) « Sex and gender ». *Annual Review of Psychology*, 36:49-81.

DECINA, P., voir SACKEIM, PORTNOY, NEELEY, STEIF, DECINA et MALITZ (1985).

DEFFENBACHER, K., voir BROWN et DEFFENBACHER (1979).

DEFRIES, J.C., voir PLOMIN, DEFRIES et MCCLEARN (1980).

DIEKMAN, A.J. (1963) « Experimental meditation ». *Journal of Nervous and Mental Disease*, 136:329-73.

DELANEY, H.D., voir PRESSLEY, LEVIN et DELANEY (1982).

DELONGIS, A., COYNE, J.C., DAKOF, G., FOLKMAN, S. et LAZARUS, R.S. (1982) « Relationship of daily hassles, uplifts and major life events to health status ». *Health Psychology* 1:119-36.

DELONGIS, A., voir FOLKMAN, LAZARUS, DUNKEL-SCHETTER, DELONGIS et GRUEN (1986).

DELORME, A. (1982) *Psychologie de la perception*. Montréal, Éditions Études Vivantes.

DEMBROSKI, T.M., MACDOUGALL, J.M., WILLIAMS, B. et HANEY, T.L. (1985) « Components of Type A hostility and anger: Relationship to angiographic findings ». *Psychosomatic Medicine*, 47:219-33.

DEMENT, W.C. (1960) « The effect of dream deprivation ». *Science*, 181:1705-1707.

DEMENT, W.C. (1976) *Some Must Watch While Some Must Sleep*. New York: Simon et Schuster.

DEMENT, W.C. et KLEITMAN, N. (1957) « The relation of eye movements during sleep to dream activity: An objective method for the study of dreaming ». *Journal of Experimental Psychology*, 53:339-46.

DEMENT, W.C. et WOLPERT, E. (1958) « The relation of eye movements, bodily motility, and external stimuli to dream content ». *Journal of Experimental Psychology*, 55:543-53.

DEMENT, W.C., voir CARSKADON, MITLER et DEMENT (1974).

DEMENT, W.C., voir GULEVICH, DEMENT et JOHNSON (1966).

DEMING, M., voir SHEPOSH, DEMING et YOUNG (1977).

DENARI, M., voir YESAVAGE, LEIER, DENARI et HOLLISTER (1985).

DENNIS, W. (1960) « Causes of retardation among institutional children: Iran ». *Journal of Genetic Psychology*, 96:47-59.

DENNIS, W. (1973) *Children of the Creche*. Englewood Cliffs, N.J.: Prentice-Hall.

DER SIMONIAN, R. et LAIRD, N.M. (1983) « Evaluating the effect of coaching on SAT scores: A meta-analysis », *Harvard Educational Review*, 53:1-15.

DERMAN, D., voir EKSTROM, FRENCH, HARMAN et DERMAN (1976).

DERMER, M., voir MITA, DERMER et KNIGHT (1977).

DESILVA, R.A., voir REICH, DESILVA, LOWN et MURAWSKI (1981).

DEUTSCH, G., voir SPRINGER et DEUTSCH (1985).

DEVALOIS, K.K., voir DEVALOIS et DEVALOIS (1980).

DEVALOIS, R.L. et DEVALOIS, K.K. (1980) « Spatial vision ». *Annual Review of Psychology*, 31:309-41.

DEVALOIS, R.L. et JACOBS, G.H. (1984) « Neural mechanisms of color vision ». Dans Darian-Smith, I. (Éd.), *Handbook of Physiology*, Vol. 3. Bethesda, Md.: American Physiological Society.

DEVINE, J.V., voir HOMME, DE BACA, DEVINE, STEINHORST et RICKERT (1963).

DICARA, L.V. (1970) « Learning in the autonomous nervous system ». *Scientific American*, 222:30-39.

DICARA. L.V. et MILLER, W.E. (1968) « Instrumental learning of systolic blood pressure responses by curarized rats ». *Psychosomatic Medicine*, 30:489-94.

DICK, L., voir TART et DICK (1970).

DIENER, E. (1976) « Effects of prior destructive behavior, anonymity, and group presence on deindividuation and aggression ». *Journal of Personality and Social Psychology*, 33:497-507.

DIENER, E. (1979) « Deindividuation, self-awareness, and disinhibition ». *Journal of Personality and Social Psychology*, 37:1160-71.

DIENER, E. (1980) « Deindividuation: The absence of self-awareness and self-regulation in group members ». Dans Paulus, P.B. (Éd.), *The Psychology of Group Influence*. Hillsdale, N.J.: Erlbaum.

DIENER, E., FRASER, S.C., BEAMAN, A.L. et KELEM, R.T. (1976) « Effects of deindividuation variables on stealing among Halloween trick-or-treaters ». *Journal of Personality and Social Psychology*, 33:178-83.

DIGMAN, J.M. et INOUYE, J. (1986) « Further specification of the five robust factors of personality ». *Journal of Personality and Social Psychology*, 50:116-23.

DION, K.K. (1972) « Physical attractiveness and evaluations of children's transgressions ». *Journal of Personality and Social Psychology*, 24:207-13.

DION, K.K. et BERSCHEID, E. (1972) Physical attractiveness and social perception of peers in preschool children. Manuscrit non publié, University of Minnesota, Minneapolis.

DION, K.K., BERSCHEID, E. et WALSTER, E. (1972) « What is beautiful is good ». *Journal of Personality and Social Psychology*, 24:285-90.

DION, K.K. et STEIN, S. (1978) « Physical attractiveness and interpersonal influence ». *Journal of Experimental Social Psychology*, 14:97-108.

DIPIETRO, J.A. (1981) « Rough and tumble play: A function of gender ». *Developmental Psychology*, 17:50-58.

DIXON, L.M., voir COSCINA et DIXON (1983).

DOANE, B.K., voir HERON, DOANE et SCOTT (1956).

DOBELLE, W.H., MEADEJOVSKY, M.G. et GIRVIN, J.P. (1974) « Artificial vision for the blind: Electrical stimulation of visual cortex offers hope for a functional prosthesis ». *Science*, 183:440-44.

DOBIE, S., voir LOWINGER et DOBIE (1969).

DODDS, J.B., voir FRANKENBURG et DODDS (1967).

DOHRENWEND, B.S. (1973) « Social status and stressful life events ». *Journal of Personality and Social Psychology*, 28:225-35.

DOLLARD, J., DOOB, L.W., MILLER, N.E., MOWRER, O.J. et SEARS, R.R. (1939) *Frustration and Aggression*. New Haven: Yale University Press.

DOMINO, G. (1971) « Interactive effects of achievement orientation and teaching style of academic achievement ». *Journal of Educational Psychology*, 62:427-31.

DOMJAN, M. et BURKHARD, B. (1985) *The Principles of Learning and Behavior*. Monterey, Calif.: Brooks/Cole.

DOOB, A.N. et WOOD, L.E. (1972) « Catharsis and aggression: Effects of annoyance and retaliation on aggressive behavior ». *Journal of Personality and Social Psychology*, 22:156-62.

DOBB, L.W., voir DOLLARD, DOOB, MILLER, MOWRER et SEARS (1939).

DORNBUSCH, S.M., voir CARLSMITH, DORN-BUSCH et GROSS (1983).

DOWLING, J.E. et BOYCOTT, B.B. (1966) « Organization of the primate retina ». *Proceedings of the Royal Society of London, Series B*, 166:80-111.

DOWNING, L.L., voir JOHNSON et DOWNING (1979).

DOWNS, A.C., voir LANGLOIS et DOWNS (1980).

DRABMAN, R.S., voir THOMAS, HORTON, LIPPINCOTT et DRABMAN (1977).

DRUCKER-COLIN, R., SHKUROVICH, M. et STERMAN, M.B. (Éd.) (1979) *The Functions of Sleep*. New York: Academic Press.

DRUGAN, R.C., voir LAURENDSLAGER, RYAN, DRUGAN, HYSON et MAIER (1983).

DUMAIS, S.T., voir FOX, ASLIN, SHEA et DUMAIS (1980).

DUNKEL-SCHETTER, C., voir FOLKMAN, LAZARUS, DUNKEL-SCHETTER, DELONGIS et GRUEN (1986).

DUNKEL-SCHETTER, C., voir RUBIN, HILL, PEPLAU et DUNKEL-SCHETTER (1980).

DUNLAP, J.T., voir LIEBERMAN et DUNLAP (1979).

DURLACH, N.I. et COLBURN, H.S. (1978) « Binaural Phenomena ». Dans Carterette, E.C. et Friedman, M.J. (Éd.), *Handbook of Perception*, Vol. 4. New York: Academic Press.

DYE, H.B., voir SKEELS et DYE (1939).

E

EAGLE, M.N. (1984) *Recent Development in Psychoanalysis: A Critical Evaluation*. New York: McGraw-Hill.

EAGLESTON, J.R., voir THORESEN, TELCH et EAGLESTON (1981).

EBBESEN, E., DUNCAN, B. et KONEČNI, V. (1975) « Effects of content of verbal aggression on future verbal aggression: A field experiment ». *Journal of Experimental Psychology*, 11:192-204.

ECKERT, E., voir BOUCHARD, HESTON, ECKERT, KEYES et RESNICK (1981).

EDMONSTON, W.E., JR. (1981) *Hypnosis and relaxation*. New York: Wiley.

EDWARDS, R.W., voir KLEINHESSELINK et EDWARDS (1975).

EELLS, K., DAVIS, A., HAVIGHURST, R.J., HERRICK, V.E. et TYLER, R.W. (1951) *Intelligence and Cultural Differences*. Chicago: University of Chicago Press.

EHRLICH, S. (1975) *Apprentissage et mémoire chez l'homme*. Paris, P.U.F.

EIBL-EIBESFELDT, I. (1970) *Ethology: The Biology of Behavior* (E. Klinghammer, trad.). New York: Holt, Rinehart et Winston.

EICH, J., WEINGARTNER, H., STILLMAN, R.C. et GILLIAN, J.C. (1975) « State-dependent accessibility of retrieval cues in the retention of a categorized list ». *Journal of Verbal Learning and Verbal Behavior*, 14:408-17.

EIMAS, P.D. (1975) « Speech perception in early infancy ». Dans Cohen, L.B. et Salapatek, P. (Éd.), *Infant Perception: From Sensation to Cognition*, Vol. 2. New York: Academic Press.

EIMAS, P.D., SIQUELAND, E.R., JUSCZYK, P. et VIGORITO, J. (1971) « Speech perception in infants ». *Science*, 171:303-306.

EKMAN, P. (1982) *Emotion in the Human Face* (2e éd.). New York: Cambridge University Press.

EKMAN, P. (1985) *Telling Lies: Clues to Deceit in the Marketplace, Politics, and Marriage*. New York: Norton.

EKMAN, P., LEVENSON, R.W. et FRIESON, W.V. (1983) « Autonomic nervous system activity distinguishes among emotions ». *Science*, 221:1208-10.

EKSTROM, R.B., FRENCH, J.W. et HARMAN, H.H. (1979) « Cognitive factors: Their identification and replication ». *Multivariate Behavioral Research Monographs*. Ft. Worth, Tex.: Society for Multivariate Experimental Psychology.

EKSTROM, R.B., FRENCH, J.W., HARMAN, H.H. et DERMAN, D. (1976) *Manual for Kit of Factor-Referenced Cognitive Tests*, 1976. Princeton, N.J.: Educational Testing Service.

ELKIN, I., SHEA, T., IMBER, S. et coll. (1986) « NIMH Treatment of Depression Collaborative Research Program: Initial outcome findings ». Présenté à « The American Association for the Advancement of Science », Washington, D.C., mai 1986.

ELLIOTT, R., voir STILES, SHAPIRO et ELLIOTT (1986).

ELLMAN, S.J., voir ARKIN, ANTROBUS et ELLMAN (1978).

EMERY, G., voir BECK, RUSH, SHAW et EMERY (1979).

EMMERT, E. (1881) « Grössenverhaltnisse der Nachbilder ». *Klin. Monatsbl. d. Augenheilk.*, 19:443-50.

ENDLER, N.S. (1981) « Persons, situations, and their interactions ». Dans Rabin, A.I., Aronoff, J., Barclay, A.M. et Zucker, R.A. (Éd.), *Further Explorations in Personality*. New York: Wiley.

ENDLER, N.S. (1982) *Holiday of Darkness*. New York: Wiley.

ENDSLEY, R.C., voir OSBORN et ENDSLEY (1971).

ENGEN, T. (1982) *The Perception of Odors*. New York: Academic Press.

ENROTH-CUGELL, C., voir SHAPLEY et ENROTH-CUGELL (1984).

EPSTEIN, S. (1967) « Toward a unified theory of anxiety ». Dans Maher, B.A. (Éd.), *Progress in Experimental Personality Research*, Vol. 4. New York: Academic Press.

EPSTEIN, S. (1977) « Traits are alive and well ». Dans Magnusson, D., et Endler, N.S. (Éd.), *Personality at the Cross-*
roads: Current Issues in Interactional Psychology. Hillsdale, N.J.: Erlbaum.

EPSTEIN, S. (1979) « The stability of behavior: Pt. 1. On predicting most of the people much of the time ». *Journal of Personality and Social Psychology*, 37:1097-1126.

EPSTEIN, S. et O'BRIEN, E.J. (1985) « The person-situation debate in historical and current perspective ». *Psychological Bulletin*, 98:513-37.

ERDELYI, M.H. (1974) « A new look at the new look: Perceptual defense and vigilance ». *Psychological Review*, 81:1-25.

ERDELYI, M.H. (1985) *Psychoanalysis: Freud's Cognitive Psychology*. New York: Freeman.

ERICKSEN, S., voir JANICAK, DAVIS, GIBBONS, ERICKSEN, CHANG et GALLAGHER (1985).

ERICKSON, R.P., voir SCHIFFMAN et ERICKSON (1980).

ERICSSON, K.A., CHASE, W.G. et FALOON, S. (1980) « Acquisition of a memory skill ». *Science*, 208:1181-82.

ERICSSON, K.A. et SIMON, H.A. (1984) *Protocol Analysis: Verbal Reports as Data*. Cambridge, Mass.: M.I.T. Press.

ERIKSON, E.H. (1959) *Enfance et société*. Neuchâtel, Delachaux et Niestlé.

ERIKSON, E.H. (1972) *Adolescence et crise de la quête de l'identité*. Paris, Flammarion.

ERON, L.D., HUESMANN, L.R., LEFKOWITZ, M.M. et WALDER, L.O. (1972) « Does television violence cause aggression? » *American Psychologist*, 27:253-63.

ERON, L.D., voir HUESMANN, ERON, LEFKOWITZ et WALDER (1984).

ERON, L.D., voir HUESMANN, LAGERSPETZ et ERON (1984).

ERVIN-TRIPP, S. (1964) « Imitation and structural change in children's language ». Dans Lenneberg, E.H. (Éd.), *New Directions in the Study of Language*. Cambridge, Mass.: M.I.T. Press.

ESTES, D., voir LAMB, THOMPSON, GARDNER, CHARNOW et ESTES (1984).

ESTES, W.K. (1972) « An associative basis for coding and organization in memory ». Dans Melton, A.W. et Martin, E. (Éd.), *Coding Processes in Human Memory*. Washington, D.C.: Winston.

ESTES, W.K. (Éd.) (1975-1979) *Handbook of Learning and Cognitive Processes*, Vols 1 — 6. Hillsdale, N.J.: Erlbaum.

ETCOFF, N.L. (1985) « The neuropsychology of emotional expression ». Dans Goldstein, G. et Tarter, R.E. (Éd.), *Advances in Clinical Neuropsychology*, Vol. 3. New York: Plenum.

EVANS, C. (1984) *Landscapes of the Night: How and Why We dream*. New York: Viking.

EWEN, R.B., voir WELKOWITZ, EWEN et COHEN (1982).

EYFERTH, K., BRANDT, U. et WOLFGANG, H. (1960) *Farbige Kinder in Deutschland*. Munich: Juventa.

EYSENCK, H.J. (1950) *Les dimensions de la personnalité*. Paris, P.U.F.

EYSENCK, H.J. (1979) *La névrose et vous*. Bruxelles, Dessart-Mardaga.

F

FADIMAN, J., voir FRAGER et FADIMAN (1984).

FALOON, S., voir ERICSSON, CHASE et FALOON (1980).

FANCHER, R.E. (1985) *The Intelligence Men: Makers of the IQ Controversy*. New York: Norton.

FANTINO, E. et LOGAN, C.A. (1979) *The Experimental Analysis of Behavior: A Biological Perspective*. San Francisco: Freeman.

FANTZ, R.L. (1961) « The origin of form perception ». *Science*, 204:66-72.

FANTZ, R.L., ORDY, J.M. et UDELF, M.S. (1962) « Maturation of pattern vision in infants during the first six months ». *Journal of Comparative and Physiological Psychology*, 55:907-17.

FARBEROW, N.L. et SHNEIDMAN, E.S. (1965) *The Cry for Help*. New York: McGraw-Hill.

FARLEY, F. (1986) « The big T in Personality ». *Psychology Today*, 20:46-52.

FARQUHAR, J.W., MACCOBY, N. et SOLOMON, D.S. (1984) « Community applications of behavioral medicine ». Dans Gentry, W.D. (Éd.), *Handbook of Behavioral Medicine*. New York: Guilford Press.

FARQUHAR, J.W., MACCOBY, N., WOOD, P.D. et coll. (1977) « Community education for cardiovascular health ». *The Lancet*, 1(n° 8023):1192-95.

FARQUHAR, J.W., voir MACCOBY, FARQUHAR, WOOD et ALEXANDER (1977).

FAUST, I.M. (1984) « Role of the fat cell in energy balance physiology ». Dans Stunkard, A.T. et Stellar, E. (Éd.), *Eating and its Disorders*. New York: Raven Press.

FAVERGE, J.-M. (1966) *Méthodes statistiques en psychologie appliquée*. Tome I (5ᵉ éd.); Tome II (4ᵉ éd.), Paris, P.U.F.

FAZIO, R. et ZANNA, M.P. (1981) « Direct experience and attitude-behavior consistency ». Dans Berkowitz, L. (Éd.), *Advances in Experimental Social Psychology*, Vol. 14. New York: Academic Press.

FAZIO, R., ZANNA, M.P. et COOPER, J. (1977) « Dissonance and self-perception: An integrative view of each theory's proper domain of application ». *Journal of Experimental Social Psychology*, 13:464-79.

FAZIO, R., voir REGAN et FAZIO (1977).

FEATHER, N.T., voir SIMON et FEATHER (1973).

FECHNER, G.T. (1860) *Elements of Psychophysics* (H.E. Adler, trad.). New York: Holt, Rinehart et Winston. (Réimpression 1966.)

FEDIO, P., voir FRIED, MATEER, OJEMANN, WOHNS et FEDIO (1982).

FEDROV, C.N., voir KUMAN, FEDROV et NOVIKOVA (1983).

FEIGENBAUM, E.A., voir BARR et FEIGENBAUM (1982).

FEIN, G.G., voir CLARKE-STEWART et FEIN (1983).

FEINLEIB, M., voir HAYNES, FEINLEIB et KANNEL (1980).

FEJER, D., voir SMART et FEJER (1972).

FELDMAN, H., GOLDIN-MEADOW, S. et GLEITMAN, L.R. (1978) « Beyond Herodotus: The creation of language by linguistically deprived children ». Dans Lock, A. (Éd.), *Action, Gesture, and Symbol: The Emergence of Language*. London: Academic Press.

FELDMAN, J.J., voir KATZ et FELDMAN (1962).

FELSON, R.B. (1981) « Self and reflected appraisal among football players ». *Social Psychology Quarterly*, 44:116-26.

FENIGSTEIN, A. (1979) « Self-consciousness, self-attention, and social interaction ». *Journal of Personality and Social Psychology*, 37:75-86.

FENIGSTEIN, A., SCHEIER, M.F. et BUSS, A.H. (1975) « Public and private self-consciousness: Assessment and theory ». *Journal of Consulting and Clinical Psychology*, 43:522-24.

FENN, D., voir LEWINSOHN, FENN et FRANKLIN (1982).

FENNELL, M.J.V. et CAMPBELL, E.H. (1984) « The cognitions questionnaire: Specific thinking errors in depression ». *British Journal of Clinical Psychology*, 23:81-92.

FERRO, P., voir HOGARTY, SCHOOLER, ULRICH, MUSSARE, FERRO et HERRON (1979).

FESHBACH, N., voir FESHBACH et FESHBACH (1973).

FESHBACH, S. et FESHBACH, N. (1973) « The young aggressors ». *Psychology Today*, 6:90-95.

FESHBACH, S. et WEINER, B. (1986) *Personality* (2ᵉ éd.). Lexington, Mass.: Heath.

FESTINGER, L. (1957) *A Theory of Cognitive Dissonance*. Stanford: Stanford University Press.

FESTINGER, L. et CARLSMITH, J.M. (1959) « Cognitive consequences of forced compliance ». *Journal of Abnormal and Social Psychology*, 58:203-10.

FESTINGER, L., PEPITONE, A. et NEWCOMB, T.M. (1952) « Some consequences of deindividuation in a group ». *Journal of Abnormal and Social Psychology*, 47:383-89.

FESTINGER, L., SCHACHTER, S. et BACK, K. (1950) *Social Pressures in Informal Groups: A study of Human Factors in Housing*. New York: Harper et Row.

FIFER, W.P., voir DE CASPER et FIFER (1980).

FINKELSTEIN, M.A., voir HOOD et FINKELSTEIN (1983).

FIORENTINI, A., voir PIRCHIO, SPINELLI, FIORENTINI et MAFFEI (1978).

FIREMAN, B., voir GAMSON, FIREMAN et RYTINA (1982).

FISCHER, K.W. et LAZERSON, A. (1984) *Human Development: From Conception Through Adolescence*. New York: Freeman.

FISHBEIN, M. (1963) « An investigation of the relationships between beliefs about an object and the attitude toward that object ». *Human Relations*, 16:233-40.

FISHER, G.H. (1967) « Preparation of ambiguous stimulus materials ». *Perception and Psychophysics*, 2:421-22.

FISHER, I.V., ZUCKERMAN, M. et NEEB, M. (1981) « Marital compatibility in sensation seeking trait as a factor in marital adjustment ». *Journal of Sex and Marital Therapy*, 7:60-69.

FISHMAN, P. (1983) « Interaction: The work women do ». Dans Thorne, B., Kramarae, C. et Henley, N. (Éd.), *Language, Gender, and Society*. Rowley, Mass.: Newbury House.

FIXSEN, D.L., PHILLIPS, E.L., PHILLIPS, E.A. et WOLF, M.M. (1976) « The teaching-family model of group home treatment ». Dans Craighead, W.E., Kazdin, A.E. et Mahoney, M.J. (Éd.), *Behavior Modification: Principles, Issues, and Applications*. Boston: Houghton Mifflin.

FLACKS, R., voir NEWCOMB, KOENIG, FLACKS et WARWICK (1967).

FLAVELL, J.H. (1985) *Cognitive Development* (2ᵉ éd.). Englewood Cliffs, N.J.: Prentice-Hall.

FLEMING, R., voir BAUM, GATCHEL, FLEMING et LAKE (1981).

FOCH, T.T., voir STUNKARD, A.J., FOCH, T.T. et HRUBEC, Z. (1986).

FODOR, J.A., BEVER, T.G. et GARRETT, M.F. (1974) *The Psychology of Language: An Introduction to Psycholinguistics and Generative Grammar*. New York: McGraw-Hill.

FOLEY, J.M. (1978) « Primary distance perception ». Dans Held, R., Leibowitz, H.W. et Teuber, H.L. (Éd.), *Handbook of Sensory Physiology*, Vol. 8. Berlin: Springer-Verlag.

FOLKES, V.S. (1982) « Forming relationships and the matching hypothesis ». *Personality and Social Psychology Bulletin*, 8:631-36.

FOLKMAN, S. et LAZARUS, R.S. (1980) « An analysis of coping in a middle-aged community sample ». *Journal of Health and Social Behavior*, 21:219-39.

FOLKMAN, S. et LAZARUS, R.S. (1985) « If it changes it must be a process: A study of emotion and coping during three stages of a college examination ». *Journal of Personality and Social Psychology*, 48:150-70.

FOLKMAN, S., LAZARUS, R.S., DUNKEL-SCHETTER, C, DELONGIS, A. et GRUEN, R. (1986) « The dynamics of a stressful encounter: Cognitive appraisal, coping, and encounter outcomes ». *Journal of Personality and Social Psychology*, 50:992-1003.

FOLKMAN, S., voir DELONGIS, COYNE, DAKOF, FOLKMAN et LAZARUS (1982).

FOLKMAN, S., voir LAZARUS et FOLKMAN (1984).

FOLKMAN, S., voir LAZARUS, KANNER et FOLKMAN (1980).

FOREM, J. (1973) *Transcendental Meditation: Maharishi Mahesh Yogi and the Science of Creative Intelligence*. New York: Dutton.

FORER, B.R. (1949) « The fallacy of personality validation: A classroom demonstration of gullibility ». *Journal of Abnormal and Social Psychology*, 44:118-23.

FOSS, D.J. et HAKES, D.T. (1978) *Psycholinguistics: An Introduction to the Psychology of Language*. Englewood Cliffs, N.J.: Prentice-Hall.

FOULKE, E., voir SCHIFF et FOULKE (1982).

FOWLER, R.C., voir RICH, YOUNG et FOWLER (1985).

FOX, M.M., voir SQUIRE et FOX (1980).

FOX, R., ASLIN, R.N., SHEA, S.L. et DUMAIS, S.T. (1980) « Stereopsis in human infants ». *Science*, 207:323-24.

FRAGER, R. et FADIMAN, J. (1984) *Personality and Personal Growth* (2ᵉ éd.) New York: Harper et Row.

FRAISSE, P. (1968) *Manuel pratique de psychologie expérimentale*. Paris. P.U.F.

FRANKENBURG, W.K. et DODDS, J.B. (1967) « The Denver developmental screening test ». *Journal of Pediatrics*, 71:181-91.

FRANKIE, G., voir HETHERINGTON et FRANKIE (1967).

FRANKLIN, J., voir LEWINSOHN, FENN et FRANKLIN (1982).

FRANKS, J.J., voir BRANSFORD, BARCLAY et FRANKS (1972).

FRANZOI, S.L., DAVIS, M.H. et YOUNG, R.D. (1985) « The effects of private self-consciousness and perspective taking on satisfaction in close relationships ». *Journal of Personality and Social Psychology*, 48:1584-94.

FRASE, L.T. (1975) « Prose processing ». Dans G.H. Bower (Éd.), *The Psychology of Learning and Motivation*, Vol. 9. New York: Academic Press.

FRASER, S.C., voir DIENER, FRASER, BEAMAN et KELEM (1976).

FRAZIER, K. (Éd.) (1986) *Science Confronts the Paranormal*. Buffalo: Prometheus Books.

FREDRIKSON, M., voir OHMAN, FREDRIKSON, HUGDAHL et RIMMO (1976).

FREE, L.A. et CANTRIL, H. (1967) *The Political Beliefs of Americans*. New Brunswick, N.J.: Rutgers University Press.

FREEDMAN, J.L. (1965) « Long-term behavioral effects of cognitive dissonance ». *Journal of Experimental Social Psychology*, 1:145-55.

FREEDMAN, J.L., voir SEARS, FREEDMAN et PEPLAU (1985).

FREEMAN, S., WALKER, M.R., BORDEN, R. et LATANE, B. (1975) « Diffusion of responsibility and restaurant tipping: Cheaper by the bunch ». *Personality and Social Psychology Bulletin*, 1:584-87.

FRENCH, G.M. et HARLOW, H.F. (1962) « Variability of delayed-reaction performance in normal and brain-damaged rhesus monkeys ». *Journal of Neurophysiology*, 25:585-99.

FRENCH, J.W., voir EKSTROM, FRENCH et HARMAN (1979).

FRENCH, J.W., voir EKSTROM, FRENCH, HARMAN et DERMAN (1976).

FREUD, A. (1970) *Le moi et les mécanismes de défense*. Paris, Payot.

FREUD, S. (1885) Ueber Coca. Vienna: Moritz Perles. (Traduction Freud, 1974.)

FREUD, S. (1965) « Revision of the theory of dreams ». Dans Strachey, J. (éd. et trad.), *New Introductory Lectures on Psychoanalysis*, Vol. 22, Lect. 29. New York: Norton. (Essai original: 1933.)

FREUD, A. (1970) *L'interprétation des rêves*. Paris. P.U.F.

FREUD, A. (1970) *Trois essais sur une théorie de la sexualité*. Paris, Gallimard.

FREUD, S. (1974) *Cocaine Papers* (édité et présenté par R. Byck; notes de A. Freud). New York: Stonehill. (Édition originale: 1885.)

FREUD, S. (1975) *Beyond the Pleasure Principle*. New York: Norton. (Édition originale: 1920).

FREUD, S. (1976) « Repression ». Dans Strachey, J. (éd. et trad.), *The Complete Psychological Works: Standard Edition*, Vol. 14. (Essai original: 1915).

FRICKE, B.G. (1975) *Report to the Faculty*. Ann Arbor: Evaluation and Examinations Office, University of Michigan.

FRIED, C. voir JACOBSON, FRIED et HOROWITZ (1967).

FRIED, I., MATEER, C., OJEMANN, G., WOHNS, R. et FEDIO, P. (1982) « Organization of visuospatial functions in human cortex ». *Brain*, 105:349-71.

FRIED, M. (1982) « Disadvantage, vulnerability, and mental illness ». Dans Parron, D.L., Solomon, F. et Jenkins, C.D. (Éd.), *Behavior, Health Risks, and Social Disadvantage*. Washington, D.C.: National Academy Press.

FRIEDMAN, M. et ROSENMAN, R.H. (1974) *Type A behavior and your heart*. New York: Knopf.

FRIEDMAN, M., THORESEN, C.E., GILL, J.J. et coll. (1985) « Alteration of Type A behavior and its effect upon cardiac recurrences in post-myocardial infarction subjects: Summary results of the recurrent coronary prevention project ». Document présenté à « The Society of Behavioral Medicine », New Orleans, mars 1985.

FRIEDMAN, M., voir GILL, PRICE, FRIEDMAN et coll. (1985).

FRIEDMAN, M., voir ROSENMAN, BRAND, JENKINS, FRIEDMAN, STRAUS et WRUM (1975).

FRIEDMAN, M.I., SHEFFIELD, F.D., WULFF, J.J. et BACKER, R. (1951) « Reward value of copulation without sex drive reduction ». *Journal of Comparative and Physiological Psychology*, 44:3-8.

FRIEDMAN, M.I. et STRICKER, E.M. (1976) « The physiological psychology of hunger: A physiological perspective ». *Psychological Review*, 83:401-31.

FRIEDMAN, M.I., voir STRICKER, ROWLAND, SALLER et FRIEDMAN (1977).

FRIEDMAN, M.P., voir CARTERETTE et FRIEDMAN (1974 — 1978).

FRIEDMAN, R., voir BENSON et FRIEDMAN (1985).

FRIESON, W.V., voir EKMAN, LEVENSON et FRIESON (1983).

FRISCHHOLZ, E.J. (1985) « The relationship among dissociation, hypnosis, and child abuse in the development of multiple personality disorder ». Dans Kluft, R.P. (Éd.), *Childhood Antecedents of Multiple Personality*. Washington, D.C.: American Psychiatric Press.

FROMKIN, V., KRASHEN, S., CURTISS, S., RIGLER, D. et RIGLER, M. (1974) « The development of language in Genie a case of language acquisition beyond the « critical period » ». *Brain and Language*, 1:81-107.

FROMM, E. (1970) « Age regression with unexpected reappearance of a repressed childhood language ». *International Journal of Clinical and Experimental Hypnosis*, 18:79-88.

FROMM, E. (1973) La passion de détruire. *Anatomie de la destructivité humaine*. Paris, Robert Laffont.

FROMM, E. et SHOR, R.E. (Éd.) (1979) *Hypnosis: Developments in Research and New Perspectives* (2ᵉ éd.). Chicago: Aldine.

FUHRER, M.J., voir BAER et FUHRER (1968).

FULCHER, R., voir STAPP et FULCHER (1981).

FURNHAM, A. (1981) « Personality and activity preference ». *British Journal of Social and Clinical Psychology*, 20:57-68.

G

GAIN, D., voir MONEY, WIEDEKING, WALKER et GAIN (1976).

GALANTER, E. (1962) « Contemporary psychophysics ». Dans Brown, R. et coll. (Éd.), *New Directions in Psychology*, Vol. 1. New York: Holt, Rinehart et Winston.

GALLAGHER, P., voir JANICAK, DAVIS, GIBBONS, ERICKSEN, CHANG et GALLAGHER (1985).

GALLISTEL, C.R. (1973) « Self-stimulation: The neurophysiology of reward and motivation ». Dans Deutsch, J.A. (Éd.), *The Psyiological Basis of Memory*. New York: Academic Press.

GALLISTEL, C.R., voir GELMAN et GALLISTEL (1978).

GALVIN, J., voir ZURIF, CARAMAZZA, MYERSON et GALVIN (1974).

GAMSON, W.B., FIREMAN, B. et RYTINA, S. (1982) *Encounters With Unjust Authority*. Homewood, Ill.: Dorsey Press.

GAMZU, E., voir SCHWARTZ et GAMZU (1977).

GANZ, L., voir SEKULER et GANZ (1963).

GARCIA, J. et KOELLING, R.A. (1966) « The relation of cue to consequence in avoidance learning ». *Psychonomic Science*, 4:123-24.

GARDNER, B.T. et GARDNER, R.A. (1972) « Two-way communication with an infant chimpanzee ». Dans A.M. Schrier et F. Stollnitz (Éd.), *Behavior of Nonhuman Primates*, Vol. 4. New York: Academic Press.

GARDNER, H. (1975) *The Shattered Mind*. New York: Knopf.

GARDNER, H. (1983) *Frames of Mind: The Theory of Multiple Intelligences*. New York: Basic Books.

GARDNER, H. (1985) *The Mind's New Science: A History of the Cognitive Revolution*. New York: Basic Books.

GARDNER, M. (1981) *Science: Good, Bad, and Bogus*. New York: Prometheus.

GARDNER, R.A., voir GARDNER et GARDNER (1972)

GARDNER, W.P., voir LAMB, THOMPSON, GARDNER, CHARNOV et ESTES (1984).

GARFIELD, S.L. (1980) *Psychotherapy: An Eclectic Approach*. New York: Wiley-Interscience.

GARMEZY, N. (1974) « Children at risk: The search for the antecedents of schizophrenia: Pt. 2. Ongoing research programs, issues and intervention ». *Schizophrenia Bulletin*, 1 (n° 9):55-125.

GARNER, W.R., voir WIGNOR et GARNER (1982).

GARRETT, M.F. (1975) « The analysis of sentence production ». Dans Bower, G.H. (Éd.), *The Psychology of Learning and Motivation*, Vol. 9. New York: Academic Press.

GARRETT, M.F., voir FODOR, BEVER et GARRETT (1974).

GARROW, J. (1978) « The regulation of energy expenditure ». Dans Bray, G.A. (Éd.), *Recent Advances in Obesity Research*, Vol. 2. London: Newman.

GATCHEL, R.J., voir BAUM, GATCHEL, FLEMING et LAKE (1981).

GATES, A.I. (1917) « Recitation as a factor in memorizing ». *Archives of Psychology*, n° 40.

GAUTIER, T., voir IMPERATO-MCGINLEY, PETERSON, GAUTIER et STURLA (1979).

GAZZANIGA, M. (1976) *Le cerveau dédoublé*. Bruxelles, Dessart-Mardaga.

GAZZANIGA, M. (1987) *Le cerveau social*. Paris, Robert Laffont.

GEBHARD, P.H., voir KINSEY, POMEROY, MARTIN et GEBHARD (1953).

GEEN, R.G., BEATTY, W.W. et ARKIN, R.M. (1984) *Human Motivation: Physiological, Behavioral, and Social Approaches*. Boston: Allyn et Bacon.

GEEN, R.G. et QUANTY, M.B. (1977) « The catharsis of aggression ». Dans Berkowitz, L. (Éd.), *Advances in Experimental Social Psychology*, Vol. 10. New York: Academic Press.

GEER, J. et MAISEL, E. (1972) « Evaluating the effects of the prediction-control confound ». *Journal of Personality and Social Psychology*, 23:314-19.

GEISLER, W.S. (1978) « Adaptation, afterimages and cone saturation ». *Vision Research*, 18:279-89.

GELMAN, R. et GALLISTEL, C.R. (1978) *The Young Child's Understanding of Number: A Window on Early Cognitive Development*. Cambridge, Mass.: Harvard University Press.

GELMAN, R., voir STARKEY, SPELKE et GELMAN (1986).

GERBNER, G. et GROSS, L. (1976) « The scary world of TV's heavy viewer ». *Psychology Today*, 9:41-45.

GESCHWIND, N. (1972) « Language and the brain ». *Scientific American*, 226:10, 76-83.

GESCHWIND, N. (1979) « Specializations of the human brain ». *Scientific American*, 241:180-99.

GESCHWIND, N. (1984) « The biology of cerebral dominance: Implications for cognition ». *Cognition*, 17:193-208.

GESELL, A. et ILG, F. (1967) *Le jeune enfant dans la civilisation moderne* (6ᵉ éd.). Paris, P.U.F.

GESELL, A. et THOMPSON, H. (1929) « Learning and growth in identical twins: An experimental study by the method of co-twin control ». *Genetic Psychology Monographs*, 6:1-123.

GIBBONS, F.X., voir SCHEIER, CARVER et GIBBONS (1979).

GIBBONS, R.D., voir JANICAK, DAVIS, GIBBONS, ERICKSEN, CHANG et GALLAGHER (1985).

GIBSON, E.J. et WALK, R.D. (1960) « The « visual cliff » ». *Scientific American*, 202:64-71.

GIBSON, J.J. (1979) *The Ecological Approach to Visual Perception*. Boston: Houghton-Mifflin.

GILL, J.J., PRICE, V.A., FRIEDMAN, M. et coll. (1985) « Reduction in Type A behavior in healthy middle-aged American military officers ». *American Heart Journal*, 110:503-14.

GILL, J.J., voir FRIEDMAN, THORESEN, GILL et coll. (1985).

GILL, M.M. (1972) « Hypnosis as an altered and regressed state ». *International Journal of Clinical and Experimental Hypnosis*, 10:224-337.

GILLAM, B. (1980) « Geometrical illusions ». *Scientific American*, 240 (n° 1): 102-11.

GILLIAN, J.C., voir EICH, WEINGARTNER, STILLMAN et GILLIAN (1975).

GILLIN, J.C., voir KRIPKE et GILLIN (1985).

GILLUND, G. et SHIFFRIN, R.M. (1984) « A retrieval model for both recognition and recall ». *Psychological Review*, 91 (n° 1): 1-61.

GILMARTIN, K., voir SIMON et GILMARTIN (1973).

GILOVICH, T., voir SCHMITT, GILOVICH, GOORE et JOSEPH (sous impression).

GIRVIN, B. (1978) « The nature of being schematic: Sex-role, self-schemas and differential processing of masculine and feminine information ». Dissertation de Ph.D. inédite, Stanford Univrsity.

GIRVIN, J.P., voir DOBELLE, MEADEJOVSKY et GIRVIN (1974).

GITTELMAN, R. et KLEIN, D.F. (1985) « Childhood separation anxiety and adult agoraphobia ». Dans Tuma, A.H. et Maser, J.D. (Éd.), *Anxiety and the Anxiety Disorders*. Hillsdale, N.J.: Erlbaum.

GJERDE, P.F., voir BLOCK, BUSS, BLOCK et GJERDE (1981).

GLADUE, B.A., GREEN, R. et HELLMAN, R.E. (1984) « Neuroendocrine response to estrogen and sexual orientation ». *Science*, 225:1496-98.

GLANZER, M. (1972) « Storage mechanisms in recall ». Dans Bower, G.H. et Spence, J.T. (Éd.), *The Psychology of Learning and Motivation*, Vol. 5. New York: Academic Press.

GLASER, R., voir CHI, GLASER et REES (1982).

GLASS, A.L. et HOLYOAK, K.J. (1986) *Cognition* (2ᵉ éd.). New York: Random House.

GLASS, D.C. et SINGER, J.E. (1972) *Urban Stress: Experiments on Noise and Social Stressors*. New York: Academic Press.

GLASS, D.C., voir HENCHY et GLASS (1968).

GLASS, D.C., voir WRIGHT, CONTRADA et GLASS (1985).

GLASS, G.V., voir SMITH, GLASS et MILLER (1980).

GLASS, L.L., voir KIRSCH et GLASS (1977).

GLEITMAN, H. (1963) « Place-learning ». *Scientific American*, 209:116-22.

GLEITMAN, H., voir ARMSTRONG, GLEITMAN et GLEITMAN (1983).

GLEITMAN, L.R. (1984) Biological predispositions to learn language. Dans Marler, P. et Terrace, H.S. (Éd.), *The Biology of Learning*. New York: Springer-Verlag.

GLEITMAN, L.R., voir ARMSTRONG, GLEITMAN et GLEITMAN (1983).

GLEITMAN, L.R., voir FELDMAN, GOLDIN-MEADOW et GLEITMAN (1978).

GLORIEUX, J., voir GOLD, ANDRES et GLORIEUX (1979).

GLUCK, M.A. et THOMPSON, R.F. (1986) « Modeling the neural substrates of associative learning and memory: A computational approach ». *Psychological Review*, (sous impression).

GOETHALS, G.R., voir JONES, ROCK, SHAVER, GOETHALS et WARD (1968).

GOLD, D., ANDRES, D. et GLORIEUX, J. (1979) « The development of Francophone nursery-school children with employed and nonemployed mothers ». *Canadian Journal of Behavioral Science*, 11:169-73.

GOLDBERG, R.J. (1978) « Development in the family and school context: Who is responsible for the education of young children in America? » Document présenté au « National Association for the Education of Young Children Annual Conference », New York.

GOLDIN-MEADOW, S. (1982) « The resilience of recursion: A structure within a conventional model ». Dans Wanner, E. et Gleitman, L.R. (Éd.), *Language Acquisition: The State of the Art*. Cambridge: Cambridge University Press.

GOLDIN-MEADOW, S., voir FELDMAN, GOLDIN-MEADOW et GLEITMAN (1978).

GOLDMAN, W. et LEWIS, P. (1977) « Beautiful is good: Evidence that the physically attractive are more socially skillful ». *Journal of Experimental Social Psychology*, 13:125-30.

GOLDSTEIN, E.B. (1984) *Sensation and Perception* (2ᵉ éd.). Belmont, Calif.: Wadsworth.

GOLDSTEIN, J.L. (1973) « An optimum processor theory for the central formation of the pitch of complex tones ». *Journal of the Acoustical Society of America*, 54:1496-1516.

GOLDSTEIN, M.J. (1985) « The UCLA family project ». Document présenté au « High Risk Consortium Conference », San Francisco, avril 1985.

GOLDSTEIN, M.J., BAKER, B.L. et JAMSON, K.R. (1986) *Abnormal Psychology: Experiences, Origins, and Interventions* (2ᵉ éd.). Boston: Little, Brown.

GOLEMAN, D.J. (1977) *The Varieties of Meditative Experience*. New York: Dutton.

GOODALL, J. (1978) « Chimp killings: Is it the man in them? » *Science News*, 113:276.

GOODELL, H., voir HARDY, WOLFF et GOODELL (1947).

GOODENOUGH, D.R., voir KOULACK et GOODENOUGH (1976).

GOODWIN, D.W., voir HALIKAS, GOODWIN et GUZE (1971).

GOODWIN, F.K., voir POST, KOTIN, GOODWIN et GORDON (1973).

GOORE, N., voir SCHMITT, GILOVICH, GOORE et JOSEPH (sous impression).

GORDON, B., voir LICKEY et GORDON (1983).

GORDON, E. (1967) *A Three-Year Longitudinal Predictive Validity Study of the Musical Aptitude Profile*. Studies in the Psychology of Music, Vol. 5. Iowa City: University of Iowa Press.

GORDON, E., voir POST, KOTIN, GOODWIN et GORDON (1973).

GORDON, E.W., voir ZIBLER et GORDON (1981).

GOTTESMAN, I.I. (1963) « Genetic aspects of intelligent behavior ». Dans Ellis, N. (Éd.)

Handbook of Mental Deficiency: Psychological Theory and Research. New York: McGraw-Hill.

GOTTESMAN, I.I. et SHIELDS, J. (1982) *Schizophrenia: The Epigenetic Puzzle*. New York: Cambridge University Press.

GOTTESMAN, I.I., voir CAREY et GOTTESMAN (1981).

GOTTESMAN, I.I., voir NICOL et GOTTESMAN (1983).

GOUIN-DÉCARIE, T. (1973) *Le développement psychologique de l'enfant* (2ᵉ éd.). Neuchâtel, Delachaux et Niestlé.

GOULD, A. (1977) « Discarnate survival ». Dans Wolman, B.B. (Éd.) *Handbook of Parapsychology*. New York: Van Nostrand Reinhold.

GOY, R.H., voir PHOENIX, GOY et RESKO (1968).

GOY, R.W. (1968) « Organizing effect of androgen on the behavior of rhesus monkeys ». Dans Michael, R.P. (Éd.), *Endocrinology of Human Behaviour*. London: Oxford University Press.

GRAFMAN, J., voir WEINGARTEN, GRAFMAN, BOUTELLE, KAYE et MARTIN (1983).

GRAHAM, N., voir YAGER, KRAMER, SHAW et GRAHAM (1984).

GRANBERG, D. et BRENT, E.E. (1974) « Dove-hawk placements in the 1968 election: Application of social judgment and balance theories ». *Journal of Personality and Social Psychology*, 29:687-95.

GRANGER, L. (1980) *La communication dans le couple*. Montréal, Éditions de l'Homme.

GRANRUD, C.E., voir YONAS, PETTERSEN et GRANRUD (1982).

GRAVES, N., voir HOFLING, BROTZMAN, DALRYMPLE, GRAVES et PIERCE (1966).

GREEN, C., voir MILLON, GREEN, MEAGHER (1982).

GREEN, D.M. et SWETS, J.A. (1966) *Signal Detection Theory and Psychophysics*. New York: Wiley.

GREEN, D.M. et WIER, C.C. (1984) « Auditory perception ». Dans Darian-Smith, I. (Éd.), *Handbook of Physiology*, Vol. 3. Bethesda, Md.: American Physiological Society.

GREEN, H. (1971) *I Never Promised You a Rose Garden*. New York: New American Library.

GREEN, R., voir GLADUE, GREEN et HELLMAN (1984).

GREENFIELD, P.M., voir BRUNER, OLVER, GREENFIELD et coll. (1966).

GREENWALD, A.G., voir SULS et GREENWALD (1983).

GREENWALD, B.S., voir MOHS, DAVIS, GREENWALD et coll. (1985).

GREENWOOD, M.M., voir BENSON, KOTCH, CRASSWELLER et GREENWOOD (1977).

GRICE, H.P. (1975) « Logic and conversation ». Dans Harman, G. et Davidson, D. (Éd.), *The Logic of Grammar*. Encino, Calif.: Dickinson.

GRIFFITH, J.J., voir MEDNICK, CUDECK, GRIFFITH, TALOVIC et SCHULSINGER (1984).

GRIGGS, R.A. et COX, J.R. (1982) « The elusive thematic-materials effect in Wason's selection task ». *British Journal of Psychology*, 73:407-20.

GROSS, L., voir GERBNER et GROSS (1976).

GROSS, R.T., voir CARLSMITH, DORNBUSCH et GROSS (1983).

GROSSMAN, M.I., voir JANOWITZ et GROSSMAN (1949).

GROVES, P.M. et SCHLESINGER, K. (1982) *Introduction to Biological Psychology* (2ᵉ éd.). Dubuque: Brown.

GRUEN, R., voir FOLKMAN, LAZARUS, DUNKEL-SCHETTER, DELONGIS et GRUEN (1986).

GUILFORD, J.P. (1982) « Cognitive psychology's ambiguities: Some suggested remedies ». *Psychological Review*, 89:48-49.

GULEVICH, G., DEMENT, W.C. et JOHNSON, L. (1966) « Psychiatric and EEG observations on a case of prolonged wakefulness ». *Archives of General Psychiatry*, 15:29-35.

GURMAN, A.S. et KNISKERN, D.P. (1981) *Handbook of Family Therapy*. New York: Brunner/Mazel.

GUTIERRES, S.E., voir KENRICK et GUTIERRES (1980).

GUZE, S.B., voir HALIKAS, GOODWIN et GUZE (1971).

H

HABER, R.N. (1969) « Eidetic images ». *Scientific American*, 220:36-55.

HAGEN, E.P., voir THORNDIKE, HAGEN et SATTLER (1986).

HAITH, M.M., BERGMAN, T. et MOORE, M.J. (1977) « Eye contact and face scanning in early infancy ». *Science*, 198:853-55.

HAKES, D.T., voir FOSS et HAKES (1978).

HAKMILLER, K.L., voir JASMOS et HAKMILLER (1975).

HALIKAS, J.A., GOODWIN, D.W. et GUZE, S.B. (1971) « Marijuana effects: A survey of regular users ». *Journal of American Medical Association*, 217:692-94.

HALL, C.S. et LINDZEY, G. (1978) *Theories of Personality* (3ᵉ éd.). New York: Wiley.

HALL, C.S., LINDZEY, G., LOEHLIN, J.C. et MANOSEVITZ, M. (1985) *Introduction to Theories of Personality*. New York: Wiley.

HAMBERGER, L.K. et LOHR, J.M. (1984) *Stress and Stress Management: Research and Applications*. New York: Springer.

HAMBURG, D. et TRUDEAU, M.B. (Éd.) (1981) *Biobehavioral Aspects of Agression*. New York: Alan Liss.

HAMILTON, D.L. (1979) « A cognitive-attributional analysis of stereotyping ». Dans Berkowitz, L. (Éd.), *Advances in Experimental Social Psychology*, Vol. 12. New York: Academic Press.

HAMILTON, E.W. et ABRAMSON, L.Y. (1983) « Cognitive patterns and major depressive disorder : A longitudinal study in a hospital setting ». *Journal of Abnormal Psychology*, 92 : 173-84.

HAMILTON, M. voir HENLEY, HAMILTON et THORNE (1985).

HAMMERSMITH, S.K., voir BELL, WEINBERG et HAMMERSMITH (1981).

HAMPSON, J.L., voir HUNT et HAMPSON (1980).

HANEY, T.L., voir DEMBROSKI, MACDOUGALL, WILLIAMS et HANEY (1985).

HANSEL, C.E.M. (1980) *ESP and Parapsy chology : A Critical Reevaluation*. Buffalo : Prometheus Books.

HARDY, A.B., voir BANDURA, ADAMS, HARDY et HOWELLS (1980).

HARDY, J.D., WOLFF, H.G. et GOODELL, H. (1947) « Studies in pain : Discrimination of differences in intensity of a pain stimu- lus as a basis for a scale of pain intensi- ty ». *Journal of Clinical Investigation*, 26 : 1152-58.

HARE, R.D. (1970) *Psychopathy : Theory and Research*. New York : Wiley.

HARKINS, S.G. et PETTY, R.E. (1982) « Effects of task difficulty and task uniqueness on social loafing ». *Journal of Personality and Social Psychology*, 43 : 1214-29.

HARKINS, S.G., voir LATANE et HARKINS (1976).

HARKINS, S.C., voir LATANE, WILLIAMS et HAR- KINS (1979).

HARKINS, S.G., voir PETTY, HARKINS, WILLIAMS et LATANE (1977).

HARLOW, H.F. (1971) *Learning to Love*. San Francisco : Albion.

HARLOW, H.F., HARLOW, M.K. et MEYER, D.R. (1950) « Learning motivated by a manipulation drive ». *Journal of Ex- perimental Psychology*, 40 : 228-34.

HARLOW, H.F. et SUOMI, S.J. (1970) « Nature of love-simplified ». *American Psycho- logist*, 25 : 161-68.

HARLOW, H.F., voir FRENCH et HARLOW (1962).

HARLOW, H.F., voir SUOMI, HARLOW et MCKIN- NEY (1972).

HARLOW, M.K., voir HARLOW, HARLOW et MEYER (1950).

HARMAN, H.H., voir EKSTROM, FRENCH et HAR- MAN (1979).

HARMAN, H.H., voir EKSTROM, FRENCH, HAR- MAN et DERMAN (1976).

HARPER, J. et COLLINS, J.K. (1972) « The ef- fects of early or late maturation on the prestige of the adolescent girl ». *Aus- tralian and New Zealand Journal of So- ciology*, 8 : 83-88.

HARRE, R. et LAMB, R. (Éd.) (1983) *The Ency- clopedic Dictionary of Psychology*. Cam- bridge, Mass. : M.I.T. Press.

HARRIS, T., voir BROWN et HARRIS (1978).

HARRIS, V.A., voir JONES et HARRIS (1967).

HARTMANN, E. (1975) *Les fonctions du som- meil*. Bruxelles, Pierre Mardaga.

HARTMANN, E. (1984) *The Nightmare*. New York : Basic Books.

HARTSHORNE, H. et MAY, M.A. (1929) *Studies in the Nature of Character* : Vol. 2. *Studies in Service and Self Control*. New York : Macmillan.

HARTUP, W.W. et COATES, B. (1967) « Imita- tion of a peer as a function of reinforce- ment from the peer group and reward- ingness of the model ». *Child Development*, 38 : 1003-16.

HARTUP, W.W. et MOORE, S.G. (1963) « Avoid- ance of inappropriate sex-typing by young children ». *Journal of Consulting Psychology*, 27 : 467-73.

HARVEY, E.N., voir LOOMIS, HARVEY et HOBART (1937).

HASTEY, J.M., voir ARKIN, TOTH, BAKER et HASTEY (1970).

HATFIELD, E., voir TRAUPMANN et HATFIELD (1981).

HAURI, P. (1982) *Sleep Disorder*. Kalama- zoo, Mich. : Upjohn.

HAUTZINER, M., voir LEWINSOHN, HOBERMAN, TERI et HAUTZINER (1985).

HAVIGHURST, R.J., voir EELLS, DAVIS, HAVIGHURST, HERRICK et TYLER (1951).

HAWKINS, R.D. et KANDEL, E.R. (1984) « Is there a cell-biological alphabet for sim- ple forms of learning ? » *Psychological Review*, 91 : 375-91.

HAYNES, S.G., FEINLEIB, M. et KANNEL, W.B. (1980) « The relationship of psychoso- cial factors to coronary heart disease in the Framingham Study : Pt. 3. Eight-year incidence of coronary heart disease ». *American Journal of Epidemiology*, 111 (no 1) : 37-58.

HEALD, F.P., voir ROHN, SARTES, KENNY, REY- NOLDS et HEALD (1977).

HEBB, D.O. (1974) *Psychologie : science moderne*. Montréal, Éditions HRW.

HEBB, D.O. (1982) « Understanding psycho- logical man : A state-of-the-science re- port ». *Psychology Today*, 16 : 52-53.

HECHT, S. et HSIA, Y. (1945) « Dark adapta- tion following light adaptation to red and white lights ». *Journal of the Optical Society of America*, 35 : 261-67.

HEDBERG, A., voir WALKER, HEDBERG, CLEM- ENT et WRIGHT (1981).

HEIDER, F. (1958) The Psychology of Inter- personal Relations. New York : Wiley.

HEIN, A. et HELD, R. (1967) « Dissociation of the visual placing response into elicited and guided components ». *Science*, 153 : 390-92.

HEINGARTNER, A., voir ZAJONC, HEINGARTNER et HERMAN (1969).

HEISEL, S., voir LOCKE, KRAUS, LESERMAN, HURST, HEISEL et WILLIAMS (1984).

HELD, R. (1965a) « Object and effigy ». Dans Kepes, G. (Éd.), *Structure in Art and Science*. New York : Braziller.

HELD, R. (1965b) « Plasticity in sensory- motor systems ». *Scientific American*, 21 (no 5) : 84-94.

HELD, R., voir HEIN et HELD (1967).

HELLER, S.S., voir CASE, HELLER, CASE et MOSS (1985).

HELLMAN, R.E., voir GLADUE, GREEN et HELLMAN (1984).

HELMHOLTZ, H. VON (1857) *Treatise on Physiological Optics* (J.P. Southhall, trad.). New York : Dover.

HELZER, J.E., voir ROBINS, HELZER, WEISSMAN et coll. (1984).

HEMMI, T. (1969) « How we have handled the problem of drug abuse in Japan ». Dans Sjoqvist, F. et Tottie, M. (Éd.), *Abuse of Central Stimulants*. New York : Raven Press.

HENCHY, T. et GLASS, D.C. (1968) « Evalua- tion apprehension and social facilita- tion of dominant and subordinate responses ». *Journal of Personality and Social Psychology*, 10 : 466-54.

HENINGER, G.R., voir CHARNEY et HENINGER (1983).

HENINGER, G.R., voir CHARNEY, HENINGER et STERNBERG (1984).

HENLEY, N., HAMILTON, M. et THORNE, B. (1985) « Womanspeak and manspeak : Sex differences and sexism in commu- nication, verbal and nonverbal ». Dans Sargent, A.G. (Éd.), *Beyond Sex Roles*. St. Paul, Minn. : West.

HENSEL, H. (1973) « Cutaneous ther- moreceptors ». Dans Iggo, A. (Éd.), *Handbook of Sensory Physiology*, Vol. 2. Berlin : Springer-Verlag.

HERING, E. (1878) *Outlines of a Theory of the Light Sense* (L.M. Hurvich et D. Jame- son, trad.). Cambridge, Mass. : Harvard University Press.

HERMAN, C.P. et POLIVY, J. (1980) « Re- strained eating ». Dans Stunkard, A.J. (Éd.), *Obesity*. Philadelphia : Saunders.

HERMAN, C.P., voir HIBSCHER et HERMAN (1977).

HERMAN, C.P., voir POLIVY et HERMAN (1985).

HERMAN, E.M., voir ZAJONC, HEINGARTNER et HERMAN (1969).

HERMAN, J.H., voir ROFFWARG, HERMAN, BOWE-ANDERS et TAUBER (1978).

HERON, W., DOANE, B.K. et SCOTT, T.H. (1956) « Visual disturbances after prolonged perceptual isolation ». *Canadian Jour- nal of Psychology*, 10 : 13-16.

HERRICK, V.E., voir EELLS, DAVIS, HAVIGHURST, HERRICK et TYLER (1951).

HERRNSTEIN, R.J. et BORING, E.G. (1965) *A Source Book in the History of Psycholo- gy*. Cambridge, Mass. : Harvard Univer- sity Press.

HERRON, E., voir HOGARTY, SCHOOLER, UL- RICH, MUSSARE, FERRO et HERRON (1979).

HERZ, M.J., voir MCGAUCH et HERZ (1972).

HESS, E.H. (1958) « « Imprinting » in animals ». *Scientific American*, 198 : 81-90.

HESS, E.H. (1972) « « Imprinting » in a natu- ral laboratory ». *Scientific American*, 227 : 24-31.

HESTON, L., voir BOUCHARD, HESTON, ECKERT, KEYES et RESNICK (1981).

HETHERINGTON, E.M. et FRANKIE, G. (1967) « Effects of parental dominance, warmth, and conflict on imitation in children ». *Journal of Personality and Social Psychology*, 6:119-25.

HEWITT, E.C., voir SPANOS et HEWITT (1980).

HEWITT, P. et MASSEY, J.O. (1969) *Clinical Clues From the WISC*. Palo Alto, Calif.: Consulting Psychologists Press.

HIBSCHER, J.A. et HERMAN, C.P. (1977) « Obesity, dieting, and the expression of « obese » characteristics ». *Journal of Comparative and Physiological Psychology*, 91:374-80.

HILGARD, E.R. (1961) « Hypnosis and experimental psychodynamics ». Dans Brosin, H. (Éd.), *Lectures on Experimental Psychiatry*. Pittsburgh: Pittsburgh University Press.

HILGARD, E.R. (1965) *Hypnotic Susceptibility*. New York: Harcourt Brace Jovanovich.

HILGARD, E.R. (1968) *The Experience of Hypnosis*. New York: Harcourt Brace Jovanovich.

HILGARD, E.R. (1977) *Divided Consciousness: Multiple Controls in Human Thought and Action*. New York: Wiley-Interscience.

HILGARD, E.R. (1987) *Psychology in America: A Historical Survey*. San Diego: Harcourt Brace Jovanovich.

HILGARD, E.R. et HILGARD, J.R. (1975) *Hypnosis in the Relief of Pain*. Los Altos, Calif.: Kaufmann.

HILGARD, E.R., HILGARD, J.R., MACDONALD, H., MORGAN, A.H. et JOHNSON, L.S. (1978) « Covert pain in hypnotic analgesia: Its reality as tested by the real-simulator design ». *Journal of Abnormal Psychology*, 87:655-63.

HILGARD, E.R., voir BANYAI et HILGARD (1976)

HILGARD, E.R., voir BOWER et HILGARD (1981).

HILGARD, E.R., voir KNOX, CRUTCHFIELD et HILGARD (1975).

HILGARD, E.R., voir RUCH, MORGAN et HILGARD (1973).

HILGARD, J.R. (1979) *Personality and Hypnosis: A Study of Imaginative Involvement* (2e éd.). Chicago: University of Chicago Press.

HILGARD, J.R., voir HILGARD et HILGARD (1975).

HILGARD, J.R., voir HILGARD, HILGARD, MACDONALD, MORGAN et JOHNSON (1978).

HILL, C.T., RUBIN, Z. et PEPLAU, L.A. (1976) « Breakups before marriage: The end of 103 affairs ». *Journal of Social Issues*, 32:147-68.

HILL, C.T., voir PEPLAU, RUBIN et HILL (1977).

HILL, C.T., voir RUBIN, HILL, PEPLAU et DUNKEL-SCHETTER (1980).

HILLERY, J.M., voir HUNT et HILLERY (1973).

HIND, J.E., voir ROSE, BRUGGE, ANDERSON et HIND (1967).

HIRSCH, H.V.B. et SPINELLI, D.N. (1970) « Visual experience modifies distribution of horizontally and vertically oriented receptive fields in cats ». *Science*, 168:869-71.

HIRSCH, J. et BATCHELOR, B.R. (1976) « Adipose tissue cellularity and human obesity ». *Clinical Endocrinology and Metabolism*, 5:299-311.

HIRSCH, J., voir KNITTLE et HIRSCH (1968).

HIRSCH, S.R. et NATELSON, B.J. (1981) « Electrical brain stimulation and food reinforcement dissociated by demand elasticity ». *Physiology and Behavior*, 18:141-50.

HIRST, W. (1982) « The amnesic syndrome: Descriptions and explanations ». *Psychological Bulletin*, 91(no 3):435-60.

HITCH, G.J., voir BADDELEY et HITCH (1974).

HITCH, G.J., voir BADDELEY et HITCH (1977).

HO, E., voir WATKINS, HO et TULVING (1976).

HOBART, G.A., voir LOOMIS, HARVEY et HOBART (1937).

HOBERMAN, H., voir LEWINSOHN, HOBERMAN, TERI et HAUTZINER (1985).

HOBSON, C.J., voir COLEMAN, CAMPBELL, HOBSON et coll. (1966).

HOBSON, J.A. et MCCARLEY, R.W. (1977) « The brain as a dream state generator: An activation-synthesis hypothesis of the dream process ». *American Journal of Psychiatry*, 134:1335-48.

HOCHBERG, J. (1978) Perception (2e éd.). Englewood Cliffs, N.J.: Prentice-Hall.

HODGSON, R.J., voir RACHMAN et HODGSON (1980).

HOEBEL, B.G. et TEITELBAUM, P. (1966) « Effects of force-feeding and starvation on food intake and body weight on a rat with ventromedial hypothalamic lesions ». *Journal of Comparative and Physiological Psychology*, 61:189-93.

HOEBEL, B.G., voir CAGGIULA et HOEBEL (1966).

HOEBEL, B.G., voir SMITH, KING et HOEBEL (1970).

HOFFMAN, L.W. (1980) « The effects of maternal employment on the academic attitudes and performance of school-aged children ». *School Psychology Review*, 9:319-35.

HOFFMAN, S., voir ROSS, BIERBRAUER et HOFFMAN (1976).

HOFLING, C.K. (1975) *Textbook of Psychiatry for Medical Practice* (3e éd.). Philadelphia: Lippincott.

HOFLING, C.K., BROTZMAN, E., DALRYMPLE, S., GRAVES, N. et PIERCE, C.M. (1966) « An experimental study in nurse-physician relationships ». *Journal of Nervous and Mental Disease*, 143:171-80.

HOGARTY, G.E., SCHOOLER, N.R., ULRICH, R., MUSSARE, F., FERRO, P. et HERRON, E. (1979) « Fluphenazine and social therapy in the after care of schizophrenic patients ». *Archives of General Psychiatry*. 36:1283-94.

HOGNESS, D.S., voir NATHANS, THOMAS et HOGNESS (1986).

HOHMANN, G.W. (1962) « Some effects of spinal cord lesions on experienced emotional feelings ». *Psychophysiology*, 3:143-56.

HOHMANN, M., BANET, B. et WEIKART, D. (1979) *Young Children in Action*. Ypsilanti, Mich.: High Scope Press.

HOLDEN, C. (1975) « Lie detectors: PSE gains audience despite critic's doubt ». *Science*, 190:359-62.

HOLLAN, J.D., voir WILLIAMS et HOLLAN (1981).

HOLLAND, C.C., voir ORNE et HOLLAND (1968).

HOLLISTER, L.E., voir DARLEY, TINKLENBERG, ROTH, HOLLISTER, et ATKINSON (1973).

HOLLISTER, L.E., voir YESAVAGE, LEIER, DENARI et HOLLISTER (1985).

HOLMES, D.S. (1974) « Investigations of repression: Differential recall of material experimentally or naturally associated with ego threat ». *Psychological Bulletin*, 81:632-53.

HOLMES, D.S. (1984) « Meditation and somatic arousal reduction: A review of the evidence ». *American Psychologist*, 39:1-10.

HOLMES, D.S. (1985) « To meditate or to simply rest, that is the question: A response to the comments of Shapiro ». *American Psychologist*, 40:722-25.

HOLMES, T.H. et RAHE, R.H. (1967) « The social readjustment rating scale ». *Journal of Psychosomatic Research*, 11:213-18.

HOLROYD, K.A., APPEL, M.A. et ANDRASIK, F. (1983) « A cognitive-behavioral approach to psychophysiological disorders ». Dans Meichenbaum, D. et Jaremko, M.E. (Éd.), *Stress Reduction and Prevention*. New York: Plenum.

HOLYOAK, K.J., voir GLASS et HOLYOAK (1986).

HOLZMAN, P.S. (1970) *Psychoanalysis and Psychopathology*. New York: McGraw-Hill.

HOLZMAN, P.S., voir MENNINGER et HOLZMAN (1973).

HOMME, L.E., DE BACA, P.C., DEVINE, J.V., STEINHORST, R. et RICKERT, E.J. (1963) « Use of the Premack principle in controlling the behavior of nursery school children ». *Journal of the Experimental Analysis of Behavior*, 6:544.

HONIG, W.K. et STADDON, J.E.R. (Éd.) (1977) *Handbook of Operant Behavior*. Englewood Cliffs, N.J.: Prentice-Hall.

HOOD, D.C. et FINKELSTEIN, M.A. (1983) « A case for the revision of textbook models of color vision: The detection and appearance of small, brief lights ». Dans Mollon, J.D. et Sharpe, L.T. (Éd.), *Colour Vision: Physiology and Psychophysics*. London: Academic Press.

HOOK, E.B. (1973) « Behavioral implications of the human XYY genotype ». *Science*, 179:139-50.

HOOKER, E. (1957) « The adjustment of the male overt homosexual ». *Journal of Projective Techniques*, 22:33-54.

HOPKINS, J.R. (1977) « Sexual behavior in adolescence ». *Journal of Social Issues*, 33:67-85.

HOROWITZ, S.D., voir JACOBSON, FRIED et HOROWITZ (1967).

HORTON, R.W., voir THOMAS, HORTON, LIPPINCOTT et DRABMAN (1977).

HOVLAND, C. (1937) « The generalization of conditioned responses: Pt. 1. The sensory generalization of conditioned responses with varying frequencies of tone ». *Journal of General Psychology*, 17:125-48.

HOWELLS, G.N., voir BANDURA, ADAMS, HARDY et HOWELLS (1980).

HRUBEC, Z., voir STUNKARD, FOCH et HRUBEC (1986).

HSIA, Y., voir HECHT et HSIA (1945).

HUBEL, D.H. et WIESEL, T.N. (1963) « Receptive fields of cells in striate cortex of very young visually inexperienced kittens ». *Journal of Neurophysiology*, 26:994-1002.

HUBEL, D.H. et WIESEL, T.N. (1968) « Receptive fields and functional architecture of monkey striate cortex ». *Journal of Physiology*, 195:215-43.

HUBEL, D.H., voir WIESEL et HUBEL (1974).

HUESMANN, L.R., ERON, L.D., LEFKOWITZ, M.M. et WALDER, L.O. (1984) « Stability of aggression over time and generations ». *Developmental Psychology*, 10:1120-34.

HUESMANN, L.R., LAGERSPETZ, K. et ERON, L.D. (1984) « Intervening variable in the TV violence-aggression relation: Evidence from two countries ». *Developmental Psychology*, 20:746-75.

HUESMANN, L.R., voir ERON, HUESMANN, LEFKOWITZ et WALDER (1972).

HUGDAHL, K. et OHMAN, A. (1977) « Effects of instruction on acquisition and extinction of electrodermal response to fear-relevant stimuli ». *Journal of Experimental Psychology: Human Learning and Memory*, 3 (n° 5): 608-18.

HUGDAHL, K., voir OHMAN, FREDRIKSON, HUGDAHL et RIMMO (1976).

HULL, C.L. (1943) *Principles of Behavior.* New York: Appleton-Century-Crofts.

HULLEY, S. voir SHEKELL, NEATON, JACOBS, HULLEY et BLACKBURN (1983).

HUNT, D.D. et HAMPSON, J.L. (1980) « Follow up of 17 biologic male transsexuals after sex reassignment surgery ». *American Journal of Psychiatry*, 137:432-38.

HUNT, E. (1985) « Verbal ability ». Dans Sternberg, R.J. (Éd.), *Human Abilities: An Information-Processing Approach.* New York: Freeman.

HUNT, M. (1974) *Sexual Behavior in the 1970's.* Chicago: Playboy Press.

HUNT, P.J. et HILLERY, J.M. (1973) « Social facilitation at different stages in learning ». Document présenté au « Midwestern Psychological Association Meetings », Cleveland.

HUNTER, E.J. (1979) « Combat casualties who remain at home ». Document

présenté au « Western Regional Conference of the Interuniversity Seminar », « Technology in Combat ». Navy Postgraduate School, Monterey, Calif., mai 1979.

HUNTER, I.M.L. (1974) *Memory.* Baltimore: Penguin.

HURRY, J., voir BEBBINGTON, STURT, TENNANT et HURRY (1984).

HURRY, J., voir TENNANT, SMITH, BEBBINGTON et HURRY (1981).

HURST, M.W., voir LOCKE, KRAUS, LESERMAN, HURST, HEISEL et WILLIAMS (1984).

HURVICH, L.M. (1981) *Color Vision.* Sunderland, Mass.: Sinauer Associates.

HUSTON, A.C., voir MUSSEN, CONGER, KAGAN et HUSTON (1984).

HUSTON, A.C., voir O'BRIEN et HUSTON (1985).

HUSTON, T.L., et KORTE, C. (1976) « The responsive bystander ». Dans Lickona, T. (Éd.), *Moral Development and Behavior.* New York: Holt, Rinehart et Winston.

HUSTON, T.L., voir JACKSON et HUSTON (1975).

HYDE, J.S. (1981) « How large are cognitive gender differences? » *American Psychologist*, 36:892-901.

HYSON, R.L., voir LAUDENSLAGER, RYAN, DRUGAN, HYSON et MAIER (1983).

I

IMAYUMI, Y., voir AWAYA, MIYAKE, IMAYUMI, SHIOSE, KNADA et KOMURO (1973).

IMBER, S., voir ELKIN, SHEA et IMBER (1986).

IMPERATO-MCGINLEY, J., PETERSON, R.E., GAUTIER, T. et STURLA, E. (1979) « Androgens and the evolution of male gender identity among male pseudohermaphrodites with 5 alpha reductase deficiency ». *New England Journal of Medicine*, 300:1233-37.

INHOFF, A.W., voir RAYNER, INHOFF, MORRISON, SLOWIACZEK et BERTERA (1981).

INOUYE, J., voir DIGMAN et INOUYE (1986).

INSKO, C.A., voir STROEBE, INSKO, THOMPSON et LAYTON (1971).

INSTITUTE OF MEDICINE (1982) *Marijuana and Health.* Washington, D.C.: National Academy Press.

J

JACCARD, J.J., voir DAVIDSON et JACCARD (1979).

JACKLIN, C.N., voir MACCOBY et JACKLIN (1974).

JACKSON, D.J. et HUSTON, T.L. (1975) « Physical attractiveness and assertiveness ». *Journal of Social Psychology*, 96:79-84.

JACKSON, D.N., voir RUSHTON, JACKSON et PAUNONEN (1981).

JACKSON, J.M. et LATANE, B. (1982) « All alone in front of all those people: Stage fright as a function of number and type of coperformers and audience ». *Journal of Personality and Social Psychology*, 40:73-85.

JACOBS, D., voir SHEKELLE, NEATON, JACOBS, HULLEY et BLACKBURN (1983).

JACOBS, G.H., voir DEVALOIS et JACOBS (1984).

JACOBSON, A. et KALES, A. (1967) « Somnambulism: All-night EEG and related studies ». Dans Kety, S.S., Evarts, E.V. et Williams, H.L. (Éd.), *Sleep and Altered States of Consciousness.* Baltimore: Williams et Wilkins.

JACOBSON, A.L., FRIED, C. et HOROWITZ, S.D. (1967) « Classical conditioning, pseudo-conditioning, or sensitization in the planarian ». *Journal of Comparative and Physiological Psychology*, 64:73-79.

JAMES, W. (1884) « What is an emotion? » Mind. 9:188-205.

JAMES, W. (1890) *The Principles of Psychology.* New York: Holt, Rinehart et Winston.

JAMISON, K.R., voir GOLSTEIN, BAKER et JAMISON (1986).

JANET, P. (1889) *L'Automisme psychologique.* Paris: Felix Alcan.

JANICAK, P.G., DAVIS, J.M., GIBBONS, R.D., ERICKSEN, S., CHANG, S. et GALLAGHER, P. (1985) « Efficacy of ECT: A meta-analysis ». *American Journal of Psychiatry*, 142 (n° 3): 297-302.

JANOWITZ, H.D. et GROSSMAN, M.I. (1949) « Some factors affecting the food intake of normal dogs and dogs esophagostomy and gastric fistula ». *American Journal of Physiology*, 159:143-48.

JAREMKO, M.E., voir MEICHENBAUM et JAREMKO (1983).

JARVIE, G.J., voir THOMPSON, JARVIE, LAKEY et CURETON (1982).

JASMOS, T.M. et HAKMILLER, K.L. (1975) « Some effects of lesion level, and emotional cues on affective expression in spinal cord patients ». *Psychological Reports*, 37:859-70.

JEMMOT, J.B., III, BORYSENKO, M., MCCLELLAND, D.C., CHAPMAN, R., MEYER, D. et BENSON, H. (1985) « Academic stress, power motivation, and decrease in salivary secretory immunoglubulin: A secretion rate ». *Lancet*, 1:1400-402.

JEMMOT, J.B., III et LOCKE, S.E. (1984) « Psychosocial Factors, immunologic mediation, and human susceptibility to infectious diseases: How much do we know? » *Psychological Bulletin*, 95:78-108.

JENKINS, C.D., voir ROSENMAN, BRAND, JENKINS, FRIEDMAN, STRAUS et WRUM (1975).

JENKINS, H.M. et MOORE, B.R. (1973) « The form of the autoshaped response with food or water reinforcers ». *Journal of the Experimental Analysis of Behavior*, 20:163-81.

JENKINS, H.M., voir BROWN et JENKINS (1968).

JENSEN, A.R. (1980) *Bias in Mental Testing*. New York: Free Press.

JENSEN, R.A., voir MCGAUGH, JENSEN et MARTINEZ (1979).

JING, Q., voir YU, ZHANG, JING, PENG, ZHANG et SIMON (1985).

JOFFE, J.M., voir BOND et JOFFE (1982).

JOHN, R.S., MEDNICK, S.A. et SCHULSINGER, F. (1982) « Teacher reports as a predictor of schizophrenia and borderline schizophrenia: A Bayesian decision analysis ». *Journal of Abnormal Psychology*, 91:399-413.

JOHNSON, H.H. et SOLSO, R.L. (1978) *An Introduction to Experimental Design in Psychology: A Case Approach* (2ᵉ éd.). New York: Harper et Row.

JOHNSON, L., voir GULEVICH, DEMENT et JOHNSON (1966).

JOHNSON, L.S., voir HILGARD, HILGARD, MACDONALD, MORGAN et JOHNSON (1978).

JOHNSON, M.K., voir BRANSFORD et JOHNSON (1973).

JOHNSON, R.D. et DOWNING, L.L. (1979) « Deindividuation and valence of cues: Effects on prosocial and antisocial behavior ». *Journal of Personality and Social Psychology*, 37:1532-38.

JOHNSON, R.N. (1972) *Aggression in Man and Animals*. Philadelphia: Saunders.

JOHNSON, V.E., voir MASTERS et JOHNSON (1966).

JOHNSON-LAIRD, P.N. (1983) *Mental Models: Toward a Cognitive Science of Language, Inference, and Consciousness*. Cambridge, Mass.: Harvard University Press.

JOHNSON-LAIRD, P.N. (1985) « The deductive reasoning ability ». Dans Sternberg, R.J. (Éd.), *Human Abilities: An Information-Processing Approach*. New York: Freeman.

JOHNSON-LAIRD, P.N., voir WASON et JOHNSON-LAIRD (1972).

JOHNSTON, L.D., O'MALLEY, P.M. et BACHMAN, J.G. (1986) *Drug Use Among American High School Students, College Students, and Other Young Adults*. Rockville, Md.: National Institute on Drug Abuse. DHHS Publication nᵒ (ADM) 86-1450.

JONES, E.E. et BERGLAS, S. (1978) « Control of attributions about the self through self-handicapping strategies: The appeal of alcohol and the role of underachievement ». *Personality and Social Psychology Bulletin*, 4:200-206.

JONES, E.E. et HARRIS, V.A. (1967) « The attribution of attitudes ». *Journal of Experimental Social Psychology*, 3:1-24.

JONES, E.E., ROCK, L. SHAVER, K.G., GOETHALS, G.R. et WARD, L.M. (1968) « Pattern of performance and ability attribution: An unexpected primacy effect ». *Journal of Personality and Social Psychology*, 9:317-40.

JONES, H.C. et LOVINGER, P.W. (1985) *The Marijuana Question and Science's Search for an Answer*. New York: Dodd, Mead.

JONES, K.L., voir STREISSGUTH, CLARREN et JONES (1985).

JONES, L.V. (1984) « White-Black Achievement Differences: The Narrowing Gap ». *American Psychologist*, 39:1207-13.

JONES, M.C. (1965) « Psychological correlates of somatic development ». *Child Development*, 36:899-911.

JORGENSON, B.W., voir LEVINGER, SENN et JORGENSEN (1970).

JOSEPH, L., voir SCHMITT, GILOVICH, GOORE et JOSEPH (sous impression).

JULESZ, B. (1971) *Foundations of Cyclopean Perception*. Chicago: University of Chicago Press.

JULIEN, R.M. (1985) *A Primer of Drug Action* (4ᵉ éd.). New York: Freeman.

JUNG, C.G. (1984) *La guérison psychologique*. Genève, Librairie de l'Université.

JUNG, R. (1984) « Sensory research in historical perspective: Some philosophical foundations of perception ». Dans Darian-Smith, I. (Éd.), *Handbook of Physiology*, Vol. 3. Bethesda, Md.: American Physiological Society.

JUNGEBLUT, A., voir MESSICK et JUNGEBLUT (1981).

JUSCZYK, P., voir AIMAS, SIQUELAND, JUSCZYK et VIGORITO (1971).

JUST, M.A. et CARPENTER, P.A. (1980) « A theory of reading: From eye fixations to comprehension ». *Psychological Review*, 87:329-54.

K

KAGAN, J. (1979) « Overview: Perspectives on human infancy ». Dans Osofsky, J.D. (Éd.), *Handbook of Infant Development*. New York: Wiley-Interscience.

KAGAN, J., KEARSLEY, R. et ZELAZO, P.R. (1978) *Infancy: Its Place in Human Development*. Cambridge, Mass.: Harvard University Press.

KAGAN, J. et KLEIN, R.E. (1973) « Crosscultural perspectives on early development ». *American Psychologist*, 28:947-61.

KAGAN, J., voir MUSSEN, CONGER, KAGAN et HUSTON (1984).

KAHN, S., voir KOBASA, MADDI et KAHN (1982).

KAHNEMAN, D., SLOVIC, P. et TVERSKY, A. (Ed.) (1982) *Judgment Under Uncertainty: Heuristics and Biases*. New York: Cambridge University Press.

KAHNEMAN, D. et TREISMAN, A. (1984) « Changing views of attention ». Dans Parasuraman, R., Davies, D. et Beatty, J. (Éd.), *Varieties of Attention*. New York: Academic Press.

KAHNEMAN, D., voir TVERSKY et KAHNEMAN (1973).

KAHNEMAN, D., voir TVERSKY et KAHNEMAN (1983).

KAIL, R. (1984) *The Development of Memory in Children* (2ᵉ éd.). New York: Freeman.

KAIL, R. et PELLEGRINO, J.W. (1985) *Human Intelligence: Perspectives and Prospects*. New York: Freeman.

KALES, A., voir JACOBSON et KALES (1967).

KAMIN, L.J. (1969) « Predictability, surprise, attention, and conditioning ». Dans Campbell, B.A. et Church, R.M. (Éd.), *Punishment and Aversive Behavior*. New York: Appleton-Century-Crofts.

KAMIN, L.J. (1976) « Heredity, intelligence, politics, and psychology ». Dans Block, N.J. et Dworkin, G. (Éd.), *The IQ Controversy*. New York: Pantheon.

KAMIN, L.J., voir LEWONTIN, ROSE et KAMIN (1984).

KAMMANN, R., voir MARKS et KAMMANN (1977).

KAMMANN, R., voir MARKS et KAMMANN (1980).

KANDEL, D.B. (1975) « Stages in adolescent involvement in drug use ». *Science*, 190:912-14.

KANDEL, D.B. et LOGAN, J.A. (1984) « Patterns of drug use from adolescence to young adulthood: Pt. 1. Periods of risk for initiation, continued use, and discontinuation ». *American Journal of Public Health*, 74(nᵒ 7).

KANDEL, D.B., voir ANDREWS et KANDEL (1979).

KANDEL, E.R. (1979) « Small systems of neurons ». Dans Thompson, R. (Éd.), *The Brain*. San Francisco: Freeman.

KANDEL, E.R., voir CASTELLUCI et KANDEL (1976).

KANDEL, E.R., voir HAWKINS et KANDEL (1984).

KANNEL, W.B., voir HAYNES, FEINLEIB et KANNEL (1980).

KANNER, A.D., voir LAZARUS, KANNER et FOLKMAN (1980).

KANTER, J.F., voir ZELNIK et KANTER (1977).

KAPLAN, J. (1983) *The Hardest Drug: Heroin and Public Policy*. Chicago: University of Chicago Press.

KARABENICK, S.A., voir LERNER et KARABENICK (1974).

KATZ, E. et FELDMAN, J.J. (1962) « The debates in the light of research: A survey of surveys ». Dans Kraus, S. (Éd.), *The Great Debates*. Bloomington: Indiana University Press.

KATZ, R. et WYKES, T. (1985) « The psychological difference between temporally predictable and unpredictable stressful events: Evidence for information control theories ». *Journal of Personality and Social Psychology*, 48:781-90.

KATZMAN, N., voir COMSTOCK, CHAFFEE, KATZMAN, MCCOMBS et ROBERTS (1978).

KAUFMAN, L., voir BOFF, KAUFMAN et THOMAS (1986).

KAUL, T.J., voir BEDNAR et KAUL (1978).

KAY, P., voir BERLIN et KAY (1969).

KAYE, W., voir WEINGARTEN, GRAFMAN, BOUTELLE, KAYE, et MARTIN (1983).

KAZDIN, A.E. (1982) « Symptom substitution, generalization, and response covariation : Implications for psychotherapy outcome ». *Psychological Bulletin*, 91 :349-65.

KAZDIN, A.E., voir CRAIGHEAD, KAZDIN et MAHONEY (1981).

KEARSLEY, R., voir KAGAN, KEARSELY et ZELAZO (1978).

KEELE, S.W., voir POSNER et KEELE (1967).

KEEN, E. (1982) *A Primer in Phenomenological Psychology*. New York : Holt, Rinehart et Winston.

KEESEY, R.E. et POWLEY, T.L. (1975) « Hypothalamic regulation of body weight ». *American Scientist*, 63 :558-65.

KEESEY, R.E., voir MITCHEL et KEESEY (1974).

KEESEY, R.E., voir POWLEY et KEESEY (1970).

KEIL, F.C. et BATTERMAN, N.A. (1984) « Characteristic-to-defining shift in the development of word meaning ». *Journal of Verbal Learning and Verbal Behavior*, 23 :221-36.

KELEM, R.T., voir DIENER, FRASER, BEAMAN et KELEM (1976).

KELLER, S.E., voir SCHLEIFER, KELLER, MCKEGNEY et STEIN (1979).

KELLERMAN, H., voir PLUTCHIK et KELLERMAN (1980).

KELLEY, H.H. (1967) « Attribution theory in social psychology ». Dans Levine, D. (Éd.), *Nebraska Symposium on Motivation*, Vol. 15. Lincoln : University of Nebraska Press.

KELLEY, H.H. (1973) « The processes of causal attribution ». *American Psychologist*, 18 :107-28.

KELLEY, H.H. et WOODRUFF, C.L. (1956) « Members' reactions to apparent group approval of a counternorm communication ». *Journal of Abnormal and Social Psychology*, 52 :67-74.

KELLEY, S., JR. et MIRER, T.W. (1974) « The simple act of voting ». *American Political Science Review*, 68 :572-91.

KELMAN, H.C. (1961) « Processes of opinion change ». *Public Opinion Quarterly*, 25 :57-78.

KEMLER NELSON, D.G. (1984) « The effect of intention on what concepts are acquired ». *Journal of Verbal Learning and Verbal Behavior*, 23 :734-59.

KENDALL, P.C. et BUTCHER, J.N. (Éd.) (1982) *The Handbook of Research Methods in Clinical Psychology*. New York : Wiley.

KENNEDY, C.E. (1978) *Human Development : The Adult Years and Aging*. New York : Macmillan.

KENNEDY, R.A., voir WILKES et KENNEDY (1969).,

KENNY, T.J., voir ROHN, SARTES, KENNY, REYNOLDS et HEALD (1977).

KENRICK, D.T. et GUTIERRES, S.E. (1980) « Contrast effects and judgments of physical attractiveness : When beauty becomes a social problem ». *Journal of Personality and Social Psychology*, 38,131-40.

KENRICK, D.T., voir SCHUTTE, KENRICK et SADALLA (1985).

KENSHALO, D.R., NAFE, J.P. et BROOKS, B. (1961) « Variations in thermal sensitivity ». *Science*, 134 :104-105.

KEPHART, W.M. (1967) « Some correlates of romantic love ». *Journal of Marriage and the Family*, 29 :470-74.

KEPPEL, G. et SAUFLEY, W.H., JR. (1980) *Introduction to Design and Analysis*. San Francisco : Freeman.

KERNIS, M.H. et WHEELER, L. (1981) « Beautiful friends and ugly strangers : Radiation and contrast effects in perception of same-sex pairs ». *Journal of Personality and Social Psychology*, 7 :617-20.

KEYES, M. voir BOUCHARD, HESTON, ECKERT, KEYES et RESNICK (1981).

KIESLER, C.A. (1982) « Mental hospitals and alternative care : Noninstitutionalization as potential policy for mental patients ». *American Psychologist*, 34 :349-60.

KIHLSTROM, J.F. (1984) « Conscious, subconscious, unconscious : A cognitive view ». Dans Bowers, K.S. et Meichenbaum, D. (Éd.), *The Unconscious : Reconsidered*. New York : Wiley.

KIHLSTROM, J.F. (1985) « Hypnosis ». *Annual Review of Psychology*, 36 :385-418.

KIMBLE, G.A. et PERLMUTER, L.C. (1970) « The problem of volition ». *Psychological Review*, 77 :361-84.

KIMMEL, D.C. et WEINER, I.B. (1985) *Adolescence : A Developmental Transition*. Hillsdale, N.J. : Erlbaum.

KINDER, D.R. et SEARS, D.O. (1985) « Public opinion and political action ». Dans Lindzey, G. et Aronson, E. (Éd.), *The Handbook of Social Psychology* (3e éd.). New York : Random House.

KING, M., voir SMITH, KING et HOEBEL (1970).

KINSEY, A.C., POMEROY, W.B. et MARTIN, C.E. (1948) *Sexual Behavior in the Human Male*. Philadelphia : Saunders.

KINSEY, A.C., POMEROY, W.B., MARTIN, C.E. et GEBHARD, P.H. (1953) *Sexual Behavior in the Human Female*. Philadelphia : Saunders.

KINTSCH, W. et BUSCHKE, H. (1969) « Homophones and synonyms in short term memory ». *Journal of Experimental Psychology*, 80 :403-407.

KINTSCH, W., voir MILLER et KINTSCH (1980).

KIRKER, W.S., voir ROGERS, KUIPER et KIRKER (1977).

KIRSCH, M.A. et GLASS, L.L. (1977) « Psychiatric disturbances associated with Erhard Seminars Training : Pt. 2. Additional cases and theoretical considerations ». *American Journal of Psychiatry*, 134 :1254-58.

KLATZKY, R.L. (1980) *Human Memory : Structures and Processes* (2e éd.). San Francisco : Freeman.

KLATZKY, R.L., LEDERMAN, S.J. et METZGER, V.A. (1985) « Identifying objects by touch : An expert system ». *Perception and Psychophysics*, 37 :299-302.

KLEIN, D.F., voir GITTELMAN et KLEIN (1985).

KLEIN, R.E., voir KAGAN et KLEIN (1973).

KLEINHESSELINK, R.R. et EDWARDS, R.W. (1975) « Seeking and avoiding belief-discrepant information as a function of its perceived refutability ». *Journal of Personality and Social Psychology*, 31 :787-90.

KLEINMUNTZ, B. (1974) *Essentials of Abnormal Psychology*. New York : Harper et Row.

KLEITMAN, N., voir DEMENT et KLEITMAN (1957).

KLENTZ, B., voir BEAMAN, BARNES, KLENTZ et MCQUIRK (1978).

KLINEBERG, O. (1938) « Emotional expression in Chinese literature ». *Journal of Abnormal and Social Psychology*, 33 :517-20.

KLINEBERG, O. (1957) (1959) *Psychologie sociale*. Tomes I et II. Paris, P.U.F.

KLUFT, R.P. (Éd.) (1985) *Childhood Antecedents of Multiple Personality*. Washington, D.C. : American Psychiatric Press.

KNADA, T., voir AWAYA, MIYAKE, IMAYUMI, SHIOSE, KNADA et KOMURO (1973).

KNIGHT, J., voir MITA, DERMER et KNIGHT (1977).

KNIGHT, R., voir ROFF et KNIGHT (1981).

KNISKERN, D.P., voir GURMAN et KNISKERN.

KNITTLE, J.L. et HIRSCH, J. (1968) « Effect of early nutrition on the development of rat epididymal fat pads : Cellularity and metabolism ». *Journal of Clinical Investigation*, 47 :2091.

KNOX, V.J., CRUTCHFIELD, L. et HILGARD, E.R. (1975) « The nature of task interference in hypnotic dissociation : An investigation of hypnotic behavior ». *International Journal of Clinical and Experimental Hypnosis*, 23 :305-23.

KOBASA, S.C. (1979) « Stressful life events, personality, and health : An inquiry into hardiness ». *Journal of Personality and Social Psychology*, 37 :1-11.

KOBASA, S.C., MADDI, S.R. et KAHN, S. (1982) « Hardiness and health : A prospective study ». *Journal of Personality and Social Psychology*, 42 :168-77.

KOBASIGAWA, A., ARAKAKI, K. et AWIGUNI, A. (1966) « Avoidance of feminine toys by kindergarten boys : The effects of adult presence or absence, and an adult's attitudes toward sextyping ». *Japanese Journal of Psychology*, 37 :96-103.

KOELLING, R.A., voir GARCIA et KOELLING (1966).

KOENIG, K.E., voir NEWCOMB, KOENIG, FLACKS et WARWICK (1967).

KOHLBERG, L. (1969) « Stage and sequence : The cognitive-developmental approach to socialization ». Dans Goslin, D.A. (Éd.), *Handbook of Socialization Theory and Research*. Chicago : Rand McNally.

KOHLBERG, L. (1973) « Implications of developmental psychology for education :

Examples from moral development ». *Educational Psychologist*, 10:2-14.

KOHLBERG, L. (1984) *The Psychology of Moral Development*: Vol. 1. *Moral Stages and the Life Cycle*: Vol. 2. *Essays on Moral Development*. New York: Harper et Row.

KÖHLER, W. (1925) *The Mentality of Apes*. New York: Harcourt Brace. (Réimpression, 1976. New York: Liveright.)

KHLER, W. (1974) *Psychologie de la forme*. Paris, Gallimard.

KOLB, B. et WHISHAW, I.Q. (1985) *Fundamentals of Human Neuropsychology* (2ᵉ éd.). San Francisco: Freeman.

KOLB, S., voir ZELAZO, ZELAZO et KOLB (1972).

KOLODNER, J.L. (1983) « Maintaining organization in a dynamic long-term memory ». *Cognitive Science*, 7:243-80.

KOMURO, K., voir AWAYA, MIYAKE, IMAYUMI, SHIOSE, KNADA et KOMURO (1973).

KORNER, A.F. (1973) « Individual differences at birth: Implications for early experience and later development. » Dans Westman, J.C. (Éd.), *Individual Differences in Children*. New York: Wiley.

KORTE, C., voir HUSTON et KORTE (1976).

KOSA, J. et ZOLA, I.K. (Éd.) (1975) *Poverty and Health: A Sociological Analysis*. Cambridge, Mass.: Harvard University Press.

KOSSLYN, S.M. (1980) *Image and Mind*. Cambridge, Mass.: Harvard University Press.

KOSSLYN, S.M. (1983) *Ghosts in the Mind's Machine*. New York: Norton.

KOSSLYN, S.M., BALL, T.M. et REISER, B.J. (1978) « Visual images preserve metric spatial information: Evidence from studies of image scanning ». *Journal of Experimental Psychology: Human Perception and Performance*, 4:47-60.

KOTCH, J.B., voir BENSON, KOTCH, CRASSWELLER et GREENWOOD (1977).

KOTELCHUCK, M. (1976) « The infant's relationship to the father: Experimental evidence ». Dans Lamb, M. (Éd.), *The Role of the Father in Child Development*. New York: Wiley.

KOTIN, J., voir POST, KOTIN, GOODWIN et GORDON (1973).

KOULACK, D. et GOODENOUGH, D.R. (1976) « Dream recall and dream recall failure: An arousal-retrieval model ». *Psychological Bulletin*, 83:975-84.

KOVACH, J., voir MURPHY et KOVACH (1972).

KOWET, D. (1983) *The Jet Lag Book*. New York: Crown.

KRAMER, P., voir YAGER, KRAMER, SHAW et GRAHAM (1984).

KRASHEN, S., voir FROMKIN, KRASHEN, CURTISS, RIGLER et RIGLER (1974).

KRAUS, L., voir LOCKE, KRAUS, LESERMAN, HURST, HEISEL et WILLIAMS (1984).

KREITMAN, N. (1977) *Parasuicide*. London: Wiley.

KRETSCHMER, E. (1925) *Physique and Character*. London: Kegan Paul.

KRIPKE, D.F. et GILLIN, J.C. (1985) « Sleep disorders ». Dans Klerman, G.L., Weissman, M.M., Applebaum, P.S. et Roth, L.N. (Éd.), *Psychiatry*. Vol. 3. Philadelphia: Lippincott.

KTSANES, T., voir WINCH, KTSANES et KTSANES (1954).

KTSANES, V., voir WINCH, KTSANES et KTSANES (1954).

KUBIS, J.F. (1962) « Cited in B.M. Smith, « The polygraph » ». Dans Atkinson, R.C. (Éd.), *Contemporary Psychology*. San Francisco: Freeman.

KUHN, D., NASH, S.C. et BRUCKEN, L. (1978) « Sex role concepts of two and three-years-olds ». *Child Development*, 49:445-51.

KUHN, T.S. (1970) *The Structure of Scientific Revolutions* (2ᵉ éd.). Chicago: University of Chicago Press.

KUIPER, N.A., voir ROGERS, KUIPER et KIRKER (1977).

KUMAN, I.G., FEDROV, C.N. et NOVIKOVA, L.A. (1983) « Investigation of the sensitive period in the development of the human visual system ». *Zh. Vyshp. Nerv. Deyat (Journal of Higher Nervous Activity)*, 33:434-41.

KURTZ, P. (Éd.) (1985) *A Skeptic's Handbook of Parapsychology*. Buffalo: Prometheus Books.

KWAN, M.W., voir NEGRETE et KWAN (1972).

L

LADER, M. (1985) « Benzodiasepines, anxiety and catecholamines: A commentary ». Dans Tuma, A.H. et Maser, J.D. (Éd.), *Anxiety and the Anxiety Disorders*. Hillsdale, N.J.: Erlbaum.

LAGE, E., voir MOSCOVICI, LAGE et NAFFRECHOUX (1969).

LAGERSPETZ, K., VIEMERO, V. et AKADEMI, A. (1986) « Television and agressive behavior among Finnish children ». Dans Huesmann, L.R. et Eron, L.D. (Éd.), *Television and the Agressive Child*. New York: Erlbaum.

LAGERSPETZ, K., voir HUESMANN, LAGERSPETZ et ERON (1984).

LAIRD, J.D. (1974) « Self-attribution of emotion: The effects of expressive behavior on the quality of emotional experience ». *Journal of Personality and Social Psychology*, 29:475-86.

LAIRD, N.M., voir DER SIMONIAN et LAIRD (1983).

LAKE, C.R., voir BAUM, GATCHEL, FLEMING et LAKE (1981).

LAKEY, B.B., voir THOMPSON, JARVIE, LAKEY et CURETON (1982).

LAMB, M.E. et CAMPOS, J.J. (1982) *Development in Infancy: An Introduction*. New York: Random House.

LAMB, M.E., THOMPSON, R.A., GARDNER, W.P., CHARNOV, E.L. et ESTES, D. (1984) « Security of infantile attachment as assessed in the « Strange Situation »: Its study and biological interpretation ». *Behavioral and Brain Sciences*, 7:127-54.

LAMB, R., voir HARRE et LAMB (1983).

LAMBERT, M.J., voir BERGIN et LAMBERT (1978).

LAND, E.H. (1977) « The retinex theory of color vision ». *Scientific American*, 237 (nᵒ 6): 108-28.

LANDY, D., voir SIGALL et LANDY (1973).

LANGER, E.J., BLANK, A. et CHANOWITZ, B. (1978) « The mindlessness of ostensibly thoughtful action ». *Journal of Personality and Social Psychology*, 36:635-42.

LANGLOIS, J.H. et DOWNS, A.C. (1980) « Mothers, fathers, and peers as socialization agents of sex-typed play behaviors in young children ». *Child Development*, 51:1237-47.

LAPIERE, R. (1934) « Attitudes versus actions ». *Social Forces*, 13:230-37.

LARKIN, J.H., MCDERMOTT, J., SIMON, D.P. et SIMON, H.A. (1980) « Expert and novice performance in solving physics problems ». *Science*, 208:1335-42,

LATANÉ, B. (1981) « The psychology of social impact ». *American Psychologist*, 36:343-56.

LATANÉ, B. et DARLEY, J.M. (1968) « Group inhibition of bystander intervention in emergencies ». *Journal of Personality and Social Psychology*, 10:215-21.

LATANÉ, B. et DARLEY, J.M. (1970) *The Unresponsive Bystander: Why Doesn't He Help?* New York: Appleton-Century-Crofts.

LATANÉ, B. et HARKINS, S.G. (1976) « Crossmodality matches suggest anticipated stage fright, a multiplicative power function of audience size and status ». *Perception and Psychophysics*, 20:482-88.

LATANÉ, B. et RODIN, J. (1969) « A lady in distress: Inhibiting effects of friends and strangers on bystander intervention ». *Journal of Experimental And Social Psychology*, 5:189-202.

LATANÉ, B., WILLIAMS, K.D. et HARKINS, S.G. (1979) « Many hands make light work: The causes and consequences of social loafing ». *Journal of Personality and Social Psychology*, 37:822-32.

LATANÉ, B., voir DARLEY et LATANÉ (1968).

LATANÉ, B., voir FREEMAN, WALKER, BORDEN et LATANÉ (1975).

LATANÉ, B., voir JACKSON et LATANÉ (1981).

LATANÉ, B., voir PETTY, HARKINS, WILLIAMS et LATANÉ (1977).

LATERRE, C., voir BRUYER, LATERRE, SERON et coll. (1983).

LAUDENSLAGER, M., voir MAIER et LAUDENSLAGER (1985).

LAUDENSLAGER, M.L., RYAN, S.M., DRUGAN, R.C., HYSON, R.L. et MAIER, S.F. (1983) « Coping and immunosuppression: Inescapable but not escapable shock suppresses lymphocyte proliferation ». *Science*, 221:568-70.

LAUER, J. et LAUER, R. (1985) « Marriages made to last ». *Psychology Today*, 19 (n° 6):22-26.

LAUGHLIN, H.P. (1967) *The Neuroses*. Washington, D.C.: Butterworths.

LAURENCE, J.R. (1980) *Duality and dissociation in hypnosis*. Thèse de maîtrise non publiée, Concordia University, Montréal.

LAYTON, B.D., voir STROEBE, INSKO, THOMPSON et LAYTON (1971).

LAZAR, I. et DARLINGTON, R. (1982) « Lasting effects of early education: A report from the Consortium for Longitudinal Studies ». *Monographs of the Society for Research in Child Development*, 47:2-3.

LAZARUS, R.S. et FOLKMAN, S. (1984) *Stress, Appraisal, and Coping*. New York: Springer.

LAZARUS, R.S., KANNER, A.D. et FOLKMAN, S. (1980) « Emotions: A cognitive-phenomenological analysis ». Dans Plutchik, R. et Kellerman, H. (Éd.), *Emotion: Theory, Research, and Experience*, Vol. 1. New York: Academic Press.

LAZARUS, R.S., voir DELONGIS, COYNE, DAKOF, FOLKMAN et LAZARUS (1982).

LAZARUS, R.S., voir FOLKMAN et LAZARUS (1980).

LAZARUS, R.S., voir FOLKMAN et LAZARUS (1985).

LAZARUS, R.S., voir FOLKMAN, LAZARUS, DUNKEL-SCHETTER, DELONGIS et GRUEN (1986).

LAZERSON, A., voir FISHCHER et LAZERSON (1984).

LE BON, G. (1895) *The Crowd*. London: Ernest Benn.

LEDERMAN, S.J., voir KLATZKY, LEDERMAN, et METZGER (1985).

LEDERMAN, S.J., voir LOOMIS et LEDERMAN (1986).

LEFKOWITZ, M.M., voir ERON, HUESMANN, LEFKOWITZ, et WALDER (1972).

LEFKOWITZ, M.M., voir HUESMAN, ERON, LEFKOWITZ et WALDER (1984).

LEHMKUHLE, S.W., voir SPOEHR et LEHMKUHLE (1982).

LEHRMAN, D.S. (1964) « Control of behavior cycles in reproduction ». Dans Etkin W. (Éd.) *Social Behavior and Organization Among Vertebrates*. Chicago: University of Chicago Press.

LEIBOWITZ, H., voir ZEIGLER et LEIBOWITZ (1957).

LEIER, V.O., voir YESAVAGE, LEIER, DENARI et HOLLISTER (1985).

LEIKIND, B.J. et MCCARTHY, W.J. (1985) « An investigation of firewalking ». *The Skeptical Observer*, 10(n° 1):23-34.

LEIMAN, A.L., voir ROSENZWEIG et LEIMAN (1982).

LENNEBERG, E.H. (1967) *Biological Foundations of Language*. New York: Wiley.

LENNIE, P., voir SCHAPLEY et LENNIE (1985).

LE NY, J.-F. (1967) *Apprentissage et activités psychologiques*. Paris, P.U.F.

LEON, M. (1977) *Coordination of Intent and Consequence Information in Children's Moral Judgments*. (Tech. Rep. CHIP 72.) La Jolla, Calif.: University of California, San Diego, Center for Human Information Processing.

LEPPER, M.R., voir LORD, ROSS et LEPPER (1979).

LEPPER, M.R., voir VALLONE, ROSS et LEPPER (1985).

LERNER, R.M. et KARABENICK, S.A. (1974) « Physical attractiveness, body attitudes, and self-concept in late adolescents ». *Journal of Youth and Adolescence*, 3:307-16.

LESERMAN, J., voir LOCKE, KRAUS, LESERMAN, HURST, HEISEL et WILLIAMS (1984).

LESGOLD, A., voir BOWER, CLARK, WINZENZ et LESGOLD (1969).

LEVENSON, R.W., voir EKMAN, LEVENSON et FRIESON (1983).

LEVI, A., voir TETLOCK et LEVI (1982).

LEVIN, J.R., voir PRESSLEY, LEVIN et DELANEY (1982).

LEVINE, J.M., voir ALLEN et LEVINE (1969).

LEVINE, J.M., voir ALLEN et LEVINE (1971).

LEVINE, M.W. et SHEFNER, J.M. (1981) *Fundamentals of Sensation and Perception*. Reading, Mass.: Addison-Wesley.

LEVINGER, G., SENN, D.J. et JORGENSEN, B.W. (1970) « Progress toward permanence in courtship: A test of the Kerckhoff-Davis hypotheses ». *Sociometry*, 33:427-43.

LEVINGER, G., voir RANDS et LEVINGER (1979).

LEVINTHAL, C.F. (1983) *Introduction to Physiological Psychology* (2ᵉ éd.). Englewood Cliffs, N.J.: Prentice-Hall.

LEVY, J. (1985) « Right brain, left brain: Facts and fiction ». *Psychology Today*, 19(n° 5):38-44.

LEWINSOHN, P.M., ANTONUCCIO, D.O., STEINMETZ, J.L. et TERI, L. (1984) *The Coping With Depression Course: Psychoeducational Intervention for Unipolar Depression*. Eugene, Ore.: Castalia.

LEWINSOHN, P.M., FENN, D. et FRANKLIN, J. (1982) « The relationship of age of onset to duration of episode in unipolar depression ». Manuscrit non publié, University of Oregon.

LEWINSOHN, P.M., HOBERMAN, H., TERI, L. et HAUTZINER, M. (1985) « An integrative theory of depression ». Dans Reiss, S. et Bootsin, R. (Éd.), *Theoretical Issues in Behavior Therapy*. New York: Academic Press.

LEWINSOHN, P.M., MISCHEL, W., CHAPLIN, W. et BARTON, R. (1980) « Social competence and depression: The role of illusory self-perceptions ». *Journal of Abnormal Psychology*, 89:203-12.

LEWIS, J.W., voir TERMAN, SHAVIT, LEWIS, CANNON et LIEBESKIND (1984).

LEWIS, P., voir GOLDMAN et LEWIS (1977).

LEWIS, S. (1934) *Work of Art*. Garden City, N.Y.: Doubleday.

LEWONTIN, R.C., ROSE, S. et KAMIN, L.J. (1984) *Not in Our Genes: Biology, Ideology, and Human Nature*. New York: Pantheon.

LEY, R.G. et BRYDEN, M.P. (1982) « A dissociation of right and left hemispheric effects for recognizing emotional tone and verbal content ». *Brain and Cognition*, 1:3-9.

LIBERMAN, A.M., COOPER, F., SHANKWEILER, D. et STUDDERT-KENNEDY, M. (1967) « Perception of the speech code ». *Psychological Review*, 74:431-59.

LICKEY, M.E. et GORDON, B. (1983) *Drugs for Mental Illness*. New York: Freeman.

LIDZ, T. (1973) *The Origin and Treatment of Schizophrenic Disorders*. New York: Basic Books.

LIEBERMAN, L.R. et DUNLAP, J.T. (1979) « O'Leary and Borkovec's conceptualization of placebo: The placebo paradox ». *American Psychologist*, 34:553-54.

LIEBERMAN, M.A., YALOM, I.D. et MILES, M.B. (1973) *Encounter Groups: First Facts*. New York: Basic Books.

LIEBESKIND, J.C., voir TERMAN, SHAVIT, LEWIS, CANNON et LIEBESKIND (1984).

LINDEN, E., voir PATTERSON et LINDEN (1981).

LINDSAY, P.H. et NORMAN, D.A. (1980) *Traitement de l'information et comportement humain. Une introduction à la psychologie*. Montréal-Paris, Études Vivantes.

LINDZEY, G. et ARONSON, E. (Éd.) (1985) *The Handbook of Social Psychology* (3ᵉ éd.). Hillsdale, N.J.: Erlbaum.

LINDZEY, G., voir HALL et LINDZEY (1978).

LINDZEY, G., voir HALL, LINDZEY, LOEHLIN et MANOSEVITZ (1985).

LINDZEY, G., voir LOEHLIN, LINDZEY et SPUHLER (1975).

LINN, R.L. (1982) « Ability Testing: Individual differences, prediction, and differential prediction ». Dans Wigdor, A. et Gardner, W. (Éd.), *Ability Testing: Uses, Consequences, and Controversies*. Wahington. D.C.: National Academy Press.

LIPPERT, W.W. et SENTER, R.J. (1966) « Electrodermal responses in the sociopath ». *Psychonomic Science*, 4:25-26.

LIPPINCOTT, E.C., voir THOMAS, HORTON, LIPPINCOTT et DRABMAN (1977).

LIPSITT, J.P., voir SIQUELAND et LIPSITT (1966).

LITTMAN, R.A., voir PATTERSON, LITTMAN, et BRICKER (1967).

LOCKE, S.E., KRAUS, L., LESERMAN, J., HURST, M.W., HEISEL, S. et WILLIAMS, R.M. (1984) « Life change stress, psychiatric symptoms, and natural killer cell activity ». *Psychosomatic Medicine*, 46:441-53.

LOCKE, S.E., voir JEMMOTT et LOCKE (1984).

LOCKHART, R.S., voir CRAIK et LOCKHART (1972).

LOEB, G. (1985) « The functional replacement of the ear ». *Scientific American*, 252 (n° 2): 104-11.

LOEHLIN, J.C., LINDZEY, G. et SPUHLER, J.N. (1975) *Race Differences in Intelligence*. San Francisco: Freeman.

LOEHLIN, J.C. et NICHOLS, R.C. (1976) *Heredity, Environment, and Personality: A study of 850 Twin Sets*. Austin: University of Texas Press.

LOELHLIN, J.C., voir HALL, LINDZEY, LOEHLIN et MANOSEVITZ (1985).

LOFTUS, E.F. et LOFTUS, G.R. (1980) « On the permanence of stored information in the human brain ». *American Psychology*, 35:409-20.

LOFTUS, E.F., voir LOFTUS et LOFTUS (1975).

LOFTUS, E.F., voir LOFTUS et LOFTUS (1982).

LOFTUS, E.F., SCHOOLER, J.W. et WAGENAAR, W.A. (1985) « The fate of memory: Comment on McCloskey and Zaragoza ». *Journal of Experimental Psychology: General*, 114 (n° 3): 375-80.

LOFTUS, G.R. et LOFTUS, E.F. (1975) *Human Memos: The Processing of Information*. New York: Halsted Press.

LOFTUS, G.R. et LOFTUS, E.F. (1982) *Essence of Statistics*. Monterey, Calif.: Brooks/Cole.

LOFTUS, G.R., voir LOFTUS et LOFTUS (1980).

LOGAN, C.A., voir FANTINO et LOGAN (1979).

LOGAN, J.A., voir KANDEL et LOGAN (1984).

LOGUE, A.W. (1986) *The Psychology of Eating and Drinking*. New York: Freeman.

LOHR, J.M., voir HAMBERGER et LOHR (1984).

LOOMIS, A.L., HARVEY, E.N. et HOBART, G.A. (1937) « Cerebral states during sleep as studied by human potentials ». *Journal of Experimental Psychology*, 21:127-44.

LOOMIS, J.M. et LEDERMAN, S.J. (1986) « Tactual perception ». Dans Boff, K., Kaufman, L. et Thomas, J. (Éd.), *Handbook of Perception and Human Performance*, Vol. 1. New York: Wiley.

LORD, C.G., ROSS, L. et LEPPER, M.R. (1979) « Biased assimilation and attitude polarization: The effects of prior theories on subsequently considered evidence ». *Journal of Personality and Social Psychology*, 37:2098-109.

LORENZ, K. (1969) L'agression. *Une histoire naturelle du mal*. Paris, Flammarion.

LORENZ, K. (1981) *The foundations of Ethology*. New York: Springer-Verlag.

LOTT, A.J., voir MALOF et LOTT (1962).

LOVINGER, P.W., voir JONES et LOVINGER (1985).

LOWINGER, P. et DOBIE, S. (1969) « What makes the placebo work? A study of placebo response rate ». *Archives of General Psychiatry*, 20:84-88.

LOWN, B., voir REICH, DESILVA, LOWN et MURAWSKI (1981).

LUBORSKY, L., SINGER, B. et LUBORSKY, L. (1975) « Comparative studies of psychotherapies ». *Archives of General Psychiatry*, 32:995-1008.

LUBORSKY, L., voir LUBORSKY, SINGER et LUBORSKY (1975).

LUBORSKY, L.L., MCLELLAN, A.T., WOODY, G.E., O'BRIEN, E.P. et AUERBACH, A. (1985) « Therapist success and its determinants ». *Archives of General Psychiatry*, 42:602-11.

LUCE, R.D., voir KRANTZ, LUCE, SUPPES et TVERSKY (1971).

LUCHINS, A. (1957) « Primacy-recency in impression formation ». Dans Hovland, C.I. (Éd.), *The Order of Presentation in Persuasion*. New Haven: Yale University Press.

LUDWIG, A.M., BRANDSMA, J.M., WILBUR, C.B., BENDFELDT, F. et JAMESON, D.H. (1972) « The objective study of a multiple personality ». *Archives of General Psychiatry*, 26:298-310.

LUNDIN, R.W. (1985) *Theories and Systems of Psychology*, (3ᵉ éd.). Lexington, Mass.: Heath.

LURIA, Z. et RUBIN, J.Z. (1974) « The eye of the beholder: Parent's views on sex of newborns ». *American Journal of Orthopsychiatry*, 44:512-19.

LUZZATI, C., voir BISIACH et LUZZATI (1978).

LYKKEN, D.T. (1957) « A study of anxiety in the sociopathic personality ». *Journal of Abnormal and Social Psychology*, 55:6-10.

LYKKEN, D.T. (1980) *A Tremor in the Blood: Uses and Abuses of the Lie Detector*. New York: McGraw-Hill.

LYKKEN, D.T. (1982) « Research with twins: The concept of emergencies ». *The Society for Psychophysiological Research*, 19:361-73.

LYKKEN, D.T. (1984) « Polygraphic interrogation ». *Nature*, 307:681-84.

M

MAASS, A. et CLARK, R.D., III. (1983) « Internalization versus compliance: Differential processes underlying minority influence and conformity ». *European Journal of Social Psychology*, 13:45-55.

MAASS, A. et CLARK, R.D., III. (1984) « Hidden impact of minorities: Fifteen years of minority influence research ». *Psychological Bulletin*, 95:428-50.

MACCOBY, E.E. et JACKLIN, C.N. (1974) *The Psychology of Sex Differences*. Stanford: Stanford University Press.

MACCOBY, N., FARQUHAR, J.W., WOOD, P.D. et ALEXANDER, J. (1977) « Reducing the risk of cardiovascular disease: Effects of a community-based campaign on knowledge and behavior ». *Journal of Community Health*, 3:100-14.

MACCOBY, N., voir FARQUHAR, MACCOBY et SOLOMON (1984).

MACCOBY, N., voir FARQUHAR, MACCOBY, WOOD et coll. (1977).

MACCRIMMON, D.J., voir STEFFY, ASARNOW, ASARNOW, MACCRIMMON et CLEGHORN (1984).

MACDONALD, H., voir HILGARD, HILGARD, MACDONALD, MORGAN et JOHNSON (1978).

MACDOUGALL, J.M., voir DEMBROSKI, MACDOUGALL, WILLIAMS et HANEY (1985).

MACKENZIE, B. (1984) « Explaining race differences in IQ: The logic, the methodology, and the evidence ». *American Psychologist*, 39:1214-33.

MACKINTOSH, N.J. (1983) *Conditioning and Associative Learning*. New York: Oxford University Press.

MADDI, S. et COSTA, P. (1972) *Humanism in Personology: Allport, Maslow, and Murray*. Chicago: Aldine.

MADDI, S.R., voir KOBASA, MADDI et KAHN (1982).

MAFFEI, L., voir PIRCHIO, SPINELLI, FIORENTINI et MAFFEI (1978).

MAHER, B.A. (1966) *Principles of Psychotherapy: An Experimental Approach*. New York: McGraw-Hill.

MAHONEY, M.J., voir CRAIGHEAD, KAZDIN et MAHONEY (1981).

MAIER, S.F. et LAUDENSLAGER, M. (1985) « Stress and health: Exploring the links ». *Psychology Today*, 19 (n° 8): 44-49.

MAIER, S.F. et SELIGMAN, M.E.P. (1976) « Learned helplessness: Theory and evidence ». *Journal of Experimental Psychology: General*, 105:3-46.

MAIER, S.F., voir LAUDENSLAGER, RYAN, DRUGAN, HYSON et MAIER (1983).

MAILLOUX, N. (1971) *Jeunes sans dialogues*. Paris, Fleurus.

MAISEL, E., voir GEER et MAISEL (1972).

MALAMUT, B., voir MISHKIN, MALAMUT et BACHEVALIER (1984).

MALAUMD, P., voir WATERS et MALAUMD (1975).

MALITZ, S., voir SACKEIM, PORTNOY, NEELEY, STEIF, DECINA et MALITZ (1985).

MALOF, M. et LOTT, A.J. (1962) « Ethnocentrism and the acceptance of Negro support in a group pressure situation ». *Journal of Abnormal and Social Psychology*, 65:254-58.

MALT, B.C. (1985) « The role of discourse structure in understanding anaphora ». *Journal of Memory and Language*, 24:271-89.

MANDLER, G. (1982) *Mind and Emotion*. New York: Norton.

MANDLER, G. (1984) *Mind and Body*. New York: Norton.

MANDLER, G. (1985) *Cognitive Psychology: An Essay in Cognitive Science*, Hillsdale, N.J.: Erlbaum.

MANKIEWICZ, F. et SWERDLOW, J. (1977) *Remote Control*. New York: Quadrangle.

MANN, L., voir KILHAM et MANN (1974).

MANN, M.B., voir WABER, MANN, MEROLA et MOYLAN (1985).

MANOSEVITZ, M., voir HALL, LINDZEY, LOEHLIN et MANOSEVITZ (1985).

MARCEL, A.J. (1983) « Conscious and unconscious perception: An approach to the relations between phenomenal experience and perceptual processes ». *Cognitive Psychology*, 15:238-300.

MARGULIS, S., voir YERKES et MARGOLIS (1909).

MARIN, O.S.M., voir POSNER et MARIN (1985).

MARKHAM, M. (1981) « Suicide without depression ». *Psychiatric News*, 8:24-25.

MARKMAN, E. (1987) « How children constrain the possible meanings of words ». Dans Neisser, U. (Éd.), *Concepts and Conceptual Development: Ecological and Intellectual Factors in Categorization*. New York: Cambridge University Press.

MARKS, D. et KAMMANN, R. (1977) The nonpsychic powers of Uri Geller. The *Zetetic*, 1:9-17.

MARKS, D. et KAMMANN, R. (1980) *The Psychology of the Psychic*. Buffalo: Prometheus Books.

MARKUS, H. (1977) « Self-schemata and processing information about the self ». *Journal of Personality and Social Psychology*, 35:63-78.

MARKUS, H. et SENTIS, K. (1982) « The self in social information processing ». Dans Suls, J. (Éd.), *Psychological Perspectives on the Self*, Vol. 1. Hillsdale, N.J.: Erlbaum.

MARKUS, H. et SMITH, J. (1981) « The influence of self-schemas on the perception of others ». Dans Cantor, N. et Kihlstrom, J. (Éd.), *Personality, Cognition, and Social Interaction*. Hillsdale, N.J.: Erlbaum.

MARKUS, H., CRANE, M., BERNSTEIN, S. et SILADI, M. (1982) « Self-schemas and gender ». *Journal of Personality and Social Psychology*, 42:38-50.

MARLER, P. (1970) « A comparative approach to vocal learning: Song development in white-crowned sparrows ». *Journal of Comparative and Physiological Psychology*, 7:1-25.

MARR, D. (1982) Vision. San Francisco: Freeman.

MARRON, J.E. (1965) « Special test preparation: Its effects on college board scores and the relationship of effected scores to subsequent college performance ». Ofice of the Director of Admissions and Registrar. U.S. Military Academy, West Point, N. Y.

MARSHALL, G. (1976) « The affective consequences of « inadequately explained » physiological arousal ». Thèse de doctorat non publiée, Stanford University.

MARTIN, C.E., voir KINSEY, POMEROY et MARTIN (1948).

MARTIN, C.E., voir KINSEY, POMEROY, MARTIN et GEBHARD (1953).

MARTIN, D.G. (1971) *Introduction to Psychotherapy*. Monterey, Calif.: Brooks/Cole.

MARTIN, P.R., voir WEINGARTEN, GRAFMAN, BOUTELLE, KAYE et MARTIN (1983).

MARTINEZ, J.L., JR., voir MCGAUGH, JENSEN et MARTINEZ (1979).

MARTYNA, W., voir BEM, MARTYNA et WATSON (1976).

MASLACH, C. (1979) « The emotional consequences of arousal without reason ». Dans Izard, C.E. (Éd.), *Emotion in Personality and Psychopathology*. New York: Plenum.

MASON, J.W. (1971) « A re-evaluation of the concept of « nonspecificity » in stress theory ». *Journal of Psychiatric Research*, 8:323-33.

MASSEY, J.O., voir HEWITT et MASSEY (1969).

MASSMAN, P.J., voir BERMAN, MILLER et MASSMAN (1985).

MASTERS, J.C., voir RIMM et MASTERS (1979).

MASTERS, W.H. et JOHNSON, V.E. (1966) *Human Sexual Response*. Boston: Little, Brown.

MASTERS, W.H. et JOHNSON, V.E. (1980) *Les perspectives sexuelles*. Paris, Medsi.

MATARAZZO, J.D. et WIENS, A.W. (1972) *The Interview: Research on Its Anatomy and Structure*. Chicago: Aldine-Atherton.

MATARAZZO, J.D. et WIENS, A.W. (1977) « Black Intelligence Test of Cultural Homogeneity and Wechsler Adult Intelligence Scale scores of black and white police applicants ». *Journal of Applied Psychology*, 62:57-63.

MATAS, L., AREND, R.A. et SROUFE, L.A. (1978) « Continuity of adaption in the second year: The relationship between quality of attachment and later competence ». *Child Development* 49:547-56.

MATEER, C., voir FRIED, MATEER, OJEMANN, WOHNS et FEDIO (1982).

MATHES, E.W. (1975) « The effects of physical attractiveness and anxiety on heterosexual attraction over a series of five encounters ». *Journal of Marriage and the Family*, 37:769-73.

MAY, M.A., voir HARTSHORNE et MAY (1929).

MAYER, R.E. (1981) *The Promise of Cognitive Psychology*. San Francisco: Freeman.

MCALLISTER, B.H., voir NILSON, NILSON, OLSON et MCALLISTER (1981).

MCARTHUR, L.A. (1972) « The how and what of why: Some determinants and consequences of causal attribution ». *Journal of Personality and Social Psychology*, 22:171-93.

MCBURNEY, D.H. (1978) « Psychological dimensions and the perceptual analysis of taste ». Dans Carterette, E.C. et Friedman, M.P. (Éd.), *Handbook of Perception*, Vol. 6A. New York: Academic Press.

MCCALL, R.B. (1986) *Fundamental Statistics for Behavioral Sciences* (4e éd.). San Diego: Harcourt Brace Jovanovich.

MCCARLEY, R.W., voir HOBSON et MCCARLEY (1977).

MCCARTHY, W.J, voir LEIKIND et MCCARTHY (1985).

MCCLEARN, G.E., voir PLOMIN, DEFRIES et MCCLEARN (1980).

MCCLELLAND, D.C., voir JEMMOTT, BORYSENKO, MCCLELLAND, CHAPMAN, MEYER et BENSON (1985).

MCCLELLAND, J.L. et RUMELHART, D.E. (1981) « An interactive model of context effects in letter perception: Pt. 1. An account of basic findings ». *Psychological Review*, 88:375-407.

MCCLOSKEY, M. et ZARAGOZA, M. (1985) « Misleading post-event information and memory for events: Arguments and evidence against memory impairment hypotheses ». *Journal of Experimental Psychology: General*, 114:1-16.

MCCOMBS, M., voir COMSTOCK, CHAFFEE, KATZMAN, MCCOMBS et ROBERTS (1978).

MCCRAE, R.R., voir COSTA, ZONDERMAN, MCCRAE et WILLIAMS (1985).

MCDERMOTT, J., voir LARKIN, MCDERMOTT, SIMON et SIMON (1980).

MCDONALD, F.J., voir BANDURA et MCDONALD (1963).

MCDOUGALL, W. (1908) *Social Psychology*. New York: G.P. Putnam's Sons.

MCFARLAND, D. (1985) *Animal Behaviour: Psychology, Ethology and Evolution*. Menlo Park, Calif.: Benjamin-Cummings.

MCGAUCH, J.L. et HERZ, M.J. (1972) *Memory Consolidation*. San Francisco: Albion.

MCGAUGH, J.L., JENSEN, R.A. et MARTINEZ, J.L., JR. (1979) « Sleep, brain state, and memory ». Dans Drucker-Colin, R., Shkurovich, M. et Sterman, M.B. (Éd.), *The Functions of Sleep*. New York: Academic Press.

MCGAUGH, J.L., voir COTMAN et MCGAUCH (1980).

MCGAUGH, J.L., voir HUDSPETH, MCGAUCH et THOMPSON (1964).

MCGHIE, A. et CHAPMAN, J. (1961) « Disorders of attention and perception in early schizophrenia ». *British Journal of Medical Psychology*, 34:103-16.

MCGINNES, E. (1949) « Emotionality and perceptual defense ». *Psychological Review*, 56:244-51.

MCGRAW, K.O., voir CORDUA, MCGRAW et DRABMAN (1979).

MCGRAW, M.D. (1935) *Growth: A study of Johnny and Jimmy*. Englewood Cliffs, N.J.: Prentice-Hall.

MCGUE, M. et BOUCHARD, T.J., JR. (1984) « Adjustment of twin data for the effects of age and sex ». *Behavior Genetics*, 14:325-43.

MCGUE, M., voir BOUCHARD et MCGUE (1981).

MCGUIRE, W.J. (1960) « A syllogistic analysis of cognitive relationships ». Dans Hovland, C.I. et Rosenberg, M.J. (Éd.), *Attitude Organization and Change*. New Haven: Yale University Press.

MCKEGNEY, F.P., voir SCHLEIFER, KELLER, MCKEGNEY et STEIN (1979).

MCKENNA, R.J. (1972) « Some effects of anxiety level and food cues on the eating behavior of obese and normal subjects ». *Journal of Personality and Social Psychology*, 22:311-19.

MCKINNEY, W.T., voir SUOMI, HARLOW et MCKINNEY (1972).

MCLELLAN, A.T., voir LUBORSKY, MCLELLAN, WOODY, O'BRIEN et AUERBACH (1985).

MCNEAL, E.T. et CIMBOLIC, P. (1986) « Antidepressants and biochemical theories of depression ». *Psychological Bulletin*, 99:361-74.

MCNEILL, D. (1966) « Developmental psycholinguistics ». Dans Smith, F. et Miller, G.A. (Éd.), *The Genesis of Language: A Psycholinguistic Approach*. Cambridge, Mass.: M.I.T. Press.

MCNEILL, D., voir BROWN et MCNEILL (1966).

MCQUIRK, B., voir BEAMAN, BARNES, KLENTZ et MCQUIRK (1978).

MEADEJOVSKY, M.G., voir DOBELLE, MEADEJOVSKY et GIRVIN (1974).

MEAGHER, R., voir MILLON, GREEN et MEAGHER (1982).

MECHANIC, D. (1962) Students Under Stress. New York: Free Press.

MEDIN, D.L., voir SMITH et MEDIN (1981).

MEDNICK, B.K. (1973) « Breakdown in high-risk subjects: Familial and early environmental factors ». *Journal of Abnormal Psychology*, 82:469-75.

MEDNICK, S.A., CUDECK, R., GRIFFITH, J.J., TALOVIC, S.A. et SCHULSINGER, F. (1984) « The Danish High-Risk Project: Recent methods and findings ». Dans Watt, H.F., Anthony, E.J., Wynne, L.C. et Rolf, J.E. (Éd.), *Children at Risk for Schizophrenia*. New York: Cambridge University Press.

MEDNICK, S.A., voir JOHN, MEDNICK et SCHULSINGER (1982).

MEDNICK, S.A., voir WITKIN, MEDNICK, SCHULSINGER et coll. (1976).

MEICHENBAUM, D.H. (1985) *Stress Inoculation Training*. New York: Pergamon.

MEICHENBAUM, D.H. et JAREMKO, M.E. (Éd.) (1983) *Stress Reduction and Prevention*. New York: Plenum.

MEICHENBAUM, D.H., voir BOWERS et MEICHENBAUM (1984).

MELVILLE, J. (1977) *Phobias and Obsessions*. New York: Coward, McCann, et Geoghegan.

MELZAK, R. (1980) *Le défi de la douleur*. Montréal, Chenelière et Stanké.

MELZAK, R. et CASEY, K.L. (1968) « Sensory, motivational, and central control determinants of pain ». Dans Kenshalo, D.R. (Éd.), *The Skin Senses*. Springfield, Ill.: Thomas.

MELZAK, R. et WALL, P.D. (1965) « Pain mechanisms: A new theory ». *Science*, 150:971-79.

MENNINGER, K. et HOLZMAN, P.S. (1973) *Theory of Psychoanalytic Technique* (2ᵉ éd.). New York: Basic Books.

MENZIES, R. (1937) « Conditioned vasomotor responses in human subjects ». *Journal of Psychology*, 4:75-120.

MEROLA, J., voir WABER, MANN, MEROLA et MOYLAN (1985).

MERVIS, C.B. et PANI, J.R. (1981) « Acquisition of basic object categories ». *Cognitive Psychology*, 12:496-522.

MERVIS, C.B. et ROSCH, E. (1981) « Categorization of natural objects ». Dans Rosenzweig, M.R. et Porter, L.W. (Éd.), *Annual Review of Psychology*, Vol. 21. Palo Alto, Calif.: Annual Reviews.

MERVIS, C.B., voir ROSCH et MERVIS (1975).

MESSER, S. (1967) « Implicit phonology in children ». *Journal of Verbal Learning and Verbal Behavior*, 6:609-13.

MESSICK, S. et JUNGEBLUT, A. (1981) « Time and method in coaching for the SAT ». *Psychological Bulletin*, 89:191-216.

METZGER, V.A., voir KLATZKY, LEDERMAN et METZGER (1985).

MEYER, D., voir JEMMOTT, BORYSENKO, MCCLELLAND, CHAPMAN, MEYER et BENSON (1985).

MEYER, D.E., voir SCHVANEVELDT et MEYER (1973).

MEYER, D.R., voir HARLOW, HARLOW et MEYER (1950).

MEYER, J.P. et PEPPER, S. (1977) « Need compatibility and marital adjustment in young married couples ». *Journal of Personality and Social Psychology*, 35:331-42.

MILES, L.E., RAYNAL, D.M. et WILSON, M.A. (1977) « Blind man living in normal society has circadian rhythm of 24.9 hours ». *Science*, 198:421-23.

MILES, M.B., voir LIEBERMAN, YALOM et MILES (1973).

MILGRAM, S. (1963) « Behavioral study of obedience ». *Journal of Abnormal and Social Psychology*, 67:371-78.

MILGRAM, S. (1974) *Soumission à l'autorité*. Paris, Calmann-Levy.

MILLER, G.A. (1956) *Langage et communication*. Paris, Ritz.

MILLER, G.A. (1956) « The magical number seven plus or minus two: Some limits on our capacity for processing information ». *Psychological Review*, 63:81-97.

MILLER, G.A. (1965) « Some preliminaries to psycholinguistics ». *American Psychologist*, 20:15-20.

MILLER, J.R. et KINTSCH, W. (1980) « Readability and recall of short prose passages: A theoretical analysis ». *Journal of Experimental Psychology: Human Learning and Memory*, 6:335-54.

MILLER, L.C. et COX, C.L. (1981) « Public self-consciousness and makeup use: Individual differences in preparational tactics ». Document présenté au « Annual meeting of the American Psychological Association », Los Angeles, août 1981.

MILLER, N.E. (1969) « Learning of visceral and glandular responses ». *Science*, 169:434-45.

MILLER, N.E. (1985) « The value of behavioral research on animals ». *American Psychologyst*, 40:425-40.

MILLER, N.E., voir DOLLARD, DOOB, MILLER, MOWRER et SEARS (1939).

MILLER, N.E., voir DOLLARD et MILLER (1939).

MILLER, R.C., voir BERMAN, MILLER et MASSMAN (1985).

MILLER, R.S., voir SCHNEIDER et MILLER (1975).

MILLER, T.I., voir SMITH, GLASS et MILLER (1980).

MILLER, W.E., voir DICARA et MILLER (1968).

MILLER, W.E., voir DICARA et MILLER (1970).

MILLON, T., GREEN, C. et MEAGHER, R. (Ed.) (1982) *Handbook of Clinical Health Psychology*. New York: Plenum.

MILNER, B. (1964) « Some effects of frontal lobectomy in man ». Dans Warren, J.M. et Akert, K. (Éd.), *The Frontal Granular Cortex and Behavior*. New York: McGraw-Hill.

MILNER, B., CORKIN, S. et TEUBER, H.L. (1968) « Further analysis of the hippocampal amnesic syndrome: 14-year follow-up study of H.M. » *Neuropsychologia*, 6:215-34.

MINIUM, E.W. et CLARK, R.W. (1982) *Elements of Statistical Reasoning*. New York: Wiley.

MIRER, T.W., voir KELLEY et MIRER (1974).

MISCHEL, H., voir MISCHEL et MISCHEL (1976).

MISCHEL, W. (1965) « Predicting the success of Peace Corps volunteers in Nigeria ». *Journal of Personality and Social Psychology*, 1:510-17.

MISCHEL, W. (1968) *Personality and Assessment*. New York: Wiley.

MISCHEL, W. (1968) *Introduction to Personality* (4ᵉ éd.). New York: Holt, Rinehart et Winston.

MISCHEL, W. et MISCHEL, H. (1976) « A cognitive social learning approach to morality and self regulation ». Dans Lickona, T. (Éd.), *Moral Development and Behavior*. New York: Holt, Rinehart et Winston.

MISCHEL, W., voir LEWINSOHN, MISCHEL, CHAPLIN et BARTON (1980).

MISHKIN, M., MALAMUT, B. et BACHEVALIER, J. (1984) « Memories and habits: Two neural systems ». Dans Lynch, G.T., McGauch, J.L. et Weinberger, N.M. (Éd.), *Neurobiology of Learning and Memory*. New York: Guilford Press.

MITA, T.H., DERMER, M. et KNIGHT, J. (1977) « Reversed facial images and the mere-exposure hypothesis ». *Journal of Personality and Social Psychology*, 35:597-601.

MITCHEL, J.S. et KEESEY, R.E. (1974) « The effects of lateral hypothalamic lesions and castration upon the body weight of male rats ». *Behavioral Biology*, 11:69-82.

MITCHELL, D.E. et WILKINSON, F. (1974) « The effect of early astigmatism on the visual resolution of gratings ». *Journal of Physiology*, 243:739-56.

MITCHELL, K.M., voir TRUAX et MITCHELL (1971).

MITCHISON, G., voir CRICK et MITCHISON (1983).

MITLER, M.M., voir CARSKADON, MITLER et DEMENT (1974).

MIYAKE, Y, voir AWAYA, MIYAKE, IMAYUMI, SHIOSE, KNADA et KOMURO (1973).

MOEDE, W. (1927) « Die Richtlinien der Liestungs-Psychologie ». *Industrielle Psychotechnik*, 4:193-207.

MOHS, R.C., DAVIS, B.M., GREENWALD, B.S. et coll. (1985) « Clinical studies of the cholinergic deficit in Alzheimer's disease ». *Journal of the American Geriatrics Society*, 33:749-57.

MOLLON, J.D., voir BARLOW et MOLLON (1982).

MOLLON, J.D., voir DARTNALL, BOWMAKER et MOLLON (1983).

MONEY, J. (1980) « Endocrine influences and psychosexual status spanning the life cycle ». Dans Van Praag, H.M. (Éd.), *Handbook of Biological Psychiatry* (Part 3). New York: Marcel Dekker.

MONEY, J., WIEDEKING, C., WALKER, P.A. et GAIN, D. (1976) « Combined antiandrogenic and counseling programs for treatment of 46 XY and 47 XXY sex offenders ». Dans Sacher, E. (Éd.), Hormones, *Behavior and Psychopathology*. New York: Raven Press.

MONSELL, S. (1979) « Recency, immediate recognition memory, and reaction time ». *Cognitive Psychology*, 10:465-501.

MONTAGU, A. (Éd.) (1978) *Learning Non-agression: The Experience of Non-literate Societies*. New York: Oxford University Press.

MOORE, B.C.J. (1978) « Psychophysical tuning curves measured in simultaneous and forward masking ». *Journal of the Acoustical Society of America*, 63:524-32.

MOORE, B.C.J. (1982) *An Introduction to the Psychology of Hearing* (2e éd.). New York: Academic Press.

MOORE, B.R., voir JENKINS et MOORE (1973).

MOORE, B.S., voir UNDERWOOD et MOORE (1981).

MOORE, E., voir BOCK et MOORE (1982).

MOORE, M.J., voir HAITH, BERGMAN et MOORE (1977).

MOORE, S.G., voir HARTUP et MOORE (1963).

MORAY, N. (1969) *Attention: Selective Processes in Vision and Hearing*. London: Hutchinson.

MORELAND, R.L. et ZAJONC, R.B. (1979) « Exposure effects may not depend on stimulus recognition ». *Journal of Personality and Social Psychology*, 37:1085-89.

MORGAN, A.H. (1973) « The heritability of hypnotic susceptibility in twins ». *Journal of Abnormal Psychology*, 82:55-61.

MORGAN, A.H., voir HILGARD, HILGARD, MACDONALD, MORGAN et JOHNSON (1978).

MORGAN, A.H., voir RUCH, MORGAN et HILGARD (1973).

MORRIS, L.A., voir SHAPIRO et MORRIS (1978).

MORRISON, D.M. (1985) « Adolescent contraceptive behavior: A review ». *Psychological Bulletin*, 98:538-68.

MORRISON, R.E., voir RAYNER, INHOFF, MORRISON, SLOWIACKZEK et BERTERA (1981).

MORSE, R., voir TELLER, MORSE, BORTON et REGAL (1974).

MOS, L.P., voir ROYCE et MOS (1981).

MOSCOVICI, S. (1976) *Social Influence and Social Change*. London: Academic Press.

MOSCOVICI, S. (1979) *Psychologie des minorités actives*. Paris, P.U.F.

MOSCOVICI, S., LAGE, E. et NAFFRECHOUX, M. (1969) « Influence of a consistent minority on the responses of a majority in a color perception task ». *Sociometry*, 32:365-79.

MOSS, A.J., voir CASE, HELLER, CASE et MOSS (1985).

MOVSHON, J.A. et VAN SLUYTERS, R.C. (1981) « Visual neutral development ». *Annual Review of Psychology*, 32:477-522.

MOWRER, O.H. (1947) « On the dual nature of learning: A reinterpretation of « conditioning » and « problem solving » ». *Harvard Educational Review*, 17:102-48.

MOWRER, O.H., voir DOLLARD, DOOB, MILLER, MOWRER et SEARS (1939).

MOYLAN, P.M., voir WABER, MANN, MEROLA et MOYLAN (1985).

MURAWSKI, B.J., voir REICH, DESILVA, LOWN et MURAWSKI (1981).

MURDOCK, B.B., JR. (1962) « The serial position effect in free recall ». *Journal of Experimental Psychology*, 64:482-88.

MURDOCK, P., voir PAULUS et MURDOCK (1971).

MURPHY, G. et KOVACH, J. (1972) *Historical Introduction to Modern Psychology* (3e éd.). New York: Harcourt Brace Jovanovich.

MURPHY, G.E. et WETZEL, R.D. (1980) « Suicide risk by birth cohort in the United States, 1949 to 1974 ». *Archives of General Psychiatry*, 37:519-23.

MURSTEIN, B.I. (1972) « Physical attractiveness and marital choice ». *Journal of Personality and Social Psychology*, 22:8-12.

MUSSARE, F., voir HOGARTY, SCHOOLER, URLICH, MUSSARE, FERRO et HERRON (1979).

MUSSEN, P.H. (Éd.) (1983) *Handbook of Child Psychology* (4e éd.). New York: Wiley.

MUSSEN, P.H., CONGER, J.J., KAGAN, J. et HUSTON, A.C. (1984) *Child Development and Personality* (6e éd.). New York: Harper et Row.

MUSSEN, P.H. et RUTHERFORD, E. (1963) « Parent-child relations and parental personality in relation to young children's sex-role preferences ». *Child Development*, 34:589-607.

MYERSON, R., voir ZURIF, CARAMAZZA, MYERSON et GALVIN (1974).

N

NADEL, L., voir SQUIRE, COHEN et NADEL (1984).

NAFE, J.P., voir KENSHALO, NAFE et BROOKS (1961).

NAFFRECHOUX, M., voir MOSCOVICI, LAGE et NAFFRECHOUX (1969).

NAKAMURA, G.V., voir BREWER et NAKAMURA (1984).

NAKAYAMA, K. (1985) « Biological image motion processing ». *Vision Research*, 25:625-60.

NAKAYAMA, K. et TYLER, C.W. (1981) « Psychophysical isolation of movement sensitivity by removal of familiar position cues ». *Vision Research*, 21:427-33.

NARANJO, C. et ORNSTEIN, R.E. (1977) *On the Psychology of Meditation*. New York: Penguin.

NASH, S.C., voir KUHN, NASH et BRUCKEN (1978).

NATELSON, B.J., voir HIRSH et NATELSON (1981).

NATHANS, J., THOMAS, D. et HOGNESS, D.S. (1986) « Molecular genetics of human color vision: The genes encoding blue, green, and red pigments ». *Science*, 232:193-202.

NATIONAL REVIEW (1963) « A survey of the political and religious attitudes of American college students ». (8 octobre 1963): 279-302.

NATIONAL REVIEW (1971) « Opinion on the campus ». (15 juin 1971): 635-50.

NEALE, J.M., voir DAVISON et NEALE (1986).

NEATON, J.D., voir SHEKELLE, NEATON, JACOBS, HULLEY et BLACKBURN (1983).

NEBES, R.D. et SPERRY, R.W. (1971) « Cerebral dominance in perception ». *Neuropsychologia*, 9:247.

NEEB, M., voir FISHER, ZUCKERMAN et NEEB (1981).

NEEB, M. voir ZUCKERMAN et NEEB (1980).

NEELEY, P., voir SACKEIM, PORTNOY, NEELEY, STEIF, DECINA et MALITZ (1985).

NEELY, J.E., voir THOMPSON et NEELY (1970).

NEGRETE, J.C. et KWAN, M.W. (1972) « Relative value of various etiological factors in short lasting, adverse psychological reactions to cannabis smoking ». *Internal Pharmacopsychiatry*, 7:249-59.

NEISSER, U. (1981) « John Dean's memory: A case study ». *Cognition*, 9:1-22.

NEISSER, U. (Éd.) (1982) *Memory Observed: Remembering in Natural Contexts*. San Francisco: Freeman.

NEISSER, U., voir SELFRIDGE et NEISSER (1960).

NELSON, T.O. (1977) « Repetition and depth of processing ». *Journal of Verbal Learning and Verbal Behavior*, 16:152-71.

NEUGARTEN, B. (1971) « Grow old with me, the best is yet to be ». *Psychology Today*, 5:45-49.

NEUMAN, W.R. (1976) « Patterns of recall among television news viewers ». *Pub-

lic Opinion Quarterly, 40:115-23.

NEWCOMB, T.M. (1943) *Personality and Social Change*. New York: Dryden Press.

NEWCOMB, T.M. (1961) *The Acquaintance Process*. New York: Holt, Rinehart et Winston.

NEWCOMB, T.M., KOENING, K.E., FLACKS, R. et WARWICK, D.P. (1967) *Persistence and Change: Bennington College and Its Students After Twenty-Five Years*. New York: Wiley.

NEWCOMB, T.M., voir FESTINGER, PEPITONE et NEWCOMB (1952).

NEWCOMBE, N. et BANDURA, M.M. (1983) « The effect of age at puberty on spatial ability in girls: A question of mechanism ». *Developmental Psychology*, 19:215-24.

NEWELL, A. et SIMON, H.A. (1972) *Human Problem Solving*. Englewood Cliffs, N.J.: Prentice-Hall.

NEWMAN, E.B., voir STEVENS et NEWMAN (1936).

NICHOLS, R.C. (1968) « Nature and nurture in adolescence ». Dans Adams, J.F. (Éd.), *Understanding Adolescence*. Boston: Allyn et Bacon.

NICHOLS, R.C., voir LOEHLIN et NICHOLS (1976).

NICKLAUS, J. (1974) *Golf My Way*. New York: Simon et Schuster.

NICOL, S.E. et GOTTESMAN, I.I. (1983) « Clues to the genetics and neurobiology of schizophrenia ». *American Scientist*, 71:398-404.

NIELSON, D.W., voir YOST et NIELSON (1985).

NILSON, D.C., NILSON, L.B., OLSON, R.S. et MCALLISTER, B.H. (1981) *The Planning Environment Report for the Southern California Earthquake Safety Advisory Board*. Redlands, Calif.: Social Research Advisory & Policy Research Center.

NILSON, L.B., voir NILSON, NILSON, OLSON et MCALLISTER (1981).

NISBETT, R.E. (1968) « Taste, deprivation, and weight determinants of eating behavior ». *Journal of Personality and Social Psychology*, 10:107-16.

NISBETT, R.E. (1972) « Hunger, obesity, and the ventromedial hypothalamus ». *Psychological Review*, 79:433-53.

NISBETT, R.E. et ROSS, L. (1985) *Human Inference: Strategies and Shortcomings of Social Judgment* (réimpression). Englewood Cliffs, N.J.: Prentice-Hall.

NISBETT, R.E., voir BORGIDA et NISBETT (1977).

NORMAN, D.A. (1976) *Memory and Attention: An Introduction to Human Information Processing* (2e éd.). New York: Wiley.

NORMAN, D.A. (1982) *Learning and Memory*. San Francisco: Freeman.

NORMAN, D.A., voir WAUGH et NORMAN (1965).

NORMAN, R. (1975) « Affective-cognitive consistency, attitudes, conformity, and behavior ». *Journal of Personality and Social Psychology*, 32:83-91.

NORMAN, W.T. (1963) « Toward an adequate taxonomy of personality attributes: Replicated factor structure in peer nomination personality ratings ». *Journal of Abnormal and Social Psychology*, 66:574-83.

NOVIKOVA, L.A., voir KUMAN, FEDROV et NOVIKOVA (1983).

O

O'BRIEN, E.J., voir EPSTEIN et O'BRIEN (1985).

O'BRIEN, E.P., voir LUBORSKY, MCLELLAN, WOODY, O'BRIEN et AUERBACH (1985).

O'BRIEN, M. et HUSTON, A.C. (1985) « Development of sex-typed play behavior in toddlers ». *Developmental Psychology* 21(n° 5):866-71.

O'BRIEN, R.M., voir CRAIGHEAD, STUNKARD et O'BRIEN (1981).

O'DONNELL, J.A. et CLAYTON, R.R. (1982) « The stepping stone hypothesis: Marijuana, heroin, and causality ». *Chemical Dependencies*, 4(n° 3).

O'LEARY, K.D. et WILSON, G.T. (1975) *Behavior Therapy: Application and Outcome*. Englewood Cliffs, N.J.: Prentice-Hall.

O'MALLEY, P.M., voir JOHNSTON, O'MALLEY et BACHMAN (1986).

OFFIR, C. (1982) *Human Sexuality*. San Diego: Harcourt Brace Jovanovich.

OFFIR, C., voir TAVRIS et OFFIR (1977).

OHMAN, A., FREDRIKSON, M., HUGDAHL, K. et RIMMO, P. (1976) « The premise of equipotentiality in human classical conditioning: Conditioned electrodermal responses to potentially phobic stimuli ». *Journal of Experimental Psychology: General*, 105:313-37.

OHMAN, A., voir HUGDAHL et OHMAN (1977).

OJEMANN, G., voir FRIED, MATEER, OJEMANN, WOHNS et FEDIO (1982).

OLIVEAU, D., voir AGRAS, SYLVESTER et OLIVEAU (1969).

OLSON, R.S., voir NILSON, NILSON, OLSON et MCALLISTER (1981).

OLTON, D.S. (1978) « Characteristics of spatial memory ». Dans Hulse, S.H., Fowler, H.F. et Honig, W.K. (Éd.), *Cognitive Processes in Animal Behavior*. Hillsdale, N.J.: Erlbaum.

OLTON, D.S. (1979) « Mazes, maps, and memory ». *American Psychologist*, 34:583-96.

OLTON, D.S. et SAMUELSON, R.J. (1976) « Remembrance of places passed: Spatial memory in rats ». *Journal of Experimental Psychology: Animal Behavior Process*, 2:96-116.

OLVER, R.R., voir BRUNER, OLVER, GREENFIELD et coll. (1966).

OLWEUS, D. (1969) *Prediction of Agression*. Scandinavian Test Corporation.

OLZAK, L.A. et THOMAS, J.P. (1986) « Seeing spatial patterns ». Dans Boff, K., Kaufman, L. et Thomas, J.P. (Éd.), *Handbook of Perception and Human Performance*, Vol. 1. New York: Wiley.

ORDY, J.M., voir FANTZ, ORDY et UDELF (1962).

ORNE, M.T. et HOLLAND, C.C. (1968) « On the ecological validity of laboratory deceptions ». *International Journal of Psychiatry*, 6:282-93.

ORNSTEIN, R.E., voir NARANJO et ORNSTEIN (1977).

ORR, W.C. (1982) « Disorders of excessive somnolence ». Dans Hauri, P. (Éd.), *Sleep Disorders*. Kalamazoo, Mich.: Upjohn.

OSBORN, D.K. et ENDSLEY, R.C. (1971) « Emotional reactions of young children to TV violence ». *Child Development*, 42:321-31.

OSHERSON, D.N. (1976) *Logical Abilities in Children*: Vol. 4. *Reasoning and Concepts*. Hillsdale, N.J.: Erlbaum.

OSKAMP, S., voir PERLMAN et OSKAMP (1971).

OSOFSKY, J.D. (Éd.) (1979) *Handbook of Infant Development*. New York: Wiley.

OVERMEIER, J.B. et SELIGMAN, M.E.P. (1967) « Effects of inescapable shock upon subsequent escape and avoidance responding ». *Journal of Comparative and Physiological Psychology*, 63:28.

OWEN, D.R. (1972) « The 47 XYY male: A review ». *Psychological Review*, 78:209-33.

OWEN, D.R., voir TEASDALE et OWEN (1984).

P

PAICHELER, G. (1976) « Norms and attitude change: Pt. 1. Polarization and styles of behavior ». *European Journal of Social Psychology*, 6:405-27.

PAICHELER, G. (1977) « Norms and attitude change: Pt. 2. The phenomenon of bipolarization ». *European Journal of Social Psychology*, 7:5-14.

PALLONE, N.J. (1961) « Effects of short-and long-term developmental reading courses upon SAT verbal scores ». *Personnel and Guidance Journal*, 39:654-57.

PALMER, F.H. et ANDERSON, L.W. (1979) « Long-term gains from early intervention: Findings from longitudinal studies ». Dans Zigler, E. et Valentine, J. (Éd.), *Project Head Start: A Legacy of the War on Poverty*. New York: Free Press.

PALMER, S.E. (1975) « The effects of contextual scenes on the identification of objects ». *Memory and Cognition*, 3:519-26.

PANATI, C. (Éd.) (1976) *The Geller Papers: Scientific Observations on the Paranormal Powers of Uri Geller*. Boston: Houghton Mifflin.

PANI, J.R., voir MERVIS et PANI (1981).

PATTERSON, F.G. (1978) « The gestures of a gorilla: Language acquisition in another pongid ». *Brain and Language*, 5:72-97.

PATTERSON, F.G. et LINDEN, E. (1981) *The Education of Koko*. New York : Holt, Rinehart et Winston.

PATTERSON, G.R., LITTMAN, R.A. et BRICKER, W.A. (1967) « Assertive behavior in children : A step toward a theory of aggression ». *Monographs of the Society for Research in Child Development*, 32 (série n° 113) : 5.

PAUL, G.L. (1967) « Insight versus desensitization in psychotherapy two years after termination ». *Journal of Consulting Psychology*, 31 : 333-48.

PAULHUS, D. (1982) « Individual differences, self-presentation, and cognitive dissonance : Their concurrent operation in forced compliance ». *Journal of Personality and Social Psychology*, 43 : 838-52.

PAULUS, P.B. et MURDOCK, P. (1971) « Anticipated evaluation and audience presence in the enhancement of dominant responses ». *Journal of Experimental Social Psychology*, 7 : 280-91.

PAUNONEN, S.V., voir RUSHTON, JACKSON et PAUNONEN (1981).

PAVLOV, I.P. (1927) *Conditioned Reflexes*. New York : Oxford University Press.

PAVLOV, J. (1955) *Typologie et pathologie de l'activité nerveuse*. Paris, P.U.F.

PAVLOV, J. (1963) *Réflexes conditionnels et inhibitions*. Suisse, Gonthier.

PAXMAN, J.M., voir SENDEROWITZ et PAXMAN (1985).

PEARLSTONE, Z., voir TULVING et PEARLSTONE (1966).

PEEPLES, D.R., voir TELLER, PEEPLES et SEKEL (1978).

PELLEGRINO, J.W. (1985) « Inductive reasoning ability ». Dans Sternberg, R.J. (Éd.), *Human Abilities : An Information-Processing Approach*. New York : Freeman.

PELLEGRINO, J.W., voir KAIL et PELLEGRINO (1985).

PENG, R., voir YU, ZHANG, JING, PENG, ZHANG et SIMON (1985).

PEPITONE, A., voir FESTINGER, PEPITONE et NEWCOMB (1952).

PEPLAU, L.A., RUBIN, Z. et HILL, C.T. (1977) « Sexual intimacy in dating relationships ». *Journal of Social Issues*, 33 : 86-109.

PEPLAU, L.A., voir HILL, RUBIN et PEPLAU (1976).

PEPLAU, L.A., voir RUBIN, HILL, PEPLAU et DUNKEL-SCHETTER (1980).

PEPLAU, L.A., voir SEARS, FREEDMAN et PEPLAU (1985).

PEPPER, S., voir MEYER et PEPPER (1977).

PERLMAN, D. et OSKAMP, S. (1971) « The effects of picture content and exposure frequency on evaluations of negroes and whites ». *Journal of Experimental Social Psychology*, 7 : 503-14.

PERLMUTER, L.C., voir KIMBLE et PERLMUTER (1970).

PERRIN, F.A.C. (1921) « Physical attractiveness and repulsiveness ». *Journal of Experimental Psychology*, 4 : 203-17.

PETERSEN, A.C. (1981) « Sex differences in performance on spatial tasks : Biopsychological influences ». Dans Ansara, H., Geschwind, N., Galburda, A., Albert, M. et Gertrell, N. (Éd.), *Sex Differences in Dyslexia*. Towson, Md. : Orton Society.

PETERSON, A.C., voir CONGER et PETERSON (1983).

PETERSON, C. et SELIGMAN, M.E.P. (1984) « Causal explanations as a risk factor for depression : Theory and evidence ». *Psychological Review*, 91 : 347-74.

PETERSON, R.E., voir IMPERATO-MCGINLEY, PETERSON, GAUTIER et STURLA (1979).

PETITTO, L.A., voir SEIDENBERG et PETITTO (1979).

PETITTO, L.A., voir TERRACE, PETITTO, SANDERS et BEVER (1979).

PETTERSEN, L., voir YONAS, PETTERSEN et GRANRUD (1982).

PETTIGREW, J.D., voir BARLOW, BLAKEMORE et PETTIGREW (1967).

PETTY, R.E., HARKINS, S.G., WILLIAMS, K.D. et LATANE, B. (1977) « The effects of group size on cognitive effort and evaluation ». *Personality and Social Psychology Bulletin*, 3 : 575-78.

PETTY, R.E., voir HARKINS et PETTY (1982).

PHARES, E.J. (1984) *Introduction to Personality*. Columbus, Oh. : Merrill.

PHILLIPS, D.P. (1978) « Airplane accident fatalities increase just after newspaper stories about murder and suicide ». *Science*. 201 : 748-49.

PHILLIPS, E.A., voir FIXSEN, PHILLIPS, PHILLIPS et WOLF (1976).

PHILLIPS, E.L., voir FIXSEN, PHILLIPS, PHILLIPS et WOLF (1976).

PHILLIPS, J.L., JR. (1981) *Piaget's Theory : A Primer*. San Francisco : Freeman.

PHILLIPS, J.L., JR. (1982) *Statistical Thinking : A Structural Approach* (2e éd.). San Francisco : Freeman.

PHOENIX, C.H., GOY, R.H. et RESKO, J.A. (1968) « Psychosexual differentiation as a function of androgenic stimulation ». Dans Diamond, M. (Éd.), *Reproduction and Sexual Behavior*. Bloomington : Indiana University Press.

PIAGET, J. (1932) *The Moral Judgment of the Child*. New York : Free Press. (Réimpression en 1965.)

PIAGET, J. (1975) *La naissance de l'intelligence* (8e éd.) Neuchâtel, Delachaux et Niestlé.

PIERCE, C.M., voir HOLFLING, BROTZMAN, DALRYMPLE, GRAVES et PIERCE (1966).

PIÉRON, H. (1979) *Vocabulaire de la psychologie*. Paris, P.U.F.

PILIAVIN, I.M., RODIN, J. et PILIAVIN, J.A. (1969) « Good Samaritanism : An underground phenomenon? » *Journal of Personality and Social Psychology*, 13 : 239-99.

PILIAVIN, J.A., voir PILIAVIN, RODIN et PILIAVIN (1969).

PINKER, S. (1984) *Language Learnability and Language Development*. Cambridge, Mass. : Harvard University Press.

PIRCHIO, M., SPINELLI, D., FIORENTINI, A. et MAFFEI, L. (1978) « Infant contrast sensitivity evaluated by evoked potentials ». *Brain Research*, 141 : 179-84.

PITTILLO, E.S., voir SIZEMORE et PITTILLO (1977).

PLATT, J.J., YAKSH, T. et DARBY, C.L. (1967) « Social facilitation of eating behavior in armadillos ». *Psychological Reports*, 20 : 1136.

PLOMIN, R., DEFRIES, J.C. et MCCLEARN, G.E. (1980) *Behavioral Genetics : A Primer*. San Francisco : Freeman.

PLOMIN, R., voir BUSS et PLOMIN (1975).

PLUTCHIK, R. (1980) « A general psychoevolutionary theory of emotion ». Dans Plutchik, R. et Kellerman, H. (Éd.), *Emotion : Theory, Research, and Experience*, Vol. 1. New York : Academic Press.

PLUTCHIK, R. et KELLERMAN, H. (Éd.) (1980) *Emotion : Theory, Research, and Experience*, Vol. 1. New York : Academic Press.

POKORNY, J., voir SMITH et POKORNY (1972).

POLIVY, J. et HERMAN, C.P. (1985) « Dieting and binging : A causal analysis ». *American Psychologist*, 40 : 193-201.

POLIVY, J., voir HERMAN et POLIVY (1980).

POLT, J.M., voir HESS et POLT (1960).

POMEROY, A.C., voir KINSEY, POMEROY et MARTIN (1948).

POMEROY, W.B., voir KINSEY, POMEROY, MARTIN et GEBHARD (1953).

POON, L.W. (Éd.) (1980) *Aging in the 1980s*. Washington, D.C. : American Psychological Association.

POPE, K.S. et SINGER, J.L. (Éd.) (1978) *The Stream of Consciousness*. New York : Plenum.

PORAC, C., voir COREN, PORAC et WARD (1984).

PORTER, H. (1939) « Studies in the psychology of stuttering : Pt. 14. Stuttering phenomena in relation to size and personnel of audience ». *Journal of Speech Disorders*, 4 : 323-33.

PORTNOY, S., voir SACKEIM, PORTNOY, NEELEY, STEIF, DECINA et MALITZ (1985).

POSNER, M.I. (1982) « Cumulative development of attentional theory ». *American Psychologist*, 37 : 168-79.

POSNER, M.I. et KEELE, S.W. (1967) « Decay of visual information from a single letter ». *Science*, 158 : 137-39.

POSNER, M.I. et MARIN, O.S.M. (Éd.) (1985) *Mechanisms of Attention : Vol. 11. Attention and Performance*. Hillsdale, N.J. : Erlbaum.

POST, R.M., KOTIN, J., GOODWIN, F.K. et GORDON, E. (1973) « Psychomotor activity and cerebrospinal fluid amine metabolites in affective illness ». *American Journal of Psychiatry*, 130 : 67-72.

POWLEY, T.L. et KEESEY, R.E. (1970) « Relationship of body weight to the lateral hypothalamic feeding syndrome ». *Journal of Comparative and Physiological Psychology*, 70:25-36.

POWLEY, T.L., voir KEESEY et POWLEY (1975).

PREMACK, A.J., voir PREMACK et PREMACK (1983)

PREMACK, D. (1959) « Toward empirical behavior laws: Pt. 1. Positive reinforcement ». *Psychological Review*, 66:219-33.

PREMACK, D. (1962) « Reversibility of the reinforcement relation ». *Science*, 136:255-57.

PREMACK, D. (1971) « Language in chimpanzees? » *Science*, 172:808-22.

PREMACK, D. (1985a) « « Gavagai! » Or the future history of the animal language controversy ». *Cognition*, 19:207-96.

PREMACK, D. (1985b) *Gavagai! The Future of the Animal Language Controversy*. Cambridge, Mass.: M.I.T. Press.

PREMACK, D. et PREMACK, A.J. (1983) *The Mind of an Ape*. New York: Norton.

PRENTICE-DUNN, S. et ROGERS, R.W. (1980) « Effects of deindividuating situational cues and aggressive models on subjective deindividuation and aggression. *Journal of Personality and Social Psychology*, 39:104-13.

PRESSLEY, M., LEVIN, J.R. et DELANEY, H.D. (1982) « The mnemonic keyword method ». *Review of Educational Research*, 52:61-91.

PRICE, V.A., voir GILL, PRICE, FRIEDMAN et coll. (1985).

PRIEST, R.F. et SAWYER, J. (1967) « Proximity and peership: Bases of balance in interpersonal attraction ». *American Journal of Sociology*, 72:633-49.

PROSEN, H., voir BARNES et PROSEN (1985).

PUTNAM, F.W., JR. (1984) Cité par Restak, R.M., *The Brain*. New York: Bantam.

Q

QUANTY, M.B., voir GEEN et QUANTY (1977).

QUILLIAN, M.R., voir COLLINS et QUILLIAN (1969).

R

RAAIJMAKERS, J.G. et SHIFFRIN, R.M. (1981) « Search of associative memory ». *Psychological Review*, 88:93-134.

RACHLIN, H. (1980) « Economics and behavioral psychology ». Dans Staddon, J.E.R. (Éd.), *Limits to Action*. New York: Academic Press.

RACHMAN, S.J. et HODGSON, R.J. (1980) *Obsessions and Compulsions*. Englewood Cliffs, N.J.: Prentice-Hall.

RAHE, R.H., voir HOLMES et RAHE (1967).

RAMEY, C.T. (1981) « Consequences of infant day care ». Dans Weissbound, B. et Musick, J. (Éd.), *Infants: Their Social Environments*. Washington, D.C.: National Association for the Education of Young Children.

RANDI, J. (1982) *Flim-flam! Psychics, ESP, Unicorns and other delusions*. Buffalo: Prometheus Books.

RANDS, M. et LEVINGER, G. (1979) « Implicit theories of relationship: An intergenerational study ». *Journal of Personality and Social Psychology*, 37:645-61.

RAPAPORT, D. (1942) *Emotions and Memory*, Baltimore: Williams et Wilkins.

RAVIZZA, R., voir RAY et RAVIZZA (1984).

RAY, O.S. (1983) *Drugs, Society, and Human Behavior*, (3ᵉ éd.). St. Louis: Mosby.

RAY, W.J. et RAVIZZA, R. (1984) *Methods Toward a Science of Behavior and Experience* (2ᵉ éd.). Belmont, Calif.: Wadsworth.

RAYNAL, D.M., voir MILES, RAYNAL et WILSON (1977).

RAYNER, K. (1978) « Eye movements in reading and information processing ». *Psychological Bulletin*, 85:618-60.

RAYNER, K., INHOFF, A.W., MORRISON, R.E., SLOWIACKEK, M.L. et BERTERA, J.H. (1981) « Masking of foveal and parafoveal vision during eye fixations in reading ». *Journal of Experimental Psychology: Human Perception and Performance*, 7:167-79.

READ, S.J., voir SWANN et READ (1981).

REDER, L.M. et ANDERSON, J.R. (1980) « A comparison of texts and their summaries: Memorial consequences ». *Journal of Verbal Learning and Verbal Behavior*, 19:12-34.

REES, E., voir CHI, GLASER et REES (1982).

REED, S.K. (1981) *Cognition: Theory and Applications*. Montery, Calif.: Brooks / Cole.

REGAL, D., voir TELLER, MORSE, BORTON et REGAL (1974).

REGAN, D., BEVERLEY, K.I. et CYNADER, M. (1979) « The visual perception of motion in depth ». *Scientific American*, 241 (nᵒ 1):136-51.

REGAN, D.T. et FAZIO, R. (1977) « On the consistency between attitudes and behavior: Look to the method of attitude formation ». *Journal of Experimental Social Psychology*, 13:28-45.

REICHER, G.M. (1969) « Perceptual recognition as a function of the meaningfulness of the material ». *Journal of Experimental Psychology*, 81:275-80.

REISENZEIN, R. (1983) « The Schachter theory of emotion: Two decades later ». *Psychological Bulletin*, 94:239-64.

REISER, B.J., voir KOSSLYN, BALL et REISER (1978).

REITMAN, J.S. (1974) « Without surreptitious rehearsal, information in short-term memory decays ». *Journal of Verbal Learning and Verbal Behavior*, 13:365-77.

RESCORLA, R.A. (1967) « Pavlovian conditioning and its proper control procedures ». *Psychological Review*, 74:71-80.

RESCORLA, R.A. (1972) « Informational variables in Pavlovian conditioning ». Dans Bower, G.H. (Éd.), *Psychology of Learning and Motivation*, Vol. 6. New York: Academic Press.

RESCORLA, R.A. (1980) « Overextension in early language development ». *Journal of Child Language*, 7:321-35.

RESCORLA, R.A. et SOLOMON, R.L. (1967) « Two-process learning theory: Relations between Pavlovian conditioning and instrumental learning ». *Psychological Review*, 74:151-82.

RESKO, J.A., voir PHOENIX, GOY et RESKO (1968).

RESNICK, S., voir BOUCHARD, HESTON, ECKERT, KEYES et RESNICK (1981).

REST, J.R. (1983) « Morality ». Dans Mussen, P.H. (Éd.), *Handbook of Child Psychology* (4ᵉ éd.), Vol. 3. New York: Wiley.

REUCHLIN, M. (1974) *Histoire de la psychologie* (9ᵉ éd.). Paris, P.U.F.

REUCHLIN, M. (1976) *Précis de statistique*. Paris, P.U.F.

REYES, R.M., voir THOMPSON, REYES et BOWER (1979).

REYNOLDS, B.J., voir ROHN, SARTES, KENNY, REYNOLDS et HEALD (1977).

RHINE, J.B. (1942) « Evidence of precognition in the covariation of salience ratios ». *Journal of Parapsychology*, 6:111-43.

RICE, B. (1978) « The new truth machine ». *Psychology Today*, 13:61-78.

RICE, F.P. (1984) *The Adolescent: Development, Relationships, and Culture* (4ᵉ éd.). Boston: Allyn et Bacon.

RICH, C.L., YOUNG, D. et FOWLER, R.C. (1985) « The San Diego suicide study: Comparison of 133 cases under age 30 to 150 cases 30 and over ». Document présenté à « The American Association of Suicidology », avril 1985.

RICHELLE, M. (1977) B.F. *Skinner ou le péril behavioriste*. Bruxelles, Pierre Mardaga.

RICHLIN, M. (1977) « Positive and negative residuals of prolonged stress ». Document présenté à la « Military Family Research Conference », San Diego, 3 septembre 1977.

RICKERT, E.J., voir HOMME, DE BACA, DEVINE, STEINHORST et RICKERT (1963).

RIESEN, A.H. (1947) « The development of visual perception in man and chimpanzee ». *Science*, 106:107-108.

RIGLER, D., voir FROMKIN, KRASHEN, CURTISS, RIGLER et RIGLER (1974).

RILEY, V. (1981) « Psychoneuroendocrine influence on immunocompetence and neoplasia ». *Science*, 212:1100-109.

RIMM, D.C. et MASTERS, J.C. (1979) *Behavior Therapy: Techniques and Empirical*

Findings (2ᵉ éd.). New York: Academic Press.

RIMMO, P., voir OHMAN, FREDRIKSON, HUGDAHL et RIMMO (1976).

RIMPAU, J.B., voir VAN CANTFORT et RIMPAU (1982).

RIPS, L.J. (1983) « Cognitive processes in propositional reasoning ». *Psychological Review*, 90:38-71.

RIPS, L.J. (1986) « Deduction ». Dans Sternberg, R.J. et Smith, E.E. (Éd.), *The Psychology of Human Thought*. New York: Cambridge University Press.

RITTER, B., voir BANDURA, BLANCHARD et RITTER (1969).

RITTLE, R.H., voir COTTRELL, WACK, SEKERAK et RITTLE (1968).

ROBERT, M. (1970) « Apprentissage vicariant chez l'animal et chez l'homme ». Dans *L'année psychologique*, 70, p. 505-542.

ROBERT, M. et coll. (1982) *Fondements et étapes de la recherche scientifique en psychologie*. Montréal, Chenelière et Stanké.

ROBERTS, D., voir COMSTOCK, CHAFFEE, KATZMAN, MCCOMBS et ROBERTS (1978).

ROBERTSON, S.P., voir SEIFERT, ROBERTSON et BLACK (1985).

ROBINS, E., voir SAHGIR et ROBINS (1973).

ROBINS, L. (1974) *The Viet Nam Drug Abuser Returns*. New York: McGraw-Hill.

ROBINS, L.N., HELZER, J.E., WEISSMAN, M.M. et coll. (1984) « Lifetime prevalence of specific psychiatric disorders in three sites ». *Archives of General Psychiatry*, 41:949-58.

ROBINSON, D.L. et WURTZ, R. (1976) « Use of an extra-retinal signal by monkey superior colliculus neurons to distinguish real from self-induced stimulus movement ». *Journal of Neurophysiology*, 39:852-70.

ROBINSON, F.P. (1970) *Effective Study*. New York: Harper et Row.

ROBINSON, H.A., voir THOMAS et ROBINSON (1982).

ROBINSON, J.P. (1971) « The audience for national TV news programs ». *Public Opinion Quarterly*, 35:403-405.

ROBSON, J.G., voir CAMBELL et ROBSON (1968).

ROCK, I. (1983) *The Logic of Perception*. Cambridge, Mass.: M.I.T. Press.

ROCK, L., voir JONES, ROCK, SHAVER, GOETHALS et WARD (1968).

RODIN, J. (1981) « Current status of the internal-external hypothesis of obesity: What went wrong? » *American Psychologist*, 36:361-72.

RODIN, J., voir LATANÉ et RODIN (1969).

RODIN, J., voir PILIAVIN, RODIN et PILIAVIN (1969).

ROFF, J.D. et KNIGHT, R. (1981) « Family characteristics, childhood symptoms, and adult outcome in schizophrenia ». *Journal of Abnormal Psychology*, 90:510-20.

ROFFWARG, H.P., HERMAN, J.H., BOWEANDERS, C. et TAUBER, E.S. (1978) « The effects of sustained alterations of waking visual input on dream content ». Dans Arkin, A.M., Antrobus, J.S. et Ellman, S.J. (Éd.), *The Mind in Sleep*. Hillsdale, N.J.: Erlbaum.

ROGERS, C.R. (1951) *Client-Centered Therapy*. Boston: Houghton Mifflin.

ROGERS, C.R. (1959) « A theory of therapy, personality, and interpersonal relationships, as developed in the client-centered framework ». Dans Koch, S. (Éd.), *Formulations of the Person and the Social Context*, Vol. 3. New York: McGraw-Hill.

ROGERS, C.R. (1971) *La relation d'aide et la psychothérapie*. Paris, Éditions sociales françaises.

ROGERS, C.R. (1973) *Les groupes de rencontre*. Paris, Dunod.

ROGERS, C.R. (1976) *Le développement de la personne*. Paris, Dunod.

ROGERS, C.R. (1977) *Carl Rogers on Personal Power*. New York: Delacorte Press.

ROGERS, C.R. et STEVENS, B. (1967) *Person to Person: The Problem of Being Human*. New York: Pocket Books.

ROGERS, R.W., voir PRENTICE-DUNN et ROGERS (1980).

ROGERS, T.B., KUIPER, N.A. et KIRKER, W.S. (1977) « Self-reference and the encoding of personal information ». *Journal of Personality and Social Psychology*, 35:677-88.

ROHN, R.D., SARTES, R.M., KENNY, T.J., REYNOLDS, B.J. et HEALD, F.P. (1977) « Adolescents who attemp suicide ». *Journal of Pediatrics*, 90:636-38.

ROKEACH, M. (1968) *Beliefs, Attitudes, and Values*. San Francisco: Jossey-Bass.

ROKEACH, M. (1973) *The Nature of Human Values*. New York: Free Press.

ROSCH, E. (1974) « Linguistic relativity ». Dans Silverstein, A. (Éd.), *Human Communication: Theoretical Perspectives*. New York: Halsted Press.

ROSCH, E. (1978) « Principles of categorization ». Dans Rosch, E. et Lloyd, B.L. (Éd.), *Cognition and Categorization*. Hillsdale, N.J.: Erlbaum.

ROSCH, E., voir MERVIS et ROSCH (1981).

ROSE, J.E., BRUGGE, J.F., ANDERSON, D.J. et HIND, J.E. (1967) « Phase-locked response to lower frequency tones in single auditory nerve fibers of the squirrel monkey ». *Journal of Neurophysiology*, 309:769-93.

ROSE, S., voir LEWONTIN, ROSE et KAMIN (1984).

ROSEMAN, I. (1979) « Cognitive aspects of emotion and emotional behavior ». Document lu durant le « 87th Annual Convention of the American Psychological Association in New York City », septembre 1979.

ROSEN, T.J., voir CORKIN, COHEN, SULLIVAN, CLEGG, ROSEN et ACKERMAN (1985).

ROSENBERG, M.J. (1956) « Cognitive structure and attitudinal affect ». *Journal of Abnormal and Social Psychology*, 53:367-72.

ROSENBLATT, J.S., voir TERKEL et ROSENBLATT (1972).

ROSENBLITH, J.F. et SIMS-KNIGHT, J. (1985) *In the Beginning: Development in the First Two Years*. Monterey, Calif.: Brooks/Cole.

ROSENFELD, D., voir SNYDER, STEPHAN et ROSENFELD (1976).

ROSENFELD, P., voir TEDESCHI et ROSENFELD (1981).

ROSENHAN, D.L., voir SELIGMAN et ROSENHAN (1984).

ROSENMAN, R.H., BRAND, R.J., JENKINS, C.D., FRIEDMAN, M., STRAUS, R. et WRUM, M. (1975) « Coronary heart disease in the Western Collaborative Group Study: Final follow-up experience of 8 1/2 years ». *JAMA*, 233:872-77.

ROSENMAN, R.H., voir FRIEDMAN et ROSENMAN (1974).

ROSENTHAL, R. (1964) « Experimental outcome-orientation and the results of the psychological experiment ». *Psychological Bulletin*, 61:405-12.

ROSENZWEIG, M.R. et LEIMAN, A.L. (1982) *Physiological Psychology*. Lexington, Mass.: Heath.

ROSS, L. (1977) « The intuitive psychologist and his shortcomings: Distortions in the attribution process ». Dans Berkowitz, L. (Éd.), *Advances in Experimental Social Psychology*, Vol. 10. New York: Academic Press.

ROSS, L., AMABILE, T.M. et STEINMETZ, J.L. (1977) « Social roles, social control, and biases in social-perception processes ». *Journal of Personality and Social Psychology*, 35:485-94.

ROSS, L., voir LORD, ROSS et LEPPER (1979).

ROSS, L., voir NISBETT et ROSS (1985).

ROSS, L., voir VALLONE, ROSS et LEPPER (1985).

ROSS, M. et SICOLY, F. (1979) « Egocentric biases in availability and attribution ». *Journal of Personality and Social Psychology*, 37:322-36.

ROSS, R., BIERBRAUER, G. et HOFFMAN, S. (1976) « The role of attribution processes in conformity and dissent: Revisiting the Asch Situation ». *American Psychologist*, 31:148-57.

ROTH, W.T., voir DARLEY, TINKLENBERG, ROTH, HOLLISTER et ATKINSON (1973).

ROTTMANN, L., voir WALSTER, ARONSON, ABRAHAMS et ROTTMANN (1966).

ROWLAND, N., voir STICKER, ROWLAND, SALLER et FRIEDMAN (1977).

ROY, A. (1981) « Role of past loss in depression ». *Archives of General Psychiatry*, 38(n° 3):301-302.

ROYCE, J.R. et MOS, L.P. (Éd.) (1981) *Humanistic Psychology: Concepts and Criticisms*. New York: Plenum.

RUBIN, J.Z., voir LURIA et RUBIN (1974).

RUBIN, Z. (1973) *Liking and Loving*. New York: Holt, Rinehart & Winston.

RUBIN, Z. (1975) « Disclosing oneself to a stranger: Reciprocity and its limits ». *Journal of Experimental Social Psychology*, 11:233-60.

RUBIN, Z., HILL, C.T., PEPLAU, L.A., et DUNKEL-SCHETTER, C. (1980) « Self-disclosure in dating couples: Sex roles and ethic of openness ». *Journal of Marriage and the Family*, 42:305-17.

RUBIN, Z., voir HILL, RUBIN et PEPLAU (1976).

RUBIN, Z., voir PEPLAU, RUBIN et HILL (1977).

RUCH, J.C. (1975) « Self-hypnosis: The result of heterohypnosis or vice versa? » *International Journal of Clinical and Experimental Hypnosis*, 23:282-304.

RUCH, J.C., MORGAN, A.H. et HILGARD, E.R. (1973) « Behavioral predictions from hypnotic responsiveness scores when obtained with and without prior induction procedures ». *Journal of Abnormal Psychology*, 82:543-46.

RUDERMAN, A.J. (1986) « Dietary restraint: A theoretical and empirical review ». *Psychological Bulletin*, 99:247-62.

RUMBAUGH, D.M. (Éd.) (1977) *Language Learning by a Chimpanzee: The Lana Project*. New York: Academic Press.

RUMELHART, D.E., voir MCCLELLAND et RUMELHART (1981).

RUNCK, B. (1980) « Biofeedback: Issues in Treatment Assessment ». *National Institute of Mental Health Science Reports*.

RUSH, A.J., voir BECK, RUSH, SHAW et EMERY (1979).

RUSHTON, J.P., JACKSON, D.N. et PAUNONEN, S.V. (1981) « Personality: Nomothetic or idiographic? A response to Kenrick and Stringfield ». *Psychological Review*, 88:582-89.

RUSSEK, M. (1971) « Hepatic receptors and the neurophysiological mechanisms controlling feeding behavior ». Dans Ehreupreis, S. (Éd.), *Neurosciences Research*, Vol. 4. New York: Academic Press.

RUSSELL, M.J. (1976) « Human olfactory communication ». *Nature*, 260:520-22.

RUTHERFORD, E., voir MUSSEN et RUTHERFORD (1963).

RUTSTEIN, J., voir SATINOFF et RUTSTEIN (1970).

RYAN, S.M., voir LAUDENSLAGER, RYAN, DRUGAN, HYSON et MAIER (1983).

RYLE, G. (1949) *The Concept of Mind*. San Francisco: Hutchinson.

RYTINA, S., voir GAMSON, FIREMAN et RYTINA (1982).

S

SACHS, J.D.S. (1967) « Recognition memory for syntactic and semantic aspects of connected discourse ». *Perception and Psychophysics*, 2:437-42.

SACKEIM, H.A., PORTNOY, S., NEELEY, P., STEIF, B.L., DECINA, P. et MALITZ, S. (1985) « Cognitive consequences of low dosage ECT ». Dans Malitz, S. et Sackeim, H.A., (Éd.) *Electroconvulsive Therapy: Clinical and Basic Research Issues*. Annals of the New York Academy of Science.

SADALLA, E.K., voir SCHUTTE, KENRICK et SADALLA (1985).

SADD, S., voir TAVRIS et SADD (1977).

SAEGERT, S. SWAP, W. et ZAJONC, R.B. (1973) « Exposure, context, and interpersonal attraction ». *Journal of Personality and Social Psychology*, 25:234-42.

SAHGIR, M.T. et ROBINS, E. (1973) *Male and Female Homosexuality*. Baltimore: Williams et Wilkins.

SAINT-ARNAUD, Y. (1979) *La psychologie. Modèle systémique*. Montréal, Les Presses de l'Université de Montréal.

SALAMY, J. (1970) « Instrumental responding to internal cues associated with REM sleep ». *Psychonomic Science*, 18:342-43.

SALLER, C.F., voir STRICKER, ROWLAND, SALLER et FRIEDMAN (1977).

SANDERS, B. et SOARES, M.P. (1986) « Sexual maturation and spatial ability in college students ». *Developmental Psychology*, 22:199-203.

SANDERS, B., SOARES, M.P. et D'AQUILA, J.M. (1982) « The sex difference on one test of spatial visualization: A nontrivial difference ». *Child Development*, 53:1106-10.

SANDERS, D.J., voir TERRACE, PETITTO, SANDERS et BEVER (1979).

SANDERS, G.S. (1984) « Self-presentation and drive in social facilitation ». *Journal of Experimental Social Psychology*, 20:312-22.

SANDERS, G.S. et BARON, R.S. (1975) « The motivating effects of distraction on task performance ». *Journal of Personality and Social Psychology*, 32:956-63.

SARASON, B.R., voir SARASON et SARASON (1984).

SARASON, I.G., JOHNSON, J.H. et SIEGEL, J.M. (1978) « Assessing the impact of life changes: Development of the life experiences survey ». *Journal of Consulting and Clinical Psychology*, 46:932-46.

SARASON, I.G. et SARASON, B.R. (1984) *Abnormal Psychology: The Problem of Maladaptive Behavior*. Englewood Cliffs, N.J.: Prentice-Hall.

SARBIN, T.R., voir COE et SARBIN (1977).

SARTES, R.M., voir ROHN, SARTES, KENNY, REYNOLDS et HEALD (1977).

SATINOFF, E. et RUTSTEIN, J. (1970) « Behavioral thermoregulations in rats with anterior hypothalamic lesions ». *Journal of Comparative and Physiological Psychology*, 71:72-82.

SATINOFF, E. et SHAN, S.Y. (1971) « Loss of behavioral thermoregulation after lateral hypothalamic lesions in rats ». *Journal of Comparative and Physiological Psychology*, 72:302-12.

SAUFLEY, W.H., JR., voir KEPPEL et SAUFLEY (1980).

SAWYER, J., voir PRIEST et SAWYER (1967).

SCARR, S. (1981) *Race, Social Class, and Individual Differences in IQ*. Hillsdale, N.J.: Erlbaum.

SCARR, S. (1984) *Mother Care/Other Care*. New York: Basic Books.

SCARR, S. et WEINBERG, R.A. (1976) « IQ test performance of black children adopted by white families ». *American Psychologist*, 31:726-39.

SCARR-SALAPATEK, S. (1971) « Race, social class, and IQ ». *Science*, 174:1285.

SCHACTEL, E.G. (1947) « On memory and child amnesia ». *Psychiatry*, 10:1-26.

SCHACHTER, S. (1971) *Emotion, Obesity, and Crime*. New York: Academic Press.

SCHACHTER, S. et SINGER, J.E. (1962) « Cognitive, social and physiological determinants of emotional state ». *Psychological Review*, 69:379-99.

SCHACHTER, S., voir FESTINGER, SCHACHTER et BACK (1950).

SCHAEFFER, J., ANDRYSIAK, T. et UNGERLEIDER, J.T. (1981) « Cognition and long-term use of ganja (cannabis) ». *Science*, 213:456-66.

SCHANK, R.C. (1982) *Dynamic Memory*. New York: Cambridge University Press.

SCHEIER, M.F. (1976) « Self-awareness, self-consciousness, and angry aggression ». *Journal of Personality*, 44:627-44.

SCHEIER, M.F., BUSS, A.H. et BUSS, D.M. (1978) « Self-consciousness, self-report of aggressiveness, and aggression ». *Journal of Research in Personality*. 112:133-40.

SCHEIER, M.F. et CARVER, C.S. (1977) « Self-focused attention and the experience of emotion: Attraction, repulsion, elation, and depression ». *Journal of Personality and Social Psychology*, 35:625-36.

SCHEIER, M.F. et CARVER, C.S. (1983) « Two sides of the self: One for you and one for me ». Dans Suls, J. et Greenwald, A.G. (Éd.), *Psychological Perspectives on the Self*, Vol. 2. Hillsdale, N.J.: Erlbaum.

SCHEIER, M.F., CARVER, C.S. et GIBBONS, F.X. (1979) « Self-directed attention, awareness of bodily states, and suggestibility ». *Journal of Personality and Social Psychology*, 37:1576-88.

SCHEIER, M.F., voir CARVER et SCHEIER (1981).

SCHEIER, M.F., voir FENIGSTEIN, SCHEIER et BUSS (1975).

SCHEIN, E.H., voir STRASSMAN, THALER et SCHEIN (1956).

SCHIAVO, R.S., voir SCHIFFENBAUER et SCHIAVO (1976).

SCHIFF, W. et FOULKE, E. (1982) *Tactual Perception: A Sourcebook*. Cambridge: Cambridge University Press.

SCHIFFENBAUER, A. et SCHIAVO, R.S. (1976) « Physical distance and attraction: An intensification effect ». *Journal of Experimental Social Psychology*, 12:274-82.

SCHIFFMAN, H.R. (1982) *Sensation and Perception: An Integrated Approach* (2ᵉ éd.) New York: Wiley.

SCHIFFMAN, S.S. (1974) « Physiochemical correlates of olfactory quality ». *Science*, 185:112-17.

SCHIFFMAN, S.S. et ERICKSON, R.P. (1980) « The issue of primary tastes versus a taste continuum ». *Neuroscience and Biobehavioral Reviews*, 4:109-17.

SCHLEIFER, S.J., KELLER, S.E., MCKEGNEY, F.P. et STEIN, M. (1979) « The influence of stress and other psychosocial factors on human immunity ». Document presenté au « 36th Annual Meeting of the Psychosomatic Society », Dallas, mars 1979.

SCHLESINGER, K., voir GROVES et SCHLESINGER (1982).

SCHMEIDLER, G.R., voir WOLMAN, DALE, SCHMEIDLER et ULLMAN (1985).

SCHMITT, B.H. et BEM, D.J. (1986) « Social facilitation: What did Triplett really find in 1898? Or was it 1897? » Manuscrit non publié, Cornell University.

SCHMITT, B.H., GILOVICH, T., GOORE, N. et JOSEPH, L. (sous impression) « Mere presence and social facilitation: One more time ». *Journal of Personality and Social Psychology*.

SCHNEIDER, A.M. et TARSHIS, B. (1986) *An Introduction to Physiological Psychology* (3ᵉ éd.). New York: Random House.

SCHNEIDER, D.J. (1973) « Implicit personality theory: A review ». *Psychological Bulletin*, 79:294-309.

SCHNEIDER, D.J. et MILLER, R.S. (1975) « The effects of enthusiasm and quality of arguments on attitude attribution ». *Journal of Personality*, 43:693-708.

SCHNEIDERMAN, N.S. et TAPP, J.T. (Éd.) (1985) *Behavioral Medicine: The Biopsychosocial Approach*. New York: Erlbaum.

SCHOEN, L.S., voir ABBOTT, SCHOEN et BADIA (1984).

SCHOOLER, J.W., voir LOFTUS, SCHOOLER et WAGENAAR (1985).

SCHOOLER, N.R., voir HOGARTY, SCHOOLER, ULRICH, MUSSARE, FERRO et HERRON (1979).

SCHORR, D., voir SMITH, ADAMS et SCHORR (1978).

SCHRADER, W.B. (1965) « A taxonomy of expectancy tables ». *Journal of Educational Measurement*, 2:29-35.

SCHRADER, W.B. (1971) « The predictive validity of College Board Admissions tests ». Dans Angoff, W.H. (Éd.), *The College Board Admissions Testing Program: A Technical Report on Research and Development Activities Relating to the Scholastic Aptitude Test and Achievement Tests*. New York: College Entrance Examination Board.

SCHUCKIT, M.A. (1984) *Drug and Alcohol Abuse: A Clinical Guide to Diagnosis and Treatment* (2ᵉ éd.). New York: Plenum.

SCHULSINGER, F., voir JOHN, MEDNICK et SCHULSINGER (1982).

SCHULSINGER, F., voir MEDNICK, CUDECK, GRIFFITH, TALOVIC et SCHULSINGER (1984).

SCHULSINGER, F., voir WITKIN, MEDNICK, SCHULSINGER et coll. (1976).

SCHULTZ, D. (1987) *A History of Modern Psychology* (4ᵉ éd.). New York: Academic Press.

SCHUTTE, N.S., KENRICK, D.T. et SADALLA, E.K. (1985) « The search for predictable settings: Situational prototypes, constraint, and behavioral variation ». *Journal of Personality and Social Psychology*, 49:121-28.

SCHVANEVELDT, R.W. et MEYER, D.E. (1973) « Retrieval and comparison processes in semantic memory ». Dans Kornblum, S. (Éd.), *Attention and Performance*, Vol. 4. New York: Academic Press.

SCHWARTZ, B. (1982) « Failure to produce response variability with reinforcement ». *Journal of the Experimental Analysis of Behavior*, 37:171-81.

SCHWARTZ, B. (1984) *Psychology of Learning and Behavior*. (2ᵉ éd.). New York: Norton.

SCHWARTZ, B. et GAMZU, E. (1977) « Pavlovian control of operant behavior ». Dans Honig, W.K. et Staddon, J.E.R. (Éd.), *Handbook of Operant Behavior*. Englewood Cliffs, N.J.: Prentice-Hall.

SCHWARTZ, G.E. (1975) « Biofeedback, self-regulation, and the patterning of physiological processes ». *American Scientist*, 63:314-24.

SCHWARZ, J.L., voir STEVENS-LONG, SCHWARZ et BLISS (1976).

SCOTT, T.H., voir HERON, DOANE et SCOTT (1956).

SEARS, D.O., FREEDMAN, J.L. et PEPLAU, L.A. (1985) *Social Psychology* (5ᵉ éd.). Englewood Cliffs, N.J.: Prentice-Hall.

SEARS, D.O., voir KINDER et SEARS (1985).

SEARS, R.R., voir DOLLARD, DOOB, MILLER, MOWRER et SEARS (1939).

SEEMAN, J. (1949) « A study of the process of nondirective therapy ». *Journal of Consulting Psychology*, 13:157-68.

SEGAL, M.W. (1974) « Alphabet and attraction: An unobstrusive measure of the effect of propinquity in a field setting ». *Journal of Personality and Social Psychology*, 30:654-57.

SEIDEN, R.H. (1966) « Campus tragedy: A study of student suicide ». *Journal of Abnormal Psychology*, 71:388-99.

SEIDENBERG, M.S. et PETITTO, L.A. (1979) « Signing behavior in apes ». *Cognition*, 7:177-215.

SEIFERT, C.M., ROBERTSON, S.P. et BLACK, J.B. (1985) « Types of inferences generated during reading ». *Journal of Memory and Language*, 24:405-22.

SEKEL, M., voir TELLER, PEEPLES et SEKEL (1978).

SEKERAK, G.J., voir COTTRELL, WACK, SEKERAK et RITTLE (1968).

SEKULER, R. et BLAKE, R. (1985) Perception. New York: Knopf.

SEKULER, R. et GANZ, L. (1963) « A new aftereffect of seen movement with a stabilized retinal image ». *Science*, 139:1146-48

SELFRIDGE, O. et NEISSER, U. (1960) « Pattern recognition by machine ». *Scientific American*, 203:60-80.

SELIGMAN, M.E.P. (1971) « Phobias and preparedness ». *Behavior Therapy*, 2:307-20.

SELIGMAN, M.E.P. (1975) *Helplessness*. San Francisco: Freeman.

SELIGMAN, M.E.P. et ROSENHAN, D.L. (1984) *Abnormal Psychology*. New York: Norton.

SELIGMAN, M.E.P., voir MAIER et SELIGMAN (1976).

SELIGMAN, M.E.P., voir OVERMEIER et SELIGMAN (1967).

SELIGMAN, M.E.P., voir PETERSON et SELIGMAN (1984).

SELYE, H. (1962) *Le stress de la vie: le problème de l'adaptation*. Paris, Gallimard.

SELYE, H. (1974) *Stress sans détresse*. Montréal, La Presse.

SELYE, H. (1976) *Le stress de ma vie*. Montréal, Stanké.

SENDEROWITZ, J. et PAXMAN, J.M. (1985) « Adolescent fertility: World-wide concerns ». *Population Bulletin*, 40(2). Washington, D.C.: Population Reference Bureau.

SENN, D.J., voir LEVINGER, SENN et JORGENSEN (1970).

SENTER, R.J., voir LIPPERT et SENTER (1966).

SENTIS, K., voir MARKUS et SENTIS (1982).

SERBIN, L.A., voir STERNGLANZ et SERBIN (1974).

SERON, X., voir BRUYER, LATERRE, SERON et coll. (1983).

SHAFER, J. (1985) « Designer drugs ». *Science 85*, (Mars 1985): 60-67.

SHAFFER, L.F (1947) « Fear and courage in aerial combat ». *Journal of Consulting Psychology*, 11:137-43.

SHAN, S.Y., voir SATINOFF et SHAN (1971).

SHANKWEILER, D., voir LIBERMAN, COOPER, SHANKWEILER et STUDDERT-KENNEDY (1967).

SHAPIRO, A.K. et MORRIS, LA. (1978) « The placebo effect in medical and psychological therapies ». Dans Garfield, S.L. et Bergin, A.E. (Éd.), *Handbook of Psychotherapy and Behavior Change*, (2ᵉ éd.). New York: Wiley.

SHAPIRO, D.A., voir STILES, SHAPIRO et ELLIOTT (1986).

SHAPIRO, D.H. (1985) « Clinical use of medication as a self-regulation strategy: Comments on Holme's (1984) conclusions and implications ». *American Psychologist*, 40:719-22.

SHAPLEY, R. et ENROTH-CUGELL, C. (1984) « Visual adaptation and retinal gain controls ». Dans Osborne, N. et Chaders, G. (Éd.), *Progress in Retinal Research*, Vol. 3. Oxford: Pergamon Press.

SHAPLEY, R. et LENNIE, P. (1985) « Spatial frequency analysis in the visual system ». *Annual Review of Neurosciences*, 8:547-83.

SHAVER, K.G., voir JONES, ROCK, SHAVER, GOETHALS et WARD (1968).

SHAVIT, Y., voir TERMAN, SHAVIT, LEWIS, CANNON et LIEBERSKIND (1984).

SHAW, B.J., voir BECK, RUSH, SHAW et EMERY (1979).

SHAW, M. voir YAGER, KRAMER, SHAW et GRAHAM (1984).

SHEA, S.L., voir FOX, ASLIN, SHEA et DUMAIS (1980).

SHEA, T., voir ELKIN, SHEA et IMBER (1986).

SHEFFIELD, F.D., voir FRIEDMAN, SHEFFIELD, WULFF et BACKER (1951).

SHEFNER, J.M., voir LEVINE et SHEFNER (1981).

SHEINGOLD, K. et TENNEY, Y.J. (1982) « Memory for a salient childhood event ». Dans Neisser, U. (Éd.), *Memory Observed: Remembering in Natural Contexts*. San Francisco: Freeman.

SHEKELLE, R., NEATON, J.D., JACOBS, D., HULLEY, S. et BLACKBURN, H. (1983) « Type A behavior pattern in MRFIT ». Document présenté au « American Heart Association Council on Epidemiology Meetings », San Diego.

SHELDON, W.H. (1954) *Atlas of Men: A Guide for Somatotyping the Adult Male at All Ages*. New York: Harper et Row.

SHEPARD, R.N. (1978) « The mental image ». *American Psychologist*, 33:125-37.

SHEPARD, R.N. et COOPER, L.A. (1982) *Mental Images and Their Transformations*. Cambridge, Mass.: M.I.T. Press, Bradford Books.

SHEPARD, R.N., voir COOPER et SHEPARD (1973).

SHEPOSH, J.P., DEMING, M. et YOUNG, L.E. (1977) « The radiating effects of status and attractiveness of a male upon evaluating his female partner ». Document présenté à la réunion annuelle du « Western Psychological Association », Seattle, avril 1977.

SHERMAN, A.R. (1972) « Real-life exposure as a primary therapeutic factor in the desensitization treatment of fear ». *Journal of Abnormal Psychology*, 79:19-28.

SHIELDS, J., voir GOTTESMAN et SHIELDS (1982).

SHIFFRIN, R.M., voir ATKINSON et SHIFFRIN (1971).

SHIFFRIN, R.M., voir ATKINSON et SHIFFRIN (1977).

SHIFFRIN, R.M., voir GILLUND et SHIFFRIN (1984).

SHIFFRIN, R.M., voir RAAIJMAKERS et SHIFFRIN (1981).

SHIOSE, Y., voir AWAYA, MIYAKE, IMAYUMI, SHIOSE, KNADA et KOMURO (1973).

SHKUROVICH, M., voir DRUCKER-COLIN, SHKUROVICH et STERMAN (1979).

SHNEIDMAN, E.A. (1985) *Definition of Suicide*. New York: Wiley.

SHNEIDMAN, E.S., voir FARBEROW et SHNEIDMAN (1965).

SHOR, R.E., voir FROMM et SHOR (1979).

SIBYLL, C., voir VON LANG et SIBYLL (1983).

SICOLY, F., voir ROSS et SICOLY (1979).

SIGALL, H. et LANDY, D. (1973) « Radiating beauty: The effects of having a physically attractive partner on person perception ». *Journal of Personality and Social Psychology*, 31:410-14.

SILADI, M., voir MARKUS, CRANE, BERNSTEIN et SILADI (1982).

SILVERMAN, I. (1971) « Physical attractiveness and courtship ». *Sexual Behavior*, 1:22-25.

SILVERMAN, L.H. et WEINBERGER, J. (1985) « Mommy and I are one: Implications for psychotherapy ». *American Psychologist*, 40:1296-308.

SIMMONS, J.V. (1981) « Project Sea Hunt: A report on prototype development and tests ». Technical Report 746, Naval Ocean Systems Center, San Diego.

SIMON, D.P., voir LARKIN, MCDERMOTT, SIMON et SIMON (1980).

SIMON, H.A. (1985) « Using Cognitive Science to Solve Human Problems ». Document présenté au « Science and Public Policy Seminar », Federation of Behavioral, Psychological, and Cognitive Sciences, juin 1985.

SIMON, H.A. et GILMARTIN, K. (1973) « A simulation of memory for chess positions ». *Cognitive Psychology*, 5:29-46.

SIMON, H.A., voir CHASE et SIMON (1973).

SIMON, H.A., voir ERICSSON et SIMON (1984).

SIMON, H.A., voir LARKIN, MCDERMOTT, SIMON et SIMON (1980).

SIMON, H.A., voir NEWELL et SIMON (1972).

SIMON, H.A., voir YU, ZHANG, JING, PENG, ZHANG et SIMON (1985).

SIMON, H.A., voir ZHANG et SIMON (1985).

SIMON, J.G. et FEATHER, N.T. (1973) « Causal attributions for success and failure at university examinations ». *Journal of Educational Psychology*, 64:46-56.

SIMON, T., voir BINET et SIMON (1905).

SIMS-KNIGHT, J., voir ROSENBLITH et SIMS-KNIGHT (1985).

SINGER, B., voir LUBORSKY, SINGER et LUBORSKY (1975).

SINGER, D.G., voir SINGER et SINGER (1981).

SINGER, J.E., voir GLASS et SINGER (1972).

SINGER, J.E., voir SCHACHTER et SINGER (1962).

SINGER, J.L. (1984) *The Human Personality: An Introductory Textbook*. San Diego: Harcourt Brace Jovanovich.

SINGER, J.L. et SINGER, D.G. (1981) *Television, Imagination and Aggression*. Hillsdale, N.J.: Erlbaum.

SINGER, J.L., voir POPE et SINGER (1978).

SINGER, M.T. et WYNNE, L.C. (1963) « Thought disorder and family relations of schizophrenics: Pt. 1. A research strategy ». *Archives of General Psychiatry*, 9:191-98.

SIQUELAND, E.R. et LIPSITT, J.P. (1966) « Conditioned head-turning in human newborns ». *Journal of Experimental Child Psychology*, 8:356-76.

SIQUELAND, E.R., voir EIMAS, SIQUELAND, JUSCZYK et VIGORITO (1971).

SIZEMORE, C.C. et PITTILLO, E.S. (1977) *I'm Eve*. Garden City, N.Y.: Doubleday.

SKEELS, H.M. (1966) « Adult status of children with contrasting early life experiences: A follow-up study ». *Monographs of the Society for Research in Child Development*, 31 (série n° 105).

SKEELS, H.M. et DYE, H.B. (1939) « A study of the effects of differential stimulation on mentally retarded children ». *Proceedings of the American Association for Mental Deficiency*, 44:114-36.

SKINNER, B.F. (1938) *The Behavior of Organisms*. New York: Appleton-Century-Crofts.

SKINNER, B.F. (1948) « "Superstition" in the pigeon ». *Journal of Experimental Psychology*, 38:168-72.

SKINNER, B.F. (1971) *L'analyse expérimentale du comportement* (2e éd.). Bruxelles, Dessart-Mardaga.

SKINNER, B.F. (1971) *Par delà la liberté et la dignité*. Paris, Laffont.

SKINNER, B.F. (1981) « Selection by consequences ». *Science*, 313:501-504.

SKOLNICK, A.S. (1986) *The Psychology of Human Development*. San Diego: Harcourt Brace Jovanovich.

SKYRMS, B. (1986) *Choice and Chance: An Introduction to Inductive Logic*. Belmont, Calif.: Dickenson.

SLOANE, R.B., STAPLES, F.R., CRISTOL, A.H., YORKTON, N.J. et WHIPPLE, K. (1975) *Psychotherapy vs. Behavior Therapy*. Cambridge, Mass.: Harvard University Press.

SLOBIN, D.I. (1971) « Cognitive prerequisites for the acquisition of grammar ». Dans Ferguson, C.A. et Slobin, D.I. (Éd.), *Studies of Child Language Development*. New York: Holt, Rinehart & Winston.

SLOBIN, D.I. (1979) *Psycholinguistics* (2e éd.). Glenville, Ill.: Scott, Foresman.

SLOBIN, D.I. (Éd.) (1984) *The Crosslinguistic Study of Language Acquisition*. Hillsdale, N.J.: Erlbaum.

SLOVIC, P., voir KAHNEMAN, SLOVIC et TVERSKY (1982).

SLOWIACZEK, M.L., voir RAYNER, INHOFF, MORRISON, SLOWIACZEK et BERTERA (1981).

SMART, R.G. et FEJER, D. (1972) « Drug use among adolescents and their parents: Closing the generation gap in mood modification ». *Journal of Abnormal Psychology*, 79:153-60.

SMILANSKY, B. (1974) Document présenté à la réunion du « American Educational Research Association », Chicago.

SMITH, A., voir TENNANT, SMITH, BEBBINGTON et HURRY (1981).

SMITH, D., KING, M. et HOEBEL, B.G. (1970) « Lateral hypothalamic control of killing: Evidence for a cholinoceptive mechanism ». *Science*, 167:900-901.

SMITH, E.E., ADAMS, N. et SCHORR, D. (1978) « Fact retrieval and the paradox of interference ». *Cognitive Psychology*, 10:438-64.

SMITH, E.E. et MEDIN, D.L. (1981) *Categories and Concepts*. Cambridge, Mass.: Harvard University Press.

SMITH, G.M. (1986) « Adolescent personality traits that predict adult drug use ». *Comprehensive Therapy*, 22:44-50.

SMITH, J., voir MARKUS et SMITH (1981).

SMITH, M.B. (1973) « Is psychology relevant to new priorities? » *American Psychologist*, 6:463-71.

SMITH, M.L., GLASS, G.V. et MILLER, T.I. (1980) *The Benefits of Psychotherapy*. Baltimore: Johns Hopkins University Press.

SMITH, R., voir STEUER, APPLEFIELD et SMITH (1971).

SMITH, V.C. et POKORNY, J. (1972) « Spectral sensitivity of color-blind observers and the cone photopigments ». *Vision Research*, 12:2059-71.

SNYDER, C.R. (1974) « Acceptance of personality interpretations as a function of assessment procedures ». *Journal of Consulting Psychology*, 42:150.

SNYDER, M. et URANOWITZ, S.W. (1978) « Reconstructing the past: Some cognitive consequences of person perception ». *Journal of Personality and Social Psychology*, 36:941-50.

SNYDER, M.L., STEPHAN, W.G. et ROSENFELD, D. (1976) « Egotism and attribution ». *Journal of Personality and Social Psychology*, 33:435-41.

SNYDER, M.L., TANKE, E.D. et BERSCHEID, E. (1977) « Social perception and interpersonal behavior: On the self-fulfilling nature of social stereotypes ». *Journal of Personality and Social Psychology*, 35:656-66.

SNYDER, S.H. (1980) *Biological Aspects of Mental Disorder*. New York: Oxford University Press.

SNYDER, S.H., voir CREESE, BURT et SNYDER (1978).

SNYDER, W.U. et coll. (1947) *Casebook of Nondirective Counseling*. Boston: Houghton Mifflin.

SOAL, S.G. et BATEMAN, F. (1954) *Modern Experiments in Telepathy*. New Haven: Yale University Press.

SOARES, M.P., voir SANDERS et SOARES (1986).

SOARES, M.P., voir SANDERS, SOARES et D'AQUILA (1982).

SOLOMON, D.S., voir FARQUHAR, MACCOBY et SOLOMON (1984).

SOLOMON, R.L. (1980) « The opponent-process theory of acquired motivation ». *American Psychologist*, 35:691-712.

SOLOMON, R.L. et CORBIT, J.D. (1974) « An opponent-process theory of motivation: Pt. 1. Temporal dynamics of affect ». *Psychological Review*, 81:119-45.

SOLOMON, R.L., voir RESCORLA et SOLOMON (1967).

SOLSO, R.L., voir JOHNSON et SOLSO (1978).

ROSENSEN, R.C. (1973) *Adolescent Sexuality in Contemporary America*. New York: World.

SPACHE, G. et BERG, P. (1978) *The Art of Efficient Reading* (3ᵉ éd.). New York: Macmillan.

SPANOS, N.P. et HEWITT, E.C. (1980) « The hidden observer in hypnotic analgesia: Discovery or experimental creation? » *Journal of Personality and Social Psychology*, 39:1201-14.

SPANOS, N.P., WEEKES, J.R. et BERTRAND, L.D. (1985) « Multiple personality: A social psychological perspective ». *Journal of Abnormal Psychology*, 94:362-76.

SPEARMAN, C. (1904) « « General intelligence » objectively determined and measured ». *American Journal of Psychology*, 15:201-93.

SPEATH, J.L. (1976) « Characteristics of the work setting and the job as determinants of income ». Dans Sewell, W.H., Hauser, R.M. et Featherman, D.L. (Éd.), *Schooling and Achievement in American Society*. New York: Academic Press.

SPELKE, E.S., voir STARKEY, SPELKE et GELMAN (1986).

SPERLING, G. (1960) « The information available in brief visual presentations ». *Psychological Monographs*, 74(11, n° 498).

SPERRY, R.W. (1970) « Perception in the absence of neocortical commissures ». Dans *Perception and Its Disorders* (res. Publ. A.R.N.M.D., Vol. 48). New York: The Association for Research in Nervous and Mental Disease.

SPERRY, R.W., voir NEBES et SPERRY (1971).

SPINELLI, D., voir PIRCHIO, SPINELLI, FIORENTINI et MAFFEI (1978).

SPINELLI, D.N., voir HIRSCH et SPINELLI (1970).

SPOEHR, K.T. et LEHMKUHLE, S.W. (1982) *Visual Information Processing*. San Francisco: Freeman.

SPRINGER, S.P. et DEUTSCH, G. (1985) *Left Brain, Right Brain* (éd. révisée). San Francisco: Freeman.

SPRINGSTON, F., voir BOWER et SPRINGSTON (1970).

SPUHLER, J.N., voir LOEHLIN, LINDZEY et SPUHLER (1975).

SQUIRE, L.R. (1986) « Mechanisms of memory ». *Science*, 232:1612-19.

SQUIRE, L.R. et BUTTERS, N. (Éd.) (1984) *The Neuropsychology of Memory*. New York: Guilford Press.

SQUIRE, L.R. et COHEN, N.J. (1984) « Human memory and amnesia ». Dans McGaugh, J.L., Lynch, G.T. et Weinberger, N.M.

(Éd.). *The Neurobiology of Learning and Memory*. New York: Guilford Press.

SQUIRE, L.R., COHEN, N.J. et NADEL, L. (1984) « The medial temporal region and memory consolidations: A new hypothesis ». Dans Weingartner, H. et Parker, E. (Éd.), *Memory Consolidation*. Hillsdale, N.J.: Erlbaum.

SQUIRE, L.R. et FOX, M.M. (1980) « Assessment of remote memory: Validation of the television test by repeated testing during a seven-day period ». *Behavioral Research Methods and Instrumentation*, 12:583-86.

SQUIRE, L.R., voir COHEN et SQUIRE (1980).

SROUFE, L.A., voir MATAS, AREND et SROUFE (1978).

SROUFE, L.A., voir WATERS, WIPPMAN et SROUFE (1979).

STAATS, A.W. (1968) *Language, Learning and Cognition*. New York: Holt, Rinehart & Winston.

STADDON, J.E.R. (1983) *Adaptive Behavior and Learning*. New York: Cambridge University Press.

STADDON, J.E.R., voir HONIG et STADDON (1977).

STANLEY, J.C., voir BENBOW et STANLEY (1980).

STAPLES, F.R., voir SLOANE, STAPLES, CRISTOL, YORKSTON et WHIPPLE (1975).

STAPP, J. et FULCHER, R. (1981) « The employment of APA members ». *American Psychologist*, 36:1263-1314.

STARKEY, P., SPELKE, E.S. et GELMAN, R. (1986) « Numerical abstraction by human infants ». *Cognition*, sous impression.

STAYTON, D.J. (1973) « Infant responses to brief everyday separations: Distress, following, and greeting ». Document présenté à la réunion de la « Society for Research in Child Development », mars 1973.

STEFFY, R.A., ASARNOW, R.F., ASARNOW, J.R., MACCRIMMON, D.J. et CLEGHORN, J.M. (1984) « The McMaster-Waterloo High-Risk Project: Multifacted strategy for high-risk research ». Dans Watt, H.F., Anthony, E.J., Wynne, L.C. et Rolf, J.E. (Éd.), *Children at Risk for Schizophrenia*. New York: Cambridge University Press.

STEIF, B.L., voir SACKEIM, PORTNOY, NEELEY, STEIF, DECINA et MALITZ (1985).

STEIF, M., voir SCHLEIFER, KELLER, MCKEGNEY et STEIN (1979).

STEIN, S., voir DION et STEIN (1978).

STEINHORST, R., voir HOMME, DE BACA, DEVINE, STEINHORST et RICKERT (1963).

STEINMETZ, J.L., voir LEWINSOHN, ANTONUCCIO, STEINMETZ et TERI (1984).

STEINMETZ, J.L., voir ROSS, AMABILE et STEINMETZ (1977).

STELLAR, E., voir STELLAR et STELLAR (1985).

STELLAR, J.R. et STELLAR, E. (1985) *The Neurobiology of Motivation and Reward*. New York, Springer-Verlag.

STEPHAN, W.G., voir BERNSTEIN, STEPHAN et DAVIS (1979).

STEPHAN, W.G., voir SNYDER, STEPHAN et ROSENFELD (1976).

STERMAN, M.B., voir DRUCKER-COLIN, SHKUROVICH et STERMAN (1979).

STERNBACH, R.A. (1978) *The Psychology of Pain*. New York: Raven.

STERNBERG, D.E., voir CHARNEY, HENINGER et STERNBERG (1984).

STERNBERG, R.J. (1985) *Beyond IQ: A Triarchic Theory of Human Intelligence*. New York: Cambridge University Press.

STERNBERG, R.J. (1986) *Intelligence Applied: Understanding and Increasing Your Intellectual Skills*. San Diego: Harcourt Brace Jovanovich.

STERNBERG, R.J. (Éd.) (1982) *Handbook of Human Intelligence*. New York: Cambridge University Press.

STERNBERG, R.J. (Éd.) (1984) *Human Abilities: An Information-processing Approach*. New York: Freeman.

STERNBERG, S. (1966) « Highspeed scanning in human memory ». *Science*, 153:652-54.

STERNBERG, S. (1969) « Memory-scanning: Mental processes revealed by reaction-time experiments ». *American Scientist*, 57:421-57.

STERNGLANZ, S.H. et SERBIN, L.A. (1974) « Sex-role stereotyping in children's television programs ». *Developmental Psychology*, 10:710-15.

STEUER, F.B., APPLEFIELD, J.M. et SMITH, R. (1971) « Televised aggression and the interpersonal aggression of preschool children ». *Journal of Experimental Child Psychology*, 11:422-47.

STEVENS, B., voir ROGERS et STEVENS (1967).

STEVENS, S.S. (1957) « On the psychophysical law ». *Psychological Review*, 64:153-81.

STEVENS, S.S. (1975) *Psychophysics: Introduction to Its Perceptual, Neural and Social Prospects*. New York: Wiley.

STEVENS, S.S. et NEWMAN, E.B. (1936) « The localization of actual sources of sound ». *American Journal of Psychology*, 48:297-306.

STEVENS-LONG, J., SCHWARZ, J.L. et BLISS, D. (1976) « The acquisition of compound sentence structure in an autistic child ». *Behavior Therapy*, 7:397-404.

STEVENSON, I. (1977) « Reincarnation: Field studies and theoretical issues ». Dans Wolman, B.B. (Éd.), *Handbook of Parapsychology*. New York: Van Nostrand Reinhold.

STILES, W.B., SHAPIRO, D.A. et ELLIOTT, R. (1986) « Are all psychotherapies equivalent? » *American Psychologist*, 41:165-80.

STILLMAN, R.C., voir EICH, WEINGARTNER, STILLMAN et GILLIAN (1975).

STOCKDALE, J.B. (1984) *A Vietnam Experience*. Stanford: Hoover Press.

STORMS, M.D. (1981) « A theory of erotic orientation development ». *Psychological Review*, 88:340-53.

STRASSMAN, H.D., THALER, M.B. et SCHEIN, E.H. (1956) « A prisoner of war syndrome: Apathy as a reaction to severe stress ». *American Journal of Psychiatry*, 112:998-1003.

STRAUS, R., voir ROSENMAN, BRAND, JENKINS, FRIEDMAN, STRAUS et WRUM (1975).

STRAUSS, J.S. (1982) « Behavioral aspects of being disadvantaged and risk for schizophrenia ». Dans Parron, D.L., Solomon, F. et Jenkins, C.D. (Éd.), *Behavior, Health Risks, and Social Disadvantage*. Washington, D.C.: National Academy Press.

STREISSGUTH, A.P., CLARREN, S.K. et JONES, K.L. (1985) « Nature history of the fetal alcohol syndrome: A 10-year follow-up of eleven patients ». *The Lancet*, 2 (n° 8446): 85-91.

STICKER, E.M., ROWLAND, N., SALLER, C.F. et FRIEDMAN, M.I. (1977) « Homeostasis during hypoglycemia: Central control of adrenal secretion and peripheral control of feeding ». *Science*, 196:79-81.

STRICKER, E.M., voir FRIEDMAN et STRICKER (1976).

STROEBE, W., INSKO, C.A., THOMPSON, V.D. et LAYTON, B.D. (1971) « Effects of physical attractiveness, attitude similarity and sex on various aspects of interpersonal attraction ». *Journal of Personality and Social Psychology*, 18:79-91.

STRONGMAN, K.T. (1978) *The Psychology of Emotion* (2e éd.). New York: Wiley.

STUART, R.B. et DAVIS, B. (1972) *Slim Chance in a Fat World*. Champaign, Ill., Research Press.

STUDDERT-KENNEDY, M., voir LIBERMAN, COOPER, SHANKWEILER et STUDDERT-KENNEDY (1967).

STUNKARD, A.J. (1982) « Obesity ». Dans Hersen, M., Bellack, A., Kazdin, A. (Éd.), *International Handbook of Behavior Modification and Therapy*. New York: Plenum.

STUNKARD, A.J. (Éd.) (1980) *Obesity*. Philadelphia: Saunders.

STUNKARD, A.J., FOCH, T.T. et HRUBEC, Z. (1986) « A twin study of human obesity ». *Journal of the American Medical Association*, 256:51-54.

STUNKARD, A.J., voir CRAIGHEAD, STUNKARD et O'BRIEN (1981).

STURLA, E., voir IMPERATO-MCGINLEY, PETERSON, GAUTIER et STURLA (1979).

STURT, E., voir BEBBINGTON, STURT, TENNANT et HURRY (1984).

SULLIVAN, E.V., voir CORKIN, COHEN, SULLIVAN, CLEGG, ROSEN et ACKERMAN (1985).

SULS, J. (Éd.) (1982) *Psychological Perspectives on the Self*, Vol. 1. Hillsdale, N.J.: Erlbaum.

SULS, J. et GREENWALD, A.G. (Éd.) (1983) *Psychological Perspectives on the Self*, Vol. 2. Hillsdale, N.J.: Erlbaum.

SUOMI, S.J. (1977) « Peers, play, and primary prevention in primates ». Dans *Proceedings of the Third Vermont Conference on the Primary Prevention of Psychopathology: Promoting Social Competence and Coping in Children*. Hanover, N.H.: University Press of New England.

SUOMI, S.J., HARLOW, H.F. et MCKINNEY, W.T. (1972) « Monkey psychiatrist ». *American Journal of Psychiatry*, 28:41-46.

SUOMI, S.J., voir HARLOW et SUOMI (1970).

SUPPES, P., voir KRANTZ, LUCE, SUPPES et TVERSKY (1971).

SURBER, C.F. (1977) « Developmental processes in social inference: Averaging of intentions and consequences in moral judgment ». *Developmental Psychology*, 13:654-65.

SUTTON-SMITH, B. (1982) « Birth order and sibling status effects ». Dans Lamb, M.E. et Sutton-Smith, B. (Éd.), *Sibling Relationships: Their Nature and Significance Across the Life-Span*, Hillsdale, N.J.: Erlbaum.

SVAETICHIN, G. (1956) « Spectral response curves from single cones ». *Acta Physiologica Scandinavica*, 39(Suppl. 134):17-46.

SWANN, W.B., JR. et READ, S.J. (1981) « Acquiring self-knowledge: The search for feedback that fits ». *Journal of Personality and Social Psychology*, 41:1119-28.

SWAP, W., voir SAEGERT, SWAP et ZAJONC (1973).

SWEENEY, J.A., voir WETZLER et SWEENEY (1986).

SWERDLOW, J., voir MANKIEWICZ et SWERDLOW (1977).

SWETS, J.A., voir GREEN et SWETS (1966).

SWINNEY, D.A. (1979) « Lexical access during sentence comprehension: Consideration of context effects ». *Journal of Verbal Learning and Verbal Behavior*, 18:645-59.

SYER, J. et CONNOLLY, C. (1984) *Sporting Body Sporting Mind: An Athlete's Guide to Mental Training*. Cambridge: Cambridge University Press.

SYLVESTER, D., voir AGRAS, SYLVESTER et OLIVEAU (1969).

T

TAKAHASHI, K. (1986) « Examining the strange-situation procedure with Japanese mothers and 12-month-old infants ». *Development Psychology*, 22:265-70.

TALOVIC, S.A., voir MEDNICK, CUDECK, GRIFFITH, TALOVIC et SCHULSINGER (1984).

TANNER, J.M. (1970) « Physical growth », Dans Mussen, P.H. (Éd.), *Carmichael's Manual of Child Psychology*, Vol. 1 (3e éd.). New York: Wiley.

TAPP, J.T., voir SCHNEIDERMAN et TAPP (1985).

TARLER-BENLOLO, L. (1978) « The role of relaxation in biofeedback training ». *Psychological Bulletin*, 85:727-55.

TARSHIS, B., voir SCHNEIDER et TARSHIS (1986).

TART, C.T. (1979) « Measuring the depth of an altered state of consciousness, with particular reference to self-report scales of hypnotic depth ». Dans Fromm, E. et Shor, R.E. (Éd.), *Hypnosis: Developments in Research and New Perspectives* (2ᵉ éd.). New York: Aldine.

TART, C.T. (Éd.) (1975) *States of Consciousness.* New York: Dutton.

TART, C. et DICK, L. (1970) « Conscious control of dreaming: Pt. 1. The post-hypnotic dream ». *Journal of Abnormal Psychology*, 76:304-15.

TARTTER, V.C. (1986) *Language Processes.* New York: Holt, Rinehart et Winston.

TASHKIN, D.P., COULSON, A., CLARK, V. et coll. (1985) « Respiratory symptoms and lung function in heavy habitual smokers of marijuana alone and with tobacco, smokers of tobacco alone and nonsmokers ». *American Review of Respiratory Disease*, 131:A198.

TAUBER, E.S., voir ROFFWARG, HERMAN, BOWE-ANDERS et TAUBER (1978).

TAVRIS, C. (1984) *Anger: The Misunderstood Emotion.* New York: Simon et Schuster.

TAVRIS, C. et OFFIR, C. (1977) *The Longest War: Sex Differences in Perspective.* New York: Harcourt Brace Jovanovich.

TAVRIS, C. et SADD, S. (1977) *The Redbook Report on Female Sexuality.* New York: Dell.

TAYLOR, D.A., voir ALTMAN et TAYLOR (1973).

TEASDALE, J.D., voir CAMPBELL, COPE et TEAS-DALE (1983).

TEASDALE, T.W. et OWEN, D.R. (1984) « Heredity and familial environment in intelligence and education level: A sibling study ». *Nature*, 309:620-22.

TEDESCHI, J.T. et ROSENFELD, P. (1981) « Impression management and the forced compliance situation ». Dans Tedeschi, J.T. (Éd.) *Impression Management Theory and Social Psychological Research.* New York: Academic Press.

TEITELBAUM, P., voir HOEBEL et TEITELBAUM (1966).

TELCH, M.J., voir THORESEN, TELCH et EAGLESTON (1981).

TELLER, D.Y., MORSE, R., BORTON, R. et REGAL, D. (1974) « Visual acuity for vertical and diagonal gratings in human infants ». *Vision Research*, 14:1433-39.

TELLER, D.Y., PEEPLES, D.R. et SEKEL, M. (1978) « Discrimination of chromatic from white light by two-month old human infants ». *Vision Research*, 18:41-48.

TEMPLIN, M.C. (1957) *Certain Language Skills in Children: Their Development and Interrelationships.* Minneapolis: University of Minnesota Press.

TENNANT, C., SMITH, A., BEBBINGTON, P. et HURRY, J. (1981) « Parental loss in childhood: Relationship to adult psychiatric impairment and contact with psychiatric services ». *Archives of General Psychiatry*, 38:309-14.

TENNANT, C., voir BEBBINGTON, STURT, TEN-NANT et HURRY (1984).

TENNEY, Y.J., voir SHEINGOLD et TENNEY (1982).

TERI, L., voir LEWINSOHN, ANTONUCCIO, STEINMETZ et TERI (1984).

TERI, L., voir LEWINSOHN, HOBERMAN, TERI et HAUTZINER (1985).

TERKEL, J. et ROSENBLATT, J.S. (1972) « Humoral factors underlying maternal behavior at parturition: Cross transfusion between freely moving rats ». *Journal of Comparative and Physiological Psychology*, 80:365-71.

TERMAN, G.W., SHAVIT, Y, LEWIS, J.W., CANNON, J.T. et LIEBESKIND, J.C. (1984) « Intrinsic mechanisms of pain inhibition: Activation by stress ». *Science*, 226:1270-77.

TERRACE, H.S., PETITTO, L.A., SANDERS, D.J. et BEVER, T.G. (1979) « Can an ape create a sentence? » *Science*, 206:891-902.

TESSER, A. et BRODIE, M. (1971) « A note on the evaluation of a « computer date. » » *Psychonomic Science*, 23:300.

TEST, M.A., voir BRYAN et TEST (1967).

TETLOCK, P.E. et LEVI, A. (1982) « Attribution bias: On the inconclusiveness of the cognition-motivation debate ». *Journal of Experimental Social Psychology*, 18:68-88.

TEUBER, H.L., voir MILNER, CORKIN et TEUBER (1968).

THALER, M.B., voir STRASSMAN, THALER et SCHEIN (1956).

THARP, R.G., voir WATSON et THARP (1985).

THIGPEN, C.H. et CLECKLEY, H. (1957) *The Three Faces of Eve.* New York: McGraw-Hill.

THOMAS, A. et CHESS, S. (1977) *Temperament and Development.* New York: Brunner/Mazel.

THOMAS, A., voir CHESS et THOMAS (1982).

THOMAS, D., voir NATHANS, THOMAS et HOG-NESS (1986).

THOMAS, D.S., voir THOMAS et THOMAS (1928).

THOMAS, E.L. et ROBINSON, H.A. (1982) *Improving Reading in Every Class.* Boston: Allyn et Bacon.

THOMAS, J.P., voir BOFF, KAUFMAN et THOMAS (1986).

THOMAS, J.P., voir OLZAK et THOMAS (1986).

THOMAS, M.H., HORTON, R.W., LIPPINCOTT, E.C. et DRABMAN, R.S. (1977) « Desensitization to portrayals of real-life aggression as a function of exposure to television violence ». *Journal of Personality and Social Psychology*, 35:450-58.

THOMAS, W.I. et THOMAS, D.S. (1928) *The Child in America.* New York: Knopf.

THOMPSON, C.W., voir HUDSPETH, MCGAUGH et THOMPSON (1964).

THOMPSON, H., voir GESELL et THOMPSON (1929).

THOMPSON, J.K., JARVIE, G.J., LAKEY, B.B. et CURETON, K.J. (1982) « Exercise and obesity: Etiology, physiology, and intervention ». *Psychological Bulletin*, 91:55-79.

THOMPSON, N., voir BADDELEY, THOMPSON et BUCHANAN (1975).

THOMPSON, R.A., voir LAMB, THOMPSON, GARDNER, CHARNOV et ESTES (1984).

THOMPSON, R.F., voir GLUCK et THOMPSON (1986).

THOMPSON, V.D., voir STROEBE, INSKO, THOMPSON et LAYTON (1971).

THOMPSON, W.C., REYES, R.M. et BOWER, G.H. (1979) « Delayed effects of availability on judgment ». Manuscrit non publié, Stanford University.

THOMPSON, W.R. (1954) « The inheritance and development of intelligence ». *Proceedings of the Association for Research on Nervous and Mental Disease*, 33:209-31.

THOMPSON, W.R., voir FULLER et THOMPSON (1978).

THORESEN, C.E., TELCH, M.J. et EAGLESTON, J.R. (1981) « Altering Type A behavior ». *Psychosomatics*, 8:472-82.

THORESEN, C.E., voir FRIEDMAN, THORESEN, GILL et coll. (1985).

THORNDIKE, R.L., HAGEN, E.P. et SATTLER, J.M. (1986) *Stanford-Binet Intelligence Scale: Guide for Administering and Scoring the Fourth Edition.* Chicago: Riverside.

THORNDYKE, E.L. (1898) Animal intelligence: An experimental study of the associative processes in animals. *Psychological Monographs*, 2 (n° 8)

THORNE, B., voir HENLEY, HAMILTON et THORNE (1985).

THURSTONE, L.L. (1938) Primary mental abilities. *Psychometric Monographs*, n° 1. Chicago: University of Chicago Press.

THURSTONE, L.L. et THURSTONE, T.G. (1963) *SRA Primary Abilities.* Chicago: Science Research Associates.

THURSTONE, T.G., voir THURSTONE et THUR-STONE (1963).

TICE, D.M., voir BEAUMEISTER et TICE (1984).

TIMBERLAKE, W. et ALLISON, J. (1974) « Response deprivation: An empirical approach to instrumental performance ». *Psychological Review*, 81:146-64.

TINKLENBERG, J.R., voir DARLEY, TINKLEN-BERG, ROTH, HOLLISTER et ATKINSON (1973).

TITCHENER, E.B. (1896) *An Outline of Psychology.* New York: Macmillan.

TITLEY, R.W. et VINEY, W. (1969) « Expression of aggression toward the physically handicapped ». *Perceptual and Motor Skills*, 29:51-56.

TOBEY, E.L. et TUNNELL, G. (1981) « Predicting our impressions on others: Effects of public self-consciousness and acting, a self-monitoring subscale ». *Personality and Social Psychology Bulletin*, 7:661-69.

TOGNACCI, L.N., voir WEIGEL, VERNON et TOGNACCI (1974).

TOLMAN, E.C. (1932) *Purposive Behavior in Animals and Men*. New York: Appleton-Century-Crofts. (Réimpression 1967. New York: Irvington.)

TOMPKINS, S.S. (1980) « Affect as amplification: Some modifications in theory ». Dans Plutchik, R. et Kellerman, H. (Éd.), *Emotion: Theory, Research and Experience*, Vol. 1. New York: Academic Press.

TORGERSEN, S. (1983) « Genetic factors in anxiety disorders ». *Archives of General Psychiatry*, 40:1085-89.

TOTH, M.F., voir ARKIN, TOTH, BAKER et HASTEY (1970).

TOWER, A., voir DAVIDSON, YASUNA et TOWER (1979).

TOWNSEND, J.T. (1971) « A note on the identifiability of parallel and serial processes ». *Perception and Psychophysics*, 10:161-63.

TRAUPMANN, J. et HATFIELD, E. (1981) « Love and its effects on mental and physical health ». Dans Fogel, R.W., Hatfield, E., Kiesler, S.B. et Shanas, E. (Éd.) *Aging: Stability and Change in the Family*. New York: Academic Press.

TREISMAN, A., voir KAHNEMAN et TREISMAN (1984).

TRUAX, C.B. et MITCHELL, K.M. (1971) « Research on certain therapist interpersonal skills in relation to process and outcome ». Dans Bergin, A.E. et Garfield, S.L. (Éd.), *Handbook of Psychotherapy and Behavior Change: An Empirical Analysis*. New York: Wiley.

TRUDEAU, M.B., voir HAMBURG et TRUDEAU (1981).

TULVING, E. (1974) « Cue-dependent forgetting ». *American Scientist*, 62:74-82.

TULVING, E. (1983) *The Elements of Episodic Memory*. New York: Oxford University Press.

TULVING, E. (1985) « How many memory systems are there? » *American Psychologist*, 40:385-98.

TULVING, E. et PEARLSTONE, Z. (1966) « Availability versus accessibility of information in memory for words ». *Journal of Verbal Learning and Verbal Behavior*, 5:381-91.

TULVING, E., voir WATKINS, HO et TULVING (1976).

TUNNELL, G., voir TOBEY et TUNNELL (1981).

TURNER, S.M., CALHOUN, K.S. et ADAMS, E. (Éd.) (1981) *The Handbook of Clinical Behavior Therapy*. New York: Wiley.

TURNER, T.R., voir BOWER, BLACK et TURNER (1979).

TVERSKY, A. et KAHNEMAN, D. (1973) « On the psychology of prediction ». *Pychological Review*, 80:237-51.

TVERSKY, A. et KAHNEMAN, D. (1983) « Extensional versus intuitive reasoning: The conjunction fallacy in probability judgment ». *Psychological Review*, 90:293-315.

TVERSKY, A., voir KAHNEMAN, SLOVIC et TVERSKY (1982).

TYHURST, J.S. (1951) « Individual reactions to community disaster ». *American Journal of Psychiatry*, 10:746-69.

TYLER, C.W., voir NAKAYAMA et TYLER (1981).

TYLER, R.W., voir EELLS, DAVIS, HAVIGHURST, HERRICK et TYLER (1951).

U

UDELF, M.S., voir FANTZ, ORDY et UDELF (1962).

ULLMAN, M., voir WOLMAN, DALE, SCHMEIDLER et ULLMAN (1985).

ULLMAN, S. (1979) *The Interpretation of Visual Motion*. Cambridge, Mass.: M.I.T. Press.

ULRICH, R., voir HOGARTY, SCHOOLER, ULRICH, MUSSARE, FERRO et HERRON (1979).

UNDERWOOD, B. et MOORE, B.S. (1981) « Sources of behavioral consistency ». *Journal of Personality and Social Psychology*, 40:780-85.

UNGERLEIDER, J.T., voir SCHAEFFER, ANDRYSIAK et UNGERLEIDER (1981).

URANOWITZ, S.W., voir SNYDER et URANOWITZ (1978).

V

VALENSTEIN, E.S. (1980) « A prospective study of cingulatomy ». Dans Valenstein, E.S. (Éd.), *The Psychosurgery Debate: Scientific, Legal, and Ethical Perspectives*. San Francisco: Freeman.

VALLONE, R.P., ROSS, L. et LEPPER, M.R. (1985) « The hostile media phenomenon: Biased perception and perceptions of media bias in coverage of the Beirut massacre ». *Journal of Personality and Social Psychology*, 49:577-85.

VAN CANTFORT, P.E. et RIMPAU, J.B. (1982) « Sign language studies with children and chimpanzees ». *Sign Language Studies*, 34:15-72.

VAN EEDEN, F. (1913) « A study of dreams ». *Proceedings of the Society for Psychical Research*, 26:431-61.

VAN SLUYTERS, R.C., voir MOVSHON et VAN SLUYTERS (1981).

VEITH, I. (1970) *Hysteria: The History of a Disease*. Chicago: University of Chicago Press.

VIEMERO, V., voir LAGERSPETZ, VIEMERO et AKADEMI (1986).

VIGORITO, J., voir EIMAS, SIQUELAND, JUSCZYK et VIGORITO (1971).

VINEY, W., voir TITLEY et VINEY (1969).

VOGEL, W.H., voir CARROL, ZUCKERMAN et VOGEL (1982).

VON LANG, J. et SIBYLL, C. (Éd.) (1983) *Eichmann Interrogated* (R. Manheim, trad.). New York: Farrar, Straus et Giroux.

VONNEGUT, M. (1975) *The Eden Express*. New York: Bantam.

W

WABER, D.P. (1977) « Sex differences in mental abilities, hemispheric lateralization, and rate of physical growth at adolescence ». *Developmental Psychology*, 13:29-38.

WABER, D.P., MANN, M.B., MEROLA, J. et MOYLAN, P.M. (1985) « Physical maturation rate and cognitive performance in early adolescence: A longitudinal examination ». *Developmental Psychology*, 21:666-81.

WACK, D.L., voir COTTRELL, RITTLE et WACK (1967).

WACK, D.L., voir COTTRELL, WACK, SEKERAK et RITTLE (1968).

WADDEN, T.A. et ANDERTON, C.H. (1982) « The clinical use of hypnosis ». *Psychological Bulletin*, 91:215-43.

WAGENAAR, W.A., voir LOFTUS, SCHOOLER et WAGENAAR (1985).

WAGMAN, I., voir BATTERSBY et WAGMAN (1962).

WAGNER, A.R. (1981) « SOP: A model of automatic memory processing in animal behavior ». Dans Spear, N.E. et Miller, R.R. (Éd.), *Information Processing in Animals: Memory Mechanisms*. Hillsdale, N.J.: Erlbaum.

WALDER, L.O., voir ERON, HYESMANN, LEFKOWITZ et WALDER (1972).

WALDER, L.O., voir HUESMANN, ERON, LEFKOWITZ et WALDER (1984).

WALK, R.D., voir GIBSON et WALK (1960).

WALKER, C.E., HEDBERG, A., CLEMENT, P.W. et WRIGHT, L. (1981) *Clinical Procedures for Behavior Therapy*. Englewood Cliffs, N.J.: Prentice-Hall.

WALKER, E. (1978) *Explorations in the Biology of Language*. Montgomery, Vt.: Bradford Books.

WALKER, M.R., voir FREEMAN, WALKER, BORDEN et LATANE (1975).

WALKER, P.A., voir MONEY, WIEDEKING, WALKER et GAIN (1976).

WALL, P.D., voir MELZAK et WALL (1965).

WALL, S., voir AINSWORTH, BLEHAR, WALTERS et WALL (1978).

WALLACE, P. (1977) « Individual discrimination of humans by odor ». *Physiology and Behavior*, 19:577-79.

WALLACE, P.M., voir BROWN et WALLACE (1980).

WALLEY, R.E. et WEIDEN, T.D. (1973) « Lateral inhibition and cognitive masking: A neuropsychological theory of attention ». *Psychological Review*, 80:284-302.

WALSTER, E., ARONSON, E., ABRAHAMS, D. et ROTTMAN, L. (1966) « Importance of physical attractiveness in dating behavior ». *Journal of Personality and Social Psychology*, 4:508-16.

WALTSTER, E., voir BERSCHEID et WALSTER (1974).

WALSTER, E., voir BERSCHEID et WALSTER (1978).

WALSTER, E., voir DION, BERSCHEID et WALSTER (1972).

WALTERS, E., voir AINSWORTH, BLEHAR, WALTERS et WALL (1978).

WALZER, M. (1970) *Obligations*. Cambridge, Mass.: Harvard University Press.

WARD, L.M., voir COREN, PORAC et WARD (1984).

WARD, L.M., voir JONES, ROCK, SHAVER, GOETHALS et WARD (1968).

WARNER, P., voir MICHAEL, BONSALL et WARNER (1974).

WARRINGTON, E.K. et WEISKRANTZ, L. (1978) « Further analysis of the prior learning effect in amnesic patients ». *Neuropsychologia*, 16:169-77.

WARWICK, D.P., voir NEWCOMB, KOENIG, FLACKS et WARWICK (1967).

WASON, P.C. et JOHNSON-LAIRD, P.N. (1972) *Psychology of Reasoning: Structure and Content*. London: Batsford.

WATERS, E., WIPPMAN, J. et STROUFF, L.A. (1979) « Attachment, positive affect, and competence in the peer group: Two studies in construct validation ». *Child Development*, 50:821-29.

WATERS, H.F. et MALAUMD, P. (1975) « Drop that gun, Captain Video ». *Newsweek*, 85:81-82.

WATKINS, M.J., HO, E. et TULVING, E. (1976) « Context effects in recognition memory for faces ». *Journal of Verbal Learning and Verbal Behavior*, 15:505-18.

WATKINS, M.J., voir CRAIK et WATKINS (1973).

WATSON, C., voir BEM, MARTYNA et WATSON (1976).

WATSON, D.L. et THARP, R.G. (1985) *Self-directed Behavior: Self-modification for Personal Adjustment* (4e éd.). Belmont, Calif.: Wadsworth.

WATSON, G. (1966) *Social Psychology Issues and Insights*. Philadelphia: Lippincott.

WATSON, J.B. (1928) *Psychological Care of Infant and Child*. New York: Norton.

WATSON, J.B. (1950) *Behaviorism*. New York: Norton.

WATSON, J.S. (1983) « Contingency perception in early social development ». Document non publié, University of California, Berkeley.

WATSON, J.S., voir BAHRICK et WATSON (1985).

WATSON, R.I. (1978) *The Great Psychologists: From Aristotle to Freud* (4e éd.) Philadelphia: Lippincott.

WATT, N.F., voir WHITE et WATT (1981).

WAUGH, N.C. et NORMAN, D.A. (1965) « Primary memory ». *Psychological Review*, 72:89-104.

WEATHERLY, D. (1964) « Self-perceived rate of physical maturation and personality in late adolescence ». *Child Development*, 35:1197-1210.

WEBB, W.B. (1974) *Sleep the Gentle Tyrant*. Englewood Cliffs, N.J.: Prentice-Hall.

WEBB, W.B. et AGNEW, H.W. (1975) *Le sommeil et le rêve*. Montréal, HRW.

WEBER, E.H. (1934) *Concerning Touch*. (Réimpression 1978. H.E. Ross, trad.) New York: Academic Press.

WECHSLER, D. (1956) *La mesure de l'intelligence de l'adulte*. Paris, P.U.F.

WECHSLER, D. (1974) *Wechsler Intelligence Scale for Children*, Revised. New York: Psychological Corporation.

WEEKES, J.R., voir SPANOS, WEEKES et BERTRAND (1985).

WEIDEN, T.D., voir WALLEY et WEIDEN (1973).

WEIGEL, R.H., VERNON, D.T.A. et TOGNACCI, L.N. (1974) « Specificity of the attitude as a determinant of attitude-behavior congruence ». *Journal of Personality and Social Psychology*, 30:724-28.

WEIKART, D., voir HOHMANN, BANET et WEIKART (1979).

WEINBERG, M.S., voir BELL et WEINBERG (1978).

WEINBERG, M.S., voir BELL, WEINBERG et HAMMERSMITH (1981).

WEINBERG, R.A., voir SCARR et WEINBERG (1976).

WEINBERGER, J., voir SILVERMAN et WEINBERGER (1985).

WEINER, B., voir FESHBACH et WEINER (1986).

WEINER, I.B., voir KIMMEL et WEINER (1985).

WEINFELD, F.D., voir COLEMAN, CAMPBELL, HOBSON, MCPARTLAND, MOODY, WEINFELD et YORK (1966).

WEINGARTEN, H., GRAFMAN, J., BOUTELLE, W., KAYE, W. et MARTIN, P.R. (1983) « Forms of memory failure ». *Science*, 221:380-82.

WEINGARTNER, H., voir EICH, WEINTGARTNER, STILLMAN et GILLIAN (1975).

WEINSTEIN, S. (1968) « Intensive and extensive aspects of tactile sensitivity as a function of body part, sex, and laterality ». Dans Kenshalo, D.R. (Éd.), *The Skin Senses*. Springfield, Ill.: Thomas.

WEISKRANTZ, L., voir WARRINGTON et WEISKRANTZ (1978).

WEISMAN, S. (1966) « Enrivonmental and innate factors and educational attainment ». Dans Meade, J.E. et Parkes, A.S. (Éd.), *Genetic and Environmental Factors in Human Ability*. London: Oliver et Boyd.

WEISS, J.M. (1972) « Psychological factors in stress and disease ». *Scientific American*, 226:106.

WEISSMAN, M.M., voir ROBINS, HELZER, WEISSMAN et coll. (1984).

WELKOWITZ, J., EWEN, R.B. et COHEN, J. (1982) *Introductory Statistics for the Be-*

havioral Sciences (3e éd.). San Diego: Harcourt Brace Jovanovich.

WENGER, M. et BAGCHI, B. (1961) « Studies of autonomic function in practitioners of yoga in India ». *Behavioral Science*, 6:312-23.

WERTHEIMER, M. (1912) « Experimentelle Studien uber das Sehen von Beuegung ». *Zeitschrift fuer Psychologie*, 61:161-265.

WERTHEIMER, M. (1961) « Psychomotor coordination of auditory and visual space at birth ». *Science*, 134:1692-93.

WERTHEIMER, M. (1979) *A Brief History of Psychology* (éd. révisée). New York: Holt, Rinehart et Winston.

WEST, C. et ZIMMERMAN, D.H. (1983) « Small insults: A study of interruptions in cross-sex conversations between unacquainted persons ». Dans Thorne, B., Kramarae, C. et Henley, N. (Éd.), *Language, Gender, and Society*. Rowley, Mass.: Newbury House.

WETZEL, R.D., voir MURPHY et WETZEL (1980).

WETZLER, S.E. et SWEENEY, J.A. (1986) « Childhood amnesia: An empirical demonstration ». Dans Rubin, D.C. (Éd.) *Autobiographical Memory*. New York: Cambridge University Press.

WHEELER, L., voir KERNIS et WHEELER (1981).

WHIPPLE, K., voir SLOANE, STAPLES, CRISTOL, YORKSTON et WHIPPLE (1975).

WHISHAW, I.Q., voir KOLB et WHISHAW (1985).

WHITE, C. (1977) Thèse de doctorat non publiée, Catholic University, Washington, D.C.

WHITE, R.W. et WATT, N.F. (1981) *The Abnormal Personality* (5e éd.). New York: Wiley.

WHORF, B.L. (1956) « Science and linguistics ». Dans Carroll, J.B. (Éd.), *Language, Thought and Reality: Selected Writings of Benjamin Lee Whorf*. Cambridge, Mass.: M.I.T. Press.

WICKELGREN, W.A. (1979) *Cognitive Psychology*. Englewood Cliffs, N.J.: Prentice-Hall.

WIEDEKING, C., voir MONEY, WIEDEKING, WALKER et GAIN (1976).

WIENS, A.W., voir MATARAZZO et WIENS (1972).

WIENS, A.W., voir MATARAZZO et WIENS (1977).

WIER, C.C., voir GREEN et WEIR (1984).

WIESEL, T.N. et HUBEL, D.H. (1974) « Ordered arrangement of orientation columns in monkeys lacking visual experience ». *Journal of Comparative Neurology*, 158:307-18.

WIESEL, T.N., voir HUBEL et WIESEL (1963).

WIESEL, T.N., voir HUBEL et WIESEL (1968).

WIGDOR, A.K. et GARNER, W.R. (Éd.) (1982) *Ability Testing: Uses, Consequences, and Controversies*. Washington, D.C.: National Academy Press.

WILBUR, C.B., voir LUDWIG, BRANDSMA, WIL-BUR, BENDFELDT et JAMESON (1972).

WILKES, A.L. et KENNEDY, R.A. (1969) « Relationship between pausing and retrieval latency in sentences of varying grammatical form ». *Journal of Experimental Psychology*, 79:241-45.

WILKINS, W. (1984) « Psychotherapy: The powerful placebo ». *Journal of Consulting and Clinical Psychology*, 52:570-73.

WILKINSON, F., voir MITCHELL et WILKINSON (1974).

WILLERMAN, L. (1979) *The Psychology of Individual Differences*. San Francisco: Freeman.

WILLIAMS, B., voir DEMBROSKI, MACDOUGALL, WILLIAMS et HANEY (1985).

WILLIAMS, D.C. (1959) « The elimination of tantrum behavior by extinction procedures ». *Journal of Abnormal and Social Psychology*, 59:269.

WILLIAMS, K.D., voir LATANE, WILLIAMS et HARKINS (1979).

WILLIAMS, K.D., voir PETTY, HARKINS, WILLIAMS et LATANE (1977).

WILLIAMS, M.D. et HOLLAN, J.D. (1981) « The process of retrieval from very long-term memory ». *Cognitive Science*, 5:87-119.

WILLIAMS, R.B., JR., voir COSTA, ZONDERMAN, MCCRAE et WILLIAMS (1985).

WILLIAMS, R.L. (1972) *The BITCH Test (Black Intelligence Test of Cultural Homogeneity)*. St. Louis: Black Studies Program, Washington University.

WILLIAMS, R.M., voir LOCKE, KRAUS, LESERMAN, HURST, HEISEL et WILLIAMS (1984).

WILLS, T.A., voir COHEN et WILLS (1985).

WILSON, E.O. (1983) Passage cité dans « Mother nature's murderers, » *Discovery* (octobre 1983), 79-82.

WILSON, G.T., voir O'LEARY et WILSON (1975).

WILSON, I. (1982) *All in the Mind: Reincarnation, Stigmata, Multiple Personality and Other Little-Understood Powers of the Mind*. Garden City. N.Y.: Doubleday.

WILSON, M.A., voir MILES, RAYNAL et WILSON (1977).

WILSON, W.R. (1979) « Feeling more than we can know: Exposure effects without learning ». *Journal of Personality and Social Psychology*, 37:811-21.

WINCH, R.F., KTSANES, T., et KTSANES, V. (1954) « The theory of complementary needs in mate selection: An analytic and descriptive study ». *American Sociological Review*, 29:241-49.

WINZENZ, D., voir BOWER, CLARK, WINZENZ et LESGOLD (1969).

WIPPMAN, J., voir WATER, WIPPMAN et SROUFE (1979).

WISE, R.A. (1984) « Neuroleptic and operant behavior: The anhedonia hypothesis ». *Behavior and Brain Sciences*, 5:39-87.

WITKIN, H.A., MEDNICK, S.A., SCHULSINGER, F. et coll. (1976) « Criminality in XYY and XXY men », *Science*, 193:547-55.

WOHNS, R., voir FRIED, MATEER, OJEMANN, WOHNS et FEDIO (1982).

WOLF, M.M., voir PHILLIPS, PHILLIPS, FIXSEN et WOLF, (1972).

WOLFE, D.A. (1985) « Child-abusive parents: An empirical review and analysis ». *Psychological Bulletin*, 97:462-82.

WOLFF, H.G., voir HARDY, WOLFF et GOODELL (1947).

WOLFGANG, H., voir EYFERTH, BRANDT et WOLFGANG (1960).

WOLMAN, B.B., DALE, I.A., SCHMEIDLER, G.R. et ULLMAN, M. (Éd.) (1985) *Handbook of Parapsychology*. New York: Van Nostrand Reinhold.

WOLPERT, E., voir DEMENT et WOLPERT (1958).

WOOD, G. (1986) *Fundamentals of Psychological Research* (3e éd.). Boston: Little, Brown.

WOOD, L.E., voir DOOB et WOOD (1972).

WOOD, P.D., voir FARQUHAR, MACCOBY, WOOD et coll. (1977).

WOOD, P.D., voir MACCOBY, FARQUHAR, WOOD et ALEXANDER (1977).

WOODRUFF, C.L., voir KELLEY et WOODRUFF (1956).

WOODY, G.E., voir LUBORSKY, MCLELLAN, WOODY, O'BRIEN et AUERBACH (1985).

WORK, C.O., ZANNA, M.P. et COOPER, J. (1974) « The nonverbal mediation of self-fulfilling prophecies in interracial interaction ». *Journal of Experimental Social Psychology*, 10:109-20.

WORTMAN, C.B., BREHM, J.W. (1975) « Responses to uncontrollable outcomes: An integration of reactance theory and the learned helplessness model ». *Advances in Experimental and Social Psychology*, 8:277-86.

WRIGHT, L, voir WALKER, HEDBERG, CLEMENT et WRIGHT (1981).

WRIGHT, R.A., CONTRADA, R.J. et GLASS, D.C. (1985) « Psychophysiologic correlates of Type A behavior ». Dans Katkin, E.S. et Manuck, S.B. (Éd.), *Advances in Behavioral Medicine*. Greenwich, Conn.: JAI.

WRIGHT, W.D. (1946) *Researches on Normal and Color Defective Vision*. London: Henry Kimpton.

WRIGHTMAN, F.L. (1973) « Pitch and stimulus fine structure ». *Journal of the Acoustical Society of America*, 54:397-406.

WRUM, M., voir ROSENMAN, BRAND, JENKINS, FRIEDMAN, STRAUS et WRUM (1975).

WULFF, J.J., voir FRIEDMAN, SHEFFIELD, WULFF et BACKER (1951).

WURTZ, R., voir ROBINSON et WURTZ (1976).

WYKES, T., voir KATZ et WYKES (1985).

WYNNE, L.C., voir SINGER et WYNNE (1963).

Y

YAGER, D., KRAMER, P., SHAW, M. et GRAHAM, N. (1984) « Detection and identification of spatial frequency: Models and data ». *Vision Research*, 24:1021-25.

YAKSH, T., voir PLATT, YAKSH et DARBY (1967).

YALOM, I.D. (1975) *The Theory and Practice of Group Psychotherapy* (2e éd.). New York: Basic Books.

YALOM, I.D., voir LIEBERMAN, YALOM et MILES (1973).

YANKELOVICH, D. (1974) *The New Morality: A Profile of American Youth in the Seventies*. New York: McGraw-Hill.

YANKELOVICH, D. (1981) *New Rules: Searching for Self-Fulfillment in a World Turned Upside Down*. New York: Random House.

YARBUS, D.L. (1967) *Eye Movements and Vision*. New York: Plenum.

YASUNA, A., voir DAVIDSON, YASUNA et TOWER (1979).

YERKES, R.M. et MARGULIS, S. (1909) « The method of Pavlov in animal psychology ». *Psychological Bulletin*, 6:257-73.

YESAVAGE, J.A., LEIER, V.O., DENARI, M. et HOLLISTER, L.E. (1985) « Carry-over effect of marijuana intoxication on aircraft pilot performance: A preliminary report ». *American Journal of Psychiatry*, 142:1325-30.

YONAS, A., PETTERSEN, L. et GRANRUD, C.E. (1982) « Infants' sensitivity to familiar size as information for distance ». *Child Development*, 53:1285-90.

YORKSTON, N.J., voir SLOANE, STAPLES, CRISTOL, YORKSTON et WHIPPLE (1975).

YOST, W.A. et NIELSON, D.W. (1985) *Fundamentals of Hearing* (2e éd.). New York: Holt, Rinehart et Winston.

YOUNG, D., voir RICH, YOUNG et FOWLER (1985).

YOUNG, L.E., voir SHEPOSH, DEMING et YOUNG (1977).

YOUNG, R.D., voir FRANZOI, DAVIS et YOUNG (1985).

YOUNG, T. (1807) *A Course of Lectures on Natural Philosophy*. London: William Savage.

YU, B., ZHANG, W., JING, Q., PENG, R., ZHANG, G. et SIMON, H.A. (1985) « STM capacity for Chinese and English language materials ». *Memory and Cognition*, 13:202-207.

YUSSEN, S.R. et BERMAN, L. (1981) « Memory predictions for recall and recognition in first, third, and fifth-grade children ». *Developmental Psychology*, 17:224-29.

Z

ZAJONC, R.B. (1965) « Social facilitation ». *Science*, 149:269-74.

ZAJONC, R.B. (1968) « Attitudinal effects of mere exposure ». *Journal of Personality and Social Psychology*, Monograph Supplement 9 (n° 2): 1-29.

ZAJONC, R.B. (1972) *Psychologie sociale expérimentale*. Paris, Dunod.

ZAJONC, R.B. (1980) « Compresence ». Dans Paulus, P.B. (Éd.), *Psychology of Group Influence*, Hillsdale, N.J.: Erlbaum.

ZAJONC, R.B. (1984) « On the primacy of affect ». *American Psychologist*, 39:117-23.

ZAJONC, R.B. (1985) « Emotion and facial efference: A theory reclaimed ». *Science*, 228:15-21.

ZAJONC, R.B., HEINGARTNER, A. et HERMAN, E.M. (1969) « Social enhancement and impairment of performance in the cockroach ». *Journal of Personality and Social Psychology*, 13:83-92.

ZAJONC, R.B., voir MORELAND et ZAJONC (1979).

ZAJONC, R.B., voir SAEGERT, SWAP et ZAJONC (1973).

ZAMANSKY, H.S. et BARTIS, S.P. (1985) « The dissociation of an experience: The hidden observer observed ». *Journal of Abnormal Psychology*, 94:243-48.

ZANNA, M.P., voir FAZIO et ZANNA (1981).

ZANNA, M.P., voir FAZIO, ZANNA et COOPER (1977).

ZANNA, M.P., voir WORD, ZANNA et COOPER (1974).

ZARAGOZA, M., voir MCCLOSKEY et ZARAGOZA (1985).

ZEIGLER, H.P. et LEIBOWITZ, H. (1957) « Apparent visual size as a function of distance for children and adults ». *American Journal of Psychology*, 70:106-109.

ZELAZO, N.A., voir ZELAZO, ZELAZO et KOLB (1972).

ZELAZO, P., voir KAGAN, KEARSLEY et ZELAZO (1978).

ZELAZO, P.R., ZELAZO, N.A. et KOLB, S. (1972) « Walking: In the newborn ». *Science*, 176:314-15.

ZELAZO, P.R., voir KAGAN, KEARSLEY et ZELAZO (1978).

ZELNIK, M. et KANTER, J.F. (1977) « Sexual and contraceptive experience of young unmarried women in the United States, 1976 and 1971 ». *Family Planning Perspectives*, 9:55-71.

ZHANG, G. et SIMON, H.A. (1985) « STM capacity for Chinese words and idioms: Chunking and acoustical loop hypothesis ». *Memory and Cognition*, 13:193-201.

ZHANG, G., voir YU, ZHANG, JING, PENG, ZHANG et SIMON (1985).

ZIGLER, E. et BERMAN, W. (1983) « Discerning the future of early childhood intervention ». *American Psychologist*, 38:894-906.

ZIGLER, E.F. et GORDON, E.W. (Éd.) (1981) *Day Care: Scientific and Social Policy Issues*. Boston: Auburn House.

ZILLMANN, D. et BRYANT, J. (1974) « Effect of residual excitation on the emotional response to provocation and delayed aggressive behavior ». *Journal of Personality and Social Psychology*, 30:782-91.

ZIMBARDO, P.G. (1970) « The human choice: Individuation, reason and order versus deindividuation, impulse and chaos ». Dans Arnold, W.J. et Levine, D. (Éd.), *Nebraska Symposium on Motivation*, 1969, Vol. 16. Lincoln: University of Nebraska Press.

ZIMMERMAN, D.H., voir WEST et ZIMMERMAN (1983).

ZOLA, I.K., voir KOSA et ZOLA (Éd.) (1975).

ZONDERMAN, A.B., voir COSTA, ZONDERMAN, MCCRAE et WILLIAMS (1985).

ZUBEK, J.P. (1969) *Sensory Deprivation: Fifteen Years of Research*. New York: Appleton-Century-Crofts.

ZUCKERMAN, M. (1979) *Sensation Seeking: Beyond the Optimal Level of Arousal*. Hillsdale, N.J.: Erlbaum.

ZUCKERMAN, M. et NEEB, M. (1980) « Demographic influences in sensation seeking and expressions of sensation seeking in religion, smoking and driving habits ». *Personality and Individual Differences*, 1 (n° 3): 197-206.

ZUCKERMAN, M., voir CARROL, ZUCKERMAN et VOGEL (1982).

ZUCKERMAN, M., voir FISHER, ZUCKERMAN et NEEB (1981).

ZURIF, E.B., CARAMAZZA, A., MYERSON, R. et GALVIN, J. (1974) « Semantic feature representations for normal and aphasic language ». *Brain and Language*, 1:167-87.

ZURIF, E.B., voir CARAMAZZA et ZURIF (1976).

Index

Les numéros de page en *italique* se rapportent aux figures et tableaux .